HEAD AND NECK IMAGING
FOURTH EDITION

頭頸部の臨床画像診断学

改訂第4版

尾尻 博也 Hiroya Ojiri
東京慈恵会医科大学 放射線医学講座

南江堂

序文

本書『頭頸部の臨床画像診断学』は，2005年に初版，6年後の2011年に改訂第2版，さらに5年後の2016年に改訂第3版が出され，今般，改訂第4版の発刊に至った．

初版の執筆は，恩師多田信平先生の教えを受けて米国フロリダ大学放射線科に留学，Mancuso教授に頭頸部画像診断を師事して帰国した直後であった．その序文には本書の存在理由を“画像診断と臨床との統合”と記している．臨床の実践(治療選択，予後推定など)に必要な画像情報を得るには，臨床的視点からの画像診断アプローチが必要不可欠であり，画像診断医の画像検査に対する理解と頭頸部外科医・耳鼻咽喉科医による頭頸部疾患の臨床に対する理解との間を有機的に繋げることの重要性を強調した．第2版の序文においても「画像診断の知識を臨床に適用し実践することが最も重要」としている．初版発刊以降，多列検出器CTの普及など画像診断の進歩に加えて，TNM分類第7版への改訂，化学放射線療法の適応拡大など治療の変遷にも合わせたものであった．第3版は第2版発刊以降に広く認識された新たな疾患概念(IgG4関連疾患，HPV陽性中咽頭癌など)，分子標的薬の使用，化学放射線療法の適応拡大に伴い重要性を増した治療後画像評価について取り上げると同時に，成書での記述が少ない「頸部食道」を独立した章として追加した．また代表的疾患における私自身の画像診断報告書例(付録)を付け，臨床的な実用書として本書の内容を診断報告書にどのように反映させるかを例示させていただいた．さて第3版発刊以降であるが，TNM分類第8版への改訂，頭頸部腫瘍のWHO分類の改訂が臨床面での大きな変更として挙げられ，これらに沿って書き直すことが本改訂の最大の目的であった．さらに各領域での重要な疾患を整理し，新たに提唱された分類，歴史的事項(疾患概念の変遷など)について必要に応じて追加記述した．そして大きな変更点として「頭頸部組織間隙・筋膜および頸三角の解剖」の章を追加した．頭頸部の解剖は複雑であるが(画像診断医が敬遠する大きな理由となっている)，初版から単純なアトラス的解剖の記述については最低限としてきた(実際にある程度の臨床解剖を理解していることを前提とした記述となっており，第4版も基本的にはこれを踏襲している)．ただし，頸筋膜・組織間隙の解剖学的理解は病変の進展様式の把握，鑑別診断のアプローチに必要不可欠であり，単なる知識としての解剖をこえた意味を持つことから，本書の目的にも沿ったものであり新たな章として加えることとした．

初版から16年の経過のなかで画像診断，頭頸部外科・耳鼻咽喉科学いずれの臨床においても継続的な進歩や変遷の歴史があった．実践的に活用いただくため，5～6年間隔で行われてきた改訂は必要に迫られたものであったが，本版も臨床的要素を可能なかぎり取り入れた頭頸部画像診断の実用書として受け入れられ，少しでも臨床に寄与することを願っている．最後に，再度このような機会に恵まれたことに感謝したい．そして，頭頸部画像診断の私の恩師である多田信平先生，Tony(Mancuso教授)，臨床の多くをご指導いただいた森山寛前教授，小島博己教授を始めとする東京慈恵会医科大学耳鼻咽喉科学教室の先生方，丁寧な編集作業を行っていただいた南江堂の達紙優司氏，松本岳氏，執筆や改訂の環境を提供してくれた当講座のスタッフ，家族に改めて深謝する．

2021年3月

尾尻　博也

初版の序

頭頸部画像診断の成書としては，英文では第4版を数えるSom PM，Curtin HD編の“Head and Neck Imaging”(Mosby Inc. 出版)，邦文ではわが恩師である多田信平先生，黒崎喜久先生編の“頭頸部のCT・MRI”(メディカル・サイエンス・インターナショナル社出版)が絶対的なリファレンス・ブックとして存在する．そのなかで本書を記したのには，私なりに本書の“存在理由”があると信じているからである．

米国フロリダ大学放射線科神経放射線部にDr. Mancusoのもと頭頸部画像診断を学ぶために留学して，最も衝撃を受けたのは読影の姿勢と理論の構築であった．それまでは無意識のうちに症例を画像としてしか見ておらず，通常の喉頭癌，咽頭癌などよりもまれな組織型や非典型的な画像所見を示す例により興味を惹かれていたのが実際であった．しかし，Dr. Mancusoは全ての症例において，まず臨床医の側から「この症例をどう扱うべきか？」という視点に立って，治療の要否，治療選択，術式選択，予後推定，治療後合併症の危険性，経過観察などに対する臨床医の判断に必要な情報は何かを考え，次に画像診断医の視点に立って，画像からこれに関わるすべての画像情報を引き出して臨床医に伝える努力をしていた．これには画像診断に対する理解とともに，解剖，多岐にわたる治療選択，適用などを含めて臨床医以上に臨床の知識が要求されるということを痛感していた．

2002年にDr. Mancusoとともに出した“Head and Neck Radiology - Teaching file”(Lippincott Williams & Wilkins社出版)では具体的な100症例とともに頭頸部画像診断の臨床における実践(臨床に必要な画像情報を得るためにはどのようなアプローチが必要か？)を示した．構成のなかには特定の質問と解答，同様の病態を示す症例の画像を繰り返している．また，その序文に「“Making the diagnosis”is an important, but secondary, concern.」とある．これらはある特定の病態に対する画像診断アプローチにおける“logicとdiscipline”の重要性を強調するものである．ただ，頭頸部画像診断の臨床における実践を行うためには(画像診断知識の)臨床への適用が必要となる．これは各病態に対する臨床の実践のなかで画像診断アプローチの各ステップがもつ臨床的意義を知るためであり，頭頸部領域の代表的病態に対する理解とともに既述の臨床解剖，治療要否・選択の判断，術式(手技や適用・禁忌など)などに対する臨床的知識が必要とされる．すなわち，これら臨床的事項に対する理解を得ることではじめて「どのような画像所見がどのような臨床的意義をもつのか(どのように治療選択，術式，予後などに影響するのか)？」という画像所見と臨床との統合を図ることが可能となる．そこで本書は先の“Head and Neck Radiology - Teaching file”で示された「臨床における実践」を深い理解のもとに行うために必要な「臨床への適用」における情報を理解し，既述の2冊のリファレンス・ブックにおける画像診断医の知識と耳鼻科医，頭頸部外科医の知識との間を継ぐという“存在理由”のもとに独立した教科書として記した．本書が頭頸部疾患の臨床において一助となることを望む．

末筆ながら，本書執筆の熱意を抱かせてくれたDr. Mancuso，多くの助言を頂いた多田信平先生，福田国彦先生，出版にご尽力頂いた株式会社南江堂の杉浦伴子氏，一條尚人氏に感謝する．

2005年3月

尾尻　博也

目　次

3章　鼻副鼻腔　119

4章 上咽頭 261

5章 口 腔 307

6章 中咽頭 385

7章 喉 頭 461

8章 下咽頭 559

9章 頸部食道 605

10章 頸部リンパ節 629

11章 頸部囊胞性腫瘤 727

12章 側頭骨 791

13章　唾液腺　1035

14章 頭蓋顔面・頸部外傷 1143

15章 神経周囲進展 1217

16章 その他 1271

付録 1 画像診断レポート 1299

付録 2 頭頸部の正常画像解剖アトラス 1313

●以下の掲載写真は，Dr. Mancuso(University of Florida，Department of Radiology)のご厚意による.
3 章 ：図 2，4，22，23，25，27，28，29A，31，54，55，58，83，93，95，210，212，226
4 章 ：図 6，7，10A，16，33，34，56
5 章 ：図 6，21，59，64，66，91〜94
6 章 ：図 7，19，29，35，37，40A，43，44B，51，56，66，83，85〜87，94，104，106，109
7 章 ：図 13，15A・C，27，34，39，49B・C，53A，60，67，76，79A，83A・B，97，99，100，102，111，112，113A，114
8 章 ：図 5，9，16，18，20，35，40，44，73，74
10 章 ：図 4A，5，6A，8A，10B，11A・B，13A，14A，15，16A・B，17A・B，18，20A，23，27，30，31，32A，33A，50，52，53，64A，68A〜D，69，72B
11 章 ：図 2A，4，8A，17，18，22，26，30A，45，59，60，83，87，90B，95
12 章 ：図 41，47，57，98，111A・B，114，119，121，122，168，176A・B，180，181，184，228，304B，318，320
13 章：図 13，19，23A，38，44A・B，46，48，99

●以下の図については，秀潤社刊行雑誌「画像診断」Vol.22 (2002 年)の各頁掲載の図を許可を得て転載した.
3 章 ：図 1B〜5A，10，11，16，17，21A，22〜23，25，27，28，29A，31，37(No.6，p675〜683，図 1〜16，18，19，22 より)
4 章 ：図 4(No.7，p789，図 1，2 より)
6 章 ：図 4(No.7，p789，図 1，2 より)
8 章 ：図 7(No.7，p789，図 1，2 より)
10 章 ：図 3A(No.8，p910，図 6 より)
12 章 ：図 5(No.4，p427〜428，図 1，図 2 より)，図 7(No.4，p431，図 7 より)，図 12，14〜16(No.5，p537〜541，図 1，5，6，8 より)

●本書の第 7，8，10，11 章に関して，初出は，多田信平先生，黒崎喜久先生編集“頭頸部の CT・MRI”の第Ⅸ章から第Ⅻ章の原稿であり，本書出版にあたり，これに加筆，修正を加えるとともに，発行元のメディカル・サイエンス・インターナショナル社の許可を得て掲載した.

●以下の掲載写真は，Ojiri H : Diagnostic imaging of the esophageal cancer. Esophageal Squamous Cell Carcinoma，Ando A (ed)，2014 より Springer Science + Business Media の許可を得て転載した.
9 章 ：図 1，5，8，14，15，16A，18，20，27

●以下の掲載写真は，Ojiri H : Perineural spread in head and neck malignancies. Radiation Medicine Vol.24 No.1，p1〜8，2006 より，公益社団法人 日本医学放射線学会の許可を得て転載した.
15 章 ：図 5B・C・E・F，33，38，41，44E・F，53，64，69，70A・C

1 頸部組織間隙・筋膜および頸三角の解剖

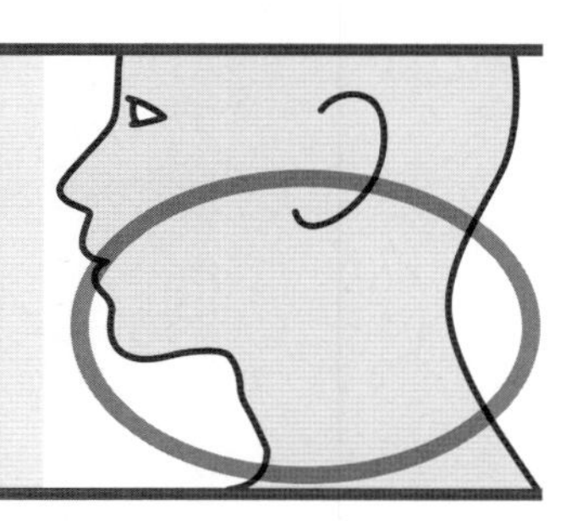

頭頸部は複数の組織間隙(space)の集合体として形成されているが，これら組織間隙は筋膜(fascia)で区分される機能性単位と考えられる．病変(主に炎症や腫瘍)の進展は頸筋膜解剖に従い抵抗の小さな経路をとる傾向にあり，組織間隙と頸筋膜解剖の理解は病変の進展様式の把握，評価に必要不可欠である．また由来する組織間隙の同定は鑑別診断への合理的アプローチの最初の重要なステップとなる．

頸筋膜の解剖はBurns[1]，GrodynskyおよびHolyokeら[2]による古典的な外科解剖の記述として始まるが，PoierierとCharpyが"The cervical fasciae appear in a new form under the pen of each author who attempts to describe them[3]"と記載するとおり，現在に至るまで多くの異なる記述，理解が混在しており，解剖におけるProteus(ギリシャ神話に出てくる，変幻自在な姿と予言力をもった海神)にも例えられる[4]．このため一部の組織間隙や筋膜の呼称，区分などについては依然として議論もあるが，これらは主にterminologyの問題であり，GrodynskyおよびHolyokeら[2]も記述するとおり筋膜と組織間隙の実際の解剖は比較的単純である．本章の目的が頭頸部病変の進展様式，由来を理解するための基礎となる知識の提供であり，どのような用語・名称を用いたとしても頸筋膜・組織間隙の解剖を理解する臨床的重要性は同様であることから，最も合理的なGrodynskyおよびHolyoke[2]，Harnsberger[5]らの記述を基本として，必要に応じてより一般的な用語や部分的な解剖について解説を加えることとする．

A 頸筋膜解剖(表1：p2)

頸筋膜は大きく浅頸筋膜と深頸筋膜に区分されるが，深頸筋膜はさらに浅葉，中葉，深葉の3つに分けられる．これらは後述の組織間隙を囲む，あるいは境界となるが，浅葉，中葉が舌骨に集中・付着することから，(頭蓋外)頸部は機能的に舌骨上頸部(suprahyoid neck)と舌骨下頸部(infrahyoid neck)に二分される．以下，頸筋膜解剖につき解説する．

1 浅頸筋膜(superficial cervical fascia)(図1)

浅頸筋膜は頸部全般を覆うが，Gray's anatomyにおいて皮膚と深頸筋膜あるいは腱膜とをつなぐ疎な線維性組織として記述されており[6]，皮下組織自体を示すとともに様々な厚さで脂肪を含む[7]．舌骨上頸部・顔面領域でのSMAS(superficial musculoaponeurotic system)と側頭部でのTPF(temporoparietal fascia)より成る．SMASは表情筋を含み，これらを支配する顔面神経末梢枝が同筋膜に沿って走行する．形成外科におけるしわ取り術(rhytidectomy)では顔面神経を損傷しないようにSMASを牽引する．尾側は顔面下部より広頸筋(platysma)を含み舌骨下頸部に連続する．広頸筋は胸部上部の鎖骨前方より始まり，頭側に進展し顔面下部で主に頬部皮膚に付着する．顔面神経頸枝に支配され，口唇を尾側，背側に牽引する働きを有する．頸部郭清術では広頸筋深部(subplatysmal layer)で皮弁を挙上する．

表1　頸筋膜

浅頸筋膜		SMAS・顔面表情筋，CN7 末梢枝，広頸筋を含む	
深頸筋膜	浅葉	(別名)investing layer 耳下腺間隙，咀嚼筋間隙を形成 胸鎖乳突筋，僧帽筋を包み，前・外頸静脈を容れる 頸動脈鞘の一部の形成に関与	
	中葉	舌骨上頸部	(別名)頬咽頭筋膜
			咽頭粘膜間隙を形成
		舌骨下頸部	(別名)臓側筋膜
			臓側間隙を形成
		咽頭後間隙の前壁を形成 頸動脈鞘の一部の形成に関与	
	深葉	(別名)椎前筋膜 椎前間隙・椎周囲間隙を形成 咽頭後間隙の後壁を形成 二重葉(前方；翼状筋膜，後方；椎前葉)の間に危険間隙を形成 頸動脈鞘の一部の形成に関与	

2 深頸筋膜(deep cervical fascia)(図2)

深頸筋膜は浅葉，中葉，深葉と3つに分けられ，深部組織間隙を形成する．これらの筋膜は舌骨に集中付着するため，(頭蓋外)頭頸部は筋膜解剖に従い舌骨上頸部(suprahyoid neck)と舌骨下頸部(infarahyoid neck)に区分して論じられる．筋膜に囲まれる組織間隙の一部は舌骨上頸部あるいは舌骨下頸部のいずれかのみに限局し，病変進展様式に影響を与える．また，舌骨上・下頸部にまたがる組織間隙は頭尾側方向への病変進展経路として重要である．

a. 浅葉(superficial layer)/被覆筋膜(investing layer)

浅葉は浅頸筋膜深部で頸部・顔面領域全体を大きく囲み，前方は舌骨，後方正中では棘突起・項靱帯に付着する．舌骨上頸部において一部が二重葉となり，咀嚼筋間隙(表層は咬筋筋膜)，(耳下腺被膜として)耳下腺間隙を囲む．(咬筋筋膜として)咬筋表層を覆い頬骨弓に付着した筋膜はさらに頭側で側頭窩において側頭筋表層を覆い，側頭筋起始部となる側頭線・側頭鱗に付着する．頬骨弓より頭側の側頭窩は頬骨上咀嚼筋間隙に相当する(後述)．耳下腺深葉側では同筋膜は薄く一部不完全との記述もある[2)]．頸部深部では頸動脈鞘外側面の形成に関わる．舌骨上レベルにおいて同筋膜は下顎骨にも付着，口腔底表層の筋群(顎舌骨筋，顎二腹筋前腹)を覆う．さらに顎下腺，胸鎖乳突筋，僧帽筋に加えて，茎突舌骨筋，肩甲舌骨筋等を包み，前頸静脈，外頸静脈を含む．前頸部下部正中の胸骨柄直上で二重葉を形成し，それぞれ胸骨柄上縁の前後に付着，両者の間に胸骨上間隙(suprasternal space；space of Burns)を形成する．同間隙を交通静脈が通過する．

b. 中葉(middle layer)/頬咽頭筋膜(buccopharyngeal fascia)/臓側筋膜(visceral fascia)/気管前筋膜(pretracheal fascia)

頬咽頭筋膜は頬筋(口腔領域)，咽頭頭底筋膜・咽頭収縮筋を裏打ちすることで咽頭粘膜間隙を形成し，後方は頭蓋底，前方は舌骨，甲状軟骨に付着する．舌骨下頸部では臓側筋膜として連続し，気管，頸部食道，甲状腺などを容れる臓側間隙を囲み，前頸部で舌骨下筋群を包む．後方は咽頭後間隙の前壁を成し，両側方において頸動脈鞘の前面の形成にも関わる．尾側の縦郭内で気管，食道を囲むとともに，大血管周囲から線維性心膜に移行する．

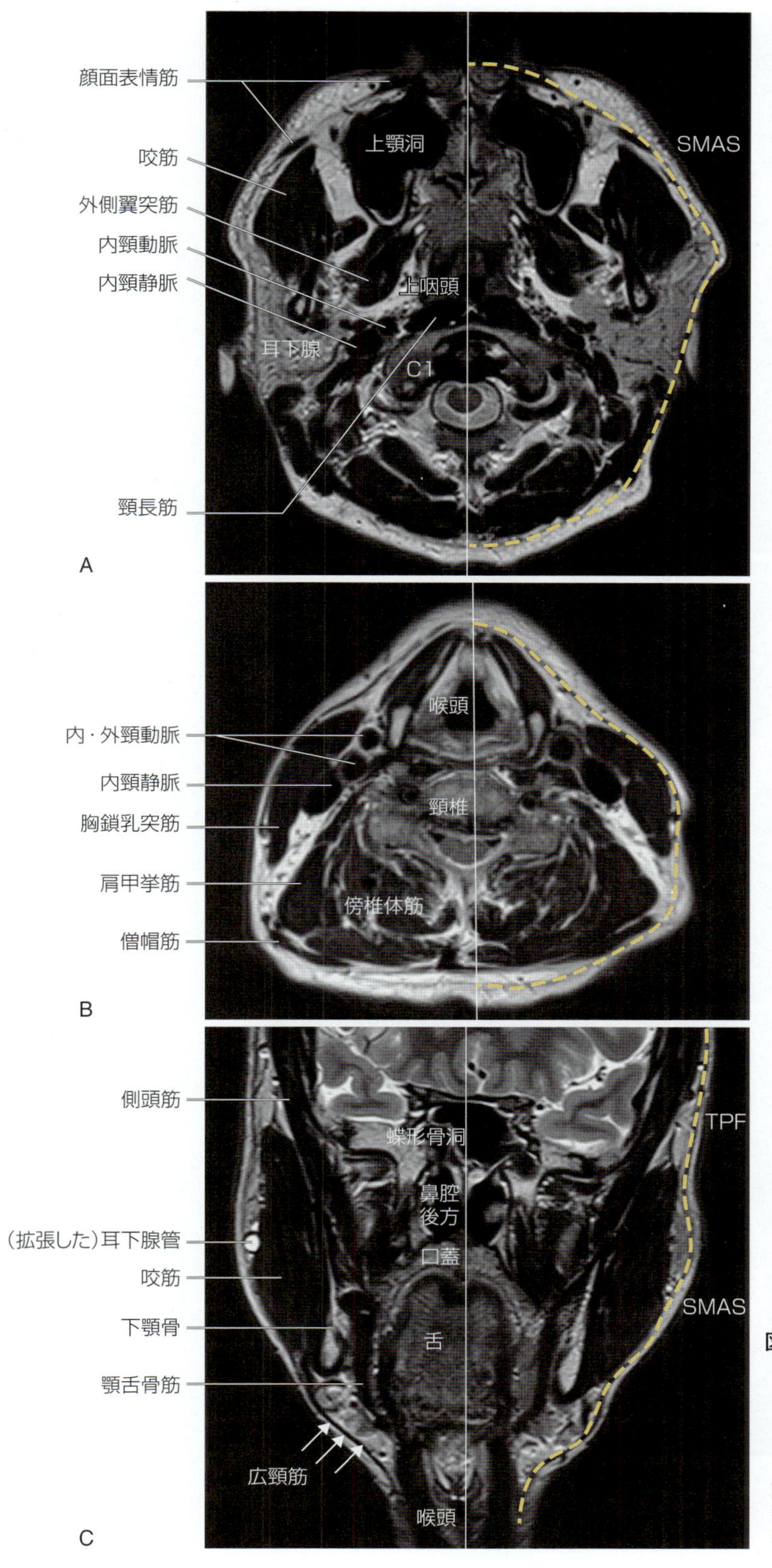

図 1　浅頸筋膜(MRI T2 強調像；(– – – –)で表示)

A：舌骨上頸部(横断).
B：舌骨下頸部(横断).
C：頸部　冠状断像.
浅頸筋膜(– – – –)は皮下レベルで頸部全体を覆い，舌骨上頸部(A)では表情筋，舌骨下頸部(B)では広頸筋を含む.

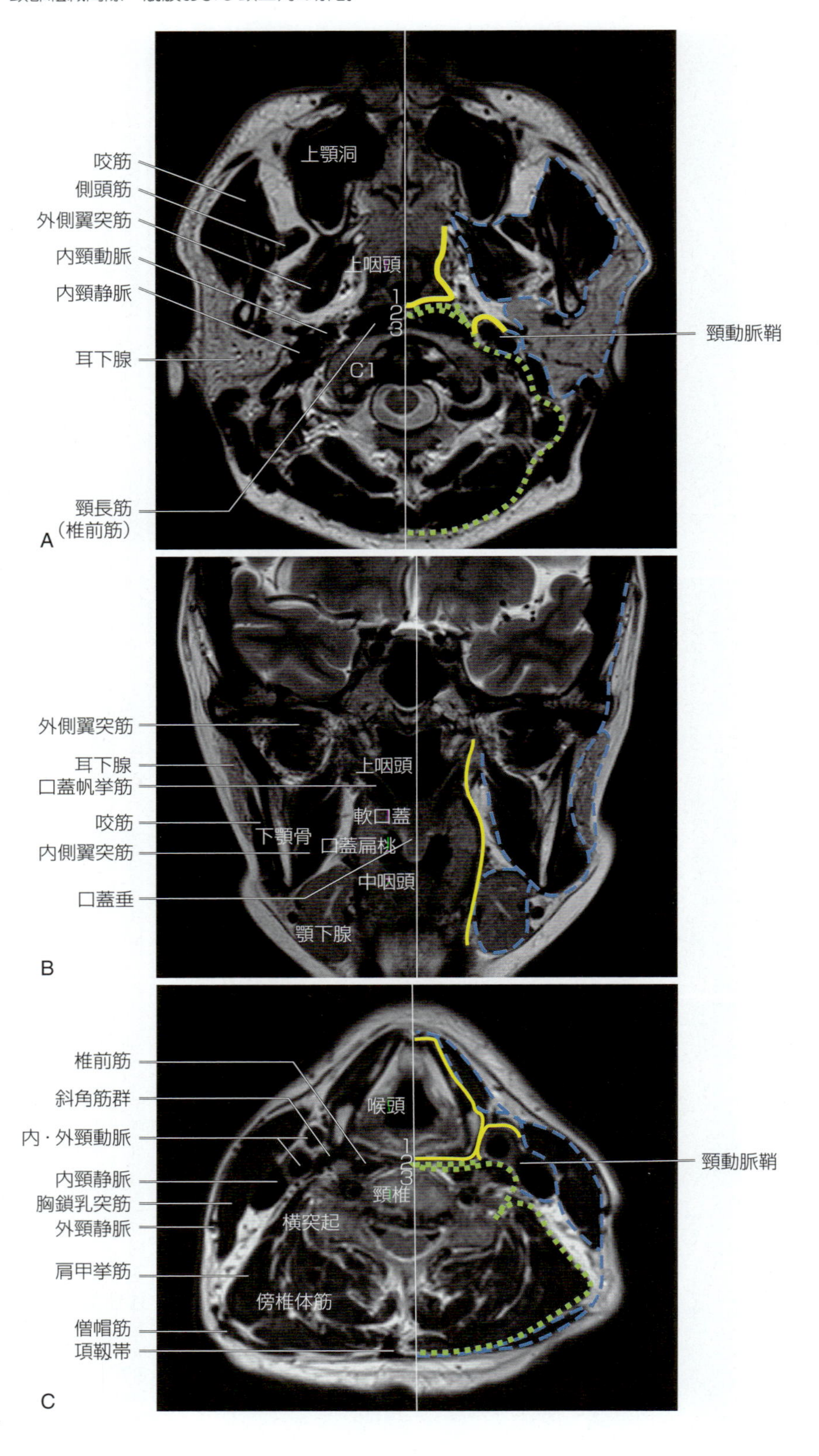
上顎洞
咬筋
側頭筋
外側翼突筋
内頸動脈
内頸静脈
上咽頭
1
2
3
頸動脈鞘
耳下腺
C1
頸長筋
（椎前筋）
A
外側翼突筋
耳下腺
上咽頭
口蓋帆挙筋
軟口蓋
咬筋
下顎骨
内側翼突筋
口蓋扁桃
口蓋垂
中咽頭
顎下腺
B
椎前筋
斜角筋群
喉頭
内・外頸動脈
頸動脈鞘
内頸静脈
頸椎
胸鎖乳突筋
横突起
外頸静脈
肩甲挙筋
傍椎体筋
僧帽筋
項靱帯
C

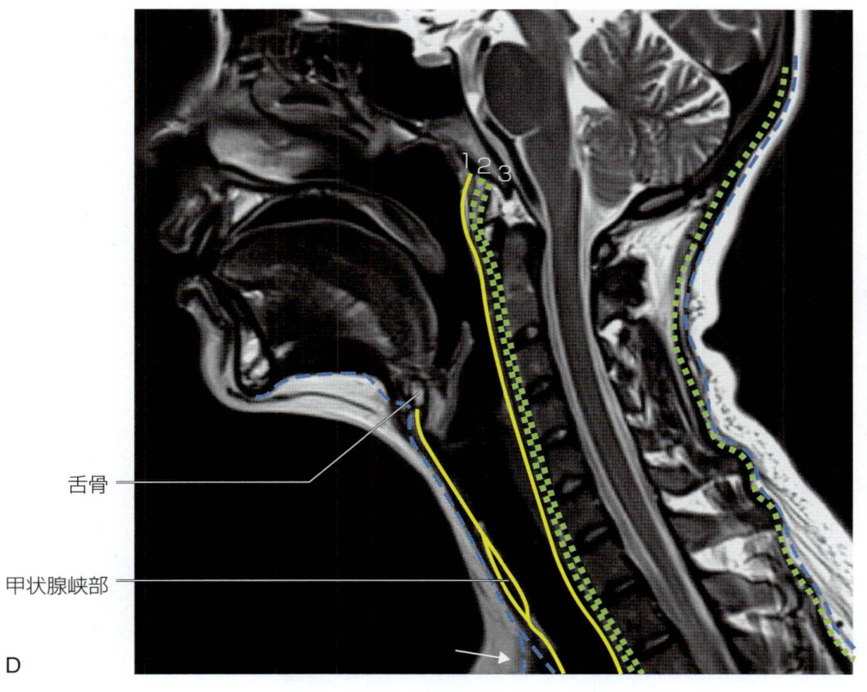

図2　深頸筋膜（MRI T2 強調像）
A：舌骨上頸部（横断）．
B：舌骨上頸部（冠状）．
C：舌骨下頸部（横断）．
D：頸部（矢状断）．
浅葉：青破線，中葉：黄実線，深葉：緑点線
咽頭背側，頸椎椎体前方では粘膜側から順に中葉（1），翼状筋膜（深葉）（2），椎前筋膜（深葉）（3）と密に位置している．舌骨下レベルの前頸部下部で浅葉は二重葉（矢印）を呈し，胸骨柄上縁の前後に付着する．

c. 深葉（deep layer）/ 椎前筋膜（prevertebral fascia）

深頸筋膜深葉は頭蓋底から尾骨レベルに及び，椎前筋，頸椎，斜角筋群，傍椎体筋を囲むことで椎周囲間隙（広義の椎前間隙）を形成する．頸部レベルでは，両側方で頸椎横突起，後方正中で項靱帯・棘突起に付着するが，側方の横突起付着により，椎周囲間隙を前方の椎前部（狭義の椎前間隙）と後方の傍椎体部に区分している．腕神経叢の神経根のみが同筋膜を貫通する．前方の椎体前面を覆う部分（椎前葉・椎前筋膜）は二重葉（前方：翼状部・翼状筋膜，後方：椎前部）をなし，両者の間に危険間隙を形成するが，その腹側に隣接して翼状筋膜と深頸筋膜中葉との間に咽頭後間隙が位置する．すなわち翼状筋膜は咽頭後間隙の後壁，危険間隙の前壁として両間隙を区分している．同筋膜は左右では椎前部とともに横突起に付着，外側前方に伸展し頸動脈鞘内側面を形成するが，同部は咽頭後間隙の側方の境界となっている．また頭尾側では頭蓋底から尾側に連続しTh1からTh2レベルで臓側筋膜（深頸筋膜中葉）と癒合[8]することで咽頭後間隙の下端を閉じている．

d. 頸動脈鞘（carotid sheath）

頸動脈鞘は深頸筋膜の浅・中・深葉の3葉により形成され，頸動脈，内頸静脈，迷走神経（CN10）を容れる頸動脈間隙を包む（臨床では頸動脈間隙と全く同義で用いられる場合も多い）．交感神経幹も頸動脈鞘後壁側の折り返し部に位置する．頸動脈間隙は，舌骨上頸部レベルで茎突舌骨筋，顎二腹筋後腹深部に位置し，傍咽頭間隙の後茎突区に相当する．舌骨上レベル，あるいは内側面で頸動脈鞘は一部が不完全あるいは欠損を示す[2]．頸動脈鞘が頭尾側方向の解剖学的連続性を示すことから，頸動脈間隙は病変の舌骨上・下頸部間の相互進展，舌骨下頸部からの縦郭進展の経路としても重要である．

B　組織間隙（図3）

頭頸部は頸筋膜により機能性単位としての複数の組織間隙が区分され，組織間隙の集合体として形成されている．頭頸部画像評価では，解剖の完全な理解，病変の局在や正常構造の圧排や偏位など，解剖学的理解に基づいた鑑別診断，鑑別とな

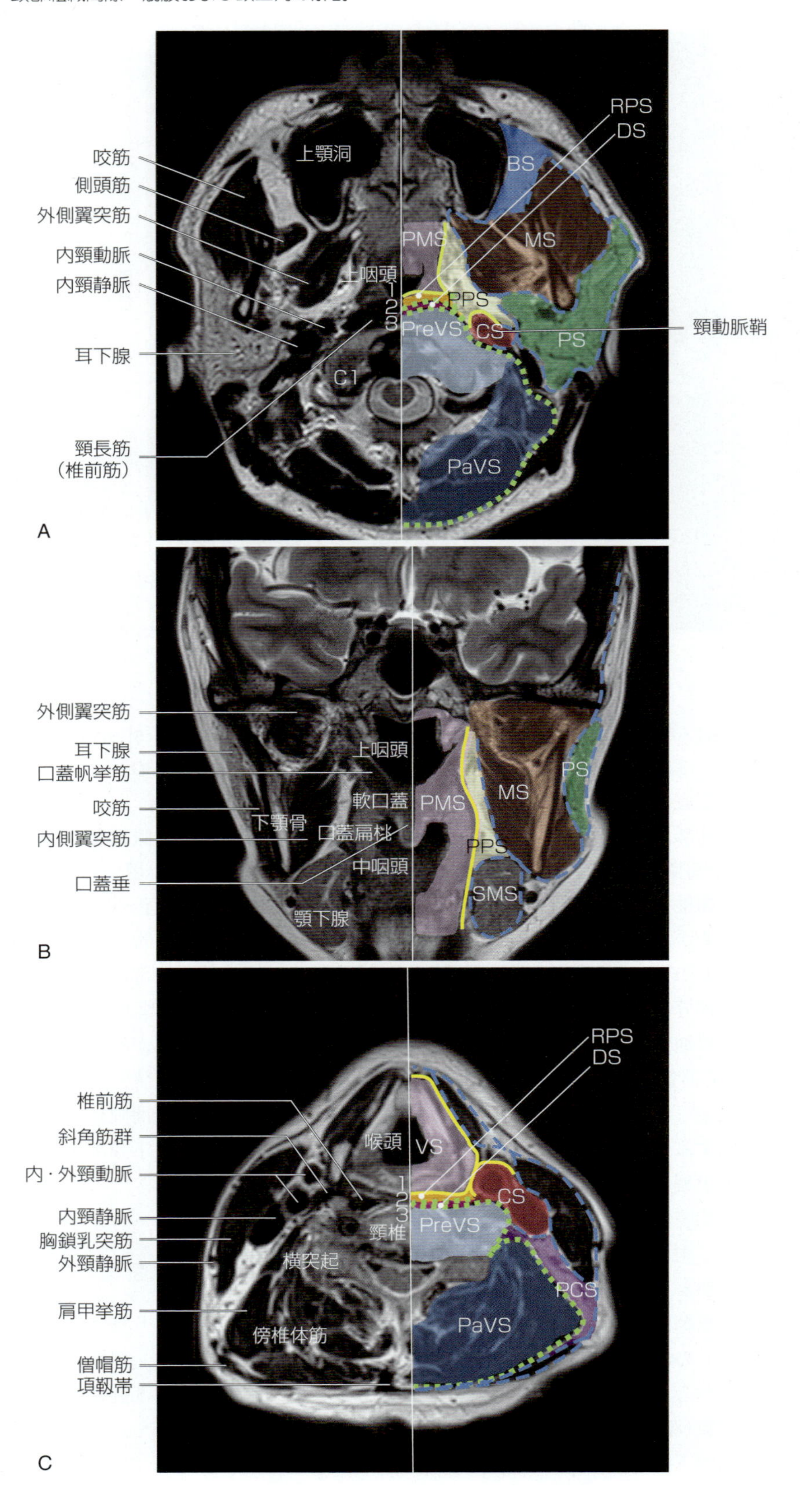

RPS
DS
咬筋
側頭筋
外側翼突筋
内頸動脈
内頸静脈
耳下腺
頸長筋
（椎前筋）
上顎洞
BS
PMS
MS
上咽頭
1
2
3
PPS
PreVS
CS
PS
頸動脈鞘
C1
PaVS
A
外側翼突筋
耳下腺
口蓋帆挙筋
咬筋
内側翼突筋
口蓋垂
上咽頭
軟口蓋
下顎骨
口蓋扁桃
中咽頭
顎下腺
PMS
MS
PS
PPS
SMS
B
RPS
DS
椎前筋
斜角筋群
内・外頸動脈
内頸静脈
胸鎖乳突筋
外頸静脈
肩甲挙筋
僧帽筋
項靱帯
喉頭
VS
1
2
3
CS
頸椎
PreVS
横突起
PCS
PaVS
傍椎体筋
C

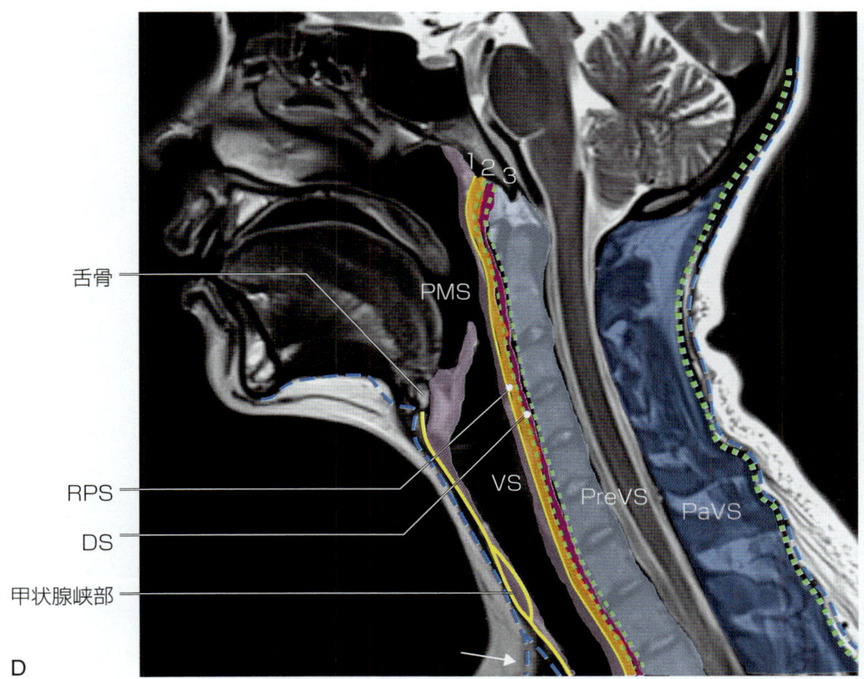

図3 組織間隙(MRI T2強調像)
A：舌骨上頸部横断像.
B：舌骨上頸部(冠状).
C：舌骨下頸部(横断).
D：頸部(矢状断).
深頸筋膜浅葉：青破線, 深頸筋膜中葉：黄線, 深頸筋膜深葉：緑点線
1：深頸筋膜中葉, 2：翼状筋膜(深葉), 3：椎前筋膜(深葉)
BS：頬間隙(■), CS：頸動脈鞘(■), DS：危険間隙(■), MS：咀嚼筋間隙(■), PS：耳下腺間隙(■), PCS：後頸間隙(■), PMS：咽頭粘膜間隙・臓側間隙(■), PPS：傍咽頭間隙(■), PaVS：椎周囲間隙(傍椎体部：■), PreVS：椎周囲間隙(椎前部・狭義の椎前間隙：■), RPS：咽頭後間隙(■)

る主な疾患の臨床的事項・画像所見の理解が必要である. 本項では各組織間隙の解剖(囲む頸筋膜, 含まれる構造)とともに, 各間隙由来の診断, 各間隙に由来する主な病変の鑑別診断について解説する. 各疾患についてはそれぞれの章で詳述されており, 適宜参照されたい.

1 咽頭粘膜間隙(pharyngeal mucosal space：PMS)(図4, 表2：p9)

咽頭粘膜間隙は, 舌骨上レベルの上・中咽頭において, 深頸筋膜中葉である頬咽頭筋膜の気道側(粘膜側)の領域であり, 気道側(粘膜表面)は筋膜の区分なく開放している. 頬咽頭筋膜は頭蓋底直下レベルでは咽頭頭底筋膜, これより尾側では咽頭収縮筋を裏打ちしている. 咽頭粘膜間隙には粘膜, Waldeyer輪リンパ組織(口蓋扁桃, 上咽頭アデノイド, 舌扁桃など), 小唾液腺組織, 咽頭頭底筋膜, 咽頭収縮筋, 口蓋帆挙筋, 耳管軟骨部, 耳管咽頭筋が含まれる. 同間隙に由来する炎症性病変として, 扁桃肥大, 扁桃炎, 扁桃周囲膿瘍(図5：6章「中咽頭」p389参照), 粘膜下貯留囊胞や扁桃結石などがあげられ, 腫瘍性病変としては上・中咽頭癌(図6), 悪性リンパ腫Waldeyer輪病変(図7：6章「中咽頭」p435参照), 小唾液腺腫瘍等が重要である. 咽頭粘膜間隙(図4A)の両側方には傍咽頭間隙(後述)が位置することから, 咽頭粘膜間隙の病変は傍咽頭間隙の脂肪を内側から外側に圧排する, あるいは傍咽頭間隙に対して内側からの浸潤を示す(図8). 舌骨下頸部では, 深頸筋膜中葉である臓側筋膜に囲まれる臓側間隙(後述)に筋膜による境なく移行する.

*扁桃周囲腔(peritonsillar space)

中咽頭側壁で前・後口蓋弓間の扁桃窩に位置する口蓋扁桃の被膜(扁桃被膜)と咽頭収縮筋・頬咽頭筋膜との間の潜在腔である. すなわち咽頭粘膜間隙に含まれるが, 化膿性扁桃炎・扁桃膿瘍からの炎症波及により生じる扁桃周囲膿瘍が臨床上重要である(図5：6章「中咽頭」p389参照).

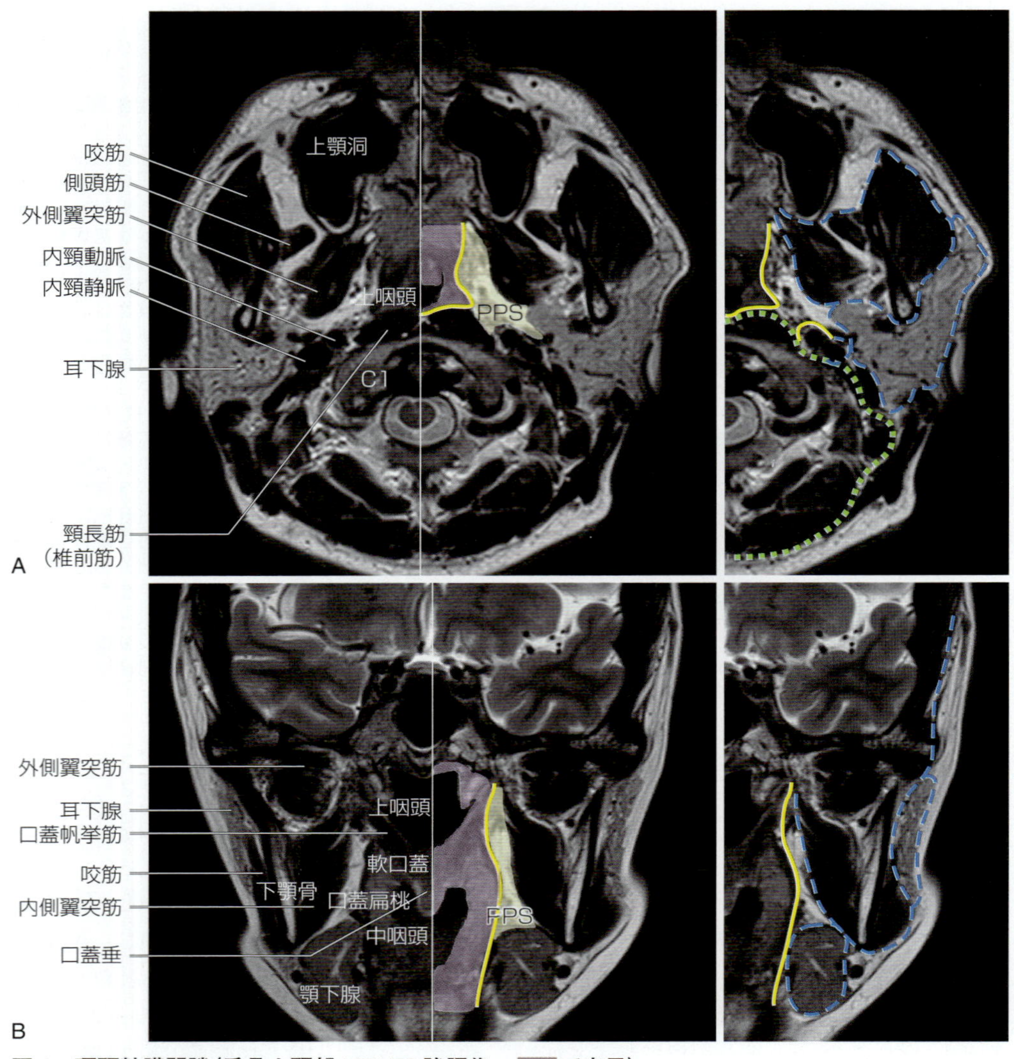

図4　咽頭粘膜間隙(舌骨上頸部 MRI T2 強調像；■で表示)
A：横断像.
B：冠状断像.
PPS：傍咽頭間隙(■), - - - -：深頸筋膜浅葉, ――：深頸筋膜中葉, ・・・・：深頸筋膜深葉

2 傍咽頭間隙(parapharyngeal space：PPS)(図9, 表3：p12)

舌骨上頸部において咽頭の左右側方に位置する. 広義の傍咽頭間隙は茎突筋群(茎突咽頭筋, 茎突舌筋, 茎突舌骨筋)の筋膜鞘により, 前方の前茎突区(prestyloid compartment)と後茎突区(retrostyloid compartment)に区分(図10)され, 前茎突区が狭義の傍咽頭間隙, 後茎突区が頸動脈鞘(後述)に相当するが, 本項では狭義の傍咽頭間隙(前茎突区)を対象として解説する. なお耳鼻科医, 頭頸部外科医の間ではしばしば「副咽頭間隙」の名称も用いられる.

同間隙に固有の筋膜はなく隣接する組織間隙を包む複数の筋膜が周囲の境界となっている. 内側は咽頭粘膜間隙を囲む頬咽頭筋膜(深頸筋膜中葉), 前側方は咀嚼筋間隙を囲む深頸筋膜浅葉, 外側は耳下腺深葉(耳下腺間隙)を囲む頸筋膜浅

表 2　咽頭粘膜間隙

解剖		舌骨上頸部に限局(舌骨下頸部の臓側間隙に連続) 頬咽頭筋膜(深頸筋膜中葉)に囲まれる
		頭側：頭蓋底 尾側：舌骨
構造		粘膜(上・中咽頭)，Waldeyer 輪リンパ組織(口蓋扁桃，上咽頭アデノイド，舌扁桃など)，小唾液腺組織，咽頭頭底筋膜，咽頭収縮筋，口蓋帆挙筋，耳管軟骨部，耳管咽頭筋
PPS との関係		PPS 内側に位置する
		咽頭粘膜間隙病変により PPS 脂肪は外側に圧排，あるいは内側から外側に向かって浸潤を受ける
病変	炎症性	扁桃肥大・扁桃炎・扁桃結石 扁桃周囲膿瘍 粘膜下貯留嚢胞
	腫瘍性	上・中咽頭癌 悪性リンパ腫 Waldeyer 輪病変 小唾液腺腫瘍
	その他	Tornwaldt 嚢胞 第 2 鰓裂嚢胞(Bailey IV 型)

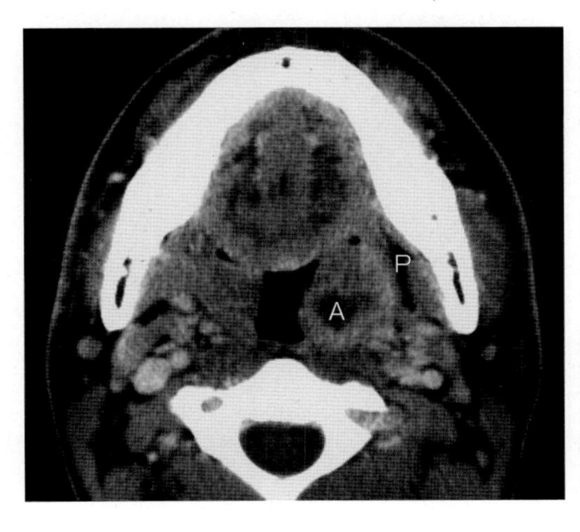

図 5　咽頭粘膜間隙病変：扁桃周囲膿瘍
中咽頭レベルの造影 CT において，左口蓋扁桃内に不整形の液体濃度領域(A)を認め，扁桃周囲膿瘍に一致する．外側の傍咽頭間隙(P)の脂肪濃度は保たれており，深頸筋膜中葉(頬咽頭筋膜)を越えた炎症波及はないことが確認される．

葉，後方は頸動脈鞘前壁が形成する(図 2A, 3A)．また，咽頭後間隙(後述)の最外側部は傍咽頭間隙の内側後方に位置する．

傍咽頭間隙は脂肪を主体としていることから，上記のような周囲組織間隙との相対的位置関係(図 11)の理解をもとに，病変による傍咽頭間隙脂肪の圧排や浸潤の方向を根拠として病変の由来する組織間隙同定が画像診断上極めて重要である．由来する組織間隙の同定が適切な鑑別診断リスト作成の最初のステップとなるためである．

傍咽頭間隙には脂肪の他に，小唾液腺組織，口蓋帆挙筋，上顎動脈，上行咽頭神経血管束，咽頭静脈叢等が含まれており，同間隙に由来する腫瘍で最も多いのは小唾液腺腫瘍(多形腺腫が最多)で約 90％を占めるが，頻度は比較的低く，周囲隣接組織間隙からの二次性進展・浸潤がより多い．同間隙原発の腫瘍であることを診断するためには画像所見として病変を全周性に傍咽頭間隙の脂肪層が囲むように認められる必要がある(図 12, 13)．生検前には動脈瘤，多血性腫瘍の否定が望まれる．炎症性では(咽頭粘膜間隙の)扁桃周囲膿瘍，(歯原性感染による)咀嚼筋間隙膿瘍，耳下腺膿瘍など，隣接組織間隙からの二次性進展(図 14)を生じうる．

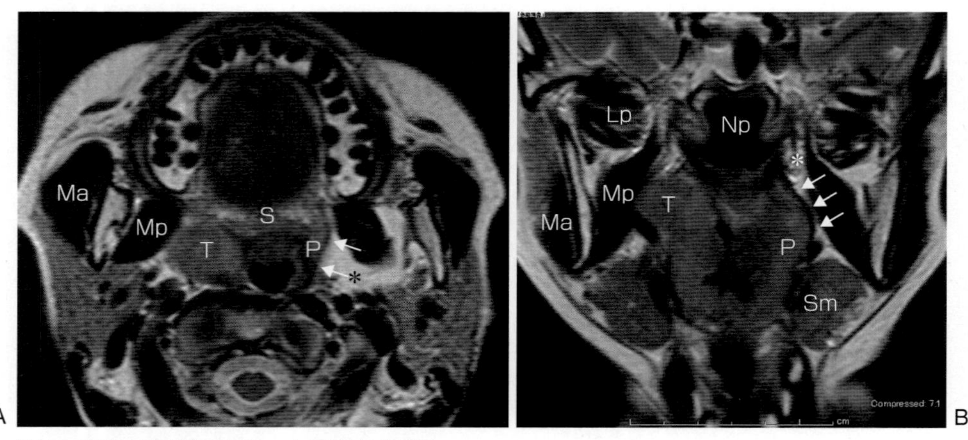

図6　咽頭粘膜間隙病変：中咽頭癌(扁桃)

MRI T2強調横断像(A)および冠状断像(B)において，中咽頭右側壁(右口蓋扁桃上極より)に腫瘤(T)を認める．対側で低信号帯として確認される咽頭収縮筋(矢印)を越えて傍咽頭間隙(対側で＊で示す)への浸潤あり．Lp：外側翼突筋，Ma：咬筋，Mp：内側翼突筋，Np：上咽頭，P：左(健側)口蓋扁桃，Sm：顎下腺

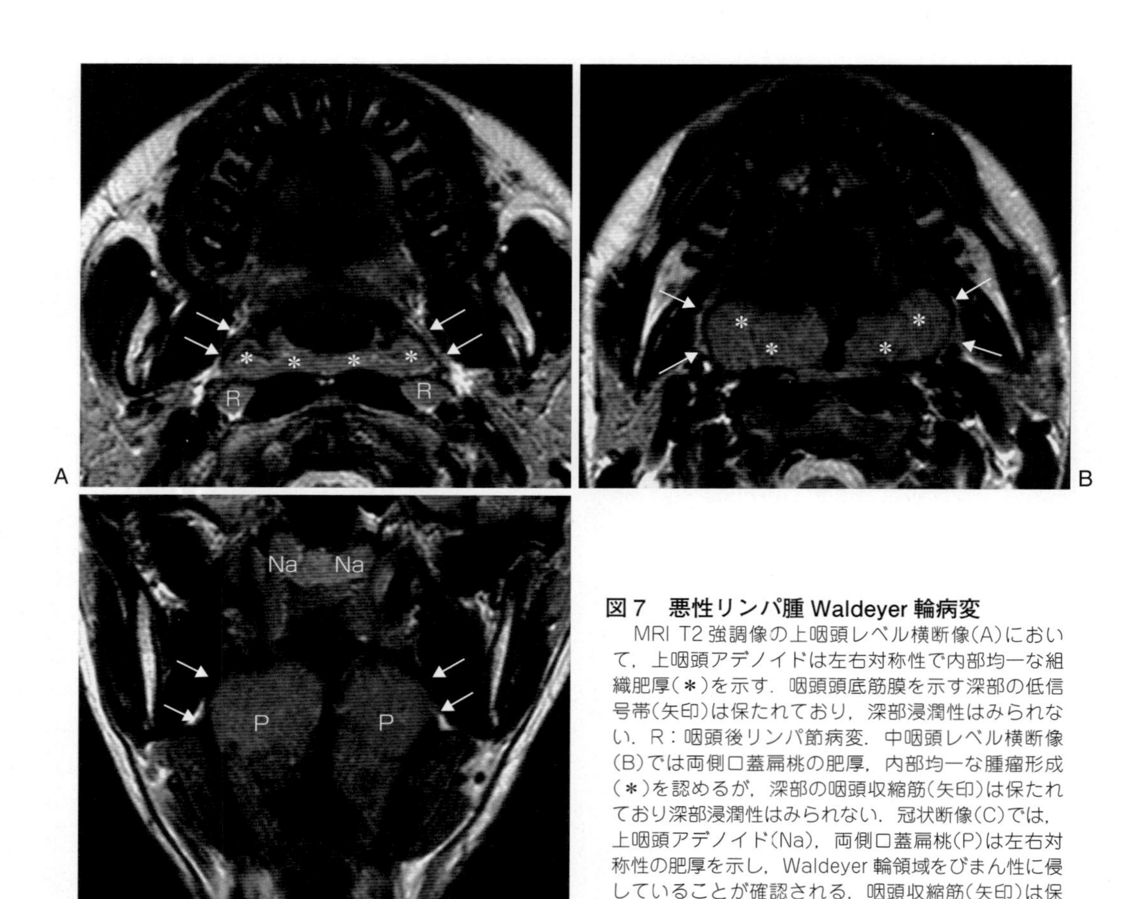

図7　悪性リンパ腫 Waldeyer 輪病変

MRI T2強調像の上咽頭レベル横断像(A)において，上咽頭アデノイドは左右対称性で内部均一な組織肥厚(＊)を示す．咽頭頭底筋膜を示す深部の低信号帯(矢印)は保たれており，深部浸潤性はみられない．R：咽頭後リンパ節病変．中咽頭レベル横断像(B)では両側口蓋扁桃の肥厚，内部均一な腫瘤形成(＊)を認めるが，深部の咽頭収縮筋(矢印)は保たれており深部浸潤性はみられない．冠状断像(C)では，上咽頭アデノイド(Na)，両側口蓋扁桃(P)は左右対称性の肥厚を示し，Waldeyer 輪領域をびまん性に侵していることが確認される．咽頭収縮筋(矢印)は保たれている．

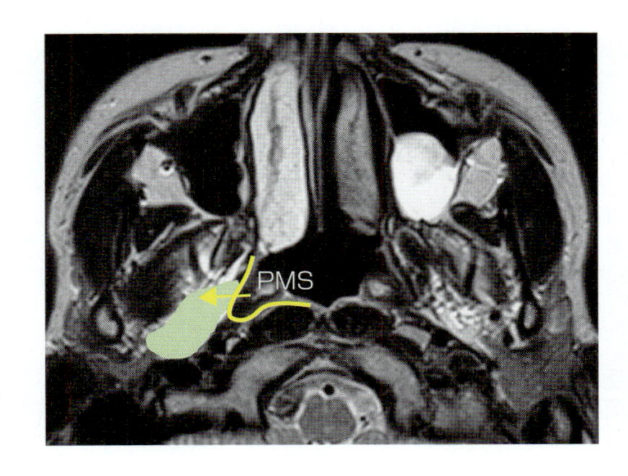

図 8　咽頭粘膜間隙病変と傍咽頭間隙（　）との位置関係

上咽頭レベルの MRI T2 強調横断像．——：深頸筋膜中葉．PMS：咽頭粘膜間隙．咽頭粘膜間隙病変は傍咽頭間隙（脂肪）を内側から外側に圧排，あるいは浸潤する（矢印）．

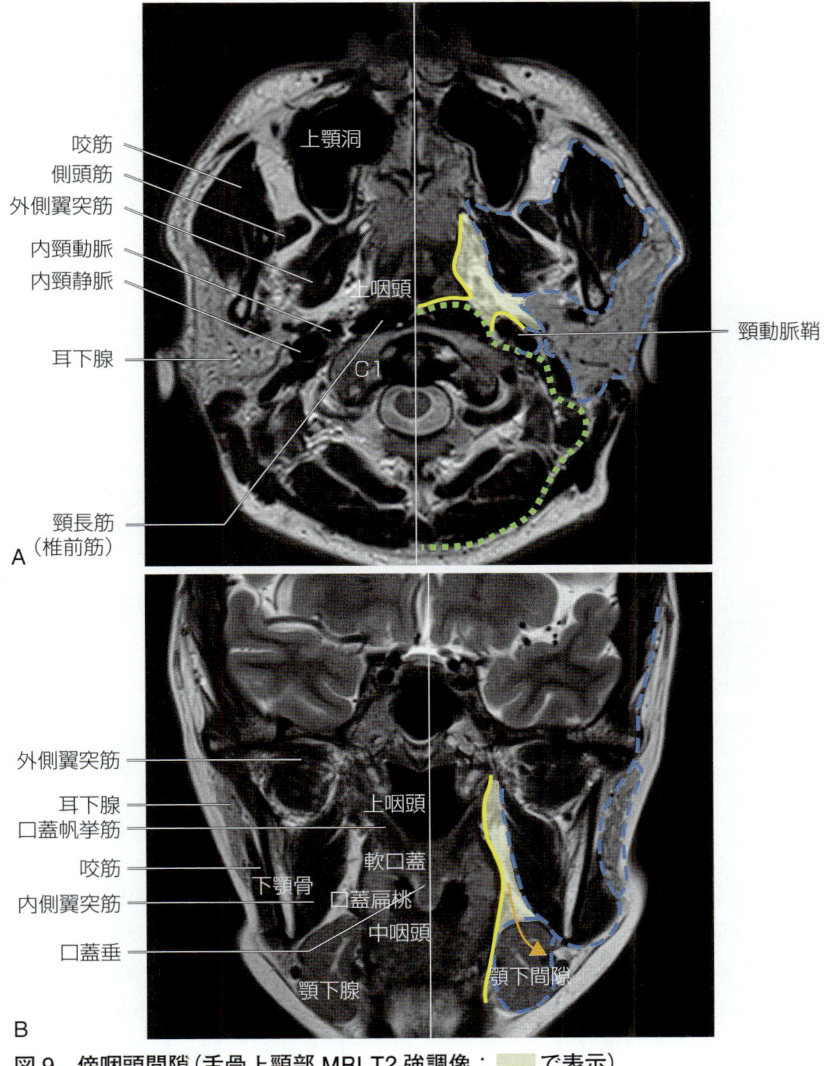

図 9　傍咽頭間隙（舌骨上頸部 MRI T2 強調像；　で表示）

A：横断像．
B：冠状断像．
傍咽頭間隙は尾側では筋膜などの境界なく顎下間隙に連続（→）する．- - - -：深頸筋膜浅葉，——：深頸筋膜中葉，▪▪▪▪▪▪：深頸筋膜深葉

表3　傍咽頭間隙

解剖	舌骨上頸部に限局 咽頭の左右側方に位置 頭側：頭蓋底(卵円孔内側) 尾側：顎下間隙に(筋膜の境なく)移行 内側：頬咽頭筋膜(深頸筋膜中葉) 前側方：深頸筋膜浅葉(咀嚼筋筋膜) 外側：深頸筋膜浅葉(耳下腺被膜) 後方：頸動脈鞘	
構造	脂肪が主 その他として小唾液腺，口蓋帆挙筋，上顎動脈・上行咽頭神経血管束，咽頭静脈叢	
周囲組織間隙との関係	内側：咽頭粘膜間隙 前側方：咀嚼筋間隙 外側：耳下腺間隙 後方：頸動脈鞘 内側後方：咽頭後間隙	
病変	小唾液腺腫瘍(多形腺腫が最多) ただし，耳下腺深葉腫瘍(同様に多形腺腫が最多)の内側，傍咽頭間隙進展の所見とほぼ同一	
	その他	膿瘍(扁桃周囲膿瘍，咀嚼筋間隙膿瘍などの波及)，第2鰓裂嚢胞(Bailey III型)，脂肪腫など

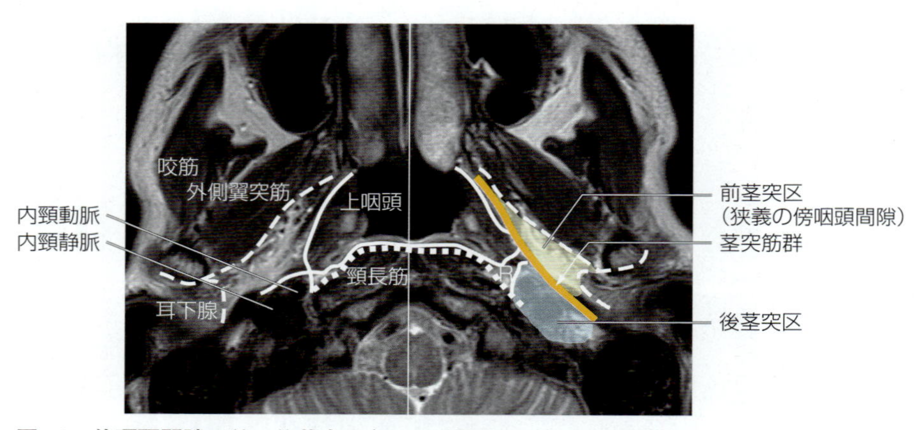

図10　傍咽頭間隙：前・後茎突区(MRI 上咽頭レベル T2強調像)
- - - -：深頸筋膜浅葉，———：深頸筋膜中葉，▪▪▪▪▪▪：深頸筋膜深葉
———：茎突筋群(茎突筋膜)，■：前茎突区(狭義の傍咽頭間隙)，■：後茎突区
R：外側咽頭後リンパ節(Rouviere リンパ節)

CT，MRIでは咽頭側方に脂肪濃度・信号を呈する(大まかに三角形の)領域として同定されるが，傍咽頭間隙(の脂肪)の圧排・偏位(あるいは浸潤)は横断像において，咽頭粘膜間隙病変では内側から外側，咀嚼筋間隙病変では前側方から後内側，耳下腺深葉病変では外側から内側，頸動脈鞘病変では後方から前方となる．また咽頭後間隙の最外側に含まれる咽頭後リンパ節外側群(Rouviere リンパ節)病変は傍咽頭間隙の後内側に位置する腫瘤として認められる(図11)．なお，傍咽頭間隙を外側から占拠する腫瘤の由来が耳下腺深葉か傍咽頭間隙の小唾液腺であるかの区別(いずれも多形腺腫が最も多いことから所見は類似する)は手術アプローチ選択において重要である．耳下腺深葉腫瘍の場合は顔面神経損傷を防ぐために経耳下腺的にまず浅葉切除を行い顔面神経

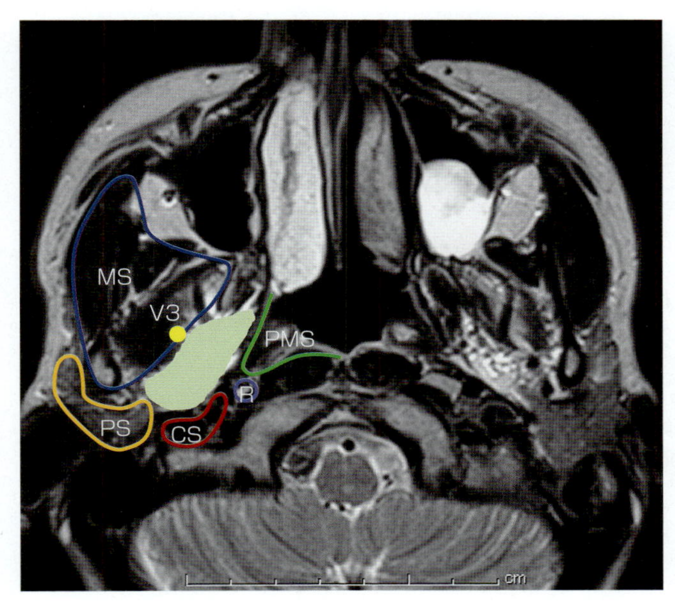

図 11　傍咽頭間隙(　)と周囲組織間隙との相対的位置関係

CS：頸動脈間隙，MS：咀嚼筋間隙，PS：耳下腺間隙，PMS：咽頭粘膜間隙，R：Rouviere リンパ節(咽頭後リンパ節外側群)，V3：下顎神経

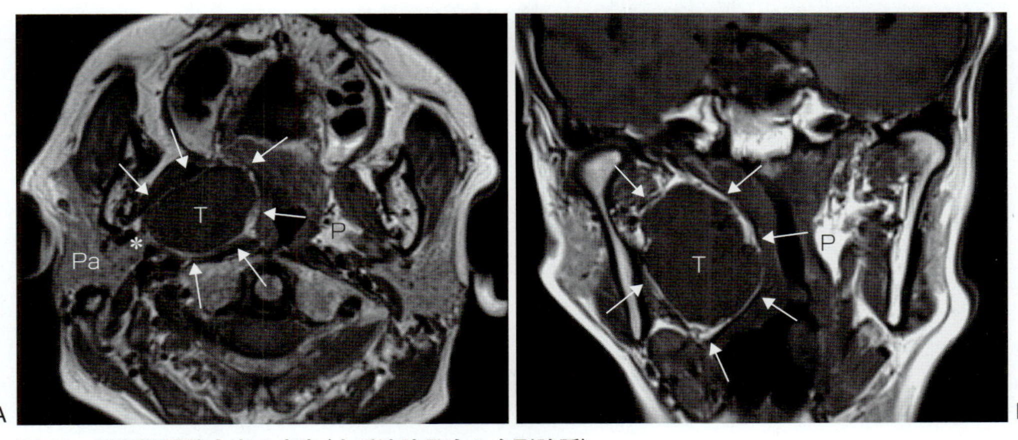

図 12　傍咽頭間隙由来の病変(小唾液腺発生の多形腺腫)

MRI T1 強調横断像(A)および冠状断像(B)において，右傍咽頭間隙に境界明瞭，一部で分葉状辺縁を呈する骨格筋類似の低信号を示す腫瘤(T)を認める．病変外側では右耳下腺(Pa)深葉内側(＊)に近接するが，病変は全周性に傍咽頭間隙の脂肪(対側で P で示す)に囲まれており(矢印)，傍咽頭間隙由来と診断される．

を同定してから腫瘍を切除するが，傍咽頭間隙原発の小唾液腺腫瘍の場合は経口的アプローチあるいは顎下部アプローチがとられることが多い．画像での両者区別については茎突下顎裂の開大の有無や病変と耳下腺深葉との間に介在する脂肪層の有無によるが，13 章「唾液腺」を参照されたい．ただし，頭蓋底，顔面神経から 1 cm 以上離れている腫瘍は耳下腺深葉病変であっても顎下部アプローチで切除される場合もある．

なお，傍咽頭間隙は頭側は頭蓋底の(咀嚼筋間隙の頭蓋底付着部に含まれる)卵円孔内側から尾側は舌骨大角に向かい，筋膜の境なく顎下間隙後方へと連続するため(図 9B)，傍咽頭間隙病変が下方進展により顎下部腫瘤として顕在化したり，潜入性ガマ腫が顎下間隙から傍咽頭間隙への上行性進展を示す場合もある(図 15)．CT，MRI の冠

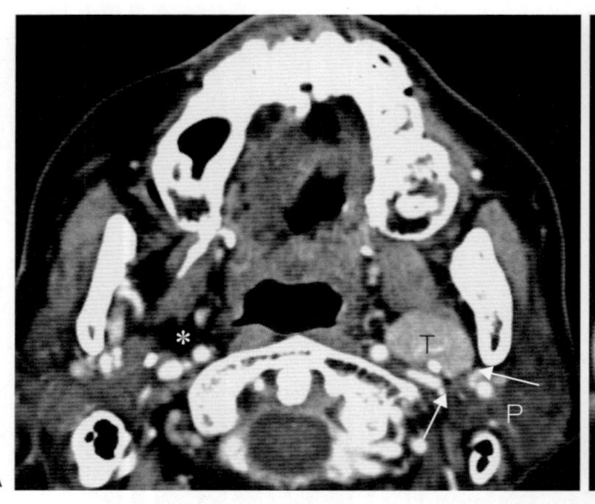

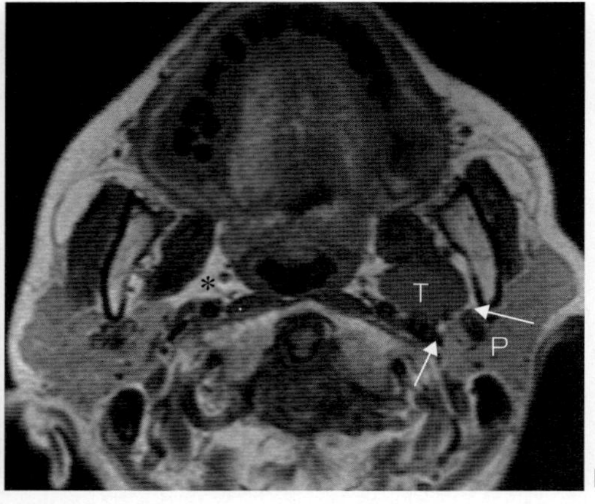

図13　傍咽頭間隙由来の病変（小唾液腺発生の多形腺腫）
造影CT（A），MRI T1強調横断像（B）において，左傍咽頭間隙に境界明瞭な腫瘤（T）を認める．病変周囲はCT（A）では低濃度，T1強調像（B）では高信号を呈する薄い脂肪層が全周性に認められ，近接する左耳下腺（P）深葉の内側面との間でも保たれている（矢印）．これにより（耳下腺深葉ではなく）傍咽頭間隙内に由来することが確認される．＊：右側（健側）傍咽頭間隙の脂肪

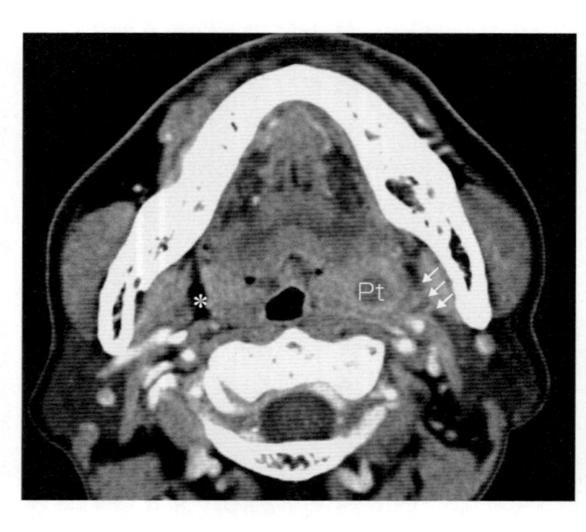

図14　扁桃周囲膿瘍の二次性波及による傍咽頭間隙浮腫（蜂窩織炎）
中咽頭レベルの造影CTにおいて肥厚した左口蓋扁桃内に限局性低吸収領域（Pt）を認め，化膿性扁桃炎・扁桃周囲膿瘍に一致する．側方で隣接する傍咽頭間隙脂肪の混濁（矢印）あり．＊：右側（健側）傍咽頭間隙の脂肪

状断像（図9B）においても傍咽頭間隙は咽頭側方の（三日月型の）脂肪濃度・信号領域として同定され，傍咽頭間隙から顎下間隙（あるいはその逆）の進展様式の把握に有用である．

3　頸動脈間隙（carotid space：CS）（図16，表4：p17）

深頸筋膜の浅・中・深葉の3葉ともに関与して形成される頸動脈鞘（図2A，2C）に囲まれる．頭側は頸動脈管・頸静脈孔領域の頭蓋底から尾側は胸郭入口部（からさらに上縦郭で大動脈弓）に至る舌骨上・下頸部全長にわたる頭尾側方向の連続性をもち，舌骨上頸部では傍咽頭間隙（広義）の後茎突区に相当する（図10）．頸動脈鞘は，外側は耳下腺および顎二腹筋後腹内側面，前方は傍咽頭間隙の脂肪，内側は咽頭後間隙の側面（翼状筋膜）に接し，周囲組織間隙病変の頸動脈間隙への進入，頸動脈間隙病変の周囲組織間隙への波及における一定の障壁となる．ただし，舌骨上レベルあるいは頸動脈鞘内側面で部分的に不完全あるいは欠損を示すとされる．CT・MRI横断像において，舌骨上頸部レベルでは同間隙病変は傍咽頭間隙脂肪の後方に中心をもち，同脂肪を前方に圧排（あるいは後方から前方に向かって浸潤）する（図17）．

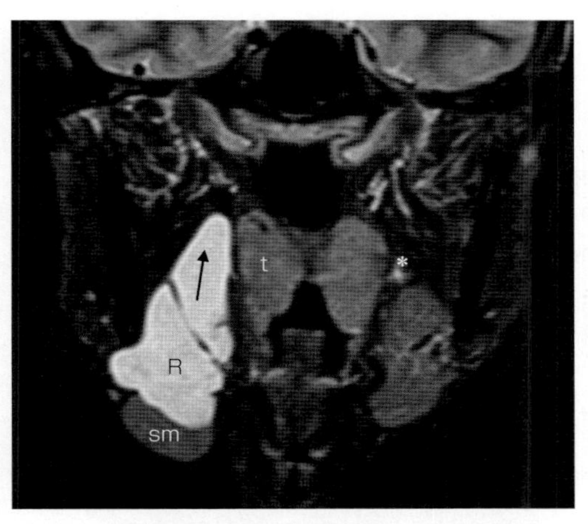

図 15 顎下間隙から傍咽頭間隙に上行性進展を示す潜入性ガマ腫

MRI STIR 冠状断において右顎下間隙から解剖学的連続性に従って頭側の傍咽頭間隙(左側で＊で示す)に進展(矢印)する嚢胞性腫瘤(R)を認める．右顎下腺(Sm)は病変により尾側に圧排偏位を示している．t：口蓋扁桃

頭側では頸静脈孔を介した頭蓋内・外病変の相互進展(例：髄膜腫の頭蓋外進展，上咽頭癌の頭蓋内進展)の経路となり，頭尾側方向の連続性から舌骨上頸部の膿瘍の舌骨下頸部から縦郭進展の経路としても重要である[9]．

頸動脈間隙には頸動脈，内頸静脈，内深頸リンパ節(頸静脈鎖；レベル 2/3/4)，交感神経幹に加えて，下位脳神経(上咽頭レベルでは第 9～12 脳神経，中咽頭レベルでは第 10 脳神経のみ)が含まれる．第 9(舌咽神経)，11(副神経)，12(舌下神経)脳神経はほぼ軟口蓋レベルで頸動脈間隙から離れるが，第 10 脳神経(迷走神経)のみが頸動脈間隙の舌骨上・下頸部全レベルにおいて頸動・静脈の間でその背側を下行する．一方，交感神経幹は頸動脈鞘内側面に沿って位置する．

頸動脈間隙病変としては上咽頭癌(図 18)や頭蓋底骨髄炎などの二次性進展も重要であるが，同間隙由来の病変は，リンパ節病変(リンパ節転移，悪性リンパ腫リンパ節病変，化膿性・結核性リンパ節炎など)，腫瘍性病変(神経鞘腫，頸動脈小体腫瘍に代表される傍神経節腫など)，血管性病変(頸動脈の動脈瘤，頸静脈の血栓性静脈炎など)に大きく分けられる．頸部神経鞘腫は頸神経，迷走神経，交感神経からの発生が多く，頸動脈間隙病変としてみられるのは迷走神経，交感神経病変である(このうち迷走神経の発生が大部分)．それぞれの神経の頸動脈間隙での位置関係(既述)から，頸動・静脈の間を開大するように両者を前方に圧排する腫瘤であれば迷走神経(図 19)，頸動・静脈をともに外側やや前方に圧排する腫瘤であれば交感神経(図 20)に由来する病変が示唆される．いずれも神経走行の長軸に沿って頸動脈間隙における縦長の楕円形・紡錘形を示すのが特徴的である．また，頸静脈孔を介して頸動脈間隙に進展する下位脳神経由来の神経鞘腫(図 21)はときに(より頻度の高い)耳下腺深葉から傍咽頭間隙進展する多形腺腫(図 22)に横断画像での病変局在が類似するが，内部性状も神経鞘腫の Antoni B による myxoid stroma と多形腺腫の fibromyxoid stroma が類似の T2 強調像での高信号を示す場合が多く注意を要する．耳下腺深葉病変は茎突下顎裂を開大させるのに対して，下位脳神経病変は茎状突起を前方に圧排(結果として茎突下顎裂を狭小化)する傾向にあり，下位脳神経病変は頸静脈孔に向かうが，いずれも骨の描出が明瞭でない MRI では判断が困難な場合もあり，CT との比較読影が有用である．一般に頭蓋底から 1 cm 以上の距離があり，頸動脈に対する特定のリスクを示

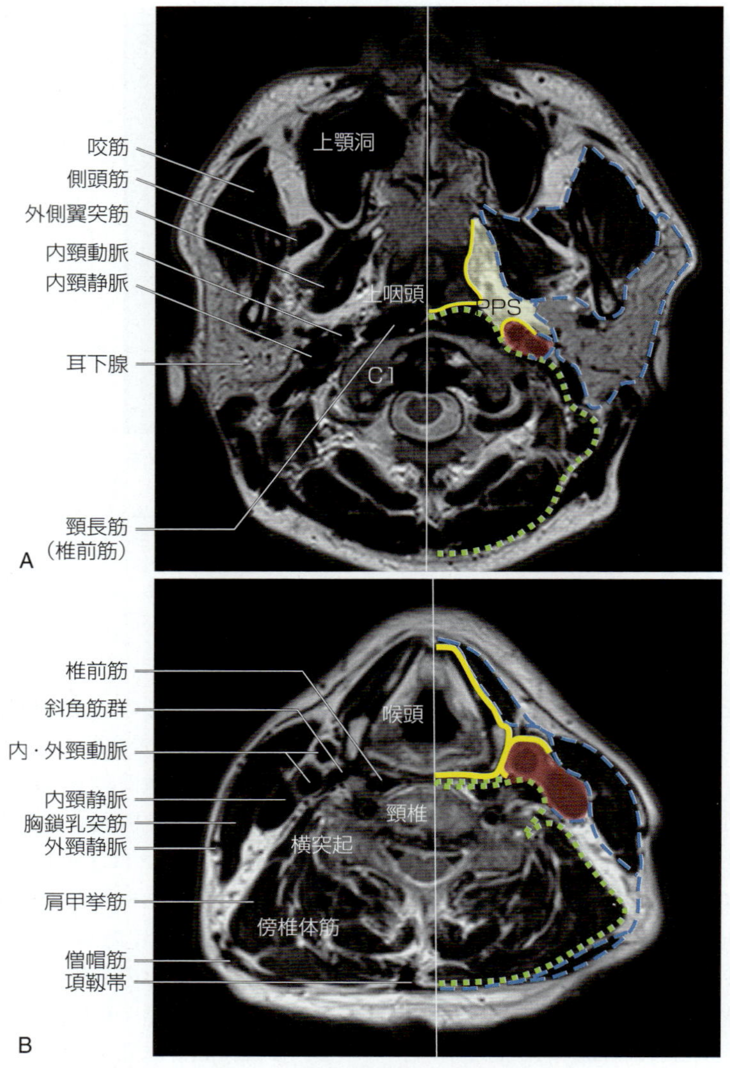

図 16　頸動脈間隙（MRI T2 強調横断像；■で表示）
A：舌骨上頸部.
B：舌骨下頸部.
PPS：傍咽頭間隙（■），– – – –：深頸筋膜浅葉，――：深頸筋膜中葉，
・・・・：深頸筋膜深葉

さない場合，頸部郭清術に準じたアプローチで切除可能である．

内頸静脈はときに著しい左右非対称性（通常は右側で著明）を示し，内部が様々な信号を呈しうる．MRI の単一スライスでは偽病変として認識される場合もあるが，頭尾側方向の連続性と頸動脈との相対的位置関係などの確認により病変の否定は容易である．

4 耳下腺間隙（parotid space：PS）（図 23，表 5：p22）

深頸筋膜浅葉（図 2A）が二重葉をなし耳下腺を囲むことで形成される舌骨上頸部の組織間隙であるが，耳下腺深葉側では同筋膜は薄く，ときに不完全とされる[2]．耳下腺，顔面神経，耳介側頭神経（V3），耳下腺リンパ節（腺内リンパ節は通常 20〜30 個程度），下顎後静脈，外頸動脈が含まれ

表 4　頸動脈間隙

<table>
<tr><td colspan="2" rowspan="2">解剖</td><td>舌骨上・下頸部全長に及び，さらに尾側では上縦郭に連続する
側頸部深部に位置する
深頸筋膜の浅・中・深葉の 3 葉がいずれも形成に関与</td></tr>
<tr><td>頭側：頭蓋底(頸動脈管入口，頸静脈孔領域)
尾側：胸郭入口部
内側：咽頭後間隙の側面(翼状筋膜)
前方：傍咽頭間隙(狭義)の脂肪
外側：耳下腺，顎二腹筋後腹内側面</td></tr>
<tr><td colspan="2">構造</td><td>頸動脈，内頸静脈，内深頸リンパ節(レベル 2/3/4)，交感神経幹
上咽頭レベル：CN9，10，11，12
中咽頭レベル：CN10 のみ</td></tr>
<tr><td colspan="2" rowspan="2">PPS との関係</td><td>PPS 後方に位置する</td></tr>
<tr><td>頸動脈鞘病変により PPS 脂肪は前方に圧排，あるいは後方から前方に向かって浸潤を受ける</td></tr>
<tr><td rowspan="3">病変</td><td>リンパ節病変</td><td>リンパ節転移(主に頭頸部扁平上皮癌)，悪性リンパ腫リンパ節病変，化膿性・結核性リンパ節炎</td></tr>
<tr><td>腫瘍性</td><td>神経原性腫瘍(CN10，交感神経)
傍神経節腫</td></tr>
<tr><td>血管性</td><td>頸動脈：動脈瘤，狭窄，血栓
内頸静脈：血栓性静脈炎</td></tr>
</table>

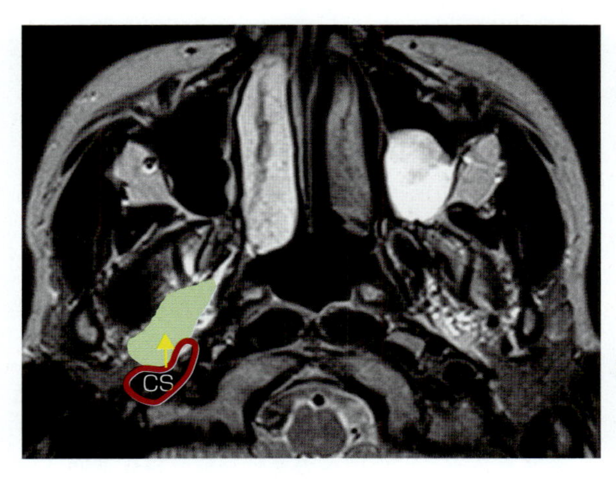

図 17　頸動脈間隙と傍咽頭間隙(▇)との位置関係

上咽頭レベルの MRI T2 強調横断像．実線(——)：頸動脈鞘，CS：頸動脈間隙．頸動脈間隙病変は傍咽頭間隙(脂肪)を後方から前方に圧排，あるいは浸潤する(矢印)．

る．耳下腺は顔面神経主幹部の平面により浅葉と深葉に分かれるが，顔面神経は下顎後静脈のすぐ外側を通過する(横断画像上で耳下腺内に描出される 2 つの血管のうち，外側が下顎後静脈，内側が外頸動脈)．頭側は外耳道下面に接し，尾側で耳下腺尾部は顎下部(ときに顎下部より下方)に達する．このため耳下腺尾部腫瘍は顎下部腫瘤の鑑別に含まれる．内側には傍咽頭間隙が位置しており(図 3A，11)，耳下腺深葉は茎突下顎裂(茎状突起と下顎骨枝後縁との間)を介してこれに接することから，茎突下顎裂を開大させる病変(図 22)，傍咽頭間隙脂肪を外側から圧排(あるいは外側から内側に進展)する病変(図 24)は耳下腺間隙由来(耳下腺深葉腫瘍)を示唆する．傍咽頭間隙病変の由来が傍咽頭間隙内の小唾液腺か，耳下腺深葉腫瘍の内側進展によるものかの区別が手術ア

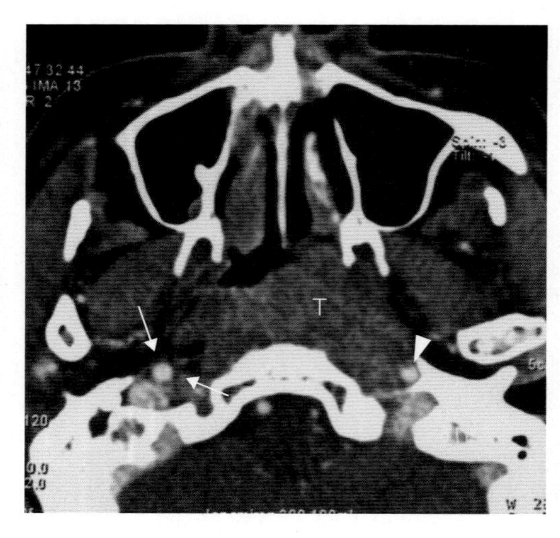

図 18　上咽頭癌の頸動脈間隙浸潤
造影 CT において上咽頭左 Rosenmuller 窩を中心に左側壁および後壁に及ぶ浸潤性軟部濃度腫瘤(T)を認め，上咽頭癌に一致する．右側(健側)では保たれている頸動脈周囲脂肪層(矢印)が左頸動脈(矢頭)周囲では消失しており同領域への腫瘍浸潤を反映している．

プローチに影響を与えることは傍咽頭間隙の項においてすでに述べた(図 12，13)．耳下腺自体の炎症，腫瘍等については 13 章「唾液腺」の記述を参照されたい．その他として耳下腺リンパ節病変(化膿性・結核性リンパ節炎，リンパ節転移，悪性リンパ腫リンパ節病変)，顔面神経に関連する病変(神経鞘腫，神経周囲進展など)，第 1 鰓裂嚢胞(11 章「頸部嚢胞性腫瘤」p737)，IgG4 関連疾患等が耳下腺間隙病変の主な鑑別疾患となる．

5 咀嚼筋間隙(masticator space：MS)(図 25，表 6，7：p24)・頬間隙(buccal space：BS)(表 8：p25)

咀嚼筋間隙は深頸筋膜浅葉(図 2A・B)が二重葉をなし咀嚼筋群(内側・外側翼突筋，咬筋，側頭筋)を囲むことで形成され，舌骨上頸部に限局する．同筋膜は，内側は翼突筋深部を覆い卵円孔内側の頭蓋底に達する(図 25C)．一方で外側は頬骨弓深部から頭側で側頭筋表面を覆い同筋の起始部となる側頭線・側頭鱗に付着することから，咀嚼筋間隙は頬骨上部(suprazygomatic MS)(図 25B)と頬骨下部(infrazygomatic MS)(図 25A)に区分される．頬骨上咀嚼筋間隙は側頭窩に相当するが，頬骨上・下咀嚼筋間隙の間は筋膜などの境界はなく(頬骨弓深部を介して)連続性をもっており，歯原性感染に伴う咀嚼筋間隙蜂窩織炎・膿瘍がときに側頭部・側頭窩の病変を形成する(図 26，27)(臨床医に対しては「頬骨上咀嚼筋間隙」より「側頭窩」がより一般的な用語として通じる場合が多い)．一方で側頭下窩は頬骨下咀嚼筋間隙および(その前方で上顎洞後側壁と咀嚼筋間隙との間に位置する)頬間隙(後述)を合わせた領域に相当する(図 28，表 6：p24)．

咀嚼筋間隙は前方は頬間隙，後方は耳下腺間隙，後内側は傍咽頭間隙と隣接する(図 3A・B)．頭側は卵円孔を含む頭蓋底から尾側は下顎骨下縁に及ぶが，卵円孔との位置関係により，同孔から出て外側翼突筋後面の筋膜下を通過する下顎神経(V3)が咀嚼筋間隙に含まれることは神経周囲進展を考える場合に非常に重要である(図 25A，25C)(15 章「神経周囲進展」を参照されたい)．なお，咀嚼筋群はいずれも V3 運動枝である咀嚼筋枝に支配される．同間隙には咀嚼筋群(内側・外側翼突筋，咬筋，側頭筋)，下顎神経(V3)の他，下歯槽神経・動静脈，下顎骨の体後部，枝が含まれるが，同間隙への悪性腫瘍，炎症進展は臨床上咬合不全として現れる．また片側のオトガイ部から顎部の知覚鈍麻，疼痛では V3 への浸潤を疑う．舌骨上頸部において，傍咽頭間隙の前方(あるいは前外側)に位置(あるいは前方から後方に浸潤)し，咀嚼筋・下顎骨(体後部・角・枝)を中心とする病変を認めた場合(あるいは傍咽頭間隙に対して外側前方から内側後方に浸潤する病変を認めた場合)，咀嚼筋間隙由来と診断される(図 29)．咀嚼筋間隙病変を疑った場合，頬骨上咀嚼筋間隙から下顎骨下縁までの咀嚼筋間隙全体，ま

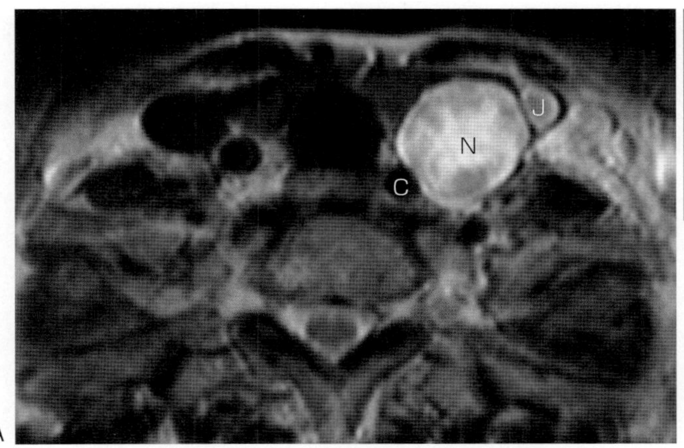

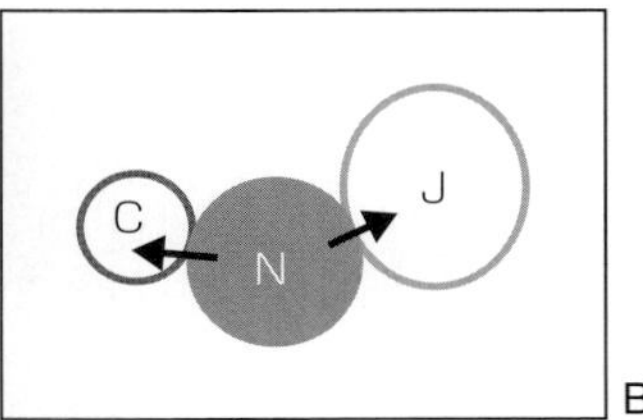

図 19　頸動脈間隙病変：迷走神経由来の神経原性腫瘍
舌骨下頸部レベルの MRI T2 強調横断像(A)において左側頸部で左総頸動脈(C)と内頸静脈(J)の間に介在して両者を開大するように境界明瞭な高信号腫瘤(N)を認める．これらの相対的位置関係を示したシェーマ(B)．

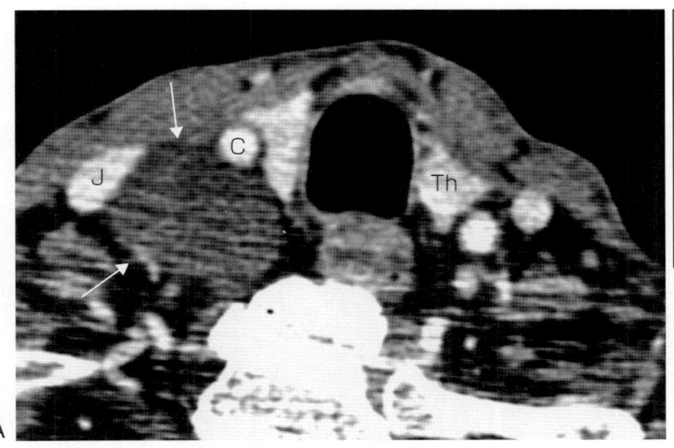

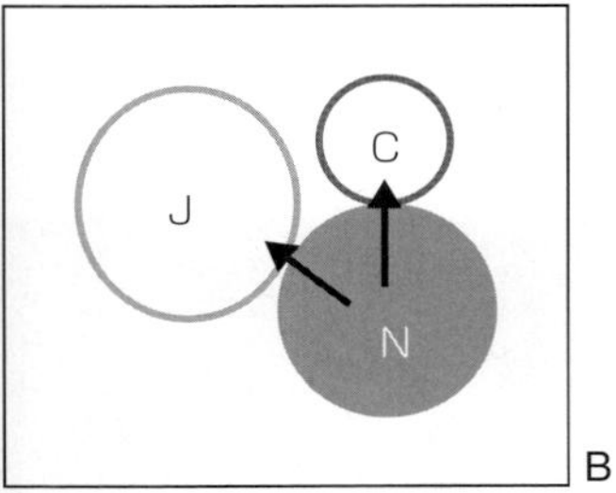

図 20　頸動脈間隙病変：交感神経由来の神経原性腫瘍
舌骨下頸部レベルの造影 CT 横断像(A)において右側頸部で左総頸動脈(C)と内頸静脈(J)の背側で両者を合わせて前方からやや側方に圧排するように境界明瞭な低吸収腫瘤(矢印)を認める．これらの相対的位置関係を示したシェーマ(B)．N：交感神経由来の神経原性腫瘍

た V3 の全走行経路が撮像範囲に含まれるプロトコルを設定する必要がある．咀嚼筋間隙病変は，炎症性(咀嚼筋間隙蜂窩織炎，膿瘍)として下顎歯の感染に由来する歯原性感染，下顎骨骨髄炎の頻度が高く，その他として壊死性外耳道炎，頭蓋底骨髄炎，化膿性耳下腺炎などの波及があげられる(図 26，27，30，31)．腫瘍性としては悪性リンパ腫節外病変(非 Hodgkin リンパ腫)(図 32)，下顎骨の骨転移(図 33)，骨肉腫，顎関節からの軟骨肉腫，小児の横紋筋肉腫，V3 由来の神経原性腫瘍(図 34)などがあるが比較的まれであり，隣接部からの浸潤として口腔癌(主に臼後三角)からの顎骨浸潤，口腔癌・中咽頭癌の咀嚼筋浸潤(主に内側翼突筋)，V3 に由来する神経周囲進展等の他に，血管腫，血管リンパ管奇形，さらに良性咀嚼筋(咬筋)肥大(図 35)，V3 脱神経による咀嚼筋の浮腫(図 36)・萎縮や副耳下腺等の偽病変も鑑別診断に含まれる．

これに対して頬間隙(図 28)は，深部は頬筋および上顎歯槽，外側は SMAS および顔面表情筋，後方は咀嚼筋間隙(咬筋，内側・外側翼突筋，下顎骨)と接する領域で，尾側は明確な筋膜の境な

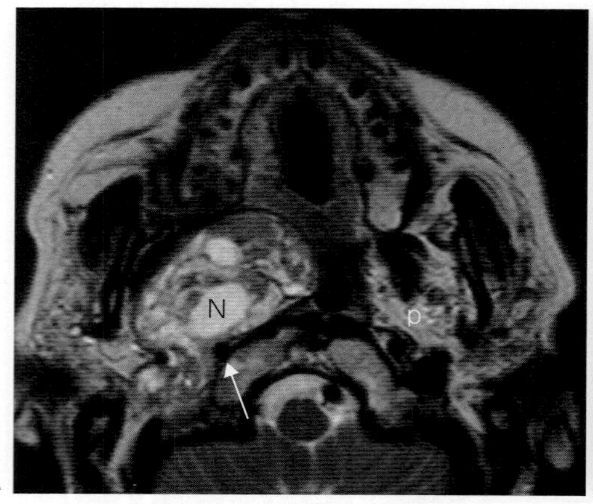

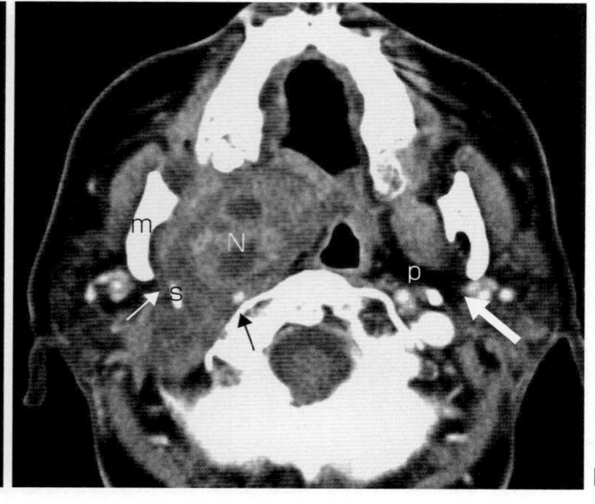

図 21　下位脳神経由来の神経原性腫瘍

上咽頭レベルの MRI T2 強調横断像(A)において右傍咽頭間隙(対側で p で示す)を大きく占拠するように境界明瞭な腫瘤(N)を認める．内部は不均一な高信号を呈する．矢印：右内頸動脈．造影 CT(B)で不均等な内部濃度を呈する病変(N)は外側後方で右茎状突起(s)背側に連続，茎状突起を前方に圧排する．結果として下顎枝(m)後縁と茎状突起の間(茎突下顎裂)は対側(大矢印)と比較して狭小化(白矢印)している．黒矢印：右内頸動脈，p：左傍咽頭間隙

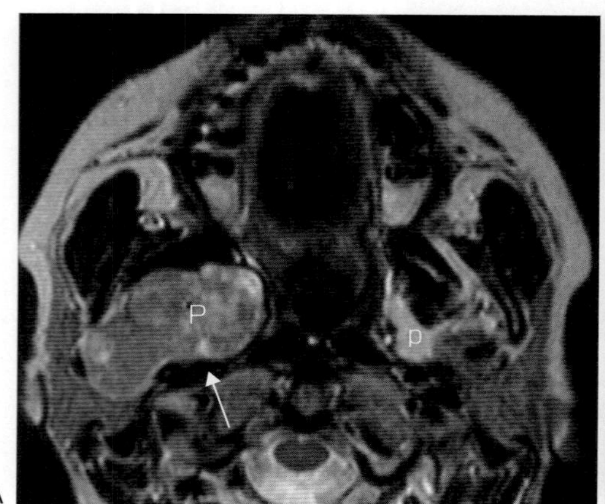

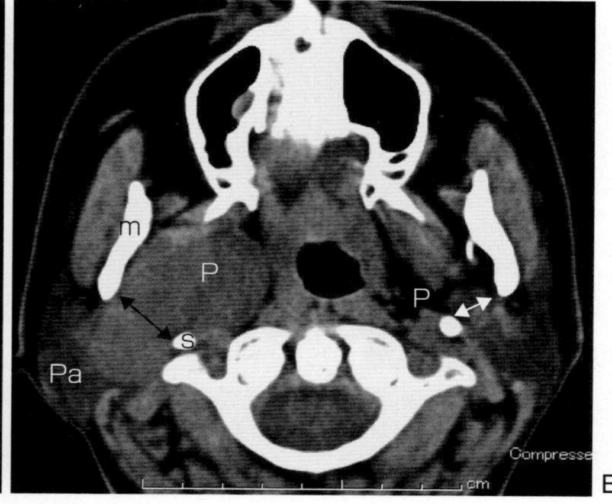

図 22　耳下腺深葉から傍咽頭間隙に膨隆する多形腺腫

上咽頭レベルの MRI T2 強調横断像(A)において右傍咽頭間隙(対側で p で示す)を大きく占拠するように境界明瞭な腫瘤(P)を認める．内部は不均一な高信号を呈する．腫瘤の局在，内部性状なども図 20A の病変に類似する．矢印：右内頸動脈．CT(B)で骨格筋よりやや低吸収を示す腫瘤が傍咽頭間隙(対側で p で示す)を占拠する．側方では茎状突起(s)前方から耳下腺(Pa)につながってみられる．茎状突起と下顎枝(m)後縁との間である茎突下顎裂(両向き黒矢印)の間を開大するように進入しており，下位脳神経病変(図 21B)とは異なる．両向き白矢印：健側の茎突下顎裂，p：左傍咽頭間隙

く顎下間隙に移行する．側頭下窩レベルの横断画像では上顎洞後側壁と咀嚼筋間隙前面との間に介在する主に脂肪に満たされた扁平な深部組織間隙として同定され，前方から下方で SMAS 深部の脂肪，内側深部では翼口蓋窩に連続する．また頭側では上顎洞後側壁に接する脂肪層(retroantral fat pad)への連続性がある．retroantral fat pad は上顎洞の浸潤性真菌性副鼻腔炎での浸潤所見を確認すべき脂肪層として重要である．頬間隙後方では parotidomasseteric fascia がときに不完全であり，咀嚼筋間隙との交通をもつ[10, 11]．

頬間隙(図 28)には脂肪(buccal fat pad)，顔面

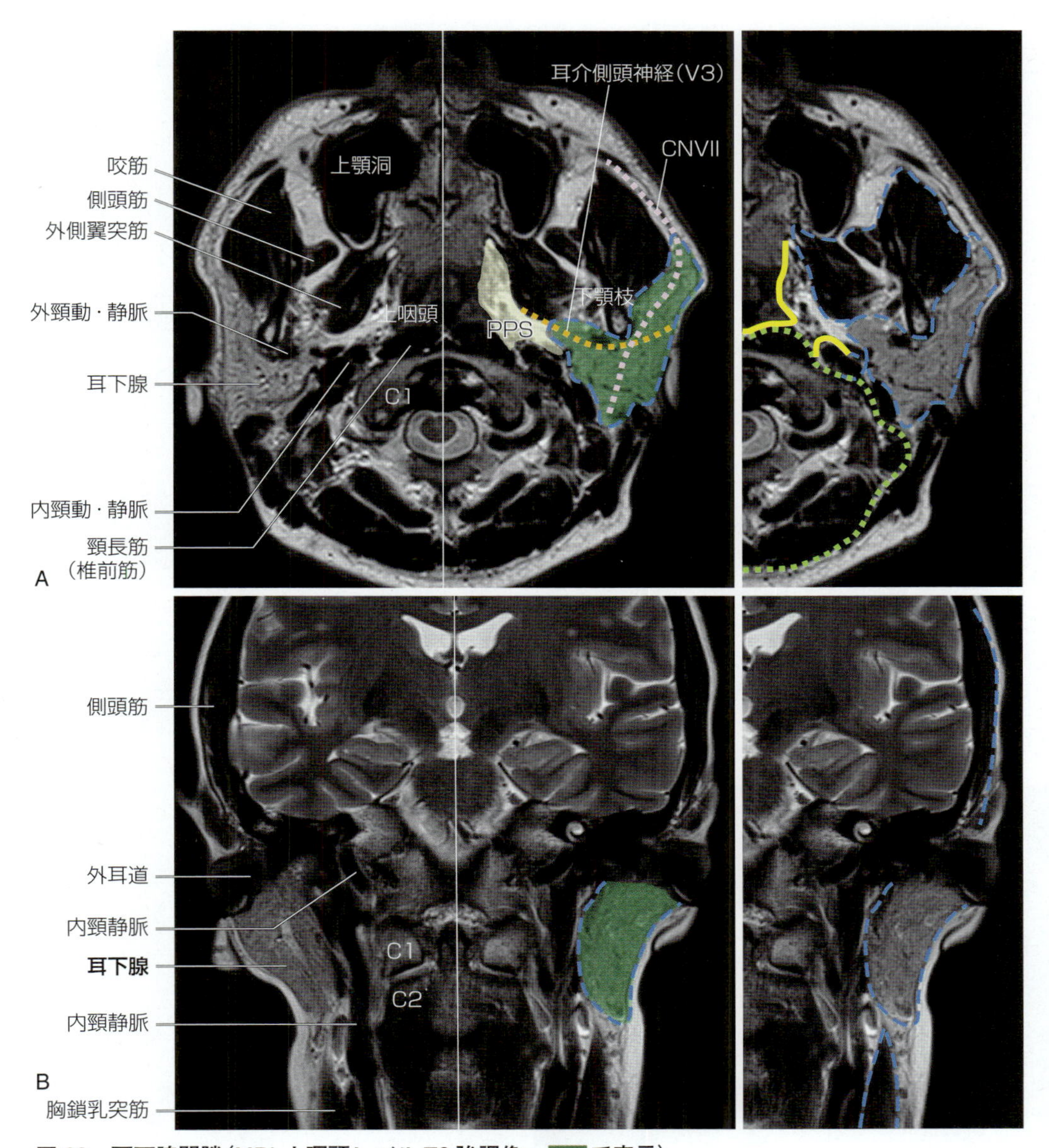

図 23 耳下腺間隙(MRI 上咽頭レベル T2 強調像；■で表示)

A：横断像.
B：冠状断像.
PPS：傍咽頭間隙(■), - - - -：深頸筋膜浅葉, ——：深頸筋膜中葉, ▪▪▪▪▪▪：深頸筋膜深葉
▪▪▪▪▪▪：耳介側頭神経(V3), ▪▪▪▪▪▪：顔面神経

動・静脈，耳下腺管遠位，小唾液腺・副耳下腺，頬筋，頬リンパ節が含まれ，耳下腺管(あるいはその前方に隣接する顔面静脈)により同間隙は前部と後部に区分される[11]．頬間隙病変の存在診断に関しては左右対称性の確認が最初の重要なステップとなるが，病変を認めた場合は次に耳下腺管との相対的位置関係を評価する．頬間隙の病変は，頭側では深部で retroantral fat pad，頬骨および咬筋の深部，側頭筋周囲へ，尾側では SMAS 深部で下顎骨方向へ，前方は頬部，後方は咀嚼筋間隙，内側では上顎洞，外側では SMAS および頬部脂肪への進展を示す．後方の

表 5　耳下腺間隙

解剖		舌骨上頸部に限局 深頸筋膜浅葉に囲まれる 頭側：外耳道下面 尾側：顎下部 内側：傍咽頭間隙
構造		耳下腺 顔面神経，耳介側頭神経(V3)，耳下腺リンパ節(腺内リンパ節は通常 20〜30 個程度)，下顎後静脈，外頸動脈
PPS との関係		PPS 外側に位置する
病変	耳下腺病変	炎症性疾患 ・耳下腺炎(自己免疫疾患を含む)・膿瘍，唾石 ・木村氏病
		耳下腺腫瘍 ・良性：多形腺腫，Warthin 腫瘍など ・悪性：粘表皮癌，腺様嚢胞癌，唾液腺導管癌など
	顔面神経病変	CN7 神経鞘腫 悪性腫瘍の神経周囲進展
	耳下腺リンパ病変	リンパ節転移 悪性リンパ腫リンパ節病変 化膿性・結核性リンパ節炎
	その他	第 1 鰓裂嚢胞，IgG4 関連疾患など

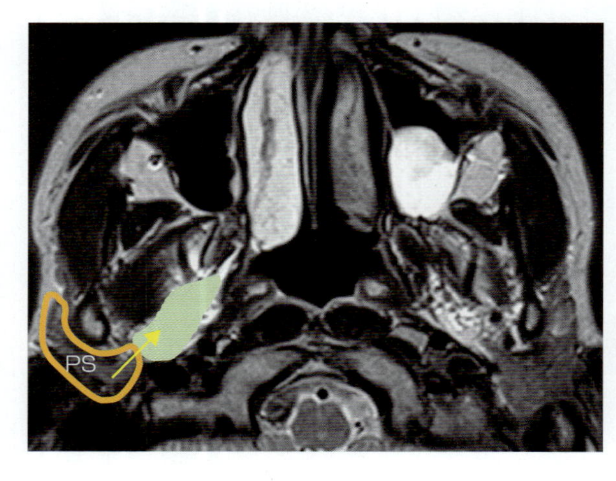

図 24　耳下腺間隙と傍咽頭間隙(　)との位置関係
上咽頭レベルの MRI T2 強調横断像．実線(——)：耳下腺被膜(深頸筋膜浅葉)，PS(耳下腺間隙)，耳下腺間隙病変は傍咽頭間隙(脂肪)を外側から内側に圧排，あるいは浸潤する(矢印)．

咀嚼筋間隙と密接することから腫瘍，感染は両間隙を同時に侵すこともしばしばであり，頬間隙病変の鑑別疾患は咀嚼筋間隙病変と重なる．同間隙の炎症性疾患としては歯原性感染(図 37)，耳下腺管の狭窄や唾石によるものが重要であるが，歯原性感染の多くは咀嚼筋間隙からの二次的な波及である[10]．また咀嚼筋間隙，頬間隙の感染性病変はまず歯原性か非歯原性かの区別が評価において重要である．頬間隙の腫瘍性病変としては，小唾液腺腫瘍(図 38)，副耳下腺腫瘍，悪性リンパ腫節外病変(図 39)，脂肪腫，血管腫等が同間隙内より生じるが，口腔癌(頬粘膜癌，歯肉癌，臼後三角癌など)，中咽頭癌(前口蓋弓癌など)，上顎洞癌等の二次性進展が多い．腫瘍類似の浸潤性疾患として血管リンパ管奇形，木村氏病等があげられる．頬部皮下のため美容形成術の術後変化

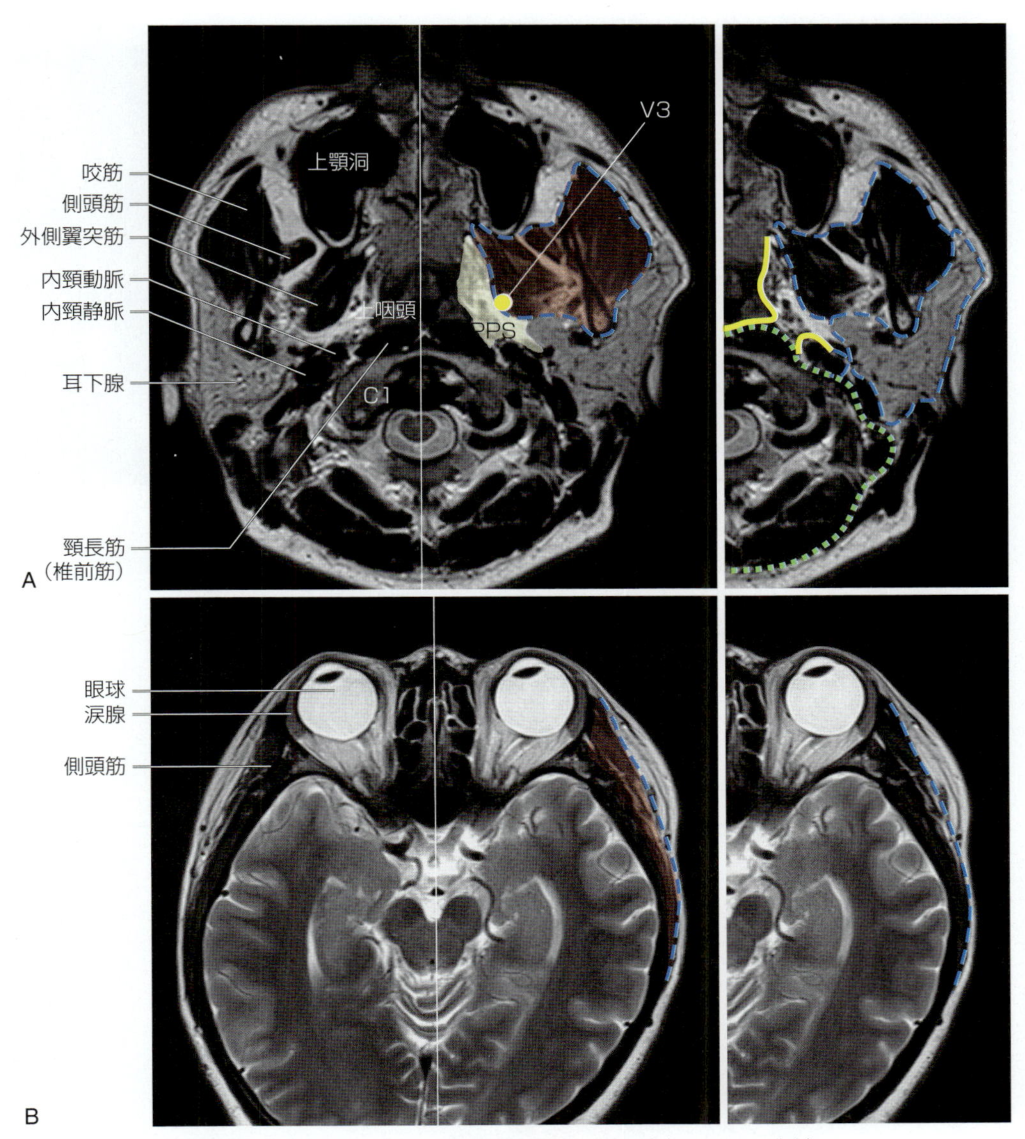

図 25　咀嚼筋間隙（MRI 上咽頭レベル T2 強調像；■で表示）**（p24 につづく）**

A：側頭下窩レベル（頬骨下咀嚼筋間隙レベル）横断像．

B：側頭窩レベル（頬骨上咀嚼筋間隙レベル）横断像．

PPS：傍咽頭間隙（■で表示），－－－－：深頸筋膜浅葉，――――：深頸筋膜中葉，･･････：深頸筋膜深葉

冠状断像（C）において頬骨弓深部を介して頬骨上咀嚼筋間隙を形成する側頭筋（＊）と頬骨下咀嚼筋間隙との頭尾側方向の連続性（両向き矢印）が示されている．下顎神経（V3）は横断像（A）において外側翼突筋後面で同筋膜下に位置し，冠状断像（C）では外側・内側翼突筋の間を通過して下顎枝内側面の下顎孔（矢印）に向かう（･･････で示す）．

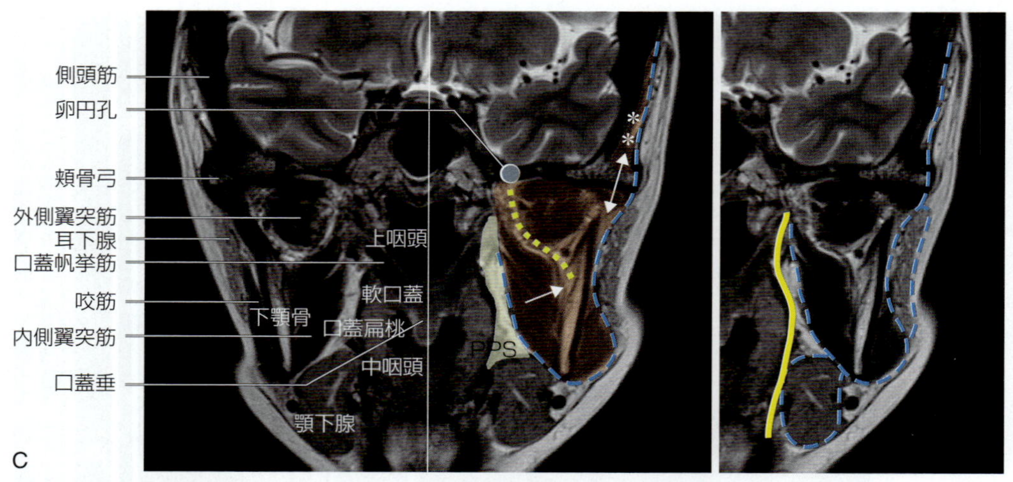

図 25 咀嚼筋間隙（MRI 上咽頭レベル T2 強調像；■で表示）（つづき）
C：冠状断像.

表 6 側頭窩・側頭下窩

側頭窩	「頬骨上咀嚼筋間隙」に相当
側頭下窩	「頬骨下咀嚼筋間隙および頬間隙」に相当

表 7 咀嚼筋間隙

<table>
<tr><td colspan="2">解剖</td><td colspan="2">舌骨上頸部に限局
深頸筋膜浅葉に囲まれる
前方：頬間隙
後内側：PPS
後方：耳下腺（間隙）
頭側：頭蓋底（卵円孔を含む）
尾側：下顎体後部から角の下縁</td></tr>
<tr><td colspan="2">構造</td><td colspan="2">咀嚼筋群
・内側・外側翼突筋，咬筋，側頭筋
V3（下顎神経），下歯槽神経・動静脈
下顎骨の体後部・枝</td></tr>
<tr><td colspan="2">PPS との関係</td><td colspan="2">PPS 前方（やや外側）に位置する.</td></tr>
<tr><td rowspan="4">病変</td><td>炎症性</td><td colspan="2">歯原性感染，下顎骨骨髄炎</td></tr>
<tr><td>腫瘍性</td><td colspan="2">非 Hodgkin リンパ腫
口腔癌（主に臼後三角部），中咽頭癌（主に側壁）の浸潤
下顎骨：骨転移，骨肉腫，軟骨肉腫（顎関節領域）
肉腫（小児の横紋筋肉腫）
V3：神経鞘腫，神経周囲進展</td></tr>
<tr><td rowspan="2">その他</td><td colspan="2">血管腫，血管リンパ管奇形</td></tr>
<tr><td>偽病変</td><td>良性咀嚼筋肥大（片側あるいは両側）
副耳下腺
V3 脱神経萎縮・浮腫など</td></tr>
</table>

表 8　頬間隙

解剖		深部・内側：頬筋，上顎歯槽 外側：SMAS および顔面表情筋 後方：咀嚼筋間隙 尾側：顎下間隙に移行	
構造		脂肪(buccal fat pad)，顔面動・静脈，耳下腺管遠位， 小唾液腺・副耳下腺，頬筋，頬リンパ節	
病変	炎症性	歯原性感染，耳下腺管の狭窄・唾石による	
	腫瘍性	原発性	小唾液腺・副耳下腺腫瘍 脂肪腫 血管腫
		二次性浸潤	口腔癌(頬粘膜，歯肉，臼後三角) 中咽頭癌(前口蓋弓) 上顎洞癌
	頬リンパ節病変	転移 悪性リンパ腫リンパ節病変	
	その他	血管リンパ管奇形 木村氏病 美容形成術後(異物性肉芽)など	

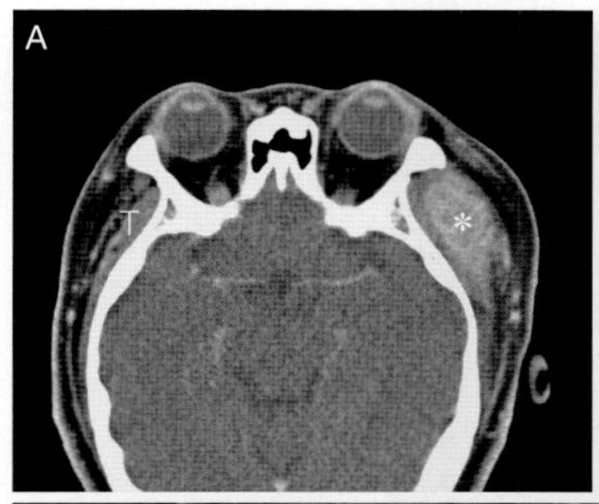

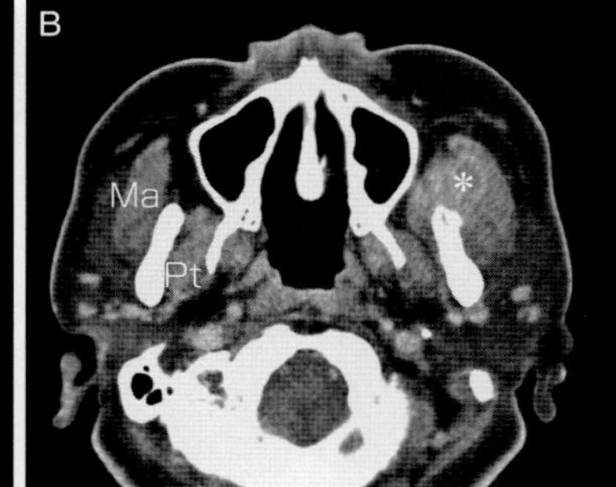

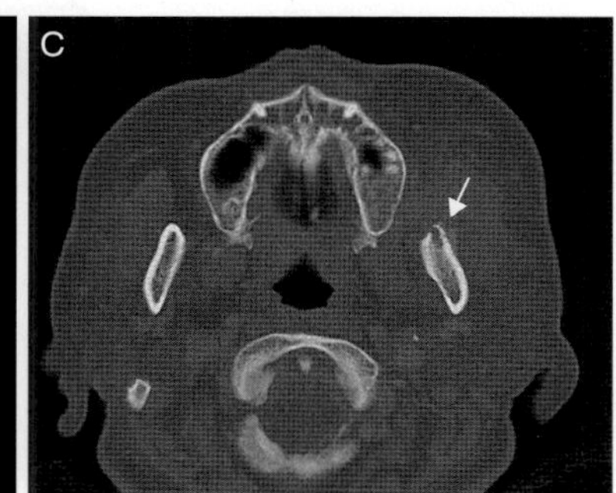

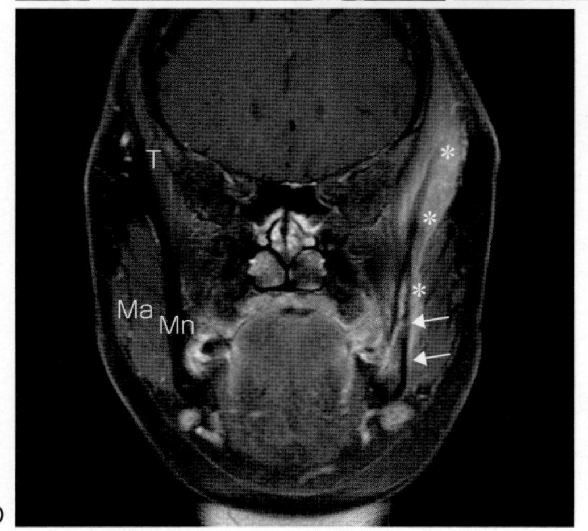

図 26　咀嚼筋間隙病変：側頭窩病変を伴う咀嚼筋間隙蜂窩織炎

側頭窩レベルの造影 CT(A)において左側頭筋領域(対側で T で示す)の増強効果を伴う軟部組織腫脹(＊)を認める．側頭下窩レベル(B)で側頭筋付着部から下顎枝前面に沿った組織腫脹(＊)あり．同レベルの骨条件表示(C)において左下顎枝前方の不規則な脱灰，皮質途絶，骨膜反応あり．下顎骨骨髄炎の骨外炎症波及を示唆する．積極的に膿瘍形成を支持する，辺縁増強効果を伴う造影不良域は指摘されない．同症例の MRI 造影後 T1 強調冠状断像において，左側の頬骨上・下の咀嚼筋間隙に広範な軟部組織腫脹，増強効果を認める．増強効果は左下顎枝の髄内(矢印)に及ぶ(Mn：健側の下顎枝は脂肪髄のため脂肪抑制画像で低信号を呈する)．Ma：咬筋，Pt：翼突筋，T：側頭筋

(あるいは異物性肉芽)も浸潤性所見を示しうるが，病歴とほぼ対称性の分布などから多くが診断可能である．頬リンパ節病変(転移，悪性リンパ腫リンパ節病変)は結節性所見を呈する傾向にある(図 40)．

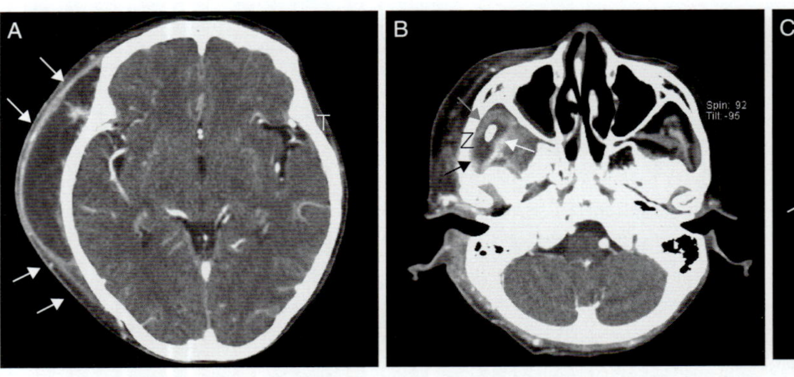

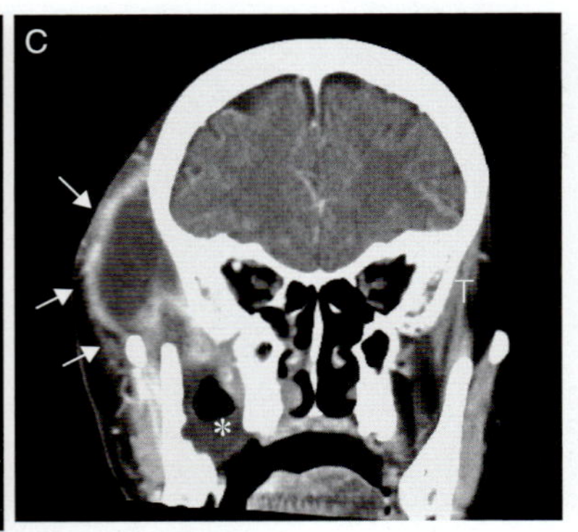

図 27　咀嚼筋間隙病変：側頭窩病変を伴う咀嚼筋間隙膿瘍（中咽頭右側壁癌に対する CRT 後）

側頭窩レベル（A）造影 CT 横断像で右側頭窩に辺縁増強効果を伴う液体濃度領域（矢印）を認め，膿瘍に一致する．頬骨弓レベル（B）で頬骨弓（Z）深部において筋突起周囲への膿瘍の連続性あり．冠状断像（C）で中咽頭右側壁に治療後変化による壊死と大きな組織欠損（*）を認め，同潰瘍底は既述の膿瘍（矢印）と連続するように認められる．

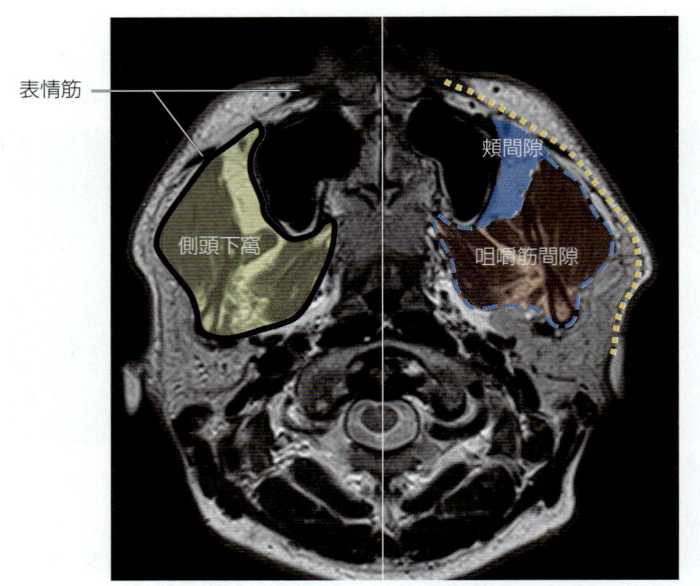

図 28　側頭下窩（MRI 上咽頭レベル T2 強調像；　で表示）

側頭下窩（　）は頬間隙（　）と頬骨下咀嚼筋間隙（　）を合わせた領域を指す．頬間隙は外側前方で深頸筋膜浅葉である SMAS（------）に区分される．

6 口腔底の組織間隙：舌下間隙（sublingual space：SlS）（表 9：p33）・顎下間隙（submandibular space：SmS）（表 10：p34，図 41）

顎舌骨筋は下顎骨体部舌側面の顎舌骨筋線に起始し正中の顎舌骨筋縫線に付着してハンモック様に口腔底全体を支持（図 41C）しているが，口腔領域には顎舌骨筋で区分される顎下間隙，舌下間隙という 2 つの重要な組織間隙がある．

舌下間隙（表 9：p33）は舌の内舌筋深部で，顎舌骨筋の内側上部と，同側のオトガイ舌筋・オトガイ舌骨筋外側面との間に形成され，前方は下顎骨（舌側）で境される．後方は顎舌骨筋後縁レベルで顎下間隙（後述）後上部と（筋膜の境なく）連続性の交通をもつ（図 41A）．このため舌下間隙によ

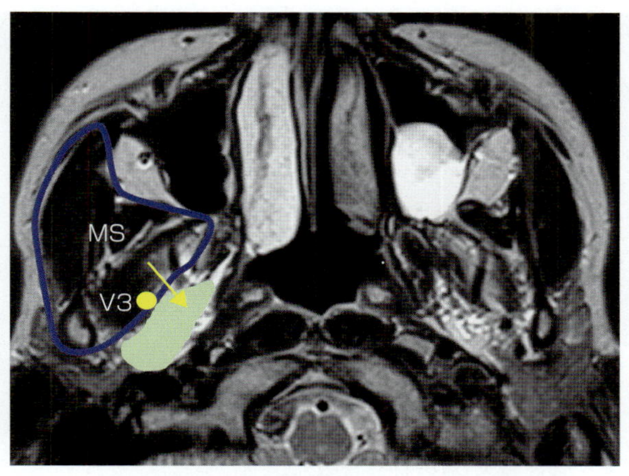

図 29　咀嚼筋間隙と傍咽頭間隙( )との位置関係

上咽頭レベルの MRI T2 強調横断像．実線(――)：深頸筋膜浅葉，MS(咀嚼筋間隙)，V3：下顎神経．咀嚼筋間隙病変は傍咽頭間隙(脂肪)を外側前方から内側後方に圧排，あるいは浸潤する(矢印)．

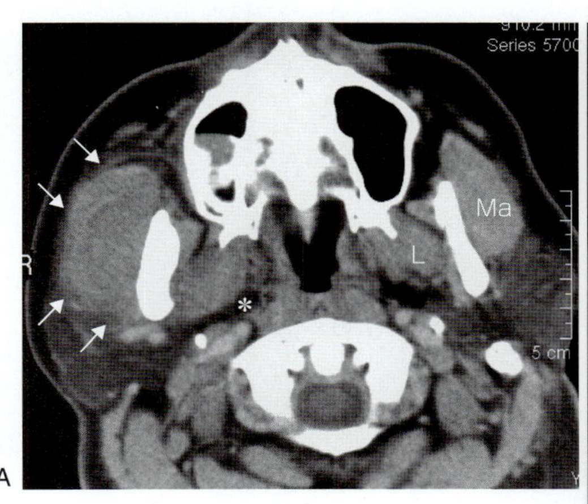

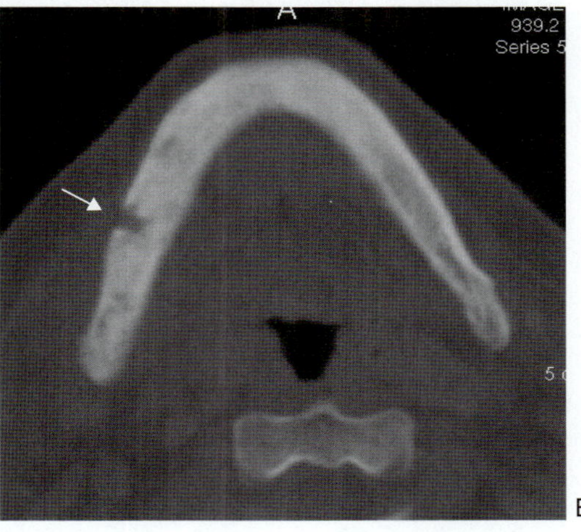

図 30　咀嚼筋間隙病変：蜂窩織炎(下顎骨骨髄炎)

側頭下窩レベル(A)において右側の咬筋(対側で Ma で示す)の著明な腫脹(矢印)を認める．右外側翼突筋(対側でLで示す)も軽度腫脹あり．隣接する右傍咽頭間隙(＊)は対側との比較で前方より圧排偏位とともに混濁を示しており，咀嚼筋間隙蜂窩織炎に相当する．膿瘍を支持する造影不良域はみられない．同症例の下顎骨レベルの骨条件表示(B)で下顎骨は右側にやや優位に広範かつ不均等な骨硬化がみられ，慢性硬化性骨髄炎を示す．右体部頬側で部分的な皮質骨欠損(矢印)を認め，上記の炎症の原因に合致する．

る病変(潜入性ガマ腫が代表)がときに顎下間隙腫瘤として顕在化する(図 15)．また，同間隙の病変(特に膿瘍やガマ腫)は，前方の舌小帯深部や筋間を通じて正中を越えた対側進展，両側性分布を示しうる(図 42)．

舌下間隙(図 41)には，舌下腺の他，舌動・静脈，舌神経(V3)，舌咽神経(CN IX)，舌下神経(CN XII)という舌の神経血管束，さらに顎下腺深部(鉤状突起)・顎下腺管，小唾液腺，舌骨舌筋および茎突舌筋の前方部，舌リンパ節が含まれるが，舌の神経血管束は舌骨舌筋に沿って同間隙内を走行しており，顎下腺管も同間隙を前方に走行(図 41A)し前口腔底(舌小帯側方に近接した舌下乳頭)に開口する．基本的には横断像では顎舌骨

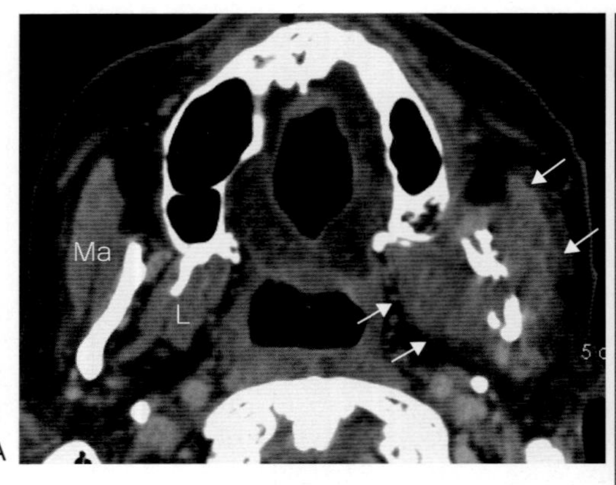

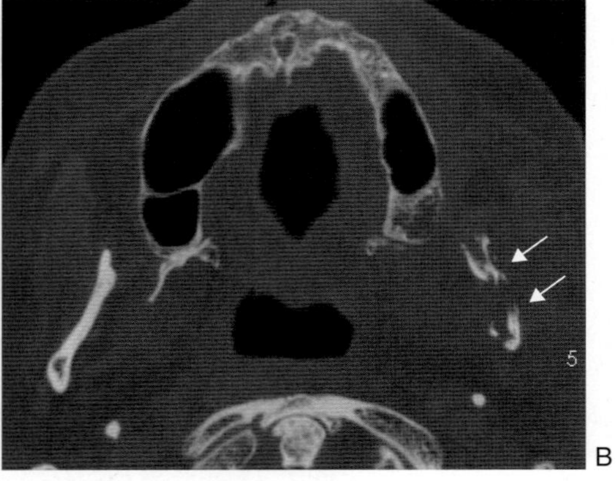

図 31　咀嚼筋間隙病変：蜂窩織炎（放射線顎骨壊死）

非造影 CT（A）で左側の咬筋（対側で Ma で示す），外側翼突筋（L）領域の軟部組織腫脹（矢印）あり．同レベルの骨条件表示（B）で病変の中心に位置する左下顎枝（矢印）は不規則な脱灰，皮質の途絶，一部で骨膜反応と思われる所見を示す．放射線治療の既往とともに放射線性顎骨壊死の所見に相当する．

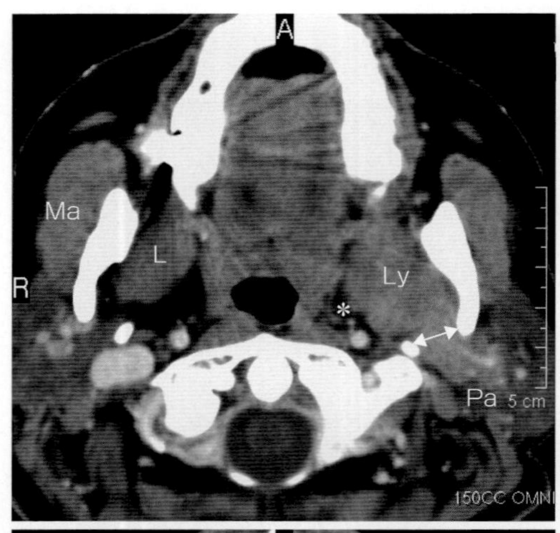

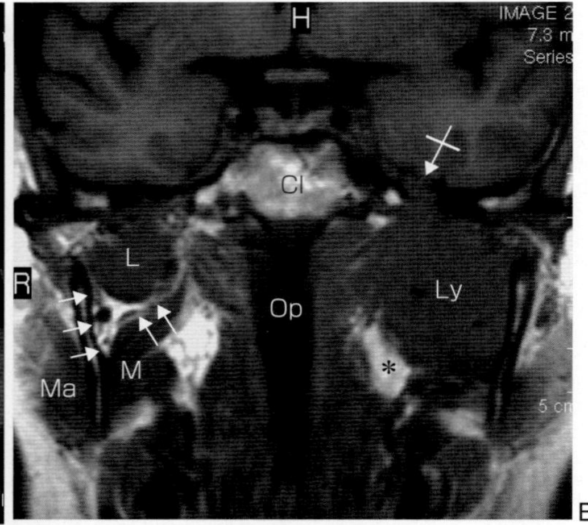

図 32　咀嚼筋間隙病変：悪性リンパ腫

中咽頭レベル造影 CT（A）において左外側翼突筋（対側で L で示す）領域を中心とする軟部濃度腫瘤（Ly）を認め，傍咽頭間隙の脂肪（＊）を前方やや外側から圧排する．後側方では茎突下顎裂（両向き矢印）を介して耳下腺深葉（Pa）方向への進展を示す．同進展は耳介側頭神経（V3）に沿った神経周囲進展を反映する．Ma：咬筋．中咽頭レベルの MRI T1 強調冠状断像（B）で左咀嚼筋間隙を中心とする腫瘤（Ly）を認め，内側翼突筋（M）と外側翼突筋（L）との間，翼突筋と下顎枝内側面との間の脂肪層（対側で矢印で示す）は消失している．頭側では拡大した卵円孔を介して左中頭蓋窩への頭蓋内進展（V3 に沿った中枢側への神経周囲進展）を認める（十字矢印）．Cl：斜台，Op：中咽頭

別症例の造影 CT 横断像（C）で右下顎枝（Mn）を囲むように軟部濃度腫瘤（矢印）を認める．Ma：咬筋，Pt：翼突筋

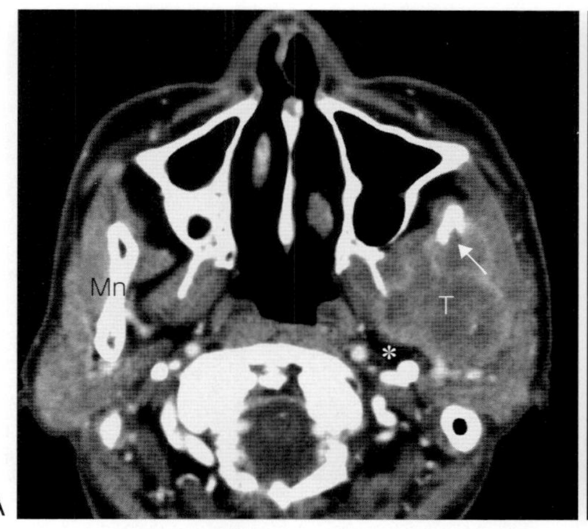

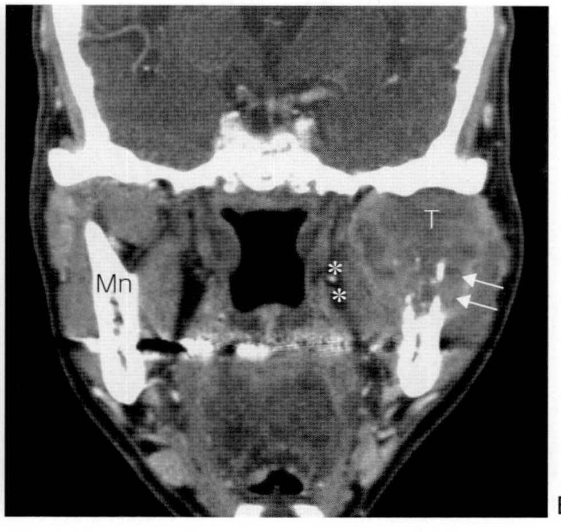

図 33　咀嚼筋間隙病変：下顎骨転移(肺癌)

造影 CT 横断像(A)において左咀嚼筋間隙に浸潤性腫瘤(T)を認め，左下顎枝(対側で Mn で示す)の破壊(矢印)を伴う．左傍咽頭間隙の脂肪(＊)は外側前方より浸潤を受ける．同冠状断像(B)では左下顎枝(対側で Mn で示す)を破壊し(矢印)，同部を中心とする浸潤性腫瘤(T)を認める．＊：外側より圧排を受ける左傍咽頭間隙脂肪

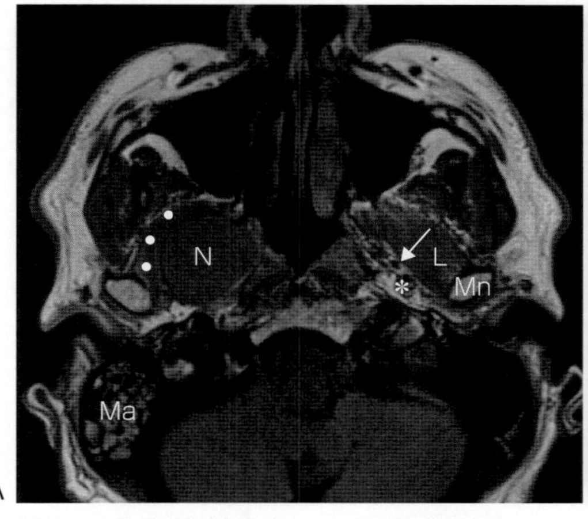

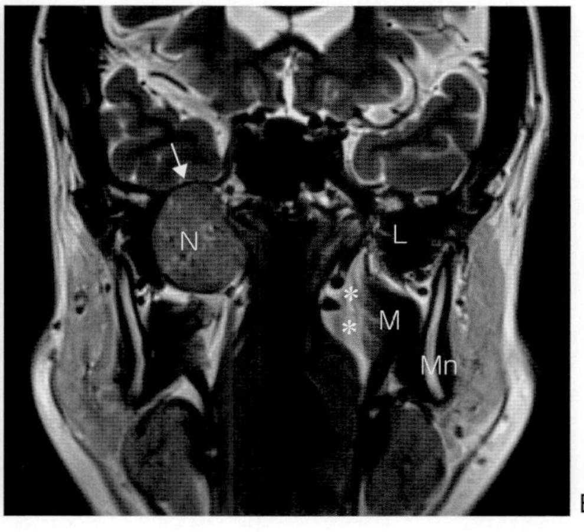

図 34　咀嚼筋間隙病変：V3 神経原性腫瘍

上咽頭レベルの MRI T1 強調横断像(A)で右側の外側翼突筋(対側で L で示す)を前外側に著明に圧排(・)する類円形腫瘤(N)を認め，後内側で傍咽頭間隙(対側で＊で示す)に膨隆，大きく占拠する．矢印：左外側翼突筋後面に沿って走行する正常の左 V3，Ma：腫瘍による右耳管圧排による二次性乳突蜂巣炎，Mn：下顎骨関節頭．同 T2 強調冠状断像(B)で右咀嚼筋間隙を中心とする腫瘤(N)で拡大した右卵円孔を介して中頭蓋窩底部に膨隆(矢印)，右側頭葉下面を軽度圧排する．L：外側翼突筋，M：内側翼突筋，Mn：下顎骨

筋とオトガイ舌筋・オトガイ舌骨筋との間，冠状断像では顎舌骨筋の内側上部に中心をもつ病変をみた場合，舌下間隙由来と診断される．ただし，既述のとおり舌下間隙に由来する病変が顎下間隙に進展し，顎下部が主病変として顕在化する場合もあるため，舌下間隙との連続性(tail sign；図 43)の慎重な確認が重要である．舌下間隙の病変は，炎症性としては(主に歯原性感染による)蜂窩織炎(Ludwig's angina を含む)・膿瘍(図 44)，(顎下腺管の)唾石，ガマ腫(図 45)など，腫瘍性としては舌下腺由来の良悪性腫瘍(図 46)，舌癌や口腔底癌(扁平上皮癌)の浸潤(直接浸潤および舌リンパ節転移)，その他としては神経原性腫瘍(図 47)，血管腫，リンパ管腫・血管リンパ管奇

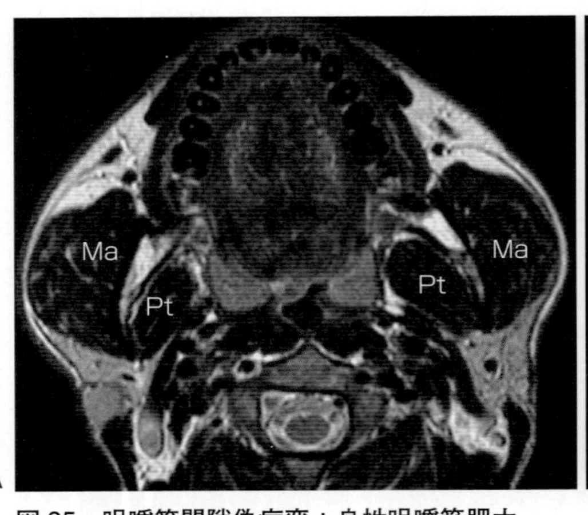

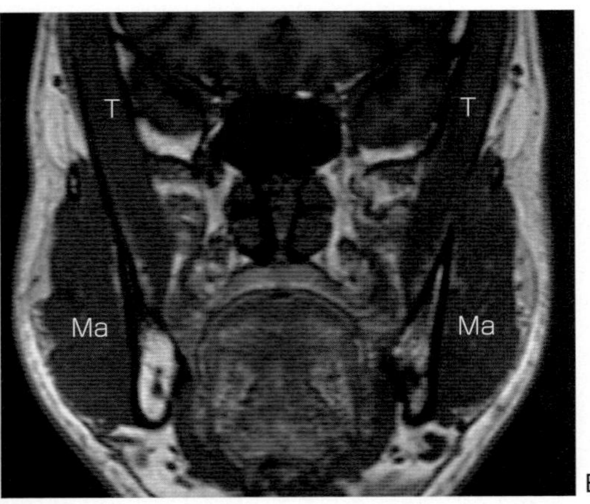

図35　咀嚼筋間隙偽病変：良性咀嚼筋肥大

MRI T2強調横断像(A)およびT1強調冠状断像(B)において，咬筋(Ma)，翼突筋(Pt)，側頭筋(T)のいずれも通常より腫大して認められる．

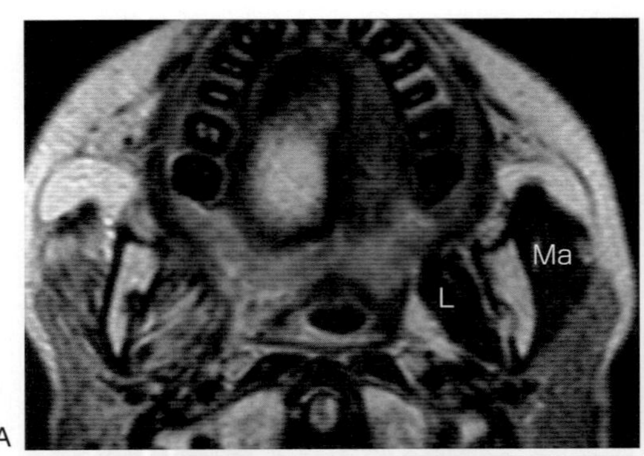

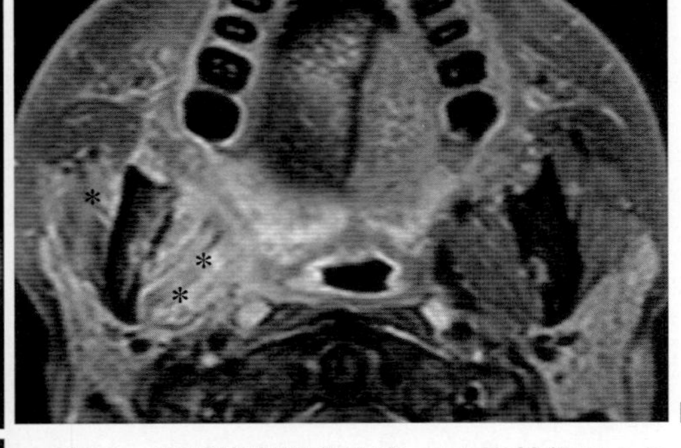

C

図36　咀嚼筋間隙偽病変：V3脱神経による浮腫

中咽頭レベルのMRI T2強調横断像(A)で右咬筋(対側でMaで示す)，外側翼突筋(対側でLで示す)の不均一な信号上昇がみられ，造影後T1強調脂肪抑制画像(B)では同部にびまん性の増強効果(＊)がみられる．頭蓋底レベルの造影後T1強調脂肪抑制画像(C)において右卵円孔内に増強効果を示すV3本幹(大矢印)がみられ，右V3に沿った神経周囲進展を示唆する．対側卵円孔(小矢印)には神経周囲静脈叢による辺縁のみの増強効果に囲まれる(増強効果を示さない)正常のV3本幹が同定される．右咀嚼筋のT2強調像(A)での信号上昇，造影後T1強調脂肪抑制画像(B)での増強効果はいずれも脱神経性の浮腫を反映する所見と考えられる．

形，皮様嚢腫・類皮嚢腫等があげられる．また，片側CN12障害による舌非対称性(舌片側の弛緩，浮腫，筋萎縮による脂肪浸潤など)(図48)は偽病変として重要である．

一方，顎下三角(下顎骨体部下縁，顎二腹筋の前腹，後腹により形成)およびオトガイ下三角(左右の顎二腹筋前腹，舌骨体部前面により形成)深部に相当する顎下間隙(表10：p34，図41)は，顎舌骨筋の外側下方から後下方で舌骨より頭側に位置する．深頸筋膜浅葉が二重葉をなし，深部では顎舌骨筋表層を覆い，浅部は広頸筋深部に沿って位置することで顎下間隙を囲むが，頭側の傍咽

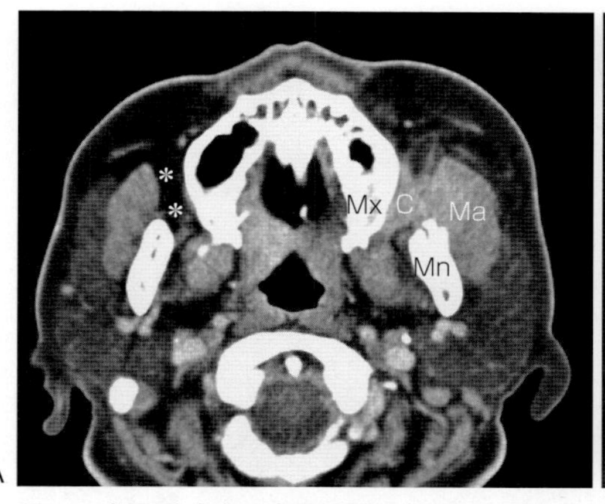

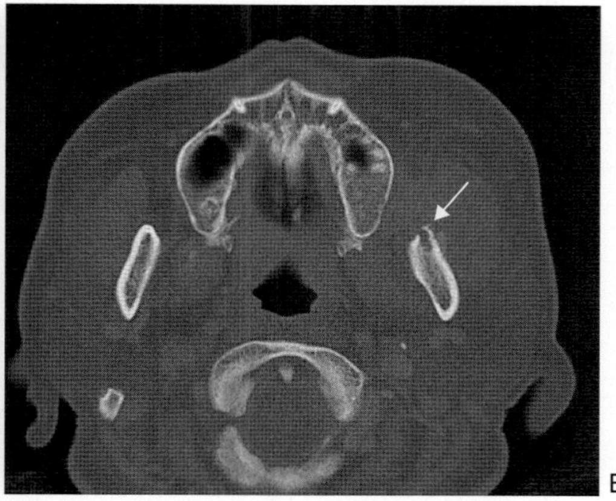

図 37　頬間隙病変：歯原性感染(図 26 と同一症例)
口腔レベルの造影 CT(A)において左頬間隙の脂肪(対側で＊で示す)内に浸潤性軟部濃度領域(C)を認める．隣接する咬筋(Ma)も対側より腫大してみられる．Mn：下顎枝，Mx：上顎骨歯槽基部．同レベルの骨条件表示(B)において左下顎枝前方の不規則な脱灰，皮質途絶，骨膜反応あり．下顎骨骨髄炎の骨外炎症波及を示唆する．

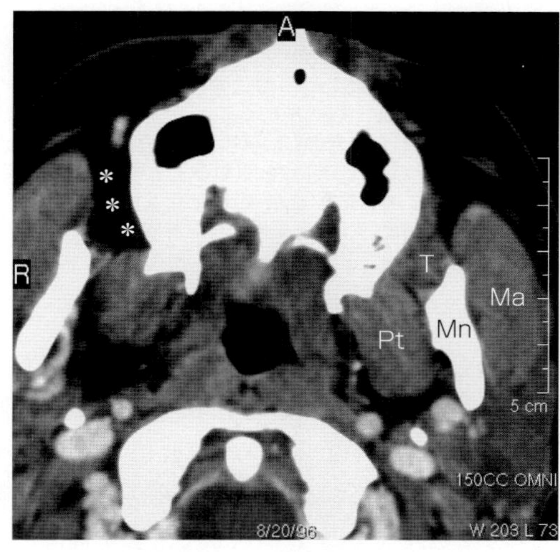

図 38　頬間隙病変：小唾液腺腫瘍(粘表皮癌)
中咽頭レベルの造影 CT において左頬間隙(対側で＊で示す)に軟部濃度腫瘤(T)を認める．Ma：咬筋，Mn：下顎枝，Pt：翼突筋

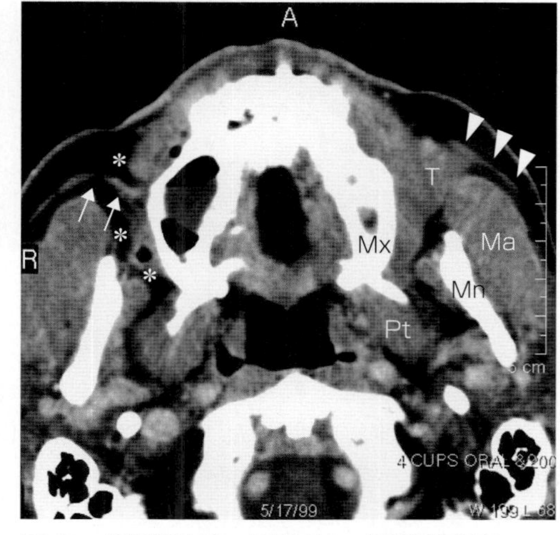

図 39　頬間隙病変：悪性リンパ腫節外病変
中咽頭レベルの造影 CT において左頬間隙(対側で＊で示す)に浸潤性軟部腫瘤(T)を認める．矢印：耳下腺管，矢頭：深頸筋膜浅葉および SMAS，Ma：咬筋，Mn：下顎枝，Mx：上顎骨，Pt：翼突筋

頭間隙下部(図 9B)，(顎舌骨筋後縁レベルで)前方の舌下間隙後方とは筋膜の境なく連続性に交通(図 41A)している．同間隙には顎下腺浅部，顎下およびオトガイ下リンパ節(レベル IA，IB)の他，顎二腹筋前腹，顔面動・静脈，舌下神経(CN XII)の inferior loop，脂肪が含まれる．舌骨上頸部で顎舌骨筋の外側から下方に中心をもつ病変をみた場合は顎下間隙病変と判断され，同間隙に原発する病変の多くは顎下腺あるいは顎下・オトガイ下リンパ節に由来する．顎下腺病変では炎症(唾石による二次性顎下腺炎・膿瘍，自己免疫性疾患を含む)(図 44)，唾石，IgG4 関連疾患(Mikulicz 病を含む)および良悪性腫瘍(多形腺腫が最も多く，悪性では腺様嚢胞癌が多い)等を生じる(第 13 章「唾液腺」を参照されたい)．顎下・オトガイ下リンパ節(レベル I リンパ節)病変は炎症

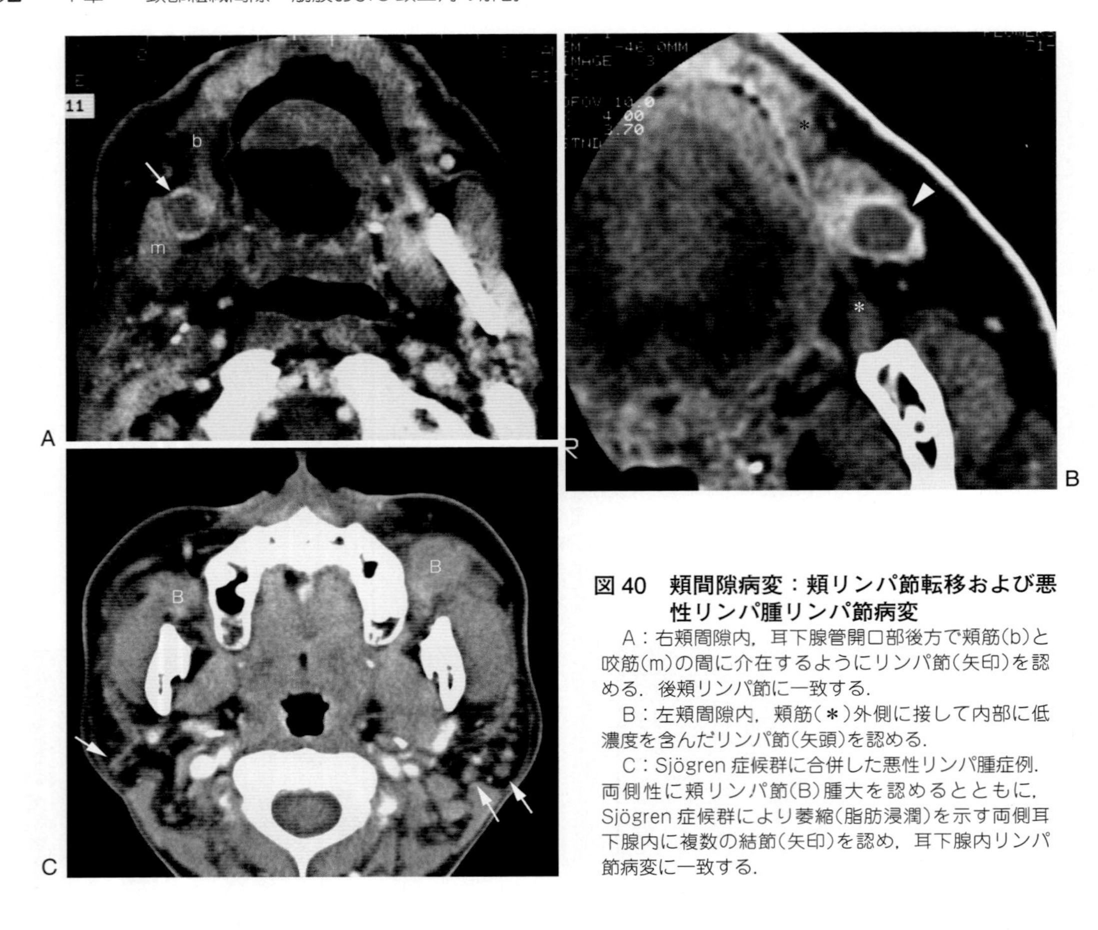

図 40 頬間隙病変：頬リンパ節転移および悪性リンパ腫リンパ節病変

A：右頬間隙内，耳下腺管開口部後方で頬筋(b)と咬筋(m)の間に介在するようにリンパ節(矢印)を認める．後頬リンパ節に一致する．

B：左頬間隙内，頬筋(＊)外側に接して内部に低濃度を含んだリンパ節(矢頭)を認める．

C：Sjögren 症候群に合併した悪性リンパ腫症例．両側性に頬リンパ節(B)腫大を認めるとともに，Sjögren 症候群により萎縮(脂肪浸潤)を示す両側耳下腺内に複数の結節(矢印)を認め，耳下腺内リンパ節病変に一致する．

性として化膿性リンパ節炎(図 49)，結核性リンパ節炎，腫瘍性として転移(主に口腔癌，その他として鼻副鼻腔癌，中咽頭癌，顔面皮膚の癌に由来)，悪性リンパ腫リンパ節病変があげられる．顎下腺，レベルⅠリンパ節以外では，蜂窩織炎(Ludwig's angina を含む)，膿瘍(図 50)，嚢胞性病変である第 2 鰓裂嚢胞(Bailey 2 型)，皮様嚢腫・類上皮腫，リンパ管腫，甲状舌管嚢胞(舌骨上型)(11 章「頸部嚢胞性腫瘤」を参照されたい)，さらに血管腫や脂肪腫(図 51)などを生じる．また耳下腺尾部が顎下間隙後方に隣接することから耳下腺尾部腫瘤が下顎部病変を形成する場合もあり，耳下腺由来を認識しなければ顎下部アプローチでの切除となり顔面神経損傷のリスクがあり注意を要する．同間隙の感染性病変(蜂窩織炎，膿瘍)は主に歯原性などの口内感染，リンパ節炎や(唾石による二次性を含む)顎下腺炎のいずれかに続発することから，これらの原因病態の確認も求められる．顎下間隙への二次性進展としては，潜入性ガマ腫(図 43)が代表であるが，口腔癌・中咽頭癌(扁平上皮癌)の進展(5 章「口腔」図 71)も重要である．舌下間隙病変がしばしば顎下間隙への進展を示すのに対して，顎下間隙に由来する病変の舌下間隙進展は比較的まれである．またオトガイ下三角後方で舌骨体部前面に近接する顎下間隙病変(例：オトガイ下リンパ節腫大)は画像上も理学所見としても舌骨下レベル前頸部病変(例：舌骨下型の甲状舌管嚢胞)との局在の明瞭な区別が困難な場合があり注意を要する．両者の区別は横断像より矢状断像が有用であるが実際には矢状断像でも確定的判断が下せない例も少なくない．なお，狭義の顎下間隙は顎下三角深部に相当する領域のみを示し，この場合は左右に分けられ内側は顎二腹筋前腹で区分されオトガイ下リンパ節(レベル IA)は含まない．

表 9　舌下間隙

<table>
<tr><td colspan="2" rowspan="2">解剖</td><td>冠状断像：顎舌骨筋の内側上部
横断像：顎舌骨筋と同側オトガイ舌筋・舌骨筋との間</td></tr>
<tr><td>後方は顎舌骨筋後縁レベルで顎下間隙と交通</td></tr>
<tr><td colspan="2">構造</td><td>舌下腺
舌の神経血管束；舌動・静脈，舌神経(V3)，舌咽神経(CN IX)，舌下神経(CN XII)
顎下腺深部・顎下腺管
舌骨舌筋および茎突舌筋の前方部
舌リンパ節</td></tr>
<tr><td colspan="2">SmS との関係</td><td>後方の顎舌骨筋後縁レベルで顎下間隙と交通</td></tr>
<tr><td rowspan="4">病変</td><td>炎症性</td><td>蜂窩織炎(主に歯原性感染，Ludwig's angina を含む)，膿瘍，顎下腺管の)唾石，ガマ腫</td></tr>
<tr><td>腫瘍性</td><td>舌下腺由来の良悪性腫瘍
舌癌や口腔底癌(扁平上皮癌)の浸潤</td></tr>
<tr><td rowspan="2">その他</td><td>血管腫，リンパ管腫・血管リンパ管奇形，皮様囊腫・類皮囊腫等</td></tr>
<tr><td>偽病変：片側 CN12 障害による舌非対称性(舌片側の弛緩，浮腫，筋萎縮による脂肪浸潤など)</td></tr>
</table>

SmS：顎下間隙

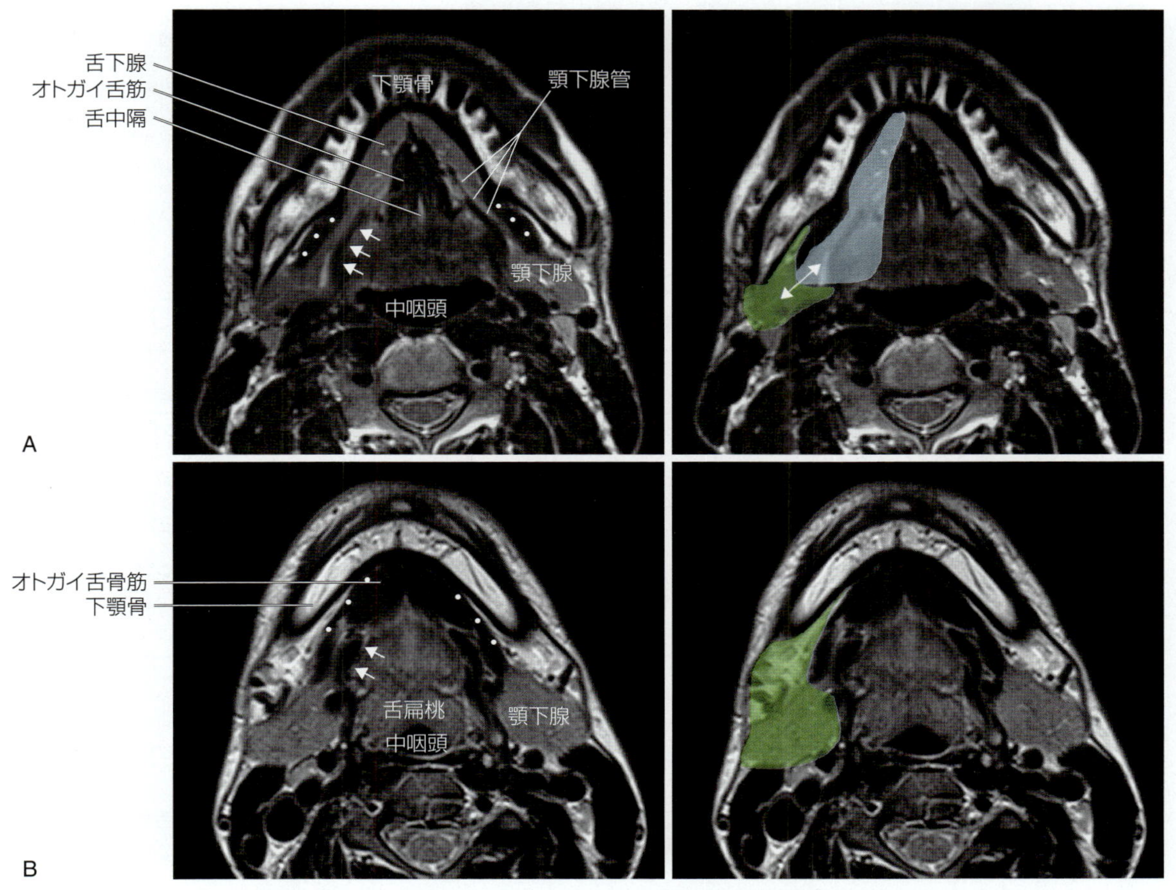

図 41　舌下間隙(MRI T2 強調像；■で表示)・顎下間隙(同；■で表示) (p34 へつづく)

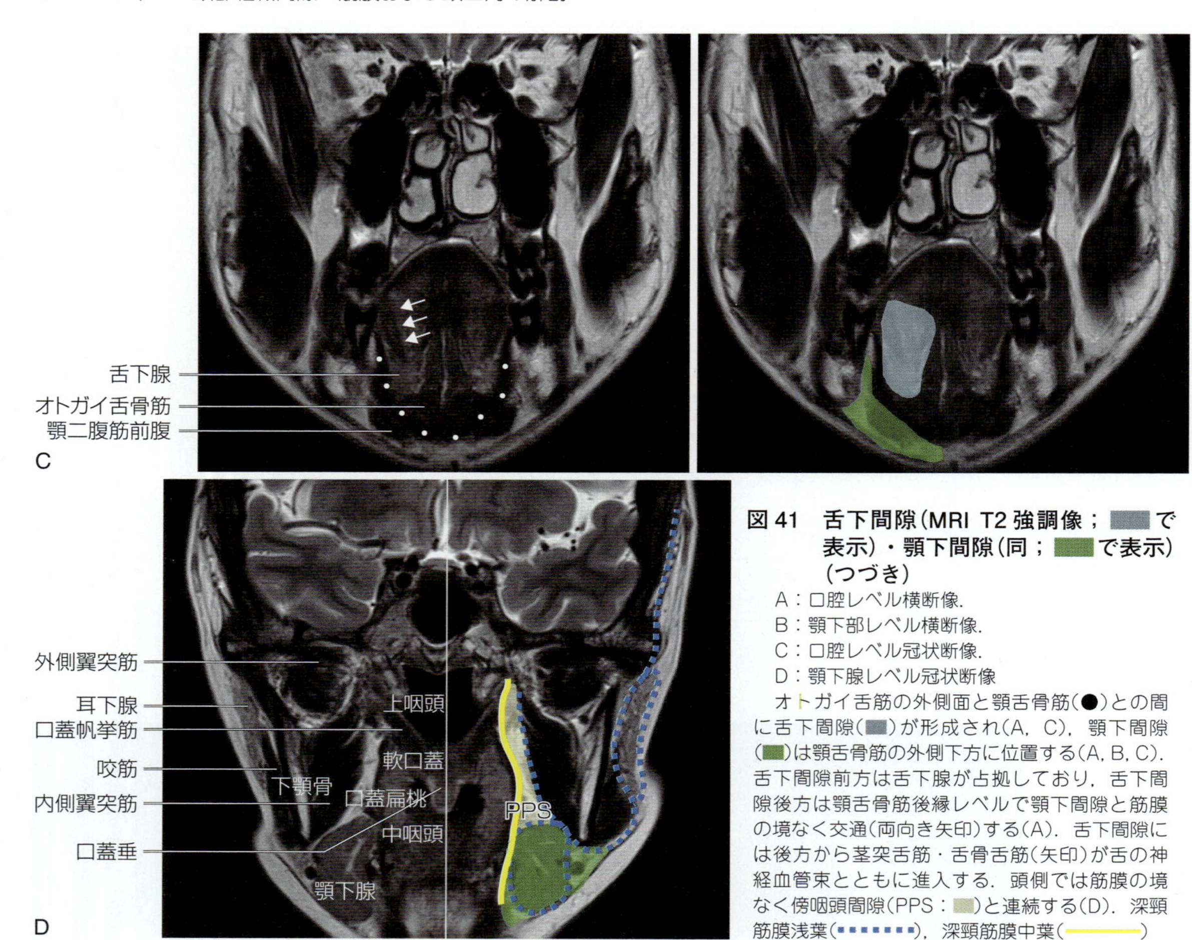

図 41　舌下間隙（MRI T2 強調像；■で表示）・顎下間隙（同；■で表示）（つづき）

A：口腔レベル横断像．
B：顎下部レベル横断像．
C：口腔レベル冠状断像．
D：顎下腺レベル冠状断像

オトガイ舌筋の外側面と顎舌骨筋（●）との間に舌下間隙（■）が形成され（A，C），顎下間隙（■）は顎舌骨筋の外側下方に位置する（A, B, C）．舌下間隙前方は舌下腺が占拠しており，舌下間隙後方は顎舌骨筋後縁レベルで顎下間隙と筋膜の境なく交通（両向き矢印）する（A）．舌下間隙には後方から茎突舌筋・舌骨舌筋（矢印）が舌の神経血管束とともに進入する．頭側では筋膜の境なく傍咽頭間隙（PPS：■）と連続する（D）．深頸筋膜浅葉（▪▪▪▪▪▪），深頸筋膜中葉（――）

表 10　顎下間隙

解剖		顎下三角・オトガイ下三角の深部に相当 深頸筋膜浅葉の二重葉に囲まれるが，前方で舌下間隙後方，頭側で傍咽頭間隙と（筋膜の境なく）交通
構造		顎下腺浅部 顎下およびオトガイ下リンパ節（レベル IA，IB） 顎二腹筋前腹，脂肪 顔面動・静脈，舌下神経（CN XII）の inferior loop
PPS との関係		PPS 下方で筋膜の境なく顎下間隙に連続
病変	顎下腺	炎症性：顎下腺炎（自己免疫性疾患を含む） 腫瘍性：顎下腺の良・悪性腫瘍 その他：IgG4 関連疾患
	リンパ節	反応性腫大 炎症性：リンパ節炎（化膿性，結核性） 腫瘍性：転移，悪性リンパ腫リンパ節病変
	その他	蜂窩織炎（主に歯原性感染，Ludwig's angina を含む），膿瘍 第 2 鰓裂嚢胞（Bailey 2 型） 血管腫，リンパ管腫・血管リンパ管奇形，皮様嚢腫・類上皮腫，脂肪腫，甲状舌管嚢胞（舌骨上型） 舌下間隙病変（ガマ腫など），傍咽頭間隙病変，口腔癌（扁平上皮癌）の二次性進展 耳下腺尾部病変

PPS：傍咽頭間隙

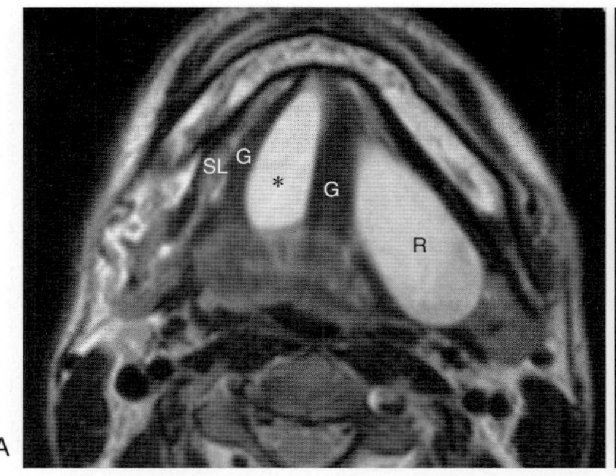

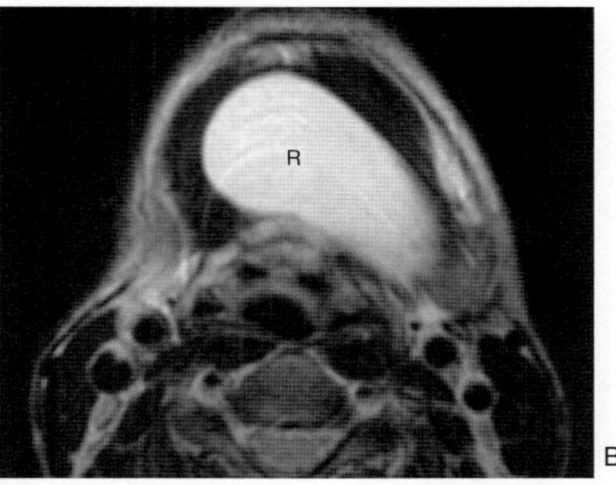

図 42　舌下間隙病変：対側進展を示す潜入性ガマ腫

A：口腔底レベル MRI T2 強調横断像．左舌下間隙に嚢胞性腫瘤(R)を認めるとともに両側オトガイ舌筋(G)の間に入り込む嚢胞性腫瘤(＊)が認められる．SL：対側正常舌下腺

B：図 A よりもやや尾側レベル．上記嚢胞性腫瘤(R)の連続性が確認される．

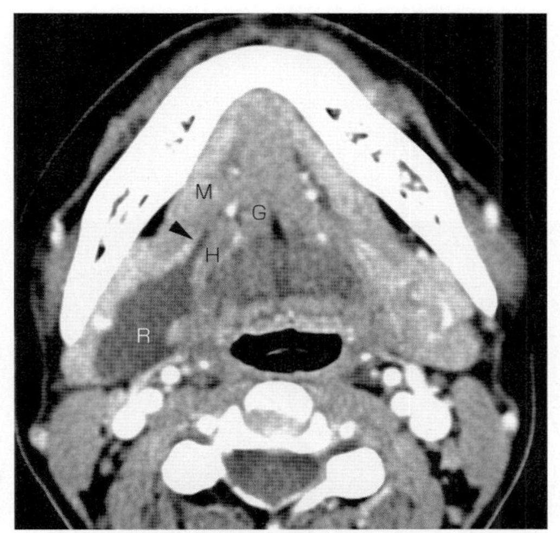

図 43　舌下・顎下間隙病変：潜入性ガマ腫

口腔レベルの造影 CT において舌下間隙への tail sign (矢頭)を伴う顎下間隙の嚢胞性腫瘤(R)を認め，潜入性ガマ腫に一致する．G：オトガイ舌筋，H：舌骨舌筋，M：顎舌骨筋

7 臓側間隙(visceral space：VS)(図 52，表 11：p39)

舌骨上頸部で頬咽頭筋膜(buccopharyngeal fascia)に相当する深頸筋膜中葉は，舌骨下頸部では臓側筋膜(visceral fascia)と称される．臓側間隙はこの臓側筋膜に囲まれることで形成される舌骨下頸部に限局した組織間隙であり，頭側は舌骨上頸部の咽頭粘膜間隙に移行する(図 3)．両者の連続性から，病変は舌骨上(咽頭粘膜間隙)・舌骨下(臓側間隙)の相互で容易に頭尾側方向の進展をきたす．尾側は縦郭に達する．後方は咽頭後間隙と接し，臓側筋膜が咽頭後間隙の前壁を形成する．前方で臓側筋膜は舌骨下筋深部を覆うが，深頸筋膜浅葉と一部で融合する．

臓側間隙は，喉頭，下咽頭，頸部食道，甲状腺，副甲状腺，反回神経，レベル VI リンパ節(気管傍および食道傍リンパ節，喉頭前リンパ節

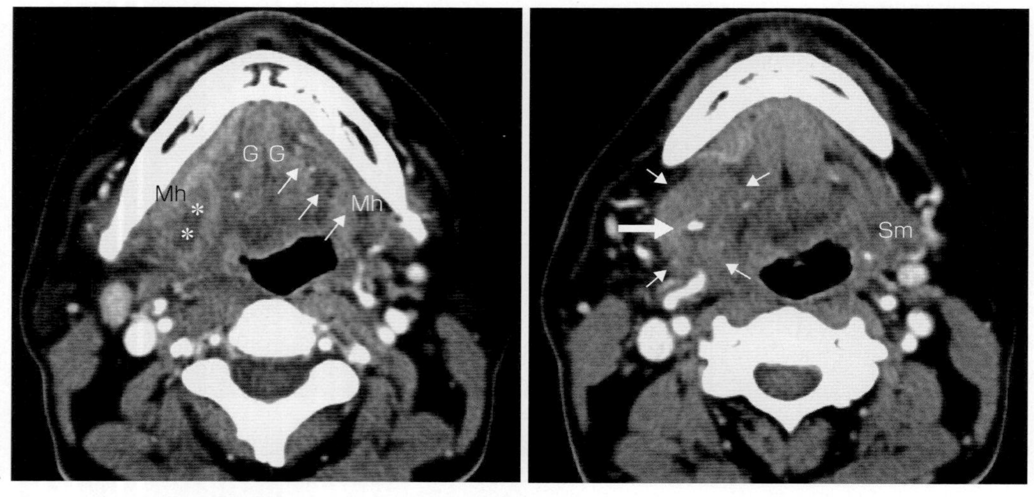

図 44　舌下・顎下間隙病変：唾石に起因する膿瘍

口腔レベルの造影 CT（A）において右側でオトガイ舌筋（G）と顎舌骨筋（Mh）との間の舌下間隙の脂肪層（対側で矢印で示す）消失とともに軟部組織腫脹，辺縁の淡い増強効果を伴う低吸収領域（＊）を認め，舌下間隙の（成熟過程にある）膿瘍を示唆する．やや尾側レベル（B）で腫大した右顎下腺（小矢印）内に唾石（大矢印）あり．唾石に起因した右顎下腺炎，右舌下間隙の膿瘍形成に一致する．Sm：健側の顎下腺

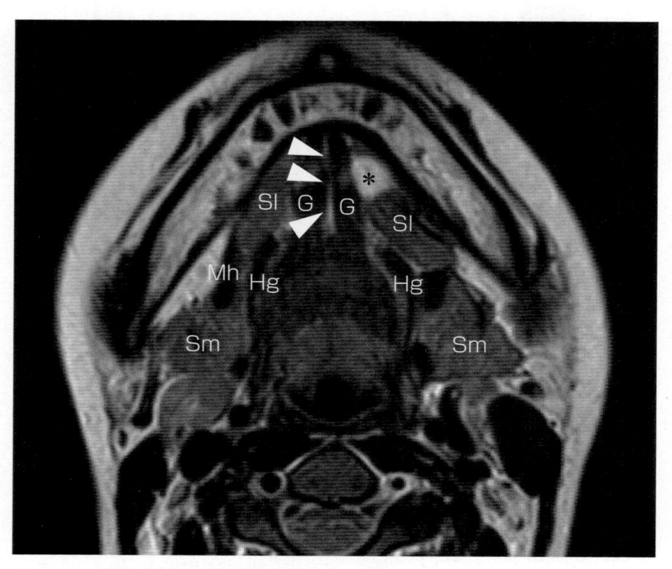

図 45　舌下間隙病変：単純性ガマ腫

口腔レベルの MRI T2 強調横断像において左舌下間隙内の前方で，舌下腺（Sl）内に限局して辺縁平滑楕円形のほぼ均一な高信号病変（＊）を認め，局在，形状，内部性状などからも単純性ガマ腫に合致する．G：オトガイ舌筋，Hg：舌骨舌筋，Mh：顎舌骨筋，Sm：顎下腺，矢頭：舌中隔

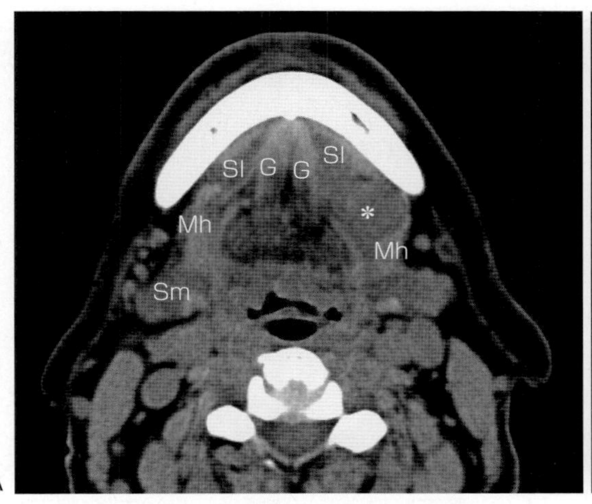

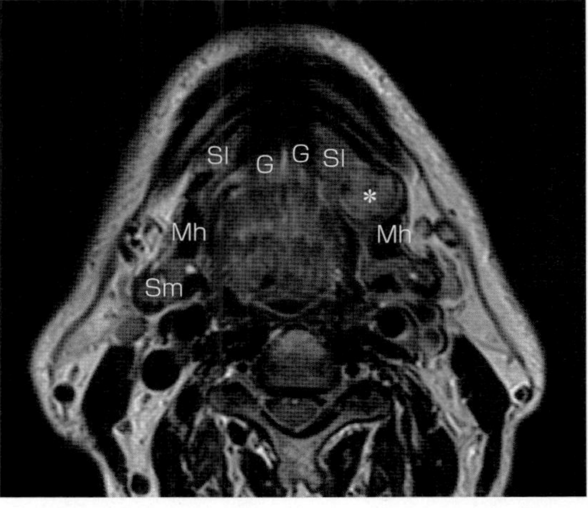

図 46　舌下間隙病変：舌下腺腫瘍（多形腺腫）
口腔レベルの非造影 CT（A）および MRI T2 強調横断像（B）において，左舌下間隙の前方，舌下腺（Sl）領域に一致した類円形腫瘤（*）を認める．CT（A）で骨格筋よりやや低濃度，T2 強調像（B）では中等度からやや高信号強度を呈する．G：オトガイ舌筋，Mh：顎舌骨筋，Sl：舌下腺，Sm：顎下腺

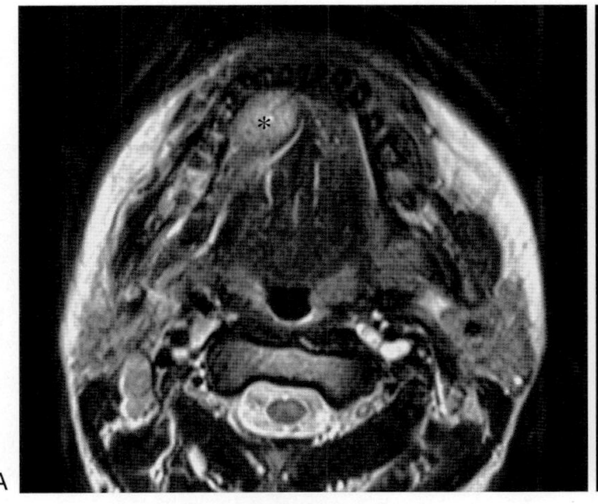

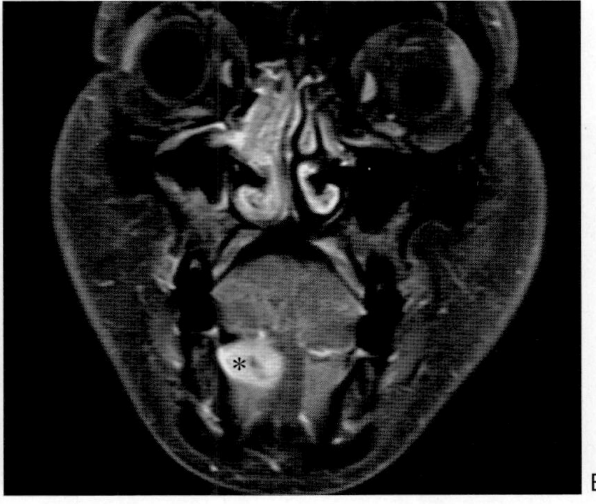

図 47　舌下間隙病変：神経原性腫瘍
口腔レベルの MRI T2 強調横断像（A）および造影後 T1 強調脂肪抑制冠状断像（B）において，右舌下間隙やや前方に辺縁平滑，境界明瞭な楕円形腫瘤（*）を認める．T2 強調像（A）で高信号，造影後（B）に一部不均等な充実性増強効果を呈する．

など）を容れる．一部の例外を除き，同領域の病変で由来する構造（病変の局在）が大きな問題となることは少ない．このため各構造・各領域の鑑別診断リストが概ね良好に機能する（このため同間隙の病変の詳細は，7 章「喉頭」，8 章「下咽頭」，9 章「頸部食道」，10 章「頸部リンパ節」の各章を参照されたい）．例外として，下咽頭癌の甲状腺浸潤と甲状腺癌の下咽頭進展，頸部食道癌（T4 病変）での傍食道領域への直接浸潤と（節外進展により原発病変と一塊となった）頸部食道癌の食道傍リンパ節転移，副甲状腺病変とレベルⅣリンパ節病変・甲状腺腫瘤の鑑別は容易でない場合もある．喉頭病変は喉頭軟骨骨格の中にみられ，頸部食道病変は気管背側に隣接する．喉頭，下咽頭，頸部食道では扁平上皮癌が最も重要である．甲状腺は占拠性病変として嚢胞，腺腫，癌（多くは乳頭癌）などを生じる．画像診断上，甲状腺結節を偶発的に認める頻度は高いが（50 歳以上の頸部 CT の約半数），甲状腺被膜外進展やリンパ節転移所見など，積極的に悪性を支持する画像所見が

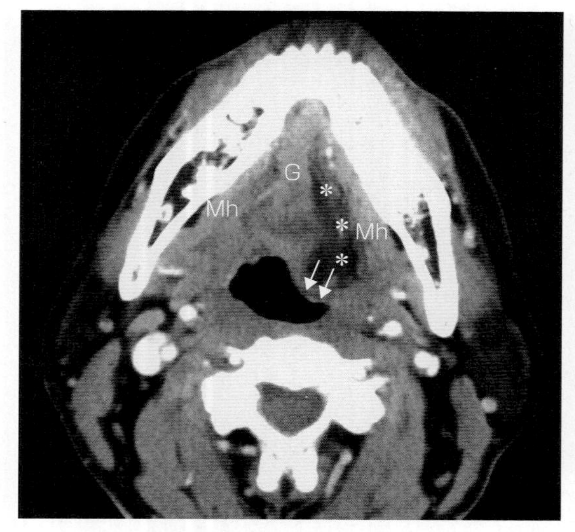

図 48　舌下間隙偽病変：左舌下神経(CN XII)麻痺による片側性舌萎縮

口腔レベル造影 CT において舌左側の弛緩による後方の咽頭腔側への膨隆(重力依存性の偏位)(矢印)とともに左舌筋の萎縮に伴う脂肪浸潤により舌左側の濃度は低下(＊)している．G：健側のオトガイ舌筋，Mh：顎舌骨筋

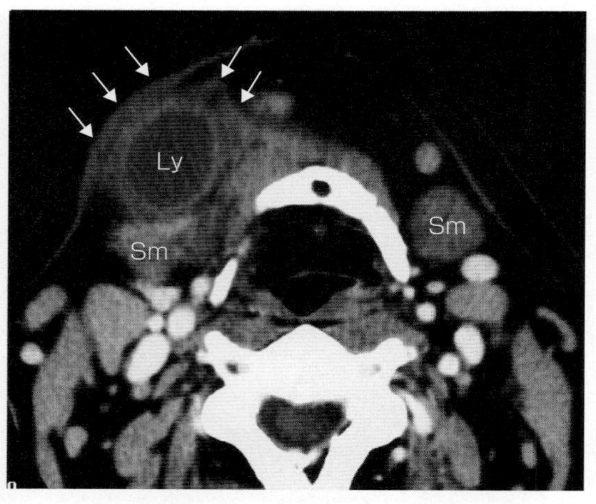

図 49　顎下間隙病変：化膿性リンパ節炎(顎下リンパ節)

造影 CT において顎下間隙右側に辺縁増強効果と周囲組織層不明瞭化(矢印)を伴う内部低吸収の楕円形腫瘤(Ly)を認め，局在，形態から顎下リンパ節の化膿性リンパ節炎に一致する．Sm：顎下腺

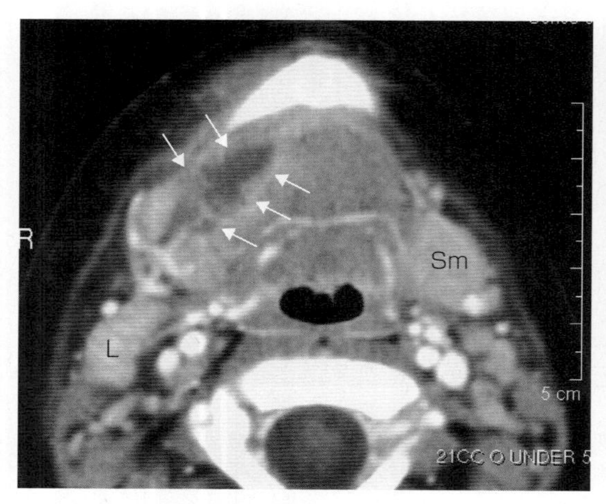

図 50　顎下間隙病変：膿瘍

造影 CT において組織腫脹を示す右顎下間隙に造影不良域(矢印)を認め，膿瘍腔に相当する．L：反応性あるいはリンパ節炎により腫大を示す右レベル II リンパ節，Sm：左顎下腺

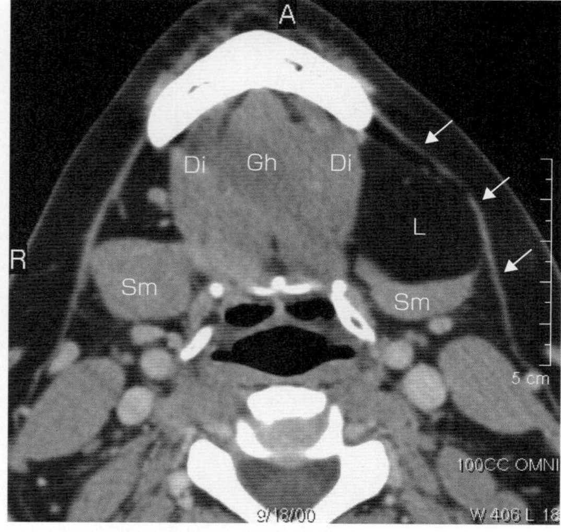

図 51　顎下間隙病変：脂肪腫

非造影 CT で左顎下三角，広頸筋(矢印)深部の顎下間隙に脂肪濃度腫瘤(L)を認め，脂肪腫に一致する．左顎下腺(Sm)を前方より平滑に圧排する．Di：顎二腹筋前腹，Gh：左右オトガイ舌骨筋

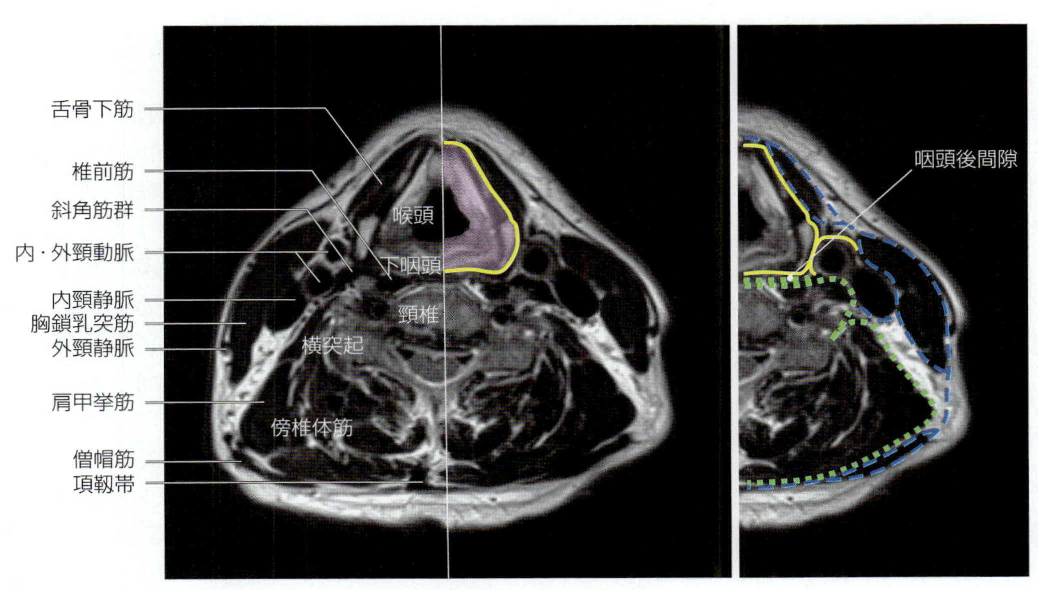

図 52　臓側間隙（舌骨下頸部 MRI T2 強調横断像； で表示）
：深頸筋膜浅葉，：深頸筋膜中葉，：深頸筋膜深葉

表 11　臓側間隙

解剖		臓側筋膜（深頸筋膜中葉）で囲まれることで形成される，舌骨下頸部に限局した組織間隙
構造		喉頭，下咽頭，頸部食道 甲状腺，副甲状腺， 反回神経 気管傍および食道傍リンパ節（レベル VI）
周囲組織間隙との関係		頭側は（舌骨上頸部の）咽頭粘膜間隙に移行 咽頭後間隙の前方（境界：臓側筋膜） 頸動脈鞘の内側
病変	喉頭	喉頭癌（扁平上皮癌），軟骨肉腫 喉頭結核，アミロイドーシス，喉頭瘤など
	下咽頭・頸部食道	下咽頭癌・頸部食道癌（扁平上皮癌） 食道憩室など
	甲状腺・副甲状腺	甲状腺：甲状腺腫，亜急性甲状腺炎，（梨状窩瘻孔による）甲状腺炎・膿瘍，慢性甲状腺炎，腺腫，嚢胞，癌（乳頭癌，濾胞癌，髄様癌，未分化癌），悪性リンパ腫，転移など
		副甲状腺：腺腫，過形成など
	リンパ節	転移（甲状腺癌，下咽頭癌，頸部食道癌など） 悪性リンパ腫リンパ節病変 リンパ節炎
	その他	甲状舌管嚢胞（舌骨下型）
		偽腫瘍：甲状腺錐体葉，虚脱し左気管食道溝に突出した頸部食道，喉頭外傷後（骨折後変形治癒）など

みられない場合，所見特異性は低い．甲状腺腫(単純性甲状腺腫，腺腫様甲状腺腫など)に加えて，炎症性病変では慢性甲状腺炎，亜急性甲状腺炎，(梨状窩瘻孔に起因する)甲状腺炎・膿瘍等があげられる．気管傍・食道傍リンパ節(レベルVI)病変としては転移，悪性リンパ腫リンパ節病変が代表となるが，転移は甲状腺，下咽頭，頸部食道の癌の頻度が高い．喉頭では声門下進展を示す病変あるいは声門下癌で注意を要する．

8 咽頭後間隙(retropharyngeal space：RPS)・危険間隙(danger space：DS)(図53，表12：p42)

咽頭後間隙は舌骨上・下頸部にわたり，咽頭から食道の後方正中に位置する潜在性の扁平な組織間隙であり，前方は深頸筋膜中葉(舌骨上頸部：頬咽頭筋膜，舌骨下頸部：臓側筋膜)，後方は深頸筋膜深葉(椎前筋膜)，側方は翼状筋膜(深頸筋膜深葉の一部)で区分される．頭側は頭蓋底から始まり，尾側はTh1からTh2(～Th4)レベルで深頸筋膜中葉と深葉(椎前筋膜)が癒合[8]することで下端が閉じられる．周囲組織間隙との関係としては，前方は舌骨上レベルで咽頭粘膜間隙，舌骨下レベルで臓側間隙，外側前方は傍咽頭間隙，側方は頸動脈鞘，背側は危険間隙(後述)・椎前間隙が位置しており(図3)，横断画像上，咽頭収縮筋(～頸部食道後壁)と椎前筋との間の薄い脂肪層として同定される(図53D～F，54)．

深頸筋膜深葉は椎体前面を覆う椎前筋膜が二重葉(前方：翼状部・翼状筋膜，後方：椎前部)をなし，両者の間に潜在腔として危険間隙を形成する(図53A・B)．すなわち咽頭後間隙後方に隣接して危険間隙が位置するが，画像診断上で両間隙の区別は困難であり，臨床上も危険間隙を咽頭後間隙病変とともに議論する場合が多い．ただし，咽頭後間隙の浮腫ではCTにおいて肥厚した咽頭後部軟部組織内に横走する翼状筋膜が同定されることで(外科的介入を要する)咽後膿瘍と区別されることは臨床上重要である(図55)．危険間隙は(咽頭後間隙と同様に)尾側で縦郭との解剖学的連続性を示すことから，縦郭への病変進展経路として重要である(図53C)．

咽頭後間隙は脂肪の他，舌骨上頸部で咽頭後リンパ節(外側群はRouviereリンパ節に相当)を含むのみである．画像診断上，咽頭(～頸部食道)の背側，椎前筋の腹側，頸動脈鞘の内側，傍咽頭間隙の内側後方に中心を有する病変(図56，57)をみた場合，咽頭後間隙(および・あるいは危険間隙)病変と診断される．嚥下困難，嚥下時痛を伴うことが多いが，耳痛，下位脳神経障害，Horner徴候を示す場合もある．咽頭後間隙自体は左右ほぼ対称性の形状を示すが，咽頭後リンパ節(臨床上，多くは外側群病変)の存在により舌骨上レベルの同間隙病変(Rouviereリンパ節の転移，化膿性リンパ節炎など)はしばしば偏在性腫瘤として現れ，ときに頸動脈間隙を外側に圧排・偏位する(図57)．頸動脈内側に隣接して椎前筋(頸長筋)前面外側に接する腫瘤をみた場合，咽頭後リンパ節病変を示唆する(図57，58)．咽頭後リンパ節は5±1mmが正常(18歳以下では7mm)で，8mmを超えると有意な腫大とされる．化膿性咽頭後リンパ節炎では(通常は腫大を示す)リンパ節腫瘤内に液体濃度領域を含むが(図57)，臨床上，画像診断上も扁桃周囲膿瘍(図14)との鑑別が問題となる場合があり注意を要する．扁桃周囲膿瘍は穿刺吸引・切開排膿が行われるが，化膿性リンパ節炎の多くは内科的治療で制御可能であり，両者の区別は重要である．これに対して，咽頭後間隙の非リンパ節病変(咽後膿瘍，咽頭後間隙の浮腫など)は，横断像上で咽頭後間隙本来の左右対称性の形状に従って咽頭(～食道)背側の横長の帯状あるいは蝶ネクタイ型組織肥厚を示すのが典型的である(図55)．後方の椎前筋前面を圧排，平坦化する．咽後膿瘍は主に咽頭後リンパ節の化膿性リンパ節の破綻，咽頭異物や穿通性外傷等により生じるが，辺縁の増強効果と内部の低吸収領域により診断される．一方で咽頭後間隙・危険間隙の浮腫の場合，咽頭後壁(咽頭収縮筋)と椎前筋との間の混濁した脂肪組織の肥厚を示し，内部はときに液体濃度に近く膿瘍に類似するが，辺縁増強効果が欠如する点が膿瘍と異なる(ただし，未成熟の膿瘍では辺縁増強効果が明瞭でない場合もあり注意を要する)．また，組織肥厚の内部に(咽頭後間隙と危険間隙を区分する)翼状筋膜

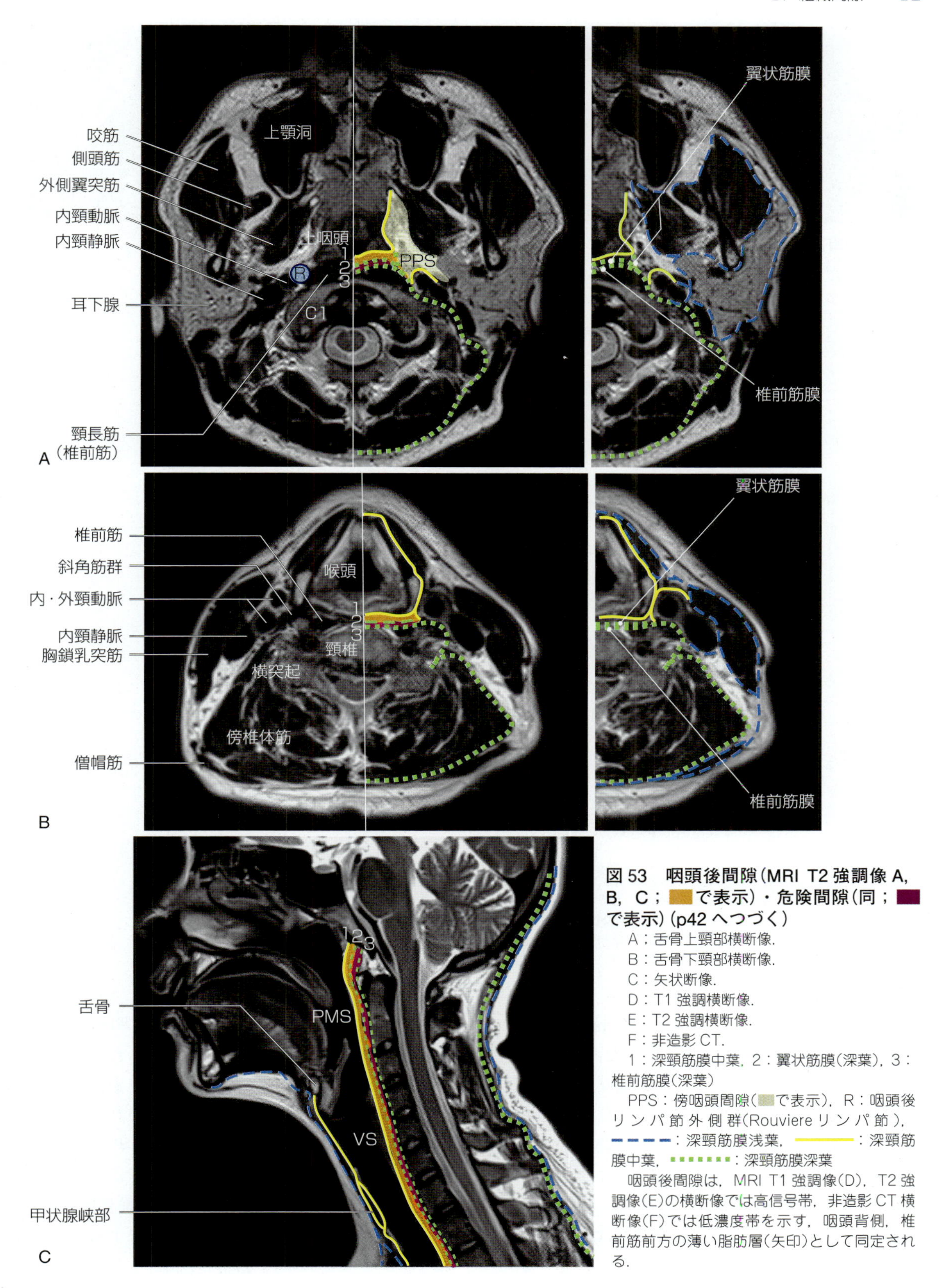

図 53　咽頭後間隙（MRI T2 強調像 A, B, C；■で表示）・危険間隙（同；■で表示）**（p42 へつづく）**

A：舌骨上頸部横断像.
B：舌骨下頸部横断像.
C：矢状断像.
D：T1 強調横断像.
E：T2 強調横断像.
F：非造影 CT.

1：深頸筋膜中葉，2：翼状筋膜（深葉），3：椎前筋膜（深葉）

PPS：傍咽頭間隙（■で表示），R：咽頭後リンパ節外側群（Rouviere リンパ節），– – –：深頸筋膜浅葉，――：深頸筋膜中葉，・・・・・・：深頸筋膜深葉

咽頭後間隙は，MRI T1 強調像（D），T2 強調像（E）の横断像では高信号帯，非造影 CT 横断像（F）では低濃度帯を示す，咽頭背側，椎前筋前方の薄い脂肪層（矢印）として同定される．

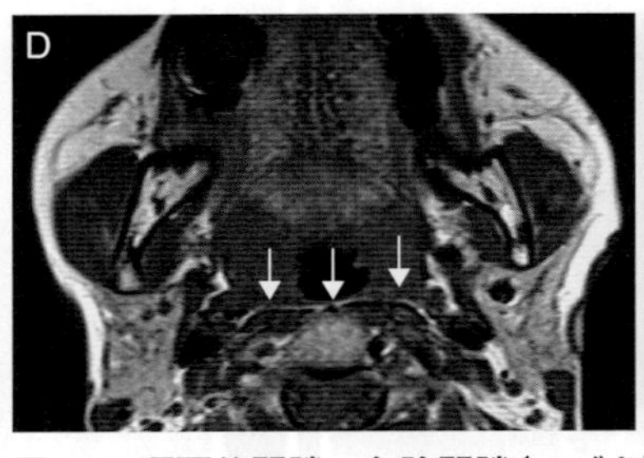

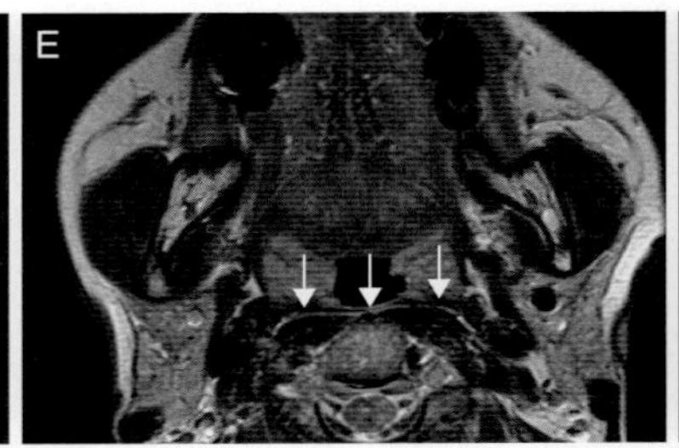

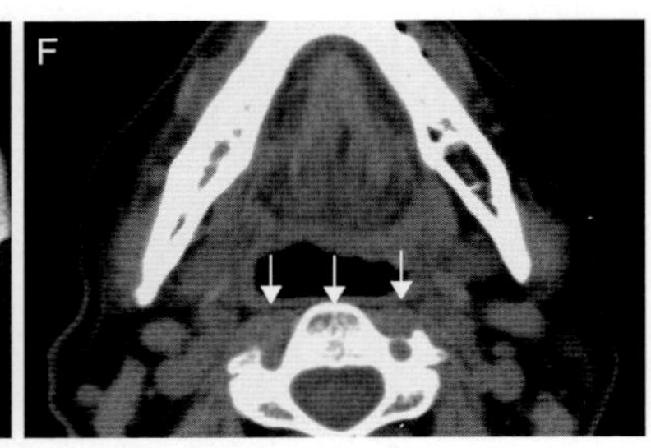

図 53　咽頭後間隙・危険間隙(つづき)

表 12　咽頭後間隙・危険間隙

<table>
<tr><td colspan="2" rowspan="2">解剖</td><td colspan="2">咽頭から頸部食道の背側正中に位置
横断像で咽頭背側の薄い脂肪層として同定</td></tr>
<tr><td colspan="2">頭側：頭蓋底
尾側：縦郭に連続
前壁：臓側間隙を囲む臓側筋膜(深頸筋膜中葉)
後壁：咽頭後間隙は翼状筋膜，危険間隙は椎前筋膜(いずれも深頸筋膜深葉)
側方：頸動脈鞘</td></tr>
<tr><td colspan="2" rowspan="2">構造</td><td>咽頭後間隙</td><td>咽頭後リンパ節(Rouviere リンパ節を含む)
脂肪</td></tr>
<tr><td>危険間隙</td><td>脂肪のみ</td></tr>
<tr><td colspan="2">周囲組織間隙との関係</td><td colspan="2">前方：咽頭粘膜間隙(舌骨上)・臓側間隙(舌骨下)
外側前方：傍咽頭間隙
側方：頸動脈鞘
後方：椎前間隙</td></tr>
<tr><td rowspan="3">病変</td><td>咽頭後リンパ節病変</td><td colspan="2">【偏在性腫瘤を形成】
化膿性リンパ節炎
転移(咽頭癌が主で上咽頭が最多，その他甲状腺癌，原発不明等)
悪性リンパ腫リンパ節病変</td></tr>
<tr><td>非リンパ節病変</td><td colspan="2">【咽頭背側の帯状・蝶ネクタイ型肥厚】
浮腫(川崎病，術後，SVC や内頸静脈閉塞など)
咽後膿瘍・蜂窩織炎</td></tr>
<tr><td>その他</td><td colspan="2">咽頭後壁癌の二次性浸潤
化膿性・結核性脊椎椎間板炎の前方進展
頸動脈蛇行，脂肪腫，血腫，血管リンパ管奇形など</td></tr>
</table>

が横走するのがしばしば同定され(図 55A)，より確実に浮腫の診断(すなわち膿瘍の否定)が可能となる．咽頭後間隙浮腫の原因は様々であり，放射線治療後，頸静脈血栓，石灰化頸長筋炎，川崎病，椎前筋など周囲深部組織間隙の炎症，頭頸部腫瘍などが含まれる[12, 13]．浮腫と外科的処置(切開排膿)を要する咽後膿瘍との画像診断での区別は臨床上重要である．また咽後膿瘍は咽頭後間隙の頭尾側方向の連続性に従い，舌骨下頸部，縦郭への進展を生じる(図 59)．画像上，明らかな連続性を示さず部分的にほぼ正常にみられるレベルを超えて尾側に進展する場合もあり，撮像範囲設定では十分に縦郭(胸部)を含め慎重に評価する必要がある．前方の咽頭後壁癌・食道癌の後方進展，後方の椎前間隙病変の前方進展では二次性に同間隙病変を生じる．炎症(化膿性脊椎椎間板炎)と比して，椎体骨転移の骨外性腫瘤による椎前筋膜を越えた腫瘍の咽頭後間隙浸潤はまれである．

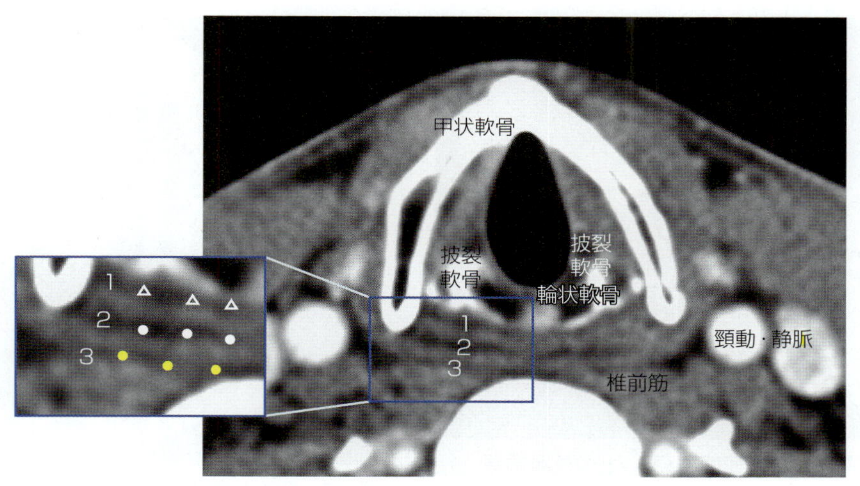

図 54　咽頭後間隙

喉頭レベルの造影 CT 横断像．輪状軟骨後方には前方から順番に，1；下咽頭輪状後部の粘膜下脂肪層(△)，2；咽頭後壁の粘膜下脂肪層(○)，3；咽頭後間隙の脂肪層(●)の３つの脂肪層が薄い低吸収帯として同定される．

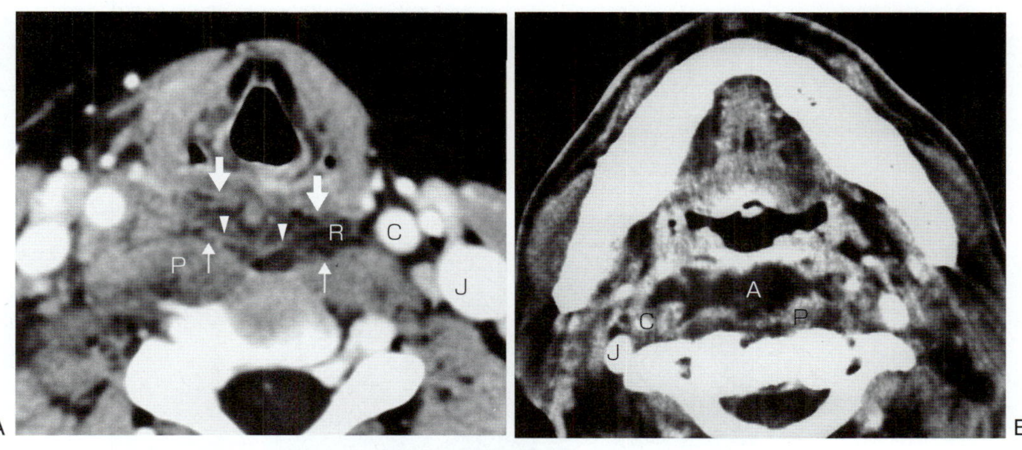

図 55　咽頭後間隙病変：咽頭後間隙浮腫・咽頭後膿瘍

声門上喉頭レベルの造影 CT(A)において，咽頭後間隙(および危険間隙)を示す脂肪層(R)は混濁とともに著明な肥厚を示す．混濁した脂肪は液体に類似の濃度を呈するが，内部に横走する線状構造(小矢頭)として翼状筋膜が同定され，咽頭後膿瘍は否定される．大矢頭：深頸筋膜中葉，矢印：椎前筋膜(深頸筋膜深葉)，C：総頸動脈，J：内頸静脈，P：椎前筋．別症例の中咽頭レベル造影 CT(B)で咽頭後壁背側に辺縁増強効果を伴い，内部は(翼状筋膜の同定なく)無構造な液体濃度領域(A)を認め，咽後膿瘍に一致する．C：総頸動脈，J：内頸静脈，P：椎前筋

9 椎周囲間隙(perivertebral space：PeVS)・椎前間隙(prevertebral space：PrVS)(図 60，表 13：p47)

深頸筋膜深葉が椎体，傍椎体筋を囲むことで，椎周囲間隙が形成されるが，左右の横突起付着により椎体前方の椎前部(狭義の椎前間隙)(prevertebral portion：PreVS)，後方の傍椎体部(paraspinal portion：PaVS)に区分される．舌骨上・下頸部レベルにおいて頭尾側方向の連続性があり，頭蓋底(主に斜台下面)から尾骨レベルに及ぶ．一部で Th4 レベルまでとの記述[5]もみられるが，いずれにしても舌骨下頸部から縦郭レベルへの連続性を示す点が重要である．深頸筋膜深葉

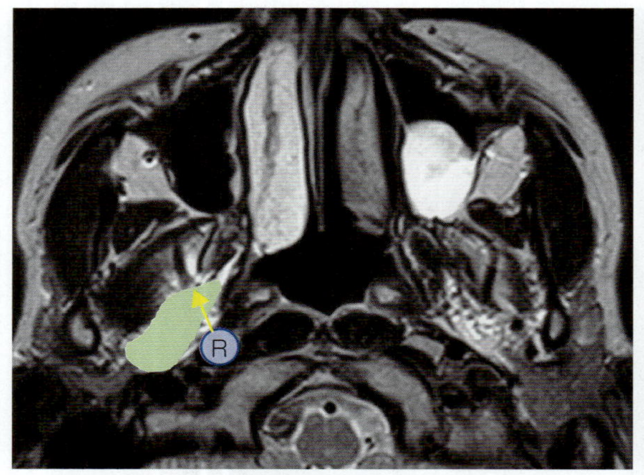

図 56　咽頭後間隙と傍咽頭間隙（■）との位置関係

上咽頭レベルの MRI T2 強調横断像．R：Rouviere リンパ節（病変）．咽頭粘膜間隙の外側に位置する Rouviere リンパ節病変は傍咽頭間隙（脂肪）を内側後方から外側前方に圧排，あるいは浸潤する（矢印）．

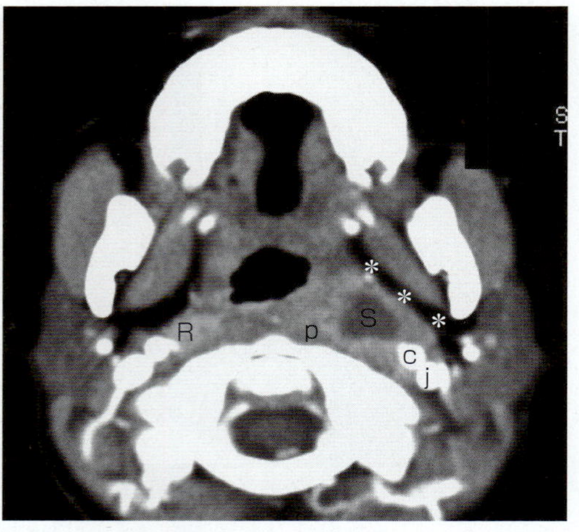

図 57　咽頭後間隙病変：咽頭後リンパ節の化膿性リンパ節炎

造影 CT において上咽頭後側方に辺縁の淡い増強効果を伴う低吸収病変（S）を認める．椎前筋（p：頸長筋）と内頸動脈（c）との間でその前方に位置しており，病変の局在，性状から Rouviere リンパ節の化膿性リンパ節炎に一致する．前方の傍咽頭間隙（＊）は内側後方から圧排されるが内部の脂肪濃度は保たれており，傍咽頭間隙の膿瘍形成などの併発は否定される．患側内頸動脈（c）は病変によりやや外側に圧排，偏位を示す．対側の Rouviere リンパ節（R）も腫大，増強効果亢進がみられ，リンパ節炎に相当する．咽頭後間隙脂肪層は同定されず浮腫による混濁が示唆される．j：内頸静脈

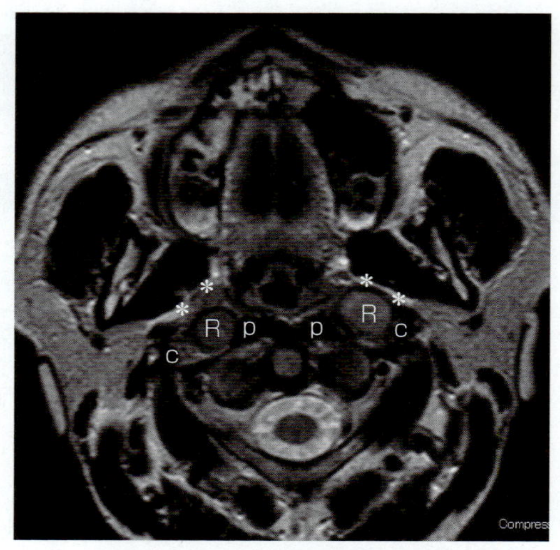

図 58　咽頭後間隙病変：咽頭後リンパ節転移

口蓋レベルの MRI T2 強調横断像．両側で頸動脈内側面に隣接し，椎前筋（p：頸長筋）の前面外側に接する結節（R）病変を認め，傍咽頭間隙の脂肪（＊）を内側後方から圧排する．病変の局在，形状などから Rouviere リンパ節病変と判断される．

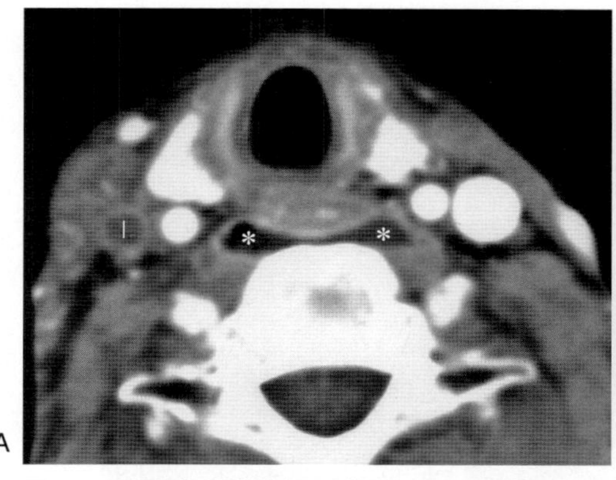

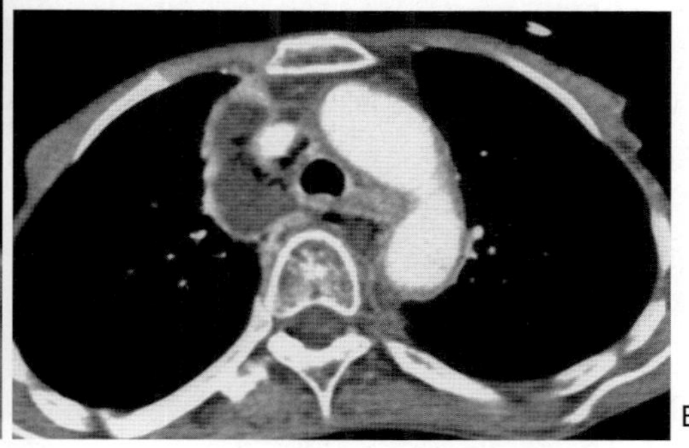

図 59　咽頭後間隙病変：縦隔進展を伴う咽後膿瘍
下咽頭レベルの造影 CT（A）において，下咽頭輪状後部背側に咽後膿瘍（＊）を認める．右内頸静脈（I）の血栓性静脈炎を伴う．胸部（B）において，膿瘍の縦隔進展を認める．

は頭頸部外科医には neck floor，carpet などとも呼ばれ，椎前筋前面を覆う椎前部前方において二重葉（前方：翼状筋膜，後方：椎前筋膜）となる．翼状筋膜は咽頭後間隙後壁に相当し，翼状筋膜，椎前筋膜の間には危険間隙（危険間隙については咽頭後間隙とともに既述）が形成される（図 53A・B）．すなわち舌骨上・下頸部全レベルを通じて，前方は咽頭後間隙・危険間隙の背側に隣接する．

従来，深頸筋膜深葉で囲まれる全体（椎周囲間隙）に対して椎前間隙（広義）の用語が用いられる場合もあったが，既述のとおり実際には椎体後方部分まで含むことから，本項では区別を明瞭にするために全体を椎周囲間隙とし，同間隙の前方部分に椎前部（椎前間隙），後方部分に傍椎体部との解剖名を使用することとする（ただし，依然として「椎前間隙」の用語を椎周囲間隙全体に対して用いる臨床医もいるため，注意が必要である）．

椎周囲間隙の椎前部（椎前間隙）には椎前筋，斜角筋群（前・中・後斜角筋），腕神経叢，横隔神経，頸椎（前方部），椎骨動・静脈，傍椎体部には傍椎体筋，頸椎（後方部）が含まれる．椎周囲間隙の病変の多くは椎体，椎間板に由来し，化膿性・結核性脊椎椎間板炎に伴う膿瘍形成（図 61，62），骨転移（図 63）等が代表となることから，骨変化を慎重に評価する必要がある．なお脊椎炎の約 20％で椎周囲間隙への炎症波及があるとされる[5]．その他として腫瘍性では腕神経叢の神経原性腫瘍（図 64），悪性リンパ腫（図 65），肉腫，脂肪腫，血管腫，外傷性では血腫，血管性では動脈瘤・動脈解離（椎骨動脈），血管リンパ管奇形，偽腫瘍では肩甲挙筋肥大（CN XII 障害による僧帽筋，胸鎖乳突筋萎縮に伴って代償性にみられる），頸肋，椎間関節過形成，脊椎骨棘，椎間板ヘルニアなどがあげられる．同間隙病変の症状として頸部痛，後頭部痛，根症状などがみられる．

画像上，椎前筋あるいは頸椎椎体に中心を有し，椎前筋前縁の輪郭，咽頭後間隙の脂肪層を前方に圧排・膨隆する病変（図 61）をみたときに椎前部（椎前間隙）病変が診断される．鑑別すべき咽頭後間隙（および・あるいは危険間隙）病変では椎前筋は前方から圧排あるいは浸潤を受けることが異なる．一方，傍椎体筋あるいは頸椎後方成分に中心をもち，後頸間隙（後述）の脂肪を内側から外側に向けて圧排・進展する病変をみた場合（図 62）は傍椎体部病変と診断される．

理論的には，前方に隣接する咽頭後間隙・危険間隙の腫瘍（主に咽頭後壁癌）・炎症（咽後膿瘍）からの椎周囲間隙への二次性波及が考慮され，咽頭癌・食道癌の咽頭後間隙を介した椎前筋膜・椎前間隙への浸潤は T4b に区分され治癒切除困難とされるが，実際には強固な椎前筋膜が障壁となることに加えて，嚥下での動きもあり，咽頭後間隙・危険間隙病変の椎前間隙への進展・波及は比較的まれである．脊椎椎間板炎では硬膜下膿瘍の有無，脊髄の状態など脊柱管内の評価では MRI

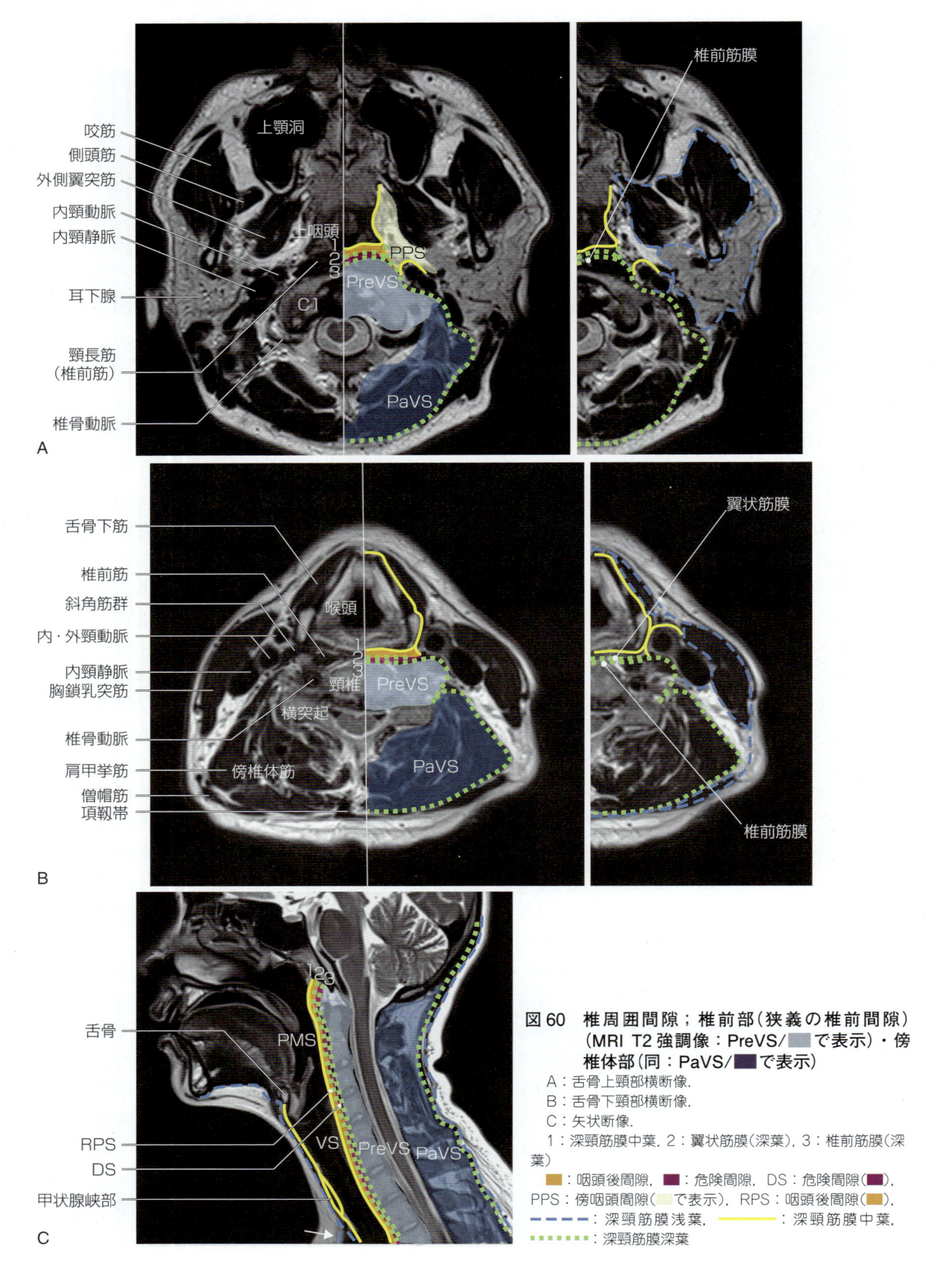

図 60　椎周囲間隙；椎前部（狭義の椎前間隙）（MRI T2 強調像：PreVS/■で表示）・傍椎体部（同：PaVS/■で表示）

A：舌骨上頸部横断像.
B：舌骨下頸部横断像.
C：矢状断像.
1：深頸筋膜中葉，2：翼状筋膜（深葉），3：椎前筋膜（深葉）
■：咽頭後間隙，■：危険間隙，DS：危険間隙（■），PPS：傍咽頭間隙（■で表示），RPS：咽頭後間隙（■），
– – –：深頸筋膜浅葉，——：深頸筋膜中葉，
・・・・・・：深頸筋膜深葉

表 13　椎周囲間隙

解剖		深頸筋膜深葉に囲まれることで形成される．同筋膜の左右横突起への付着により前後(以下)に区分される 前方部分：椎前部(椎前間隙) 後方部分：傍椎体部	
		頭側：頭蓋底 尾側：尾骨 前壁：深頸筋膜深葉が椎前筋前面を覆う部分で二重葉(前方：翼状筋膜，後方：椎前筋膜)をなし，両者の間に危険間隙を形成	
構造		椎前部 (椎前間隙)	椎前筋，斜角筋群，腕神経叢，横隔神経，頸椎(前方部)，椎骨動・静脈
		傍椎体部	傍椎体筋，頸椎(後方部)
周囲組織間隙との関係		咽頭後間隙・危険間隙の背側 頸動脈間隙の後内側 後頸間隙の内側・深部	
病変	炎症性	化膿性・結核性脊椎椎間板炎	
	腫瘍性	頸椎骨転移，神経原性腫瘍(腕神経叢)，脂肪腫，肉腫，血管腫など (咽頭癌・頸部食道癌の二次性浸潤)	
	その他	外傷性：血腫 血管性：動脈瘤・動脈解離(椎骨動脈)，血管リンパ管奇形 偽腫瘍：肩甲挙筋肥大，頸肋，椎間関節過形成，脊椎骨棘，椎間板ヘルニアなど	

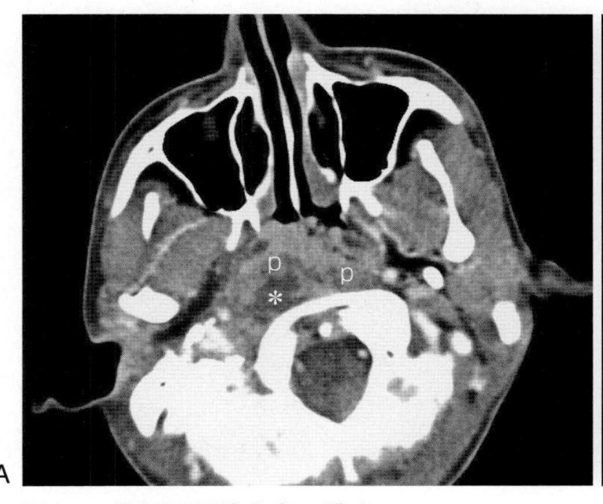

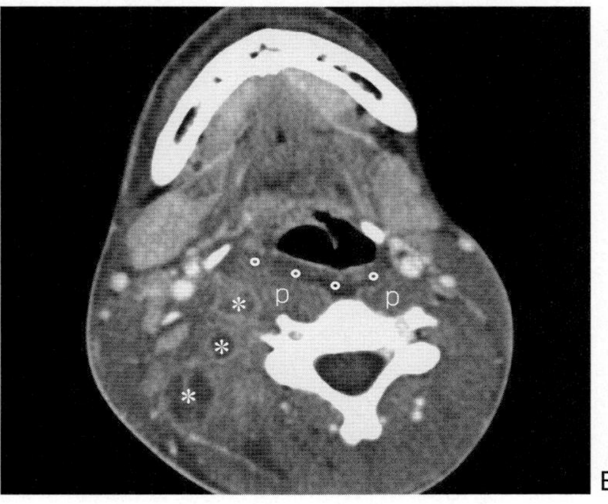

図 61　椎周囲間隙病変：膿瘍
上咽頭レベルの造影 CT(A)において上咽頭背側で右側優位の組織肥厚がみられ，内部に辺縁増強効果を伴う造影不良域(＊)を認め，膿瘍を示唆する．患側で椎前筋(p：頸長筋)は前方への圧排，偏位を示すことから(咽頭後間隙ではなく)椎前間隙由来と診断される．中咽頭レベル(B)で右側の椎前部から傍椎体部にかけて多房性の膿瘍形成(＊)を認める．浮腫により混濁，肥厚した咽頭後間隙(○)は患側で前方への圧排，偏位を示す．p：椎前筋．

の適応も考慮すべきである．腕神経叢の神経原性腫瘍では内側深部で神経の走行に一致して前・中斜角筋の間への進入(図 64)を認めればより確実な診断が可能である．また神経孔から脊柱管内進展の評価も必要となる(CT での神経孔拡大，主に MRI での脊柱管内腫瘤，脊髄圧排の確認)．

10 後頸間隙(posterior cervical space：PCS)(図 66，表 14：p51)

後頸三角(胸鎖乳突筋後縁，僧帽筋外側・前縁，鎖骨上縁で形成：後述)の深部に相当する主に脂肪に満たされた組織間隙である(図 66)(実際には

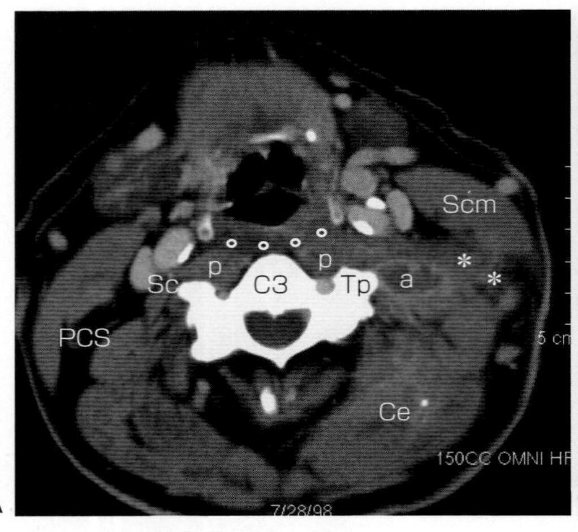

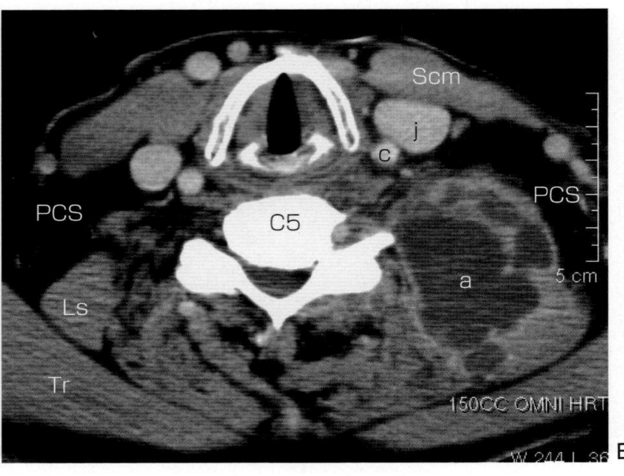

図 62　椎周囲間隙病変：膿瘍
舌骨レベルの造影 CT(A)において C3 左横突起(Tp)に接して左斜角筋群(対側で Sc で示す)領域に辺縁増強効果を伴う低吸収領域(a)を認め，椎周囲間隙椎前部の膿瘍形成に一致する．咽頭後間隙の浮腫(○)による肥厚と脂肪混濁あり．また近接する左後頸間隙(対側で PCS で示す)の脂肪混濁(＊)，左傍椎体部(Ce)の軟部組織腫脹，(対側で確認可能な)筋間脂肪層の消失がみられ，蜂窩織炎を示す．Scm：胸鎖乳突筋．C5 レベル(B)で傍椎体筋の走行に沿って尾側に進展した膿瘍(a)が認められる．c：総頸動脈，j：内頸静脈，Ls：肩甲挙筋，p：椎前筋，PCS：後頸間隙，Scm：胸鎖乳突筋，Tr：僧帽筋

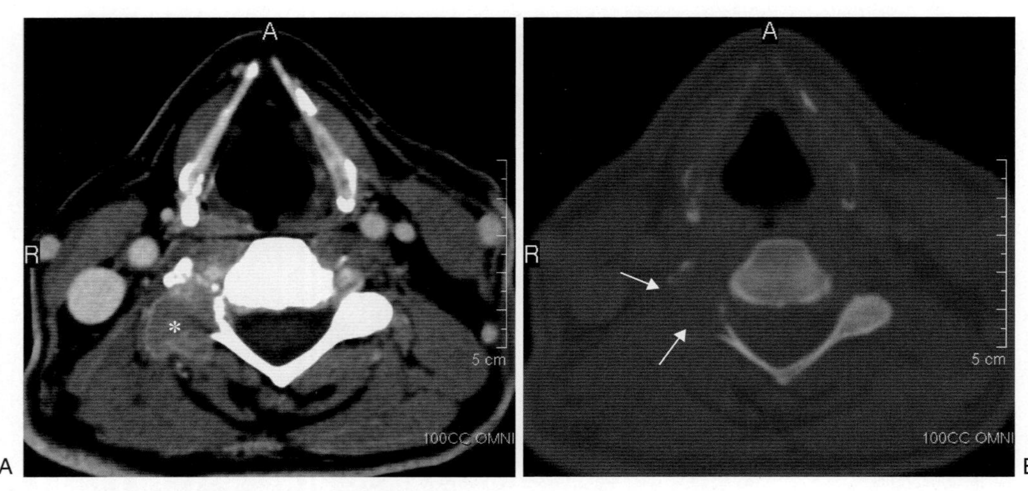

図 63　椎周囲間隙病変：頸椎骨転移(肺癌)
C4 レベルの造影 CT 横断像(A)において，右傍椎体部に浸潤性腫瘤(＊)を認め，同レベルの骨条件表示(B)において C4 右外側部の骨破壊を伴う．溶骨性骨転移および骨外性腫瘤形成に一致する．

頭頸部外科医の間で後頸間隙の呼称が浸透しているとは言えず，「後頸三角(後述)」がより一般的に用いられるため注意を要する)．表層は深頸筋膜浅葉(被覆筋膜：investing layer)，内側深部は椎周囲間隙を囲む深頸筋膜深葉，前方腹側は頸動脈間隙を囲む頸動脈鞘に接する．頭側は胸鎖乳突筋の付着する乳様突起後方に近接する頭蓋底から尾側は鎖骨レベルと，舌骨上・下頸部で筋膜の境なく連続するが，頭側端は頸動脈間隙と近接し，病変がいずれに由来するかの区別が困難な場合もある．脂肪，副神経(CN XI)，リンパ節(主にレベル V である副神経リンパ節，下端では鎖骨上リンパ節を含む)の他，腕神経叢，肩甲背神経が含まれる．

後頸間隙の脂肪内に中心をもつ場合，特に前方の頸動脈鞘後面との間，深部の傍椎体筋との間に

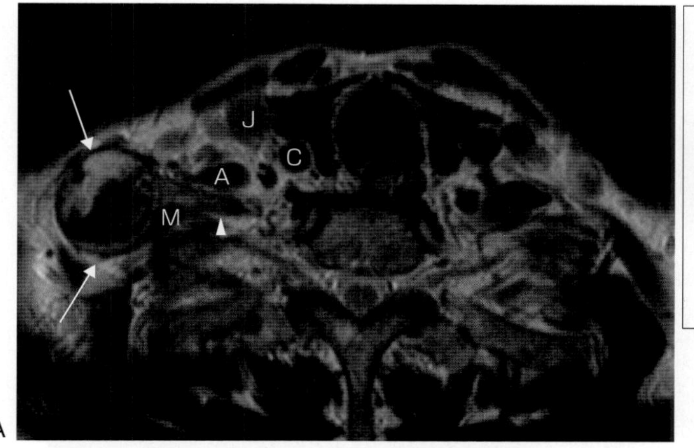

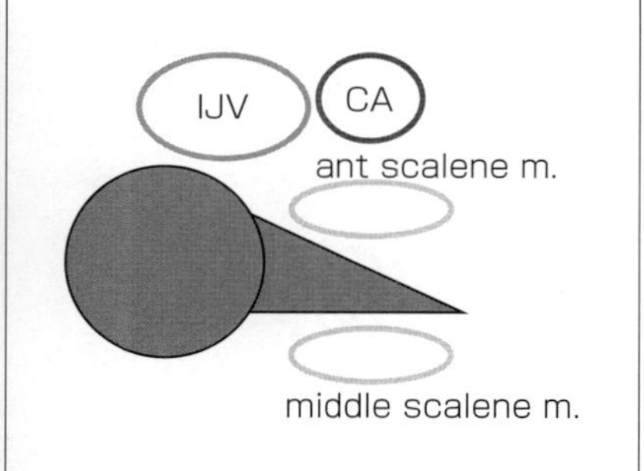

図 64　椎周囲間隙病変：腕神経叢の神経原性腫瘍

甲状腺レベルの MRI T2 強調横断像において右側頸部で後頸間隙（後述）を中心として，右傍椎体に類円形腫瘤（矢印）を認め，内側深部で前斜角筋（A）と中斜角筋（M）との間への連続性（矢頭）がみられる．C：総頸動脈，J：内頸静脈

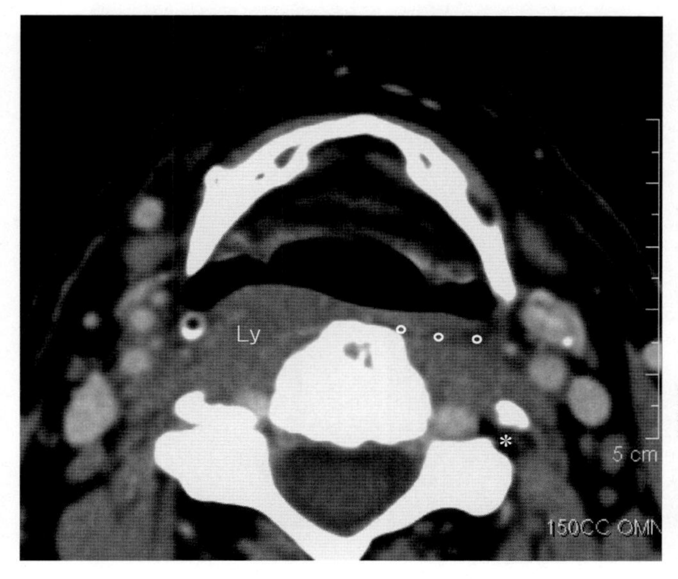

図 65　椎周囲間隙病変：悪性リンパ腫節外病変

舌骨レベルの造影 CT において椎前部右側で組織肥厚（Ly）あり．左側で確認可能な咽頭後間隙（○）および横突起周囲（＊）の脂肪層は患側で消失しており，椎周囲間隙椎前部から咽頭後間隙にかけての浸潤性腫瘤の存在が示唆される．

脂肪層が介在する場合に同間隙病変と診断される（図 67）．後頸間隙病変として最も頻度の高いのはリンパ節（レベルⅤ）病変であり，炎症では反応性リンパ節，化膿性・結核性リンパ節炎（図 68），これらに起因する膿瘍（図 69），腫瘍性ではリンパ節転移（図 70），悪性リンパ腫リンパ節病変（図 67）があげられる．その他としては副神経，腕神経叢などに由来する神経原性腫瘍（図 64），さらに嚢胞性リンパ管腫・血管リンパ管奇形（図 71, 72），脂肪腫，血管腫，肉腫などが鑑別診断となる．これらのうち結核性リンパ節炎（図 68），嚢胞性リンパ管腫（図 71）は後頸間隙に好発することが知られている．

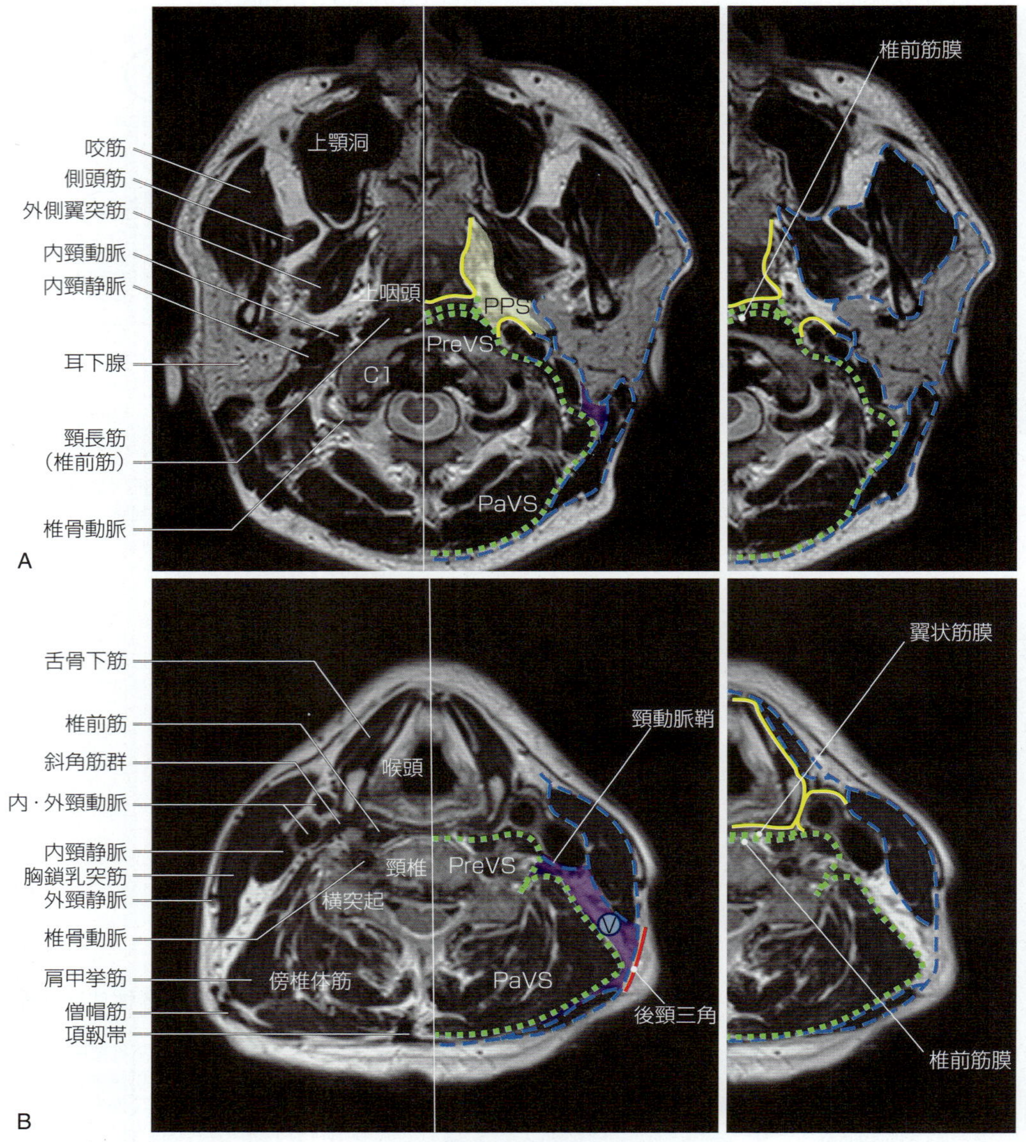

図 66　後頸間隙（舌骨下頸部 MRI T2 強調横断像；■で表示）

A：舌骨上頸部横断像.
B：舌骨下頸部横断像.
━ ━ ━ ━：深頸筋膜浅葉，━━━━：深頸筋膜中葉，▪▪▪▪▪▪：深頸筋膜深葉
PPS：傍咽頭間隙（■），PaVS：椎周囲間傍椎体部，PreVS：椎周囲間隙椎前部（狭義の椎前間隙），V：レベルⅤリンパ節（副神経リンパ節），━━━━：後頸三角（に相当する部位）

C 頸三角（図 73，74，表 15：p58）

従来，頭頸部外科医は頸三角により頸部の解剖を理解していたことから依然として臨床医とのコミュニケーションに用いられており，既述の組織間隙解剖との関連を含め，画像解剖にどのように反映されるかを合わせて理解しておくことが求められる．

下顎骨から鎖骨までの頸部全体は胸鎖乳突筋により大きく前頸三角，後頸三角の2つに区分される．前頸三角は舌骨により舌骨上・下部に分かれ，舌骨上部は頸部前方で下顎骨体部下縁と左右

表 14　後頸間隙

解剖		後頸三角の深部に相当
構造		副神経・腕神経叢・肩甲背神経 副神経リンパ節：主に副神経リンパ節(レベル V)，下端では鎖骨上リンパ節を含む 脂肪
周囲組織間隙・構造との関係		深頸筋膜浅葉(被覆筋膜：investing layer)の深部 椎周囲間隙の側方 頸動脈間隙の背側
病変	リンパ節病変	炎症性：反応性リンパ節，化膿性・結核性リンパ節炎 腫瘍性：転移，悪性リンパ腫リンパ節病変
	神経	神経原性腫瘍
	その他	嚢胞性リンパ管腫 膿瘍 脂肪腫，血管腫，肉腫

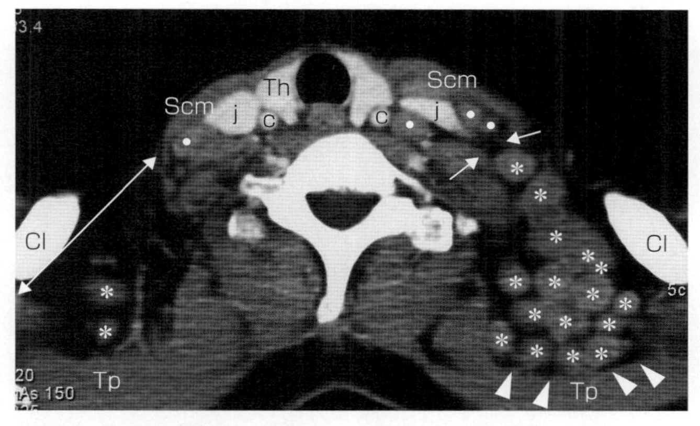

図 67　後頸間隙病変：悪性リンパ腫リンパ節病変
甲状腺(Th)レベルの造影 CT において，胸鎖乳突筋(Scm)後縁と僧帽筋(Tp)外側縁と鎖骨(Cl)との間で形成される後頸三角(両向き矢印)深部に，左側優位に両側性に内部均一な類円形結節(＊)を多数認め，レベル V (副神経)リンパ節病変に一致する．左側で左内頸静脈後面との間(矢印)，僧帽筋との間(矢頭)の脂肪層は保たれている．両側レベルⅣリンパ節病変(●)もみられる．c：総頸動脈，j：内頸静脈

顎二腹筋で囲まれる領域に，オトガイ下三角，顎下三角が形成される(両者は顎二腹筋前腹で区分される)．前頸三角の舌骨下部は前方正中で左右に分けられ，それぞれが肩甲舌骨筋上腹によって頸動脈三角と筋性三角に区分される．一方，胸鎖乳突筋後方の後頸三角は(肩甲舌骨筋下腹によって区分される)後頭三角，鎖骨下三角により形成される．以下に個々の頸三角について解説する．

1 前頸三角

a. オトガイ下三角

下顎骨体部前方正中・オトガイ結合部の下縁に頂点を有し，左右顎二腹筋前腹の内側縁で囲まれ，舌骨体部上面を底辺とする三角形の領域であり，顎舌骨筋が floor となる．組織間隙としてはオトガイ下間隙にほぼ完全に一致する．脂肪，オトガイ下リンパ節(レベル IA)が含まれる．

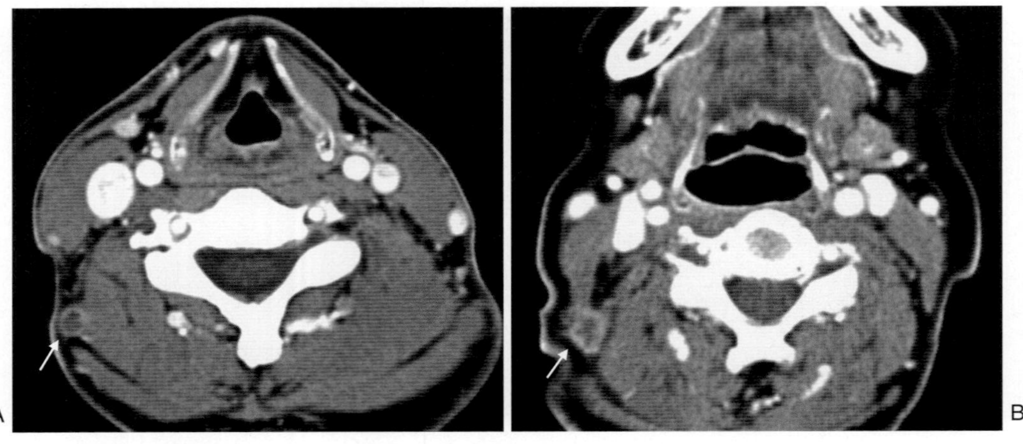

図68　後頸間隙病変：レベルV結核性リンパ節炎
造影CT(A，B)において，右レベルVAに嚢胞性結節(矢印)を認める．

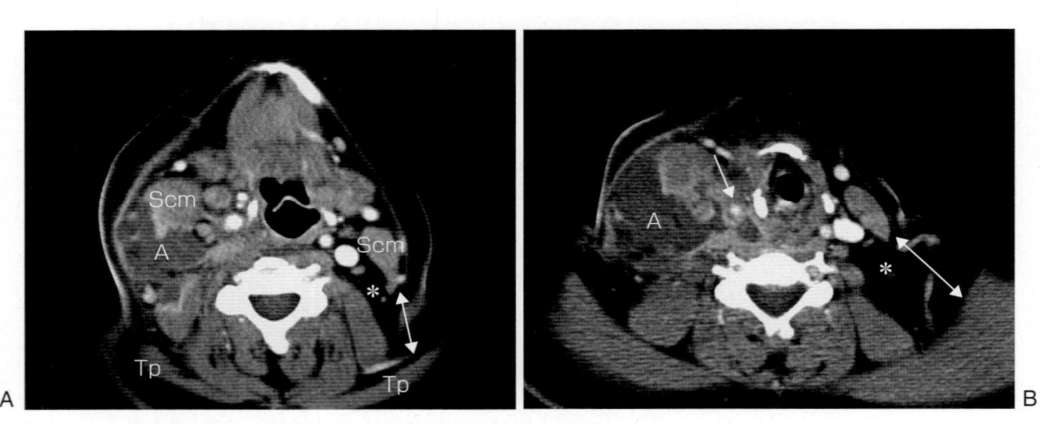

図69　後頸間隙病変：化膿性リンパ節炎に起因する膿瘍
中咽頭レベルの造影CT(A)において右後頸間隙(対側で＊で示す)に一致して辺縁増強効果を伴う造影不良域(A)を認め，膿瘍形成を示す．さらに下咽頭レベル(B)で膿瘍(A)は内側深部において総頸動脈(矢印)への進入がみられ，頸動脈鞘背側から翼状筋膜を越えた進展が示されている．両向き矢印：後頸三角，Scm：胸鎖乳突筋，Tp：僧帽筋

b. 顎下三角

前方から上方を下顎骨体部・角・枝の後下縁，前下方を顎二腹筋前腹，後方を顎二腹筋後腹で囲まれる三角形の領域であり，顎舌骨筋がfloorとなる．組織間隙としては顎下間隙にほぼ相当する．顎下腺，顎下リンパ節(レベルIB)，脂肪が含まれる．

c. 頸動脈三角

頭側を顎二腹筋後腹下縁，後方を胸鎖乳突筋前縁，前下方を肩甲舌骨筋上腹上縁で囲まれる三角形，すなわち顎二腹筋後腹を底辺として胸鎖乳突筋と肩甲舌骨筋上腹との交点(輪状軟骨下縁レベル)を頂点とする三角形の領域であり，主に頸動脈間隙に相当する．頸動脈，内頸静脈，内深頸リンパ節(レベル2および3)，迷走神経(CN X)，交感神経幹が含まれる．

d. 筋性三角

内側を前頸部正中，外側上部を肩甲舌骨筋上腹，外側下部を胸鎖乳突筋前縁で囲まれる三角形の領域であり，組織間隙として臓側間隙に相当す

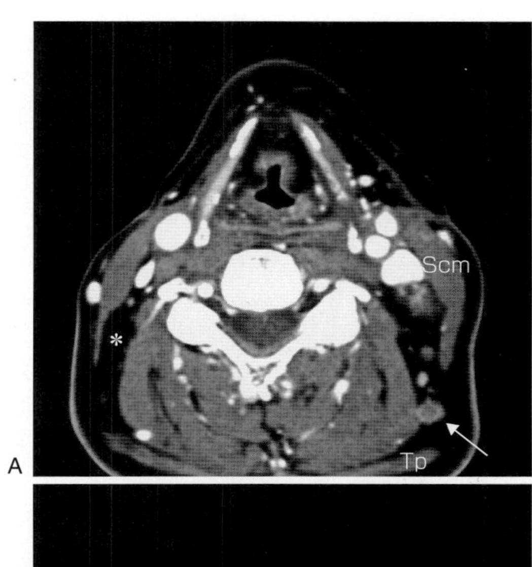

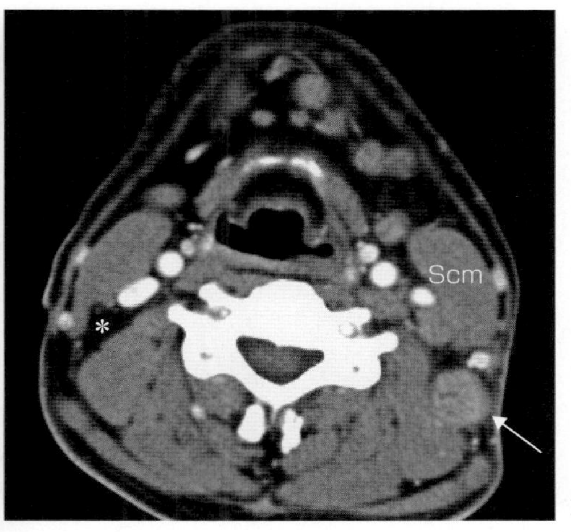

図 70　後頸間隙病変：レベルⅤリンパ節転移 3 症例

3 症例の造影 CT（A，B，C）．いずれも左後頸間隙（対側で＊で示す）に腫大，辺縁不整，内部不均一性などを伴う結節性病変（矢印）を認め，レベルⅤリンパ節転移に一致する．

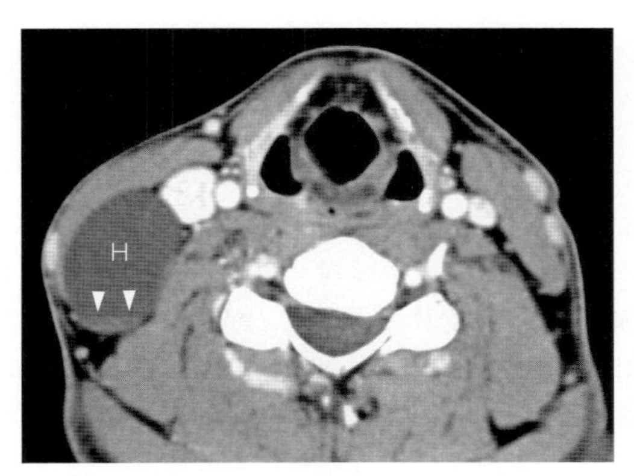

図 71　後頸間隙病変：囊胞性リンパ管腫

造影 CT 横断像において，右後頸間隙内に囊胞性腫瘤（H）を認め，内部に fluid-fluid level（矢頭）を伴う．囊胞内出血あるいは感染後などの debris によると思われる．

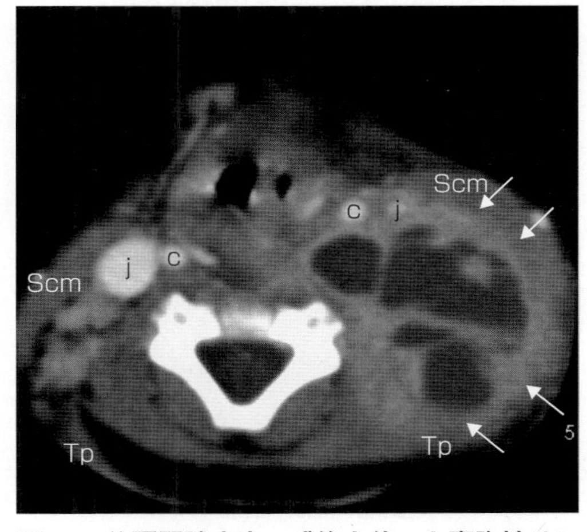

図 72　後頸間隙病変：感染を伴った囊胞性リンパ管腫

舌骨下頸部レベルの造影 CT において左後頸間隙を中心に多房性囊胞性腫瘤（矢印）を認める．囊胞壁，内部隔壁は厚く増強効果を示し，重複感染を示唆する．c：総頸動脈，j：内頸静脈，Scm：胸鎖乳突筋，Tp：僧帽筋

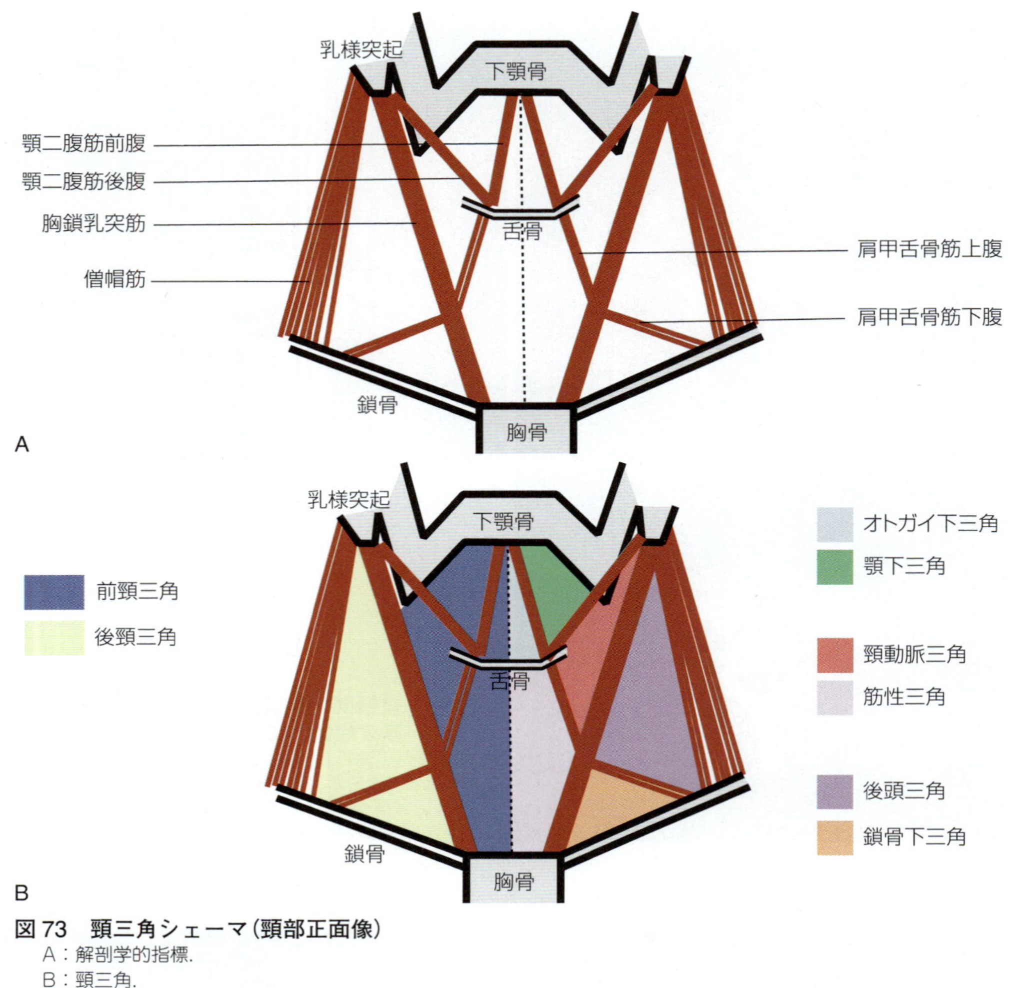

図 73　頸三角シェーマ（頸部正面像）
A：解剖学的指標.
B：頸三角.

る．舌骨下筋，喉頭，下咽頭，甲状腺，副甲状腺，反回神経（CN X）が含まれる．

2 後頸三角

a. 後頭三角

前内側を胸鎖乳突筋後縁，後方を僧帽筋外側・前縁，前下方を肩甲舌骨筋下腹で囲まれる三角形，すなわち僧帽筋外側・前縁を底辺として胸鎖乳突筋と肩甲舌骨筋との交点（輪状軟骨下縁レベル）を頂点とする三角形の領域であり，組織間隙として後頸間隙の大部分に相当する．副神経（CN XI），副神経リンパ節（レベル VA），脂肪，肩甲背神経が含まれる．

b. 鎖骨下三角

前方を胸鎖乳突筋後縁，後上方を肩甲舌骨筋下腹，下方を鎖骨に囲まれる三角形の領域であり，組織間隙としては後頸間隙の下端に相当する．鎖骨下動脈（3rd portion），副神経リンパ節（レベル VB），腕神経叢，脂肪が含まれる．

頭頸部は筋膜で区分される組織間隙の集合体として形成される．病変の進展様式の把握，鑑別疾患の評価などに必要となる頸筋膜，組織間隙，頸三角の解剖について解説した．

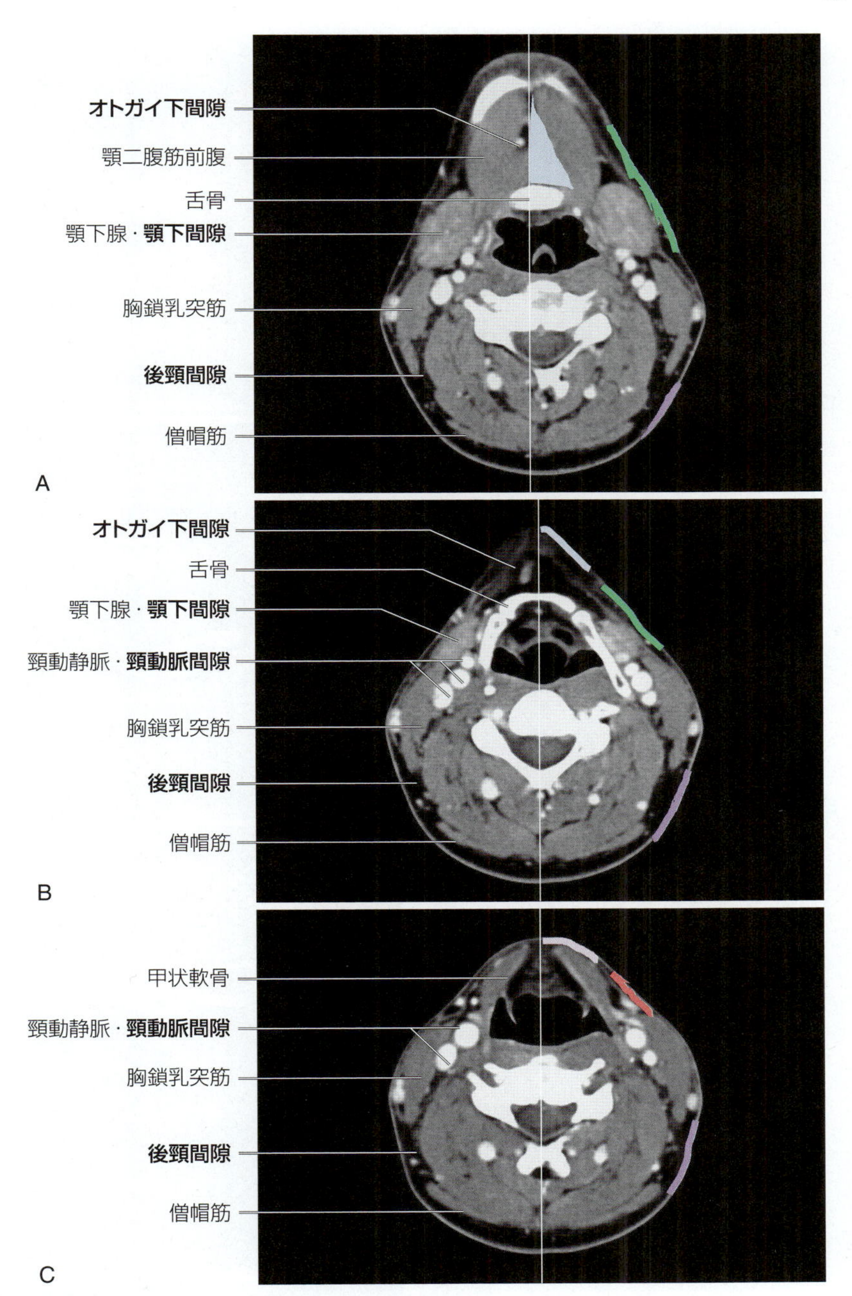

図 74　頸三角　造影 CT(p56〜58 へつづく)

横断像：頭側から尾側に向かって，顎下腺レベル(A)，舌骨レベル(B)，甲状舌骨膜レベル(C)，輪状軟骨レベル(D)，甲状腺レベル(E)・・・E のみが肩甲舌骨筋と胸鎖乳突筋の交点より尾側レベル

冠状断像：腹側から背側に向かって上顎洞レベル(F)，眼窩尖部レベル(G)，咽頭レベル(H)，顎関節レベル(I)，脊柱管レベル(J)

：オトガイ下三角，　：顎下三角，　：頸動脈三角，　：筋性三角，　：後頭三角，　：鎖骨下三角

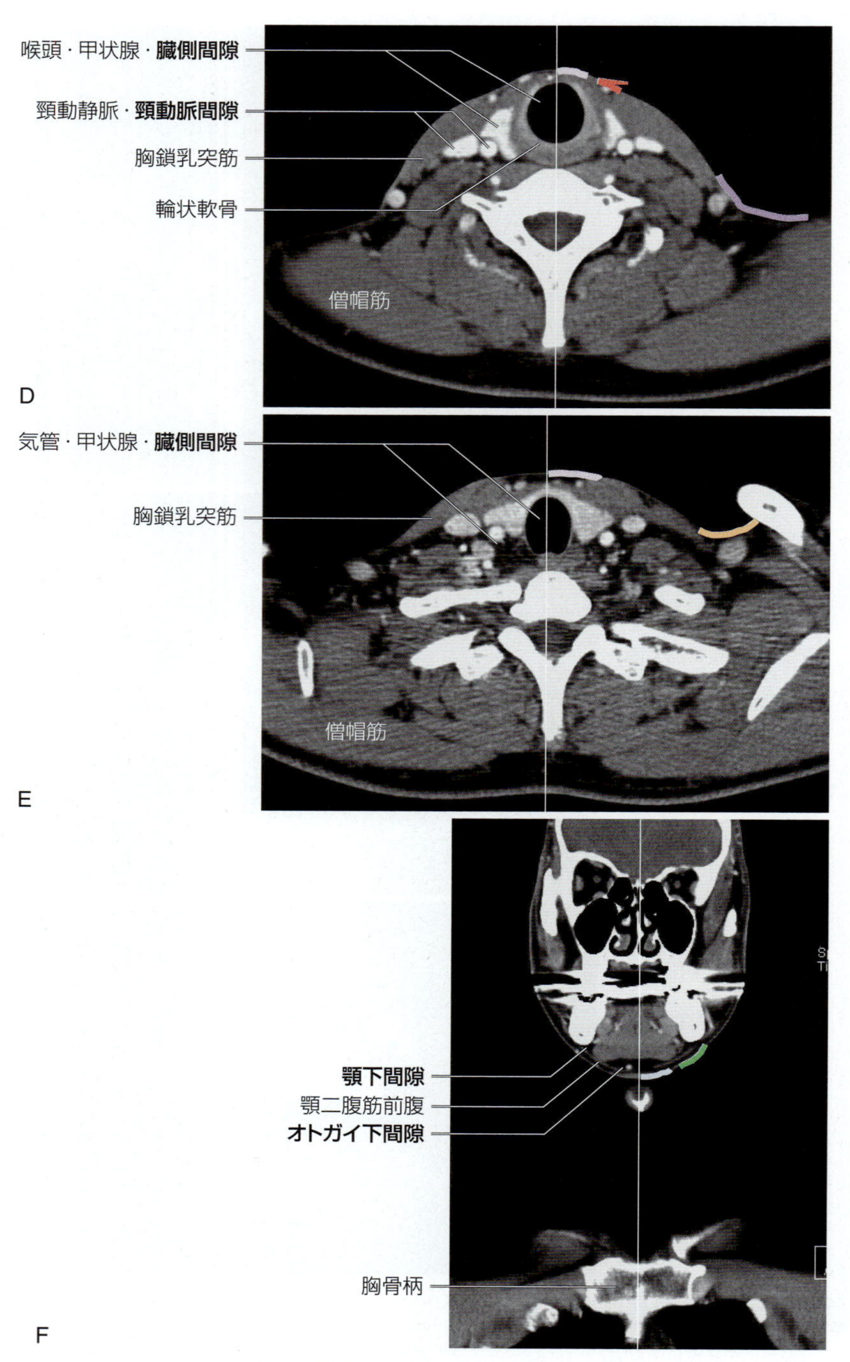

図 74　頸三角　造影 CT（つづき 1）

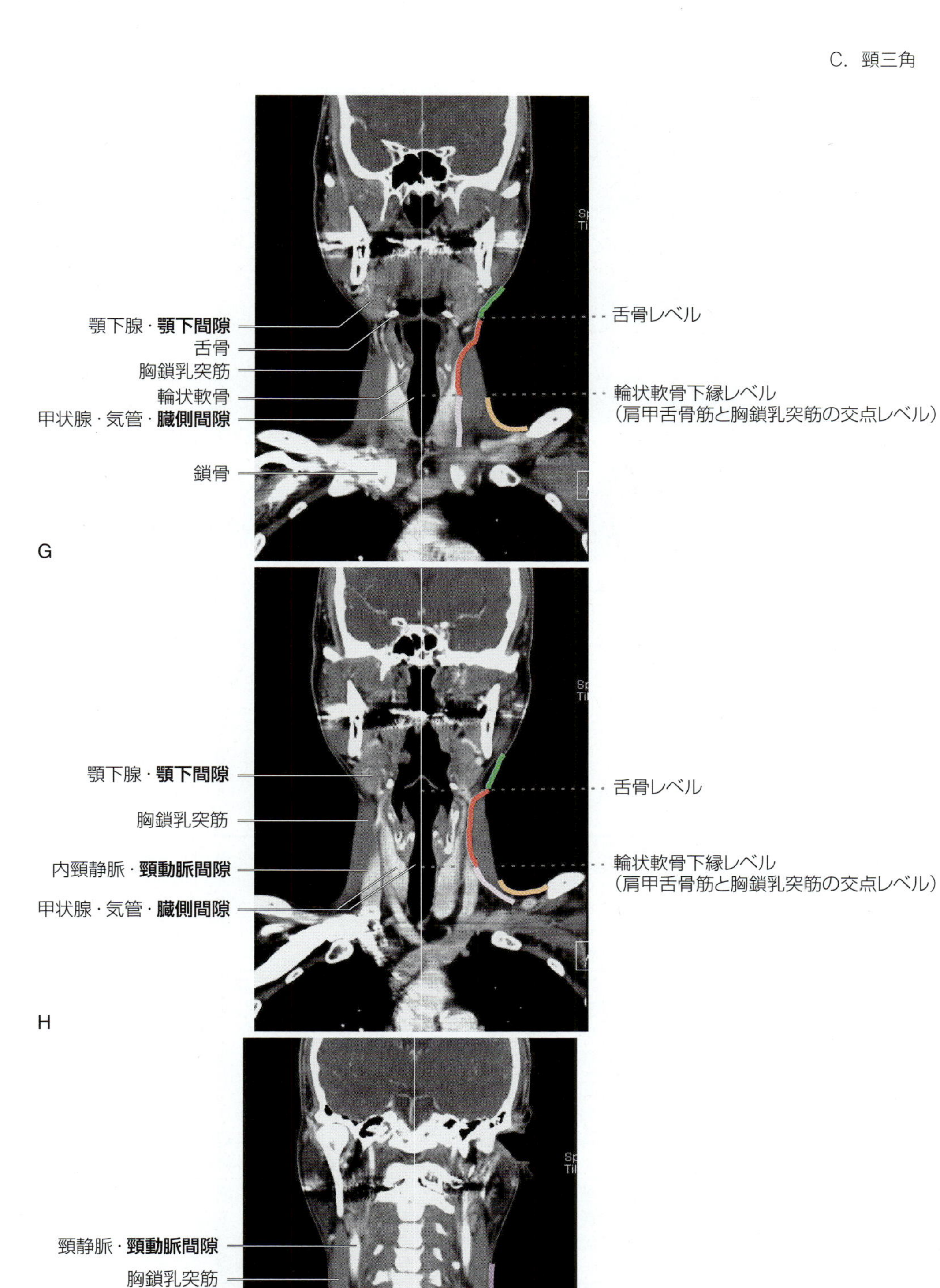

図 74　頸三角　造影 CT（つづき 2）

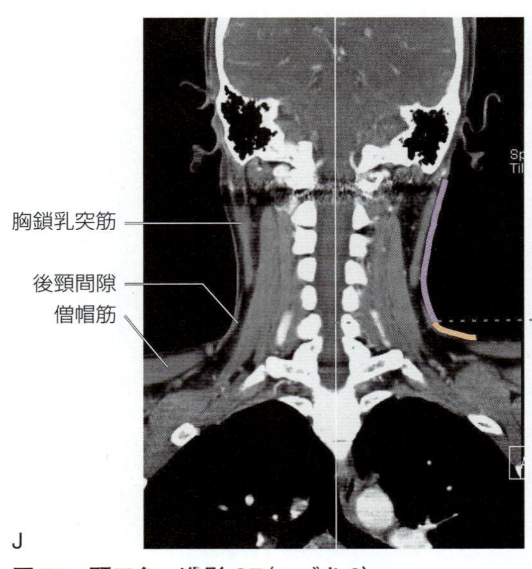

図 74　頸三角　造影 CT(つづき 3)

表 15　頸三角

		頸三角(組織間隙)	境界	構造
前頸三角	舌骨上部	オトガイ下三角 (オトガイ下間隙に相当)	左右顎二腹筋前腹内側縁 舌骨体部上面 ＊下顎骨オトガイ部下縁を頂点 顎舌骨筋が floor 形成	・脂肪 ・オトガイ下リンパ節(レベル IA) ・脂肪
		顎下三角 (顎下間隙に相当)	下顎骨下縁 顎二腹筋前腹 顎二腹筋後腹 顎舌骨筋が floor 形成	・顎下腺 ・顎下リンパ節(レベル IB) ・脂肪
	舌骨下部	頸動脈三角 (頸動脈間隙に相当)	顎二腹筋後腹 肩甲舌骨筋上腹 胸鎖乳突筋前縁	・頸動脈，内頸静脈 ・内深頸リンパ節(レベル 2 および 3) ・迷走神経(CN X) ・交感神経幹
		筋性三角 (臓側間隙に相当)	前頸部正中 肩甲舌骨筋上腹 胸鎖乳突筋前縁	・舌骨下筋 ・喉頭，下咽頭 ・甲状腺，副甲状腺 ・反回神経(CN X)
後頸三角(後頸間隙に相当)		後頭三角 (後頸間隙に相当)	胸鎖乳突筋後縁 僧帽筋前縁 肩甲舌骨筋下腹	・副神経(CN XI) ・副神経リンパ節(レベル VA) ・脂肪 ・肩甲背神経
		鎖骨下三角 (後頸間隙下端に相当)	胸鎖乳突筋後縁 肩甲舌骨筋下腹 鎖骨	・鎖骨下動脈(3rd portion) ・副神経リンパ節(レベル VB) ・腕神経叢 ・脂肪

■参考文献

1) Burns A：Observasions on the surgical anatomy of the head and neck. Wardlaw & Cunninghame, Glasgow, 1824
2) Grodynsky M, Holyoke EA：The fasciae and fascial spaces of the head, neck and adjacent regions. Am J Anato **63**：367–393, 1938
3) Poirier P, Charpy A：Traite d' anatomie humaine. Masson et Cie, Paris, 1912
4) Natale G, Condino S, Stecco A et al：Is the cervical fascia an anatomical proterus? Surg Radiol Anat **37**：1119–1127, 2015
5) Harnsberger HR：Handbook of Head and Neck Imaging second edition. Mosby–Year Book, Inc., St. Louise, 1995
6) Gray H：Anatomy, Descriptive and Surgical（15th ed), Barnes & Nioble, New York, p.269, 1901
7) Hollinshead WH：Anatomy for Surgeons. The Head and Neck（3rd ed), Lippincott Williams & Wilkins, Philadelphia, 1982
8) Paonessa DF, Goldstein JC：Anatomy and Physiology of Head and Neck Infections（with Emphasis on the Fascia of the Face and Neck). Otolaryngol Clin North Am **9**：561–580, 1976
9) Ojiri H, Tada S, Ujita M et al：Infrahyoid spread of deep neck abscess：anatomical consideration. Eur Radiol **8**：955–959, 1998
10) Kim HC, Han MH, Moon MH et al：CT and MR imaging of the buccal space：normal anatomy and abnormalities. Korean J Radiol **6**：22–30, 2005
11) Tart RP, Kotzur IM, Mancuso AA：CT and MR imaging of the buccal space and buccal space masses. Radiographics **15**：531–550, 1995
12) Hoang JK, Branstetter BF 4th, Eastwood JD et al：Multiplanar CT and MRI of collections in the retropharyngeal space：is it an abscess? AJR Am J Roentgenol **196**：W426–432, 2011
13) Kurihara N, Takahashi S, HiganoS et al：Edema in the retropharyngeal space associated with head and neck tumors：CT imaging characteristics. Neuroradiology **47**：609–615, 2005

2 眼　窩

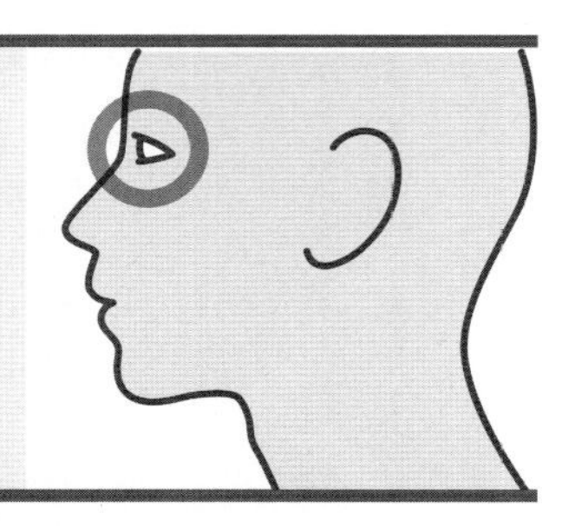

A 臨床解剖

眼窩は眼球およびその支持・機能組織を含むが，これを囲む薄い骨壁を介して上方は前頭蓋窩から前頭洞，内側は篩骨洞，蝶形骨洞から鼻腔，下方は上顎洞，後外側は側頭窩から顔面外側部と密接に位置する．後方の眼窩尖部では視神経管，上眼窩裂を介して頭蓋内，下眼窩裂を介して翼口蓋窩と直接交通する．このような解剖学的位置関係から眼科医のみならず，耳鼻科医，脳神経外科医，頭頸部外科医，形成外科医，そして頭頸部画像診断医も同領域の臨床解剖に対する十分な理解が要求される．

1 骨解剖

眼窩骨壁は全体として円錐型(ピラミッド型)を呈し，尖部は後内側を向き，底部は前方に向かって開放している(図 1)．前頭骨，蝶形骨(大翼，小翼)，頬骨，上顎骨，涙骨，篩骨の 7 つの骨からなり，上・下・内側・外側壁，眼窩尖部，眼窩口(前方開放部)が区分される．眼窩口の輪郭は眼窩縁により形成される．Rontal らはこれらの骨構造に関する計測データを報告しているが，ここではその測定値の幅の大きさが強調されている[1]．

1）眼窩上壁（天蓋）

主に前頭骨眼窩面，後方の一部は蝶形骨小翼からなる．前外側には涙腺眼窩部を容れる涙腺窩，前内側(通常は眼窩縁から 5 mm 深部[2])には滑車小窩が位置する．視神経管は眼窩後方では上壁と内側壁との接合部に位置し，蝶形骨小翼を貫く．眼窩上縁には眼窩上神経外側枝(V1)，眼窩上動静脈を通す眼窩上切痕がある．

2）眼窩下壁(底)

主に上顎骨眼窩面，一部は頬骨眼窩面(前外側

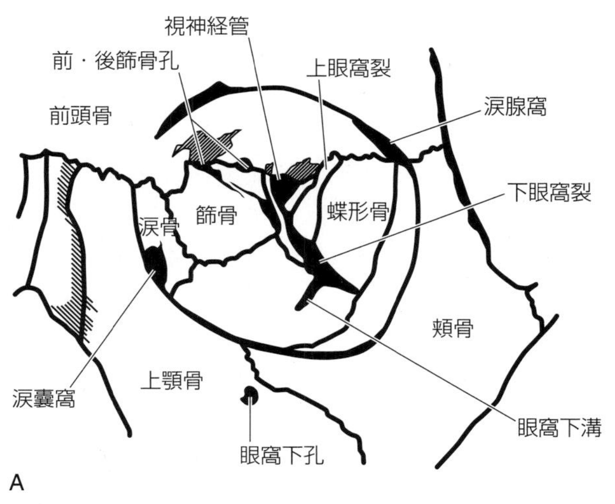

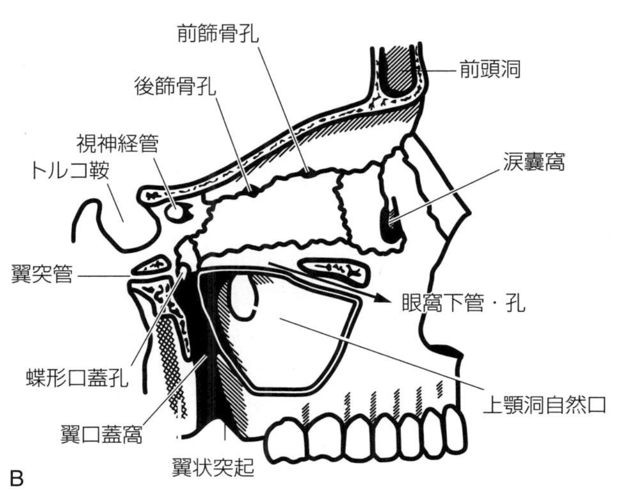

図 1　眼窩骨解剖．シェーマ
A：左眼窩を前方より眺めた図．
B：眼窩長軸に沿った斜矢状断面を外側から眺めた図．

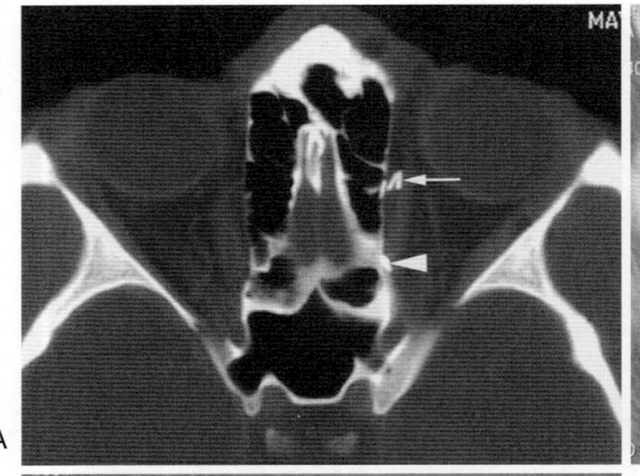

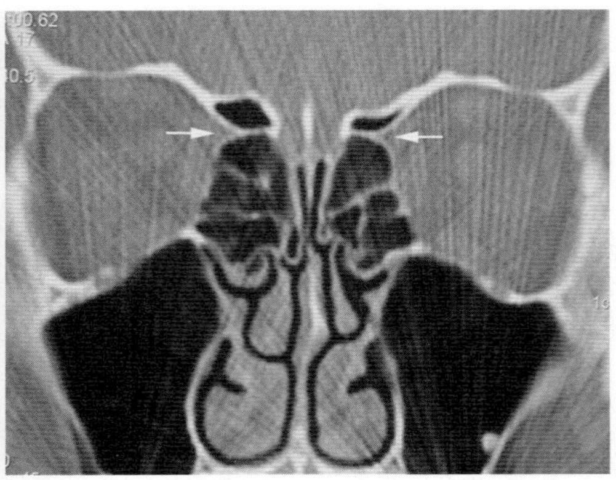

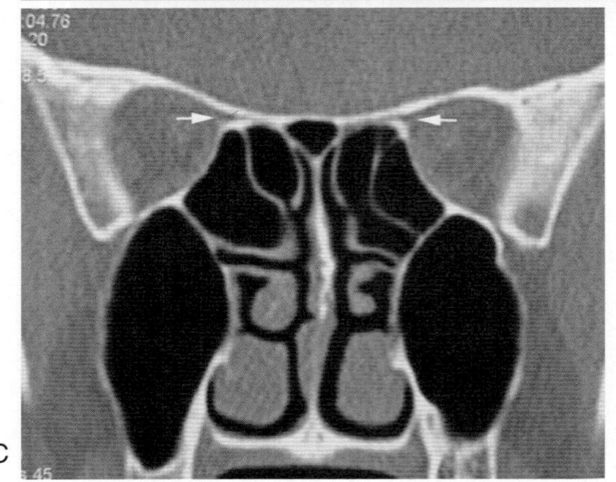

図2　前・後篩骨孔のCT解剖
A：以前の副鼻腔手術による前(矢印)・後(矢頭)篩骨動脈クリッピング後横断CT.
B：前篩骨孔(矢印)レベルの冠状断CT.
C：後篩骨孔(矢印)レベルの冠状断CT.

を形成)，口蓋骨眼窩面(後内側の小三角形領域を形成)からなる．上顎洞上壁をなす．眼窩下縁から1〜1.5 cm後方レベルで眼窩下壁は下眼窩裂によって外側壁と分けられる．また，眼窩下神経(三叉神経第2枝である上顎神経の枝)を通す眼窩下管は上顎洞前壁の眼窩下孔から後方に連続，眼窩下縁から後方約1 cmのレベルで眼窩下壁の眼窩下溝に移行，眼窩底を眼窩長軸方向に沿って走行，下眼窩裂内唇へ連続する．前内側には下斜筋起始部に一致して，浅い陥凹を認める．

3）眼窩内側壁

主に篩骨紙様板，他に上顎骨前頭突起，涙骨，蝶形骨体側面からなる．篩骨紙様板は非常に薄いが，篩骨洞の蜂巣構造により補強される．前方では前・後涙嚢稜の間に涙嚢窩が位置し，下方では下鼻道へと連続する鼻涙管に移行する．篩骨紙様板上縁に沿って，前頭篩骨縫合線(前頭蓋底レベルに相当)には前・後篩骨動脈を通す前・後篩骨孔が位置する．通常，前篩骨孔は前涙嚢稜から約2.4 cm後方，後篩骨孔は前篩骨孔から約1.2 cm後方，視神経管は後篩骨孔から約6 mm(4〜9 mm)後方に位置している(図1B，2)．この解剖は横断画像において適応可能であり，眼窩，鼻副鼻腔，前頭蓋底領域の術前評価において極めて重要である．また，眼窩内側壁を介して篩骨洞と眼窩は弁のない静脈による交通がみられ，これは副鼻腔炎の眼窩波及の経路として重要で，必ずしも骨破壊を伴わなくとも眼窩へ炎症が波及する要因でもある．

4）眼窩外側壁

蝶形骨大翼の眼窩面，頬骨眼窩面の一部からなり，眼窩壁の中で最も厚い．後方では上眼窩裂により上壁，下眼窩裂により下壁と分けられる．

2 眼窩尖部 (図3，表1)

基本的には眼窩尖部は視神経管と上眼窩裂からなるが，ここでは下眼窩裂を含めて概説する．なお，頭頸部癌では眼窩尖部への進展は一般に切除不能であり，T4b病変に区分される．

1）視神経管

上方は蝶形骨小翼上根，外側下方を蝶形骨小翼

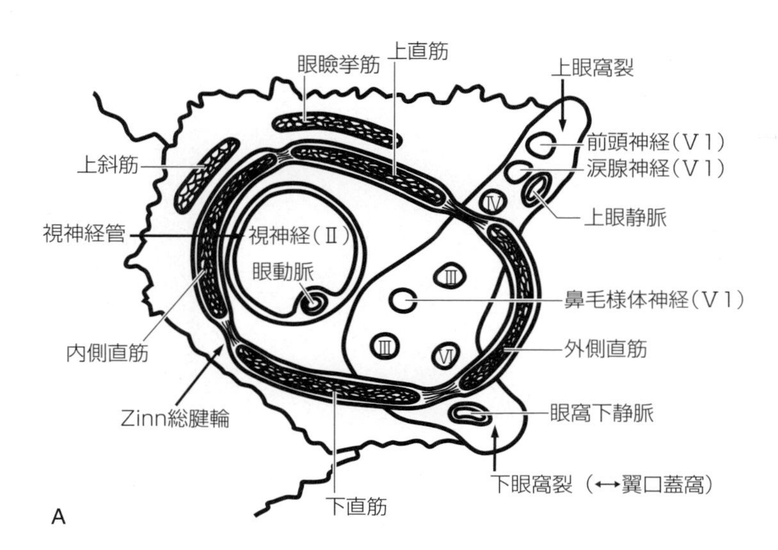

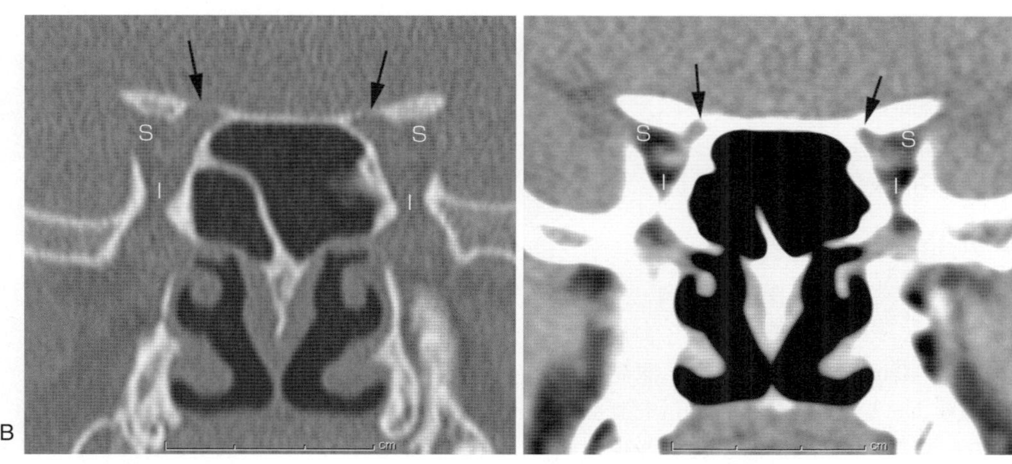

図3　眼窩尖部．シェーマ（A），冠状断CT（B：骨条件表示，C：軟部濃度表示）
CT（B，C）において，矢印：視神経管，Ⅰ：下眼窩裂，S：上眼窩裂

下根（optic strut），内側を蝶形骨体部に囲まれ，視神経および眼動脈を通す．身体の矢状断面に対して外側約45°に向かう．蝶形骨洞の含気の程度により，蝶形骨洞内を貫通する走行を示す（図4），あるいは視神経管と蝶形骨洞との間の骨壁の欠損を認める場合（図5）もあり，これらはCT所見として確認可能であり，鼻副鼻腔炎あるいは同領域の内視鏡手術の術前評価として非常に重要である．

2）上眼窩裂

視神経管の外側下方に位置し，眼窩外側壁（蝶形骨大翼）と上壁（蝶形骨小翼）を区分している．眼窩骨膜に閉ざされるが，動眼神経（Ⅲ），滑車神経（Ⅳ），三叉神経第1枝（V1），外転神経（Ⅵ）および上眼静脈を通す．眼窩と海綿静脈洞，中頭蓋窩との交通路をなす．

表1　眼窩尖部と通過する構造

	通過する構造
視神経管	視神経
	眼動脈
上眼窩裂	CN Ⅲ，Ⅳ，Ⅵ，眼神経（V1）
	上眼静脈
下眼窩裂	眼窩下神経（V2）
	眼窩下動静脈

3）下眼窩裂

眼窩外側壁（蝶形骨大翼）と下壁（上顎骨および口

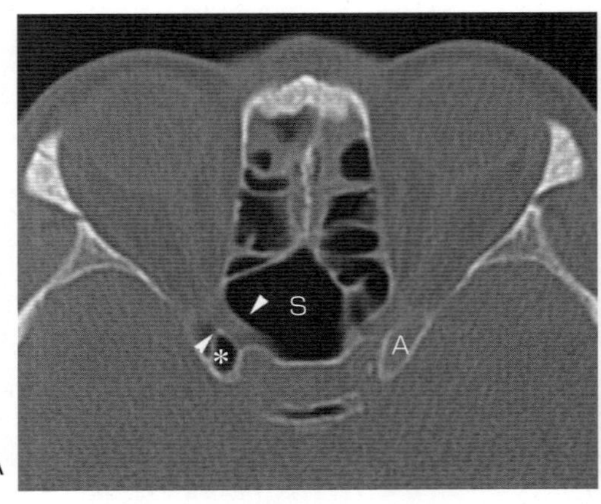

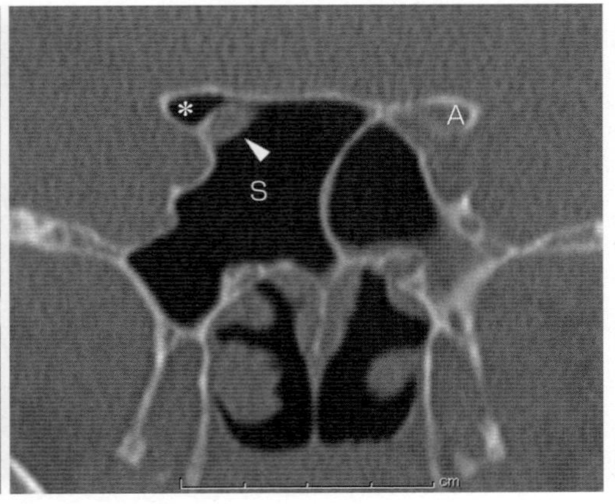

図4　蝶形骨洞内を貫通する視神経管
蝶形骨洞レベルCTの冠状断像(A)および横断像(B)において，右視神経管(矢頭)は蝶形骨洞の含気腔内を貫通して走行する．
A：(含気のない)前床突起，S：蝶形骨洞，＊：含気した前床突起

蓋骨眼窩面)を区分している．眼窩骨膜に閉ざされるが，眼窩下神経(V2)，眼窩下動静脈を通す．眼窩と翼口蓋窩，側頭下窩との間の交通路をなす(眼窩と頭蓋内の直接の交通路ではない)．

3 外眼筋 (図6)

眼球運動をつかさどる外眼筋は内側・外側・上・下直筋と上・下斜筋よりなり，(下斜筋を除き)いずれも約40 mmの長さをもち，眼窩尖部のZinn総腱輪より起こる(図3)．Zinn総腱輪は上眼窩裂の一部(oculomotor foramen)と視神経管を囲む．視神経切除術ではZinn総腱輪内で切除されるのが，最も安全であるとされる[3]．下斜筋は上顎骨眼窩面の鼻涙管眼窩開口部の後外側部より起こり，下直筋下方を通過して眼球の下外側面に付着する．上・内側・下直筋，下斜筋は動眼神経(Ⅲ)，上斜筋は滑車神経(Ⅳ)，外側直筋は外転神経(Ⅵ)の支配である．筋膜は前方では眼球鞘(Tenon鞘)へと連続している．Zinn総腱輪頭側の蝶形骨大翼から起こる上眼瞼挙筋は上直筋頭側を伴走して上眼瞼板に至る．

正常外眼筋は造影MRIで増強効果を示すが，これは通常の骨格筋と比較して高い血管密度(約20倍)と著明な血管外腔の存在による[4]．

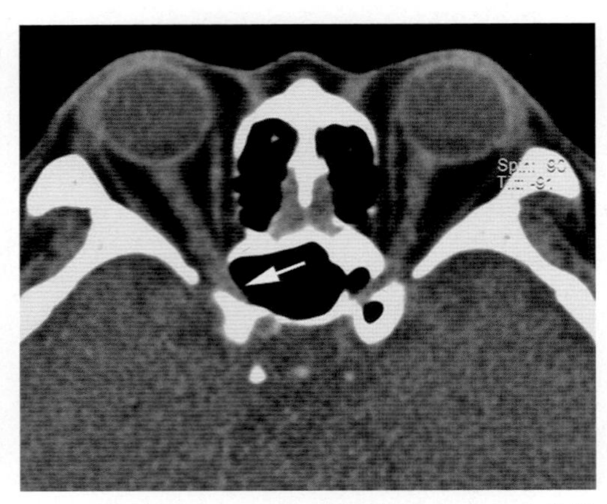

図5　蝶形骨洞との間の骨壁欠損を認める視神経管．横断CT
蝶形骨洞に接して走行する右視神経を覆う骨壁の欠損(矢印)を認める．

4 筋膜・腱膜および眼窩内組織間隙 (図6)

骨壁に囲まれる眼窩内部は筋膜・腱膜構造によって，さらにいくつかのコンパートメントに区分される．これらの構造は病変進展の障壁ともなり，その解剖は病変の進展様式の理解に重要である．また，病変の由来するコンパートメントの同定は鑑別診断にも有用である．

1) 眼窩骨膜(periorbita)および眼窩骨膜下腔(subperiorbital space)

眼窩骨壁を覆う眼窩骨膜は前方では後述の眼窩中隔と，後方では視神経管を介して頭蓋内で硬膜

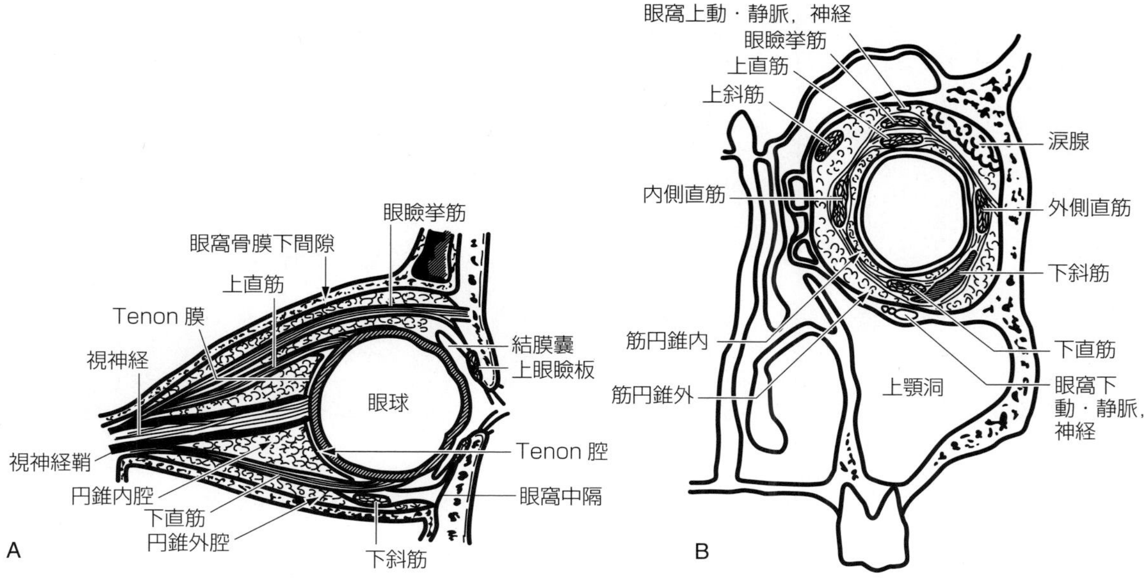

図 6　眼窩矢状断（A）・冠状断（B）シェーマ

へと連続する．内側前下方では 2 重葉を形成して涙嚢を囲む．周囲の骨壁とは緩やかな癒着を示すが，眼窩骨膜と骨壁との間の潜在腔である眼窩骨膜下腔は眼窩への副鼻腔炎波及に伴う眼窩骨膜下膿瘍・蜂窩織炎形成の場，あるいは手術時の剝離面として重要である．

2）筋円錐および円錐内・外腔

各外眼筋同士の間隙は線維性筋鞘の融合（muscular fascia）により埋められており，外眼筋および muscular fascia で筋円錐が形成される．眼窩骨膜と筋円錐との間を辺縁腔（あるいは円錐外腔），筋円錐内を中心腔（あるいは円錐内腔）と呼ぶ．

3）眼球鞘［bulbar fascia, Tenon 鞘（Tenon's capsule）］および鞘間隙［episcleral space, Tenon 腔（Tenon's space）］

眼球鞘は眼球の角膜を除く後ろ 5 分の 4（すなわち毛様体筋より後方）を囲む線維性腱膜で，中心腔の脂肪と眼球を分けている．前方では外眼筋腱が貫いている．また，眼球鞘は眼球強膜との間に潜在腔である鞘間隙（Tenon 腔）を形成する（図 6A, 7）．これは眼球の円滑な運動に寄与している．

4）眼窩中隔（orbital septum）

眼窩中隔は眼窩前方開口部をふさぐ線維膜で，眼窩縁に付着後，後方の眼窩骨膜へと連続する（図 6A）．血管・神経はこれを貫通して眼窩内から顔面に向かう．内側では後涙嚢稜に付着，上・下眼瞼内では肥厚した眼窩中隔が眼瞼板を形成しており，上眼瞼では眼瞼挙筋腱と融合している（図 6A）．手術を考慮する疾患では，眼窩中隔前方（preseptal）に限局するか，中隔後方（postseptal）に進展を認めるか否かにより適応，難易度が異なることから病変の局在と眼窩中隔との相対的位置関係を評価することは非常に重要である．また，副鼻腔炎の眼窩波及が初期には眼窩中隔前蜂窩織炎として進展していくことが多いという意味でも重要である．

5 眼球（図 8）

眼球はほぼ球体をなすが，その表面の前方 6 分の 1 は透明な眼球結膜，後方 6 分の 5 は不透明な強膜に覆われ，両者の移行部は強膜溝と呼ばれる．前方では角膜深部で水晶体（レンズ）との間に前眼房を形成する．レンズ後方には眼球容量の 3 分の 2 を占める硝子体が位置する．硝子体は硝子体膜に囲まれるが，その内部には胎生期の網膜中心動脈の枝が遺残として硝子体管（canal of Cloquet）を残す．これを内層から順に網膜，脈絡膜，強膜の 3 層からなる眼球壁が囲む．前方の網膜盲

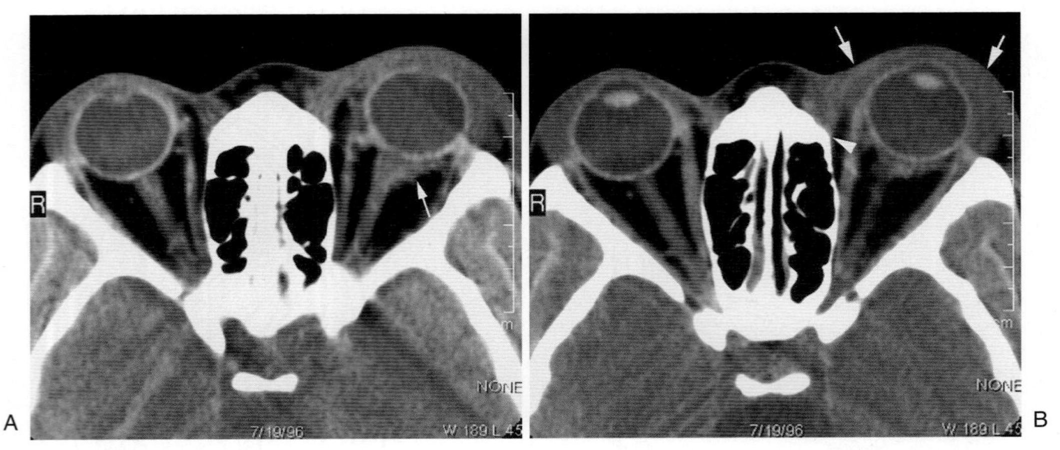

図７　顔面外傷後．CT
Ａ：左眼球後面に沿って Tenon 腔内の血腫(矢印)を認める．
Ｂ：左眼窩中隔前方の軟部組織の肥厚(preseptal soft tissue swelling)を認める(矢印)．眼窩中隔内側が後涙嚢稜に付着している(矢頭)．

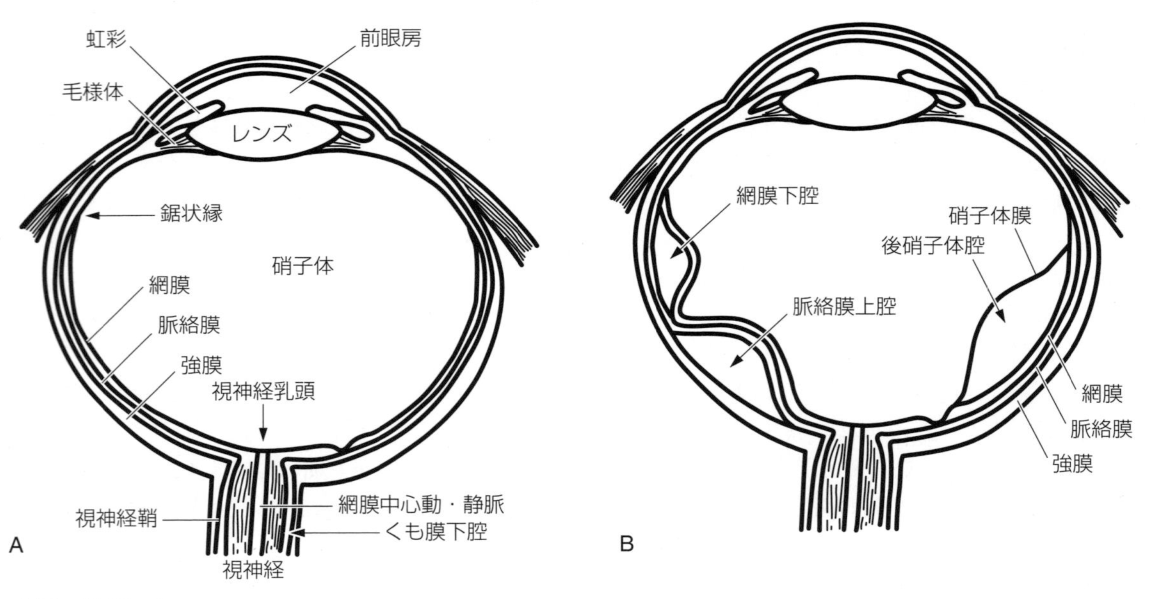

図８　眼球．シェーマ
Ａ：正常解剖．
Ｂ：眼球内潜在腔．

部と後方の網膜視部との移行部は鋸状縁(ora serrata)と呼ばれ，眼球赤道より 3〜4 mm 後方レベルに位置する．レンズ前面辺縁で絞りの働きを担う虹彩，後方に連続する毛様体，脈絡膜を総称してぶどう膜索(uveal tract)と呼ぶ．後方では眼球・視神経接合部を介して視神経と連続する．

眼球には臨床的に重要な以下の３つの潜在腔が存在する(図８)．

①後硝子体腔(posterior hyaloid space，subhyaloid space)：硝子体膜と網膜内層との間(図９)
②網膜下腔(subretinal sace)：網膜内層と網膜外層の間(図 10)
③脈絡膜上腔(suprachoroidal space)：脈絡膜と強膜

6 神経解剖

1) 視神経(図 11)

視交叉より起こり(視交叉前部/頭蓋内部：prechiasmatic/intracranial segment)，視神経管(視神経管部：intracanalicular segment)を通って眼窩内(眼窩部：orbital segment)に入り，Zinn 総腱輪に囲まれた筋円錐内を走行，眼球後極より内側約 2〜3 mm で眼球に進入する(nerve eye junction)．視神経眼窩部周囲は内層から軟膜，くも膜，硬膜に覆われており，同部のくも膜下腔は頭蓋内くも膜下腔と連続している(図 12)．そのため，頭蓋内髄液播種性病変は視神経眼窩部周囲を侵しうる．視神経眼窩部(くも膜下腔，視神経鞘を含まない)の直径は 2.5 ± 0.2 mm とされる．

2) 動眼神経(Ⅲ)，滑車神経(Ⅳ)，外転神経(Ⅵ)

いずれも上眼窩裂を介して眼窩内に進入する．動眼神経，外転神経は Zinn 総腱輪内，滑車神経は Zinn 総腱輪外を通る(図 3)．動眼神経は上・下・内側直筋および下斜筋，滑車神経は上斜筋，外転神経は外側直筋の運動を支配している．

3) 眼神経(Ⅴ1)，上顎神経(Ⅴ2)

眼窩の主な知覚を支配する眼神経(Ⅴ1)は，三叉神経槽［trigeminal cistern(Meckel 腔：Meckel's cave)］より起こり眼窩進入直前に涙腺神経，前頭神経，鼻毛様体神経を分枝し，上眼窩裂を介して眼窩内へ進入する(涙腺・前頭神経は Zinn 総腱輪外，鼻毛様体神経は Zinn 総腱輪内を通る)(図 3)．最も大きい枝である前頭神経は眼窩上壁骨膜と眼瞼挙筋の間を前方に走行，眼窩上縁の眼窩上切痕を経由して前頭部の知覚を支配する．一方，上顎神経(Ⅴ2)は海綿静脈洞側壁下方に沿って走行，正円孔を介して頭蓋内から翼口蓋窩に出たあと，分岐した眼窩下神経は下眼窩裂を介して眼窩

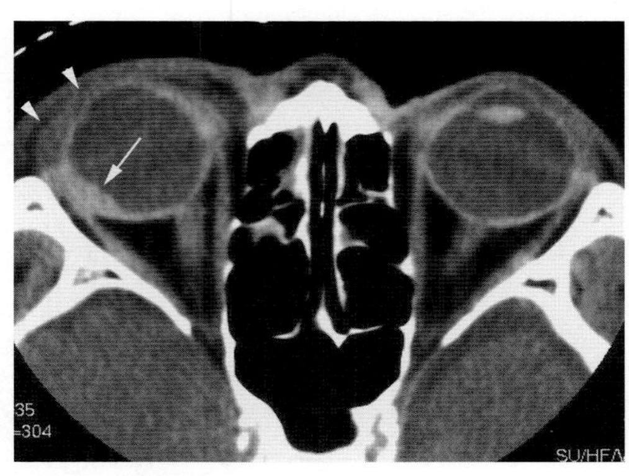

図 9　眼窩外傷．CT

金属の破片が右眼球に当たり，損傷．右眼球内，外側後方に境界鮮明な三日月型の高濃度領域を認め，後硝子体腔内の血腫(矢印)に一致．結膜嚢に液体貯留(矢頭)あり．

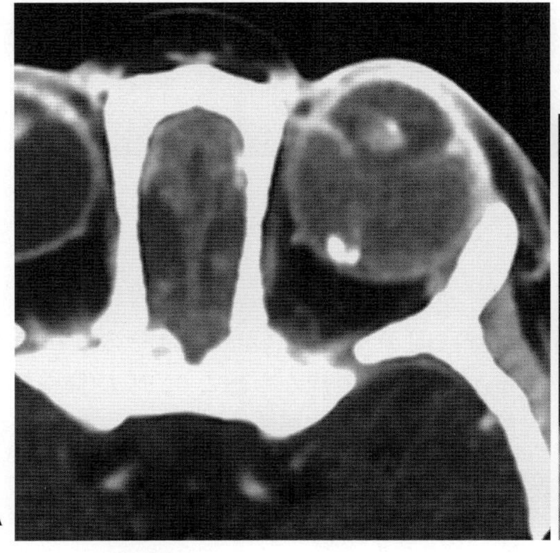

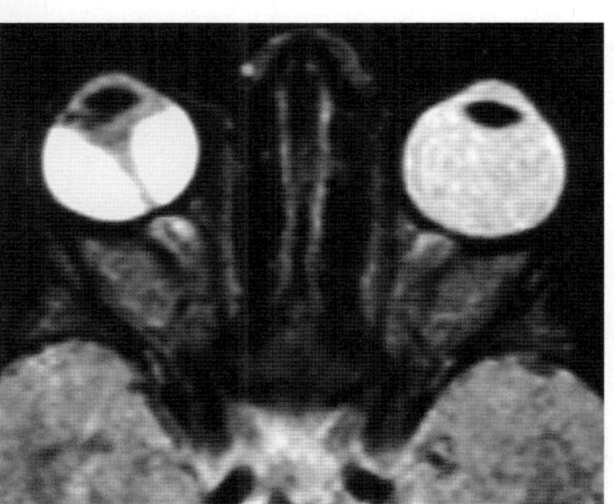

図 10　網膜剥離

A：網膜芽腫 CT．左眼球内に石灰化した結節を認め，網膜芽腫に一致．また，網膜剥離を認め，レンズの脱臼，前・後眼房拡大を伴う．

B：原発性遺残硝子体過形成(persistent hyperplastic primary vitreous：PHPV) T2 強調脂肪抑制横断像．右側で網膜下腔の液体貯留および網膜剥離を認める．

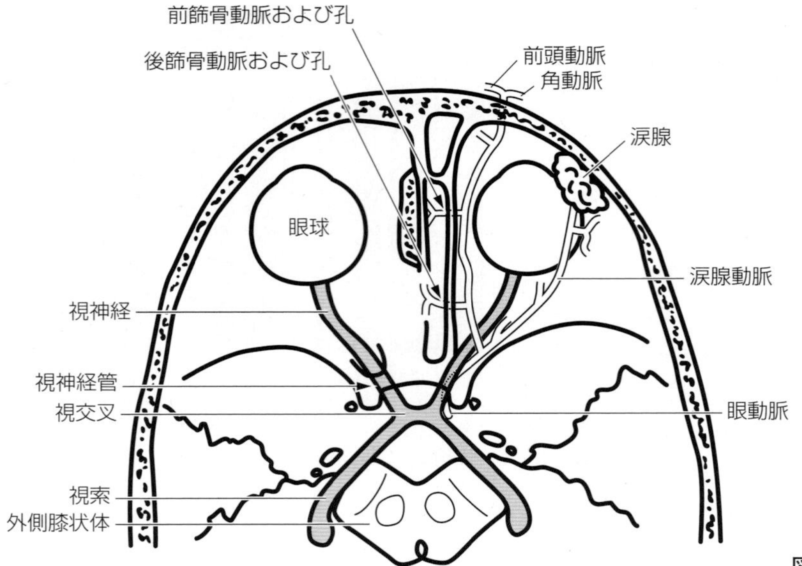

図 11　視神経．シェーマ

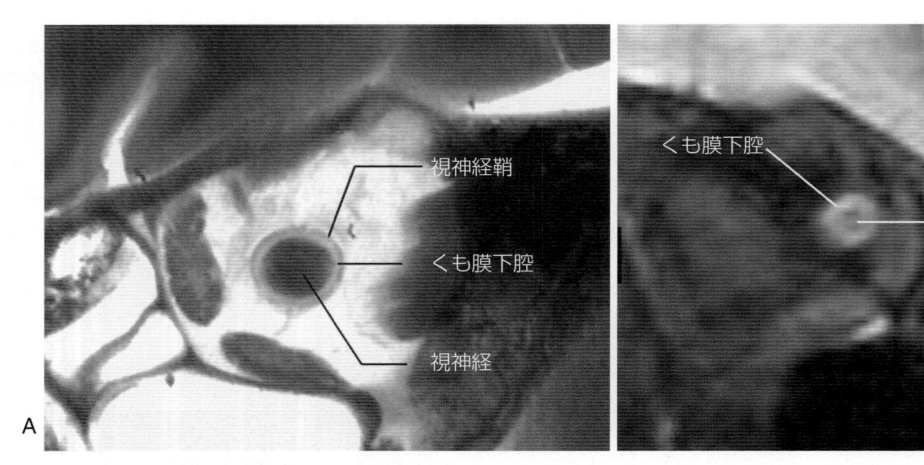

図 12　視神経および周囲のくも膜下腔
A：解剖標本．
B：T2 強調脂肪抑制冠状断像．

内に進入する(図 3)．眼窩下壁に沿って前方に走行，眼窩下溝・管を介して眼窩下孔から顔面に出て分布する(図 1B，6B)．

7　血管解剖

1）眼動脈

眼窩の主な動脈支配は(通常)内頸動脈の枝である眼動脈による．視神経管を介して眼窩内に入り，いくつかの枝に分岐する．視神経と伴走し，眼球に向かう網膜中心動脈はその最初の枝である．また，眼動脈から起こり，眼内側壁の前・後篩骨孔を介して前頭蓋底を経由して篩骨篩板から鼻腔に入る前・後篩骨動脈の解剖も臨床上，非常に重要である(図 2，11)．

2）上・下眼静脈

動脈と伴走する静脈が合わさり，上・下眼静脈を形成する．上眼静脈は上眼窩裂を介して海綿静脈洞，下眼静脈は下眼窩裂を介して翼口蓋窩静脈

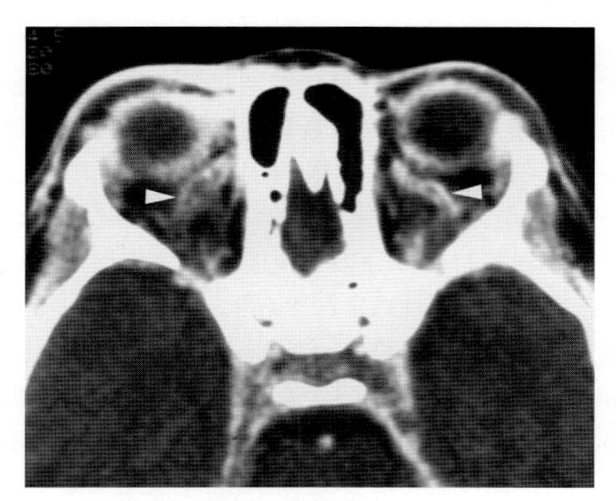

図 13 両側上眼静脈血栓症
血栓化した両側上眼静脈(矢頭)を認める.

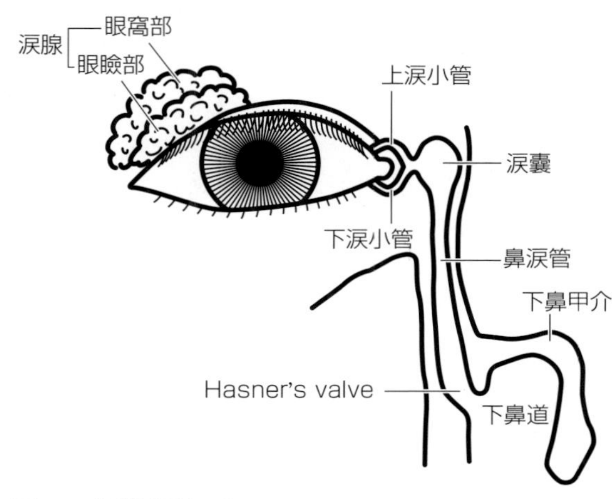

図 14 涙器解剖. シェーマ

叢に流入している. この解剖学的関係により, 内頸動脈海綿静脈洞瘻による上眼静脈怒張, 副鼻腔炎の波及に伴った眼静脈血栓性静脈炎からの海綿静脈洞血栓への進行などが生じる(図 13). また, 顔面静脈との間には多くの交通がみられる.

8 涙器 (図 14)

涙器の解剖は分泌と排泄の機能により分けられる.

1) 分泌器官

涙の主分泌器官である涙腺(lacrimal gland)は眼窩上壁前外側にある涙腺窩に位置し(図 6B, 11), 前方は眼窩中隔に境される. 眼瞼挙筋腱外側縁で形成される切痕により眼窩部と眼瞼部に分けられる. 眼窩部は眼瞼部と比較して大きく, やや頭側に位置する.

2) 排泄器官

角膜表面を潤滑した涙膜は, 眼瞼の動きなどにより内側に移動, 内眼角にある排泄器に至る. 上・下眼瞼内側縁にある上・下涙点(superior/inferior punctum)から約 10 mm の各々の涙小管(superior/inferior canaliculus)を経由し, 共通管を形成したあとに涙嚢(lacrimal sac)に至る. 涙嚢は眼窩内側壁前下方, 前・後涙嚢稜の間の涙嚢窩に位置する. 後涙嚢稜には眼窩中隔が付着する(図 7B). 涙嚢よりほぼ垂直に下行する鼻涙管(nasolacrimal duct)を介して下鼻甲介直下の鼻腔外側壁, 下鼻道に連続する. 下鼻道開口部には粘膜ひだ(Hasner's valve)がみられる.

B 撮像プロトコール

眼窩の画像診断は CT, MRI がその中心となっている. 眼球の画像診断としては超音波検査に関する報告も多い. 以下に眼窩画像診断における CT, MRI の一般的撮像プロトコールに関して概説する.

1 CT

CT では眼窩骨壁の変化や網膜芽腫で重要な石灰化の評価に有用である. さらに眼窩内脂肪とその他の構造とのコントラストも良好であり, 炎症による脂肪濃度変化の評価にも有効である. また, 眼窩と解剖学的, 臨床的にも密接な関係にある鼻副鼻腔領域の評価にも第一選択となる.

眼窩 CT 撮像プロトコールは鼻副鼻腔の撮像プロトコールに準ずる. 多列検出器 CT においては, 横断像と冠状断再構成画像における軟部条件表示・骨条件表示により評価するのが一般的である. 再構成スライス厚は骨条件表示では 1 mm, 軟部条件表示では 3 mm 程度, スライス間隔は 3 mm 以下が望ましい. さらに症例により眼窩長軸に沿った斜矢状断が(主に視神経・視神経鞘やこれに沿うくも膜下腔に進展する病態の評価において)有用な場合もある. 造影剤使用は腫瘍性疾患, 血管性病変(静脈瘤, 血管リンパ管奇形, 内頸動脈海綿静脈洞瘻など），一部の炎症性病変（膿瘍と蜂窩織炎との鑑別など）に有用である．

2 MRI

MRIでも横断像，冠状断像を基本として，症例により矢状断像が追加される．スライス厚3～5 mm，スライス間隔1.5 mm，FOV 20 cm（T1強調像）あるいは20～24 cm（T2強調像）程度でスピンエコー法によるT1，T2強調像が中心であり，病態によりガドリニウムDTPA経静脈性投与後の造影T1強調像が有効である．造影後T1強調脂肪抑制像は，接する鼻副鼻腔の含気による磁化率効果アーチファクトの影響もあるため，その適応，評価には注意を要する．

C 疾　患

1 炎症性疾患／特発性眼窩炎症

a. 炎症性偽腫瘍［pseudotumor/idiopathic orbital inflammation］

1）臨床的事項

眼窩偽腫瘍は，非腫瘍性，非感染性の占拠性眼球周囲の非肉芽腫性炎症性病変である．20～50歳代に多く，性差はない．甲状腺眼症，リンパ増殖性疾患に次いで3番目に多い眼窩疾患である[5]．炎症細胞浸潤とともに線維芽細胞，筋芽細胞の増殖を主体とする類似した病理像を呈する不均一な病態であり[6]，近年はIgG4関連疾患との関連性も示され，両者の疾患概念は重なり，従来，眼窩炎症性偽腫瘍と診断された25～50％を後述のIgG4関連疾患（IgG4関連眼疾患）が占めるとされる[7,8]．最近はIgG4関連疾患を除外し，特発性眼窩炎症の名称を用いる．古典的には比較的急性発症の眼窩の疼痛，これに伴う眼球突出，眼球運動障害，結膜炎，眼瞼腫脹などの症状を示すとされる．画像所見のみではリンパ増殖性疾患（悪性リンパ腫，偽リンパ腫）などとの鑑別は困難であるが，疼痛がなければ否定的である（無痛性の眼窩偽腫瘍はありうるが，まれである．一方でIgG4関連疾患では無痛性の場合も多い）．この点からも“片側性の眼痛”という臨床情報は診断にとって重要である．組織像から病変の予後を推察するのは困難であり，臨床経過は自然軽快，軽快/再燃を繰り返しながら最終的に治癒，あるいは炎症の遷延により眼窩内線維化から“frozen eye”に至るなど，症例によってさまざまである．小児では約3分の1の症例が両側性であるが，成人で両側性はまれであり，サルコイドーシス，Sjögren症候群，granulomatosis with polyangitis（Wegener肉芽腫）などの全身疾患の合併も考慮される．ただし，実際には考えられているよりも両側性病変は多く，両側性病変であることを根拠にして炎症性偽腫瘍は否定されない（図15，16）．

2）病型分類

病変の主座により以下の5つに分類されるが，これらの重複はまれでない．

①強膜周囲炎型（periscleritic）（図15）
②筋炎型（myositic）（図17，18）
③神経周囲炎型（perineuritic）（図15）
④涙腺炎型［lacrimal（dacryoadenitis）］（図16）
⑤びまん性（diffuse）（図16）

3）画像所見と治療

眼窩内の病変の拡がりは個々の症例で評価されるべきであるが，片側性，限局性あるいはびまん性と，多彩な眼窩腫瘤の所見として認められる．画像診断には主にCT，MRIが用いられる．内部性状はCTではほぼ均一で骨格筋と等濃度（図17）であり，経静脈性造影剤投与により増強効果を示す（95％）．MRIではT1強調像で骨格筋とほぼ等信号強度，T2強調像でやや高信号強度を呈する（図15，16）．ほぼ均一な内部構造を示す．これらの画像所見は非特異的である．筋炎型では偽腫瘍が前方の外眼筋腱の領域を侵すのに対して，甲状腺眼症では同部が保たれることが鑑別点となる場合がある[9]．また，偽腫瘍では眼窩内構造の圧排偏位などに乏しいという点が重要である．まれに骨侵食，頭蓋内進展をきたしうる[10,11]．診断は鑑別となる別病態の除外によりなされるが，多くの症例は画像所見と臨床情報から診断可能で生検を必要としない[5]．ただし，既

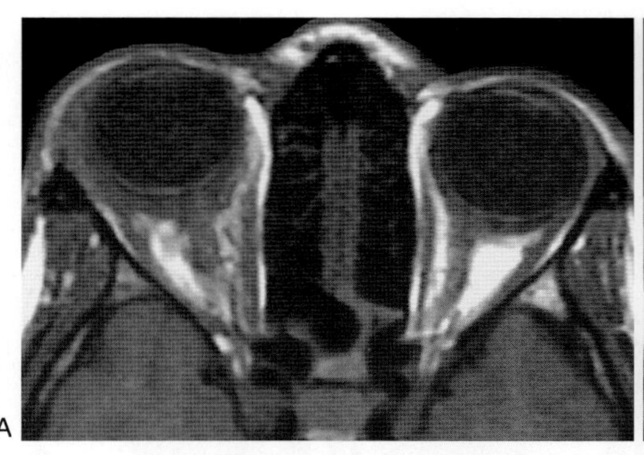
A

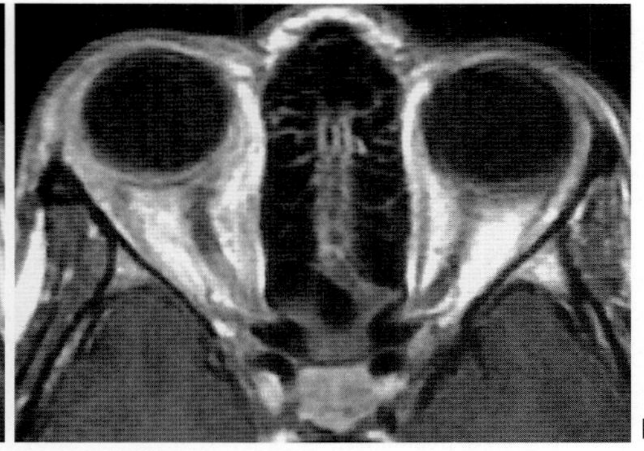
B

図 15　両側性炎症性偽腫瘍[強膜周囲炎型，視神経周囲炎型]．MRI

A：T1 強調横断像．両側眼球後面に沿って辺縁不整な中等度信号強度の腫瘤を認めるとともに，視神経の不整な輪郭と肥厚がみられる．強膜周囲炎型，視神経周囲炎型優位の両側性炎症性偽腫瘍に一致する．

B：ガドリニウム DTPA 静注後，造影 T1 強調横断像．腫瘤はびまん性不均一な増強効果を示している．

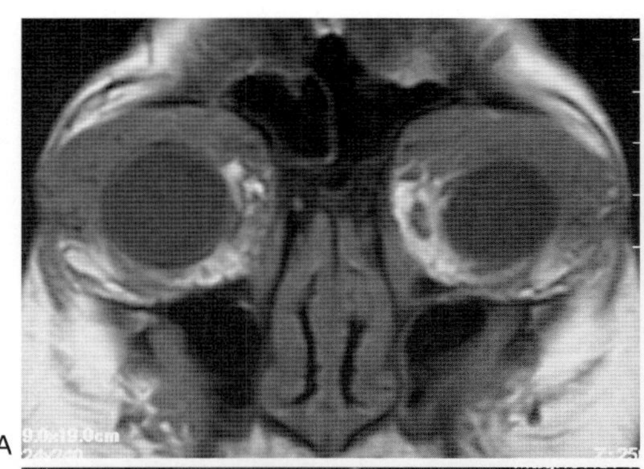

A

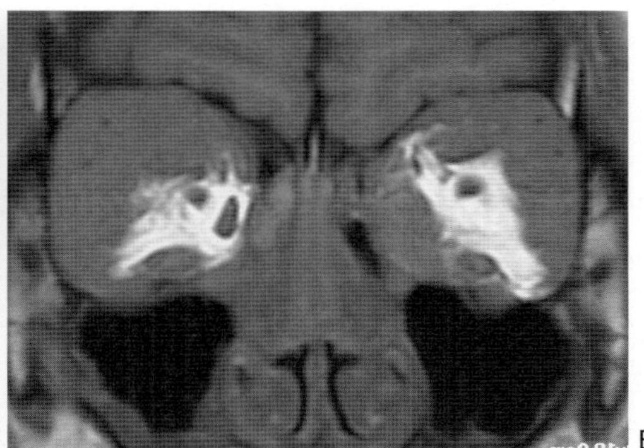
B

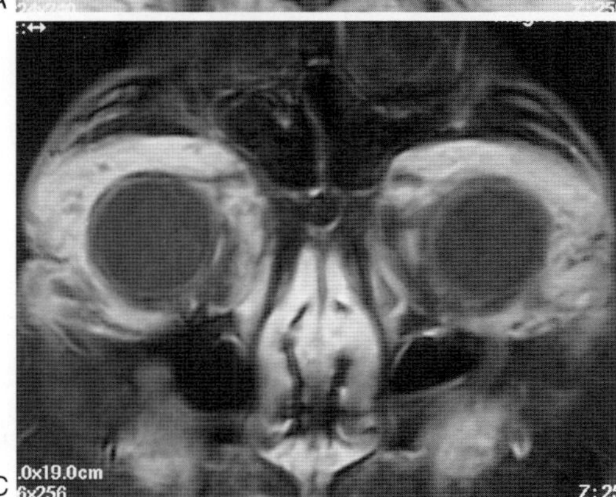

C

図 16　両側性炎症性偽腫瘍[涙腺炎型，びまん性]．MRI

A：涙腺レベル T1 強調冠状断像．両側涙腺の部位に一致して比較的均一な内部信号強度を示す，境界不鮮明な腫瘤を認める．

B：眼球後部レベル T1 強調冠状断像．両側眼窩の円錐外腔を中心として，外眼筋も一塊となったびまん性浸潤性腫瘤を認める．

C：ガドリニウム DTPA 静注後，造影 T1 強調脂肪抑制冠状断像．腫瘤はびまん性に増強効果を示している．

述のとおり，IgG4 関連疾患との重なりも大きく，厳密には IgG4 の組織学的な特異的免疫染色なしに両者の区別は困難である[12]．診断のみならず，治療に対する効果判定においても画像診断は重要な役割を担う．

比較的軽度の病変であれば，自然軽快を期待して経過観察される場合もある．中等度から重度の病変ではステロイドの全身投与が行われ，50〜70％の症例で有効であるが再発も少なくない．画像上，鑑別が困難な悪性リンパ腫でも縮小を示す場合があるが，一般的に偽腫瘍でより顕著な縮小率を示す．そのため，診断的意味合いからもステ

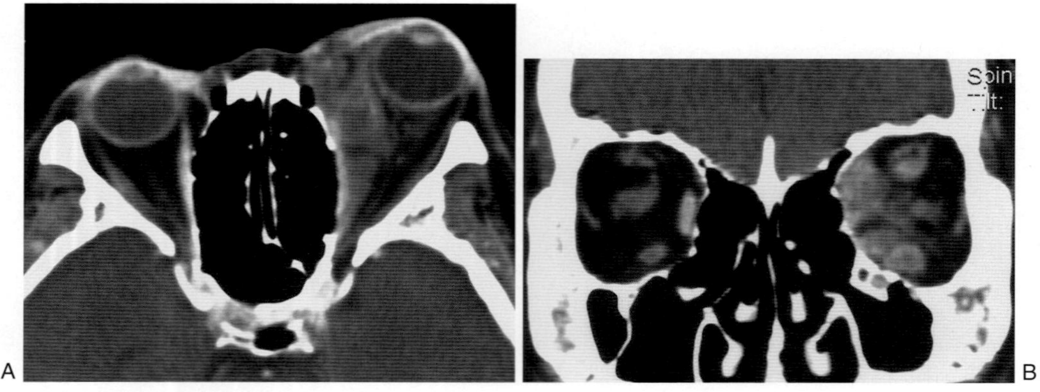

図 17　炎症性偽腫瘍［筋炎型］．CT
A：横断像．
B：冠状断像．
左外眼筋の不整な肥厚がみられ，その輪郭は通常の甲状腺眼症と比較して，不鮮明である．

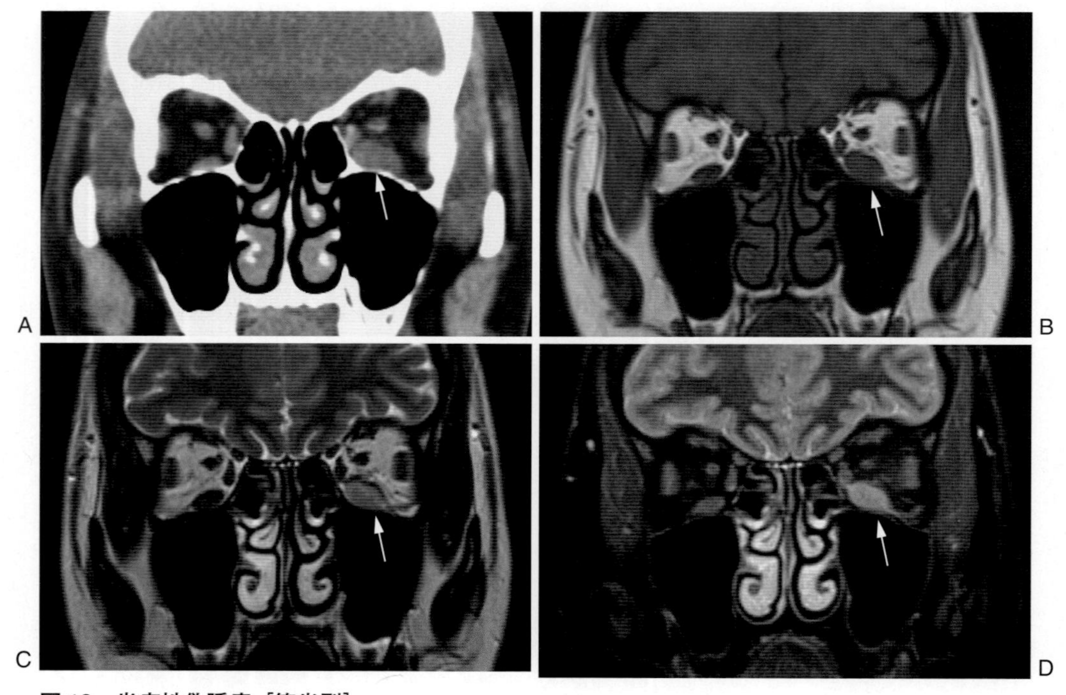

図 18　炎症性偽腫瘍［筋炎型］
眼窩レベルの CT(A)，MRI の T1 強調像(B)，T2 強調像(C)，STIR(D)の冠状断像．
左下直筋(矢印)は腫大とともに，T2 強調像(C)および STIR(D)で信号上昇を示す．

ロイド投与が行われる．2 週間を超えるステロイド治療に抵抗性の病変では，生検により腫瘍を否定したあと，放射線治療が選択される場合もある．2,500 cGy 程度で 75％の症例で有効性が認められる．一般的にはステロイドへの反応性の高い症例は放射線治療に対する反応性も高い．病理学的に線維化の強いものが治療抵抗性を示す傾向にある[13]．

表 2　IgG4 関連疾患包括診断基準 2011（厚生労働省　岡崎班・梅原班）

1. 臨床的に単一または複数臓器に特徴的なびまん性あるいは限局性腫大，腫瘤，結節，肥厚性病変を認める	
2. 血液学的に高 IgG4 血症（135 mg/dL 以上）を認める	
3. 病理組織学的に以下の 2 つを認める	①組織所見：著明なリンパ球，形質細胞の浸潤と線維化を認める
	② IgG4 陽性形質細胞浸潤：IgG4/IgG4 陽性細胞比 40％以上，かつ IgG4 陽性形質細胞が 10/HPF を超える

上記のうち，
1＋2＋3 を満たすものを確定診断群（definite）
1＋3 を満たすものを準確診群（probable）
1＋2 を満たすものを疑診群（possible）とする

（Umehara H et al：Mod Rheumatol **22**：21-30, 2012）
（「IgG4 関連全身疾患の診断法の確立と治療方法の開発に関する研究」班「新規疾患，IgG4 関連多臓器リンパ増殖性疾患（IgG4＋MOLPS）の確立のための研究班：日内会誌 **101**：795-804, 2012）

b. IgG4 関連疾患（IgG4-related disease）・IgG4 関連眼疾患（IgG4-related ophthalmic disease）

「IgG4 関連疾患」は，近年急速に認知された疾患概念であり，既述のとおりに従来の眼窩炎症性偽腫瘍と一部重なる．病因の明らかでない自己免疫疾患であり，膵，唾液腺，眼窩，甲状腺，肺，胆道，大動脈，後腹膜などを含めて，全身のさまざまな臓器において IgG4 免疫染色陽性のリンパ形質細胞浸潤を伴う臓器腫大，腫瘤，肥厚性病変を示す[8]．血清 IgG4 値は上昇を示す場合と示さない場合がある．

1961 年に Sarles らによって膵炎の一部が自己免疫疾患として生じることが示唆され[14]，1995 年 Yoshida らにより自己免疫性膵炎の用語が提唱された[15]．2001 年に Hamano らが自己免疫性膵炎例での血清 IgG4 の特異的上昇を報告[16]，さらに IgG4 に関連する全身疾患との疾患概念が認知され，自己免疫性膵炎はその部分症に相当する．現在，その後の多くの論文により，頭頸部領域での Mikulicz 病（後述），Küttner tumor（13 章唾液腺の章を参照されたい）がこれらの病態に属することが支持されている．2011 年，厚生労働省難治性疾患克服研究事業での 2 つの研究班の合意として「IgG4 関連疾患包括診断基準」が示されている（表 2）[17,18]．IgG4 関連疾患として頭頸部病変は膵胆道系病変に次いで 2 番目に多く，唾液腺，涙腺・眼窩，甲状腺，リンパ節，副鼻腔，下垂体病変の頻度が高いとされる．

Mikulicz 病（図 19，20）は 1888 年 Johann von Mikulicz-Radecki が両側の涙腺，耳下腺・顎下腺の腫大をきたした 42 歳男性の症例として最初に記述した[19]．その後，Mikulicz 病は一亜型として Sjögren 症候群に含まれるとの考え[20,21]が受け入れられたことから，長くにわたり欧米の学術的記述から Mikulicz 病の名称は消されていたが，最近になり IgG4 関連疾患のひとつとしての新たな疾患概念を獲得することとなった[22]．ただし，Mikulicz の最初の報告例とは相違も少なくないことに加えて，Mikulicz 病の疾患名は依然として涙腺，大唾液腺腫大に対する非特異的用語としても用いられることから臨床での多少の混乱の原因ともなっている．既述の「IgG4 関連疾患包括診断基準」で準確診，疑診の場合，臓器特異的 IgG4 関連疾患診断基準を併用するが，Mikulicz 病に関しては「IgG4 関連涙腺唾液腺（IgG4-Mikulicz 病）診断基準」（表 3：p75）[23]が用いられる．ただし，Sjögren 症候群，サルコイドーシス，Castleman 病，多発血管炎性肉芽腫症，悪性リンパ腫，癌などの除外が条件となっている．

IgG4 関連の眼疾患（IgG4 関連眼疾患）は唾液腺疾患などと比較すると疾患概念の定義がやや不明瞭である[12]．涙腺の線維炎症性・炎症性病変の多くが IgG4 関連疾患であるが，炎症性偽腫瘍（特発性眼窩炎症）や眼窩筋炎（orbital myositis）など，他の眼窩線維炎症性疾患との関連性は明らかでない[24]．眼窩炎症性偽腫瘍は，本来は全身疾患ではないとされる[25]．IgG4 関連眼疾患では涙

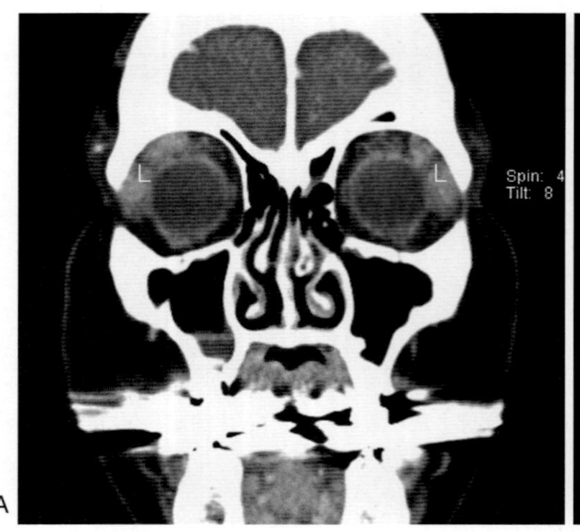

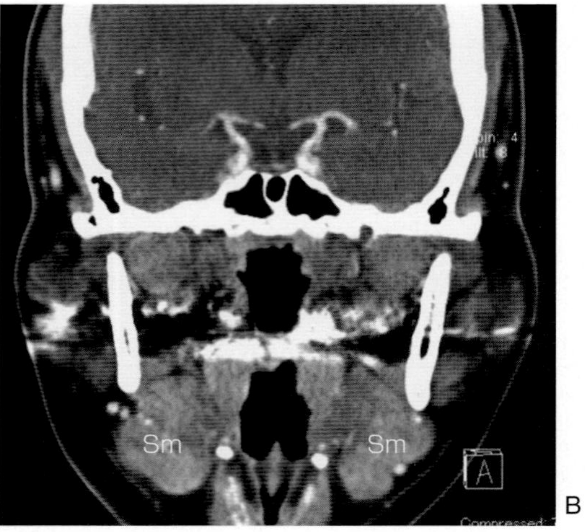

図 19　Mikulicz 病

造影 CT 冠状断像の眼窩レベル(A)および顎下腺レベル(B)．両側の涙腺(L)および顎下腺(Sm)のほぼ対称性腫大を認める．

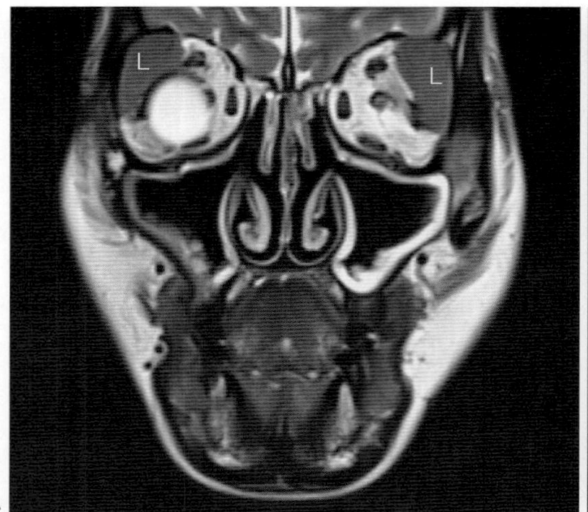

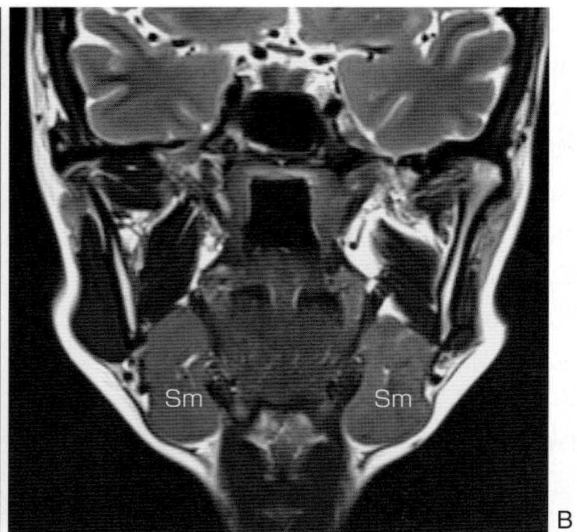

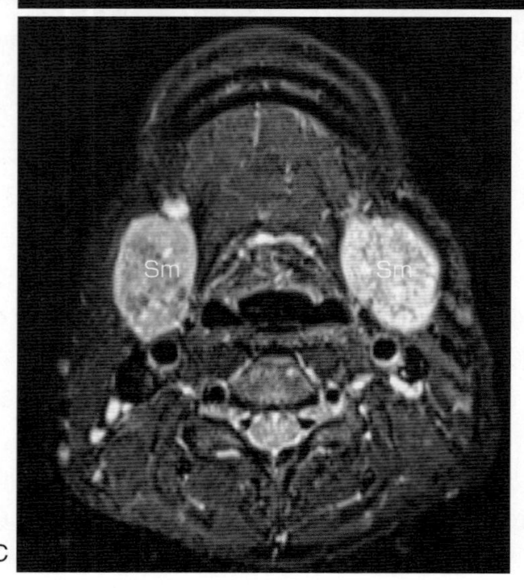

図 20　Mikulicz 病

MRI T2 強調冠状断像の眼窩レベル(A)，咽頭レベル(B)および STIR の顎下腺レベルの横断像(C)．両側涙腺(L)，顎下腺(Sm)の左右ほぼ対称性の腫大を認め，STIR(C)で顎下腺(Sm)実質の信号強度はやや不均等びまん性に上昇している．

表 3 IgG4 関連涙腺唾液腺(IgG4-Mikulicz 病)診断基準

1. 3ヵ月以上続く，涙腺，耳下腺，顎下腺のうち2領域以上の対称性の腫脹
2. 血清 IgG4 高値(135 mg/dL 以上)
3. 病理組織：特徴的な組織の線維化と硬化を伴い，リンパ球と IgG4 陽性形質細胞の浸潤を認める(IgG4/IgG > 0.5)
1+2，または 1+3 で診断

(Masaki Y et al：J Rheumatol **37**：1380-1385, 2010)

腺病変が約 80％と最も多く，その約 70％が両側性を示す(図 19，21〜23)[24]．結膜病変は認められない[24]．組織学的には他部位の病変と同様であるが，閉塞性静脈炎の所見は欠如する．全身疾患の最初の症状として現れる場合もある．典型的には両側性あるいは片側性(図 24)の長期にわたる眼窩部の無痛性腫脹で，視力障害や角結膜炎の症状は乏しい[26]．臨床的には悪性リンパ腫がこれに類似する．

通常，IgG4 関連疾患の CT・MRI 所見は非特異的な臓器腫大や腫瘤，リンパ節腫大などとして認められるが，病変の局在・範囲の把握，治療の効果判定・経過観察において画像診断は重要な役割を担う．

眼窩病変の画像所見としては，疾患概念として重なる(既述の)眼窩炎症性偽腫瘍とほぼ一致する．涙腺の腫大(図 19A，20A，21A・D〜F，22，23A，24)，血管の閉塞・圧排所見に乏しい(通常は境界明瞭な)腫瘤，T2 強調像での低信号，均一で緩徐な増強効果(図 21F，22C)，リンパ節腫大(図 21C)とともに，脳神経の腫大(図 21G〜I，23B・C)は特徴的である[27〜29]．涙腺腫大に関しては，画像所見のみでの感染性涙腺炎，涙腺腫瘍との鑑別はしばしば困難であり，神経腫大に関しても悪性腫瘍の神経周囲進展が鑑別となる[29]．脳神経腫大は三叉神経，とくに眼窩下神経(図 21G・I，23C)に多い[28]．骨に対しては，圧排に伴う骨改変が多いが，ときに骨破壊を示す[30]．臨床と同様，画像所見としての多発病変の所見も診断において重要な要素となる．

一般にステロイド治療に良好な反応を示す．

c. 副鼻腔炎症性疾患の眼窩合併症

1) 臨床的事項

その密接な解剖学的関係により，眼窩は臨床的にも鼻副鼻腔疾患と密接に関わっている．眼窩感染性疾患の 3 分の 2 は副鼻腔炎の波及による[31]．副鼻腔と眼窩を区分する骨壁に篩骨紙様板に代表されるごとく，非常に薄く炎症による侵食をきたしうる．また，眼窩と副鼻腔の間には静脈弁のない静脈(valveless vein)による交通があり，この静脈を介し，必ずしも骨壁の破綻を伴うことなく副鼻腔炎は眼窩への波及をきたしうる．眼窩へ波及する副鼻腔炎では篩骨洞炎が最も多い．

2) 臨床分類

その進行程度により以下のように分類(Chandler 分類[32])されるが，実際にはこれらの重複も多くみられる．

①(眼窩中隔前軟部組織の)炎症性浮腫［pre-septal(inflammatory)edema］(図 25，26)
②眼窩骨膜下蜂窩織炎・膿瘍(subperiosteal phlegmon/abscess)(図 26，27)
③眼窩蜂窩織炎(orbital cellulitis)(図 28)
④眼窩膿瘍(orbital abscess)
⑤眼静脈および海綿静脈洞血栓症(ophthalmic vein and cavernous sinus thrombosis)(図 13)

3) 画像所見と治療

眼窩内感染症をみた場合，画像上，まず副鼻腔炎の確認が治療計画において重要である．他領域での感染症と同様，原則として蜂窩織炎(図 28)では経静脈性抗菌薬投与，膿瘍(図 27)を認める場合は外科的排膿を必要とする．CT 上，液体貯留を示す低濃度領域とこれを囲む辺縁増強効果が(成熟した)膿瘍形成を示唆する．眼窩中隔前部に限局する蜂窩織炎では眼窩中隔前方の軟部組織の

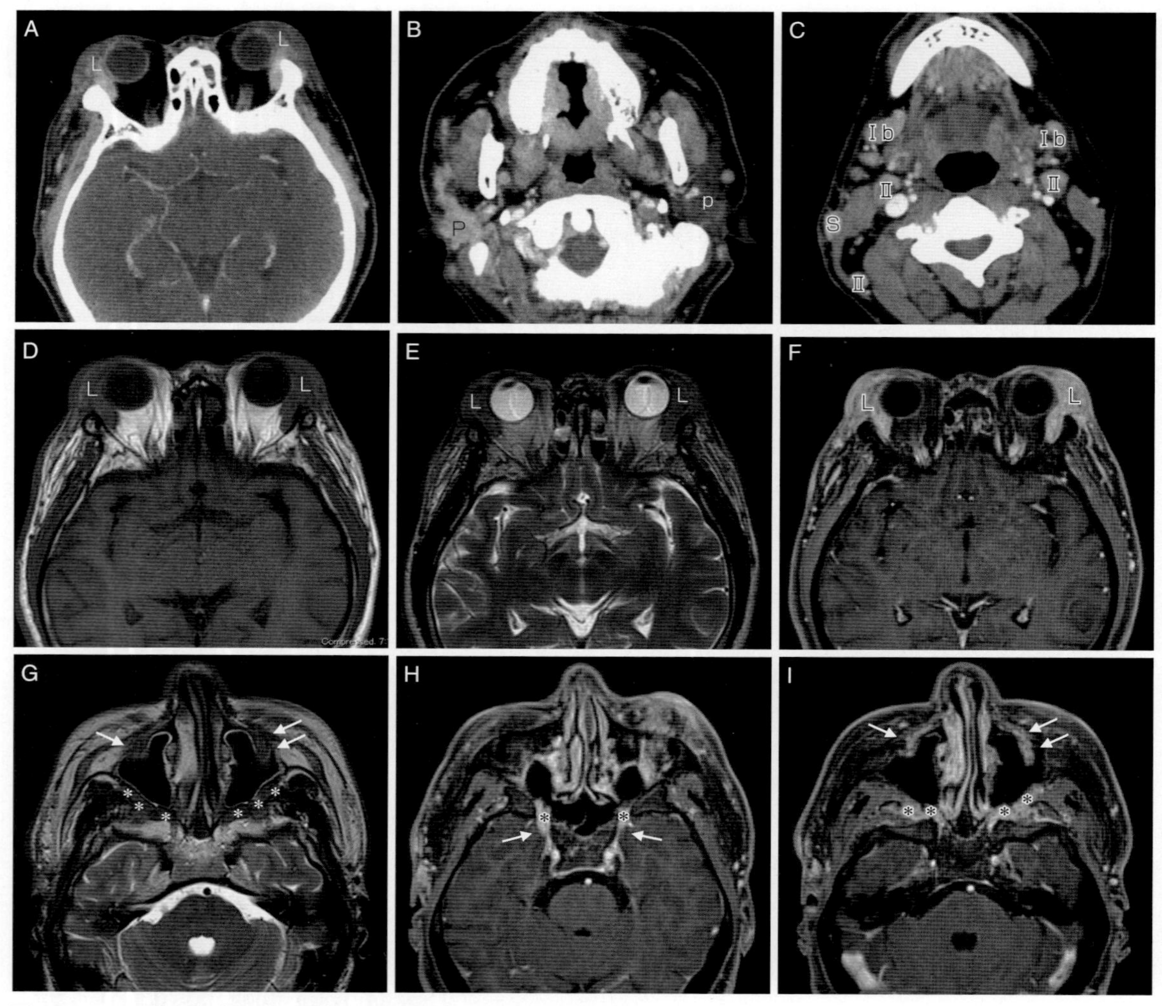

図 21 IgG4 関連(眼)疾患：両側涙腺病変および三叉神経病変

造影 CT 横断像の眼窩レベル(A)で両側涙腺(L)の対称性腫大を認める．同耳下腺レベル(B)で右耳下腺(P)の浸潤性軟部濃度病変を認める．対側耳下腺(p)は正常に描出されている．同顎下レベル(C)で，両側顎下リンパ節(Ib)，上内深頸リンパ節(Ⅱ)および右浅側頸リンパ節(S)は正常上限大から軽度腫大を示す．いずれも辺縁平滑，境界明瞭で，一部はリンパ門が同定される．内部は均一で壊死，嚢胞，石灰化などはみられない．同症例の MRI で腫大した両側涙腺(L)は，眼窩レベルの T1 強調横断像(D)で骨格筋と類似した信号強度，T2 強調横断像(E)でほぼ均一な中等度からやや低信号強度を示す．造影後 T1 強調脂肪抑制横断像(F)で充実性増強効果を示す．同症例の上顎洞レベル T2 強調横断像(G)で両側眼窩下神経(矢印)および翼口蓋窩から頬間隙の V2 本幹(＊)の腫大を認める．正円孔レベルの造影後 T1 強調脂肪抑制横断像(H)で両側の正円孔(＊)から海綿静脈洞領域(矢印)での V2 の腫大と増強効果を認める．同上顎洞レベル(Ⅰ)では T2 強調像(2G)と同様，両側眼窩下神経(矢印)および翼口蓋窩から頬間隙の V2 本幹(＊)の腫大および増強効果がみみられる．

腫脹と脂肪濃度の混濁として認められるが，眼球運動あるいは視力を障害することはまれである(図 25)．眼窩骨膜下蜂窩織炎・膿瘍は眼窩骨壁と眼窩骨膜との間への炎症波及で，CT 上，眼窩壁眼窩側に沿った軟部組織肥厚として認められる(図 26，27)．眼窩内の構造は圧排されるが，その境界は平滑に保たれる．眼窩中隔後方での膿瘍形成は，ほぼ常に外科的排膿の対象となる．ただし，実際には CT 上，眼窩骨膜下膿瘍と診断され，外科的排膿が試みられても膿の排出がみられないこともまれではない．そのため，CT 上，眼窩骨膜下の膿瘍様所見が比較的薄く限局性で視力障害などのない例(図 26)では外科的排膿の前に抗菌薬投与で反応をみる場合も多い．必ずしも視

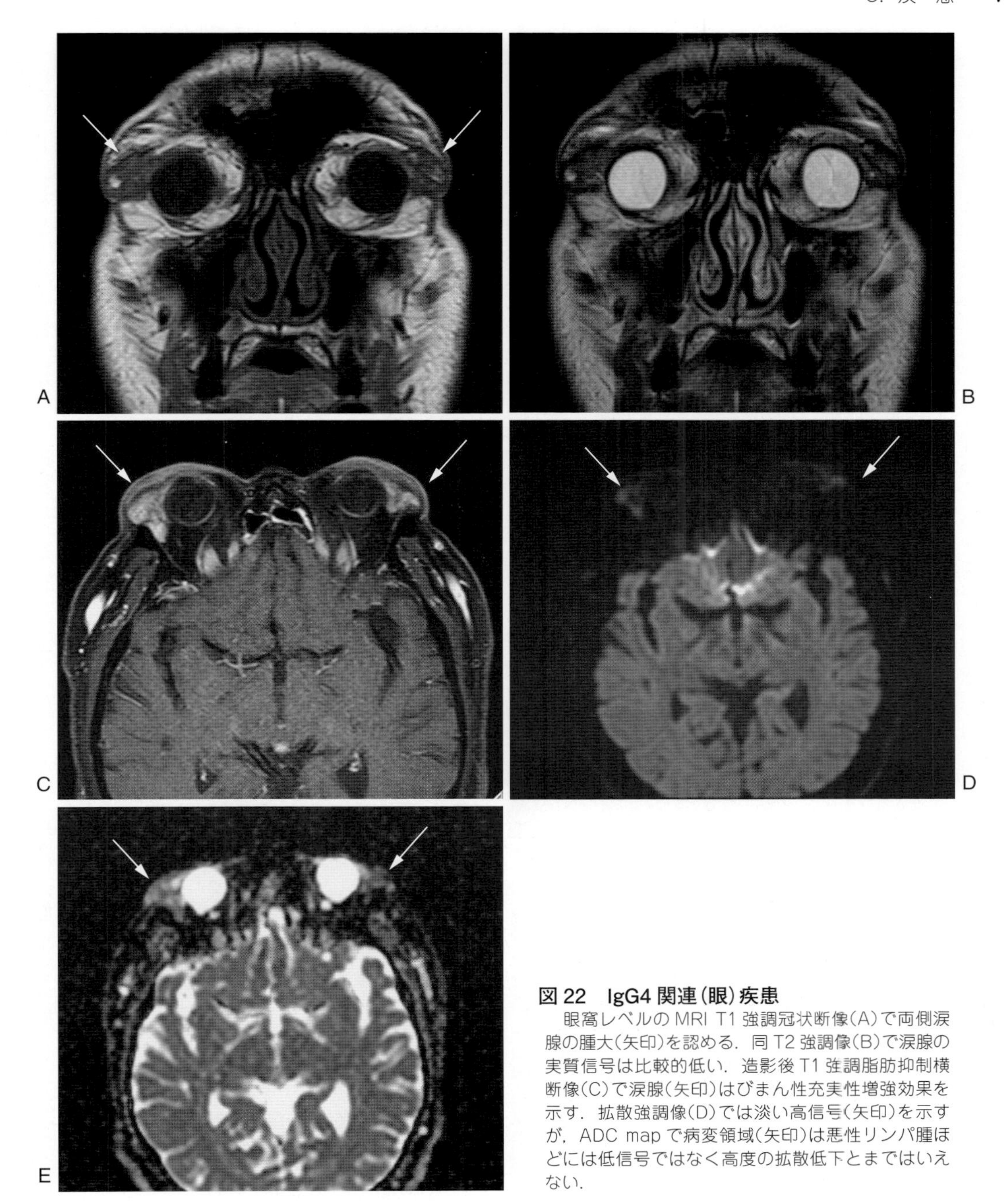

図 22　IgG4 関連(眼)疾患

眼窩レベルの MRI T1 強調冠状断像(A)で両側涙腺の腫大(矢印)を認める．同 T2 強調像(B)で涙腺の実質信号は比較的低い．造影後 T1 強調脂肪抑制横断像(C)で涙腺(矢印)はびまん性充実性増強効果を示す．拡散強調像(D)では淡い高信号(矢印)を示すが，ADC map で病変領域(矢印)は悪性リンパ腫ほどには低信号ではなく高度の拡散低下とまではいえない．

神経自体を直接圧排していなくとも，大きな骨膜下膿瘍による急速な眼窩内圧上昇に伴った“tension orbit”の状態では，循環不全に起因した視力障害を生じる危険性がある．CT 上，“tension orbit”を確認した場合，緊急減圧術の適応となる(図 29)．さらに進行すると眼窩骨膜を越え，眼窩内に進展し，眼窩蜂窩織炎・膿瘍へと進行(図 28)，眼静脈(図 13)あるいは海綿静脈洞の血栓症をきたしうる．なお，海綿静脈洞血栓症で眼球突出をきたすことはまれである．視力障害を訴える場合，眼窩内圧上昇(tension orbit)，筋円錐内腔への炎症波及(および視神経周囲への進展)，眼窩尖部への炎症波及による圧排性視神経障害，眼静脈から海綿静脈洞の血栓症による虚血性視神

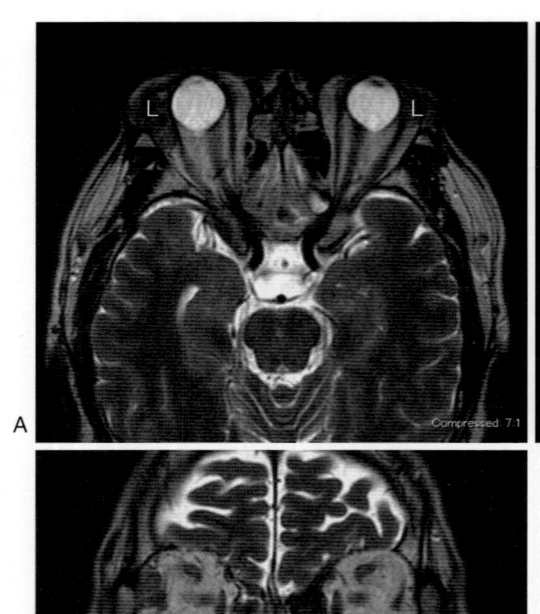

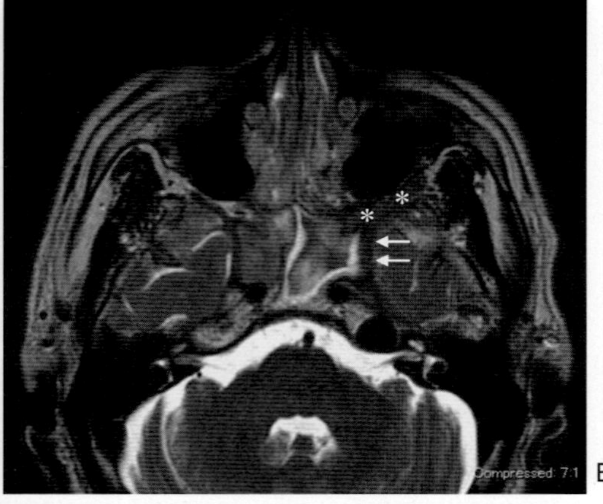

図 23　IgG4 関連眼疾患：両側涙腺病変および三叉神経病変

眼窩レベルの MRI，T2 強調横断像(A)で両側涙腺(L)の対称性腫大を認め，上顎洞レベル(B)で左翼口蓋窩内(＊)および左海綿静脈洞部(矢印)の左 V2 本幹の腫大を認める．眼窩レベルの冠状断像(C)で左眼窩下神経(矢印)は腫大を示す．矢頭：正常の右眼窩下神経

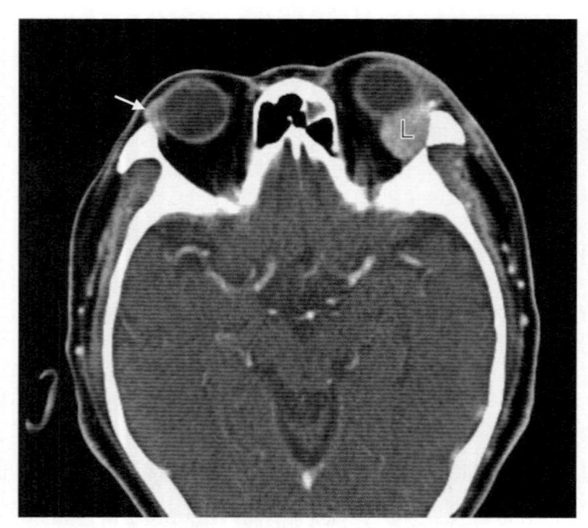

図 24　IgG4 関連眼疾患：片側涙腺病変

眼窩レベルの造影 CT 横断像で左涙腺(L)の腫大を認める．対側涙腺(矢印)は正常に同定される．

経障害など，その特異的原因となるべき画像所見の有無を確認する必要がある．

4）浸潤性真菌性副鼻腔炎の眼窩進展

詳細は3章「鼻副鼻腔」で解説するが，免疫不全例における浸潤性真菌性副鼻腔炎の CT 上，眼窩内脂肪の混濁は早期の浸潤所見のひとつである(図 30)．浸潤性真菌性副鼻腔炎の予後にとって早期診断が非常に重要である．

5）粘液瘤の眼窩進展

粘液瘤は副鼻腔炎の部分症である．詳細は3章「鼻副鼻腔」を参照されたい．副鼻腔含気腔が炎症性閉塞により閉鎖腔となり，内部に液体貯留を含み膨張性腫瘤を形成したもので，篩骨洞，前頭洞に多くみられる(図 31)．ときに，膨隆性に眼窩に突出し，機械的圧排による眼球突出や外眼筋機能障害などをきたす．とくに後篩骨洞の粘液瘤による眼窩尖部への圧排では，圧排性視神経症の

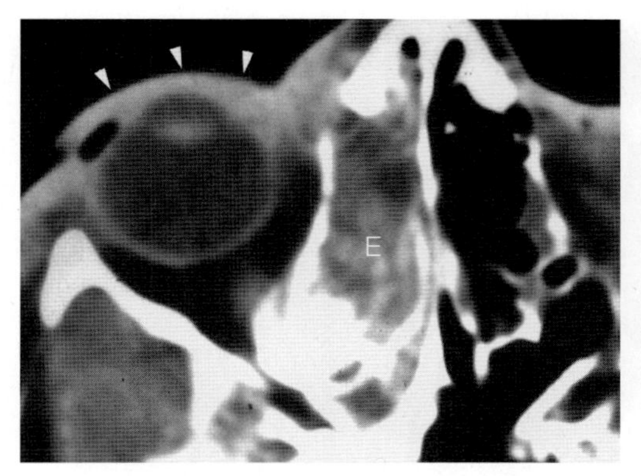

図 25 眼窩中隔前軟部組織の炎症性浮腫．CT

右篩骨洞(E)は炎症に伴う液体貯留と粘膜肥厚を示す軟部組織濃度で占拠されている．右眼窩中隔前軟部組織の肥厚(矢頭)が認められ，炎症性浮腫に一致する．

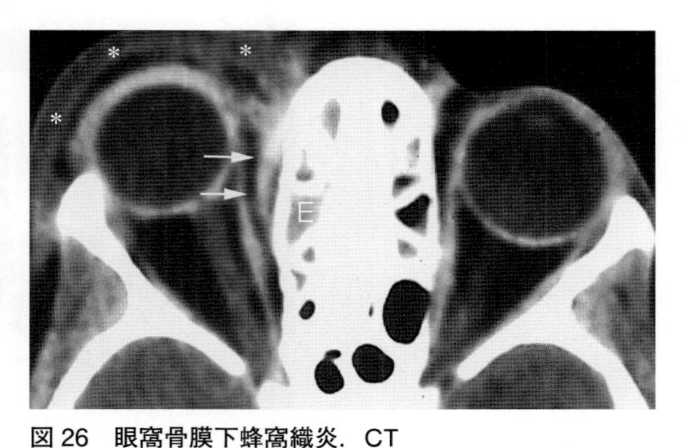

図 26 眼窩骨膜下蜂窩織炎．CT

篩骨洞(E)は炎症を反映する軟部組織濃度を含んでおり，これに接する右眼窩内側壁に沿って軟部組織肥厚(矢印)を認める．眼窩内脂肪との境界は平滑かつ明瞭に見られる．隣接する眼窩内脂肪の混濁は認められない．眼窩骨膜下蜂窩織炎(あるいは早期眼窩骨膜下膿瘍)に一致する．眼窩中隔前軟部組織の腫脹(＊)も伴う．

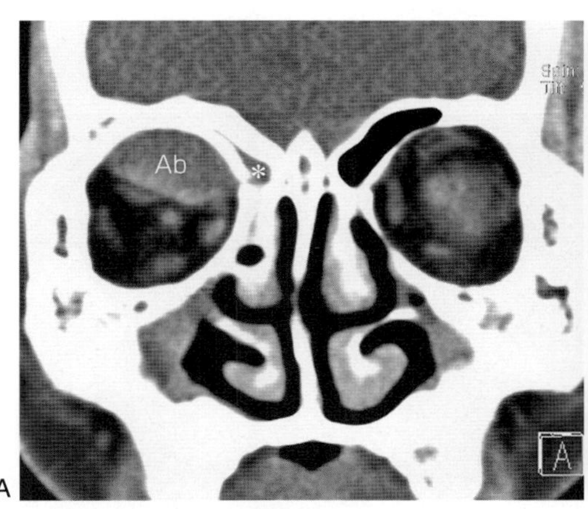

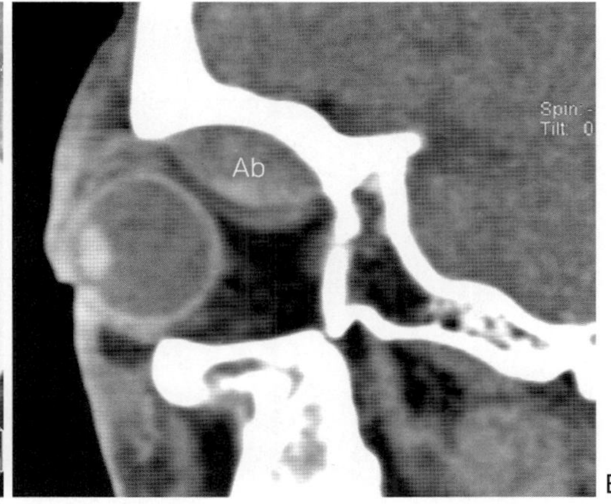

図 27 眼窩骨膜下膿瘍

眼窩冠状断 CT(A)で炎症性軟部濃度を容れる右前頭洞(＊)に隣接して，右眼窩内，上壁に沿って，眼窩側に膨隆する境界明瞭な腫瘤(Ab)を認め，眼窩骨膜下膿瘍に一致する．矢状断像(B)において眼窩骨膜下膿瘍(Ab)と眼窩内脂肪との境界は明瞭である．

危険性が高く，臨床上重要である．有症状例では開放術の適応となるが，この際，眼窩および頭蓋内との間の骨が保たれているか否か，あるいは自然口との解剖学的位置関係などを画像上評価することが重要である．前頭洞炎から前頭洞前・後壁の骨髄炎を生じている場合，頭蓋内合併症の危険性から手術適応の判断は慎重になされるべきである．

2 腫瘍および腫瘍類似疾患

a. 涙腺腫瘍(上皮腫瘍)

1) 臨床的事項

涙腺腫瘍は眼窩占拠性病変の約 10％を占めるが[33]，臨床的に涙腺領域腫瘤として生じる病変は主に，①上皮腫瘍，②悪性リンパ腫(涙腺窩は眼窩内で最も高頻度に悪性リンパ腫に侵される：後述)，③皮様嚢腫(皮様嚢腫は実際には涙腺自体から生じるわけではないが，眼窩外側上部に多

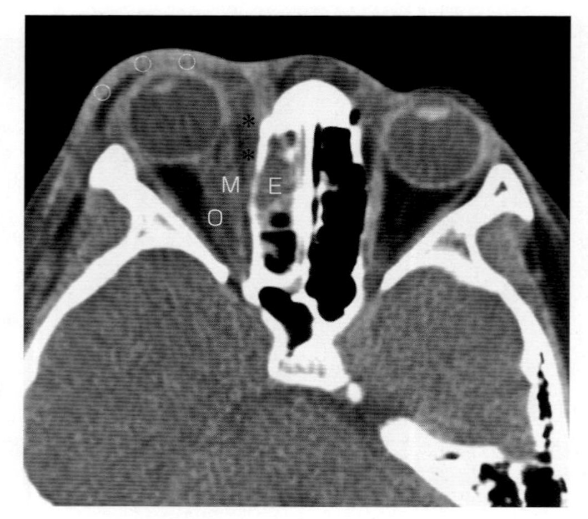

図 28 眼窩蜂窩織炎

眼窩レベル造影 CT において，右前篩骨洞(E)を中心とする炎症性軟部濃度を認める．隣接する右眼窩内側壁に沿った眼窩骨膜下蜂窩織炎・膿瘍(*)，眼窩中隔前浮腫(○)を伴い，さらに内側直筋(M)，視神経眼窩部(O)の周囲の眼窩内脂肪は(図 26 と異なり)混濁を示す．

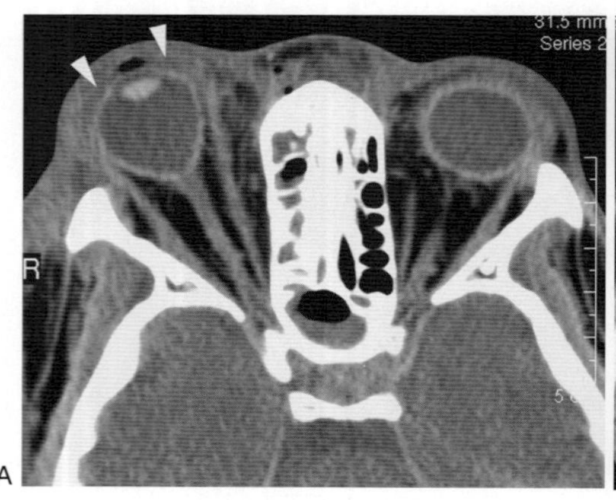

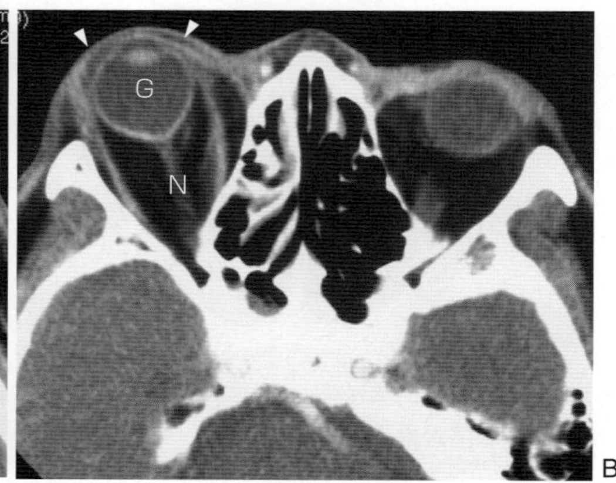

図 29 "tension orbit" 2 例

眼窩レベル CT 横断像(A)．右眼窩内圧上昇により，眼球突出，これに伴う視神経眼窩部の伸展，眼球前後径の増大，変形を認める．結膜囊内の液体貯留(矢頭)を伴う．別症例の眼窩レベル CT(B)において，図 A と同様に，右眼球(G)突出，視神経眼窩部(N)の伸展および結膜囊内液体貯留(矢頭)を認める．

く，臨床的に涙腺部腫瘤として認められる：後述)，の 3 つに分けられる．ここでは①の唾液腺上皮腫瘍に関して解説する．

涙腺と唾液腺との類似性から，涙腺に生じる上皮性腫瘍は唾液腺腫瘍と病理型を共有する．上皮腫瘍は涙腺腫瘍の 40～50％を占め，その大部分は涙腺眼窩部から生じる[34]．涙腺発生の唾液腺上皮腫瘍の中では多形腺腫が最も多く約 50％を占め，残る 50％は悪性腫瘍で，その中では腺様囊胞癌が最も多い．その他，粘表皮癌や腺房細胞癌などが生じる．全体としては上皮腫瘍の 55％が良性，45％が悪性とされる[35]．実際には臨床上，涙腺部腫瘤の鑑別診断には悪性リンパ腫の他，偽腫瘍，IgG4 関連眼疾患などの非腫瘍性病変も含まれる．このため，多形腺腫と思われる症例とその他の病変が疑われる症例とに区別するのが実践的である[35]．多形腺腫は 12 ヵ月以上の期間にわたり，徐々に増大する無痛性涙腺部腫瘤と

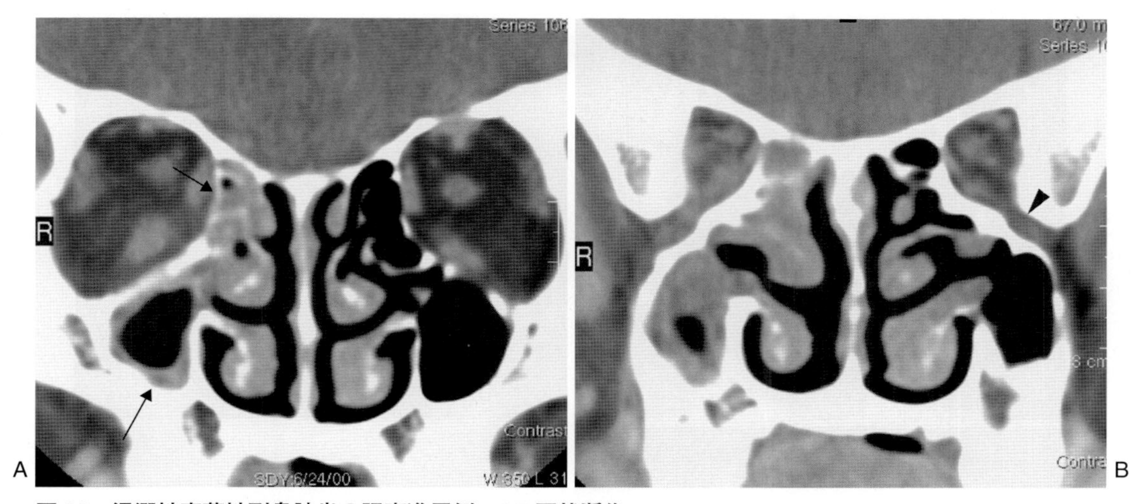

図 30　浸潤性真菌性副鼻腔炎の眼窩進展例．CT 冠状断像

A：眼球後部レベル．右篩骨洞および上顎洞には軟部組織濃度（矢印）を認める．これに接する右眼窩内側壁および下壁に沿った領域を中心として，眼窩内脂肪の混濁がみられる．眼窩壁の明らかな破壊性変化はみられない．

B：眼窩尖部レベル．右眼窩尖部の組織層は消失し，下眼窩裂の脂肪濃度（左側にて矢頭で表示）も混濁している．

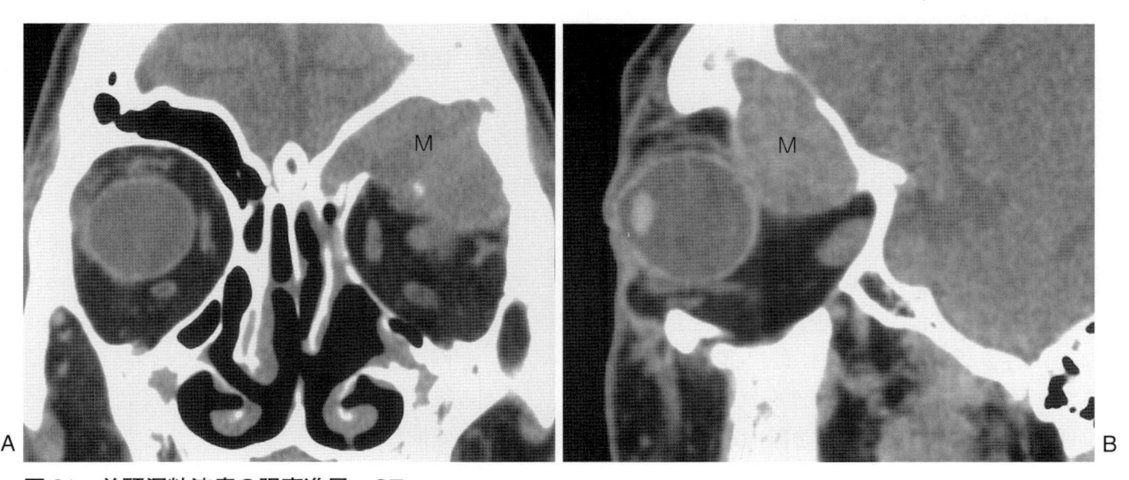

図 31　前頭洞粘液瘤の眼窩進展．CT

A：眼窩レベル冠状断 CT．

B：眼窩レベル矢状断 CT．

CT において左前頭洞を中心として膨張性腫瘤（M）を認め，粘液瘤に一致する．下方の眼窩内に進展し，上直筋などの眼窩内構造を圧排している．また，一部は囲む骨壁の欠損がみられる．

して認められ，CT などの画像所見で明らかな骨破壊はみられない（多少の膨張性変化を認める場合がある）．一方，その他の病変としては炎症性偽腫瘍，癌，悪性リンパ腫，涙腺癌，炎症性病変などはより短い期間（9ヵ月以内）での症状を訴える．一般に，涙腺原発の唾液腺上皮腫瘍の臨床経過および病理像は口腔内小唾液腺腫瘍に類似する[36]．

2）多形腺腫（pleomorphic adenoma）

涙腺腫瘍のうち，最も多く 50％を占める[34]．30〜40 歳代に多く，主に涙腺眼窩部より生じる．まれに小児にも生じる[37]．性差はないか，わずかに女性に多いとされる[38]．症状としては多い順に，複視，流涙，眼窩不快感，視力低下，眼の乾燥，上眼瞼の知覚鈍麻などを認める[38]．CT，MRI では典型的には涙腺窩を中心とした比較的境界鮮明で分葉状辺縁の軟部組織腫瘤として認め

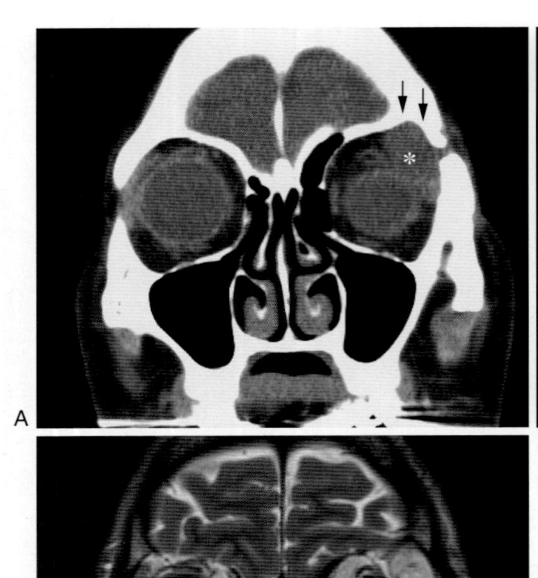

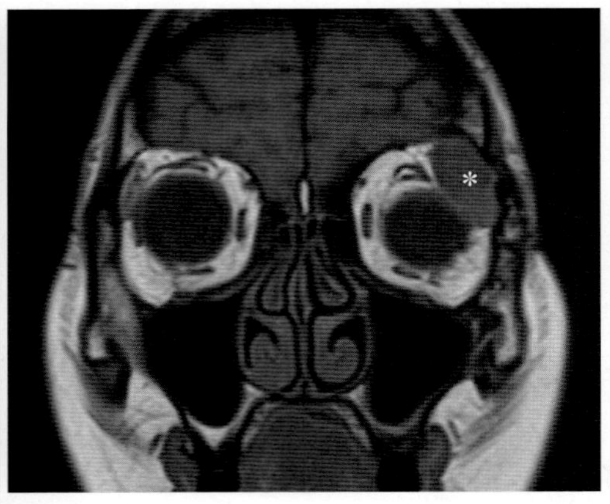

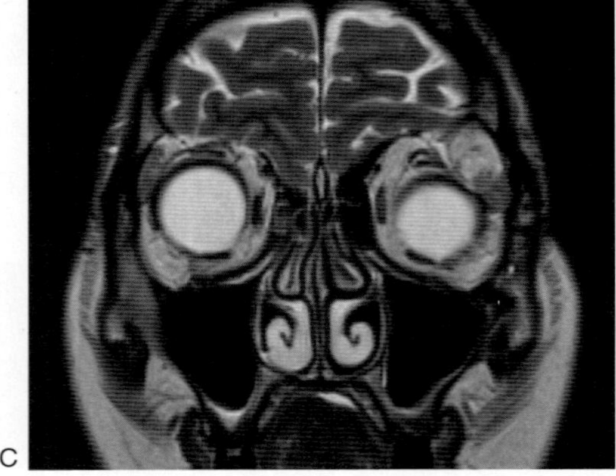

図 32　涙腺原発多形腺腫
眼窩レベルの CT 冠状断像(A)で左眼窩外側上方の涙腺領域に軟部濃度腫瘤(＊)を認め，涙腺窩の骨侵食による拡大(矢印)を認める．同 MRI T1 強調像(B)で病変(＊)は骨格筋に類似の低信号，T2 強調像(C)では不均等な高信号を示す．

られ，ときに骨破壊のない涙腺窩の拡大(図 32)，まれに硬化像(図 33)がみられる[39]．CT では腫瘍内部に石灰化を示す場合もある(図 33)．内部の濃度・信号強度はその病理像を反映して多彩である(図 32，34，35)．画像診断のみ，あるいは臨床情報を加えたとしても低悪性度腫瘍を否定するのは困難な場合も多い．臨床上，多形腺腫が疑われる症例の画像診断では，画像所見が多形腺腫に一致しているかどうか(矛盾しないかどうか)，局在(本当に涙腺由来か，眼窩部か眼瞼部か)，進展範囲，周囲の構造との関係，眼窩内圧上昇による変化などの評価が求められる．組織学的には被膜に囲まれるが，incisional biopsy あるいは腫瘍摘出時の被膜損傷は高い再発率を示唆する．そのため，被膜の破綻なしに腫瘍全摘出術を施行することが非常に重要である．通常，外側眼窩切開術後に腫瘍を摘出する(側頭筋切除後，眼窩内容を内側に牽引，眼窩外側壁を開放してから腫瘍摘出を行う．最後に骨膜，側頭筋を復元する)．再発では多発腫瘤としてみられる場合も多く，一般的に初発時同様，境界鮮明な腫瘤としてみられるが，症例によっては辺縁不整で悪性腫瘍に類似する．辺縁不整なものは比較的小さく，多発再発例に多い傾向にある[40]．

3）涙腺悪性上皮腫瘍

涙腺の悪性上皮腫瘍はまれで悪性唾液腺腫瘍と同様の組織型を呈し，腺様嚢胞癌(adenoid cystic carcinoma)，多形腺癌(pleomorphic adenocarcinoma)，粘表皮癌(mucoepidermoid carcinoma)が，その大部分である．これらは良性多形腺腫よりも急速な増大など早い経過とともに疼痛を伴う傾向にある．初診まで 1 年以上の経過をとるのは 20％未満である[41]．疼痛は悪性を示唆するが，炎症性病変(涙腺炎型偽腫瘍など)も同様の臨床所見を呈しうる．また，疼痛は，症状の期間，骨浸潤，三叉神経機能障害，あるいは再発の頻度・時期などとの相関は低いとされるが，神経周囲進展や進行性病変の可能性を示唆する[41]．その他の

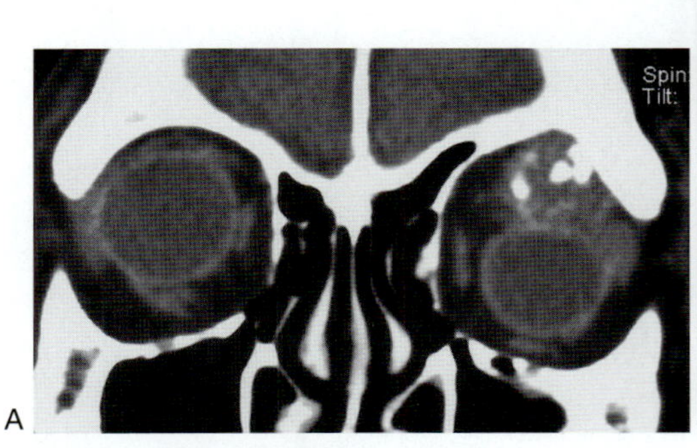

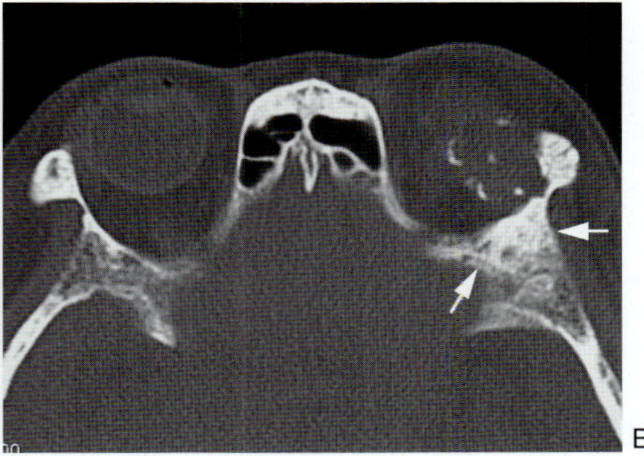

図 33 涙腺原発多形腺腫．CT

A：眼窩レベル冠状断 CT．左涙腺の部位に一致して分葉状軟部組織腫瘤を認め，その辺縁および内部に石灰化を認める．

B：眼窩レベル横断骨条件 CT．接する眼窩壁の限局した骨侵食と軽度硬化性変化（矢印）を認める．

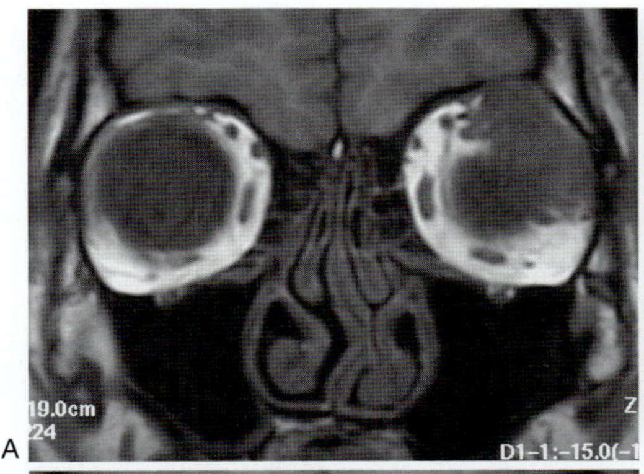

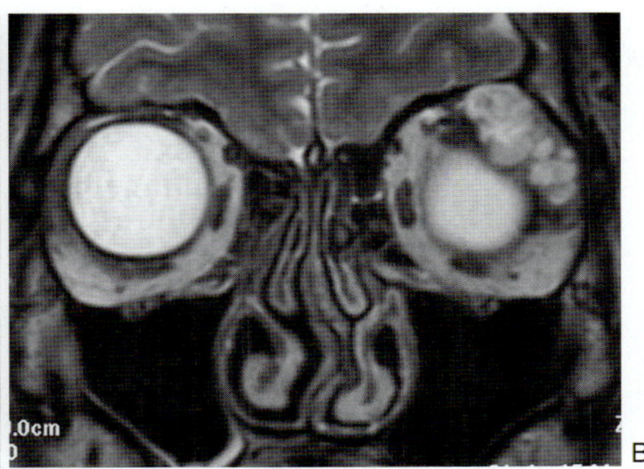

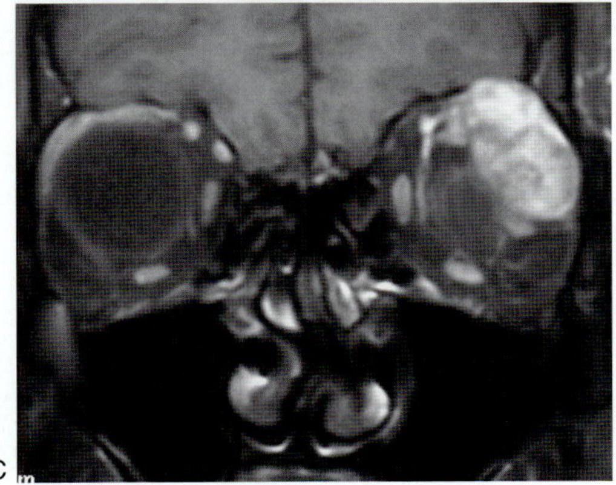

図 34 涙腺原発多形腺腫．MRI

A：眼窩レベル MRI，T1 強調冠状断像．

B：眼窩レベル MRI，T2 強調冠状断像．

C：ガドリニウム DTPA 静注後，造影 T1 強調脂肪抑制冠状断像．

左涙腺の部位に一致して分葉状腫瘤を認める．内部の信号強度は，脳灰白質と比較して，T1 強調像ではほぼ等信号，T2 強調像では高信号を示し，造影後には不均一な増強効果がみられる．

症状として，眼球運動障害，眼瞼の腫脹や腫瘤などがあげられる．組織型が最も重要な予後因子である．

腺様嚢胞癌は涙腺唾液腺上皮性腫瘍の中で多形腺腫に次いで 2 番目に，悪性の中では最も多い．全眼窩腫瘍の 1～6%，原発性眼窩腫瘍の 4.8%，涙腺唾液腺上皮腫瘍の 29% を占める[34, 42]．涙腺悪性腫瘍の約 4 分の 3 に相当する[41]．一般に 40 歳代を中心として，その他の涙腺悪性腫瘍よりも早期のやや若年成人に生じるが，小児では悪性度はやや低い傾向にある[43]．組織学的に発育様式から悪性度の低い順に篩状型（cribriform），管状

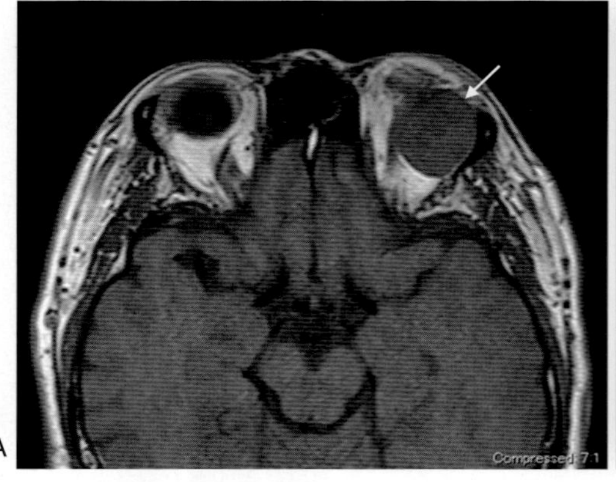

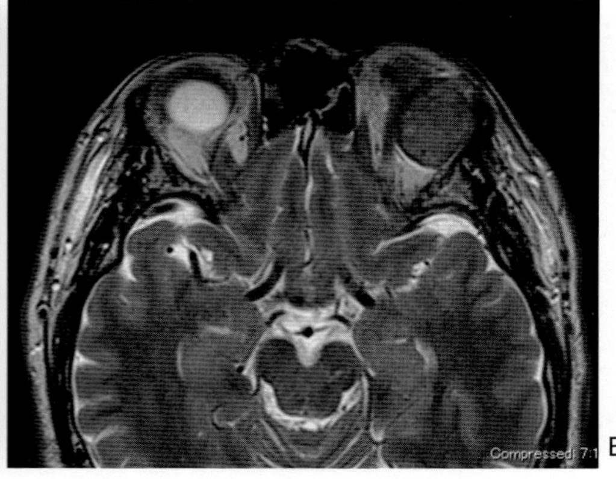

図 35　涙腺原発多形腺腫

眼窩レベルの MRI，T1 強調横断像（A）で左涙腺に一致して，骨格筋とほぼ等信号強度の境界明瞭な腫瘤（矢印）を認める．T2 強調像（B）では辺縁は被膜様低信号帯で囲まれ，内部はやや不均等な中等度の信号強度（図 34B よりも低い信号強度）を示す．

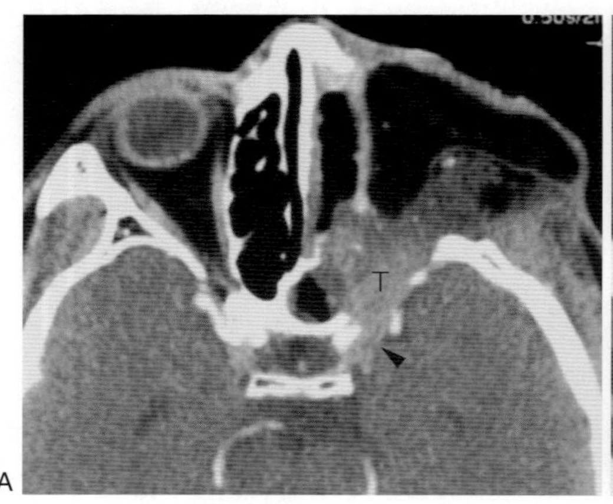

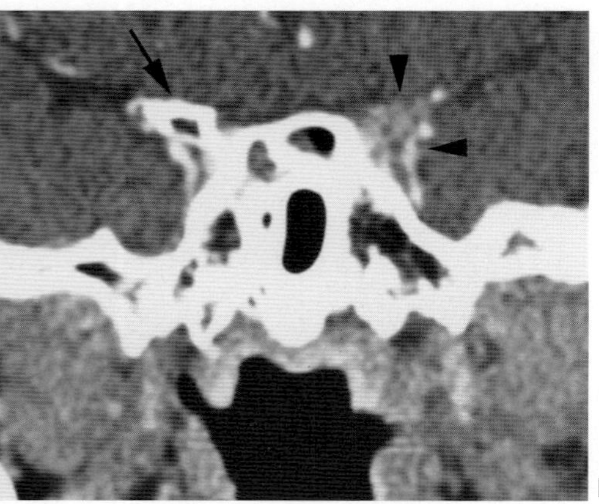

図 36　涙腺原発腺様嚢胞癌術後再発例．CT

A：横断 CT．

B：冠状断 CT．

左眼窩内容摘出術後．局所再発性腫瘍（T）は眼窩尖部から上眼窩裂を介して中頭蓋窩，海綿静脈洞部へ進展している．三叉神経第 1 枝に沿った神経周囲性進展に一致する．冠状断像（B）では腫瘍（矢頭）による前床突起（右側において矢印で示す）の破壊がみられる．

型（tubular），充実型（solid）に分類され，この組織学的分類が最も重要な生命予後因子とされる[44]．腺様嚢胞癌では神経周囲進展が特徴的であり，涙腺原発例では三叉神経第 1 枝（眼神経）に沿い，上眼窩裂を介して海綿静脈洞部への進展の可能性があり（図 36），画像診断では脳幹部を含めた三叉神経の走行経路全体を評価する必要がある．また，腺様嚢胞癌では接する骨への浸潤（骨破壊や骨硬化像）（図 37，38）の頻度が高く[45]，注意が必要である．

多形腺癌では臨床上，良性多形腺腫の不完全摘出後数年経って悪性化したもの，長期にわたる眼球突出が突然増悪するもの，まったく既往なく急速に（通常，数ヵ月間）増大する涙腺窩腫瘤を認めるものに分けられる．このうち前 2 者は“carcinoma ex pleomorphic adenoma”と呼ばれ，良性多形腺腫の一部から悪性腫瘍が生じるとされる．

粘表皮癌は悪性唾液腺上皮腫瘍では腺様嚢胞癌に次いで多く，病理像は低悪性度から高悪性度まで大きな幅がある．副涙腺発生の報告もある[46]．組

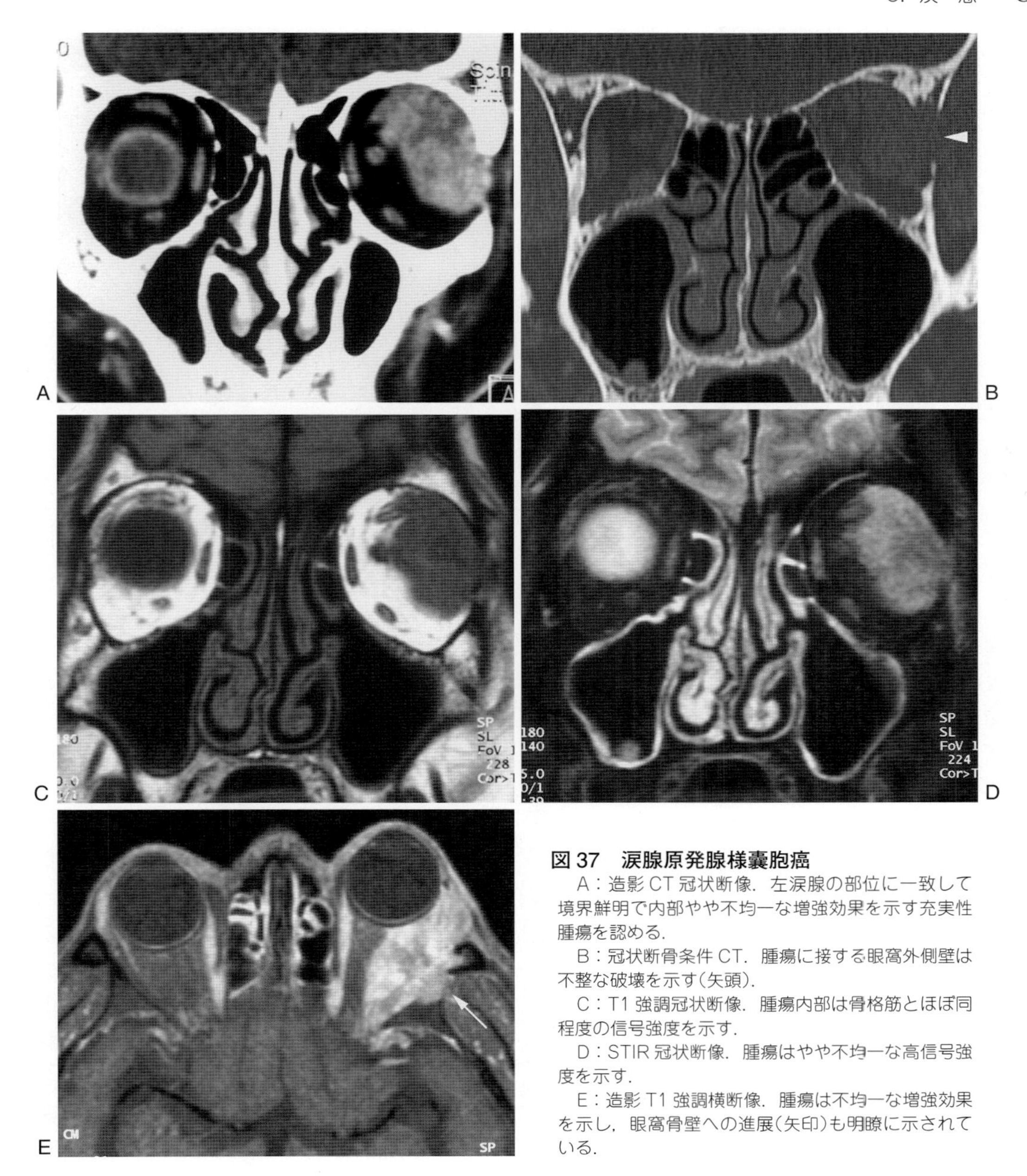

図 37　涙腺原発腺様囊胞癌

A：造影 CT 冠状断像．左涙腺の部位に一致して境界鮮明で内部やや不均一な増強効果を示す充実性腫瘍を認める．

B：冠状断骨条件 CT．腫瘍に接する眼窩外側壁は不整な破壊を示す(矢頭)．

C：T1 強調冠状断像．腫瘍内部は骨格筋とほぼ同程度の信号強度を示す．

D：STIR 冠状断像．腫瘍はやや不均一な高信号強度を示す．

E：造影 T1 強調横断像．腫瘍は不均一な増強効果を示し，眼窩骨壁への進展(矢印)も明瞭に示されている．

織学的悪性度が最も重要な予後因子である[47]．

CT，MRI 上，低悪性度腫瘍は辺縁も平滑であり，内部濃度や信号強度，造影様式からも良性多形腺腫との鑑別は(臨床情報からも鑑別が難しい場合は)困難である場合が多い．しかし，周囲の軟部組織への浸潤性発育や骨の破壊性変化(図 37)は悪性を強く示唆するものであり，画像診断医はこれを見落としてはならない．石灰化の出現は癌でより高頻度であるが，多形腺腫でも生じる(図 33)．骨硬化は多形腺腫，腺様囊胞癌など，良・悪性両方ともに認める場合がある．悪性上皮腫瘍の治療は組織型・悪性度などにより治療計画は異なるが，一般に外科的切除が基本となり，組織型などにより後療法としての放射線治療・化学療法の要否が判断される．なお，放射線治療は疼痛の軽減にも有効である．治療法・術式の選択，

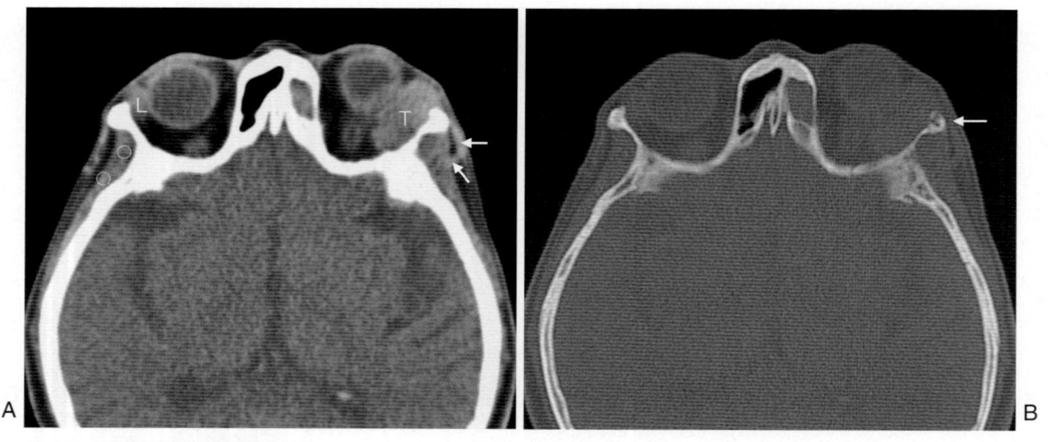

図 38　涙腺原発腺様嚢胞癌
眼窩レベルの非造影 CT 横断像(A)において，左涙腺領域に軟部濃度腫瘤(T)を認める．後方の左側頭窩前縁で側頭筋(対側で○で示す)前方に接して軟部濃度腫瘤(矢印)が疑われる．対側涙腺(L)は正常に描出されている．同骨条件(B)において腫瘍と接する左眼窩側壁への骨浸潤(矢印)を認め，上記の側頭窩前縁の軟部濃度腫瘤(A：矢印)は眼窩骨壁の全層性浸潤に伴う眼窩外進展による所見と考えられる．

放射線治療照射野設定のため，画像診断における正確な病変進展範囲の評価は非常に重要である．特に頭蓋内進展の有無は重要な因子となる．

局所再発は 2～3 年以内が多いが，(頭頸部の扁平上皮癌と比較して)より時間の経過した再発もしばしばであり，長期の経過観察が必要とされる．

b．悪性リンパ腫(malignant lymphoma)

1）臨床的事項

リンパ増殖性病変は眼窩腫瘤の約 10～15％を占め[48]，組織学的には良性反応性リンパ過形成から悪性リンパ腫までが含まれる．組織学的な悪性が示唆されても，自然経過あるいはステロイド投与後経過として退縮するものがある一方，良性が示唆されても数年後に悪性リンパ腫として現れるものもある．50～80 歳代(悪性上皮腫瘍の好発年齢よりもやや高い)に多く，臨床経過はさまざまである．眼窩悪性リンパ腫は節外病変として眼窩内のあらゆる部位に生じうるが，涙腺部を最も高頻度に侵す．ときに両側性である(図 39，40)．涙腺部病変は 50％以上，眼窩病変全体では 75％の症例が全身病変の部分症(図 40)として現れたものである．非 Hodgkin リンパ腫全体の中で眼窩原発は 0.01％である[49]．眼窩原発症例も，のちに高頻度に眼窩外病変を合併する[50]．MALT (mucosa-associated lymphoid tissue)リンパ腫が大部分を占め，一般的に低悪性度で予後もよい傾向にある[51]．眼窩症例の約 85％は B 細胞性リンパ腫である．

2）画像診断と治療

CT 上，悪性リンパ腫病変は涙腺の腫大(図 39，図 40)，あるいは比較的均一な内部濃度を示す眼窩内軟部組織腫瘤(図 41)として認められる．腫瘤の形状は類円形で境界鮮明(図 42)なものから分葉状，あるいは浸潤性輪郭(図 43)を示すものまである．眼窩悪性リンパ腫の 25％は両側性である(図 39，44，45)[52]．MRI でも形状はさまざまで，内部信号は(他領域での悪性リンパ腫と同様に) T1 強調像では骨格筋とほぼ等信号強度(図 39C，41B，42B，44)，T2 強調像では均一な中等度からやや高信号強度(図 39D，40，41C，42C，43)を呈する(ただし，鼻腔粘膜よりは低信号)．造影剤投与による均一な中等度の充実性増強効果(図 41D)を呈するのが典型で，嚢胞や壊死傾向は乏しい．MRI の信号強度の評価が偽腫瘍との鑑別に有用との報告もみられるが[53]，画像所見のみから実際の鑑別は困難な場合も多い．偽腫瘍は通常，突然始まる眼痛を示すが，悪性リンパ腫では徐々に進行する無痛性眼球突出および

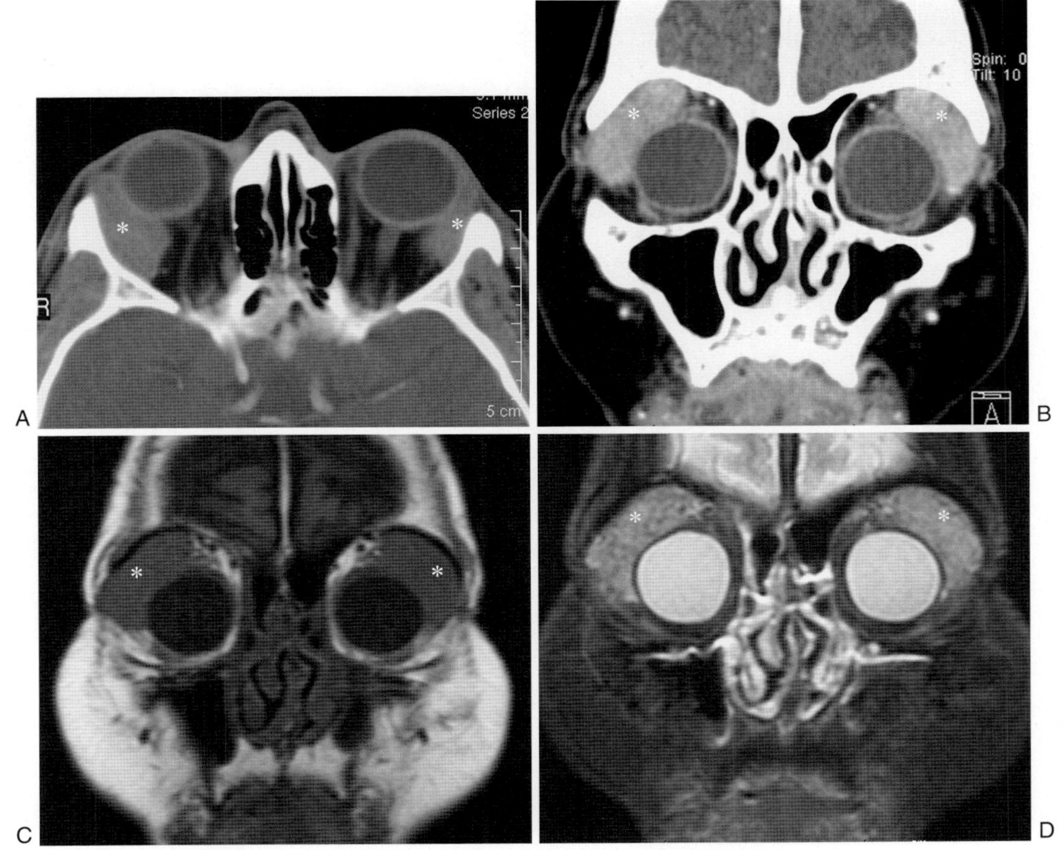

図 39 両側涙腺腫大として発症した非 Hodgkin 悪性リンパ腫（2 症例）
眼窩レベル CT（A）で両側涙腺（＊）の腫大を認める．別症例の CT（B），MRI T1 強調像（C）T2 強調脂肪抑制像（D）の冠状断において，図 A と同様，両側涙腺（＊）の腫大を認める．内部性状はいずれの画像においても均一に認められる．

眼球運動障害として現れるのが一般的である．これらの臨床情報は画像所見の解釈にとっても重要である．良性反応性リンパ過形成から悪性リンパ腫までが含まれるリンパ増殖性疾患の中での鑑別は必ずしも診断・治療の方針を劇的に変化させるものではない[52]．いずれにしろ生検および全身検索を必要とする．全摘は禁忌であり，両側性病変では片側のみの生検でよい．

治療と予後は組織学的悪性度と発症時の病変の拡がりによる[54]．治療の基本は放射線外照射であり，低悪性度病変では 2,000 cGy 以下で高い局所制御率を得られる[50]．中悪性度病変に対しては全身化学療法を行い，治療効果の程度によって 3,000 cGy（complete responders）から 4,000 cGy（partial responders）の放射線外照射を加える[50]．3,500 cGy 以上の照射では晩期障害の発生率が有意に高く，低悪性度病変は適応とならない[55]．照射野内の局所制御率は極めて高いことから，画像診断で病変の進展範囲を正確に評価することが重要である．

c. 横紋筋肉腫（rhabdomyosarcoma）

1）臨床的事項

横紋筋肉腫は小児の間葉系様腫瘍の中で最も多く，眼窩原発悪性腫瘍としても最も多い．組織学的に①胎児型（embryonal：最も多い），②胞巣型（alveolar：最も高悪性度），③多形型（pleomorphic or differentiated：最も予後はよいが，最も頻度は低い）の 3 つに分けられる．小児で急速に進行する片側性進行性眼球突出としてみられ，初

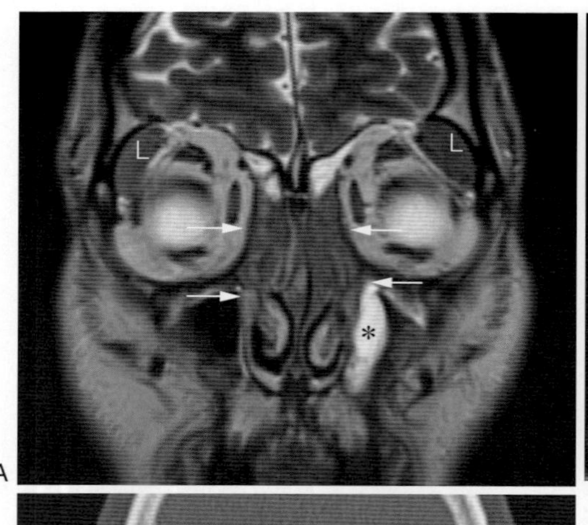

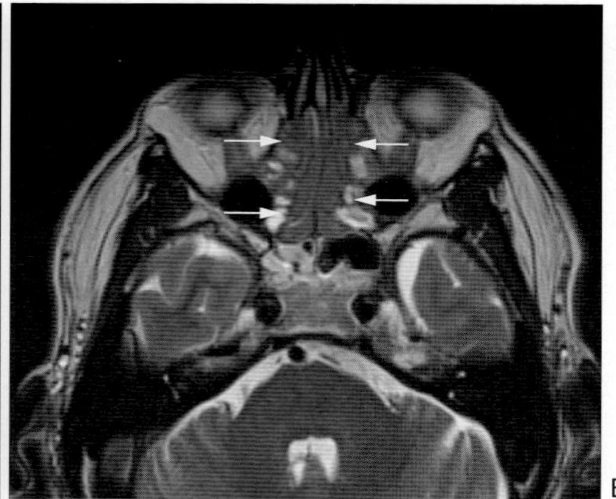

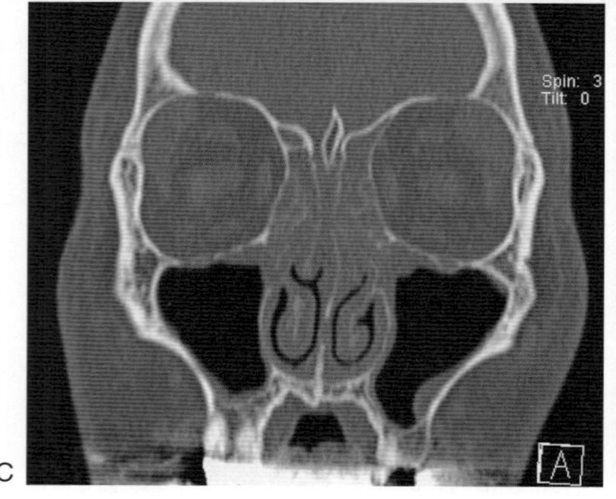

図 40　両側涙腺，鼻腔の悪性リンパ腫節外病変

T2 強調冠状断像(A)において両側涙腺(L)の腫大を認める．鼻腔領域の左右対称性の組織肥厚(矢印)を認めるが，通常の粘膜(左上顎洞で＊で示す)と比較してびまん性に信号は低い．同横断像(B)においても両側鼻腔の比較的信号の低い組織肥厚(矢印)あり．悪性リンパ腫節外病変の浸潤に相当する．同症例の CT 骨条件(C)において鼻中隔，鼻甲介など病変部の骨に有意な破壊，圧排・偏位などの所見はみられない．

期には炎症性病変と類似する．50％以上の症例で初期診断を誤る[56]．

2）画像診断と治療

CT，MRI 上，輪郭の比較的保たれた不整形の軟部組織濃度腫瘤として認められ，軽度から中等度の増強効果を示す(図 46)[57]．まれに石灰化を示す．眼球は圧排されるが，直接浸潤は示さない．周囲の骨構造には高頻度に変化がみられる．以前は横紋筋肉腫を放射線治療抵抗性と考える傾向があり，眼窩内容摘出術が施行されていたが，現在は化学療法と放射線治療により高い治癒率，高い生存率が得られることが知られている[58]．眼窩内に限局する病変の生存率は 90％，骨破壊や進展を示す病変では 65％である[59]．治療に反応を示さない症例は通常 18 ヵ月以内に死亡する．また，死亡例の半数が原発病変の制御が得られなかった症例であり，局所制御の重要性を示している[60]．

予後推定，照射野設定のために進展範囲(眼窩内に限局しているか，眼窩骨壁を越えた進展を示すか，頭蓋内への進展を示すかなど)を画像において正確に把握することは極めて重要である．横紋筋肉腫では局所のみではなく，頸部リンパ節病変や肺，肝，骨などへの遠隔病変の有無を評価することも必要である．

外科的手技は主に生検と局所切除に限られ，眼窩内容摘出術は比較的まれな放射線治療抵抗性病変や放射線治療後再発に対して施行される．ただし，多くの症例で治療に伴う晩期後遺症が問題となる．

d．転移性眼窩腫瘍(metastatic orbital tumor)

1）臨床的事項

眼窩転移は腫瘍の血行性の広がりによるが，全身播種性癌症例の 2～5％に生じるとされる[61]．原発部位として頻度の高いものから乳房(図 47)，

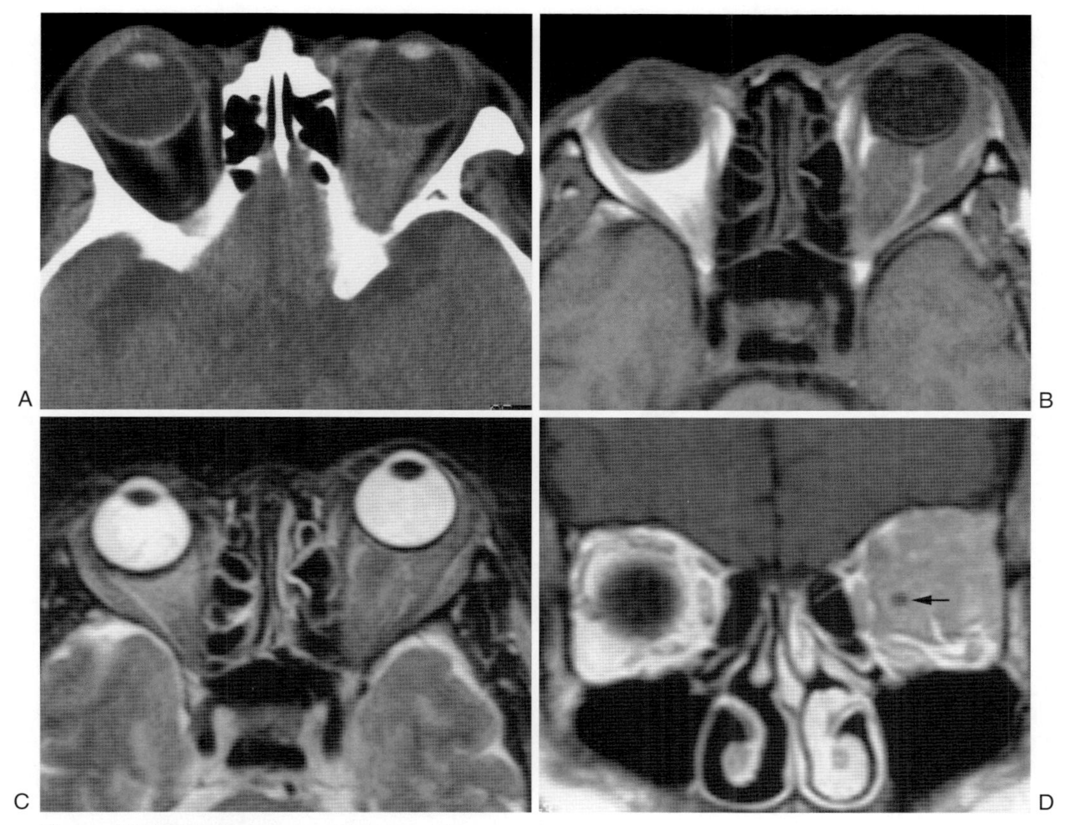

図 41 眼窩原発非 Hodgkin 悪性リンパ腫

A：眼窩レベル CT．左眼窩，円錐内腔に，比較的内部均一な軟部組織濃度を示す腫瘤を認める．

B：T1 強調横断像．腫瘍は比較的均一な，骨格筋あるいは脳灰白質とほぼ等信号強度を示す．

C：T2 強調脂肪抑制横断像．T2 強調像でも内部の信号強度は脳実質とほぼ等信号で，比較的均一である．

D：ガドリニウム GTPA 静注後，造影 T1 強調冠状断像．腫瘍はやや不均一だがびまん性，中等度の増強効果を示す．視神経(矢印)は腫瘍に囲まれている．

肺，前立腺，悪性黒色腫，上部消化管，腎があげられ[59]，乳癌の転移が眼窩転移全体の 48〜53％を占める[62]．その他，甲状腺，胃，膵などが含まれる．また小児では神経芽腫(図 48)，白血病，Ewing 腫瘍などが重要である．19〜25％の症例で初発病変として認められ，10％の症例では全身検索後も原発部位は不明である[59, 63]．神経芽腫では最終的に 40％程度の症例で眼窩転移を認める[59]．症状・理学的所見としては複視(48％)，眼球突出(26％)，疼痛(19％)，視力低下(16％)，眼球下垂(10％)，腫瘤蝕知などが挙げられる[64]．

2）画像診断と治療

転移性眼窩腫瘍が疑われた場合，治療方針の決定にも影響することから，全身検索により原発部位の特定が試みられ，同時に必要であれば生検が施行される．明らかな原発部位が確認されず，眼窩壁の孤立性病変であれば髄膜腫(図 49)なども鑑別疾患となる．

ほとんどの症例が 1 年以内に死亡することから，治療の目的は視力の維持と疼痛の軽減にある．通常，3,500〜4,500 cGy の放射線外照射で治療されるが，症例により化学療法やホルモン療法(乳癌，前立腺癌など)も併用される．

e. 皮様嚢腫(dermoid cyst)

1）臨床的事項

皮様嚢腫は，胎生期の神経管閉鎖時に取り残された外胚葉系組織より生じる，境界明瞭な眼窩腫瘤である．角化重層扁平上皮に囲まれ，皮脂腺，毛包，汗腺などの皮膚付属器を含む[類表皮腫

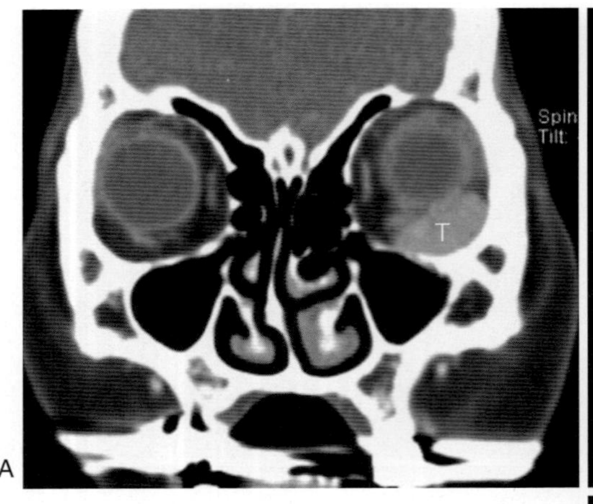

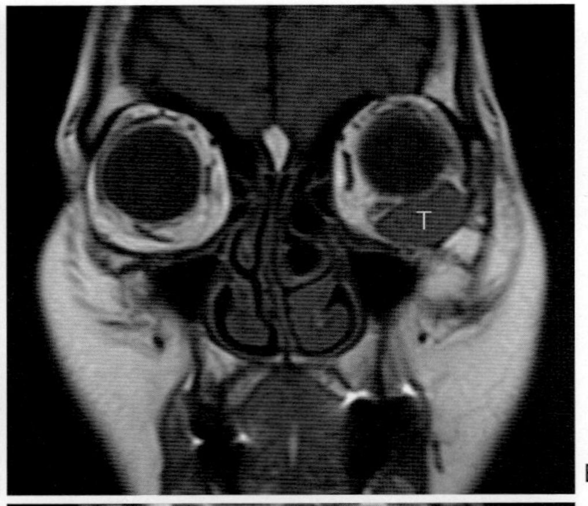

C

図 42　眼窩 MALT リンパ腫

眼窩レベルの造影 CT 冠状断像(A)において，左眼窩下壁に沿った円錐外に境界明瞭で，内部均一な軟部濃度腫瘤(T)を認め，眼球を頭側に圧排・偏位する．同症例の MRI，T1 強調冠状断像(B)では腫瘍(T)は骨格筋や脳灰白質と同等の比較的低信号強度，T2 強調像(C)では，骨格筋よりは高く脳灰白質に類似する，ほぼ均一な中等度からやや高信号強度を呈する．

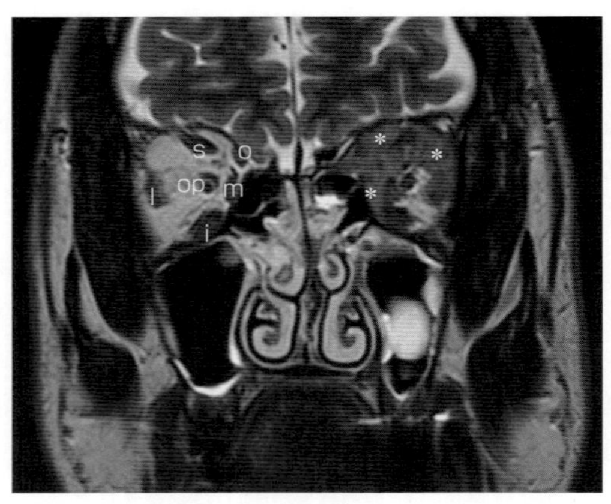

図 43　眼窩悪性リンパ腫(びまん性大細胞型 B 細胞性リンパ腫)

眼窩レベルの T2 強調冠状断像．左眼窩の円錐内・外に，中等度の信号強度を呈する浸潤性腫瘤(＊)を認める．視神経眼窩部(対側で op で示す)周囲は保たれるが，外眼筋(対側で i：下直筋，l：外側直筋，m：内側直筋，o：上斜筋，s：上直筋で示す)は上記病変に囲まれ，一部は偏位を示す．

(epidermoid)は含まない]．一般的には小児あるいは若年成人に生じる．眼窩外側上縁に沿った涙腺窩に好発(約 70%)するが[65, 66]，骨縫合(前頭頬骨縫合)に密接に関連する場合が多い(図 50)．内側(鼻側)の円錐外腔にもみられる．涙腺自体から生じる腫瘍ではないが，臨床的には涙腺腫瘤の鑑別疾患となる．

2）臨床分類

眼窩中隔よりも前か後ろか(浅いか深いか)で以下の 2 つに分類される．両者は臨床像，治療の選択などにおいて異なる．

①浅部皮様囊腫(superficial dermoid cyst)
②深部皮様囊腫(deep dermoid cyst)

浅部皮様囊腫は典型的には乳児期に眼窩上外側に限局した無症候性，類円形腫瘤として認められ，通常，前頭頬骨縫合(あるいは内側の前頭涙

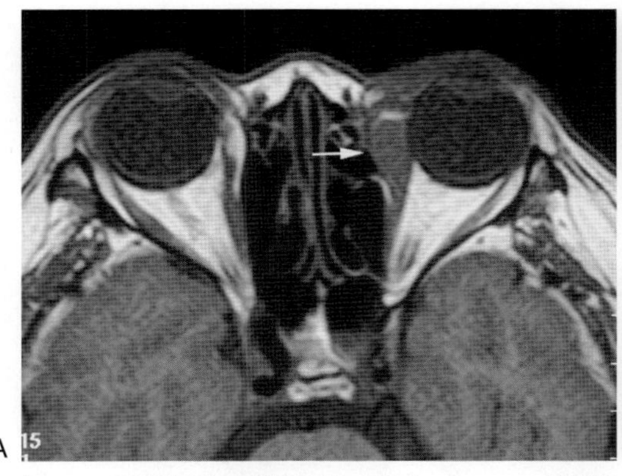

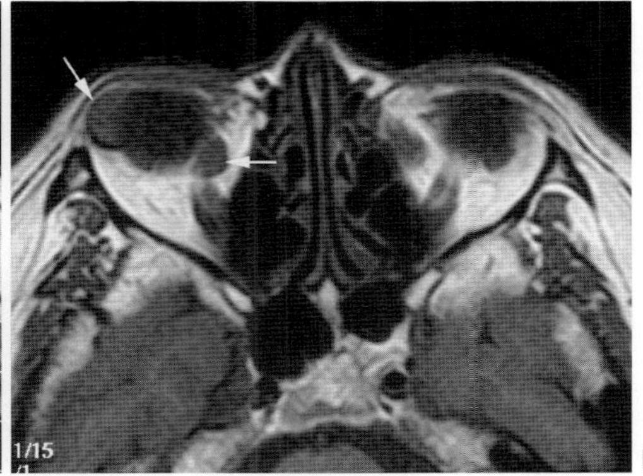

A B

図 44 両側性眼窩悪性リンパ腫．MRI T1 強調像

両側眼窩内に複数の比較的境界明瞭な軟部組織腫瘤(矢印)を認める．

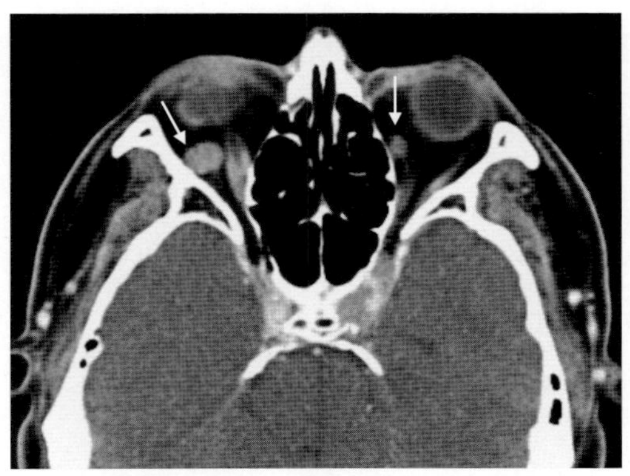

図 45 眼窩悪性リンパ腫(びまん性大細胞型 B 細胞性リンパ腫)

眼窩レベルの造影 CT で両側眼窩内に類円形の軟部濃度腫瘤(矢印)を認める．

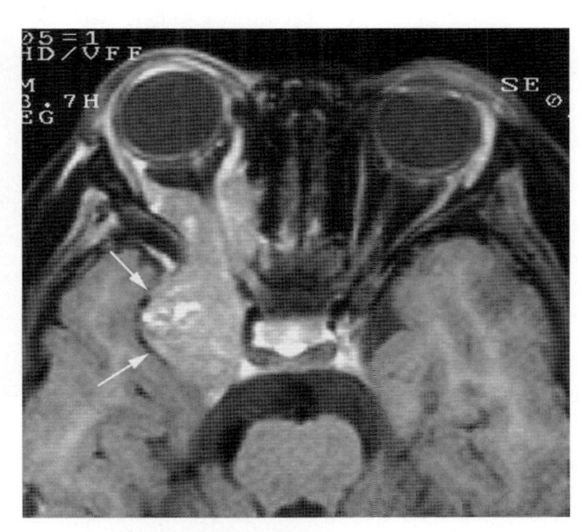

図 46 眼窩発生横紋筋肉腫

ガドリニウム DTPA 静注後，T1 強調脂肪抑制横断像で右眼窩にびまん性に浸潤する腫瘍を認め，上眼窩裂を介して中頭蓋窩，海綿静脈洞部へ進展している(矢印)．腫瘍は不均一，びまん性の増強効果を示す．

骨縫合)に付着する(図 50)．深部皮様嚢腫は思春期に眼球突出あるいは後方の境界不明瞭な眼窩腫瘤として現れ，ときに眼窩から側頭窩，頭蓋内に進展する[59]．

3) 画像診断と治療

CT 上，眼窩外側上部を中心とした嚢胞性腫瘤として認められる．内部は脂肪濃度[撮像範囲に含まれる硝子体の水濃度より低い濃度を示すものは 46％程度(図 51，52)[65)]を示すものも多いが，必ずしもこれを含まなくてもよい．高頻度に周囲の骨構造への付着がみられる．数％で液面形成(図 53)や石灰化がみられ，73％は CT により嚢胞壁が確認可能である[65]．境界は鮮明な場合が多いが，破裂やこれに伴う炎症性変化により不鮮明になったり，周囲の軟部組織に変化がみられる場合もある．MRI でも脂肪を含む腫瘤として認められる場合が多い(図 54)．ほとんどの症例では典型的所見を呈するが，その幅は広い．髄膜瘤(図 55)との鑑別は重要であり，頭蓋内との連続性の有無を確認する必要がある．血管リンパ管奇形(図 56)，びまん性神経線維腫(図 57)なども鑑別疾患となる．浅部皮様嚢腫では美容的考慮により治療対象となる．深部皮様嚢腫では増大し，内容液漏出による炎症，肉芽形成を生じる場合も多いことから外科的切除の適応となる．不完全切除は再発や慢性的な炎症の原因となりうるため，術

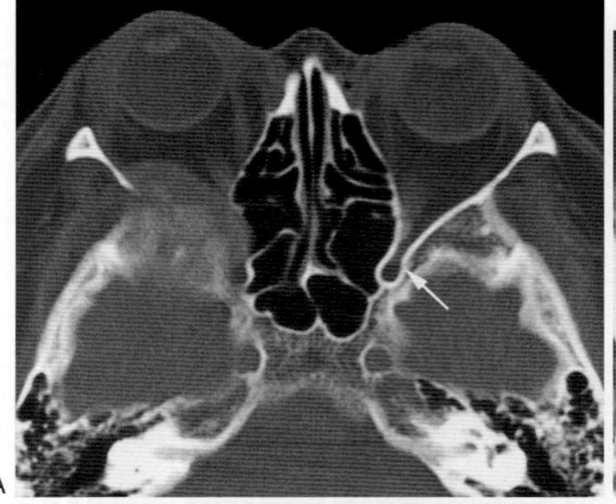

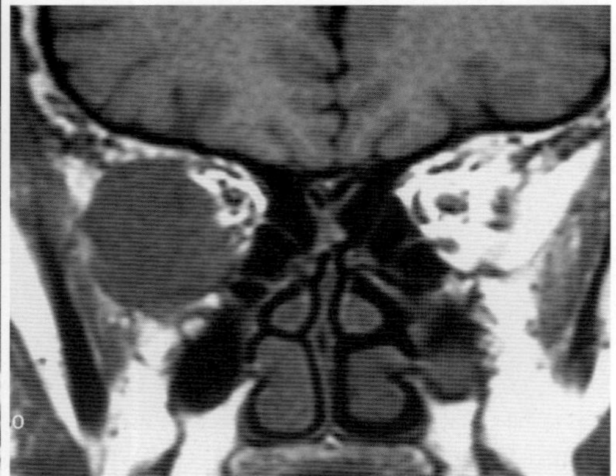

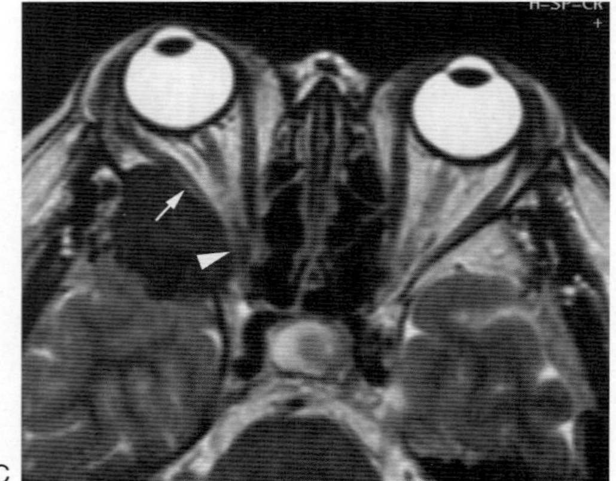

図 47　乳癌の眼窩転移

A：CT 横断像．右眼窩外側壁，蝶形骨大翼に一部硬化性変化を伴った骨破壊性病変を認め，転移性骨腫瘍に一致する．骨外性腫瘤により眼窩尖部から下眼窩裂（左側において矢印で示す）は狭小化している．

B：T1 強調冠状断像．腫瘍は骨格筋とほぼ等信号強度を示す．眼窩内容が圧排されている．

C：T2 強調横断像．T2 強調像では低信号強度を示す．腫瘍の眼窩側への膨隆により外側直筋（矢印）および視神経（矢頭）は圧排偏位している．

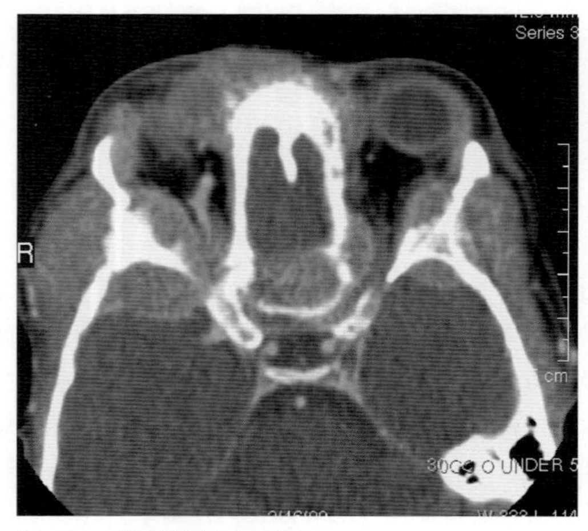

図 48　神経芽腫の骨転移

両側眼窩外側壁を中心として，蝶形骨大翼，蝶形骨平面，篩骨，前頭骨鼻部など，多発性に骨外性腫瘤を伴った転移性骨腫瘍を認める．

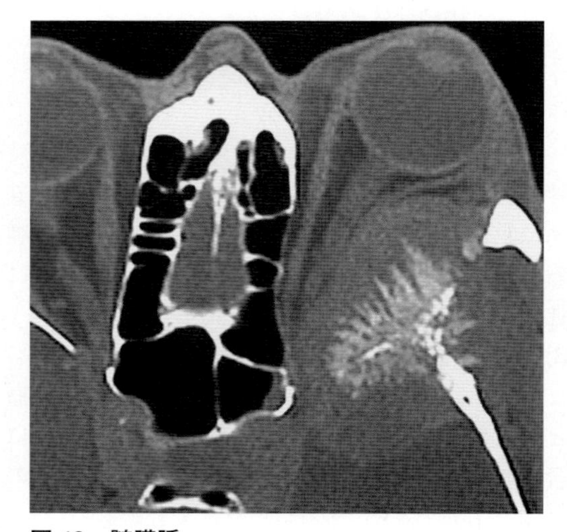

図 49　髄膜腫

左眼窩外側壁，蝶形骨大翼を中心として棘状の骨膜反応を示す腫瘤を認める．これに伴い眼窩内容の圧排，眼球突出を示している．

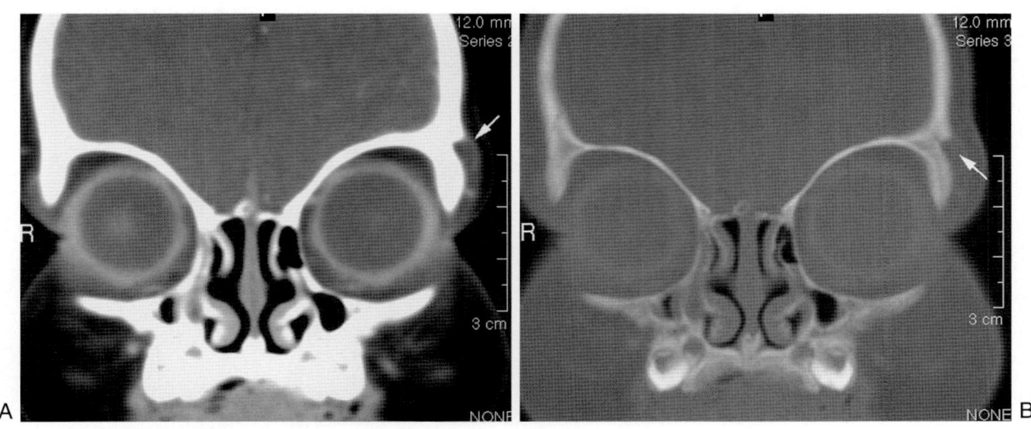

図 50　前頭頬骨縫合から側頭窩に軽度突出する皮様囊腫．CT
A：軟部条件．眼窩外側に接して，側頭窩に軽度膨隆する腫瘤（矢印）を認める．
B：骨条件．前頭頬骨縫合との付着がみられる（矢印）．

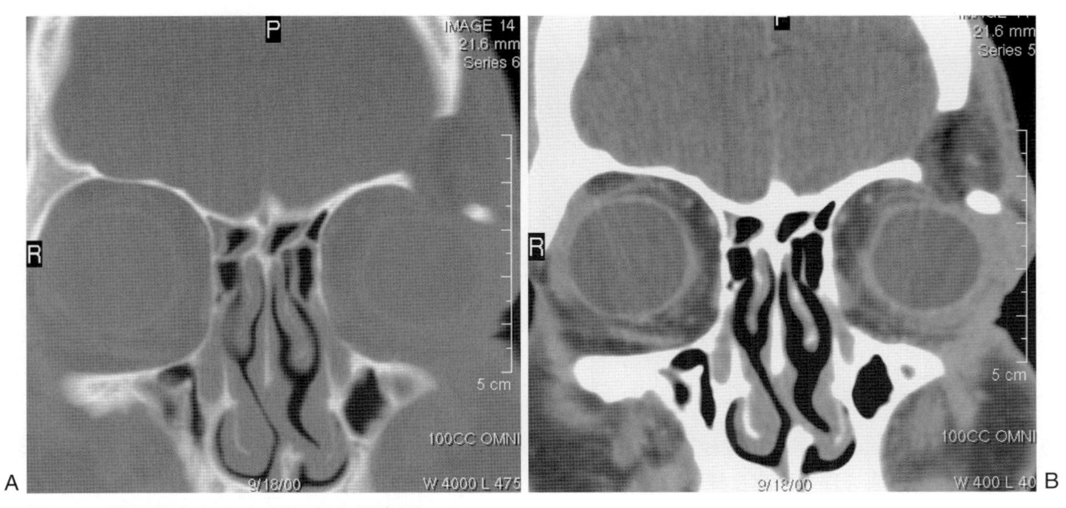

図 51　脂肪濃度を含んだ眼窩皮様囊腫．CT
A：骨条件．眼窩外側上部に境界鮮明な骨融解像がみられる．
B：軟部条件．内部に一部脂肪濃度が混在する腫瘤を認める．

前画像から正確な進展範囲（側頭窩への進展，頭蓋内進展の有無）を評価することが重要である．

f. 視神経鞘髄膜腫（optic nerve sheath meningioma）

1）臨床的事項

視神経眼窩部は軟膜，くも膜，硬膜が覆い，視神経鞘には頭蓋内からのくも膜下腔が連続する（図 12）．これらの解剖学的関係より視神経鞘に沿って髄膜腫が発生する．眼窩腫瘤全体の約 2%とされる[67]．中年女性に好発するが約 40%は男性例であり[67]，ときに小児や若年者にも発生する．臨床的には緩徐に進行する，片側性，無痛性の視力障害（中心視野は比較的長期に保たれる）と眼球突出を示すのが典型的である．97%で初発時に視力障害[68]，98%で視神経乳頭の異常[67]を認めるとされる．眼底所見として，初期には視神経乳頭の浮腫を認めるが，腫瘍の増大に従って視神経萎縮を生じることから徐々にこれは目立たなくなる．視力障害のある患者で，視神経乳頭上にみ

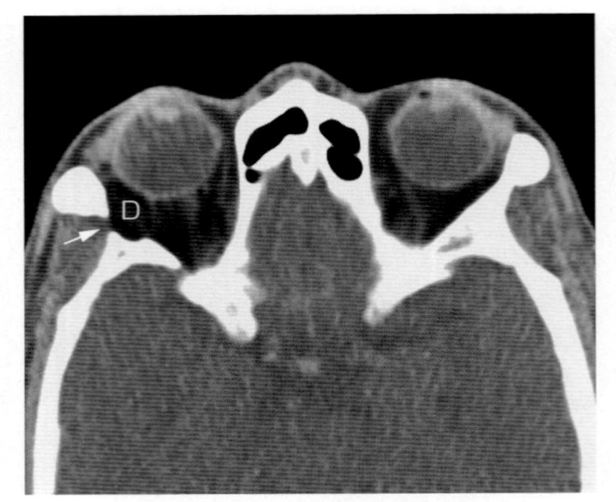

図 52　脂肪濃度を含んだ眼窩皮様嚢腫
CT 横断像において右眼窩外側に脂肪濃度の楕円形腫瘤(D)を認め，隣接する眼窩外側壁に圧排性侵食(矢印)による欠損を伴う．

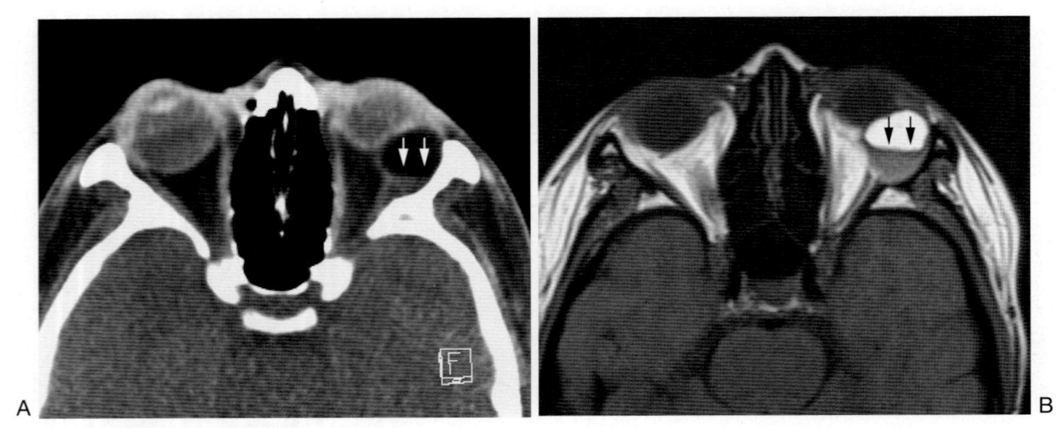

図 53　液面形成を伴う眼窩皮様嚢腫
安静臥位で撮影された CT 横断像(A)および MRI T1 強調横断像(B)において，左眼窩外側下方に類円形腫瘤を認め，内部に脂肪濃度・信号と非脂肪濃度・信号による液面形成(矢印)を伴う．

られる視毛様体短絡静脈(optociliary venous shunt)の存在は視神経鞘髄膜腫の可能性を示唆するが[69]，その発現は30%程度とされる[67]．視神経鞘髄膜腫は同部の髄膜から生じる場合と頭蓋内の髄膜腫が眼窩内進展したもの(図 58)に分けられるが，狭義には前者を示す．眼窩の髄膜腫のうち，眼窩内発生は10%に過ぎず，その他は頭蓋内からの進展とされる[67]．小児例はしばしば2型神経線維腫症 NF-2 (neurofibromatosis type 2)に合併し，成人例と比較してより侵襲性が高く，再発率も高い．

2) 画像診断と治療

視神経鞘髄膜腫の画像診断の中心はCTとMRIである．硬膜に囲まれ境界鮮明な眼球後部腫瘤，典型的には視神経眼窩部のびまん性管状肥厚(図 59)あるいは限局した偏在性腫瘤(図 60)として認められる[69]．しばしば，眼窩尖部に及ぶ．CTは石灰化の評価に優れ，石灰化は髄膜腫の診断を強く示唆し，腫瘤内，あるいはこれに沿って線状，板状，顆粒状に認められるが[70]，石灰化を認めない場合も多い．造影CTでは頭蓋内の髄膜腫同様，ほぼ均一な造影効果を示す．造影され

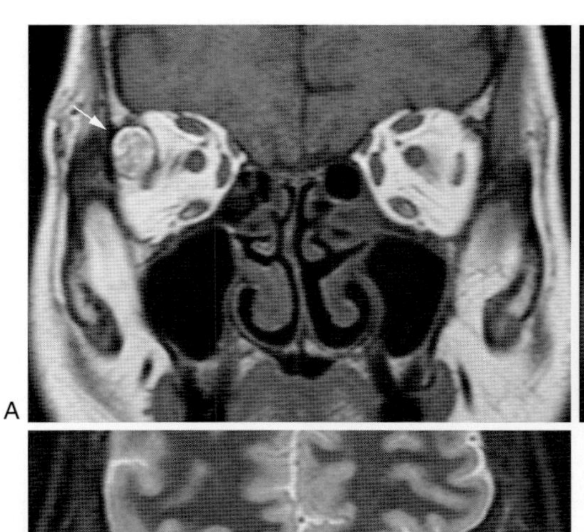
A

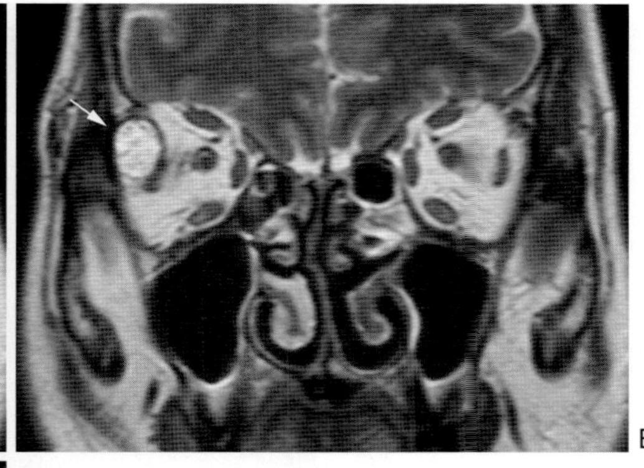
B

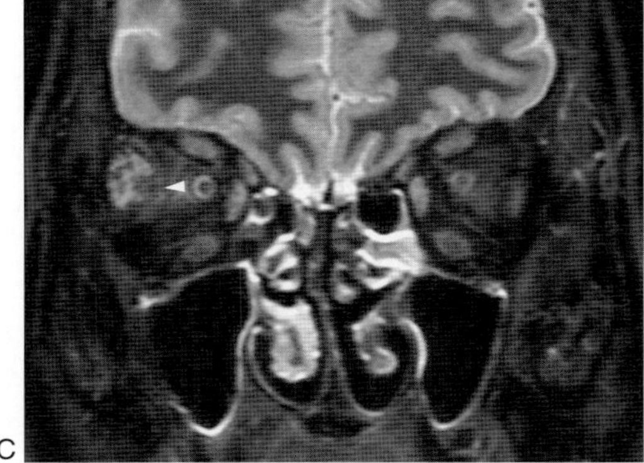
C

図 54 眼窩皮様囊腫

眼窩レベル MRI T1 強調冠状断像(A)，T2 強調冠状断像(B)において，右眼窩外側上部に，境界明瞭な楕円形腫瘤(矢印)を認める．内部はやや不均一な高信号強度を呈する．T2 強調脂肪抑制画像(C)では，(図 B と比較して)部分的な信号低下(矢頭)が認められ，脂肪成分の含有を示唆する．

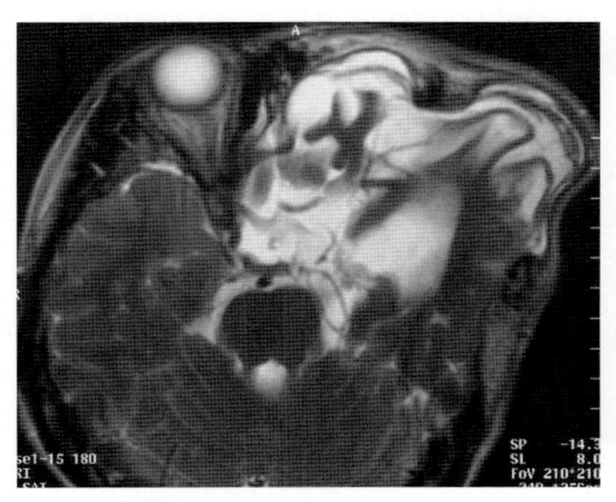

図 55 神経線維腫症(von Recklinghausen disease)に伴った髄膜脳瘤．MRI T2 強調像

左蝶形骨の著しい形成不全がみられ，これに伴い眼窩から側頭領域にかけて広範な髄膜脳瘤を認める．

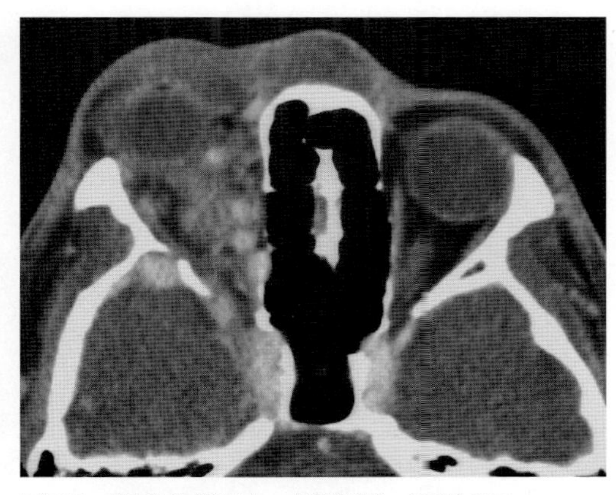

図 56 眼窩血管リンパ管奇形．造影 CT

右眼窩内に浸潤性腫瘤を認め，内部には増強効果を示す拡張した血管構造を認め，頭蓋内，中頭蓋窩や海面静脈洞へと連続している．

る腫瘤内に造影効果の乏しい視神経が走行する所見は“tram-track sign”と呼ばれ，24%の症例で同定される(図 59B，61)[67]．MRI は石灰化の描出には劣るが，病変全体の拡がり(頭蓋内病変の有無，その連続性など)や視神経の状態の評価には優れる．信号強度は頭蓋内髄膜腫と同様に T1，T2 強調像ともに中等度で，充実性，ほぼ均一な増強効果を示す(図 59，60，61)．視神経鞘髄膜腫の生検は慎重に行われるべきで(特に視力の残っている場合)，生検後の出血などにより視力

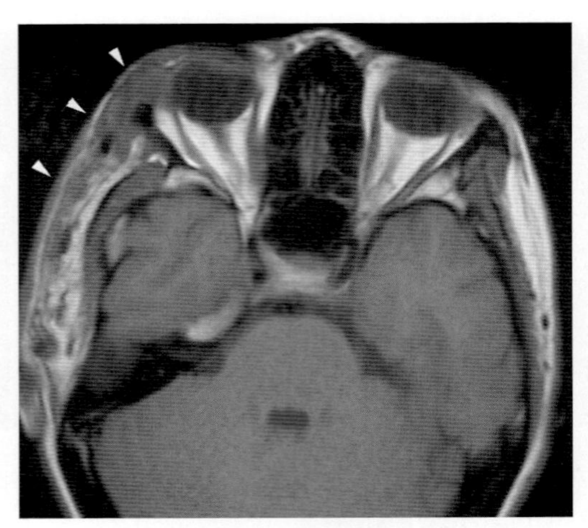

図 57 神経線維腫症(von Recklinghausen disease)に伴ったびまん性神経線維腫(diffuse neuro-fibroma, plexiform neurofibroma)例．MRI，T1 強調像

右涙腺窩領域から側頭部に連続して，三叉神経領域を中心に浸潤性腫瘍(矢頭)を認める．これに接する蝶形骨，側頭骨，頬骨の一部は低形成を示している．

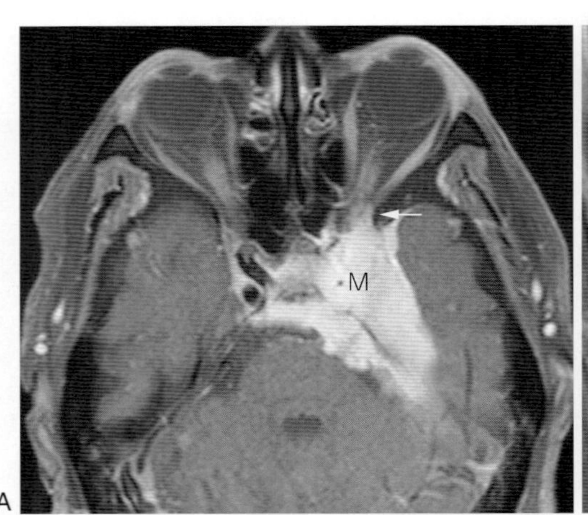

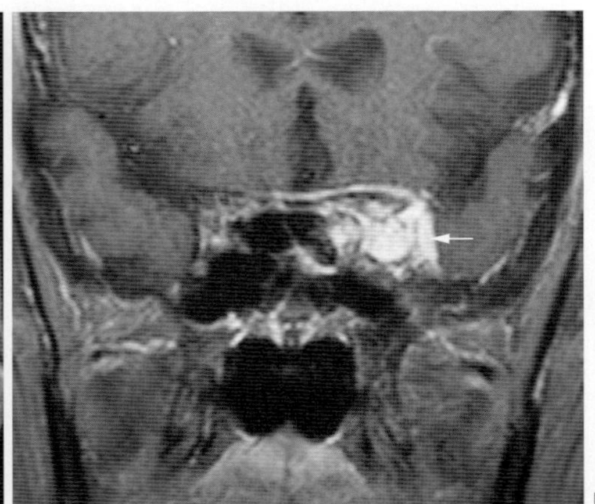

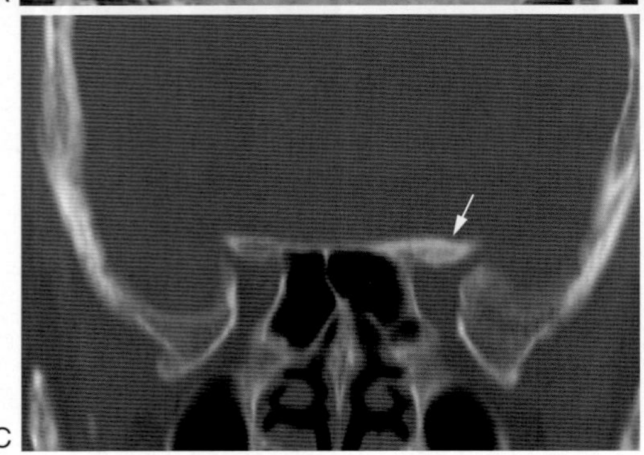

図 58 頭蓋内髄膜腫の眼窩への進展

眼窩レベル MRI，造影後 T1 強調横断像(A)および冠状断像(B)において，左海綿静脈洞領域を中心とする髄膜腫(M)を認め，左眼窩尖部への進展(矢印)を伴う．冠状断 CT(C)では，病変の位置する左前床突起から蝶形骨小翼左縁の硬化性変化(矢印)を認める．

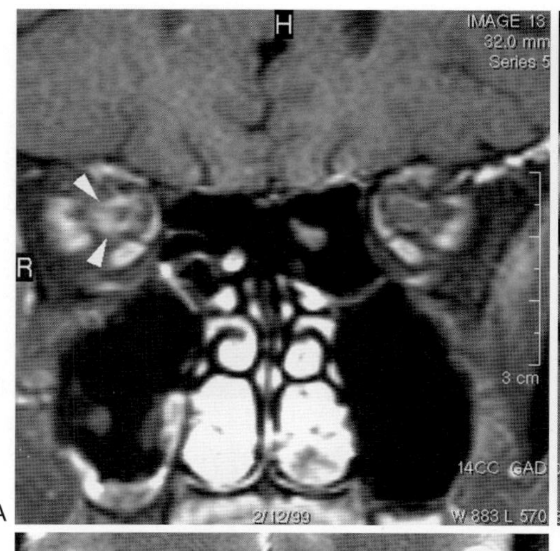

A

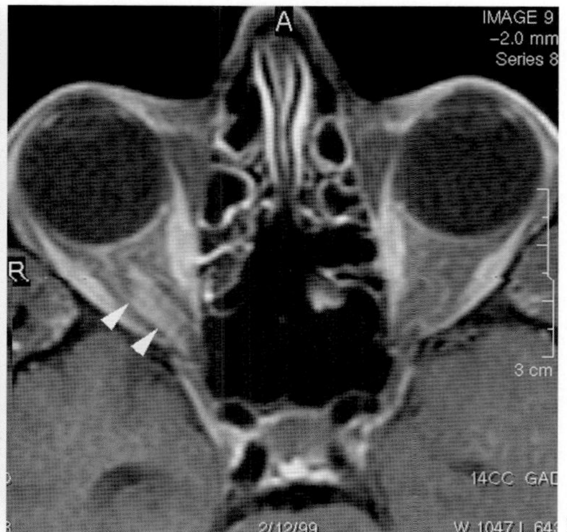

B

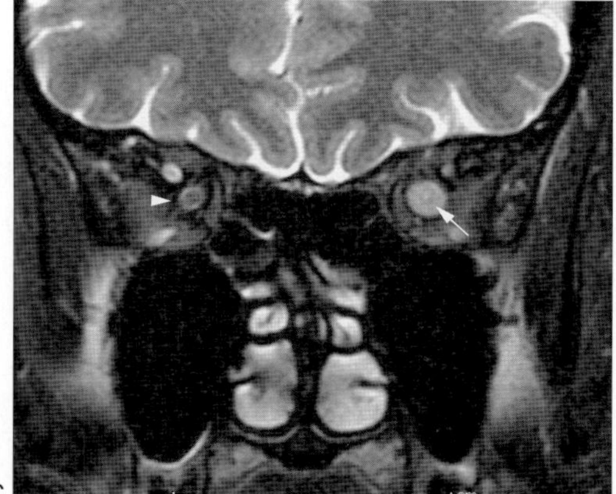

C

図 59　視神経鞘髄膜腫．MRI

A：ガドリニウム DTPA 静注後，T1 強調脂肪抑制冠状断像．

B：ガドリニウム DTPA 静注後，T1 強調脂肪抑制横断像．

視神経鞘に沿って，視神経眼窩部を囲むようにほぼ均一な増強効果を示す腫瘍(矢頭)を認め，"tram-track sign" を呈する．視神経鞘髄膜腫に一致する．

C(A，B と別症例)：T2 強調脂肪抑制冠状断像．左視神経・鞘(右側で矢頭で示す)の同心円状腫大を認める．その中心には(やや信号上昇を示す)視神経眼窩部(矢印)が同定可能である．

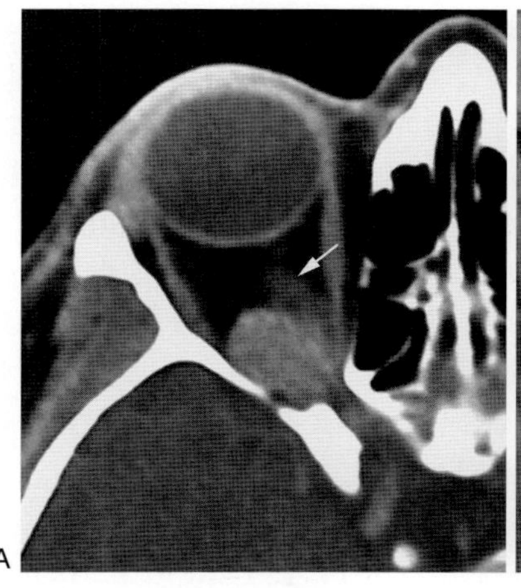

A

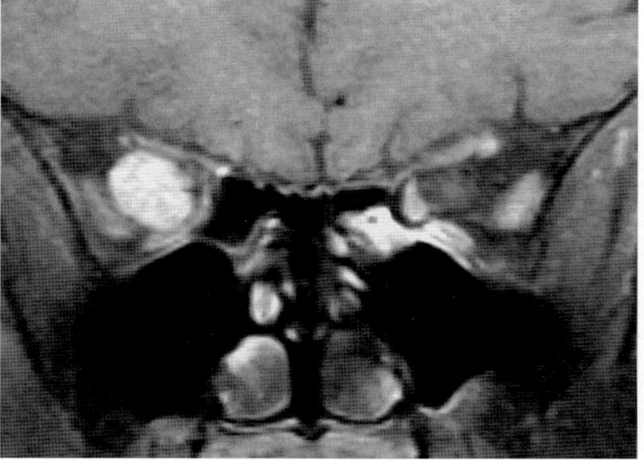

B

図 60　視神経鞘髄膜腫

A：眼窩 CT 横断像．右眼窩内，眼球後部に境界鮮明な類円形の軟部組織腫瘤を認める．視神経(矢印)は内側に圧排されている．

B：ガドリニウム DTPA 静注後，T1 強調脂肪抑制冠状断像．筋円錐内腔にほぼ均一な増強効果を示す腫瘍を認める．

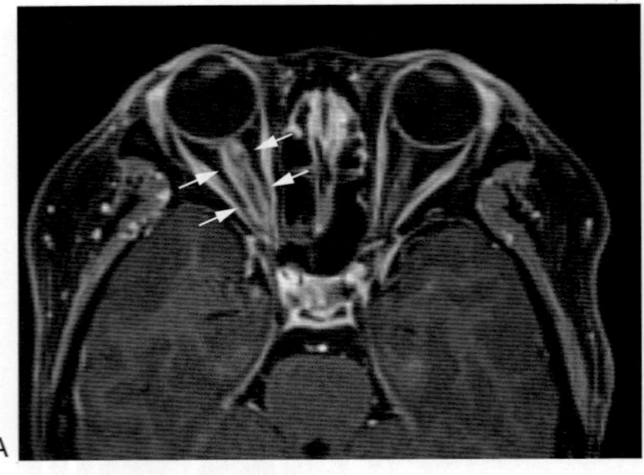

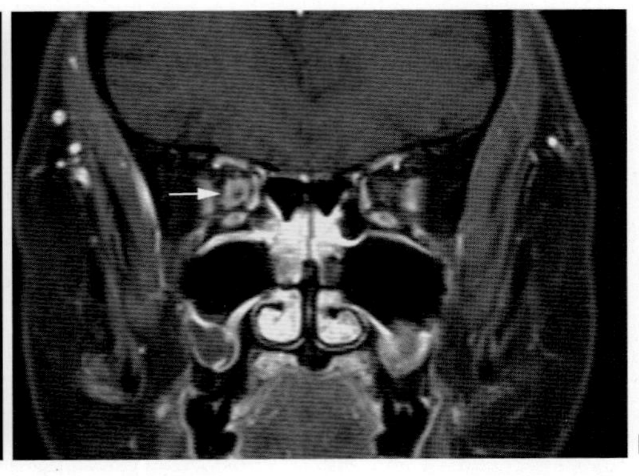

図 61　視神経鞘髄膜腫
造影後 T1 強調横断像(A)および冠状断像(B)において，右視神経眼窩部を全周性に囲むように充実性増強効果を示す腫瘤(矢印)を認め，増強効果の乏しい視神経とのコントラストにより "tram-track sign" を呈する．

を失う可能性がある．

治療方針として，進行の遅い中年成人例は予後もよく，経過観察されるか，症状に応じて放射線治療が施行される．経過観察では 86%が視力低下を示す[68]．若年者で侵襲性の高い症例では(特に視力障害の著しい場合)外科的切除が考慮される．外科的アプローチとして，以前は眼球を犠牲にする経眼球性(transglobal approach)が行われていたが，1887 年に眼窩外側壁前部を切除する Krohlein approach が報告されてから眼球温存が可能となった[69]．さらにその後，脳外科医らにより側頭下アプローチ(subtemporal approach)や Cushing による眼窩上縁に沿ったアプローチ(頭蓋内に連続性のある病変では適応外)が示された．外科的治療よりも放射線単独治療での視力温存の結果がよいとの報告[71]もあり，放射線治療が選択される場合もある．ただし，線量の増加にしたがい視力障害も増え，晩期障害としての放射線性視神経障害は照射後 3 ヵ月から 8 年で生じる．

画像診断では，治療方針や放射線治療の照射野設定や術式決定などの意味から病変の局在(頭蓋内病変の有無，連続性)，経時的変化(増大の程度)などを客観的に評価することが望まれる．

g. 視神経膠腫(optic glioma)

1) 臨床的事項

視神経膠腫は視路球後部(視神経，視交叉，視索，外側膝状体，視放線)のどの部位にも生じうる緩徐に発育する低悪性度腫瘍である．全眼窩腫瘍の約 4%，全頭蓋内神経膠腫の約 4%，全頭蓋内腫瘍の約 2%[72]，原発性視神経腫瘍の約 66%を占める[73]．10 歳以下の女児に好発するが(男：女＝2：3)，ときに成人にもみられる．75%が 10 歳以下，90%が 20 歳以下で診断される[74]．視神経鞘髄膜腫の約 4 倍の頻度で認められる．50〜85%が視交叉，視床下部を侵す[75]．1 型神経線維腫症(neurofibromatosis type 1：NF-1，von Recklinghausen disease)と密接な関係にあり，視神経膠腫の 25〜50%は NF-1 症例であり，逆に NF-1 の 15〜40%に視神経膠腫を認める[59, 76]．視神経膠腫は NF-1 の他の症状に先がけて認められることもしばしばで，両側性視神経膠腫は NF-1 症例に特異的である．NF-1 症例かどうかは病変の局在にも影響があり，NF-1 症例では視神経(66%)が最も多く，次いで視交叉部(62%)であるのに対して，非 NF-1 症例は視交叉部(91%)に最も多い[77]．通常，小児の視力障害(片側性あるいは両側性)として認められるが，眼球突出を生じるまで明らかでないこともある．眼球運動障害はまれである．

2) 臨床分類

視神経膠腫は局在により以下の 3 つに分けられるが，しばしばこれらの重複を認める．

①眼球内(intraocular type)：視神経乳頭
②眼窩内(intraorbital type)：視神経眼窩内部
③頭蓋内(intracranial type)：視神経頭蓋内部および視交叉

また，発生年齢により臨床像が異なるため，以下を区別する場合もある．

①小児型(child form)：症例の大部分．緩徐な発育を示し，組織学的には grade I astrocytoma (juvenile pilocytic astrocytoma)．
②成人型(adult form)：急速に発育し，高悪性度．早期より周囲の脳実質などに浸潤，通常，致死的．

3）画像診断と治療

CT 上，視神経膠腫は片側あるいは両側視神経の紡錘形の腫大，屈曲として認められる．ときに内部に嚢胞部分を示す低濃度領域を含む．鑑別診断となる視神経鞘髄膜腫のような石灰化は認められない(ただし，放射線治療後であれば異栄養性石灰化を生じる可能性あり)．増強効果の程度は病変によりさまざまであるが，視神経鞘髄膜腫よりも軽度である[73]．MRI でも CT 同様の視神経の形態的変化を認めるとともに，信号強度は T1 強調像で中等度，T2 強調像ではやや高信号を呈する(図 62，63)．視神経管内から頭蓋内(視神経管内部，視神経頭蓋内部，視神経視交叉部，さらにその後方，視索，外側膝状体，視放線)病変の確認に適する．

数年にわたり腫瘍容積に変化なく，視力も良好で美容的問題もなければ経過観察される．この際，画像の定期的観察による経時的評価が必要である．視力低下や美容的問題があり，腫瘍が増大傾向を示す場合は眼球を温存した腫瘍切除が行われる．増大傾向にある切除不能例(頭蓋内進展を認める症例)では放射線治療(ときに化学療法と組み合わせる)が行われる．進行性再発例に対して定位(分割)照射により晩期障害なく高い局所制御が得られたとの報告もみられる[78]．Deliganis らによると NF-1 に合併した視神経膠腫は NF-1 と関連なく生じた症例と比較して，再発までの腫瘍増大時間に有意な差を示し，予後がよいとされる[79]．また，彼らの報告では病変の局在(前方に位置する病変のほうが後方に位置する病変よりも予後がよい)が予後に影響する可能性を示している．成人の悪性視神経膠腫は早期より浸潤性が高く致死的であり，有効な治療法もなく，平均生存期間は約 1 年とされる[73]．

画像診断では経時的変化，病変の進展範囲(頭蓋内病変の有無)，浸潤性所見の有無に対する評価が求められ，さらに NF-1 か否かの診断が明らかでない場合，NF-1 を示唆する所見の評価も望まれる．

なお，画像診断における鑑別疾患として視神経鞘髄膜腫(図 59)，視神経炎(図 64)，偽腫瘍(視神経周囲炎型)(図 15)，サルコイドーシスなどが含まれる．臨床情報によりその大部分は鑑別可能である．

h. 海綿状血管奇形(cavernous venous malformation)

成人の眼窩原発腫瘤として最も頻度の高い良性病変とされる[80]．従来，海綿状血管腫(cavernous hemangioma)と呼ばれていたが，同病変はよく形成された被膜を有する血管奇形であり真性腫瘍とは異なる．成人の原発性眼窩病変で最も多く[81]，眼窩血管病変の 80％を占める．40 歳代に多いとされる．通常は片側性の，無痛性で緩徐な眼球突出を示す[82]．女性(約 60％)に多く，妊娠を契機に増大速度が速まる例もありホルモンとの関連が考慮されている[80]．まれに病変内出血による急速な増大を来すとの報告がある[83]．悪性転化の報告はない[83]．

肉眼的には dark plum color（黒紫色）の腫瘤，顕微鏡的には不規則な線維性隔壁で区分された大きな血洞として認められ，明らかな供給動脈，還流静脈はみられない[80]．ときに緩徐な血流に伴い，血栓や静脈石を認める．

多くの症例は CT，MRI，超音波検査などの画像診断により診断可能であり，画像上，眼窩内の境界明瞭な類円形・楕円形腫瘤として認められる(図 65，66)．円錐内，眼窩中 3 分の 1 の外側よ

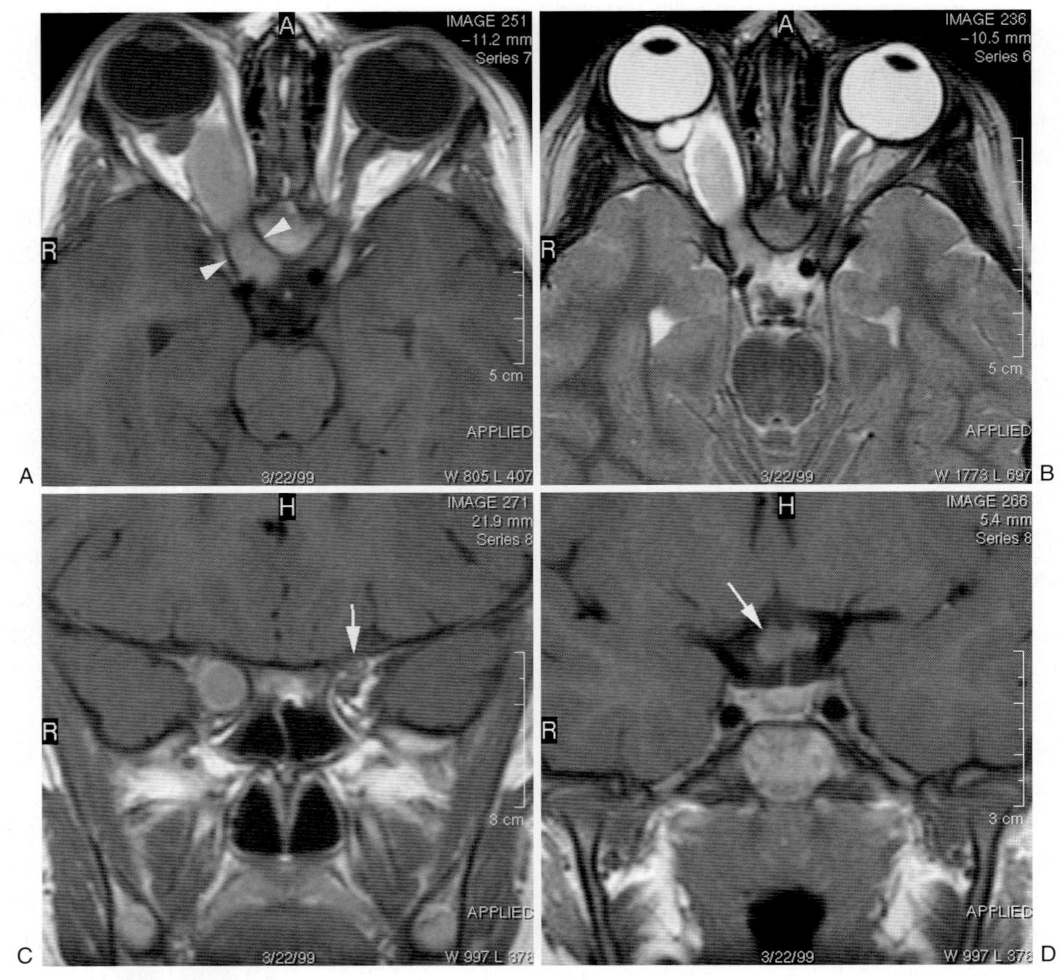

図 62　視神経膠腫．MRI

A：ガドリニウム DTPA 静注後，T1 強調横断像．右視神経眼窩部の腫大，屈曲を認め，視神経膠腫に一致する．びまん性に淡い増強効果がみられる．開大した視神経管(矢頭)に連続している．

B：T2 強調横断像．腫瘍周囲はやや拡大したくも膜下腔内の脳脊髄液が高信号として認められる．

C：視神経管レベル，ガドリニウム DTPA 静注後，T1 強調冠状断像．右視神経管内の視神経(左側において矢印で示す)の腫大，視神経管の拡大がみられる．

D：視交叉レベル，ガドリニウム DTPA 静注後，T1 強調冠状断像．視交叉(矢印)も全体として腫大しており，腫瘍の進展を示す．

りに多いとされる[84]．

CT では軟部濃度でときに静脈石を含む[85]．また，病変の局在や大きさによっては眼窩壁の圧排性侵食所見を示す場合もある[82]．MRI では T1 強調像は骨格筋とほぼ等信号強度，T2 強調像は著明な高信号強度を呈し，辺縁に線維性被膜に相当する線状低信号を伴う[84]．MRI では，(肝の血管腫と同様に)造影剤投与により初期には斑状の不均一な増強効果，遅延相ではほぼ均一な増強効果を呈する(filling up/filling in)(図 65)[86]．

症状のある例では外科的治療の適応が考慮される．従来，経眼窩アプローチがとられてきたが近年は内視鏡による経鼻的アプローチによる切除も試みられる．

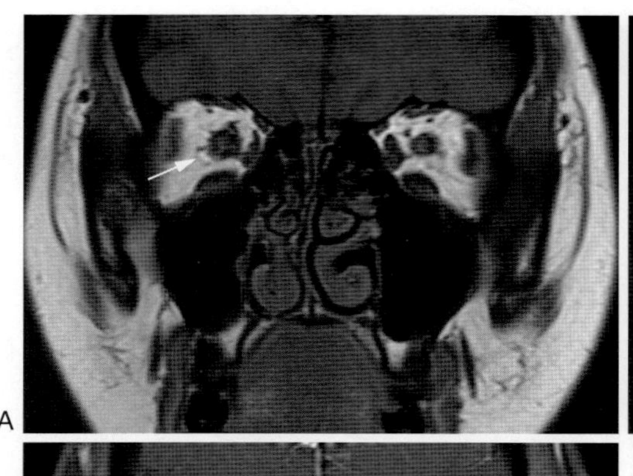
A

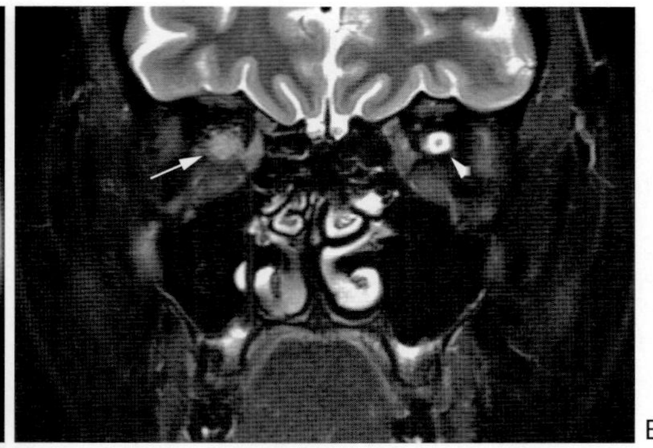
B

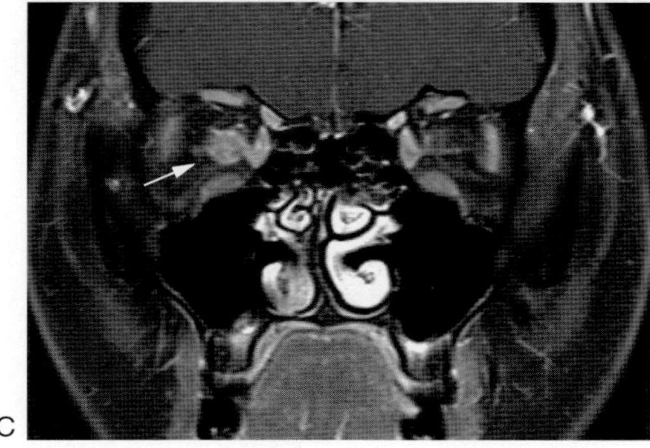
C

図 63　視神経膠腫

眼窩レベル MRI の T1 強調冠状断像(A)において右視神経眼窩部(矢印)の腫大を認め，同部視神経(矢印)は脂肪抑制 T2 強調像(B)で淡い高信号構造として肥厚・腫大し，造影後 T1 強調脂肪抑制像(C)で増強効果を示す．矢頭：健側の視神経眼窩部(くも膜下腔の高信号内に低信号構造としてみられ，同心円状を呈する)

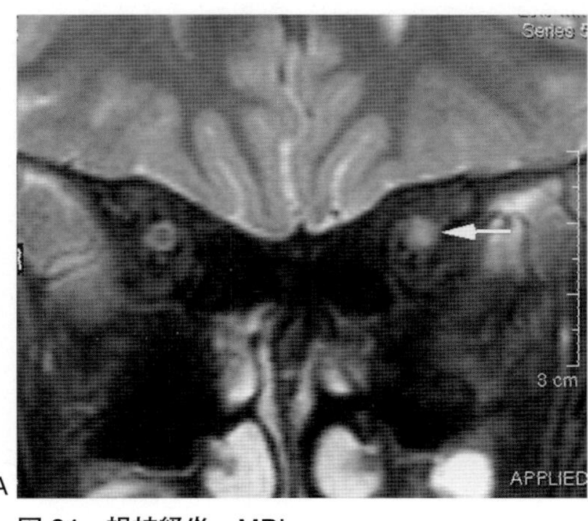

A

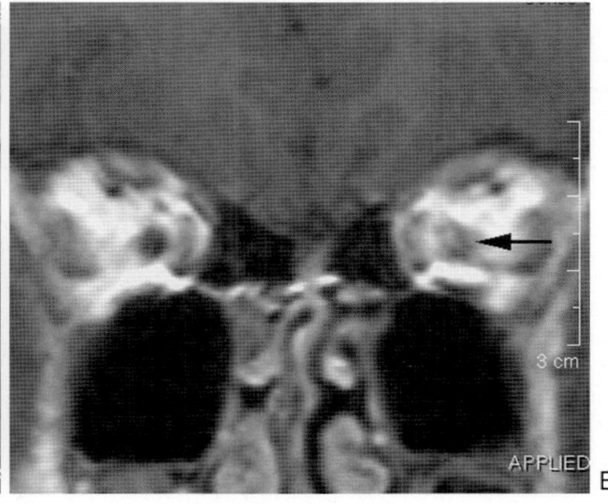

B

図 64　視神経炎．MRI

A：STIR 冠状断像．右はやや低信号の視神経とこれを同心円状に囲む高信号のくも膜下腔が明瞭に区別されるが，左では視神経腫大と信号の上昇(矢印)を認める．

B：ガドリニウム DTPA 静注後，T1 強調冠状断像．腫大した左視神経はびまん性の増強効果を示す．

i. ぶどう膜悪性黒色腫(uveal melanoma)

1) 臨床的事項

ぶどう膜悪性黒色腫は眼球の原発性悪性腫瘍の約 75％を占め，成人の眼球の原発性悪性腫瘍では最も多い．50 歳代に最も多く，80 歳以上はまれで，約 4％が 30 歳以下に生じる[59]．黒人にはまれで，白人の 15 分の 1 の頻度とされる．ぶどう膜は虹彩，毛様体，脈絡膜よりなり(図 8)，これらのうちいずれかから悪性黒色腫が生じるが，約 90％が脈絡膜の発生である．前方の病変では早期発見が可能なことから虹彩切除術などで治療可能な場合も多い．これに対して後方病変は早期

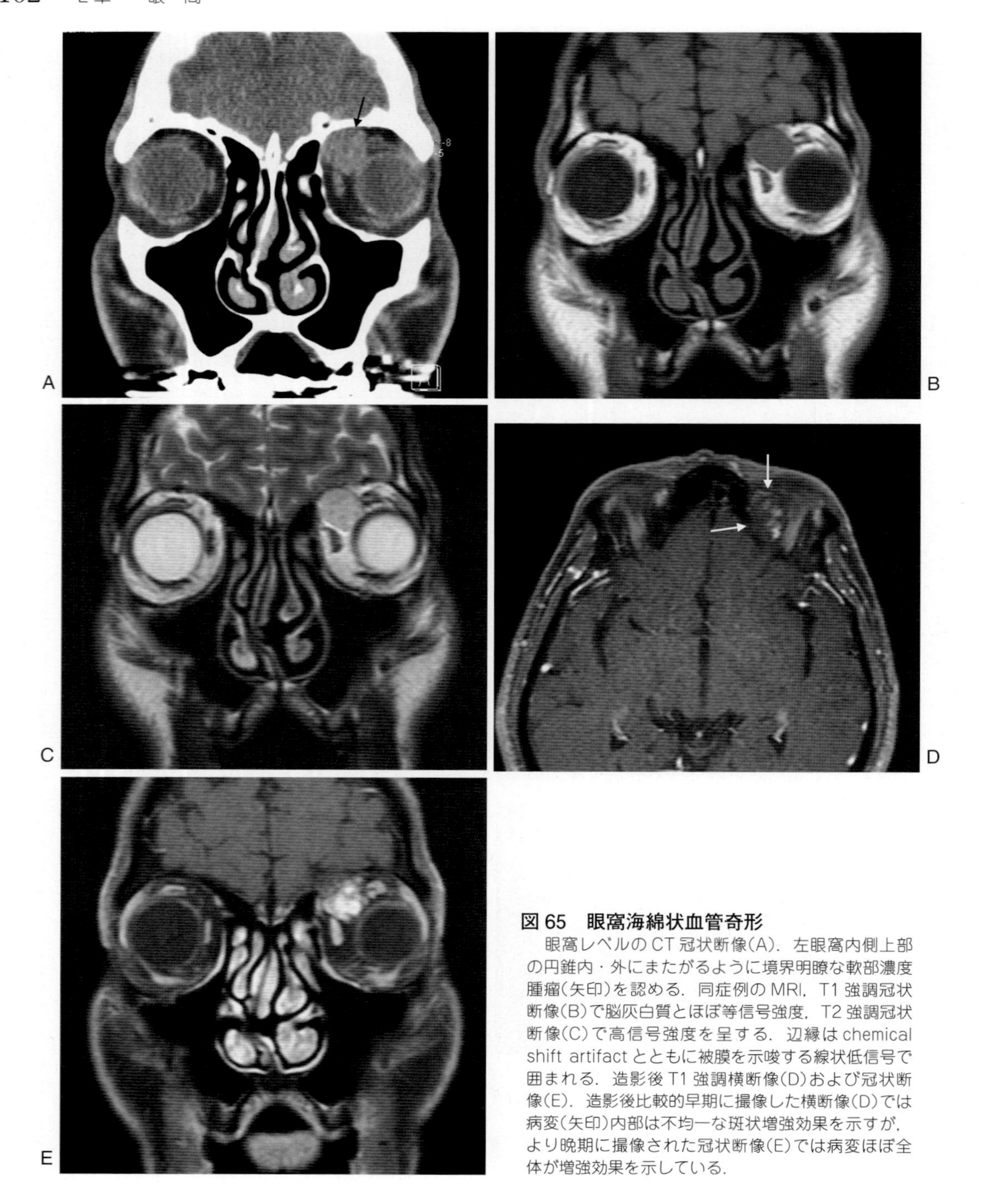

図 65　眼窩海綿状血管奇形

眼窩レベルの CT 冠状断像(A)．左眼窩内側上部の円錐内・外にまたがるように境界明瞭な軟部濃度腫瘤(矢印)を認める．同症例の MRI，T1 強調冠状断像(B)で脳灰白質とほぼ等信号強度，T2 強調冠状断像(C)で高信号強度を呈する．辺縁は chemical shift artifact とともに被膜を示唆する線状低信号で囲まれる．造影後 T1 強調横断像(D)および冠状断像(E)．造影後比較的早期に撮像した横断像(D)では病変(矢印)内部は不均一な斑状増強効果を示すが，より晩期に撮像された冠状断像(E)では病変ほぼ全体が増強効果を示している．

発見が困難である．間接眼底鏡と蛍光血管造影検査，超音波検査などを組み合わせて診断される．超音波検査が最も正確に病変の大きさを評価することが可能である．CT，MRI などの画像診断も非常に重要であり，後述する．眼底鏡において色素沈着した，類円形の隆起性病変として認められることが多いが，色調に関しては白色のもの(amelanotic)から黒色のものまでみられる．初期には脈絡膜内に限局した扁平な隆起性病変として認めるが，発育した腫瘍では脈絡膜基底板

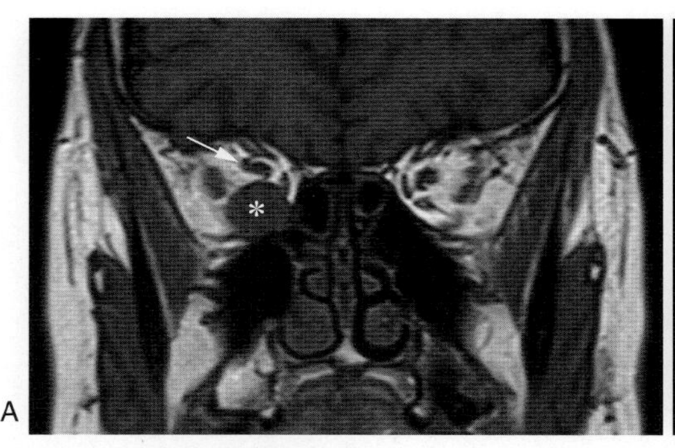

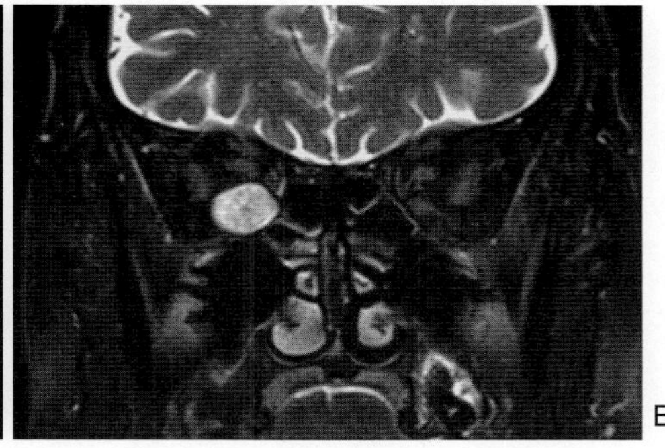

図 66　眼窩海綿状血管奇形

眼窩レベルの MRI T1 強調冠状断像(A)において右眼窩円錐内に境界明瞭な類円形腫瘤(＊)を認め，視神経眼窩部(矢印)は頭側に圧排，偏位を示す．同 T2 強調脂肪抑制画像(B)で病変はやや不均等な高信号強度を呈する．

(Bruch's membrane)を破りマッシュルーム状の隆起性病変としてみられ，二次性網膜剥離を生じる．病変の部位，大きさ，網膜剥離合併の有無により視力障害や視野欠損などを生じる．診断が困難な場合，針生検が可能である．臨床上，鑑別疾患としては網膜剥離，脈絡膜剥離，脈絡膜への転移性腫瘍，脈絡膜血管腫などが含まれる．

全身検索により脈絡膜への転移病変(原発部位としては女性では乳癌，男性では肺癌が最も高頻度)の否定を行うとともに，脈絡膜悪性黒色腫であった場合の遠隔転移(肺と肝が全体の 97％[59])の評価を行う必要がある．一般的な予後因子としては，病理像(紡錘細胞型の予後が最もよく，類上皮型が最も悪い)，腫瘍容積(大きいほど悪い)，強膜外進展の有無(強膜外進展は予後不良)，局在(前方のものが後極周囲のものより悪い)，発育形式(びまん性発育では予後不良)，色素沈着の程度(色素沈着率の高いもので予後不良)，患者年齢(65 歳以上で予後不良)などがあげられる[59]．最近では分子プロファイルも重要な予後因子となっている[87]．

2) 画像所見と治療

CT で脈絡膜悪性黒色腫は境界比較的明瞭な高濃度隆起性病変として認められる．眼球外進展の評価には優れるが，病変の大きさの評価や鑑別診断において超音波検査に加わる情報はない．MRI では腫瘍自体は境界鮮明な充実性腫瘤としてみられ，T1 強調像で比較的高信号(メラニンの常磁性のためとされる．そのため，amelanotic melanoma では melanotic melanoma と比較して，T1 強調像での信号強度は低い傾向にある)，T2 強調像では硝子体より低信号を示し，造影剤投与により中等度の増強効果を認める(図 67)．二次性網膜剥離は CT よりも MRI が描出に優れる．眼球外進展の評価は造影後 T1 脂肪抑制画像が有効である．治療後は再発の評価に長期経過観察が必要となる．

治療(特に眼球摘出術)に関しては依然，議論がある．患側の視力，病変の大きさ，局在，進展範囲，生物学的特性，対側視力，年齢や健康状態などを考慮して治療方針を決定する．生物学的特性は画像上，理学的所見上での腫瘍の増大速度により判断可能である．病変が大きく，非可逆性の視力障害が著しい場合は眼球摘出術の適応となる．手術操作による血行性転移を誘発しないように，術中操作は慎重に行われるべきで，術前照射が行われる場合もある．術後約 4 週間で義眼を作成，約 9 ヵ月後に経過観察を行う．眼球摘出術後の生存率は 5 年後で 75％，10 年後で 65％程度である[59]．病変の厚みが 3 mm 以下で腫瘍径が 10 mm 以下の小病変，あるいは厚みが 3～5 mm で腫瘍径が 10～15 mm の中間病変では密着放射線治療(plaque radiotherapy)の適応となる．治療に伴う網膜症，硝子体出血，白内障などを生じうる．また，腫瘍径が視神経乳頭の 6.5 倍(10 mm)以下で隆起が 3 mm 以下，中心窩から 3 mm 以上離れている例では光凝固療法の適応となりうる．ただし，その約半数で治療の合併症や

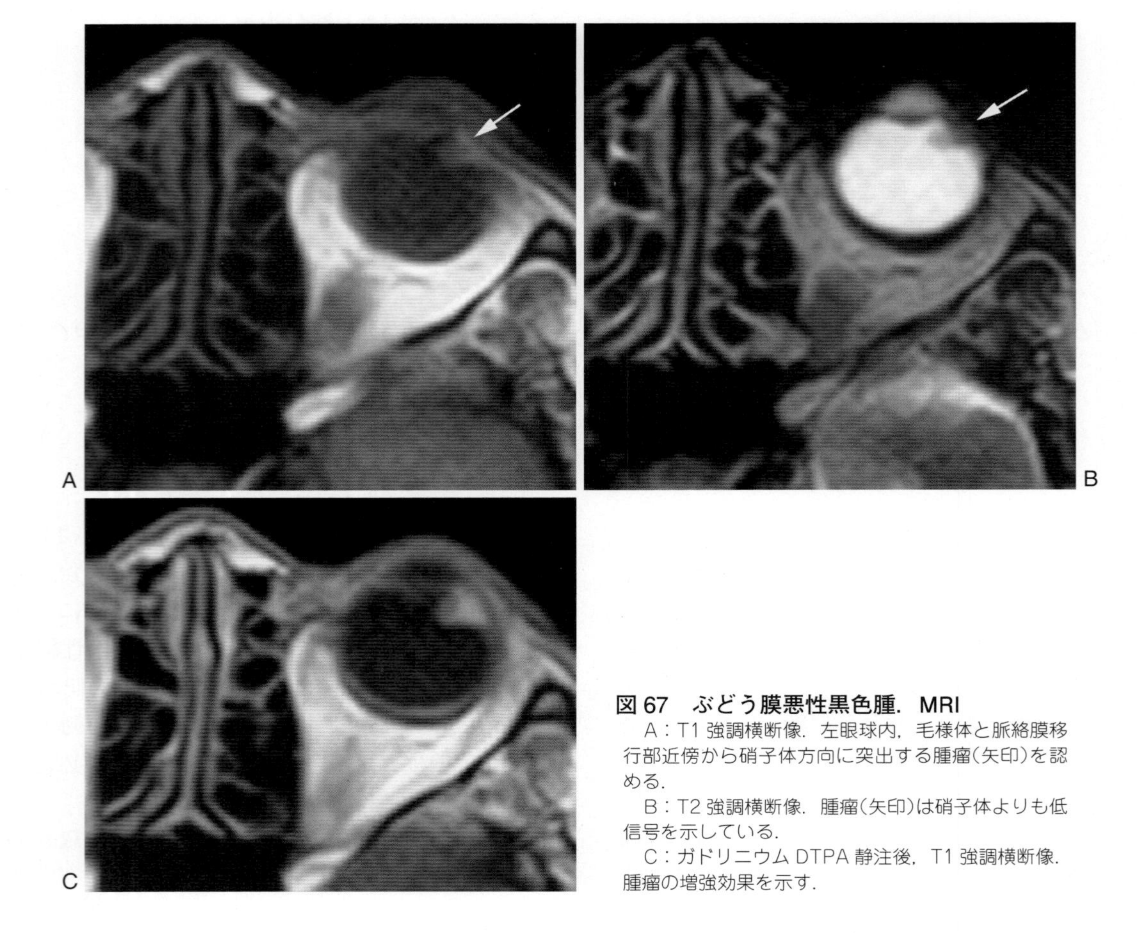

図 67　ぶどう膜悪性黒色腫．MRI
A：T1 強調横断像．左眼球内，毛様体と脈絡膜移行部近傍から硝子体方向に突出する腫瘤（矢印）を認める．
B：T2 強調横断像．腫瘤（矢印）は硝子体よりも低信号を示している．
C：ガドリニウム DTPA 静注後，T1 強調横断像．腫瘤の増強効果を示す．

腫瘍の制御が得られないことなどを理由に，後に眼球摘出術を要する．

画像診断では治療法の選択，予後の推定などから，病変の大きさ（放射線治療，光凝固療法が可能か，あるいは眼球摘出術か），形状，局在（限局しているか，びまん性発育を示すか），進展範囲（眼球内に限局しているか，眼球外進展を認めるか），経時的変化，二次性変化（網膜剝離など），治療合併症の評価などが求められる．

j.　網膜芽腫（retinoblastoma）

1）臨床的事項

網膜芽腫は眼球原発悪性腫瘍の中では脈絡膜悪性黒色腫に次いで 2 番目，小児の中では最も多い．小児全悪性腫瘍の約 3%とされる[88]．性差はなく，15,000〜20,000 出生に 1 例の頻度で生じる[59]．平均診断年齢は 16 ヵ月で，ほとんどの症例が 3〜4 歳以下で診断される（まれに 6 歳以上の症例もみられる）．20〜30%が両側性（図 68，69）であり[89]，片側性として認めた症例も 3 分の 1 は後に対側病変を生じる[59]．米国では診断される網膜芽腫の 40〜50%が遺伝性とされる．一般的に遺伝性病変は非遺伝性病変よりも早く発症し，両側性の頻度が高く，他の悪性腫瘍（松果体芽腫合併の“trilateral retinoblastoma”を含む）の発現頻度も高い傾向にある．家族歴をもつものは 6%で，常染色体優性遺伝で 90〜95%の浸透性を示す．最も多い症状は白色瞳孔（leukocoria）で約 60%，次いで斜視（strabismus）が約 20%の症例で認められる[59]．

通常，診断は眼底鏡によるが，散瞳後，両側間接眼底鏡を施行しなければならない．網膜から硝子体に向かって突出する白色あるいはピンク真珠様の隆起性病変として認められる．同眼に複数病

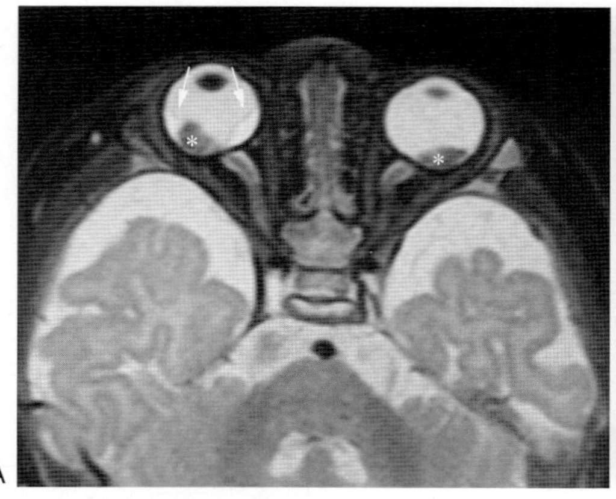

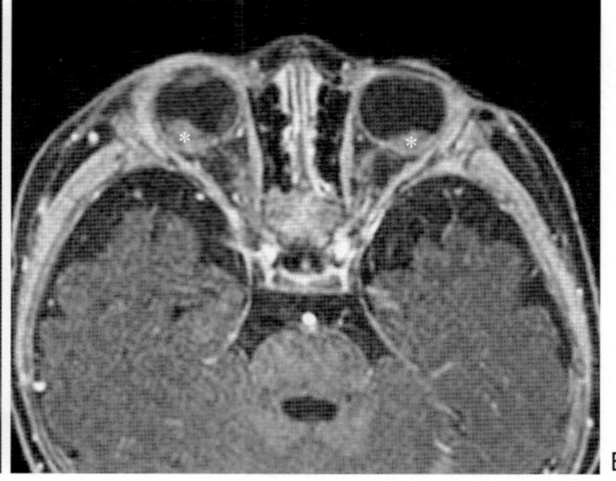

図 68　両側網膜芽腫．MRI
A：T2 強調横断像．両側眼球内に，赤道面より後方に中等度の信号強度を示す腫瘤（＊）を認め，右側では網膜剝離（矢印）を伴う．眼球外進展の所見はみられない．
B：ガドリニウム DTPA 静注後，T1 強調横断像．腫瘍（＊）は中等度，均一な増強効果を示す．

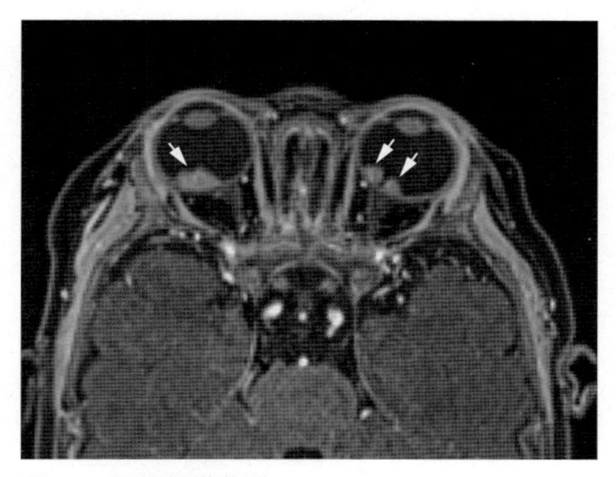

図 69　両側網膜芽腫
眼窩レベルの MRI 造影後 T1 強調脂肪抑制横断像において，両側眼球内の後方で黄斑部，視神経乳頭の領域に近接するように結節性病変（矢印）を認める．明らかな眼球外進展はみられない．

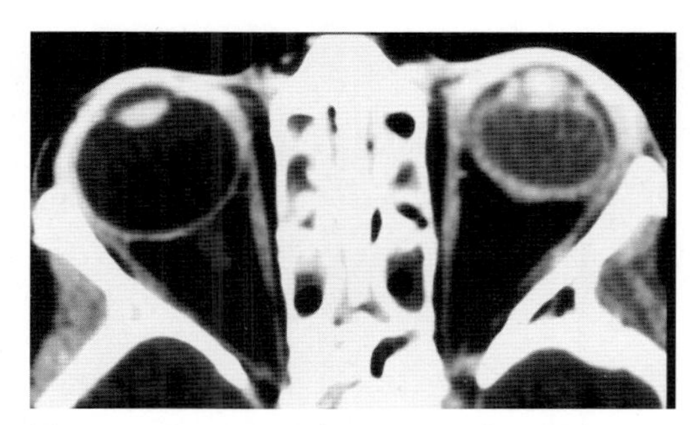

図 70　トキソカラ症（toxocariasis）．造影 CT
左側の小眼球症および硝子体の濃度上昇を認める．

変を認めることもまれでない．また，網膜下腔に向かって発育，網膜剝離を生じる場合もある．臨床上の鑑別疾患としては Coats 病，原発性遺残硝子体過形成（persistent hyperplastic primary vitreous：PHPV）（図 10B），未熟児網膜症（retinopathy of prematuarity：ROP），トキソカラ症（toxocariasis）（図 70）などが含まれるが，これらとの区別は治療法選択の点で重要である．

重要な予後決定因子としては視神経浸潤（視神経浸潤のない例での死亡率は 8％であるが，切除断端での腫瘍陽性例では 65％），腫瘍容積・局在（赤道面より後方で小容積の病変で予後は良好），病理像（分化度が低いほうが予後不良），患者年齢（年長小児のほうが予後不良），両側性病変（初期の生存率は片側性症例よりも高いが，のちに低くなる）などがあげられる[59]．

2）臨床分類

従来眼内病変に対して，放射線外照射後の視力予後と相関する“Reese-Ellsworth 分類（p107）”[90] が広く用いられてきたが，現在の化学療法を主体とする治療において同分類の予後との相関は不良とされる．このため，眼内病変に対しては IIRC（International Intraocular Retinoblastoma Classification）（表 4：p106），眼外病変を含めた分類としては TNM 分類（表 5：p106）が主に用い

表 4　網膜芽腫の IIRC(概略)

Group	リスク	病変
A	非常に低い	3 mm 以下，網膜に限局
B	低い	3 mm より大きい，黄斑部，視神経近傍の網膜病変(図 69)
C	中等度	限局性播種(硝子体下・網膜下)
D	高い	びまん性播種(硝子体下・網膜下)
E	非常に高い	摘出を要する進行例

表 5　網膜芽腫の TNM 分類

	病期		病変の進展
T	TX		原発病変の評価困難
	T0		原発巣の所見なし
	T1		網膜下に限局，いずれの病変も基部からの網膜下液体貯留 5 mm 未満
		T1a	3 mm 未満で黄斑部・視神経乳頭から 1.5 mm より離れている
		T1b	3 mm より大きいか，黄斑部・視神経乳頭から 1.5 mm 以内(図 71)
	T2		網膜剝離，硝子体あるいは網膜下播種を伴う眼球病変
		T2a	病変基部からの網膜下液体貯留が 5 mm を超える
		T2b	硝子体および・あるいは網膜下播種(図 72)
	T3		進行性の眼球病変
		T3a	眼球癆あるいは前眼球癆の状態
		T3b	脈絡膜，(毛様体)扁平部，毛様体，レンズ，腱輪，虹彩あるいは前眼房への浸潤
		T3c	血管新生および・あるいは牛眼を伴う眼窩内圧上昇
		T3d	前房出血および・あるいは広範な硝子体出血(図 73)
		T3e	無菌性眼窩蜂窩織炎
	T4		視神経を含む眼窩進展を伴う眼球外病変
		T4a	球後部視神経浸潤，視神経肥厚あるいは眼窩組織浸潤の画像所見
		T4b	眼球下垂および・あるいは眼窩腫瘤を伴う臨床的に明らかな眼球外進展
N	NX		所属リンパ節病変の評価困難
	N0		所属リンパ節病変の所見なし
	N1		耳介前，顎下および頸部リンパ節転移あり
M	M0		頭蓋内あるいは遠隔転移なし
	M1		遠隔転移あり(病理学的確証のあり・なしでも区別)
		M1a	遠隔転移あり(例：骨髄，肝)
		M1b	CNS 進展あり(除外：trilateral retinoblastoma)

(American Joint Committee on Cancer : AJCC Cancer Staging Manual (8th ed.), Amin MB et al (ed), Springer-Verlag, New York, 2017)

られている．ただし，提唱されたこれら様々な分類もいまだ確立されているとはいえない．また過去の治療成績との比較もあり Reese-Ellsworth 分類は現在でも使用されている．

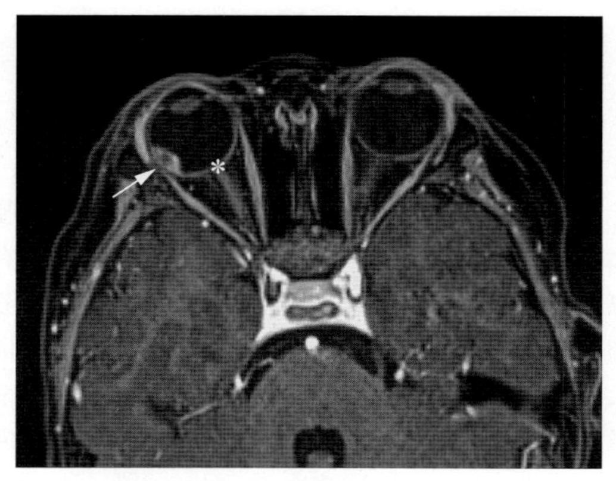

図 71　網膜芽腫 T1b 病変
眼窩レベルの MRI 造影後 T1 強調脂肪抑制横断像において，右眼球内外側網膜に 1 cm 弱の凸レンズ型腫瘤（矢印）を認める．視神経乳頭（＊）からは離れてみられる．

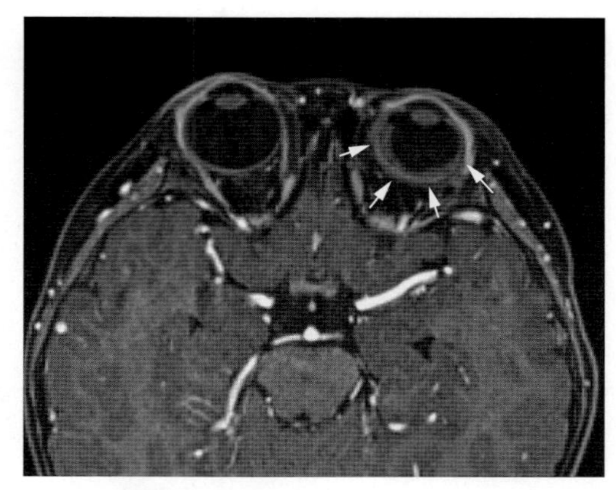

図 72　網膜芽腫 T2b 病変
眼窩レベルの MRI 造影後 T1 強調脂肪抑制横断像において，左眼球内で網膜下・硝子体下にびまん性に播種浸潤を示す腫瘍（矢印）を認める．眼球外病変は指摘されない．

〈Reese-Ellsworth 分類〉

- Group Ⅰ：非常に予後良好．視神経乳頭径（約 1.6 mm）の 4 倍以下の大きさで赤道面よりも後方の単発性・多発性病変．
- Group Ⅱ：予後良好．視神経乳頭径 4〜10 倍の大きさで赤道面よりも後方の単発性・多発性病変．
- Group Ⅲ：予後不定．赤道面よりも前方の病変，あるいは赤道面より後方で視神経乳頭径 10 倍以上の大きさの単発性病変．
- Group Ⅳ：予後不良．視神経乳頭径 10 倍以上の大きさの病変を含む多発病変，あるいは鋸状縁よりも前方の病変．
- Group Ⅴ：極めて予後不良．網膜の半分以上に及ぶ病変，あるいは硝子体播種性病変．

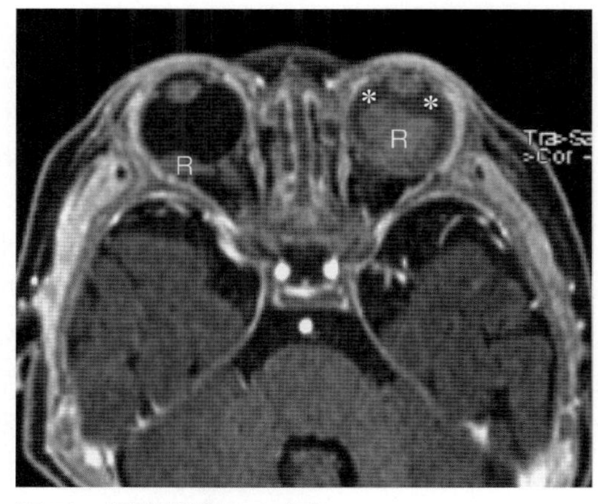

図 73　網膜芽腫 T3d 病変
眼窩レベルの MRI 造影後 T1 強調脂肪抑制横断像において，両側性に網膜芽腫（R）を認める．左側では広範な硝子体出血により（対側と比較して）淡い信号上昇（＊）を示す．

3）画像診断と治療

超音波，CT，MRI が用いられる．網膜芽腫は通常，典型的超音波像を呈するが，所見の特異性は低い．石灰化の有無や正確な病変の大きさの測定にも有効である．CT 上，90％以上の症例で石灰化を認めるが（図 10A）[91]，眼球外病変では石灰化はまれである．3 歳以下の小児での眼球内石灰化は網膜芽腫の診断を強く示唆する．CT では 2 mm の大きさの石灰化まで検出可能とされる[92]．MRI は CT と比較して，石灰化の描出には劣るため特異性は低いが，コントラスト分解能に優れることから病変を明瞭に描出し（図 68），良性疾患との鑑別に有用であり，眼球外進展，視神経の状態，頭蓋内進展，網膜剝離の状態の把握，松果体芽腫の有無などの評価に優れる．眼球外進展のある症例（図 74）での致死率は化学療法の出現以前はほぼ 100％であった[92]．

治療法の選択は片側性か両側性か，病変の大きさ（視神経乳頭径が基準），局在（赤道面との相対的位置），進展範囲（眼球内か，眼球外か，視神経

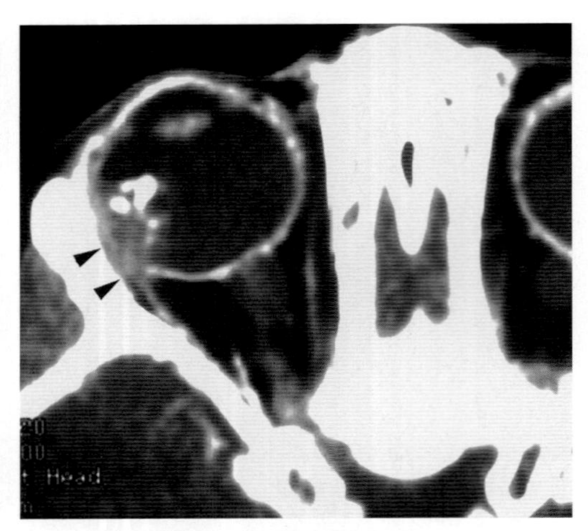

図74　眼球外進展を伴う網膜芽腫．CT
右眼球内に石灰化を伴う不整形の腫瘍を認め，外側で強膜を穿孔し眼球外脂肪組織への浸潤(矢頭)を示す．

浸潤の有無，頭蓋内進展の有無)などに加えて，遺伝的事項なども考慮される．手術，化学療法，放射線治療，レーザー治療，凍結療法などが行われるが，しばしば複数の治療法が組み合わされる．片側性病変の古典的治療法は視神経をなるべく長く含めた眼球摘出術である．これは過去数十年間にわたり，診断後の早期眼球摘出術が生存率に大きく寄与してきたことによる．ただ，既述のごとく，診断時には片側性病変であっても対側病変の発現率は3分の1と高く，少なくとも学童期までは慎重な経過観察を必要とする．両側性病変では治療方針の決定は多少複雑である．通常，より進行した病変を含む側は眼球摘出術，対側には放射線治療が施行される．両側ともに進行性病変である場合は両側の眼球摘出術が必要とされる．Group Ⅰ，Ⅱでは外照射，Group Ⅲ，Ⅳでは外照射に加えて密着照射治療が施行される．

近年は全身化学療法の併用により眼球内網膜芽腫の局所制御率は著しく改善された．また，化学療法は再発，転移病変にも用いられる．その他，冷凍療法，光凝固療法(腫瘍径が3.5 mm以下，あるいは厚さ2 mmの病変で有効)などが用いられる．

k．悪性腫瘍の眼窩直接浸潤

1）臨床的事項

鼻副鼻腔悪性腫瘍の眼窩浸潤は病期診断をT4とする(眼窩尖部に及ぶと切除不能となりT4b)．その他，近接する上咽頭(図75)，側頭下窩の腫瘍などでも眼窩浸潤が問題となる．眼窩浸潤の有無は予後推定，治療法選択(放射線治療における照射野設定や術式決定)に対しての臨床的意義は大きい．眼球摘出術が施行されるか否かは患者の精神面にも大きな影響を与える．理学的所見のみでは実際の判断は困難である．

2）画像診断と治療

外科的切除を考慮した場合，画像診断において眼窩浸潤の有無，その程度を評価することが術式決定の意味から重要である[94]．眼窩骨膜は鼻副鼻腔腫瘍の眼窩浸潤の際，障壁となる．このため，ほとんどの外科医は腫瘍と眼窩骨膜との関係，対側視力などを考慮して，眼窩内容摘出術の要否を決定する．一般的に眼窩骨壁を破壊していても眼窩骨膜下にとどまる(図76)，あるいは眼窩骨膜を越えた眼窩内組織への浸潤を認めなければ，技術的には眼窩内容温存が可能である．ただし，眼窩外側壁の温存が困難な場合，両眼視機能は失われる．眼窩骨膜を越えた浸潤であれば，手術対象となる場合，筋円錐外腔脂肪織にとどまっていたとしても眼窩内容摘出術の適応となることが多い(図77〜79)[95]．一方，外眼筋，眼球，眼窩尖部への浸潤がない場合，術前に眼窩浸潤が診断されていたとしても眼窩内容温存による局所制御率の有意な低下はなく，生存率にも差はみられないとの報告もある[96]．ただし，切除断端陽性，眼窩骨膜への顕微鏡的浸潤は局所再発の危険因子となる[97]．放射線治療が選択される場合も眼窩浸潤の有無やその程度を考慮して，視力に影響のある晩期障害を極力軽減するような照射野の設定が行われる．

眼窩浸潤の画像所見としては眼窩内脂肪浸潤(図77，79)(特異度は高いが，感度はCT 60%，MRI 40%と低い)，腫瘍と眼窩骨膜との接触(感度90%)，眼窩骨膜の偏位(図76)(感度はCT 90%，MRI 80%)などがあげられる[94]．その他，外眼筋の腫大は最も特異度の高い所見である

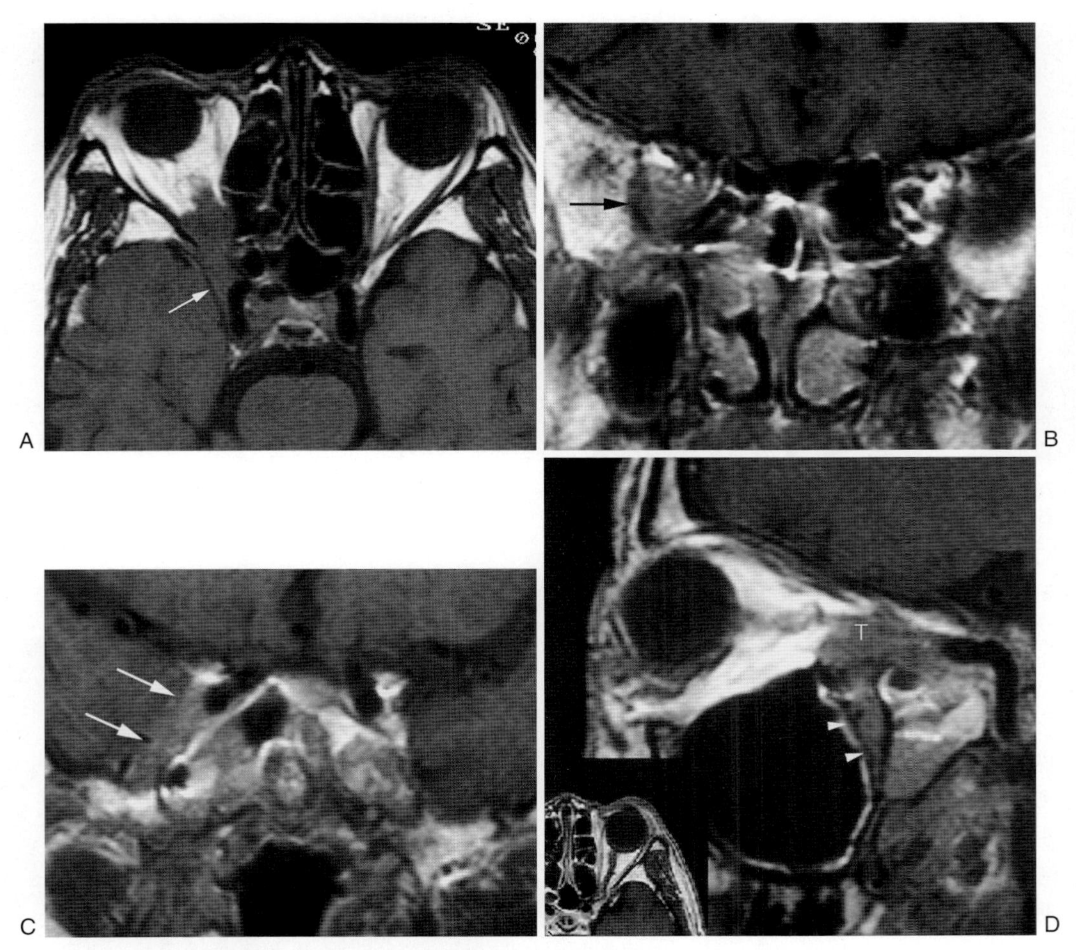

図 75　上咽頭癌の眼窩尖部進展および神経周囲進展．MRI

A：T1 強調横断像．右眼窩尖部に浸潤する腫瘍を認め，これは後方で海綿静脈洞部との連続性（矢印）がみられる．

B：眼窩尖部レベル造影 T1 強調冠状断像．右眼窩尖部に浸潤した腫瘍（矢印）は中等度の増強効果を示す．

C：海綿静脈洞レベル造影 T1 強調冠状断像．右海綿静脈洞の不整な肥厚と増強効果（矢印）を認める．

D：造影 T1 強調矢状断像．眼窩尖部の腫瘍（T）は下眼窩裂から下方，拡大した翼口蓋窩（矢頭）へと連続しており，三叉神経第 2 枝に沿った神経周囲進展を示唆する．

（CT，MRI ともに 94％）（図 78，79）[94]．眼窩内脂肪浸潤を認めた場合，腫瘍の眼窩浸潤が強く示唆されるが，その一方で同所見を認めない場合でも眼窩浸潤は否定されない[94]．全体として CT が MRI よりやや正確であり，MRI は CT と比較して感度が低い傾向にある．術前にはこれらの画像所見により総合的に判断されるが，最終的には術中所見により決定される．画像診断上の鑑別疾患には浸潤性真菌性副鼻腔炎や GPA（granulomatosis with polyangitis；Wegener 肉芽腫）の眼窩波及などが含まれる．

3 その他

a. 甲状腺眼症（dysthyroid orbitopathy）

1）臨床的事項

甲状腺眼症は，Grave's disease に関連して生じる自己免疫性疾患である．Grave's disease は通常，30～40 歳代の女性（男性：女性＝1：8[95]）を侵す．10～25％の症例では臨床上，血液生化学上も甲状腺機能異常なく，甲状腺眼症（euthyroid or ophthalmic Grave's disease と呼ばれる）を生じるとされ，実際に眼科医が遭遇するのはこの病

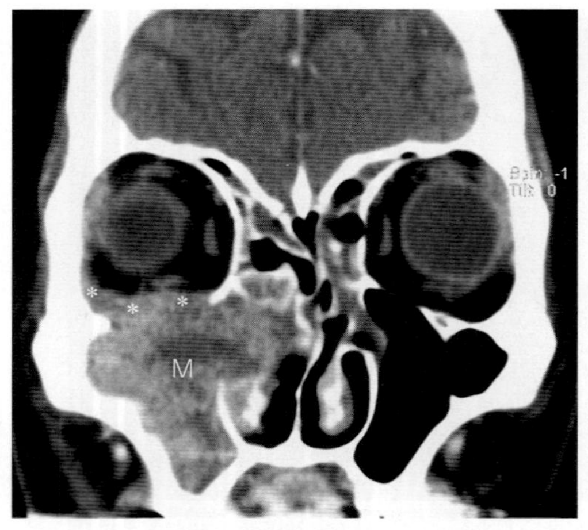

図 76 上顎洞癌の眼窩浸潤．造影 CT 冠状断像
右上顎洞を中心とした浸潤性・破壊性腫瘍(M)を認め，上顎洞癌に一致する．頭側では右眼窩下壁を破壊し，眼窩下壁から外側壁に沿った眼窩骨膜下に腫瘤(＊)を形成しているが，眼窩内脂肪との境界は比較的平滑であり，眼窩骨膜を越えた眼窩内浸潤は明らかでない．

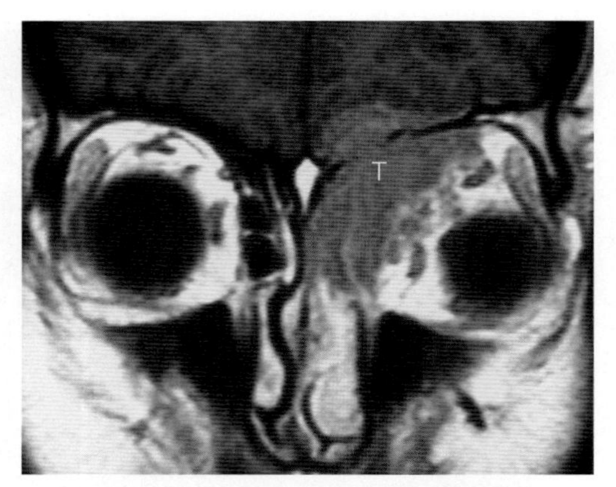

図 77 鼻腔非 Hodgkin リンパ腫の眼窩浸潤．造影 T1 強調冠状断像
左篩骨洞領域を中心として，眼窩および頭蓋内進展を伴う軟部腫瘤(T)を認める．頭蓋内進展は恐らく硬膜下にとどまっており，少なくとも脳実質への直接浸潤を認めない．

型が多い．臨床症状としては，緩徐に発症する複視(通常，上下方向．眼球麻痺は全体の 30〜50%の症例でみられ，一時的な場合もあるが約 50%は慢性に至る)，眼瞼退縮，結膜浮腫，眼球突出，重症例では視力障害あるいは視野欠損を生じる．活動期は通常 3 年以内で，全体の 10%が長期罹患を示す[95]．ときに第Ⅵ脳神経麻痺，内頸動脈海綿静脈洞瘻，蝶形骨眼窩部髄膜腫などが類似した臨床症状を呈するので注意を要する．診断は臨床経過，理学的所見，血液生化学所見および画像所見による．

2) 分 類

甲状腺眼症の臨床徴候は主に以下の 5 つに代表される．

①眼瞼退縮(eyelid retraction)
②軟部組織浸潤(soft tissue involvement)
③眼球突出(proptosis)
④視神経障害(optic neuropathy)
⑤拘束性外眼筋障害(restrictive myopathy)

3) 画像診断および治療

治療は病態の程度，活動性に合わせてステロイド，放射線治療，眼窩内圧減圧術が施行される．病状の画像評価に関しては，CT あるいは MRI 冠状断像が有効である．外眼筋肥厚として認められるものが最も多いが，その頻度は下直筋，内側直筋，上直筋，外側直筋の順である(図 80)．眼瞼挙筋は通常，保たれる．筋炎型の炎症性偽腫瘍では外眼筋腱が侵されるのに対して，甲状腺眼症では腱部は保たれるとされる[9]．臨床的には片側性であっても，90%の症例で CT 上は両側性である(偽腫瘍では両側性は比較的まれ)[3]．慢性期の burned-out lesion では外眼筋内に脂肪浸潤を認める場合がある(図 80，81)．また，CT で外眼筋内にみられる低濃度はリンパ細胞やムコ多糖類

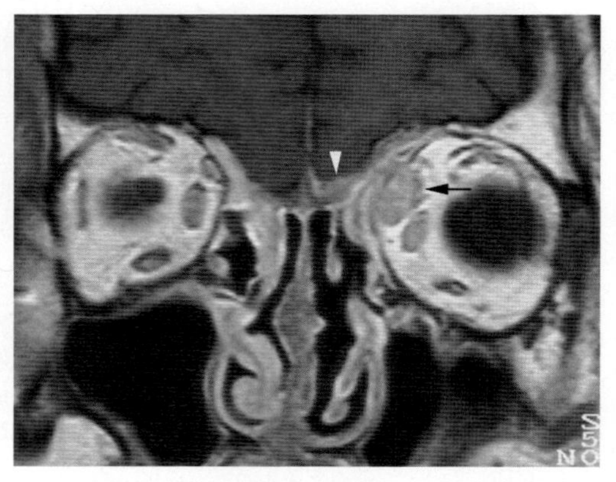

図 78 再発嗅神経芽腫の眼窩および頭蓋内進展．造影 T1 強調冠状断像
左上斜筋の肥厚(矢印)を認め，再発腫瘍の眼窩内進展を示す．さらに，前頭蓋窩硬膜下への浸潤(矢頭)がみられる．

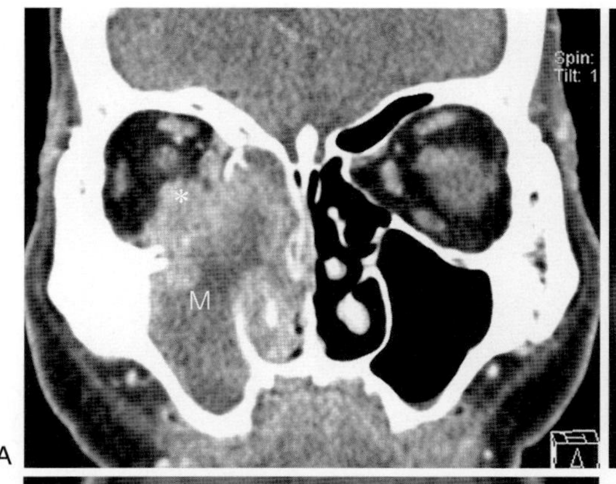

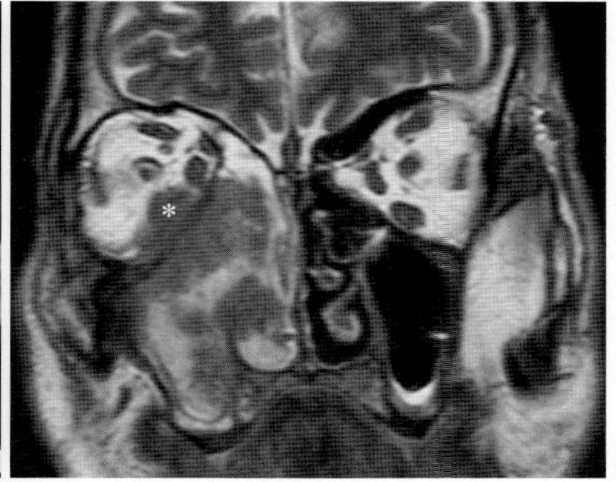

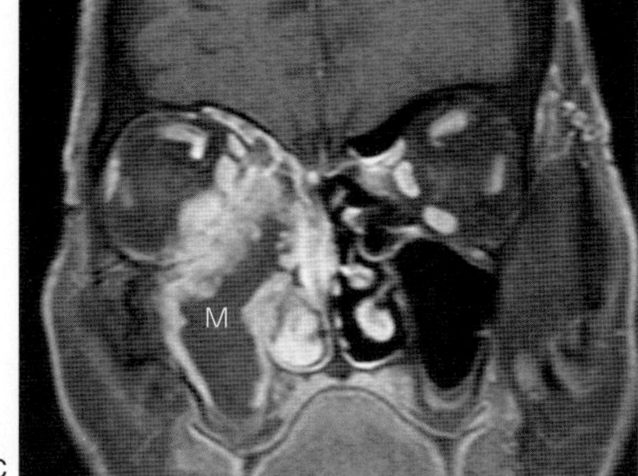

図 79　上顎洞癌の眼窩浸潤

A：造影 CT 冠状断像．右上顎洞を中心とした浸潤性・破壊性腫瘍(M)を認め，上顎洞癌に一致する．頭側では右眼窩下壁を破壊し，眼窩内に浸潤を示す．腫大した下直筋(＊)との境界は消失している．筋円錐への浸潤を示す．

B：T2 強調冠状断像．下直筋領域を含む眼窩内浸潤(＊)が明瞭に描出されている．

C：造影 T1 強調冠状断像．腫瘍(M)は壊死傾向を反映し，中心部の増強効果不良を示す．

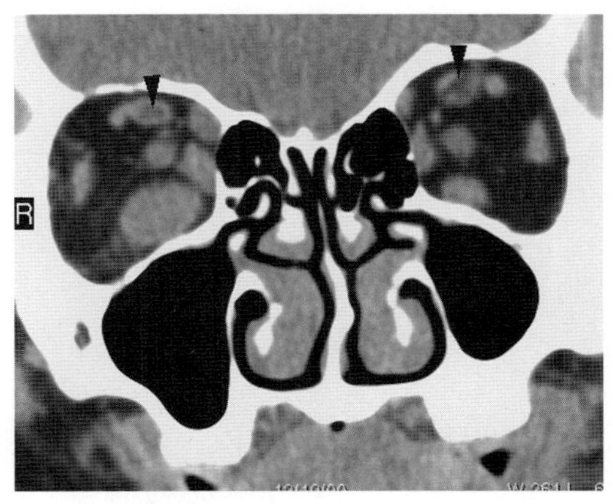

図 80　甲状腺眼症．CT

両側(右側でより著明)の下直筋，内側直筋，上直筋および右側上斜筋の肥厚を認める．両側上直筋は内部に低濃度領域(矢頭)を含み，“burned-out lesion”を示唆する．

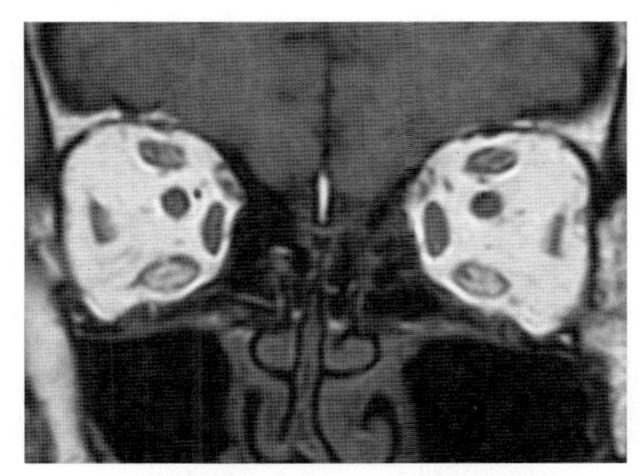

図 81　甲状腺眼症．MRI T1 強調冠状断像

両側下直筋，上直筋および上斜筋の肥厚と内部の脂肪浸潤を反映する高信号を認める．

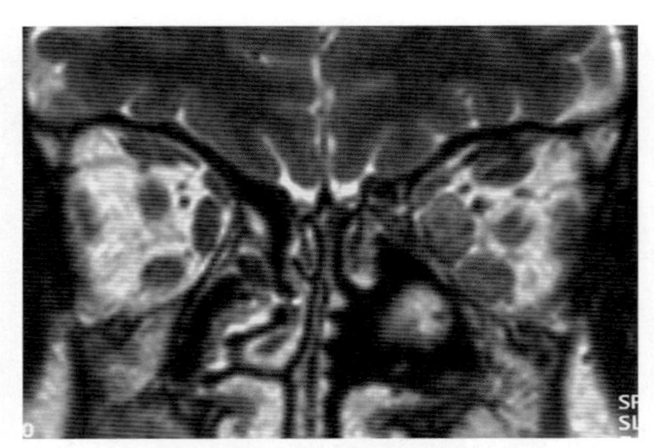

図 82　甲状腺眼症．MRI T2 強調冠状断像
左側の外眼筋の肥厚と信号の上昇を認める．

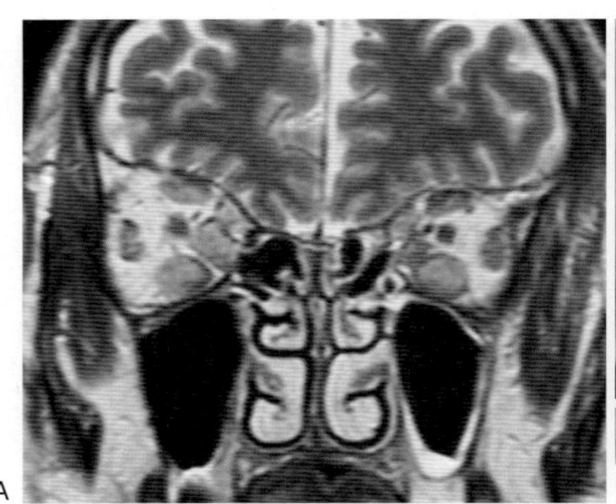

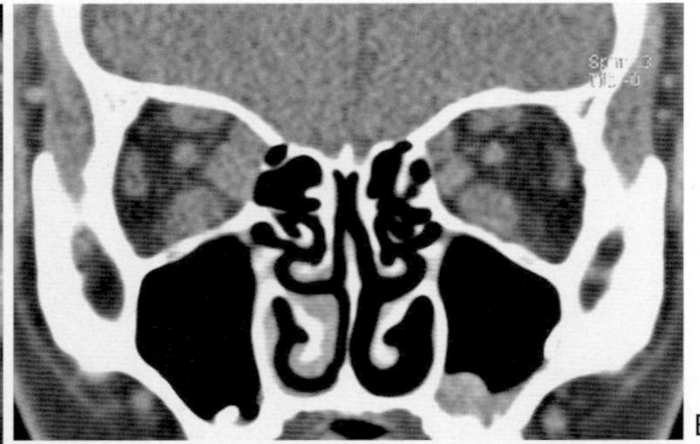

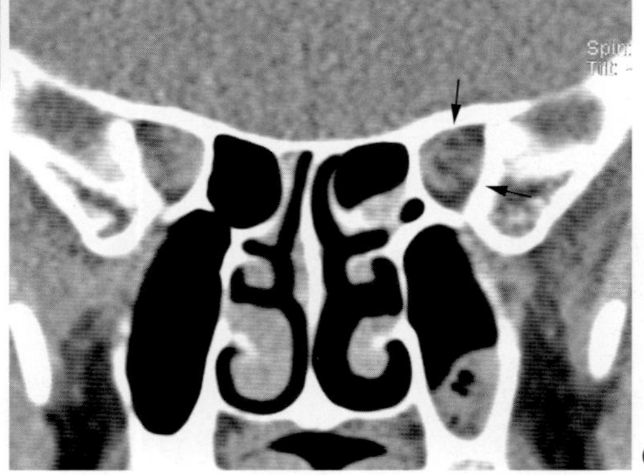

図 83　甲状腺眼症
A：MRI T2 強調冠状断像．両側眼窩の外眼筋の腫大および信号上昇を認める（外側直筋は比較的保たれている）．
B：眼窩球後部レベル CT 冠状断像．両側外眼筋の腫大を認める．
C：眼窩尖部レベル CT 冠状断像．左側では同定可能な眼窩尖部内の組織層（矢印）は右側では不明瞭である．

の浸潤も考えられる[3]．MRI の T2 強調像での外眼筋内高信号（図 82，83）は炎症を反映しており，この所見を有する症例はステロイドへの反応性がよい場合が多いともいわれている．外眼筋の輪郭の不整は活動期であることを示しており，治療への反応性もまだ期待できる状態であることを反映する．

眼窩内脂肪の増殖（図 84）もみられるが，外眼筋肥厚とともに複視の原因ともなり，さらに眼窩内圧上昇から重症例では圧迫性視神経障害をきたす．眼窩尖部（から視神経管部）で CT あるいは MRI 冠状断像上，眼窩内圧上昇により組織層が消失している場合（crowded orbital apex syndrome）（図 83，85，86）[98]，高頻度（60％程度）に圧迫性視神経障害をきたすとされる．臨床医に警告するとともに，外科的減圧術を必要とするという点で同所見は重要である[59]．一般に除圧術後の視力回復は良好である．上眼窩裂を介した中頭

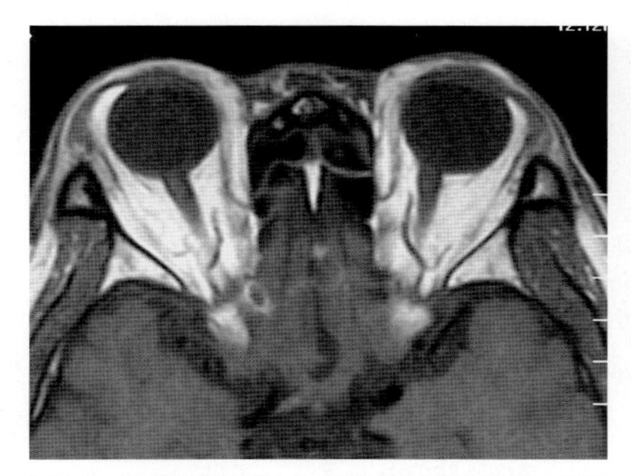

図 84　甲状腺眼症による眼窩内脂肪増殖．MRI T1 強調横断像

両側眼窩内脂肪は著明で中等度の眼球突出をきたしている．

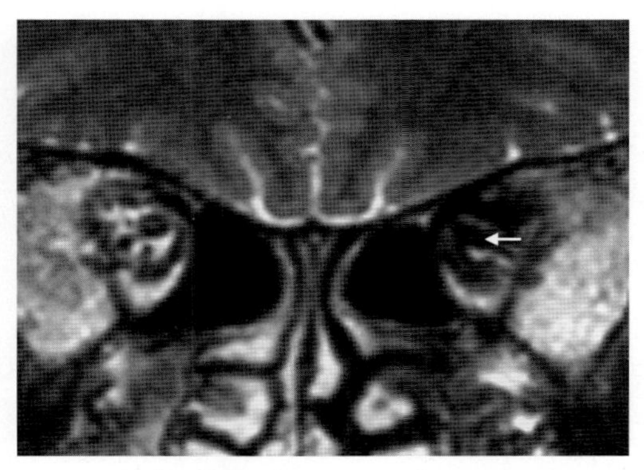

図 85　甲状腺眼症による"crowded orbital apex syndrome"．眼窩尖部レベル T2 強調冠状断像

左眼窩尖部では視神経（矢印）周囲の組織層が，右側と比較して，著しく狭小化，不鮮明化している．

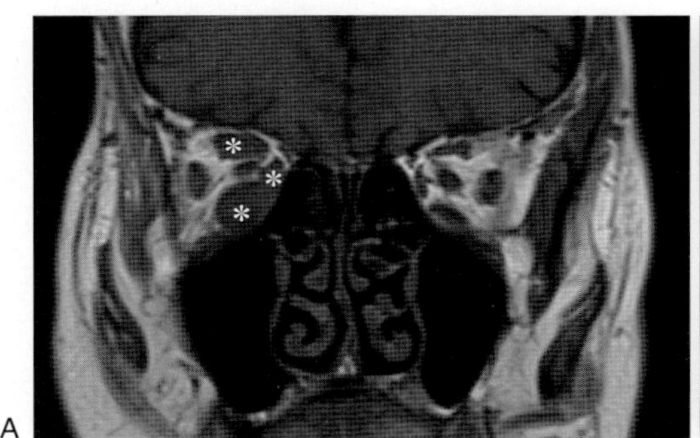

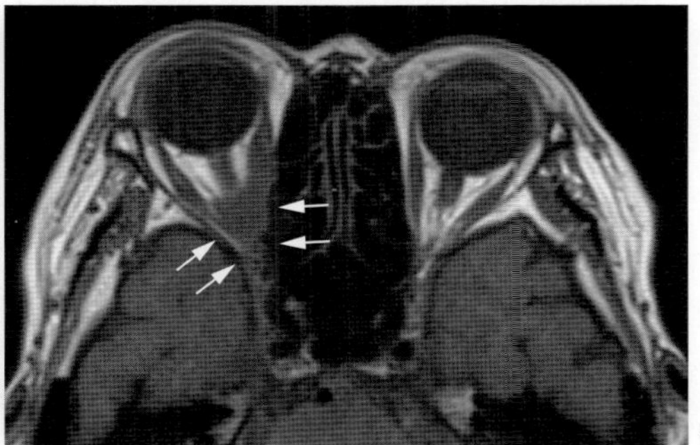

図 86　甲状腺眼症による"crowded orbital apex syndrome"

眼窩レベルの MRI T1 強調冠状断像（A）で右側の外眼筋腫大（＊）を認め，甲状腺眼症に一致する．同横断像（B）で右眼窩尖部の脂肪層は消失している（矢印）．

蓋窩への眼窩内脂肪の突出（図 87）は正常変異としてもみられるので，眼窩内圧上昇との関連は経時的変化や臨床症状とも合わせて判断されるべきである．

眼球突出は一般的に治療抵抗性であり，70％の症例で恒久的である．眼球突出の治療に対しては議論があり，美容的意味合いから外科的手術を行う場合もあるが，非侵襲的治療（ステロイド，放射線治療）に反応しない症例に対して外科的手術が考慮される場合が多い．ステロイドは主に比較的早期の活動期病変に対して用いられる．放射線治療はステロイド禁忌例あるいはステロイド非反応例を中心に用いられるが，治療効果は 6 週以内からみられ，4 ヵ月程度で最大となる．角膜障害，視力障害と比較して，眼球突出，外眼筋障害では放射線治療後の症状改善はあまり望めない．外科的治療は圧迫性視神経障害，重度の眼球突出による眼球露出性角膜障害や結膜潰瘍などで考慮される．また，非侵襲的治療抵抗例（回復しない複視など）あるいは美容的意味合いからも適応が検討される．眼窩内圧減圧を目的とするが，眼窩壁の開放（通常は眼窩下壁および内側壁の 2 壁開放術．状況により外側壁も含む 3 壁，あるいは 4 壁開放術が施行される）を行う（図 88）．以前は外方から両側 Caldwell-Luc 術により上顎洞前壁を開放，下鼻道洞開窓術後に眼窩下神経，涙嚢を障害しないよう，眼窩下壁および内側壁開放術が施行されていた．最近では鼻副鼻腔で一般化した内視鏡手

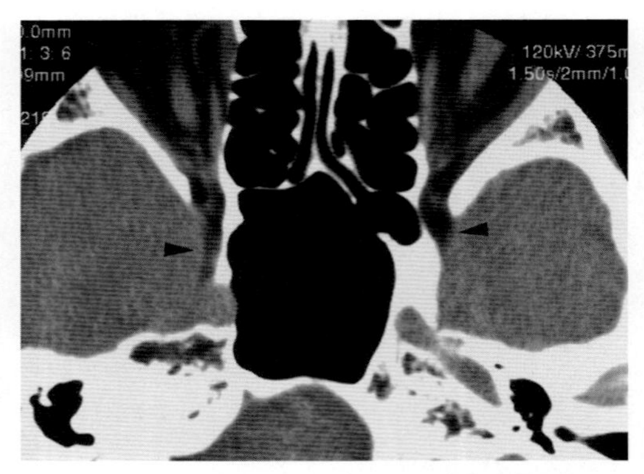

図 87　正常変異としてみられた眼窩内脂肪の中頭蓋窩への突出．CT

両側とも眼窩内脂肪は上眼窩裂を介して，中頭蓋窩へと突出(矢頭)している．

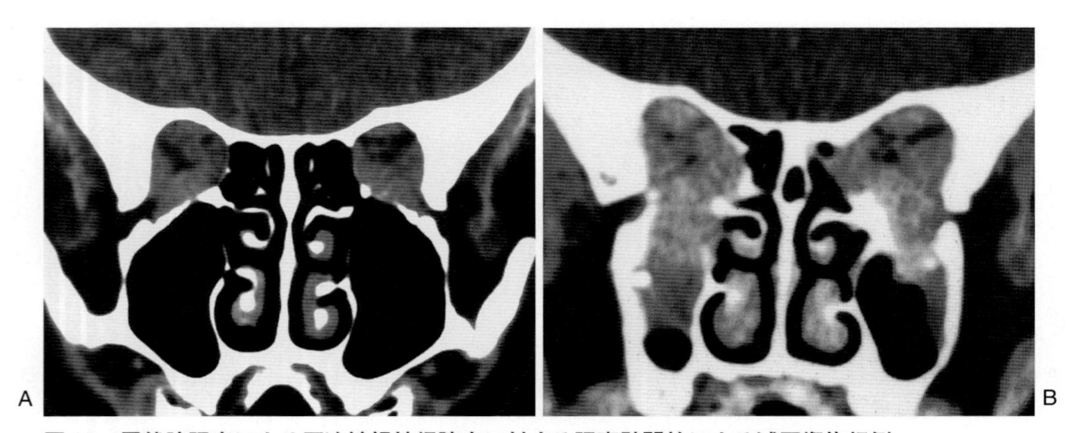

図 88　甲状腺眼症による圧迫性視神経障害に対する眼窩壁開放による減圧術施行例

A：減圧術施行前 CT 冠状断像．眼窩尖部では一部組織層の消失がみられる．

B：減圧術施行後 CT 冠状断像．眼窩尖部の組織層消失に関しては，大きな変化はみられないが，視力障害は著明に改善した．

術による内・下壁開放術も施行されており，術創，上顎洞痛もなく，短い入院期間において外方手術と同程度の結果が得られる[99]．

術前の画像評価には単に甲状腺眼症という質的診断のみならず，術前ナビゲーション用，鼻副鼻腔手術の既往の有無・範囲の確認，術後の効果判定のための眼球突出の客観的評価(実際には視力障害の程度，眼球内圧測定などの結果とともに比較される)などの情報も含まれるべきである．術後画像診断としては眼球突出，眼窩尖部での視神経の機械的圧迫軽減の客観的評価とともに副鼻腔炎などの術後合併症の確認も重要である．

■参考文献

1) Rontal E, Rontal M, Guilford FT：Surgical anatomy of the orbit. Ann Otol Rhinol Laryngol **88**：382-386, 1979
2) Weisman RA：Surgical anatomy of the orbit. Otolaryngol Clin North Am **21**：1-12, 1988
3) Rootman J (ed)：Diseases of the Orbit, JB Lippincott, Philadelphia, 1988
4) Kaissar G, Kim JH, Bravo S et al：Histologic basis for increased extraocular muscle enhancement in Gadolinium-enhanced MR imaging. Radiology **179**：541-542, 1991
5) Weber AL, Jakobiec FA, Sabates NR：Pseudotumor of the orbit. Neuroimaging Clin N Am **6**：73-91, 1996
6) Segawa Y, Yasumatsu R, Shiratsuchi H et al：In-

flammatory pseudotumor in head and neck. Auris Nasus Larynx **41**：321-324, 2014

7) Mehta M, Jakobiec F, Fay A：Idiopathic fibroinflammatory disease of the face, eyelids, and periorbital membrane with immunoglobulin G4-positive plasma cells. Arch Pathol Lab Med **133**：1251-1255, 2009

8) Wallace ZS, Khosroshahi A, Jakobiec FA et al：IgG4-related systemic disease as a cause of "idiopathic" orbital inflammation, including orbital myositis, and trigeminal nerve involvement. Surv Ophthalmol **57**：26-33, 2012

9) Trokel SL, Hilal SK：Recognition and differential diagnosis of enlarged extraocular muscles in computed tomography. Am J Ophthalmol **87**：503-512, 1979

10) Bencherif B, Zouaoui A, Chedid G et al：Intracranial extension of an idiopathic orbital inflammatory pseudotumor. Am J Neuroradiol **14**：181-184, 1993

11) Yan J：Idiopathic orbital inflammatory pseudotumor with bone erosion. J Craniofac Surg **27**：e607-e608, 2016

12) Geyer JT, Deshpande V：IgG4-associated sialadenitis. Curr Opin Rheumatol **23**：95-101, 2011

13) Char DH, Miller T：Orbital pseudotumor：Fine-needle aspiration biopsy and response to therapy. Ophthalmology **100**：1702-1710, 1993

14) Sarles H, Sarles JC, Muratore R et al：Chronic inflammatory sclerosis of the pancreas - autonomous pancreatic disease? Am J Dig Dis **6**：688-698, 1961

15) Yoshida K, Toki F, Takeuchi T et al：Chroinc pancreatitis caused by an autoimmune abnormality. Proposal of the concept of autoimmune pancreatitis. Dig Dis Sci **40**：1561-1568, 1995

16) Hamano H, Kawa S, Horiuchi A et al：High serum IgG4 concentrations in patients with sclerosing pancreatitis. N Engl J Med **344**：732-738, 2001

17) Umehara H, Okazaki K, Masaki Y et al：Comprehensive diagnostic criteria for IgG4-related disease (IgG4-RD), 2011. Mod Rheumatol **22**：21-30, 2012

18)「IgG4関連全身疾患の診断法の確立と治療方法の開発に関する研究」班「新規疾患，IgG4関連多臓器リンパ増殖性疾患(IgG4＋MOLPS)の確立のための研究班：IgG4関連疾患包括診断基準2011. 日内会誌 **101**：795-804, 2012

19) Mikulicz J：Uber eine eigenartige symmetrische erkrankung der thranen - und mundspeicheldrusen. Billroth T (ed), Beitrage zue chirurgie festschrift gewidmet. Stuttgart, Ferdinand Enke, p610-630, 1892

20) Morgan WS, Castleman B：A clinicopathologic study of Milulicz's disease. Am J Pathol **29**：471-503, 1953

21) Morgan WS：The probable systemic nature of Mikulicz's disease and its relation to Sjogren's syndrome. N Eng J Med **251**：5-10, 1954

22) Yamamoto M, Takahashi H, Ohara M et al：A new conceptualization for Mikulicz's disease as an IgG4-related plasmacytic disease. Mod Rheumatol **16**：335-340, 2006

23) Masaki Y, Sugai S, Umehara H：IgG4-related diseases including Mikulica's disease and sclerosing pancreatitis：diagnostic insights. J Rheumatol **37**：1380-1385, 2010

24) Sato Y, Ohshima K, Ichimura K et al：Ocular adnexal IgG4-related disease has uniform clinicopathology. Pathol Int **58**：465-470, 2008

25) Lutt JR, Lim LL, Phal PM et al：Orbital inflammatory disease. Semin Arthritis Rheum **37**：207-222, 2008

26) Cheuk W, Chan JKC：IgG4-related sclerosing disease. A critical appraisal of an evolving clinicopathologic entity. Adv Anat Pathol **17**：303-332, 2010

27) Masaki K, Mori H, Kunimatsu et al：Radiological features of IgG4-related disease in the head, neck, and brain. Neuroradiology **54**：873-882, 2012

28) Toyoda K, Oba H, Kutomi K et al：MR imaging of IgG4-related disease in the head and neck and brain. AJNR Am J Neuroradiol **33**：2136-2139, 2012

29) Fujita A, Sakai O, Chapman MN et al：IgG4-related disease of the head and neck：CT and MR imaging manifestations. Radiographics **32**：1945-1958, 2012

30) Ishida M, Hotta M, Kushima R et al：Multiple IgG4-related sclerosing lesions in the maxillary sinus, parotid gland and nasal septum. Pathol Int **59**：670-675, 2009

31) Mafee MF：Eye and Orbit. Head and Neck Imaging (3rd ed), vol. 2, Som PM, Curtin HD (eds), Mosby Year Book, St. Louis, p1009-1128, 1996

32) Chandler JR, Langenbrunner DJ, Stevens ER：The pathogenesis of orbital complications in acute sinusitis. Laryngoscope **80**：1414-1428, 1970

33) Shields CL, Shields JA, Eagle RC et al：Clinicopathologic review of 142 cases of lacrimal gland lesions. Ophthalmology **96**：431-435, 1989

34) Mafee MD, Edward DP, Koeller KK et al：Lacrimal gland tumors and simulating lesions. Radiol Clin North Am **37**：219-239, 1999

35) Wright JE, Stewart WB, Krohel GB：Clinical presentation and management of lacrimal gland tumors. Br J Ophthalmol **63**：600-606, 1979

36) Paulino AF, Huvos AG：Epithelial tumors of the lacrimal glands：A clinicopathologic study. Ann Diagn Pathol **3**：199-204, 1999

37) Faktorobich EG, Crawford JB, Char DH et al：Benign mixed tumor (pleomorophic adenoma) of the lacrimal gland in a 6-year-old boy. Am J Ophthalmol **122**：446-447, 1996
38) Claros P, Choffor-Nchinda E, Lopez-Fortuny M, et al：Lacrimal gland pleomorphic adenoma：a review of 52 cases, 15-year experience. Acta Otolaryngol **139**：100-104, 2019
39) Stewart WB, Krohel GB, Wright JE：Lacrimal gland and fossa lesions：An approach to diagnosis and management. Ophthalmology **86**：886-895, 1979
40) Yasumoto M, Sunaba K, Shibuya H et al：Recurrent pleomorphic adenoma of the head and neck. Neuroradiology **41**：300-304, 1999
41) Wright JE, Rose GE, Garner A：Primary malignant neoplasms of the lacrimal gland. Br J Ophthalmol **76**：401-407, 1992
42) Henderson JW, Farrow GM：Primary malignant mixed tumors of the lacrimal gland. Ophthalmology **87**：466-475, 1980
43) Shields JA, Shields CL, Eagle RC Jr et al：Adenoid cystic carcinoma of the lacrimal gland simulating a dermoid cyst in a 9-year-old boy. Arch Ophthalmol **116**：1673-1676, 1998
44) Mizokami H, Inokuchi A, Sawatsubashi M et al：Adenoid cystic carcinoma of the lacrimal gland with wide and severe myoepithelial differentiation. Auris Nasus Larynx **29**：77-82, 2002
45) Williams MD, Al-Zubidi N, Dbnam JM et al：Bone invasion by adenoid cystic carcinoma of the lacrimal gland：preoperative imaging assessment and surgical considerations. Ophthalmic Plast Reconstr Surg **26**：403-408, 2010
46) Dithmar S, Wonjo TH, Washington C et al：Mucoepidermoid carcinoma of an accessory lacrimal gland with orbital invasion. Ophthal Plast Reconstr Surg **16**：162-166, 2000
47) Eviatar JA, Hornblass A：Mucoepidermoid carcinoma of the lacrimal gland：25 cases and a review and update of the literature. Ophthal Plast Reconstr Surg **9**：170-181, 1993
48) Weber AL, Mikulis DK：Inflammaatory disorders of the paraorbital sinuses and their complications. Radiol Clin North Am **25**：615-630, 1987
49) Fitzpatrick PJ, Macko S：Lymphoreticular tumors of the orbit. Int J Radiat Oncol Biol Phys **10**：333-340, 1984
50) Bolek TW, Moyses HM, Marcus RB Jr et al：Radiotherapy in the management of orbital lymphoma. Int J Radiat Oncol Biol Phys **44**：31-36, 1999
51) Cockerham GC, Jakobiec FA：Lymphoproliferative disorders of the ocular adnexa. Int Ophthalmol Clin **37**：39-59, 1997
52) Valvassori GE, Sabnis SS, Mafee RF et al：Imaging of orbital lymphoproliferative disorders. Radiol Clin North Am **37**：135-150, 1999
53) Cytryn AS, Putterman AM, Schneck GL et al：Predictability of magnetic resonance imaging in differentiation of orbital lymphoma from orbital inflammatory syndrome. Ophthal Plast Reconstr Surg **13**：129-134, 1997
54) Yuen A, Jacobs C：Lymphomas of the head and neck. Semin Oncol **26**：338-345, 1999
55) Stafford SL, Kozelsky TF, Garrity JA et al：Orbital lymphoma：Radiotherapy outcome and complications. Radiother Oncol **59**：139-144, 2001
56) Vade A, Armstrong D：Orbital rhabdomyosarcoma in childhood. Radiol Clin North Am **25**：701-714, 1987
57) Sohaib SA, Moseley I, Wright JE：Orbital rhabdomyosarcoma：The radiological characteristics. Clin Radiol **53**：357-362, 1998
58) Oberlin O, Rey A, Anderson J et al：Treatment of orbital rhabdomyosarcoma：Survival and late effects of treatment-results of an international workshop. J Clin Oncol **19**：197-204, 2001
59) Kanski JJ：Disorders of the orbit. Clinical Ophthalmology：A Systematic Approach (3rd ed), Butterworth-Heinemann, Oxford, p27-58, 1994
60) Breneman JC, Wiener ES：Issues in the local control of rhabdomyosarcoma. Med Pediatr Oncol **35**：104-109, 2000
61) Matlach J, Nowak J, Gobel W：Papilledema of unknown cause. Ophthalmologe **110**：543-545, 2013
62) Meltzer DE, Chang AH, Shatzkes DR：Case 152：Orbital metastatic disease from breast carcinoma. Radiology **253**：893-896, 2009
63) Shields JA, Shields CL, Brotman HK et al：Cancer metastatic to the orbit：The 2000 Robert M. Curtis Lecture. Ophthal Plast Reconstr Surg **17**：346-354, 2001
64) Ahmad SM, Esmaeli B：Metastatic tumors of the orbit and ocular adnexa. Curr Opin Ophthalmol **18**：405-413, 2007
65) Chawda S, Moseley IF：Computed tomography of orbital dermoids：A 20-year review. Clin Radiol **54**：821-825, 1999
66) Shields JA, Kaden IH, Eagle RC Jr et al：Orbital dermoid cysts：Clinicopathologic correlations, classification, and management：The 1997, Josephine E. Schueler Lecture. Ophthal Plast Reconstr Surg **13**：265-276, 1997
67) Parker RT, Ovens CA, Fraser CL et al：Optic nerve sheath meningiomas: prevalence, impact and management strategies. Eye Brain **10**：85-99, 2018
68) Dutton JJ. Optic nerve sheath meningiomas. Surb Ophthalmol **37**：167-183, 1992

69) Mafee MF, Goodwin J, Dorodi S：Optic nerve sheath meningiomas：Role of MR imaging. Radiol Clin North Am **37**：37-58, 1999
70) Daniels DL, Williams AL, Syvertsen A et al：CT recognition of optic nerve sheath meningioma：Abnormal sheath visualization. Am J Neuroradiol **3**：181-183, 1982
71) Turbin RE, Thompson CR, Kennerdell JS et al：A long-term visual outcome comparison in patients with optic nerve sheath meningioma managed with observation, surgery, radiotherapy, or surgery and radiotherapy. Ophthalmology **109**：890-900, 2002
72) Alvord EC, Lofton S：Gliomas of the optic nerve or chiasm：Outcome by patient's age, tumor site and treatment. J Neurosurg **68**：85-98, 1988
73) Hollander MD, FitzPatrick M, O'Connor SG et al：Optic gliomas. Radiol Clin North Am **37**：59-71, 1999
74) Aoki S, Barkovich AJ, Nishimura K et al：Neurofibromatosis types 1 & 2. Cranial MR imagings. Radioloty **172**：527-534, 1989
75) Weber AL, Klufan R, Pless M：Imaging evaluation of the optic nerve and visual pathwal. Neuroimaging Clin North Am **6**：143-177, 1996
76) Alshail E, Rtka JT, Becker LE et al：Optic chiasmatic-hypothalamic glioma. Brain Pathol **7**：799-806, 1977
77) Kornreich L, Blaser S, Schwarz M et al：Optic pathwal glioma：Correlation of imaging findings with the presence of neurofibromatosis. Am J Neuroradiol **22**：1963-1969, 2001
78) Debus J, Kocagoncu KO, Hoss A et al：Fractionated stereotactic radiotherapy (FSRT) for optic glioma. Int J Radiat Oncol Biol Phys **44**：243-248, 1999
79) Deliganis AV, Geyer JR, Berger MS：Prognostic significance of type 1 neurofibromatosis (von Recklinghausen disease) in childhood optic glioma. Neurosurgery **38**：1114-1118, 1996
80) Thorn-Kany M, Arrue Ph, Delisle MB et al：Cavernous hemangiomas of the orbit：MR imaging. J Neuroradiol **26**：79-86, 1999
81) Calandriello L, Grimaldi G, Petrone G：Cavernous venous malformation (cavernous hemangioma) of the orbit：Current concepts and a review of the literature. Surv Ophthalmol **62**：393-403, 2017
82) Yan J, Li Y, Wu Z：Orbital cavernous hemangioma with bone erosion. Graefe's Arch Clin Exp Ophthalmol **244**：1534-1535, 2006
83) Yamamoto J, Takahashi M, Nakano Y et al：Spontaneous hemorrhage from orbital cavernous hemangioma resulting in sudden onset of ophthalmopathy in an adult - case report. Meurol Med Chir (Tokyo) **52**：741-744, 2012
84) MacNab Fraco AA, Wright JE：Cavernous hemangiomas of the orbit. Aust NZ J Ophthalmol **17**：337-345, 1989
85) De Potter P, Dolinskas C, Shields CL et al：Vascular tumors. MRI of eye and orbit, JB Lippincott Company, Philadelphia, p159-161, 1995
86) Wilms G, Raat H, Dom R et al：Orbital cavernous hemangioma：findins on sequential Gd-enhanced MRI. J Comput Assist Tomogr **19**：546-551, 1995
87) Kashyap S, Meel R, Singh L et al：Uveal melanoma, Semin Diagn Pathol **33**：141-147, 2016
88) Rao R, Honavar SG：Retinoblastoma. Indian J Pediatr **84**：937-944, 2017
89) Donaldson SS, Egbert PR：Retinoblastoma. Principles and Practice of Pediatric Oncology, Pizzo P, Poplack D (eds), LB Lippincott, Philadelphia, 1989
90) Reese AB, Ellsworth RM：Management of retinoblastoma. Ann NY Acad Sci **114**：958-962, 1964
91) Char DH, Hedges TR, Norman D：Retinoblastoma：CT diagnosis. Ophthalmology **91**：1347-1350, 1984
92) Mafee MF, Goldberg MF, Cohen SB et al：Magnetic resonance imaging versus computed tomography of leukokoric eyes and use of in vitro proton magnetic resonance spectroscopy of retinoblastoma. Ophthalmology **96**：965-976, 1989
93) Kodilyne HC：Retinoblastoma in Nigeria：Problems in treatment. Ann J Ophthalmol **63**：467-481, 1967
94) Eisen MD, Yousem DM, Loevner LA et al：Preoperative imaging to predict orbital invasion by tumor. Am J Neuroradiol **22**：456-462, 2000
95) Perry C, Levine PA, Williamson BR et al：Preservation of the eye in paranasal sinus cancer surgery. Arch Otolaryngol Head Neck Surg **114**：632-634, 1988
96) Lisan Q, Kolb D, Termam S et al：Management of orbital invasion in sinonasal malignancies. Head Neck **38**：1650-1656, 2016
97) Kobayashi K, Mori T, Matsumoto F et al：Impact of microscopic orbital periosteum invasion in orbital preservation surgery. Ipn J Clin Oncol **47**：321-327, 2017
98) Neigel JM, Rotman J, Belkin RI et al：Dysthyroid optic neuropathy：The crowded orbital apex syndrome. Ophthalmology **95**：1515-1521, 1988
99) May A, Fries U, Reimold I et al：Microsurgical endonasal decompression in dysthyroid orbito-pathy. Acta Otolaryngol **119**：826-831, 1999

3 鼻副鼻腔

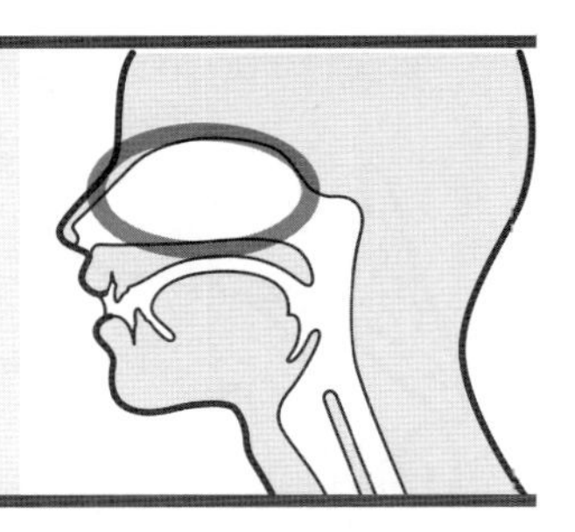

A 臨床解剖

加湿，温度調整，気道のフィルター効果が鼻副鼻腔の重要な機能で，各々の副鼻腔は固有の自然口により鼻腔と連続する．鼻腔は上は篩骨篩板により前頭蓋窩，下は硬口蓋により口腔，左右上部は篩骨紙様板により眼窩と境される．前方は梨状口を介して鼻前庭，後方は後鼻孔を介して上咽頭と連続する（図 1A）．鼻腔内を左右に区分する鼻中隔は軟骨部と骨部に分けられるが，後者は篩骨垂直板，鋤骨からなる（図 1B）．鼻腔は両外側壁から突出する上・中・下鼻甲介により，その外側下方の上・中・下鼻道に分けられる（図 1A，1C）．副鼻腔のうち，上顎洞，前頭洞および前篩骨洞は中鼻道，後篩骨洞および蝶形骨洞は上鼻道と交通している（表 1：p120）．上顎洞と中鼻道との交通路は ostiomeatal complex（OMC；あるいは ostiomeatal unit）と称し，上顎洞自然口，篩骨漏斗，鉤状突起などからなる（図 1C，表 2：p121）．OMC の用語は解剖学的意味合いよりも，前頭洞，前篩骨洞，上顎洞の開口，交通を表現した 1 つの機能的単位あるいは概念として重要であるが，臨床の現場ではより直接的な解剖学用語の使用が適切な場合もある．前頭洞は nasofrontal recess（鼻前頭窩），蝶形骨洞は sphenoethmoidal recess（蝶篩陥凹）を介しての交通となる．これらの交通路は副鼻腔への含気の経路であると同時に，粘膜上皮の線毛運動により粘膜面の異物や粘液を鼻腔側に排泄する “mucociliary clearance” の経路ともなっており，内視鏡手術では炎症により障害された同機能の復元が目的となる．

上顎洞内側壁は上顎骨，口蓋骨垂直板，篩骨洞鉤状突起による骨部（bony portion）およびこれらの間を埋める膜様部（membranous portion）からなる．

鼻副鼻腔手術，眼窩手術では前・後篩骨動脈の解剖が重要となる．篩骨紙様板と前頭骨との間に形成される前・後篩骨孔を通過するが，前篩骨孔は後涙嚢稜（posterior lacrimal crest）から約 24 mm，後篩骨孔はさらに後方約 12 mm，眼窩尖部はその後方約 6 mm に位置するとされる（図 1D，2，3）．最近では内反性乳頭腫などの良性腫瘍性疾患も内視鏡手術の対象となり，病変と前・後篩骨孔との相対的関係は術中の出血を予防，軽減するためにも重要な情報となる．

B 副鼻腔の発達

副鼻腔は思春期に至るまで含気による発達が継続し最終的な大きさには至らない[1]．

上顎洞は発達が最も早く胎生期からみられ，12 歳までに成人の大きさに達するが最大で 20 歳まで含気の進行がみられる[2,3]．篩骨洞は生下時からみられ 12 歳までに成人の大きさに達する．蝶形骨洞は生下時にはみられず，1～3 歳より含気を生じ，7～14 歳で成人の大きさに達する．前頭洞は生下時に小さな陥凹としてみられ，1～4 歳の間に含気を生じ 12 歳までに成人の大きさとなる．これらの発達時期の差から年少の小児は篩骨洞，上顎洞中心の炎症を示す傾向にあるのに対して，年長の小児は前頭洞疾患も示すようになる．蝶形骨洞の限局性病変はまれで年長の小児あるいは思春期以降となる[4]．

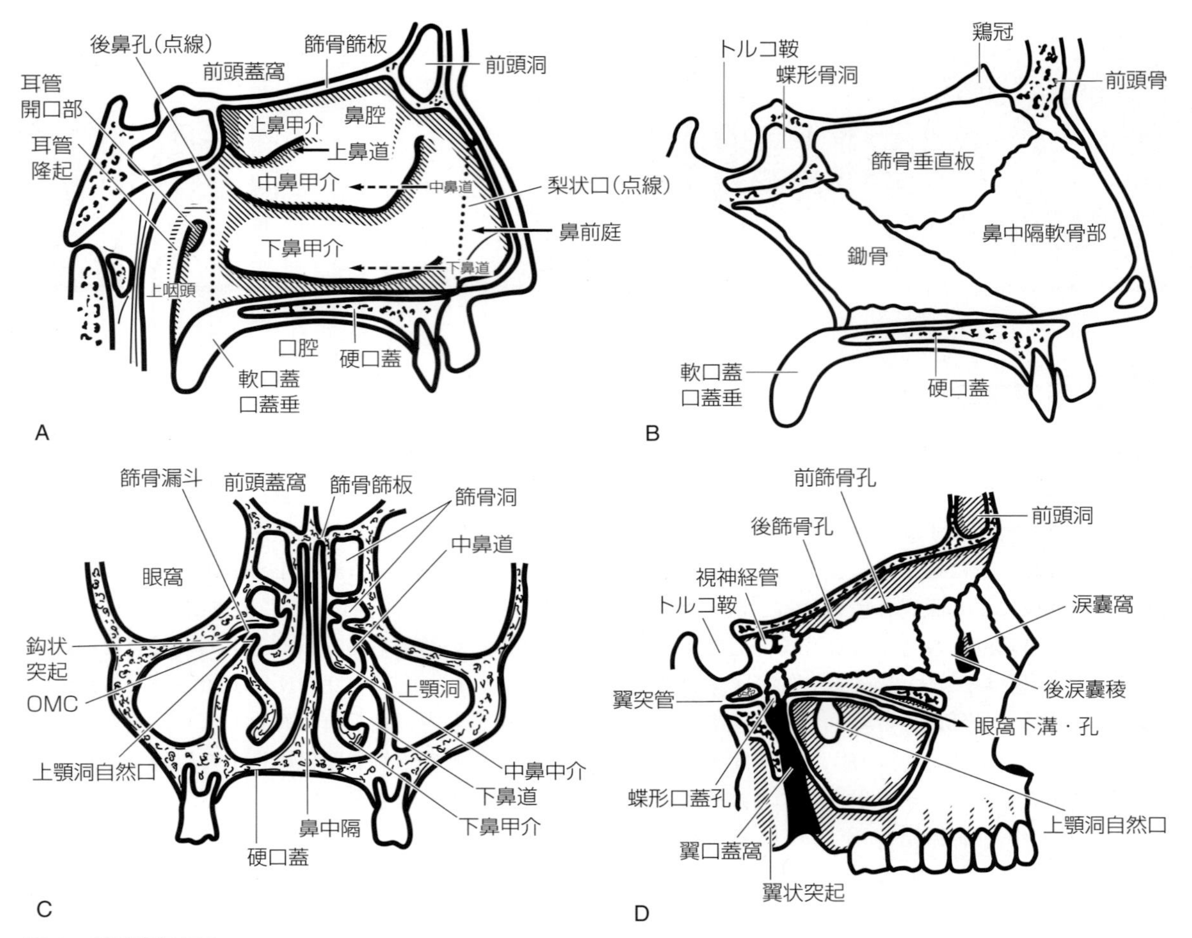

図1　鼻副鼻腔冠シェーマ

A：鼻腔外側壁.
B：鼻中隔.
C：鼻副鼻腔冠状断.
D：上顎洞レベル矢状断面.
OCM：ostiomeatal complex

表1　副鼻腔と鼻腔との交通

副鼻腔	鼻腔
上顎洞 前篩骨洞 前頭洞	中鼻道
後篩骨洞 蝶形骨洞	上鼻道

表 2　OMC 形成に関わる構造

・上顎洞自然口
・篩骨漏斗
・鈎状突起
・半月裂口

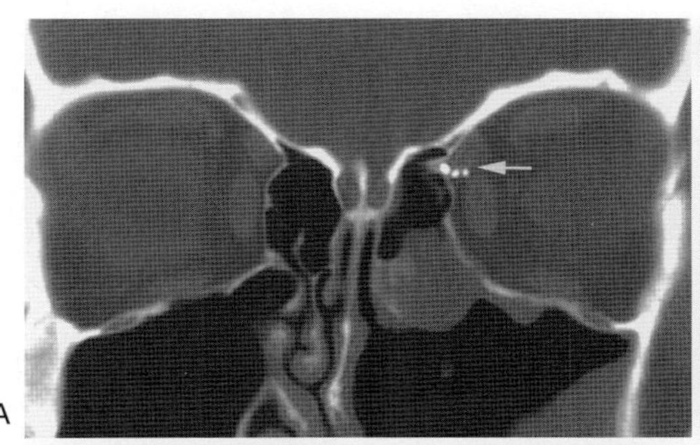

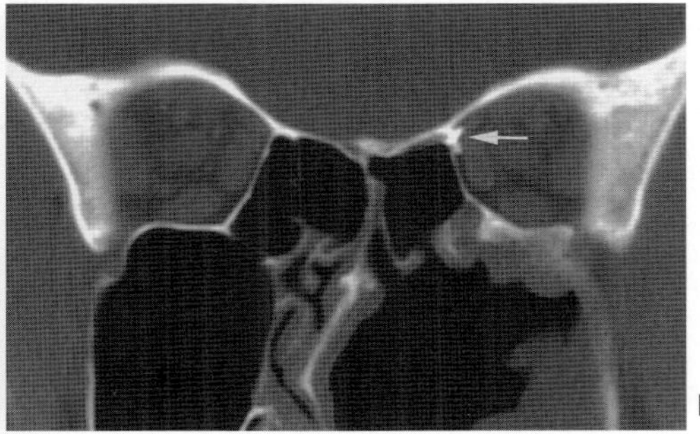

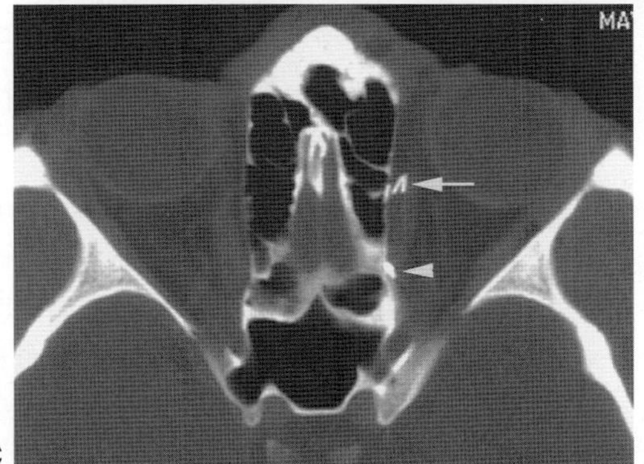

図 2　鼻副鼻腔術後症例．CT

A：眼窩冠状断 CT．前篩骨動脈に金属クリップ（矢印）が置かれており，CT 上，前篩骨孔の位置を示している．

B：図 A から約 12 mm 後方の冠状断 CT．後篩骨動脈の金属クリップ（矢印）が認められる．

C：横断 CT．前篩骨動脈（矢印），後篩骨動脈（矢頭），それぞれに置かれた金属クリップが描出されている．

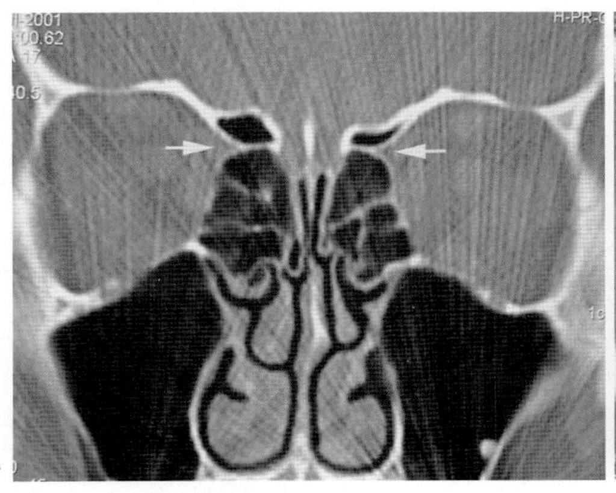

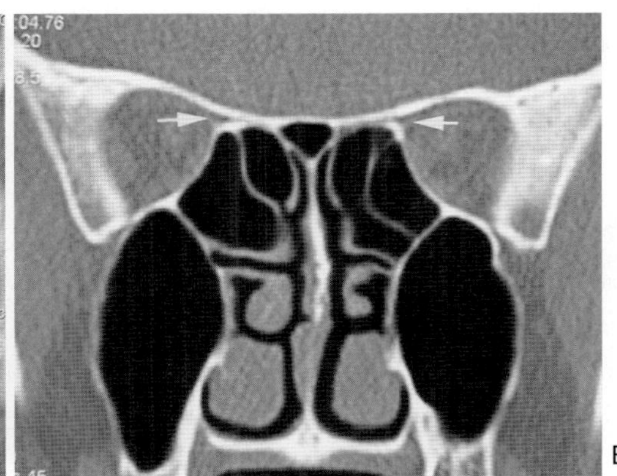

図 3　鼻副鼻腔冠状断．CT

A：ほぼ眼球と視神経接合部レベルでの冠状断 CT．前篩骨動脈の通過する前篩骨孔（矢印）が眼窩内側上方に内側に向かう間隙として確認される．篩骨篩板外側へ連続しているのがわかる．

B：図 A の約 12 mm 後方の冠状断 CT．後篩骨動脈の通過する間隙として後篩骨孔（矢印）がみられる．

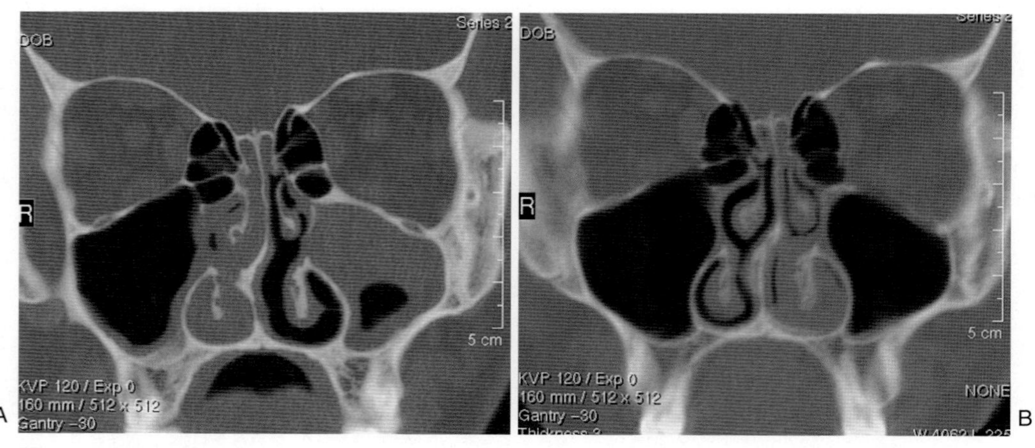

図4　nasal cycle
同一患者の異なる時期における鼻副鼻腔CT冠状断像で図Aでは右，図Bでは左の鼻腔の粘膜が著明であり，nasal cycleを反映している．実際に図Aの時点では鼻腔粘膜のより薄い左側で上顎洞内に炎症性軟部濃度を認める．

C　nasal cycle（図4）

鼻腔において機能する鼻道は経時的に左右交互が入れ替わる．自律神経の働きに関連しておりnasal cycleと称し，全哺乳類でみられる．同現象の理解は画像上での鼻腔粘膜肥厚の判断にも重要であり，生理的範囲で許容される鼻腔粘膜厚さの非対称性は必ずしも病的ではないことを認識する必要がある．片側の鼻中隔，下鼻甲介の前方部分での血流変化に起因する組織うっ血による生理的現象であり，より抵抗の小さい対側の鼻道が機能することとなる．左右の移行は25分から8時間の範囲で起こり，1時間半から4時間が多いとされる[5〜7]．同現象の役割としては，空調，異物除去・mucociliary clearanceのため，呼吸器感染やアレルゲン吸引の予防などが推察されているが依然として議論がある[8]．

D　“normal variant”とその臨床的意義

鼻副鼻腔領域のCTは頭頸部画像診断として最も多いもののひとつである．ここで取り上げる解剖と“normal variant（正常変異）”に関する情報は耳鼻科医が内視鏡手術の術前に必要となるものであり[9,10]，これらを術前の画像情報として得ることにより，予期せぬ眼窩内あるいは頭蓋内合併症や神経血管損傷を防ぐことが可能となる．

1　Haller cell（infraorbital ethmoid cell）

眼窩下壁内側下面に進展した篩骨蜂巣をHaller cell（図5）と称し，10〜45％の頻度でみられ，性差はない．1743年にスイス人学者のAlbrecht von Hallerが頭蓋骨の解剖学的検索から最初に記述したとされる[11]．発達が胎生期か生後かは不明．臨床的な意義としてはOMC狭小化・閉塞の原因となりうる，末梢部を閉塞して内視鏡の通過を妨げうる，潜在的病変部位となりうる，眼窩合併症や再発など鼻内手術の結果に影響を与えうるなどが挙げられる[12]．なおHaller cellの大きさと症状との相関はないとされる[13]．

2　鼻中隔弯曲・骨棘形成

成人では多少の鼻中隔弯曲は生理的範囲であるが，高度の鼻中隔弯曲（図6，7）で下鼻甲介との明らかな接触などを生じている場合は鼻閉の原因となりうる．鼻中隔（図1B）は篩骨垂直板と鋤骨からなる骨部と鼻中隔軟骨からなる軟骨部より形成されるが，この両者の接合部に鼻中隔弯曲例の約3分の1で骨棘形成（図8，9）がみられ，これも鼻道狭小化の原因となりうる．鼻中隔弯曲がなくてもまれ（5.8％）に骨棘形成を生じるが，この場合は左側に多い（左：右＝4：1）[14]．鼻中隔骨

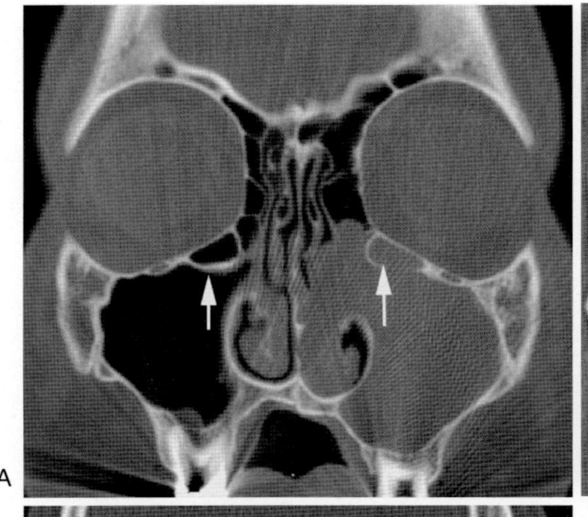

A

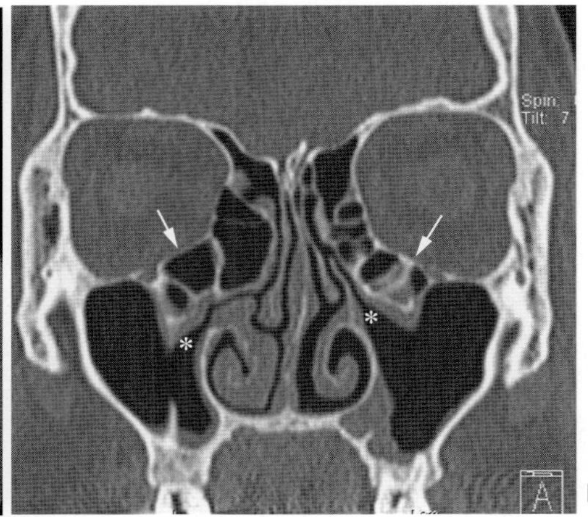

B

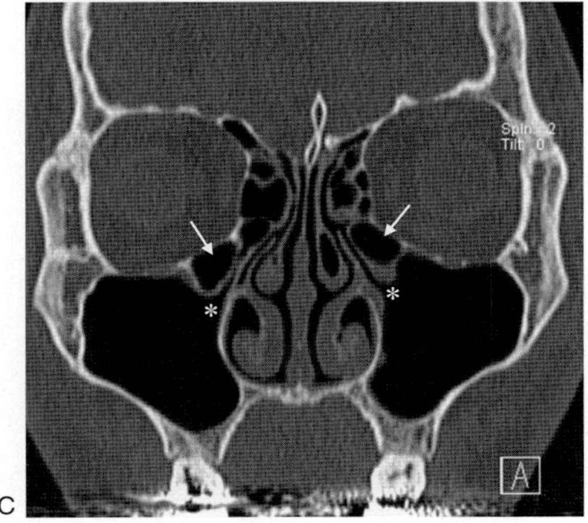

C

図 5　Haller cell

A：両側とも眼窩内側下方に進展する含気腔が認められ，Haller cell（矢印）に一致する．左側では左上顎洞とともに Haller cell も炎症に侵されている．

B：両側に Haller cell（矢印）を認め，尾側に隣接する上顎洞自然口（＊），およびこれに連続する OMC は通常より低位である．

C：B と同様に両側に Haller cell（矢印）を認め，OMC・上顎洞自然口（＊）は低位にみられる．

棘と隣接する鼻腔壁との間の “bridging spur” はしばしば中鼻甲介や副自然口の低形成に関連する[15]．

3 篩骨篩板の骨化不全，低位，非対称性

篩骨は垂直板，篩板，左右 2 つの篩骨迷路で構成される立方体の骨構造で，発達は胎生 25〜28 週より始まり生下時にはすでに篩骨洞が存在する．鼻副鼻腔の中心部に位置し，頭側では篩板，篩骨天蓋により前頭蓋窩，外側では篩骨紙様板により眼窩と区分される．篩骨篩板の mineralization（骨化）は後ろから前に向かい，2〜3 歳までにはほぼ完成する．篩板の variation としては，骨化の不良（図 10），非対称性（図 11），あるいは通常よりも低位（図 12，13）にみられる，などがあげられる．いずれも内視鏡手術時の頭蓋内合併症の危険性を伴うので，注意を要する．

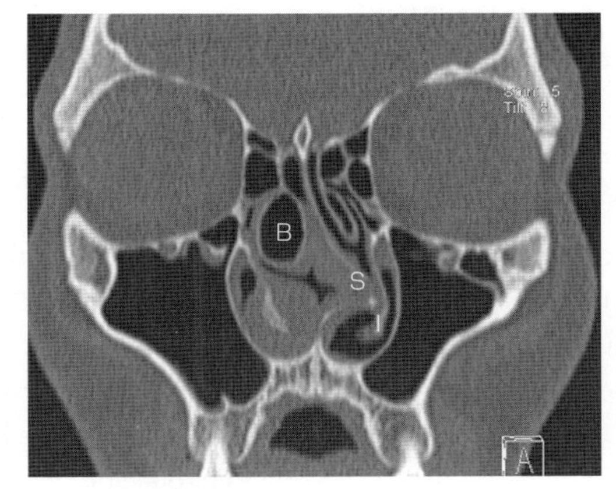

図 6　鼻中隔弯曲

鼻中隔（S）は左に向かい高度弯曲を示し，左下鼻甲介（I）との接触を示す．右側中鼻甲介は含気を示し，concha bullosa（B）を形成している．

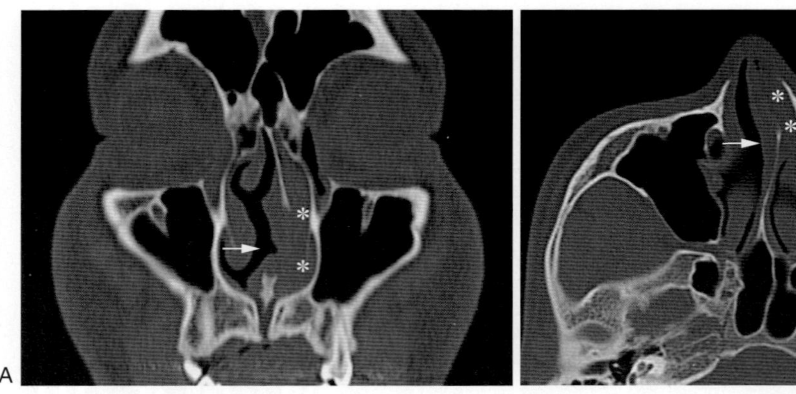

図7　鼻中隔弯曲
CT冠状断像(A)および横断像(B)．鼻中隔は左側に高度弯曲(矢印)を示し，左鼻前庭から鼻腔前方を閉塞(＊)している．

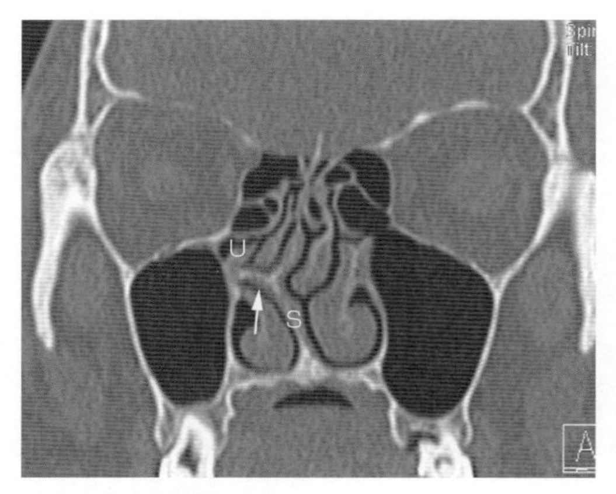

図8　鼻中隔骨棘形成
鼻中隔(S)より右側に突出する骨棘形成(矢印)を認め，鈎状突起(U)基部に接触を示す．

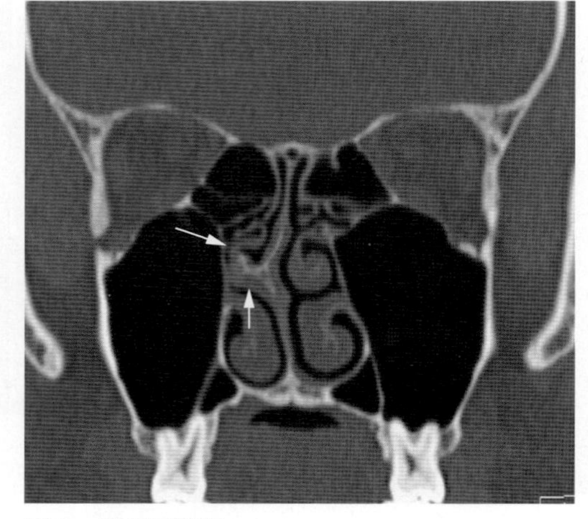

図9　鼻中隔骨棘
鼻中隔から右側に突出する骨棘形成(小矢印)を認め，右中鼻甲介下端(大矢印)への圧排あり．

Kerosによる篩板の形態的分類(Keros classification)(表3)ではolfactory fossaの深さ(篩板側壁の高さ；篩板と篩骨天蓋の高さの差)により，type 1が1〜3 mm(篩板と篩骨天蓋の高さがほぼ同じで，olfactory fossaが浅い：図14)，type 2が4〜7 mm，type 3が8〜16 mm(olfactory fossaが非常に深い：図15)と3つに区分しており，type 3では手術合併症の危険性が高いとしている[16]．また，中鼻甲介のvertical attachmentが篩板に付着することから，中鼻甲介の切除を伴う内視鏡手術では偶発的な篩板骨折およびその後の髄液鼻漏を生じる危険性がある．

4 眼窩内側壁(篩骨紙様板)の骨壁欠損

normal variantとして認める場合(図16)もあれば，以前の鼻腔手術後(図17)，眼窩吹き抜け骨折後変化(図18，19)としてみられる場合もある．基本的には無症候性であり，頻度は剖検では0.5〜10％程度，CTでは0.8〜6.5％とされる[14, 17]．内視鏡手術時の眼窩合併症(図20)や出血の危険性に留意する必要がある．吹抜け骨折は複視や眼球陥凹などの症状がない例では，本人に骨折の自覚はなく既往歴として聴取しない場合(とくに陳旧性)もしばしばである．正常変異とされる多く

表 3　Keros による篩板の形態的分類

分類	頻度	olfactory fossa の深さ	備考
Type 1	少ない	1〜3 mm：浅い	
Type 2	最多(76%)	3〜7 mm：中間	
Type 3	次に多い(15%)	8〜16 mm：深い	ESS で篩板損傷のリスクが高い

(Keros P : Z Laryngol Rhinol Otol 41 : 809-813, 1962)

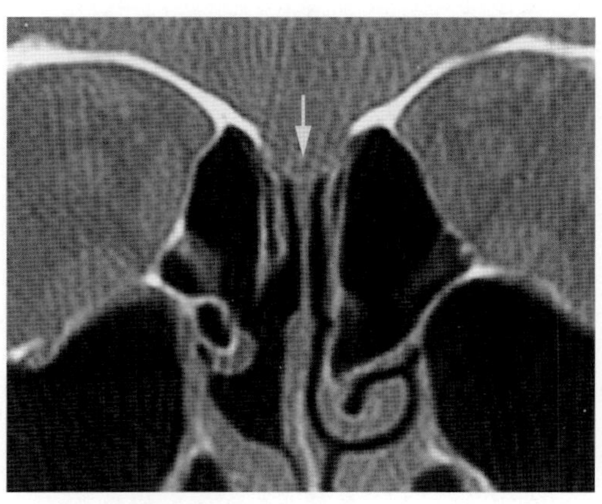

図 10　篩板骨化不全
篩骨篩板(矢印)の通常よりも骨化の程度が少ない.

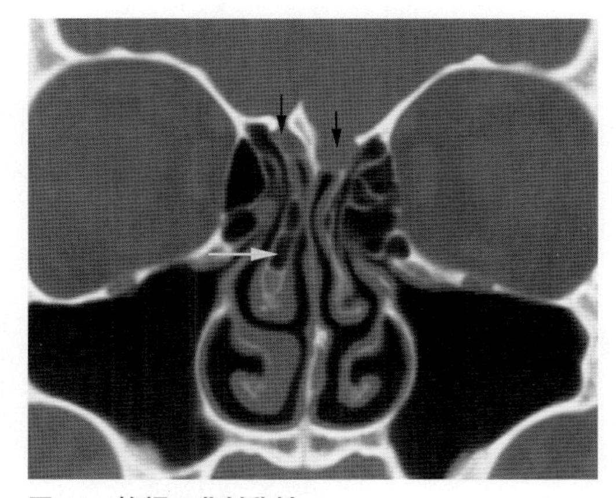

図 11　篩板の非対称性
篩骨篩板(黒矢印)は左右で高さ，幅ともに非対称性で，内視鏡手術時の頭蓋内合併症の危険性がある．また，右中鼻甲介は含気がみられ，concha bullosa に一致する(白矢印).

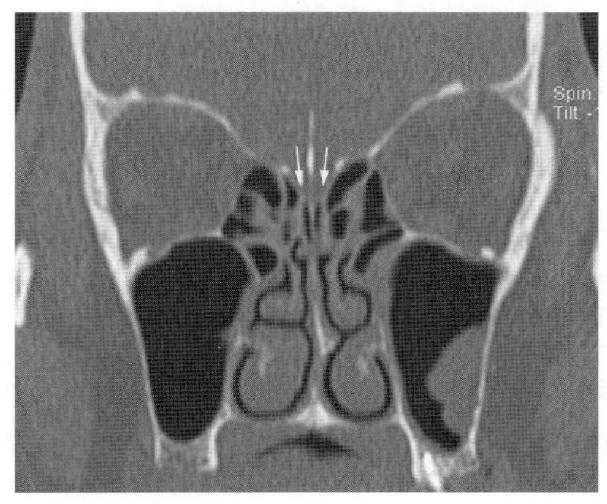

図 12　篩板低位
両側篩板(矢印)は通常よりも低位であり，両側眼窩赤道面よりも尾側に位置している.

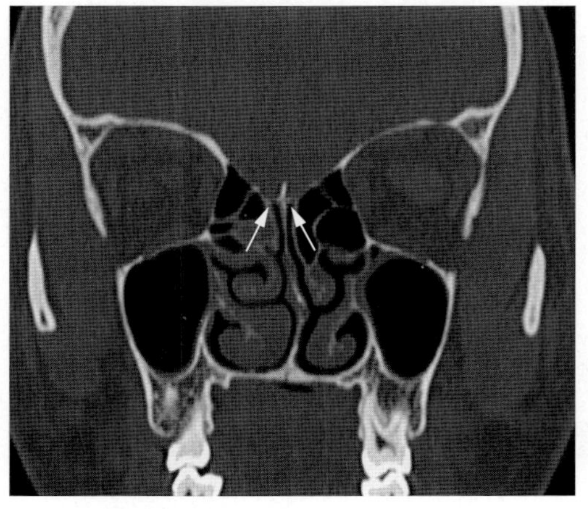

図 13　篩板低位
両側篩板(矢印)は低位に認められる.

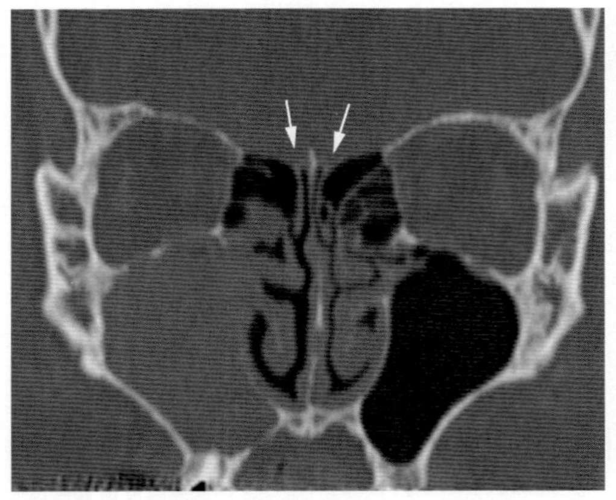

図 14 Keros type 1
篩板と篩骨天蓋がほぼ同じ高さを示し（矢印），olfactory fossa は浅い．

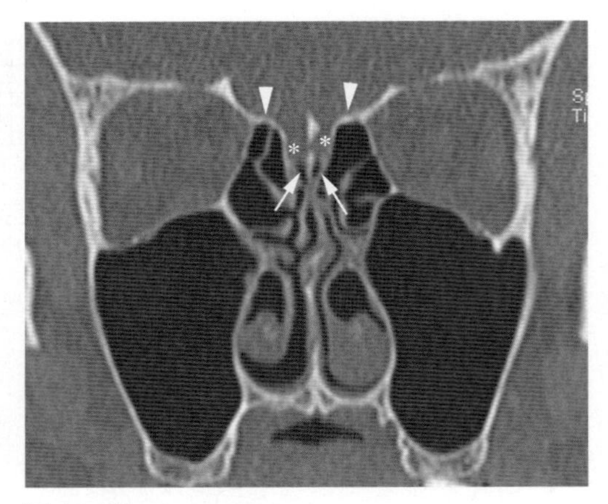

図 15 Keros type 3
篩板（矢印）と篩骨天蓋（矢頭）との高さは異なり，olfactory fossa（＊）が深い．

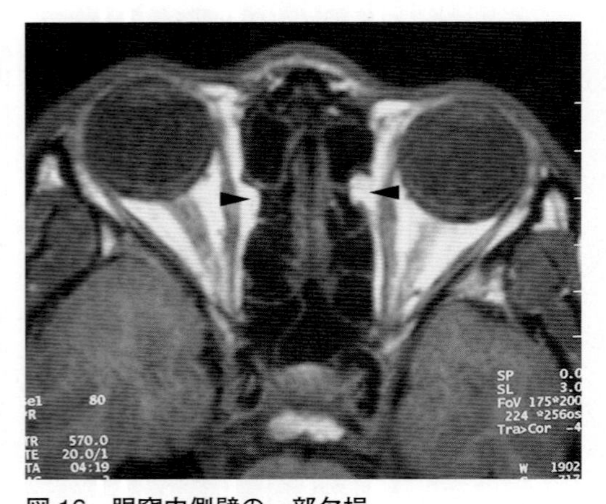

図 16 眼窩内側壁の一部欠損
眼窩レベル MRI T1 強調横断像で両側眼窩内側に限局性に眼窩内脂肪の鼻腔側への突出（矢頭）を認め，壁欠損を示唆する．本例は明らかな外傷歴をもたない．

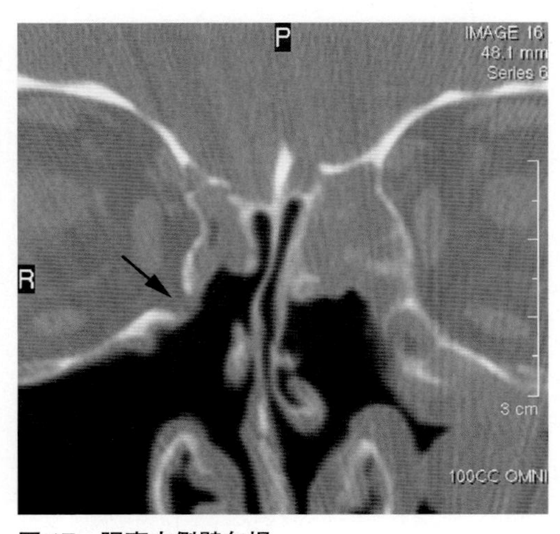

図 17 眼窩内側壁欠損
両側 infundibulectomy，ethmoidectomy および middle turbinate 部分切除後症例，冠状断 CT．右眼窩内側壁で骨壁欠損（矢印）があり，一部眼窩内脂肪がわずかに鼻腔に突出している．

はこのような陳旧性吹抜け骨折と推察される．

5 含気鉤状突起（uncinate bulla）

鉤状突起の含気（図 21A）が数％でみられ，これにより OMC あるいは中鼻道を狭小化，鼻閉，副鼻腔炎の原因となりうる[18]．

6 甲介蜂巣（concha bullosa）

鼻甲介は様々なかたちで含気腔を含むことがあるが，一般的に最も多く表現される concha bullosa は中鼻甲介の下膨大部の含気を指し，OMC 頭側レベルでの垂直板の含気は Grunwald's cell，lamella bulla，conchal air neck などと称する[19]．中鼻甲介の含気は 1793 年 Santorini により記載され，concha bullosa の用語は Zuckerkandl により最初に用いられた．（図 6，11，18，21B）．一般的には臨床的意義に乏しいが，著明な場合は中鼻道および篩骨漏斗を狭小化しうる．対側への鼻中隔彎曲と強い相関を示す[20]．副鼻腔炎発生との関連性は低いが[20, 21]，concha bullosa 自体が炎症に侵される場合もある．鼻中隔偏位とともに，有症状例では内視鏡手術による症状改善が比較的

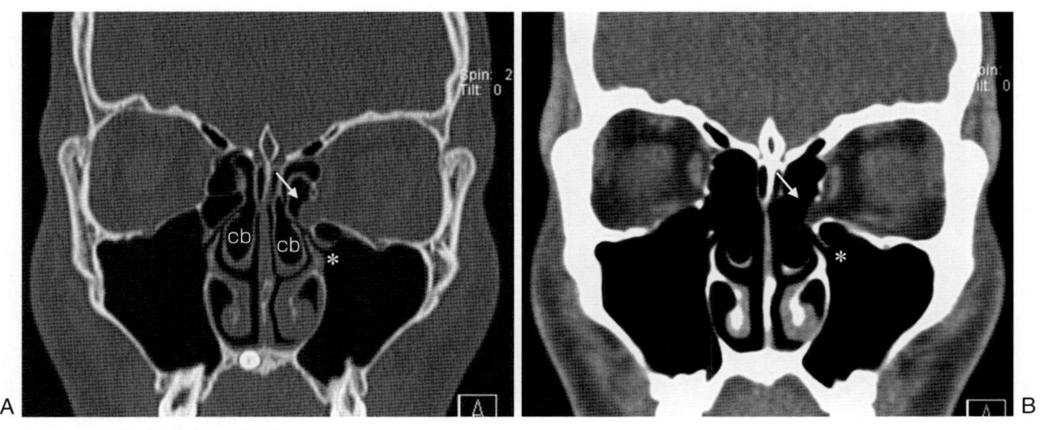

図 18 陳旧性吹抜け骨折

OMC レベルの CT 冠状断骨条件表示(A)および軟部濃度条件(B). 左眼窩内側壁やや下部で骨欠損に伴い, 眼窩内脂肪は左 OMC(*)頭側に近接して篩骨洞側への膨隆(矢印)を示す. 両側の concha bullosa(cb)あり.

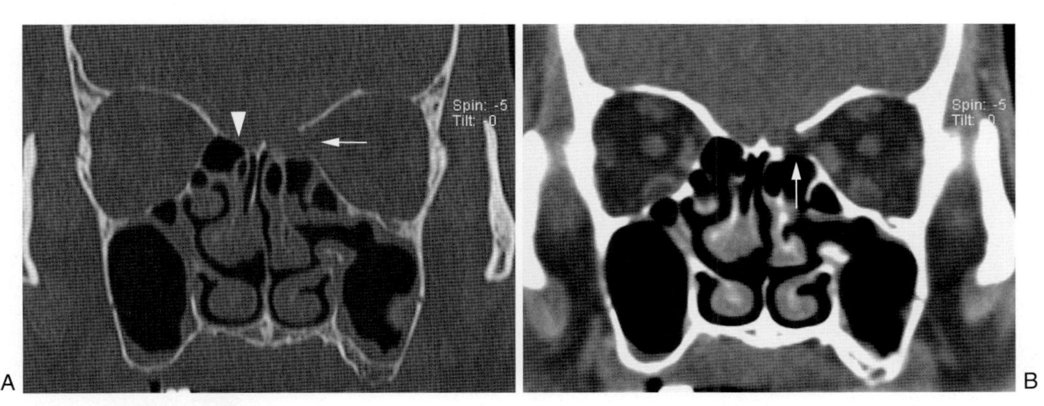

図 19 眼窩内側壁欠損

CT 冠状断像骨条件(A)において左眼窩内側壁の欠損(矢印)を認める. 篩板天蓋の左側(右側で矢頭で示す)での欠損もみられる. 同軟部濃度条件(B)で眼窩内脂肪の内側(篩骨洞側)への膨隆(矢印)を認める.

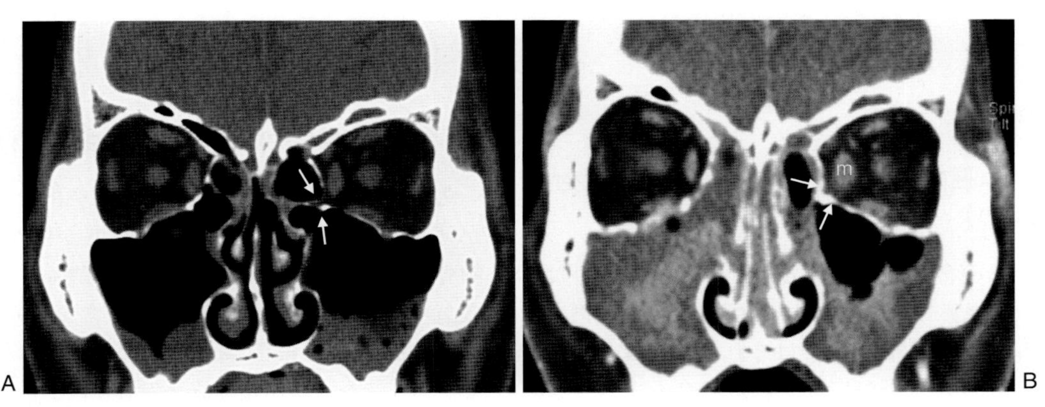

図 20 眼窩内側壁欠損

術前の鼻副鼻腔 CT 冠状断像(A)で左眼窩内側壁下部に限局性の骨欠損に伴う, 眼窩内脂肪の内側(篩骨洞側)への膨隆(矢印)を認める. 同所見の認識なく鼻内手術施行. 術直後より複視を訴えた. 術直後の CT(B)で, A での骨壁欠損, 眼窩内脂肪膨隆所見に近接する内側直筋(m)の腫大(術前 CT の A と比較)とともに, 同筋周囲脂肪混濁(矢印)を伴う. 恐らくは篩骨洞に突出した眼窩内脂肪に対する手術操作に起因した二次性変化と思われる. その後, 症状は軽減, 消失した. 術直後のため, 両側鼻副鼻腔に広範な軟部濃度所見あり.

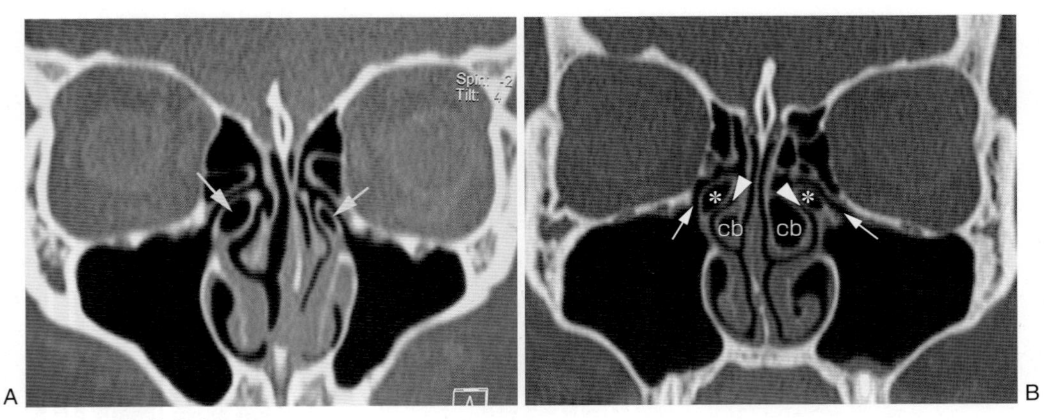

図21　含気鉤状突起
鼻副鼻腔領域のCT冠状断像(A)において，両側鉤状突起(矢印)の含気を認める．別症例(B)では両側鉤状突起(*)の含気に加えて，両側のconcha bullosa(cb)を認め，上顎洞自然口からの排泄路(矢印)，中鼻道(矢頭)ともに通常よりやや狭小にみられる．

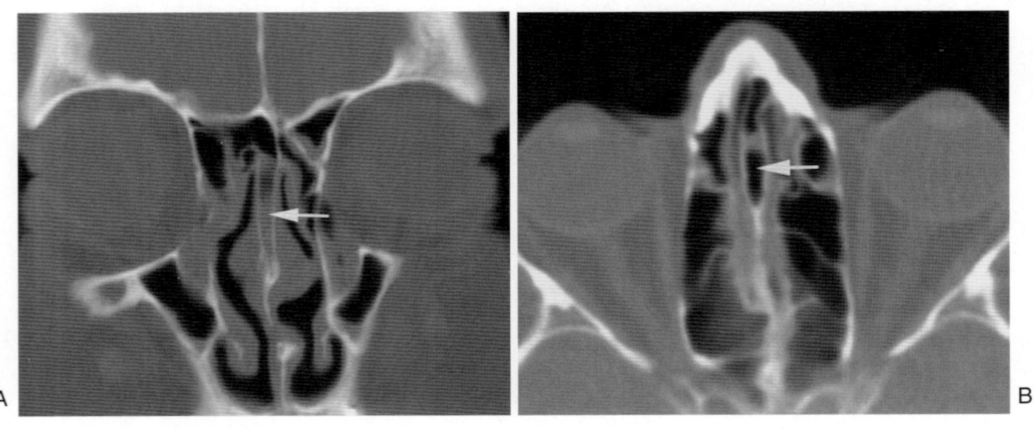

図22　intraseptal air cell
鼻副鼻腔の冠状断(A)および横断(B)CTにおいて，鼻中隔は含気腔を有し，intraseptal air cell(矢印)に一致．一部では炎症の波及を反映し，軟部組織濃度を含んでいる．

高頻度に期待される．

7 鼻中隔内蜂巣(septal pneumatization)

鼻中隔の含気(図22)は前頭側の鶏冠あるいは後上方の蝶形骨洞から生じ，慢性鼻副鼻腔炎例の2%でみられるが健常者ではまれとされる[22]．この含気腔自体が炎症に侵される場合もあり，また，鼻腔狭小化の原因ともなりうる．篩骨垂直板の含気は18%と報告され，鼻中隔粘液瘤が報告されている[23]．

8 含気鶏冠(aerated crista galli)

鶏冠は篩骨正中で篩板頭側の板状突出で大脳鎌が付着し，前方にはforamen cecumが位置する．篩骨洞あるいは前頭洞を介して約10%に鶏冠の含気(図23, 24)を認める．この含気腔の炎症(sinusitis cristae galli)は前頭部痛の原因となることがあり，炎症の頭蓋内波及の潜在性とともに臨床上，重要である．

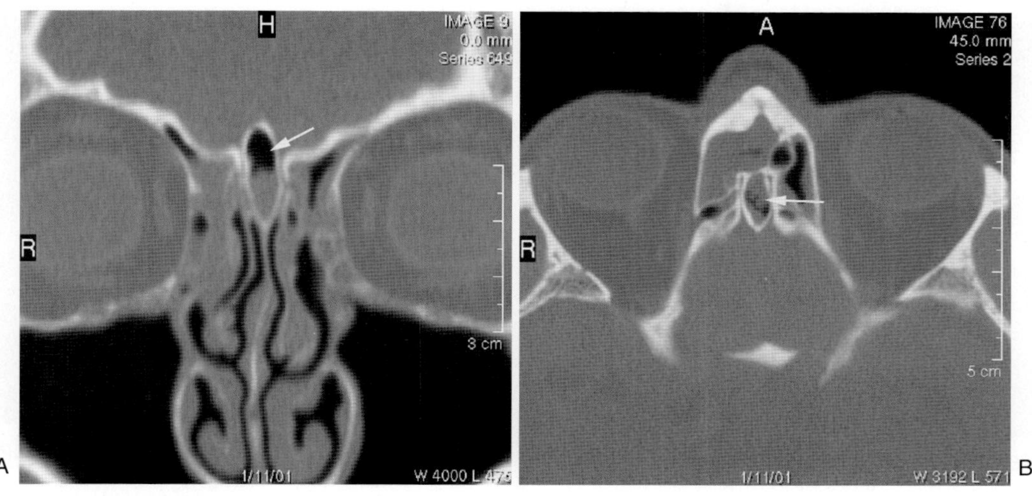

A B

図 23 含気鶏冠
前頭部痛を主訴とする症例の鼻副鼻腔冠状断(A)および横断(B)CT．鶏冠の含気(矢印)を認め，これは内部に炎症波及に伴う軟部組織濃度を含む．

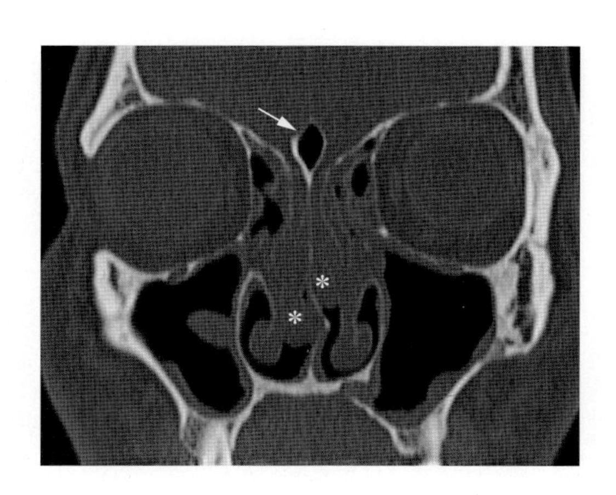

図 24 含気鶏冠
鼻副鼻腔 CT 冠状断像で鶏冠の含気(矢印)を認める．両側鼻副鼻腔にはびまん性軟部濃度肥厚がみられ慢性鼻副鼻腔炎(後述)を示し，両側鼻腔ポリープ(＊)を伴う．

9 蝶形骨洞と頸動脈の関係：骨壁欠損(dehiscence)，洞内隔壁(intra-sinus septum)

sphenoidotomy を施行する場合，蝶形骨洞と頸動脈の関係を把握することは重要である．内頸動脈海綿静脈洞部は約 4 分の 1 で蝶形骨洞内に突出(図 25，26)したり，これを覆う骨壁の欠損(8％)(図 27)を認める[24]．これらの場合，sphenoidotomy の際に内頸動脈損傷の可能性があり，注意を要する．また，蝶形骨洞内隔壁が内頸動脈を覆う比較的薄い骨壁に付着している場合(図 26，28)では，隔壁除去時に内頸動脈損傷による大出血の危険性がある[25]．

10 蝶形骨洞の含気と正円孔，翼突管との関係，前床突起の含気と視神経の関係

蝶形骨洞の含気はときに，正円孔(図 29)，翼突管(図 30)を取り囲み，結果，正円孔と翼突管が蝶形骨洞内を貫通する場合がある．このような例では sphenoidotomy でこれらの構造を障害しないように注意を払う必要がある．また，蝶形骨洞の含気はしばしば前床突起へ進展し，ときに接する視神経管が蝶形骨洞内に突出(約 3 分の 1)，貫通するように走行したり(図 31，32)，視神経

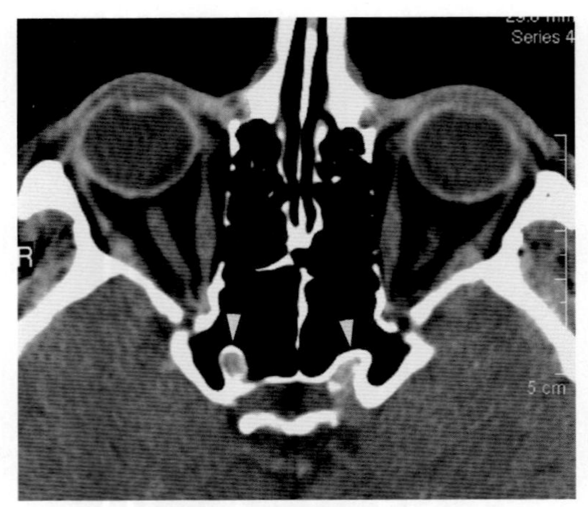

図 25　内頸動脈の蝶形骨洞内への突出
両側の内頸動脈海綿静脈洞部(矢頭)は蝶形骨洞内に突出して認められる.

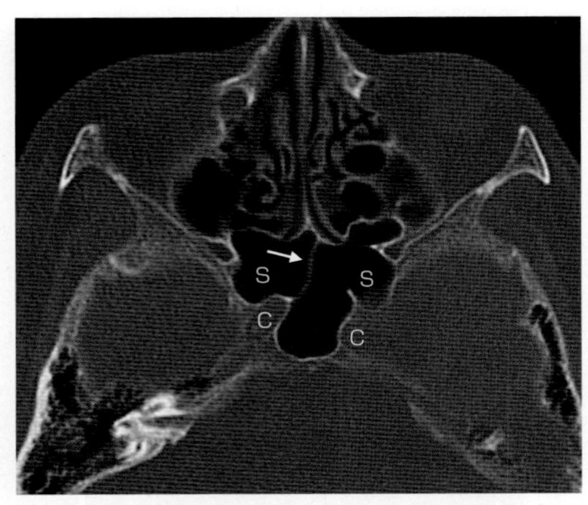

図 26　内頸動脈の蝶形骨洞内への突出，洞内隔壁の頸動脈管壁への付着
蝶形骨洞(s)レベルの CT 横断像．内頸動脈(c)は右側は蝶形骨洞内に突出するように認められ，これを覆う頸動脈管の薄い骨壁に洞内隔壁(矢印)が付着している.

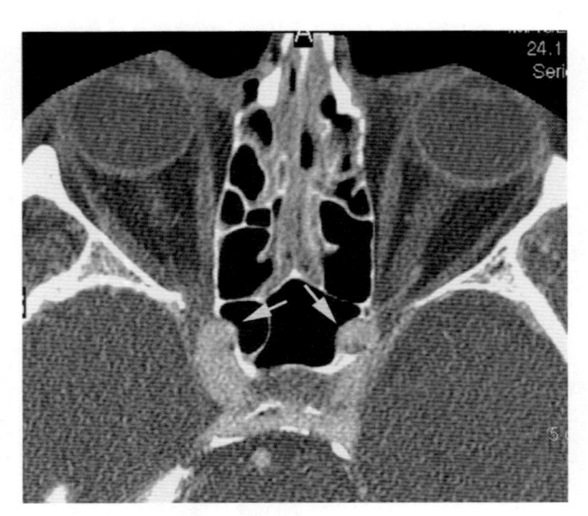

図 27　内頸動脈骨壁欠損
両側の内頸動脈海綿静脈洞部(矢印)は蛇行し，蝶形骨洞内に突出．これらを覆う(蝶形骨洞内腔と隔てる)骨壁は部分的に欠損している.

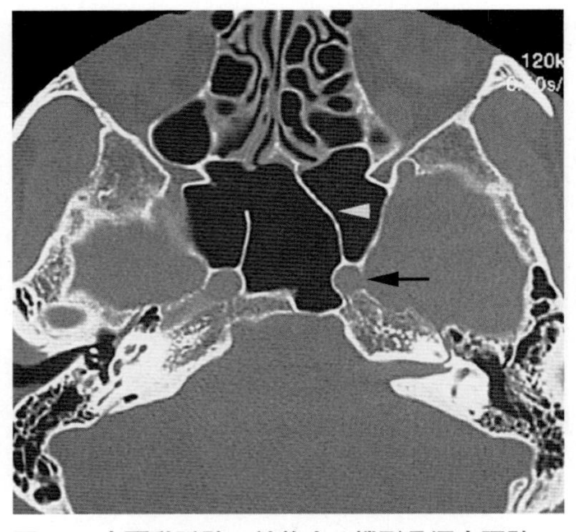

図 28　内頸動脈壁に付着する蝶形骨洞内隔壁
偏在性の蝶形骨洞内隔壁(矢頭)は左内頸動脈(矢印)を覆う薄い骨壁に付着している.

管の骨壁欠損(約 20%)(図 33)がみられ[24]，蝶形骨洞手術時の視神経損傷，頭蓋底手術での髄液漏のリスクを高めるとされる．なお視神経管内は視神経が最も栄養の乏しい部位であり損傷に弱いとされる[26]．また頸動脈と同様に付着した洞内隔壁除去時の損傷に留意する必要がある.

11 蝶形骨洞の外側進展

蝶形骨洞の発達は個体差が大きく，著明な例ではしばしば central skull base 外側への進展(lateral extention)を示す(図 34)．非対称性の発達(図 35)や同部に炎症が及んだ場合，頭蓋底腫瘍と誤ってはならない．同部は内視鏡的到達が容易でないこと，ときに髄液漏，髄膜瘤を生じることが

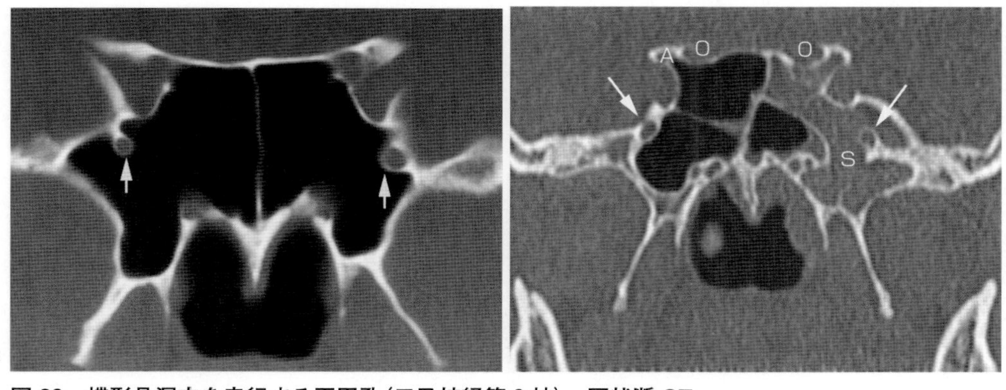

図 29　蝶形骨洞内を走行する正円孔（三叉神経第 2 枝）．冠状断 CT

A：両側の正円孔（矢印）は蝶形骨洞側壁上部から洞内に突出，ほぼその内部を貫通するように走行している．

B：正円孔（矢印）は左側では，炎症性軟部濃度を含む蝶形骨洞（S）内を貫通するように走行する．A：前床突起，O：視神経管

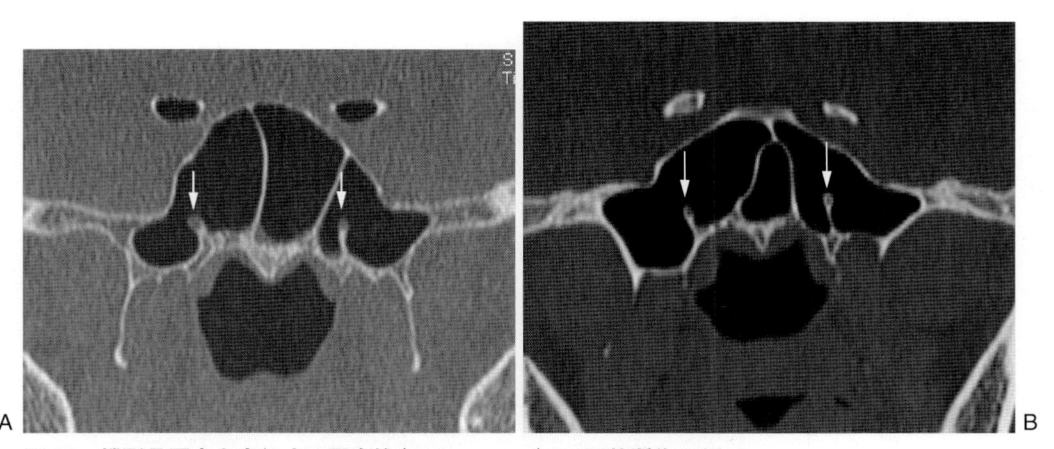

図 30　蝶形骨洞内を走行する翼突管（Vidian canal）CT 冠状断像 2 例

2 例ともに，両側の翼突管（矢印）は蝶形骨洞下壁から洞内に突出，周囲は蝶形骨洞の含気にほぼ覆われ，洞内を貫通するように走行している．

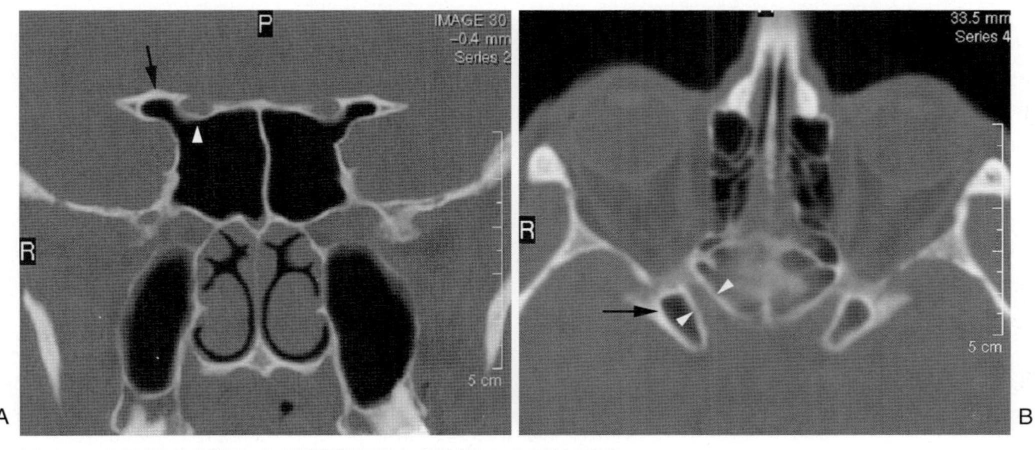

図 31　含気前床突起および蝶形骨洞内を貫通する視神経管

A：蝶形骨洞冠状断 CT．前床突起の含気（矢印）を認め，視神経管（矢頭）はその内側に位置する．

B：横断像．視神経管（矢頭）は蝶形骨洞の含気内を貫通する走行を示す．含気した前床突起（矢印）はその外側に位置する．

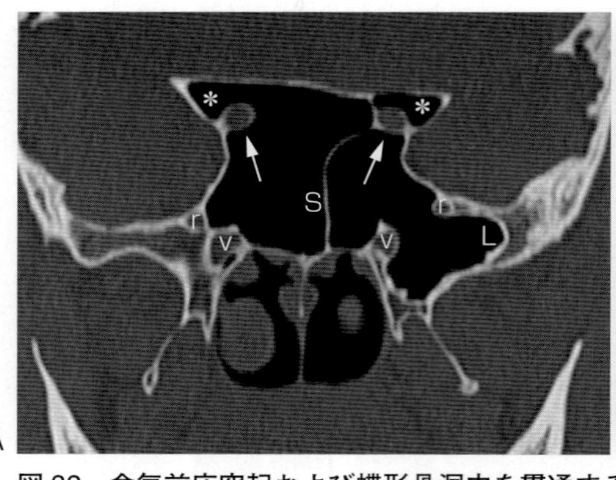

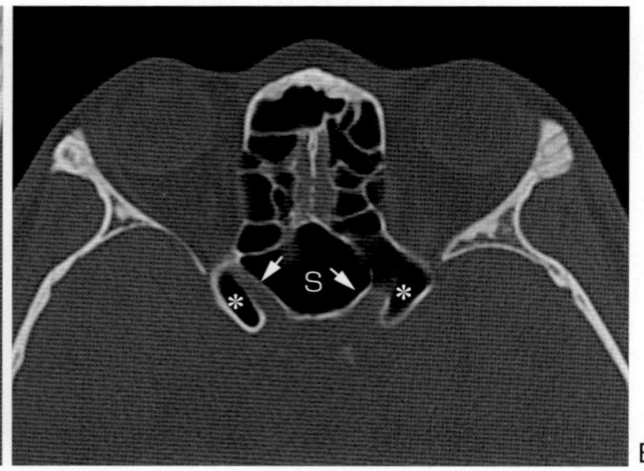

図32　含気前床突起および蝶形骨洞内を貫通する視神経管

蝶形骨洞レベルの冠状断像(A)および横断像(B)．両側の前床突起の含気(＊)を認め，両側の視神経管(矢印)は蝶形骨洞(S)内を貫通するように認められる．冠状断像(A)において，蝶形骨洞は左大翼内への外側進展(L)を認め，正円孔(r)，翼突管(v)も左側では洞内への突出を示す．

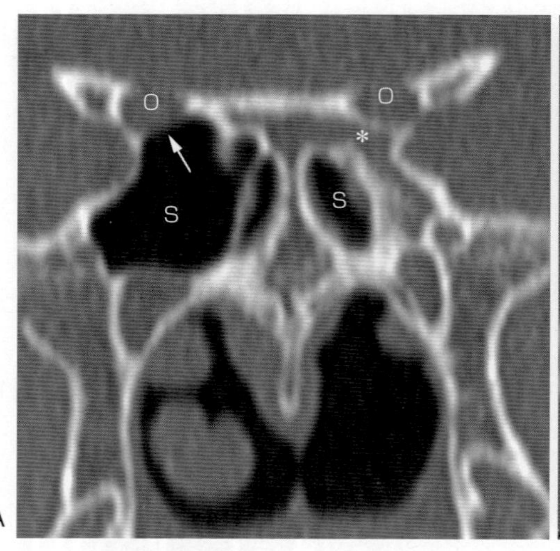

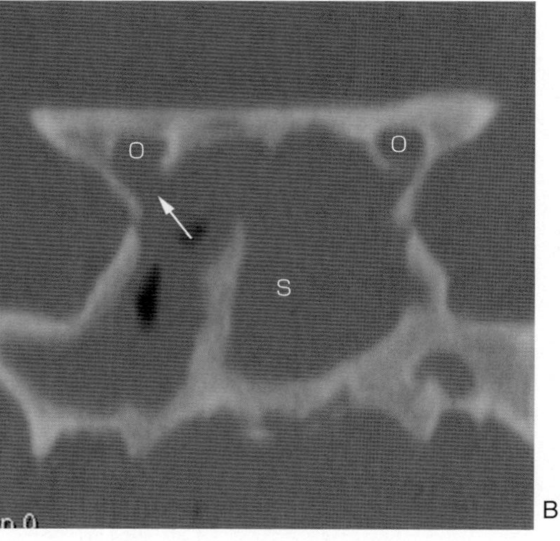

図33　視神経管骨壁欠損．冠状断CT

A：蝶形骨洞(S)の発達は非対称性であり，発達のやや不良な左側では視神経管(O)は厚い骨壁(＊)により守られているが，右側では骨壁の欠損(矢印)を示す．

B：蝶形骨洞(S)は炎症性軟部濃度を容れる．洞骨壁の粗造な硬化が認められ，長期にわたる炎症を反映する．視神経管(O)を隔てる骨壁は右側では欠損(矢印)している．

重要である．

12 視神経管頸動脈裂(opticocarotid recess)

蝶形骨洞の発達の程度は個体差が大きく，洞内では視神経管による隆起(視神経管隆起)と頸動脈による隆起(頸動脈隆起)との間に視神経管頸動脈裂と呼ばれる陥凹(図36)を認める．蝶形骨洞手術，経蝶形骨洞下垂体手術時の重要な外科的指標のひとつとして知られている[27]．

13 paradoxical turbinate

通常，中鼻甲介の下端は外側に向かうが，これが内側に向かうもの(図37)を指す．約12〜25％で認められ，中鼻道への突出に伴い鼻道狭小化，粘膜病変の原因になりうる[28]．以前は鼻道狭小化の原因とも考えられていたが，現在は臨床的意義に乏しいとされている．

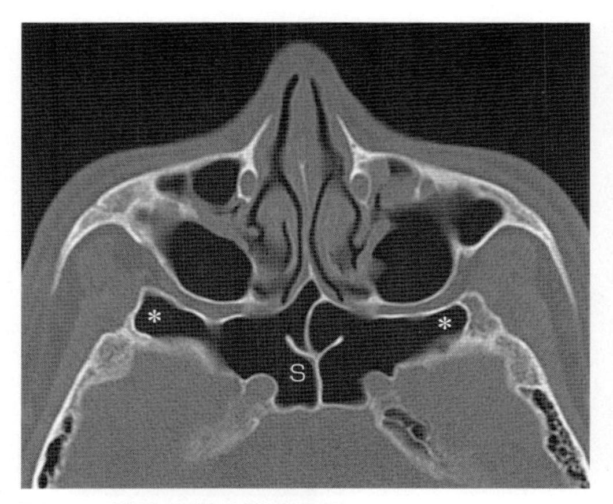

図 34　蝶形骨洞の外側進展
蝶形骨洞(S)は両側において中頭蓋底を形成する大翼前方に向かって，外側への進展(＊)を示す．

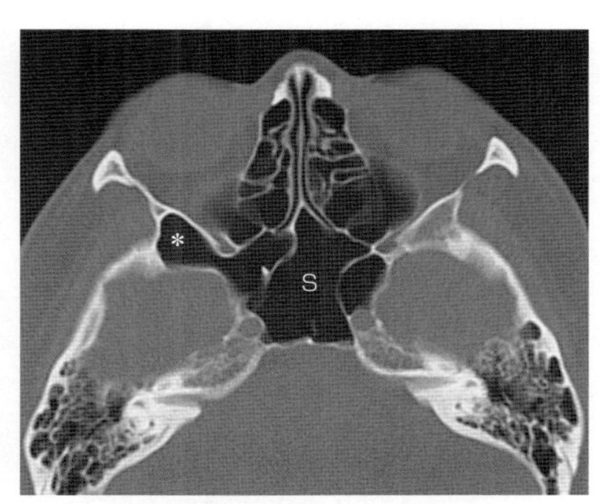

図 35　蝶形骨洞の非対称性外側進展
蝶形骨洞(S)は右大翼前方に向かう片側性の外側進展(＊)を示す．

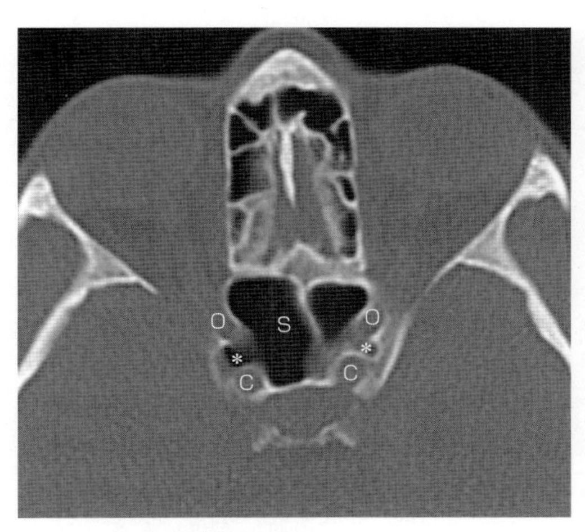

図 36　視神経管頸動脈裂
蝶形骨洞(S)の両側側壁には前方上部に視神経管(O)，後方に頸動脈(C)による隆起を認め，その間に形成される陥凹(＊)を認め，視神経管頸動脈裂(opticocarotid recess)に一致する．

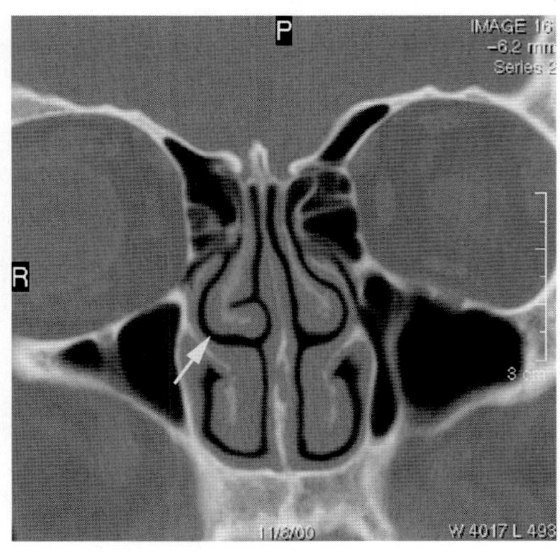

図 37　paradoxical turbinate
鼻副鼻腔冠状断 CT において，右鼻甲介(矢印)は通常と逆に内側への弯曲を示している．

14 眼窩上篩骨洞蜂巣(supraorbital ethmoid air cell)

篩骨洞の眼窩上方への進展(図 38，39)を示し，画像上，前篩骨動脈よりも後方にみられることで前頭洞との区別が可能である．内視鏡手術で到達しにくく，眼窩合併症の原因となりうる．また鼻内術中における前篩骨動脈の解剖学的指標としても重要である[29, 30]．

15 Onodi cell(sphenoethmoid cell)

後篩骨洞はしばしば後上方に向かって発達，蝶形骨洞頭側への進展を示す．同進展による蝶形骨洞頭側に位置する後篩骨蜂巣を Onodi cell と称する(図 40，41)．発生頻度は 10〜20％程度で，換気・排泄機能が悪い傾向にある[31, 32]．視神経管，頸動脈と密接な位置関係を示すことから，鼻内手術で視神経，頸動脈損傷のリスクを高めるとされる．特に視神経の突出が全体の 50％を超え

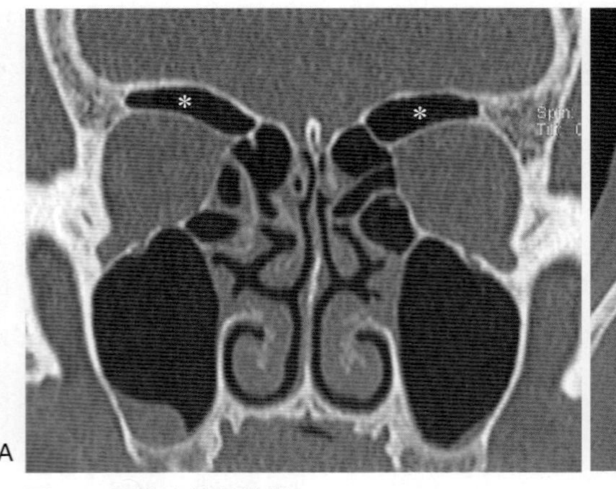

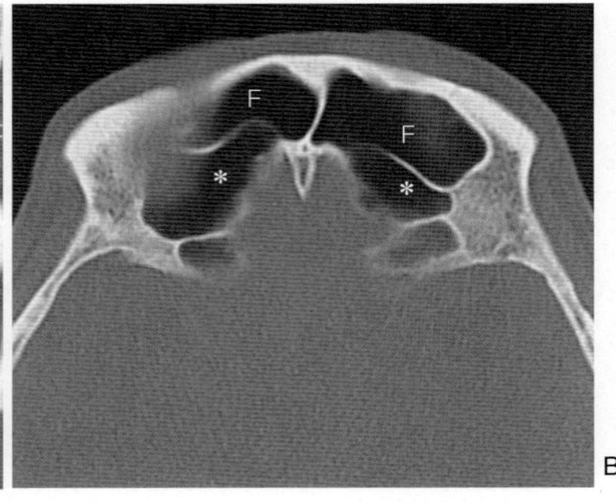

図 38　眼窩上篩骨蜂巣
冠状断 CT（A）で両側眼窩頭側に進展する篩骨蜂巣（＊）を認める．横断 CT（B）で，前頭洞（F）との区分が確認される．

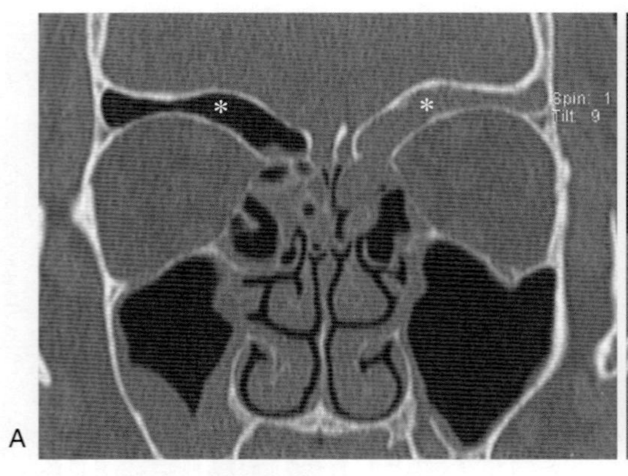

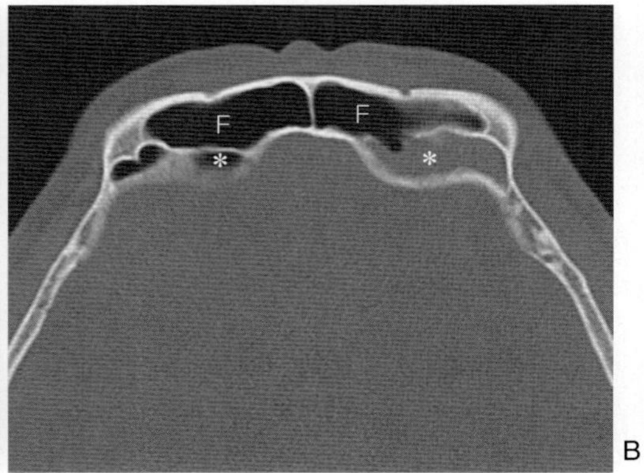

図 39　眼窩上篩骨蜂巣
冠状断 CT（A）で両側眼窩頭側に進展する篩骨蜂巣（＊）を認め，左側は炎症性軟部濃度を含む．横断 CT（B）で，図 38B と同様に前頭洞（F）との区分が確認される．

ると視神経損傷のリスクが増加する[33]．同部に生じた粘液瘤は視神経に対する圧排性視神経症をきたしうる[34]．

E　撮像プロトコール

鼻副鼻腔疾患に対する CT，MRI では冠状断像，横断像が基本となり，CT は矢状断を加えることが望ましい．

炎症性疾患では単純 CT の軟部条件，骨条件表示において評価する．頭蓋内合併症，血栓性静脈炎，合併する腫瘍性疾患などの評価が含まれない限り，造影剤の使用は必要ない．眼窩内合併症の評価には存在診断に関しては単純 CT で十分である．眼窩骨膜下膿瘍と蜂窩織炎の鑑別，上眼静脈血栓性静脈炎の有無の評価などに関して，状況により造影剤を使用する．軟部条件では鼻副鼻腔を越えた周囲軟部組織への炎症波及の有無を確認する．骨条件では骨侵食像をみるだけではなく，鼻内内視鏡手術を前提として，既述の normal variant に関する情報を得る必要がある．

腫瘍性病変では CT，MRI 両方による評価が必要である．CT では主に骨の変化（破壊性か，膨張性か），MRI では造影剤を使用することにより腫瘍部分と二次性（閉塞性）炎症部分との鑑別，腫瘍の内部性状，頭蓋内進展の有無，程度を評価す

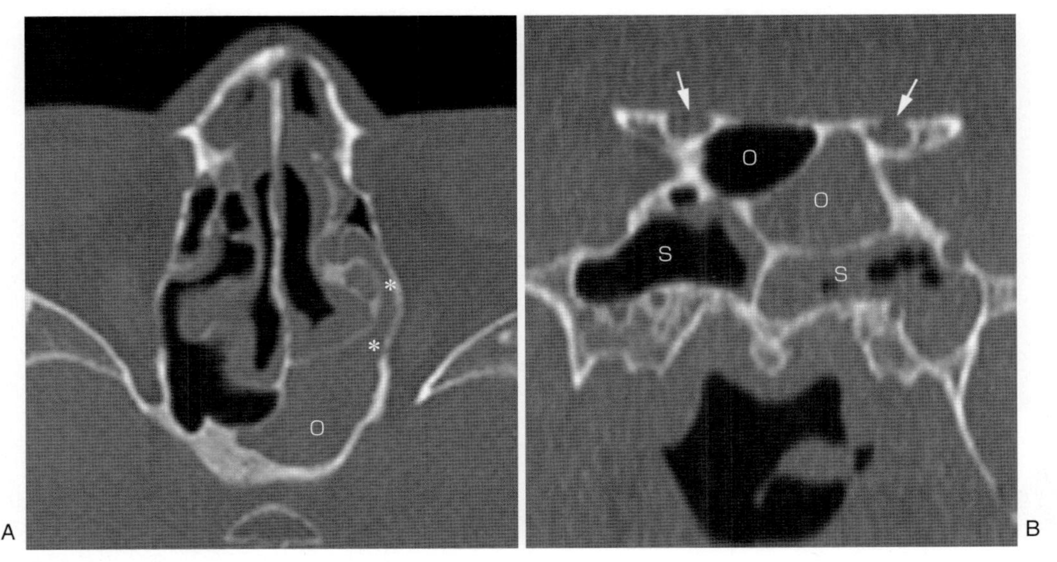

図 40 Onodi cell
横断 CT(A)において，左後篩骨洞から後方に連続する(＊)Onodi cell(O)は炎症性軟部濃度を容れる．冠状断 CT(B)で Onodi cell(O)は蝶形骨洞(S)頭側を占拠，視神経管(矢印)に隣接する．

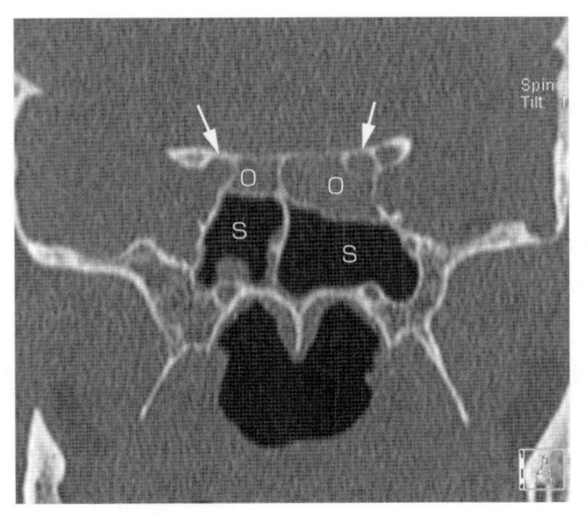

図 41 Onodi cell
冠状断 CT で，両側視神経管(矢印)に隣接する Onodi cell(O)は炎症性軟部濃度を含む．蝶形骨洞(S)の含気は保たれる．

ることが目的となる．多列検出器 CT では，再構成画像における冠状断および横断像で軟部条件表示・骨条件表示により評価するのが一般的で，再構成スライス厚は骨条件表示では 1 mm，軟部条件表示では 3 mm 程度，スライス間隔は 3 mm 以下が望ましい(髄液鼻漏の評価ではときに 1～2 mm のスライス間隔での評価が必要となる)．また，前頭洞の確認において(傍正中部を中心とした)矢状断像も有用な場合がある．MRI は T1 強調像，T2 強調像，造影後 T1 強調像で冠状断および横断像を撮影するのが一般的撮像プロトコールであり，スライス厚・間隔は 3～4 mm 程度で，FOV は 20～24 cm 程度とする．造影後 T1 強調像での脂肪抑制の要否は(撮像機種のスペックなどの)状況による．

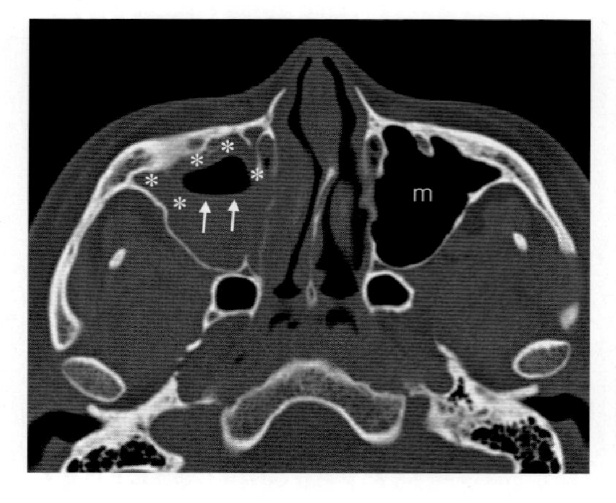

図 42　急性上顎洞炎
鼻副鼻腔 CT 横断像の骨条件表示．右上顎洞にはびまん性の粘膜肥厚（*）と内腔の液面形成（矢印）を認める．左上顎洞（m）の含気は良好に保たれている．

F 炎症性疾患

1 病　態

鼻副鼻腔を侵す炎症では，通常の慢性鼻副鼻腔炎としての治療（経鼻ステロイド，経鼻血管収縮薬，抗菌薬および洗浄）で経過をみてよい症例か，より積極的な治療や検査を必要とする病態なのかを区別する必要がある．以下に代表的な鼻副鼻腔領域の炎症性疾患を解説する．

a. 急性副鼻腔炎（acute sinusitis）

臨床上，鼻漏，鼻閉などの症状を 7～14 日間（最大で 4 週間）認める場合，急性副鼻腔炎と考えられる．各副鼻腔の急性副鼻腔炎の疼痛としては，上顎洞は頬部痛，前頭洞は前額部痛，篩骨洞は眼の奥の痛み，蝶形骨洞は頭頂部への放散を示す頭痛が典型的である．いずれも各領域の三叉神経による．ウイルス性上気道感染に関連するものが最も多いが，その他として喘息，アレルギー性鼻炎，喫煙（受動を含む）が原因となる．急性副鼻腔炎は急性ウイルス性副鼻腔炎と急性細菌性副鼻腔炎に 2 分されるが，90％近くをウイルス性が占め，細菌性は 0.5～20％と少ない[35]．診断では最初に症状，理学的所見などによりウイルス性と細菌性を区別することに始まる．一般にウイルス性はすぐに極期となり 3 日目から軽減，1 週程度で終息する場合が多く，25％はやや遷延するが軽減していく[36]．これに対して細菌性の場合 10 日以上改善がみられず，まれに治療開始 10 日後まで増悪を示す例もある[37]．鼻内所見として浮腫，充血，膿性鼻汁などを認める．治療は適切な排泄と炎症の制御を目的とする．多くの症例が内科的に治療可能で，約 85％の症例は抗菌薬投与なしに 7 日から 15 日で症状の軽減，消退を示す[38]．にもかかわらず診断時に 90％近くの症例で抗菌薬が投与される．治療開始後 3～5 日の経過で改善が確認されない場合，抗菌薬の変更を考慮すべきであり，適切な抗菌薬投与にも反応が乏しい，あるいは合併症を認めた場合は外科的治療の対象となる．急性上顎洞炎では内視鏡手術により自然口を開放する，あるいは犬歯窩，下鼻道より穿刺，生食による洗浄を行う．急性前頭洞炎では以前は上眼瞼内側より切開し前方から骨壁（前頭洞前壁）を開放する手術が行われていたが，最近では可能な限り鼻内から鼻前頭窩（nasofrontal recess）の機能再建を促す内視鏡的手術が施行される[39]．両側性前頭洞炎では洞内隔壁の切除も必要となる．内科的治療に反応の悪い篩骨洞炎，蝶形骨洞炎の多くは鼻内から内視鏡的に治療可能である．

画像診断として急性副鼻腔炎診断に対する単純 X 線撮影の感度は低く，治療方針決定に十分とはいえない．患者の重篤度などから判断し，より確実な診断を必要とする場合は CT を考慮すべきである[40]．急性副鼻腔炎の CT 所見（図 42）として粘膜肥厚，液面形成，軟部組織濃度による含気腔占拠などがあげられるが，いずれも所見特異性は低く，臨床情報に照らして診断されるべきである．洞内洗浄後であれば液面形成は決して異常と

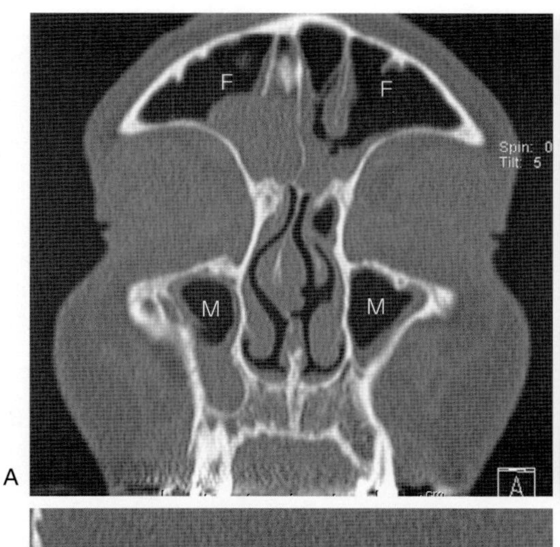

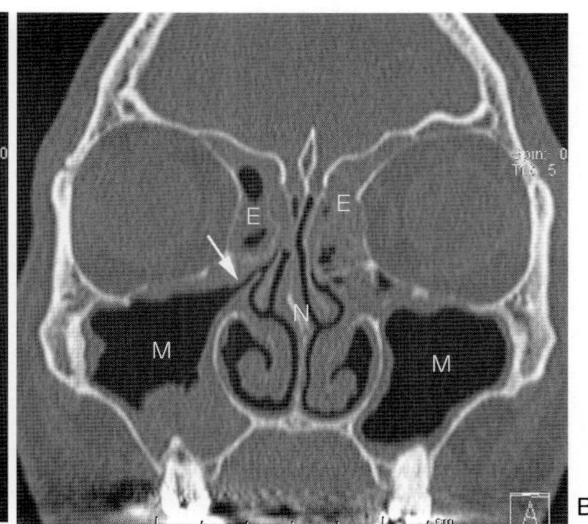

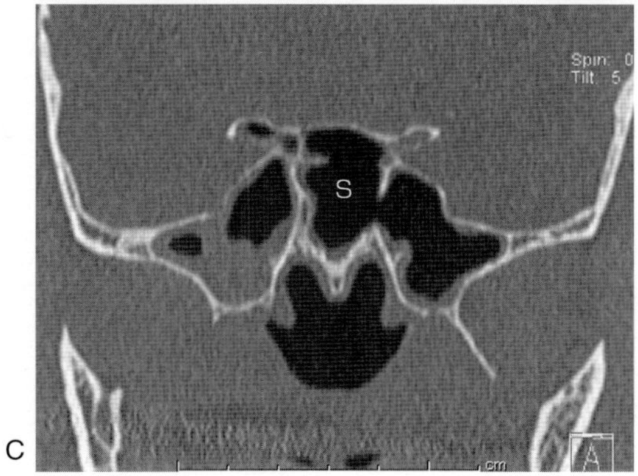

図 43　鼻ポリープを伴わない慢性鼻副鼻腔炎(chronic rhinosinusitis without nasal polyp)

鼻副鼻腔領域の前方から後方に向かう冠状断 CT(A：前頭洞レベル，B：上顎洞自然口レベル，C：蝶形骨洞レベル)．鼻腔(N)および副鼻腔領域では，両側びまん性軟部濃度肥厚を認め，慢性鼻副鼻腔炎に一致する．E：篩骨洞，F：前頭洞，M：上顎洞，S：蝶形骨洞，矢印：開存性の保たれる右側の OMC

はいえない．またウイルス性，細菌性の鑑別にも画像診断の有用性は低いが，存在診断とともに眼窩内，頭蓋内合併症の評価が非常に重要である(後述)．これらの合併症の存在は炎症の侵襲度が高く，外科的介入を考慮すべき状況であることを示す．なお抗菌薬投与の有無とこれら合併症の発現頻度にはあまり相関がみられないとされる[35]．

b．慢性鼻副鼻腔炎(chronic rhinosinusitis)

鼻副鼻腔の炎症が 12 週以上継続した場合に慢性鼻副鼻腔炎と定義される．確定的病因は明らかでなく，実際にはさまざまな病態を含むと考えられている．症状としては鼻閉，鼻汁，顔面痛(圧痛)，嗅覚低下などが現れる(小児では咳嗽も重要である)．症状のみによる診断は，感度は高いが特異度は極めて低いため，現在の国際的なガイドライン(International Consensus Statement on Allergy and Rhinology: Rhinitis, 2016)では客観的所見として内視鏡あるいは画像検査での陽性所見の確認が推奨されている[41]．なお内視鏡検査での陰性所見で慢性鼻副鼻腔炎の否定はできない[42]．

慢性鼻副鼻腔炎は病型として鼻ポリープを伴うか否かにより 2 つに大別される(chronic rhinosinusitis without nasal polyps，chronic rhinosinusitis with nasal polyps)(図 43，44)[43]．鼻ポリープ合併例では，より高度の嗅覚障害を呈する傾向にあり[44]，内視鏡術後に含気の改善が認められたとしても，より高い再発率を示す[45]．近年，慢性鼻副鼻腔炎は，鼻ポリープを伴う好酸球性過形成性副鼻腔炎と腺過形成を示す慢性鼻副鼻腔炎に区分され[46]，腺過形成は鼻ポリープを伴う例，伴わない例ともに多く認められるのに対して，好酸球性は鼻ポリープを伴う例でより高頻度に認められる．このことより，(後述の)好酸球性副鼻腔炎は鼻ポリープを伴う慢性鼻副鼻腔炎に含まれるひとつの病態と考えられる場合が多い．従来，慢

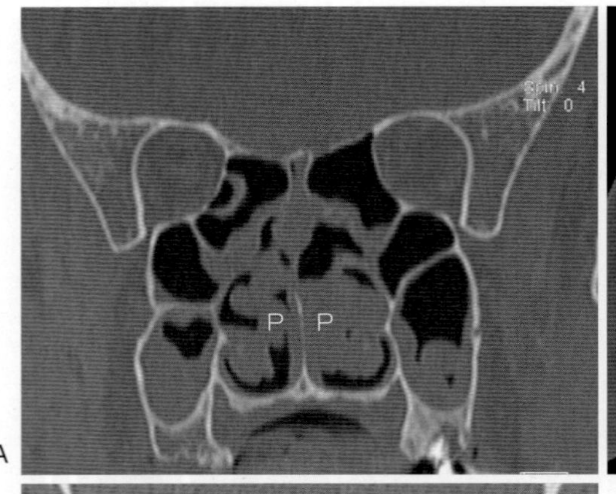

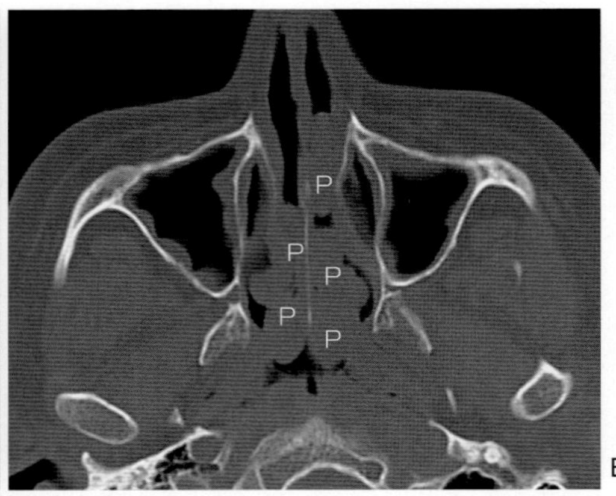

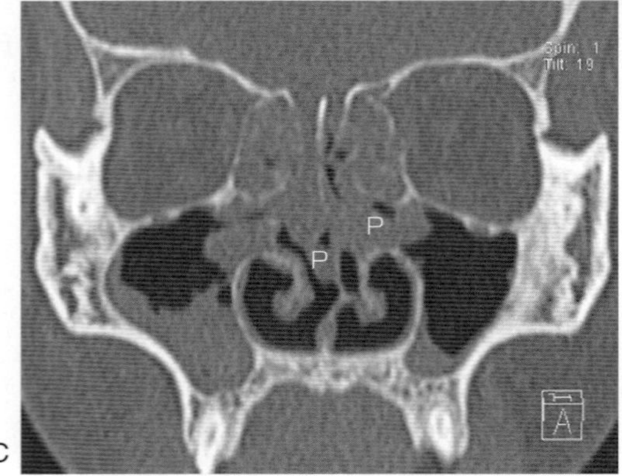

図44　鼻ポリープを伴う慢性鼻副鼻腔炎（chronic rhinosinusitis with nasal polyps）

鼻副鼻腔領域CT，冠状断像（A）および横断像（B）において，鼻副鼻腔に両側性びまん性軟部濃度肥厚を認め，慢性鼻副鼻腔炎を示すとともに，鼻腔に複数のポリープ形成（P）を認める．別症例の冠状断CT（C）で，図Aと同様，慢性鼻副鼻腔炎所見と両側鼻腔のポリープ（P）を認める．

性鼻副鼻腔炎の一部は好酸球性副鼻腔炎（以前はアレルギー性真菌性副鼻腔炎の一部としても扱われてきた）の診断基準に合致し[47]，これらはアレルギー因子の認識なく外科的治療のみを行ったとしても治療効果は限定的であった．慢性鼻副鼻腔炎症例において，気管支喘息のある例では76％が鼻ポリープを合併するのに対して，喘息のない例の鼻ポリープ合併は26％と比較的低い[48]．合併症としては粘液瘤（後述）が重要である．

慢性鼻副鼻腔炎のCT評価は，客観的所見を得ることにより臨床診断の信頼性を高めるため，（治療開始前の基線検査として）病気の程度・範囲を把握するため，内科的治療の効果を客観的に評価するため，（真菌性副鼻腔炎，歯性上顎洞炎，腫瘍などの）器質的異常を否定（評価）するため，内視鏡手術の術前計画のため，合併症（粘液瘤）を評価するため，などを目的として行われる．特に術前評価としてのCTは必須である．慢性鼻副鼻腔炎のCT所見としては鼻腔および副鼻腔の両側性びまん性の軟部濃度肥厚を認める．鼻腔粘膜は既述のnasal cycle（図4）との関連もあり，正常でも多少非対称性の厚みをもってみられるが，鼻腔底の軟部組織肥厚や多結節様粘膜は異常である．これに対して，副鼻腔はCTで確認可能ないかなる軟部組織濃度も異常と判断される．繰り返すが，慢性鼻副鼻腔炎のCT診断は軟部濃度病変を鼻腔および副鼻腔に両側性びまん性に認めることによる．慢性鼻副鼻腔炎の存在診断についてCT診断の感度は高く特異度は中等度であるが，病歴や理学的所見などの臨床情報を合わせることにより正診率向上が期待される[49]．American Academy of Otolaryngology Head and Neck Surgery（AAO-HNS）のRhinology and Paranasal Sinus Committeeでは，臨床に最も実践的に適応するCTでの副鼻腔炎病期診断としてLund and Mackay scoring system（**表4**）[50]とGliklich and Metson system（**表5**）[51]を提唱している．Lund and Mackay scoring systemの0か1点は慢性鼻

表 4 Lund and Mackay scoring system

各副鼻腔および OMC(ostiomeatal complex)に対して，含気腔の置換の有無，程度により以下の点数を与え，合計の高いほど，病変の分布は高度と判断される.

点数
0 points = 異常なし
1 points = 含気腔の部分的置換(partial opacification)
2 points = 含気腔全体の置換(total opacification)

副鼻腔：
上顎洞
前篩骨洞
後篩骨洞
蝶形骨洞
前頭洞
OMC(0 points = 正常，2 points = 閉塞のいずれかのみ)

(Lund VJ et al : Rhinology **107** : 183-184, 1993)

表 5 Gliklich and Metson system

病期	病変の特徴
Stage 0	いずれかの副鼻腔で 2 mm 未満の粘膜肥厚
Stage 1	片側に限局した病変あるいは解剖学的異常
Stage 2	篩骨洞あるいは上顎洞に限局した両側性病変
Stage 3	少なくともひとつの蝶形骨洞あるいは前頭洞を侵す両側性病変
Stage 4	全副鼻腔病変

(Gliklich RE et al : Am J Rhinol **8** : 291-297, 1994)

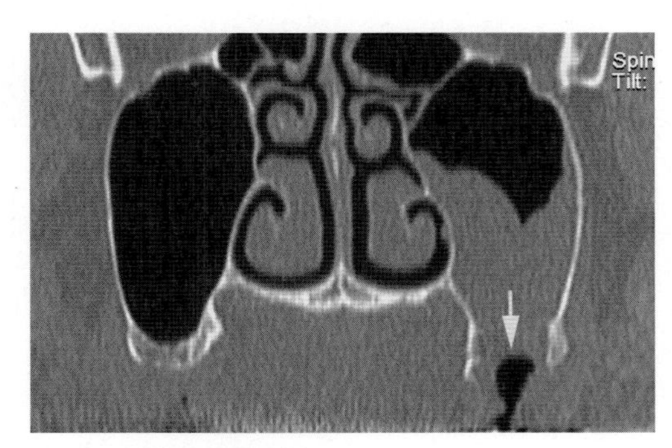

図 45 歯性上顎洞炎
抜歯した上顎第 2 大臼歯レベル，骨条件 CT，冠状断レベルで口腔と左上顎洞との間の交通(oro-antral fistula)(矢印)が認められ，接する左上顎洞には炎症性肥厚性粘膜と思われる軟部濃度領域を認める.

副鼻腔炎の可能性は低く，2 か 3 点は確定的判断は困難でありさらなる臨床評価あるいは経過観察が必要であり，4 点以上は慢性鼻副鼻腔炎の可能性が高いと判断されるが，分類不能例は少なく，軽度の病態の差も区分可能であるのに対して，Gliklich and Metson system は臨床への適応が最も容易である．これらの病期診断は実際に臨床・臨床研究あるいは薬剤効果判定などにおいて広く受け入れられているが，CT 所見の程度と症状の軽重との相関は低いとされ，副鼻腔炎治療の成功の定義は定まっておらず，CT 所見の改善を含めるべきか否かに関しては依然議論がある．なお，単純 X 線写真は副鼻腔疾患の病期診断においての意義はない.

片側性副鼻腔炎の場合，実際には炎症性癒着などによる自然口の機能的閉塞によることが多いが，成人では癌や内反性乳頭腫(後述)などの閉塞性腫瘍，歯性上顎洞炎(図 45，46)あるいは真菌性副鼻腔炎(菌球，アレルギー性真菌性副鼻腔炎)，小児では異物や歯性上顎洞炎の可能性を考慮する必要がある．これらの場合，原因病態に対する処置が必要となる．また，内視鏡手術を考慮した場合，既述の normal variant などを含めた画像情報の提供が望まれる．特に鼻中隔弯曲(図 6，7：p140)と concha bullosa (図 6，18)が症状の主原因となっている場合は内視鏡的手術により比較的良好な結果が得られることが知られており，臨床医に伝える必要がある.

c. 好酸球性副鼻腔炎 (eosinophilic sinusitis)

基本的には慢性鼻副鼻腔炎に含まれる．従来より副鼻腔粘膜に高度の好酸球浸潤を伴う例では治療経過が不良との報告がなされてきたが[52]，最近ではひとつの疾患概念として確立[53]，日本耳鼻咽喉科学会の JESREC Study (Japanese Epidemiological Survey of Reflactory Eosinophilic Chronic Rhinosinusitis Study)により診断基準(表 6：p140)が示されている[54, 55]．CT 所見，末梢血好酸球率および合併症の有無による重症度分類が用いられる(表 7：p140)．なお，欧米では一般にアレルギー性真菌性副鼻腔炎(後述)として診断されることが多い.

気管支喘息，アスピリン喘息(アスピリン不耐症)との関連が強く，鼻ポリープ形成を伴う慢性

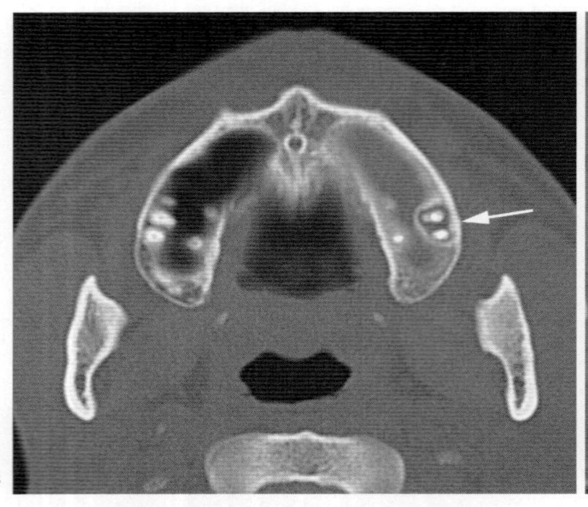

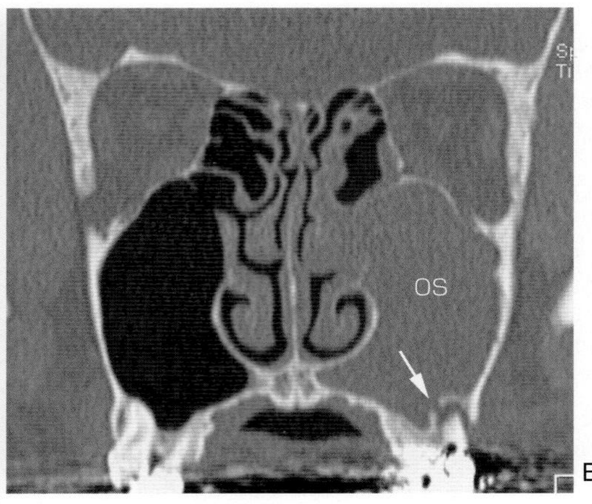

図46　歯性上顎洞炎による片側性副鼻腔炎

上顎レベル横断CT(A)において，根管治療後の左上顎第2大臼歯歯根周囲の骨吸収(矢印)を認め，periapical diseaseに一致する．冠状断CT(B)では，左上顎洞は炎症性軟部濃度でほぼ占拠されており，片側性上顎洞炎の所見を呈する．左上顎大臼歯のperiapical diseaseと上顎洞下壁との間の骨壁欠損(矢印)を認め，歯性上顎洞炎(OS)を支持する．

表6　好酸球性副鼻腔炎診断基準項目(JESREC Study)

項目	スコア
病側：両側	3点
鼻茸あり	2点
篩骨洞陰影／上顎洞陰影　≧1	2点
血中好酸球(%)	
2＜　≦5%	4点
5＜　≦10%	8点
10%＜	10点

スコアの合計：11点以上を好酸球性副鼻腔炎とする．
確定診断は，組織中好酸球数：70個以上

(藤枝重治，坂下正文，徳永隆弘ほか：日耳鼻 **118**：728-735, 2015)
(Tokunaga T, Sakashita M, Haruna T et al : Allergy **70** : 995-1003, 2015)

表7　好酸球性副鼻腔炎重症度分類

A項目	① 末梢血好酸球が5%以上 ② CTにて篩骨洞優位の陰影が存在する
B項目	① 気管支喘息 ② アスピリン不耐症 ③ NSAIDアレルギー
重症度	いずれも診断基準JESRECスコア11点以上，かつ以下の条件
軽症	A項目陽性1項目以下 ＋ B項目合併なし
中等症	A項目ともに陽性 ＋ B項目合併なし，あるいはA項目陽性1項目以下 ＋ B項目いずれかの合併あり
重症	A項目ともに陽性 ＋ B項目いずれかの合併あり

厚生労働省(指定難病306)(https://www.mhlw.go.jp/stf/seisakunitsuite/bunya/0000079293.html)

副鼻腔炎で，副鼻腔粘膜は高度の好酸球浸潤を示す．通常の慢性鼻副鼻腔炎と比較して，鼻閉，嗅覚障害の程度が高い傾向にある．難治性の中耳炎(好酸球性中耳炎)を伴うこともあり，進行すると聾に至る．

画像所見としては，CTにおいて鼻副鼻腔に著明な両側性びまん性軟部濃度肥厚を認め，篩骨洞から中鼻道領域に優位な分布を示す．下鼻道の含気は相対的に保たれる傾向にある．同軟部濃度内に，アレルギー性ムチン(allergic mucine)を示す(石灰化よりは淡い)高濃度域を含むことにより診断される(図47，48)(後述のアレルギー性真菌性副鼻腔炎とは病変の分布により区別される)．上顎洞や蝶形骨洞などの比較的大きな副鼻腔では，浮腫性肥厚粘膜がしばしば洞骨壁に沿った不均等な厚さの帯状軟部濃度として認められる．画像上も鼻ポリープ形成を認める傾向にある．画像診断にMRIは必ずしも必要とされないが，副鼻腔の壁に沿った浮腫性肥厚粘膜は(通常の慢性鼻副鼻腔炎での粘膜肥厚と同様に)T1強調像で低信号強度，T2強調像では高信号強度を呈し，内腔のアレルギー性ムチンはT1強調像での信号強度はさまざまであるが，高信号強度を呈する傾向があり

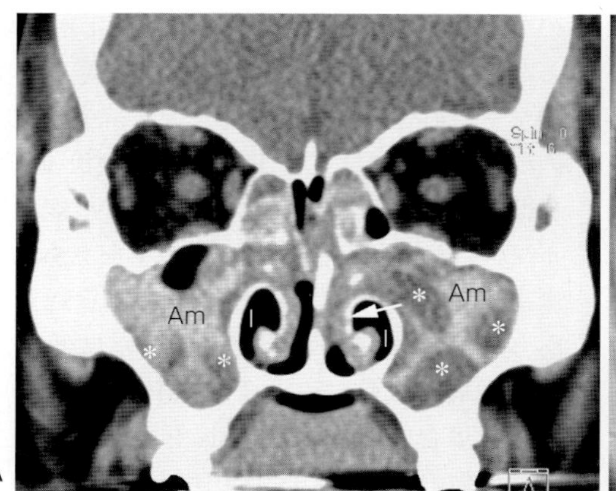

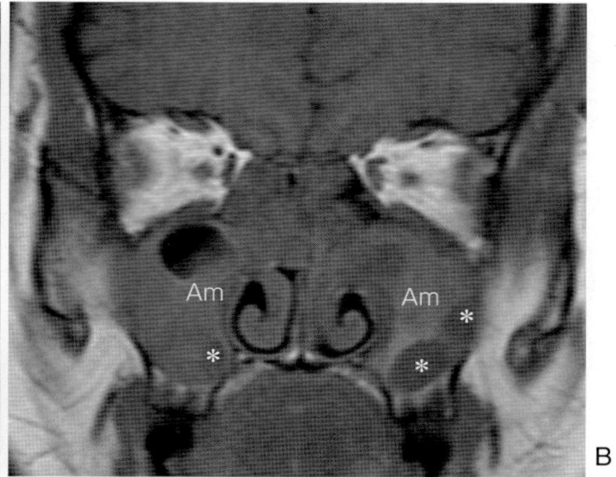

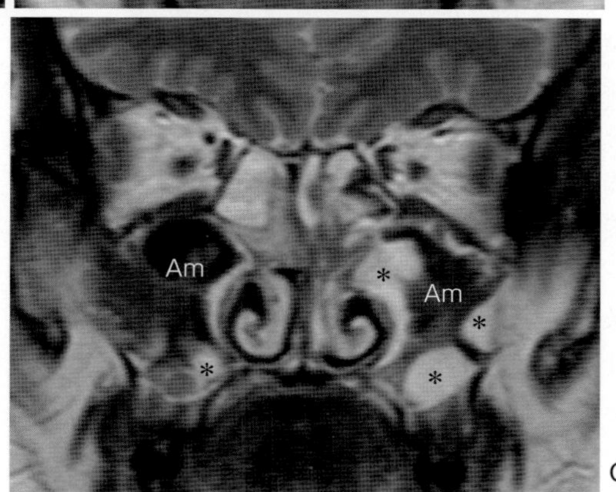

図 47　好酸球性副鼻腔炎

冠状断 CT(A)において，両側鼻副鼻腔のびまん性軟部濃度肥厚を認め，両側上顎洞では壁に沿った不均等な肥厚を示す粘膜(＊)により狭小化した内腔はアレルギー性ムチン(Am)による高濃度領域で占拠される．篩骨洞領域にも同様の所見を認める．左鼻腔にポリープ(矢印)あり．両側下鼻道(I)領域の含気は比較的保たれている．MRI では，T1 強調冠状断像(B)でアレルギー性ムチン(Am)は淡い高信号強度，肥厚粘膜(＊)は中等度の信号強度を示す．T2 強調像(C)ではアレルギー性ムチン(Am)はほぼ無信号を示し，一見含気腔のように認められる(pseudoaeration)．＊：浮腫性肥厚粘膜

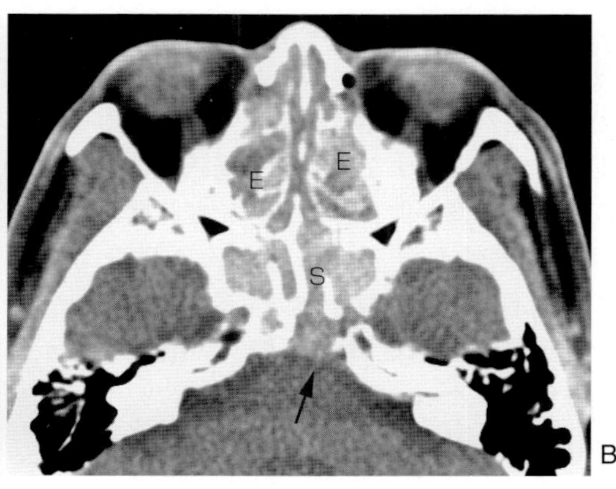

図 48　好酸球性副鼻腔炎

冠状断 CT(A)において，両側鼻副鼻腔のびまん性軟部濃度肥厚を認め，内部にモザイク状にアレルギー性ムチン(Am)による高濃度領域が混在する．両側下鼻道(I)領域の含気は比較的保たれている．横断 CT(B)でも両側篩骨洞(E)，蝶形骨洞(S)内を充満するアレルギー性ムチンによる高濃度を認め，蝶形骨洞後壁(斜台後面)は部分的な欠損(矢印)を示す．

(図47B，49A)，T2強調像ではほぼ無信号強度を示す(図47C，49B)．T2強調像では一見粘膜肥厚のみで，内腔は含気した状態(pseudoaeration)にもみえるが，他のシーケンスと合わせて評価することにより診断可能である．また，アレルギー性ムチンやポリープによる洞内圧上昇により，洞骨壁の圧排性侵食による欠損を示す場合があり，これらは鼻内手術時のsurgical riskとして重要であり，術前CTにおいて眼窩(図50A，図50B)，眼窩尖部(図50C)，斜台(図48B)，篩板などの状態を評価する必要がある．

一般に軟治性，内科的治療に抵抗性であり，鼻内手術の適応となる場合が多いが，術後に再発・増悪を示す例(図51)も多い．通常のマクロライド療法は無効であり，ステロイド薬が有効とされる．喘息は独立した重要な再発因子であり，アスピリン三徴(鼻ポリープ，気管支喘息，アスピリン過敏症)と好酸球性副鼻腔炎により知られるアスピリン喘息(aspirine-induced asthma：AIA)における副鼻腔炎は難治性として知られている．

d. 真菌性副鼻腔炎

真菌性副鼻腔炎は組織内に菌糸を認めるか否かによって浸潤性と非浸潤性に分けられるが，さらに前者は急性と慢性，後者は菌球，アレルギー性と4つの臨床病型に分類される(表8：p144)[47, 56]．臨床像，治療，画像所見のいずれもが異なるこれらの臨床病型の理解は非常に重要で免疫状態と強い関連がみられる．すなわち，免疫状態によってこれらの臨床病型が併存したり，免疫状態が低下すれば非浸潤性が浸潤性に移行する場合もある[57, 58]．以下，各々につき解説する．

1) 急性浸潤性真菌性鼻副鼻腔炎 (acute invasive fungal rhinosinusitis)

American Academy of Otolaryngologyは副鼻腔炎ではなく，鼻副鼻腔炎の用語を提唱している[47]．これはほとんどの浸潤性真菌炎は鼻腔，主に中鼻甲介より生じることをO'MalleyとGillespieが示したことによる．

急性浸潤性真菌性鼻副鼻腔炎の大部分が移植患者で免疫抑制薬投与，長期ステロイド投与，血液悪性腫瘍，先天性・後天性免疫不全，糖尿病などの免疫抑制状態をもとに生じ，致死率は約50%と高い[59]．“急性”の診断は免疫状態とともに組織学上，血管浸潤が著明で，臨床経過が4週間以内であることによる．発熱と局所症状(眼瞼腫脹，鼻閉，顔面・眼窩痛など)を認める．症状はウイルス性，細菌性鼻副鼻腔炎との重なりもあり，臨床診断は容易ではないが[60]，早期診断が重要であり鼻腔に限局した病変の致死率は低いが[61]頭蓋内進展では倍になる[59]．鼻内所見として壊死をみた場合，mucormycosisを示唆するが，浮腫のみで他の病態との区別が困難な例も多い．本症を疑った場合，CT，組織診および培養が必要である．ただし，培養は日数を必要とし，抗真菌薬投与後では陽性を示さない場合がある一方，浸潤性真菌性鼻副鼻腔炎でなくとも陽性を示す場合もあることから注意を要する．組織診では組織内に真菌を確認できるが，CT後で抗真菌薬投与前に施行するのが望ましい．CT診断としては骨侵食(破壊)と炎症性副鼻腔に接した軟部組織への浸潤性変化が重要であり，状況により頭蓋内合併症の評価も含まれる．CT診断の特異度は低いが，診断において重要な部分を占めている．早期病変で最も多い所見は片側鼻副鼻腔の高度粘膜肥厚，(翼口蓋窩を含む)上顎洞周囲脂肪の浸潤性変化(後述)であり[62]，好発部位は中鼻甲介，上顎洞，篩骨洞，蝶形骨洞で，前頭洞病変は少ない[61]．既述のとおり，鼻腔に限局した段階での早期診断が予後に影響することからCT上で鼻腔粘膜の高度肥厚の指摘は重要である．片側性鼻腔病変を約79%で認めるが所見特異性は低い[63]．周囲軟部組織への浸潤性変化は血管浸潤が強いことを反映し，洞骨壁の破壊なしにこれらを貫く血管に沿って洞外に進展しうる．骨侵食は病状が進行してからの所見であり(図52，53)，早期診断が重要な本病態にとって，上顎洞前壁に接した表情筋下の洞前脂肪層(preantral fat pad)，後側壁に接した頬間隙から翼口蓋窩の洞後脂肪層(retroantral fat pad)[62]の混濁の同定は重要である(図54，55，56)．これら上顎洞周囲脂肪層の混濁の発現は早期病変の74%とされる[63]．骨欠損，眼窩浸潤性変化(CT冠状断で主に評価)(図52，53，57)，頭蓋内進展(図53，57)の所見特異性は高いが早

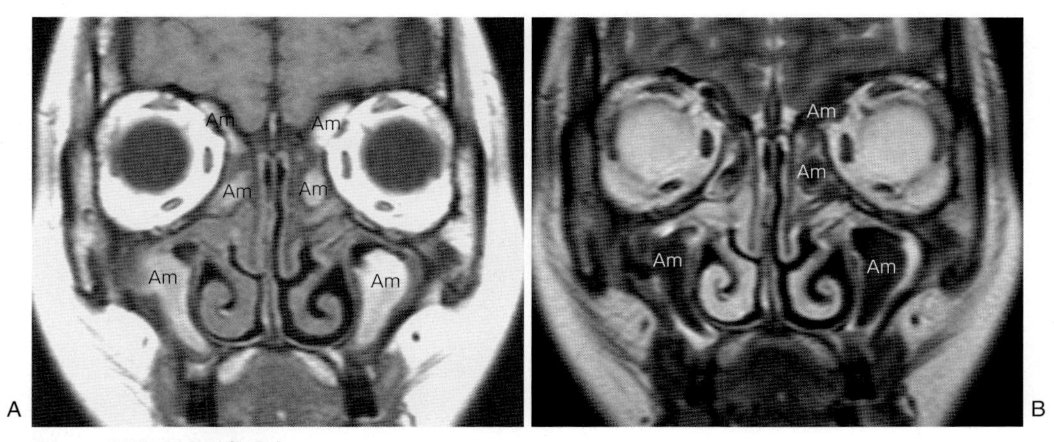

図 49　好酸球性副鼻腔炎

鼻副鼻腔に両側性に分布するアレルギー性ムチン(Am)は，MRI の T1 強調像(A)で高信号強度，T2 強調像(B)でほぼ無信号に近い低信号強度を示す．

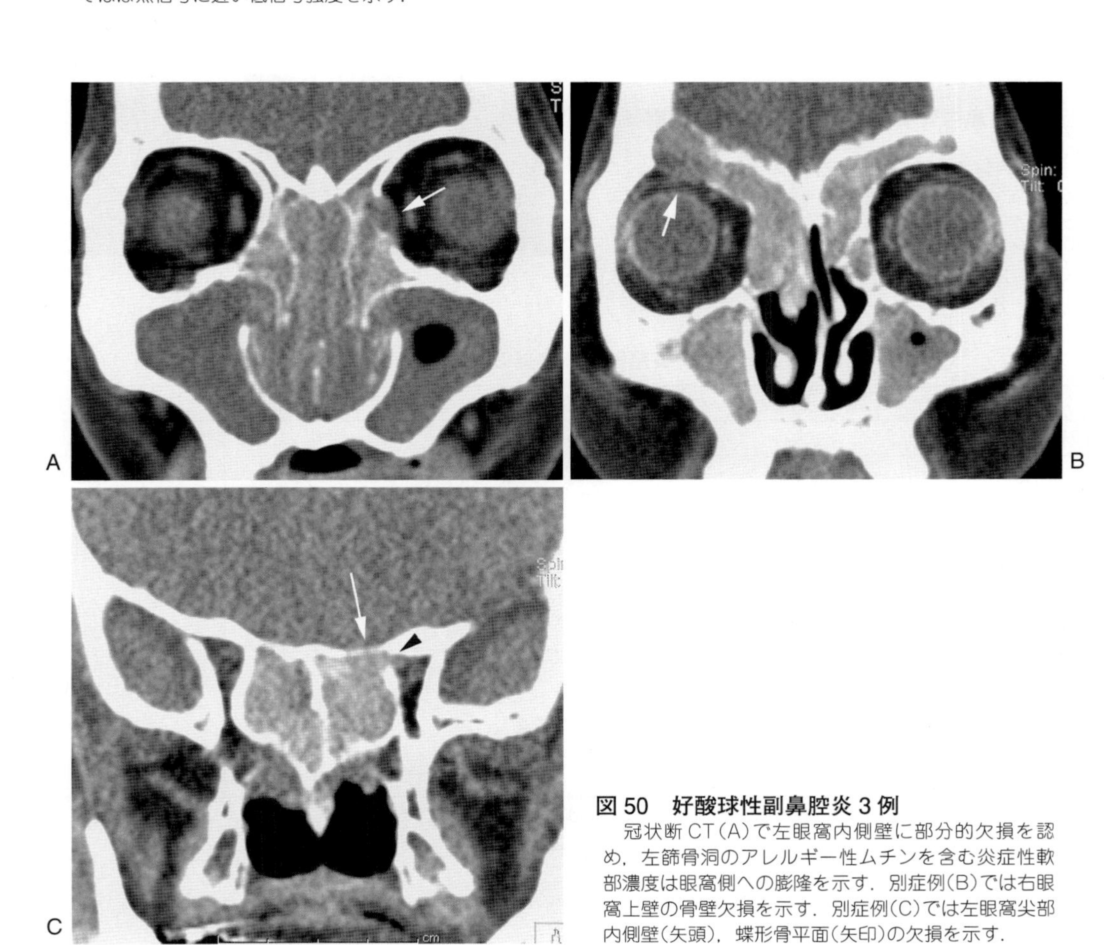

図 50　好酸球性副鼻腔炎 3 例

冠状断 CT(A)で左眼窩内側壁に部分的欠損を認め，左篩骨洞のアレルギー性ムチンを含む炎症性軟部濃度は眼窩側への膨隆を示す．別症例(B)では右眼窩上壁の骨壁欠損を示す．別症例(C)では左眼窩尖部内側壁(矢頭)，蝶形骨平面(矢印)の欠損を示す．

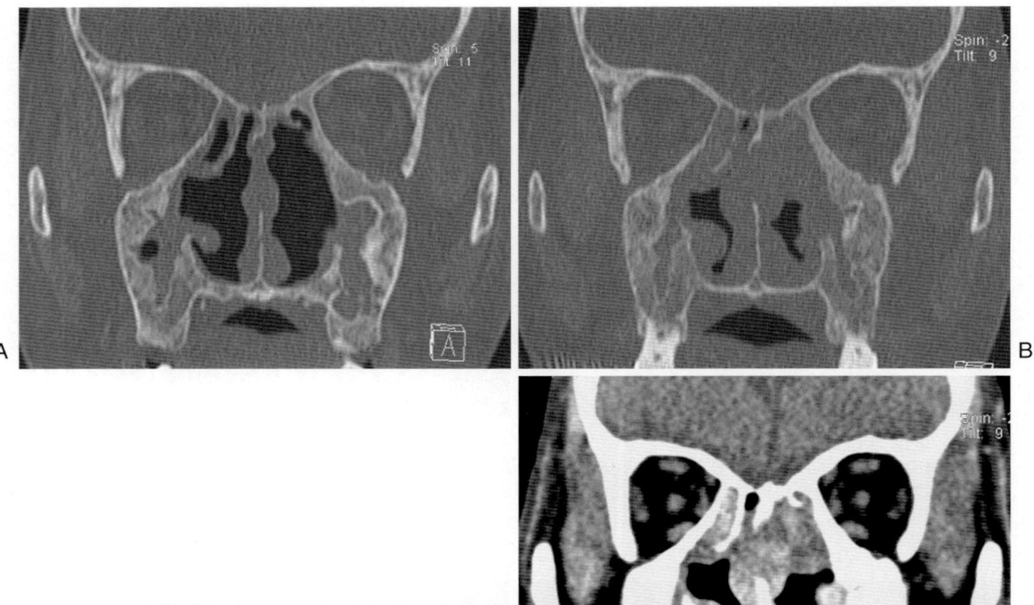

図51　鼻内術後再発を示した好酸球性副鼻腔炎

鼻内術直後の冠状断CT(A)．術後1年でのCT(B)では炎症性軟部濃度の再発を認め，軟部濃度表示(C)で好酸球性副鼻腔炎を示す淡い高濃度域を認める．

表8　真菌性副鼻腔炎の臨床分類

臨床型	急性浸潤性	慢性浸潤性	菌球	アレルギー性
臨床経過	急性	亜急性	慢性	慢性
免疫状態	抑制状態	非抑制状態 非アトピー性	非抑制状態 非アトピー性	非抑制状態 アトピー性
真菌の役割	病原体	病原体	非病原体	アレルゲン
組織浸潤	＋	＋	－	－
病的副鼻腔数	通常，ひとつ	不定	ひとつ	片側単独 あるいは複数
治療	免疫能回復 根治的外科的治療 (radical debridement) 抗真菌薬	外科的治療 (complete excision) 抗真菌薬	外科的治療 (debridement) 含気回復	外科的治療 (debridement) ステロイド 免疫治療 含気回復？

(Furguson BJ : Otolaryngol Clin North Am **33** : 227-235, 2000)
(Bent JP et al : Otolaryngol Head Neck Surg **111** : 580-588, 1994)

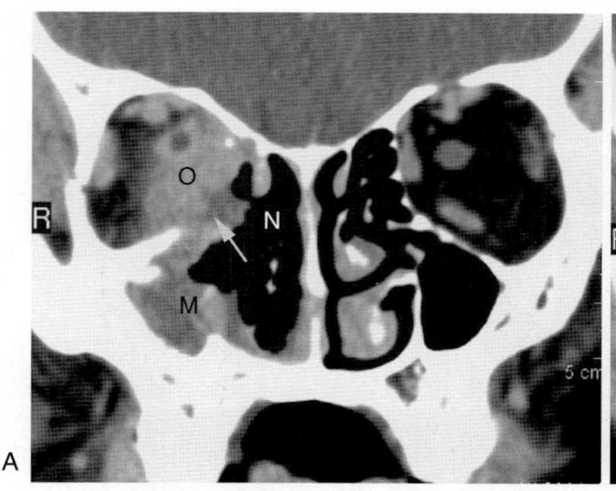

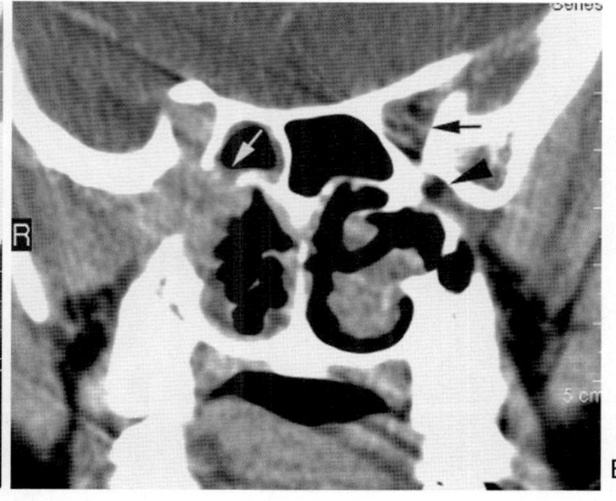

図 52　浸潤性真菌性鼻副鼻腔炎（骨髄移植後）［mucormycosis］
A：眼窩レベル軟部条件 CT 冠状断像．右上顎洞（M）から眼窩壁の破壊（矢印）を伴い眼窩内（O）への炎症の進展を認める．鼻腔（N）でも中・下鼻甲介骨などの破壊を示す．
B：眼窩尖部レベル．患側では，健側で確認できる眼窩尖部（黒矢印）および下眼窩裂（矢頭）の脂肪濃度を置換するように軟部濃度の浸潤性変化を認める．接する蝶形骨洞壁の一部に破壊（白矢印）あり．

期病変ではまれである[63]．その他に涙嚢・鼻涙管領域の浸潤性変化，炎症性軟部組織肥厚を示す場合もある．MRI は主に頭蓋内進展（図 53，57）の評価に用いられる．鼻副鼻腔病変は T2 強調像で低信号を示すことが特徴的で，造影剤投与後の造影様式は造影欠損を示すもの，不均一，均一な増強効果を示すものと様々である．造影欠損（図 57E）は凝固壊死，梗塞によるとされるが，予後不良との関連が示唆されている[64]．

不適切な治療では病状が急速に進行し，致死的である．治療は免疫能回復と抗真菌薬全身投与，適切な根治的外科的治療よりなり，最も重要なのは免疫能回復である．早期の適切な治療は予後改善に不可欠であり，基礎病態，病変の進展範囲が予後に影響を与えるが，分離された真菌の種類と予後との相関は小さい[65]．

2）慢性浸潤性真菌性鼻副鼻腔炎（chronic invasive fungal rhinosinusitis）

4 週間以上の経過をとる場合，慢性と診断される．免疫能は正常あるいはほぼ正常な患者にみられるが，実際には（ステロイド投与，高齢者，軽度の糖尿病などの）軽度の免疫抑制状態の例にしばしばみられる．急性と比較して，組織学上，血管浸潤に乏しく，一般に進行も緩徐で予後も比較的良好である．ただし，まれに徐々に進行性で頭蓋内合併症（図 57〜59）などから死の転帰をとりうる．病理組織学的には肉芽腫性，非肉芽腫性に分けられるが，予後も治療も違いはない[66]．肉芽腫性はアフリカ，中東（あるいはこれらからの移民）にみられ，その他の地域では少ない[57]．画像上，急性浸潤性真菌性鼻副鼻腔炎と同様の所見を示し，経過や臨床的背景により区別する．

3）菌球（fungus ball，mycetoma）

菌球は真菌菌糸の塊を示し，真菌性副鼻腔炎では最も多い病型である[67]．最も広く受け入れられている発生要因として，mucociliary clearance の低下・欠如により真菌が適切に除去されず副鼻腔内に定着することによると考えられている[68]．一般に高齢者に多く（60 歳代），女性に多い（男女比は 2：1）[69, 70]．肺真菌症との関連の報告はまれである[71]．また，糖尿病の合併は 4％と少ない[70]．通常，免疫能低下のない患者で認められるが，（加齢を含めた）免疫能低下などの状況により浸潤性鼻副鼻腔炎に移行する場合がある[72]．慢性副鼻腔炎様の症状を長期にわたり呈するが，ときに無症候性で偶然発見される場合もある．上顎洞に圧倒的に多く（94％）（図 56，60，61），次いで蝶形骨洞（4〜8％）（図 62）で，鼻腔（図 63），篩骨洞，前頭洞はまれである[73]．

画像所見として，CT 上，著明な炎症性軟部濃度肥厚を示す，単独の副鼻腔（上顎洞が多い）内の中心部に集簇性（図 60）あるいは結節性（図 61）の

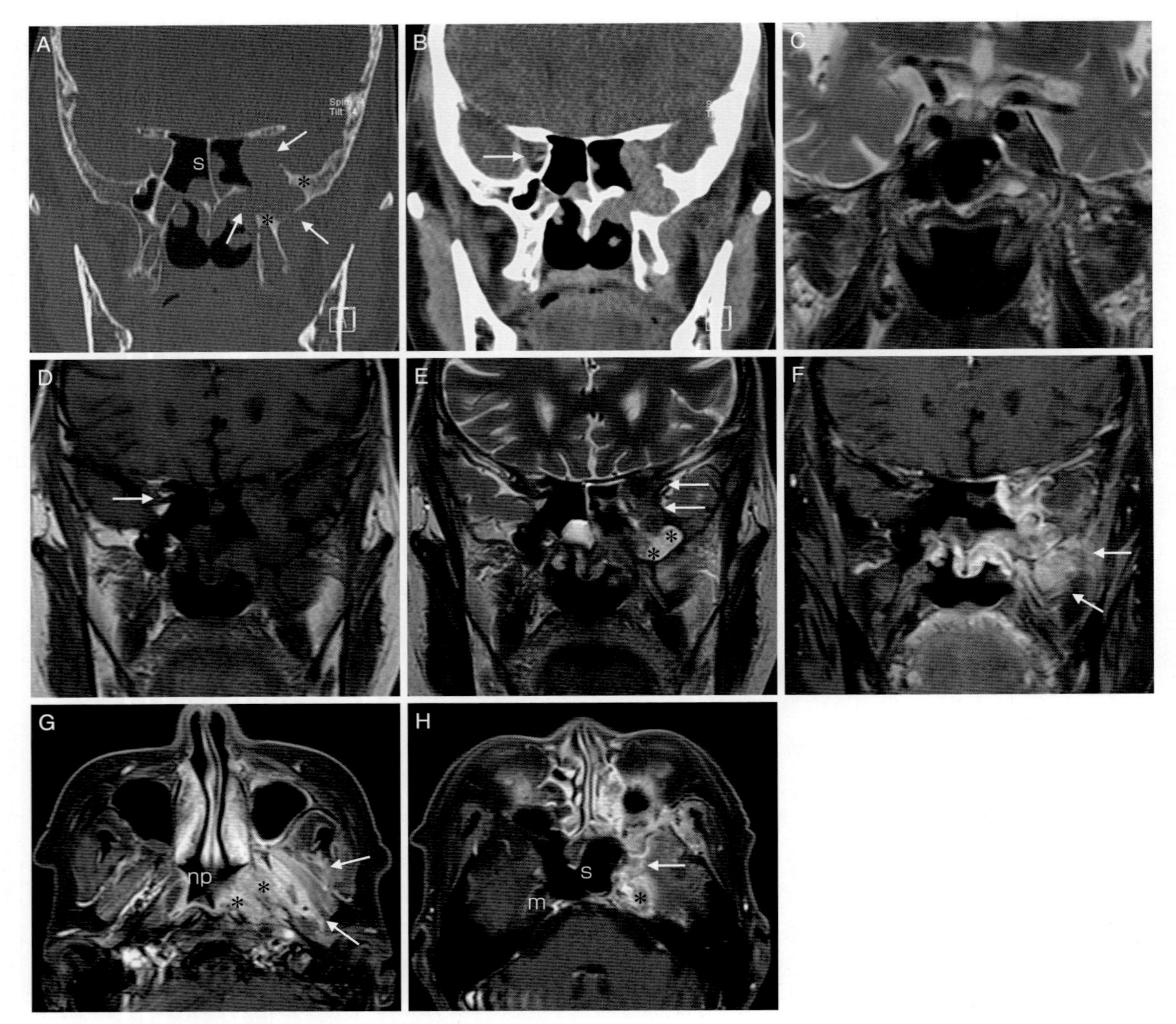

図 53　急性浸潤性真菌性副鼻腔炎（蝶形骨洞アスペルギルス症）

蝶形骨洞（s）レベルの CT 冠状断像骨条件表示（A）で左蝶形骨洞外側に炎症性軟部濃度（矢印）を認め，蝶形骨体部左側，左大翼内側，翼状突起基部の破壊性変化を伴い，これに隣接した淡い骨硬化（＊）を示す．同軟部濃度条件（B）で病変部はほぼ均一な軟部濃度の浸潤性病変を示す．右側（健側）では保たれる眼窩尖部の組織層（矢印）は左側（患側）では病変浸潤により消失している．造影剤投与（C）により，病変は不均等で比較的著明な増強効果を呈する．同症例の MRI，T1 強調冠状断像（D）で病変部は骨格筋とほぼ等信号強度を示し，右眼窩尖部で保たれる組織層（矢印）は左側（患側）で消失している．T2 強調冠状断像（E）では左蝶形骨洞外側下部は通常の炎症性肥厚粘膜による高信号強度（＊）を呈する一方で，洞外側上部では左眼窩尖部領域を含めて，やや低い中等度の信号強度（矢印）を呈する．造影後 T1 強調脂肪抑制冠状断像（F）で病変部の増強効果は翼突筋を含む側頭下窩（矢印）に及ぶ．同横断像，上咽頭レベル（G）で上咽頭左側壁（＊）から側頭下窩（矢印）への浸潤性病変の波及，同海綿静脈洞レベル（H）で左海綿静脈洞（矢印），Meckel 腔（＊：健側の Meckel 腔を m で示す）を含む左中頭蓋窩への頭蓋内波及の所見あり．np：上咽頭

高濃度域（石灰化濃度）を呈する菌球を認めるのが典型である．CT での副鼻腔内の高濃度の有無を診断基準とした場合，感度は 62％，特異度は 99％とされる[74]．罹患副鼻腔は長期にわたる炎症を反映して，洞骨壁（主に上顎洞側壁）の粗造な肥厚と硬化を示す場合が多い（図 60）．約 60％の症例で副鼻腔骨壁の硬化を認める（図 60，62）[75]．その他として，上顎洞内側壁の骨侵食，（部分的に含気が残存する場合の）菌球辺縁の不整な輪郭などを認める[67]．根管治療や抜歯後の口腔上顎

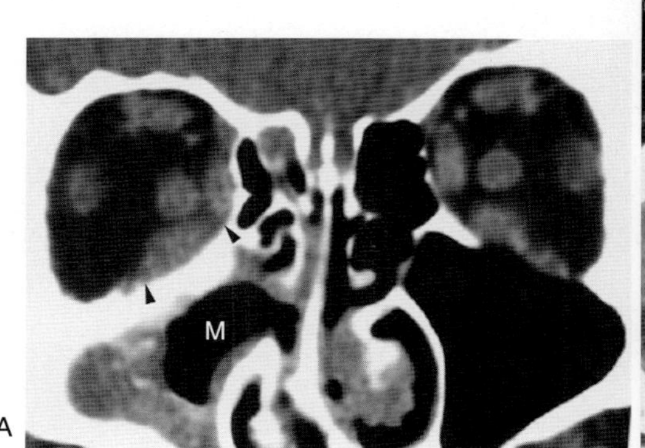

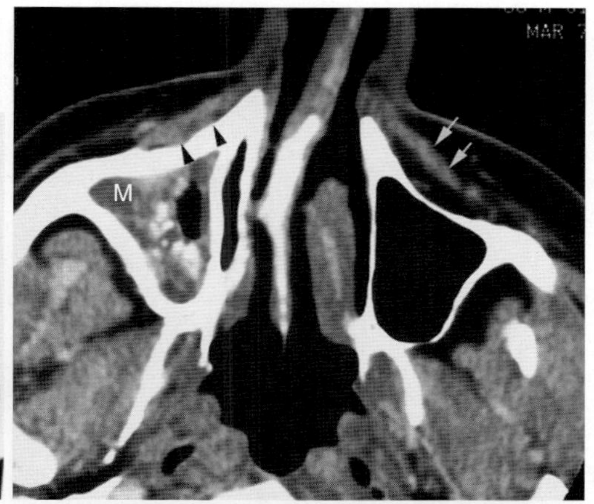

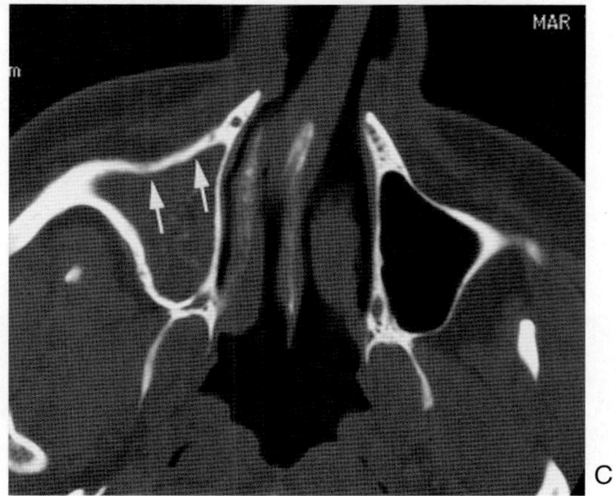

図 54　浸潤性真菌性鼻副鼻腔炎（急性骨髄性白血病）

A：軟部組織条件 CT 冠状断像．右上顎洞（M）内に炎症を反映して軟部濃度と散在性に石灰化を認める．これに接する右眼窩下壁から内側壁に沿った脂肪の混濁（矢頭）を認め，浸潤性真菌性鼻副鼻腔炎を示す．

B：軟部条件横断像．右上顎洞（M）内の炎症とともに上顎洞前壁に接した表情筋（左側で矢印で示す）下の脂肪層（preantral fat pad）の混濁（矢頭）を認める．

C：同骨条件表示．上顎洞前壁（矢印）に明らかな骨破壊を認めない．

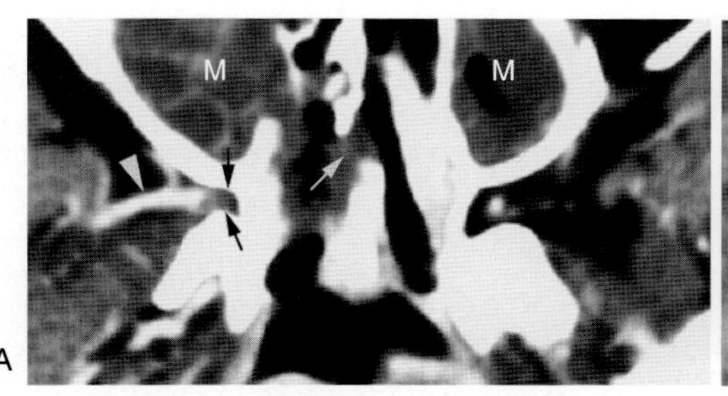

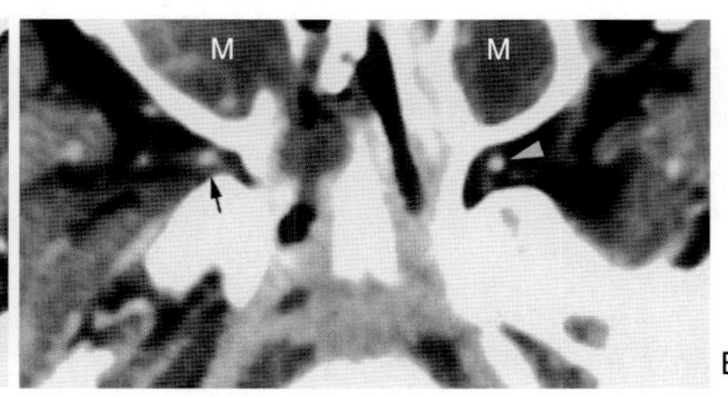

図 55　浸潤性真菌性鼻副鼻腔炎（長期ステロイド投与）

A：翼口蓋窩レベル軟部条件 CT 横断像．両側上顎洞内（M）に炎症性変化を認める．右内上顎動脈（矢頭）に接して翼口蓋窩の脂肪層の消失（黒矢印）を認める．さらに，鼻中隔骨部での骨破壊（白矢印）あり．

B：3 mm 頭側の横断像．内上顎動脈（左側で矢頭で示す）に沿って脂肪の混濁（矢印）が連続しており，血管親和性のある浸潤をよく反映している．

洞瘻など，歯科的操作や根尖病巣などと菌球の発生は高い相関を示し[76]，CT では基礎病態としての歯性上顎洞炎（図 64）の評価は重要である．ときに長期にわたる副鼻腔炎では dystrophic calcification（図 65）を呈するが，これは壁に沿った偏在性の分布を示すことから菌球とは区別される．

MRI において菌球は，T1 強調像では低～等・高信号強度とさまざまであり，同定は必ずしも容易ではない．T2 強調像では，やや不整形の結節様低信号域として認められ，診断的有用性が最も高い（図 63，66，67）．T2 強調像ではほぼ無信号を呈する場合（図 68）もあり，含気腔と誤らない

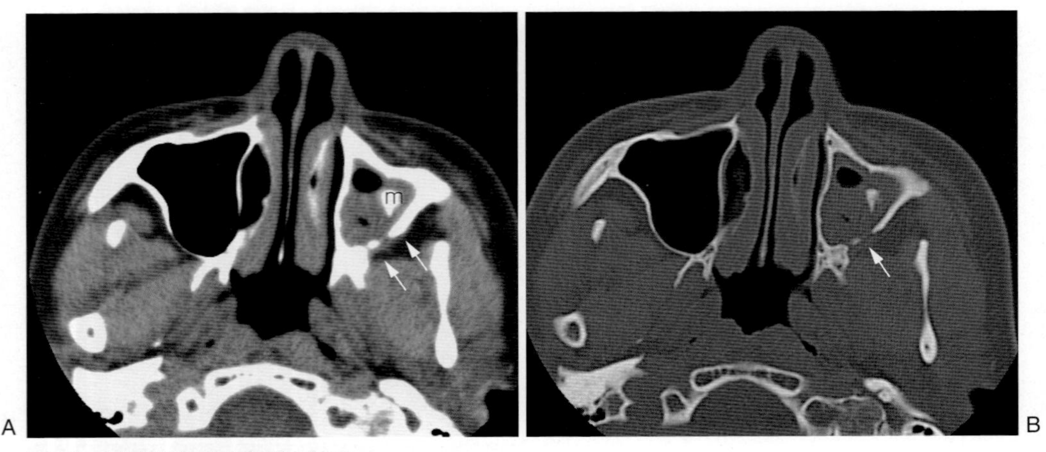

図56　浸潤性真菌性鼻副鼻腔炎
上顎洞レベルのCT横断像(A)で左上顎洞には炎症性軟部濃度の高度肥厚がみられ，中心に結節様の高吸収(m)あり．菌球形成による真菌性副鼻腔炎を示唆する．左上顎洞後側壁に沿った浸潤性変化(矢印)により，背側で隣接する頬間隙脂肪内でretroantral fat padの部分的な脂肪層消失を生じている．菌球形成が浸潤性真菌性鼻副鼻腔炎に移行したことを示す．同骨条件表示(B)で，左上顎洞骨壁は全体として対側より肥厚，硬化を示し，長期の炎症を反映する．retroantral fat pad脂肪層消失部位に隣接して，上顎洞骨壁の部分的な侵食(矢印)を認める．

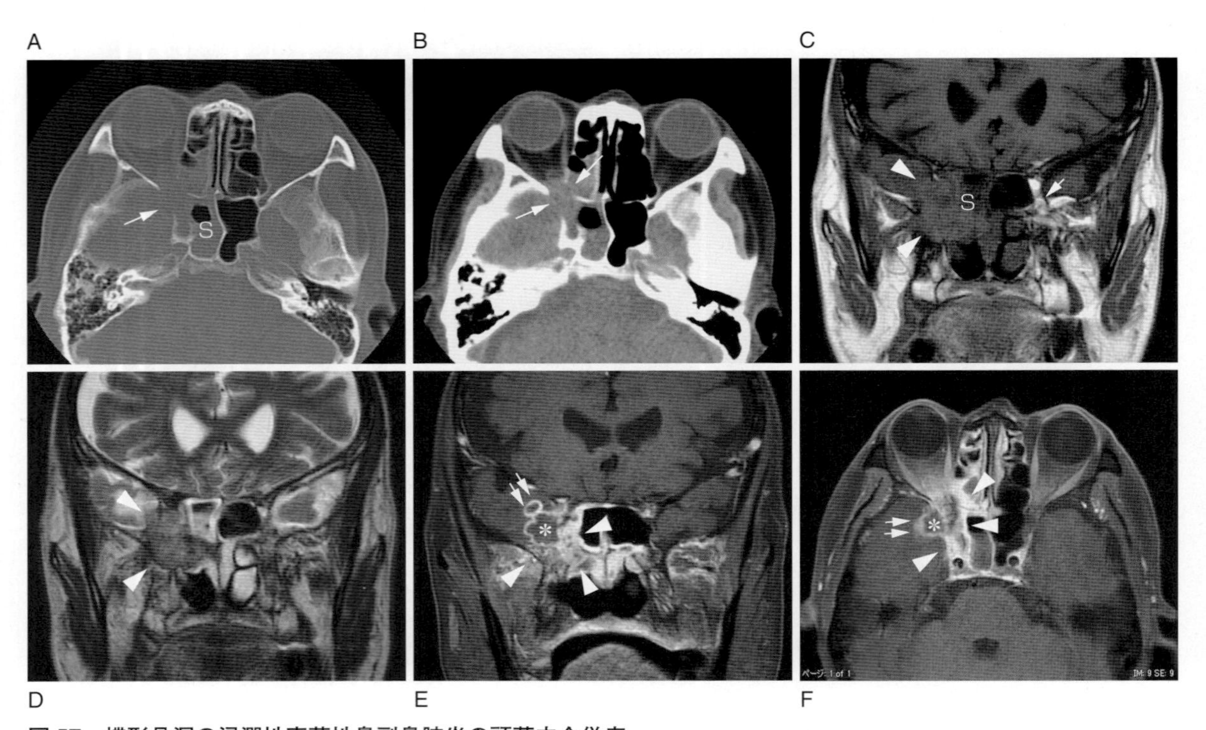

図57　蝶形骨洞の浸潤性真菌性鼻副鼻腔炎の頭蓋内合併症
鼻副鼻腔レベルのCT横断像骨条件(A)で蝶形骨洞右側(S)に炎症性軟部濃度を認め，右側壁前方の骨侵食(矢印)あり．同軟部濃度条件(B)で右眼窩尖部への浸潤性変化(矢印)がみられる．MRI T1強調冠状断像(C)で蝶形骨洞右側(S)を中心にした浸潤性病変(矢頭)を認め，下眼窩裂(小矢印により対側で正常に保たれた脂肪層を示す)に及んでいる．同T2強調像(D)で病変(矢頭)は比較的低信号を示す．造影後T1強調脂肪抑制冠状断像(E)および横断像(F)において蝶形骨洞右外側部から海綿静脈洞領域，さらに右大翼，翼状突起基部の頭蓋底を含めた病変は不均等な増強効果(矢頭)を呈するが，頭蓋内進展部(矢印)では部分的に造影欠損(＊)を示す．

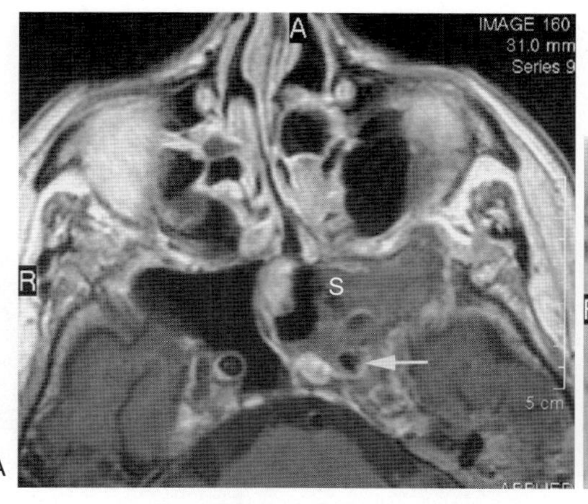

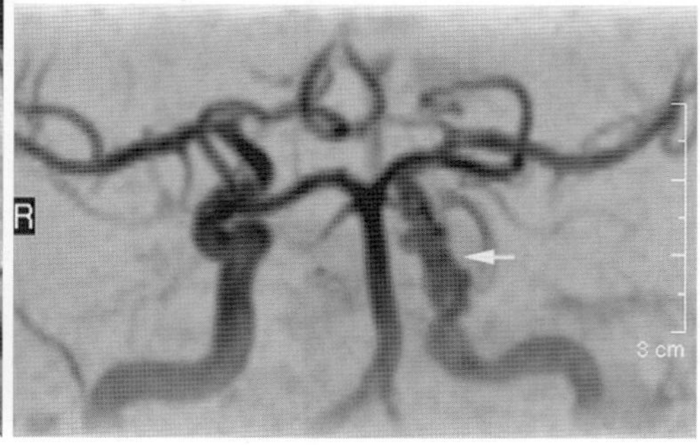

A　　B

図 58　浸潤性真菌性鼻副鼻腔炎の頭蓋内合併症

A：造影後 T1 強調横断像．左蝶形骨洞(S)内に炎症性変化を認める．炎症は左海綿静脈洞へ進展，左内頸動脈(矢印)周囲に及ぶ．

B：MR アンギオグラフィ．左内頸動脈に径の不整(矢印)を認める．

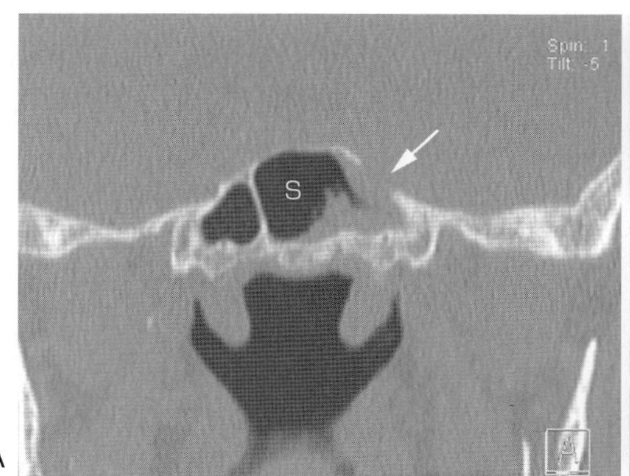

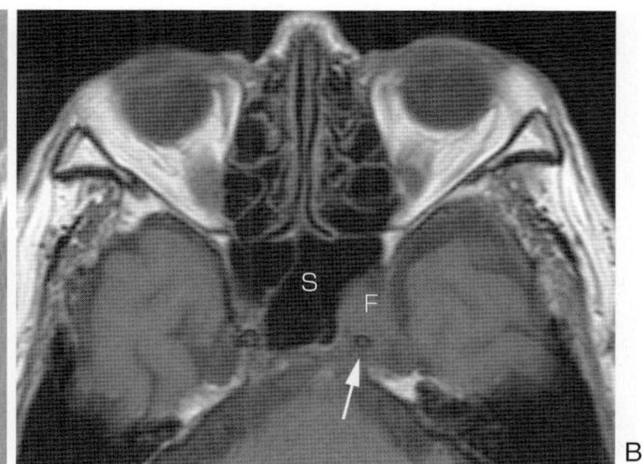

A　　B

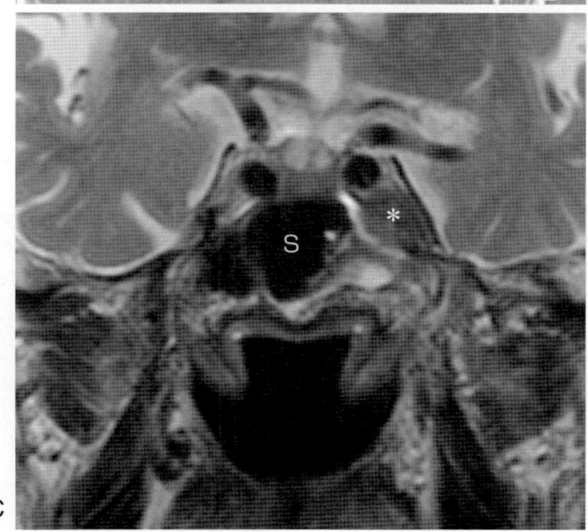

C

図 59　浸潤性真菌性鼻副鼻腔炎の頭蓋内合併症

蝶形骨洞レベル CT 冠状断像(A)において，蝶形骨洞(S)左側壁に沿った軟部濃度肥厚を認め，隣接する骨壁侵食性変化(矢印)を伴う．MRI T1 強調横断像(B)では蝶形骨洞左側壁から隣接する左海綿静脈洞領域への進展を伴う浸潤性病変(F)を認める．同所見後方で含まれる左内頸動脈(矢印)は対側と比較して，狭小化を示す．T2 強調冠状断像(C)で蝶形骨洞(S)から海綿静脈洞に浸潤する病変(＊)は比較的低い信号強度を呈する．

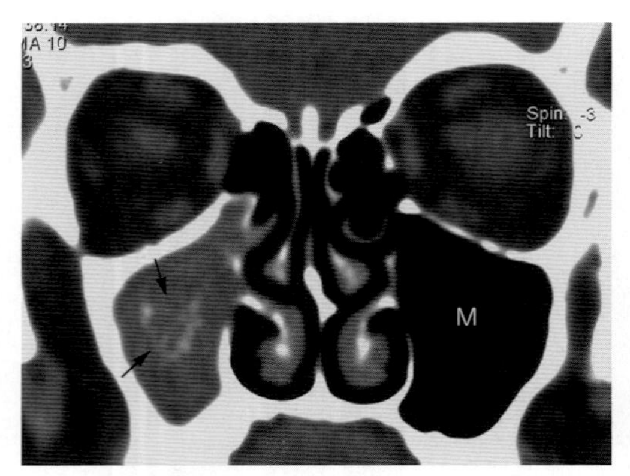

図 60　菌球形成

冠状断 CT において，炎症性軟部濃度で占拠されている右上顎洞の中心部に集簇性に高濃度領域(矢印)を認める．対側上顎洞(M)と比較して，洞骨壁は肥厚を示し，長期にわたる炎症を反映している．

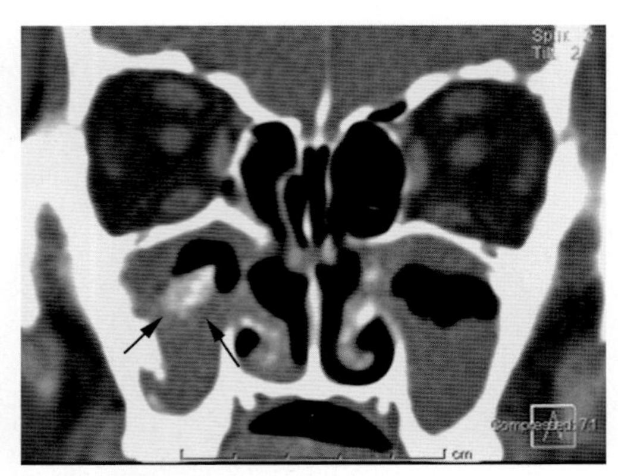

図 61　菌球形成

冠状断 CT において，炎症性軟部濃度を含む右上顎洞の中心部に結節様高濃度領域(矢印)を認める．

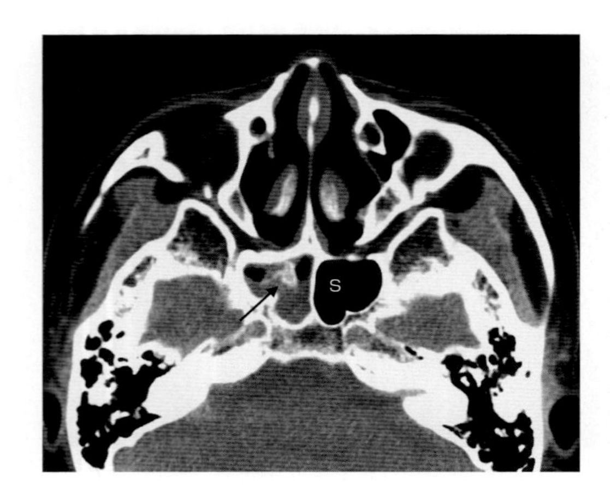

図 62　蝶形骨洞の菌球形成

CT 横断像において，右蝶形骨洞は炎症性軟部濃度を含み，その中心に結節様高濃度(矢印)を認める．右蝶形骨洞の骨壁は対側(s)と比較して，肥厚・硬化を示し，長期にわたる炎症を反映する．

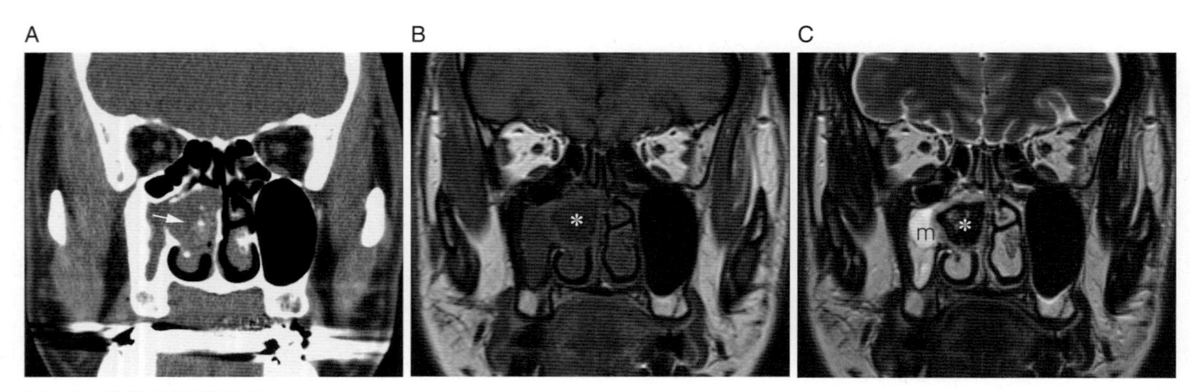

図 63　鼻腔の菌球形成

鼻副鼻腔領域の CT 冠状断像(A)で右鼻腔にやや集簇性に点状の石灰化濃度(矢印)を伴う軟部濃度病変あり．MRI T1 強調像(B)および T2 強調像(C)の冠状断像で右鼻腔には結節様の低信号領域(＊)を認める．T2 強調像(C)で隣接する右上顎洞(m)は高信号を呈し，二次性閉塞性変化を反映する．

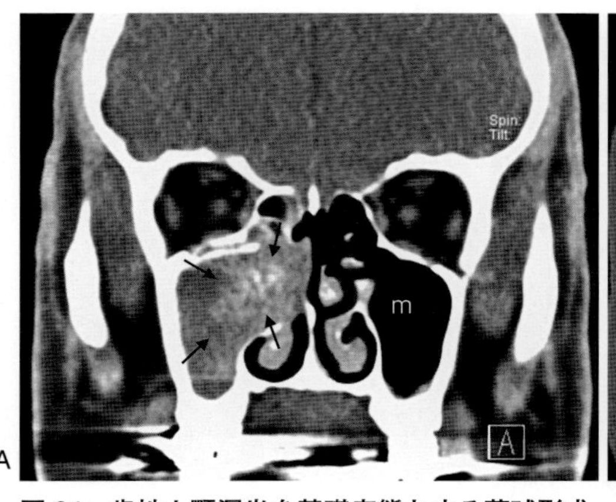

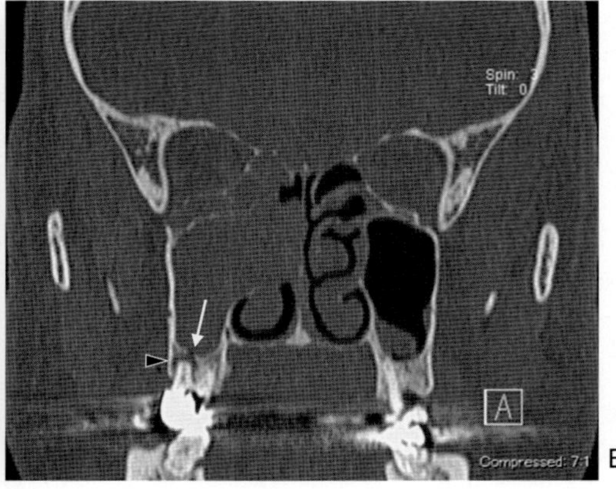

図 64　歯性上顎洞炎を基礎病態とする菌球形成

鼻副鼻腔領域の CT 冠状断像(A). 炎症性軟部濃度で占拠された右上顎洞(対側の上顎洞を m で示す)内に限局性に淡い高濃度病変(矢印)を認め，菌球形成による真菌性副鼻腔炎を示唆する. 同骨条件表示(B)において，右上顎第 2 大臼歯歯根周囲には periapical disease による骨吸収(矢頭)を認め，頭側で上顎洞下壁との間の骨欠損(矢印)を伴う. 基礎病態としての歯性上顎洞炎を支持する.

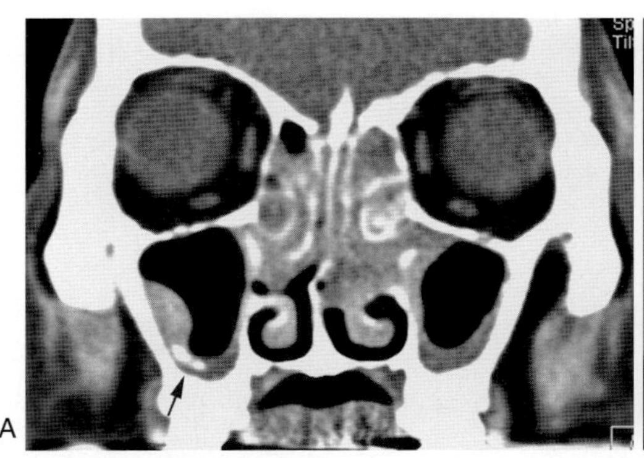

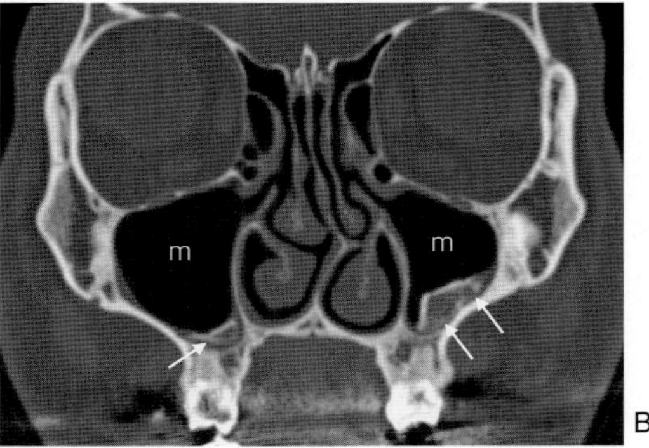

図 65　長期副鼻腔炎による dystorophic calcification

冠状断 CT (A)において，慢性鼻副鼻腔炎所見を認め，右上顎洞では壁に沿った偏在性の石灰化(矢印)がみられる. 別症例の冠状断 CT 骨条件表示(B). 両側上顎洞(m)に壁に沿った偏在性石灰化(矢印)を認める.

ように T1 強調像などと合わせた判断が望まれる. 通常，副鼻腔のびまん性浮腫性肥厚粘膜に相当する洞骨壁に沿った高信号帯に囲まれる. ガドリニウム DTPA 投与後の菌球自体の増強効果は認められない.

菌球形成では慢性鼻副鼻腔炎と類似した症状，臨床像を呈する例が多く，CT での画像評価が選択されるのが一般的であるが，ときに高濃度を示さず，炎症性軟部濃度と等濃度の菌球(図 66, 67)も認められ注意を要する(すなわち，高濃度を認めない場合も菌球は否定されない). このような症例では T2 強調像が有用であり[77]，一般に CT において菌球形成，アレルギー性真菌性副鼻腔炎，歯性副鼻腔炎が明らかでない片側性副鼻腔炎では，(高濃度を示さない菌球や腫瘍性病変の評価を目的として) MRI での評価を加えるのが望ましい.

治療は内視鏡的に鼻内より菌球を除去する手術が行われ，治療成績は良好である. 無為な内科的治療を継続しないためにも画像による早期診断は重要である. 抗真菌薬は不要で，通常再発もない[75, 78].

4) アレルギー性真菌性鼻副鼻腔炎 (allergic fungal rhinosinusitis : AFRS)

アレルギー性真菌炎が鼻腔を除き副鼻腔のみを侵すことはまれであり，浸潤性真菌性鼻副鼻腔炎

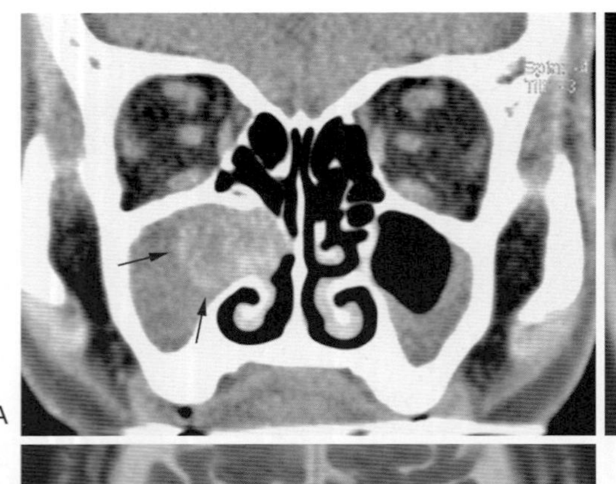
A

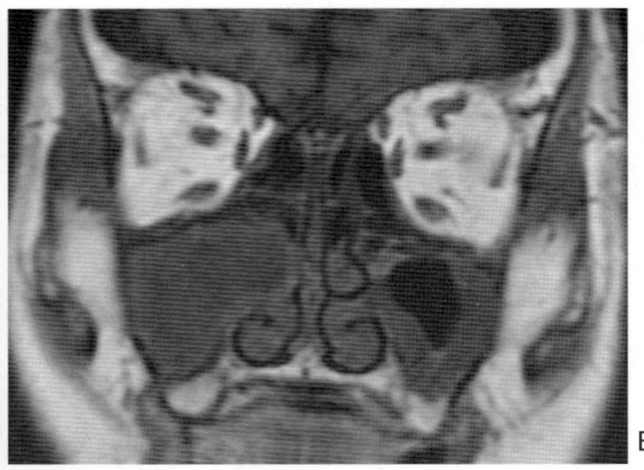
B

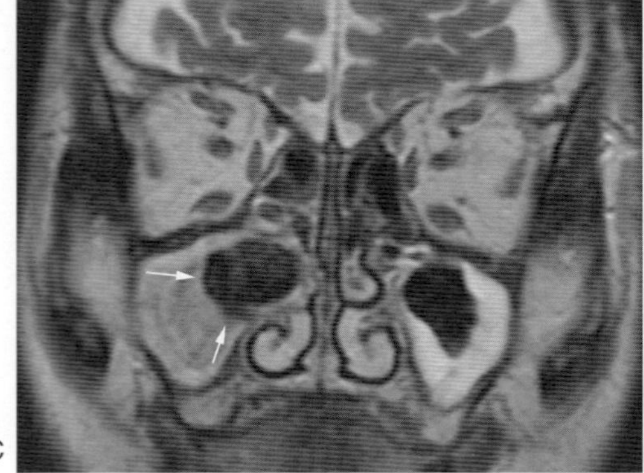
C

図 66　菌球形成
冠状断 CT（A）上，炎症性軟部濃度で占拠されている右上顎洞の中心部内側に腫瘤様の淡い高濃度領域（矢印）を認めるが，菌球との確定的診断は困難であり，軟部濃度腫瘍は鑑別病態となりうる．MRI において菌球は，T1 強調像（B）では周囲の炎症性変化と等信号強度で指摘困難である．T2 強調像（C）では結節様低信号を認め，菌球の診断が可能である．

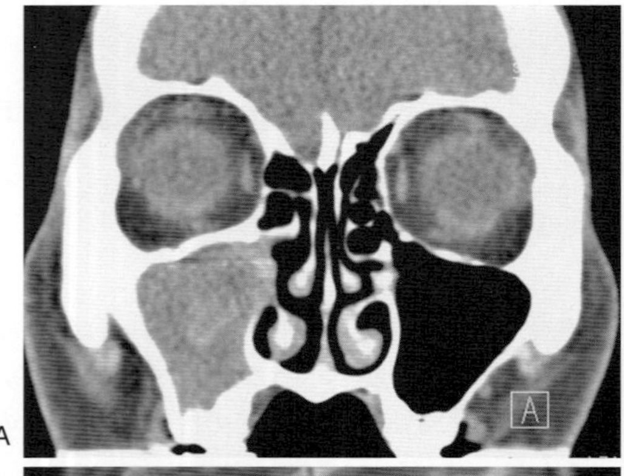
A

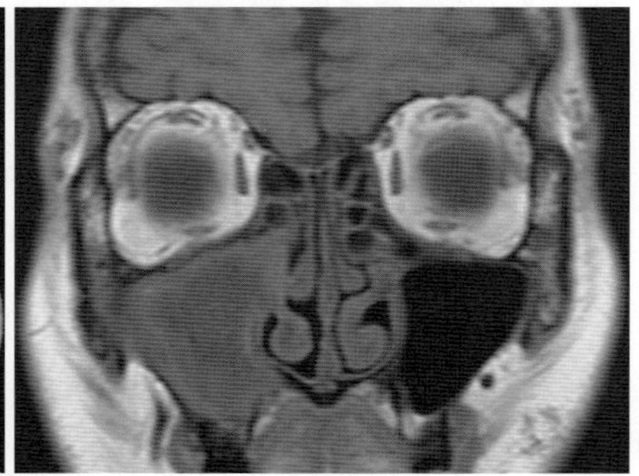
B

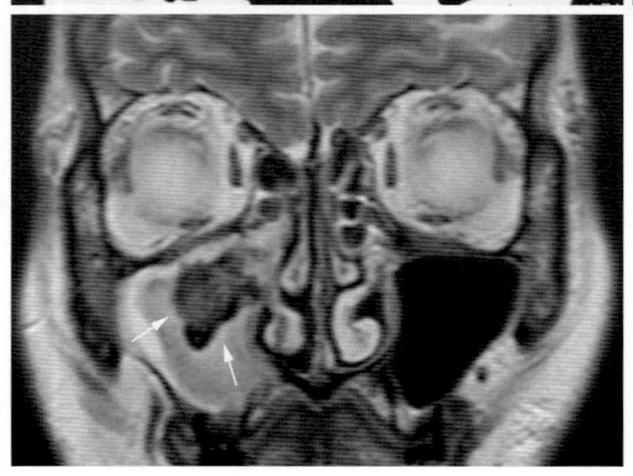
C

図 67　菌球形成
冠状断 CT（A），MRI T1 強調像（B）では片側性の右上顎洞炎を認めるが，原因の同定は困難である．T2 強調像（C）において菌球（矢印）が低信号結節として明瞭に同定可能である．

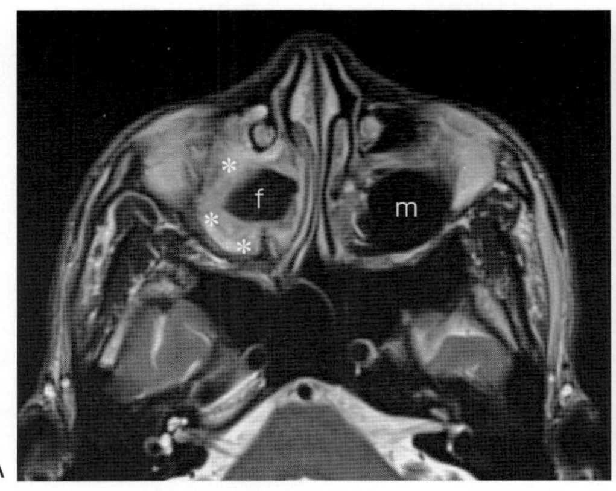

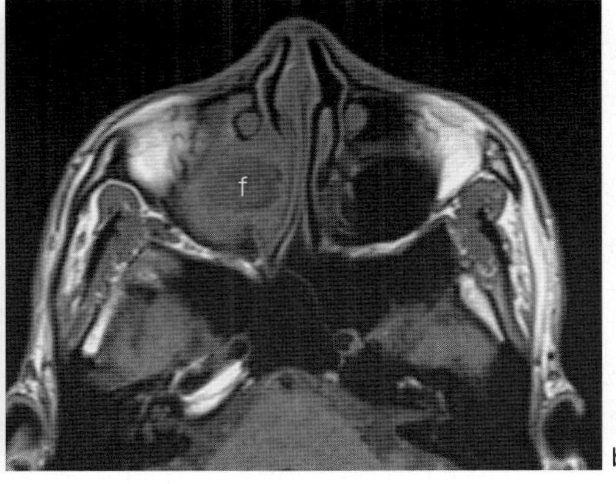

図 68 上顎洞の菌球形成
鼻副鼻腔領域の MRI T2 強調横断像(A)において右上顎洞内側から鼻腔にかけて限局した無信号域(f)を認め，含気腔のようにみられる．右上顎洞外側部は炎症性変化による高信号(＊)を呈する．m：正常な含気により無信号を呈する左上顎洞．同 T1 強調像(B)で病変部(f)は含気でないことがわかり，菌球形成との診断が可能である．

同様，アレルギー性真菌性副鼻腔炎ではなく，アレルギー性真菌性鼻副鼻腔炎の用語がより正しい．欧米では好酸球性副鼻腔炎と重なる(本邦と比較して)より広い疾患概念とされ，真菌性副鼻腔炎の中では最も多い病型であり，外科的治療を要する慢性副鼻腔炎の約 7%が本病態であるとの記述もある[79, 80]．免疫能がややアレルギー性(atopic)の場合に生じると考えられる(非アレルギー性の患者では本病型の代わりに既述の菌球形成が生じる)．真菌に対する過敏症により好酸性アレルギー性ムチンが産生され[81]，そのムチン内の真菌によりさらなる過敏症が引き起こされる．継続する炎症性変化により多発するポリープが形成される[47]．

診断(表 9：p154)[82]はムチン内の真菌の検出によるが，浸潤性変化があれば本病態の診断は除外される．HE 染色(好酸球浸潤の判定)，グロコット染色(真菌の証明)が必要である[83]．

画像所見として，CT では片側性に孤立性あるいは複数の副鼻腔を侵す炎症性病変として認められるが，病変部は既述の好酸球性副鼻腔炎とまったく同様に，(通常，不均等に肥厚した)浮腫性粘膜による洞骨壁に沿った軟部濃度と内腔のアレルギー性ムチンによる高濃度域の混在として認められる(図 69〜71)．したがって両者は病変の分布の差(好酸球性副鼻腔炎は両側びまん性，AFRS は片側孤立あるいは複数の副鼻腔病変)により区別される．MRI 所見も病変部に関しては，好酸球性副鼻腔炎と同様，T2 強調像で内腔のアレルギー性ムチンは無信号強度に近い著明な低信号を呈する(図 69C，70C)．約 7 割が片側発生であるが，両側発生では好酸球性副鼻腔炎との画像上での鑑別は困難となる[83]．

治療は内視鏡下で保存的に真菌を含むムチンの外科的摘除および含気の回復，過敏反応を抑制し再発を予防するためにステロイドの経口投与および噴霧点鼻，第 2 世代ヒスタミン薬の併用が行われる[84]．ただし，本病態は継続性の疾患であり治療効果が一時的なことも多く再発は高頻度である．抗真菌薬投与の適応はない(局所洗浄が効果的な場合あり，また難治例では長期内服を検討する場合あり)．本病態の認識が不正確であれば細菌性副鼻腔炎として誤った治療がなされたり，通常の真菌性副鼻腔炎として過度に侵襲性の高い治療が選択される危険性がある．

e. silent sinus syndrome (imploding antrum, chronic maxillary sinus atelectasis)

silent sinus syndrome は，1964 年に Montgomery[85]が記述した，慢性の上顎洞虚脱に伴う眼球陥凹を示す病態に対して，1994 年に Soparkar らが名付けたものである[86]．

一般に副鼻腔炎症状は乏しいとされる(これにより，silent sinus syndrome と称される)．

表9　AFRS 診断基準

症状が 12 週以上継続する	
右の症状が 1 つ以上必要	前・後鼻漏 鼻閉 嗅覚低下 顔面痛・圧迫感
必須項目	1. CT あるいは MRI での鼻副鼻腔炎所見 2. 内視鏡検査で好酸球性ムチン（細胞診検査での真菌と好酸球浸潤）を確認 3. 内視鏡検査で中鼻道粘膜浮腫あるいはポリープ形成 4. 真菌に対するⅠ型アレルギーの証明（特異的 IgE 値の上昇あるいは皮内テスト陽性） 5. 病理検査で副鼻腔粘膜への真菌浸潤の否定
参考項目（必須ではない）	1. 真菌培養で真菌の証明 2. 血清総 IgE 値上昇 3. 血中好酸球増多 4. 画像での AFRS の特異的所見 5. アレルギー疾患，気管支喘息の合併 6. 片側発症が多い 7. ムチン内の Charcot-Leyden 結晶の証明 8. 真菌特異的 IgG 値上昇

（Meltzer EO, Hamilos DL, Hadley JA et al : J Allergy Clin Immunol **118**: S17-S61, 2006）

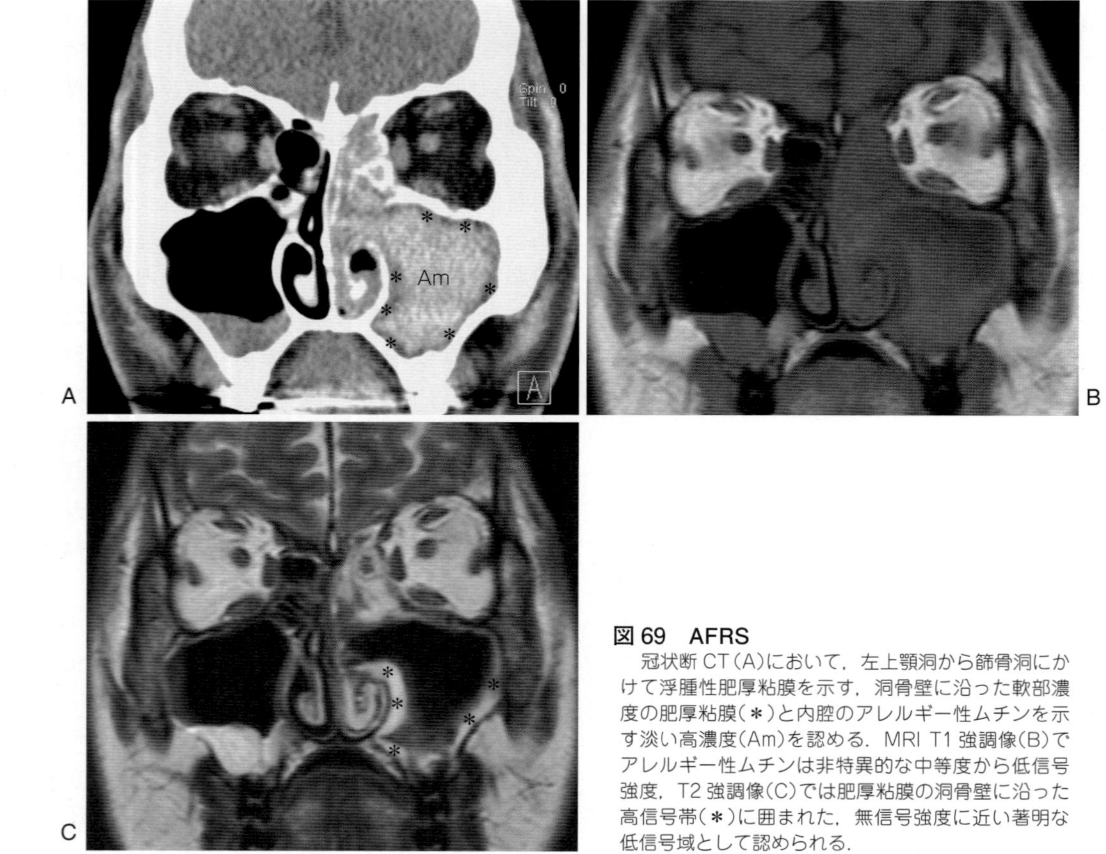

図69　AFRS
冠状断 CT（A）において，左上顎洞から篩骨洞にかけて浮腫性肥厚粘膜を示す．洞骨壁に沿った軟部濃度の肥厚粘膜（＊）と内腔のアレルギー性ムチンを示す淡い高濃度（Am）を認める．MRI T1 強調像（B）でアレルギー性ムチンは非特異的な中等度から低信号強度，T2 強調像（C）では肥厚粘膜の洞骨壁に沿った高信号帯（＊）に囲まれた，無信号強度に近い著明な低信号域として認められる．

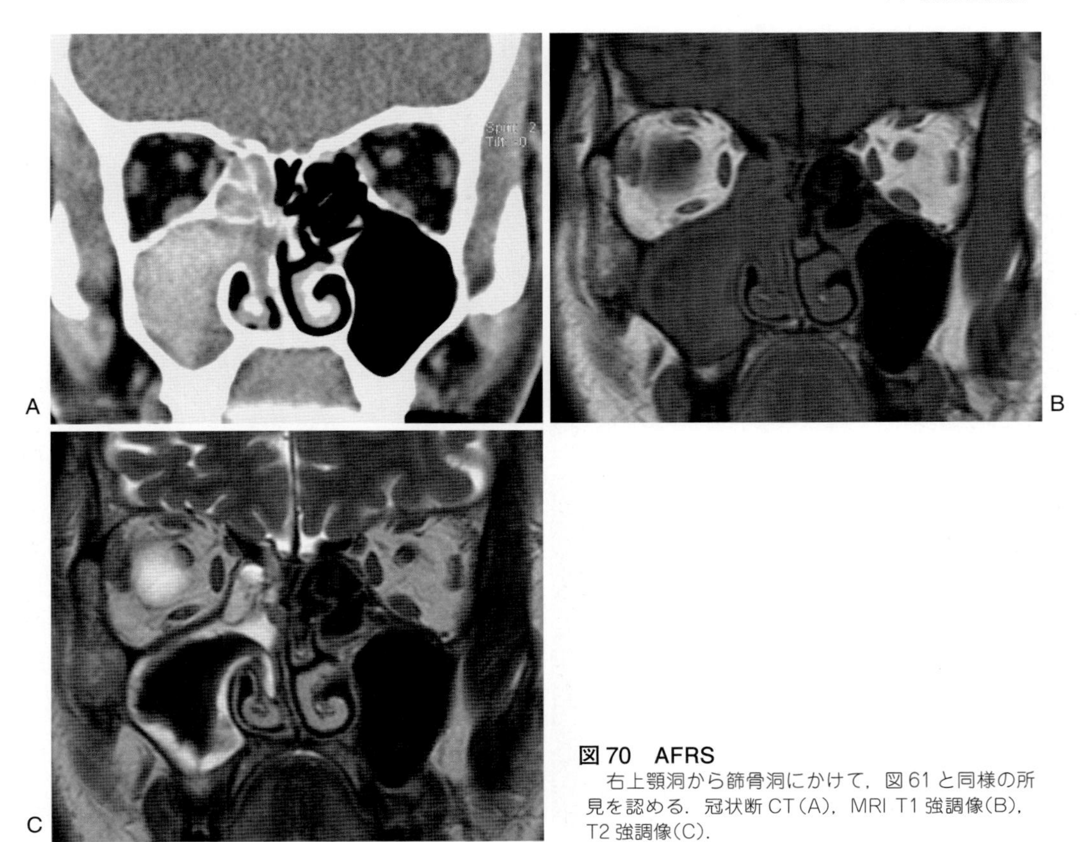

図 70　AFRS
　右上顎洞から篩骨洞にかけて，図 61 と同様の所見を認める．冠状断 CT（A），MRI T1 強調像（B），T2 強調像（C）．

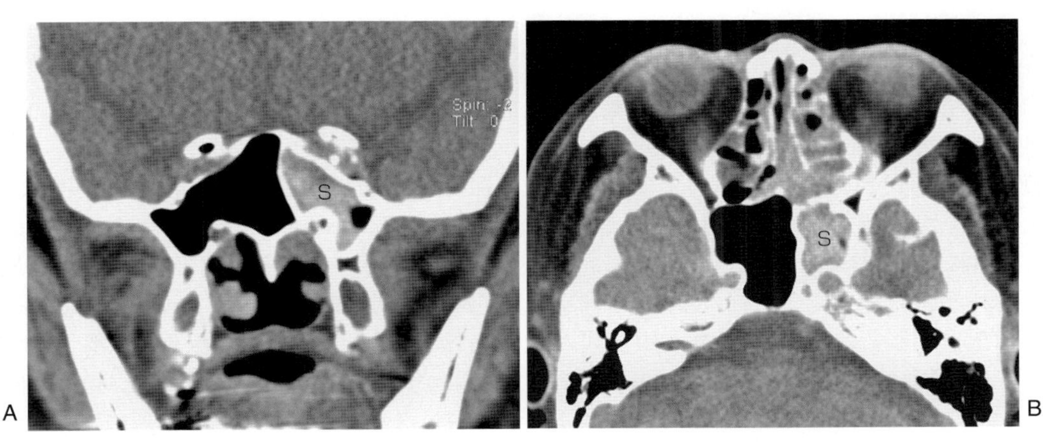

図 71　AFRS
　冠状断 CT（A）および横断 CT（B）で，左蝶形骨洞（S）は AFRS でのアレルギー性ムチンを示す淡い高濃度で充満している．

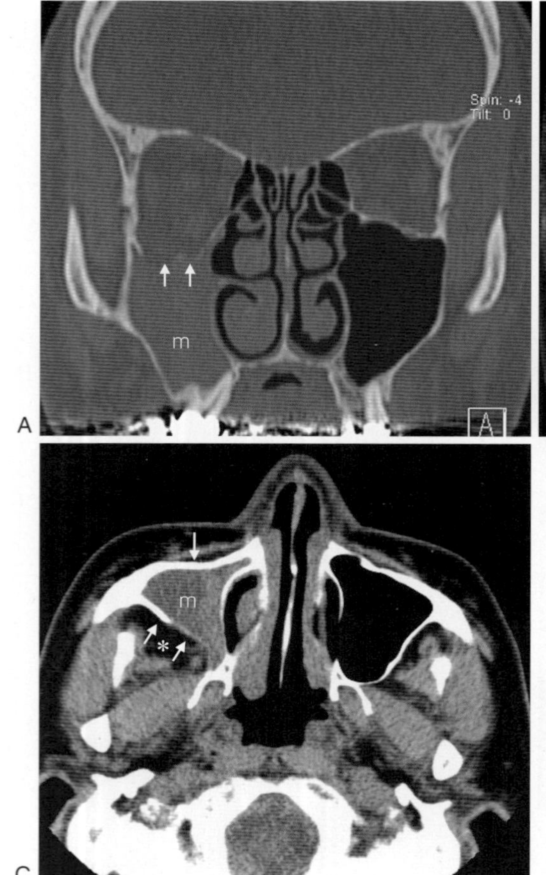

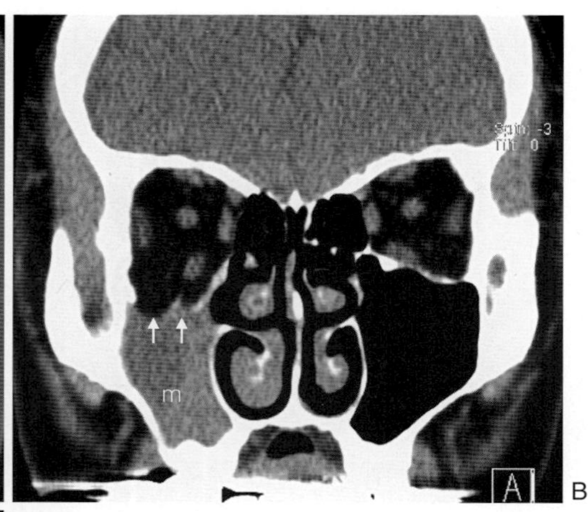

図72　silent sinus syndrome

CT冠状断像骨条件表示(A)および同軟部濃度表示(B)において，炎症性軟部濃度で占拠される右上顎洞(m)は虚脱傾向を示すのに伴い，眼窩下壁(矢印)は尾側への偏位を示す．

CT横断像軟部濃度表示(C)では前壁および後側壁の内陥(矢印)を認め，後方では頬間隙の脂肪(＊)は二次性に増生を示す．

病因は明らかでないが，上顎洞自然口閉塞に伴う慢性上顎洞炎による低換気が洞内の陰圧を生じ，慢性経過の中で(通常，片側の)上顎洞が虚脱，上顎洞壁が洞内側に向かう陥凹を来す．眼窩下壁も上顎洞側(尾側)に偏位する．結果として，眼窩容積が増加し，片側性進行性の無痛性眼球陥凹や眼球下垂を来すものである．20～40歳代の成人に多く，性差はない[87]．

臨床診断にとって，理学的所見とともに画像評価は最も重要な要素となる．通常はCTの適応であり，画像所見としては，上顎洞の虚脱による上顎洞容積の減少，鈎状突起(uncinate process)の外側への偏位および眼窩壁との接触によるOMC閉塞，上顎洞内の炎症性軟部濃度(部分的あるいは内腔全体)，眼窩下壁の下垂による眼窩容積増加およびこれに起因する眼球陥凹，眼球下垂を認める(図72，73)[87, 88]．

治療としては第一に上顎洞の排泄経路の改善，第二に眼窩解剖の再建が目的となる[89]．まず上顎洞排泄路の回復については，鼻内手術による鈎状突起切除(uncinectomy)でOMC拡大による上顎洞自然口からの排泄路改善，あるいは中鼻道からの上顎洞開放術(middle meatus antroctomy)が施行される[90, 91]．眼窩下壁再建の要否，時期は議論がある．鼻内手術と同時(一期的)に再建する，鼻内術後2～6ヵ月後に二期的に行う，あるいは上顎洞の含気回復により眼窩容積の変化は軽減する傾向にあることから再建手術は行わないという3つの選択がある[90]．再建ではチタン金属プレート，脂肪の自家移植，ヒアルロン酸注入などが用いられる．

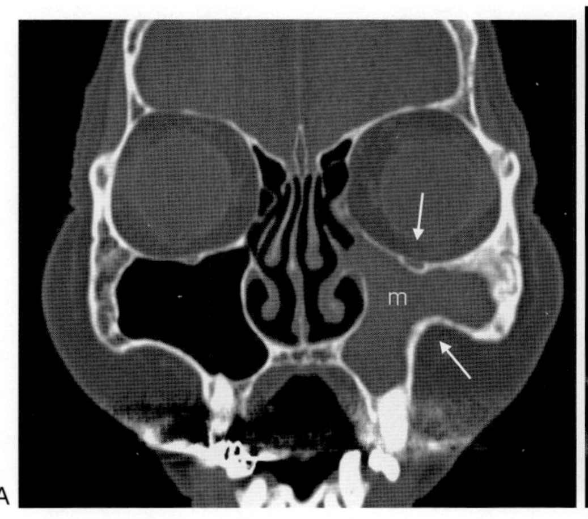

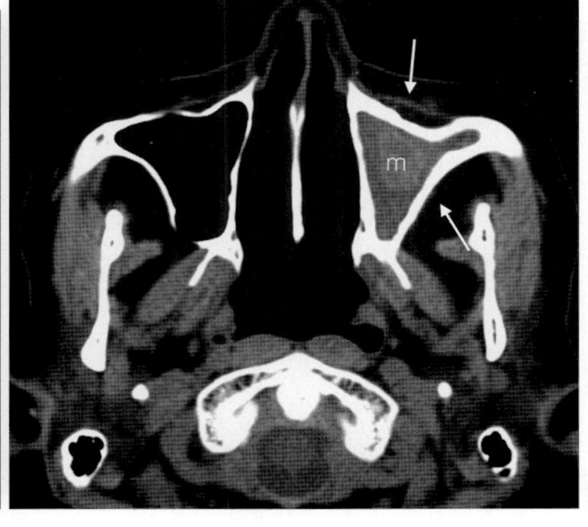

図 73　silent sinus syndrome

CT 冠状断像骨条件表示(A)で左上顎洞(m)は軟部濃度で占拠されるとともに虚脱傾向を示し，上壁(眼窩下壁)，側壁は上顎洞内側に陥凹(矢印)を示す．同横断像(B)でも左上顎洞(m)の前壁・後側壁の陥凹(矢印)を認める．

2 合併症

a. 粘液瘤(mucocele)

粘液瘤は副鼻腔の粘液に満たされた囊胞性病変で，緩徐な増大を示す．囊胞内容は透明な粘液から粘稠な膿汁まで様々であるが，膿汁を内容とする病変(粘液膿瘤：mucopyocele)が 80％にも及ぶ[92]．一般に慢性鼻副鼻腔炎の合併症として生じるが，症候性になるまでに 10 年，それ以上の経過を要することもまれではない．発生機序に関しては副鼻腔自然口の閉塞あるいは洞粘膜内の小唾液腺排泄管の閉塞によるとの説があるが，定まっていない．狭義には前者のみが粘液瘤(mucocele)で，後者は粘液貯留囊胞(mucous retention cyst)とされる．通常は重層円柱上皮に囲まれる．発生に性差はなく，40 歳代から 70 歳代に多く，小児にはまれである[93]．特発性の他に外傷，以前の内視鏡手術に続発するものがある[94]．小児例は(特に欧米では) cystic fibrosis の可能性が考慮される[95]．粘液瘤の発生部位は多い順に前頭洞(65～60％)(図 74～76)，篩骨洞(25～20％)(図 77～79)，上顎洞(10％)，蝶形骨洞(1％)(図 80)である[96～99]．通常の副鼻腔炎症状の他には，約 60％で頭痛，顔面痛(前頭洞病変では前頭部痛，篩骨洞・蝶形骨洞病変では眼痛，頭頂部への放散痛が特徴的)などを訴えるが[92]，感染を併発した粘液膿瘤ではより強い症状を呈する．さらに隣接する眼窩への進展・圧排では，眼痛，眼球突出・偏位，眼球運動障害・複視，視神経障害(視力低下，色覚低下，視野異常)などを生じる[100]．前方の前頭洞，前篩骨洞，上顎洞の病変では圧排の方向に従った眼球偏位(図 74，75)，局在に従った疼痛を生じるのに対して，後篩骨洞，蝶形骨洞病変では視力障害，眼球運動障害を生じる傾向にある[101]．蝶形骨洞病変はときに CNIII，CNV 症状を示す[102]．

粘液瘤の診断は臨床情報とともに画像診断によりなされるが，CT では洞(あるいはひとつの蜂巣)内が完全に軟部組織濃度で占拠されていること(complete opacification)とこれを囲む骨壁の膨張性変化(expansile feature)による．通常，類円形を呈する軟部濃度腫瘤として認められる．長期にわたる緩徐な増大傾向から，しばしば眼窩(図 74A，75，76)や頭蓋内(図 74B，81)などの鼻副鼻腔外への進展をきたすが，眼窩進展がより多い．これらのことから眼窩壁，頭蓋底の圧排性骨侵食はそれぞれ最大約 83％，56％で認めるとされる[103]．MRI でも類円形，膨張性腫瘤として認められるが，内部の信号強度はその性状によりさまざまであり，T1 強調像において高信号を示すこともまれでない(図 74，77A，80)．頭蓋内進展例(特に感染を伴う粘液膿瘤)では MRI による

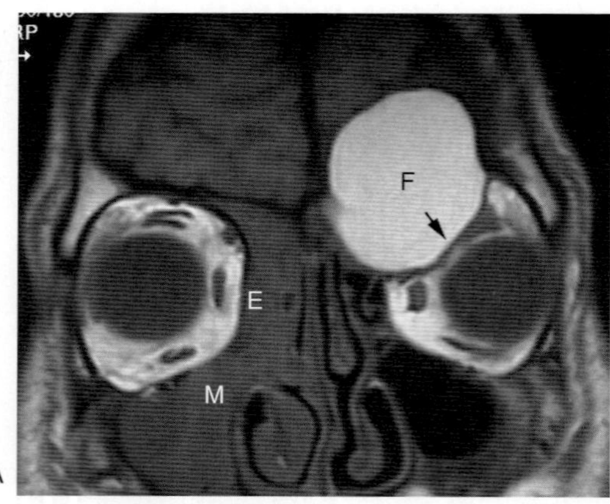

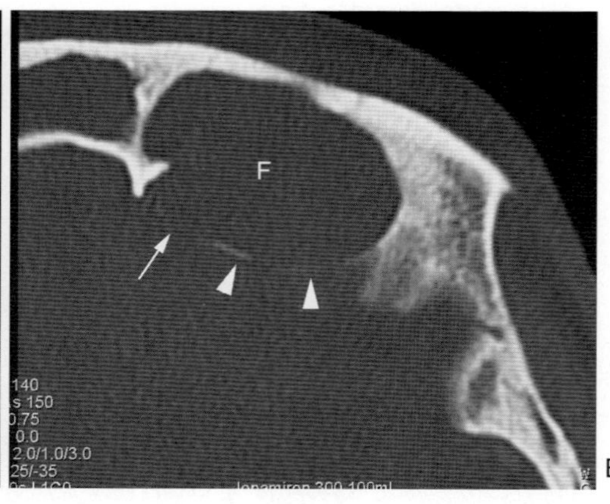

図 74　前頭洞粘液瘤

A：T1 強調冠状断像．左前頭洞を中心として内部高信号を示す類円形，膨張性囊胞性腫瘤(F)を認め，前頭洞由来の粘液瘤に一致する．上壁より下方の眼窩側に膨隆(矢印)，眼窩内容を外側下方に圧排している．対側の上顎洞(M)，篩骨洞(E)に炎症性変化あり．

B：骨条件 CT 横断像．左前頭洞の膨張性腫瘤(F)を認め，前頭蓋窩との間の前頭洞後壁は菲薄化し(矢頭)，一部で途絶(矢印)を認める．

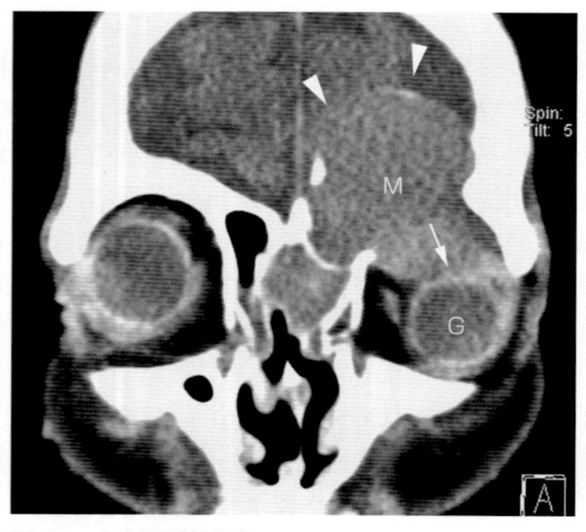

図 75　前頭洞粘液瘤

冠状断 CT において，左前頭洞領域に膨張性軟部濃度腫瘤(M)を認め，粘液瘤に一致する．頭側では前頭蓋窩との間の骨壁欠損(矢頭)を認め，尾側では眼窩上壁の欠損を介して眼窩内に膨隆(矢印)，眼球(G)を外側下方に圧排する．

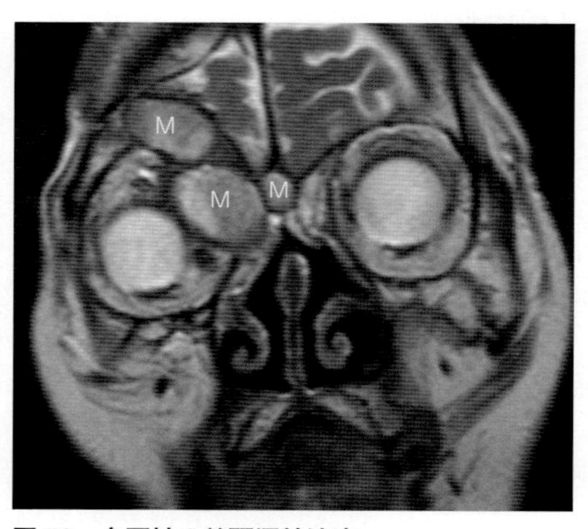

図 76　多房性の前頭洞粘液瘤

MRI T2 強調冠状断像において，右前頭洞領域を中心として 3 房性の囊胞(M)を認める．尾側では右眼窩に膨隆し，傍正中部病変は鶏冠内に進展を示す．

評価が望まれる(図 81)．

画像診断では粘液瘤の存在診断のみではなく，治療計画において考慮すべき評価項目(表 10：p161)の理解が重要である．前頭洞病変では前頭蓋窩との境界をなす前頭洞後壁(図 74B，75)，眼窩との境界である眼窩上壁(図 75)の状態，篩骨洞病変では眼窩内側壁(図 78)や篩骨篩板(図 79)の状態が重要である．特に，後篩骨洞由来の粘液瘤では接する眼窩尖部への圧排(図 83〜85)から視力障害を生じる可能性もある．ときに外傷，腫瘍性病変(図 82)による機械的閉塞・狭窄に続発した粘液瘤もみられ，原因となる器質的異常の有無も評価対象となる．

外科的治療が唯一の治療法で，有症状に対して

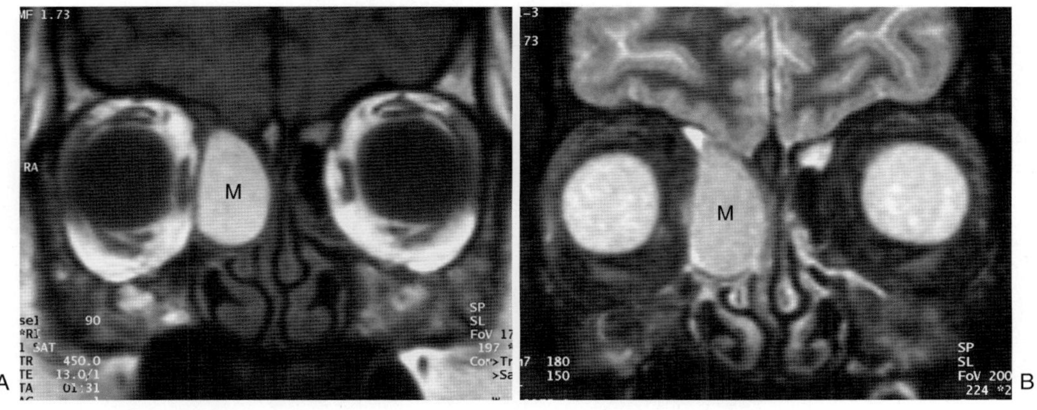

図 77 篩骨洞粘液瘤
MRI T1 強調像(A)および T2 強調像(B)において右篩骨洞を中心として類円形の腫瘤(M)を認め，接する眼窩内側壁を圧排している．内部の信号強度は T1 強調像(A)で高信号を示す．

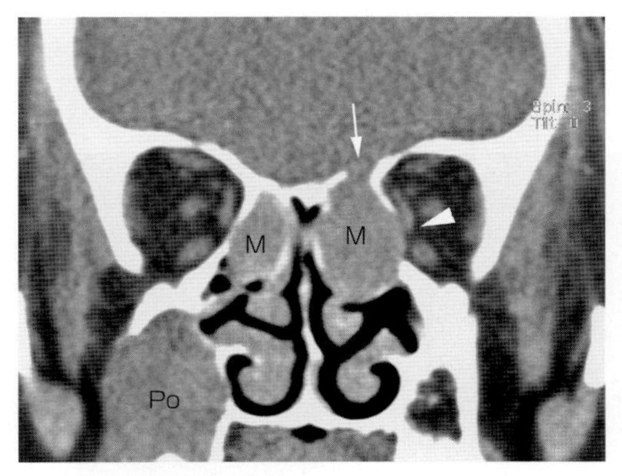

図 78 篩骨洞粘液瘤
冠状断 CT．両側篩骨洞に粘液瘤(M)を認め，左側では側方に隣接する左眼窩内側壁の骨壁欠損を介し，眼窩側に膨隆(矢頭)している．頭側では篩板側壁から天蓋の骨欠損(矢印)あり．Po：術後性頬部囊胞

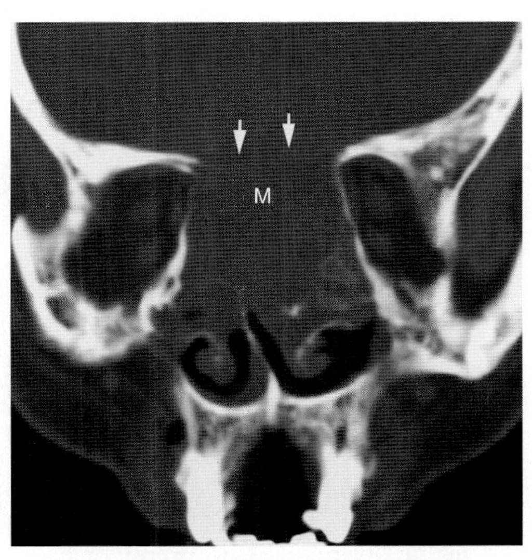

図 79 篩骨篩板の骨壁欠損を伴う篩骨洞粘液瘤
冠状断 CT において篩骨洞を中心とした粘液瘤(M)を認め，両側の眼窩内側壁を外側に圧排するとともに上方では前頭蓋窩との境界である篩骨篩板に大きな骨欠損(矢印)を認める．

は外科的開放が基本であり抗菌薬投与単独では効果はみられない．大部分の症例で内視鏡的開放術が再発率も低く有効である．特に骨膜を温存した場合には骨再生能が保たれることもあり予後良好とされる[104]．前頭洞囊胞では，可能な限り鼻内アプローチによる開放が試みられるが，鼻前頭窩からの距離が遠い病変(頭側あるいは外側型)や多房性囊胞(図 76)，再発例などでは困難な場合も多く，外方アプローチによる開放(Killian 手術・frontal trephination)，さらに完全外科的切除後に洞閉鎖術(sinus obliteration)などが行われる．前頭洞病変の治療に関する最近の meta-analysis では内視鏡的開放が 54%，外方アプローチが 38%で，9%が両方の組み合わせで行われたとされる[105]．蝶形骨洞・篩骨洞領域の粘液瘤は鼻腔に大きく開放する必要がある．視力低下も粘液瘤の重要な治療適応となるが，急な低下は感染，炎症の波及，緩徐な低下は圧排による虚血の進行によると考えられる[106]．視力低下の発症から手術

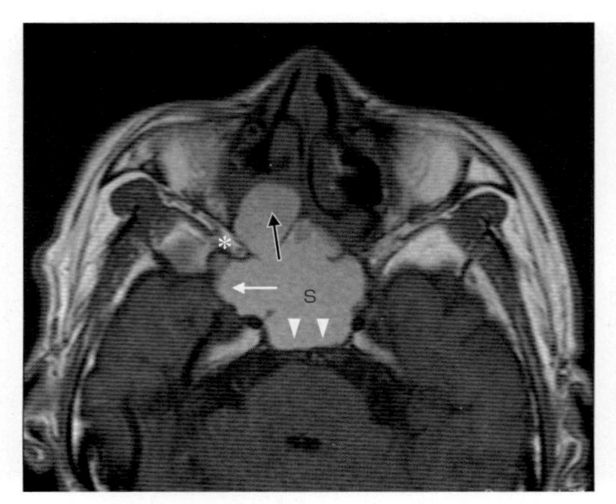

図 80　蝶形骨洞粘液瘤

頭蓋底レベルの MRI，T1 強調像．蝶形骨洞を中心とする膨張性腫瘤(s)を認める．内部はほぼ均一な高信号強度を呈し，高タンパク内容の嚢胞性腫瘤を示唆し，粘液瘤に合致する．前方では後篩骨洞(黒矢印)，右側方では海綿静脈洞(白矢印)に膨隆し，右側の下眼窩裂(＊)を狭小化している．後方は斜台後面を軽度膨隆(矢頭)する．

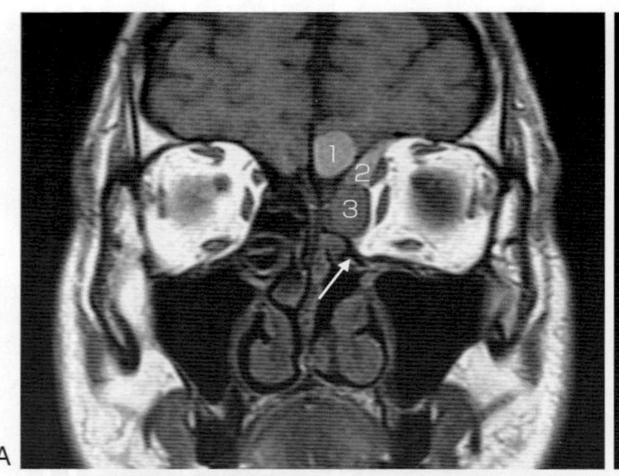

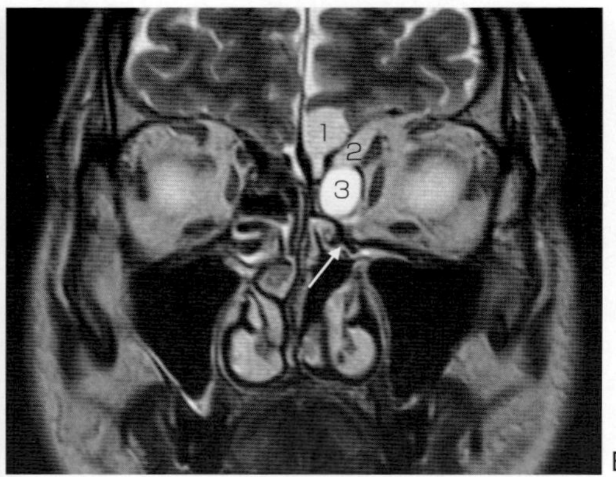

C

図 81　頭蓋内進展・頭蓋内合併症を来した粘液瘤

鼻副鼻腔領域の MRI，T1 強調(A)および T2 強調(B)冠状断像において，左篩骨洞から前頭洞領域に 3 房性の粘液瘤(1〜3)を認める．左眼窩内側壁に吹抜け骨折によると思われる眼窩内容の内側(篩骨洞側)への限局性膨隆(矢印)あり．上記の粘液瘤形成との関連も考慮される．各病変は内容のタンパク濃度の差により各々，異なる信号強度を呈する．頭側の粘液瘤(1)は前頭蓋窩に突出する．数ヵ月後に強い頭痛を訴えて来院．精査目的で施行された造影後 T1 強調脂肪抑制冠状断像(C)で左前頭葉にリング状増強効果を伴う脳膿瘍(矢印)の形成を認める．周囲の脳実質に高度の腫脹を伴う．隣接部で脳溝にも入り込むように脳軟膜を含めた髄膜の増強効果・肥厚(矢頭)を認め，髄膜炎による所見を示す．

表 10　粘液瘤の重要な画像評価項目

前頭洞病変	単房性・多房性（孤発性・多発性）
	洞後壁の骨欠損の有無：頭蓋内との境界の状態の把握
	洞下壁（眼窩上壁）の骨欠損の有無・眼窩への進展の有無
	洞前壁の骨欠損の有無：前額部への進展の有無
	nasofrontal recess と病変の内側下端との相対的関係：距離・方向 （鼻内アプローチでの開放の可否，外方アプローチの要否の判断）
篩骨洞病変	単房性・多房性（孤発性・多発性）
	篩板，篩板側壁など，前頭蓋窩底部との骨欠損の有無・頭蓋内進展の有無
	眼窩内側壁の骨欠損・眼窩への膨隆の有無（特に眼窩尖部に対する圧排の有無）

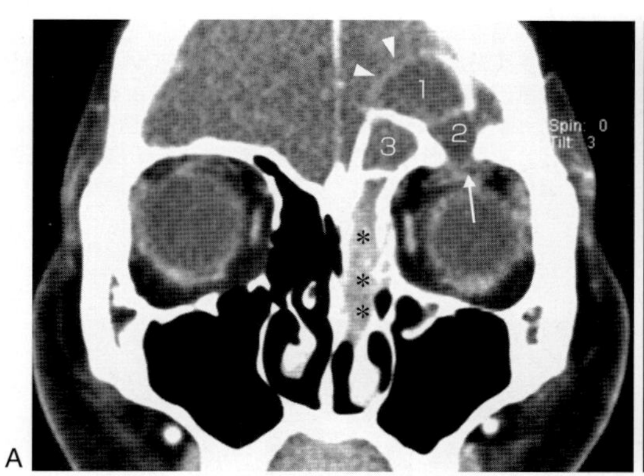

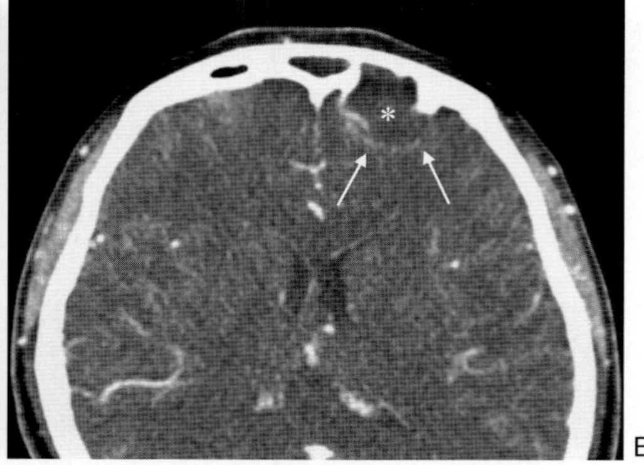

図 82　二次性の多房性前頭洞粘液瘤を伴う鼻腔乳頭腫

造影 CT 冠状断像（A）．左鼻腔に増強効果を示す腫瘤（＊）を認め，乳頭腫を示す．頭側では nasofrontal recess に進展，二次性に生じたと思われる左前頭洞の 3 房性粘液瘤（1～3）を認める．頭側の病変（1）と頭蓋内との骨は消失（矢頭）している．尾側の病変（2）は眼窩上壁の欠損から眼窩への膨隆（矢印）を示す．頭側の病変（図 82A での病変 1）レベルでの横断像（B）で病変（＊）を囲む骨は欠損している（矢印）．

までの期間と視力回復との関係には様々な議論がある．発症 2 ヵ月あるいは 6 ヵ月を超えると予後不良で早期手術が望ましいが回復を保証するものではない[107, 108]との報告がある一方，発症からの期間に関係なく回復がみられることから視力障害例では基本的には手術をすべきとの意見もある[109]．罹患期間のみではなく重症度も重要である．なお粘液膿瘤ではやや予後が悪いとされる[110]．合併症としては出血，紙様板損傷などの眼窩合併症，頭蓋底損傷などがある．再発は術後平均 4 年程度でみられるが[94, 111]，前頭洞病変，前頭洞・篩骨洞病変では大きな開放，適切な術後ケア，前頭窩の治癒傾向にもかかわらず再発を示す場合もあり，再発の可能性を疑う例では（ある程度間隔を空けた）長期の経過観察を要する[92]．

b．眼窩合併症：急性副鼻腔炎に合併

急性副鼻腔炎の合併症として最も多いものであるが，逆に眼窩・眼窩周囲感染の約 3 分の 2（60～85％）が副鼻腔炎に続発するとされる[3, 112]．初期治療の遅れ，抗菌薬抵抗性などの病原性の高さ，不完全な治療などにより生じるが，（後述の頭蓋内合併症を合わせた）急性副鼻腔炎合併症は成人と比較して小児に多く 3％程度にみられる[113, 114]．小児では篩骨洞から眼窩内側壁を介した炎症波及が最も多いが[115]，これは眼窩内側壁である篩骨紙様板が非常に薄い骨壁で，自然の骨欠損（dehiscence of Zuckerkandl）を有すること[116]，隣接する篩骨洞が生下時からすでに発展していることによる．成人では前頭洞も発達してくることから眼窩上壁に沿った炎症波及をしばし

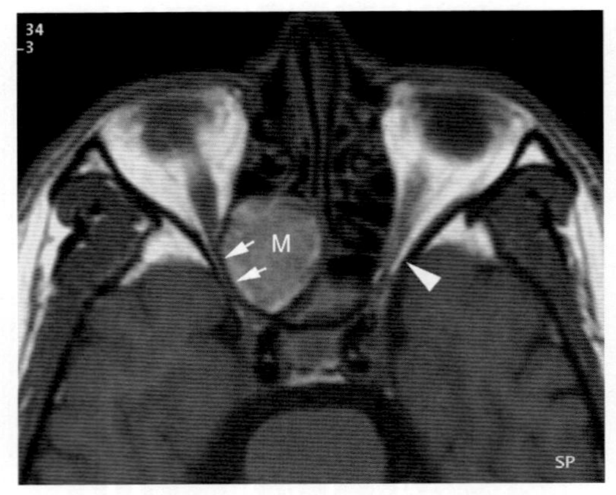

図 83 眼窩尖部を圧排する後篩骨洞粘液瘤
T1 強調横断像において右後篩骨洞を中心とした粘液瘤(M)を認め，接する眼窩尖部に内側から圧排所見(矢印)を示す．健側の眼窩尖部を矢頭で示す．

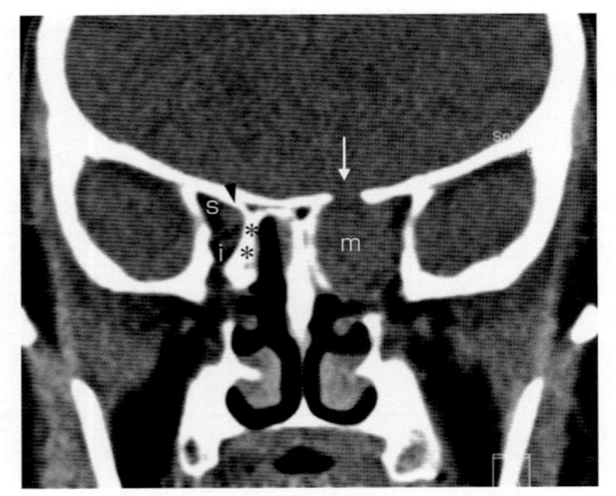

図 84 眼窩尖部への圧排を伴う後篩骨洞粘液瘤
眼窩尖部レベルでの CT 冠状断像．左後篩骨洞を中心とする粘液瘤(m)の形成を認め，側方では眼窩尖部の内側壁(対側で＊で示す)の圧排性侵食による欠損とともに，眼窩尖部内側部への圧排を示す．頭側では頭蓋内と区分する蝶形骨平面の一部で骨欠損(矢印)あり．矢頭：健側の視神経眼窩部，i：下眼窩裂，s：上眼窩裂

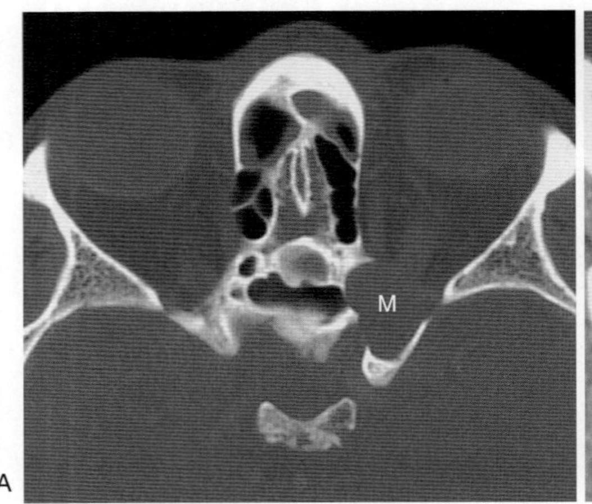

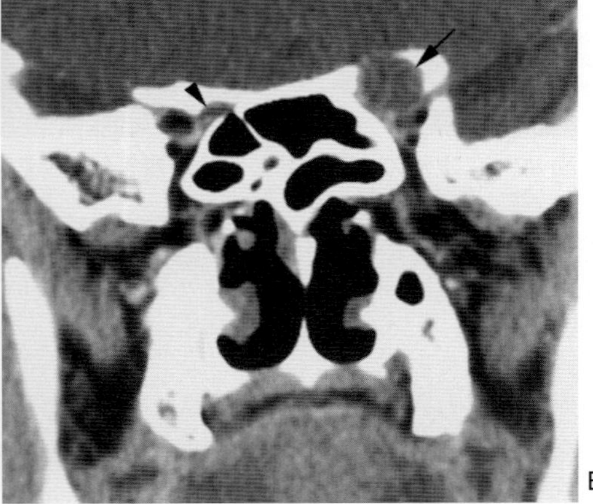

図 85 視力障害を生じた，眼窩尖部を圧排する粘液瘤
A：骨条件 CT 横断像．左眼窩尖部から前床突起部にかけて膨張性腫瘤(M)を認め，粘液瘤に一致する．
B：軟部条件 CT 冠状断像．粘液瘤(矢印)が視神経管部(対側で矢頭で示す)を中心に占拠する様子が明瞭に描出されている．

ば認めるのとは明確に異なる[117, 118]．鼻副鼻腔領域の静脈は弁がなく，静脈圧の傾斜に伴う双方向の血流により骨の破壊なく鼻副鼻腔外への炎症波及を生じる[119]．これらは直接，間接的に海綿静脈洞と交通を有する．

基本的には全例で入院を要する．症状として眼窩周囲の腫脹，複視・外眼筋麻痺，視力障害，光反射異常，眼球突出などに加えて，頭痛，痙攣，嘔吐などを生じ，血液生化学検査では発熱，CRP 上昇，白血球増多を示す[120]．Chandler の分類(表 11)[121]においてその程度により，4 つのグループに分けられる．

画像診断の役割は重要であり CT が第一選択となる．眼窩中隔前浮腫(図 86〜89)は CT 横断像において患側の眼瞼の肥厚を認め，眼窩中隔(内側は後涙嚢稜に付着)により後方の眼窩内と明瞭

表 11 急性副鼻腔炎の眼窩合併症：Chandler 分類

Group 1	眼窩中隔前浮腫(preseptal edema)
Group 2	眼窩骨膜下蜂窩織炎・膿瘍(periorbital cellulitis/abscess)
Group 3	眼窩蜂窩織炎・膿瘍(orbital cellulitis/abscess)
Group 4	上眼静脈血栓症・海綿静脈洞血栓症(superior ophthalmic vein and cavernous sinus thrombosis)

(Chandler JR : Laryngoscope **80** : 1414–1428, 1970)

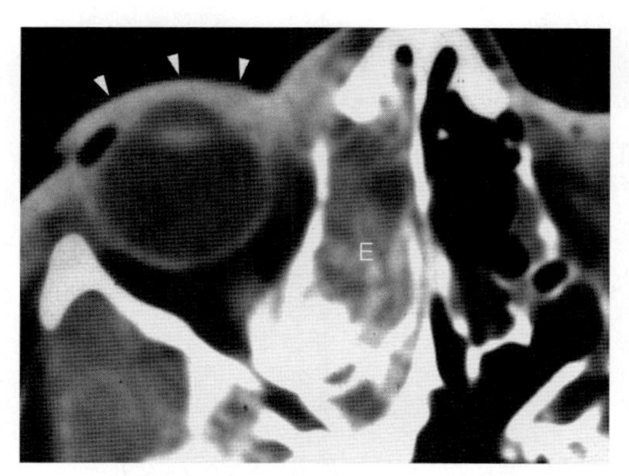

図 86 眼窩中隔前軟部組織の炎症性浮腫．CT
右篩骨洞(E)は炎症に伴う液体貯留と粘膜肥厚を示す軟部組織濃度で占拠されている．右眼窩中隔前軟部組織の肥厚(矢頭)が認められ，炎症性浮腫に一致する．

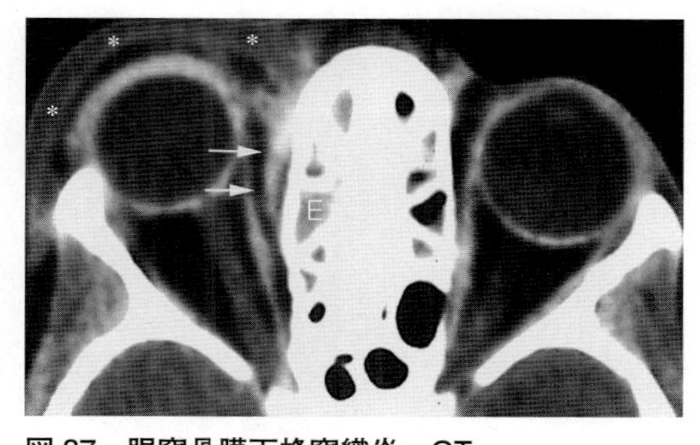

図 87 眼窩骨膜下蜂窩織炎．CT
篩骨洞(E)は炎症を反映する軟部組織濃度を含んでおり，これに接する右眼窩内側壁に沿って軟部組織肥厚(矢印)を認める．眼窩内脂肪との境界は平滑かつ明瞭に見られる．隣接する眼窩内脂肪の混濁は認められない．眼窩骨膜下蜂窩織炎(あるいは早期眼窩骨膜下膿瘍)に一致する．眼窩中隔前軟部組織の腫脹(＊)も伴う．

に区別される．眼窩骨膜下蜂窩織炎・膿瘍(図 88〜91)は(眼窩中隔後方の)眼窩内の合併症では最も多く，骨壁と眼窩骨膜との間の炎症で CT 横断像あるいは冠状断像において眼窩壁に沿った三日月型あるいは凸レンズ型の低吸収の組織肥厚としてみられる．眼窩内脂肪との境界は平滑で典型的な辺縁帯状増強効果を確認したら(蜂窩織炎ではなく)膿瘍との診断が可能となる．画像上で明らかな器質的異常なしに，二次性の視神経炎・虚血などを生じうる[1]．眼窩蜂窩織炎・膿瘍では眼窩内脂肪の混濁を生じる(図 88, 89)．円錐内・外の脂肪混濁としてみられる．上眼静脈血栓症(図 92)は全眼窩感染疾患の 12〜17%でみられるとされ[122]，後述の海綿静脈洞血栓症の前状態と考えられる．造影 CT で拡張した上眼静脈内の造影欠損として診断されるが，MRI 拡散強調像での高信号が有用との報告もある[119]．海綿静脈洞血栓症(図 93)は現在も致死率 30%，50%で脳神経障害を残す重篤な病態である[123]．片側あるいは両側例があり[124]，偏在する蝶形骨洞炎における対側例の報告[125]もある．発症までの潜伏期は 5〜15 日とされる[123]．症状は外眼筋麻痺，眼球突出を示すが，これらは他の眼窩感染症でもみられる．診断には造影 CT が有用であり，平衡相において海綿静脈洞内の不規則な充盈欠損から(本来は平衡相では静脈と等濃度のため区別されない)海綿静脈洞内の内頸動脈の輪郭が描出されることで診断される[1]．上眼静脈血栓症と同様，MRI 拡散強調像の有用性が報告されている[119]．ただし，拡散強調像での拡散低下が確認できなくても診断は否定されない．また症状が片側性であったとしても最大 75%で画像上は両側性所見を呈する[126]．眼窩骨膜下膿瘍の形成などによる急激な眼窩内圧上昇に伴い，眼球突出，眼球前後径の増大，視神経眼窩部の伸展を示す場合があり，tension orbit と称する(図 94)．tension orbit では(炎症自体の波及がなくても)循環不全による視力障害を示すことがあり，可及的に眼窩内減圧

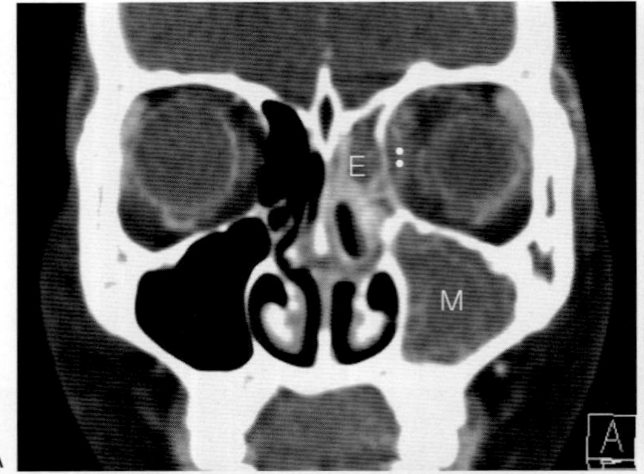

A

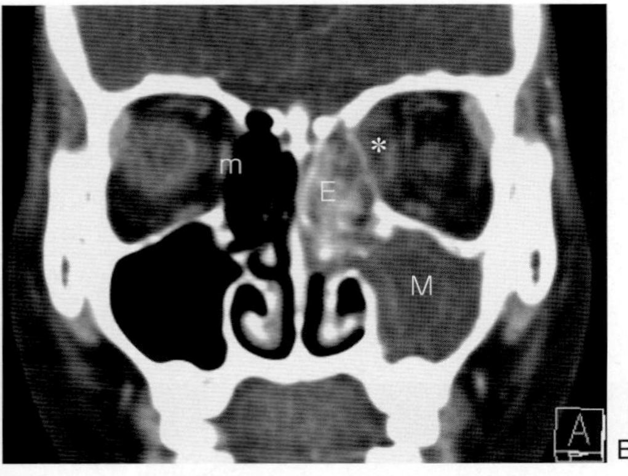

B

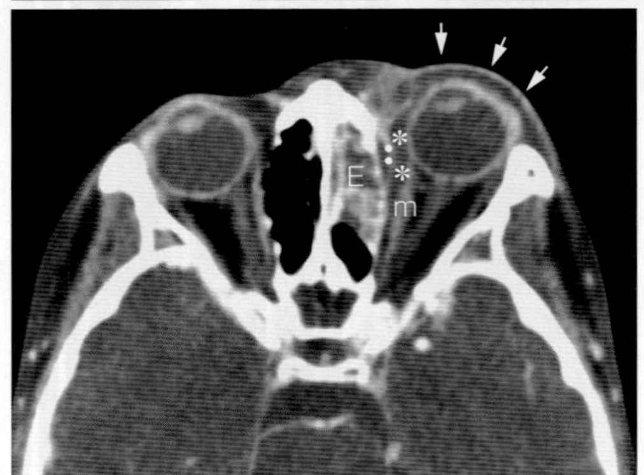

C

図 88　急性副鼻腔炎の眼窩合併症（眼窩骨膜下膿瘍，眼窩蜂窩織炎）

造影 CT 冠状断像の眼球レベル（A）および球後部レベル（B）において，左側の篩骨洞（E），上顎洞（M）に炎症性軟部濃度を認める．A では左眼窩内側壁（紙様板）の眼窩面に沿って薄い凸レンズ型の組織肥厚（・）を認め，壁の増強効果あり．眼窩骨膜下膿瘍に一致する．また球後部レベル（B）で左眼窩の内側直筋（対側で m で示す）周囲の脂肪混濁（＊）を認め，眼窩骨膜を越えた眼窩内（少なくとも円錐外腔）への炎症波及による蜂窩織炎を示す．同症例の横断像（C）で左篩骨洞炎（E）の所見とともに，眼窩中隔前浮腫（矢印），眼窩骨膜下膿瘍（・），内側直筋（m）周囲の眼窩蜂窩織炎による脂肪混濁（＊）を認める．

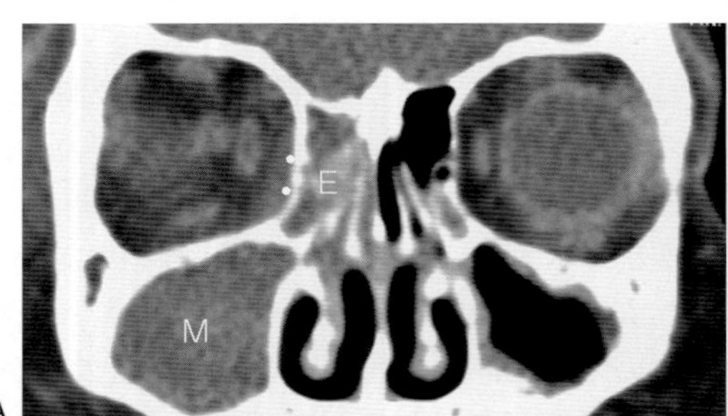

A

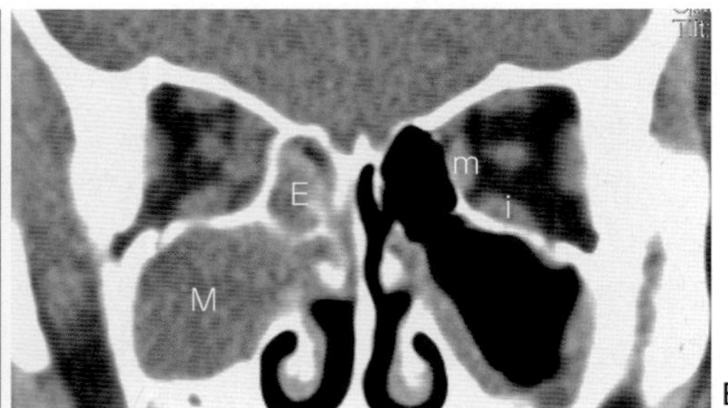

B

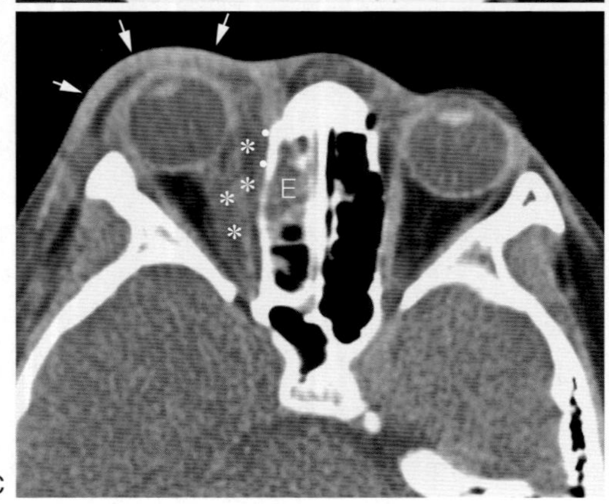

C

図 89　急性副鼻腔炎の眼窩合併症（眼窩骨膜下膿瘍，眼窩蜂窩織炎）

CT 冠状断像の眼球後方レベル（A）および球後部レベル（B）において，右側の篩骨洞（E），上顎洞（M）に炎症性軟部濃度を認める．A では右眼窩内側壁（紙様板）の眼窩面に沿って薄い凸レンズ型の組織肥厚（・）を認め，眼窩骨膜下蜂窩織炎あるいは膿瘍に一致する．また球後部レベル（B）で左眼窩の内側直筋および下直筋（対側でそれぞれ m，i で示す）周囲の脂肪混濁（＊）を認め，眼窩骨膜を越えた眼窩内（少なくとも円錐外腔）への炎症波及による蜂窩織炎を示す．同症例の横断像（C）で右篩骨洞炎（E）の所見とともに，眼窩中隔前浮腫（矢印），眼窩骨膜下蜂窩織炎あるいは膿瘍（・），内側直筋（m）周囲の眼窩蜂窩織炎による脂肪混濁（＊）を認める．

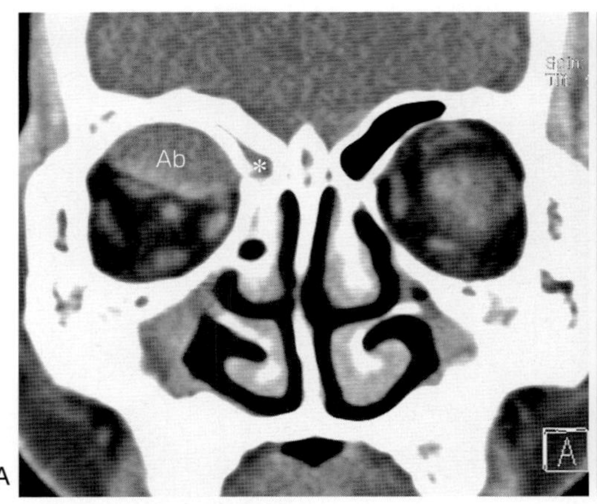

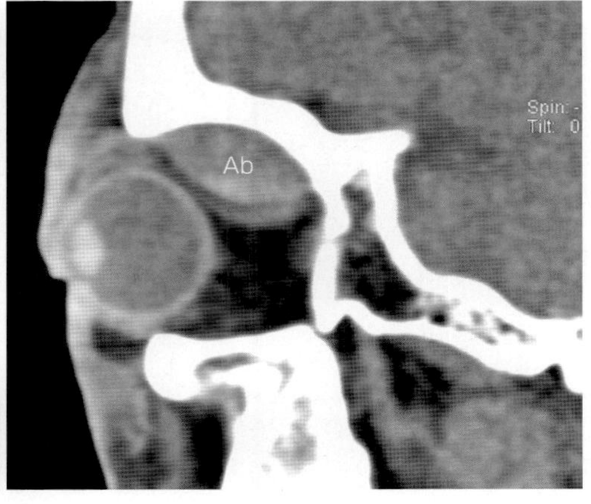

A　B

図 90　眼窩骨膜下腫瘍

眼窩冠状断 CT(A)で炎症性軟部濃度を容れる右前頭洞(＊)に隣接して，右眼窩内，上壁に沿って，眼窩側に膨隆する境界明瞭な腫瘤(Ab)を認め，眼窩骨膜下腫瘍に一致する．矢状断像(B)において眼窩骨膜下腫瘍(Ab)と眼窩内脂肪との境界は明瞭である．

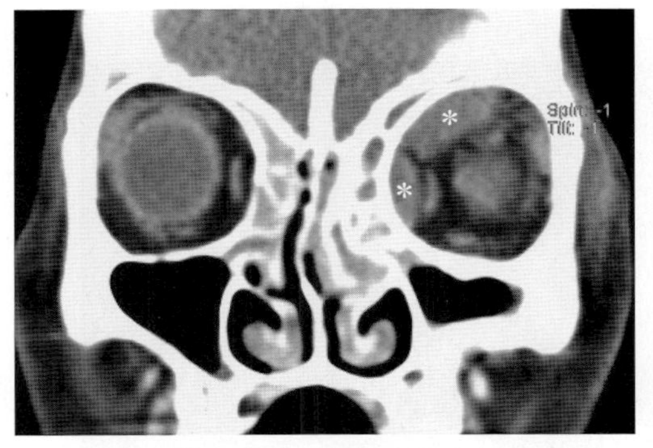

図 91　急性副鼻腔炎の眼窩合併症(眼窩骨膜下膿瘍)

眼窩レベルの造影 CT 冠状断像で左眼窩内側壁および上壁に沿った凸レンズ型軟部組織肥厚(＊)を認め，眼窩骨膜下膿瘍に一致する．眼窩内脂肪との境界は鮮明であり，眼窩骨膜を越えた炎症波及を示唆する脂肪混濁もみられない．

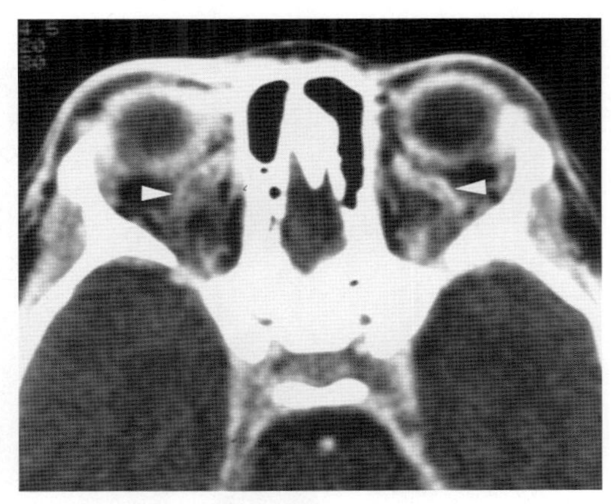

図 92　両側上眼静脈血栓症

血栓化した両側上眼静脈を認める(矢頭)．

の必要がある．

CT は原疾患および眼窩合併症をともに良好に描出しうる．超音波検査も施行されるが，CT がより正確であり，特に眼窩後方の評価に優れる．2 章「眼窩」も参照されたい．

治療はスペクトラムの広い抗菌薬の経静脈的投与と罹患副鼻腔に対する鼻内手術によるドレナージが基本となる．外科的治療の要否は適切な抗菌薬投与に対する反応，全身症状(発熱，浮腫，眼球突出の程度など)，膿瘍形成の有無，視力障害の有無などから判断される(表 12：p166)[127]．眼窩内に膿瘍形成がみられる場合はこれも外科的ドレナージの対象となる．膿瘍形成はほとんどの場合，眼窩内側壁(多くは急性篩骨洞炎に由来)あるいは上壁(多くは急性前頭洞炎に由来)に沿ってみられ，従来は眼瞼より直接あるいは Sewell 切開によるドレナージが施行されていたが，最近では鼻内アプローチがとられる場合が多い．Schramm らによる急性副鼻腔炎の眼窩合併症 134 例における検討では 97 例(72％)が抗菌薬のみで治癒，さ

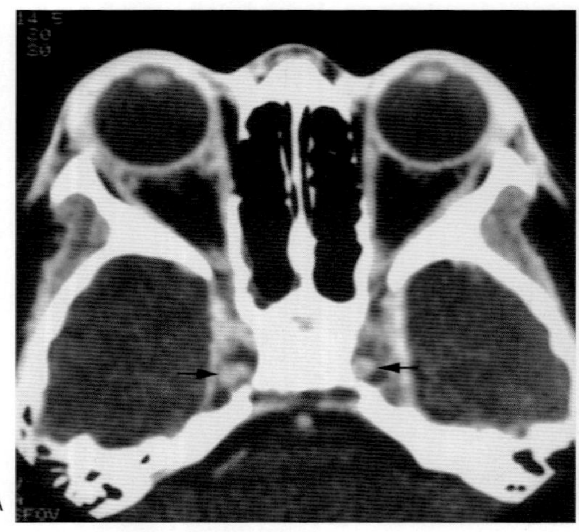

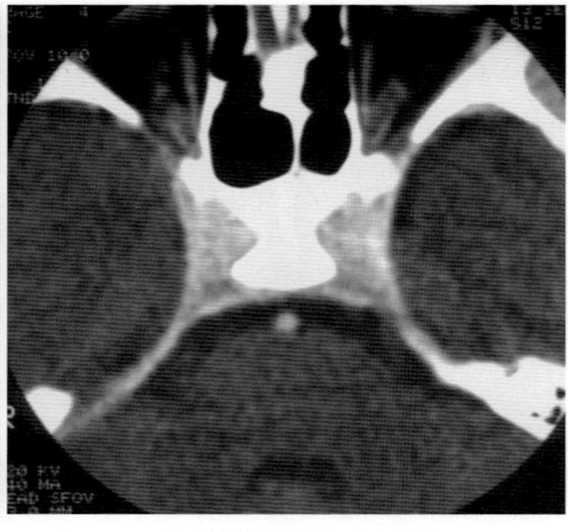

図 93　海綿静脈洞血栓症

A：造影 CT．両側海綿静脈洞には不規則な造影不良域が見られ，内部を走行する内頸動脈（矢印）の輪郭が確認できる．

B：治療後，造影 CT．海綿静脈洞の造影は両側とも良好であり，血栓溶解後であることを示す．

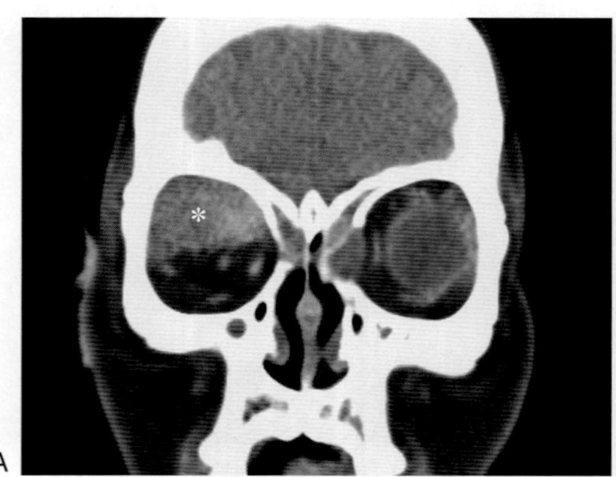

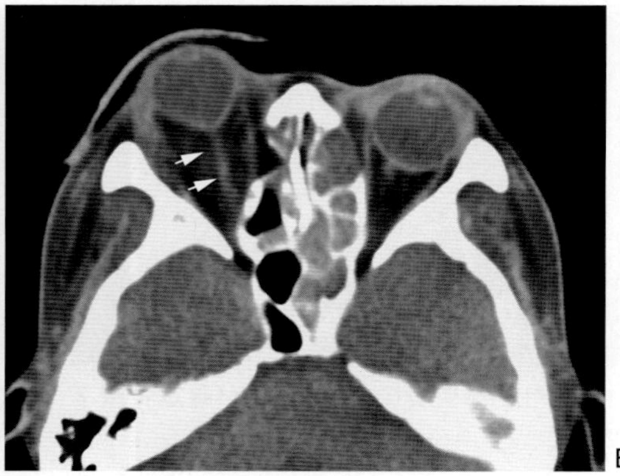

図 94　急性副鼻腔炎の眼窩合併症（眼窩骨膜下膿瘍による tension orbit）

眼窩レベル CT 冠状断像（A）で右眼窩上壁に沿って比較的高容積の眼窩骨膜下膿瘍（＊）を認める．同横断像（B）で右眼球突出を認め，眼球の前後径増大による変形，視神経眼窩部の伸展あり．

表 12　急性副鼻腔炎眼窩合併症における外科的治療の適応

・CT における膿瘍の所見
・診断時の視力 0.3 強（米国の表示で 20/60）
・診断時の重篤な眼症状：失明，瞳孔反射減弱，視力低下，輻輳制限など
・治療にもかかわらず眼症状・所見の急速な進行
・内科的治療開始 48 時間で改善なし

（Younis RT, Anand VK, Davidson B : Laryngoscope **112** : 224-229, 2002）

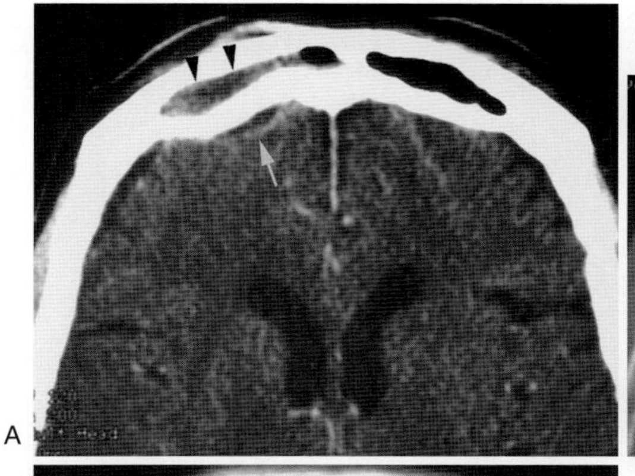
A

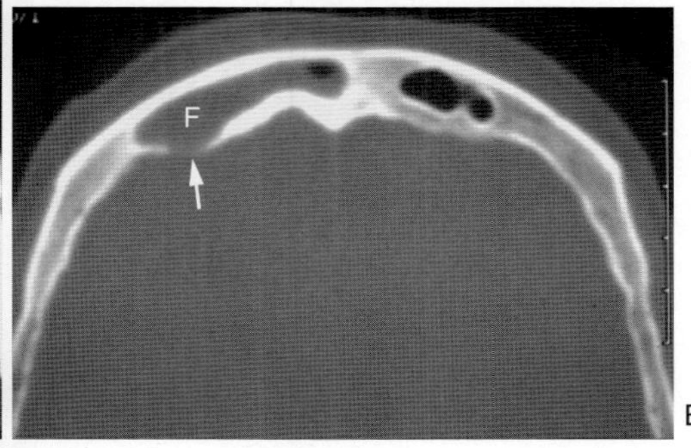

B

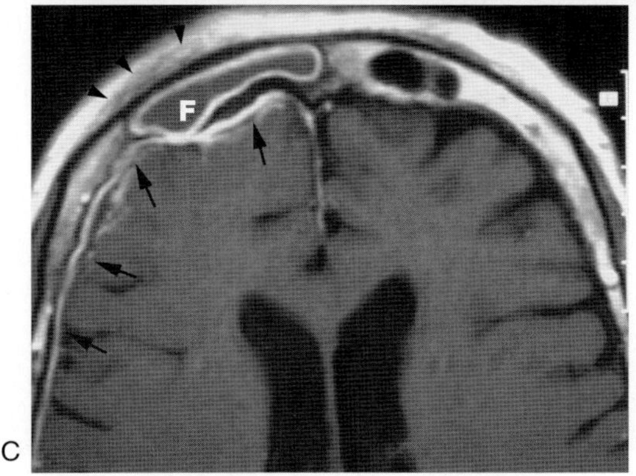

C

図 95　前頭洞炎による頭蓋内合併症

A：造影 CT 横断像．右前頭洞(矢頭)内に炎症を示す軟部濃度を認め，これに接する頭蓋内には硬膜下膿瘍(矢印)の形成を認める．

B：図 A よりもやや頭側の骨条件 CT 横断像．軟部濃度を含んだ前頭洞(F)の後壁に一部，骨菲薄化(矢印)を認める．

C：MRI，造影後 T1 強調横断像．炎症を示す前頭洞(F)に接して広範に肥厚した髄膜の増強効果(矢印)を認め，髄膜炎を示す．前頭洞前壁に隣接する前額部への炎症波及(矢頭)は“Pott's puffy tumor”に相当する．

らに 9 例は洞内洗浄後および抗菌薬のみで治癒，残る 28 例(21％)が外科的治療を必要としたとしている[128]．上眼静脈血栓症，海綿静脈洞血栓症に対する抗凝固薬使用の要否には議論がある．

c. 頭蓋内合併症：急性副鼻腔炎に合併

急性副鼻腔炎では，前頭洞後壁(図 95，96)，篩骨篩板，蝶形骨洞壁などの炎症性骨侵食，あるいは弁のない眼静脈の血栓性静脈炎などを介して(骨破壊がなくても)頭蓋内への炎症波及を生じる．重度の頭痛，発熱のほか，痙攣などを示すが，副鼻腔炎所見に乏しい場合も多い．前頭洞炎の頭蓋内波及が最も多く，思春期男性(男女比は 3〜4：1)に多いとされるが，これは同時期の急速な前頭洞の発達と血流によるとされる[1]．髄膜に連続する，板間層の弁のない導出静脈系(Brechet 静脈)を介して頭蓋内に進展すると考えられる[129〜131]．次に多いのは蝶形骨洞炎であり，洞骨壁の欠損あるいは菲薄化より生じ，比較的高率に神経症状，眼症状を呈する[3]．髄膜炎，硬膜下膿瘍，脳炎，脳膿瘍を生じるが，髄膜炎は蝶形骨洞炎，篩骨洞炎，頭蓋内膿瘍は前頭洞炎，後篩骨洞炎(図 97)を原因とすることが多い[127]．なお頭蓋内合併例の約半数は眼窩合併症を伴っている[132]．急性副鼻腔炎の頭蓋内合併症での致死率は 2〜7％とされ，診断遅延により多くが神経障害，痙攣などの後遺症を残すことから早期診断による早期治療の開始が極めて重要である[133]．硬膜下膿瘍の原因の約 35〜65％が副鼻腔炎とされ[134, 135](図 95，97)，介在する組織に明らかな炎症がなくても硬膜下腔への炎症をきたしうる．頸部硬直はあまりみられない．頭蓋内合併症に対しては CT とともに造影 MRI での評価が望まれる．硬膜下膿瘍は罹患副鼻腔に近接して限局したレンズ型あるいは三日月型の液体濃度・信号領域としてみられ，髄膜の肥厚・増強効果を伴う．周囲脳実質に圧排を示すが，実質自体の異常はみられない．腰椎穿刺は禁忌である[133]．髄膜炎(図 95C)は成人と比較して小児において高頻度に認められ，頭痛，頸部硬直，痙攣などを示す．造影

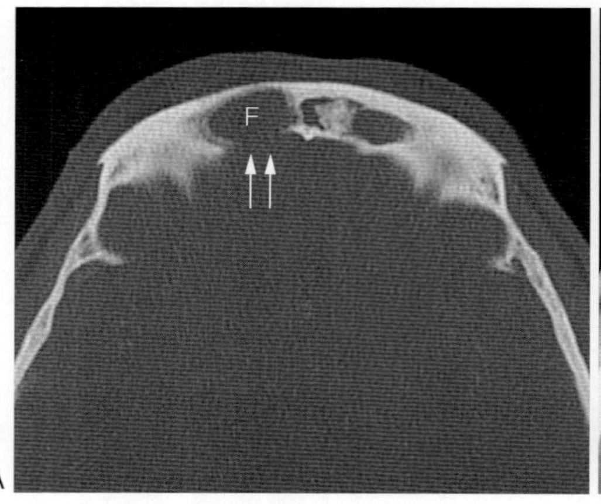

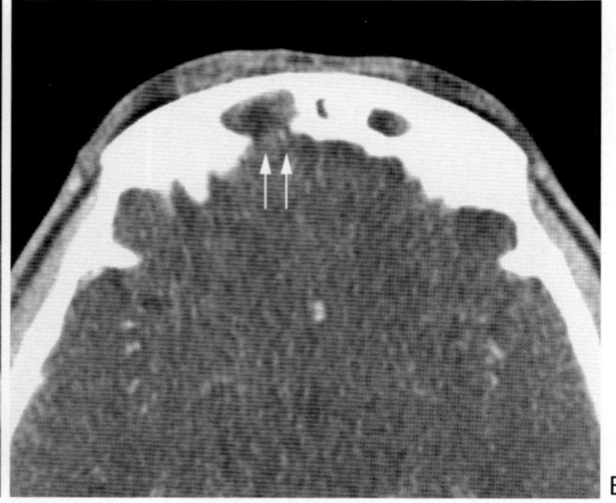

図 96　後壁欠損を伴う前頭洞炎

CT 横断像の骨条件(A)および軟部濃度条件(B)で前頭洞は炎症性軟部濃度を容れ，右側(F)では洞内の骨壁に沿った骨膜反応様の mineralization がみられるとともに，後壁の欠損(矢印)あり．臨床的には髄膜炎が疑われた．造影 CT では肥厚，増強効果などは明らかでないが否定は困難．

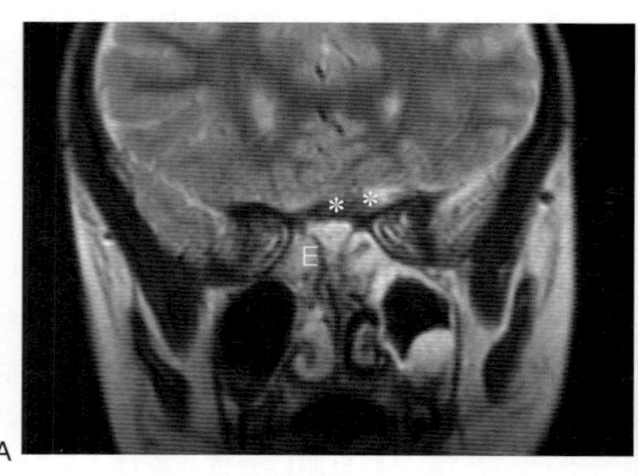

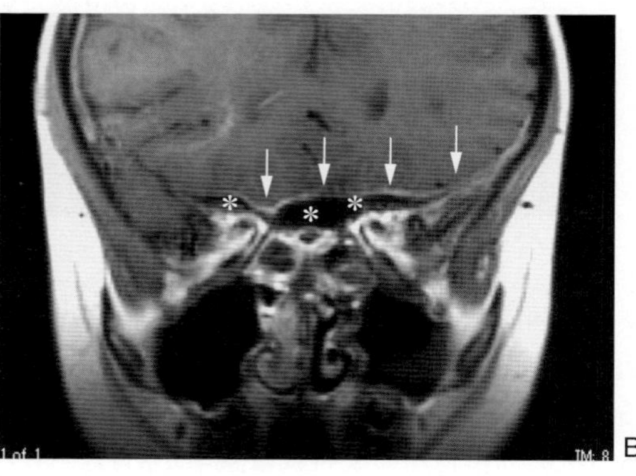

図 97　急性副鼻腔炎の頭蓋内合併症(硬膜下膿瘍)

後篩骨洞レベルの MRI T2 強調冠状断像(A)において，両側後篩骨洞(E)に高信号を認め，炎症所見(肥厚粘膜および液体貯留)に相当する．頭側の蝶形骨平面に沿って，内部不均等な信号を示す腫瘤(＊)あり．造影後 T1 強調冠状断像(B)で同腫瘤は蝶形骨平面に沿った扁平な造影不良域(＊)としてみられ，隣接する髄膜(矢印)は広範に肥厚，増強効果を示す．病変の形状，内部性状，髄膜所見などと合わせて，頭蓋内合併症による硬膜下膿瘍および髄膜炎の所見に合致する．

MRI 上，罹患副鼻腔に隣接して髄膜の肥厚，増強効果を呈する．

急性副鼻腔炎に起因する脳膿瘍は前頭葉，頭頂葉に多く，全脳膿瘍の約 10～13％に相当し，耳疾患由来よりも少ない[136]．

治療は必要に応じて脳神経外科医と耳鼻科医とが協力し，抗菌薬投与とともに頭蓋内圧亢進に対する管理も必要となるが，原因となる副鼻腔炎の治療は必須である．頭蓋内膿瘍形成例では可及的な外科的ドレナージが施行される．

G　腫瘍および腫瘍類似疾患

1　上顎洞性後鼻孔ポリープ(antrochoanal polyp, Killian's polyp)

上顎洞内より発生し，洞口を介して鼻腔へ進展するポリープで，緩徐な増大傾向を示す良性鼻副鼻腔病変である(図 98～100)[137]．通常は片側性，孤立性である[138]．Gustav Killian が 1906 年 Lancet に“The origin of Choanal polypi”のタイ

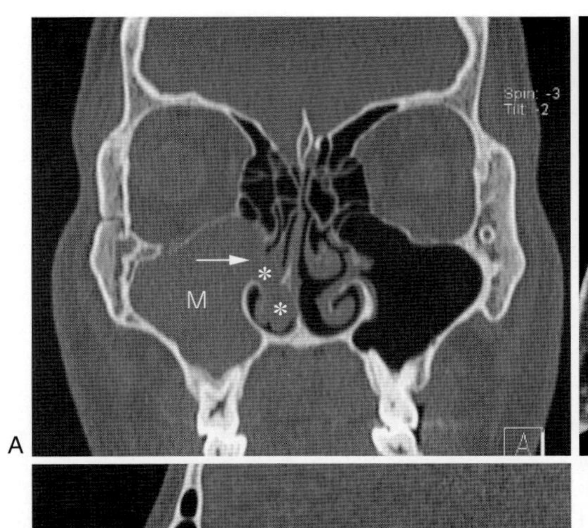

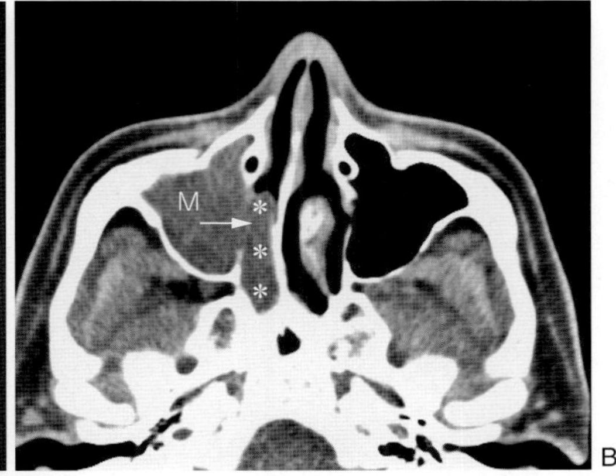

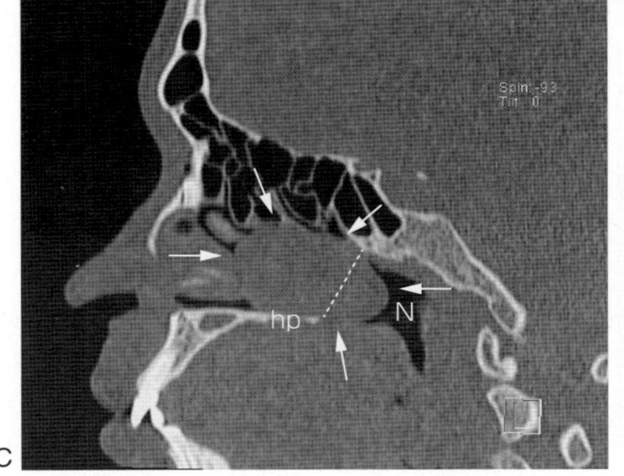

図 98　antrochoanal polyp
鼻副鼻腔 CT 骨条件冠状断像(A)および軟部条件横断像(B)において右上顎洞(M)は軟部濃度で占拠され片側性副鼻腔炎の所見を呈する．内側では膜様部にある副自然口を介して(矢印)，右鼻腔にポリープとしての連続性(＊)を示す．軟部条件(B)では病変は骨格筋よりやや低吸収を示す．右鼻腔レベル矢状断像(C)で病変(矢印)の辺縁は平滑にみられる．後方では後鼻孔(点線)を介して上咽頭(N)腔に突出する．hp：硬口蓋

トルで鼻腔ポリープのひとつとして最初に記述したことにより特異性が与えられた[138]．これにより Killian's polyp とも呼ばれる．病因は不明であるが病理学的には通常の鼻腔ポリープと同様であり，呼吸上皮に覆われ，しばしば空洞を有し細胞に乏しい高度浮腫性の間質に囲まれるが，上顎洞内は嚢胞性，鼻腔から後鼻孔領域では充実性の傾向にある[138, 139]．炎症細胞や好酸球の浸潤は乏しい．鼻腔ポリープ全体の 4〜6％を占める[140]．小児，20〜30 歳代と若年者に多く[137, 138]，28％が小児発生で，小児の鼻腔ポリープの約 3 分の 1 に相当する[141]．また小児ではより進行してからみつかる場合が多い．男性に多いとの報告もあるが一部にとどまっており，性差は明らかでない[142]．
症状として通常は片側性の鼻閉(特に呼気時)を示すが，後鼻孔から咽頭への突出部の大きさにより 20〜25％で両側性の症状を呈する[143]．その他として鼻漏，鼻出血，いびき，異物感，口臭，頭痛，嗅覚低下などを訴える．上顎洞から鼻腔への進展は副自然口(accessory ostium)を介するものが 70％と多く典型的であるが(図 98〜100)[144]，自然口(primary ostium)のみ(図 101)，あるいは両者を介した進展(図 102)もみられる．まれに両側性病変も見られる[145]．アレルギーとの関連に関する報告もあるが[146]，一般的には無関係とされている[147]．

診断は内視鏡と画像診断によりなされ，内視鏡では中鼻道・鼻腔に明るい白色腫瘤を認め，副自然口に向かう茎が確認される．ときに軟口蓋後方に(咽頭部分が)卵状腫瘤としてみられる[138]．CT 上は上顎洞から鼻腔(通常，中鼻道)に連続する亜鈴型の軟部濃度腫瘤として認められ，後方に進展，後鼻孔を介して上咽頭，さらに進展すると中咽頭レベルに至る場合もある(図 98〜100)．高度浮腫性間質を反映して骨格筋よりもやや低吸収にみられる．上顎洞をほぼ占拠したのちに鼻腔に進展する場合が多いが，ときに上顎洞に十分な含気を残したまま鼻腔進展を示す場合(図 103)もあ

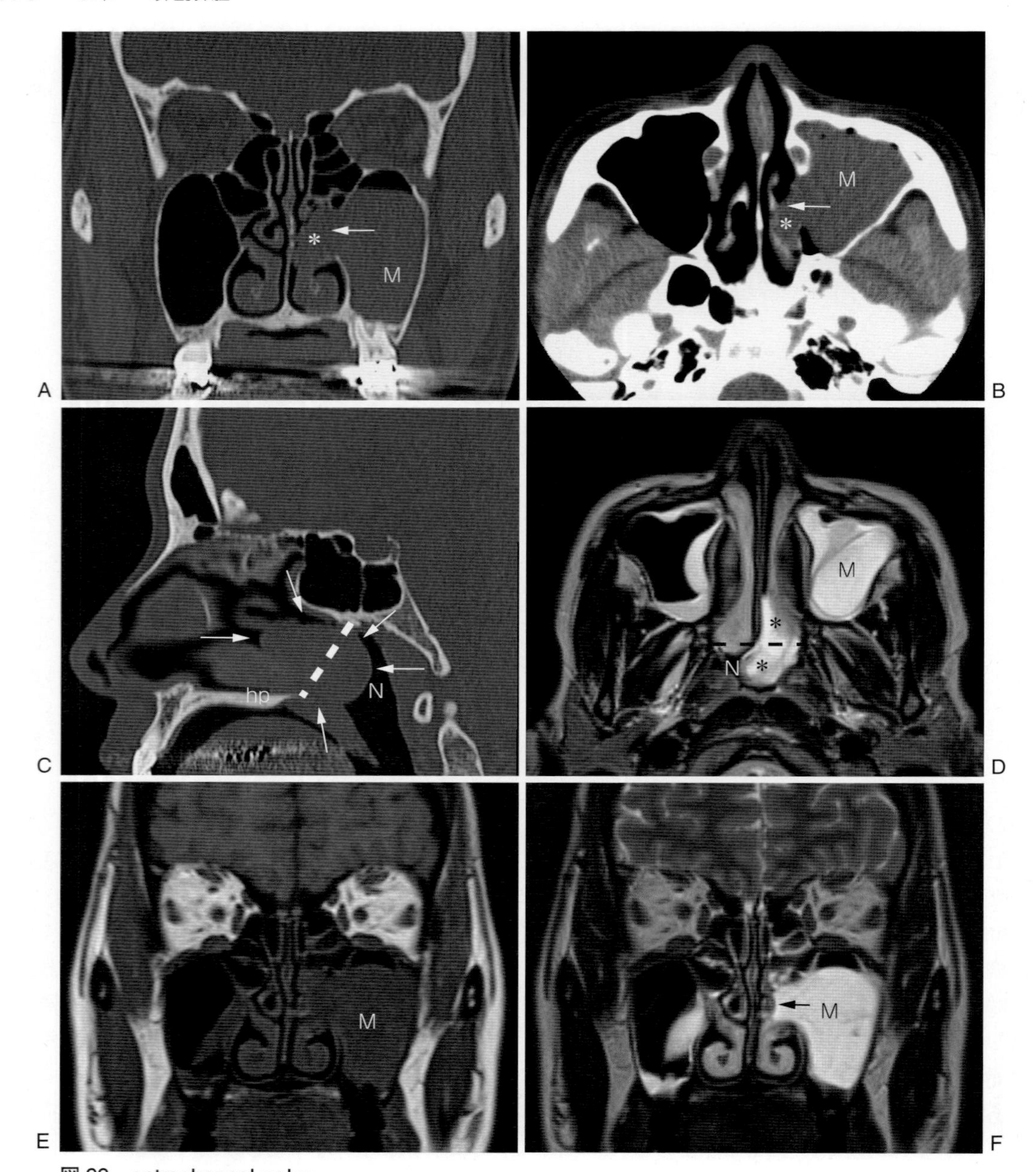

図 99　antrochoanal polyp

CT 骨条件冠状断像(A)および横断像(B)において，左上顎洞(M)に軟部濃度病変を認め，内側で副自然口から左鼻腔(中鼻道)に進展(矢印)，鼻腔のポリープ性病変(＊)を形成している．左鼻腔レベルの骨条件矢状断像(C)で病変(矢印)の辺縁は平滑にみられる．後方では後鼻孔(点線)を介して上咽頭(N)腔に突出する．hp：硬口蓋．MRI T2 強調横断像(D)で左上顎洞(M)から鼻腔に進展したポリープ様病変(＊)は後方で後鼻孔(点線)を越えて上咽頭(N)への進展を示す．T1 強調(E)および T2 強調(F)冠状断像において，左上顎洞(M)を占領し，内側で膜様部を介した鼻腔への進展(矢印)あり．

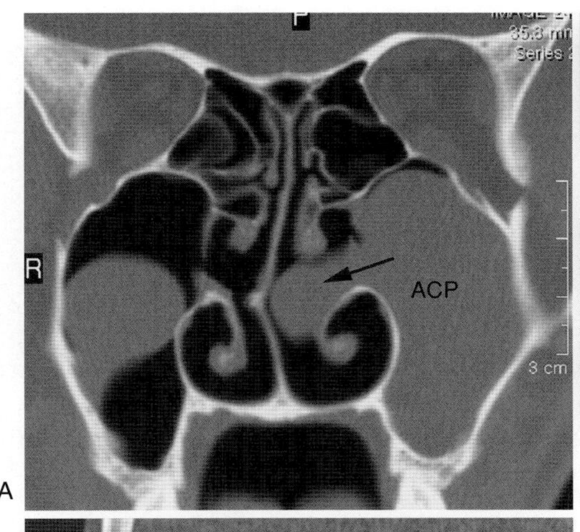

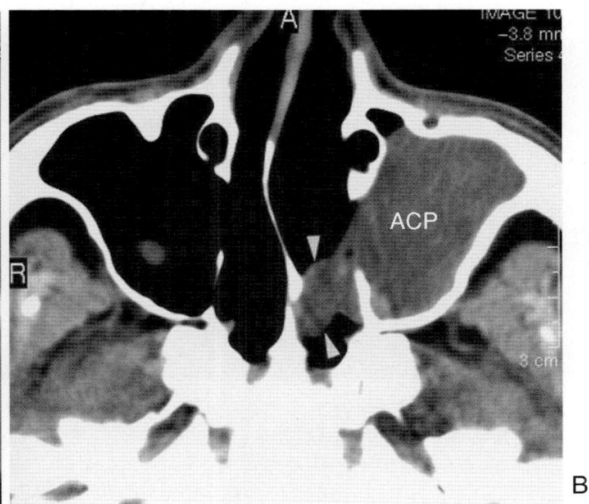

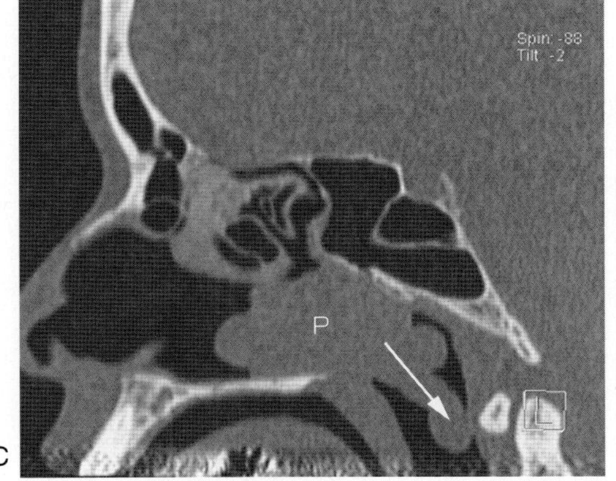

図 100 antrochoanal polyp
A：骨条件 CT 冠状断像．左上顎洞から副自然口を介して鼻腔へ進展(矢印)する antrochoanal polyp (ACP)を認める．
B：軟部条件 CT 横断像．左上顎洞から鼻腔内に進展する antrochoanal polyp (ACP)を認める．鼻腔内成分(矢頭)は後方の後鼻孔レベルに達する．
C：別症例の矢状断 CT．鼻腔に分葉状腫瘤(P)を認め，後方で後鼻孔を介して咽頭腔への進展(矢印)を示す．

る．

MRI において病変の内部信号強度は T1 強調像で低信号強度，T2 強調像で高信号強度(図 99, 101, 102)を呈し，増強効果はさまざまで同一ポリープでも洞内成分と鼻腔・後鼻孔成分では異なる場合もある[148]．

外科切除のみが治療法であり，鼻内内視鏡手術あるいは Caldwell-Luc 手術による外科的切除が有効である．前者でやや高い再発傾向を示すが[149]，最近は内視鏡手術が標準であり，鼻腔部分，上顎洞部分を基部とともに切除する．基部の切除が術後再発防止に重要であり[150]，多くは上顎洞の後壁，下壁，側壁，内側壁から発生し，前壁に基部をもつ病変は少ない[148]．手術の成功率は内視鏡手術では 77％，Caldwell-Luc 手術との組み合わせでは 100％と高い[151]．再発病変の 95％が 2 年以内に同定されることから[142]，術後最低 2 年間の経過観察が望まれる．

2 若年性血管線維腫(juvenile angiofibroma)

若年性血管線維腫は非常に血管に富んだ，被膜をもたない良性腫瘍で，ときに浸潤性発育を示す．15 万人に 1 人，頭頸部腫瘍全体の 0.05％[152, 153]，耳鼻科，頭頸部外科患者の 5 万人に 1 人程度の頻度とされ[154, 155]，そのほとんどが思春期前後の男性にみられる．女性，高齢者は極めてまれである．同病変は Hippocrates によりすでに認識されていたとされるが，1 世紀以上が過ぎてなお細胞の由来や病態生理は不明な部分も多い[156]．長い歴史の中で(juvenile angiofibroma の他にも)多くの名称が用いられている；fibrous nasal polyp，juvenile nasopharyngeal angioma，vascular fibroma，juvenile nasopharyngeal hemangiofibroma，juvenile fibroangioma，juve-

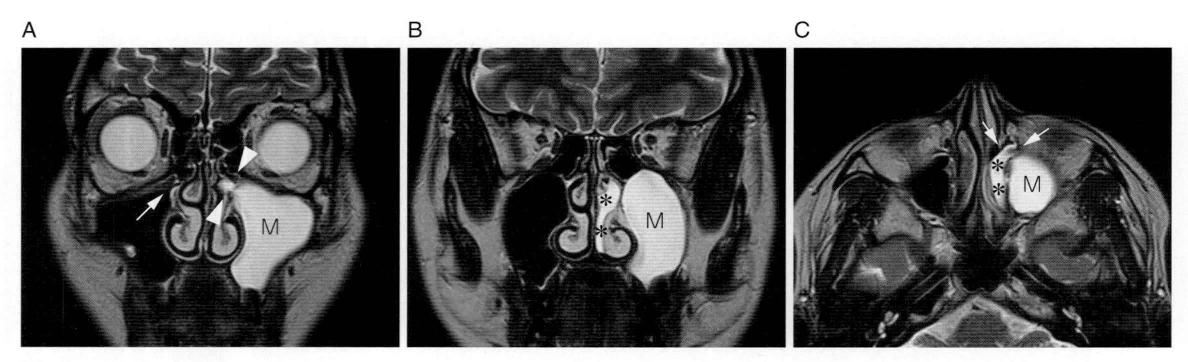

図 101　antrochoanal polyp
　自然口レベルの MRI T2 強調冠状断像(A)において左上顎洞(M)は高信号を示す病変で占拠されており，自然口(対側で大矢印で示す)を介して中鼻道への進展(矢頭)を認める．後方レベル(B)で左中鼻道から総鼻道に進展するポリープ病変(＊)を認める．横断像(C)においても左上顎洞(M)を占拠し，自然口領域(矢印)から鼻腔へ連続するポリープ病変(＊)を認める．

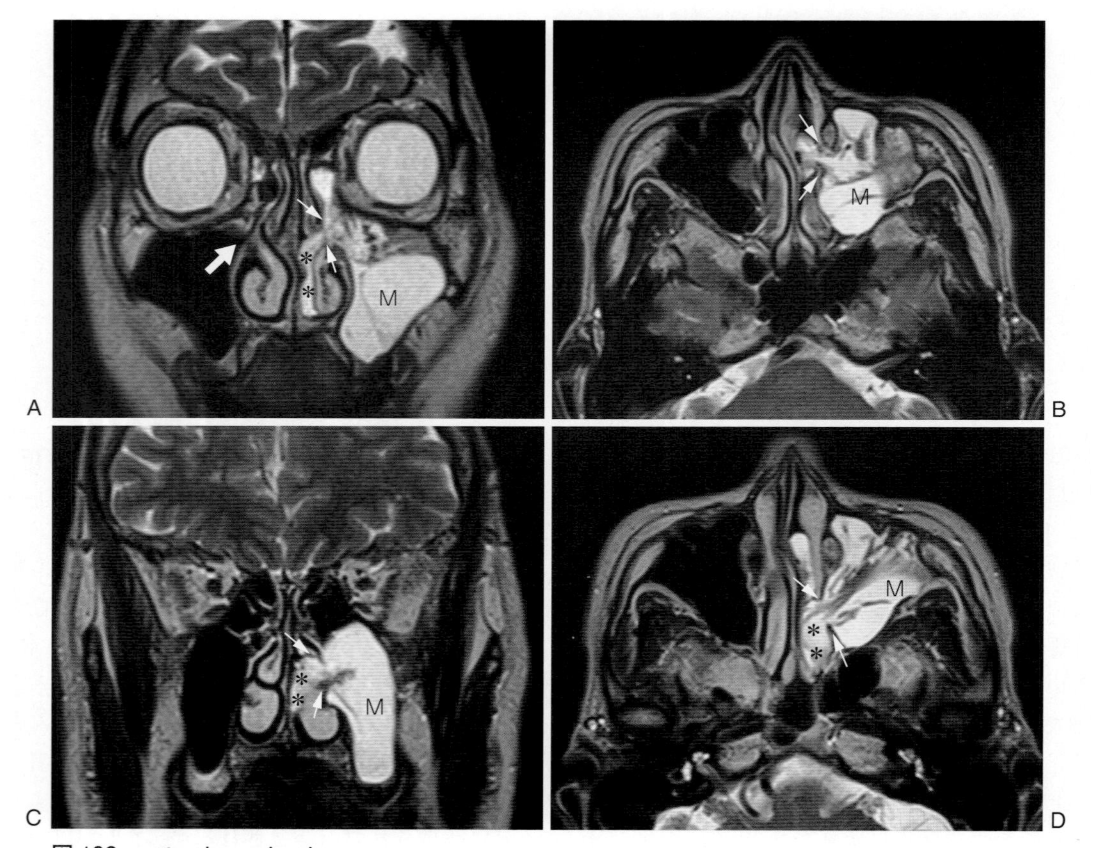

図 102　antrochoanal polyp
　自然口レベルの MRI T2 強調冠状断像(A)および横断像(B)において左上顎洞(M)はやや不均等な高信号を示す病変で占拠されており，自然口(対側で大矢印で示す)を介して中鼻道へのポリープ病変の進展(小矢印)を認める．膜様レベルの同冠状断像(C)，横断像(D)では左上顎洞(M)の高信号病変は内側の副自然口(矢印))を介して左鼻腔にポリープ病変(＊)の連続進展を示す．

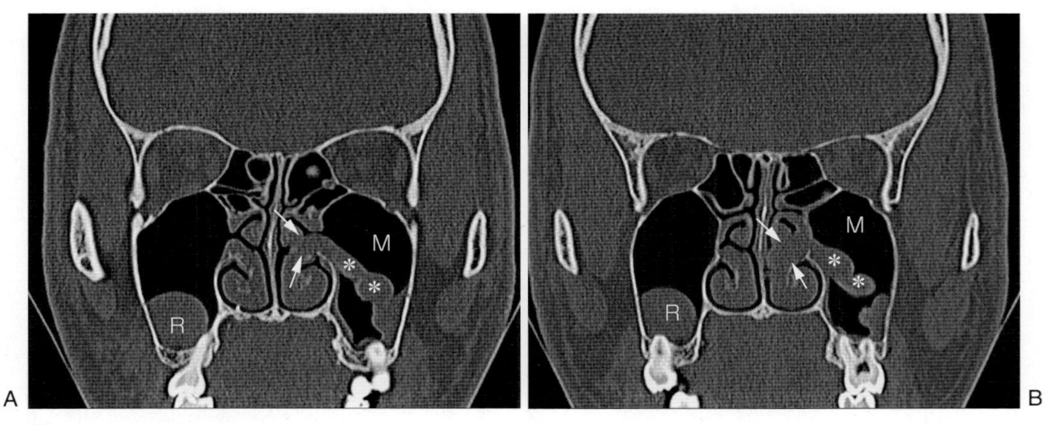

図 103 antrochoanal polyp
骨条件 CT 冠状断像(A), (B)において, 比較的含気の保たれた左上顎洞(M)内に索状軟部濃度病変(＊)を認め, 内側で副自然口から左鼻腔(中鼻道)へのポリープ様連続性(矢印)を伴う. R：右上顎洞下部の粘膜下貯留嚢胞あるいはポリープ様粘膜肥厚

nile fibroma. 悪性転化は極めてまれであり, 放射線治療に関連したものと考えられる[157, 158]. 発生にはホルモンや遺伝因子の関連も考慮される[159]. あるいは早期の血管新生マーカーの発現などもあり, 第一鰓弓の不完全退縮によるとの意見もある[160]. 臨床症状として鼻閉(80%), 鼻出血(60%)が代表的であるが, その進展に従い副鼻腔炎, 頭痛(25%), 嗅覚障害, 中耳炎, 眼球突出など, さまざまな症状をきたしうる[161, 162]. 症状発現から診断までの期間は6〜12ヵ月, 症状発現から手術までの平均期間は12〜14ヵ月とされる[162]. 肉眼的には類円形あるいは分葉状の赤色から赤紫色の有茎性腫瘤としてみられ, 粘膜に覆われ被膜はなく比較的境界明瞭である[162]. ときに潰瘍を伴う. 血行の多寡により充実性あるいは海綿様を呈する. 組織学的には血管成分と(線維性)間質から成るが, 小さな血管から拡張血管まで, 様々な径の血管を不規則に認める. 腫瘍血管は単層の血管内皮に覆われるが弾性板あるいは明確な筋層の形成はみられない. 間質は線維性から硝子化, 粘液性が混在する. 細胞異型, 細胞分裂はみられない. 壊死を認めた場合は術前塞栓(後述)の影響と考えられる. 発生部位は鼻腔後方, 蝶形口蓋孔(sphenopalatine foramen)上縁から翼口蓋窩が大部分である. その他, 翼突管(vidian canal), 後鼻孔, 上咽頭領域からの発生とする考えもある[163, 164]. 5〜20%で頭蓋内進展を認め, その多くが翼口蓋窩から頭側へ進展, 下眼窩裂から眼窩尖部, 上眼窩裂を経由する中頭蓋窩への進展である(図 104, 105)[161]. 眼窩への進展経路としては下眼窩裂が最も多い[165].

画像診断は病変の(質的)診断, 進展範囲の把握による病期診断(後述), 術後の残存・再発病変の評価において, 重要な役割を担う. CT が第一選択とされる場合が多いが, CT は骨変化, 眼窩壁, 頭蓋底などの解剖学的指標と病変との関係, dynamic CT, CT angiography を含む造影 CT は病変の血行動態の把握などにおいて有用である. 一方で MRI はコントラスト分解能に優れることから軟部組織内での病変の進展範囲, 頭蓋内進展の有無・程度の把握に有用性が高い. CT, MRI では鼻腔後方から上咽頭, 蝶口蓋孔周囲, 翼口蓋窩領域を中心とする境界鮮明, あるいは不鮮明な腫瘤として認められる(図 104, 106, 107). CT で骨は圧排に伴う骨改変による偏位, 侵食所見を示す. 89%の症例で翼口蓋窩に腫瘤を形成することから[166], 80%の症例で翼口蓋窩の前壁に相当する上顎洞後壁が前方に膨隆性に偏位するが(Holman-Miller sign), 他病変でも認められ特異性は低い(図 104A, 107A, 108)[162]. 内側翼状突起上部の骨侵食は98%でみられ, 特異性が高いとされる(図 105B, 107D)[167]. また頭蓋底浸潤

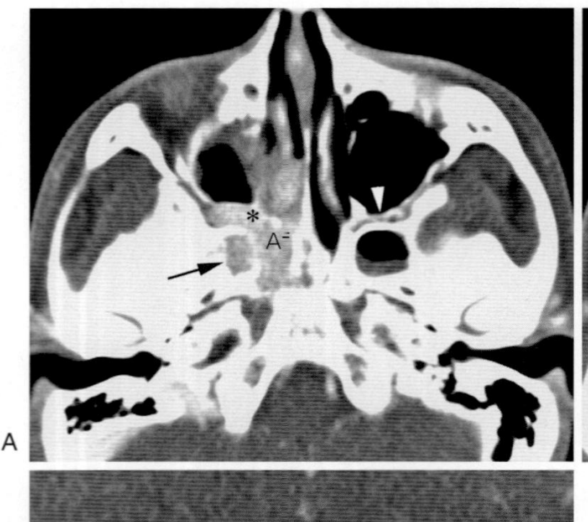

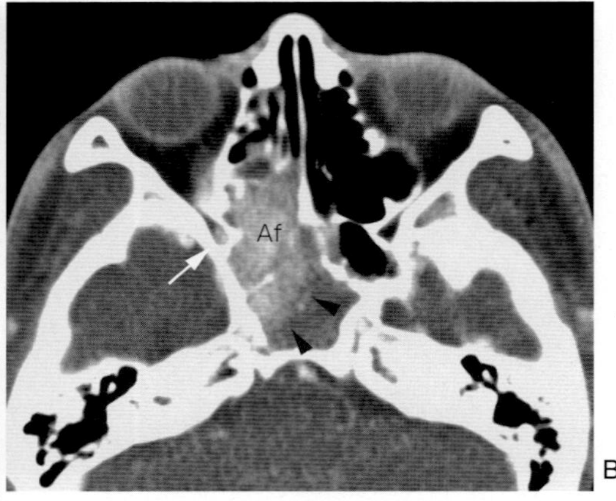

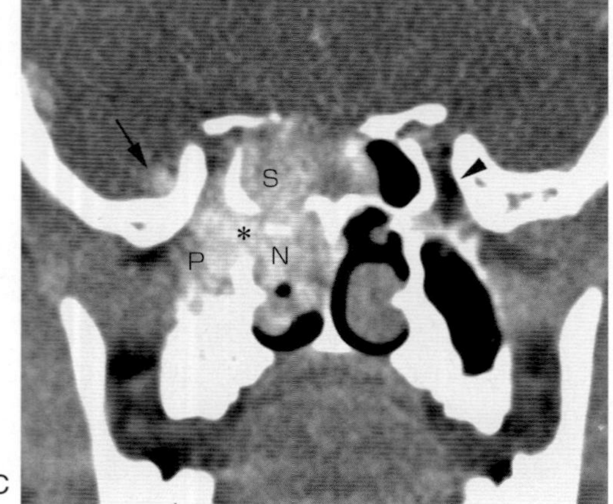

図 104　若年性血管線維腫(stage ⅢA)

頭蓋底レベル(A)造影 CT 横断像において，右鼻腔後方に強い増強効果を示す腫瘍(Af)を認め，側方では蝶口蓋孔(＊)を介してやや拡大した翼口蓋窩(対側で矢頭で示す)内に連続する．その後方では翼状突起基部の破壊(矢印)を伴う．図 A のやや頭側で，蝶形骨洞レベル(B)では，腫瘍(Af)は下眼窩裂から眼窩尖部に浸潤(矢印)，後上方では蝶形骨洞内への進展(矢頭)を示す．冠状断像(C)において，腫瘍は鼻腔(N)から頭側で蝶形骨洞内(S)，側方では拡大した蝶口蓋孔(＊)を介して，翼口蓋窩(P)を経由，頭側の下眼窩裂(対側で矢頭で示す)への進展あり．さらに右中頭蓋窩内への浸潤(矢印)を認める．

(図 104～107)は術後の腫瘍残存や再発のリスクとなる(特に蝶形骨の海綿骨への浸潤は再発の最も重要な予後因子とされる)[167, 168]．CT では頭蓋底の骨侵食・脱灰(図 105B，106A，107D)，MRI では T1 強調像で脂肪髄の高信号の消失(低信号腫瘍による置換)，造影後 T1 強調脂肪抑制像での増強効果(図 105C・E，107D・F)として同定される．頭蓋内進展の評価は MRI が優れる．leptomeningeal spread に対して造影 FLAIR 像の感度が高いとの報告もある[169]．造影剤投与により著明な増強効果とともに MRI では腫瘍血管が flow void (図 105，106B，108，109)として確認できる例が多い[166]．

腫瘍血管に富むことから，外来などでの不用意な生検は避けなければならない．質的診断および病変の進展範囲に関しては CT，MRI でほぼ十分な情報が得られ，血管造影は診断的意義よりも術中出血の軽減を主な目的とする術前塞栓術として施行，術中出血量を 70％減らすことができるとされる[162]．その他，栄養血管閉塞での腫瘍縮小に伴い，術中(特に内視鏡手術)により広い視野が得られ手術操作が容易になり完全切除の確率を上げる，すなわち再発の抑制につながると考えられる[170]．術前 24～48 時間の間で施行すべきであるが，多くは外頸動脈，主に内上顎動脈，上行咽頭動脈から栄養される．

Sessions らは CT における進展範囲をもとに I～Ⅲまでの病期分類を行っている(表 13：p176)[171]．その後画像診断の進歩などに伴い，Sessions 分類をもとに Radkowski らが分類の改変(表 14：p176)を行い，現在はこれが広く受け入れられている[172]．基本的には stage I から IIB までは Sessions らの分類と変更なく，改変は主に頭蓋底浸潤に関するものである．70％は stage

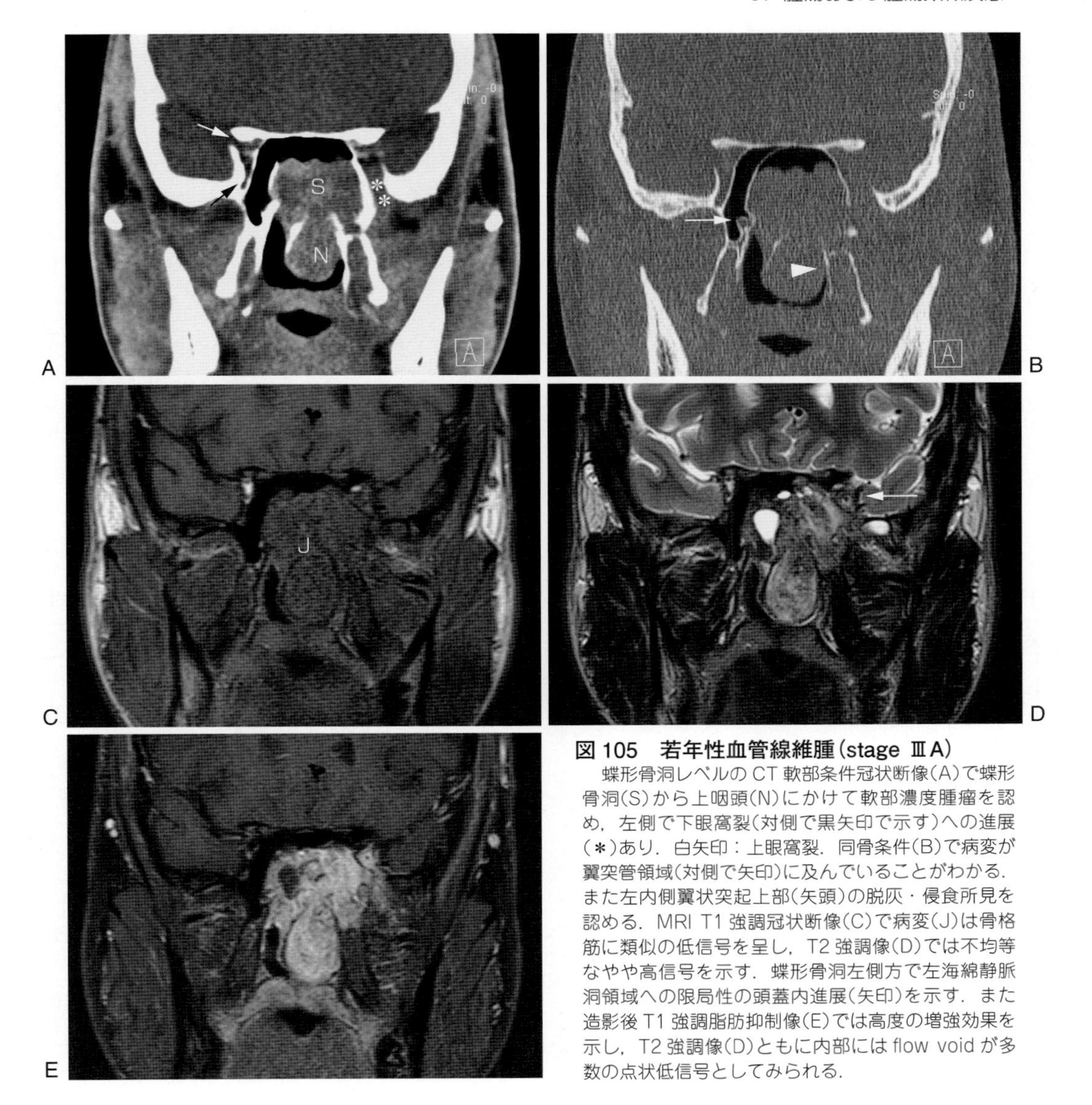

図 105　若年性血管線維腫（stage ⅢA）
蝶形骨洞レベルの CT 軟部条件冠状断像（A）で蝶形骨洞（S）から上咽頭（N）にかけて軟部濃度腫瘤を認め，左側で下眼窩裂（対側で黒矢印で示す）への進展（＊）あり．白矢印：上眼窩裂．同骨条件（B）で病変が翼突管領域（対側で矢印）に及んでいることがわかる．また左内側翼状突起上部（矢頭）の脱灰・侵食所見を認める．MRI T1 強調冠状断像（C）で病変（J）は骨格筋に類似の低信号を呈し，T2 強調像（D）では不均等なやや高信号を示す．蝶形骨洞左側方で左海綿静脈洞領域への限局性の頭蓋内進展（矢印）を示す．また造影後 T1 強調脂肪抑制像（E）では高度の増強効果を示し，T2 強調像（D）ともに内部には flow void が多数の点状低信号としてみられる．

IIC 以上で stage IIIA あるいは IIIB が約 30％とされ，stage IB は 10％前後に過ぎず stage IA は極めてまれである[172]．stage Ⅰおよび Ⅱ は外科的治療，頭蓋内進展を伴う stage Ⅲ は範囲や程度により手術あるいは放射線治療が選択されるが，依然として議論がある．鼻副鼻腔に限局した中等度容積までの病変であれば内視鏡的切除が有効であるが[173, 174]，高容積病変は経口蓋アプローチ（および外側鼻切開）により切除が施行される．翼口蓋窩に大きく進展した例（stage ⅡB）では経上顎洞（Caldwell-Luc）アプローチが必要となる．頭蓋内進展例（stage Ⅲ B）などの進行例では放射線治療が有効である[175, 176]．放射線治療では増大の停止と軽度縮小が期待できる．ただし，若年者への放射線治療は長期影響（放射線誘発性癌）のこともあり，適応は慎重に判断されるべきである．化学療法やホルモン治療は用いられない．

既述のとおり，画像診断には治療選択に関わる進展範囲の評価が求められる．特に術式への影響の大きい外側の翼口蓋窩から側頭下窩，上方の眼窩尖部，頭蓋底，頭蓋内進展の有無などを正確に評価する必要がある．思春期を過ぎてからの増大傾向は乏しく，ときに軽度退縮を示すことも治療方針決定に考慮すべき重要な因子である．

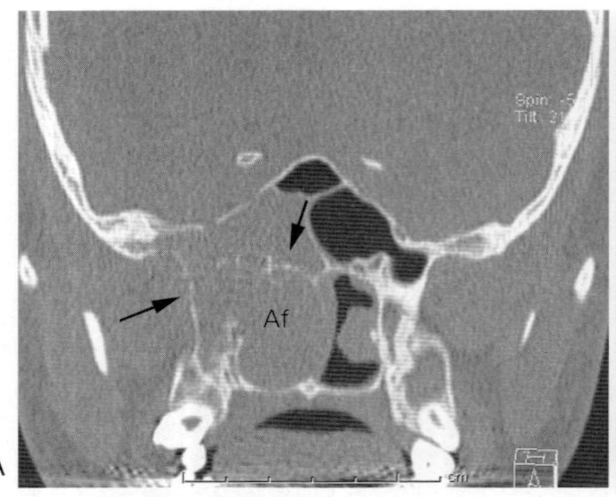

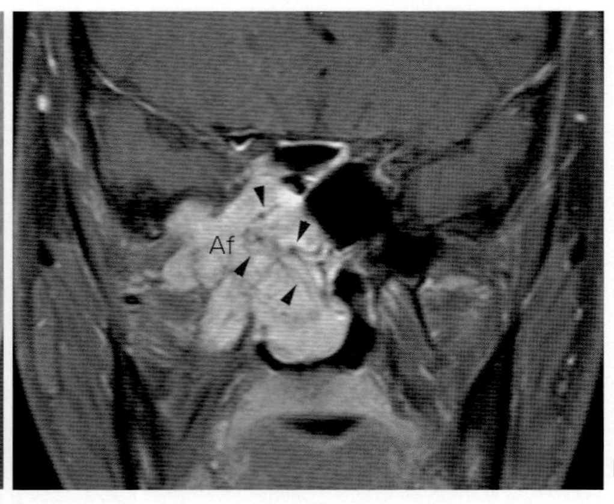

図 106　若年性血管線維腫(stage ⅢA)

冠状断 CT(A)において，右鼻腔後方の軟部濃度腫瘍(Af)は隣接する右翼状突起基部や蝶形骨体部下面などの破壊(矢印)を伴う．MRI，造影後 T1 強調冠状断像(B)で，著明な増強効果を示す腫瘍(Af)内部に flow void(矢頭)を認める．

表 13　若年性血管線維腫の Sessions 病期分類

stage		病変の進展範囲
Ⅰ	A	鼻腔後方および / あるいは上咽頭腔に限局 副鼻腔進展なし
	B	ⅠAと同様 ただし，1つ以上の副鼻腔への進展あり
Ⅱ	A	翼口蓋窩内側部のみへの限局性側方進展
	B	翼口蓋窩全体の占拠および上顎洞後壁の前方への圧排 上顎動脈枝の前方および / あるいは外側への偏位 上方進展による眼窩骨壁侵食の可能性あり
	C	翼口蓋窩を介した頬部軟部組織および側頭窩への進展
Ⅲ		頭蓋内進展

(Sessions RB et al : Head Neck **3** : 279-283, 1981)

表 14　若年性血管線維腫の Radkowski 病期分類

stage		CT・MRI 所見による病変の進展範囲
I	IA	鼻腔後方および・あるいは上咽頭腔に限局
		副鼻腔進展なし
	IB	IA と同様
		ただし，1つ以上の副鼻腔への進展あり
II	IIA	翼口蓋窩内側部のみへの限局性側方進展
	IIB	翼口蓋窩全体の占拠および・あるいは上方での眼窩骨壁侵食
	IIC	側頭下窩あるいは翼状突起後方への進展
III	IIIA	頭蓋底の骨侵食(中頭蓋窩・翼状突起基部)
		限局性の頭蓋内進展
	IIIB	広範な頭蓋内進展および，海綿静脈洞領域への進展あり，あるいはなし

(Radkowski D et al : Arch Otolaryngol Head Neck Surg **122** : 122-129, 1996)

不完全切除での腫瘍残存(図 110)は再発の原因となるが，13〜50％で腫瘍が残存するとされる[177]．再発は無症候性の場合もあり術後6〜36ヵ月でみられることが多いことから，最低でも3年の経過観察が必要であり，内視鏡と画像診断により少なくとも5年間は経過をみるのが一般的である．頭蓋底浸潤陽性となる stage IIIA では50％と高い再発率を示し[172]，蝶形骨の海綿骨への浸潤(図 106，107)，翼突管領域進展(図 105，110C)，翼状突起浸潤(図 105，107)などは再発のリスク因子となることから術前画像診断での慎重な評価が求められる[167, 178]．Changnaud らは経過観察のガイドラインを以下のように示している[179]．無症状で内視鏡所見陰性，術後3〜4ヵ月での画像所見が陰性であれば，臨床的な経過観察のみ，再発を示唆する症状とともに内視鏡，画像診断で腫瘤を認めた場合は再手術，無症状で内視鏡所見陰性であるが術後3〜4ヵ月の画像診断で上咽頭近傍の増強効果をみた場合，さらに3〜6ヵ月後の画像での再評価が推奨される．もし変化なし，あるいは増強効果が減弱，大きさも縮小している場合は6ヵ月後の再評価，もし増強効果

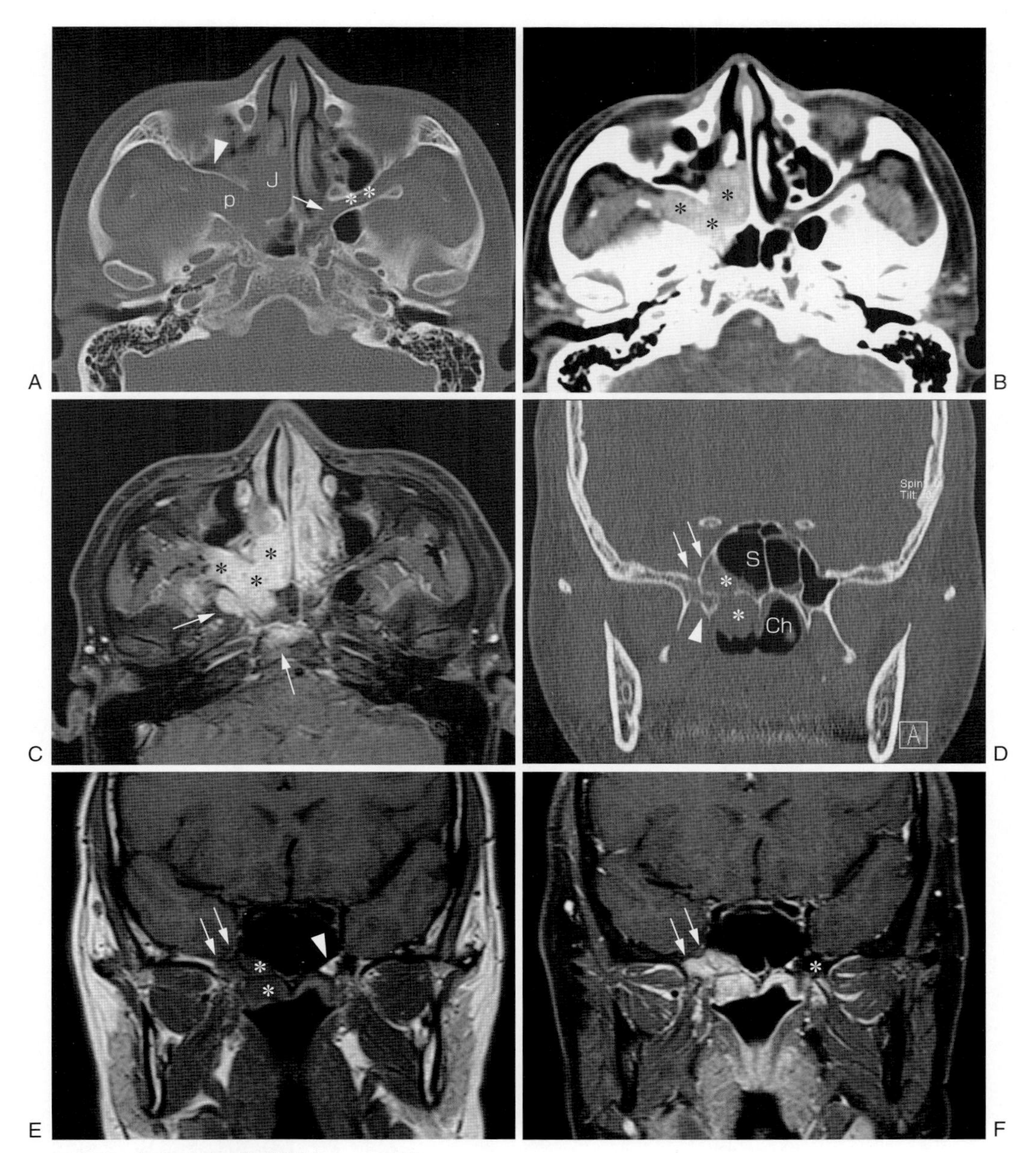

図 107　若年性血管線維腫(stage IIIA)

鼻副鼻腔領域の CT 骨条件横断像(A)で右翼口蓋窩(対側で＊で示す)は拡大(p)，内側で蝶口蓋孔(対側で矢印で示す)を介して隣接する右鼻腔に軟部腫瘤(J)を認める．前方では右上顎洞後壁(矢頭)は圧排による前方への偏位(Holman-Miller sign)を示す．同軟部条件(B)で病変(＊)は著明な増強効果を示す．同症例の MRI 造影後 T1 強調脂肪抑制横断像(C)では腫瘤(＊)に隣接する蝶形骨右大翼基部，体部(斜台)の一部に増強効果(矢印)を認め，病変の頭蓋底進展を反映する．CT 骨条件冠状断像(D)で蝶形骨洞(S)から後鼻孔(Ch)の右側に軟部腫瘤(＊)を認め，これに隣接する蝶形骨大翼基部(矢印)，右内側翼状突起基部(矢頭)は骨濃度の低下がみられ頭蓋底浸潤による変化に相当する．T1 強調冠状断像(E)で低信号を示す腫瘍(＊)とともに，CT(D)で骨濃度減弱を示していた領域に一致して蝶形骨右大翼基部(矢印)の脂肪髄による高信号の消失がみられる．対側では正常に保たれた脂肪髄が高信号を示している(矢頭)．造影後 T1 強調脂肪抑制画像(F)で腫瘍は頭蓋底浸潤部分(矢印)を含めて著明な増強効果を示している．＊：正常脂肪髄が脂肪抑制により低信号で描出されている．

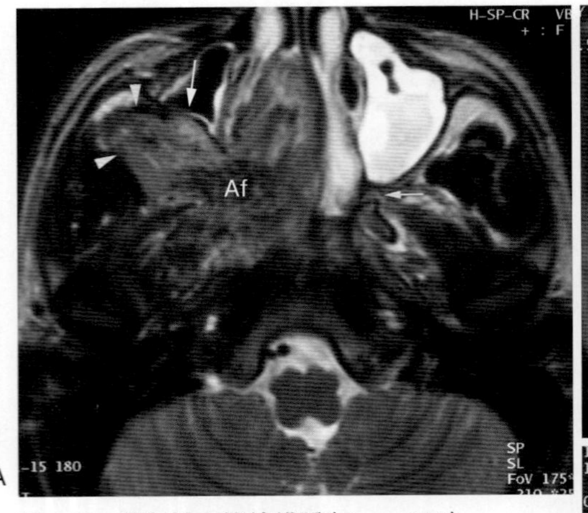

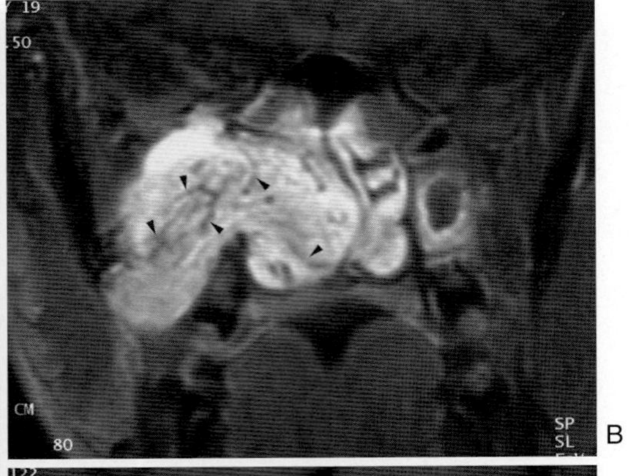

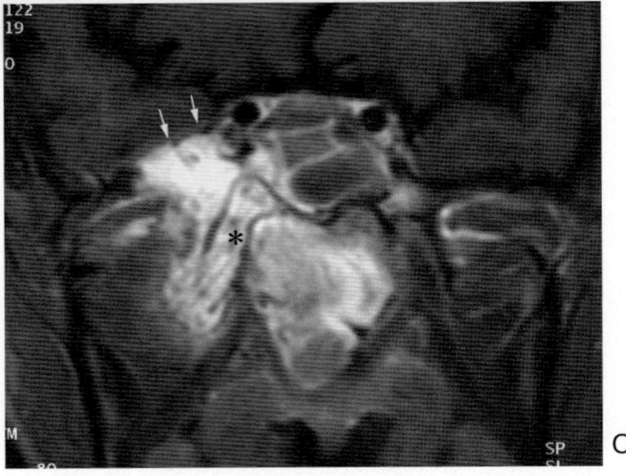

図 108 若年性血管線維腫(stage ⅢA)

A：T2 強調横断像．右翼口蓋窩(左側で矢印で示す)を中心として内部不均一な信号強度を示す腫瘤(Af)を認める．内側は鼻腔内，外側は側頭下窩(矢頭)，後方は翼状突起基部に進展あり．上顎洞後壁は病変により前方に圧排偏位を示す(矢印)．

B：造影後 T1 強調冠状断像．側頭下窩と鼻腔内にまたがるダンベル様腫瘤として認められ，その内部には腫瘍血管を示す flow void と思われる点状，線状の無信号構造(矢頭)が認められる．

C：図 B のやや後方レベルの冠状断．腫瘍は翼状突起基部(＊)領域に進展するとともに頭側では蝶形骨大翼の一部を破壊して頭蓋内進展(矢印)をきたしている．

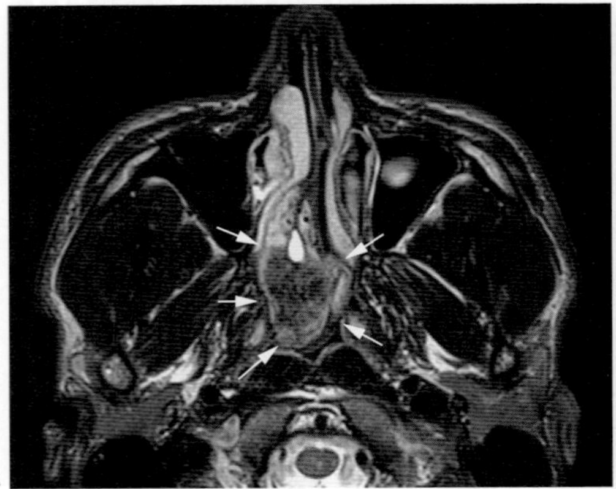

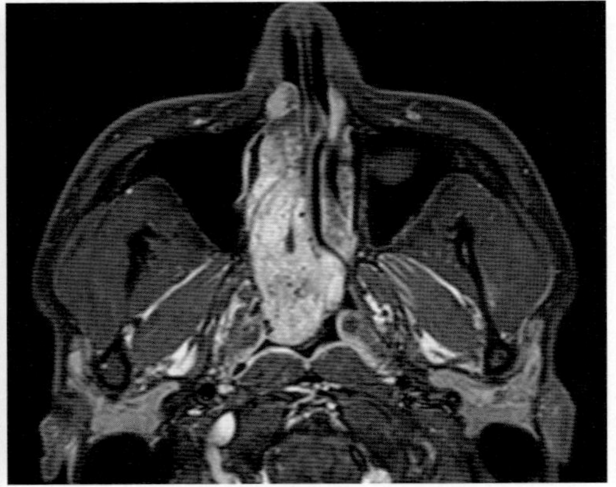

図 109 若年性血管線維(stage IA)

鼻副鼻腔領域の MRI T2 強調横断像(A)病変は右鼻腔後方から上咽頭腔を占拠するように認められる．翼口蓋窩・側頭下窩への連続性などはみられない．病変が強い増強効果を示している造影後 T1 強調脂肪抑制横断像(B)とともに病変内部には flow void と思われる多数の点状低信号を認める．

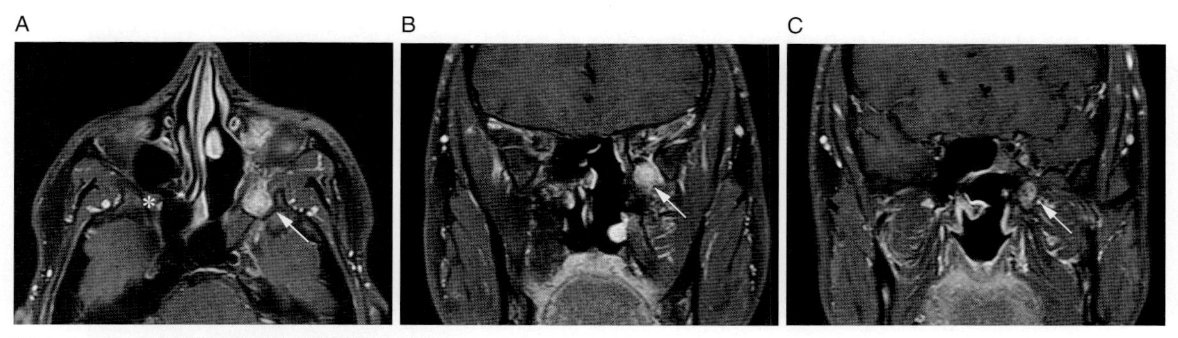

図 110　若年性血管線維腫の術後残存病変
鼻副鼻腔領域の MRI 造影後 T1 強調脂肪抑制横断像（A）および眼窩尖部レベルの冠状断像（B）において左眼窩尖部下方に隣接して下眼窩裂（A で＊で示す）に及ぶ，増強効果を示す腫瘤の残存（矢印）を認める．蝶形骨洞レベルの冠状断像（C）で病変が翼突管領域に及んでいる（矢印）．

の亢進，増大がみられる場合は再手術あるいは放射線治療を検討すべきである．Langdon らは頭蓋内の残存病変に対しては，明らかな増大や新たな症状の出現などがない限りは再手術を推奨していない[180]．

3 内反性乳頭腫（inverted papilloma）

鼻副鼻腔の乳頭腫は鼻副鼻腔腫瘍全体の 0.4〜4.7％程度と比較的まれで，内反性乳頭腫は乳頭腫の 47％と約半数を占め，最も多い[181, 182]．内反性乳頭腫は 1854 年に Ward が初めて記述し[183]，1938 年に Ringertz が周囲組織への浸潤傾向および高い再発率の概念を示した[184]．40〜70 歳代に最も多く，男女比は 2〜4：1 である[161, 181]．臨床症状として鼻出血，鼻漏，鼻閉，嗅覚低下，副鼻腔炎症状，顔面痛などが多くみられる．

典型的組織像としては鼻粘膜と粘膜下組織の腺管上皮を伴ったポリープ様隆起と斑状扁平上皮化生がみられ，ポリープ様隆起は粘膜面のポリープ内への陥入により形成される[184, 185]．肉眼的には粘膜のポリープ様腫瘤として認められ，表面は特徴的な脳回様パターン（convoluted cerebriform pattern）を呈する[161]．多くが上顎洞内側壁・鼻腔側壁から生じ，隣接する上顎洞，篩骨洞へと進展していく[161, 181, 186]．臨床的な病期診断には Krouse の staging system（**表 15**）[187]が用いられ，治療計画に反映されている．T1〜3 病変の予後は良好であるが，眼窩進展，頭蓋底進展を伴う T4 病変の生存率はやや不良である．病期診断で画像

表 15　内反性乳頭腫（Krouse の staging system）

病期	病変の進展
T1	鼻腔内に限局
T2	篩骨洞，上顎洞内側壁・上壁
T3	上顎洞外側壁・下壁・前壁・後壁，蝶形骨洞，前頭洞
T4	鼻副鼻腔外進展，悪性腫瘍の混在

T1〜3：悪性腫瘍の混在なし．
（Krouse JH : Am J Otolaryngol **22** : 87–99, 2001）

の果たす役割は大きい．特に MRI は正確な進展範囲の把握に有用であり，Oikawa らは 86％で術後病期診断と一致したと報告している[188]．T3 病変の最大で半数に再発を認めるとの報告[189]もあり，手術計画は慎重に行う必要がある．

鼻副鼻腔の良性上皮性腫瘍であるが，約 10％で悪性合併のリスクを伴うことが臨床上重要である[190, 191]．臨床上，悪性病変の診断はしばしば困難である．悪性化には HPV ウイルス（特に HPV type 18）の関与なども疑われているが明らかではない．なお悪性化症例の性差に関しての報告は一定していない．病理学的には内反性乳頭腫と扁平上皮癌との合併は以下の 3 型に分類される[161]．

- Group 1：内反性乳頭腫の組織像内の一部の小さな領域として扁平上皮癌を含む．
- Group 2：全体としては扁平上皮癌が占めるが，その一部に内反性乳頭腫を認める．
- Group 3：内反性乳頭腫が確認された既往のある患者で，同部位から扁平上皮癌の生じ

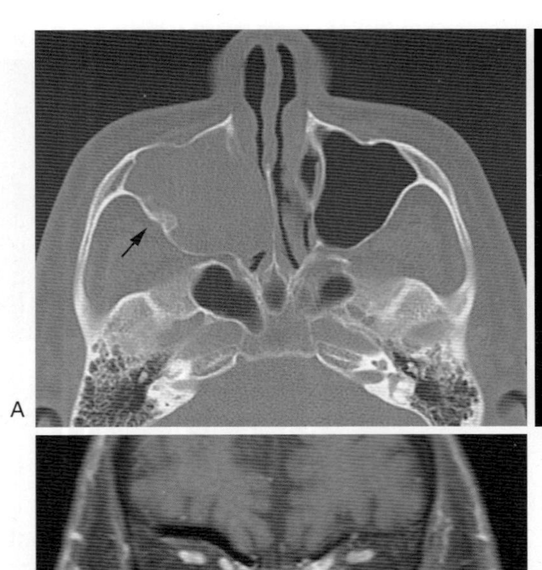

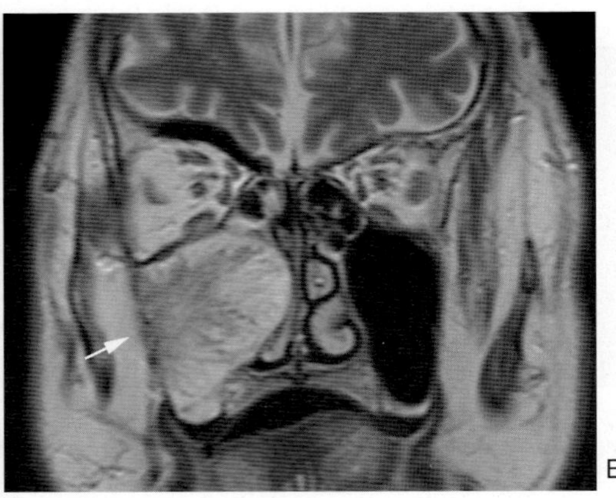

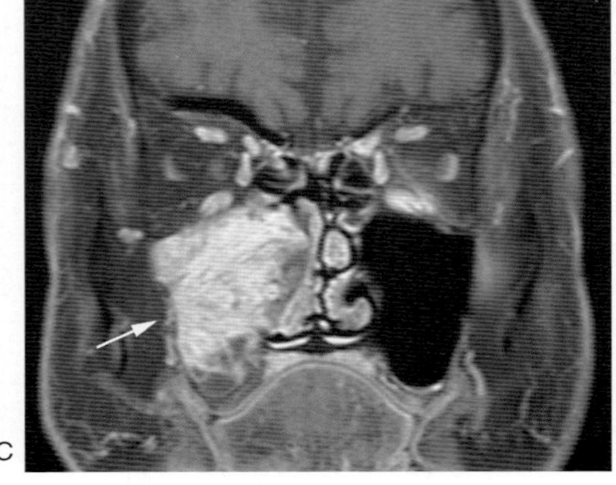

図111　内反性乳頭腫
横断CT骨条件表示(A)において，右上顎洞の片側性副鼻腔炎所見を認める．後側壁には限局性骨肥厚(矢印)がみられ，乳頭腫基部が示唆される．MRI T2強調像(B)，造影後T1強調像(C)で，腫瘍は側壁基部(矢印)に集簇するようにしてconvoluted cerebriform patternを呈する．

たもの．

内反性乳頭腫のうち同時性(synchronous)の悪性病変(group 1およびgroup 2)は7.1%，異時性(metachronous)の悪性病変(group 3)は3.6%，内反性乳頭腫に合併する癌の約60%が同時性，40%が異時性とされる[192]．また，異時性癌発生までの平均期間は63ヵ月(6ヵ月から13年)との報告がある[193]．Weisslerらは症状の違いは悪性の診断に有用ではない[194]とする一方で鼻出血，疼痛が悪性を特異的に示唆するとの報告もある[195, 196]．ただし，鼻出血や疼痛は初期症状とはいえない．内反性乳頭腫に併発した扁平上皮癌は原発性の扁平上皮癌と比較して予後がよいとされる[195]．悪性合併の画像診断については後述する．

容易に生検可能なため，内反性乳頭腫の組織学的診断も比較的速やかに行われるが，生検材料における悪性併発の診断は容易ではない．画像診断には病変の進展範囲(腫瘍と二次性炎症性変化との区別)，可能であれば基部の特定，扁平上皮癌合併の可能性の評価が望まれる．CTで片側性副鼻腔炎をみた場合，本疾患の可能性を疑う必要がある(図111〜113)．CTでは非特異的軟部濃度腫瘤として認められるが，ときにconvoluted cerebriform patternを反映する多分葉状辺縁(図114)が診断を示唆する．これは同じ片側性副鼻腔炎として上顎洞から鼻腔を中心とするポリープ様軟部濃度腫瘤の所見を呈するantrochoanal polyp(図98C，99C)では比較的平滑な辺縁を示すのとは異なり，重要な鑑別のポイントとなる．特に鼻腔レベルの傍正中矢状断再構成画像での評価で有用である．まれに腫瘍内部に石灰化を認める．コントラスト分解能に優れるMRI(T2強調像，造影後T1強調像)では病理像を反映して腫瘍内部に脳回様に蛇行する線状構造の集簇(convoluted cerebriform pattern)が認められる(図111B・C，112B，113B，115，116)[197]．まれに他の悪性腫瘍で類似の内部性状を示すが同所見は悪性との鑑別に有用であり正診率は約90%との

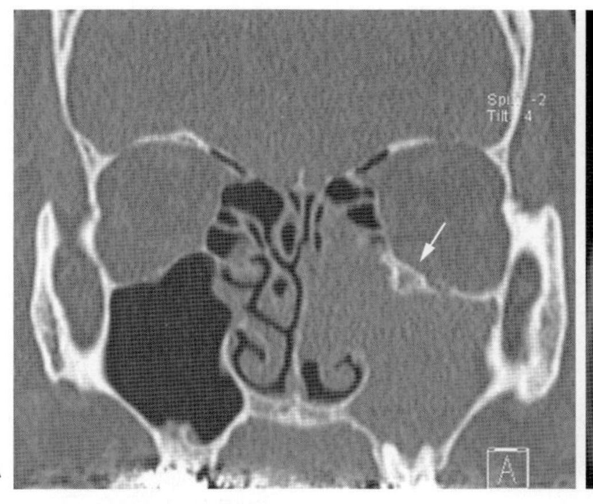

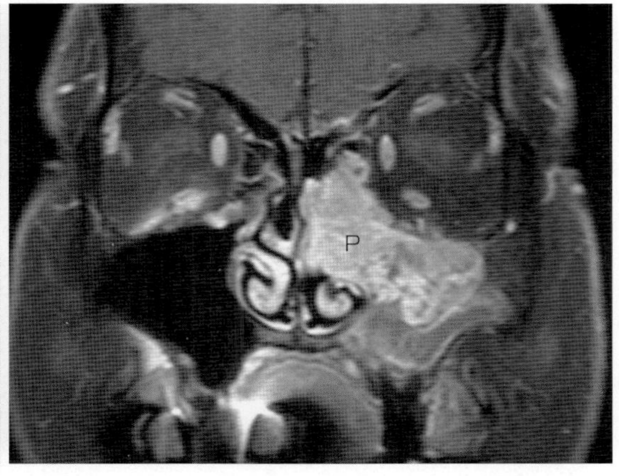

図 112　内反性乳頭腫

横断 CT 骨条件表示（A）において，左上顎洞の片側性副鼻腔炎所見を認める．上壁（眼窩下壁）内側には限局性骨肥厚（矢印）を認め，乳頭腫基部に一致する．MRI 造影後 T1 強調像（B）で，腫瘍（P）は convoluted cerebriform pattern を呈する．

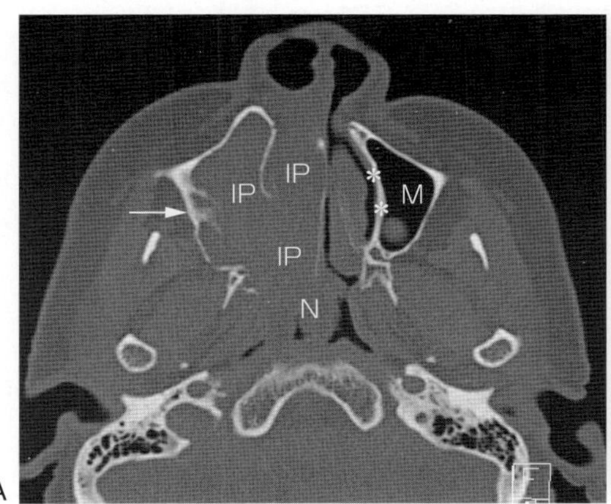

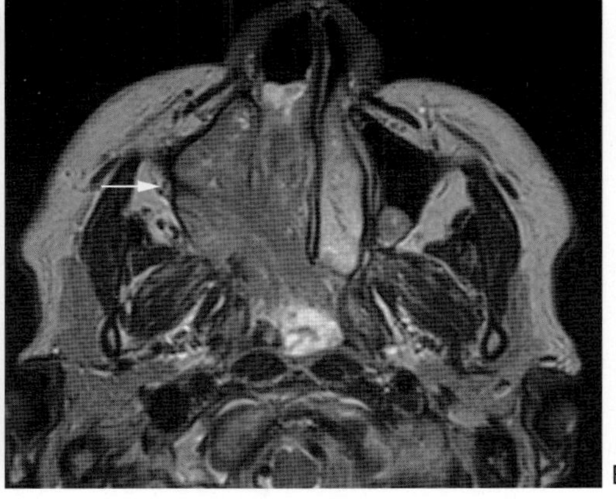

図 113　内反性乳頭腫

鼻副鼻腔の骨条件 CT 横断像で右上顎洞（左側で M で示す）から右鼻腔は軟部濃度（IP）病変で占拠され，片側性副鼻腔炎の所見を呈している．鼻腔病変は後方で後鼻孔を越えて上咽頭腔（N）に大きく膨隆する．右上顎洞内側壁（対側で＊で示す）の後方 1/2 では骨侵食による欠損あり．右上顎洞側壁には基部を示すと思われる棘状の限局性骨肥厚（矢印）を認める．同 MRI T2 強調像（B）で病変内部は convoluted cerebriform pattern を呈し，CT（A）で同定された基部に相当する棘状低信号所見（矢印）に集簇するように認められる．

報告がある[198]．完全に典型的な convoluted cerebriform pattern を呈していたとしても悪性を含む乳頭腫の可能性は否定されない（後述）ことから，内反性乳頭腫が潜在的に悪性を含むかもしれないとの理解の上で同パターンを内反性乳頭腫に特徴的な所見として認識することが必要である．内部に広範な壊死（図 117）を認める場合，生検結果が内反性乳頭腫であったとしても Group 2 の扁平上皮癌合併の可能性を十分考慮して治療計画を立てるべきである．さらに悪性合併例では 50～60 % で MRI において convoluted cerebriform pattern の不明瞭，あるいは部分的・全体的な消失（図 118，119）を示すとされ，同所見による悪性合併例の正診率は約 90%とされる[197, 198]．既述のとおり，逆に生検により内反性乳頭腫の診断が得られ MRI で内部に典型的な脳回様パターンを認めたとしても，Group 1 の扁平上皮癌合併の可能性は否定されない（図 120～122）[197]．また，鼻副鼻腔外進展（図 123），頭蓋底浸潤（図 119），眼窩骨壁侵食[199]を認めるような場合は，悪性の可

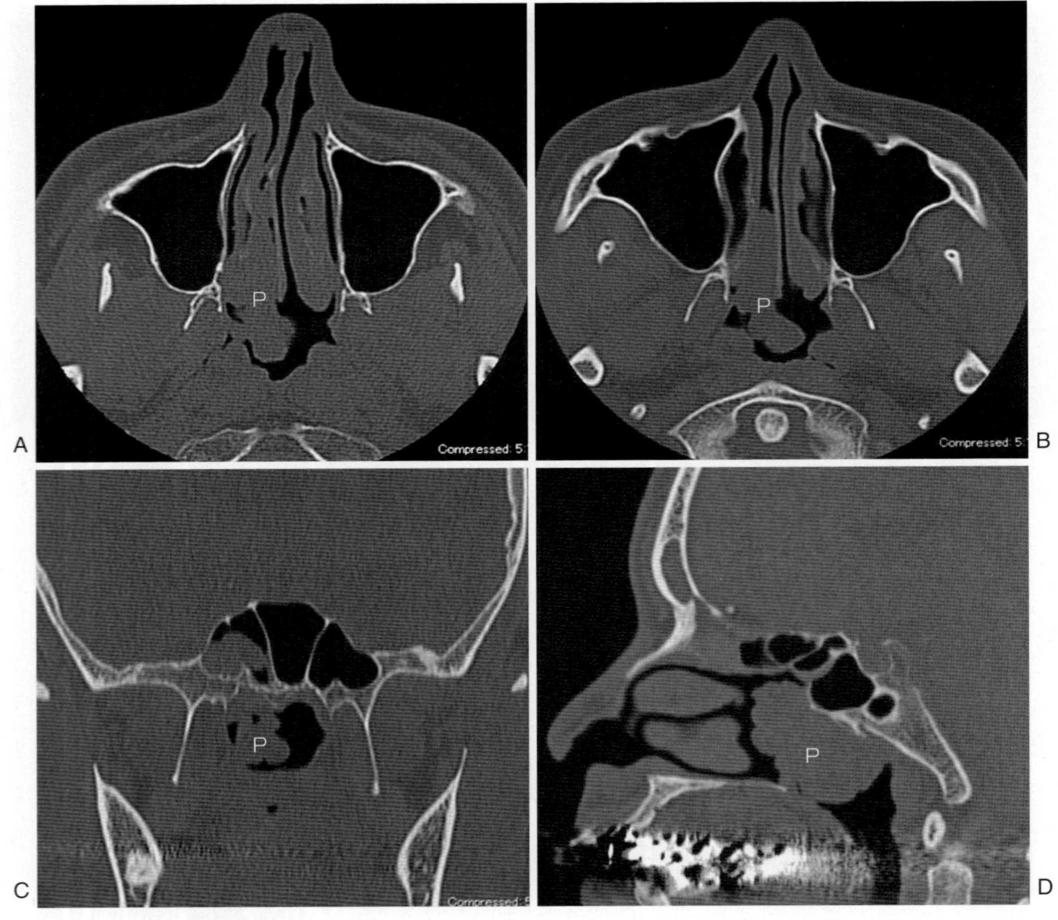

図 114　内反性乳頭腫 4 例
内反性乳頭腫 4 例の骨条件表示の CT（A，B は横断像，C は冠状断像，D は矢状断像）．いずれも鼻腔を中心とする軟部濃度腫瘤（P）の辺縁は多分葉状を呈する．

能性を考慮すべきである．必ずしも悪性を伴わない乳頭腫でも骨侵食所見（図 113A），眼窩，涙器，頭蓋底などへの進展を示すことが知られているが[195, 196]，眼窩骨壁の侵食，広範な骨侵食・破壊は悪性を考慮すべきであり[200]，ときに CT での軽微な骨侵食所見のみが悪性を示唆する場合もある（図 124）．MRI の拡散強調像での高信号，ADC 低値（拡散低下）の所見が悪性合併例の診断に有用[199]とされる一方で PET での信頼性高い評価は困難である[201]．また病変の大きさと悪性合併との相関はみられず（図 125）[199]，小さな病変でも常にその可能性を考慮する必要がある．

画像における基部の特定に関しては，CT での限局性骨肥厚所見（図 111A，112A）が最も有用であり，症例の 63.2％に認められる[202]．ときに MRI においても CT での限局性骨肥厚に相当する板状・班状低信号が同定可能である（図 126）．その他として，convoluted cerebriform pattern における集簇所見（図 111B・C，113B）や残存する洞内含気腔や閉塞性変化の反対側を基部と推定する[203]，などの方法がある．

治療は基部を含めた外科的切除が原則である．以前は Caldwell-Luc 切開および外側鼻切開によるアプローチが行われていたが，最近では内視鏡手術での切除が広く行われており，安全性・再発率ともに外方アプローチと同等以上とされる．ただし，再発や扁平上皮癌合併例での根治性などが問題となる場合もあり，術後標本の病理学的検索

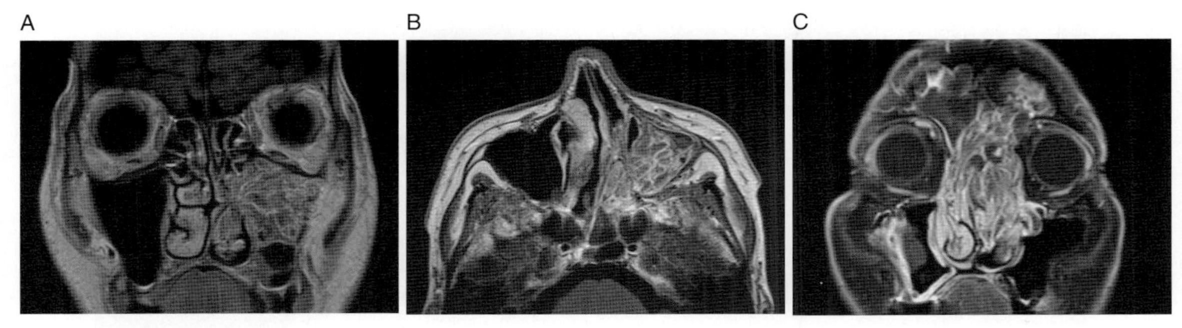

図 115　内反性乳頭腫 2 例

鼻副鼻腔の MRI 造影後 T1 強調脂肪抑制冠状断像(A)および横断像(B)で左上顎洞から一部で鼻腔に進展する腫瘤，別症例の同冠状断像(C)では両側鼻腔から頭側で前頭洞に連続する腫瘤を認める．いずれも内部は全域にわたり convoluted cerebriform pattern を呈している．

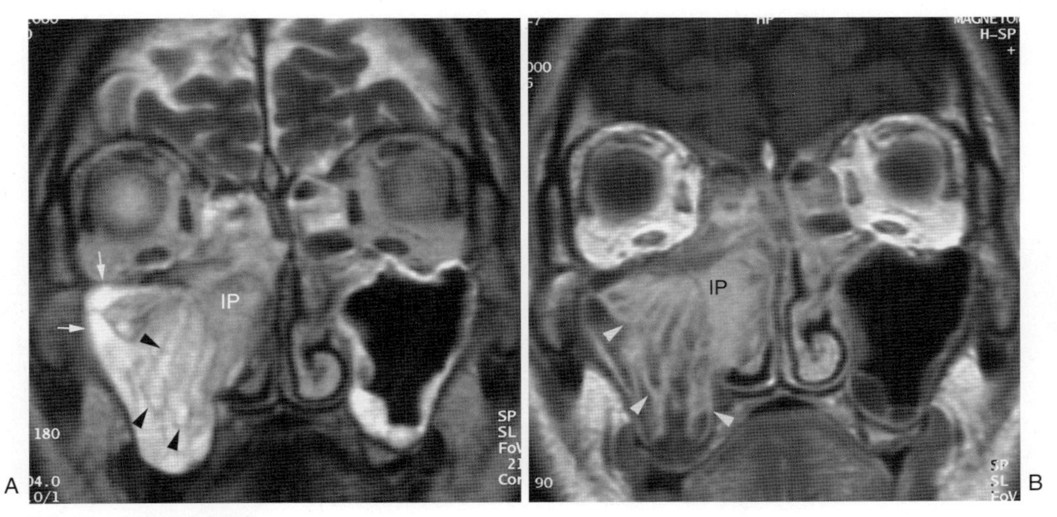

図 116　内反性乳頭腫

A：T2 強調冠状断像．右上顎洞から鼻腔，篩骨洞領域に連続する不整形の腫瘤(IP)を認め，内部には脳回様パターン(矢頭)がみられ内反性乳頭腫を示唆する．上顎洞外側辺縁に限局した高信号領域(矢印)は二次性閉塞性変化を示す．

B：造影後 T1 強調冠状断像．腫瘍(IP)は不均一な増強効果を示すとともに脳回様パターン(矢頭)がより明瞭に確認できる．

は重要である．基部が明瞭に確認可能な場合は内視鏡手術のよい適応となるが，上顎洞前壁の場合は斜視鏡においても基部の完全な切除は困難(図 127)であり，上顎洞前壁の開窓による Luc アプローチが必要となる場合もある．内反性乳頭腫の病期診断としては Krouse の staging system (表 15：p179)[187] が用いられるが，Cannady らによると，Krouse 病期分類での T1・T2 病変は内視鏡手術の適応であり，再発率は低く(3%)，T3 病変の多くは内視鏡手術により摘出可能であるが，ときに Luc のアプローチなどの付加的手術が必要で再発率は 20%であり，T4 病変では外切開が必要で再発率 35%と比較的高いとされる[204]．術後に悪性合併例が判明した際の後療法の要否に関しては賛否がある．術後放射線治療について，T3 以上の病変，切除断端陽性，前頭蓋底や眼窩への進展，再発例，切除不能例などに対して推奨する意見もある[196]．一般に(悪性でない)乳頭腫は基部も含めて完全切除が行われることから追加手術が必要となることは少ない．

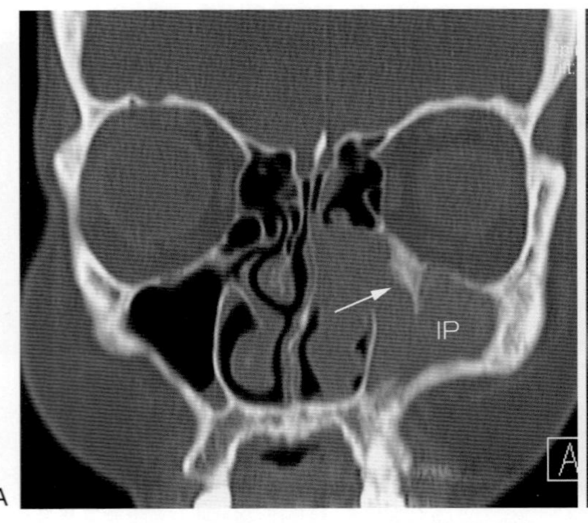

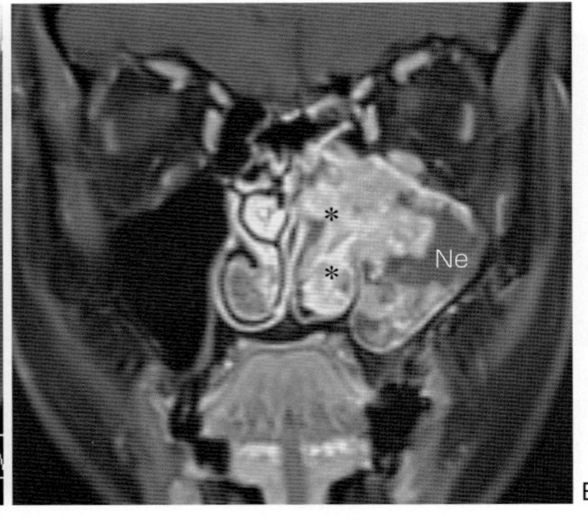

図 117　扁平上皮癌を合併した内反性乳頭腫
鼻副鼻腔 CT 冠状断像(A)で左上顎洞から鼻腔に軟部濃度病変(IP)を認め，片側性副鼻腔炎の所見を呈する．上顎洞上壁(眼窩下壁)に内反性乳頭腫の基部を示唆する棘状骨壁肥厚(矢印)を認める．同 MRI 造影後 T1 強調脂肪抑制冠状断像(B)で右上顎洞外側部に造影不良域(Ne)を認め，壊死に相当する．左鼻腔(＊)から左上顎洞内側よりは convoluted cerebriform pattern を呈し，乳頭腫成分が主体であることを示す．左鼻腔からの生検では悪性の結果が得られない可能性が考慮される．

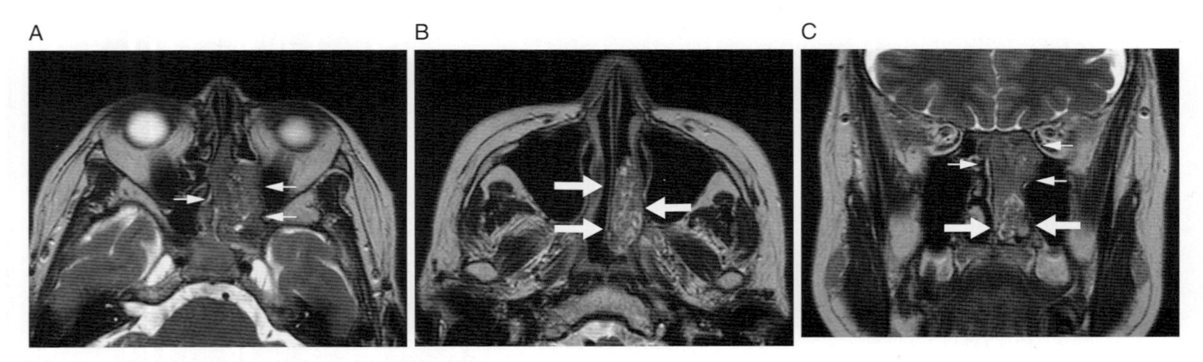

図 118　扁平上皮癌を合併した内反性乳頭腫
眼窩下部(A)および上顎洞レベル(B)の MRI T2 強調横断像および鼻副鼻腔レベルの冠状断像(C)．左篩骨洞から鼻腔に腫瘤を認める．鼻腔下部(大矢印)では内部が convoluted cerebriform pattern を呈し乳頭腫が示唆される一方，鼻腔上部・篩骨洞領域(小矢印)では内部で同パターンは明瞭ではなく無構造に認められる．後者は術後に癌が診断された．

4 扁平上皮癌

鼻腔，副鼻腔いずれも最も多い悪性腫瘍は扁平上皮癌である(副鼻腔では全悪性腫瘍の約 80%)．分布としては上顎洞が 25～58% (副鼻腔癌のうちの 80 %)(図 128～132)，鼻腔が 25～35 % (図 133～135)，篩骨洞が 10% (図 136～138)，蝶形骨洞(図 139～141)，前頭洞(図 142，143)はまれである[161, 205]．上顎洞癌は副鼻腔癌全体の 70%以上を占めるが，頭頸部癌全体の 3%，全悪性腫瘍の 0.5% に過ぎず全体として比較的まれである[206]．鼻腔では鼻腔外側壁(図 133)が最も多く，約 50% が鼻甲介より生じる．鼻中隔癌は鼻腔悪性腫瘍の約 9% を占めるのみである．aflatoxin，chromium，nickel，mustard gas，polycyclic hydrocarbon，mesothorium (Thorotrast)などとの因果関係が考えられている[207]．中高年の男性に多く，症状としては鼻閉，(血性)鼻漏，疼痛などを訴えるが，初期症状は軽視され早期病変(図 144)はまれで，診断時には進行病変としてみつかる傾向にある．Spiro らによる鼻副鼻腔扁平上皮癌 105 例の検討では未治療例の 82% が Stage

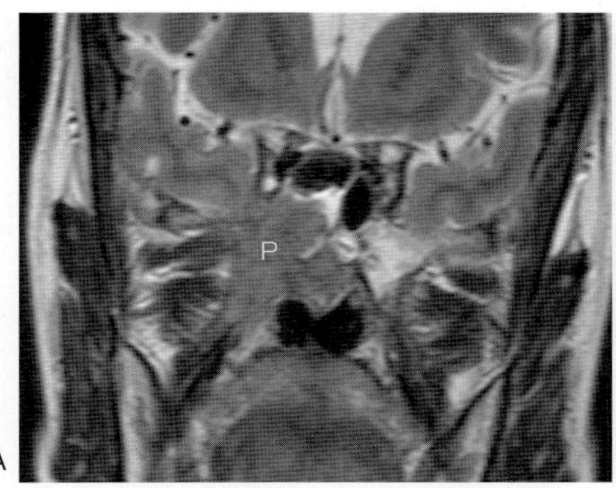

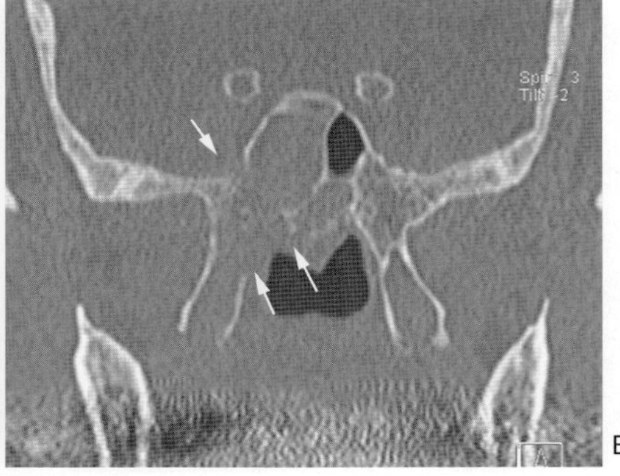

図 119　扁平上皮癌を合併した内反性乳頭腫(生検で乳頭腫の診断)
MRI T2 強調冠状断像(A)では，内部が(convoluted cerebriform pattern の明らかでない)比較的均一な tissue intensity lesion(P)を認め，CT 骨条件表示(B)において蝶形骨右大翼内側，翼状突起基部，体部右下面の破壊(矢印)を認める．

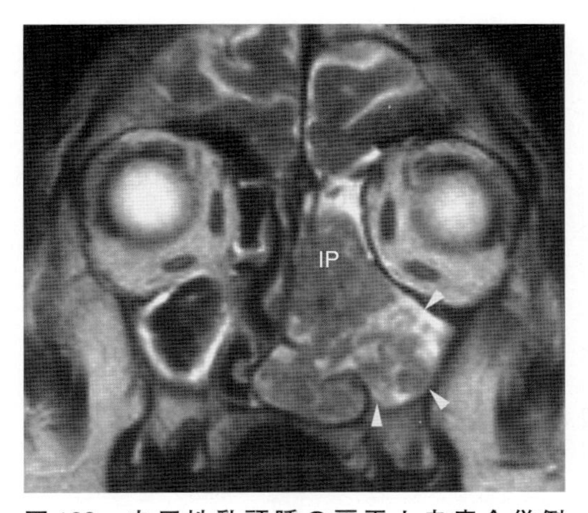

図 120　内反性乳頭腫の扁平上皮癌合併例 (Group 1)
T2 強調冠状断像において左上顎洞から鼻腔，篩骨洞領域に中等度の信号強度を示す不整形の腫瘤(IP)を認め，その一部は脳回様パターンを呈している(矢頭)．生検でも内反性乳頭腫の診断が得られていたが，術後標本の結果，乳頭腫の組織像内部に扁平上皮癌による小さな細胞巣が島状，斑状に散見された(Group 1 の扁平上皮癌合併に一致)．

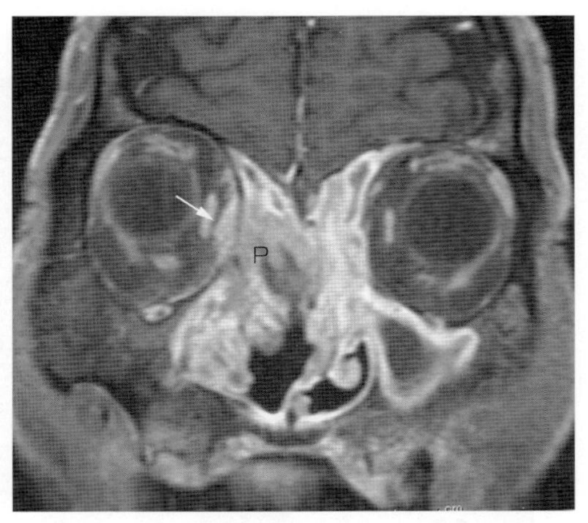

図 121　扁平上皮癌を合併した内反性乳頭腫 (Group 1)
MRI 造影後 T1 強調冠状断像で右鼻腔から篩骨洞にかけて，convoluted cerebriform pattern を呈する腫瘍(P)を認め，隣接する右眼窩内への浸潤(矢印)を伴う．生検により扁平上皮癌の混在が確認された．

Ⅲ，Ⅳの進行病変であったとしている[208]．病期診断に関しては Öhngren[209]，Harrison [210]らの経験をもとに，現在では AJCC (American Joint Committee on Cancer) 第 8 版の TNM 分類(表 16：p199)[211]が用いられる．生命予後は発生部位よりも T 因子により強く相関する．なお，鼻副鼻腔癌の T 分類については第 7 版と変更はないが，N 分類では(他の領域と同様に)明らかな節外進展が N3b に区分されることとなった(詳細は 10 章「頸部リンパ節」を参照されたい)．

CT，MRI が画像診断の中心をなすが，とくに鼻副鼻腔外への病変の進展様式を理解したうえでの，系統的な画像評価が求められる．各進展方向で浸潤を評価すべき構造につき図 145 に示す．

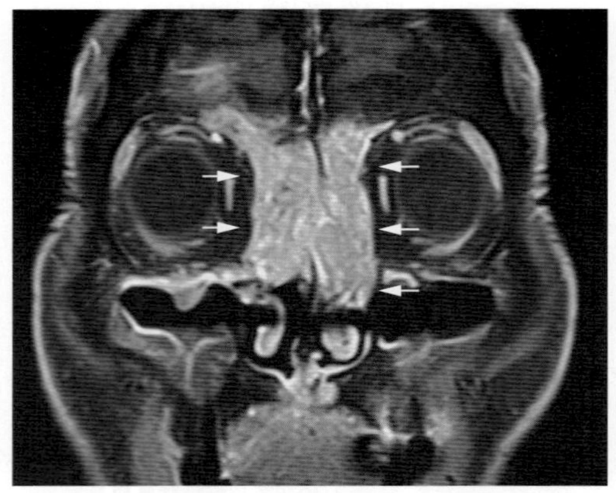

図 122　扁平上皮癌を合併した内反性乳頭腫

鼻副鼻腔 MRI 造影後 T1 強調脂肪抑制冠状断像で両側の鼻腔から篩骨洞領域を占拠する腫瘤(矢印)を認め，内部は全域で convoluted cerebriform pattern が確認される．

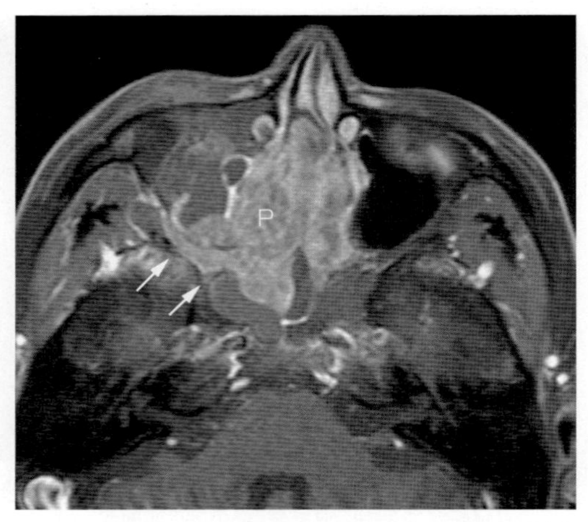

図 123　扁平上皮癌を合併した内反性乳頭腫(生検で乳頭腫の診断)

MRI，造影後 T1 強調冠状断像で鼻腔右側を中心に占拠する腫瘍(P)を認め，側方では翼口蓋窩への進展(矢印)を示す．

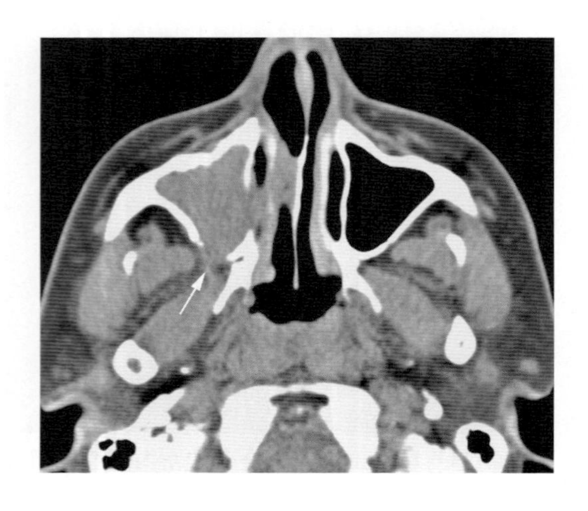

図 124　扁平上皮癌を合併した内反性乳頭腫(生検で乳頭腫の診断)

横断 CT で右上顎洞の片側性副鼻腔炎の所見を認める．後壁の限局性骨破壊を介し，わずかに後方の翼口蓋窩への膨隆(矢印)を示す．

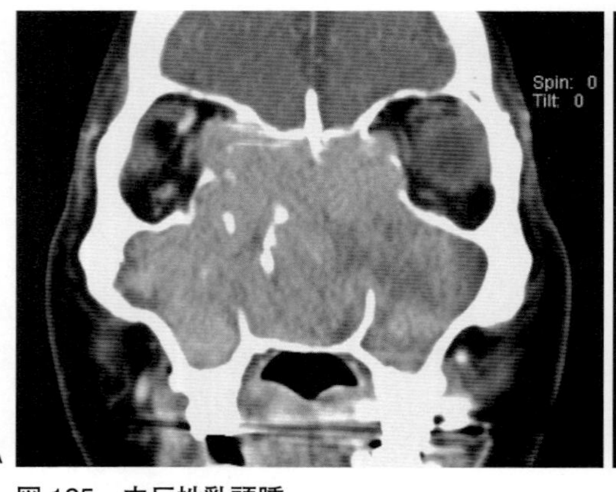

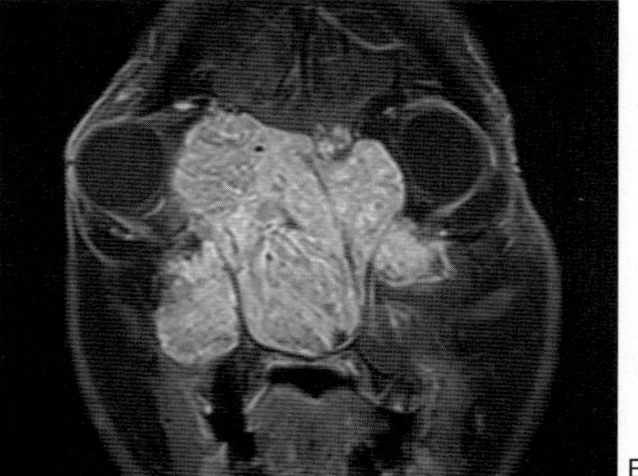

図 125　内反性乳頭腫

造影 CT 冠状断像(A)および MRI 造影後 T1 強調脂肪抑制冠状断像(B)において，両側鼻副鼻腔を充満し，左右眼窩に対して内側から膨隆性に進展，眼窩内側壁は骨侵食による欠損を示す．MRI(B)で病変全般に convoluted cerebriform pattern が保たれている．病理で悪性は証明されなかった．

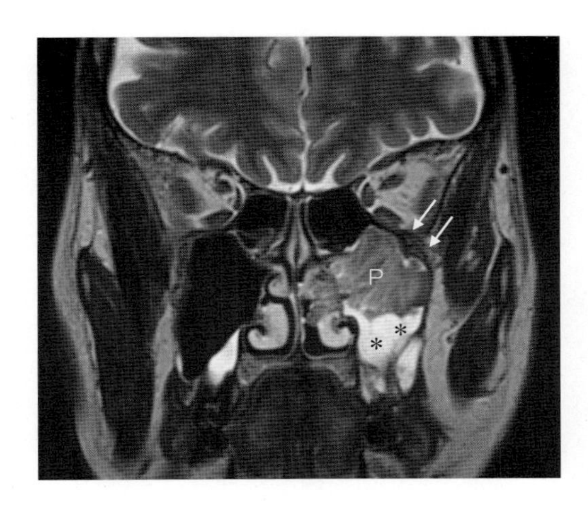

図 126　内反性乳頭腫

T2 強調冠状断像において，左上顎洞に内部が convoluted cerebriform pattern を呈する，やや低信号の腫瘤(P)を認め，乳頭腫に一致する．左眼窩下壁やや外側で低信号の限局性組織肥厚(矢印)を認め，既述の convoluted cerebriform pattern も同部への集簇性があり，病変の基部を示す．上顎洞下部は炎症性浮腫性肥厚粘膜による高信号(＊)を示す．

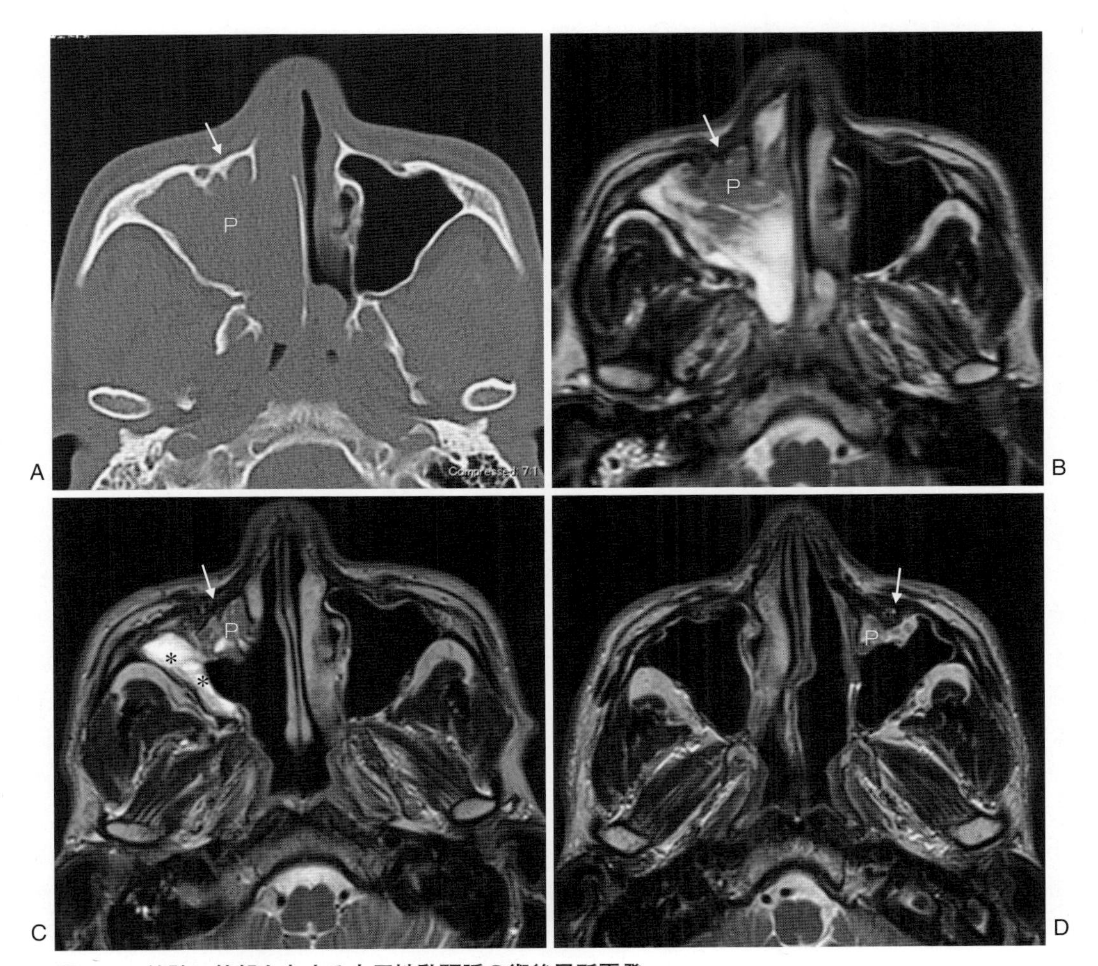

図 127　前壁に基部を有する内反性乳頭腫の術後局所再発

術前の CT 横断像骨条件表示(A)で右側に上顎洞から鼻腔にかけて軟部濃度(P)で占拠されており，片側性副鼻腔炎の所見を呈する．上顎洞前壁で棘状の骨肥厚(矢印)を認め，乳頭腫基部が示唆される．同症例の MRI，T2 強調横断像(B)において，右上顎洞から鼻腔に convoluted cerebriform pattern を呈する乳頭腫(P)を認める．前壁の基部は棘状の低信号(矢印)として同定される．同症例の内視鏡下術後 1 年後の T2 強調横断像(C)．前壁基部(矢印)周囲に再発病変(P)を認める．上顎洞後側壁に沿って粘膜肥厚(＊)を伴う．前壁基部の乳頭腫別症例の術後 MRI，T2 強調横断像(D)．前症例の術後 MRI(C)と同様に，前壁基部(矢印)周囲の再発病変(P)を認める．

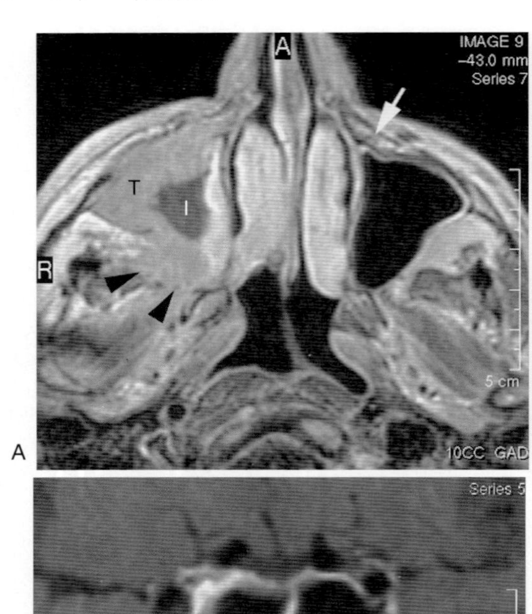

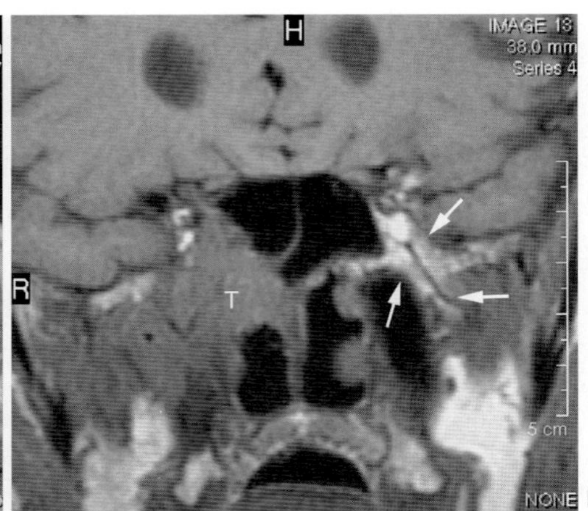

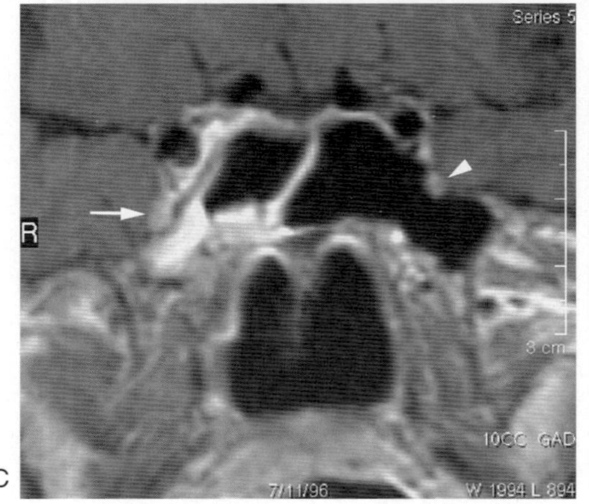

図 128　上顎洞癌

A：MRI 造影後 T1 強調横断像．右上顎洞前壁および後側壁に沿って増強効果を示す腫瘍(T)を認め，上顎洞癌に一致．内腔には二次性炎症(I)による液体貯留あり．前壁を破壊し表情筋下の頬部軟部組織(左側で矢印で示す)に浸潤，後方では後側壁を破壊して側頭下窩に進展(矢頭)を示す．両者ともに三叉神経第 2 枝領域に一致する．

B：T1 強調冠状断像．腫瘍(T)は接する中頭蓋底に浸潤，これを形成する蝶形骨の脂肪髄の高信号(矢印)を腫瘍による低信号が置換している．

C：造影後 T1 強調冠状断像．右三叉神経第 2 枝は増強効果を伴い肥厚(矢印)している．神経周囲進展に相当する．健側上顎神経を矢頭で示す．

病期診断に関わる特異的解剖学的領域への進展の有無を正確に評価する必要がある(図 131，132，135)．上顎洞癌(図 145，表 17：p201)は，尾側進展で歯槽突起，内側下方進展で硬口蓋を破壊すると上歯肉，口蓋部の口腔粘膜下腫瘤を形成する．画像のみでは上顎洞癌か上歯肉癌かの区別が困難な場合もあり(図 146)，臨床情報も必要となる．頭側での眼窩進展(後述)は極めて重要である．上顎洞後壁では後上歯槽動静脈・神経の通過する小孔・溝がある部位が脆弱であり，翼口蓋窩，側頭下窩への早期の後方進展経路となる．一度，腫瘍が翼口蓋窩に達すると神経周囲進展(図 128，129)(15 章「神経周囲進展」を参照されたい)による正円孔から海綿静脈洞，翼突管から破裂孔への進展，あるいは蝶口蓋孔から内側で上咽頭側壁への進展，下眼窩裂から眼窩尖部への頭側進展をきたしうる．鼻腔癌(表 18：p202)は，頭側での嗅裂への進入，篩板，前頭蓋底から頭蓋内進展(後述)，側方の眼窩，特に眼窩尖部進展(図 147，148)は重要である．後方の後鼻孔から上咽頭への連続性進展では外科的切除を困難とする．篩骨洞癌(図 136〜138)は前方で涙骨，上顎骨前頭突起から眉間，側方で眼窩内側への進展をきたす．内眼角に進展すると眼瞼機能障害の原因となる．頭側では篩板，篩骨天蓋，蝶形骨平面から前頭蓋窩，尾側は鼻腔，外側下方で上顎洞，後方で蝶形骨洞へ進展する．眼窩尖部浸潤では上眼窩裂を介した中頭蓋窩進展をきたしうる．前頭洞癌は後方で洞後壁を越えた前頭蓋窩進展が重要で，外側下方で眼窩上部，尾側は前篩骨洞，鼻腔前方，前方は前額部皮下への浸潤(図 142，143)を示す．蝶形骨洞癌(図 139〜141)はまれであり，周囲病変(上咽頭癌，浸潤性下垂体腺腫，脊索腫，転移など)の二次性浸潤の可能性を常に考慮すべきで

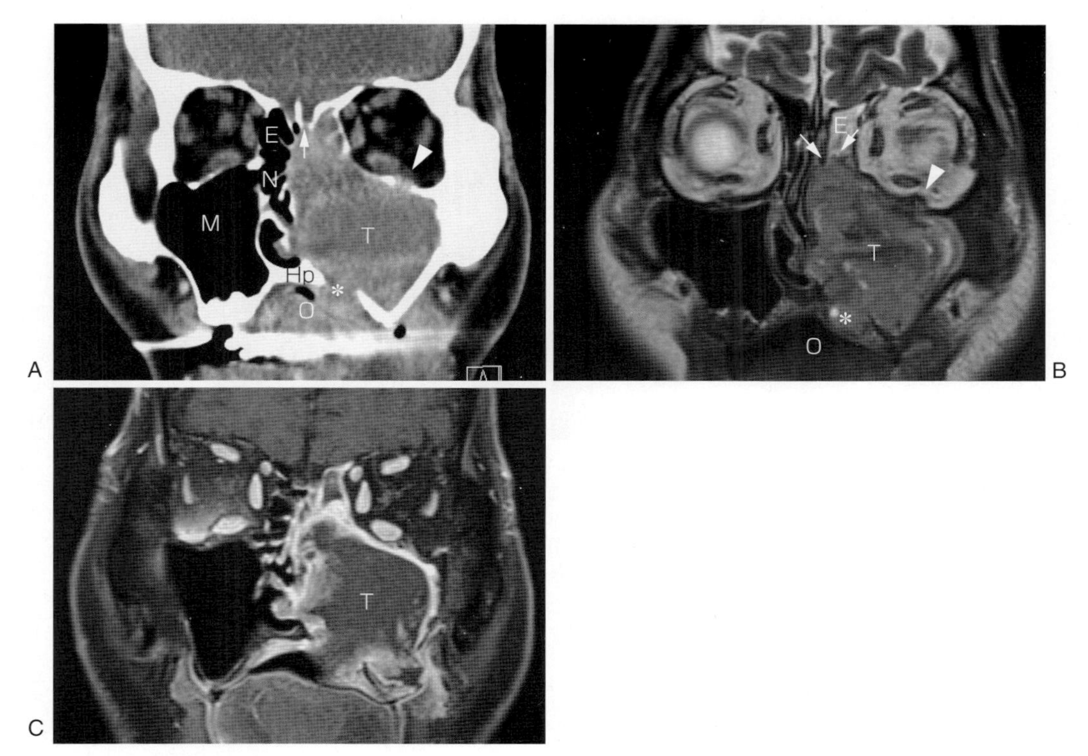

図 129　上顎洞癌

　鼻副鼻腔領域の造影 CT 冠状断像(A)において，左上顎洞(対側で M)を占拠する軟部濃度病変(T)を認め，片側性副鼻腔炎の所見を呈する．内側では上顎洞内側壁の破壊を伴い，隣接する左鼻腔(対側で N)，篩骨洞(対側で E)も軟部濃度で置換されている．頭側で軟部濃度は嗅裂から篩板(小矢印)，篩骨天蓋に接するように認められる．内側下方では硬口蓋(Hp)左側を破壊し，口腔(O)，硬口蓋口腔面への進展(＊)を示す．上顎洞上壁・眼窩下壁に位置する左眼窩下神経(矢頭)の腫大がみられ，神経周囲進展を示唆する．ほぼ同レベルの MRI T2 強調冠状断像(B)において，左上顎洞を中心として，内部不均等な中等度からやや高信号を呈する腫瘍(T)を認める．硬口蓋を越えた口腔(O)進展部(＊)は粘膜下にとどまっていることがわかる．また腫瘍上縁(小矢印)は篩骨洞下部にとどまり，CT(A)では否定できなかった嗅裂深部から篩板，篩骨天蓋など，頭蓋底との接触が否定可能である．左篩骨洞(E)は高信号を呈しており，二次性炎症所見のみであることが確認される．矢頭：腫大した左眼窩下神経．造影後 T1 強調脂肪抑制冠状断像(C)では腫瘍(T)内部の増強効果は乏しく(T2 強調像で必ずしも高信号領域を示さなくても)広範な壊死傾向を反映している．

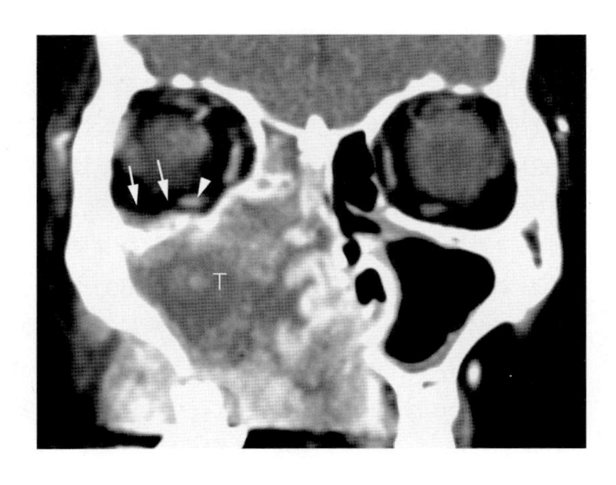

図 130　上顎洞癌

　冠状断 CT において，右上顎洞を中心とする浸潤性破壊性腫瘍(T)を認め，内側は右鼻腔，尾側では歯槽突起，硬口蓋の一部を破壊する．頭側では右眼窩下壁に沿った眼窩内浸潤(矢印)の所見あり．円錐外にとどまり，下直筋(矢頭)への浸潤は認められない．

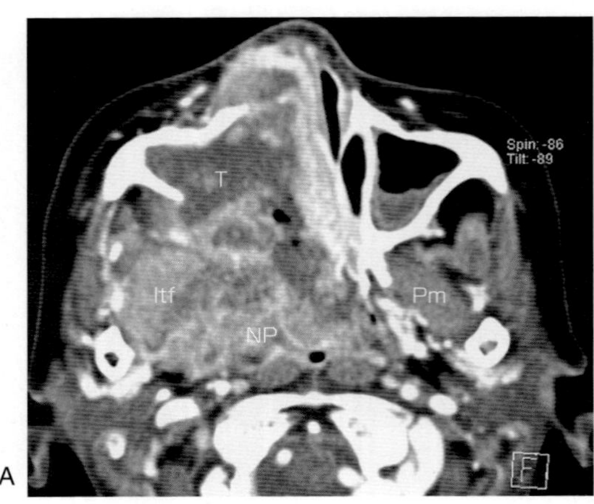

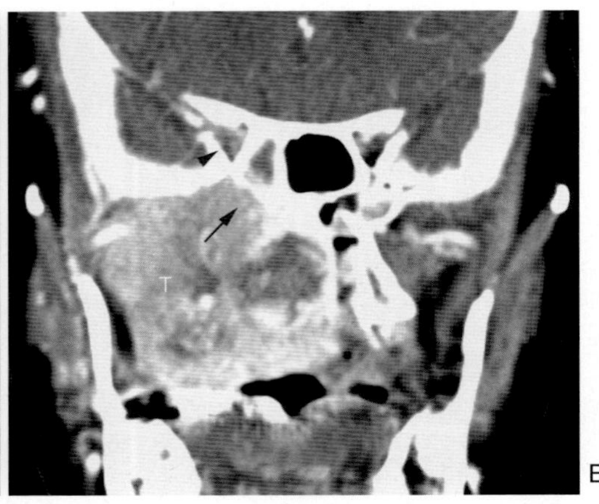

図 131　上顎洞癌

横断 CT（A）で，右上顎洞を中心とする浸潤性破壊性腫瘍（T）を認め，上顎洞癌に一致する．内側は鼻腔，後方では側頭下窩（Itf），さらに上咽頭右側壁（NP）への浸潤（いずれも T4a の因子）を示す．Pm：翼突筋

冠状断 CT（B）において，腫瘍（T）は頭側で頭蓋底（翼状突起基部，蝶形骨体部右側から右大翼の下面）浸潤（矢印）（T4a の因子）を示すとともに，眼窩尖部（矢頭）への浸潤（T4b の因子）を伴う．

ある．側方進展では海綿静脈洞から中頭蓋窩に進展し，しばしば内頸動脈を囲む．後方は斜台を破壊して後頭蓋窩前面，頭側はトルコ鞍領域，尾側は洞下壁を破壊して上咽頭上壁に及ぶ．蝶形骨洞はリンパの発達はあまりみられないことからリンパ節転移を伴う場合は上咽頭癌が疑われる．

壊死（図 129），内部の不均一性（図 140，141），拡散制限などが悪性を示唆するが，多くは非特異的である．T1 病変ではしばしば，通常の炎症性肥厚粘膜，ポリープなどと鑑別困難である．CT 上，初期病変では洞骨壁，進行病変では頭蓋底の骨破壊の有無など，骨変化の詳細を評価する必要がある．一部の悪性腫瘍（悪性リンパ腫，嗅神経芽腫など）は CT 上，破壊性ではなく，膨張性変化を示す場合があるが，扁平上皮癌の場合，破壊性変化（図 130，131，136，137，139～142）が主体となる．コントラスト分解能に優れる MRI では（CT でしばしば困難な）腫瘍と二次性（閉塞性）変化との区別が可能である（図 129，133，139，149）．これは T2 強調像での信号強度（炎症性粘膜あるいは液体貯留は通常，腫瘍部分よりも高信号）あるいは造影剤による増強効果の有無により判断される．

治療前の鼻副鼻腔悪性腫瘍（表 17：p201，18：p202）では，頭蓋内進展，眼窩浸潤は，治療計画・術式選択などに強い影響を与えることから，画像での重要な評価項目となる．腫瘍，炎症の進展で主な障壁となるのは骨壁自体よりも骨膜である[212]．鼻副鼻腔領域の骨壁は菲薄であり，CT 上でしばしば洞骨壁は部分的に不明瞭あるいは欠損しているようにみられ（図 133），同所見のみを根拠に骨壁侵食と判断すると病期診断を誤る危険性もある．MRI では（眼窩骨膜を含む）骨膜および壁の薄い皮質骨が線状の低信号構造として同定される（図 150，151）[213]．頭蓋底の髄膜も同様（図 152）であり，この線状低信号の破綻（図 153）が眼窩や頭蓋内など，隣接部位への浸潤を示唆する．ただし，篩板領域では嗅神経が通過する小孔などを通じて，必ずしも骨，髄膜の破綻なく頭蓋内進展をきたしうるため注意を要する（図 152）．頭蓋内進展（図 152，154）に関しては MRI での評価が有用であり，（頭蓋内進展をきたす鼻副鼻腔悪性腫瘍の代表でもある）嗅神経芽腫の項において後述する．眼窩浸潤（図 130，132，137，147，148，153～155）は，手術における眼窩内容温存（orbital preservation）か摘出（orbital exenteration）かの選択を判断するうえで最も重要な因子であり，予後に影響する[214]．一般に外科医は腫瘍と眼窩骨膜との関係において判断するが，眼窩骨膜の破綻を伴う眼窩浸潤では眼窩内容

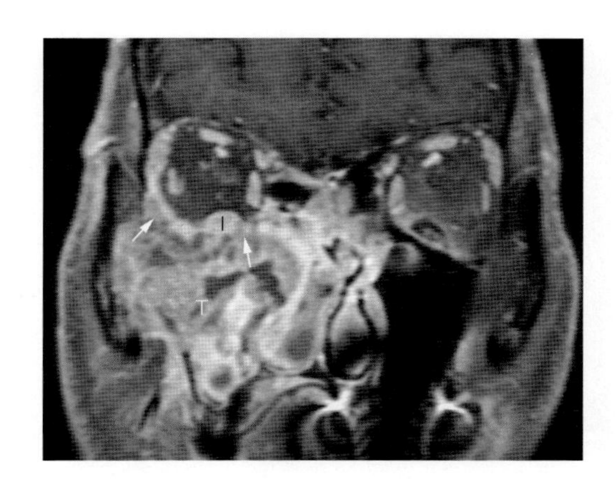

図 132　上顎洞癌

造影後 T1 強調冠状断像において，右上顎洞を中心とする浸潤性破壊性腫瘍(T)を認め，頭側では眼窩下壁から外側壁にかけて眼窩内に進展(矢印)を示し，下直筋(I)の不整な腫大と増強効果がみられ，眼窩浸潤(T4a 因子)を示唆する．

は摘出，(腫瘍と隣接あるいは限局性の癒着を認めたとしても)眼窩骨膜の破綻がない例(図 150，155)では眼窩内容は温存される場合が多い[214]．ただし，最近では眼窩骨膜浸潤が広範かつ明らか(図 153，156)でない限り，限局性眼窩骨膜浸潤では部分的な眼窩骨膜切除により眼窩内容を温存する傾向にある．腫瘍の眼窩浸潤の画像所見に関しては，本書の2章「眼窩」も参照されたい．Eisen らによる検討[215]では，最も感度の高い画像所見は腫瘍と眼窩骨膜との接触であり，MRI での外眼筋浸潤(図 132，153)と CT・MRI での眼窩内脂肪の混濁所見(図 131B，147，148)が最も陽性的中率が高く，外眼筋の偏位や増強効果はやや不正確な所見としている．眼窩浸潤の画像診断において，眼窩骨壁の破壊・侵食性変化の判断，眼窩内脂肪層の同定に関しては CT が優れるが，外眼筋の内部性状の変化(信号変化や異常増強効果)の判断には MRI が有用である．また既述のとおり，眼窩骨膜(および洞骨壁)を示す線状低信号が明瞭に保たれている場合(図 150，155)，眼窩円錐外脂肪への浸潤の否定が可能である．ただし，本来の眼窩骨壁の範囲を越えているが圧排偏位した眼窩骨膜の外にとどまる腫瘍進展を眼窩浸潤ありとするかに対する明確な規定はないが，眼窩の輪郭を構成する眼窩(骨)壁を越えた時点(図 150)で眼窩進展陽性と判断するのが一般的と考えられる．なお，造影 MRI では含気腔との隣接，磁場不均一性などから良好な脂肪抑制画像が得られない場合も多く，注意を要する．眼窩骨膜への圧排と軽度の浸潤の区別は困難で，最終的には術中所見による判断が必要になる例も多い．

既述の頭側への進展による頭蓋内進展，眼窩進展に加えて，前上方で前頭洞，前方では頬部軟部組織(図 133)や鼻前庭，後方では翼口蓋窩・頬間隙(図 151)側頭下窩や上咽頭，後上方で蝶形骨洞，尾側で(上顎歯槽突起や硬口蓋を破壊して)口腔など，鼻副鼻腔内・外への進展範囲も周囲構造との関係とともに系統的に評価する必要がある(図 145，157)．

鼻副鼻腔領域では三叉神経第 2 枝(V2)に沿った神経周囲進展の評価も重要である(図 128)．上顎洞癌が後方に進展すれば，翼口蓋窩では V2 本幹，その側方で上顎洞後側壁に沿って後上歯槽神経，前方の頬部軟部組織および頭側の眼窩下壁に沿って走行する眼窩下神経，硬口蓋外側部では大口蓋神経が走行し，これらに沿った神経周囲進展を生じる(詳細は 15 章「神経周囲進展」を参照されたい)．

ある程度の分化度を示す扁平上皮癌では内部に壊死を示す造影不良領域を含むことが多いが，未分化癌では一部の内反性乳頭腫や後述の小円型細胞腫瘍(悪性リンパ腫，髄外形質細胞腫，横紋筋肉腫，悪性黒色腫，嗅神経芽腫など)などと同様にびまん性(やや不均一)の増強効果を示す腫瘤として描出され，鑑別は困難な例も多い．

頸部リンパ節転移(図 158)の頻度は比較的低く，一般的には選択的頸部郭清術の適応とはならない．Le らによる上顎洞癌 97 例の検討では頸部転移の頻度は 9％であった[216]．主にレベル I～III に認められる．同検討において上顎洞扁平上皮

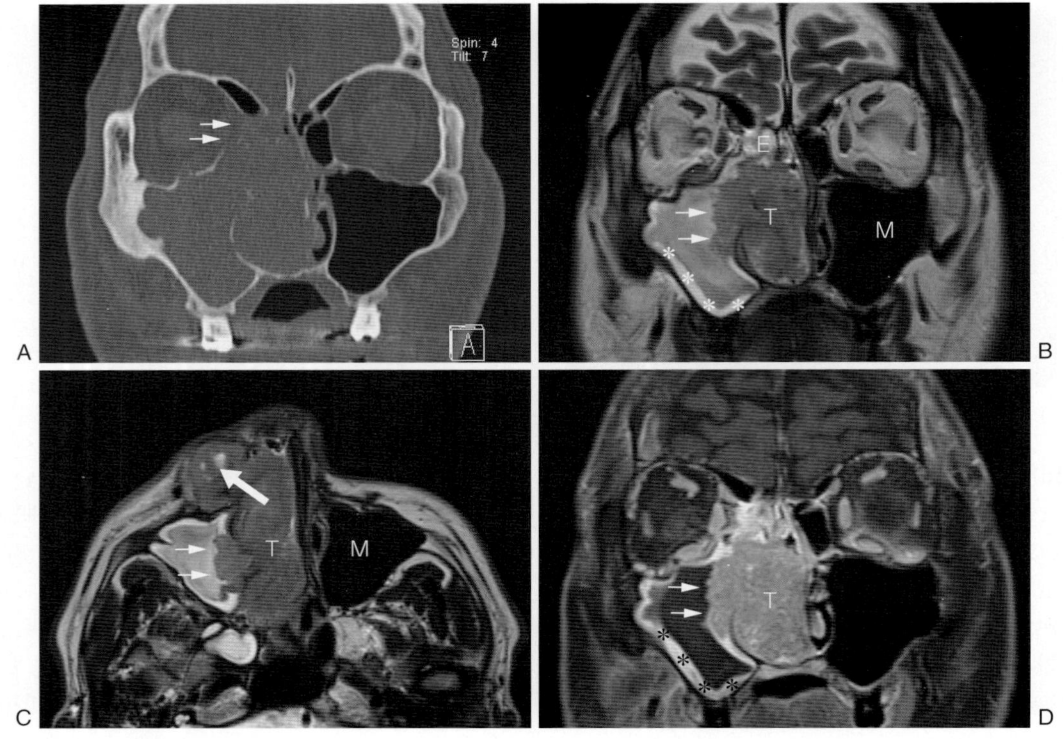

図 133　鼻腔癌

鼻副鼻腔領域 CT 骨条件(A)において右側の上顎洞，鼻腔，篩骨洞は軟部濃度で占拠されており，片側性副鼻腔炎の所見を呈する．軟部濃度に接する右眼窩内側壁の骨壁は部分的に不明瞭(矢印)にみられる．MRI T2 強調冠状断像(B)で右鼻腔を中心とする中等度の信号強度を呈する不整形腫瘤(T)を認め，側方で右上顎洞(対側で M で示す)内側部に限局性進展(矢印)を認める．病変の進展範囲から恐らくは鼻腔側壁発生と思われる．右上顎洞の大部分は壁に沿った浮腫性肥厚粘膜(＊)と内部の液体貯留として二次性閉塞性変化であることが示されている．右篩骨洞(E)も同様に二次性変化を主体としている．CT(A)で骨壁が不明瞭にみられた右眼窩内側壁と腫瘍との接触はなく，少なくとも腫瘍による骨侵食・破壊は否定的である．同横断像(C)でも同様に中等度の信号強度を示す病変(T)が側方で右上顎洞(対側で M で示す)の内側部に限局性進展(小矢印)を示すとともに右上顎洞の大部分が二次性閉塞性変化であることが確認される．外側前方では頬部内側の皮下への進展(大矢印)がみられる．造影後 T1 強調脂肪抑制冠状断像(D)で腫瘍(T)は全体として充実性増強効果を呈し，明らかな壊死傾向，嚢胞部分はみられない．右上顎洞は内側壁の限局性腫瘍浸潤部分(矢印)を除き，肥厚粘膜(＊)は増強効果を呈し，内腔は増強効果が欠損した液体貯留を示している．

癌で照射したN0症例で頸部再発はみられず，頸部再発例では遠隔転移の危険性が高く，生存率は低かったとしている[216]．鼻腔後方，後篩骨洞病変では咽頭後リンパ節転移に対する注意が必要である．

治療は早期病変では放射線治療，外科的治療ともに良好な結果が得られるが，多くを占める進行病変では，原発病変の局所制御が生存率に寄与する最も重要な要素であり，集学的治療でこれを目指すのが基本となる．Nishinoらは，減量手術の後，放射線治療とともに浅側頭動脈から外頸動脈に選択的挿入されたカテーテルより5-FUを局所動注，2回目の手術で残存腫瘍を全摘することにより，眼窩内容温存とともに良好な局所制御が得られたと報告している[217]．眼窩尖部浸潤は局所制御率を低下させる[218]．腫瘍の組織分化度は結果に大きく影響しない．最初の減量手術により，鼻副鼻腔癌にしばしば二次性変化として合併する炎症が軽減，放射線治療に対する感受性が高まると考えられる．なお，眼窩外側壁が温存されない場合，両眼視機能は障害される(図 159)．最近は高容量のシスプラチン超選択的動注による化学放射線療法(RADPLAT：superselective intra-arterial infusion of high-dose cisplatin with

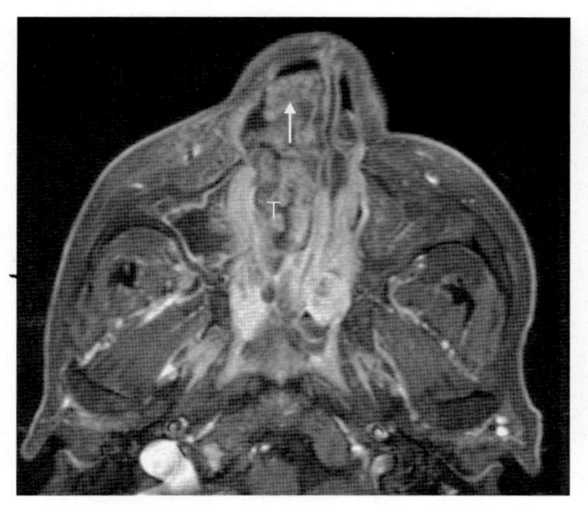

図 134　鼻腔癌

造影後 T1 強調横断像で右鼻腔を中心に，不均一な増強効果を示す腫瘤(T)を認め，前方は梨状口を介し鼻前庭に進展(矢印)する．

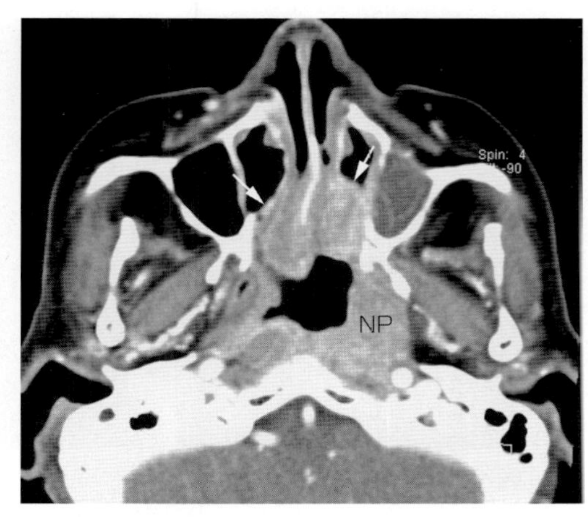

図 135　鼻腔癌

造影 CT 横断像で鼻腔後方に不整形腫瘤(矢印)を認め，左後方では上咽頭左側壁への浸潤(NP)を示す(T4b 因子を示す)．

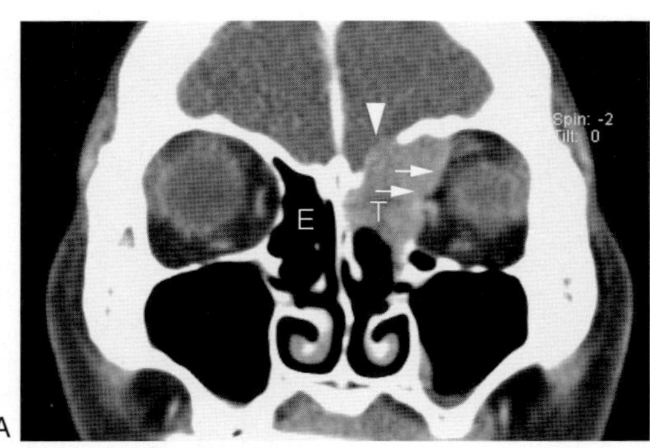

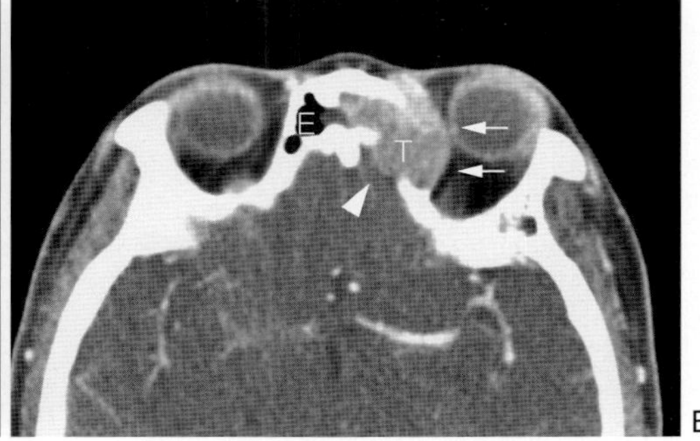

図 136　篩骨洞癌

鼻副鼻腔領域の造影 CT 冠状断像(A)および横断像(B)において，左篩骨洞(対側で E で示す)に軟部濃度腫瘤(T)を認め，頭側で頭蓋底を破壊して前頭蓋窩(矢頭)，側方で左眼窩内側壁を破壊して眼窩内(矢印)への進展を示す．眼窩内脂肪との境界は平滑かつ明瞭であり眼窩骨膜下にとどまっていると思われる．

concomitant radiotherapy)が，進行上顎洞癌である T4b 病変に対して侵襲性の高い手術を回避，あるいは切除困難例での選択肢となり，生存率，局所制御率を望める治療としての有用性が示されている(図 160，161)[219]．

治療後経過観察における画像評価は(状況により多少異なるが)，一般には治療後 1 年は 1〜3 ヵ月ごと，治療後 2 年は 2〜4 ヵ月ごと，治療後 3 年は 3〜6 ヵ月ごと，治療後 4〜5 年は 6 ヵ月ごとに施行されるのが望ましい．

鼻副鼻腔癌の再発は局所が最も多く，Mighani らの 156 例の検討[220]において，残存病変のない(一度は CR に至った)症例の約半数が再発を来し，うち半数強が局所のみの再発，所属リンパ節あるいは遠隔転移を伴う局所再発を含めると再発例の約 4 分の 3 に達する．所属リンパ節，遠隔転移のみの再発の頻度は低い．

局所再発は，化学放射線・放射線治療後，あるいは術後のいずれにおいても眼窩，頭蓋底領域に多く，術後では深部(後方)の再発も重要で，これらは眼球への被曝軽減への意識，眼窩や頭蓋底領域，深部での手術の困難性に起因すると考えられる(図 162，163)[220]．局所再発を生じる症例の半数以上が治療前に T4 病変とされる．一般に局所

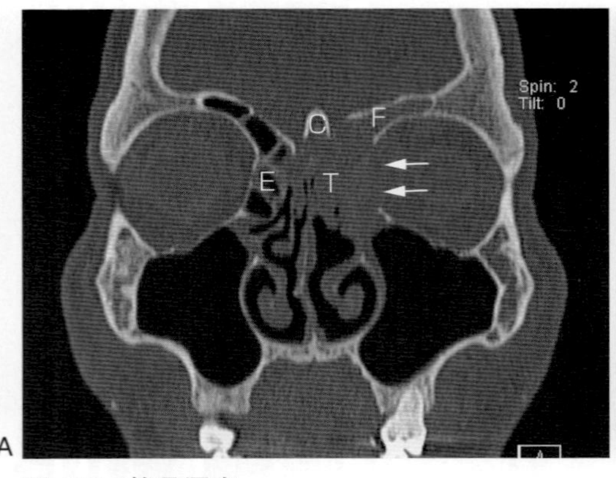

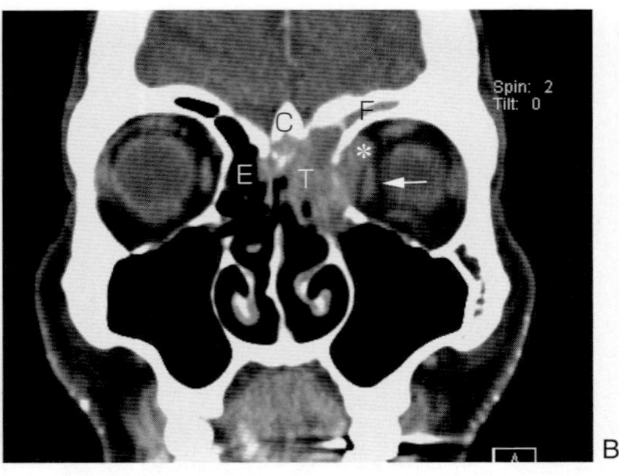

図 137　篩骨洞癌

鼻副鼻腔領域の CT 骨条件冠状断像(A)で左篩骨洞(対側で E で示す)を中心に浸潤性腫瘤を認め，頭側では鶏冠(C)基部，側方では左眼窩内側壁(矢印)の破壊がみられる．前頭洞左側(F)も軟部濃度で置換されている．同軟部条件(B)で腫瘍(T)は側方で左眼窩内側部に進展，上斜筋領域への浸潤(＊)を示す．内側直筋(矢印)と腫瘍との間の脂肪層は保たれている．C：鶏冠，E：右篩骨洞，F：前頭洞

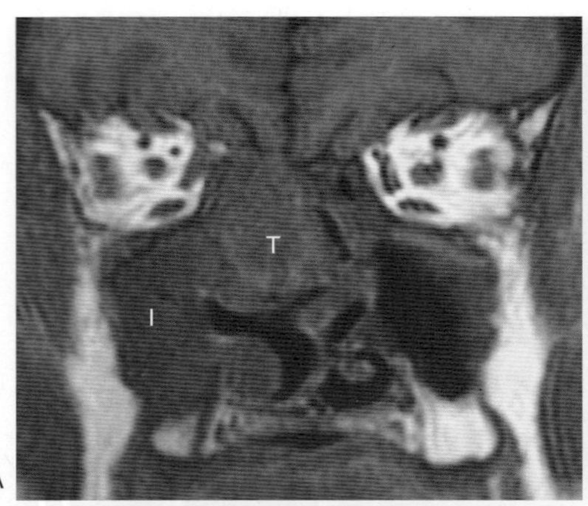

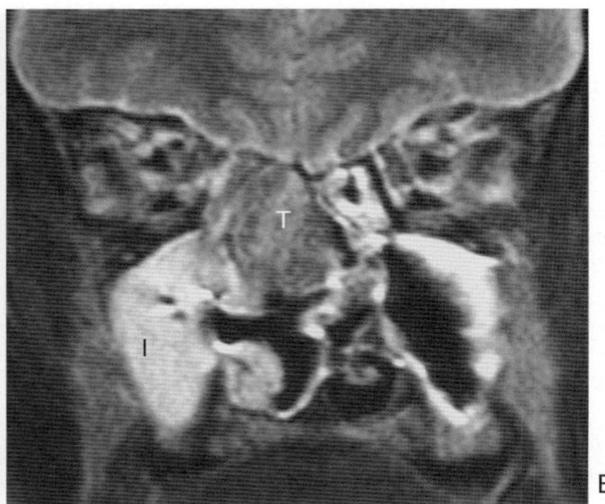

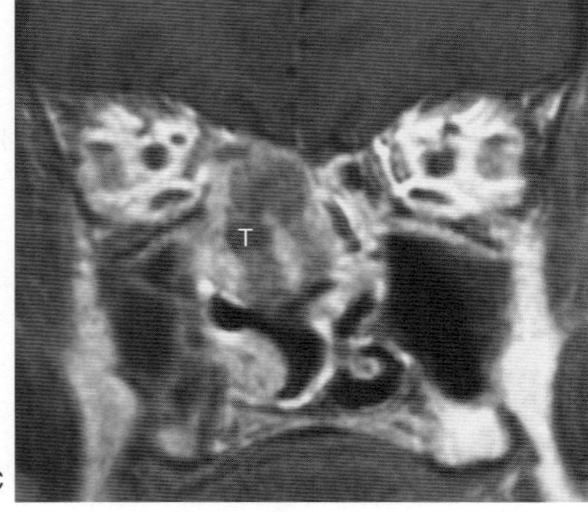

図 138　篩骨洞癌

A：MRI T1 強調冠状断像．右篩骨洞を中心として大脳灰白質とほぼ等信号の中等度信号強度を示す腫瘤(T)を認め，篩骨洞癌に一致する．連続する右上顎洞内も中等度信号強度(I)で占拠されているが腫瘍進展と二次性炎症性変化の区別は困難．眼窩への進展を認めない．

B：T2 強調冠状断像．腫瘍部分(T)は，高信号を示す炎症部分(I)と比較して低い信号強度を示す領域として区別される．篩骨篩板との接触を認めるが，頭蓋内進展を示す所見はみられない．

C：造影後 T1 強調冠状断像．腫瘍(T)は不均一な増強効果を示すが，炎症部分は増強効果に乏しい．

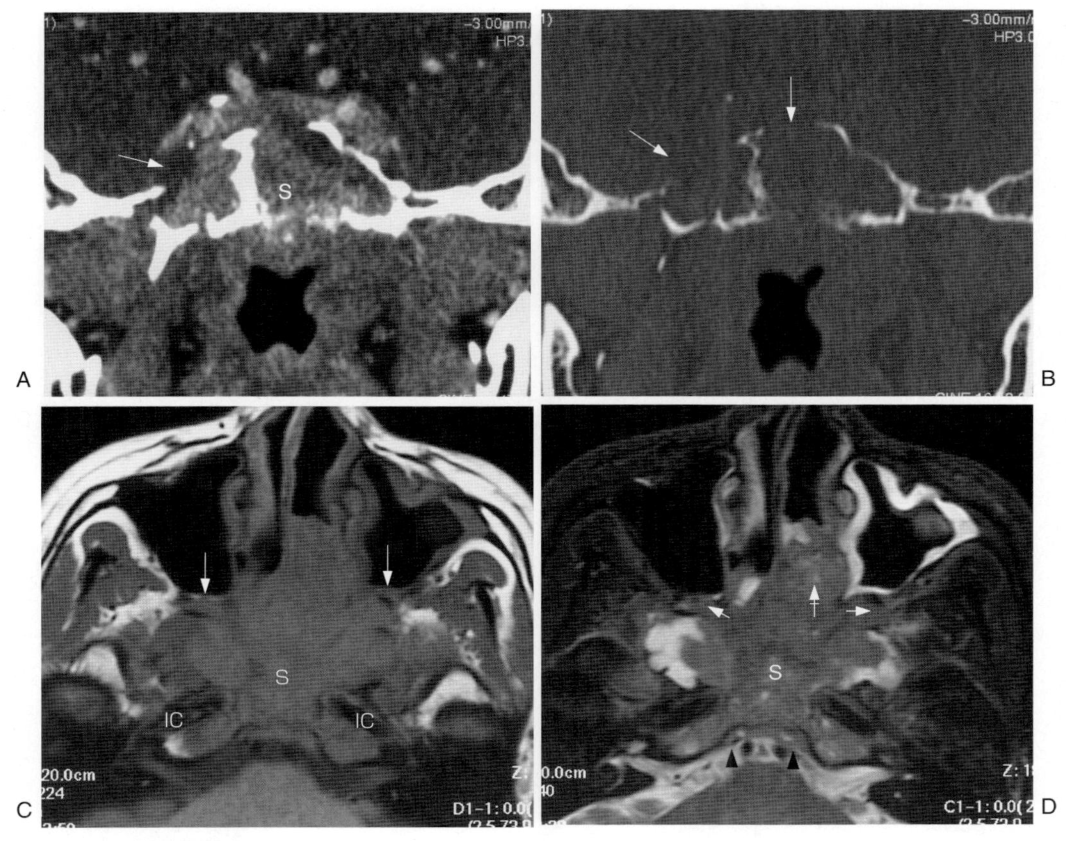

図 139 蝶形骨洞癌

A：造影 CT 冠状断像軟部条件．蝶形骨洞を中心として不均一な増強効果を示す腫瘍(S)を認め，洞壁を破壊し上方および右側では各々，下垂体窩，右海綿静脈洞へ進展(矢印)を示す．

B：CT 冠状断骨条件．洞骨壁の破壊(矢印)が明瞭である．

C：MRI T1 強調横断像．腫瘍(S)は蝶形骨洞を中心とする骨格筋とほぼ同程度の信号強度を示す腫瘤として認められる．外側では翼口蓋窩(矢印)へ進展．頭蓋底進展も広範であり，両側頸動脈管(IC)周囲，および斜台にも浸潤を示す．

D：脂肪抑制 T2 強調横断像．腫瘍(S)は骨格筋よりもやや高い中等度信号強度を示す．前方は蝶篩陥凹から鼻腔へ(十字矢印)，両外側は翼口蓋窩へ(矢印)進展．また，後方では斜台を越えて斜台後面に接する骨外腫瘤形成(矢頭)を認める．

再発例の救済治療の成績は悪く予後不良であり，最初の治療での根治が極めて重要である[220]．

5 その他の悪性腫瘍

扁平上皮癌以外の悪性腫瘍はいずれもまれである．小唾液腺腫瘍は男性に多いが，その他の腫瘍の性比は男女ほぼ等しい[221]．発症年齢は幅広い．嗅神経芽腫，未分化癌，小唾液腺癌，悪性リンパ腫，悪性黒色腫，横紋筋肉腫，髄外性形質細胞腫などの小円形細胞腫瘍が代表となる．いずれも特異的画像所見には乏しく，CT，MRI ともに比較的内部均一で，びまん性増強効果を示す充実性腫瘤として認められるのが典型である．ただし，鼻副鼻腔腫瘍は良悪性ともに感染あるいは機械的刺激による修飾を受けやすく，出血や広範な壊死を伴うなど，身体の他部位での同一組織型の典型的画像所見とは異なることもしばしばである．骨変化は悪性腫瘍であっても破壊性変化ではなく膨張性変化(に伴う骨改変)が主体となる場合も多い一方，良性腫瘍であっても骨侵食・欠損による鼻副鼻腔外進展を示す場合もあり，注意を要する．

全体の 5 年生存率は 33％で，10 年後に disease

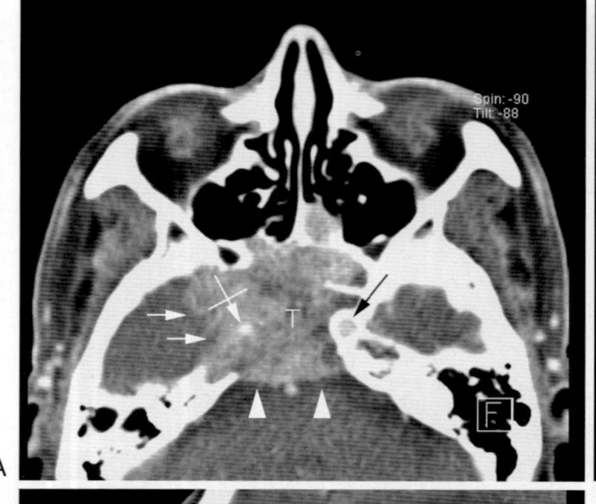

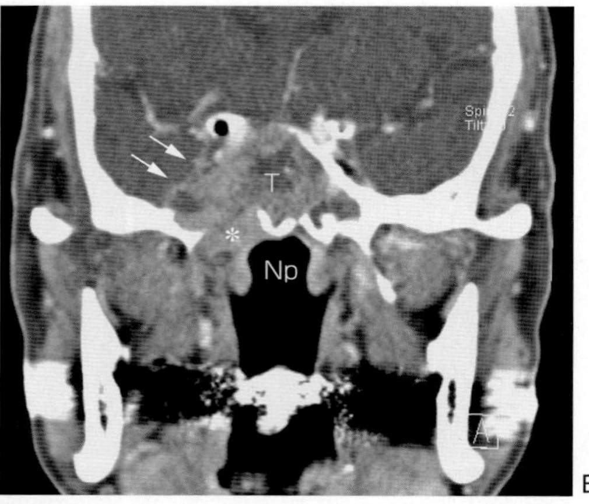

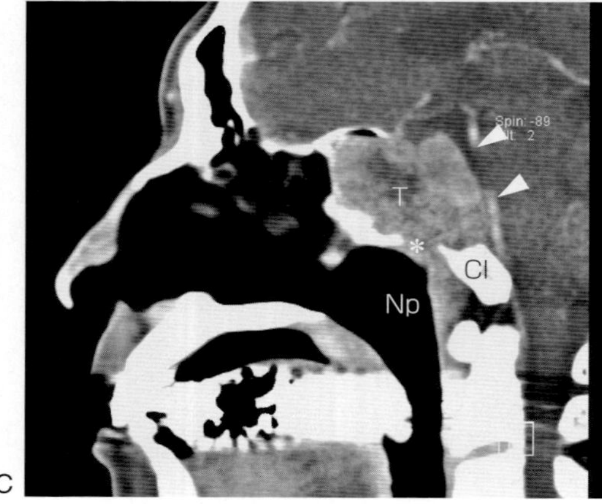

図 140　蝶形骨洞癌
鼻副鼻腔領域の造影 CT 横断像(A)，冠状断像(B)，矢状断像(C)において，蝶形骨洞領域を中心として不均一な増強効果を示す浸潤性破壊性腫瘤(T)を認める．右内頸動脈(十字矢印)は encasement を示す．右側方で蝶形骨洞右側壁を破壊して右中頭蓋窩への進展(矢印)，後方では斜台を破壊して後頭蓋窩前面への進展(矢頭)あり．辺縁は平滑であり，硬膜下にとどまっていると思われる．尾側では上咽頭(Np)粘膜下への進展(＊)を認める．黒矢印：左内頸動脈

free であるのはわずかに 20％である[222]．5 年以後も経過観察を行うことが重要で，特に肉腫と未分化癌は 5 年から 10 年の間で顕著な生存率低下がみられる．悪性リンパ腫を除き，再発様式では局所再発が最も多く(約半数)，遠隔転移がこれに次ぐ．切除断端が病理学的陰性であったとしても約半数で局所再発をきたす[222]．

既述のとおり，画像所見としての特異性は低く，鑑別は困難な場合も多いが，以下に代表的腫瘍を解説する．

a. 嗅神経芽腫(olfactory neuroblastoma, esthesioneuroblastoma)

1924 年，Berger らは嗅粘膜上皮から生じる，神経堤に由来する嗅上皮芽腫に関する最初の記述を行った[223]．2017 年発刊の WHO classification of Head and Neck Tumours[224]では神経芽細胞への分化を示す神経外胚葉性の悪性腫瘍として神経内分泌細胞腫瘍に区分されるが，しばしば高悪性度の嗅神経芽腫と未分化癌の区別が議論となる[225]．鼻腔内腫瘍全体の約 3％と比較的まれである[226]．嗅粘膜上皮は鼻腔天蓋，篩骨篩板および鼻中隔上 3 分の 1，上鼻甲介を中心として分布，ほぼ 1 ドルコインの広さを占める．嗅神経芽腫のほとんどが同領域(鼻腔上部)から生じるが，まれに鼻腔の他領域より異所性に発生する．発症年齢は幅広く，従来は 11〜20 歳と 51〜60 歳の 2 相性のピーク[161, 227]を示すとされていたが，最近の報告では 40 から 50 歳代に多いとされる[224, 225]．男性にわずかに多いともされるが(男女比は 1.2：1)[224]，性差については定まっていない[228]．症状は鼻閉，鼻出血，嗅覚障害(5％未満)[224]，(頭蓋内進展の有無により)頭痛や精神不安定など非特異的でしばしば良性病変にも類似するが，症状発現から診断までの期間は数日から数年と幅広い[229]．2％で腫瘍随伴症候群

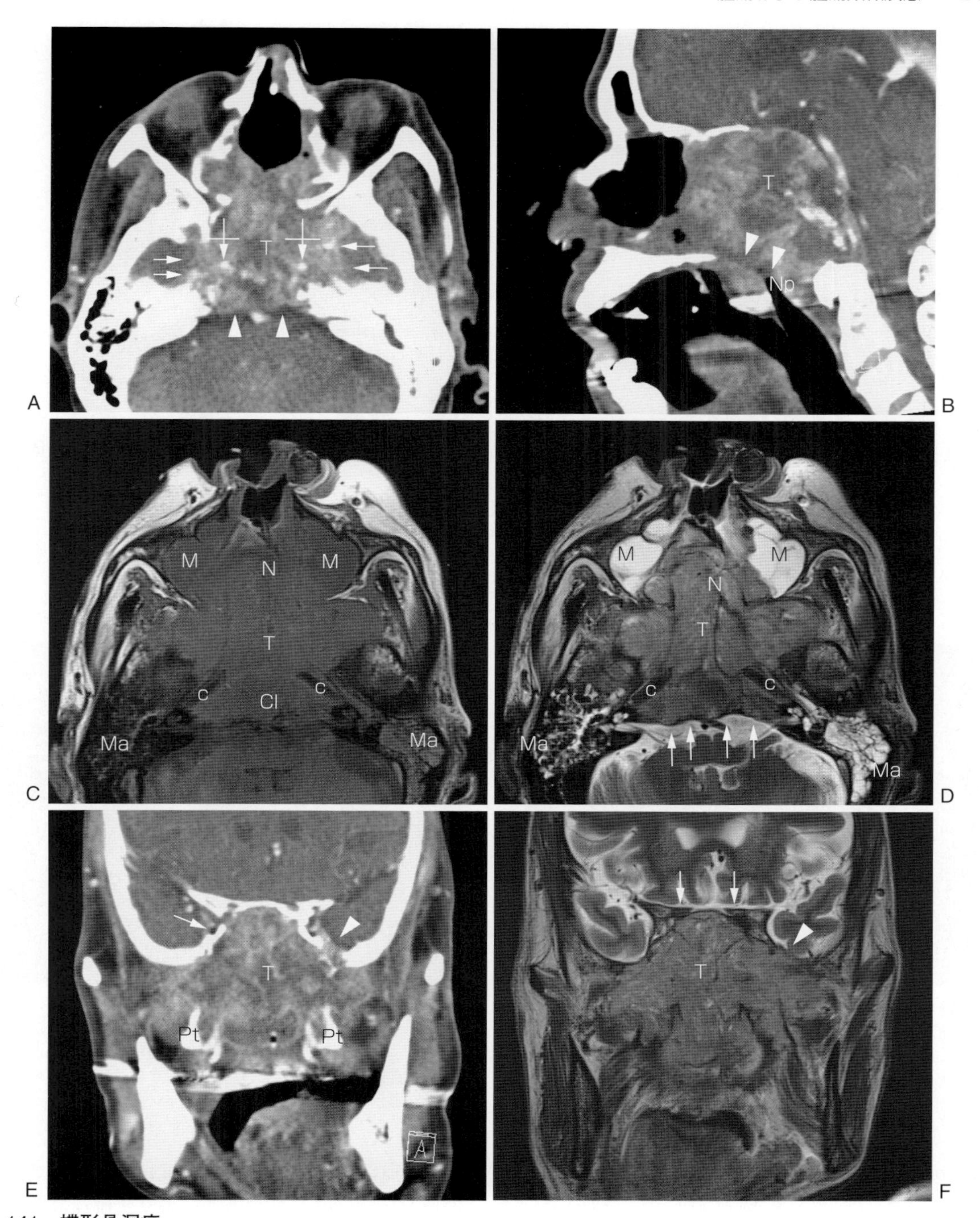

図 141　蝶形骨洞癌

鼻副鼻腔領域造影 CT 横断像(A)において，蝶形骨洞領域を中心とする浸潤性破壊性腫瘤(T)を認め，両側方では洞側壁を破壊して中頭蓋窩(矢印)，後方は斜台を破壊して後頭蓋窩前面(矢頭)への進展を示す．両側内頸動脈(十字矢印)は encasement を示す．矢状断像(B)において，腫瘍(T)は尾側で洞下壁を破壊して上咽頭(Np)上壁への進展を示す．MRI T1 強調横断像(C)で腫瘍(T)は骨格筋に類似の低信号，T2 強調像(D)では中等度の信号強度を呈する．T1 強調像(C)で腫瘍後方に隣接する斜台(Cl)および両側頭骨錐体尖部の正常脂肪髄による高信号は病変の低信号で完全に置換されており，頭蓋底のこれらの領域への浸潤を示す．同頭蓋底浸潤は T2 強調像(D)より明瞭に確認される．一方で，T1 強調像(C)において腫瘍の前方で鼻腔(N)，両側上顎洞は腫瘍と同じ低信号所見で占拠されているが，T2 強調横断像(D)で鼻腔は腫瘍であり，両側上顎洞は(腫瘍ではなく)二次性閉塞性変化であることが確認できる．両側内頸動脈(c)は腫瘍に囲まれるが開存性は保たれている．両側耳管閉塞による乳突蜂巣炎(Ma)の所見あり．眼窩尖部レベルの造影 CT 冠状断像(E)で腫瘍(T)は左上方で下眼窩裂(脂肪層の保たれた右下眼窩裂を矢印で示す)に浸潤，さらに頭蓋底を破壊して左中頭蓋窩への進展(矢頭)を示す．両下方では翼突板(Pt)基部を破壊している．同 T2 強調冠状断像(F)で左中頭蓋窩への進展(矢頭)は硬膜下にとどまっていることがわかる．矢印：左右視神経．

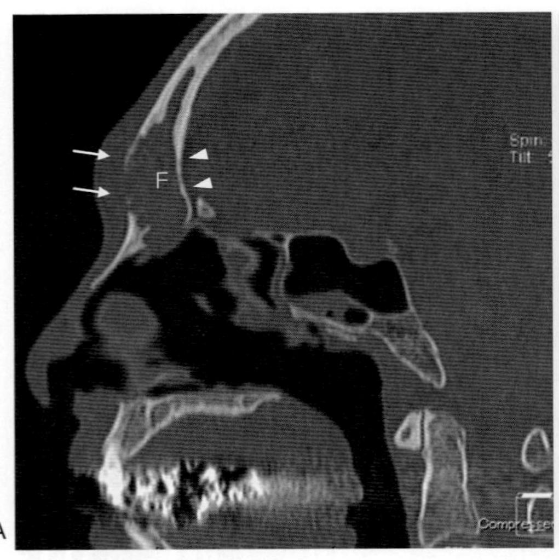

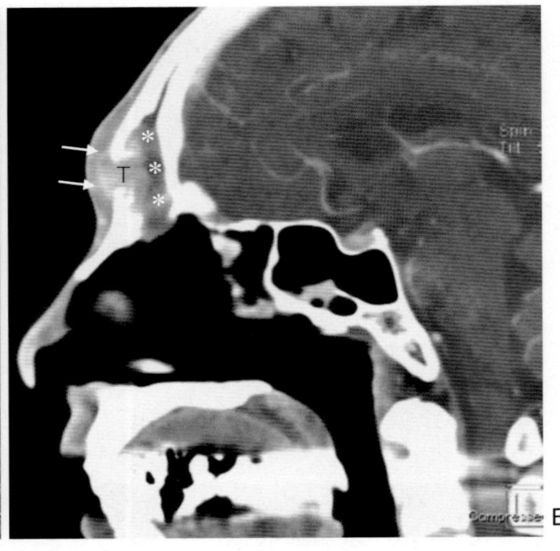

図 142　前頭洞癌

CT 傍正中矢状断像の骨条件表示(A)において，前頭洞(F)は軟部濃度病変で占拠されている．前壁の骨破壊(矢印)を伴い，悪性病変が示唆される．頭蓋内と区分する洞後壁(矢頭)の骨は保たれている．同軟部濃度条件(B)で前頭洞前壁に沿って増強効果を示す腫瘤(T)を認め，洞前壁の骨破壊を伴い前額部皮下への進展(矢印)を示す．前頭洞後方(＊)は造影不良域として(腫瘍ではなく)二次性閉塞性変化を反映している．

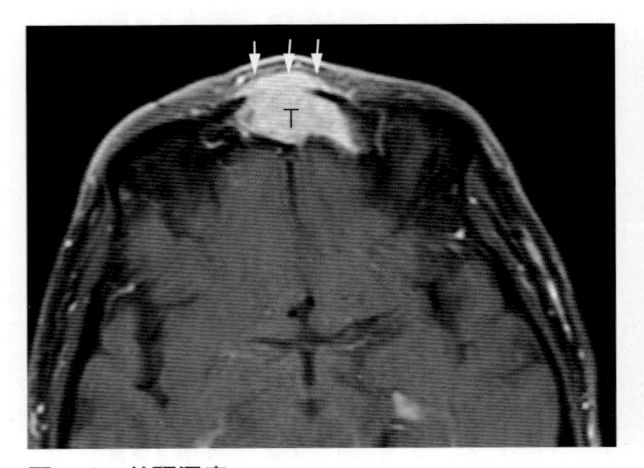

図 143　前頭洞癌

前頭洞レベルの MRI 造影後 T1 強調脂肪抑制横断像．前頭洞に充実性増強効果する腫瘤(T)を認め，前方で洞前壁を破壊して前額部皮下への進展(矢印)を伴う．

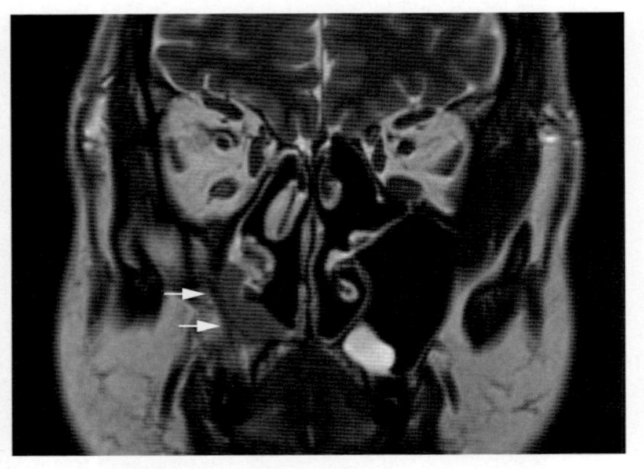

図 144　鼻腔癌(T1 病変)

T2 強調冠状断像において，右鼻腔下部で下鼻道側壁に沿って，中等度の信号強度を呈する腫瘤(矢印)を認める．病変は鼻腔に限局している．高信号を呈する周囲の鼻腔粘膜とは異なる．

(paraneoplastic syndrome)を認め[230]，その多くが ADH，ACTH 分泌に関連する[231]．他の未分化癌，悪性リンパ腫，髄外形質細胞腫，悪性黒色腫，横紋筋肉腫，場合によっては下垂体腺腫などが鑑別となる．組織学的には偽ロゼット形成，未分化な核と線維索からなる周囲の間質，血管新生，血管周囲神経上皮の palisading，副腎の神経芽腫や網膜芽腫などとの類似性などから判断されていたが，誤診も少なくなかった[232]．現在は Judge らにより電子顕微鏡と蛍光法技術による免疫染色法が開発されたことにより正確な診断が可能である[233, 234]．組織学的な悪性度(グレード)分類は AFIP において Hyams らにより示された分類(表 19：p209)[224]が最も広く用いられており，予後の推定，治療計画において重要な因子である．Hyams 分類での組織学的悪性度は最も重要な予後因子とされ，一般にグレード I および II が低悪性度，III と IV が高悪性度に区分される．

表 16　鼻副鼻腔癌の T 病期分類(AJCC)

上顎洞癌

病期		病変の特徴
TX		原発病変の評価不能
T0		原発病変を認めない
Tis		carcinoma *in situ*
T1		上顎洞粘膜に限局しており，骨壁の侵食・破壊なし
T2		洞後壁，翼状突起を除き，硬口蓋および / あるいは中鼻道進展を含んだ，骨の侵食・破壊あり
T3		以下のいずれかに進展；上顎洞後壁，皮下組織，眼窩下壁・内側壁，翼突窩，篩骨洞
T4	T4a	眼窩前部，頬部皮膚，翼状突起，側頭下窩，篩板，蝶形骨洞，前頭洞への進展
	T4b	眼窩尖部，硬膜，脳，中頭蓋窩，V2 を除く脳神経，上咽頭，斜台への進展

鼻腔・篩骨洞癌

病期		病変の特徴
TX		原発病変の評価不能
T0		原発病変を認めない
Tis		carcinoma *in situ*
T1		骨浸潤の有無にかかわらず，1 亜部位に限局
T2		骨浸潤の有無にかかわらず，1 領域の 2 亜部位進展，あるいは鼻篩骨複合内に限局した隣接部への進展
T3		眼窩下壁・内側壁，上顎洞，口蓋，篩板への進展
T4	T4a	眼窩前部，鼻・頬部の皮膚，前頭蓋窩への限局性の進展
	T4b	眼窩尖部，硬膜，脳，中頭蓋窩，V2 を除く脳神経，上咽頭，斜台への進展

(Edge SB et al(eds) : AJCC Cancer Staging Manual(8th ed), Springer, New York, p53-181, 2017)

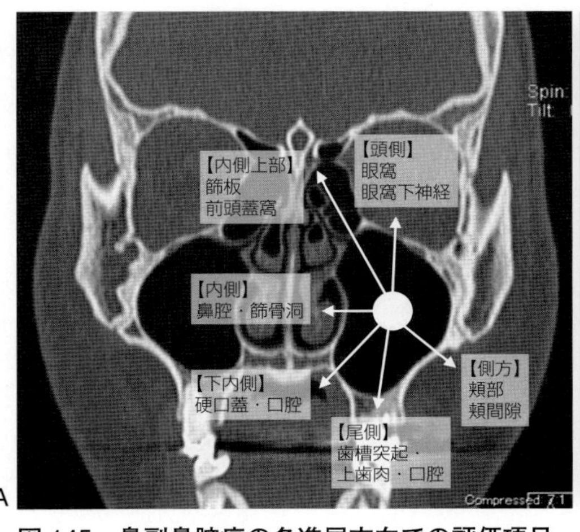

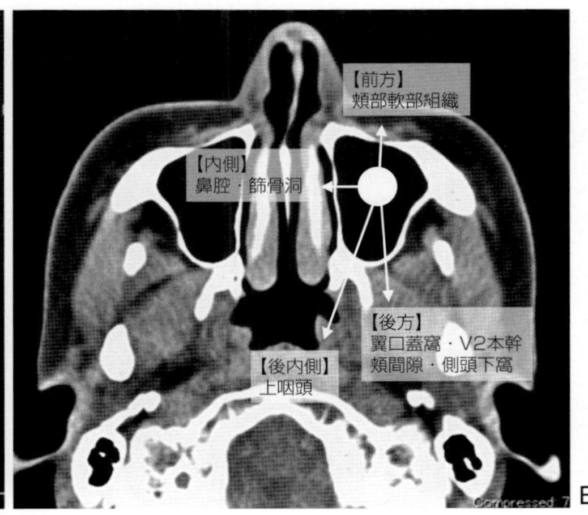

図 145　鼻副鼻腔癌の各進展方向での評価項目

A：CT 冠状断像骨条件.
B：CT 横断像軟部濃度条件.

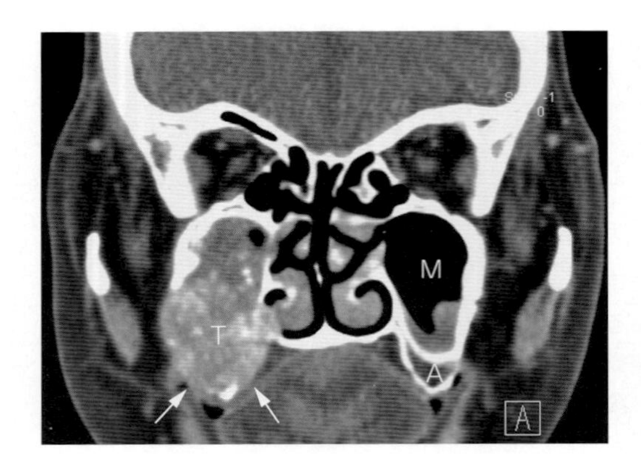

図 146　上顎洞癌あるいは上歯肉癌
鼻副鼻腔領域 CT 冠状断像で右上顎洞(対側で M で示す)下部から上顎骨歯槽突起(A)を破壊して上歯肉領域(矢印)に及ぶ腫瘤(T)を認める.

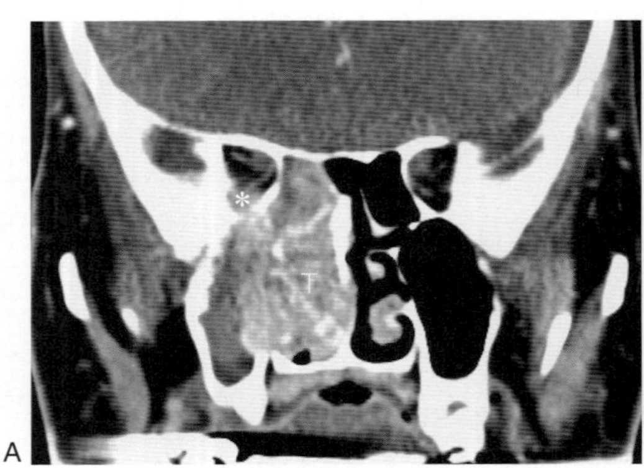

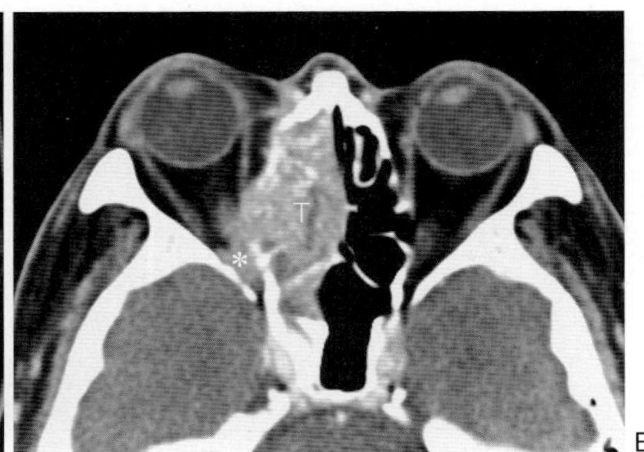

図 147　鼻腔癌の眼窩尖部浸潤
鼻副鼻腔領域造影 CT 冠状断像(A)および横断像(B). 右鼻腔を中心とする腫瘤(T)を認め, 頭側で篩骨洞領域に及ぶ. 側方では眼窩尖部進展(＊)を示す.

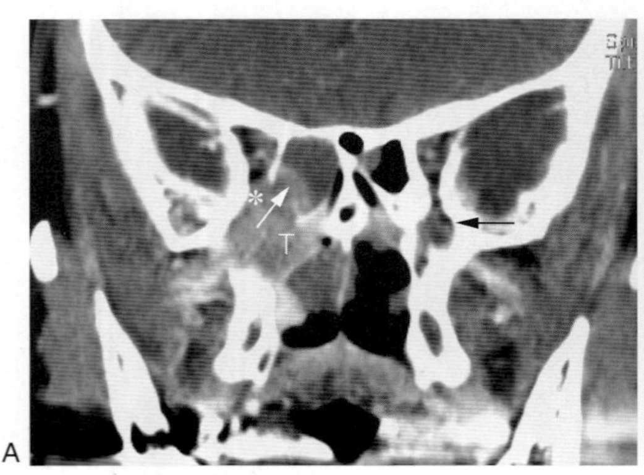

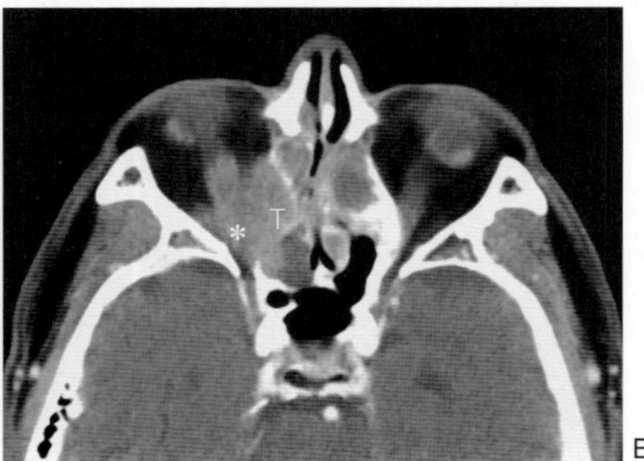

図 148　鼻腔癌の眼窩尖部浸潤
鼻副鼻腔領域造影 CT 冠状断像(A)および横断像(B). 右鼻腔後方を中心とする腫瘤(T)を認め, 側方では眼窩尖部進展(＊)を示す. 後上方で蝶形骨洞進展(A：白矢印)あり. 黒矢印：左下眼窩裂の正常脂肪濃度.

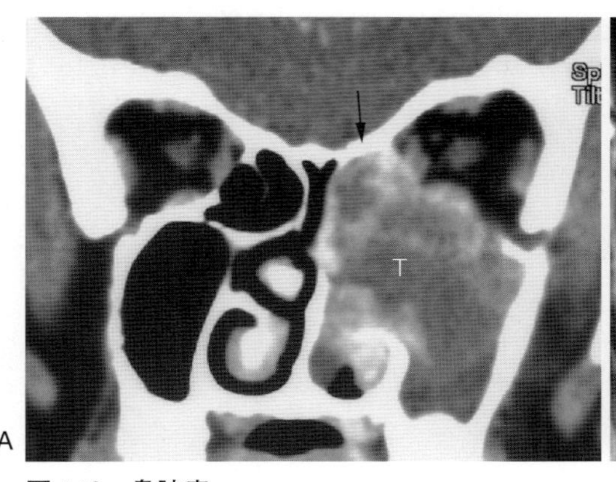

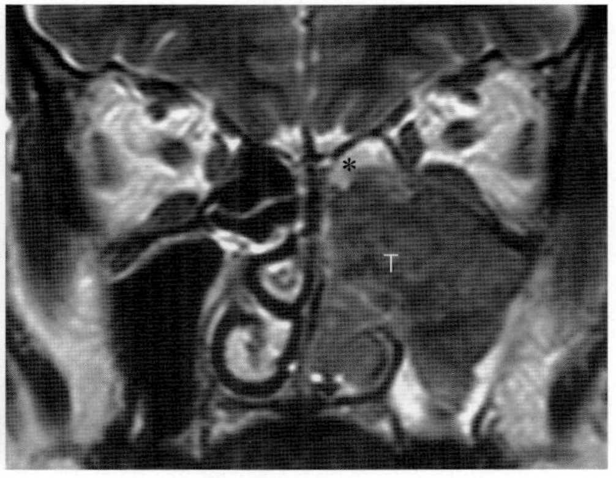

図 149　鼻腔癌

造影 CT 冠状断像（A）において，左鼻腔から上顎洞にかけて浸潤性腫瘤（T）を認める．頭側で篩板天蓋から側壁に接するように認められる（矢印）．T2 強調像（B）で，腫瘍（T）と前頭蓋底との間に高信号強度を呈する炎症性変化（＊）が介在しており，腫瘍と頭蓋底との直接の接触がないことが確認される．

表 17　上顎洞癌での重要な画像評価項目

頭側進展	眼窩下壁（T3）・眼窩下神経〔V2〕 眼窩：前方（T4a），尖部（T4b）
尾側進展	歯槽突起・口腔
前方進展	頬部皮下組織（T3）・皮膚（T4a）
後方進展	洞後壁・翼口蓋窩（T3） 翼状突起（T4a） 側頭下窩（T4a） 上咽頭（T4b）
内側・内側下方進展	鼻腔（T2） 硬口蓋・大口蓋神経〔V2〕（T2）
内側上方進展	篩骨洞（T3） 前頭洞・蝶形骨洞（T4a） 頭蓋内（T4b）
神経周囲進展	V2（本幹，眼窩下神経，大口蓋神経，後上歯槽神経など）
N 因子	比較的頻度は低い（Rouvière リンパ節，顔面リンパ節に要注意）

低悪性度病変は緩徐な発症で 5 年生存率も高いが，遅発性再発の傾向があり長期の経過観察が必要である．一方，高悪性度病変は局所の進行病変による急速な発症と早期の再発病変を示し，遠隔転移の頻度も高いとされる[225]．若年者で組織学的により悪性度の高い腫瘍の生じる傾向がある[235]．臨床病期分類には Kadish 分類（**表 20**：p210）[235]が用いられるが，約半数が Kadish C の進行病変として診断される．Kadish オリジナル分類では触れられていない所属リンパ節（頸部リンパ節）転移，遠隔転移が予後不良であることから，現在はこれらの要素を Kadish “D” としてオリジナル分類に追加した Morita らによる改訂分類（**表 20**：p210）が広く用いられている[236]．頸部リンパ節転移は 10〜44％[237]，遠隔転移は 10〜30％でみられ，遠隔転移の部位として中枢神経（約 20〜30％），肺，肝，皮膚，眼，骨，耳下腺などが挙げられる[229]．まれに咽頭後リンパ節転移もみられ注意を要する[237]．

正確な進展範囲の評価は治療計画に必要不可欠であり，画像診断は重要な役割を果たす．CT，MRI において鼻腔天蓋部を中心とした充実性腫瘤として現れるが，早期は嗅裂に限局した軟部濃度病変として認められる（**図 164**）．通常，CT で

表 18　鼻腔癌での重要な画像評価項目

頭側進展	篩骨洞 前頭洞・蝶形骨洞(T4a) 篩板(T3) 前頭蓋窩：軽微な進展(T4a)，硬膜・脳実質(T4b) 中頭蓋窩(T4b)
尾側進展	鼻腔底(硬口蓋)・大口蓋神経〔V2〕 口腔
前方進展	鼻部・頬部皮膚(T4a)
後方進展	上咽頭(T4b)
側方進展 後側方進展	上顎洞(T3) 眼窩：前方(T4a)，尖部(T4b) 翼口蓋窩・側頭下窩 翼状突起(T4a)
内側進展	鼻中隔 対側鼻腔
神経周囲進展	V2(本幹，鼻口蓋神経，大口蓋神経など)
N 因子	比較的頻度は低い(Rouvière リンパ節，顔面リンパ節に要注意)

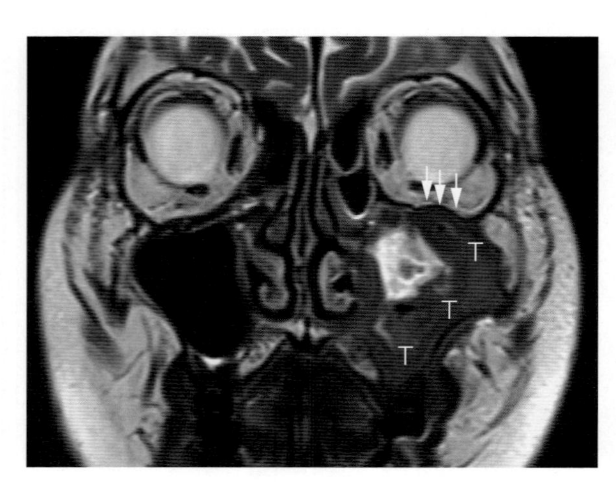

図 150　眼窩骨膜下への眼窩進展を示す上顎洞癌
　鼻副鼻腔領域 MRI T2 強調冠状断像で左上顎洞の壁に沿った不整な腫瘤(T)を認める．頭側で左眼窩下部への膨隆を示すが，腫瘍と眼窩の円錐外脂肪との間には線状低信号構造が明瞭に保たれている．

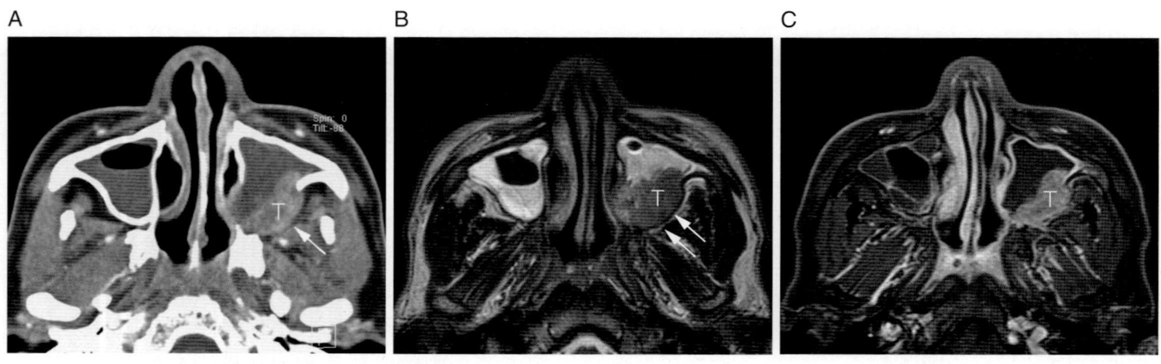

図 151　骨膜下で頬間隙に膨隆する上顎洞癌
　鼻副鼻腔領域の造影 CT 横断像(A)で左上顎洞後壁に増強効果を伴う腫瘤を認め，上顎洞の後壁を破壊して後方の頬間隙に膨隆(矢印)を示す．両側上顎洞内腔は液体貯留と思われるやや低吸収を示す．MRI T2 強調像(B)で腫瘍(T)は中等度からやや高信号を呈する．後方へ膨隆性を示すが，頬間隙脂肪との間に線状低信号(矢印)が明瞭に保たれている．左上顎洞の非腫瘍部，右上顎洞は炎症性変化として高信号を示す．造影後 T1 強調脂肪抑制像(C)で腫瘍(T)は充実性増強効果を呈する．

図 152　頭蓋内進展，眼窩進展を示す鼻腔癌（図 137 と同一症例）

鼻副鼻腔領域の CT 冠状断像（A）で左鼻腔上部から篩骨洞領域の軟部濃度腫瘤（T）を認め，頭側で篩板，篩骨天蓋を越えて前頭蓋窩への頭蓋内進展（矢印）を認める．MRI T2 強調像（B）で頭側において篩板，篩板側壁，篩骨天蓋およびこれに沿った髄膜を示す線状低信号（矢印）は保たれているが，右側では前頭蓋窩で CSF による高信号で満たされる嗅窩（olfactory fossa）内の嗅索（十字矢印）が同定されるが，同部は腫瘍の信号で置換されており（矢頭），頭蓋内進展を反映する．造影後脂肪抑制画像（C）で腫瘍（T）は充実性増強効果を示す．頭側で左嗅窩（olfactory fossa；右側で矢印で示す）領域を含めた頭蓋内進展（矢頭）を認める．

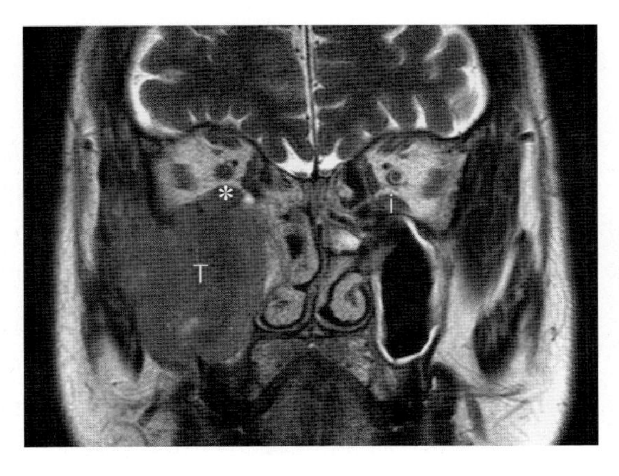

図 153　眼窩骨膜破綻を伴う眼窩進展を示す上顎洞癌

鼻副鼻腔領域 MRI T2 強調冠状断像で右上顎洞には中等度の信号強度を示す腫瘍（T）を認め，頭側で右眼窩下部に進展，図 150 では線状高信号構造として認められる眼窩骨膜は同定されず，眼窩骨膜の破綻を反映する．下直筋（対側で i で示す）への浸潤（*）がみられ，円錐外腔からさらに筋円錐に達していることを示している．

は内部比較的均一な軟部濃度，MRI では T1，T2 強調像ともに内部比較的均一な中等度信号強度を示し，造影剤により均一な増強効果を示す．腫瘍の内部性状の画像所見は非特異的であり，既述の未分化癌などとの鑑別は困難である．鼻腔天蓋部を中心とする比較的特徴的な分布・局在が，より診断に重要である．CT では篩骨篩板，眼窩壁などを含めた骨変化の詳細を評価する．扁平上皮癌と同様の明らかな骨破壊を示すものから粘液瘤様の膨張性変化（図 165）を示すものまでさまざまである．ときに腫瘍内に石灰化を認める[235, 238]．その解剖学的部位により早期から篩骨篩板を介した頭蓋内進展をきたしうるが，頭蓋内進展は予後不良因子となる．Rutter らの検討において，原病死は硬膜浸潤陽性例では 75%，硬膜浸潤陰性例では 18% であったと報告している[239]．硬膜を明らかに越えた進展では手術のメリットはほとんどなく，適応外と考えられるが，より限局性の硬膜浸潤は外科的切除が適応となる[240]．また硬膜浸潤は再発においても最も重要な予後因子とされ

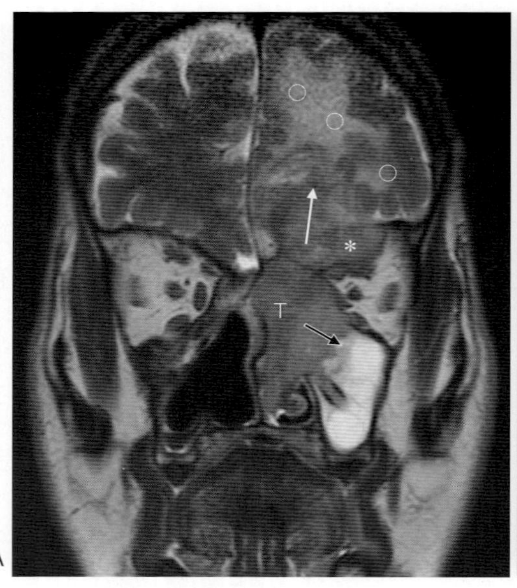

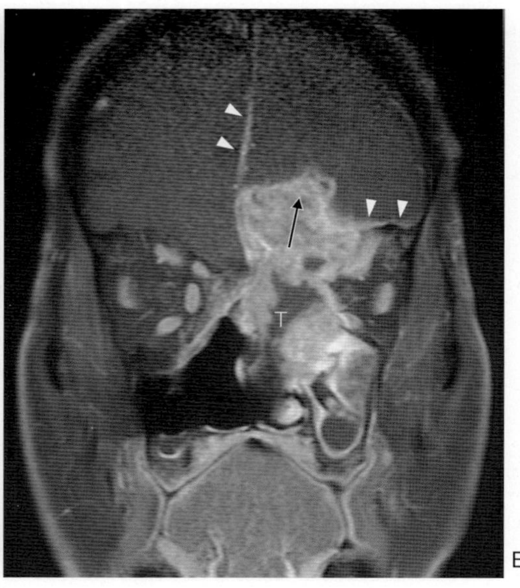

図 154　頭蓋内進展を示す鼻腔癌

A：T2 強調冠状断像．左鼻腔を中心とする浸潤性腫瘤(T)を認め，頭側で頭蓋内進展(白矢印)を示し，前頭蓋窩に腫瘤を形成する．圧排を受ける左前頭葉に浮腫性変化(○)を伴う．側方では左眼窩上壁に沿った眼窩進展(＊)，外側下方で上顎洞内側への進展(黒矢印)あり．

B：造影後 T1 強調脂肪抑制冠状断像．鼻腔腫瘍(T)は一部で壊死を反映する造影不良域を含む．頭側での頭蓋内進展(矢印)，前頭蓋窩の腫瘤形成あり．また，これに隣接して前頭蓋窩底部，大脳鎌に沿った髄膜肥厚・増強効果(矢頭)あり．比較的平滑で 2 mm を超えない軽度の肥厚であり，反応性変化のみにも矛盾ないが，腫瘍による髄膜浸潤も考慮される．

る[241]．篩板の本来の小孔を介して，明らかな(CT 上，確認可能な)骨破壊なく頭蓋内進展を生じる場合があり，注意を要する(図 166，167)．頭蓋内進展の有無，程度の評価には MRI の造影後 T1 強調冠状断あるいは矢状断像が有効である(図 167〜170)．MRI により硬膜浸潤について術前評価が可能であるが[229]，術中所見による最終判断の重要性も強調されるべきである[240]．造影 MRI 上，結節様の硬膜肥厚，2 mm を超える硬膜肥厚，(硬膜の一部および骨皮質，硬膜外腔に相当する)低信号帯の消失が硬膜浸潤を示す[241]．ただし，(特に篩板領域では)低信号帯は必ずしも破綻なく頭蓋内進展をきたしうる(図 170)．また脳浮腫所見(図 170)の存在は，特に頭痛や精神不安定性を訴える場合，頭蓋内進展を示唆するとされる[229]．ただし，これらの MRI 所見が陰性であっても硬膜浸潤の完全な否定は困難であり，MRI 所見の陰性のみを頭蓋底手術の縮小の根拠としてはならない．一般に MRI は硬膜浸潤の評価に対して特異性は高いが感度は低いとされ，硬膜断端の病理学的検索が重要である．一方で 2 mm 以下の平滑な硬膜の肥厚・線状の増強効果は必ずしも腫瘍浸潤によるものではなく，隣接硬膜の炎症，これによる結合織の増殖性，富血性変化でも認められる[242]．Moiyadi らは頭蓋底手術所見と対比可能であった 127 例の MRI 所見の検討において，髄膜浸潤ありと判断した例の 16％で腫瘍浸潤は陰性であったとしている[240]．5 mm 未満の薄く，平滑な髄膜肥厚も反応性の場合もある．頭蓋内進展では周囲に嚢胞形成(peritumoral cyst)を伴う場合があり，本疾患に特異性の高い所見とされる(図 170，171)が，他疾患でもまれにみられる(図 172)．

嗅神経芽腫は放射線治療反応性腫瘍であり，治療は完全摘出および 5,000〜6,000 cGy 程度の術後放射線治療で最も良好な結果が得られる[226, 228]．適切な切除縁をもって切除可能な低悪性度病変であれば外科的治療のみでも治癒が期待

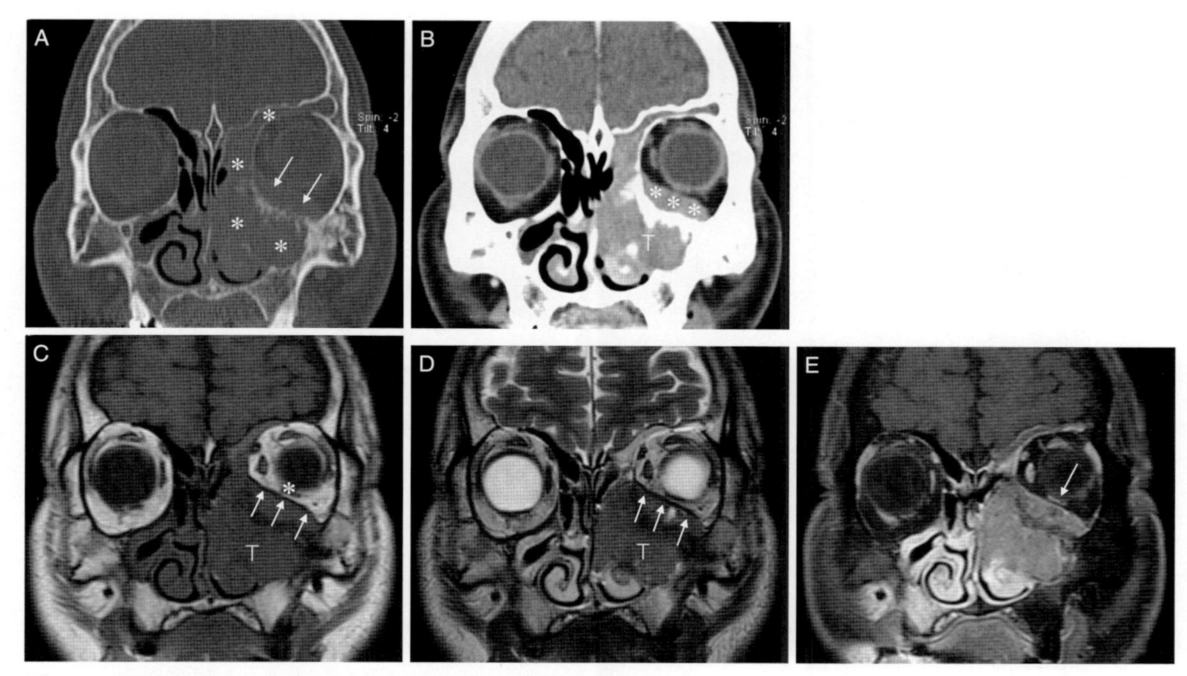

図 155　(眼窩骨膜下に限局した)眼窩進展を示す鼻副鼻腔癌

鼻副鼻腔領域 CT 冠状断像骨条件表示(A). 左上顎洞から鼻腔, 篩骨洞にかけて軟部濃度(＊)で占拠されており, 片側性副鼻腔炎の所見を呈する. 左眼窩下壁の不明瞭化・途絶(矢印)を示す. 造影 CT 冠状断像(B)において, 腫瘍(T)は左眼窩下壁を介して左眼窩下壁に沿った眼窩内進展(＊)を示す. 眼窩内脂肪との境界は鮮明かつ平滑にみられる.

MRI, T1 強調冠状断像(C)および T2 強調冠状断像(D)では, CT(B)と同様, 脳灰白質に類似する信号強度を呈する腫瘍(T)を認め, 眼窩内進展による眼窩内病変と眼窩内脂肪との境界は鮮明かつ平滑で, 両者を区分する線状低信号(矢印)は眼窩骨膜に相当すると思われる. 下直筋(C で＊で示す)は周囲脂肪層も保たれ, 造影後 T1 強調脂肪抑制冠状断像(E)での増強効果(矢印)は他の外眼筋と同等であり, 外眼筋(筋円錐)浸潤は否定的である.

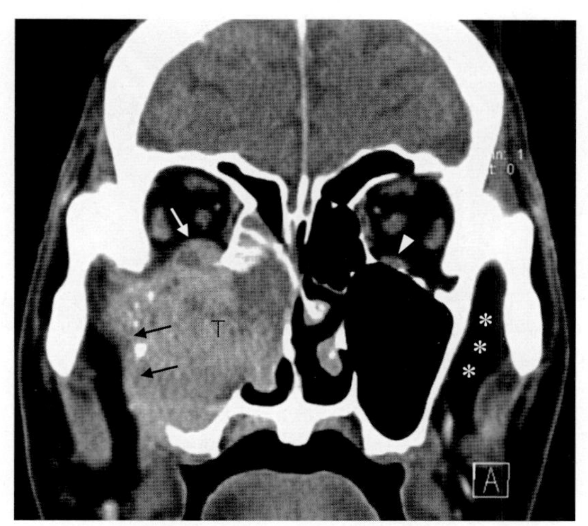

図 156　(眼窩骨膜を越えた)眼窩進展を示す上顎洞癌

鼻副鼻腔領域の造影 CT 冠状断像で右上顎洞を中心に浸潤性破壊性腫瘤(T)を認め, 上顎洞癌に一致する. 頭側で眼窩下壁を広範に破壊する. 下直筋(対側で矢頭で示す)は不整な腫大と増強効果, 周囲脂肪層消失(白矢印)を示し, 眼窩骨膜を越えた下直筋浸潤を反映する. 側方では上顎洞後側壁を越えた頬間隙(対側で＊で示す)への浸潤(黒矢印)あり.

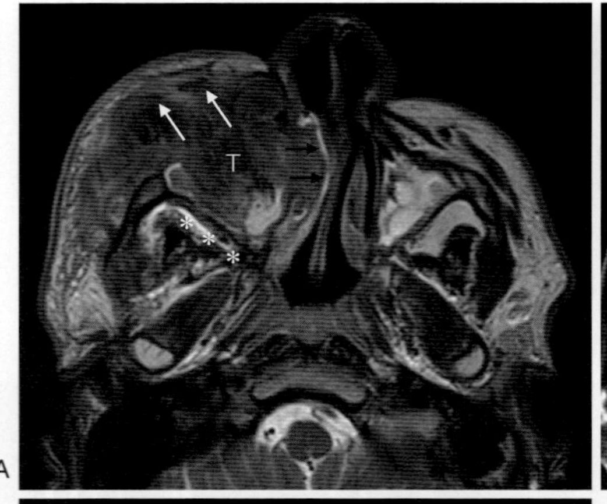

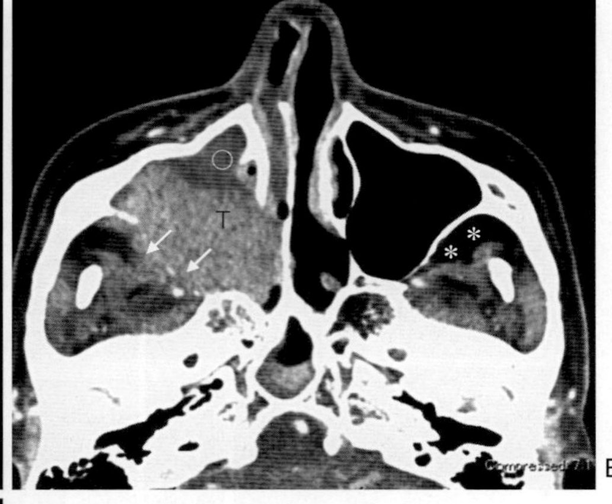

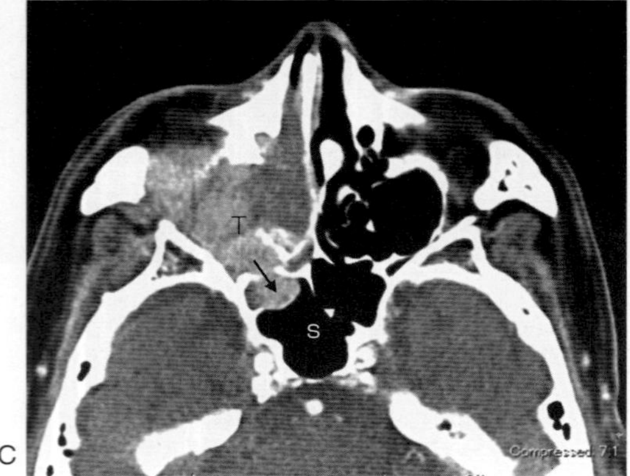

図 157　鼻副鼻腔癌の進展

A：右上顎洞癌の MRI，T2 強調横断像．右上顎洞を中心とする腫瘍(T)は前方で洞前壁を越えて頬部軟部組織(白矢印)，内側では内側壁を越えて右鼻腔(黒矢印)への進展を示す．後側壁は保たれ，翼口蓋窩・頬間隙(＊)は保たれている．

B：右上顎洞癌の造影 CT．右上顎洞後方の大部分は増強効果を呈する腫瘤(T)が占拠している．前方の一部(○)は二次性閉塞性変化によるやや低濃度で認められる．後方で上顎洞の後側壁を破壊し，頬間隙(対側で＊で示す)への進展(矢印)を示す．洞前壁は保たれている．

C：B と同一症例，B のやや頭側レベルでの造影 CT．右上顎洞の病変(T)は連続性に蝶形骨洞に進展(矢印)，T4a 病変であることを示す．s：蝶形骨洞

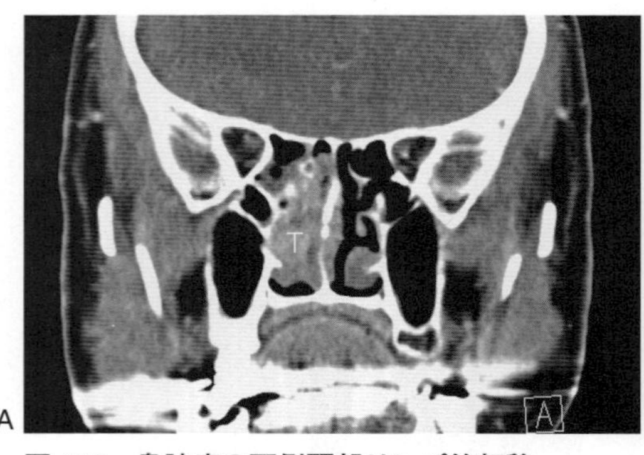

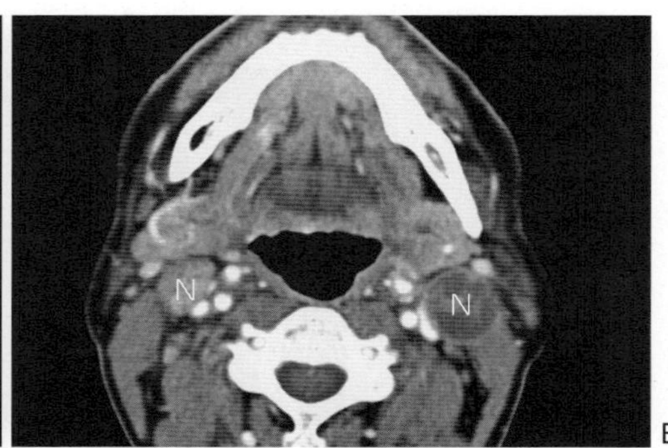

図 158　鼻腔癌の両側頸部リンパ節転移

鼻副鼻腔領域造影 CT 冠状断像(A)で右鼻腔の腫瘤(T)を認める．中咽頭レベルの横断像(B)において，両側レベルⅡに頸部リンパ節転移(N)の所見あり．高度の節外進展はみられず，N2c に相当する．

できるが，頭蓋底手術はアプローチ経路が限られ，障害を残さず十分な切除縁を得ることは困難な場合も多い．低悪性度でも適切な切除縁のとれない病変，残存あるいは再発病変，すべての高悪性度病変に対しては放射線治療を考慮すべきである[236]．高悪性度病変や切除不能病変，進行病変では適宜，化学療法が施行されるが[228]，40 歳以上は，40 歳未満の若年者と比較して反応は不良とされる[243]．既述のとおり，篩骨篩板の小孔を介して骨破壊なく頭蓋内進展をきたしうるため，篩骨篩板に接する腫瘍摘出では篩板とともに接する硬膜の切除が必須である[232]．外鼻切開のみで

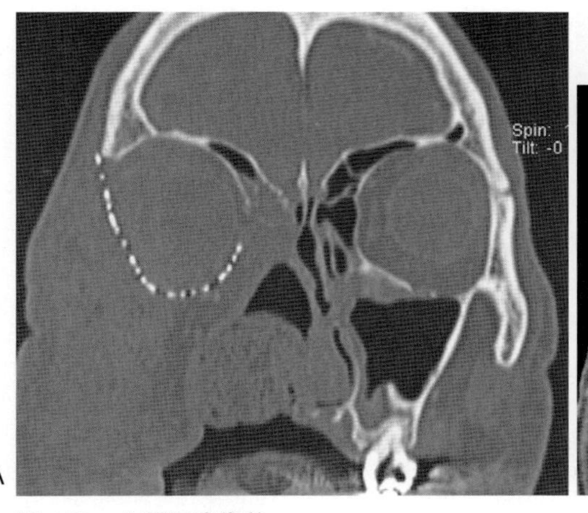

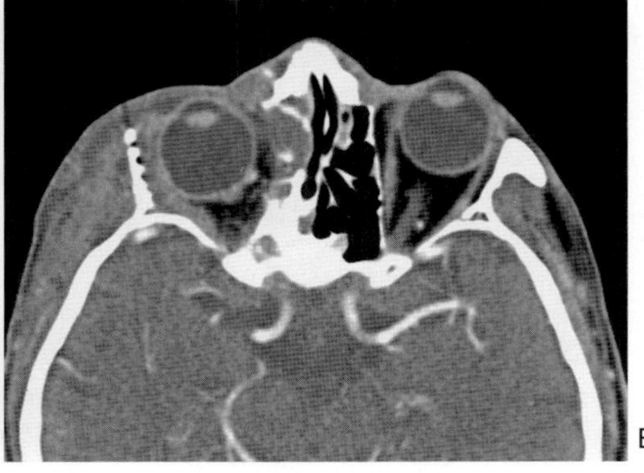

図 159　上顎洞癌術後

冠状断 CT 骨条件表示(A)において，右上顎洞癌術後変化あり．眼窩内容は温存されるが，右眼窩内側壁下部，下壁から外側壁下部にかけて切除，金属メッシュによる再建後．横断像(B)で左右眼球の配列は異常で，右眼球陥凹あり．

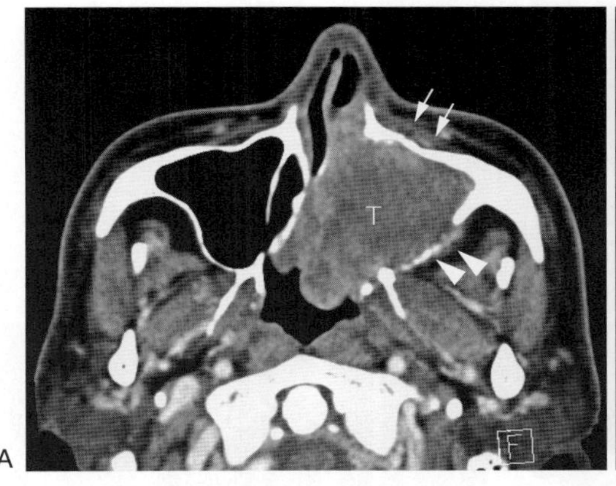

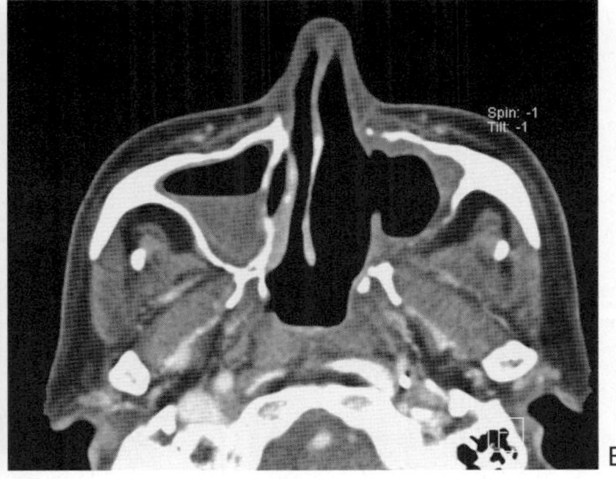

図 160　RADPLAT で局所制御の得られた上顎洞癌

鼻副鼻腔領域の造影 CT 横断像(A)で左上顎洞から鼻腔を大きく占拠する軟部濃度腫瘤(T)を認める．上顎洞後側壁は不規則な途絶(矢頭)を示す．前方では洞前壁と表情筋との間の脂肪層消失(矢印)を認め，鼻副鼻腔外進展を示す．RADPLAT 治療後(B)では腫瘍の著明な縮小を認め，左上顎洞の壁に沿って非特異的炎症所見と思われる多少の軟部濃度肥厚がみられるのみである．洞後壁の欠損，前方の洞前壁に沿った脂肪層消失などは変化なし．

は 50％近い局所再発率を示すことから[232)]，1970 年代以降は頭蓋顔面切除術(craniofacial resection)が標準的術式として行われてきた．さらにここ 20 年間での内視鏡手術の進歩に伴い，内視鏡手術との組み合わせ，完全な内視鏡手術による切除も行われるようになった．内視鏡手術は，眼窩，前頭洞などの処置は困難であるが，術野をより詳細に観察できることから粘膜や硬膜の切除縁の管理が容易であり切除断端陰性での切除につながるとの大きなメリットがある[244)]．さらに術前化学療法，放射線治療の進歩とともに予後改善傾向にある[225)]．局所再発は 1 年以内にみられるのが通常であるが，遠隔転移は 5 年以上経ってから生じる場合もある[232)]．頸部リンパ節転移の頻度は早期病変では 10％以下[245)]であり，頸部予防郭清術，予防放射線照射の是非については議論がある[225, 235)]．ただし，Kadish 分類の Group C では最大 44％の頸部リンパ節転移(Morita らによる改訂分類による Kadish D)の可能性があり，放射線治療や頸部郭清術の適応を考慮すべきであ

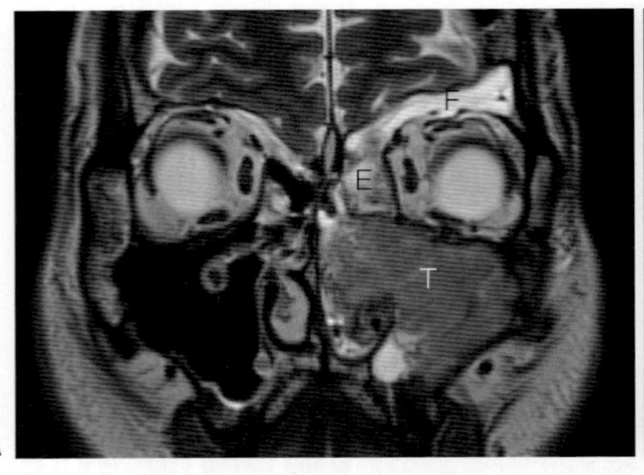

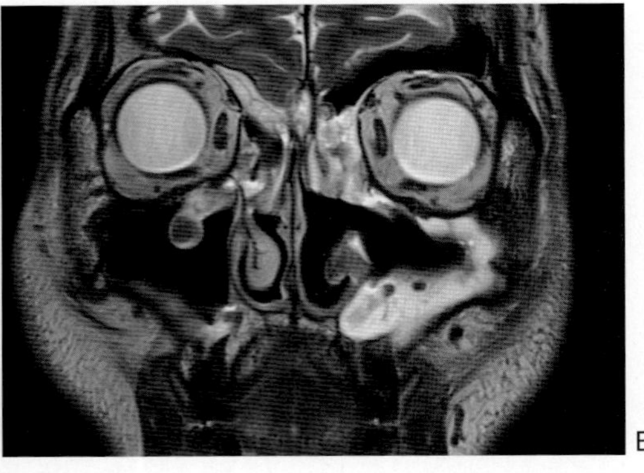

図161　RADPLATで局所制御の得られた上顎洞癌

鼻副鼻腔領域MRI T2強調冠状断像(A)で左上顎洞から鼻腔にかけて占拠する中等度信号強度の腫瘍を認める．左篩骨洞(E)，前頭洞(F)に二次性炎症所見による高信号を認める．RADPLAT治療後(B)は中等度信号の腫瘤は消失し，左上顎洞には壁に沿った高信号がみられ，非特異的炎症所見に相当する．

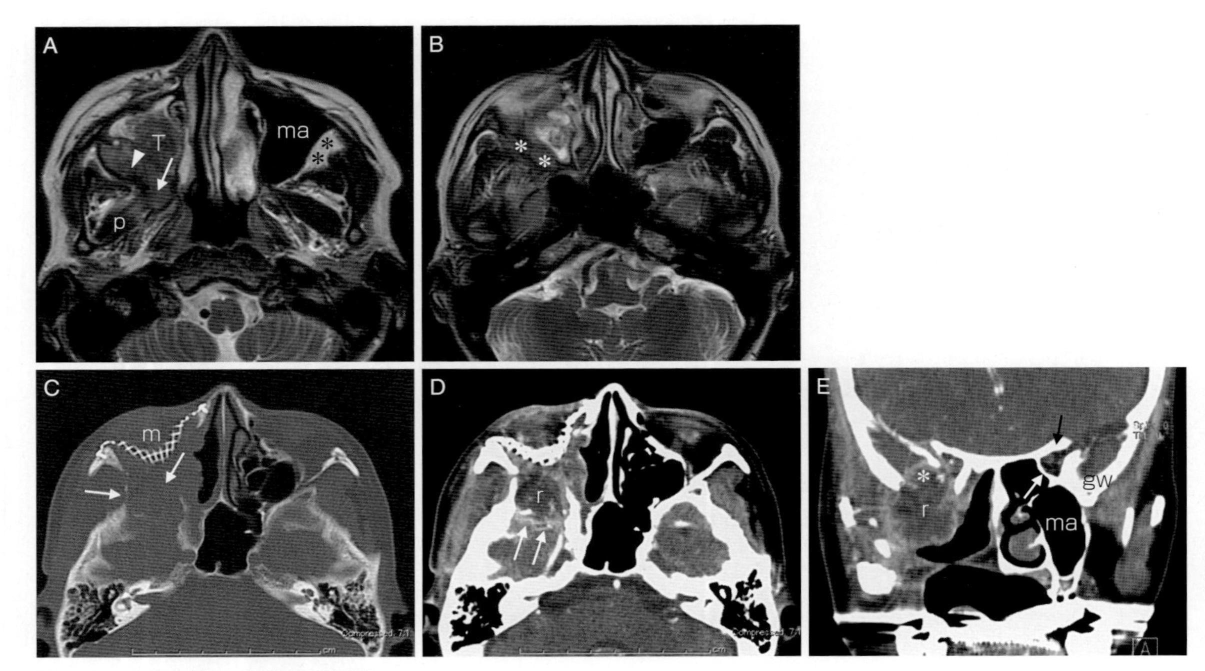

図162　上顎洞癌の術後局所再発

A：治療前のMRI，上顎洞レベルのT2強調横断像．右上顎洞中心の浸潤性腫瘤(T)を認め，後方で頬間隙(対側で＊で示す)に進展(矢頭)，さらに咀嚼筋間隙を含む側頭下窩への浸潤(矢印)を示し，T4a病変に相当する．V2本幹，後上歯槽神経領域への腫瘍浸潤あり．ma：左上顎洞，p：外側翼突筋

B：Aよりもやや頭側レベル(上顎洞上部レベル)．頬間隙から翼口蓋窩上縁(＊)への腫瘍の頭側への進展あり．

C：術後CT横断像骨条件表示．右眼窩下壁は金属メッシュ(m)での再建後．術後部の深部，後上部に相当する蝶形骨右大翼前方部で骨破壊(矢印)あり．

D：Cと同レベルの術後造影CT横断像．術後部の深部，後上部に不均等な増強効果を示す腫瘤(r)を認める．右中頭蓋窩前縁への浸潤(矢印)を示し，rT4bの局所再発病変に相当する．

E：同術後CT冠状断像．術後の右上顎洞領域深部，側頭下窩に再発性腫瘤(r)を認め，頭側で蝶形骨右大翼前方部(対側でgwで示す)を破壊し，中頭蓋窩への頭蓋内進展(＊)を示し，内側上部では右眼窩尖部(対側で矢印で示す)の外側壁を破壊し，眼窩尖部浸潤を呈する．ma：左上顎洞

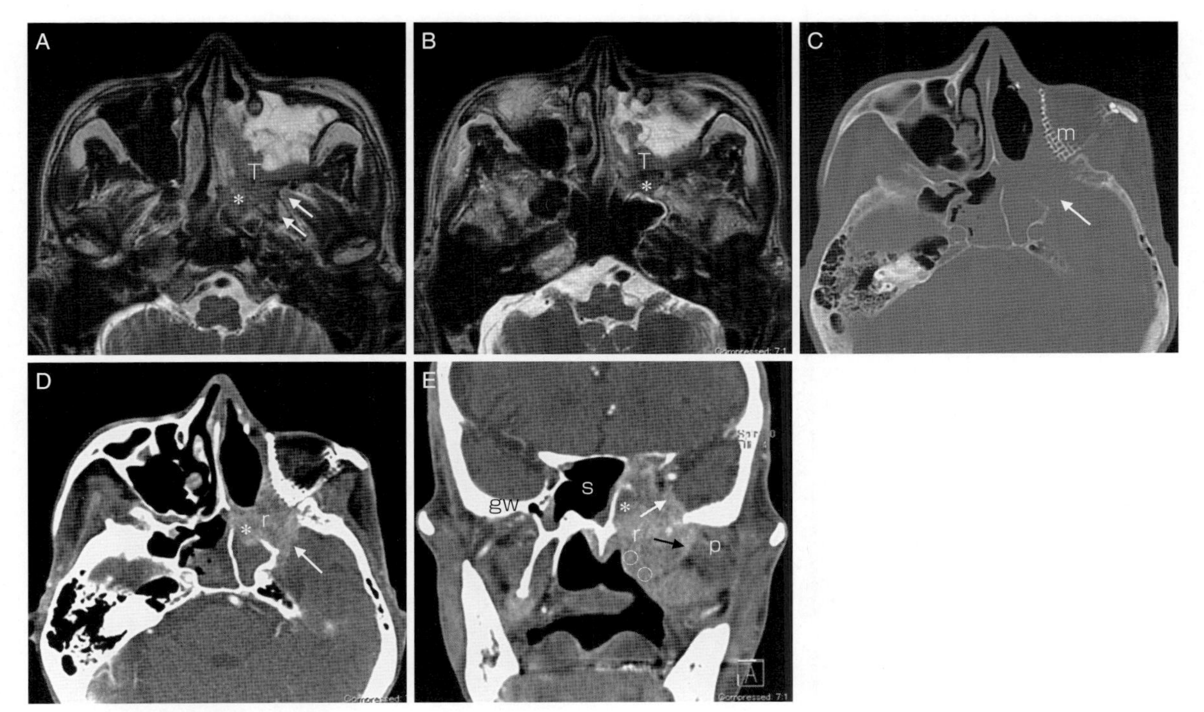

図 163　上顎洞癌の術後局所再発

A：治療前の上顎洞レベルの MRI，T2 強調横断像．左上顎洞後部を中心として壁に沿った浸潤性腫瘤(T)を認め，上咽頭(＊)，翼口蓋窩を含む側頭下窩の一部(矢印)への後方進展を示す．

B：A よりもやや頭側レベル．腫瘍(T)の左翼口蓋窩上縁(＊)への頭側進展あり．

C：術後 CT 横断像骨条件表示．右眼窩下壁は金属メッシュ(m)での再建後．術後部の深部，後上部に相当する蝶形骨左大翼前方部で骨破壊(矢印)あり．

D：C と同レベルの術後造影 CT 横断像．図 162D と全く同様に，術後部の深部，後上部に不均等な増強効果を示す腫瘤(r)を認め，左蝶形骨洞(＊)，中頭蓋窩前縁(矢印)への進展を認め，rT4b の局所再発病変に相当する．

E：同術後 CT 冠状断像．術後の左上顎洞領域深部，側頭下窩に再発性腫瘤(r)を認め，頭側で蝶形骨右大翼前方部(対側で gw で示す)の一部を破壊し，中頭蓋窩への頭蓋内進展(白矢印)を示し，内側上部では蝶形骨洞(対側で s で示す)内への進展(＊)あり．内側で上咽頭左側壁(○)に浸潤，側方では側頭下窩に進展(黒矢印)，外側翼突筋(p)の内側に浸潤を示す．

表 19　Hyams らによる嗅神経芽腫の組織学的悪性度(グレード)分類

重要所見 診断基準	Hyams grade			
	I	II	III	IV
構造	分葉状	分葉状	様々	様々
細胞分裂	なし	あり	目立つ	顕著
核多形性	なし	中等度	目立つ	顕著
線維性間質	顕著	あり	わずか	なし
Rosette 形成	Hormer Wright rosettes	Hormer Wright rosettes	Flexner-Wintersteiner rosettes	Flexner-Wintersteiner rosettes
壊死	なし	なし	あり・なし	しばしばあり

(WHO classification of Head and Neck Tumours. El－Naggar AK, Chan JKC, Grandis JR et al (eds), International Agency for Research on Cancer (IARC), Lyon, 2017)

表20　嗅神経芽腫のKadish病期分類およびMoritaらによる改訂分類

病期診断	Kadish分類	Moritaらによる改訂Kadish分類
A	鼻腔の限局	Kadish分類と変更なし
B	鼻腔および副鼻腔に限局	Kadish分類と変更なし
C	鼻副鼻腔の範囲を越えた進展（眼窩・頭蓋内など）	Kadish分類と変更なし
D	（なし）	転移（頸部リンパ節，遠隔）あり

（Morita A, Ebersold MJ, Olsen KD et al：Esthesioneuroblastoma：Prognosis and management. Neurosurgery **32**：706－714, 1993）

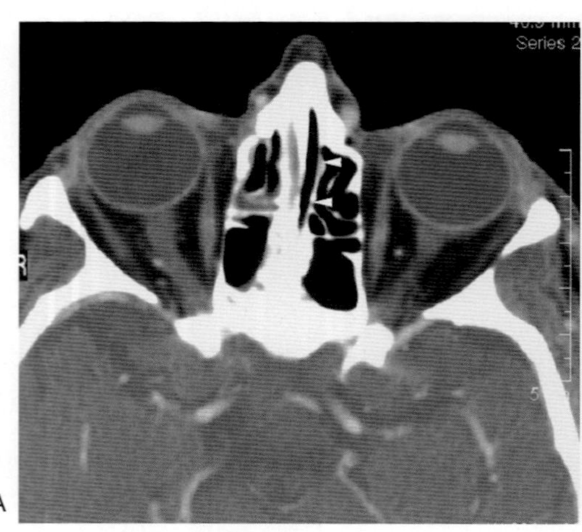

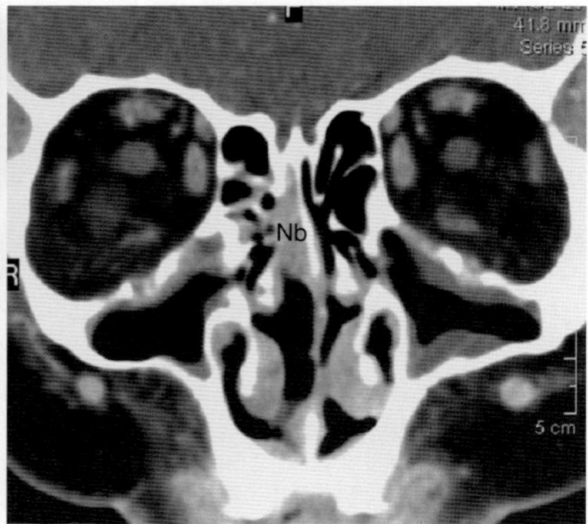

図164　早期の嗅神経芽腫

A：造影CT横断像．右嗅裂（左側で矢頭で表示）内に限局する軟部濃度病変を認め，早期嗅神経芽腫に一致する．ただし，明らかな骨破壊などもなく，臨床情報なしに画像のみで診断するのは困難．

B：造影CT冠状断像．右嗅裂内の腫瘍（Nb）が確認できる．

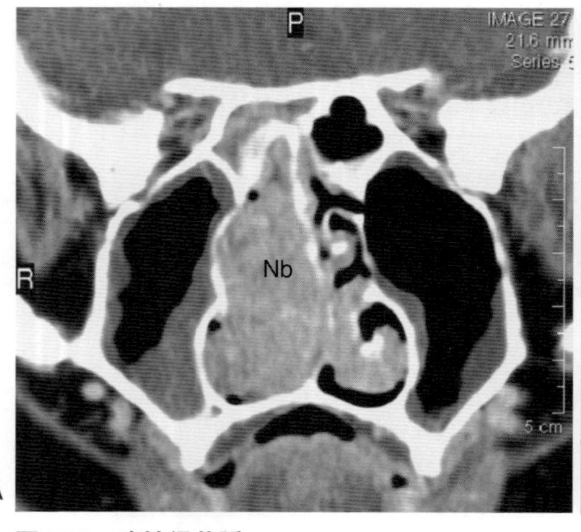

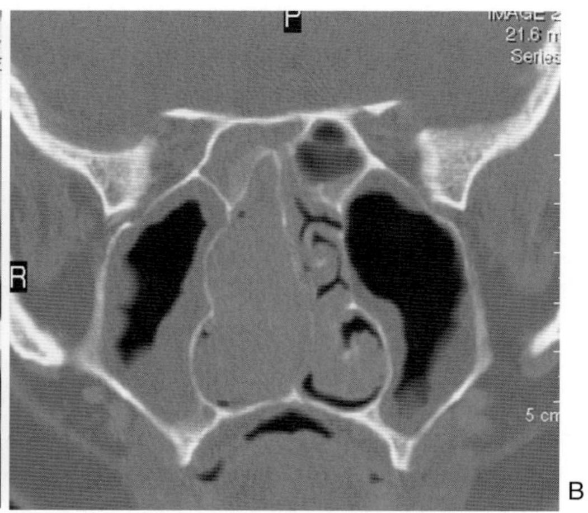

図165　嗅神経芽腫

A：造影後CT冠状断像軟部条件．右鼻腔をほぼ占拠する腫瘤（Nb）を認める．

B：CT冠状断骨条件．腫瘤周囲の骨は破壊性変化ではなく，膨張性変化を示している．

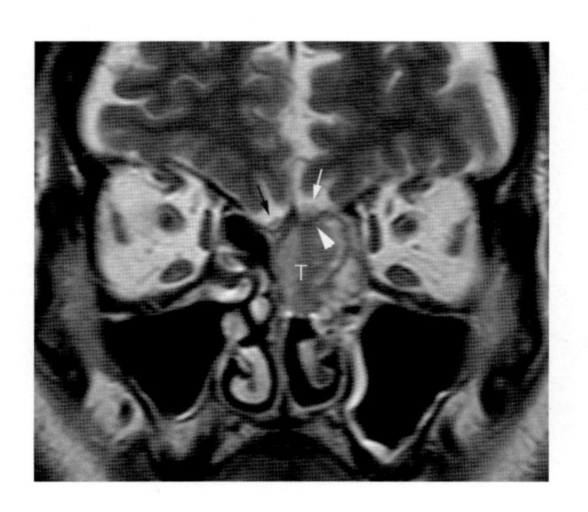

図 166　嗅神経芽腫

T2 強調冠状断像において，嗅裂を含む左鼻腔上部から篩骨洞領域に tissue intensity lesion（T）を認める．頭側に隣接する篩板（矢頭）は線状低信号として保たれているように認められるが，前頭蓋窩の嗅窩（olfactory fossa）内で，嗅球（対側で黒矢印で示す）周囲への浸潤を認める（白矢印）．

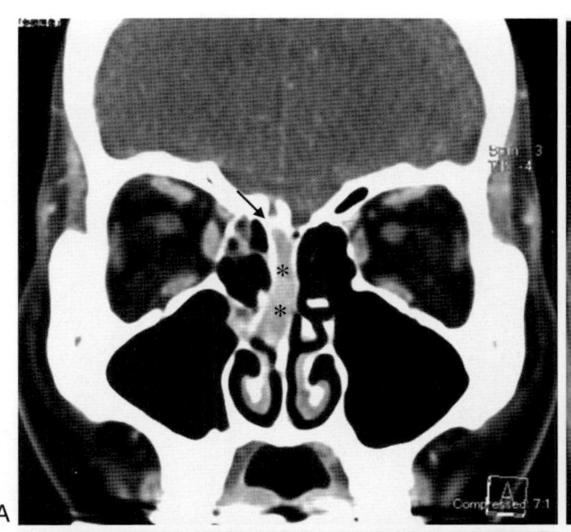

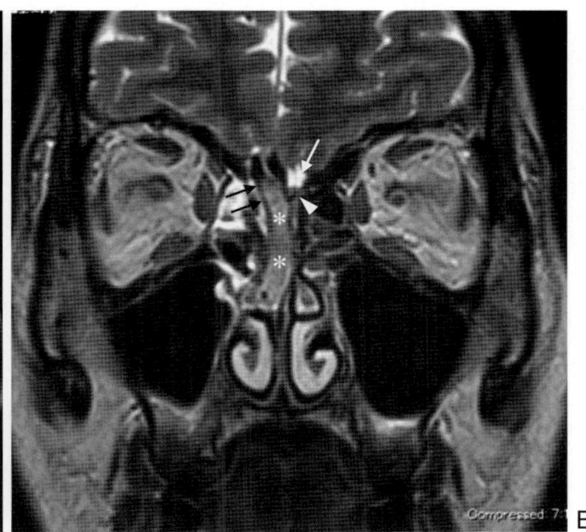

図 167　嗅神経芽腫

A：造影 CT 冠状断像．右鼻腔，総鼻道上部に中等度の増強効果を示す腫瘤（＊）を認める．頭側は嗅裂深部に進展，篩板（矢印）と接触するが，明らかな頭蓋内進展は指摘されない．内側は鼻中隔に接するが，対側進展なし．側方は中鼻甲介に隣接するが，明らかな篩骨洞進展はみられず，CT 上は Kadish A 病変として認められる．

B：同例の MRI，T2 強調冠状断像．右鼻腔の病変（＊）はやや高信号強度を呈する．頭側において，健側では脳脊髄液による高信号として同定される嗅窩（白矢印）および同部下端で篩板頭側に接する嗅球（矢頭）領域への腫瘍の頭蓋内進展（黒矢印）を認め，Kadish C であることが確認された．

C：造影後 T1 強調冠状断像．腫瘍（＊）は中等度の増強効果を示す（一部はアーチファクトによりやや不均等な信号を示す）．頭蓋内進展による右嗅窩部の腫瘍（矢印）も連続性の造影領域として確認される．

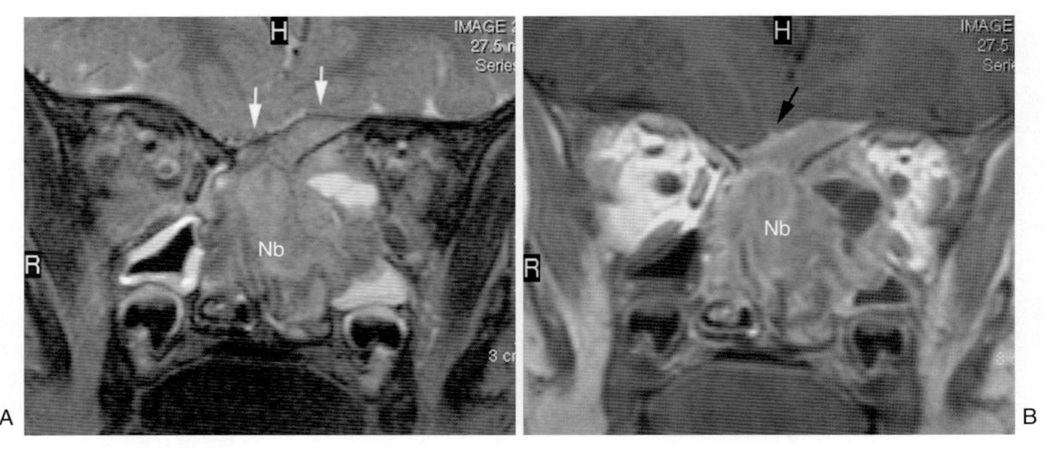

図 168　嗅神経芽腫

A：MRI T2 強調冠状断像．鼻腔から篩骨洞領域を中心としてびまん性増強効果を示す腫瘍(Nb)を認める．篩骨篩板を越えて前頭蓋窩の硬膜下への頭蓋内進展あり．硬膜(矢印)を越えた進展は確認できない．左眼窩内進展あり．

B：造影後 T1 強調冠状断像．腫瘍(Nb)の頭蓋内進展は T2 強調像(A)でも確認できた硬膜下の腫瘤形成として認められる．さらに前頭葉下面の脳溝に沿う増強効果(矢印)もみられ，軟膜に腫瘍浸潤が及んでいる可能性あり．

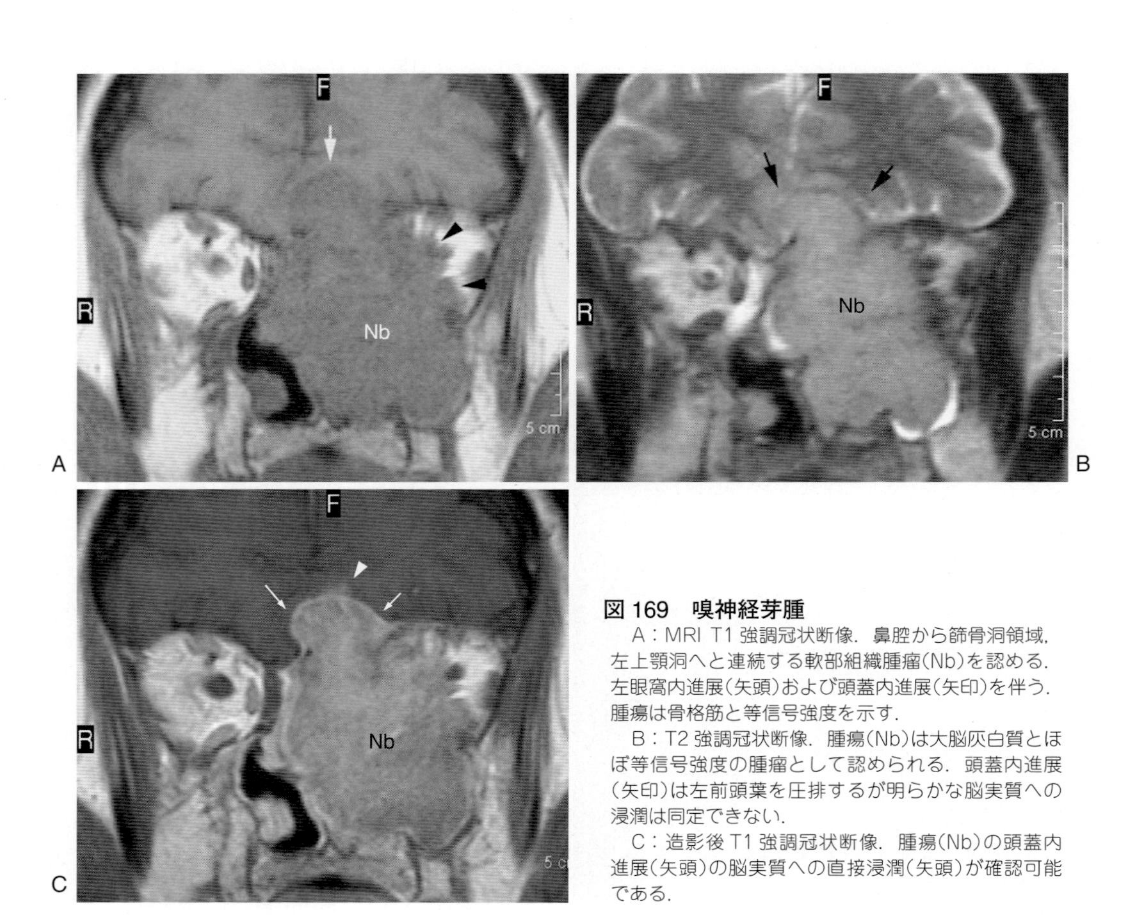

図 169　嗅神経芽腫

A：MRI T1 強調冠状断像．鼻腔から篩骨洞領域，左上顎洞へと連続する軟部組織腫瘤(Nb)を認める．左眼窩内進展(矢頭)および頭蓋内進展(矢印)を伴う．腫瘍は骨格筋と等信号強度を示す．

B：T2 強調冠状断像．腫瘍(Nb)は大脳灰白質とほぼ等信号強度の腫瘤として認められる．頭蓋内進展(矢印)は左前頭葉を圧排するが明らかな脳実質への浸潤は同定できない．

C：造影後 T1 強調冠状断像．腫瘍(Nb)の頭蓋内進展(矢頭)の脳実質への直接浸潤(矢頭)が確認可能である．

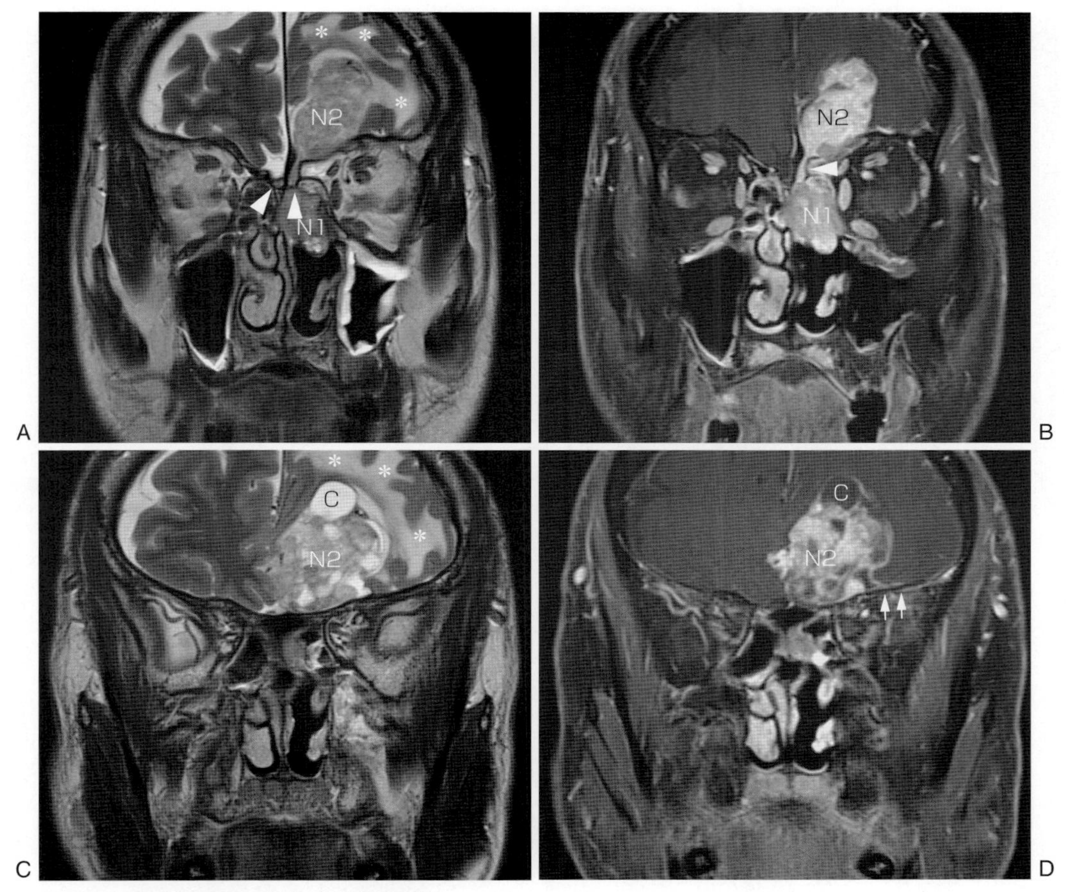

図 170　頭蓋内進展を伴う嗅神経芽腫

球後部レベルの MRI T2 強調冠状断像(A)において左鼻腔上部(N1)に均一な中等度信号強度の腫瘤を認める．頭側で篩板(矢印)に相当する線状低信号は明瞭に保たれているが，同部を挟んで嗅窩(olfactory fossa)から連続するように頭蓋内に腫瘤(N2)の形成を認め，左前頭葉は圧排，偏位とともに周囲白質を中心とする浮腫(＊)を認める．矢頭：嗅球．同レベルの造影後 T1 強調脂肪抑制冠状断像(B)で左鼻腔腫瘤(N1)は均一な充実性増強効果を示す．頭蓋内では左嗅窩から連続(矢頭)する頭蓋内腫瘤(N2)の増強効果を認める．同症例の眼窩尖部レベルの T2 強調冠状断像(C)で頭蓋内腫瘤(N2)の辺縁に嚢胞形成(peritumoral cyst)を認める．＊：左前頭葉の浮腫による高信号．同レベルの造影後 T1 強調脂肪抑制冠状断像(D)で頭蓋内腫瘤(N2)は不均等な増強効果を呈する．腫瘤に隣接する頭蓋底の髄膜は一部で平滑な肥厚・増強効果(矢印)を示す．C：peritumoral cyst.

る[245]．病期診断に関わらず転移例の予後は不良で，初期治療で制御されなかった例の多くは再発病変，主に頭蓋内進展あるいは遠隔転移により死亡する[239]．頸部リンパ節転移陰性例の 5 年生存率はそれぞれ 60％強である一方，転移陽性例は 0％との報告もある[246]．

b. 腺癌(adenocarcinoma)

腺癌は鼻副鼻腔悪性腫瘍全体の 10〜20％で扁平上皮癌に次いで多く，局在は鼻腔(図 173, 174)，篩骨洞(図 175)，上顎洞に多く，篩骨洞原発の悪性腫瘍では最も多い[247〜249]．木工，皮革業などとの疫学的関連性があるとされる[250]．性差は 6：1 で男性に多いとされるが，実際の男女罹患率はほぼ同等であり職業歴による影響と考えられる[249]．組織学的には唾液腺型(salivary type：5〜10 ％)と非唾液腺型(non-salivary type：90〜95％)に分けられ，後者はさらに腸管型(intestinal type)と非腸管型(non-intestinal type)に区分される[224, 249, 251]．主に腸管型が既述の職業歴に関連する．局所侵襲性が高く，組織悪性度(グレード)は 4 つ(1：高分化，2：中分化，3：

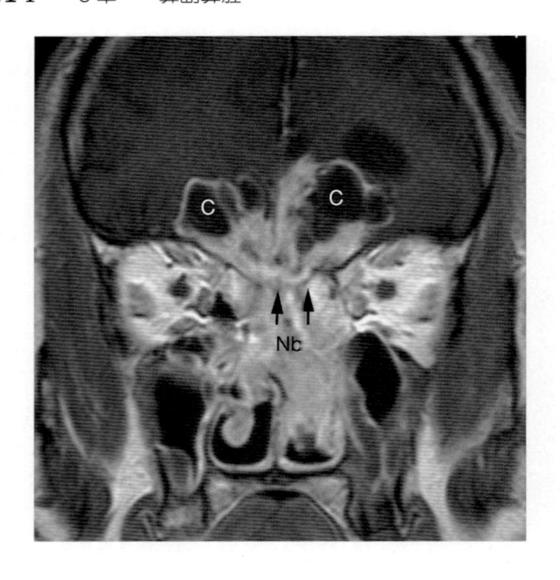

図 171　嗅神経芽腫

造影後 T1 強調冠状断像においてびまん性増強効果を示す腫瘍(Nb)を両側の鼻腔上部から篩骨洞領域を中心に認め，篩骨篩板(矢印)を介した頭蓋内進展を伴う．頭蓋内では嚢胞(C)の形成がみられる．

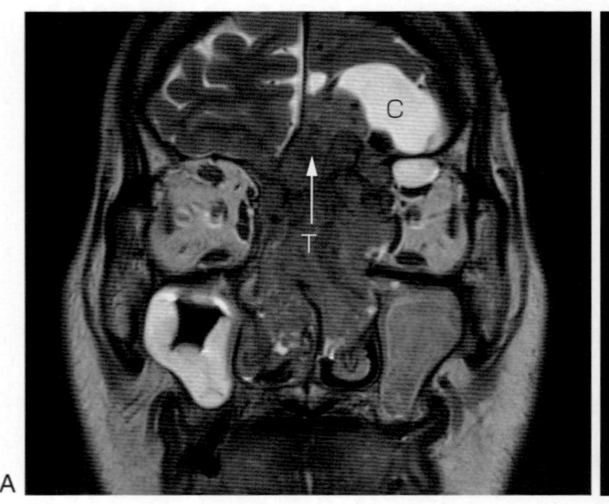

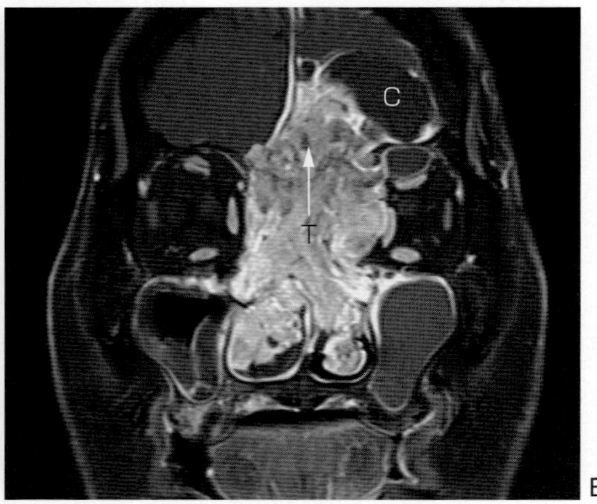

図 172　peritumoral cyst を伴う頭蓋内進展を示す鼻腔癌(扁平上皮癌)

鼻副鼻腔領域の MRI T2 強調冠状断像(A)および造影後 T1 強調脂肪抑制冠状断像(B)．鼻腔を大きく占拠する腫瘍(T)を認め，頭側で篩板，篩骨天蓋領域を越えた頭蓋内進展(矢印)を示す．頭蓋内腫瘤の辺縁に嚢胞形成(C)を伴う．

低分化，4：未分化)に分けられ，グレード2が最も多いが，グレード1・2が低悪性度，グレード3・4が高悪性度とされる[252, 253]．組織亜型分類の予後への影響はほとんどなく，組織悪性度，病期診断が予後とのより強い関連を示す[247, 249]．症状として，鼻閉，鼻漏，鼻出血などを認めるが，他の鼻副鼻腔疾患と類似することもあり進行してから診断されることが多い．疼痛や潰瘍形成は高悪性度病変を示唆する．頸部リンパ節転移の頻度は低く，予防的頸部郭清は必要としない．(腺様嚢胞癌と比較して)遠隔転移の頻度はやや低いが，長期生存率は同程度で[204]，低悪性度腫瘍の5年生存率は20%以下である[254]．

進行病期(T4)，蝶形骨洞・頭蓋底・脳浸潤(図 176)，組織学的高悪性度，頸部リンパ節転移は予後不良因子となる[247, 249]．

画像所見としては浸潤性破壊性腫瘍(図 175, 176)として認められるが，他の鼻副鼻腔悪性腫瘍と同様に画像所見の特異性は低く(図 173, 174)，質的診断への寄与は限定的である．ただし，画像診断での進展範囲の正確な把握は，予後推定，治療計画・切除可否の判断において必要不

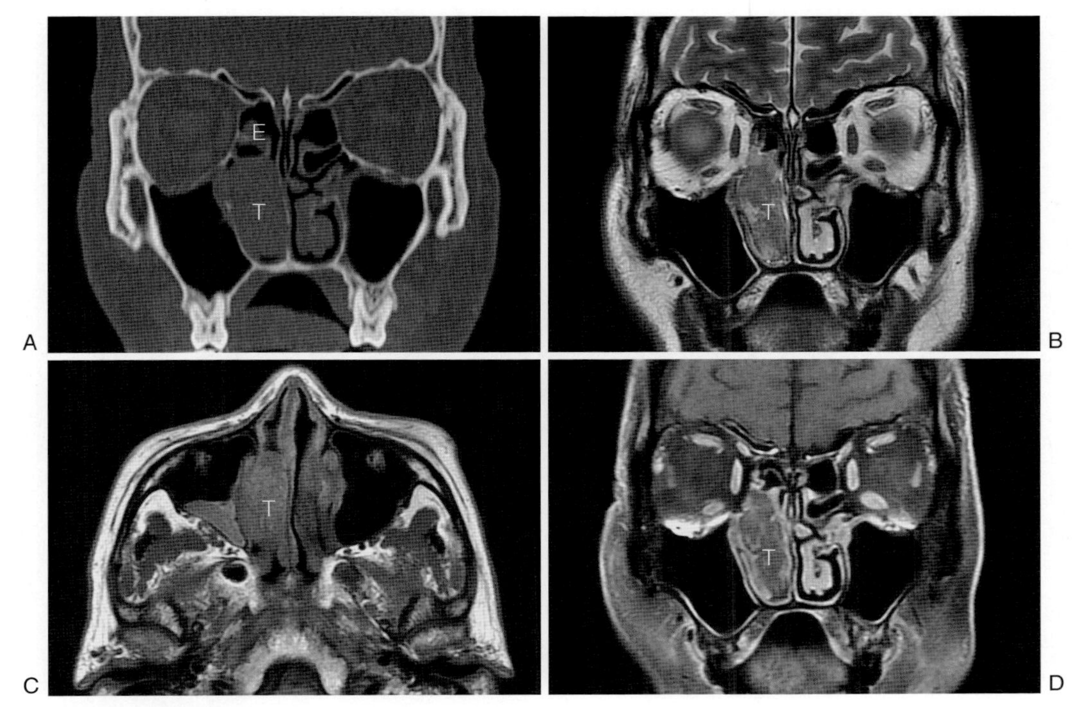

図 173　鼻腔腺癌

鼻副鼻腔 CT 骨条件(A)で右鼻腔に軟部濃度腫瘤(T)を認める．内側は鼻中隔に広範に接するが，対側への進展なし．側方は鼻腔側壁に接するが上顎洞進展なし．頭側は篩骨洞(E)下部に及ぶが篩板，篩骨天蓋などの頭蓋底との接触なし．MRI T2 強調冠状断像(B)で病変(T)はやや不均等な高信号強度，T1 強調横断像(C)で骨格筋に類似の低信号強度(T)を呈し，造影後 T1 強調脂肪抑制冠状断像(D)では不均等な増強効果(T)を示す．明らかな壊死，嚢胞部はみられない．

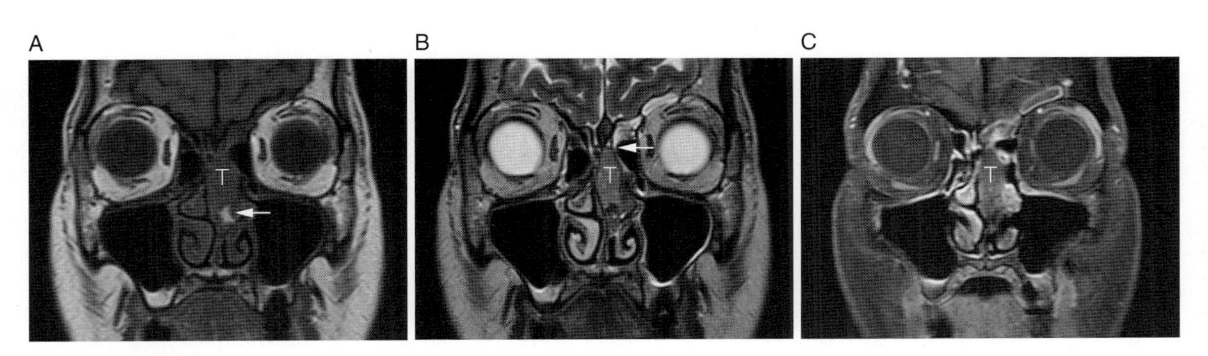

図 174　鼻腔腺癌

鼻副鼻腔領域 MRI T1 強調冠状断像(A)で左鼻腔上部に骨格筋と同等の低信号病変(T)を認める．病変の下端は生検に伴う出血を示唆する高信号領域(矢印)を伴う．T2 強調像(B)で病変(T)は中等度からやや高信号強度を示す．頭側は嗅裂内に進展，篩板(矢印)と接する．造影後 T1 強調脂肪抑制画像(C)で病変(T)の軽度の増強効果を示す．

可欠である．

治療は外科的切除が原則であるが，高悪性度病変の成績は不良である．内視鏡手術は外方アプローチとの比較において生存率への寄与は明らかでないが，神経血管束への操作を含めた侵襲性の低さ，深部病変への良好なアクセス，早期回復などのメリットがある．病期にかかわらず外科治療単独よりも術後放射線治療を加えることで生存率が向上するとされ[255]，特に頸部リンパ節転移陽性，高悪性度腫瘍，切除断端陽性などでは術後放

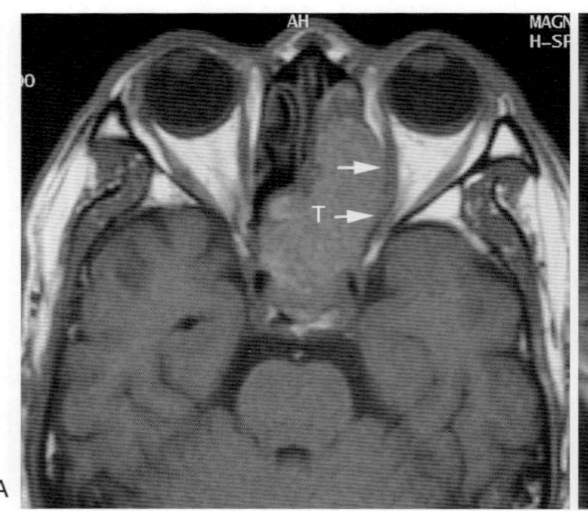

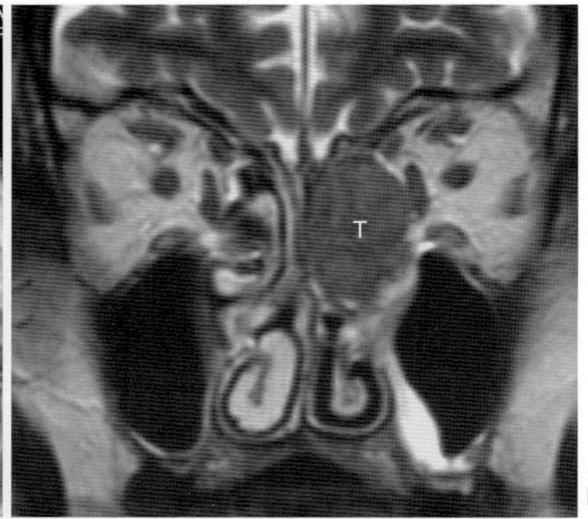

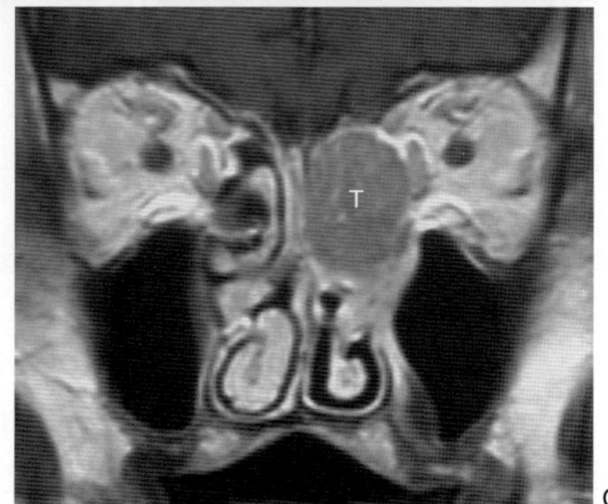

図175　篩骨洞発生の腺癌

A：MRI T1強調横断像．左篩骨洞から蝶形骨洞領域を中心として脳実質よりやや高信号強度を示す腫瘍(T)を認め，外側では眼窩側に膨隆，接する内側直筋(矢印)を圧排偏位している．

B：T2強調冠状断像．腫瘍(T)は左篩骨洞を中心とする楕円形の腫瘤として認められ，信号強度はほぼ均一で，脳実質と同程度の中等度信号強度を示す．

C：造影後T1強調冠状断像．腫瘍(T)はびまん性にほぼ均一な増強効果を示す．

射線治療を行うのが標準である[252]．化学療法を行う臨床的意義は明らかでない．

c. 腺様嚢胞癌(adenoid cystic carcinoma)

腺様嚢胞癌は鼻副鼻腔悪性腫瘍の約5〜10%と発生頻度は腺癌とほぼ同等の比較的まれな悪性腫瘍で，頭頸部悪性腫瘍全体の0.15%未満に過ぎない[256, 257]．50〜60歳代に多い[258]．Martin-Rodriguezらによるmeta-analysisでは女性にやや多いとされる[259]．緩徐でしばしば潜行性の増大を示すことから診断時には進行病変(図177)であることも多く，72%がT3-T4病変である[258]．症状では疼痛が最も多い[258, 260]．大唾液腺病変と同様，鼻副鼻腔病変でもsolid typeの組織亜型は予後不良因子となる[260]．鼻副鼻腔では上顎洞(図177，178)に最も多い．神経周囲進展の頻度が高い(40〜60%)ことが知られている(図179，180，181)．神経周囲進展の詳細は本書15章「神経周囲進展」を参照されたい．同進展を含め，画像診断での進展範囲の評価は治療計画に必要不可欠である．腫瘍と二次性閉塞性変化との区別にはMRIが有用である(図178)．単中心性増大を示す腫瘤(図180)ではなく(炎症に類似した)洞骨壁に沿った軟部組織肥厚として現れる場合(図177)もあり，注意を要する．充実部分の内部は比較的均一なもの(図177，179)から不均一なもの(図178，180)まで幅広く，まれに内部石灰化(図178)を認める[261]．骨への強い浸潤傾向を示すが，CT骨条件での所見が目立たない場合もあり，MRIのT1強調像での脂肪髄の高信号消失や造影後T1強調脂肪抑制画像での骨の異常増強効果(図180，182)が評価に有用である．所属リンパ節転移よりも遠隔転移の頻度がより高い．遠隔転移では肺，骨が重要であり，Ellingtonらによる

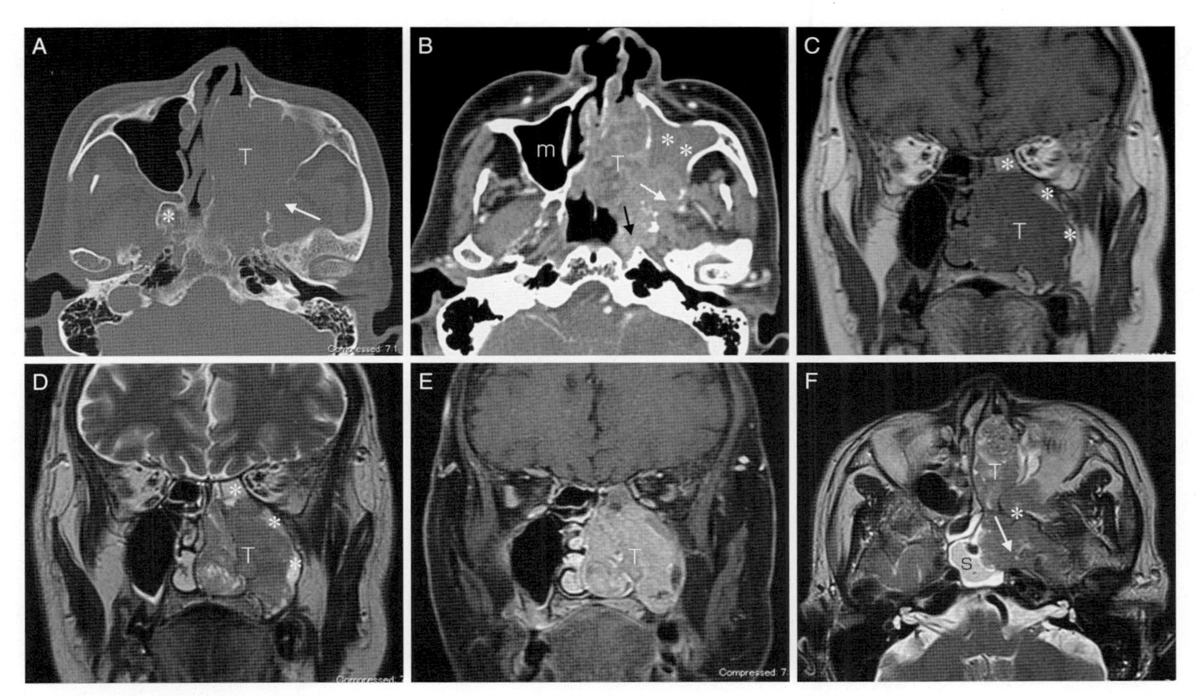

図 176　鼻副鼻腔腺癌

鼻副鼻腔 CT 横断像骨条件表示(A)で左上顎洞から鼻腔にかけて軟部濃度(T)で占拠されており，片側性副鼻腔炎の所見を呈するが，後方で洞骨壁(矢印)，さらに翼状突起基部(対側で＊で示す)の頭蓋底骨破壊を伴い，悪性病変が示唆される．同造影 CT 軟部濃度条件(B)で左鼻腔を中心に不均一な増強効果を示す軟部濃度腫瘤(T)を認め，後方では上咽頭左側壁(黒矢印)，後側方では翼口蓋窩から側頭下窩，上顎洞後部への進展(白矢印)を示す．左上顎洞(対側で m で示す)の前方 2/3(＊)は二次性閉塞性変化を示す．

同症例の MRI，T1 強調冠状断像(C)で腫瘍(T)は骨格筋，脳灰白質とほぼ等信号強度を呈する．左篩骨洞上部，左上顎洞辺縁は二次性閉塞性変化(＊)を示す．高タンパク内容を反映して高信号を呈する．頭側で前頭蓋窩との間には上記の篩骨洞の二次性変化が介在しており，同部での頭蓋内進展は否定可能である．同 T2 強調冠状断像(D)で腫瘍(T)は中等度からやや高信号強度を呈し，二次性変化(＊)は高信号領域として認められる．同造影後 T1 強調脂肪抑制冠状断像(E)で腫瘍(T)は不均一な充実性増強効果を示す．T2 強調横断像(E)で左鼻腔腫瘍は後方で翼口蓋窩(＊)，さらに蝶形骨洞(対側で s で示す)への進展(矢印)を示す．

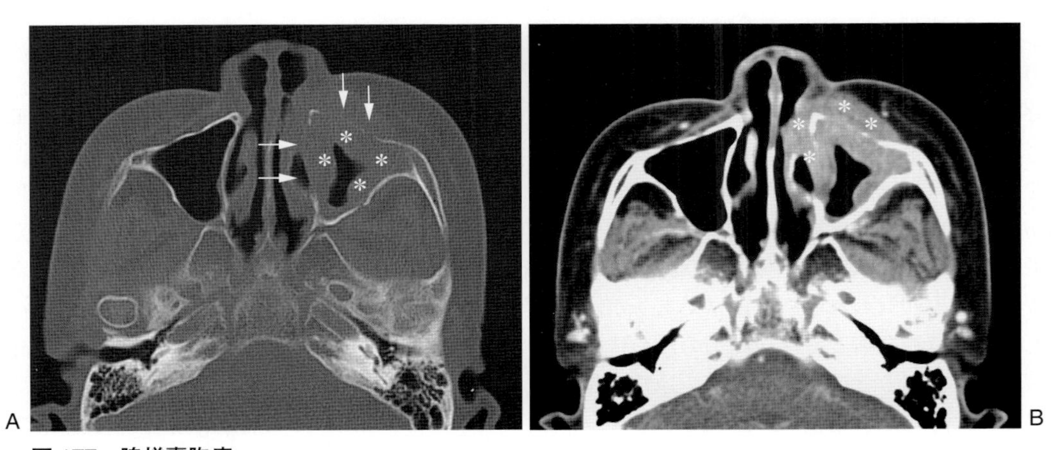

図 177　腺様嚢胞癌

鼻副鼻腔 CT 骨条件(A)で左上顎洞の壁に沿った軟部組織肥厚(＊)を認める．左上顎洞の内側壁および前壁は部分的に不明瞭・途絶(矢印)を示す．造影 CT(B)で洞骨壁に沿った軟部組織は増強効果を示し，腫瘍性病変が示唆される．既に前方で頬部皮下，内側で鼻前庭から鼻腔前方の内側への進展(＊)を伴っている．

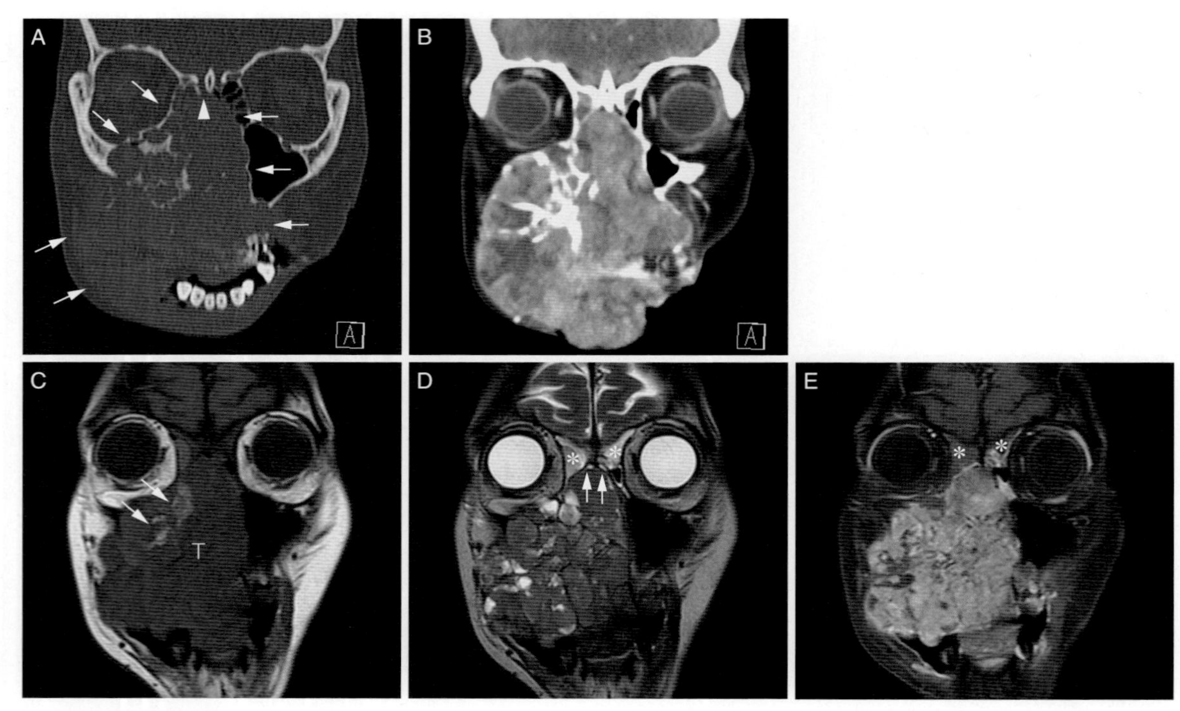

図 178　腺様嚢胞癌

鼻副鼻腔 CT 骨条件冠状断像（A）で右上顎洞・鼻腔を中心とする軟部濃度腫瘤（矢印）を認める．右上顎骨の歯槽突起，硬口蓋，鼻中隔は広範な骨破壊を示す．頭側では右篩板に接するようにみられる（矢頭）．内部には隔壁様に不規則な石灰化を認める．造影 CT 冠状断像（B）で腫瘍は不均等な増強効果を呈する．MRI T1 強調冠状断像（C）で病変は概して骨格筋に類似の低信号を呈するが，内部に出血あるいは高タンパク内容を容れる嚢胞部を疑う高信号域（矢印）が混在する．T2 強調像（D）で病変全般は不均等な中等度からやや高信号を呈し，隔壁様の線状低信号がみられる．頭側では両側ともに篩板との間にわずかな高信号（矢印）がみられ，腫瘍は篩板と直接接するのではなく二次性閉塞性変化が介在していることがわかる．＊：閉塞性変化により高信号を示す前篩骨蜂巣．造影後 T1 強調脂肪抑制像（E）で病変は不均等な増強効果を示し，閉塞性変化（＊）は造影不良域としてみられる．

American Cancer Society study では頭頸部全領域の腺様嚢胞癌例の 11.57％で遠隔転移を認めたとしている[262]．長期にわたる緩徐な進行性病変であり，5 年生存率は 75％と比較的高いが，15 年生存率は 25％と著しく低下する[254]．再発率も高く，初期治療から長期経過後にも生じうるので注意を要する[258]．治療は外科的切除が行われるが，切除断端陽性では 5 年生存率，5 年無病生存率が低下する[258]．切除断端陰性での切除および術後放射線治療が行われるのが通常であるが，低悪性度病変では再発病変や疼痛制御のために放射線治療は温存すべきとの考えもある．通常，腺様嚢胞癌は放射線治療に比較的よく反応するが，効果は一時的である．化学療法は，有症状で進行症例に対する姑息的治療の選択肢となりうる．

d．悪性リンパ腫（malignant lymphoma）

悪性リンパ腫は頭頸部領域で扁平上皮癌に次いで 2 番目に多い悪性腫瘍[263]で，鼻副鼻腔領域でも扁平上皮癌，腺癌に次いで 3 番目に多く，鼻副鼻腔悪性腫瘍全体の 14％を占める[264]．組織型により臨床像は様々である．鼻副鼻腔の悪性リンパ腫は欧米では比較的まれであるが，アジアでは胃腸病変に次いで 2 番目に多い節外病変である[265]．男女比は 2：1 で，50〜60 歳代が典型的である．副鼻腔病変（図 183，184）は比較的悪性度の低いびまん性大細胞型 B 細胞性リンパ腫（DLBCL：diffuse large B cell lymphoma）が多く，欧米でやや多い．DLBCL は成熟 B 細胞の悪性腫瘍であり，非ホジキンリンパ腫で最も多い．一方で鼻腔病変（図 185，186）は悪性度の高い NK（natural killer）/T 細胞リンパ腫が典型で，アジアと南米に多いとされる[265]．NK/T 細胞リンパ腫は大部

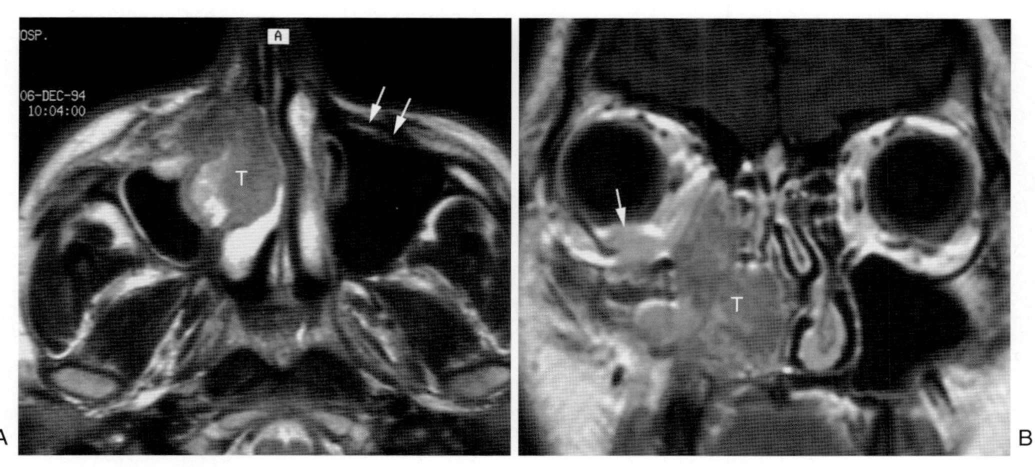

図 179　腺様嚢胞癌

A：MRI T2 強調横断像．上顎洞前方から右鼻腔に及ぶ腫瘍(T)を認める．内部には一部不整形の高信号領域がみられ，壊死部あるいは嚢胞部と思われる．眼窩下孔を出た眼窩下神経が分布・走行する表情筋下頬部軟部組織(左側で矢印で示す)への浸潤あり．

B：造影後 T1 強調冠状断像．腫瘍(T)はやや不均一なびまん性増強効果を示す．右眼窩下壁に沿う眼窩下神経の走行に一致して腫瘤の形成(矢印)がみられ，V2 に沿った神経周囲進展を反映する．

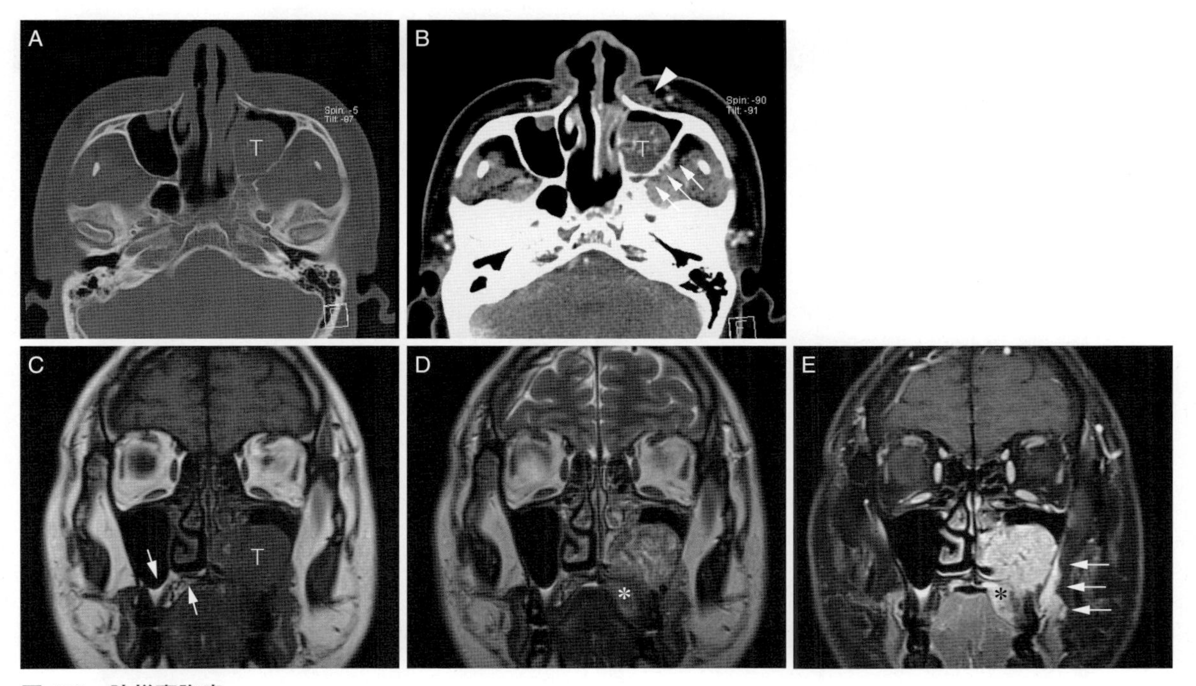

図 180　腺様嚢胞癌

鼻副鼻腔 CT 骨条件(A)で左上顎洞内に類円形軟部濃度腫瘤(T)を認める．洞骨壁に明らかな破壊，途絶などはみられない．造影 CT(B)で病変(T)は不均等な増強効果を呈する．前方では表情筋と左上顎洞前壁との間の脂肪層(preantral fat pad)消失(矢頭)を認め，眼窩下神経末梢部の神経周囲進展，後方では頬間隙の脂肪層(retroantral fat pad)消失(矢印)がみられ，後上歯槽神経から V2 本幹領域での神経周囲進展を反映する．MRI T1 強調画像(C)で病変(T)は骨格筋に類似の低信号を呈する．尾側では歯槽突起から硬口蓋左側の正常脂肪髄による高信号(対側で矢印で示す)は消失しており，腫瘍の骨浸潤を反映する．T2 強調像(D)で病変は不均一な中等度からやや高信号を呈し，造影後 T1 強調脂肪抑制像(E)で不均等な増強効果を呈する．内側下方では硬口蓋左外側から左上顎歯槽舌側の粘膜下腫瘤(＊)の形成あり．大口蓋神経領域を含む．外側では洞骨壁に沿った頬間隙脂肪層への浸潤(矢印)を認め，後上歯槽神経領域を含む．いずれの進展も神経周囲進展を来たしうる．

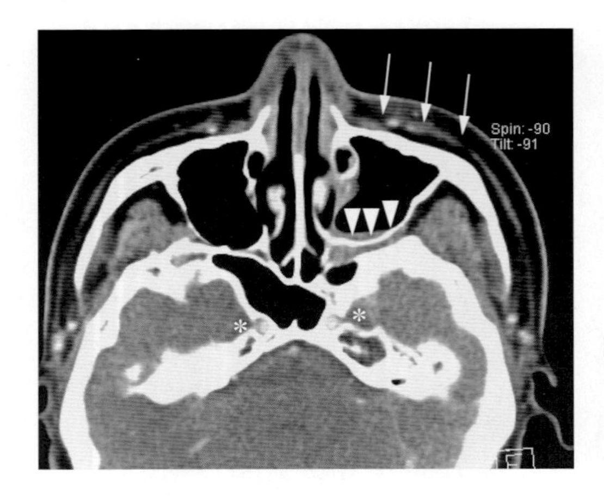

図181　左上顎洞下部の腺様嚢胞癌

造影CT横断像で左上顎洞後壁に沿った薄い軟部組織肥厚を認め，その背側では（洞骨壁の破壊なく）頬間隙から翼口蓋窩脂肪層消失（矢頭）を認め，V2本幹への神経周囲進展を示唆する．一方で洞前壁と表情筋との間の脂肪層（矢印）は保たれている．

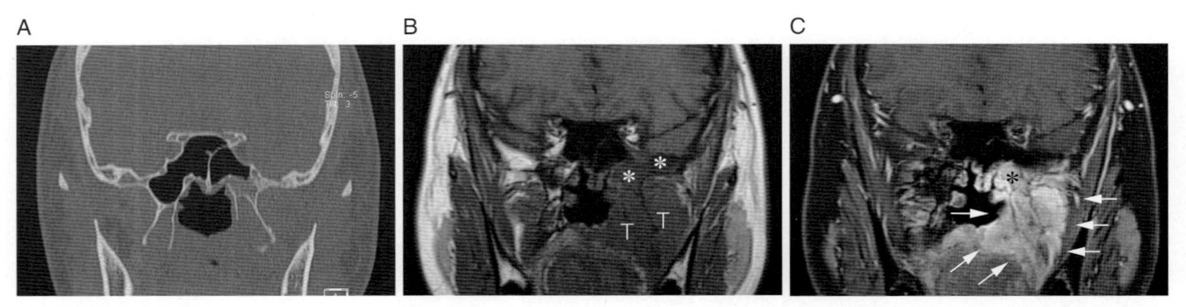

図182　腺様嚢胞癌

蝶形骨洞レベルのCT骨条件冠状断像（A）で明らかな骨破壊は指摘されない．MRI T1強調像（B）で側頭下窩・咀嚼筋間隙でも脂肪層消失がみられ，同部の浸潤性病変（T）が示唆される．頭側において隣接する蝶形骨左大翼から翼状突起基部（＊）で正常脂肪髄の高信号は消失しており，頭蓋底浸潤を反映する．造影後T1強調脂肪抑制像（C）で腫瘍（矢印）とともに（T1強調像で高信号消失部に一致して）頭蓋底の増強効果（＊）を認め，頭蓋底浸潤に相当する．

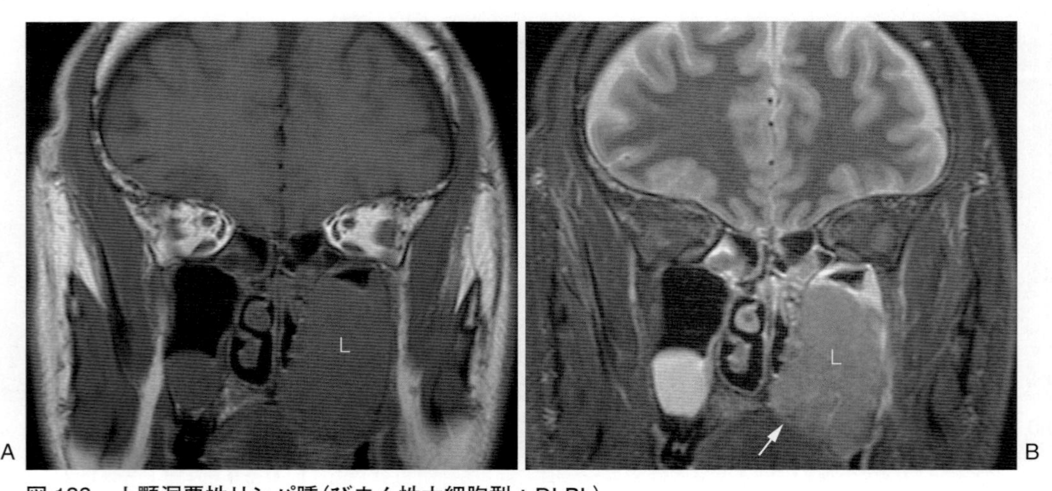

図183　上顎洞悪性リンパ腫（びまん性大細胞型；DLBL）

MRIのT1強調（A）・T2強調（B）冠状断像において，左上顎洞を中心として，内部均一で壊死傾向に乏しい，中等度の信号強度を呈する腫瘍（L）を認める．内側は左鼻腔に進展，硬口蓋左側の破壊（矢印）を示す．

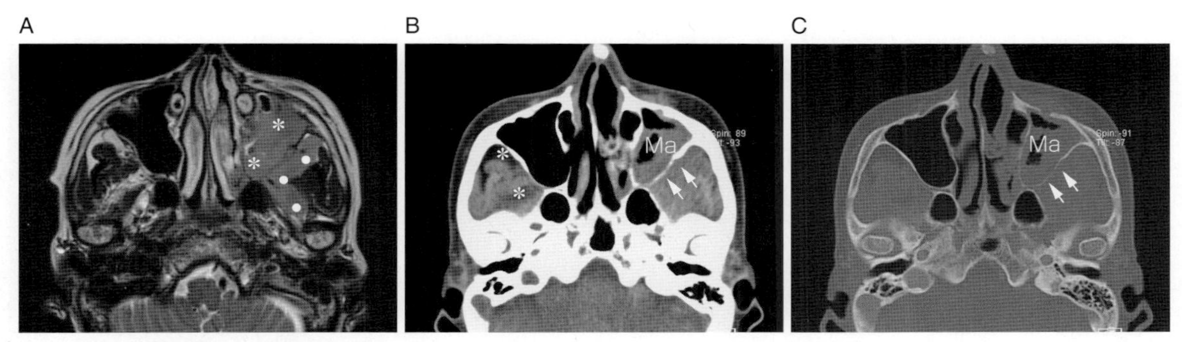

図 184　上顎洞悪性リンパ腫（DLBCL）

鼻副鼻腔領域の MRI T2 強調横断像（A）で左上顎洞（＊）に内部均一でやや高信号の病変を認め，後方では左側頭窩（●）への進展を示す．CT 軟部条件（B）および骨条件（C）で左上顎洞（Ma）に軟部濃度病変を認める．上顎洞後側壁（矢印）は保たれているが，背側の頬間隙や咀嚼筋間隙の筋間脂肪層（対側で＊で示す）は消失しており，左側頭下窩への後方進展を反映する．

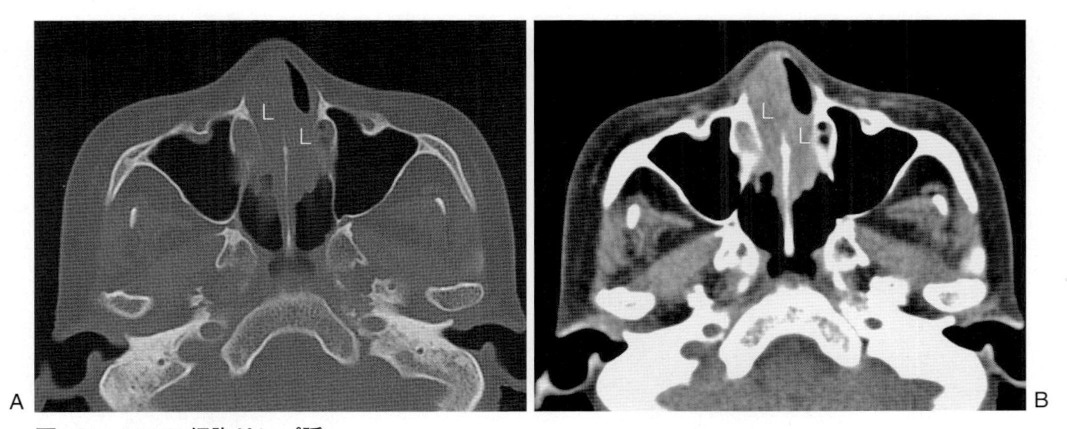

図 185　NK/T 細胞リンパ腫

鼻副鼻腔領域 CT 横断像の軟部条件（A）および骨条件（B）．鼻中隔をはさむように右鼻前庭から両側鼻腔に軟部濃度腫瘤（L）を認める．

分が natural killer 細胞，一部が T 細胞に由来するまれな悪性腫瘍で，鼻腔発生（83.5％）が最も多い[266]．血管浸潤性発育により，しばしば壊死，骨破壊を生じる．以前は壊死性変化，侵襲性の高さなどから“lethal midline granula”として知られていた．また，血管浸潤性から血管炎に類似することから“angiocentric lymphoma”とも呼ばれてきた．画像上，鼻腔のびまん性浸潤，壊死，正中構造の破壊，上咽頭への進展（図 187）は早期病変でも確認される場合がある[267]．

画像診断において，DLBCL は上顎洞を中心とする内部均一な病変として認められるのが典型的である（図 183，184）．一方で NK/T 細胞リンパ腫は鼻腔を中心とする腫瘤として認められるが，高度壊死性（図 188）を示す単中心性病変（図 189）から，（他部位のリンパ腫同様）内部均一でびまん性浸潤性を示す病変（図 190）まで，多彩である．前者の場合は GPA（Wegener 肉芽腫）や浸潤性真菌性副鼻腔炎，後者の場合は小円形細胞腫瘍が鑑別疾患となる．CT での骨変化は破壊性，膨隆性と多彩であるが，ときに一見正常に保たれる薄い骨壁を挟み込むようにした腫瘍進展（transosseous spread）が特徴的である（図 184，191，192）．結果として既存の薄い骨構造を偏位なく残したまま，びまん性浸潤性腫瘤を形成（図 186，192，193）することも多く，他の腫瘍とは大きく異なる．拡散強調像では（扁平上皮癌と比較しても）著明な拡散低下を示す傾向にある（図 193，194）．多中心性病変（図 194）であることか

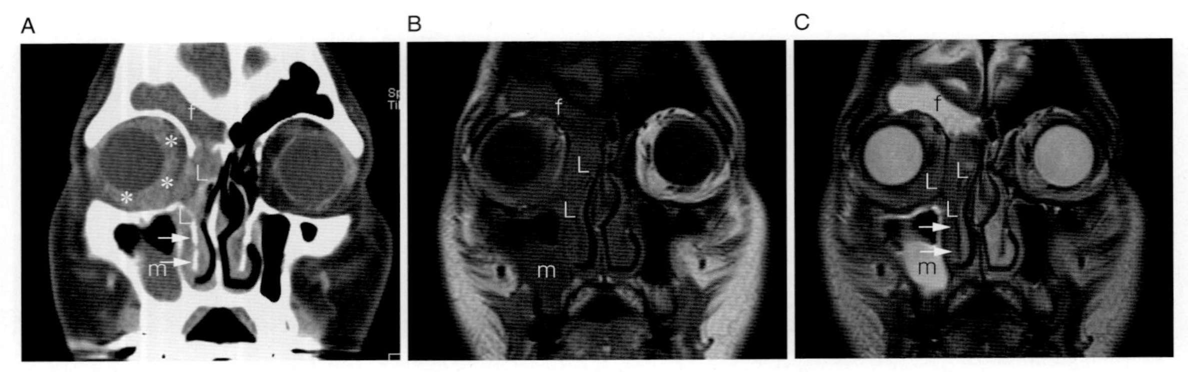

図 186　NK/T 細胞リンパ腫
鼻副鼻腔領域造影 CT 冠状断像(A)で右鼻腔に軟部濃度病変(L)を認め，隣接する眼窩にも浸潤性変化(＊)を伴う．右下鼻甲介(矢印)は健側と同等に描出され，偏位なく保たれている．同側の前頭洞(f)，上顎洞(m)にも軟部濃度を認める．MRI T1 強調像(B)で病変(L)，前頭洞(f)，上顎洞(m)いずれも骨格筋に類似の低信号を示す．T2 強調像(C)で右鼻腔および眼窩の病変(L)は中等度からやや高信号を呈するのに対して，前頭洞(f)，上顎洞(m)は二次性閉塞性変化が著明な高信号を呈しており，既述病変との区別は明瞭である．右下鼻甲介(矢印)は内側面は通常粘膜の高信号を呈するのに対して，外側面はやや信号の低い腫瘍の浸潤を受ける．

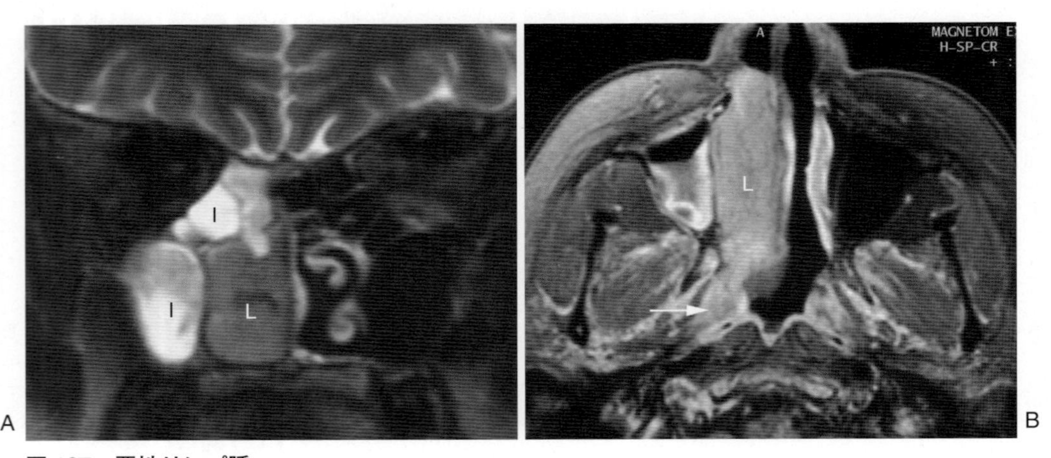

図 187　悪性リンパ腫
A：MRI，STIR 冠状像．右鼻腔内を占拠する，比較的均一な中等度の信号強度を示す腫瘤(L)を認め，悪性リンパ腫に一致する．同側篩骨洞，上顎洞には二次性変化を示す高信号(I)を認める．
B：造影後脂肪抑制 T1 強調横断像．腫瘍(L)はびまん性増強効果を示す．後方で上咽頭右側壁への浸潤(矢印)あり．

ら扁平上皮癌など，他の腫瘍と鑑別可能な場合もある．

治療は DLBCL，NK/T 細胞リンパ腫ともに診断時の病期，組織型による．局所への放射線治療と化学療法が主体となるが，NK/T 細胞リンパ腫では再発率は高く，予後不良[268]．特に B 症状(発熱，リンパ節腫大，夜間発汗，全身倦怠，体重減少など)を伴う例で予後不良との報告がある[269]．5 年生存率は 70％を超えない．診断時 Ann Arbor 分類での低い病期と放射線治療が生存率に寄与し，早期病変に対して化学療法が有効とされるが，外科的治療は生存率に寄与しない[266]．

e. 髄外性形質細胞腫(extramedullary plasmacytoma)

形質細胞腫はモノクローナルな B 細胞の増殖による悪性腫瘍であり，多発性骨髄腫，孤立性骨形質細胞腫と髄外性形質細胞腫の 3 型に区分される．髄外性形質細胞腫は形質細胞腫全体の 3％とまれで，頭頸部腫瘍全体の 1％，鼻副鼻腔領域の非上皮性腫瘍の 4％とまれである[270]．ただし，

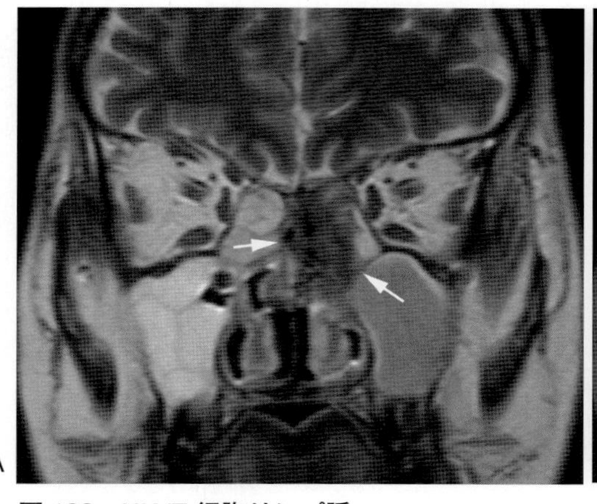

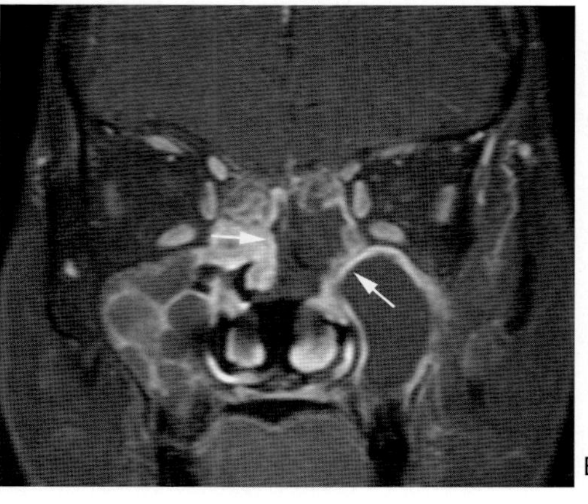

図 188　NK/T 細胞リンパ腫

T2 強調冠状断像(A)で，左鼻腔上部を中心に，低信号強度を示す浸潤性腫瘤(矢印)を認め，造影後 T1 強調像(B)で同部の増強効果は乏しく，高度壊死性を反映する．鼻副鼻腔の他部位には比較的広範に慢性鼻副鼻腔炎所見あり．

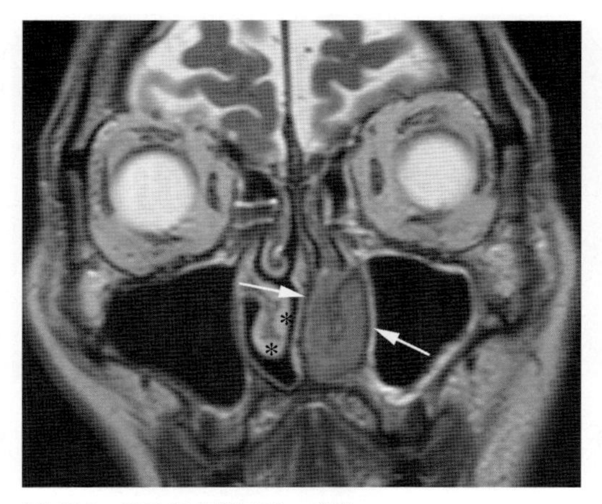

図 189　NK/T 細胞リンパ腫

T2 強調冠状断像において，左下鼻甲介を囲むようにして，正常鼻粘膜(＊)よりも低い均一な中等度信号強度を示す腫瘤(矢印)を認める．

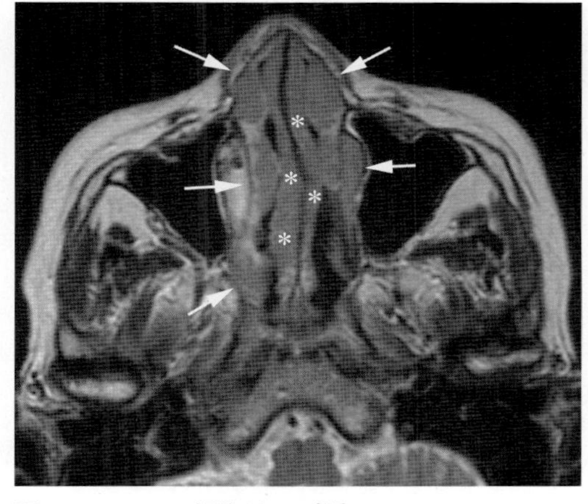

図 190　NK/T 細胞リンパ腫

T2 強調横断像で鼻腔には鼻中隔両面(＊)を含めて，両側性にびまん性浸潤性腫瘤(矢印)を認める．

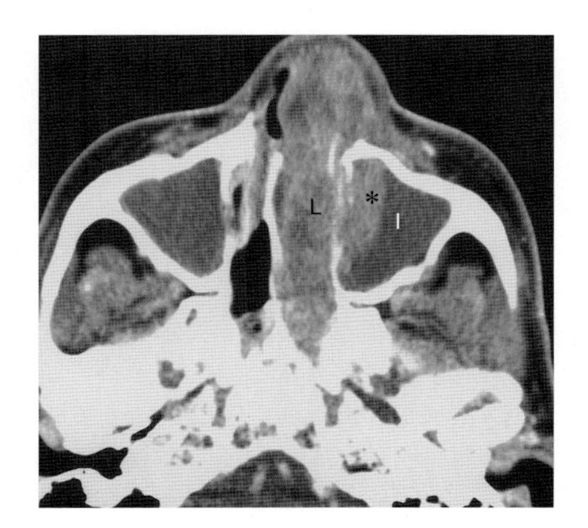

図 191　悪性リンパ腫

造影 CT 横断像において左鼻腔から鼻前庭を占拠する，びまん性増強効果を示す腫瘤(L)を認める．内側は広範に鼻中隔と接するが，対側への進展はみられない．外側は明らかな骨変化なく上顎洞内に進展(＊)あり．さらに外側の二次性炎症性変化は液体濃度(l)として区別される．

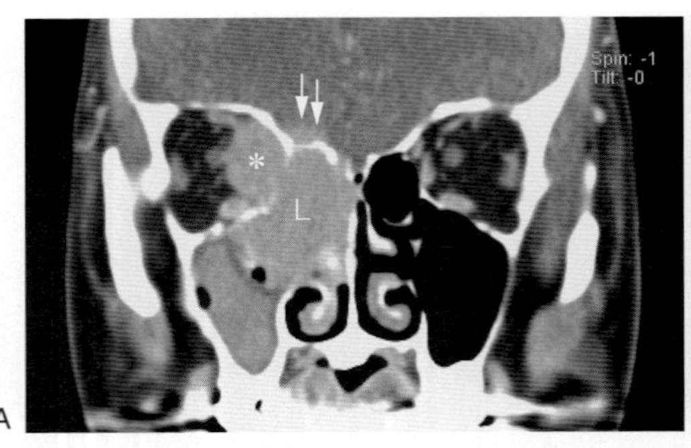

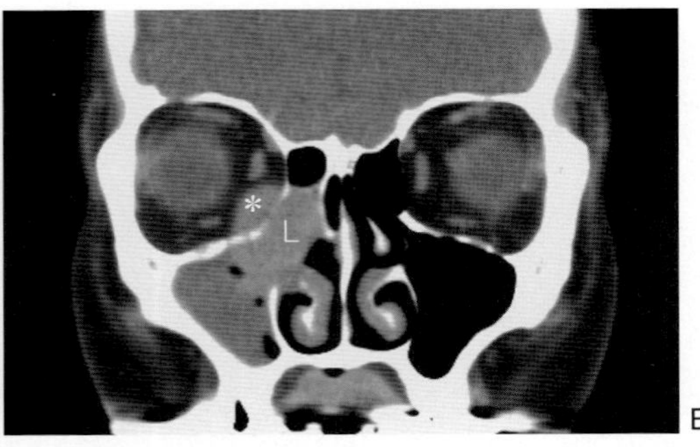

図 192　transosseous spread を示す鼻副鼻腔悪性リンパ腫 2 例

鼻副鼻腔領域造影 CT 冠状断像(A)で右鼻腔から篩骨洞を中心とする均一な増強効果を呈する腫瘤(L)を認め，側方で眼窩進展(＊)あり．頭側では篩骨天蓋の骨は保たれているが頭蓋内進展(矢印)が描出されている．別症例の CT 冠状断像(B)で右鼻腔に軟部濃度腫瘤(L)を認め，隣接する眼窩骨壁の描出は対側と同等に保たれているが，眼窩内に進展した腫瘍が腫瘤(＊)を形成している．

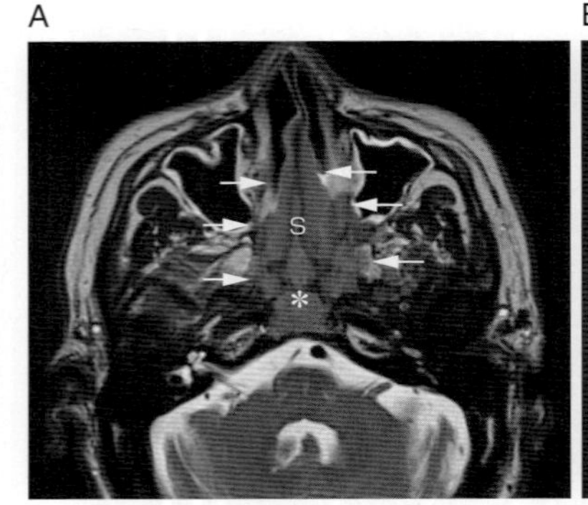

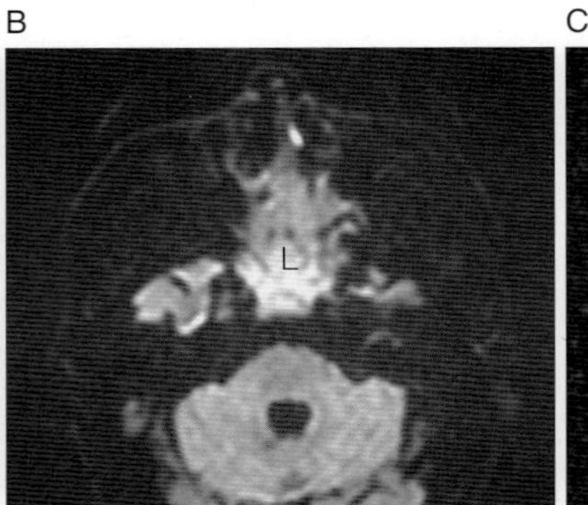

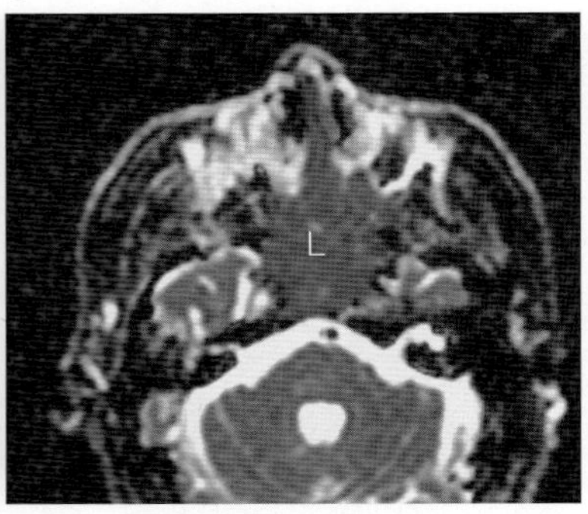

図 193　鼻腔悪性リンパ腫(DLBCL)

鼻副鼻腔領域 MRI T2 強調横断像(A)で鼻腔後方から蝶形骨体部・斜台(＊)に広範に浸潤する均一な中等度信号の病変(矢印)を認める．鼻中隔(s)は偏位，(MRI 上での明らかな)破壊なく，病変はほぼ左右対称性の局在を示す．拡散強調像(B)で高信号(L)，ADC map(C)で低信号(L)と，拡散低下を反映している．

髄外性形質細胞腫の 80%が頭頸部で，その 80%が鼻副鼻腔領域に発生する[271, 272]．その他では上咽頭にも多い[273]．男性に多く(3〜4：1)，30〜70 歳代に好発する[270]．症状は鼻閉(約 30%)で初発する場合が多いが非特異的であることから診断が遅延する例も多い．その他の症状として鼻出血(24%)，顔面腫脹(10%)，顔面痛(10%)，無痛性腫瘤(7%)，視力障害(6%)などを訴える[270]．診断には形質細胞性白血病，多発性骨髄腫の否定が必要である．診断は血清蛋白電気泳動，血清蛋白・アルブミン比，血清免疫電気泳動，尿中 Bence-Jones 蛋白検出，骨髄穿刺，骨 X 線写真，末梢血数などによる．診断時，5〜20%で頸部リンパ節病変を伴うが[274]，頸部郭清術にしろ放射線治療にしろ，N0 頸部に対する予防的治療のエビデンスはなく推奨されない[275]．画像診断(図 195)は存在診断，広がり診断，治療後効果判定・経過観察において重要な役割を果たす．質的診断として所見特異性は低いが比較的著明な充実性増強効果を示す傾向にある．悪性リンパ腫，嗅神経芽腫，肉腫，未分化癌などの小型円形細胞腫瘍とともに，腫瘍類似疾患として GPA (後述)なども鑑別となる．

髄外性形質性細胞腫と多発性骨髄腫が時相の異なる同一病態か，2 つの異なる病態かについては議論があるが[274]，10 年以上の経過のなかで髄外性形質細胞腫の 11〜33%は多発性骨髄腫に移行する[276]．移行による多発性骨髄腫はもともとの

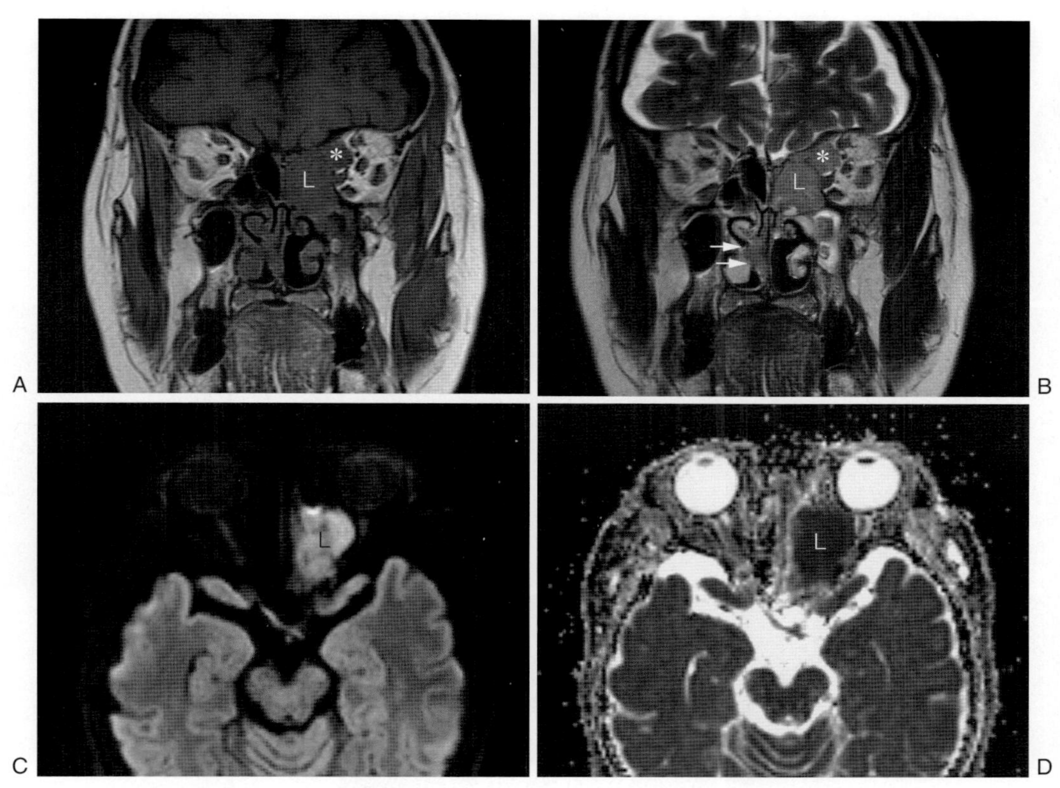

図 194　篩骨洞悪性リンパ腫（DLBCL）

鼻副鼻腔領域 MRI T1 強調冠状断像（A）および T2 強調冠状断像（B）で左篩骨洞に内部均一な腫瘤（L）を認め，外側では眼窩進展（＊）を伴う．T2 強調像（B）で鼻中隔右側面にも（周囲の鼻甲介粘膜よりも信号が低く，既述の左篩骨洞病変と類似の）中等度信号病変がみられる．篩骨洞病変とは解剖学的連続性はなく，多中心性病変を示す．拡散強調像（C）で高信号（L），ADC map（D）で低信号（L）と，拡散低下を反映している．

多発性骨髄腫よりも予後がよい傾向にあるが，いったん多発性骨髄腫に移行すると 10 年生存率は 10％未満となる[274)]．移行は診断後最初の 2 年が最も多いが，最大 15 年後にも起こりうる[274)]．

同病変は放射線治療感受性が高く（局所制御率 80〜100％）[277)]，治療は放射線治療（40〜50 Gy），外科的療法および両者が施行される．化学療法が第一選択となることはない．髄外性形質細胞腫は他の形質細胞腫よりも予後は良好で 10 年生存率は 50〜70％[278, 279)]とされる．60 歳以下で腫瘍径 4 cm 未満の例で生存率が高いとの報告もある[280)]．長期（可能であれば生涯にわたる）経過観察が必要とされる．

f. 悪性黒色腫（malignant melanoma）

神経堤から鼻副鼻腔粘膜への胎児発生期に迷入したメラニン細胞（melanocyte）に由来する．悪性黒色腫全体の 0.3〜2％，頭頸部悪性黒色腫全体の約 4％[281)]，鼻副鼻腔悪性腫瘍全体の数％とまれで，50〜70 歳代に多い．鼻腔（主に鼻中隔や鼻腔外側壁で，鼻中隔が最も多い）の発生が多く，副鼻腔発生の 2〜3 倍の頻度とされる[205, 282)]．副鼻腔では上顎洞が最も多い（80％）．やや男性に多い[283)]．鼻閉，鼻出血に加えて黒色の鼻腔内腫瘤を認めることから診断されるが，10〜30％では色素沈着の明らかでない腫瘍“amelanotic melanoma”もみられる．その他，症状として鼻変形，嗅覚障害，顔面痛，視力障害などが含まれる[283)]．鼻副鼻腔悪性黒色腫の 5 年生存率は 30％未満と，他の鼻副鼻腔悪性腫瘍よりも予後不良であり[284, 285)]，2010 年の AJCC cancer staging manual 第 7 版以降，個別の病期診断（**表 21**：p227）

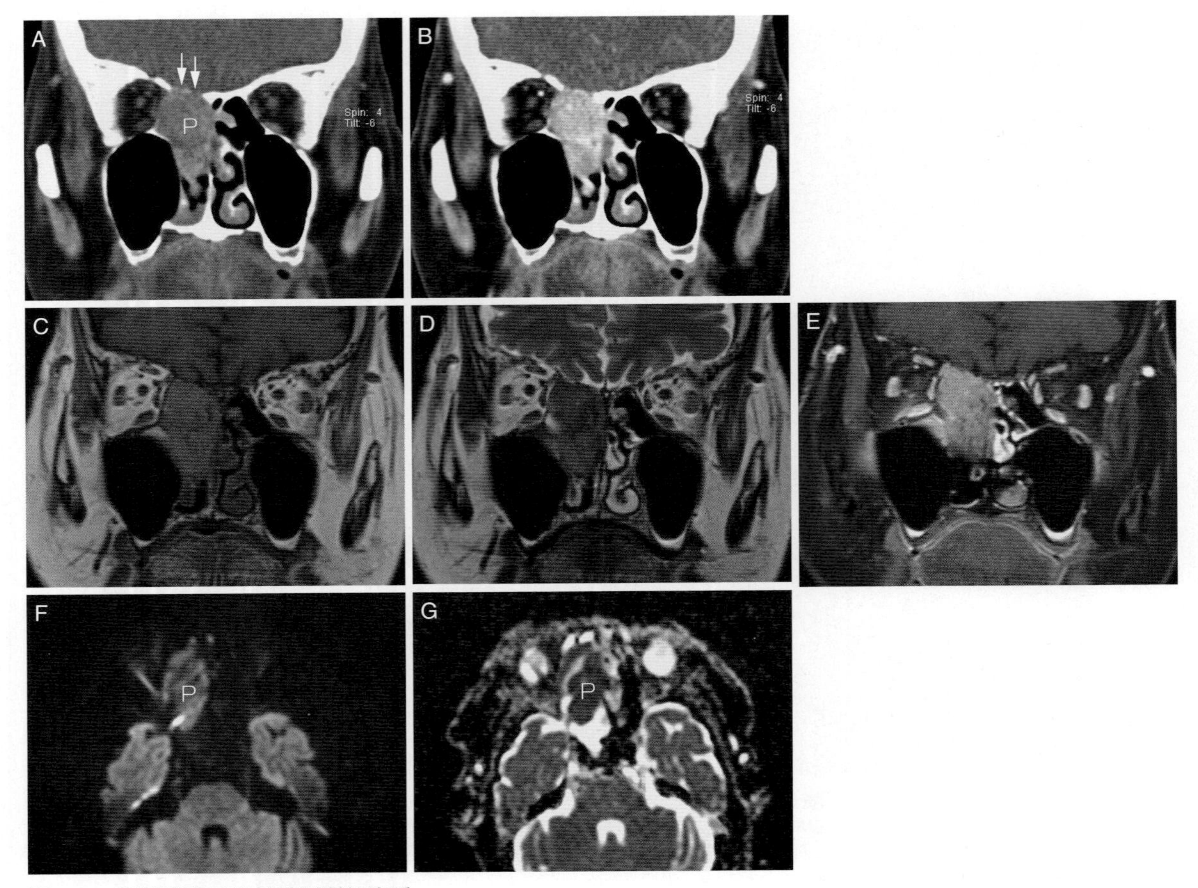

図 195　鼻副鼻腔の髄外性形質細胞腫
鼻副鼻腔領域の造影前 CT 冠状断像（A）で，右篩骨洞から鼻腔上部に軟部濃度腫瘤（P）を認め，側方では眼窩側に軽度膨隆，頭側では篩骨天蓋の骨侵食（矢印）あり．造影後 CT（B）では比較的著明な充実性増強効果を認める．MRI T1 強調像（C），T2 強調像（D）で中等度からやや低信号強度を呈し，造影後 T1 強調脂肪抑制像（E）で充実性増強効果を示す．硬膜を越えた明らかな頭蓋内進展はみられない．拡散強調像（F）で高信号（P），ADC map（G）で低信号（P）と，他の悪性腫瘍に類似した拡散低下を示している．

が用いられるようになった[211]．

MRI の T1 強調像において出血と（melanotic malanoma では）paramagnetic melanin 沈着の程度と分布により高信号強度を示す（図 196，197）[286]．T2 強調像（図 197B，198）ではときに線維性隔壁が線状低信号としてみられる[286]．T1 強調像での腫瘍の一部あるいは全体の隔壁様所見（septate pattern）（図 198）が高い特異度（97％），中等度の感度（74％）で診断を示唆するとされる[285]．血流の豊富な腫瘍であり，比較的強い増強効果を示す．flow void が悪性黒色腫に比較的特異性の高い所見との報告もある[287]．

放射線治療は局所制御に多少の有効性を示すものの生存率には寄与しない[288]．根治的外科的切除が治療の標準であるが，局所再発の危険性も高く[282]，十分な治療効果があるとはいいがたい．早期診断により完全に切除された場合では，ある程度治癒の可能性が期待されるが，40 年にわたり生存率の有意な改善は見られない[288]．篩骨洞，上顎洞病変は鼻腔病変よりも予後不良とされ，その他の予後不良因子としては頭蓋底，眼窩，顔面軟部組織への浸潤が挙げられる[289]．他の上皮性悪性腫瘍のように 5 年以上の経過後に死亡率が著しく低下することはなく，通常は全身播種により死亡する．皮膚病変と比較して血行性転移を来しやすいとされる[289]．ただし，局所再発や遠隔転移は短期での死亡を意味するものではない．

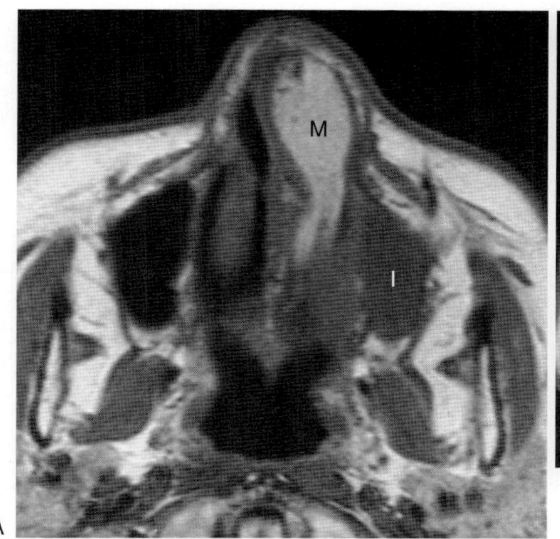

A

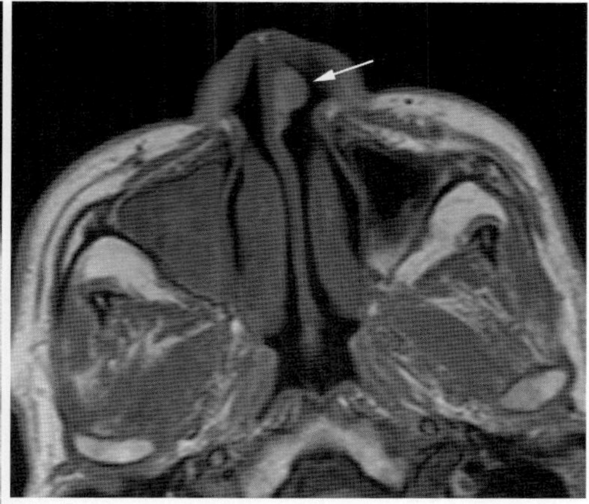

B

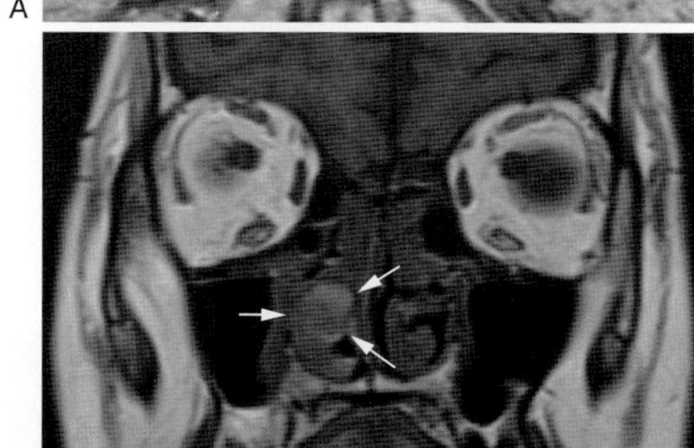

C

図 196　（T1 強調像で高信号強度を示す）悪性黒色腫 3 例

鼻副鼻腔領域の MRI T1 強調横断像（A）において，左鼻腔から鼻前庭にかけて高信号を示す腫瘤（M）を認める．辺縁は浸潤性ではなく，膨隆性を示す．左上顎洞に炎症性変化（I）あり．別症例の T1 強調横断像（B）で鼻中隔前方の左側面に沿った限局性高信号病変（矢印）を認める．右上顎洞炎の所見あり．別症例の T1 強調冠状断像（C）において右鼻腔に淡い高信号を示す腫瘤（矢印）を認める．いずれも T1 強調像での高信号から悪性黒色腫が示唆される．

表 21　悪性黒色腫粘膜病変の TNM 分類

T	T3	粘膜，粘膜直下に限局（厚さ，腫瘍径にかかわらず） 〔例：鼻腔のポリープ様病変，口腔・咽頭・喉頭の色素性・非色素性病変〕	
	T4	中等度あるいは高度進行性病変	
		T4a	中等度進行：深部軟部組織，軟骨，骨，あるいは皮膚への浸潤
		T4b	高度進行：脳，硬膜，頭蓋底，下位脳神経（CN IX～XII），咀嚼筋間隙，頸動脈，椎前間隙，あるいは縦郭構造への浸潤
N	NX	評価不能	
	N0	所属（頸部）リンパ節転移なし	
	N1	所属（頸部）リンパ節転移あり	
M	M0	遠隔転移なし	
	M1	遠隔転移あり	

（Amin MB, Edge SB, Green FL, Byrd DR et al（eds）: Head and Neck. AJCC Cancer Staging Manual（8th ed）, Springer, New York, p53-181, 2017）

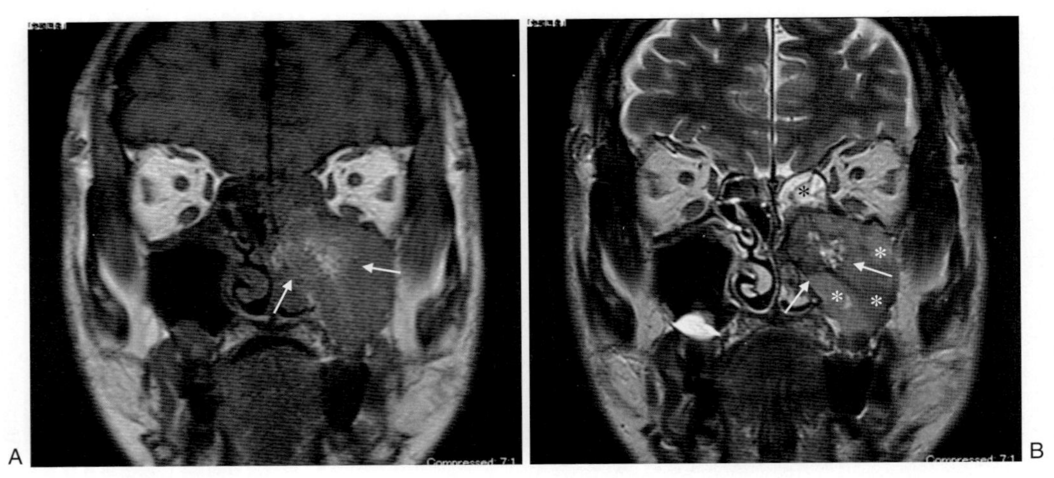

図 197　悪性黒色腫

A：T1 強調冠状断像．左側の上顎洞から鼻腔の含気腔を占拠する病変を認め，不整形の高信号域(矢印)を伴う．内部には細かな隔壁様所見が認められる．

B：T2 強調冠状断像．左上顎洞内側から鼻腔にかけて，内部の不均一な腫瘤(矢印)を認め，辺縁の被膜様線状低信号および内部の隔壁状線状低信号を含む(本例は MRI 所見としては血瘤腫に類似する)．左篩骨洞，上顎洞辺縁部は二次性変化(＊)を示す．

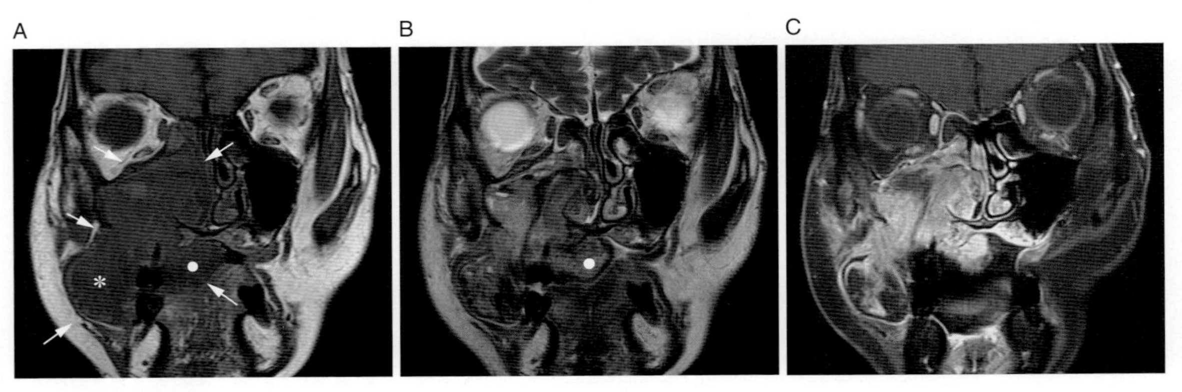

図 198　悪性黒色腫

鼻副鼻腔領域 MRI T1 強調冠状断像(A)において，右上顎洞を中心に膨隆性腫瘤(小矢印)を認める．内側は鼻腔，外側下方では右上顎歯肉頬粘膜移行部から頬粘膜部(＊)へ，内側下方では硬口蓋口腔面(●)への進展を示す．内部には淡い高信号領域(＊)を認める．T2 強調像(B)で内部は著明な不均一性を示し，内部には索状低信号がみられる．造影後 T1 強調脂肪抑制像(C)で病変は不均等な増強効果を呈する．

g. 横紋筋肉腫(rhabdomyosarcoma)

横紋筋肉腫は筋原細胞に由来するまれな高悪性度腫瘍であり，1854 年に Weber らが最初に報告した[290]．40％が頭頸部に発生し[291]，小児上気道領域で最も多い悪性腫瘍である[250]．小児の鼻副鼻腔領域の肉腫としても最も多い[292]．10 歳未満に最も多く，ほぼ 60％が 20 歳未満である[293]．成人は比較的まれで全肉腫の 10％未満[294]ではあるが，成人例もみられることは重要である．性差は明らかでない．白人に多い[291]．

頭頸部領域では局在により，傍髄膜(parameningeal)，眼窩，その他(非傍髄膜・非眼窩)の 3 つに区分され，鼻副鼻腔は傍髄膜に含まれる．傍髄膜病変として，その他に上咽頭，中耳，側頭下窩などが挙げられる．傍髄膜病変は，頭蓋内進展，髄液播種の危険性，切除不能などを理由として，頭頸部病変では最も予後不良であり，5 年生存率は約 50％である[291]．上咽頭病変

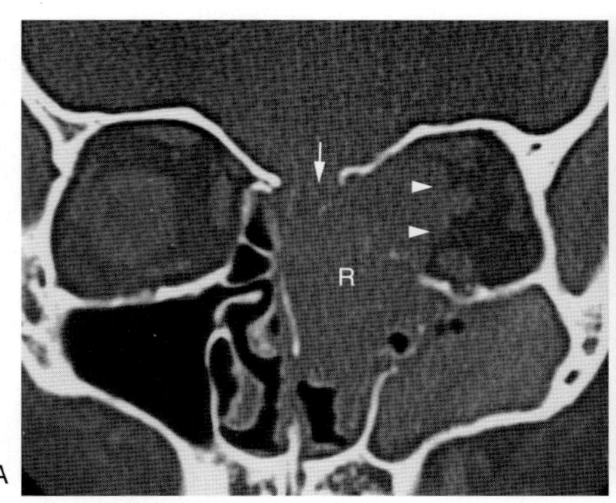

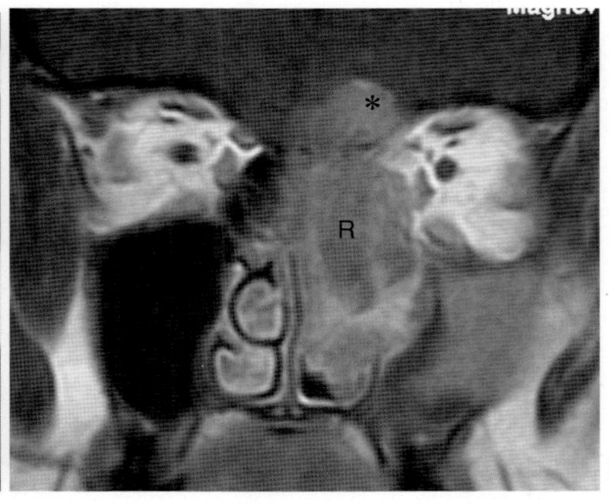

図 199　横紋筋肉腫

A：骨条件 CT 冠状断像．左鼻腔から篩骨洞領域を中心に占拠する軟部組織濃度腫瘤(R)を認める．頭側は篩骨篩板の破壊(矢印)を認め，頭蓋内進展を示唆する．外側は眼窩内側壁を破壊し，眼窩内進展(矢頭)を伴う．

B：造影後 T1 強調冠状断像．腫瘍(R)はびまん性の増強効果を示し，前頭蓋窩の硬膜下に腫瘤を形成する頭蓋内進展(＊)も明瞭に描出されている．

はその他の傍髄膜病変よりも予後良好とされる[295]．頸部リンパ節(肉腫は一般に血行性転移が主であるが，横紋筋肉腫のリンパ節転移の頻度が高いことは臨床上，重要)，肺(遠隔転移部位として最多)にしばしば転移を生じる．鼻副鼻腔病変は無痛性腫瘤，鼻閉，あるいは鼻漏，反復性中耳炎，鼻出血などとして現れる．これら非特異的症状から診断はしばしば遅延，進行病変として認められる．2017 WHO の組織学的分類では胎児型(embryonal)，胞巣型(alveolar)，多形型(pleomorphic)，紡錘細胞型(spindle cell)に分けられる[224]．胞巣型が予後不良群，胎児型が予後中間群，紡錘細胞型は予後良好群とされる[293]．全体としては胎児型と胞巣型が多いが，最も予後不良とされる胞巣型は 15 歳未満では他の組織型より少なく[296]，成人では多い(66％)[293]．鼻副鼻腔領域でも，胞巣型の横紋筋肉腫は再発率が高く，リンパ節転移，遠隔転移陽性の頻度も高く，予後不良とされる[297]．画像所見の特異性は低い(図 199，200)．Hyams は組織型と臨床像との関連はないとしているが，IRS (Intergroup Rhabdomyosarcoma Study)では分化度の低い腫瘍，単形円型細胞による腫瘍で予後不良としている[298]．若年(10 歳未満)，小さな腫瘍，遠隔転移なし，限局性の局在，低い IRSG 病期，胎児型病変などは予後良好の傾向にあるとされる[291]．成人例は組織型にかかわらず予後不良であるが，成人であっても 35 歳未満と 35 歳以上では生存率に有意差がみられる[293]．腫瘍の大きさでは 5 cm を超えると病変の局在にかかわらず予後不良である[291]．頸部リンパ節転移の有無と予後については十分にわかっておらず，関連がないとする報告もある[291]．腫瘍は浸潤性が高く，急速な増大と播種を示す．

CT では骨格筋とほぼ等濃度の腫瘤として見られ，多くで骨破壊を伴う．内部は均一な例が多いが，しばしば不均一性を示す[299, 300]．MRI では，骨格筋と比較して，T1 強調像でほぼ同等かわずかに高信号，T2 強調像で高信号強度を呈する．鼻副鼻腔領域での悪性腫瘍の所見を示すが所見特異性は低い．画像診断では病変の進展範囲(特に頭蓋内進展の有無)の把握，治療効果判定，再発診断などが重要となる．MRI は高いコントラスト分解能により，局所病変の最初の病期診断，経過観察において CT よりも有用とされる[299]．

外科的治療，化学療法，放射線治療の集学的治療がとられるが，治療の標準化には依然として議論がある．局所と頸部リンパ節病変の制御が長期生存率の改善において最も重要であり，IRSG は病理診断とともに手術で腫瘍がどこまで取りきれたかによって分けられるグループ I〜IV に基づいた治療計画を推奨している．鼻副鼻腔領域では化

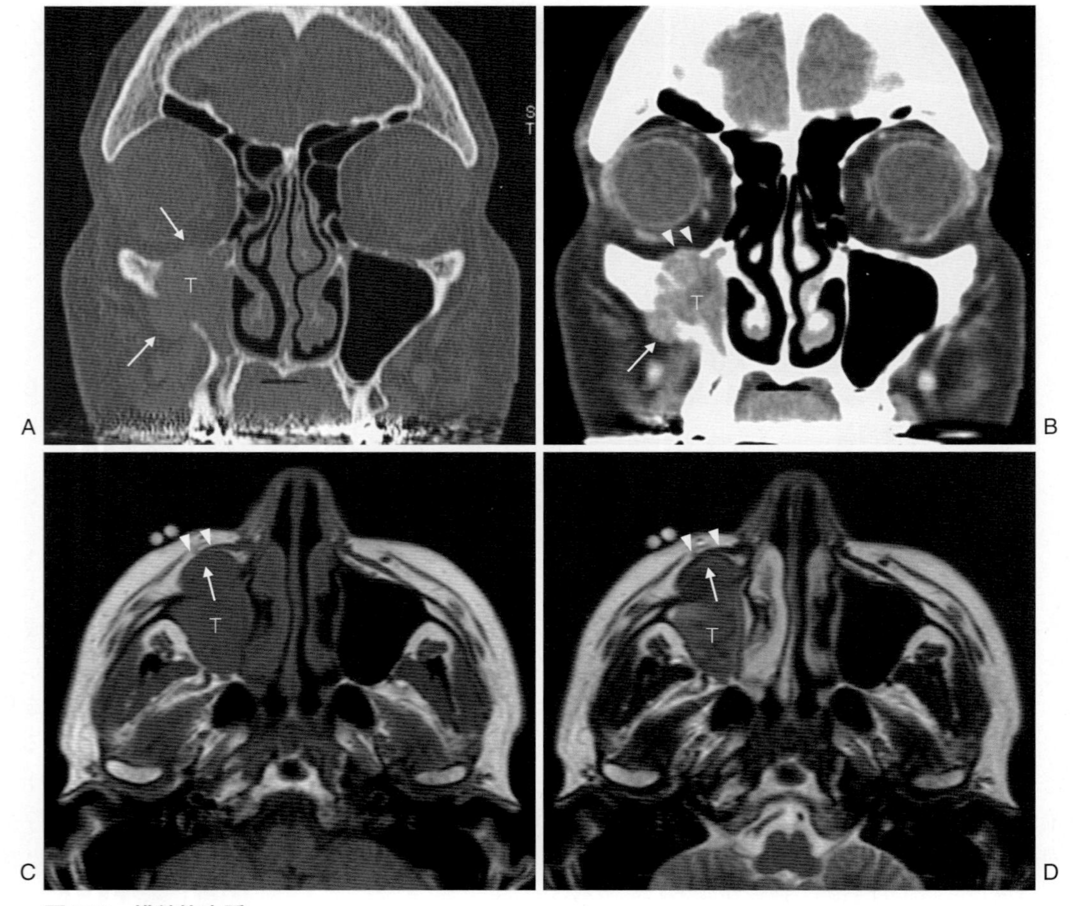

図200　横紋筋肉腫

鼻副鼻腔CT冠状断像骨条件表示(A)において，右上顎洞を占拠する軟部濃度病変(T)を認め，眼窩下壁，洞前壁の破壊(矢印)を伴う．同造影CT冠状断像(B)で，病変(T)は不均等な増強効果を示し，頭側で眼窩下部(矢頭)，前方で頬部軟部組織(矢印)への進展を示す．

同症例MRI，T1強調(C)およびT2強調(D)横断像．病変(T)はT1強調像(C)では骨格筋と類似した中等度から低信号，T2強調像(D)ではやや不均等な中等度から高信号強度を呈し，前方で表情筋(矢頭)深部の頬部軟部組織への進展を示す．

学療法と放射線治療との組み合わせが局所および頸部病変の制御率が最も高く，所属リンパ節転移の危険性が高いことから頸部への追加照射が有効となる[292, 301]．進行病変に対しては化学放射線治療は確立されたアプローチであり，悪性度の低い組織型の早期病変に関しては可能な範囲で根治的外科的治療がとられる[292]．一般に小児の鼻副鼻腔の肉腫は外科的治療が目標とされる．その理由としては放射線治療に感受性が低いものが多い，3,000 cGy以上の照射では顔面頭蓋の発育に障害が出ること，放射線誘発性悪性腫瘍のリスクが考慮されること，などがあげられる．治療選択において顔面非対称性，視力障害，神経内分泌障害なども重要な要素である．

6 その他の腫瘍，腫瘍類似疾患

a. granulomatosis with polyangitis (GPA)・Wegener肉芽腫

GPA・Wegener肉芽腫は特発性の壊死性肉芽腫性血管炎で肺(95 %)，副鼻腔(90 %)，腎(85%)，鼻腔・上咽頭(65%)，関節(65%)を主に侵す[302]．初発部位は頭頸部が最も多く，最大95%が頭頸部病変，85%が鼻副鼻腔病変で，約3分の1が鼻副鼻腔のみの病変を示す[303]．1936年，

表 22　CHCC2012 で採択された血管炎

血管炎の種類	病態
大型血管炎(LVV: large vessel vasculitis)	高安動脈炎(TAK: Takayasu arteritis) 巨細胞性動脈炎(GCA: giant cell arteritis)
中型血管炎(MVV: middle vessel vasculitis)	結節性多発動脈炎(PAN: polyarteritis nodosa) 川崎病(KD: Kawasaki disease)
小型血管炎(SVV: small vessel vasculitis)	抗好中球細胞質抗体(ANCA)関連血管炎(AAV) ANCA: antineutrophil cytoplasmic antibody AAV: ANCA-associated vasculitis ・顕微鏡的多発血管炎(MPA: microscopic polyangitis) ・多発血管炎性肉芽腫症(GPA: granulomatosis with polyangitis)旧 Wegener 肉芽腫 ・好酸球性多発血管炎性肉芽腫症(EGPA: eosinophilic granulomatosis with polyangitis)旧 Chagus-Strauss 症候群
	免疫複合体性血管炎(immune complex SVV) ・抗糸球体基底膜病(anti-GBM disease: anti-glomerular basement membrane disease)旧 Goodpasture 症候群 ・クリオグロブリン血症性血管炎(CV: cryoglobulinemic vasculitis) ・IgGA 血管炎(IgAV: IgA vasculitis)旧 Henoch-Schönlein 紫斑病 ・低補体血症性蕁麻疹様血管炎(HUV: hypocomoementemic urticarial vasculitis) anti-C1q vasculitis
大小不定の血管炎	Beçhet 病(BD: Beçhet's disease) Cogan 症候群(CS: Cogan syndrome)
単一臓器の血管炎	皮膚白血球破砕性動脈炎(cutaneous leukocytoclastic angiitis) 皮膚動脈炎(cutaneous arteritis) 原発性中枢神経系血管炎(primary central nervous system vasculitis) 孤発性大動脈炎(isolated aortitis) その他
全身疾患に関連する血管炎	ループス血管炎(lupus vasculitis) リウマチ性血管炎(rheumatoid vasculitis) サルコイド血管炎(sarcoid vasculitis) その他
確からしい病因に関連する血管炎	C 型肝炎ウイルス関連クリオグロブリン血症性血管炎(hepatitis C virus-associated cryoglobulinemic vasculitis) B 型肝炎ウイルス関連血管炎(hepatitis B virus-associated vasculitis) 梅毒性大動脈炎(syphilis-associated aortitis) 薬剤関連免疫複合体性血管炎(drug-associated immune complex vasculitis) 薬剤関連抗好中球細胞性抗体関連血管炎(drug-associated ANCA-associated vasculitis) 腫瘍関連血管炎(cancer-associated vasculitis) その他

(Jennette JC, Falk RJ, Bacon PA et al : Arthritis Rheum **65** : 1-11, 2013)

ドイツの病理学者である Friedrich Wegener が肉芽腫性炎症を伴う微小血管の奇妙な血管炎として最初に報告した[304]．その後，Wegener 肉芽腫(Wegener's granulomatosis)として広く認知されてきたが，近年になって Wegener のナチに対する活動に懸念が示され[305]，2011 年に米国リウマチ学会が“Wegener's granulomatosis”に替わり“granulomatosis with polyangitis (GPA)”の名称を提唱した[306]．病理組織的には全身の壊死性・肉芽腫性血管炎(主に小型・中型血管)，上気道と肺を主とする壊死性肉芽腫性炎，半月体形成腎炎を呈し，発生機序に抗好中球細胞質抗体(antineurophil cytoplasmic antibody：ANCA)が関与する血管炎症候群である．以前は米国リウマチ学会，その後は CHCC (Chapel Hill Consensus Conference) 分類として CHCC1994 として始まり，現在は CHCC2012 で採択された血管炎の名称・定義(表 22：p231)[307]が広く用いられ，本病

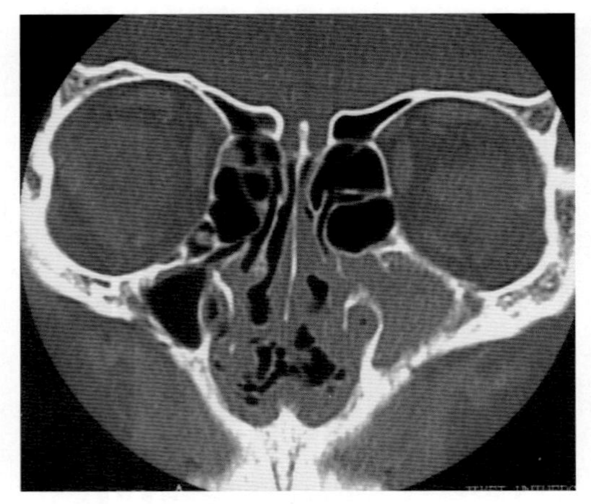

図 201　GPA（Wegener 肉芽腫）
骨条件 CT 冠状断像で鼻腔内の粘膜の不整な肥厚がみられ，鼻中隔穿孔を伴う．左上顎洞は炎症性軟部濃度で占拠されている．

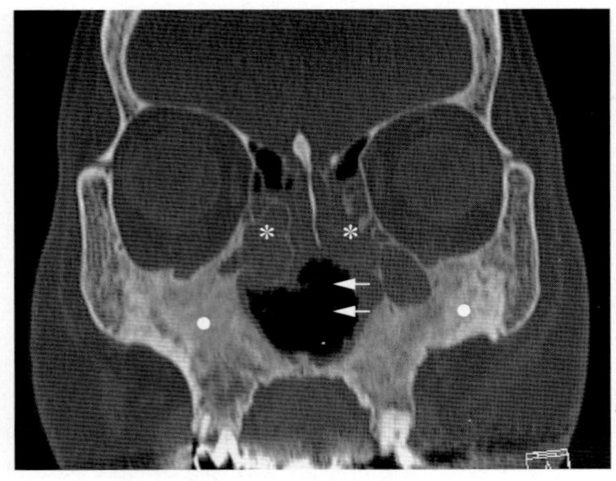

図 202　GPA（Wegener 肉芽腫）
鼻副鼻腔 CT 骨条件において両側鼻腔上部，篩骨洞の軟部濃度肥厚（＊）とともに鼻中隔穿孔（矢印）を認め，両側上顎洞は骨の肥厚・増生により骨濃度で占拠されている（●）（sinus bony obliteration）．

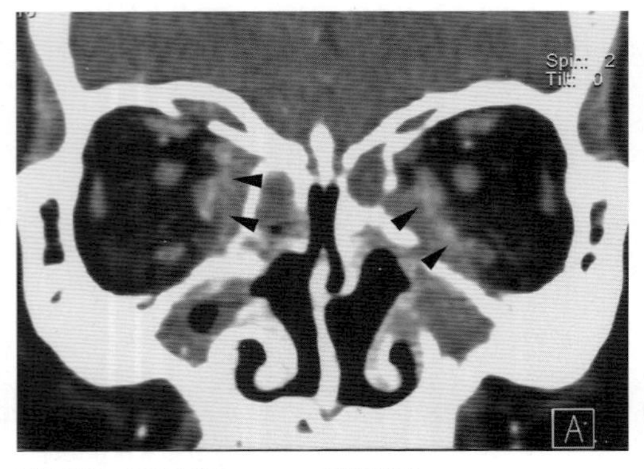

図 203　GPA（Wegener 肉芽腫）
冠状断 CT で鼻副鼻腔にびまん性に粘膜肥厚を認めるとともに両側眼窩内では浸潤性変化（矢頭）を示す．

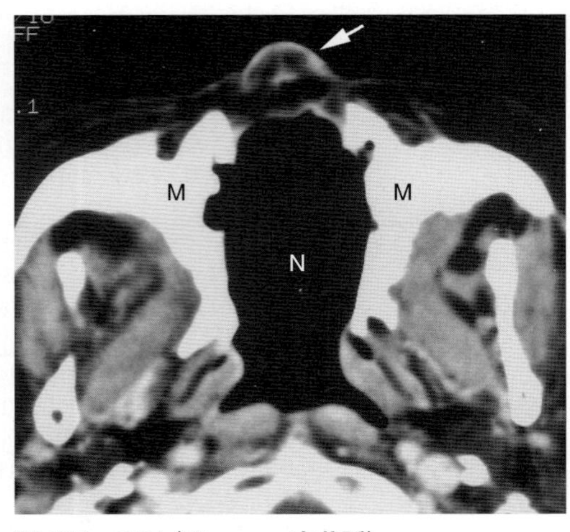

図 204　GPA（Wegener 肉芽腫）
横断 CT で鼻腔（N）は鼻中隔，鼻甲介などの構造の破壊により空洞化している．これに伴い鞍鼻変形（矢印）あり．両側上顎洞は内腔の含気消失（sinus bony obliteration）を示す．

態もこれに含まれる．病理生理学的に自己免疫的機序が関与していると考えられている[308]．

鼻閉，鼻漏などの鼻所見として現れる場合もあるが，全身疾患の部分症であることがしばしばである．鼻腔病変には鼻中隔あるいは鼻腔外側壁の潰瘍，鼻中隔穿孔などが含まれ，鼻中隔が最初に侵されることが多い．血清中 PR3-ANCA は GPA に診断特異性が高い．

画像診断では CT において粘膜肥厚（鼻腔で 61％，副鼻腔で 75％）所見が最も頻度が高く，副鼻腔含気腔の軟部濃度によるほぼ完全な置換（subtotal opacification）を 25％で認める[302]（図 201，202）．その他として，鼻中隔の穿孔や骨破壊（図 201～205），鼻副鼻腔外への浸潤性軟部組織病変（図 203，205～207）などとして描出されるが，骨破壊は鼻腔の 57％，副鼻腔の 54％といずれも半数強で認められ，鼻中隔穿孔と骨破壊所見の組み合わせ（図 202）は古典的である[302]．慢性期では長期炎症を反映して副鼻腔骨壁は粗造に肥厚（sinus neo-osteogenesis）し，内腔の狭小化

A
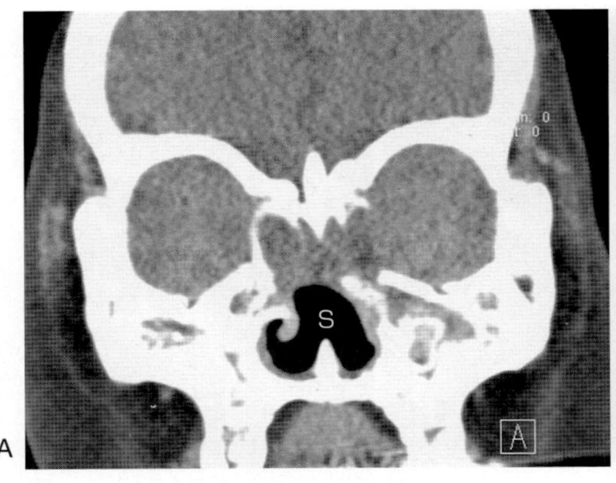

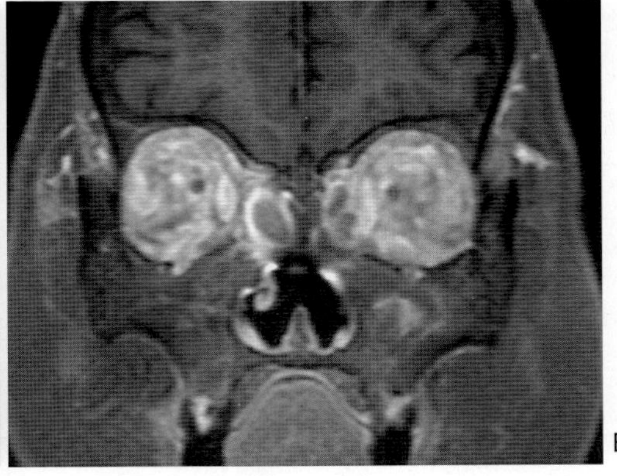
B

図 205　GPA（Wegener 肉芽腫）
冠状断 CT（A）で両側上顎洞の虚脱（sinus obliteration of the bone），鼻中隔穿孔（S）とともに両側眼窩内の浸潤性変化あり．造影後 T1 強調脂肪抑制冠状断像（B）で眼窩内病変はびまん性増強効果を示す．

A
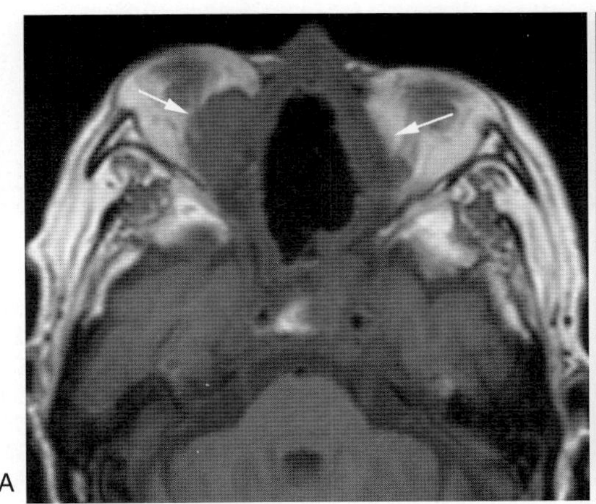

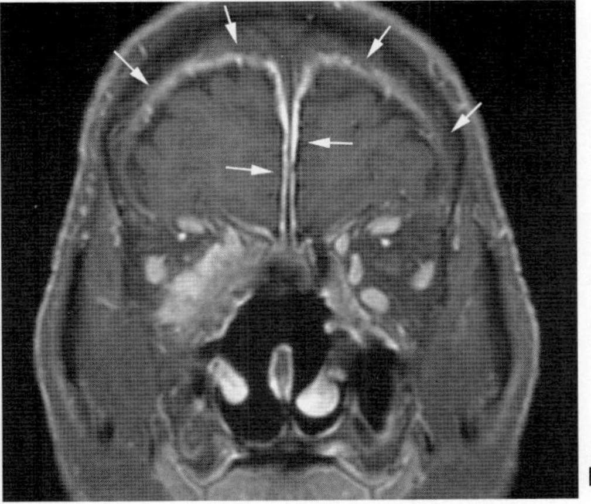
B

図 206　肥厚性硬膜炎を伴う GPA（Wegener 肉芽腫）
T1 強調横断像（A）で広範な鼻中隔穿孔とともに鼻腔から両側眼窩への浸潤性病変（矢印）を認める．造影後 T1 強調冠状断像（B）において，眼窩浸潤性病変の増強効果とともに髄膜の広範な肥厚・増強効果（矢印）を認める．

（sinus bony obliteration）（図 202，204，205）を認める．造影 MRI では髄膜の平滑な肥厚・増強効果として，随伴する肥厚性硬膜炎を認める場合がある[309]（図 206，207）．FDG-PET では偽陽性を示すとの報告あり[308]．

治療は鼻腔洗浄に加えて，cyclophosphamide，ステロイドなどが施行される（既述の lethal midline granuloma では放射線治療が主体となるため，両者の鑑別は重要である）．

b．血瘤腫（blutbeule，organizing hematoma）

慢性の鼻閉，鼻出血を呈する，比較的まれな上顎洞の非腫瘍性腫瘤性病変であり，1996 年の Ozhan らによる報告[310]が最初とされるが，英文報告の多くは東アジアからなされている[311]．発症年齢は幅広く，（癌よりも若い）20～40 歳代にも生じる．半数～75 % で鼻出血がみられる[311, 312]．性差は 2～3：1 で男性に多い[313]．膨張性発育による骨侵食と易出血性などから臨床上，画像上，悪性腫瘍との鑑別がときに問題となる[312, 314]．病理学的には血腫，線維化，血管新生などを含むが，腫瘍成分は認められない．病因は明らかでなく，外傷，手術，副鼻腔の出血性病変，様々な出血性素因などを基にした反復する出血と線維化，壊死，硝子化などとともに血管新生を生じ，膨張性腫瘤が形成したものと考えられて

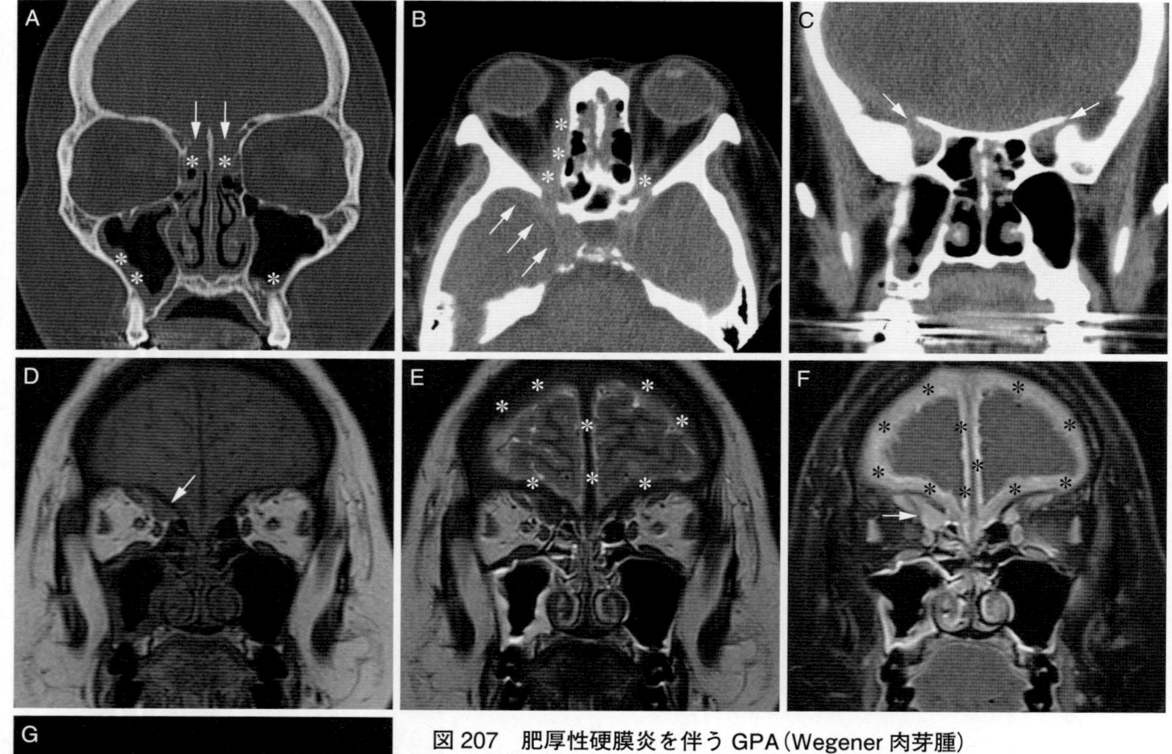

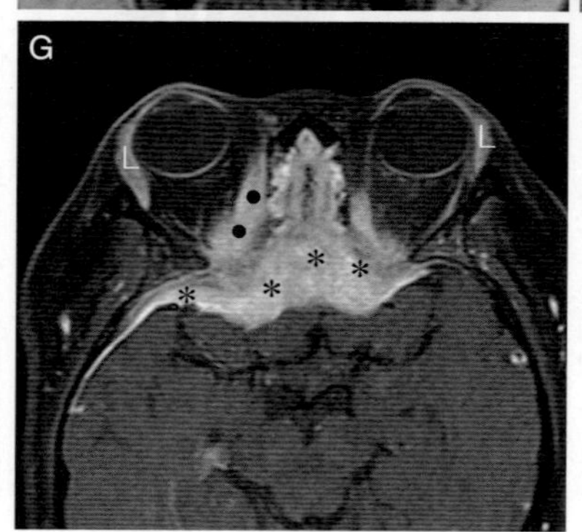

図 207　肥厚性硬膜炎を伴う GPA（Wegener 肉芽腫）
鼻副鼻腔領域 CT 骨条件冠状断像（A）において両側鼻副鼻腔の軟部濃度肥厚（＊）を認める．両側篩板の不明瞭化（矢印）あり．軟部濃度条件の横断像（B）において両側眼窩尖部，右眼窩内側壁に沿った浸潤性軟部濃度（＊）を認める．右中頭蓋窩前縁（蝶形骨縁）から海綿静脈洞領域の軟部組織肥厚（矢印）が疑われる．眼窩尖部レベルの右冠状断像（C）で両側眼窩尖部，主に上眼窩裂領域の脂肪層消失（矢印）を認める．MRI T1 強調冠状断像（D）で両側の鼻副鼻腔の軽度粘膜肥厚とともに，上斜筋領域の右眼窩内の浸潤性病変（矢印）あり．T2 強調像（E）で両側鼻副鼻腔の非特異的粘膜肥厚（洞骨壁に沿った高信号）を認める．右上斜筋領域の浸潤性病変は比較的低信号を示す．また頭蓋内において頭蓋骨内面，大脳鎌に沿った低信号の組織肥厚（＊）を認める．造影後 T1 強調脂肪抑制像（F）で鼻副鼻腔粘膜肥厚，右上斜筋領域の浸潤性病変（矢印）とともにびまん性肥厚を示す髄膜（＊）は増強効果を呈している．同横断像（G）で右中頭蓋窩前縁（蝶形骨縁）から蝶形骨平面に沿った肥厚髄膜（＊），右眼窩の浸潤性病変（●）の増強効果を認める．両側涙腺（L）も軽度腫大とともに増強効果が目立ち，病変の浸潤を示唆する．

いる．本来，血瘤腫は臨床診断名であり，病理医の間で広く認識されたものではなく，生検結果では，しばしば血管腫などの結果が戻されたりすることから，臨床での混乱を生じる場合もある．悪性化の報告はない．

画像上，多くが上顎洞やや内側を中心とする，単中心性膨隆性腫瘤を形成する（図 208，209）．辺縁は平滑（ときに多少の分葉状を呈する）で，境界は鮮明である．CT 上，腫瘤辺縁ではこれに伴う圧排性骨侵食を示し，内部は軟部濃度を呈する．骨侵食の好発部位は鈎状突起を含む上顎洞内側壁であるが，骨侵食による骨欠損を認めたとしても，あくまで膨張性辺縁（pushing border）であり浸潤性辺縁（invasive border）を示すことはない[313]．造影剤投与により不均等な増強効果（papillary pattern あるいは frond-like pattern）を示す．MRI は繰り返す出血を反映して，T1 強調像ではメトヘモグロビンが内部に混在する不規則な高信号強度領域として認められ，T2 強調像ではヘモジデリンの沈着により，辺縁の低信号帯と内部の高度不均一性が特徴的であり，通常は確定診断に至る．辺縁低信号帯は全例で認められ

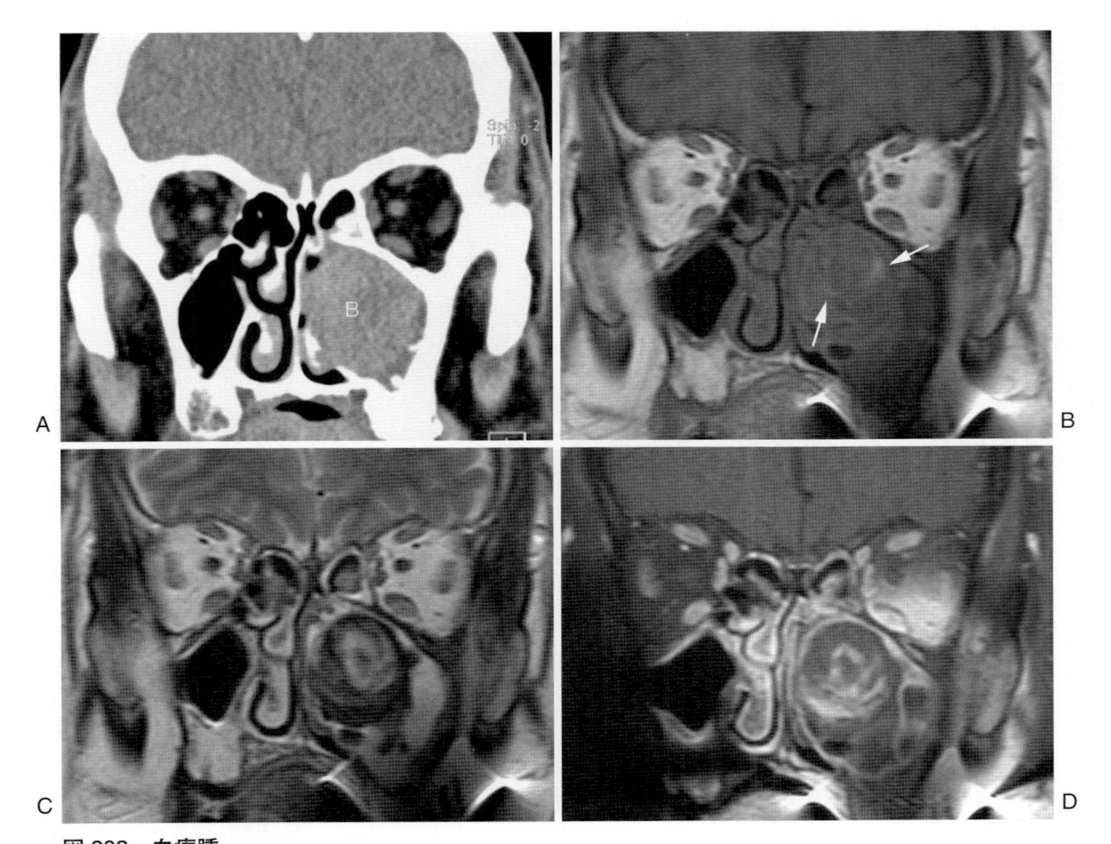

図 208　血瘤腫
CT 冠状断像（A）で右上顎洞の単中心性膨張性軟部濃度腫瘤を認める．MRI T1 強調像（B）で不規則に淡い高信号強度域（矢印）の混在あり．T2 強調像（C）で腫瘤辺縁を囲む低信号帯とともに内部は高信号強度・低信号強度の混在する不均一性を示し，造影後 T1 強調像（D）で不均一な増強効果を呈する．

る[312]．造影剤投与で，不均等な増強効果を示す．

治療は手術による全摘出が基本となり，通常は再発なく予後良好である．術式として，従来，Caldwell-Luc アプローチ，外鼻切開，Denker 手術，内視鏡的 Luc アプローチ（犬歯窩からのアプローチ）などが行われてきたが，最近は鼻内アプローチによる内視鏡手術の適応に含まれる．基本的に術前塞栓は必要としない．

c．歯原性腫瘤

歯原性腫瘤は本来，鼻副鼻腔自体からの発生ではないが，歯原性腫瘤が上顎歯槽に生じた場合には頭側の上顎洞内に進展し，しばしば上顎洞腫瘤として認められるため，本章において鼻副鼻腔領域の画像評価に理解の必要な内容に関して解説する．歯原性病変のより広範かつ総括的内容については歯科領域の成書を参照されたい．

CT 上，上顎洞内を占拠する軟部組織濃度腫瘤の辺縁に菲薄化した骨壁（上顎洞下壁）がみられ，上顎洞壁とともに 2 重壁を呈する（“double wall sign”）（図 210）．また，ときに埋没歯を含むことが診断を示唆する．

歯原性腫瘤としては濾胞性嚢胞（follicular cyst），歯根嚢胞，角化嚢胞性歯原性腫瘍，エナメル上皮腫などが代表となる．

濾胞性嚢胞は全歯原性嚢胞の約 40％弱を占める良性病変で，画像上では単房性嚢胞性腫瘤としてみられる．内部に歯牙を含まないものを原始嚢胞（primordial cyst）（図 210），歯牙が含まれているもの（通常，その歯冠が内部に向いている）を含歯性嚢胞（dentigerous cyst）（図 211）と称する．濾胞性嚢胞のうち前者が約 5%，後者が約 95％を

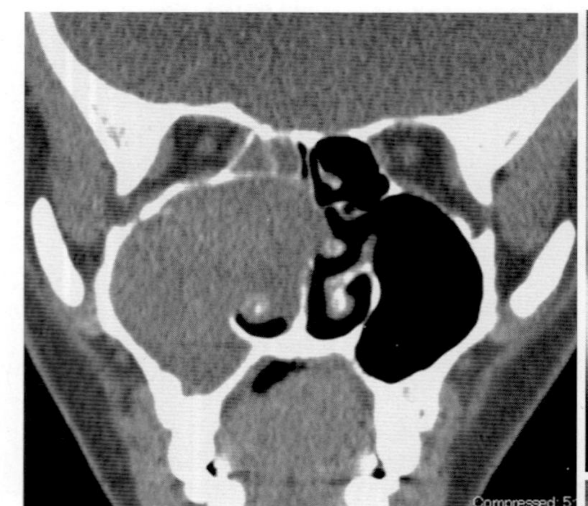

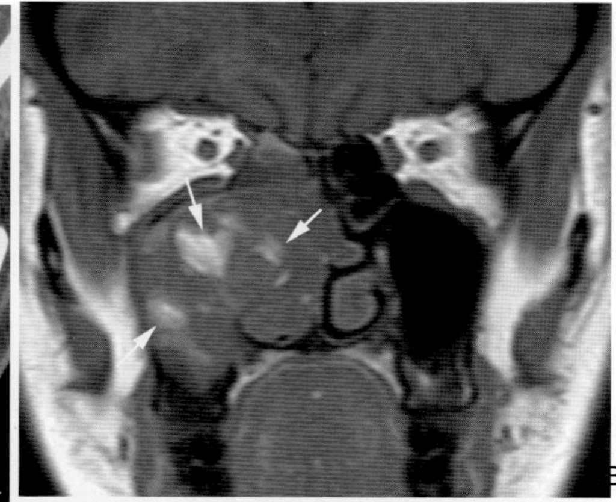

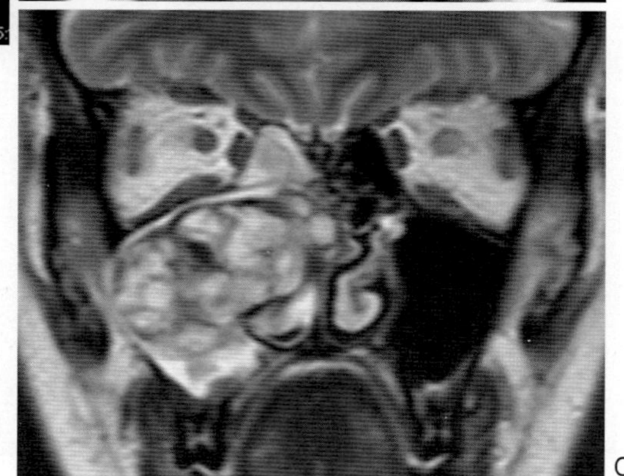

A B C

図 209　血瘤腫

図 208 の症例とまったく同様に，冠状断 CT（A）で右上顎洞を中心とする単中心性膨張性軟部濃度腫瘤を認める．MRI T1 強調像（B）で不規則に淡い高信号強度域（矢印）の混在あり．T2 強調像（C）で腫瘤辺縁の低信号帯，内部不均一性を認める．

占める．治療として掻爬術が施行される．

歯根嚢胞は齲歯をもとに歯根周囲に肉芽，進行すると膿瘍を形成することにより画像上，歯根周囲の骨融解像として認められるものである．通常，CT あるいは panorex view で肉芽か膿瘍かの鑑別は困難である．進行すると骨皮質を侵食，接する軟部組織への炎症波及を示す．炎症に対する治療のみではなく，原因となる齲歯の治療が必要である．上顎（特に臼歯）病変では片側性副鼻腔炎例での歯性上顎洞炎（図 46）の診断において，病変と上顎洞底部との間の骨壁の菲薄化，欠損の有無・程度は，日常診療において極めて頻度高く評価すべき重要な項目である．

角化嚢胞性歯原性腫瘍（keratocystic odontogenic tumor）は臨床上，局所浸潤性が高く，再発率も高いことが重要で，やや男性に多く，発症年齢は幅広い[315]．上顎発生は 23.5％である[315]．画像所見から他の歯性嚢胞との鑑別は困難とされる．basal cell neavus syndrome において多発歯性角膜嚢胞を認める場合があることが知られている（図 212）．

エナメル上皮腫（ameloblastoma）は歯原基より生じる良性腫瘍性病変で，全歯原性腫瘤の約 1％に相当する．緩徐な発育を示す．嚢胞部と充実部の混在する多房性嚢胞性腫瘤として認められる場合が多いが，3 分の 1 で単房性を示す．上顎発生は全体の 15％程度で[316]，その 90％が小臼歯，大臼歯領域から生じるが，下顎由来と比較して侵襲性が高いとされる[316]．画像診断上，増強効果を示す充実部分を確認することが重要である．局所再発の可能性があり，治療は上顎病変では上顎部分切除術による完全切除が基本となる[317]．多発再発例では手術および術後放射線治療（5,000 cGy）も効果がみられる[317]．

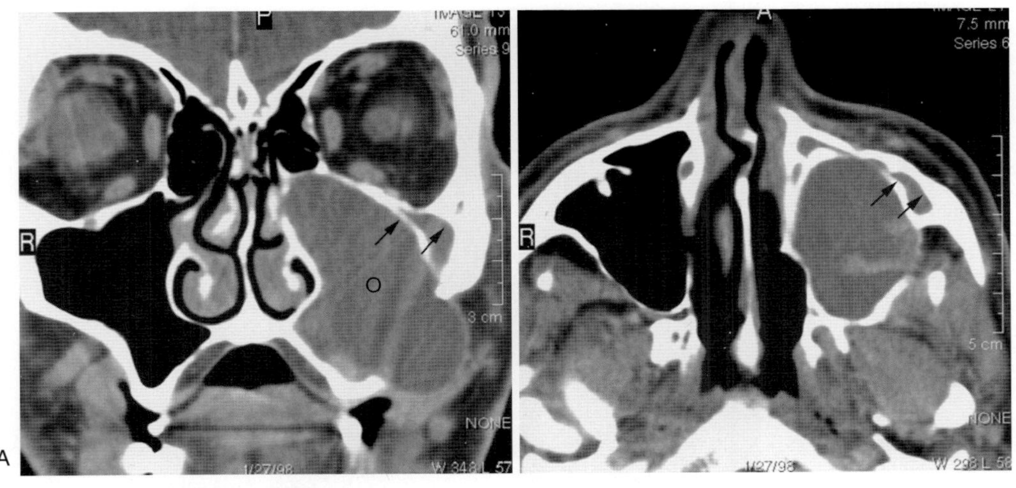

図 210　歯原性腫瘤(原始嚢胞)
冠状断 CT(A)および横断 CT(B)において左上顎洞内を占拠する境界鮮明な膨張性腫瘤(O)を認め，その辺縁の一部では上顎洞壁とともに 2 重の骨壁を形成しており(矢印：double wall sign)，歯原性腫瘤であることを示す．

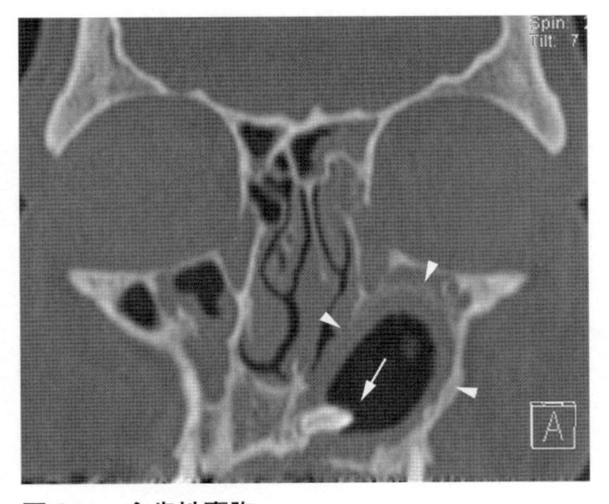

図 211　含歯性嚢胞
左上顎歯槽部より頭側の左上顎洞に突出する，含気した嚢胞性腫瘤(矢頭)を認め，頭側では double wall sign を呈する．下部に歯牙の含有(矢印)あり．内腔の含気は嚢胞穿刺後による．

H　外科的療法

1　Caldwell-Luc 手術(sublabial antrostomy)(図 213)

歯肉頬粘膜溝を，正中から約 2〜3 cm 外側で局所麻酔後に粘膜と骨膜の間で切開．この際，閉鎖時に必要な粘膜を考慮して歯槽より十分に頭側で切開する．その後，眼窩下窩に向かって骨膜を挙上，眼窩下神経を同定，温存する．上顎洞前壁を確認し，眼窩下縁から 1〜2 cm 下方，歯肉頬粘膜溝から 1〜2 cm 上方で，犬歯窩を約 2×2 cm 大に開窓する．必要に応じて Kerrison 鉗子により開窓部を拡げる．同部を介して炎症性粘膜，嚢胞，ポリープ，腫瘍などを切除する．後壁およびこれに沿って走行する内上顎動脈，上壁(眼窩下壁)に沿って走行する眼窩下神経を損傷しないように慎重に行う．引き続き，鼻内から下鼻甲介下方より上顎洞との交通(antorostomy)を形成す

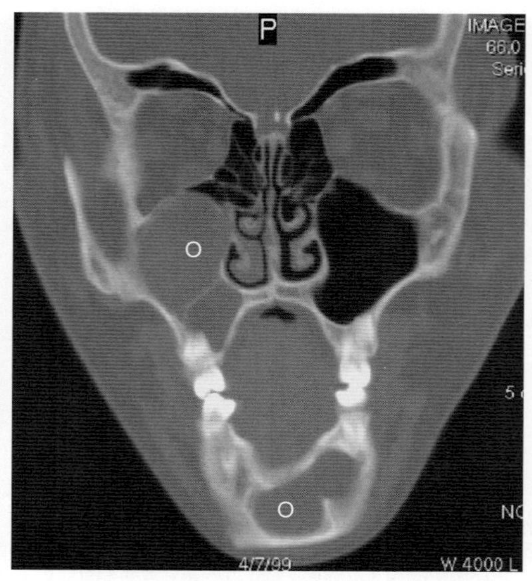

図 212　basal cell neavus syndrome における keratocystic odontogenic tumor 多発例

骨条件冠状断 CT において右上顎および下顎骨に膨張性軟部濃度腫瘤（O）を認める．

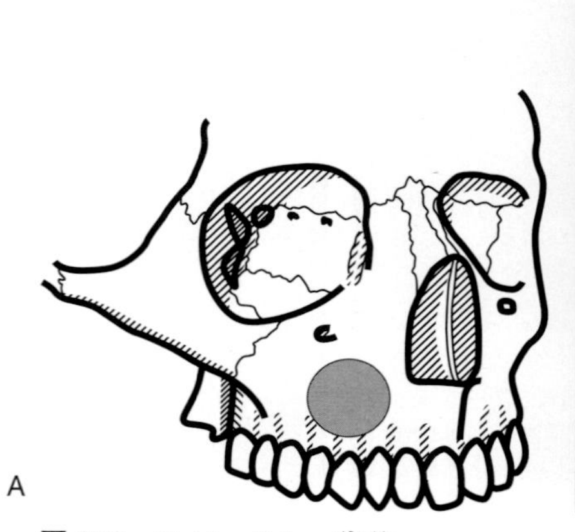

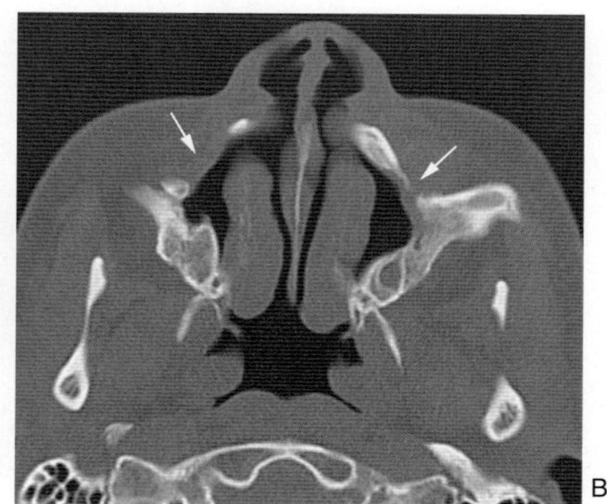

図 213　Caldwell-Luc 術後

A：術式シェーマ．歯肉頬粘膜溝を切開，上顎骨前壁骨膜挙上後に犬歯窩部を開窓（灰色の部分）する．
B：横断 CT において，両側上顎洞は前壁の欠損（矢印）と内腔の虚脱を認める．

る．生理的食塩水による上顎洞内洗浄後，歯肉頬粘膜溝の切開創を閉鎖して終了する．

ただし，同術式では上顎洞内粘膜の線毛運動による自然口からの排泄機能（mucociliary clearance）の回復が得られず，副鼻腔炎の根治術式とはならない．また，後述の術後性上顎嚢腫の形成も問題となることから，現在は腫瘍の生検や摘出，上顎動脈の結紮などを目的とした場合に限る．術後長期経過例では，上顎洞前壁の欠損とともに上顎洞の虚脱傾向を認める（図 213）．

a．術後性上顎嚢腫（post-operative maxillary cyst）

理由は不明であるが，術後性上顎嚢腫（術後性頬部嚢胞）に関する英文医学論文の多くは本邦からのもの，あるいは本邦からの論文の引用であ

表 23 術後性上顎囊腫の重要な画像評価項目

存在診断	右側・左側・両側
大きさ	
単房性 vs 多房性：数を確認(個々の囊胞を個別に開放する必要あり)	
内側型 vs 外側型	病変と鼻腔(中・下鼻道)側壁との距離：鼻内からの開放経路の確認 病変と鼻腔側壁との区分：膜性か，骨性か 病変と鼻腔側壁との間に鼻涙管介在の有無
上顎洞骨壁の状態	洞上壁(眼窩下壁)：骨欠損の有無，眼窩への膨隆，眼窩下神経(V2)との関係 洞前壁：骨欠損の有無，頬部軟部組織への膨隆 洞後側壁：骨欠損の有無，側頭下窩・頬間隙への膨隆 洞下壁から歯槽突起：上顎歯との関係

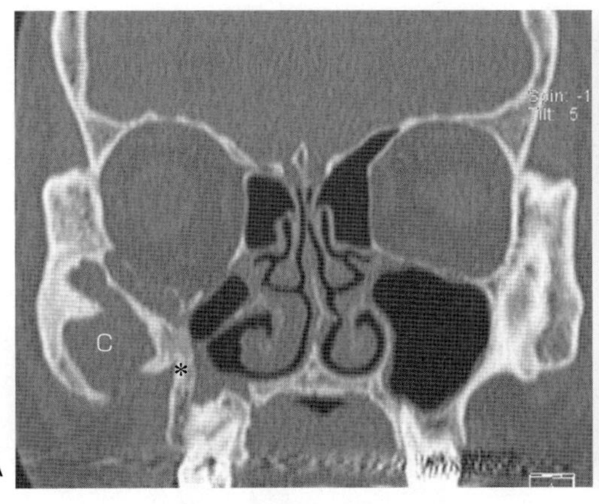

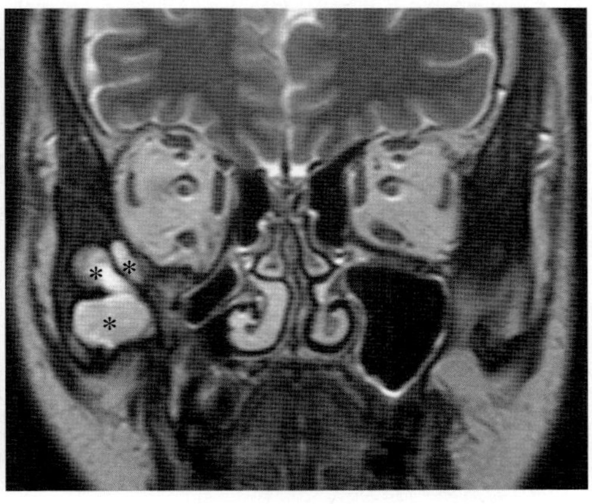

図 214 多房性の外側型術後性上顎囊胞

冠状断 CT(A)で，右側に Caldwell-Luc 術後変化とともに，上顎洞領域外側部に頬骨体部に侵入するようにして，分葉状輪郭を示す膨張性軟部濃度病変(C)を認める．鼻腔外側壁との間に比較的厚い骨壁(＊)が介在する．T2 強調像(B)で病変の多房性(＊)が確認できる．

る[318〜320]．また，欧米では post-operative maxillary mucocele，surgical ciliated cyst などとも呼ばれ，臨床像が多少異なるとの報告もある[321]．最初の記述は 1927 年の Kubo による報告である[322]．術後性上顎囊腫は Caldwell-Luc 術後の上顎洞領域において術後閉鎖腔の貯留囊胞として生じるが，本邦では副鼻腔粘液瘤の原因として最も多いものである[323]．上皮は線毛上皮，扁平上皮あるいはその両者であり，扁平上皮の場合，以前の感染を示唆する[318]．術後数年から 10〜30 年して，頬部の腫脹，疼痛として顕在化する例も多い．副鼻腔炎手術として Caldwell-Luc 手術が行われなくなっていることから本邦でも今後は減少していくと予測される．

画像評価は骨条件 CT 冠状断および横断像が基本となり，多くは類円形の膨張性軟部濃度腫瘤として認められる．評価項目(表 23)として囊腫の大きさ，多房性か単房性か(膜性隔壁の場合は，MRI が有用)(図 214，215)，通常，経鼻的開窓術の経路となる下鼻道外側壁との距離(内側型か外側型か)(図 214，216)，眼窩下壁との関係(図 215，217)，鼻涙管の走行・開口部との関係(図 218)，歯槽突起・歯牙との関係，側頭下窩や頬部軟部組織への進展(図 219)の有無などが重要である．

一般に，多房性病変(図 214，図 215)，(鼻腔外側壁から離れている)外側型病変，鼻腔外側壁と囊胞の間に厚い骨壁(図 214，216)や鼻涙管(図 218)が介在する病変，小さな囊胞は，鼻内アプローチによる開放術の難度が高い．CT 上の眼窩

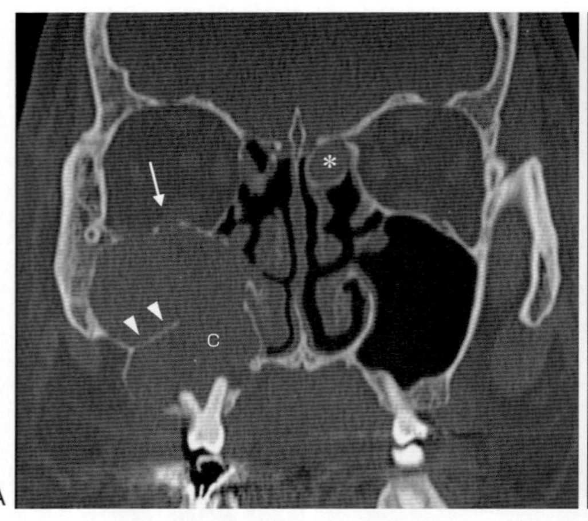

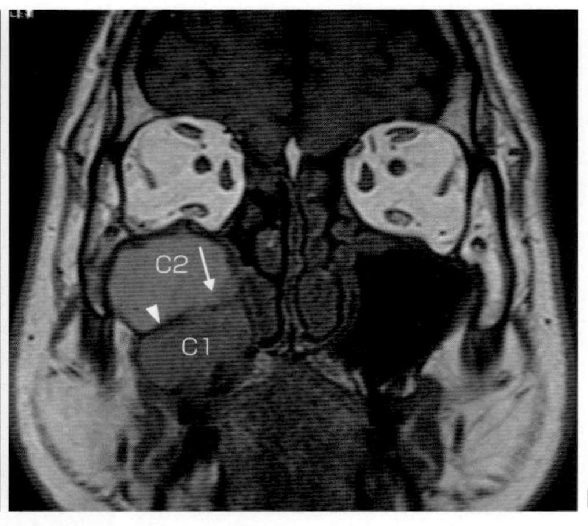

図 215　部分的な膜性隔壁による多房性の術後性上顎嚢腫

CT 冠状断像(A)において，右上顎洞を中心に膨隆性軟部濃度腫瘤を認める．内部には骨性の不完全隔壁(矢頭)を認める．頭側で眼窩下壁の骨改変を伴う，眼窩側への膨隆(矢印)あり．左篩骨洞に小さな粘液瘤(＊)あり．同症例の MRI，T1 強調冠状断像(B)で内容のタンパク濃度による信号強度の差により 2 房性の術後性上顎嚢胞(C1，C2)であることが確認される．CT(A)では確認困難であった膜性隔壁(矢印)は，CT で確認された部分的骨性隔壁(矢頭)と比較して，より不明瞭な線状低信号として認められる．

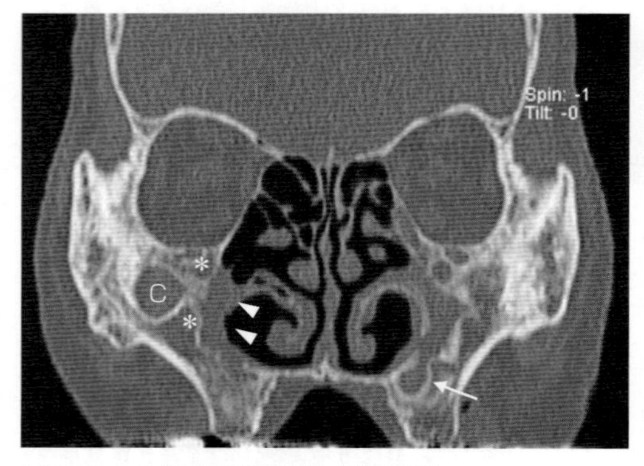

図 216　外側型の術後性上顎嚢腫

CT 冠状断像．右上顎洞領域のやや外側に類円形の限局性軟部濃度病変(C)を認め，Caldwell-Luc 術後の既往とともに，術後性上顎嚢腫に相当する．経鼻的開放術のアプローチの経路と思われる下鼻道側壁(矢頭)と病変内側との間には部分的な骨性隔壁(＊)を含む，比較的厚い組織が介在している．対側にも小さな嚢胞(矢印)あり．

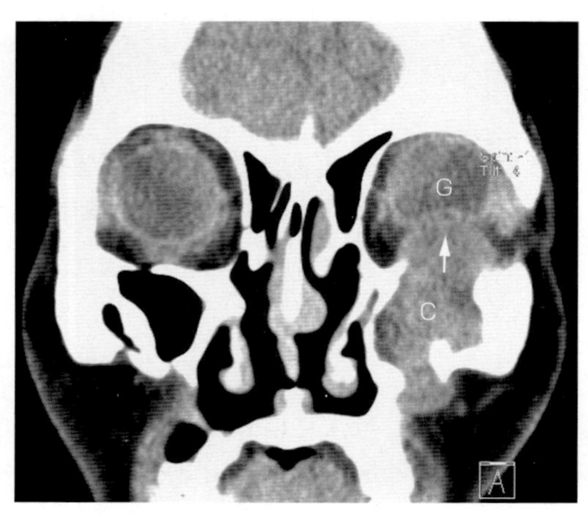

図 217　術後性上顎嚢胞

冠状断 CT で両側に Caldwell-Luc 術後変化を認め，左側では術後性嚢胞(C)の形成が認められ，頭側で眼窩下壁の欠損を介し，眼窩内に進展(矢印)，眼球(G)を圧排する．

下神経と病変の相対的位置関係で，眼窩下神経が病変の内側に位置する，病変に囲まれる，あるいは神経の位置が同定不能の例が約 4 分の 1 であり，内視鏡的な嚢胞開放時の神経損傷のリスクに注意が必要である[324]．

2 ESS(endoscopic sinus surgery)

鼻内から内視鏡下に炎症性粘膜を切除，線毛運動による自然口からの排泄機能(mucociliary clearance)の回復を目的とする ESS は，成人の慢性鼻副鼻腔炎に対する標準的外科的療法として普及している．最近では小児への応用[325, 326]，ある

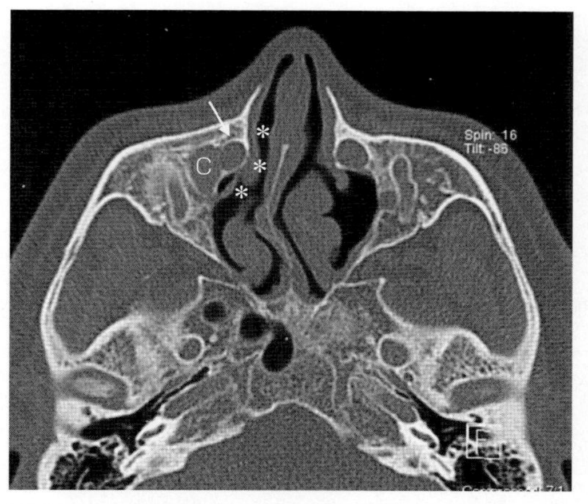

図 218　鼻腔側壁との間に鼻涙管が介在する術後性上顎嚢腫

CT 横断像において，両側上顎洞は Caldwell-Luc 術後により内腔の虚脱傾向を示す．右側で同部に限局性の類円形軟部濃度(C)を認め，術後性上顎嚢腫を示す．開放術のアプローチ経路となる鼻腔(＊)との間に鼻涙管(矢印)が介在している．

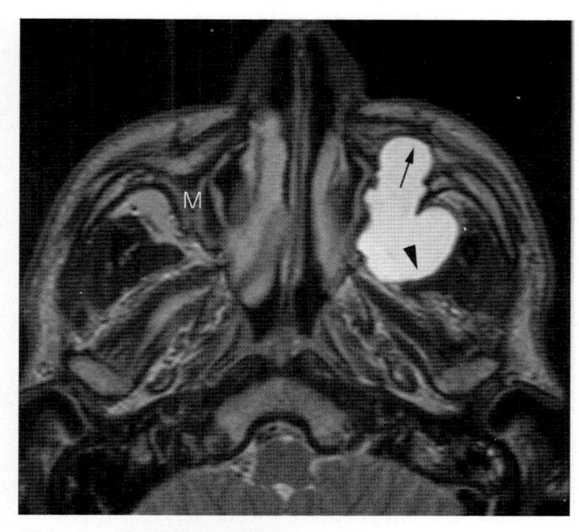

図 219　術後性上顎嚢胞

T2 強調横断像で，左上顎洞領域を中心とする単房性嚢胞を認め，前方は犬歯窩を介して頬部軟部組織(矢印)，後方では側頭下窩(矢頭)への進展を示す．対側上顎洞(M)は術後性虚脱を示す．

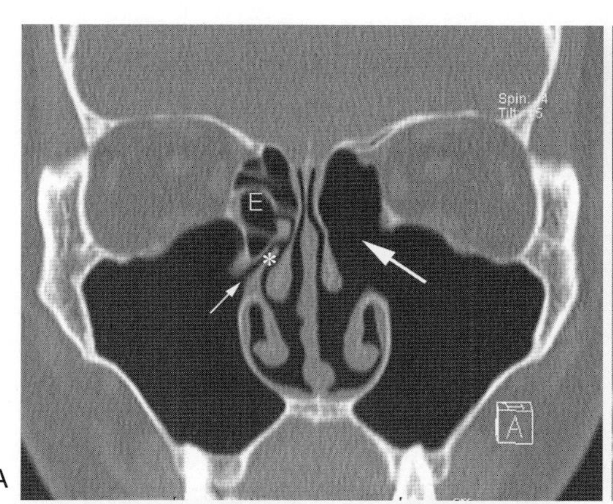

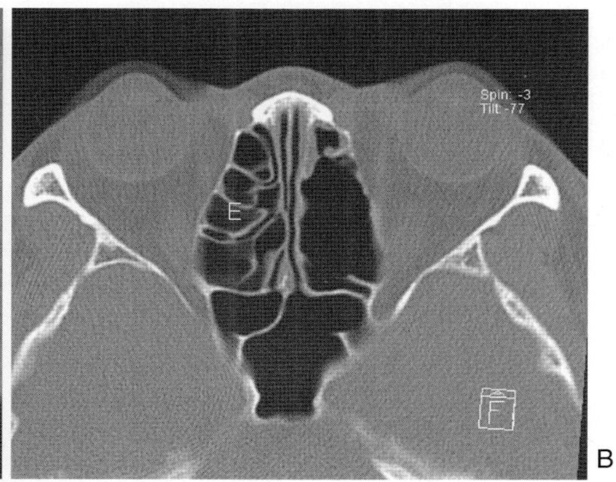

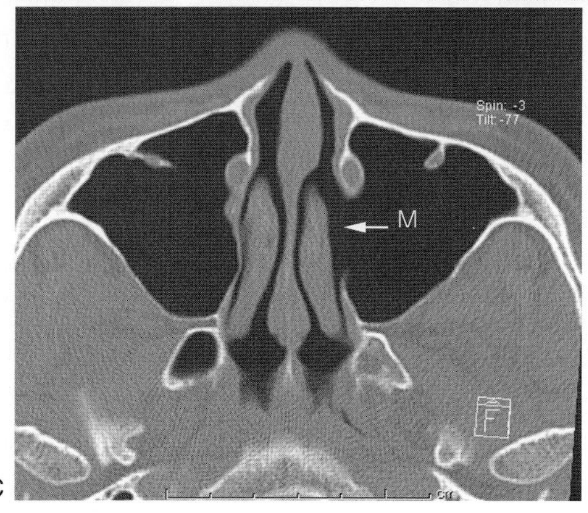

図 220　ESS 術後(左側のみ)

冠状断 CT(A)において，左側では鉤状突起(右側で＊で示す)の切除とともに OMC(右側で小矢印で示す)を開大，篩骨蜂巣(右側で E で示す)を開放し，上顎洞と鼻腔との交通(大矢印)を拡大している．篩骨洞レベル横断像(B)で，右篩骨洞(E)で認められる正常の蜂巣壁は完全に除去されている．上顎洞レベル(C)では，上顎洞(M)内側壁の切除により鼻腔との交通の拡大(middle meatus maxillary antrostomy)が認められる．

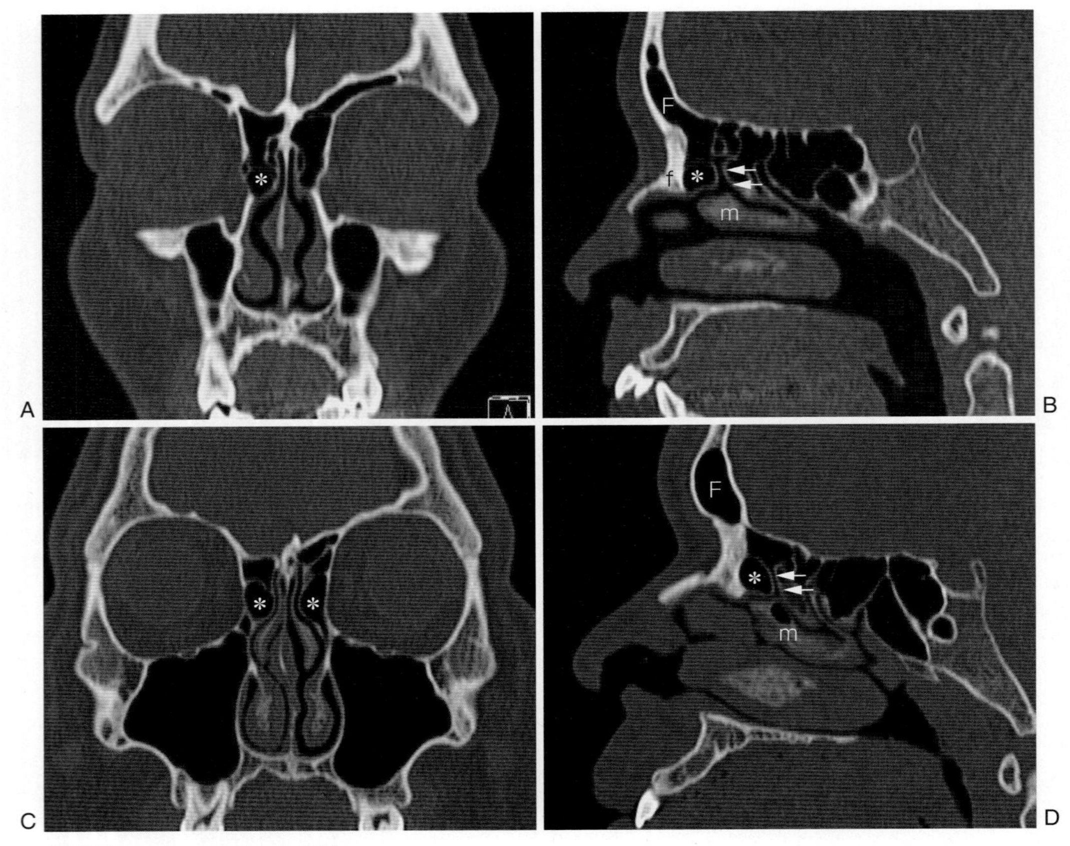

図221　agger nasi cell 2例

鼻副鼻腔CT冠状断像(A)において右篩骨洞前縁にagger nasi cell(＊)を認める．右傍矢状断像(B)でagger nasi cell(＊)は上顎骨前頭突起(f)の後方，前頭洞(F)の下方に位置し，鼻前頭管(陥凹)(矢印)の前方に隣接する．m：中鼻甲介．別症例のCT冠状断像(C)，傍矢状断像(D)ではagger nasi cell(＊)を両側で認める．F：前頭洞，f：上顎骨前頭突起，m：中鼻甲介，矢印：鼻前頭管

いは粘液瘤[327]，内反性乳頭腫[328～330]や副鼻腔炎に続発した眼窩骨膜下膿瘍[331]，髄液鼻漏の修復，眼窩吹き抜け骨折の修復，眼窩内圧減圧術などへの適応の拡大もみられる．一般的適応はOMC狭窄あるいは閉塞による，内科的治療抵抗性の慢性鼻副鼻腔炎，炎症性ポリープを伴う慢性鼻副鼻腔炎，粘液瘤(前頭洞粘液瘤を除く)などを含む．

局所麻酔後，内視鏡により鼻内を詳細に観察する．中鼻甲介を内側に骨折・偏位し，視界を確保する．鉤状突起を確認，その上部付着部から漏斗切除(infundibulectomy)を施行(図220)，さらに後下方，篩骨紙様板を損傷しないように中鼻甲介下縁に連続して切開線を延長する．鉤状突起は内側に偏位させる．これに続き，篩骨胞(ethmoid bulla)を切開し，篩骨洞内に入る．この際，前篩骨動脈は篩骨胞の前上方に位置する場合があり，損傷しないように注意を要する．篩骨洞開放術を施行(図220)，中鼻甲介の鼻腔外側壁への付着で前・後篩骨洞の境界でもある篩骨基板(basal lamella)を確認する．基板を開窓，後篩骨洞蜂巣の開放を行う．篩骨篩板，紙様板に対しては常に損傷しないように注意を要する．適応があれば上顎洞開放術を施行．鉤状突起切除後，上顎洞自然口を同定し自然口を通常の約10倍に拡大する(図220)．この際，前方では鼻涙管，後方では蝶口蓋動脈の損傷に留意する．洞内の炎症性粘膜を切除後，生食にて洗浄する．必要に応じて，後篩骨洞開放術後に蝶形骨洞開放術を施行する．下方に位置する蝶口蓋動脈の損傷に注意しながら，蝶形骨洞前壁の開窓部から洞内に入る．外側(海綿静

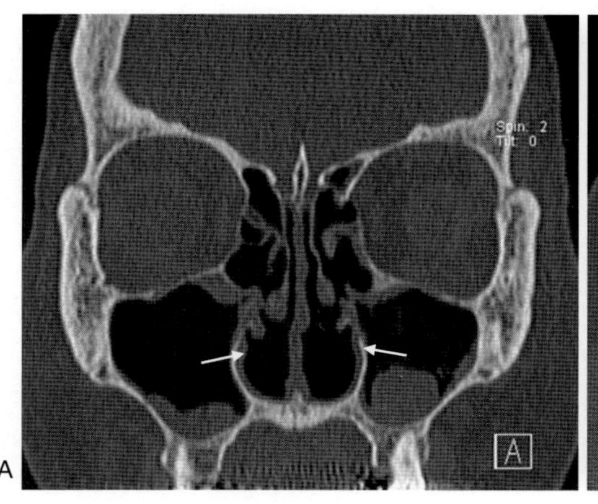

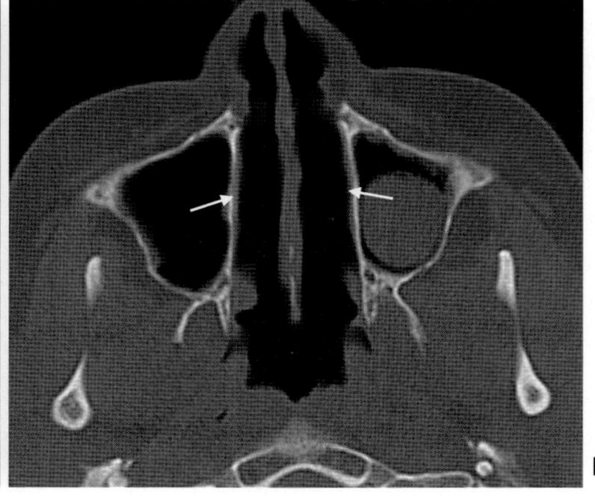

A　B

図 222　Empty nose syndrome
他院において鼻内術後．強い鼻閉を訴え，当院耳鼻咽喉科受診．CT 冠状断像(A)および横断像(B)．両側で下鼻甲介(矢印)はほぼ完全に切除されている．鼻腔には明らかな閉塞性病変はみられない．

脈洞側)，上方(蝶形骨平面から下垂体窩方向)への進展は避ける．洞内には内頸動脈，視神経が露出，膨隆している場合もあり(図 25〜27，31〜33)，慎重を要する．前頭洞開放術は篩骨洞開放術後，鼻前頭管(陥凹)を前方，外側に拡大．agger nasi cell を開放後，前頭洞底部骨壁を開窓する．agger nasi cell (図 221)は最も前方に位置する篩骨蜂巣であり，前頭窩の前方，側方，下方に位置する．篩骨篩板，鼻涙管，眼窩の損傷に気をつける．ESS による症状軽減が得られなかった症例における外科的要因としては，前頭洞あるいは上顎洞自然口の狭窄再発が最も多い[332]．

Empty nose syndrome(図 222)

比較的広範な鼻甲介切除後に生じる，鼻腔の正常構造(とくに鼻甲介)の消失に伴う医原性の萎縮性鼻炎で，定義はやや曖昧で多少幅広い疾患概念を有する[333]．1994 年に Kern と Moore が鼻甲介切除術を施行した患者の CT 冠状断像での鼻腔の空虚な含気腔を表現する用語として最初に記載した[334]．

鼻内の痂皮形成，乾燥，呼吸苦とともに，(空虚な含気腔を示すにもかかわらず)鼻閉感を訴える場合が最も多い．術後数ヵ月から数年で発症する[335]．病態生理は明らかでないが，鼻粘膜の消失による気流の変化，鼻道の空気抵抗減少，(粘膜で空気の流れを感じる)知覚の減弱が重要な要素と考えられる[335]．鼻道での空気抵抗は末梢気管支の開存性，適切な肺胞換気に必要と考えられている[336]．鼻甲介全摘術後に頻度は高いが，より限定的な術式でも生じうる[337]．下鼻甲介手術後が最も多いが[336]，中・下鼻甲介は鼻腔空調全体の 70%を担い，鼻甲介の喪失により空調効果の約 30%が失われるとされる[338]．

診断は臨床診断であるが，画像での鼻甲介欠損など，鼻内変化の確認，明らかな閉塞性病変の否定が重要である(図 222)．

内視鏡施術において可能な限り鼻甲介を温存することが本疾患のリスクの最小化につながる[334]．治療では外科的手術は反復例，難治例に温存するのが望ましく，まずは萎縮性鼻炎に準じた内科的治療が行われる．ただし，通常の萎縮性鼻炎よりも反応は悪いとされる[339]．

3 上顎切除術(maxillectomy)

上顎切除術の多様化した術式記述には radical，total，extended，subtotal，medial，partial，limited など，さまざまな用語があり混乱の要因となっている．「頭頸部癌取扱い規約(第 6 版補訂版)」では，上顎骨の一部を切除する場合(前壁を開放し，洞内腫瘍の掻爬を行う場合を含む)を上顎部分切除術，上顎骨全体に加えて，頬骨，周囲の咀嚼筋群，鼻骨，篩骨蜂巣の一部を切除する場合(ときに翼状突起を合併切除)を上顎全摘術，上顎全摘術に加えて眼窩内容の合併切除を行う場合

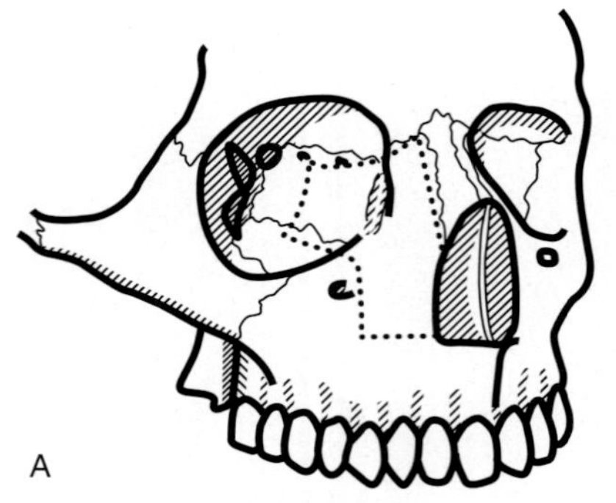

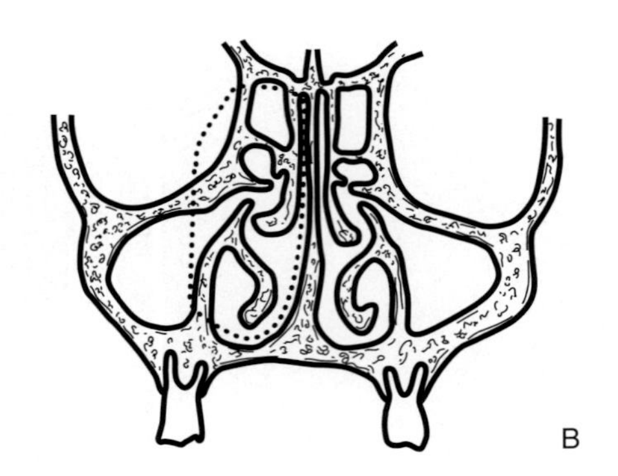

図223　内側上顎切除術．シェーマ
切除範囲を点線で示す．

を上顎拡大全摘術，頭蓋内・外より頭蓋底を切除する場合を頭蓋底郭清術としている[340]．Spiroらは上顎洞のいずれか１つの壁を切除する場合に限局性上顎切除（limited maxillectomy），少なくとも２つの壁（口蓋を含む）を切除する（逆に，少なくとも１つ以上の上顎洞骨支柱を温存する）場合に上顎亜全摘（subtotal maxillectomy），上顎すべてを切除する場合に上顎全摘（total maxillectomy）とすることを提唱している[341]．内側上顎切除（medial maxillectomy）は限局性上顎切除に含まれる．以下に代表的術式につき，解説する．

a.　内側上顎切除（medial maxillectomy）（図223）

片側の上顎洞内側壁とともに紙様板を含めて篩骨洞，さらに涙骨を一塊（*en block*）として切除する．「頭頸部癌取扱い規約」では上顎部分切除術に含まれる[340]．鼻腔外側壁，上顎洞内側，篩骨洞に限局した良性あるいは低悪性度腫瘍が対象となる（最近では良性腫瘍であれば内視鏡手術が選択される場合が多い）．高悪性度腫瘍や口蓋，翼状突起，広範な眼窩壁への進展，頭蓋内進展は適応外となる．前頭蓋窩への進展例では後述の頭蓋顔面切除（craniofacial resection）を組み合わせることで切除可能な場合がある．外側鼻切開（lateral rhinotomy），Weber-Ferguson切開などにより骨を露出，骨膜を挙上したあと，前・後涙嚢稜から内眼角靱帯を外す．眼窩内側に沿って切開を進展し，眼窩内容を外側に牽引する．この際，前・後篩骨動脈の確認は重要である．その後，眼窩下壁方向へ眼窩下溝外側まで切開を進展．直視下に眼窩下孔より内側の上顎前壁を開窓．鼻腔底に沿って上顎洞内側壁下縁を前方から後方に向かって切開，上顎洞内側前下縁から上方，涙嚢部まで切開，ここから眼窩内側壁を前頭骨篩骨縫合に沿って後方に切開（前・後篩骨動脈を損傷しないよう，留意する），眼窩下壁の眼窩下溝内側を前方から後方に切開，最後に鼻腔後方，口蓋骨と翼状突起との間で切開して摘出する．

b.　上顎亜全摘（subtotal maxillectomy）（図224）

上顎骨の骨支柱の少なくとも１つを温存し，2壁以上を切除する．「頭頸部癌取扱い規約」では上顎部分切除術に含まれる[340]．上顎洞内側壁あるいは底部に限局した良性・悪性病変の切除が対象となる．翼状突起，広範な眼窩壁への進展，頭蓋内進展，外側進展，口蓋への進展，頬骨浸潤は適応外となる．鼻腔外側壁から前頭蓋窩進展の腫瘍に対しては頭蓋顔面切除を組み合わせて切除が施行される場合がある．

皮膚切開に続き上顎骨骨膜挙上後，上顎骨外側支柱（頬骨突起）方向に向かって切開を進行．内側上顎切除術と同様の手技により眼窩内容を外側に牽引する．眼窩下神経を温存しながら上顎洞前壁を開窓後，必要な上顎壁の切除を施行する．

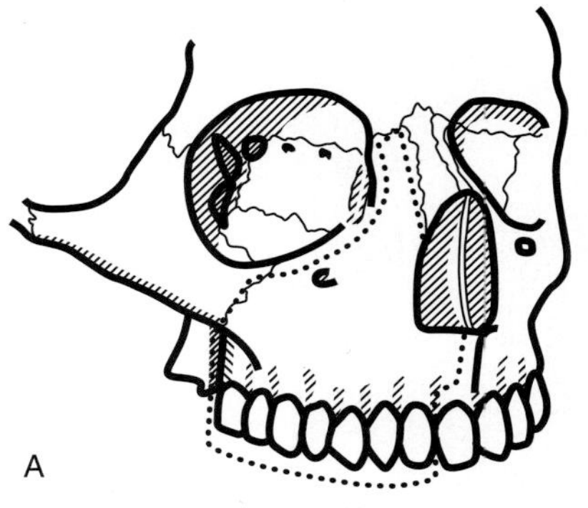
A

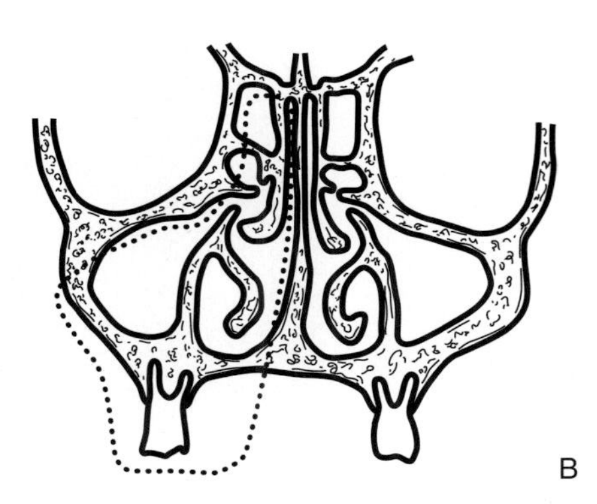
B

図 224　上顎亜全摘術．シェーマ
切除範囲を点線で示す．

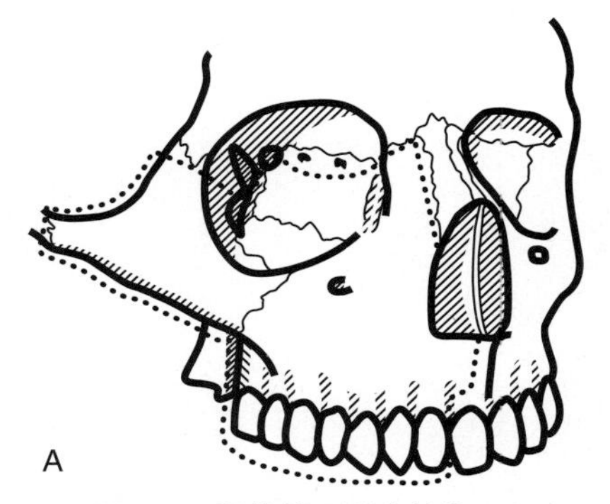
A

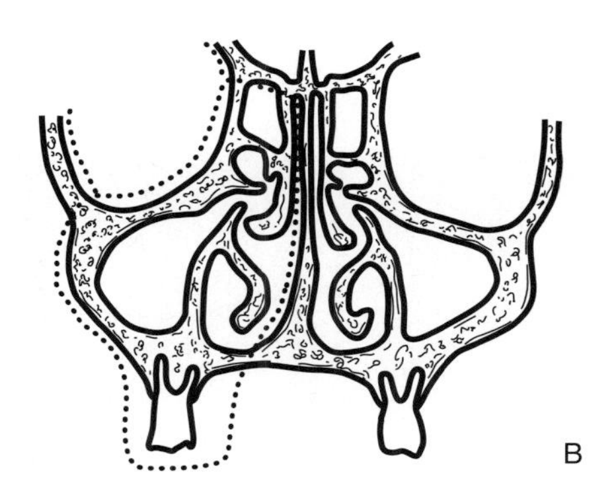
B

図 225　根治的上顎全摘術．シェーマ
切除範囲を点線で示す．

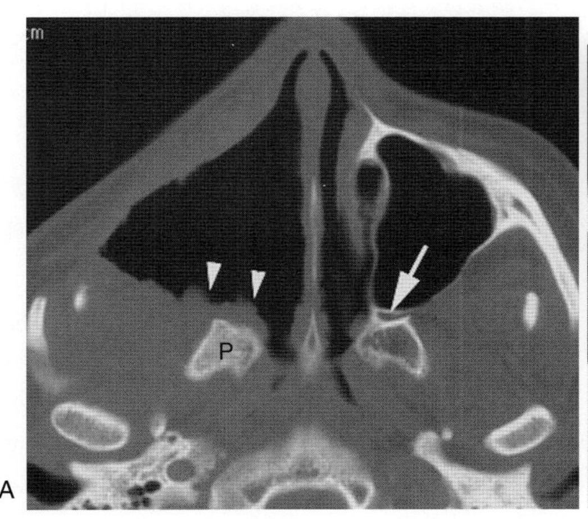

A

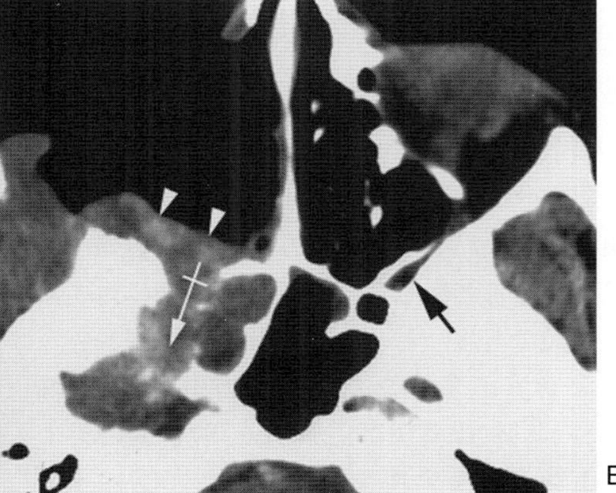
B

図 226　翼状突起を含まない上顎全摘術後の再発上顎洞癌
A：骨条件 CT 横断像．右上顎全摘術後の変化を認める．温存された右翼状突起(P)は硬化性変化を示す．術後上顎洞領域後壁では，翼口蓋窩領域(左側で矢印で示す)を含めて，やや不整な軟部組織肥厚(矢頭)が疑われる．
B：図 A よりもやや頭側の造影後軟部条件 CT 横断像．眼窩内容摘出も行われていることがわかる．右側では組織欠損部後壁を中心として，翼口蓋窩の頭側に連続する下眼窩裂領域(左側で矢印で示す)を含めて再発病変(矢頭)を認める．これは正円孔を介して後方に連続する(十字矢印)．三叉神経第 2 枝に沿った神経周囲進展に一致する．後壁側を中心とした再発病変の症例であり，手術適応の有無，翼状突起を含める切除の要否における術前の検討に関して，教訓的症例である．

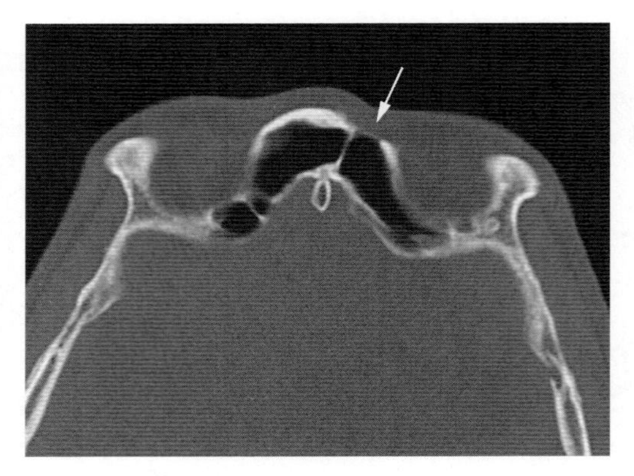

図 227　frontal trephination
横断CTで左前頭洞やや内側の前壁に限局性骨欠損（矢印）を認める．

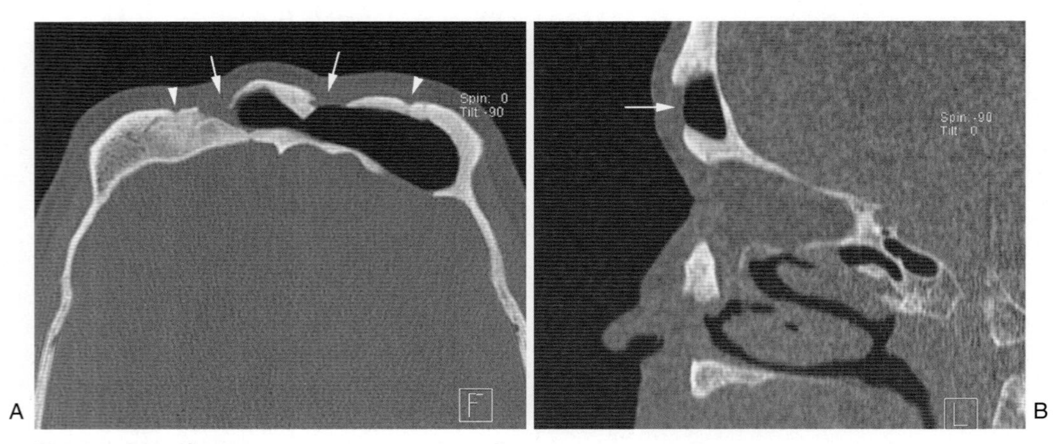

図 228　Killian's procedure
横断CT（A）および矢状断（B）で両側前頭洞前壁の開放後変化（矢印）を認める．矢頭：両側の眼窩上切痕

c. 上顎全摘（total maxillectomy），根治的上顎切除（radical maxillectomy）（図 225）

上顎洞内に限局しているか，顔面軟部組織，口蓋，眼窩前方に進展した，進行上顎洞癌に対する標準的術式である．ときに浸潤性真菌性副鼻腔炎が適応に含まれる．ただし，上方進展（篩骨篩板），後方進展（眼窩尖部，翼口蓋窩）は適応外となる．上顎全体を一塊（*en block*）として切除する場合を上顎全摘，篩骨洞蜂巣，頬骨前方を含んで上顎全体とともに一塊として切除する場合に根治的上顎切除と称する．眼窩内容の温存・摘出の選択が臨床上重要である．眼窩下壁・内側壁への浸潤，眼窩骨膜への浸潤，眼窩尖部，眼窩下神経への浸潤では眼窩内容摘出術が必要となる．後壁に及んでいる病変では翼状突起および周囲の翼突筋の一部を切除に含める（図 226）．切除が困難な場合，後述する頭蓋顔面切除との組み合わせ，あるいは化学療法，放射線治療との併用が考慮される．

Weber-Furgason 切開および外眼角から外側，後方への切開線の延長．歯肉頬粘膜溝の切開を外側，上顎結節まで進展，さらに内側で軟口蓋と硬口蓋接合部を切開．顔面の軟部組織を外側に牽引，術野を確保する．頬骨側頭突起基部で外側の骨切開を施行．翼上顎裂において内上顎動脈をクリッピングする．眼窩中隔を眼窩縁から外し，涙嚢，前・後篩骨動脈，下眼窩裂を同定，温存する．頬骨体部と前頭突起の間で骨切開，さらに前

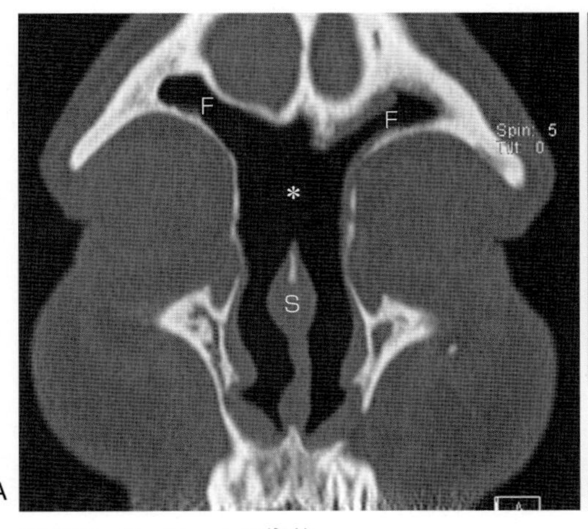

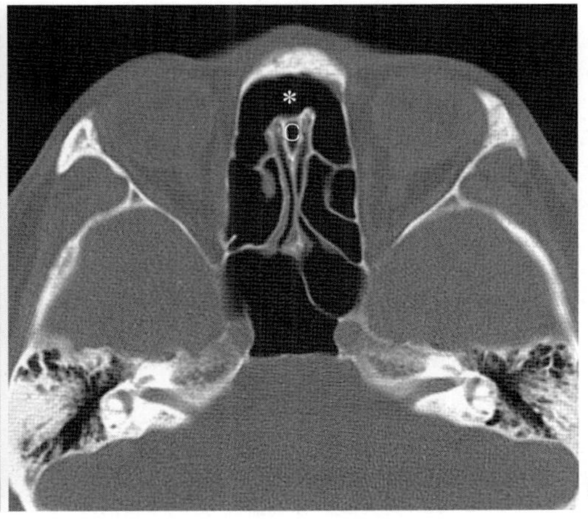

図 229　Draf type Ⅲ術後
冠状断 CT（A）で左右前頭洞（F）の間の洞内隔壁，鼻中隔（S）上部が切除され，一つの含気腔（＊）として認められる．横断 CT（B）において，鶏冠（C）前方で洞内隔壁は切除され，左右交通した含気腔（＊）を形成している．

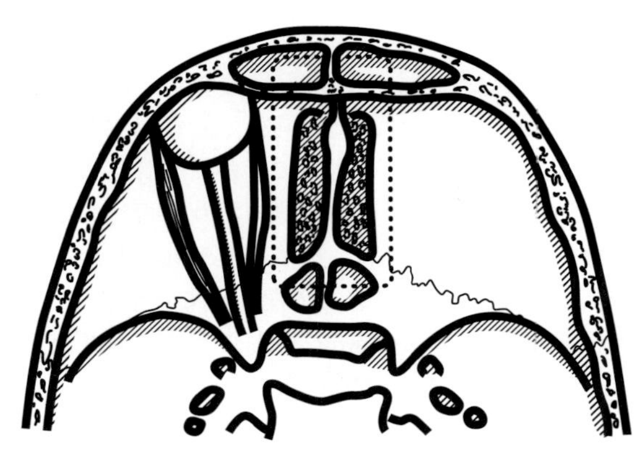

図 230　頭蓋顔面切除術．シェーマ
切除範囲を点線で示す．

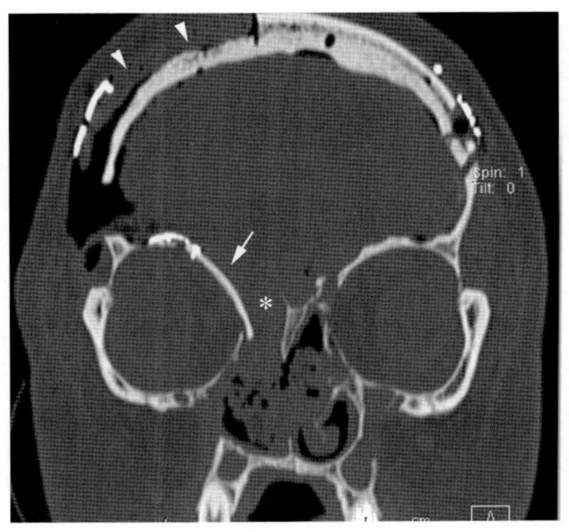

図 231　craniofacial resection 術後
冠状断 CT において，右眼窩上壁とともに篩板は切除（＊）され，眼窩上壁は右頭頂骨の partial thickness calvarian graft 形成（矢頭）により再建されている（矢印）．

頭篩骨縫合（前・後篩骨孔直下を通過，後篩骨孔後方 1〜2 mm まで進展），上顎骨と鼻骨との間を骨切開，眼窩内側・外側壁の骨切開へと連続させる．硬口蓋は正中で切断．上顎全体が摘出可能となる．眼窩内容摘出の場合，視神経切断時に術中徐脈を生じることがある．組織欠損部は皮弁，prosthesis などにより充塡するが，側頭筋の前方転位による再建も考慮される．

4 前頭洞手術

a. trephination（frontal sinus drainage）（図 227）

最も単純な外方アプローチによる前頭洞手術で，眉部上部を切開，前頭洞前壁をドリルで開放，排膿とともに洞内洗浄を行うものであり，V1 の枝である滑車上神経・眼窩上神経の損傷に留意する．内視鏡手術と組み合わせる場合も多い．

b. Killian's procedure（図 228）

前頭洞前壁を切除し，前頭洞を開放する術式で眼窩上縁を 1 cm の幅で温存することにより，そ

表 24　鼻副鼻腔 CT での基本的診断アプローチ

1. 副鼻腔発達の評価	長期罹患副鼻腔は発達不良の傾向あり 前頭洞欠損は正常変異
2. 鼻副鼻腔含気の評価 (含気腔を置換する病変の局在や濃度による質的診断)	両側びまん性軟部濃度肥厚：慢性鼻副鼻腔炎 片側性(片側優位性)軟部濃度肥厚：片側性副鼻腔炎 ・歯性副鼻腔炎：根尖病変，抜歯窩での瘻孔形成 ・菌球による真菌性副鼻腔炎，AFRS ・腫瘍(鼻副鼻腔癌，乳頭腫など)による OMC 閉塞 洞内の結節様(石灰化に類似する)高濃度：菌球 淡い高濃度(アレルギー性ムチン)：好酸球性副鼻腔炎，AFRS
3. 正常変異の確認	篩板：低位，非対称性，骨欠損 Haller cell，Onodi cell，眼窩上蜂巣 蝶形骨洞領域での内頸動脈や視神経管の状態 鼻中隔弯曲の有無・程度
4. その他の重要な評価項目	眼窩壁：陳旧性吹抜け骨折などによる骨欠損の有無 骨破壊の有無：明らかな破壊性変化は悪性腫瘍(あるいは浸潤性真菌性副鼻腔炎)を示唆，圧排性侵食は必ずしも悪性ではない(逆に必ずしも良性でもない) 鼻副鼻腔外への進展：炎症合併症(眼窩合併症，頭蓋内合併症など)，あるいは腫瘍進展の評価 粘液瘤の有無・周囲構造(頭蓋底，眼窩，特に眼窩尖部)への圧排の有無

れより以前に施行されていた開放術で問題となっていた術後の変形による形態的問題を改善した．

c. Draf's procedure

以下の 3 型に区分される．

1) Draf type I (endoscopic frontal recess approach)

鼻前頭窩・前頭洞自然口周囲の前篩骨蜂巣と鈎状突起の完全切除により前頭洞と鼻前頭窩の交通を回復するもので，通常の内視鏡手術後に継続する前頭洞炎が対象となる．

2) Draf type II (endoscopic frontal sinusotomy)

鼻中隔から篩骨紙様板との間で前頭洞底部を切除，鼻前頭窩の前壁を切除して拡大させるものであり，高度の慢性前頭洞炎が対象となる．

3) Draf type III (modified Lothrop procedure・medial drainage) (図 229)

より高度の治療抵抗性慢性前頭洞炎を対象とし，前頭洞の洞内隔壁下部，鼻中隔上部，前頭洞底を切除する．篩骨紙様板と前頭洞後壁は温存される．

5 頭蓋顔面切除術(craniofacial resection)(図 230，231)

篩骨蜂巣上部から篩骨篩板，前頭洞領域，前頭蓋窩に進展する腫瘍(嗅神経芽腫瘍などが代表的な対象症例となる)の切除を目的とし，前頭洞を含む前頭蓋底の一部，篩骨篩板，篩骨窩内側，鼻中隔上部，篩骨蜂巣を切除に含む．篩骨篩板，篩骨窩領域を直視下に切除可能であり，再建の術野も確保されているため，術後髄液鼻漏の頻度は比較的低い．1954 年に最初の記述がなされ[342]，その後 Ketcham[343] や Terez[344] らによりその概念が広まった．耳鼻科，頭頸部外科と脳外科とのチーム医療として行われるのが望ましい．Harrison らは篩骨洞上顎洞病変の少なくとも 80%は通常の上顎切除では安全な切除縁が確保できないとしている[345]．篩骨篩板を介した頭蓋内進展は必ずしも骨破壊を伴わないので注意を要する．蝶形骨洞，斜台，海綿静脈洞への進展，硬膜を越えた頭蓋内進展では *en block* での切除は困難である．

両側冠状切開による前頭開頭術および患側の外側鼻切開，あるいは前方・外側顔面切開による上方と下方，両方からのアプローチがとられる．上方では前頭部皮膚の挙上時には眼窩上・滑車上神経血管束の損傷に気をつけながら，上方から下方に進展，眼窩上縁に進む．前頭開頭後，前頭葉と前頭骨内板との間を切開，鶏冠と硬膜の付着を外す．前頭骨を nasion において切開．この際，鼻前頭窩(nasofrontal recess)を切断する．眼窩上縁から鶏冠の前方を骨切開．前頭洞は後壁を外し，頭蓋化(cranialization)する．その後，硬膜を蝶形骨平面まで，後方に向かって剝離，蝶形骨平面部を後縁として篩骨篩板を骨切開で切除する．後方では視神経，視交叉を損傷しないよう慎重を要する．下方(鼻副鼻腔側)の腫瘍は病変進展の範囲，程度に従い，適応する既述の上顎切除により切除する．頭蓋骨膜および腱膜により髄液鼻漏を生じないように再建閉鎖(water-tight closure)，術後組織欠損も脂肪などで充塡する．

以上，鼻副鼻腔領域での解剖，代表的病態の臨床および画像診断につき，解説した．最後に鼻副鼻腔 CT 評価の基本的な画像診断アプローチの概略を表 24 として示す．

■参考文献

1) Reid JR : Complication of pediatric paranasal sinusitis. Pediatr Radiol **34** : 933-942, 2004
2) Kronemer KA, McAlister WH : Sinusitis and its imaging in the pediatric population. Pediatr Radiol **27** : 837-846, 1997
3) Zeifer B : Pediatric sinonasal imaging. Neuroimag Clin North Am **10** : 137-159, 2000
4) Haimi-Cohen Y, Amir J, Zeharia A et al : Isolatted sphenoidal sinusitis in children. Eur J Pediatr **158** : 298-301, 1999
5) Keuning J. On the nasal cycle. International Rhinology **6** : 99-136, 1968
6) Soubeyrand L :［Action of Vasomotor Drugs on the Nasal Cycle and Ciliary Function（Rhinometric and Biological study）］. Rev. Laryngol Otol Rhinol（Bord）. **85** : 49-113, 1964.
7) Hasegawa M, Kern EB : The human nasal cycle. Mayo Clin Proc **52** : 28-31, 1977.
8) Kahana-Zweig R, Geva-Sagiv M, Weissbrod A et al : Measuring and characterizing the human nasal cycle. Plos one **11** : e0132918 doi: 10. 1371/journal. pone.0162918. eCollection 2016
9) Chong VFH, Fan YF, Lau D et al：Functional endoscopic sinus surgery（FESS）：What radiologists neet to know. Clin Radiol **53**：650-658, 1998
10) Stammberger HR, Kennedy DW：Paranasal sinuses：Anatomic terminology and nomenclature. Annals of Otology Rhinology Laryngology **104**（Suppl 167）：7-15, 1995
11) Friedrich RE, Fraederich M, Shoen G : Frequency and volumetry of infraorbirtal ethmoid cells（Haller cells）on cone-beam computed tomograms（CBCT）. GMS Interdiscip Plast Reconstr Surg DGPW **11** ; 6 : Doc 07. doi: 10.3205/iprs000109. eCollection 2017
12) Earwaker J : Anatomic variants in sinonasal CT. Radiographics **13** : 381-415, 1993
13) Stackpole SA, Edelstein DR : The anatomic relevance of the Haller cell in sinusitis. Am J Rhinol **11** : 219-223, 1997
14) Gibelli D, Cellina M, Gibelli S et al : Anatomical variants of ethmoid bone on multidetector CT. Surg Radiol Anat **40** : 1301-1311, 2018
15) Earraker J : Anatomic variants in sinonasal CT. Radiographics **13** : 381-415, 1993
16) Keros P : On the practical value of differences in the level of the lamina cribrosa of the ethmoid. Z Laryngol Rhinol Otol **41** : 809-813, 1962
17) Kitaguchi Y, Takahashi Y, Mupas-Uy J et al : Characteristics of dehiscence of lamina papyracea found on computed tomography before orbital and endoscopic endonasal surgeris. J Craniofac Surg **27** : e662-e665, 2016
18) Christmas DA, Mirante JP, Yanagisawa E : A pneumatized uncinate process causing obstruction. Ear Nose Throat J **4** : 754, 2005
19) Tiwari R, Goyal R : Study of anatomical variations on CT in chronic sinusitis. Indian J Otolaryngol Head Neck Surg **67** : 18-20, 2015
20) Stallman JS, Lobo JN, Som PM : The incidence of concha bullosa and its relationship to nasal septal deviation and paranasal sinus disease. AJNR Am J Neuroradiol **25** : 1613-1618, 2004
21) Balikci HH, Gurdal MM, Celebi S et al : Relationships among concha bullosa, nasal septal deviation, and sinusitis: Retrospective analysis of 296 cases. Ear Nose Throat J **95** : 487-491, 2016
22) Chao TK : Uncommon anatomic variations in patients with chronic paranasal sinusitis. Otolaryngol Head Neck Surg **132** : 221-225, 2005
23) Lei L, Wang R, Han D : Pneumatization of perpendicular plate of the ethmoid bone and nasal septal mucocele. Acta Otolaryngol **124** : 221-222, 2004
24) Sirikci A, Bayazit YA, Bayram M et al : Variations of sphenoid and related structure. Eur Radiol **10** : 844-848, 2000
25) Johnson DM, Hopkins RJ, Hanaffee WN et al : The unprotected parasphenoidal carotid artery studied by high-resolution computed tomography. Radiology **141** : 134-141, 1985
26) Sofferman RA : The recovery potential of the optic nerve. Laryngosceope（Suppl）**105** : 1-38, 1995
27) Unlu A, Meco C, Ugur HC et al : Endoscopic anatomy of sphenoid sinus for pituitary surgery. Clin Anat **21** : 627-632, 2008
28) Polavaram R, Devariah AK, Sakai O et al : Ana-

tomic variants and pearls-functional endoscopic sinus surgery. Otolaryngol Clin North Am **37** : 221-242, 2004
29) Abdullah B, Lim EH, Husain S et al : Anatomical variations of anterior ethmoidal artery and their significance in endoscopic sinus surgery: a systematic review. Surg Radiol Anat **41** : 491-499, 2019
30) Jang DW, Lachanas VA, White LC et al : Supraorbital ethmoid cell: a consistent landmark for endoscopic identification of the anterior ethmoidal artery. Otolaryngol Head Neck Surg **151** : 1073-1077, 2014
31) Vaid S, Vaid N : Normal anatomy and anatomic variants of the paranasal sinuses on computed tomography. Neuroimaging Clin N Am **25** : 527-548, 2015
32) Ozdemir A, Bayar Muluk N, Asal N et al : Is there a relationship between Onodi cell and optic canal? Eur Arch Otorhinolaryngol **276** : 1057-1064, 2019
33) Dessi P, Moulin G, Castro F et al : Protrusion of the optic nerve into the ethmoid and sphenoid sinus.: prospective study of 150 CT studies. Neuroradiology **36** : 515-516, 1994
34) Kitagawa K, Hayakawa S, Shimizu K et al : Optic neuropathy produced by a compressed mucocele in an onodi cell. Am J Ophthlmol **135** : 253-254, 2003
35) Rosenfeld RM : Acute sinusitis in adults. N Engl J Med **375** : 962-970, 2016
36) Gwaltney JM : Clinical significance and pathogenesis of viral respiratory infections. Am J Med **112** (Suppl 6A) : 13S-18S, 2002
37) Rosenfeld RM, Piccirillo JF, Chandrasekhar SS et al : Clinical practive guideline (update) : adult sinusitis. Otolaryngol Head Neck Surg **152** (2 Supple) : S1-S39, 2015
38) Burgstaller JM, Steurer J, Holzmann D et al : Antibiotic efficacy in patients with moderate probability of acute rhinosinusitis: a systematic review. Eur Arch Otorhinolaryngol **273** : 1067-1077, 2016
39) Schaeffer SD, Close LG：Endoscopic management of frontal sinus disease. Laryngoscopt **100**：155-160, 1990
40) Burke TF, Guertler AT, Timmons JH：Comparison of sinus x-rays with computed tomography scans in acute sinusitis. Acad Emerg Med **1**：235-239, 1994
41) Orlandi RR, Kingdom TT, Hwang PH et al : International consensus statement on allergy and rhinology: rhinosinusitis. Int Forum Allergy Rhinol **6** (S1): S22-S209. Doi:10.1002/alr.21695, 2016
42) Moore P, Blakley B, Meen E : Clinical predictors of chronic rhinosinusitis: do the Canadian clinical practice guidelines for acute and chronic rhinosinusitis predict CT-confirmation of disease? J Otolaryngol Head Neck Surg **46** : 65 Doi 10.1186/s40463-017-0243-x, 2017
43) Benninger MS, Ferguson BJ, Hadley JA et al : Adult chronic rhinosinusitis : definitions, diagnosis, epidemiology, and pathophysilology. Otolaryngol Head Neck Surg **129** : S1-S32, 2003
44) Polzehl D, Moeller P, Riechelmann H et al : Distinct features of chronic rhinosinusitis with and without nasal polyps. Allergy **61** : 1275-1279, 2006
45) Hubenne W, van Bruaene N, Zhang N et al : Chronic rhinosinusitis with and without nasal polyps : What is the difference? Curr Allergy Asthma Rep **9** : 213-220, 2009
46) Berger G, Kattan A, Bernheim J et al : Polypoid mucosa with eosinophilia and glandular hyperplasia in chronic sinusitis : a histopathological and immunohistochemical study. Laryngoscope **112** : 738-745, 2002
47) Ferguson BJ：Definitions of fungal rhinosinusitis. Otolaryngol Clin North Am **33**：227-235, 2000
48) Deal RT, Kountakis SE : Significance of nasal polyps in chronic rhinosinusitis : symptoms and surgical outcomes. Laryngoscope **114** : 1932-1935, 2004
49) Bhattacharyya M, Fried M : The accuracy of computed tomography in the diagnosis of chronic rhinosinusitis. Laryngoscope **113** : 125-129, 2003
50) Lund VJ, Mackay IS : Staging in rhinosinusitis. Rhinology **107** : 183-184, 1993
51) Gliklich RE, Metson R : A comparison of sinus computed tomography (CT) staging system for outcomes research. Am J Rhinol **8** : 291-297, 1994
52) 深見雅也，柳　清，浅井和康ほか：内視鏡下鼻内手術の適応-術後不良例の検討．日耳鼻 **98**：402-409, 1995
53) 春名眞一，鴻　信義，柳　清ほか：好酸球性副鼻腔炎(Eosinophilic Sinusitis)．耳展 **44**：195-201, 2001
54) 藤枝重治，坂下正文，徳永隆弘ほか：「第115回日本耳鼻咽喉科学会総会臨床セミナー」好酸球性副鼻腔炎：診断ガイドライン(JESREC study)．日耳鼻 **118**：728-735, 2015
55) Tokunaga T, Sakashita M, Haruna T et al : Novel scoring system and algorithm for classifying chronic rhinosinusitis; the JESREC study. Allergy **70** : 995-1003, 2015
56) Bent JP, Kuhn FA：Diagnosis of allergic fungal sinusitis. Otolaryngol Head Neck Surg **111**：580-588, 1994
57) Edelmayer L, Ito C, Lee WS et al : Conversion to chronic invasive fungal sinusitis from allergic fungal sinusitis in immunopmpetence. Laryngoscope **129** : 2447-2450, 2019

58) Chaaban MR, Bell W, Woodworth BA : Invasive mucormycosis in an immunocompetent patient with allergic fungal rhinosinusitis. Otolaryngol Head Neck Surg **148** : 174-175, 2013
59) Turner JH, Soudry E, Nayak JV et al : Survival outcomes in acute invasive fungal sinusitis: a systematic review and quantitative synthesis of published evidence. Laryngoscope **123** : 112-118, 2013
60) Groppo ER, El-Sayed IH, Aiken AH et al : Computed tomography and magnetic resonance imaging characteristics of acute invasive fungal sinusitis. Arch Otolaryngol Head Neck Surg **137** : 1005-1010, 2011
61) Gillespie MB, O'Malley BW Jr, Francis HW : An approach to fulminant invasive fungal rhinosinusitis in the immunocompromised host. Arch Otolaryngol Head Neck Surg **124** : 520-526, 1998
62) Silverman CS, Mancuso AA：Periantral soft-tissue infiltration and its relevance to the early detection of invasive fungal sinusitis：CT and MR findings. Am J Neuroradiol **19**：321-325, 1998
63) Middlebrooks EH, Frost CJ, De Jesus RO et al : Acute invasive fungal rhinosinusitis: A comprehensive update of CT findings and design of an effective diagnostic imaging model. AJNR Am J Neuroradiol **36** : 1529-1535, 2015
64) Choi YR, Kim J, Min HS et al : Acute invasive fungal rhinosinusitis: MR imaging features and their impact on prognosis. Neuroradiology **60** : 715-723, 2018
65) Valera FCP, do Lago T, Tamashiro E et al：Prognosis of acute invasive fungal rhinosinusitis related to underlying disease. Int J Infect Dis **15**：e841-e844, 2011
66) DeShazo RD, O'Brien N, Chapin K et al：A new classification and diagnostic criteria for invasive fungal sinusitis. Arch Otolaryngol Head Neck Surg **123**：1181-1188, 1997
67) Ho CF, Lee TJ, Wu PW et al : Diagnosis of a maxillary sinus fungus ball without intralesional hyperdensity on computed tomography. Laryngoscope **129** : 1041-1045, 2019
68) Aribandi M, McCoy VA, Bazan C 3rd : Imaging features of invasive and noninvasive fungal sinusitis: a review. Radiographics **27** : 1283-1296, 2007
69) Dufour X, Kauffmann-Lacroix C, Ferrie JC et al：Paranasal sinus fungus ball and surgery：a review of 175 cases. Rhinology **43**：34-39, 2005
70) Barry B, Topeza M, Gerhanno P：Aspergillosis of the paranasal sinus and environmental factors. Ann Otolaryngol Chir Cervicofac **119**：170-173, 2002
71) Serrano E, Percodani J, Flores P et al：Les aspergillomes sinusiens. A propos de 45 cas. Ann Otolaryngol Chir Cervicofac **113**：86-91, 1996
72) Gungor A, Adusumilli V：Fungal sinusitis：Progression of disease in immuno suppression：A case report. Ear Nose Throat J **77**：207-215, 1998
73) Grosjean P, Weber R：Fungus balls of the paranasal sinuses：a review. Eur Arch Othorhinolaryngol **264**：461-470, 2007
74) Dhong HJ, Jung JY, Park JH：Diagnostic accuracy in sinus fungus balls：CT scan and operative findings. Am J Rhinol **14**：227-231, 2000
75) Ferriro JA, Carlson BA, Thane Cody III D：Paranasal sinus fungus ball. Head Neck **19**：481-486, 1997
76) Fanucci E, Nexxo M, Neroni L et al：Diagnosis and treatment of paranasal sinus fungus ball of odontogenic origin：case report. Oral Implantol Anno **VI**：63-66, 2013
77) Seo YJ, Kim J, Kim K : Radiologic characteristics of sinonasal fungus ball: an analysis of 119 cases. Acta Radiol **52** : 790-795, 2011
78) DeShazo RD, O'Brien M, Chapkin K et al：Criteria for the diagnosis of sinus mycetoma. J Allergy Clin Immunol **99**：475-485, 1997
79) Katzenstein AA, Sale SR, Greenberger PA：Allergic Aspergillus sinusitis：A newly recognized form of sinusitis. J Allergy Clin Immunol **72**：89-93, 1983
80) Ence BK, Gourley DS, Jorgensen NL et al：Allergic fungal sinusitis. Am J Rhinol **4**：169-178, 1990
81) Manning SC, Hsdolman M：Further evidence for allergic pathophysiology in allergic fungal sinusitis. Laryngoscope **108**：1485-1496, 1998
82) Meltzer EO, Hamilos DL, Hadley JA et al : Rhinosinusitis: developing guidance for clinical trials. J Allergy Clin Immunol **118** : S17-S61, 2006
83) 松脇由典：アレルギー疾患の病理像　その共通点と相違点．好酸球性副鼻腔炎・アレルギー性真菌性副鼻腔炎の病理像．アレルギー・免疫 **17** : 822-831, 2010
84) 松脇由典：アレルギー性真菌性副鼻腔炎(AFRS)について．日耳鼻 **115** : 646-647, 2012
85) Montgomery WW：Mucocele of the maxillary sinus causing enophthalmos. Eye Ear Nose Throat Monthly **43**：41-44, 1964
86) Soparkar CNS, Patrinely JR, Cuaycong MJ et al：The silent sinus syndrome：a cause of spontaneous enophthalmos. Ophthalmology **101**：772-778, 1994
87) Hourany R, Aygun N, Santina CCD et al：Silent sinus syndrome：An acquired condition. AJNR Am J Neuroradiol **26**：2390-2392, 2005
88) Illner A, Davidson HC, Harnsberger HR et al：The silent sinus syndrome：Clinical and radiological findings. AJR Am J Radiol **178**：503-506, 2002

89) Pula JH, Mehta M : Silent sinus syndrome. Curr Opin Ophthalmol **25** : 480-484, 2014
90) Bhalla N, Rosenstein J, Dym H : Silent sinus syndrome : Interesting clinical and radiologic findings. J Oral Maxillofac Surg 77 : 2040-2043, 2019
91) Annino DJ Jr, Goguenn LA : Silent sinus syndrome. Curr Opin Otolaryngol Head Neck Surg **16** : 22-25, 2008
92) Plantier DB, Neto DB, Pinna FR et al : Mucocele: clinical characteristics and outcomes in 46 operated patients. Int Arch Otorhinolaryngol **23** : 88-91, 2019
93) Kennedy DW, Josephson JS, Zinreich SJ et al : Endoscopic sinus surgery for mucoceles : a valuable alternative. Laryngoscope **99** : 885-895, 1989
94) Devars du Mayne M, Moya-Plana A, Malinvaud D et al : Sinus mucocele: natural history and long-term recurrence rate. Eur Ann Otolaryngol Head Neck Dix **129** : 125-130, 2012
95) Nicollas R, Facon F, Sudre-Levillain I et al : Pediatric paranasal sinus mucoceles: etiologic factors, management and outcome. Int Pediatr Otorhinolaryngol **70** : 905-908, 2006
96) Finn DG, Hudson NR, Baylin G : Unilateral polyposis and mucoceles in children. Laryngoscope **91** : 1444-1449, 1981
97) Rogers JH, Fredrickson JM, Noyek AM : Management of cysts, benign tumors and bony dysplasia of the maxillary sinus. Otolaryngol Clin North Am **9** : 233-247, 1976
98) Zizmor J, Noyek AM : Cysts, benign tumors and malignant tumors of the paranasal sinuses. Otolaryngol Clin North Am **6** : 487-508, 1973
99) De Juan EE, Green WR, Iliff NT : Allergic periorbital mucopyocele in children. Am J Ophthalmol **96** : 299-303, 1983
100) Sadiq SA, Lim MK, Jones NS : Ophthalmic manifestations of paranasal sinus mucoceles. Int Ophthalmol **29** : 75-79, 2009
101) Tseng CC, Ho CY, Kao SC : Ophthalmic manifestations of paranasal sinus mucoceles. J Chin Med Assoc **68** : 260-264, 2005
102) Yong WW, Zhou SH, Bao YY : Sphenoid sinus mucocele presenting with oculomotor nerve palsy and affecting the functions of trigeminal nerva; a case report. Int J Clin Exp Med **15** : 16854-16857, 2015
103) Har-El G : Endoscopic management of 108 sinus mucoceles. Laryngoscope **111** : 2131-2134, 2001
104) Terranova P, Karligkiotis A, Digilio E et al : Bone regeneration after sinonasal mucocele marsupialization: what really happens over time? Laryngoscope **125** : 1568-1572, 2015
105) Courson AM, Stankiewicz JA, Lal D : Contemporary management of frontal sinus mucocele: a meta-analysis. Laryngoscope **124** : 378-386, 2014
106) Kim Y, Kim K, Lee J et al : Paranasal sinus mucocele with ophthalmologic manifestations: a 17-year review of 96 cases. Am J Rhinol Allergy **25** : 272-275, 2011
107) Moriyama H, Hesaka H, Tachibana T et al : Mucoceles of ethmoid and sphenoid sinus with visual disturbance. Arch Otolaryngol Head Neck Surg **118** : 142-146, 1992
108) Lee LA, Huang CC, Lee TJ : Prolonged visual disturbance secondary to isolated sphenoid sinus disease. Laryngoscope **114** : 986-990, 2004
109) Zukin LM, Hink EM, Liao S et al : Endoscopic management of paranasal sinus mucoceles: meta-analysis of visual outcomes. Otolaryngol Head Neck Surg **157** : 760-766, 2017
110) Loo JL, Looi AL, Seah LL : Visual outcomes in patients with paranasal mucoceles. Ophthal Plast Reconstr Surg **25** : 126-129, 2009
111) Scangas GA, Gudis DA, Kennedy DW : The natural history and clinical characteristics of paranasal sinus mucoceles : a clinical review. Int Forum Allergy Rhinol **3** : 712-717, 2013
112) Pond F, Berkowitz RG : Superolateral subperiosteal abscess complicating sinusitis in a child. Int J Pediatr Otorhinolaryngol **48** : 255-258, 1999
113) Hicks DW, Weber JG, Reid JR et al : Identifying and managing intracranial complications of sinusitis in children/ a retrospective series. Pediatr Infect Dis J **30** : 222-226, 2011
114) Giusan AO, Kubanova AA, Uzdenova RKh : Rhinosinusogenic complications: the prevalence and principles of treatment. Vestn Otorhinolaryngol **4** : 64-67, 2010
115) Noordzij JP, Harrison SE, Mason JC et al : Pitfalls in the endoscopic drainage of subperiosteal orbital abscesses secondary to sinusitis. Am J Rhiol **16** : 97-101, 2002
116) Huang SF, Lee TJ, Lin KL : Concomitant bilateral orbital and brain abscesses- unusual complications of pediatric rhinosinusitis. Change Guang Med J **28** : 51-55, 2005
117) Lehnerdt G, Peraud A, Berghaus A et al : Orbitale und intrakranielle Komplicationen acuter Sinusitiden. Diagnostik und Therapie Bei Kindern und Jugendlichen. HNO **59** : 75-86, 2011
118) Cavaliere M, Volino F, Parente G et al : Endoscopic treatment of orbital cellulitis in pediatric patients: transethmoidal approach. Arch Soc Esp Oftalmol **88** : 271-275, 2013
119) Parmar H, Gandhi D, Mukherji SK et al : Restricted diffusion in the superior ophthalmic vein and cavernous sinus in a case of cavernous sinus thrombosis. J Neuroophthalmol **29** : 16-20, 2009

120) Welkoborsky HJ, Grab S, Deichmuller C et al : Orbital complications in children: differential diagnosis of a challenging disease. Eur Arch Otorhinolaryngol **272** : 1157-1163, 2015
121) Chandler JR : The pathogeness of orbital complications in acute sinusitis. Laryngoscope **80** : 1414-1428, 1970
122) Ryan JT, Preciado DA, Baumann N et al : Management of pediatric orbital cellulitis in patients with radiographic findings of subperiosteal abscess. Otolaryngol Head Neck Surg **140** : 907-911, 2009
123) Desa V, Green R : Cavernous sinus thrombosis: current therapy. J Oral Maxillofac Surg **70** : 2085-2091, 2012
124) Kim SH, Chang KH, Song IC et al : Brain abscess and brain tumor: discrimination with in vivo H-1 MR spectroscopy. Radiology **204** : 239-245, 1997
125) Dyer SR, Thottam PJ, Saraiya S et al : Acute sphenoid sinusitis leading to contralateral cavernous sinus thrombosis: a case report. J Laryngol Otol **127** : 814-816, 2013
126) Mukherji SK, Tart RP, Mancuso AA : Septic cavernous sinus thrombosis revisited. Appl Radiol **24** : 35-38, 1995
127) Younis RT, Anand VK, Davidson B : The role of computed tomography and magnetic resonance imaging in patients with sinusitis with complications. Laryngoscope **112** : 224-229, 2002
128) Schramm VL, Myers EN, Kennerdell JS : Orbital complications of acute sinusitis : Evaluation, management and outcome. Trans Am Acad Ophthalmol Otolaryngol **86** : 221-230, 1978
129) Johnson DL, Markle BM, Wiedermann BL et al : Treatment of intracranial abscesses associated with sinusitis in children and adolescents. J Pediatr **113** : 15-23, 1998
130) Maniglia AJ, Goodwin WJ, Arnold JE et al : Intracranial abscesses secondary to nasal, sinus, and orbital infections in adults and children. Arch Otolaryngol Head Neck Surg **115** : 1424-1429, 1989
131) Bambakidis NC, Cohen AR : Intracranial complications of frontal sinusitis in children: Pott's puffy tumor revised. Pediatr Neurosurg **35** : 82-89, 2001
132) Jones NS, Walker JL, Basso S et al : The intracranial complications of rhinosinusitis: Can they be prevented? Laryngoscope **112** : 59-63, 2002
133) Osborn MK, Steinberg SP : Subdural empyema and other suppurative complications of paranasal sinusitis. Lancet Infect Dis 7 : 62-67, 2007
134) Kaufman DM, Miller MH, Steigbigel NH : Subdural empyema : Analysis of 17 recent cases and review of the literature. Medicine **54** : 485-498, 1975
135) Jenkins RB, Augustin GJ, Putnam LE et al : Intracranial extradural and subdural empyemas : Report of a case and review of the literature. Med Ann Dist Columbia **37** : 472-516, 1968
136) Szyfter W, Kruk-Zagajewska A, Bartochowska A et al : Intracranial complications from sinusitis. Otolaryngol Pol **69** : 6-14, 2015
137) Pruna X, Ibanez JM, Serres X et al : Antrochoanal polyps in children : CT findings and differential diagnosis. Eur Radiol **10** : 849-851, 2000
138) Fronsini P, Picarella G, De Campora E : Antrochoanal polyp: analysis of 200 cases. Acta Otorhinolaryngol Ital **29** : 21-26, 2009
139) Maldonado M, Martines A, Alobid I et al : The antrochoanal polyp. Rhinology **43** : 178-182, 2004
140) Sirola R : Choanal polyps. Acta Otolaryngol **64** : 42-48, 1965
141) Schramm VL, Efferon MZ : Nasal polyps in children. Laryngoscope **90** : 1488-1495, 1980
142) Chaiyasate S, Roongrotwattanasiri K, Patumanond J et al : Antrochoanal polyps: How long should follow-up be after surgery? Int J Otolaryngol 2015 : 297417. Doi: 10.1155/2015/297417. Epub 2015
143) Kamel R : Endoscopic transnasal surgery in antrochoanal polyps. Arch Otolaryngol Head Neck Surg **116** : 841-843, 1990
144) Stammberger H, Hawke M : Essentials of functional endoscopic sinus surgery. Mosby, St. Louis, p.103-105, 1993
145) Basu SK, Bandyopadhyay SN, Bora H : Bilateral antrochoanal polyps. J Laryngol Otol **115** : 561-562, 2001
146) Cook PR, Davis WE, McDonald R et al : Antrochoanal polyposis : A review of 33 cases. Ear Nose Throat J **72** : 401-402, 404-410, 1993
147) Min YG, Chung JW, Shin JS et al : Histologic structure of antrochoanal polyps. Acta Otolaryngol **115** : 543-547, 1995
148) Vuysere SD, Hermans R, Marchal G : Sinochoanal polyp and its variant, the angiomatous polyp : MRI findings. Eur Radiol **11** : 55-58, 2001
149) Orvidas LJ, Beatty CW, Weaver AL : Antrochoanal polyps in children. Am J Rhinol **15** : 321-325, 2001
150) Hong SK, Min YG, Kim CN et al : Endoscopic removal of antral part of antrochoanal polyp by powered instrumentation. Laryngoscope **111** : 1774-1778, 2001
151) LeeTJ, Huang SF : Endoscopic sinus surgery for antrochoanal polyps in children. Otolaryngol Head Neck Surg **135** : 688-692, 2006
152) Gullane PJ, Davidson J, O'Dwyer T et al : Juvenile angiofibroma: a review of the literature and a case series report. Laryngoscope **102** : 928-933, 1992
153) Lund VJ, Stammberger H, Fokkens WJ et al : European position paper on the anatomical terminology of the internal nose and paranasal sinuses. Rhinol

Suppl **24** : 1–34, 2014
154) Handousa P, Farid H, Elwi AM：Nasopharyngeal fibroma. J Laryngol Otol **68**：647–666, 1954
155) Harma RA：Nasopharyngeal angiofibroma. Acta Otolaryngol[Suppl]（Stockh）**146**：1–74, 1959
156) Acuna RT : The nasopharyngeal fibroma and its treatment. Archiv Otolaryngol **64** : 451–455, 1956
157) Makek MS, Andrews JC, Fisch U : Malignant transformation of a nasopharyngeal angiofibroma. Laryngoscope **99** : 1088–1092, 1989
158) Allensworth JJ, Troob SH, Lanciault C et al : High-grade malignant transformation of a radiation-native nasopharyngeal angiofibroma. Head Neck **38**（Suppl 1）: e2425–e2427, 2016
159) Coutinho-Camillo CM, Brentani MM, Nagai MA : Genetic alterations in juvenile nasopharyngeal angiofibromas. Head Neck **30** : 390–400, 2008
160) Schick B, Plinkert PK, Prescher A : Aetiology of angiofibroma : a lesion of adolescent males. Cancer **7** : 15–28, 1954
161) Barnes L, Verbin RS, Gnepp DR：Diseases of the nose, paranasal sinuses, and nasopharynx. Surgical Pathology of the Head and Neck vol 1, Barnes L（ed）, Marcel Dekker, New York, p403–451, 1985
162) Lopez F, Triantafyllou A, Snyderman CH et al : Nasal juvenile angiofibroma: Current perspectives with emphasis on management. Head Neck **39** : 1033–1045, 2017
163) Liu ZF, Wang DH, Sun XC et al : The site of origin and expansive routes of juvenile nasopharyngeal angiofibroma（JNA）. Int J Pediatr Otorhinolaryngol **75** : 1088–1092, 2011
164) McKnight CD, Parmar HA, Watcharotone K et al : Reassessing the anatomic origin of the juvenile nasopharyngeal angiofibroma. J Comput Assist Tomogr **41** : 559–564, 2017
165) Cruz AA, Atique JM, Melo-Fiho FV et al : Orbital involvement in juvenile nasopharyngeal angiofibroma: prevalence and treatment. Ophthalmic Plast Reconstr Surg **20** : 296–300, 2004
166) Som PM, Cohen BA, Sacher M et al：The angiomatous polyp and the angiofibroma：Two different lesions. Radiology **144**：329–334, 1982
167) Lloyd G, Howard D, Lund VJ et al : Imaging for juvenile angiofibroma. J Laryngol Otol **114** : 727–730, 2000
168) Rowan NR, Stapleton AL, Heft-Neal ME et al : The natural growth rate of residual juvenile angiofibroma. J Neurol Surg B Skull Base **79** : 257–261, 2018
169) Griffiths PD, Coley SC, Romanowski CA et al : Contrast-enhanced fluid-attenuated inversion recovery imaging for leptomeningeal disease in children. AJNR Am J Neuroradiol **24** : 719–723, 2003
170) Siniluoto TM, Luotonen JP, Tikkakoski TA et al : Value of pre-operative embolization in surgery for nasopharyngeal angiofibroma. J Laryngol Otol **107** : 514–521, 1993
171) Sessions RB, Bryan RN, Naclerio RM et al：Radiographic staging of juvenile angiofibroma. Head Neck **3**：279–283, 1981
172) Radkowski D, McGill T, Healy GB et al : Angiofibroma: changes in staging and treatment. Arch Otolaryngol Head Neck Surg **122** : 122–129, 1996
173) Roger G, Huy TBP, Froelich P et al：Exclusively endoscopic removal of juvenile nasopharyngeal angiofibroma：Trends and limits. Arch Oolaryngol Head Neck Surg **128**：928–935, 2002
174) Lim IR, Pang YT, Soh K：Juvenile angiofibroma：Case report and the role of endoscopic resection. Singapore Med J **43**：208–210, 2002
175) Kasper ME, Parsons JT, Mancuso AA et al：Radiation therapy for juvenile angiofibroma：Evaluation by CT and MRI, analysis of tumor regression, and selection of patients. Int J Radiat Oncol Biol Phys **15**：689–694, 1993
176) Lee JT, Chen P, Safa A et al：The role of radiation in the treatment of advanced juvenile angiofibroma. Laryngoscopt **112**：1213–1220, 2002
177) Nicolai P, Berlucchi M, Tomenzoli D et al : Endoscopic surgery for juvenile angiofibroma: when and how. Laryngoscope **113** : 775–782, 2003
178) Liu Z, Hua W, Zhang H et al : The risk factors for residual juvenile nasopharyngeal angiofibroma and the usual residual sites. Am J Otolaryngol **40** : 343–346, 2019
179) Changnaud C, Petit P, Bartoli J et al : Postoperative follow-up of juvenile nasopharyngeal angiofibromas: assessment by CT scan and MR imaging. Eur Radiol **8** : 756–764, 1998
180) Langdon C, Herman P, Verillaud B et al : Expanded endoscopic endonasal surgery for advanced stage juvenile angiofibromas: a retrospective multi-centere study. Rhinology **54** : 239–246, 2016
181) Som PM, Brandwein M：Tumors and tumorlike conditions：Sinonasal cavities：Inflammatory diseases, tumors, fractures and postoperative findings. Head and Neck Imaging（2nd ed）, Som PM, Curtin HD（eds）, Mosby, St Louis, p185–262, 1996
182) Yousem DM, Fellows DW, Kennedy DW et al：Inverted papilloma：Evaluation with MR imaging. Radiology **185**：501–505, 1992
183) Ward N：A mirror of the practice of medicine and surgery in the hospitals of London：London Hospital. Lancet **2**：480–482, 1854
184) Ringertz N：Pathology of malignant tumors arising in the nasal and paranasal cavities and maxilla. Acta Otolaryngol Suppl **27**：31–42, 1938
185) Michaels L, Young M：Histogenesis of papillomas

of the nose and paranasal sinuses. Arch Pathol Lab Med **119** : 821-826, 1995

186) DeSanto LW : Neoplasms. Otolaryngology : Head and Neck Surgery (2nd ed), Cummings CW, Fredrickson JM, Harker LA et al (eds), Mosby-Year Book, St Louis, p754-764, 1993

187) Krouse JH : Development of a staging system for inverted papilloma. Laryngoscope **110** : 965-968, 2000

188) Oikawa K, Furuta Y, Oridate N et al : Preoperative staging of sinonasal inverted papilloma by magnetic resonance imaging. Laryngoscope **113** : 1983-1987, 2003

189) Lisan Q, Moya-Plana A, Bonfils P : Association of Krouse classification for sinonasal inverted papilloma with recurrence: A systematic review and meta-analysis. JAMA Otolaryngol Head Neck Surg **143** : 1104-1110, 2017

190) Batsakis JG, Suarez P : Schneiderian papillomas and cardinomas: a review. Adv Anat Pathol **8** : 53-64, 2001

191) Lauson W, Kaufman MR, Biller HF : Treatment outcomes in the management of inverted papilloma: an analysis of 160 cases. Laryngoscope **113** : 1548-1556, 2003

192) Mirza S, Bradley PJ, Acharya A et al : Sinonasal inverted papillomas: recurrence, and synchronous and metachronous malignancy. J Laryngol Otol **121** : 857-864, 2007

193) Lesperance MM, Esclamado RM : Squamous cell carcinoma arising in inverted papilloma. Laryngoscope **105** : 178-183, 1995

194) Weissler MC, Montgomery WW, Turner PA et al : Inverted papilloma. Ann Otol Thinol Laryngol **95** : 215-221, 1986

195) Yasumatsu R, Nakashima T, Sato M et al : Clinical management of squamous cell carcinoma associated with sinonasal inverted papilloma. Auris Nasus Larynx **44** : 98-103, 2017

196) Miyazaki T, Haku Y, Yoshizawa A et al : Clinical features of nasal and sinonasal inverted papilloma associated with malignancy. Auris Nasus Larynx **45** : 1014-1019, 2018

197) Ojiri H, Ujita M, Tada S et al : Potentially distinctive features of sinonasal inverted papilloma on MR imaging. Am J Roentogenol **175** : 465-468, 2000

198) Jeon TY, Kim HJ, Chung SK et al : Sinonasal inverted papilloma: Value of convoluted cerebriform pattern on MR imaging AJNR Am J Neuroradiol **29** : 1556-1560, 2008

199) Yan CH, Tong CCL, Penta M et al : Imaging predictors for malignant transformation of inverted papilloma. Laryngoscope **129** : 777-782, 2019

200) Barnes L : Schneiderian papillomas and nonsalivary glandular neoplasms of the head and neck. Mod Pathol **15** : 279-297, 2002

201) Jeon TY, Kim HJ, Choi JY et al : 18FDG PET/CT findings of sinonasal inverted papilloma with or without coexistent malignancy: comparison with MR imaging findings in eights patients. Neuroradiology **51** : 265-271, 2009

202) Lee DK, Chun SK, Dhong HJ et al : Focal hyperostosis on CT of sinonasal inverted papilloma as a predictor of tumor origin. Am J Neuroradiol **28** : 618-621, 2007

203) Iimura J, Otori N, Ojiri H et al : Preoperative magnetic resonance imaging for localization of the origin of the maxillary sinus inverted papillomas. Auris Nasus Larynx **36** : 416-421, 2009

204) Cannady SB, Batra PS, Sautter NB et al : New staging system for sinonasal inverted papilloma in the endoscopic era. Laryngoscope **117** : 1283-1287, 2007

205) Batsakis JG : Tumors of the Head and Neck : Clinical and Pathological Considerations (2nd ed), Williams & Wilkins, Blatimore, p177-187, 1979

206) Muir CS, Nectoux J : Descriptive epidemiology of malignant neoplasms of nose, nasal cavities, middle ear and accessory sinuses. Clin Otolaryngol **5** : 195-211, 1980

207) Keane WM, Atkins JP Jr, Wetmore R et al : Epidemiology of head and neck cancer. Laryngoscope **91** : 2037-2045, 1981

208) Spiro JD, Soo KC, Spiro RH : Squamous carcinoma of the nasal cavity and paranasal sinuses. Am J Surg **158** : 328-332, 1989

209) Öhngren LG : Malignant tumors of the maxillo-ethmoid region. Acta Otolaryngol **19** (Suppl) : 1, 1933

210) Harrison DFN : Critical look at the classification of maxillary sinus carcinoma. Amm Otol **87** : 3-9, 1978

211) Amin MB, Edge SB, Green FL et al (eds) : Head and Neck. AJCC Cancer Staging Manual (8th ed), Springer, New York, p53-181, 2017

212) Kimmelman CP, Korovin GS : Management of paranasal sinus neoplasms invading the orbit. Otolaryngol Clin North Am **21** : 77-92, 1988

213) Maroldi R, Farina D, Battaglia G et al : Magnetic resonance and computed tomography compared in the staging of rhinosinusal neoplasms. A cost-effectiveness evaluation. Radiol Med Italy **91** : 211-218, 1996

214) Perry C, Levine PA, Williamson BR et al : Preservation of the eye in paranasal sinus cancer surgery. Arch Otorhinolaryngol Head Neck Surg **114** : 632-634, 1988

215) Eisen MD, Yousem DM, Loevner LA et al : Preoperative imaging to predict orbital imvasion by tumor. Head Neck **22** : 456-462, 2000
216) Le QT, Fu KK, Kaplan MJ et al : Lymph node metastasis in maxillary sinus carcinoma. Int J Radiat Oncol Biol Phys **46** : 541-549, 2000
217) Nishino H, Miyata M, Morita M et al : Combined therapy with conservative surgery, radiotherapy, and regional chemotherapy for maxillary sinus carcinoma. Cancer **89** : 1925-1932, 2000
218) Nishino H, Ichimura K, Tanaka H et al : Results of orbital preservation for advanced malignant maxillary sinus tumors. Laryngoscope **113** : 1064-1069, 2003
219) Homma A, Sakashita T, Yoshida D et al : Superselective intra-arterial cisplatin infusion and concomitant radiotherapy for maxillary sinus cancer. Br J Cancer **109** : 2980-2986, 2013
220) Mirghani H, Mortuaire G, Armas GL et al : Sinonasal cancer : Analysis of oncological failures in 156 consecutive cases. Head Neck **36** : 667-674, 2014
221) Fried DV, Zanation AM, Huang B et al : Patterns of local failure for sinonasal malignancies. Pract Radia Oncol **3** : e113-e120, 2013
222) Spiro JD, Soo KC, Spiro RH : Nonsquamous cell malignant neoplasms of the nasal cavities and paranasal sinuses. Head Neck **17** : 114-118, 1995
223) Berger L, Luc H, Richard R : 'L' esthesioneuro epitheliome olfactif. Bull Assoc Franc Pour l'Etude Cancer **13** : 410-420, 1924
224) WHO classification of Head and Neck Tumours. El-Naggar AK, Chan JKC, Grandis JR et al (eds), International Agency for Research on Cancer (IARC), Lyon, 2017
225) Bell D, Hanna EY, Weber RS et al : Neuroendocrine neoplasms of the sinonasal region. Head Neck **38** (suppl 1) : doi 10.1002/hed.24152 E2259-E2266, 2016
226) Chao KSC, Kaplan C, Simpson JR et al : Esthesioneuroblastoma : The impact of treatment modality. Head Neck **23** : 749-757, 2001
227) Elkon D, Hightower SI, Lim ML et al : Esthesioneuroblastoma. Cancer **44** : 1087-1094, 1979
228) Eich HT, Staar S, Micke O et al : Radiotherapy of esthesioneuroblastoma. Int J Radiat Oncol Biol Phys **49** : 155-160, 2001
229) Yu T, Xu YK, Li L et al : Esthesioneuroblastoma methods of intracranial extension: CT and MR imaging findings. Neuroradiology **51** : 841-850, 2009
230) Gabbay U, Leider-Trejo L, Marshak G et al : A case and a series of published cases of esthesioneuroblastoma (ENB) in which long-standing paraneoplastic SIADH had preceded ENB diagnosis. Ear Nose Throat J **92** : E6, 2013
231) Kunc M, Gabrych A, Czapiewski P et al : Paraneoplastic syndromes in olfactory neuroblastoma. Contemp Oncol **19** : 6-16, 2015
232) Harrison D : Surgical pathology of olfactory neuroblastoma. Head Neck Surg **7** : 60-64, 1984
233) Judge DM, McGavran MH, Trapukdi S : Fume induced fluorescence in diagnosis of nasal neuroblastoma. Arch Otolaryngol **102** : 97-98, 1976
234) O'Connor TA, McLean P, Juillard GJF et al : Olfactory neuroblastoma. Cancer **63** : 2426-2428, 1989
235) Kadish S, Goodman M, Wang CC : Olfactory neuroblastoma : A clinical analysis of 17 cases. Cancer **37** : 1571-1576, 1976
236) Morita A, Ebersold MJ, Olsen KD et al : Esthesioneuroblastoma : Prognosis and management. Neurosurgery **32** : 706-714, 1993
237) Zollinger LV, Wiggins III RH, Cornelius RS et al : Retropharyngeal lymph node metastasis from esthesioneuroblastoma: a review of the therapeutic and prognostic implications. AJNR Am J Neuroradiol **29** : 1561-1563, 2008
238) Regenbogen VS, Zinreich SJ, Kim KS et al : Hyperostotic esthesioneuroblastoma : CT and MR findings. J Comput Assist Tomogr **12** : 52-56, 1988
239) Rutter M, Furneaux X, Morton R : Craniofacial resection of anterior skull base tumours: factors contributing success. Aust NZ J Surg **68** : 350-353, 1998
240) Moiyadi AV, Pai P, Nair D et al : Dural involvement in skull base tumors -accuracy of preoperative radiological evaluation and intraoperative aassessment. J Craniofac Surg **24** : 1268-1272, 2013
241) Mclntyre JB, Perez C, Penta M et al : Patterns of dural involvement in sinonasal tumours: prospective correlation of magnetic resonance imaging and histopathologic findings. Int Forum Allergy Rhinol **2** : 336-341, 2012
242) Tokumaru A, O'uchi T : Prominent meningeal enhancement adjacent to meningioma on Gd-DTPA-enhanced MR images: histopathologic correlation. Radiology **175** : 431-433, 1990
243) Yoh K, Tahara M, Kawada K et al : Chemotherapy in the treatment of advanced or recurrent olfactory neuroblastoma. Asia-Pacific J Clin Oncol **2** : 180-184, 2006
244) Gallia GL, Reh DD, Lane AP et al : Endoscopic resection of esthesioneuro blastoma. J Clin Neuroscience **19** : 1478-1482, 2012
245) Perez CA, Clifford Chao KS : Unusual nonepithelial tumors of the head and neck. Principles and Practice of Radiation Oncology (3rd ed), Perez CA, Brady LW (eds), Lippincott-Raven Publishers, Philadelphia, p1111-1116, 1998

246) Rinaldo A, Ferlito A, Shaha AR et al : Esthesioneuroblastoma and cervical lymph node metastases: clinical and therapeutic implications. Acta Otolaryngol **122** : 215-221, 2002
247) Bhayani MK, Yilmaz T, Sweeney A et al : Sinonasal adenocarcinoma : 16-year experience at a single institusion. Head Neck **36** : 1490-1496, 2014
248) Chen MM, Roman SA, Sosa JA et al : Predictors of survival in sinonasal adenocarcinoma. J Neurol Surg B Skull Base **76** : 208-213, 2015
249) D'Aguillo CM, Kanumuri VV, Khan MN et al : Demographics and survival trends of sinonasal adenocarcinoma from 1973 to 2009. Int Forum Allergy Rhinol **4** : 771-776, 2014
250) Klintenberg C, Olofsson J, Hellquist H et al : Adenocarcinoma of the ethmoid sinuses : A review of 28 cases with special reference to wood dust exposure. Cancer **54** : 482-488, 1984
251) Leivo I : Sinonasal adenocarcinoma: update on classification, immunophenotyped and molecular features. Head Neck Pathol **10** : 68-74, 2016
252) Shay A, Ganti A, Raman A et al : Survival in low-grade and high-grade sinonasal adenocarcinoma : A national cancer database analysis. Laryngoscope **130** : e1-e10, 2019
253) Kilic S, Samarrai R, Kilic SS et al : Incidence and survival of sinonasal adenocarcinoma by site and histologic subtype. Acta Otolaryngol **138** : 415-421, 2018
254) Hyams VJ : Pathology of the nose and paranasal sinuses. Otolaryngology vol 2, English GE (ed), Harper & Row, New York, 1984
255) Michel J, Radulesco T, Penicaud M et al : Sinonasal adenocarcinoma: clinical outcomes and predictive factors. Int J Oral Maxillofac Surg **46** : 422-427, 2017
256) Kim GE, Park HC, Keum KC et al : Adenoid cystic carcinoma of the maxillary antrum. Am J Otolaryngol **20** : 77-84, 1999
257) Spiro RH, Huvos AG, Strong EW : Adenoid cystic carcinoma of salivary origin. A clinicopathologic study of 242 cases. Am J Surg **128** : 512-520, 1994
258) Michel G, Jourbert M, Delemazure AS et al : Adenoid cystic carcinoma of the paranasal sinuses: Retrospective series and review of the literature. Eur Ann Otorhinolaryngol Head Neck Dis **130** : 257-262, 2013
259) Martinez-Rodriguez N, Leco-Berrocal I, Rubio-Alonso L et al : Epidemiology and treatment of adenoid cystic carcinoma of the minor salivary glands: a meta-analytic study. Med Oral Patol Oral Cir Bucal **16** : e884-e889, 2011
260) da Cruz Perez DE, Pires FR, Lopes MA et al : Adenoid cystic carcinoma and mucoepidermoid carcinoma of the maxillary sinus: report of a 44-year experience of 25 cases from a single institution. J Oral Maxillofac Surg **64** : 1592-1597, 2006
261) Yoshikawa J, Takashima T, Miyata S et al : CT demonstration of calcification in an adenoid cystic carcinoma of the lung. AJR A J Roentgenol **154** : 419, 1990
262) Ellington CL, Goodman M, Kono SAG et al : Adenoid cystic carcinoma of the head and neck: Incidence and survival trends based on 1973-2007 surveillance, epidemiology and end results data. Cancer **118** : 4444-4451, 2012
263) Aiken AH, Glastonbury C : Imaging Hodgkin and non-Hodgkin lymphoma in the head and neck. Radiol Clin North Am **46** : 363-378, ix-x, 2008
264) Barnes L, Everson J, Reichart P et al : World Health Organization classification of Tumors. IARC Press, Lyon, 2005
265) Vidal RW, Devaney K, Ferlito A et al : Sinonasal malignant lymphomas : A distinct clinicopathological category. Ann Otol Rhinol Laryngol **108** : 411-419, 1999
266) Vaelas AN, Ganti A, Eggerstedt M et al : Prognostic indicators of survival in sinonasal extranodal natural killer/T-cell lymphoma. Laryngoscope **129** : 2675-2680, 2019
267) King AD, Lei KI, Ahuja AT et al : MR imaging of nasal T-cell/natural killer cell lymphoma. Am J Roentgenol **174** : 209-211, 2000
268) Cavalot AL, Ricci E, Nazionale G et al : Primary non-Hodgkin's lymphoma of the nasal cavity : Clinical case report and discussion. Acta Otolaryngol **120** : 545-550, 2000
269) Li S, Feng X, Li T et al : Extranodal NK/T-cell lymphoma, nasal type: a report of 73 cases at MD Anderson Cancer Center. Am J Surg Pathol **37** : 14-23, 2013
270) D'Aguillo C, Soni RS, Gordon C et al : Sinonasal extrameduallary plasmacystoma: a systematic review of 175 patients. Int Forum Allergy Rhinol **4** : 156-163, 2014
271) Majumdar S, Raghavan U, Jones NS : Solitary plasmacytoma and extramedullary plasmacytoma of the paranasal sinuses and soft palate. J Laryngol Otol **116** : 962-965, 2002
272) Goover N, Chary G, Makhija P et al : Extramedullary plasmacytoma of the nasal cavity: treatment perspective in a developing nation. Ear Nose Throat J **85** : 434-436, 2006
273) Alexiou C, Kau RJ, Dietzfelbinger H et al : Extramedullary plasmacytoma: tumor occurrence and therapeutic concepts. Cancer **85** : 2305-2314, 1999
274) Bachar G, Goldstein D, Brown D et al : Solitary extramedullary plasmacytoma of the head and neck-

long-term outcome analysis of 68 cases. Head Neck **30** : 1012-1019, 2008

275) Strojan P, Soba E, Lamovec J et al : Extramedullary plasmacytoma: clinical and histopathologic study. Int J Radiat Oncol Biol Phys **53** : 692-701, 2002

276) Hu K, Yahalom J : Radiotherapy in the management of plasma cell tumors. Oncology **14** : 101-108, 2000

277) Liebross RH, Ha CS, Cox JD et al：Clinical course of solitary extramedullary plasmacytoma. Radiother Oncol **52**：245-249, 1999

278) Soo G, Chan A, Lam D et al：Extramedullary nasal plasmacytoma：An unusual clinical entity. Ear Nose Throat J **75**：171-173, 1996

279) Gerry D, Lentsch EJ : Epidemiologic evidence of superior outcomes for extramedullary plasmacytoma of the head and neck. Otolaryngol Head Neck Surg **148** : 974-981, 2013

280) Ozsahin M, Tsang RW, Poortmans P et al : Outcomes and patterns of failure in solitary plasmacytoma: a multicenter rare cancer network study of 258 patients. Int J Radiat Oncol Biol Phys **64** : 210-217, 2006

281) Gupta S, Pant MC, Husain N et al : Primary amelanotic melanoma of the nasal cavity: a case report. Ear Nose Throat J **93** : e12-e14, 2014

282) Freedman HM, DeSanto LW, Devine KD et al：Malignant melanoma of the nasal cavity and paranasal sinuses. Arch Otolaryngol **97**：322-325, 1973

283) Yousem DM, Li C, Montone KT et al：Primary malignant melanoma of the sinonasal cavity：MR imaging evaluation. Radiographics **16**：1101-1110, 1996

284) Lopez F, Rodrigo JP, Cardesa A et al : Update on primary head and neck mucosal melanoma. Head Neck **38** : 147-155, 2016

285) Kim YK, Choi JW, Kim HJ et al : Melanoma of the sinonasal tract: value of a septate pattern on precontrast T1-weighted MR imaging. AJNR Am J Neuroradiol **39** : 762-767, 2018

286) Kim SS, Han MH, Kim JE et al：Malignant melanoma of the sinonasal cavity：explanation of magnetic resonance signal intensities with histopathologic characteristics. Am J Otolaryngol **21**：366-378, 2000

287) Ramos R, Som PM, Solodnik P : Nasopharyngeal melanotic melanoma: MR characteristics. J Comput Assist Tomogr **14** : 997-999, 1990

288) Clifton N, Harrison L, Bradley PJ et al：Malignant melanoma of nasal cavity and paranasal sinuses：report of 24 patients and literature review. J Laryngol Otol **125**：479-485, 2011

289) Roth TN, Gengler C, Huber GF et al：Outcome of sinonasal melanoma：clinical experience and review of the literature. Head Neck **32**：1385-1392, 2010

290) Weber CO, Virchow R : Anatomische Untersuchung einer hypertrophischen Zunge nebst Bermerkungen uber die Neubildung quergestreifter Muckelfasern. Arch Fur Pathol Anat und Physiol und fur Klin Med **7** : 115-125, 1854

291) Unsal AA, Chung SY, Unsal AB et al : A population-based analysis of survival for sinonasal rhabdomyosarcoma. Otolaryngol Head Neck Surg **157** : 142-149, 2017

292) Callender TA, Weber RS, Janjan N et al：Rhabdomyosarcoma of the nose and paranasal sinuses in adults and children. Otolaryngol Head Neck Surg **112**：252-257, 1995

293) Sanghvi S, Mistra P, Patel NR et al : Incidence trends and long-term survival analysis of sinonasal rhabdomyosarcoma. Am J Otolaryngol Head Neck Med Surb **34** : 682-689, 2013

294) Stepan K, Konuthula N, Khan M et al : Outcomes in adult sinonasal rhabdomyosarcoma. Otolaryngol Head Neck Surg **157** : 135-141, 2017

295) Turner JH, Richmon JD : Head and neck rhabdomyosarcoma: a critical analysis of population-based incidence and survival data. Otolaryngol Head Neck Surg **145** : 967-973, 2011

296) Bisogno G, Compostella A, Ferrari A et al : Rhabdomyosarcoma in adolescents: a report from the AIEOP soft tissue sarcoma committess. Cancer **118** : 821-827, 2012

297) Thompson CF, Kim BJ, Lai C et al：Sinonasal rhabdomyosarcoma：prognostic factors and treatment outcomes. Int Forum Allergy Rhinol **3**：678-683, 2013

298) Martin HM, Ragab AH：Rhabdomyosarcoma. Clinical Pediatric Oncology, Sutow WW, Fernbach DJ, Vietti TJ(eds), Mosby, St Louis, 1984

299) Lee JH, Lee MS, Lee BH et al：Rhabdomyosarcoma of the head and neck in adults：MR and CT findings. AJNR Am J Neuroradiol **17**：1923-1928, 1996

300) Yousem DM, Lexa FJ, Bilaniuk LT et al：Rhabdomyosarcomas in the head and neck：MR imaging evaluation. Radiology **177**：683-686, 1990

301) Fyrmpas G, Wurm J, Athanassiadou F et al：Management of paediatric sinonasal rhabdomyosarcoma. J Laryngol Otol **123**：990-996, 2009

302) Lohrmann C, Uhl M, Warnatz K et al : Sinonasal computed tomography in patients with Wegener's granulomatosis. J Comput Assist Tomogr **30** : 122-125, 2006

303) D'Anza B, Langford CA, Sindwani R : Sinonasal imaging findings in granulomatosis with polyangiitis (Wegener granulomatosis) : A systematic re-

view. Am J Rhinol Allergy **31** : 16-21, 2017

304) Wegener F : Ueber generalisierte septische Gefäßerkrankungen [about generalized septic vascular diseases]. Verh Deut Pathol Ges **29** : 202-210, 1936

305) Woywodt A, Matteson L : Wegener's granulomatosis - probing the untold past of the man behind the eponum. Rheumatology **45** : 1303-1306, 2006

306) Falk RJ, Gross WL, Guillevin L et al : Granulomatosis with polyangitis (Wegener's) : an alternative name for Wegener's granulomatosis. Ann Rheum Disc **70** : 704, 2011

307) Jennette JC, Falk RJ, Bacon PA et al : 2012 revised International Chapel Hill Consensus Conference Nomenclature of Vasculitides. Arthritis Rheum **65** : 1-11, 2013

308) Beggs AD, Hain SF : F-18 FDG- Positron emission tomographic scanning and Wegener's granulomatosis. Clin Nucl Med **27** : 705-706, 2002

309) Mahou SE, Jamard B, Constantin A et al : Two cases of meningeal involvement in Wegener's granulomatosis. Rheumatology **43** : 1459-1460, 2004

310) Ozhan S, Arac M, Ishik S et al : Pseudotumor of the maxillary sinus in a patient with von Willbrand's disease. AJR AM J Roentgenol **166** : 950-951, 1996

311) Wu AW, Ting JY, Borgie RC et al : Diagnostic characteristics of sinonasal organizing hematomas: avoiding misdiagnosis. Int Forum Allergy Rhinol **3** : 598-602, 2013

312) Song HM, Jang YJ, Chung YS et al : Organizing hematoma of the maxillary sinus. Otolaryngol Head Neck Surg **136** : 616-620, 2007

313) Kim YE, Kim HJ, Chung SK et al : Sinonasal organized hematoma: CT and MR imaging findings. AJNR Am J Neuroradiol **29** : 1204-1208, 2008

314) Omura G, Watanabe K, Fujishiro Y et al : Organized hematoma in the paranasal sinus and nasal cavity-Imaging diagnosis and pathological findings. Auris Nasus Larynx **37** : 173-177, 2010

315) Myoung H, Hond SP, Hond SD et al : Odontogenic keratocyst : Review of 256 cases for recurrence and clinicopathologic parameters. Oral Surg Oral Med Oral Pathol Oral Radiol **91** : 328-333, 2001

316) Jackson IT, Callan PP, Forte RA : An anatomical classification of maxillary ameloblastoma as an aid to surgical treatment. J Craniomaxillofac Surg **24** : 230-236, 1996

317) Pinsole J, Michelet V, Coustal B et al : Treatment of ameloblastoma of the jaws. Arch Otolaryngol Head Neck Surg **121** : 994-996, 1995

318) Maeda Y, Osaki T, Yoneda K et al : Clinico-pathologic studies on post-operative maxillary cysts. Int J Oral Maxillofac Surg **16** : 682-687, 1987

319) Kaneshiro S, Nakajima T, Yoshikawa Y et al : The post operative maxillary cyst : Report of 71 cases. J Oral Surg **39** : 191-198, 1980

320) Gardner DG, Gullane PJ : Mucoceles of the maxillary sinus. Oral Surg Oral Med Oral Pathol **62** : 538-543, 1986

321) Basu MK, Rout PG, Rippin JW et al : The post-operative maxillary cyst : Experience with 23 cases. Int J Oral Maxillofac Surg **17** : 282-284, 1988

322) Kubo I : The cheek swelling after the Caldwell-Luc procedure [in Japanese] . Journal of Otolaryngology of Japan **33** : 896-897, 1927

323) Sawatsubashi M, Murakami D, Oda M et al : Transnasal endoscopic surgery of post-operative maxillary cysts. J Laryngol Otol **129** (Suppl. S2) : S46-S51, 2015

324) Kondo K, Baba S, Suzuki S et al : Infraorbital nerve located medially to postoperative maxillary cysts; A risk of endonasal surgery. ORL J Otorhinolaryngol Relat Spec **80** : 28-65, 2018

325) Jiang RS, Hsu CY : Functional endoscopic sinus surgery in children and adults. Ann Otol Rhinol Laryngol **109** : 1113-1116, 2000

326) Fakhri S, Manoukian HH, Souaid JP : Functional endoscopic sinus surgery in the paeadric population : Outcome of a conservative approach to postoperative care. J Otolaryngol **30** : 15-18, 2001

327) Rombaux P, Bertrand B, Eloy P et al : Endoscopic endonasal surgery for paranasal sinus mucoceles. Acta Otorhinolaryngol Belg **54** : 115-122, 2000

328) Keles N, Deger K : Endonasal endoscopic surgical treatment of paranasal sinus inverted papilloma : First experiences. Rhinology **39** : 156-159, 2001

329) Schlosser RJ, Mason JC, Gross CW : Aggressive endoscopic resection of inverted papilloma : An uptdate. Otolaryngol Head Neck Surg **125** : 49-53, 2001

330) Krouse JH : Endoscopic treatment of inverted papilloma : Safety and efficacy. Am J Otolaryngol **22** : 87-99, 2001

331) Bhargave D, Sankhla D, Ganesan A et al : Endoscopic sinus surgery for orbital subperiosteal abscess secondary to sinusitis. Rhinology **39** : 151-155, 2001

332) Ramadan HH : Surgical causes of failure in endoscopic sinus surgery. Laryngoscope **109** : 27-29, 1999

333) Houser SM : Empty nose syndrome associated with middle turbinate resection. Orolaryngol Head Neck Surg **135** : 972-973, 2006

334) Moore EJ, Kern EB : Atrophic rhinitis : a review of 242 cases. Am J Rhinol **15** : 355-361, 2001

335) Chhabra N, Houser SM : The diagnosis and management of empty nose syndrome. Otolaryngol Clin North Am **42** : 311-330 [ix], 2009

336) Coste A, Dessi P, Serrano E：Empty nose syndrome. Eur Ann Otorhinolaryngol Head Neck Dis **129**：93-97, 2012
337) Houser SM：Surgical treatment for empty nose syndrome. Arch Otolaryngol Head Neck Surg **133**：858-863, 2007
338) Naftali S, Rosenfeld M, Wolf M et al : The air-conditioning capacity of the human nose. Ann Biomed Eng **33** : 545-553, 2005
339) Jang YJ, Kim JH, Song HY : Empty nose syndrome: radiologic findings and treatment outcomes of endonasal microplasty using cartilage implants. Laryngoscope **121** : 1308-1312, 2011
340) 日本頭頸部癌学会(編)：頭頸部癌取扱い規約(第6版補訂版)，金原出版，東京，2019
341) Spio RH, Strong EW, Shah JP：Maxillectomy and its classification. Head Neck **19**：309-314, 1997
342) Smith RR, Klopp CT, Williams JM：Surgical treatment of cancer of the frontal sinus and adjacent areas. Cancer **7**：991-994, 1954
343) Ketcham AS, Wilkins RH, Van Buren JM et al：A combined intracranial approach to the paranasal sinuses. Am J Surg **106**：698-703, 1963
344) Terez JJ, Young HF, Lawrence W：Combined craniofacial resection for locally advanced carcinoma of the head and neck. Am J Surg **140**：613-624, 1980
345) Harrison DFN：The management of malignant tumors affecting the maxillary and ethmoidal sinuses. J Laryngol Otol **3**：749-772, 1973

4 上咽頭

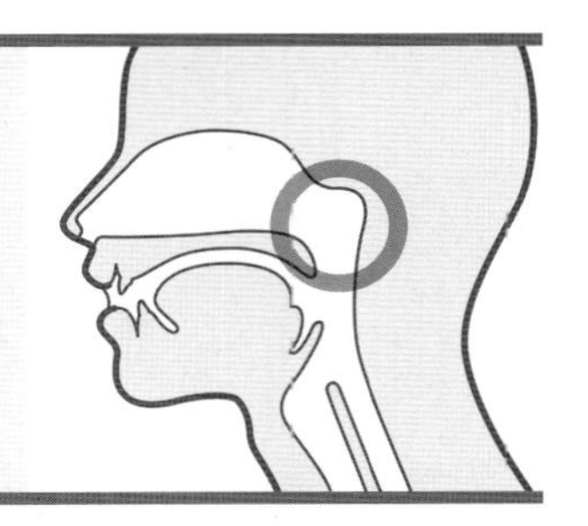

A 臨床解剖

1 粘膜・筋層解剖

上咽頭は両側壁，後下方に傾斜する上壁，これに連続する後壁，軟口蓋咽頭面からなる可動性のある下壁に囲まれ，全体として立方体をなす．前方は後鼻孔を介して鼻腔，下方は軟口蓋自由縁レベルで中咽頭と連続する(図1)．上壁は蝶形骨体部から斜台，後壁は第1，第2頸椎体前面に接する．上外側には頭蓋底の破裂孔が位置する(図2)．側壁は前方から後方の順に耳管(eustachian tube)咽頭口，耳管隆起(torus tubarius)，外側咽頭陥凹(Rosenmüller 窩)を含む(図1，2)．上壁から後壁にかけてはアデノイド(adenoid pad)や咽頭嚢(pharyngeal bursa)などの存在によりやや不整な形状を示す場合がある(図3)．Rosenmüller 窩レベルでの上咽頭の横径は前方で約3 cm，後方で4〜5 cm，前後径は2〜4 cm 程度である[1]．

上咽頭粘膜は(主に)上咽頭収縮筋に裏打ちされるが，頭側の頭蓋底との間に介在する咽頭頭底筋膜(pharyngobasilar fascia)が同筋を頭蓋底より吊るす(図2，4)．咽頭頭底筋膜は強固な腱膜であり，上咽頭病変の深部進展における障壁となるが，その両側方で，上咽頭収縮筋との接合部には，耳管軟骨部，口蓋帆挙筋が貫通する欠損(Morgagni 洞)があり，上咽頭癌の(傍咽頭間隙などへの)深部浸潤，頭蓋底浸潤の初期の経路となる場合が多い．

なお，造影 MRI で粘膜下静脈叢が上咽頭の輪郭に沿った線状増強効果(deep mucosal white line)(図3)として認められ，同線状増強効果の確認は深部浸潤性病変の同定に有用である(同線状増強効果の破綻はしばしば上咽頭癌の深部浸潤性変化を反映する：上咽頭癌の項を参照されたい)．上咽頭アデノイドは同線状増強効果の気道側の組織として認められ，内部にはしばしば気道側から直行する索状増強効果(enhancing septa)を認める(図3B・C)．

2 周囲深部組織間隙(図2)

上咽頭粘膜は咽頭収縮筋，咽頭頭底筋膜の外側を覆う深頸筋膜中葉である頬咽頭筋膜(bucco-pharyngeal fascia)に囲まれる．上咽頭の両側方には同筋膜を介して傍咽頭間隙(parapharyngeal space)が位置する．同間隙は口蓋帆張筋および同筋膜により前・後茎突区(pre/retro-styloid compartment)に二分される．前茎突区(狭義の傍咽頭間隙)は主に脂肪に満たされた間隙で，CT，MRI で脂肪濃度・信号領域として同定される．後茎突区は頸動脈鞘(carotid sheath)に相当し，頸動・静脈，下位脳神経，交感神経および内深頸リンパ節が含まれる．内頸動脈と(上咽頭癌の好発部位である)Rosenmüller 窩は近接，ときに内頸動脈は同部粘膜直下に位置する(図5)．上咽頭後方では頬咽頭筋膜と深頸筋膜深葉である椎前葉との間に咽頭後間隙(retropharyngeal space)，椎前葉後方には椎前間隙(prevertebral space)が形成される［深頸筋膜深葉は椎体前方では翼状筋膜(alar fascia)と椎前葉の2重葉を形成し，頬咽頭筋膜と翼状筋膜の間を咽頭後間隙，翼状筋膜と椎前葉との間を danger space として区別する場合もある．ただし，正常画像解剖において，両者の区別は困難である］．咽頭後間隙は脂肪と咽頭後リンパ節(後述)が含まれ，臨床上は小児での咽後

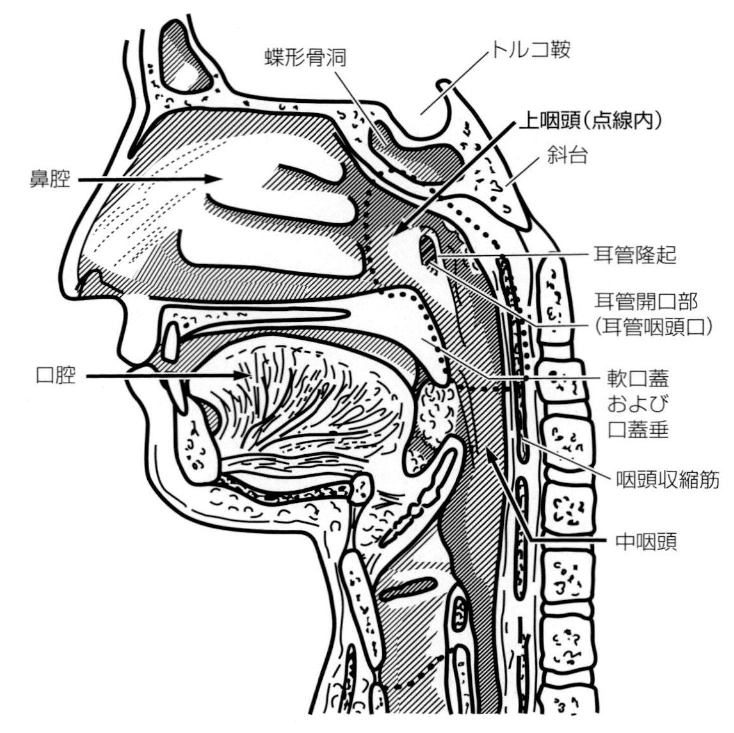

図1　上咽頭正中矢状断．シェーマ

膿瘍の形成が重要である．詳細は1章「頸部組織間隙・筋膜および頸三角の解剖」を参照されたい．

3 神経・リンパ経路

神経運動枝は口蓋帆張筋が三叉神経，茎突咽頭筋は舌咽神経(CN Ⅸ)，その他は迷走神経(CN Ⅹ)の支配を受ける．知覚枝は舌咽神経と三叉神経第2枝による．

リンパ網は豊富であり，まず咽頭後リンパ節を経由，あるいは直接，上内深頸リンパ節に注ぐ．その後，頸静脈リンパ節鎖，副神経リンパ節鎖に沿って下行する．

B 撮像プロトコール

化膿性咽頭後リンパ節炎，咽後膿瘍(後述)などの炎症性疾患では，造影CTが選択される．ただし，原因としての魚骨などのX線陽性異物の評価が必要な場合，造影前CTも撮影するのが望ましい．通常，3～5 mm程度のスライス間隔で頭蓋底から舌骨下頸部(必要に応じて縦隔まで)を含む横断像で十分である．炎症が蜂窩織炎のみか，膿瘍形成か，その進展がリンパ節内(リンパ節炎)のみか，節外の組織間隙に及ぶか(咽後膿瘍などの深頸部膿瘍)，侵される組織間隙はどこか，などを判断する必要がある．骨条件表示は原因となる異物(魚骨など)の同定，頭蓋底骨髄炎の評価などに有効となる．頭蓋底骨髄炎，頭蓋内への炎症波及(髄膜炎など)の評価にはMRI，ときに冠状断像なども必要とされる．

腫瘍性疾患の場合，原発病変，リンパ節病変双方を評価するためには造影CTが最初に選択される場合が多い．多列検出器CTにおいて，原発病変に関しては，上は海綿静脈洞から頭蓋底を十分に含め，下は舌骨レベルの範囲における横断像と冠状断再構成画像で軟部条件表示・骨条件表示により評価する．再構成スライス厚は骨条件表示では1 mm，軟部条件表示では3 mm程度，スライス間隔は3 mm以下が望ましい．リンパ節病変の評価に関しては，頭蓋底から胸郭入口部(上咽頭癌では特に鎖骨上窩が欠けないよう)の範囲で再構成スライス厚・間隔3 mmでの評価が望ま

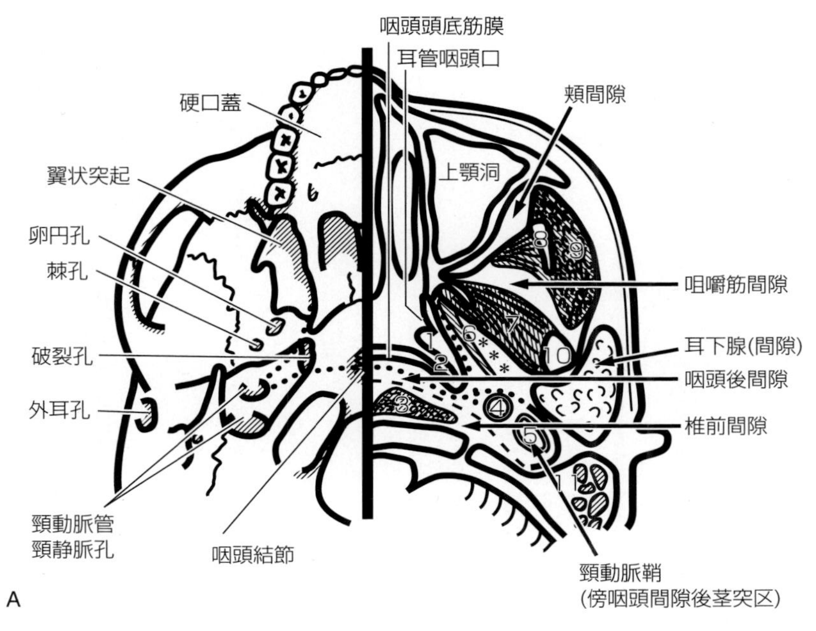

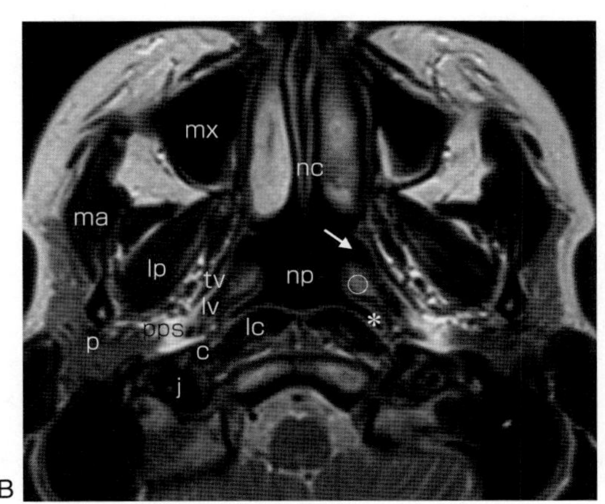

図 2　上咽頭の解剖

A：上咽頭周囲の頸筋膜および組織間隙．解剖シェーマ

左側：頭蓋底と咽頭頭底筋膜付着．点線は咽頭頭底筋膜の頭蓋底付着．

右側：頸筋膜と周囲組織間隙．上咽頭粘膜は咽頭頭底筋膜に裏打ちされ，これを深頸筋膜中葉(頬咽頭筋膜：点線)が囲む．上咽頭後方では頬咽頭筋膜と深頸筋膜深葉(椎前葉：破線)との間に咽頭後間隙，椎前葉の後方には椎前間隙が位置する．側方には傍咽頭間隙があるが，これは口蓋帆張筋(6)とこの筋膜により前茎突区(＊)と後茎突区(頸動脈鞘)に区分される．頸動脈鞘の形成には深頸筋膜浅・中・深葉のいずれもが関与している．咀嚼筋間隙，耳下腺間隙はともに深頸筋膜浅葉(実線)に囲まれる．

1：耳管隆起，2：Rosenmüller 窩，3：頸長筋，4：内頸動脈，5：内頸静脈，6：口蓋帆張筋，7：外側翼突筋，8：下顎骨筋突起，9：咬筋，10：下顎骨関節突起，11：乳突洞

B：上咽頭レベルの正常 MRI，T2 強調横断像

矢印：耳管咽頭口，○：耳管隆起，＊：Rosenmüller 窩(外側咽頭陥凹)，c：内頸動脈，j：内頸静脈，lc：頸長筋，lp：外側翼突筋，lv：口蓋帆挙筋，ma：咬筋，mx：上顎洞，nc：鼻腔，np：上咽頭，p：耳下腺，pps：傍咽頭間隙，tv：口蓋帆張筋

しい．コントラスト分解能に優れる MRI は上咽頭癌の原発部位の進展範囲の評価に必須である．FOV は T1 強調像で約 12～18 cm，T2 強調像で約 20～24 cm 程度，スライス厚は 3～5 mm 程度が一般的である．T1 強調像，T2 強調像，造影後 T1 強調像(ときに脂肪抑制画像)において，横断像，冠状断像(および矢状断像)が撮像される．良好に撮像された MRI は，CT と比較して深部組織間隙への進展，頭蓋底骨髄内病変，頭蓋内病変の評価に優れる．上咽頭癌では，治療の検討を CT のみで行った場合と MRI を加えた場合では，局所制御率，生存率に関して MRI が有意に優れる[2)]．

C　病　態

1　炎症性疾患

a. 化膿性咽頭後リンパ節炎・咽後膿瘍

咽頭後リンパ節は咽頭後間隙(図 2)内にあり，

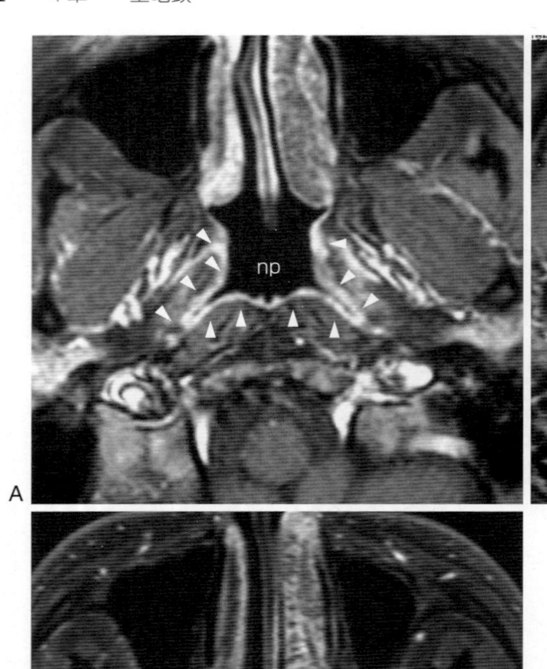

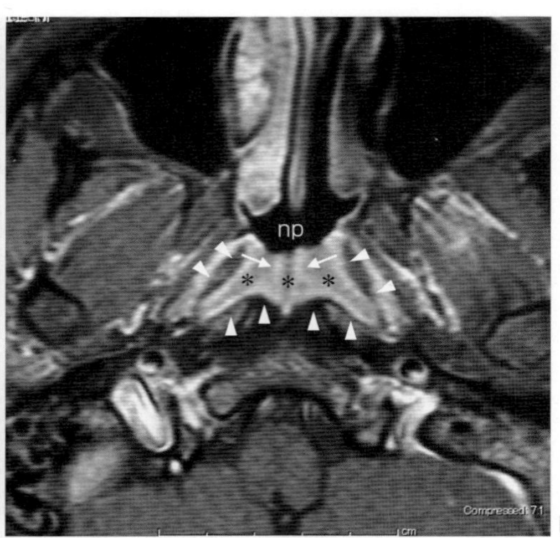

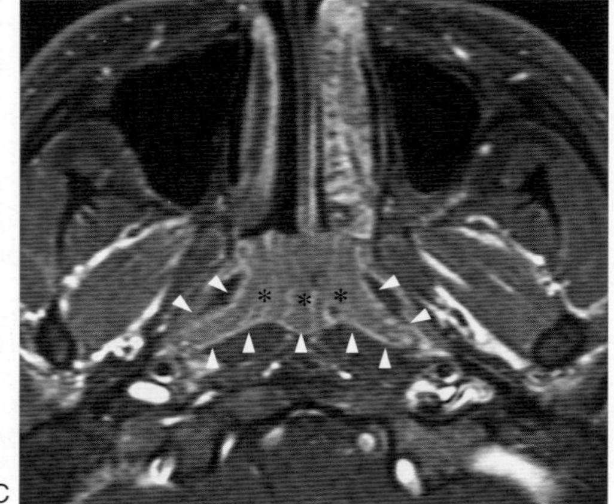

図 3　上咽頭 MRI

上咽頭レベルの造影後 T1 強調脂肪抑制画像(A). 上咽頭(np)の輪郭に沿って粘膜下静脈叢による線状増強効果(矢頭)を認める. 別症例(B)では造影される組織(∗)により上咽頭腔(np)は狭小化している. 粘膜下静脈叢の線状増強効果(矢頭)は保たれており, 深部浸潤性は否定的であり, さらに内部には気道側から直行する複数の索状増強効果(矢印)を認め, 上記の組織が(上咽頭癌などの病変ではなく)上咽頭アデノイドであることを示唆する. さらに別症例(C)の MRI で B と同様に気道側から直行する複数の索状増強効果を伴う組織肥厚(∗)を認め, 上咽頭の輪郭に沿った粘膜下静脈層の線状増強効果(矢頭)は保たれており, これも上咽頭アデノイド組織を示す.

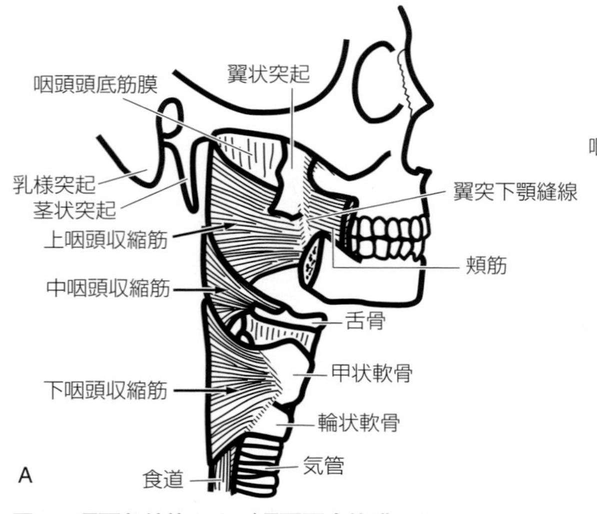

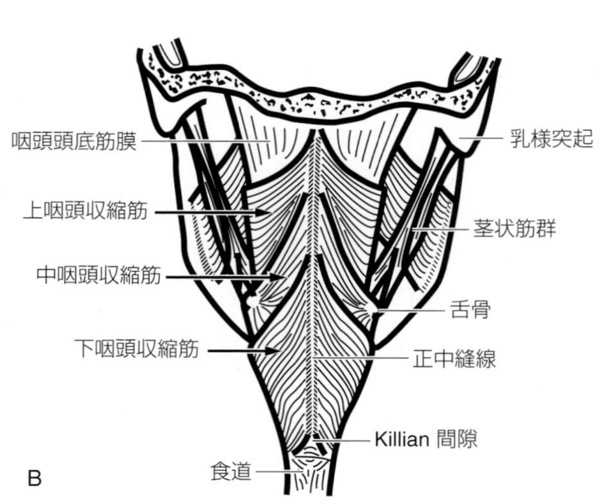

図 4　咽頭収縮筋および咽頭頭底筋膜. シェーマ

A：側面.
B：後面.

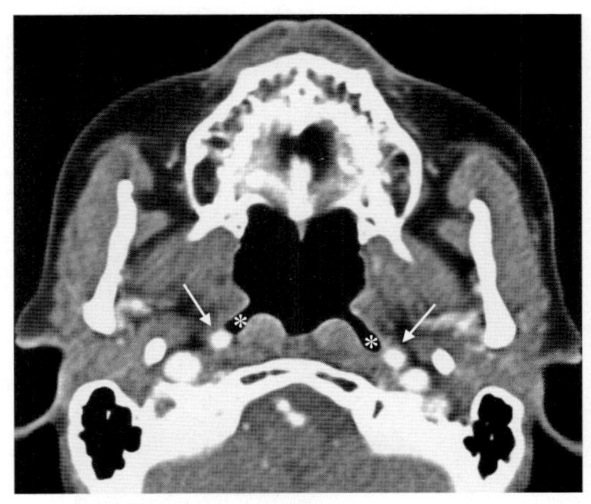

図 5　Rosenmüller 窩粘膜直下を走行する内頸動脈

上咽頭レベルの造影 CT で両側の内頸動脈(矢印)は Rosenmüller 窩(＊)と隣接，粘膜直下に認められる．

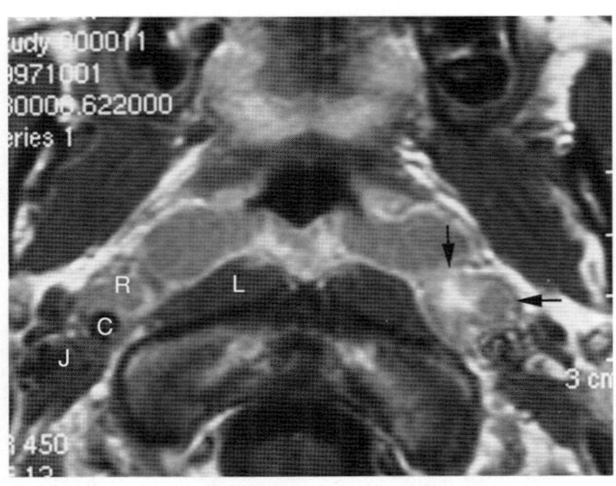

図 6　咽頭後リンパ節の炎症性反応性腫大

MRI，上咽頭レベル T2 強調横断像において頸長筋(L)と内頸動脈(C)の間で前方に正常上限を示す右(外側)咽頭後リンパ節(R：Rouvière リンパ節)を認める．左外側咽頭後リンパ節(矢印)は明らかな腫大とともに内部に不整形の高信号域を含む．早期化膿性リンパ節炎への移行をみているものと思われる．

J：内頸静脈

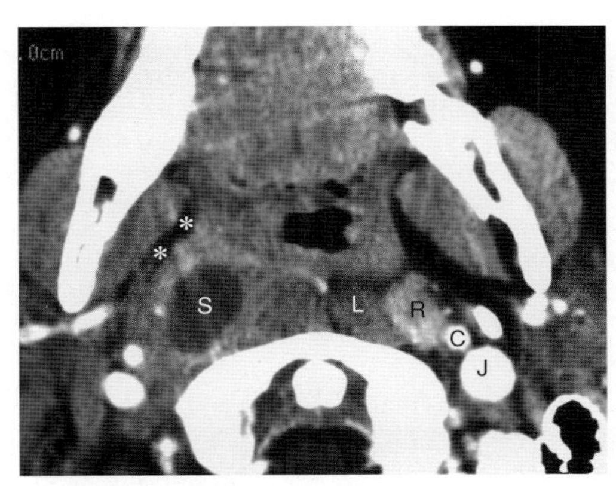

図 7　化膿性咽頭後リンパ節炎

造影 CT において右咽頭後リンパ節の部位に限局して内部が液体濃度を示す嚢胞性腫瘤(S)を認め，外側咽頭後リンパ節の化膿性リンパ節炎に一致する．傍咽頭間隙(＊)は前方に圧排されるが，脂肪濃度は保たれている．左外側咽頭後リンパ節(R)も腫大と増強効果の亢進がみられ，炎症性反応性腫大と思われる．

C：内頸動脈，J：内頸静脈，L：頸長筋

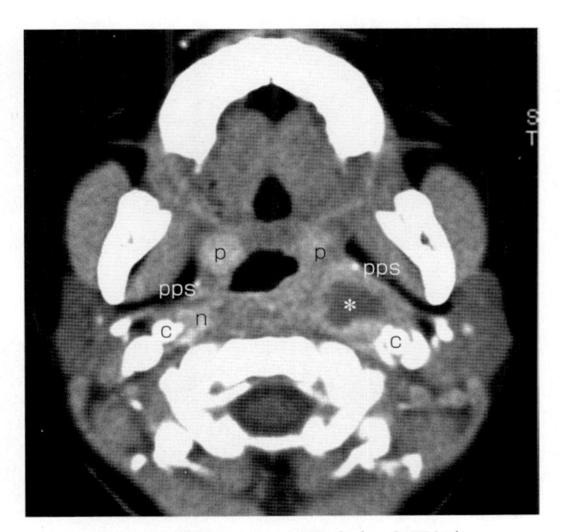

図 8　化膿性咽頭後リンパ節炎(6 歳男児)

造影 CT において咽頭後部の左側に偏在して，内頸動脈(c)の内側前方に隣接して，辺縁増強効果を伴う低濃度腫瘤(＊)を認め，所見および局在から化膿性咽頭後リンパ節炎に一致する．口蓋扁桃(p)は左側では病変により前方に圧排されており，(腫大した扁桃外側に偏在性に低濃度を認める)扁桃周囲膿瘍とは異なる．傍咽頭間隙(pps)も患側では後方からの病変の膨隆によりやや狭小化を示すが，脂肪濃度は保たれており，同間隙への炎症波及は見られない．対側の外側咽頭後リンパ節(n)は腫大とともに増強効果亢進が見られ，リンパ節炎を示唆する．

上・中咽頭，鼻副鼻腔のリンパが注ぎ，輸出リンパ管は上内深頸リンパ節(レベルⅡ)に向かう(詳細は 10 章「頸部リンパ節」を参照されたい)．解剖学的位置関係から内・外側咽頭後リンパ節の 2 つを区別する[3]．加齢とともに退縮するが，小児では比較的よく発達しているため，小児の咽頭炎は咽頭後リンパ節へ波及しやすい．化膿性(上あるいは中)咽頭炎の不完全治療に続発する場合が最も多い．

画像評価として通常は造影 CT が選択されるが，化膿性咽頭後リンパ節炎，咽後膿瘍の診断，外科的治療適応の判断に極めて有用であり，本病

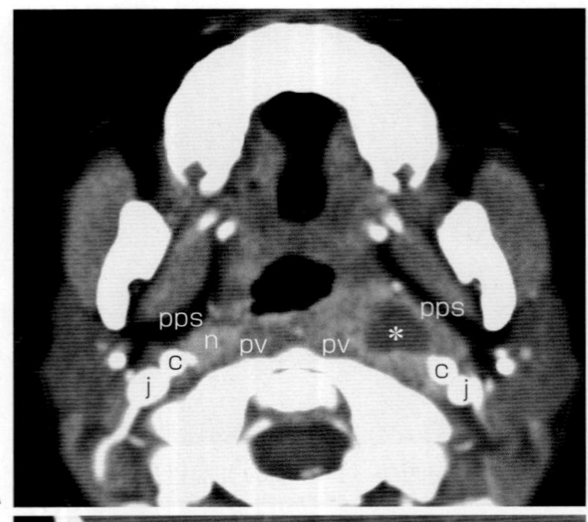

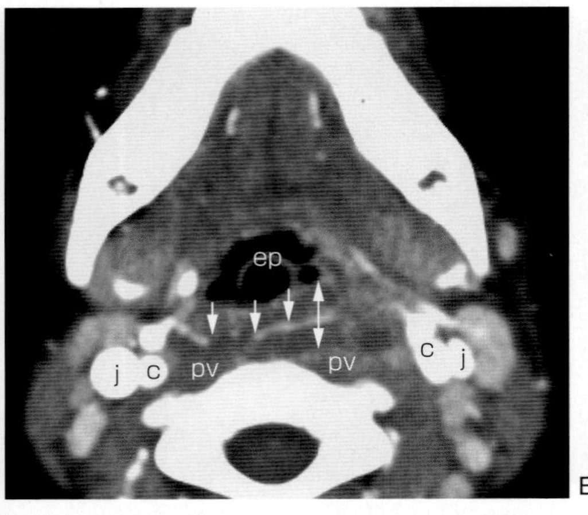

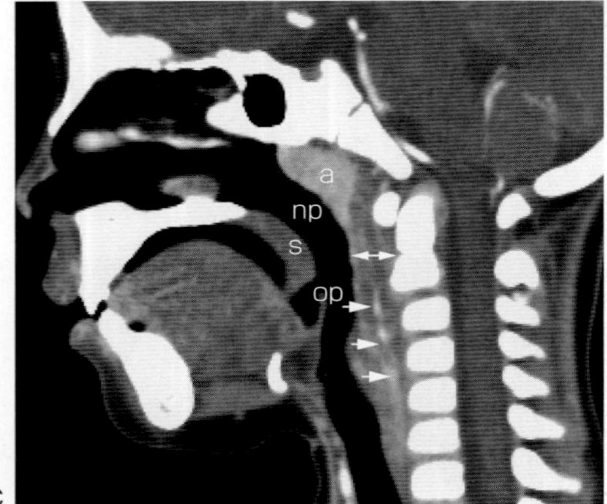

図9　化膿性咽頭後リンパ節炎（12歳女児）

上・中咽頭境界レベルの造影CT（A）において咽頭左後方に辺縁増強効果を伴う類円形の低濃度病変（＊）を認め，化膿性リンパ節炎を示す．椎前筋（pv）と内頸動脈（c）との間でその前方に位置しており，外側咽頭後リンパ節（Rouviere リンパ節）の局在に合致する．対側の外側咽頭後リンパ節（n）も軽度腫大が疑われるが，内部は均一であり化膿性変化は否定される．傍咽頭間隙（pps）は患側で病変により後方から圧排，狭小化を示す．内頸静脈（j）の開存性は良好であり，血栓性静脈炎の所見はみられない．中咽頭下部レベル（B）では咽頭後部軟部組織のやや低吸収での組織肥厚（両向き矢印）を認める．椎前筋（pv）よりも腹側であることから，咽頭後間隙（および danger space）に相当する．内部には横走する索状構造（およびこれに沿った咽頭静脈叢の血管）（矢印）がみられ，翼状筋膜を示唆する．ep：喉頭蓋，j：内頸静脈．頸部正中矢状断像（C）でも咽頭後部の組織肥厚（両向き矢印），内部に位置する翼状筋膜およびこれに沿った血管（矢印）が同定される．a：上咽頭アデノイド，np：上咽頭，op：中咽頭，s：軟口蓋・口蓋垂

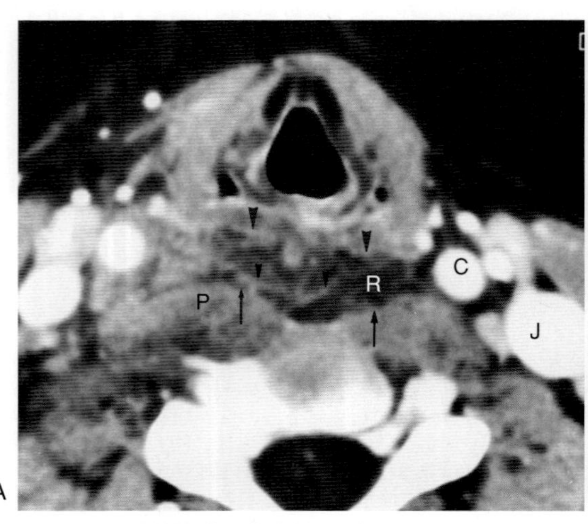

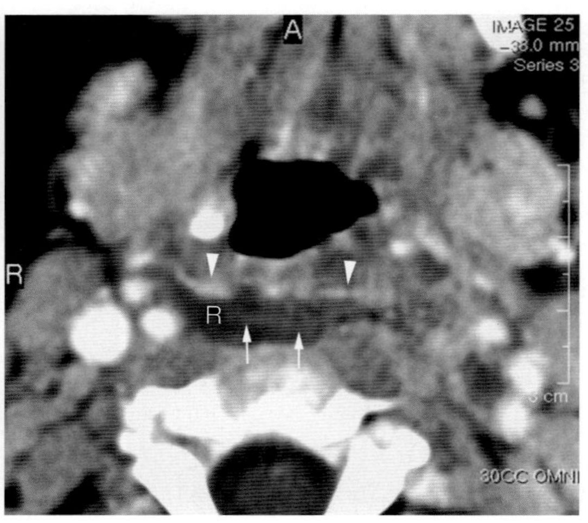

図10　咽頭後間隙の炎症性浮腫

下咽頭レベル造影CT（A）において咽頭後間隙（R）は肥厚し，脂肪濃度は混濁を示す．前方は深頸筋膜中葉（臓側筋膜）（大矢頭），後方は深頸筋膜深葉（椎前葉）（矢印）で境され，その内部には深頸筋膜深葉の翼状筋膜（小矢頭）が横走している．C：総頸動脈，J：内頸静脈，P：椎前筋

別症例の横断CT（B）において，咽頭後間隙（R）は肥厚とともに脂肪は混濁し，ほぼ液体濃度に類似する．内部に横走する翼状筋膜（矢印）が同定され，（咽後膿瘍ではなく）浮腫性肥厚のみであると判断可能．前方では咽頭後静脈叢が（膿瘍被膜に類似する）咽頭後間隙辺縁に沿った線状の増強効果を示している（矢頭）．

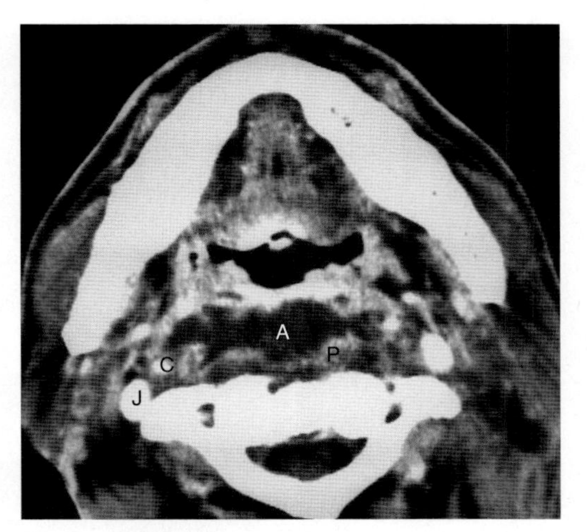

図 11　咽後膿瘍
咽頭後間隙に一致して，正中を越えて左右にまたがる不整形嚢胞性腫瘤(A)を認め，辺縁は増強効果を示す．咽後膿瘍に一致する．C：内頸動脈，J：内頸静脈，P：椎前筋

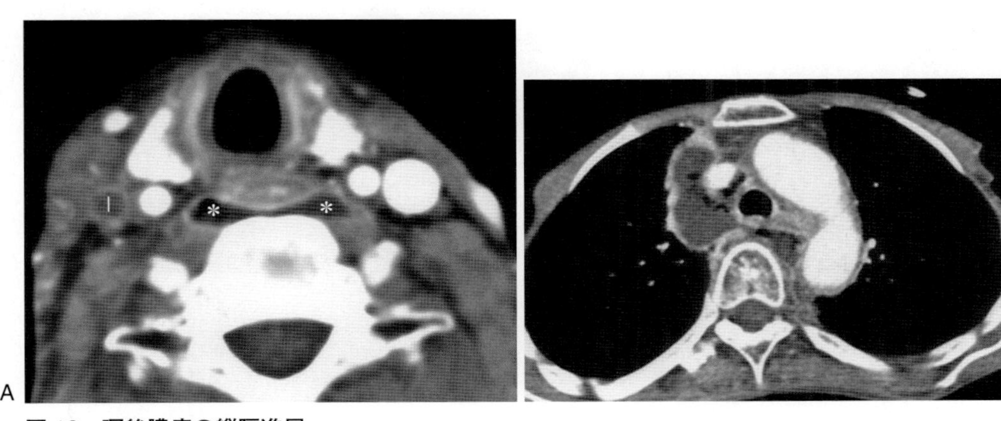

図 12　咽後膿瘍の縦隔進展
下咽頭レベルの造影 CT(A)において，下咽頭輪状後部背側に咽後膿瘍(＊)を認める．右内頸静脈(I)の血栓性静脈炎を伴う．胸部(B)において，膿瘍の縦隔進展を認める．

態が疑われる場合は早期に施行すべきである[4]．造影 CT による咽後膿瘍の診断(化膿性咽頭後リンパ節炎との鑑別)では，偽陽性は 11.8%，偽陰性は 14.7%と報告されている[5]．CT 上，早期の炎症性反応性リンパ節は腫大と増強効果亢進(図 6，7)を示すが，次第にリンパ節内に低濃度を示す早期膿瘍を形成，化膿性咽頭後リンパ節炎(図 7)に移行する．化膿性咽頭後リンパ節炎の大部分が外側咽頭後リンパ節(Rouvière リンパ節)を侵すことから，(後述の咽後膿瘍と異なり)いずれかの側に偏在して咽頭後部，内頸動脈の内側前方に隣接して，辺縁被膜様増強効果に囲まれる類円形の液体濃度病変(図 7〜9)として認められる[6]．同時期に咽頭後間隙は炎症性浮腫を示す場合がある(図 9，10)．膿瘍がリンパ節被膜を破綻させると，リンパ節外の咽頭後間隙に波及，いわゆる咽後膿瘍(図 11，12)が形成される．咽後膿瘍は(既述の化膿性咽頭後リンパ節炎と異なり)咽頭後部に左右全域にわたる分布を示し，辺縁増強効果を示す低濃度領域の典型的な膿瘍所見として楕円形

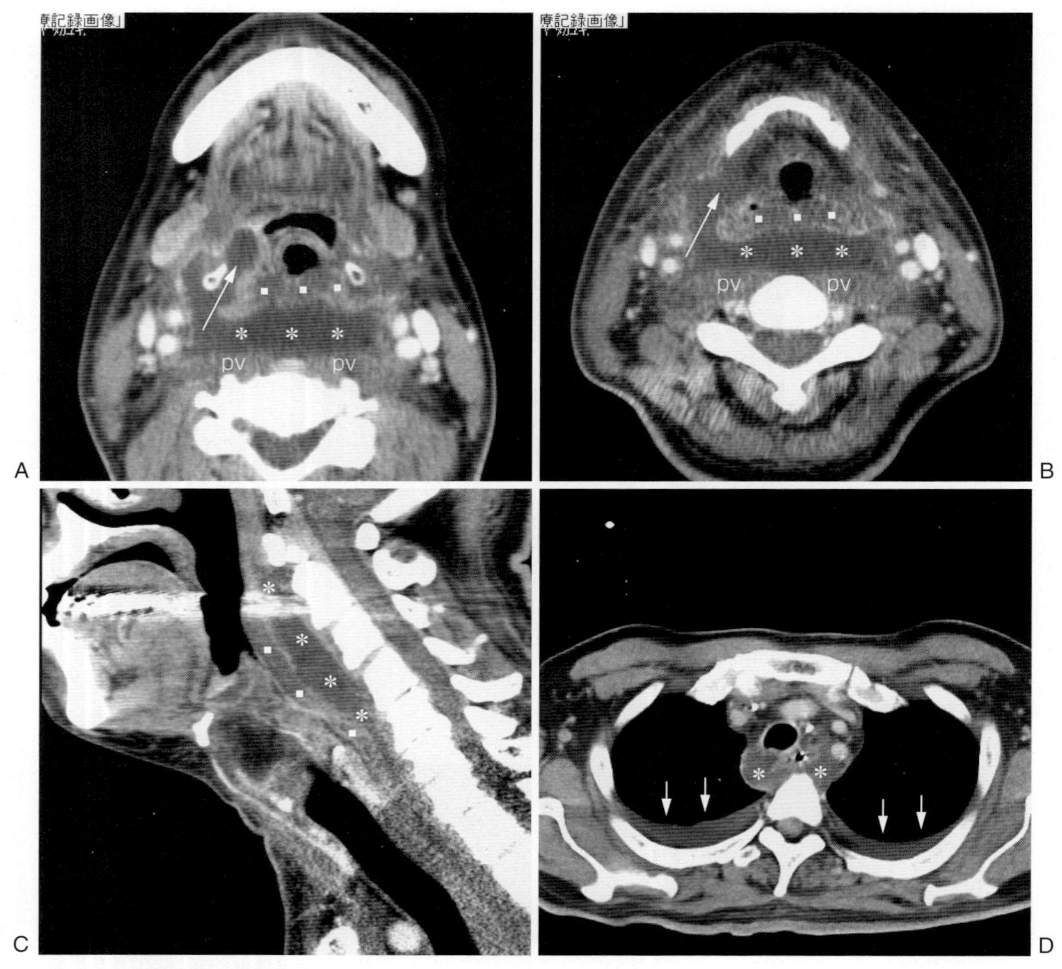

図 13　咽後膿瘍の縦郭進展

中咽頭(A)および下咽頭(B)レベルの造影 CT において，咽頭後壁(■)と椎前筋(pv)との間に辺縁増強効果を伴う液体濃度の組織肥厚(＊)を認め，咽後膿瘍に一致する．右側では頸動脈鞘との間で筋膜を破綻し咽頭右側壁粘膜下への進展(矢印)を示す．頸部正中矢状断像(C)では咽頭後壁(■)と頸椎との間で頭尾側方向の進展を示す膿瘍腔(＊)を認める．上縦郭レベル(D)で食道周囲への膿瘍進展(＊)，両側胸水(矢印)を認める．

あるいは蝶ネクタイ様の形状を呈する[6]．咽後膿瘍は咽頭後組織の頭尾側方向の連続性に従って，縦隔進展の危険性をもつ(図 12，13)．ときにガス産生菌による感染では泡沫様所見を示す(図 14)．咽頭後間隙の炎症性浮腫と咽後膿瘍との画像診断上鑑別点は前者が咽頭後間隙の肥厚と脂肪混濁を示すのに対して，後者(図 11〜13)は膿瘍を示す液体濃度とこれを囲む被膜の増強効果として認められることによるが，膿瘍の形成がみられなくても，咽頭後静脈叢が膿瘍被膜の増強効果に類似した線状増強効果を示す場合もあり，注意を要する(図 10B)．また，未成熟な膿瘍(図 15)では辺縁増強効果が不明瞭で，診断が容易でない場合もある．肥厚した咽頭後間隙(厳密には咽頭後間隙および danger space を合わせてみている)内に横走する翼状筋膜(図 9，10)が確認されたら，(咽後膿瘍ではなく)浮腫性変化のみであるとの判断が可能である．合わせて 1 章「頸部組織間隙・筋膜と頸三角の解剖」の章を参照されたい．

膿瘍形成がリンパ節被膜内にとどまっている化膿性咽頭後リンパ節炎ではほとんどの場合，経静脈的抗菌薬投与で治癒が得られるが，最大径 2 cm を超えると外科的介入が必要になる傾向にある[7]．内科的治療で制御される症例の多くは抗

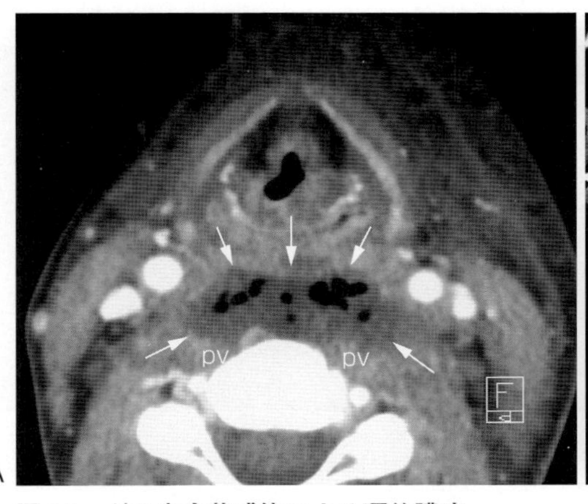

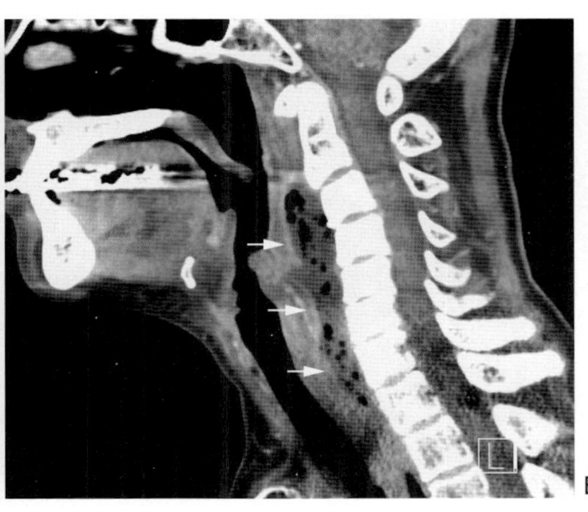

図 14　ガス産生菌感染による咽後膿瘍

下咽頭レベルの造影 CT（A）において咽頭背側で椎前筋（pv）との間に泡沫様液体の貯留（矢印）を認め，咽頭後間隙のガス産生菌による膿瘍形成を示す．矢状断像（B）で咽後膿瘍（矢印）の頭尾側進展様式が明瞭に描出されている．

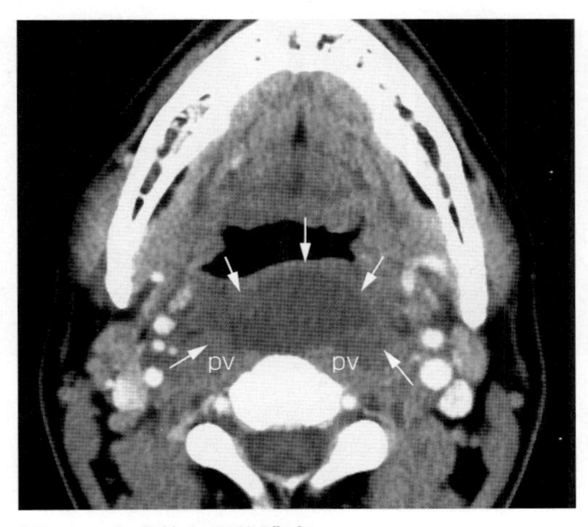

図 15　未成熟な咽後膿瘍

中咽頭レベルの造影 CT 上，咽頭背側で椎前筋（pv）との間に液体濃度の組織肥厚（矢印）あり．辺縁増強効果は明らかではないが，内部は無構造で（図 9B，図 10）のように内部を横走する翼状筋膜は同定されないことから，（浮腫ではなく）未成熟な膿瘍の可能性が示唆される．

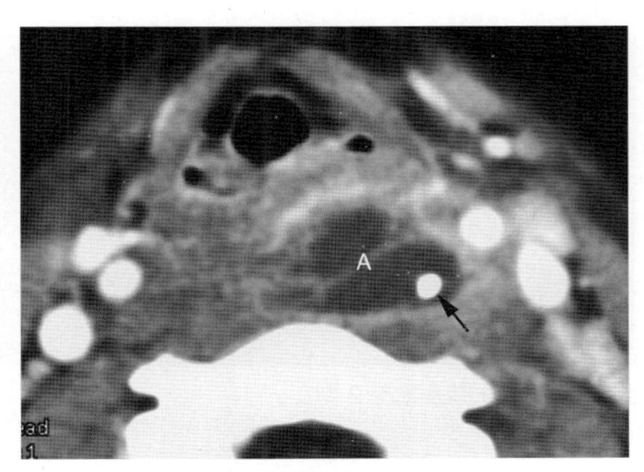

図 16　異物による咽後膿瘍形成

咽頭後間隙左側を中心として，やや偏在性の咽後膿瘍形成（A）がみられる．内部に高濃度を示す異物（矢印）を認める．

菌薬投与開始から 24〜48 時間以内に症状改善を示すが，この時間を経過して，症状あるいは CT 所見の改善が認められない場合，もしくは気道狭窄例では速やかな外科的排膿の適応が考慮される[7]．リンパ節外に進展した咽後膿瘍は原則として外科的排膿を必要とする[7]．CT ガイド下穿刺吸引が診断的治療としても有用との報告がある[4]．また，咽後膿瘍が咽頭後間隙に隣接する他の深部組織間隙への進展をみた場合，各組織間隙ごとに排膿ドレナージを施行する必要があるため，画像上，化膿性リンパ節炎と咽後膿瘍の鑑別，膿瘍の進展範囲を正確に評価することは治療法選択に直結しており，極めて重要である．また，ときに扁桃周囲膿瘍に理学的所見（咽頭痛，咽頭壁の偏在性膨隆など）や血液生化学検査での炎症所見など，臨床上類似する場合がある（図 8）．通常，扁桃周囲膿瘍は穿刺吸引，切開排膿の適応となり，多くが内科的治療の対象となる化膿性咽頭後リンパ節炎との造影 CT での鑑別は重要である．

気道狭窄は比較的まれであるが，画像診断では気道への影響や原因となる異物（図 16）も評価す

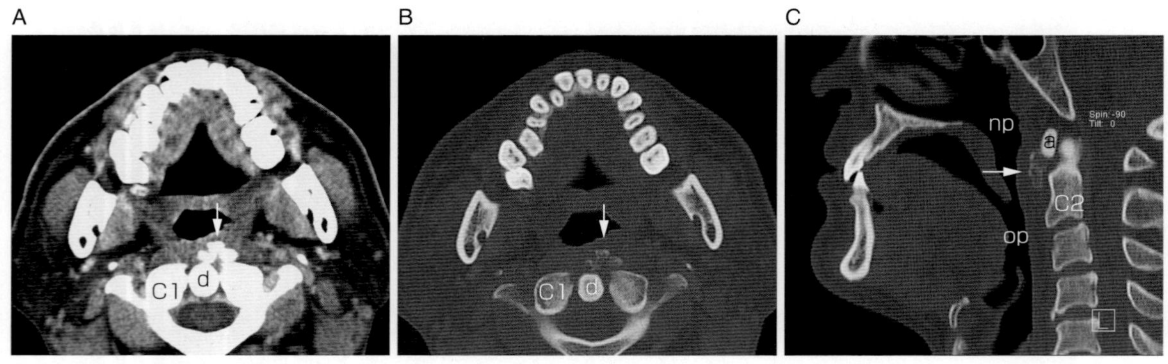

図 17　石灰化頸長筋炎

環椎(第1頸椎)レベルの造影CT横断像(A)および同骨条件(B)において，環椎(C1)前方に隣接する石灰化(矢印)を認める．d：歯突起．骨条件矢状断像(C)で環椎前弓(a)から軸椎(C2)前方に隣接して淡い石灰化(矢印)を認める．np：上咽頭，op：中咽頭

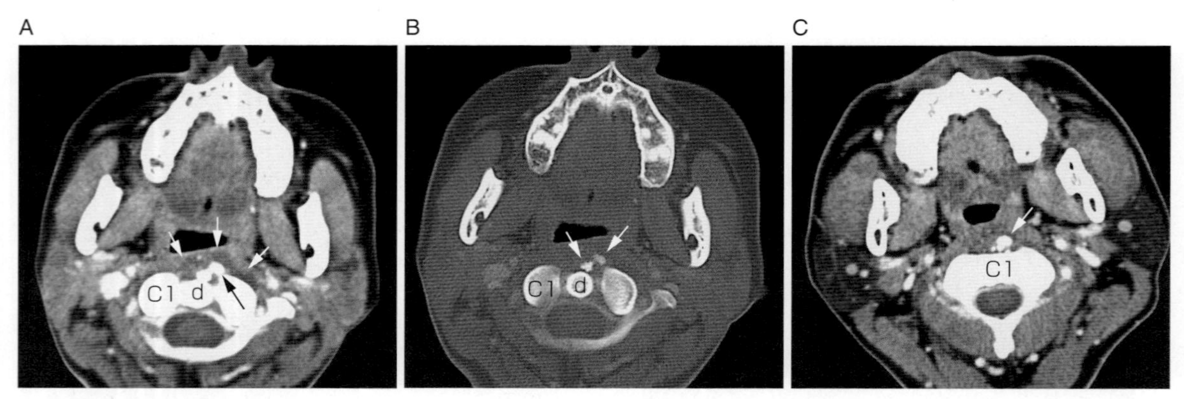

図 18　石灰化頸長筋炎2例

環椎(第1頸椎)レベルの造影CT横断像(A)において，環椎(C1)前方に隣接する石灰化(黒矢印)を認める．椎前部軟部組織はやや低吸収の組織肥厚(白矢印)を認め，浮腫性腫脹を反映する．同骨条件(B)，別症例の造影CT横断像(C)でも第1頸椎(C1)前方の石灰化が描出されている．

る必要がある．

b. 石灰化頸長筋炎(calcific tendinitis of the longus colli)

頸長筋の非化膿性炎症性変化で，頸長筋・腱にハイドロキシアパタイト結晶が沈着，その吸収過程で生じる．1964年Hartleyが最初に報告[8]，1994年Ringらによりハイドロキシアパタイト沈着性疾患であることが示された[9]．頸長筋にはupper oblique，vertical，lower obliqueの3つの線維があり，本症ではupper oblique fiberを侵すとされる[10]．30〜40歳の中年男性あるいは女性の急性・亜急性の頸部痛として発症するのが典型的であるが[11, 12]，疼痛は強度でしばしば嚥下痛，嚥下困難を訴え，頸部痛，頸部硬直，嚥下困難が最も多い三徴である[10]．ときに上気道感染あるいは頭頸部への軽度外傷の既往がみられる[13]．基本的には内科的疾患(治療，経過は後述)であるが，軽度発熱，白血球増多，赤沈亢進などもみられ，症状とともに(外科的排膿を必要とする)咽後膿瘍と臨床上類似する[11]．不必要な外科的介入や抗菌薬投与を回避するためにも両者の鑑別は重要となる．その他，腫瘍，椎間板ヘルニア，化膿性脊椎椎間板炎，骨折・脱臼などが主な鑑別となる．

本疾患の診断は画像によりなされ，CTが基本となる(必ずしも造影剤投与は必要ないが，咽後膿瘍との鑑別を目的として造影CTが施行される

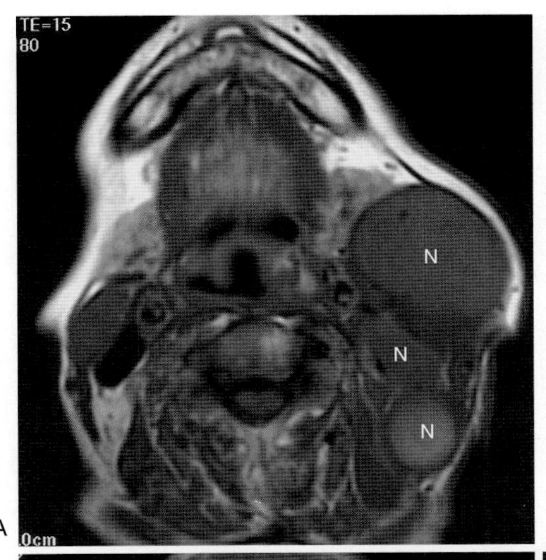

A

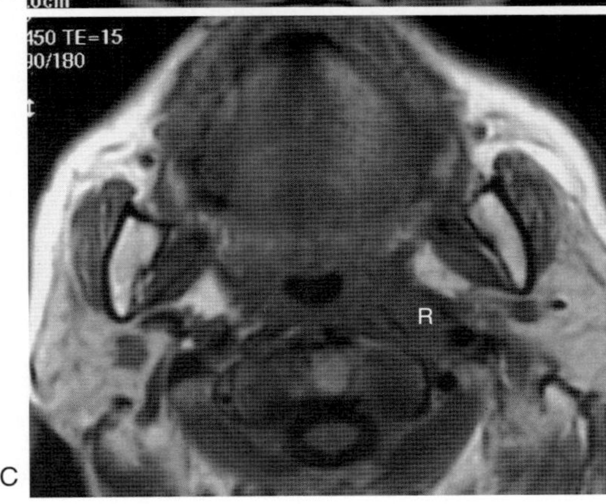

C

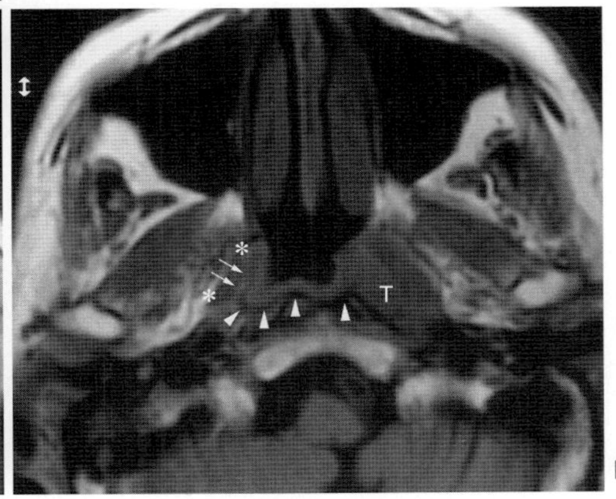

B

図 19　頸部腫瘤を主訴に来院した上咽頭癌症例

A：頸部 MRI T1 強調横断像．左レベルⅡおよびⅤA 領域に複数の腫大したリンパ節(N)を認める．

B：上咽頭レベルの T1 強調横断像．左 Rosenmüller 窩を中心とした腫瘍(T)を認め，上咽頭癌に一致する．腫瘍部では低信号で認められる咽頭頭底筋膜(矢頭)の途絶，口蓋帆挙筋(＊)との間の脂肪層(右側で矢印で示す)の消失がみられる．傍咽頭間隙前茎突区への側方進展を示す．

C：第 1 頸椎レベル．左外側咽頭後リンパ節腫大(R)を認め，転移に一致する．

場合も多い)．C1〜3 椎体前方に無形・不規則な石灰化濃度を認め，しばしば椎前部(咽頭後部)軟部組織の浮腫性腫脹を示す(図 17，18)[10, 11]．単純 X 線写真では石灰化が同定されない場合も多いことから[10, 11]，CT による評価が広く行われるようになる以前に想定されていたよりも頻度は高いと考えられる[14]．MRI は診断に必ずしも必要ではないが，他の鑑別疾患(脊椎椎間板炎，椎間板ヘルニアなど)を想定して施行される場合もある．MRI では石灰化の描出はしばしば困難であり注意が必要であるが，椎前部軟部組織の浮腫性腫脹，液体貯留が T2 強調像や STIR(あるいは T2 強調脂肪抑制画像)で高信号を示す組織肥厚として認められる[10, 13]．咽後膿瘍とは，椎前部(咽頭後部)軟部組織の平滑なびまん性浮腫性腫脹，辺縁増強効果の欠如，化膿性咽頭後リンパ節炎所見の欠如，椎前部の石灰化の描出，の 4 つの点により多くは鑑別可能である[13]．

本疾患は基本的には自然消退する傾向にあり，症状軽減を目的とした NSAID の投与が第一選択となり，症状の強い場合はステロイドなどの投与，また頸部固定が有効である．治療開始から数日で軽減，1〜3 週程度で消失するとされる[10]．

2 腫瘍および腫瘍類似疾患

a. 上咽頭癌(nasopharyngeal cancer)

1) 疫　学

上咽頭癌の発生は人種差が顕著で，香港，マカオを含む中国東南地域での頻度が高く，欧米では比較的まれである．Yu らによると中国同地域での男性の発生頻度は人口 10 万人に対して約 150 人(全悪性腫瘍の 18％)であるのに対して，米国

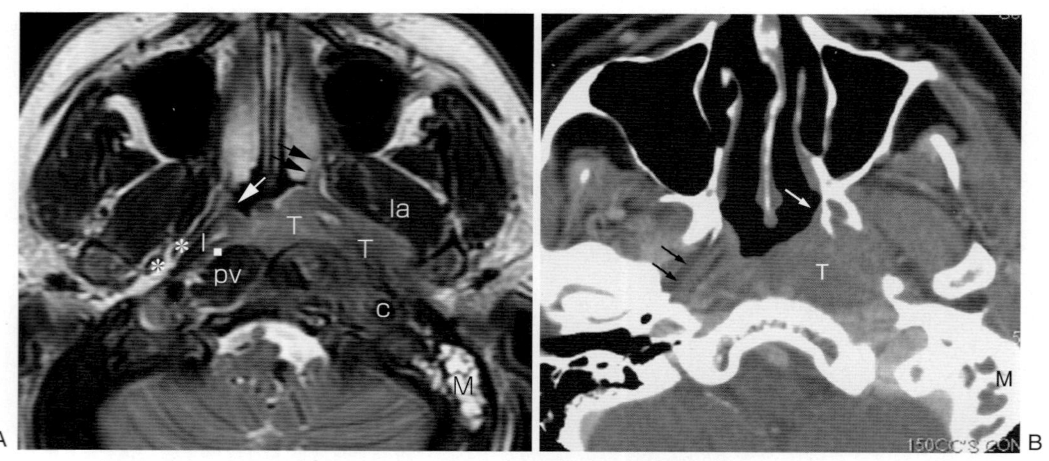

図20 上咽頭癌による耳管閉塞に伴う二次性中耳・乳様突起炎2例

上咽頭レベルのMRI T2強調横断像において上咽頭左Rosenmuller窩(対側で■で示す)を中心とする浸潤性腫瘤(T)を認め，上咽頭癌に一致する．前方で耳管咽頭口(対側で白矢印で示す)を閉塞し，乳突蜂巣炎(M)を伴う．側方では口蓋帆挙筋(対側でlで示す)に沿った傍咽頭間隙(対側でppsで示す)への進展あり．さらに前方で左鼻腔後方部の側壁(黒矢印)，後方で椎前筋(対側でpvで示す)，外側後方で頸動脈鞘への浸潤を示す．c：内頸動脈，la：外側翼突筋．別症例の造影CT(B)において，左Rosenmuller窩を中心にした浸潤性腫瘤(T)を認め，口蓋帆挙筋に沿う脂肪層(対側で黒矢印で示す)消失を示す．上咽頭癌の側方への深部浸潤を示す．前方では左鼻腔外側壁後方に及ぶ(白矢印)．左耳管閉塞による乳突蜂巣炎(M)を伴う．

では1人(全悪性腫瘍の0.25％)である[15]．全世界では年間約84,000人が上咽頭癌を新たに診断され，約52,000人が上咽頭癌で死亡する[16]．本邦も欧米同様に発現頻度は比較的低い．男性にやや多く，性比は3：1．好発年齢は40〜50歳代であるが，若年者にも多く30歳以下の症例が15〜20％を占める．上咽頭癌発生に関連する因子としてはEpstein-Barrウイルス，(HLA)-A2の影響，御香の煙に含まれるnitrosamineの吸引などが，報告されている[17,18]．

2）臨床像

上咽頭癌による症状の発現は病変部位とその進展程度による．頸部リンパ節転移による頸部腫瘤(60％)(図19)，耳管機能不全に伴う耳閉感(41％)，滲出性中耳炎による伝音難聴(37％)(図20)が多く，その他に鼻出血(30％)，鼻閉(29％)，頭痛(16％)，耳痛(14％)，頸部痛(13％)，体重減少(10％)などがみられる[19〜21]．上咽頭癌は症状に乏しい傾向にあり，診断時に80％が局所進行性病変あるいは遠隔転移を示す．また個々の症状は非特異的であり，症状のみによる正確な鑑別診断は困難である[22]．成人の片側性中耳炎はまれな診断であり，原因として上咽頭癌の存在を常に考慮しなければならない(図20)．15％で咽頭痛がみられるが，これは中咽頭壁への浸潤を示唆する[1]．

脳神経症状は25％でみられ，脳神経ⅡからⅥの症状では海綿静脈洞への頭蓋内進展，下位脳神経症状では頸動脈鞘(傍咽頭間隙後茎突区)への深部組織浸潤を示す(図21)．なお，脳神経浸潤は後述のAJCCの病期分類でT4に区分されるが，これは(画像所見よりも)主に神経学的結果による．Neelらの151例の検討では30例(20％)が脳神経症状を示し，内訳は以下のとおりである(括弧内は症例数)．Ⅲ(3例)，Ⅳ(3例)，Ⅴ(22例)，Ⅵ(13例)，Ⅶ(3例)，Ⅷ(3例)，Ⅸ(4例)，Ⅹ(4例)，Ⅺ(1例)，Ⅻ(6例)，交感神経(3例)[21]．

原発部位としてはRosenmüller窩を含む側壁が最も多く(図19〜24)，以下，上壁，後壁，下壁(軟口蓋咽頭面)，分類不能の順である(表1：p276)[23]．

上咽頭悪性腫瘍の病理型として癌が全体の82〜90％(扁平上皮癌が最も多く，約70％)，悪性リンパ腫が10〜18％を占める．上咽頭癌の組織

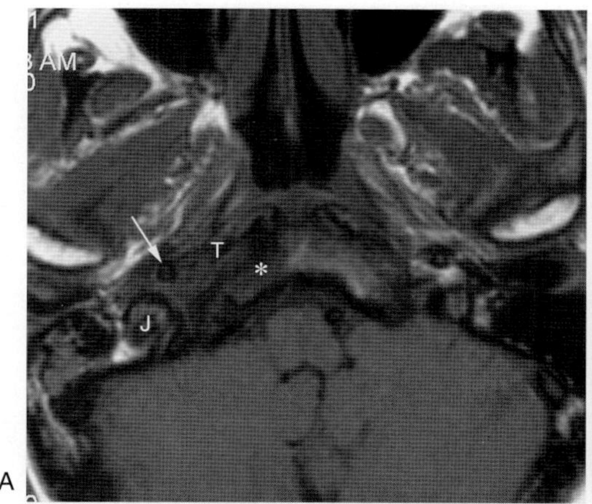

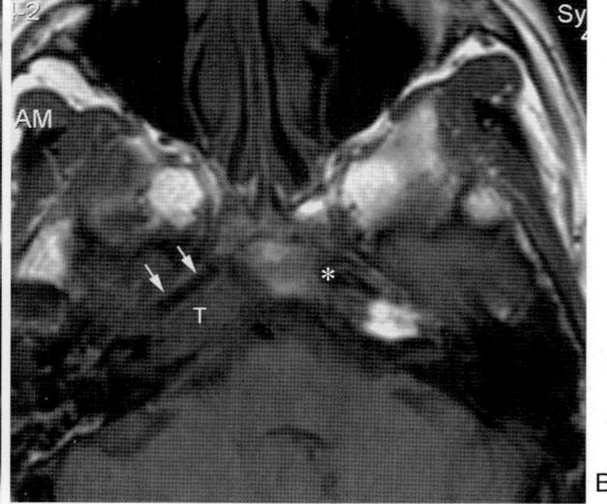

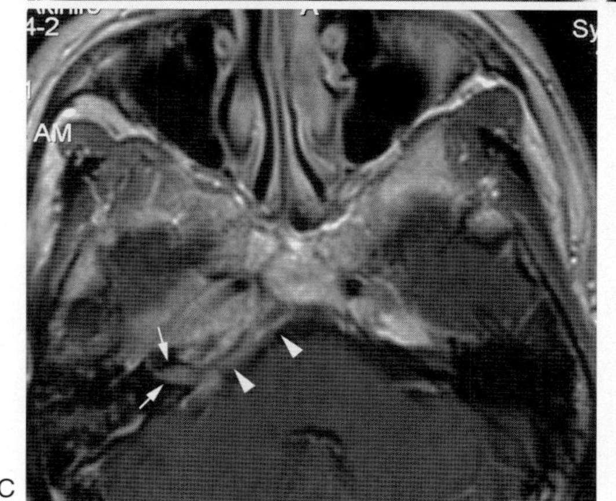

図 21 上咽頭癌の頭蓋底浸潤，下位脳神経浸潤および頭蓋内進展

A：上咽頭レベル MRI T1 強調横断像．右 Rosenmüller 窩外側に連続する浸潤性腫瘍(T)を認め，下位脳神経の走行する傍咽頭間隙後茎突区(頸動脈鞘)領域に進展している．隣接する斜台の脂肪髄の高信号は右側で消失(＊)しており，頭蓋底浸潤を示す．矢印：内頸動脈，J：内頸静脈

B：頭蓋底レベル．腫瘍(T)の広範な頭蓋底浸潤がみられ，破裂孔(対側で＊で示す)周囲から錐体骨，蝶形骨大翼，斜台右側に及ぶ．矢印は錐体骨の頸動脈管内を走行する内頸動脈を示すが，同部は腫瘍に囲まれている．

C：頭蓋底レベル造影後 T1 強調横断像．頭蓋底の腫瘍浸潤は増強効果により正常脂肪髄の高信号とのコントラストが低下，進展範囲は造影前(B)と比較して不明瞭となっている．ただし，頭蓋内において髄膜の肥厚と増強効果(矢頭)，同所見の内耳道への進展(矢印)が明瞭に描出されている．

型は最も優位な光顕組織像により 3 型に分類する，WHO (World Health Organization) 分類が広く受け入れられている(**表 2**：p276)[24]．非角化扁平上皮癌(non-keratinizing SCC)，角化扁平上皮癌(keratinizing SCC：従来の WHO-1 型・扁平上皮癌)，類基底扁平上皮癌(basaloid SCC)に区分される．さらに非角化扁平上皮癌は分化型(従来の WHO-2・移行上皮癌)，未分化型(WHO-3 型・リンパ上皮癌)に分けられるが，臨床，予後においてこの亜分類の意義は乏しい．

現状，TNM 分類(後述)が上咽頭癌における最も重要な予後因子である[25]．ただし最近では血清 EB (Epstein-Barr) ウイルス DNA 定量による liquid biopsy がスクリーニング，診断，経過観察，予後予測に有用なバイオマーカーとされ[26~28]，非角化病変，未分化病変では同検査施行が推奨される．EB ウイルス DNA 量が高値では予後不良で長期生存率も低いなど，重要な予後因子とされている[29, 30]．血清 EB ウイルス DNA を腫瘍マーカーとしたときの上咽頭癌診断における感度は 96%，特異度は 93%とされる[31, 32]．

3) 病変の進展・TNM 分類

病期診断は頭頸部癌取扱い規約あるいは AJCC (American Joint Committee on Cancer) 第 8 版による TNM 分類(**表 3**：p276)が用いられるが，AJCC は上咽頭癌の T 診断には(CT・MRI の)断層画像が必要不可欠としている[33]．ただし，これらの分類が腫瘍の進展のみによるものであるのに対して，組織型，症状の数，症状の持続期間など，他の重要な予後決定因子を含めた新しい病期

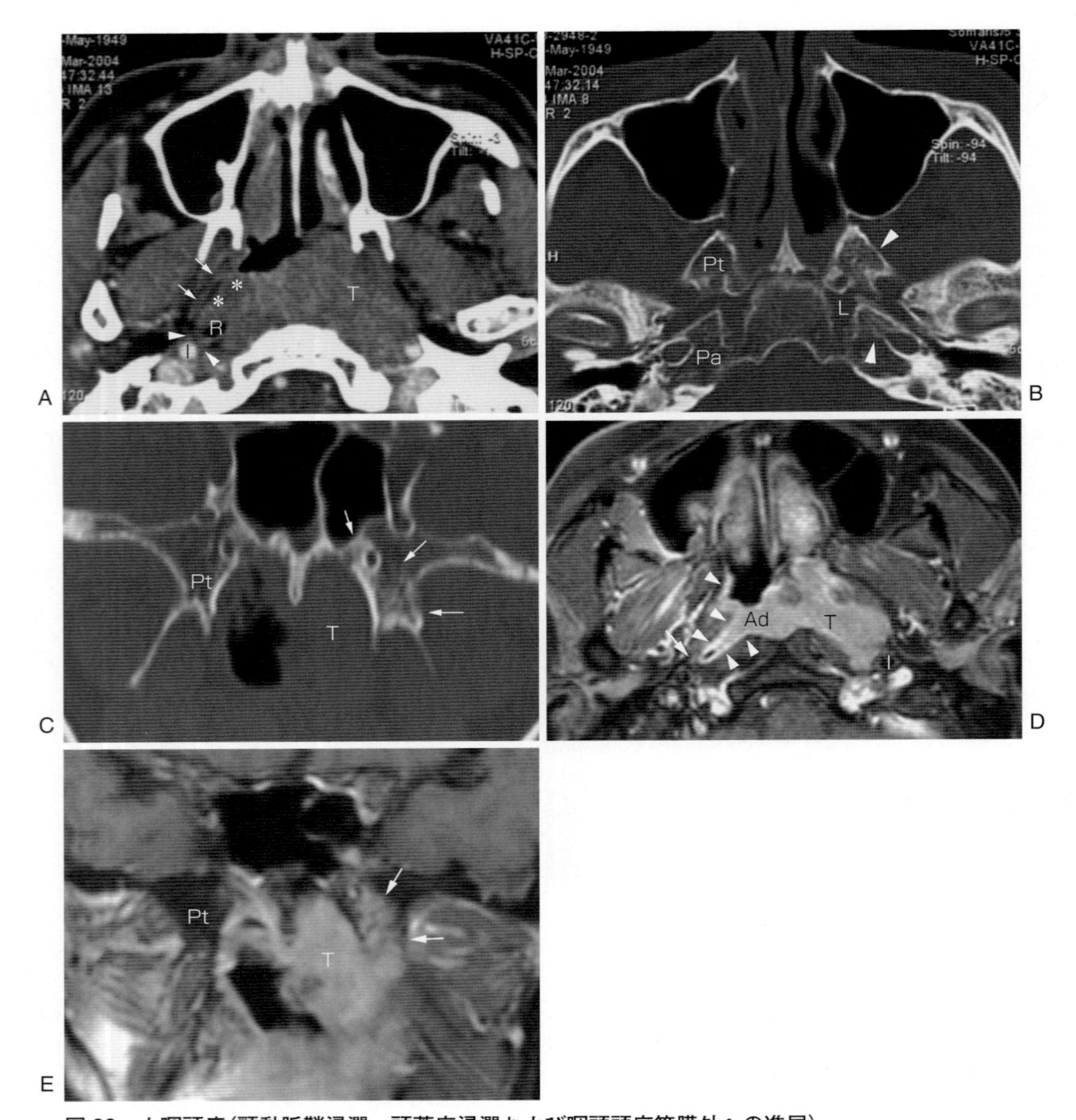

図22　上咽頭癌（頸動脈鞘浸潤，頭蓋底浸潤および咽頭頭底筋膜外への進展）

上咽頭レベル，造影CT横断像(A)において，左Rosenmüller窩(右側Rosenmüller窩の保たれている含気腔をRで示す)領域を中心とした軟部組織腫瘤(T)を認め，口蓋帆挙筋(対側で＊で示す)と口蓋帆張筋(矢印)との間の脂肪層は消失しており，咽頭頭底筋膜を越えた深部浸潤性変化を反映する．後側方では隣接する内頸動脈(対側でIで示す)周囲脂肪層(対側で矢頭で示す)の消失を認め，これも頸動脈鞘への浸潤を示す．

頭蓋底レベル横断像骨条件表示(B)では，頭蓋底に明らかな骨破壊は認められないが，腫瘍の頭側に隣接する破裂孔(L)に接して，錐体尖部(対側でPaで示す)，翼状突起基部(対側でPtで示す)の淡い硬化性変化(矢頭)を認める．

同冠状断像(C)でも同様に，腫瘍(T)に隣接する左翼状突起(対側でPtで示す)基部で淡い硬化性変化(矢印)を認める．

MRI，造影後T1強調脂肪抑制横断像の上咽頭レベル(D)において，腫瘍(T)は均一な増強効果を示す．右側では保たれている上咽頭粘膜に沿った線状増強効果(矢頭)は左側で破綻しており，Rosenmüller窩と後側方に近接する内頸動脈(I)との間の脂肪層(対側で矢印で示す)は消失し，腫瘍は内頸動脈に直接接するように認められ，頸動脈鞘浸潤を示唆する．CT(図A)では区別は困難であったが，線状増強効果(矢頭)の保たれている上咽頭右側の軟部組織は腫瘍ではなく，アデノイド組織(Ad)を示しているものと思われる．

図Cとほぼ同レベルでの同冠状断像(E)で，図Cの硬化性変化の領域に一致して，腫瘍(T)に接する翼状突起基部(対側でPtで示す)を含む頭蓋底の髄内増強効果(矢印)を認め，頭蓋底浸潤を反映する．

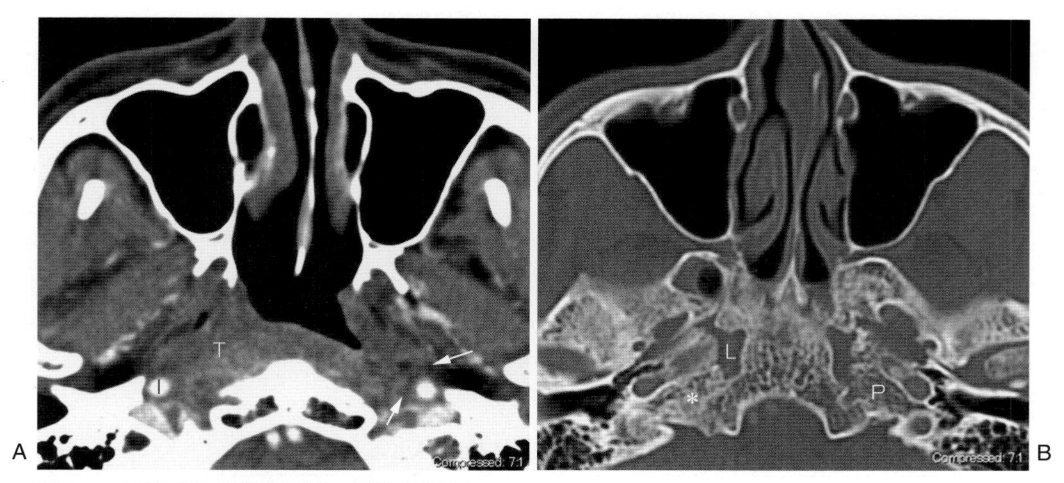

図 23 上咽頭癌(頸動脈浸潤，頭蓋底浸潤)

上咽頭レベルの造影 CT 横断像(A)において，右 Rosenmüller 窩を中心にした浸潤性腫瘍(T)を認め，後側方に近接する頸動脈(I)周囲の脂肪層(対側で矢印で示す)消失を認め，頸動脈鞘浸潤を示す．頭蓋底レベル骨条件表示(B)では，破裂孔(L)に近接する，錐体尖部(対側で P で示す)に淡い硬化性変化(＊)を認める．

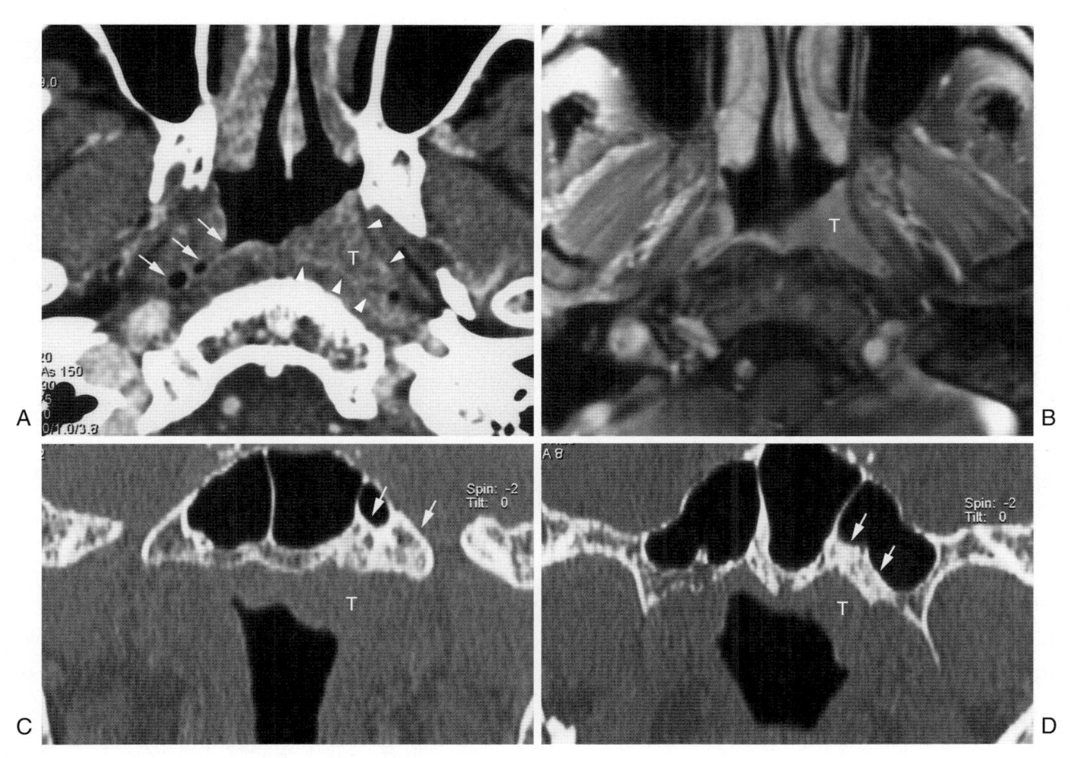

図 24 Rosenmüller 窩原発の上咽頭癌

A：上咽頭レベル造影 CT．左 Rosenmüller 窩(対側で矢印で示す)を占拠する造影効果を示す腫瘍(T)を認めるが，横断像では頬咽頭筋膜，咽頭頭底筋膜に囲まれる上咽頭にとどまり(矢頭)，傍咽頭間隙などの深部組織間隙への進展はみられない．

B：造影後 T1 強調脂肪抑制横断像．同図においても腫瘍(T)が上咽頭にとどまり，深部軟部組織進展がないことが明瞭に描出されている．腫瘍側では上咽頭粘膜に沿った線状増強効果の破綻あり．

C, D：冠状断 CT 骨条件表示．上咽頭左側の腫瘍(T)に接する頭蓋底の硬化性変化(矢印)を認め，頭蓋底浸潤を反映している．

表1　上咽頭癌原発部位の頻度

原発部位	頻度(%)
側壁	37.6%
上壁	32.6%
後壁	15.1%
下壁(軟口蓋咽頭面)	4.6%
分類不能	10%

(Batsakis JG et al : Head Neck Surg **3** : 511-524, 1981)

表2　WHOによる上咽頭癌の病理分類

非角化扁平上皮癌(non-keratinizing SCC)	分化型
	未分化型
角化扁平上皮癌(keratinizing SCC)	
類基底扁平上皮癌(basaloid SCC)	

SCC : squamous cell carcinoma
(Petersson BF, Lewis JS, Bell D et al : Nasopharyngeal carcinoma. WHO Classification of Head and Neck Tumours (4th ed), El-Naggar AK, Chan JKC, Grandis JR et al (eds), IARC publications, Lyon, 2017)

表3　上咽頭癌TNM分類(AJCC)

	病期	病変の進展
T	TX	原発病変の評価不能
	T0	原発病変を認めないが，EBウイルス陽性の頸部リンパ節転移あり
	T1	上咽頭に限局，あるいは傍咽頭間隙進展を伴わない，中咽頭および・あるいは鼻腔への進展
	T2	傍咽頭間隙に進展，および・あるいは隣接軟部組織(内側・外側翼突筋，椎前筋)への浸潤
	T3	頭蓋底，頸椎，翼状突起などの骨構造への進展，および・あるいは副鼻腔進展
	T4	頭蓋内進展，脳神経，下咽頭，眼窩，耳下腺への浸潤，および・あるいは外側翼突筋の外側面を越える広範な軟部組織進展
N	NX	頸部リンパ節の評価不能
	N0	頸部リンパ節病変なし
	N1	片側頸部リンパ節転移(単独あるいは複数)，ただし6cm以下で輪状軟骨下縁より頭側レベル，および・あるいは6cm以下の片側あるいは両側の咽頭後リンパ節転移
	N2	両側頸部リンパ節転移，ただし6cm以下で輪状軟骨下縁より頭側レベル
	N3	6cmを超える，および・あるいは輪状軟骨下縁より尾側の片側・両側頸部リンパ節転移
M	M0	遠隔転移なし
	M1	遠隔転移あり

(Amin MB, Edge SB, Blookland RK et al (eds) : Head and Neck. AJCC Cancer Staging Manual (8th ed), Springer, New York, p103-111, 2017)

分類も提唱されている[34]．

i) T因子(原発病変)：T因子の画像診断では病変の深部組織間隙への進展を含む軟部組織浸潤，神経周囲進展，頭蓋底浸潤，頭蓋内進展などを系統的に評価する必要がある．上咽頭癌の進展様式(図25)で特に重要なのは傍咽頭間隙への側方進展と頭蓋底および頭蓋内への上方進展である．これらの進展により脳神経に対する神経周囲進展を生じる．上咽頭癌の画像診断では同進展様式の理解が求められる．以下に解説する．

①側方進展：側方進展では，上咽頭粘膜を裏打ちする咽頭頭底筋膜を口蓋帆挙筋と耳管軟骨部が通過するための欠損部であるMorgagni洞(本章A臨床解剖(p261)において既述)を経由した傍咽頭間隙(前茎突区)への深部組織浸潤が主である(図20A)．その後，前側方に進展すると側頭下窩(咀嚼筋間隙)への進展，翼状突起の破壊，翼口蓋窩への進展を生じる．傍咽頭間隙浸潤は局所再発，頸部再発，遠隔転移，生存率と有意な相関を示す重要な予後因子とされる[34, 35]．咀嚼筋間隙浸潤も生存率低下を示す予後因子となる[36, 37]．AJCCの第5版(1997)・第6版(2002)では，咀嚼筋間隙進展の定義を解剖学的咀嚼筋間隙(内側・外側翼突筋，咬筋，側頭筋を囲む領域)から内側・外側翼突筋を除いた領域への浸潤としていたが，第7版(2010)では解剖学的咀嚼筋間隙全体と

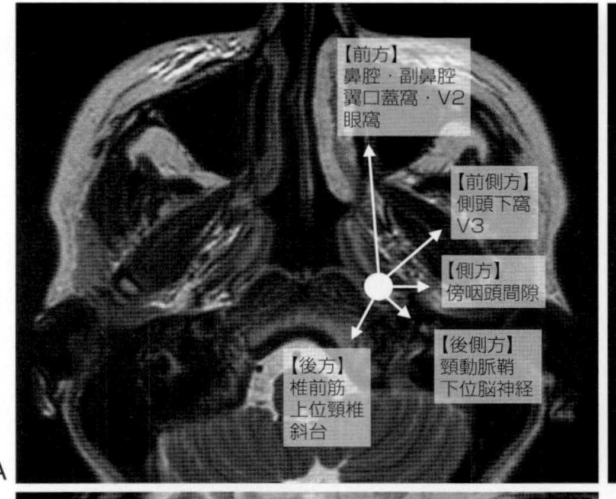

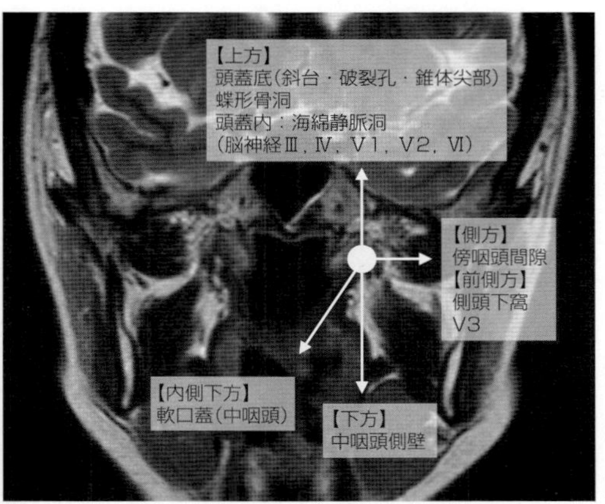

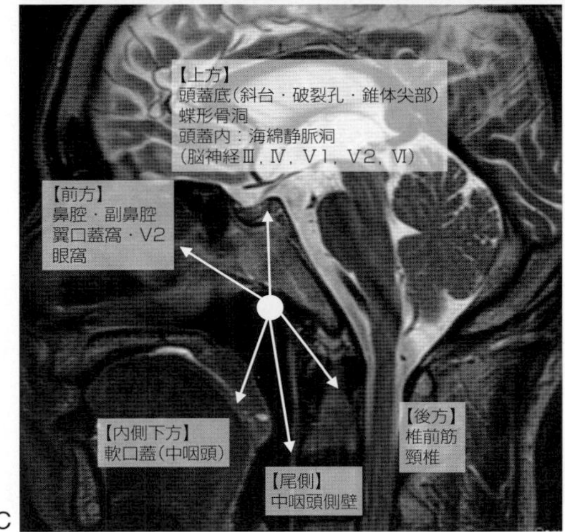

図 25　上咽頭癌の各進展方向での重要な評価項目
横断像(A), 冠状断像(B), 矢状断像(C).

し, 同間隙浸潤を T4 に区分した. さらに第 8 版(2017)では内側・外側翼突筋への浸潤を T2, 外側翼突筋の外側面よりさらに側方への進展を T4 として進展範囲による差別化を行った[33, 36](表 3). 翼口蓋窩は隣接する下眼窩裂, 眼窩尖部, 鼻腔外側壁への進展経路となりうる. 翼口蓋窩(図 26)には V2, 咀嚼筋間隙には外側翼突筋後面に沿って V3 が走行しており, これらの領域への腫瘍浸潤は神経周囲進展の要因となりうる(後述). 後側方への進展で頸動脈鞘(傍咽頭間隙後茎突区)へ浸潤(図 21, 22, 23, 27), 同間隙に含まれる下位脳神経障害を生じると T4 に区分される(表 3)[33]. 傍咽頭間隙への側方進展(図 20A)の画像評価は CT, MRI ともに同間隙の脂肪濃度・信号が保たれているか否かで判断されるが, 咽頭頭底筋膜を越えた進展に相当し, 初期には, Morgagni 洞を貫く口蓋帆挙筋周囲の組織層(特に口蓋帆張筋との間の脂肪層など)不明瞭化として顕在化する(図 22, 26, 28〜30). 翼口蓋窩も同様に, 脂肪層を置換する浸潤性軟部濃度の存在により判断される. 上咽頭に限局する病変や咀嚼筋間隙進展の評価は組織分解能の高い MRI が CT よりも優れる.

②上方進展(頭蓋底浸潤・頭蓋内進展)：上方進展による頭蓋底浸潤の好発部位は破裂孔周囲とされるが, これは上咽頭癌好発部位である Rosenmüller 窩と破裂孔との解剖学的位置関係による(図 2, 21〜23, 31). 咽頭頭底筋膜, 口蓋帆挙筋, 口蓋帆張筋の頭蓋底付着, さらには傍咽頭間隙が直接頭蓋底下面に接することなどが頭蓋底浸潤の根拠となる[1]. 頭蓋底浸潤の画像診断では骨条件表示の高分解能 CT での硬化性変化(図 22〜24, 26, 32)や破壊像(図 31, 33〜35), あるいは MRI T1 強調像で頭蓋底の正常脂肪髄の高信号の

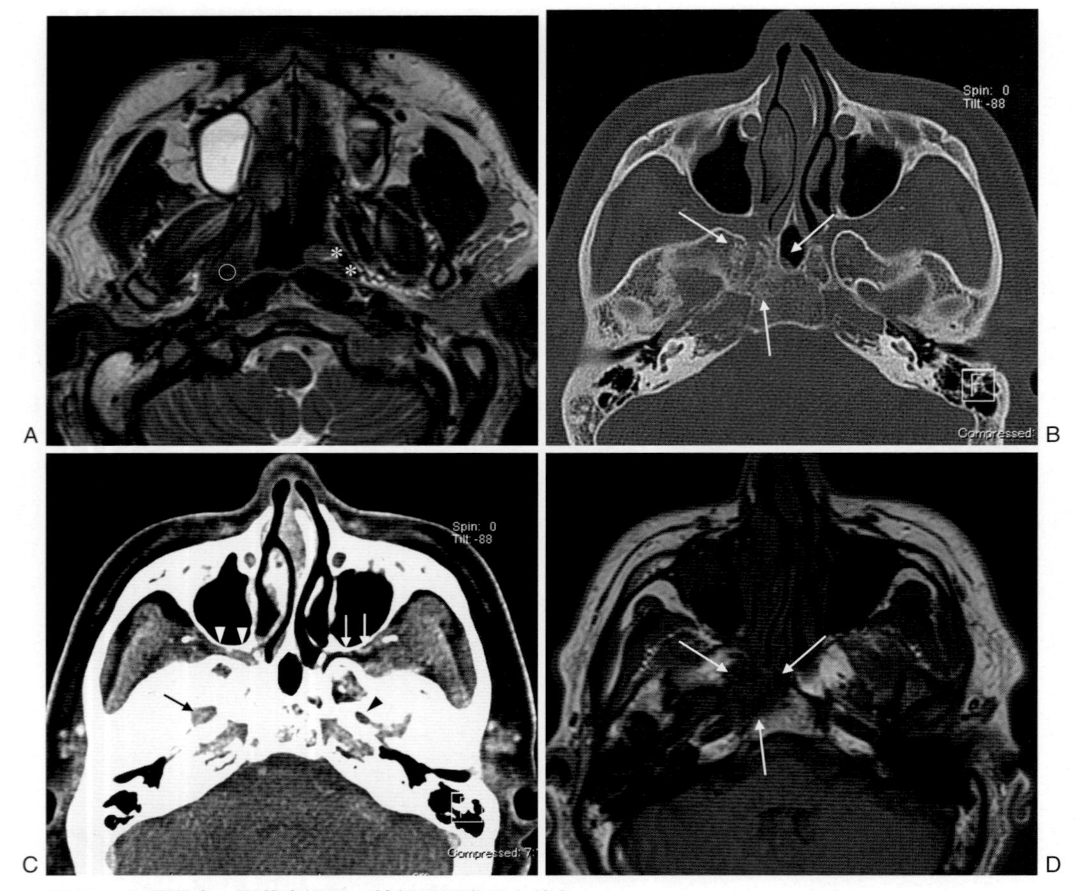

図 26　上咽頭癌：頭蓋底浸潤，神経周囲進展を伴う

上咽頭レベルの MRI，T2 強調像(A)で上咽頭の右 Rosenmüller 窩(○)を中心として，口蓋帆挙筋(対側で＊で示す)に沿った浸潤性腫瘤を認め，上咽頭癌に一致する．同症例の頭蓋底レベルの CT 骨条件表示(B)で腫瘍の頭側に隣接する頭蓋底(斜台右側，蝶形骨右大翼基部)に淡い硬化性変化(矢印)を認め，頭蓋底浸潤を示唆する．同軟部濃度条件(C)で右翼口蓋窩に(正常の脂肪濃度を置換する)軟部濃度病変(白矢頭)を認め，V2 領域への腫瘍浸潤を示す．健側の翼口蓋窩を白矢印で示す．また，右卵円孔(黒矢印)は健側(黒矢頭)と比較して，拡大とともに内部の増強効果を認め，V3 本幹に沿った神経周囲進展を示す．同症例の頭蓋底レベルの T1 強調横断像(D)で CT(B)で硬化性変化として見られた領域に一致して，正常脂肪髄の高信号を置換する病変(矢印)を認め，頭蓋底浸潤に相当する．

消失(図 21，26，33)や造影後 T1 強調(脂肪抑制)画像での増強効果の証明による(図 21，22，33)．蝶形骨体部下面の破壊を介して頭側への進展を示すと蝶形骨洞内への進展(図 35)を示す．頭蓋内進展は，頭蓋底進展を介して直接，あるいは神経周囲進展(主にＶ 3)により，海綿静脈洞領域が多い．評価には造影 MRI が有効であり(図 33)，上咽頭癌において CT では 12％，MRI では 31％で頭蓋内進展の所見を認める[39, 40]．

③下方進展：上咽頭側壁の Rosenmüller 窩原発病変では，尾側において軟口蓋外側部，口蓋扁桃上極から扁桃窩(図 36)，上咽頭後壁病変はそのまま中咽頭後壁へと進展する．上咽頭癌例全体の 3 分の 1 で口蓋弓に及ぶ下方進展を生じる[1]．しばしば粘膜下進展を主体とし臨床的な指摘は困難であり，画像評価が重要となる．通常，横断像において，C1～2 より尾側レベルへの進展は中咽頭浸潤を示す[41]．

④前方進展：Rosenmüller 窩原発病変では前方の耳管隆起，耳管咽頭口を介して，後鼻孔レベルを越え鼻腔後方の側壁へと進展する(図 20)．ときに同部では蝶口蓋孔を介して側方に隣接する翼

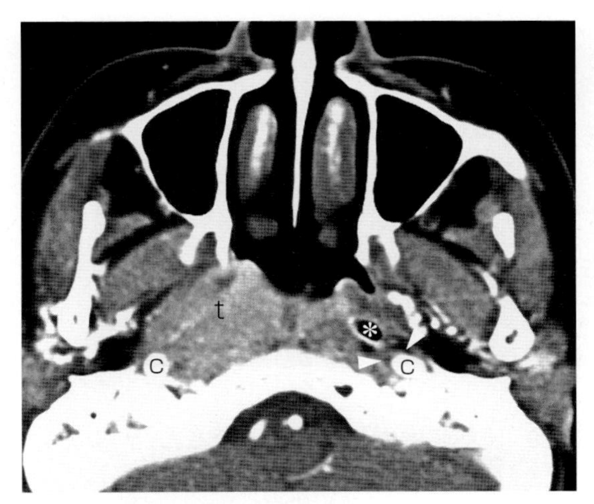

図 27 上咽頭癌の頸動脈鞘浸潤
上咽頭レベルの造影 CT．右 Rosenmüller 窩(対側で＊で示す)を中心とする浸潤性腫瘍(t)を認め，後側方で近接する内頸動脈(c)周囲の脂肪層(左側で矢頭で示す)は消失しており，(下位脳神経を含む)右頸動脈鞘への浸潤を示す．

口蓋窩へ浸潤する．さらなる前方進展により副鼻腔浸潤を来す．副鼻腔浸潤は，いずれの副鼻腔に限らず予後不良因子となる[42]．翼口蓋窩への腫瘍浸潤は，V2 に沿った神経周囲進展の危険性を示すとともに，頭側で下眼窩裂を介した眼窩尖部への進展，あるいは正円孔，(眼窩尖部から)上眼窩裂を介した頭蓋内進展の経路となりうる．

⑤後方進展：後方では椎前筋膜(深頸筋膜深葉)を越えると頸長筋などの椎前筋浸潤(図 20A)，さらに上位頸椎椎体前面からの浸潤・破壊をきたす．

⑥神経周囲進展(図 33，37)(15 章「神経周囲進展」を参照されたい)：上咽頭癌の神経周囲進展はさまざまな経路から生じうる．側方進展において傍咽頭間隙から咀嚼筋間隙に進展した場合，卵円孔から頭蓋外に出たのちに外側翼突筋後面に

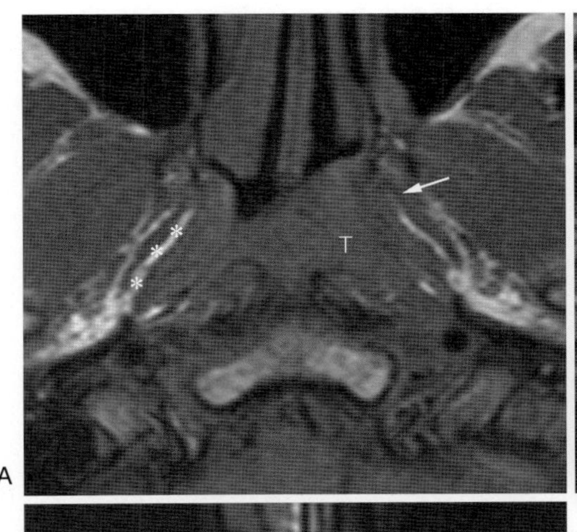

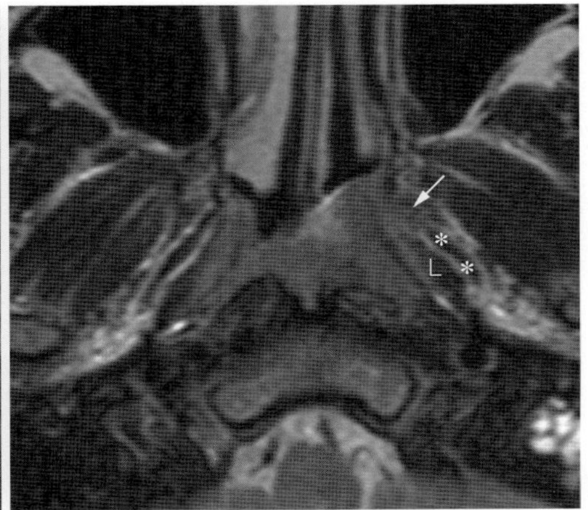

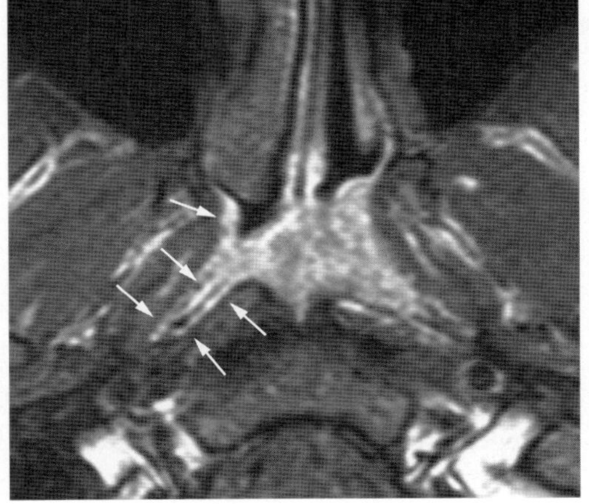

図 28 上咽頭癌(Morgagni 洞を介した早期深部浸潤)
上咽頭レベルの MRI T1 強調横断像(A)で，上咽頭左側で軟部組織(T)の肥厚を認め，口蓋帆挙筋と口蓋帆張筋との間の薄い脂肪層(対側で＊で示す)は前方の一部でやや不明瞭(矢印)である．T2 強調像(B)においても口蓋帆挙筋(L)と口蓋帆張筋(＊)との間の脂肪層前方での浸潤を示す(矢印)．造影後 T1 強調脂肪抑制画像(C)では，右側では確認可能な上咽頭粘膜に沿った線状増強効果(矢印)が左側では破綻しており，上咽頭癌を示唆する．

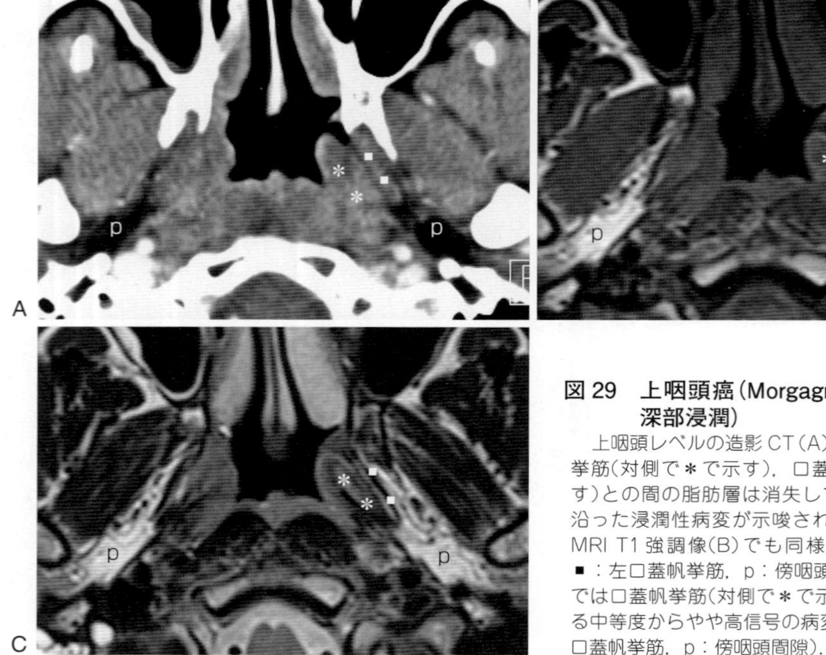

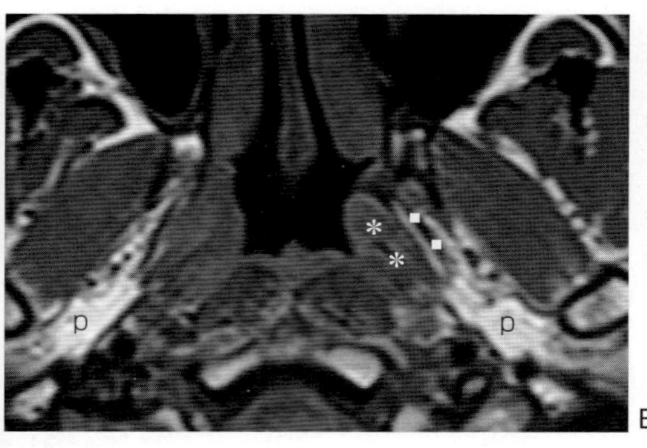

図 29　上咽頭癌（Morgagni 洞を介した）早期深部浸潤）

上咽頭レベルの造影 CT（A）において右側で口蓋帆挙筋（対側で＊で示す），口蓋帆張筋（対側で■で示す）との間の脂肪層は消失しており，これらの筋に沿った浸潤性病変が示唆される．p：傍咽頭間隙．MRI T1 強調像（B）でも同様（＊：左口蓋帆挙筋，■：左口蓋帆挙筋，p：傍咽頭間隙）．T2 強調像（C）では口蓋帆挙筋（対側で＊で示す）の低信号を置換する中等度からやや高信号の病変が同定される（■：左口蓋帆挙筋，p：傍咽頭間隙）．

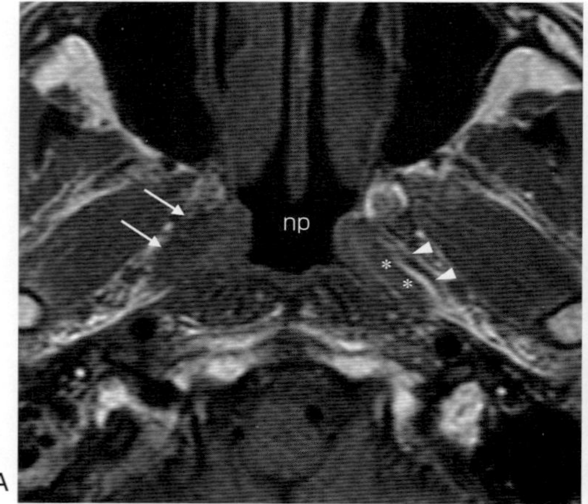

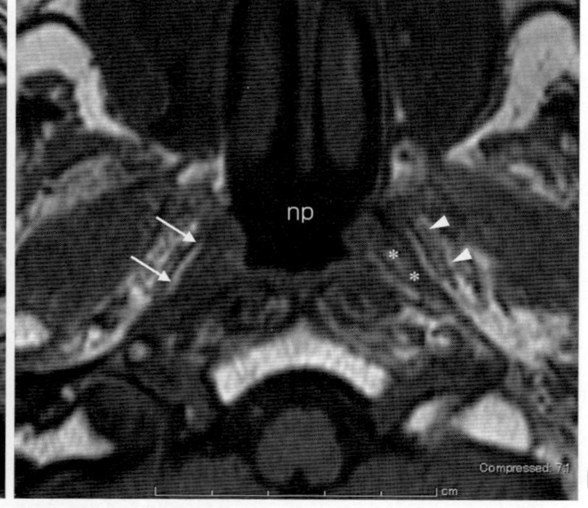

図 30　上咽頭癌の早期傍咽頭間隙浸潤：口蓋帆挙筋周囲組織層消失

上咽頭癌 2 例の MRI．T1 強調横断像（A，B）において，上咽頭（np）の含気腔自体はほぼ左右対称性に認められるが，右側の口蓋帆挙筋（対側で＊で示す）周囲（A では内側および外側，B では内側のみ）の脂肪層消失を伴う組織肥厚（矢印）を認め，（Morgagni 洞を介して傍咽頭間隙への側方進展による）深部浸潤性を示す病変が示唆され，上咽頭癌（T2 以上の病変）に相当する．口蓋帆張筋（矢頭）

接して走行するV3，また前側方進展により翼口蓋窩に進展した場合，正円孔から出たのち同領域に到達するV2に浸潤し，神経周囲進展を生じる可能性がある．翼口蓋窩でV2に浸潤した腫瘍は中枢側で正円孔を介して海綿静脈洞部に腫瘤を形成，末梢側で上顎洞後側壁に沿った分布を示す後上歯槽神経，下方で大・小口蓋神経，前方で眼窩下神経に沿った進展を示しうる．まれに翼口蓋窩でV2に浸潤した腫瘍が下眼窩裂を介して眼窩内に進入，眼窩外側壁に沿って走行する頬骨神経（zygomatic nerve；V2の枝）に浸潤，眼窩外側壁に腫瘤を形成する．後側方進展が頸動脈鞘に達す

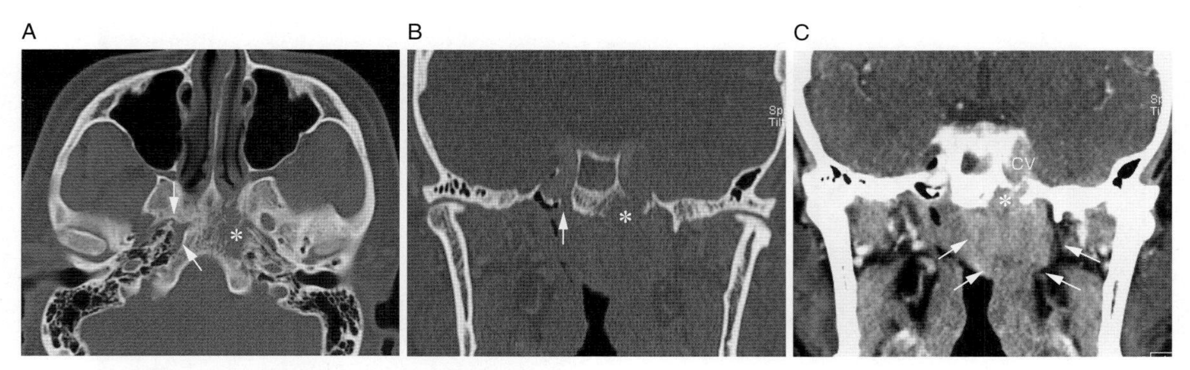

図 31　上咽頭癌の（破裂孔周囲からの）頭蓋内進展

CT 骨条件の頭蓋底レベル横断像（A）および上咽頭レベル冠状断像（B）において，左側の破裂孔（対側で矢印で示す）を中心に境界不明瞭な浸透様骨融解（＊）を認める．B と同レベルの造影 CT 冠状断像（C）で上咽頭左側を中心とする浸潤性腫瘤（T）は破裂孔の破壊（＊）を介して左海綿静脈洞領域（cv）への頭蓋内進展を示す．

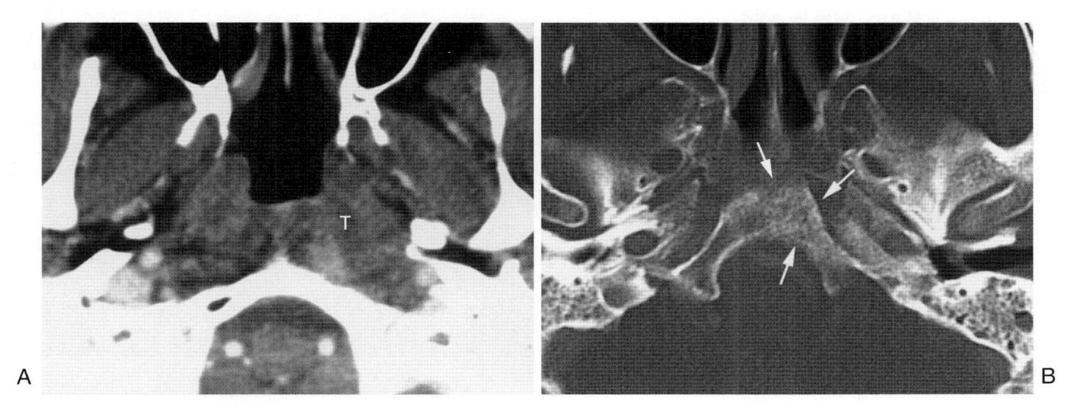

図 32　上咽頭癌の頭蓋底浸潤（硬化性変化）

A：造影 CT 横断像．上咽頭左側壁を中心に浸潤性腫瘍（T）を認め，原発部位に一致する．
B：頭蓋底レベル CT 骨条件表示．斜台は左側のみ淡い硬化性変化（矢印）を認め，頭蓋底浸潤を示す．

ると下位脳神経から頸静脈孔，頭蓋内への神経周囲進展を来しうる．神経周囲進展は神経の走行に一致した軟部腫瘤あるいは神経の肥厚，増強効果，神経の通過する孔の開大などの画像所見を呈する[43, 44]．頭蓋内への神経周囲進展の評価は CT よりも MRI が優れる[45]．

ii）N 因子（リンパ節転移）：上咽頭癌における N 分類は他領域の頭頸部癌とは異なる（表 3：p276）．これは上咽頭癌が他の頭頸部癌とは生物学的特性が異なることによる．上咽頭癌ではまず咽頭後リンパ節（Rouvière リンパ節）（図 19），次いで上内深頸リンパ節（レベル II）に転移を生じる[1]．臨床的に N＋症例のほとんどで咽頭後リンパ節への転移を認める．85〜90％で頸部リンパ節転移を認め，50％が両側性である[46, 47]．両側性が多いのは上咽頭のリンパ流が正中で交叉するためである．リンパ節転移の頻度は T 因子と相関しない[1]．その他，上・中内深頸リンパ節，副神経リンパ節への転移の頻度が高い（図 19）．上咽頭癌では N3 に区分される輪状軟骨下縁より尾側のリンパ節（レベル IV，鎖骨上）への転移では遠隔転移の頻度が高く，近接する胸管から全身循環への流入のためと考えられている．なお，EB ウイルス陽性の頸部リンパ節転移を示す原発不明癌の場合，T 因子は T0 として上咽頭癌の N 分類（表 3：p276）に従って頸部病変の N 診断を行うこととなる[33]．

iii）M 因子（遠隔転移）：他の領域の頭頸部扁平

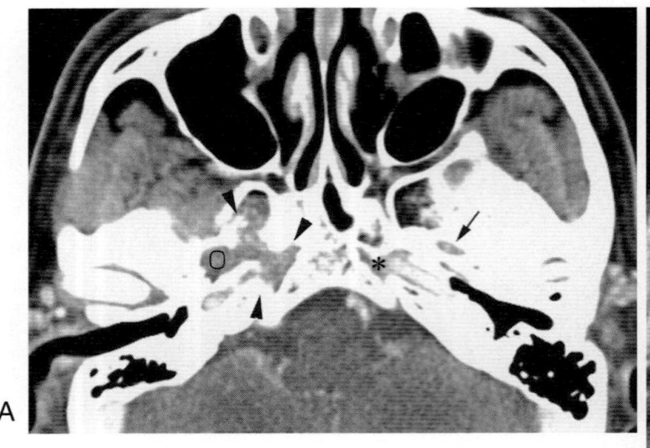

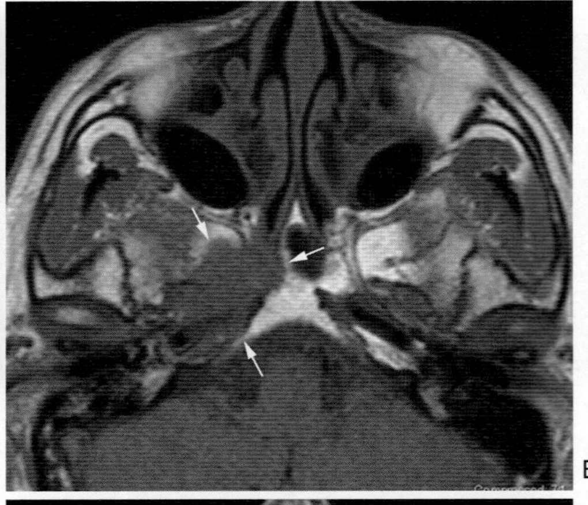

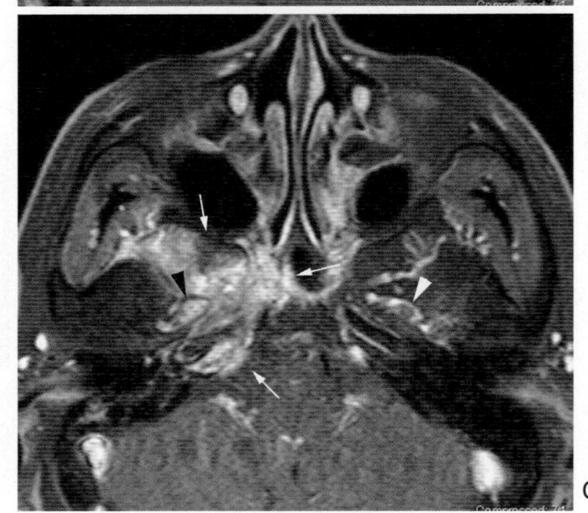

図 33　上咽頭癌（頭蓋底浸潤）

右 Rosenmüller 窩原発の上咽頭癌症例の頭蓋底レベル．造影 CT（A）において，破裂孔（対側で＊で示す）に接して，右錐体尖部，蝶形骨右大翼内側，右翼状突起基部に破壊性変化（矢頭）を認める．卵円孔（対側で矢印で示す）の拡大（O）を伴う．MRI T1 強調像（B）で CT（A）での頭蓋底破壊性変化の領域に一致して，正常脂肪髄の高信号強度は tissue intensity に置換されている（矢印）．造影後 T1 強調脂肪抑制画像（C）で頭蓋底浸潤の領域は増強効果を示す（矢印）．右側の V3（黒矢頭）は腫大と増強効果を示し，CT での卵円孔拡大とともに神経周囲進展の所見に一致する．白矢頭：左 V3（神経自体の増強効果はみられず，周囲に静脈叢による円弧状増強効果あり）

上皮癌では遠隔転移は比較的まれであるのに対して，上咽頭癌では 5～40％と多く，翼突静脈叢が（内頸静脈を経由せず）顔面静脈や咽頭後静脈叢に直接流入することから，全身循環に広がりやすいことが要因と考えられている[41]．骨に最も多く[21, 41, 48]，次いで肺，肝，縦隔リンパ節の順に認められる．遠隔転移の 98％が 3 年以内に生じる[49]．鎖骨上リンパ節転移，あるいは傍咽頭間隙，咽頭後間隙への腫瘍浸潤で有意に遠隔転移のリスクは高いとされる[50]．

4）画像診断（表 4：p286）

上咽頭癌は画像上，上咽頭を中心とする浸潤性軟部組織病変として認められる．通常，分化度が低いことから内部は比較的均一であり，高度壊死傾向や嚢胞部などの混在はみられない．上咽頭癌が診断されている例においては，既述の各方向への進展様式（図 25）を理解したうえで，頭尾側方向，前後方向，内外側（あるいは左右）方向の進展を解剖学的名称とともに明示するとともに，病期診断（表 3：p276）に関連する領域・構造への進展の有無・程度に対しての画像評価が望まれる．

一方，原発病変は周囲構造に浸潤するまで症状が現れにくく，頸部リンパ節転移の頻度が高いことから，頸部腫瘤で初発したり（図 19），原発不明癌として顕在化する例も多く，この場合，上咽頭の低容積病変や限局性病変の存在診断は，不要な頸部郭清術を回避できる可能性があるという点において臨床的意義が高い．上咽頭癌の同定では（既述の血清 EB ウイルス DNA 定量とともに）内視鏡検査が標準となっているが，内視鏡で同定困難な上咽頭癌の 12％が MRI で指摘可能であり[51]，MRI で指摘可能な上咽頭癌の 10％は内視鏡で同定困難で，MRI は内視鏡検査よりも最大で 3ヵ月早く病変の指摘が可能である[51～53]．

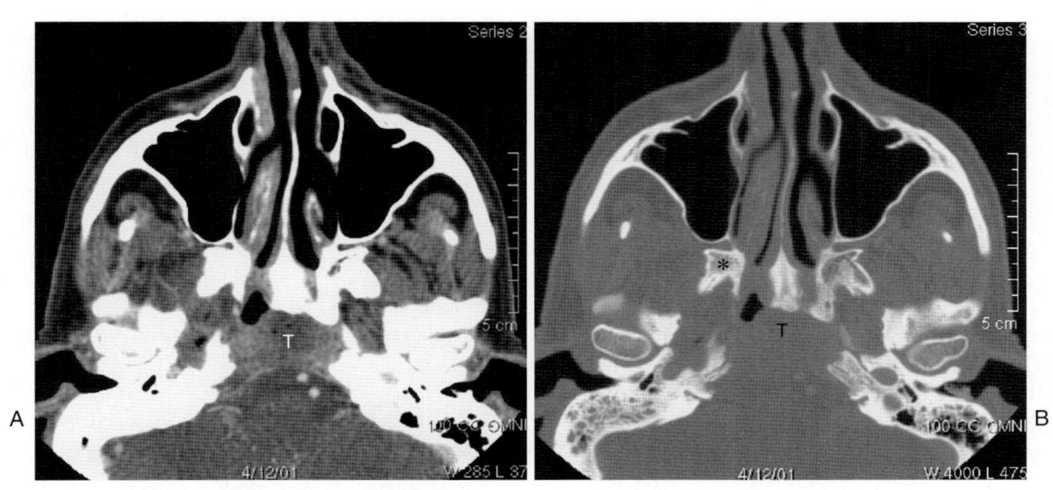

図 34　上咽頭癌の頭蓋底浸潤(破壊性変化)

A：頭蓋底レベル造影 CT．斜台を破壊，置換する軟部組織腫瘍(T)を認める．

B：頭蓋底レベル骨条件表示．腫瘍(T)による斜台の破壊とともに右翼状突起基部の硬化性変化(＊)も認められる．

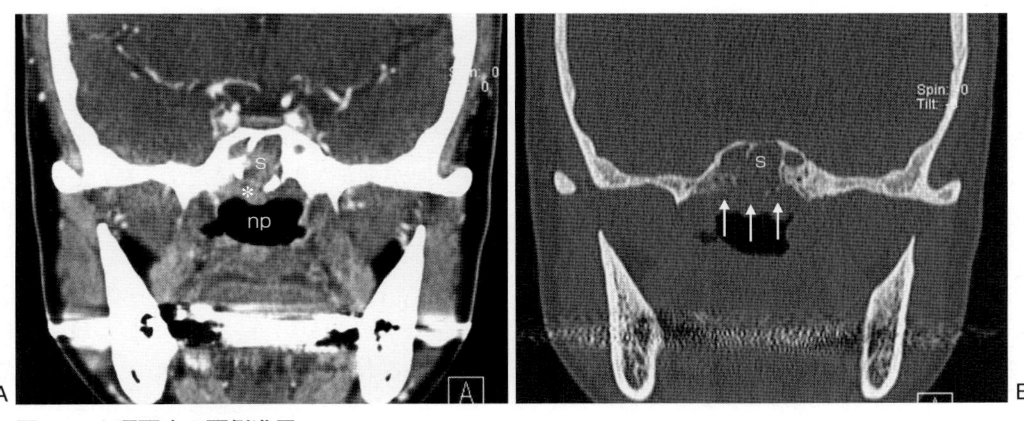

図 35　上咽頭癌の頭側進展

造影 CT 冠状断像(A)で，上咽頭(np)の上壁に不整な増強効果を示す軟部組織肥厚(＊)を認め，頭側で隣接する蝶形骨洞(s)への進展を示す．同骨条件表示(B)において，軟部濃度で占拠される蝶形骨洞(s)下壁の骨破壊(矢印)あり．

MRI の陰性的中率は高く，MRI で病変が同定されなければ，特に内視鏡検査も陰性の場合，生検は回避可能である[51]．上咽頭癌では(CT よりも) MRI が評価に優れるが[2, 39, 40, 45]，頸部リンパ節腫瘤として初発する場合は造影 CT が第一選択となる場合も少なくない．上咽頭は個体差が大きく，しばしば生理的非対称性を示す上咽頭アデノイド組織の存在により，上咽頭領域の軟部組織肥厚のみでの確定的診断は困難な場合も多い．上咽頭アデノイド過形成は小児のみでなく喫煙者や慢性鼻副鼻腔炎患者でもみられ，びまん性組織肥厚を示す場合が多い一方，上咽頭癌は片側性組織肥厚(有意な非対称性)を示す場合が多い[22]．またアデノイド過形成では咽頭腔から直行する線状・索状増強効果(vertical stripe：図 3B・C)，小さな貯留嚢胞(nasopharyngeal bubble)の混在を認める[22]．拡散強調像は両者の鑑別に有用ではない[54]．上咽頭粘膜間隙に限局する上咽頭癌 T1 病変は比較的まれであり，診断には深部浸潤性変化の確認が必要となる．上咽頭癌での早期深部浸潤

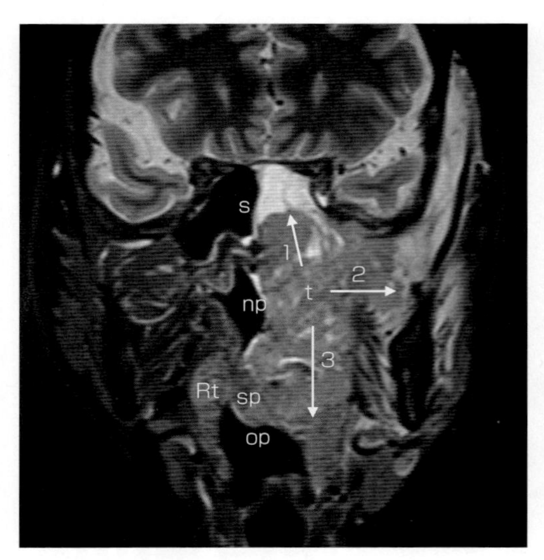

図36　上咽頭癌の下方進展

T2脂肪抑制冠状断像．上咽頭(np)左側壁を中心とする，広範な浸潤性腫瘤(t)を認め，頭側(矢印1)では頭蓋底を破壊，蝶形骨洞(s)左側下部，側方(矢印2)で側頭下窩，尾側(矢印3)で中咽頭(op)の左側壁・口蓋扁桃への浸潤を示す．Rt：右口蓋扁桃，sp：軟口蓋

は既述のMorgagni洞を介した進展を示す場合が多く，画像での口蓋帆挙筋周囲の組織層不明瞭化の確認が重要である(図20，22A，26，28，30)．また，粘膜病変である上咽頭癌では造影後T1強調横断像で正常画像解剖として認められる上咽頭粘膜に沿った線状増強効果(図3)の破綻(図24B，28C，38，39)も，上咽頭癌を示唆する重要な所見の場合がある．同線状増強効果は粘膜下血管を含む線維性組織に相当すると考えられるが，上咽頭癌の84％で少なくとも1スライスにおいて破綻を認めるとされる[55]．

5）治　療

上咽頭癌では外科的アプローチの困難さ，放射線感受性の高い分化度の低い組織型が多いことなどから放射線治療が治療の主体となる．最近は，進行病変に対して，化学療法を組み合わせる(chemoradiation)場合も多い．頸部病変に対しても，両側性が多いこと，放射線感受性が高いことから根治目的において放射線治療が選択される場合が多い[48]．頭蓋底からリンパ節領域を広範に含んだ照射が行われるが，IMRT(intensity modulated radiation therapy)を用いることで，病変への効率的な有効線量の照射，非病変部への障害の軽減が図られる．線量は組織型，T因子により多少異なるが5,000〜7,000 cGy程度である[1]．EBウイルスは予後不良因子(stage III-IVB)であり，遠隔転移が非制御の主な原因となることから，EBウイルス陽性例に対しては導入化学療法をすべきとの報告もある[29]．

6）治療後画像評価

上咽頭癌の放射線あるいは化学放射線治療後において残存・再発病変の評価が最も重要であり，ときに合併症が評価対象となる．残存病変のある症例は適切な追加治療を行わなければ局所再発の危険性が高く予後不良である[56,57]．このため局所制御が重要な予後因子となる[58]．上咽頭癌は高い放射線感受性を示すが，治療後に7〜13％で残存病変を認め[56]，再発を含めると30％以上が局所非制御(残存および再発病変)により死亡する[59,60]．

上咽頭癌の再発病変は粘膜下で進行する傾向にあり，通常の検査での指摘が困難な場合もしばしばで[61]，存在診断，進展範囲の把握において画像診断が重要な役割を果たす．ただし，上咽頭癌では治療後に比較的大きな限局性異常所見(浸潤性軟部濃度領域，組織層不明瞭化，頭蓋底の骨硬化など)を残したまま制御が得られる場合が多く，focalな異常所見の継続が必ずしも局所非制御を反映するものではない(図40)．その一方で治療終了後，比較的短期の画像評価での病変の完全な消失(CR)が必ずしも局所制御を示すものではなく(図41)，治療終了後4〜6ヵ月でのCTは局所評価の感度，特異度ともに低く，病理結果とCT所見との相関は見られなかったとの報告もある[62]．いずれにしても限局性異常所見の継続に関する評価・判断は慎重に行う必要があり，治療終了後3〜6ヵ月で基線検査を施行，その後の数ヵ月毎の経過観察で所見の経時的変化を考慮した判断が重要となる[50]．なお，Linらの放射線治療を完遂した108例の上咽頭癌のMRI所見の検討において，治療終了後1ヵ月で約50％，治療終了後3〜6ヵ月で約17％の例で残存腫瘤(図40)を認めたとしており，最大で放射線治療終了後6ヵ月の間，腫瘍の継続的な縮小を来しうるこ

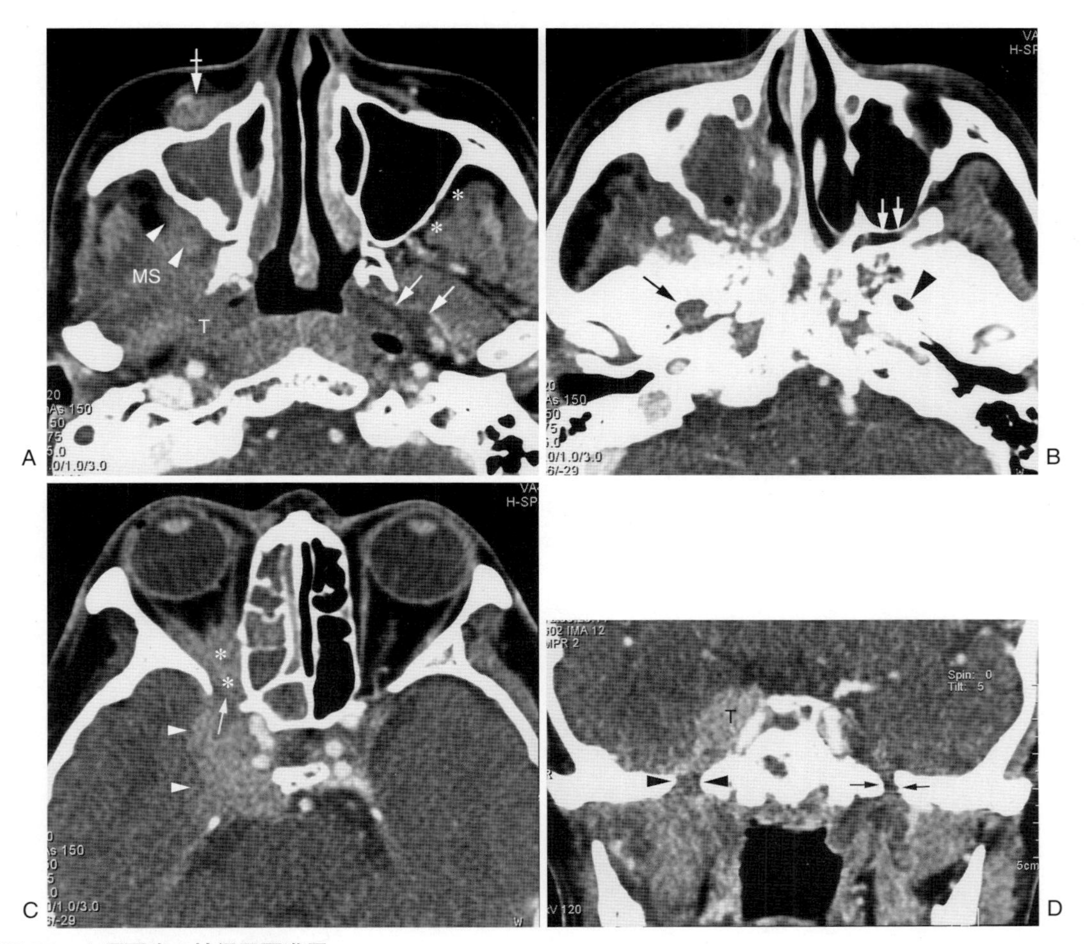

図 37　上咽頭癌の神経周囲進展

上咽頭から海綿静脈洞レベル，造影 CT 横断像(尾側から頭側の順に A，B，C)を示す．

A：上咽頭レベル．右 Rosenmüller 窩を中心に浸潤性腫瘍(T)を認め，傍咽頭間隙の脂肪(対側で矢印で示す)は消失している．上咽頭癌側方進展に一致．前方に隣接する咀嚼筋間隙(MS)にも病変は進展している．

B：頭蓋底レベル．同間隙内の翼突筋後面を走行するV3 が頭蓋底を通過する右卵円孔(黒矢印)は対側(矢頭)と比較して，開大し内部の増強効果がみられる．V3 に沿う(中枢側への)神経周囲進展を示す．

C：海綿静脈洞レベル．右海綿静脈洞に腫瘤(矢頭)の形成を認め，神経周囲進展による頭蓋内進展を反映している．

一方，図 B において咀嚼筋間隙前内側の翼口蓋窩へ浸潤，正常の脂肪濃度(対側で白矢印で示す)は消失している．同領域には正円孔を介して頭蓋外に出るV2 が走行しており，図 A においてV2 末梢枝である後上口蓋神経の分布する上顎洞後側壁に腫瘤(矢頭)を形成，頬間隙の脂肪層(対側で＊で示す)は消失している．さらにV2 の枝である眼窩下神経が眼窩下孔を抜けてから分布する上顎洞前面に軟部組織腫瘤(十字矢印)を形成している．両者ともにV2 に沿う(末梢側への)神経周囲進展を示す．さらに図 C では海綿静脈洞に形成された腫瘍は上眼窩裂(矢印)を介して眼窩尖部(＊)に進展．半月神経節に及んだ腫瘍がV1 に沿う(末梢側への)神経周囲進展を示したものと考えられる．

D：卵円孔レベル冠状断 CT．右卵円孔(矢頭)は左(矢印)と比較して，開大と増強効果がみられることが確認される．さらに海綿静脈洞部の腫瘤(T)も明瞭である．

とを示している[63]．治療後の腫瘍容積の変化は，細胞死を来した腫瘍細胞の比率，細胞死の様式，腫瘍の組織構築，(炎症，壊死を含む)放射線治療による周囲組織変化，細胞死した腫瘍細胞のクリアランス効率など，多くの因子に影響を受ける[62]．Fang らは根治目的の放射線治療を施行した上咽頭癌 101 例の CT において，原発病変および頸部リンパ節病変を合わせた腫瘍容積の治療開始前と 44 Gy 照射時を比較検討し，放射線治療開始後(治療中)の腫瘍の縮小速度と局所制御率，生存率との相関は見られなかったとしている[64]．このように，腫瘍の縮小に関しては判断が難しい

表4　上咽頭癌での重要な画像評価項目

頭側進展	頭蓋底(T3)：主に斜台，錐体尖部，蝶形骨大翼(溶骨性・硬化性) 蝶形骨洞 頭蓋内(T4)：主に海綿静脈洞
尾側進展	中咽頭(傍咽頭間隙進展がない場合：T1)
側方進展	傍咽頭間隙(T2)・口蓋帆挙筋周囲脂肪層の確認 側頭下窩(咀嚼筋間隙・V3：T4) 翼口蓋窩〔V2〕
後側方進展	頸動脈鞘(下位脳神経：症状があればT4)
後方進展	椎前筋
前方進展	鼻腔(傍咽頭間隙進展がない場合：T1) 副鼻腔(T3) 眼窩(T4)
神経周囲進展	V3(卵円孔から頭蓋内進展) V2(翼口蓋窩進展あるいは三叉神経節に及んだ場合) 下位脳神経(頸動脈鞘進展の場合)
N因子	とくにRouvièreリンパ節，両側性 鎖骨上リンパ節転移の有無(N3b：遠隔転移の危険性)
その他	耳管閉塞による中耳乳突洞炎

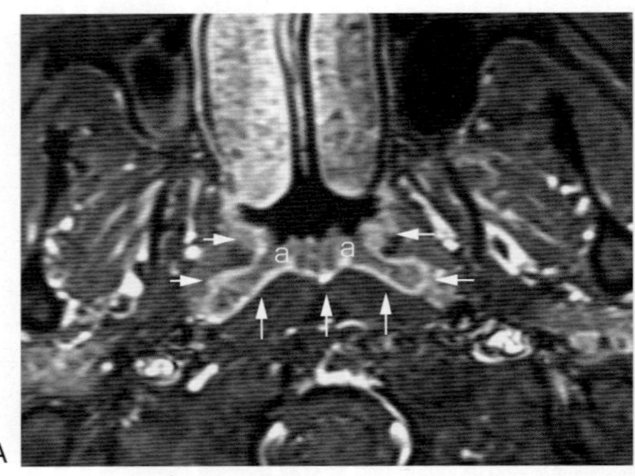

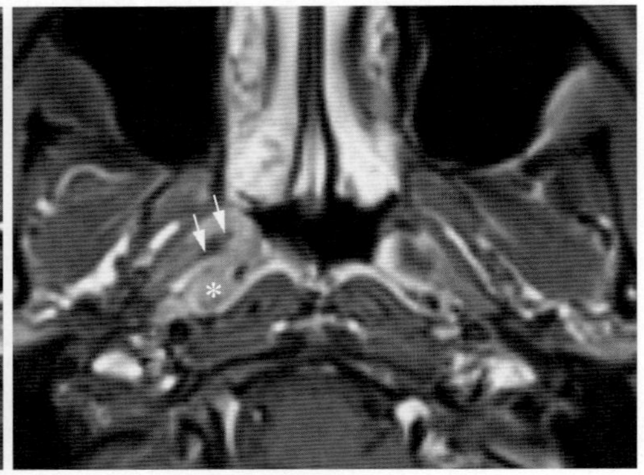

図38　上咽頭粘膜下静脈叢による線状増強効果(正常例および上咽頭癌症例)
正常例の上咽頭レベルの造影後T1強調脂肪抑制横断像(A)において，上咽頭アデノイド組織(a)深部に線状増強効果(mucosal white line：矢印)が連続性に確認可能である．上咽頭癌T1症例(B)では右Rosenmuller窩に組織肥厚(＊)がみられ，これに接するRosenmuller窩前壁側で粘膜下の線状増強効果は部分的は破綻(矢印)を示す．

一方で増大傾向を示す軟部組織腫瘤(図41)の所見は積極的に残存・再発病変を支持する．進行性骨破壊(図42，43)も一般的には残存・再発病変を示す．頭蓋底の放射線壊死は鑑別となるがまれである．頭蓋底破壊(溶骨性病変)の骨再形成(図44)は治癒機転を反映するが，骨硬化性の頭蓋底転移所見(MRI，T1強調像での正常脂肪髄の高信号強度の消失を含む)は局所制御が得られても変化なく継続性に認める場合が多い(図45，46)．頭蓋底所見に関しては，MRIでの増強効果の減弱(図47)，拡散強調像での信号低下(図46，48)は治療効果を反映すると考えられるが，これらの所見の完全な消失は必ずしも局所制御を保証するものではない(たとえ，限局性異常所見が残存していたとしても経時的変化がないことが確認されれば，画像上でのCRよりも高い信頼性をもって局所制御が支持される)．原発病変の評価に関しては，FDG-PET/CTと比較して，MRIでの正診率が高い傾向にあるが，いずれにおいても残存・再発病変に類似した偽陽性所見が問題となる[57]．CT所見としての限局性の浸潤性軟部濃度領域は主に残存・再発腫瘍あるいは瘢痕組織を示すが，経時的評価なしに両者の区別は困難なことが多い（図40，42）．より高い組織分解能を有するMRIでは付加される情報の獲得が可能な場合も多い．通常，残存・再発腫瘍（図41，48）は膨隆性で，T2強調像では中等度からやや高信号強度を呈し，造影剤投与による中等度の増強効果を示す（表5：p295）[50]．これに対して線維化の強い，成熟した瘢痕組織（mature scar・non-vascularized scar）（図49，50）は収縮性で，T2強調像では低信号強度を呈し，造影剤投与後の増強効果はほぼ欠如することにより，区別可能となる．ただし，未成熟の瘢痕組織（immature scar・vascularized scar）（図50，51）は，治療後の慢性浮腫，粘膜下血管拡張などに伴い，T2強調像でやや高信号強度，造影剤投与後に晩期の増強効果を示し，残存・再発腫瘍のMRI所見との重なりが大きく[50]，偽陽性所見の原因のひとつである．MRIの偽陽性所見のその他の主な要因としては炎症反応，治療後の解剖の偏位などが挙げられる[57]．なお，壊死性腫瘤は理論的には腫瘍の治療効果を反映する所見とも考えられるが，治癒例では腫瘍は縮小とともに増強効果の減弱した限局性軟部濃度に至る経過を示す例がほとんどである．局所制御例において明瞭な（液体濃度や大きな潰瘍形成として）壊死性変化を示す腫瘤（図48，図52）を認めるのはまれであり，明瞭な壊死所見は局所非制御を示唆すると考えられる．既述のとおり，上咽頭癌治療後において，原発部位の評価はMRIが優れるが，頸部リンパ節病変の評価はFDG-PETも有用とされており，造影CTと相補的であり，局所制御，局所再発に関しては総合的判断（表6：p298）が求められる．

上咽頭癌の放射線治療後合併症として放射線脳壊死，頭蓋底骨壊死，唾液腺炎・萎縮などが重要である．とくに放射線脳壊死，頭蓋底骨壊死は臨床上，画像診断上において腫瘍浸潤（再発・残存病変）との区別が問題となる場合も多い．放射線脳壊死の機序は明らかではないが，大部分は照射野内（ときにこれに近接した）の脳への直接的な放射線障害としての血管障害，脱髄が要因と考えられている．通常，進行性で非可逆性である．片側または両側の側頭葉に早期の浮腫に引き続き脳壊死を来す．灰白質と比較して，より放射線感受性の高い白質優位に，CTで低濃度領域を示し，MRIのT1強調像で低信号強度，T2強調像でおおむね均一な高信号強度を呈し，部分的に不均一な信号強度が混在，造影剤投与によりしばしば不均一な増強効果を示す（図53）[65〜67]．ときにヘモジデリン沈着が見られる[65]．慢性期には進行性脳萎縮により隣接する側脳室下角や脳槽の拡張を示す．より詳細は神経放射線の教科書を参照されたい．頭蓋底骨壊死はまれな放射線治療後合併症であるが，臨床診断は症状，CT・MRI所見，内視鏡などにより，最終的には病理学的確証を必要とする[68]．広範な骨壊死，脳神経障害は予後不良であり，出血，衰弱が主な死因となる[68]．

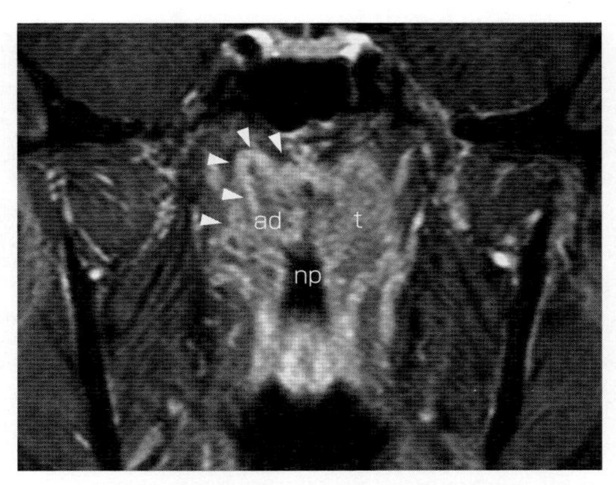

図39　粘膜下静脈叢による線状増強効果の破綻により示唆される上咽頭癌

上咽頭レベルのMRI，造影後T1強調脂肪抑制冠状断像において，上咽頭（np）の壁に沿った組織は右側（ad）では気道側から直行する多数の索状増強効果を認め，深部で粘膜下静脈層による上咽頭の輪郭に沿った線状増強効果（矢頭）が保たれており，上咽頭アデノイド組織による組織肥厚であることを示す．一方，左側（t）では粘膜下静脈層の線状増強効果は欠如し，内部は索状増強効果のない無構造，均一な組織を示しており，上咽頭癌が疑われる．

b. 悪性リンパ腫（malignant lymphoma）

悪性リンパ腫は頭蓋外頭頸部におけるリンパ増殖性疾患の中で最も多く[69]，扁平上皮癌に次いで2番目に多い悪性腫瘍である[70]．Hodgkinリ

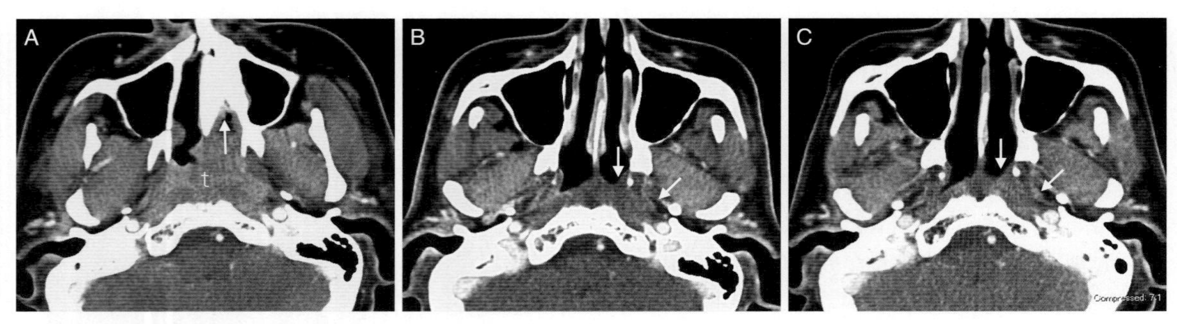

図40　上咽頭癌の局所制御例

A：治療前の上咽頭レベル造影CT．左側優位に上咽頭を占拠する軟部濃度腫瘤(t)を認める．中等度の増強効果を示す．前方では左鼻腔(矢印)への進展を示し，T2以上の上咽頭癌に相当する．

B：治療終了後3ヵ月の造影CT．上咽頭の左側軟部組織肥厚(矢印)が残存，非対称性を示すが，治療前(A)と比較して，病変は縮小を示すとともに増強効果の減弱が見られる．

C：治療終了5年後の造影CT．上咽頭左側での組織肥厚(矢印)はBと変化なし．軟部組織の非対称性を残したまま局所制御が得られたものと判断される．

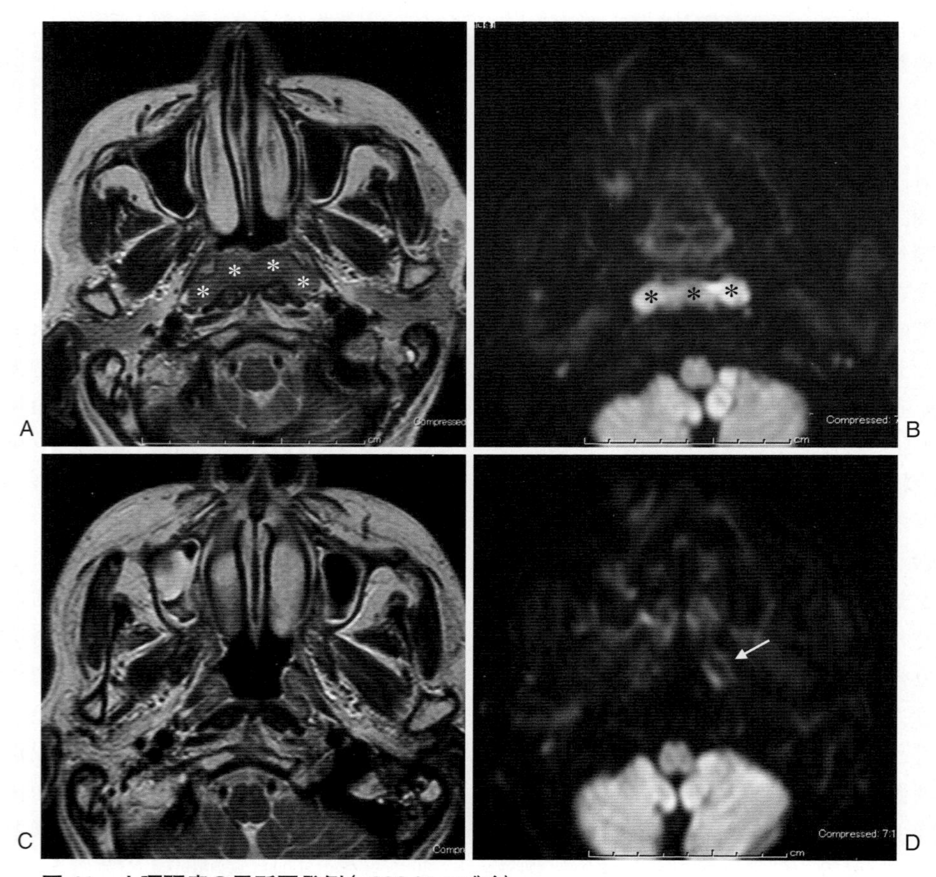

図41　上咽頭癌の局所再発例(p289につづく)

A：治療前の上咽頭レベルMRI，T2強調横断像．上咽頭をほぼ占拠する組織肥厚(＊)を認め，上咽頭癌に一致する．深部浸潤性は明らかでなく，T1病変に相当する．

B：Aと同じ治療前上咽頭レベルの拡散強調像．病変(＊)は高信号を示す．

C：治療終了後3ヵ月のT2強調横断像．治療前(A)に認められた上咽頭病変は消失．

D：Cと同じ治療終了後3ヵ月の拡散強調像．治療前(B)に認められた高信号病変はほぼ消失．左耳管隆起から口蓋帆挙筋の領域(矢印)は対側よりやや信号が高くみられるが，アーチファクトとの区別は困難と思われる．

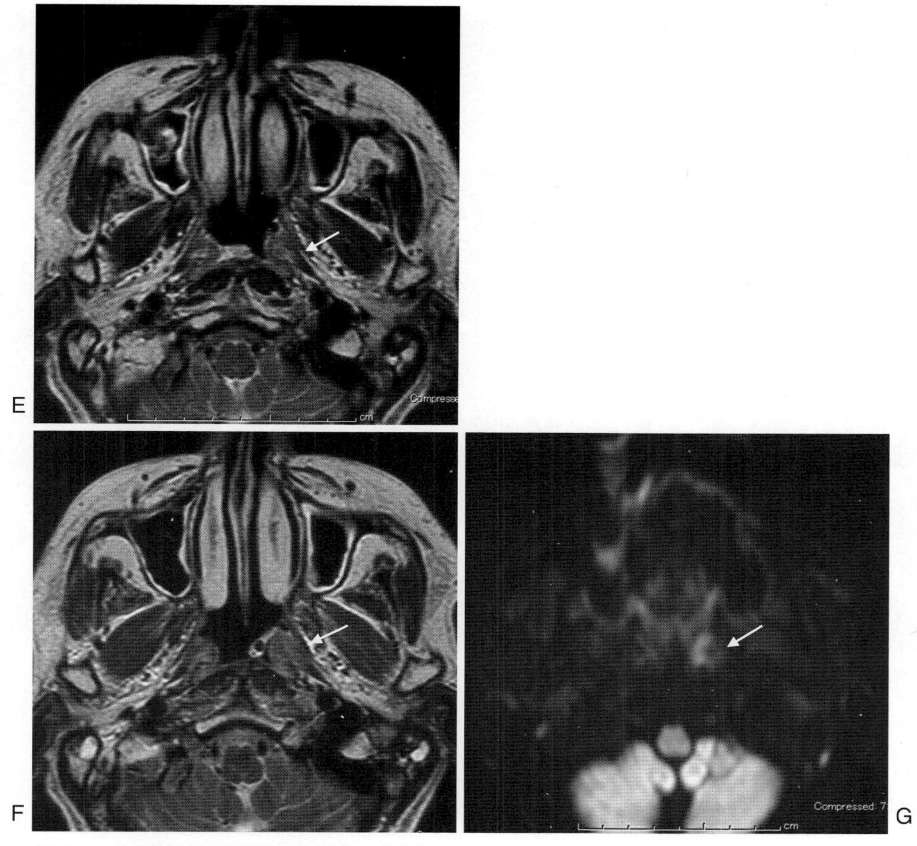

図 41　上咽頭癌の局所再発例（つづき）

E：治療終了後 6 ヵ月の T2 強調横断像．C と比較して，左耳管隆起（矢印）はやや著明に見られるが，明らかな腫瘤は指摘されず，確定的判断は困難と思われる．

F：治療終了後 10 ヵ月の T2 強調横断像．左耳管隆起領域のやや高信号強度を示す腫瘤（矢印）は，E と比較してより明瞭であり，経時的増大傾向を示すことから，局所再発を支持する．

G：F と同じ治療終了後 3 ヵ月の拡散強調像．病変に一致した高信号強度（矢印）が明瞭に同定される．

ンパ腫と非 Hodgkin リンパ腫の 2 つに大きく分けられるが，Hodgkin リンパ腫は頭頸部悪性リンパ腫の約 10～35％を占め，ほとんどがリンパ節病変を示すのに対して[70]，上咽頭アデノイド組織を含む Waldeyer 輪などのリンパ節外病変を示すものの大部分は非 Hodgkin リンパ腫である．Hodgkin リンパ腫で Waldeyer 輪以外の節外病変は極めてまれである[70]．一般に Waldeyer 輪の非 Hodgkin リンパ腫は頭頸部の他の節外病変と比較して予後は悪い傾向にある．上咽頭原発の診断は上咽頭腫瘤による症状，内視鏡検査あるいは画像検査での上咽頭に中心を有する腫瘤の存在による[71]．上咽頭原発は頭頸部非 Hodgkin リンパ腫の約 8％[74]，Waldeyer 輪病変の 18～35％程度[72,73]で，Waldeyer 輪では口蓋扁桃に次いで二番目に多い[75]．予後は Waldeyer 輪病変の中では不良とされ[76]，診断病期に最も依存する．ただし，初発時に播種性を示すことはまれで上咽頭癌よりは予後良好である[77]．頭頸部における悪性リンパ腫の概要については 6 章「中咽頭」も参照いただきたい．

上咽頭の悪性リンパ腫では二次性耳管機能不全による片側あるいは両側性の難聴（図 54），あるいは持続する鼻出血や鼻閉を訴える[69]．疼痛はまれで，多くの症例でリンパ節病変を伴う．脳神経症状の頻度は低い[78]．

悪性リンパ腫の画像所見は比較的均一な内部濃度・信号を示す軟部組織腫瘤として認められ，充

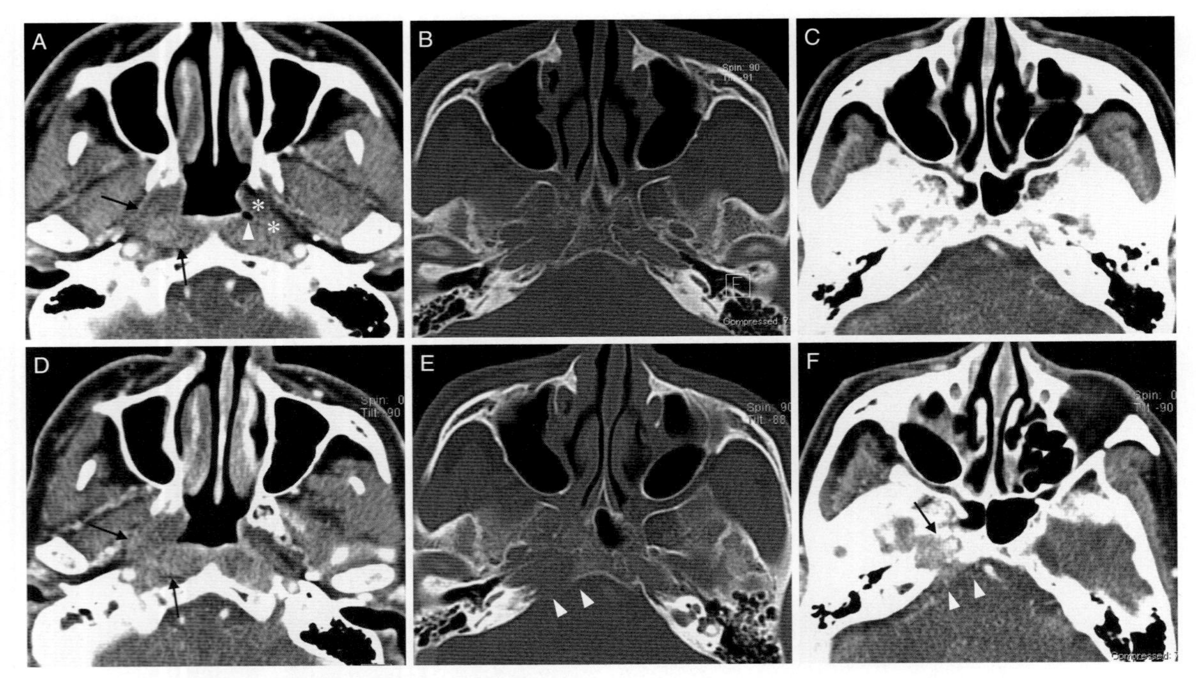

図 42　上咽頭癌の局所再発例（頭蓋底の進行性骨破壊）

A：治療終了後 3 ヵ月の上咽頭レベル造影 CT 横断像．上咽頭右側の Rosenmüller 窩（対側で矢頭で示す）を中心として，口蓋帆挙筋（対側で＊で示す）に沿った浸潤性軟部濃度（矢印）を認め，治療後上咽頭癌病変に相当する．

B：A と同じ治療終了後 3 ヵ月の頭蓋底レベル CT 骨条件表示．頭蓋底に明らかな破壊，硬化性変化なし．

C：A と同じ治療終了後 3 ヵ月の頭蓋底レベル CT 軟部濃度条件表示．明らかな異常なし．

D：治療終了後 6 ヵ月の造影 CT 横断像．上咽頭右側の所見（矢印）は A と変化なし．

E：D と同じ治療終了後 3 ヵ月の頭蓋底レベル（B と同じレベル）CT 骨条件表示．右錐体尖部後面で（B では確認可能な）皮質の途絶（矢頭）あり．

F：D と同じ治療終了後 3 ヵ月の頭蓋底レベル（C と同じレベル）CT 軟部濃度条件表示．C では認められなかった右錐体尖部の骨破壊性腫瘤（矢印）を認め，局所再発病変の頭蓋底浸潤に相当する．錐体骨後面では骨外性腫瘤（矢頭）を伴う（rT4 病変）．

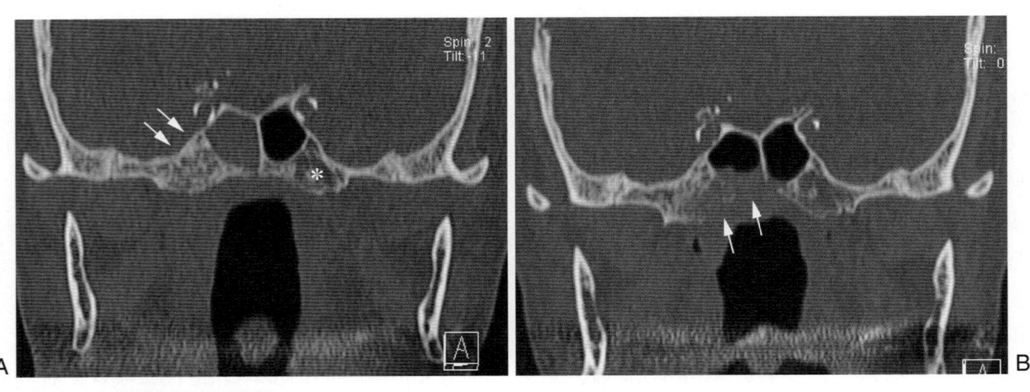

図 43　上咽頭癌局所再発

上咽頭癌 T3 病変に対する CRT 後 CT 冠状断像骨条件（A）において蝶形骨体部右側から右大翼基部にかけて対側（＊）と比較して淡い骨硬化（矢印）を認める．上咽頭癌の頭蓋底浸潤（治療後）所見に相当する．5 ヵ月後の CT（B）で同部には骨破壊を伴う軟部濃度病変（矢印）を認め，局所再発を支持する．

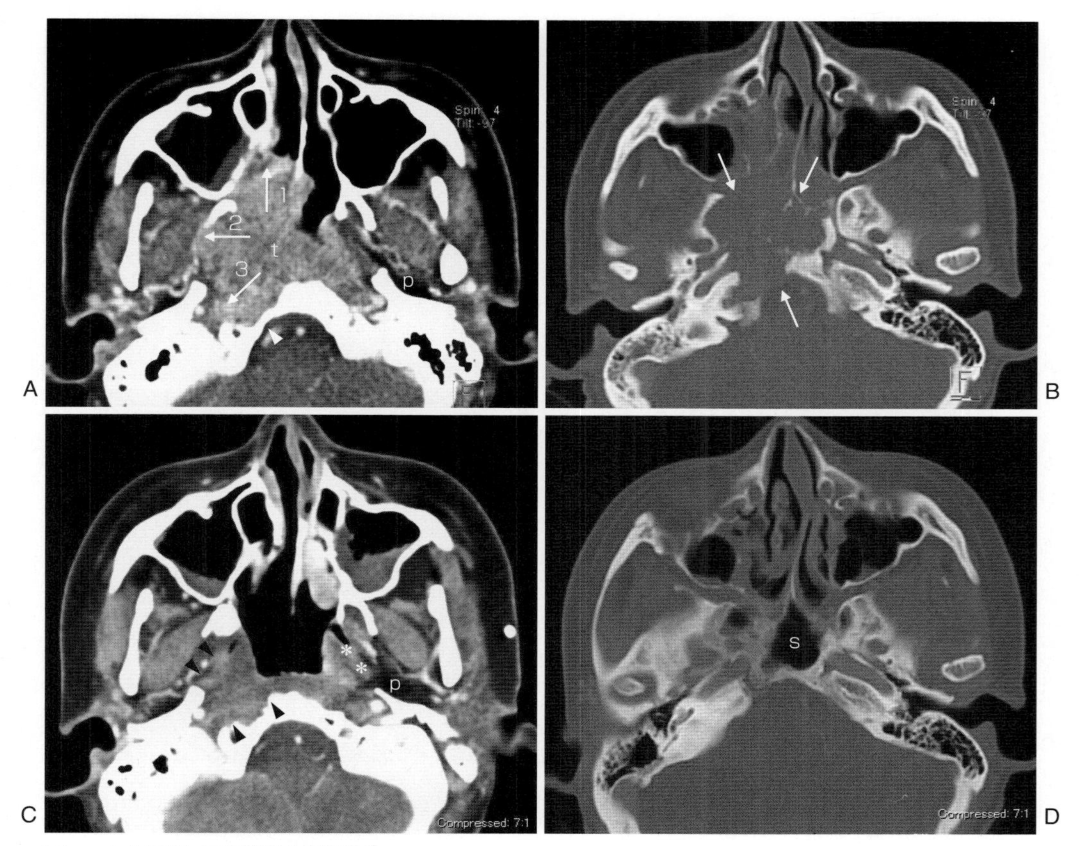

図 44 上咽頭癌の頭蓋底浸潤例

A：治療前の上咽頭レベル造影 CT．上咽頭の右側優位に浸潤性腫瘤(t)を認め，上咽頭癌に一致する．前方(矢印1)で右鼻腔，側方(矢印 2)で傍咽頭間隙(対側で p で示す)，後側方(矢印 3)で頸動脈鞘への進展を示し，後方で斜台(頭蓋底)の一部への浸潤(矢頭)を伴う．T3 病変に相当する．

B：A と同じ治療前の頭蓋底レベル CT 骨条件表示．斜台，蝶形骨右大翼の内側部，右錐体尖部を中心として，頭蓋底の破壊性変化(矢印)を認める．

C：治療終了後 3 ヵ月の上咽頭レベル造影 CT．治療前(A)に認められた上咽頭病変は著明な縮小とともに増強効果の減弱を示すが，右側では口蓋帆挙筋(対側で＊で示す)周囲および傍咽頭間隙(対側で p で示す)の脂肪層消失を伴う限局性浸潤性軟部濃度(矢頭)が残存する．同所見はその後変化なく，局所制御が得られた．

D：C と同じ治療終了後 3 ヵ月の頭蓋底レベル CT 骨条件表示．治療前(B)に認められた，頭蓋底浸潤による骨破壊性・溶骨性変化の領域で本来の骨構造としての再形成とともに軟部濃度病変の消失による蝶形骨洞(s)の含気の回復が見られる．

実性増強効果を示すがその程度はさまざまである(図 54，55)．通常，他の頭頸部領域では，扁平上皮癌が壊死などにより不均一な内部構造を示す傾向にあることから鑑別されるが，上咽頭癌は分化度が低く，内部均一であり，内部性状(内部濃度・信号強度)での悪性リンパ腫との鑑別は困難な場合が多い．ただし，上咽頭癌とは進展・発育様式が多少異なる傾向にある．悪性リンパ腫の約70％で深部浸潤性に乏しく，上咽頭の壁全体に沿ってほぼ対称性に進展，外方性発育を主体として咽頭腔を充満するように見られる(図 56，表 7：p301)[71]．したがって，腫瘍が比較的大きいにもかかわらず，深部浸潤の乏しい場合は悪性リンパ腫の可能性が高い(図 56)．悪性リンパ腫の64.8～68.8％が左右対称性を示すが，上咽頭癌での対称性病変(図 41A)は比較的まれとされる[75,79]．悪性リンパ腫は上咽頭癌との比較で拡散強調像(より高信号)，ADC map (より低信号)において強い拡散低下を示す傾向にある(図 57)．また，上咽頭癌が比較的容易に頭側の頭蓋底・頭蓋内に

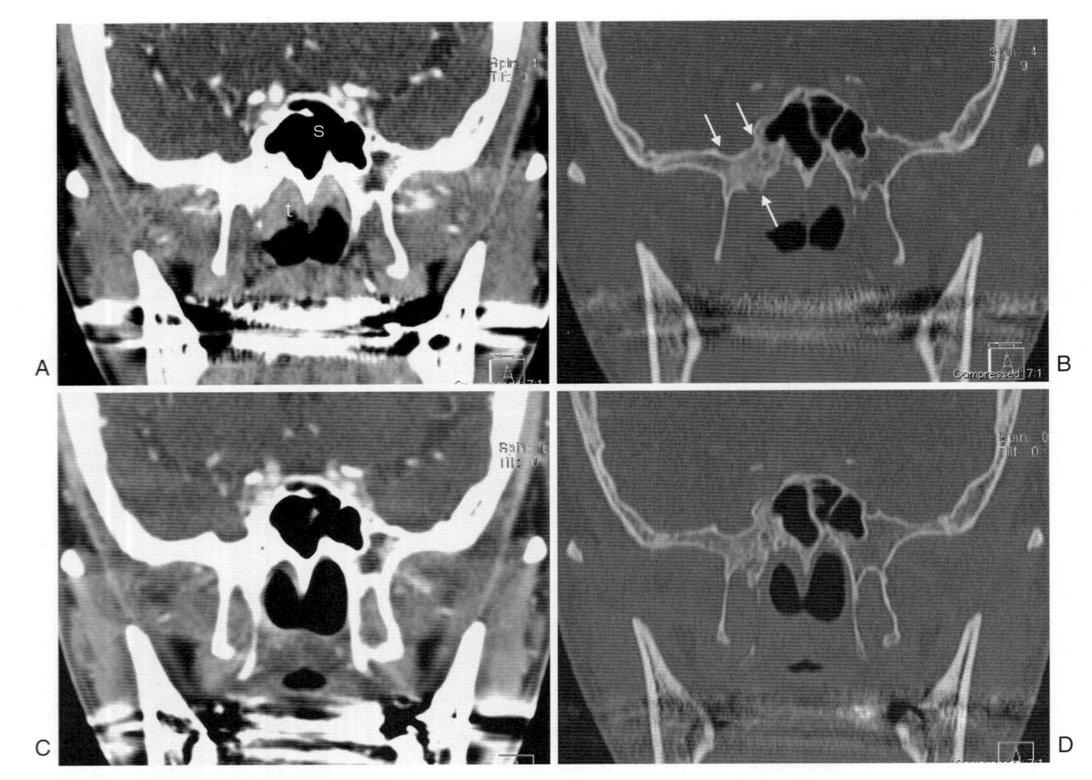

図 45　上咽頭癌の頭蓋底浸潤例

A：治療前の上咽頭レベル造影 CT 冠状断像．上咽頭の右側優位に上壁に沿った浸潤性腫瘤(t)を認め，上咽頭癌に一致する．s：蝶形骨洞

B：A と同じ治療前の CT 骨条件表示．腫瘍に隣接する蝶形骨体部右側から右大翼内側にかけて淡い骨硬化(矢印)を認め，頭蓋底浸潤の可能性を示唆する．

C：治療終了 3 年後の上咽頭レベル造影 CT．治療前(A)に認められた上咽頭病変は著明に縮小，消失しており，局所制御を示す．

D：C と同じ治療終了 3 年後の CT 骨条件表示．治療前(B)で認められた頭蓋底の骨硬化は継続して認められる．

進展するのに対して，悪性リンパ腫では Waldeyer 輪の分布に従って，尾側の左右口蓋扁桃領域への下方進展を示す傾向にある[71]．上咽頭癌では 11.4％で頭蓋内進展(T4 病変)を示すのに対して，悪性リンパ腫では頭蓋底，頭蓋内進展はわずかに 3.4％である[80]．深部浸潤性を示す症例(図 55，58)では上咽頭癌との画像での鑑別は困難だが，上咽頭癌が口蓋帆挙筋などの構造に沿った浸潤を示す傾向にある一方で悪性リンパ腫は傍咽頭間隙の脂肪組織内を進展するとの報告もある[80]．また，隣接する頸動脈鞘(傍咽頭間隙後茎突区)への浸潤所見が明らかであるにもかかわらず，下位脳神経症状に乏しい場合も悪性リンパ腫の可能性を疑うべきである(図 58)．AIDS 合併症例や high-grade の組織型を有するもの，大きな病変では内部の不均一性を認める場合もあり，注意を要する．

頸部リンパ節病変は約 84％にみられ，約 63％が両側性である[79]．上咽頭癌の頸部リンパ節転移が Rouvière リンパ節，レベルⅡ，Ⅲに頻度が高く，ある程度の系統性を示すのに対し，悪性リンパ腫では耳下腺リンパ節，浅側頸リンパ節，レベルⅠやⅤなどを含み，より不規則な分布を示す場合も多い[80]．また，上咽頭癌以上に両側性頸部リンパ節病変を示す傾向にある．T 細胞リンパ腫に比べ，B 細胞リンパ腫でリンパ節病変，特にレベルⅤ病変，耳下腺リンパ節病変が多いとされる[79]．

治療は非 Hodgkin 悪性リンパ腫では組織型や病期により異なる．放射線治療の適応もあるが，

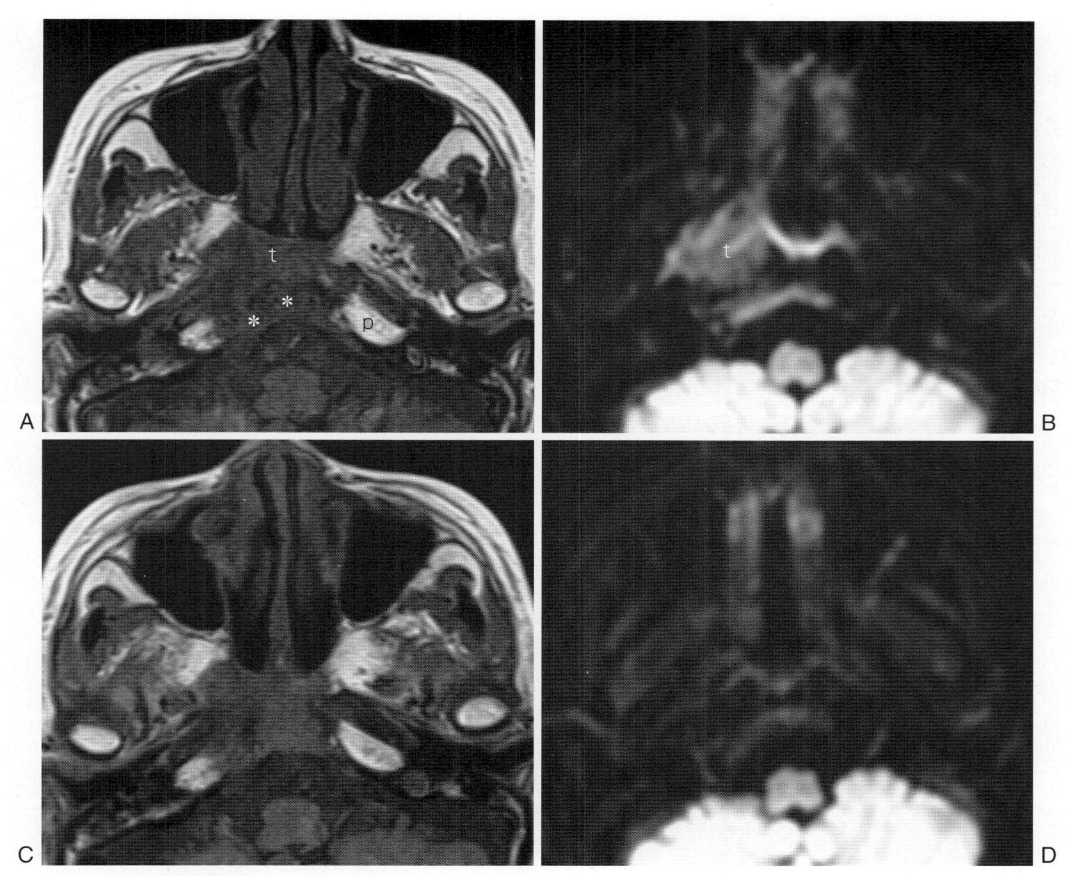

図 46　上咽頭癌の頭蓋底浸潤例

A：治療前の上咽頭レベルの MRI，T1 強調像．上咽頭に浸潤性腫瘤(t)を認め，右側で傍咽頭間隙浸潤あり．隣接する斜台，右錐体尖部(対側で p で示す)の正常脂肪髄による高信号を置換する病変(＊)が見られ，腫瘍の頭蓋底浸潤に一致する．

B：A と同じ治療前の拡散強調像．病変(t)は高信号領域として認められる．

C：治療終了後 9 ヵ月の T1 強調像．上咽頭所見，頭蓋底の骨髄腔の信号変化は治療前(A)と同様に継続して認められる．

D：C と同じ治療終了後 9 ヵ月の拡散強調像．治療前(B)で見られた高信号は消失している．その後局所再発なく経過している．

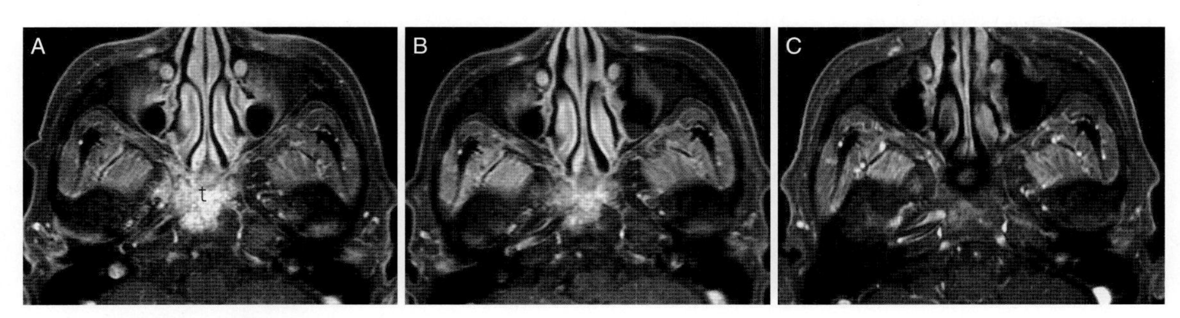

図 47　上咽頭癌の頭蓋底浸潤例

治療前の頭蓋底レベルの MRI，造影後 T1 強調脂肪抑制横断像(A)において，斜台を中心として頭蓋底の造影領域(t)を認め，上咽頭癌の頭蓋底浸潤所見を示す．治療終了後 6 ヵ月後(B)，1 年後(C)と増強効果は経時的な減弱を示し，治癒傾向を反映する．

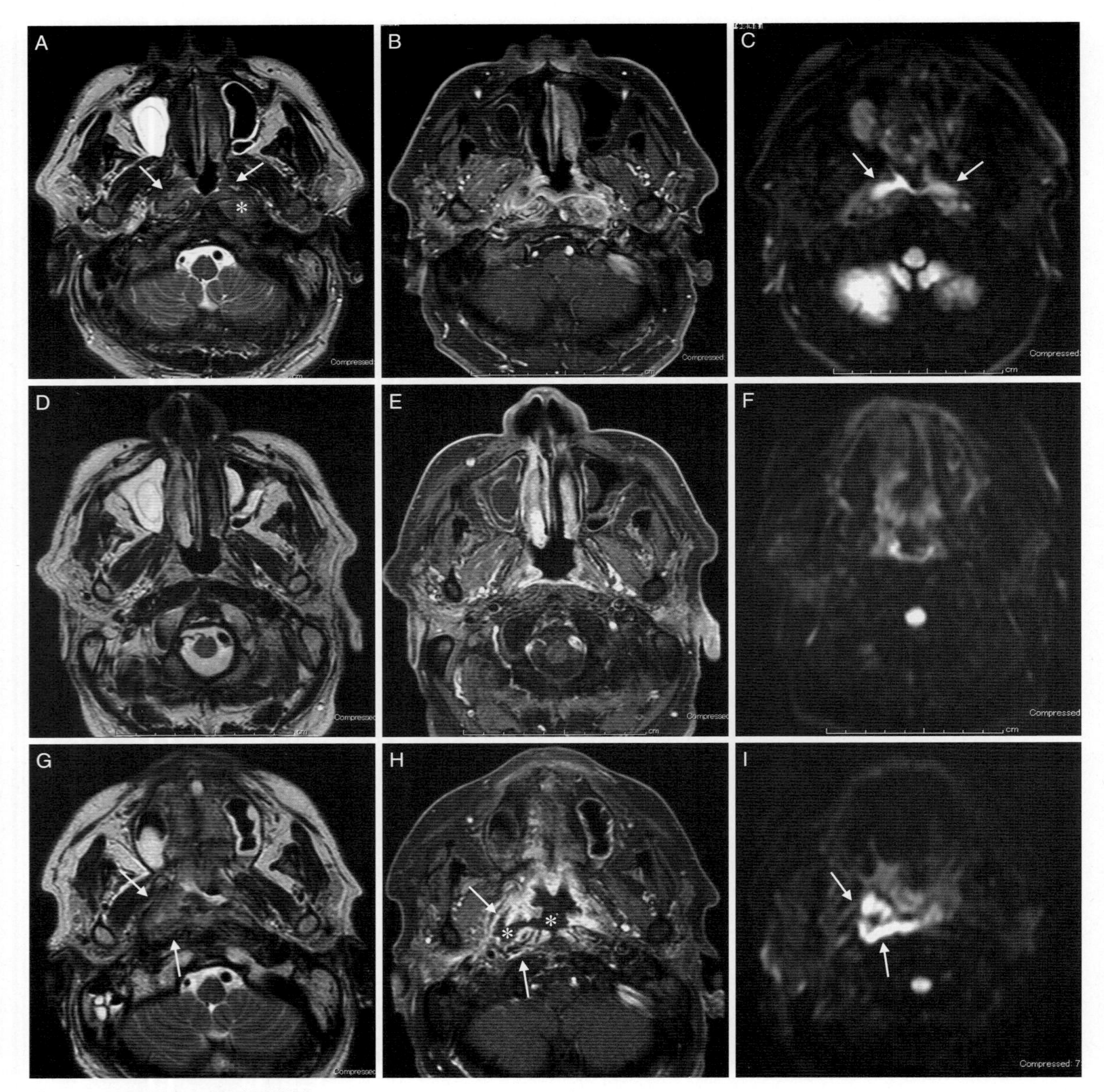

図 48　上咽頭癌の局所再発例

A：治療前の上咽頭レベル MRI，T2 強調像．上咽頭に浸潤性腫瘤（矢印）を認め，左 Rouvière リンパ節腫大（＊）を伴う．

B：A と同じ治療前の造影後 T1 強調脂肪抑制像．病変は中等度の増強効果を示す．

C：A と同じ治療前の拡散強調像．病変は高信号強度（矢印）を呈する．

D：治療終了後 3 ヵ月の T2 強調像．治療前（A）で認められた上咽頭病変，左 Rouvière リンパ節病変ともに著明に縮小，明らかな腫瘤としての残存は指摘されない．

E：D と同じ治療終了後 3 ヵ月の造影後 T1 強調脂肪抑制像．粘膜炎による上咽頭の輪郭に沿った粘膜・粘膜下静脈層の線状増強効果を認めるが，治療前（B）で指摘された増強効果を伴う腫瘤の所見は消失している．

F：D と同じ治療終了後 3 ヵ月の拡散強調像．治療前（C）の高信号は消失している．

G：治療終了後 7 ヵ月の T2 強調像．上咽頭の右側優位に中等度からやや高信号強度を示す膨隆性腫瘤（矢印）が出現しており，局所再発に一致する．

H：G と同じ治療終了後 7 ヵ月の造影後 T1 強調脂肪抑制像．局所再発病変（矢印）は，辺縁部は中等度の増強効果を呈し，内部に高度壊死所見による造影不良域（＊）を伴う．

I：G と同じ治療終了後 3 ヵ月の拡散強調像．再度高信号病変（矢印）の出現を認める．

表 5 MRI 所見による局所再発と瘢痕組織の鑑別

	MRI 所見
残存・再発腫瘍	・膨隆性 ・T2 強調像：中等度からやや高信号強度 ・中等度の増強効果
未成熟瘢痕	（上記の腫瘍に類似）
成熟瘢痕	・収縮性 ・T2 強調像：低信号強度（線維化） ・増強効果の欠如

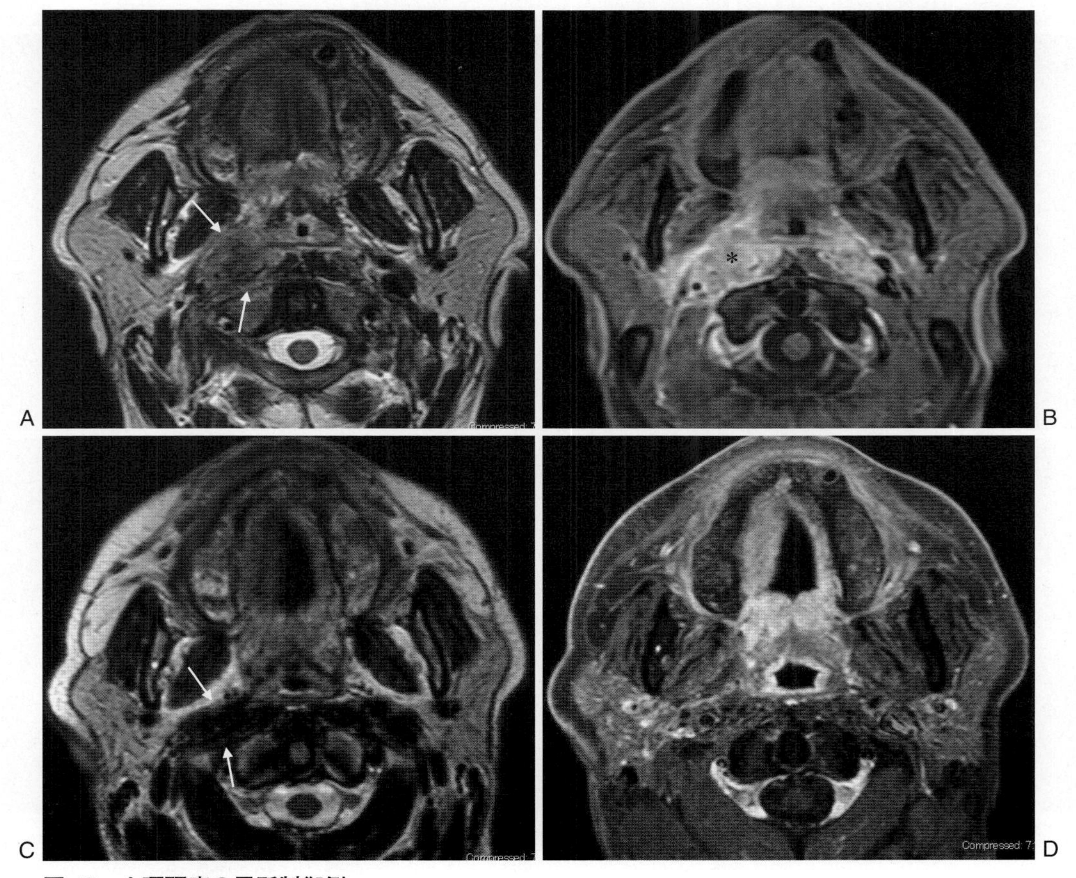

図 49 上咽頭癌の局所制御例

A：治療前の上咽頭レベル MRI，T2 強調像．上咽頭右側壁から Rouvière リンパ節領域にかけて，中等度信号強度の膨隆性腫瘤（矢印）を認める．

B：A と同じ治療前の造影後 T1 強調脂肪抑制画像．病変（＊）は中等度増強効果を示す．

C：治療終了後 6 ヵ月の T2 強調像．病変は縮小，限局性の低信号域（矢印）として残存する．

D：C と同じ治療終了 6 ヵ月後の造影後 T1 強調脂肪抑制画像．T2 強調像（C）での低信号域に一致した増強効果は認められない．

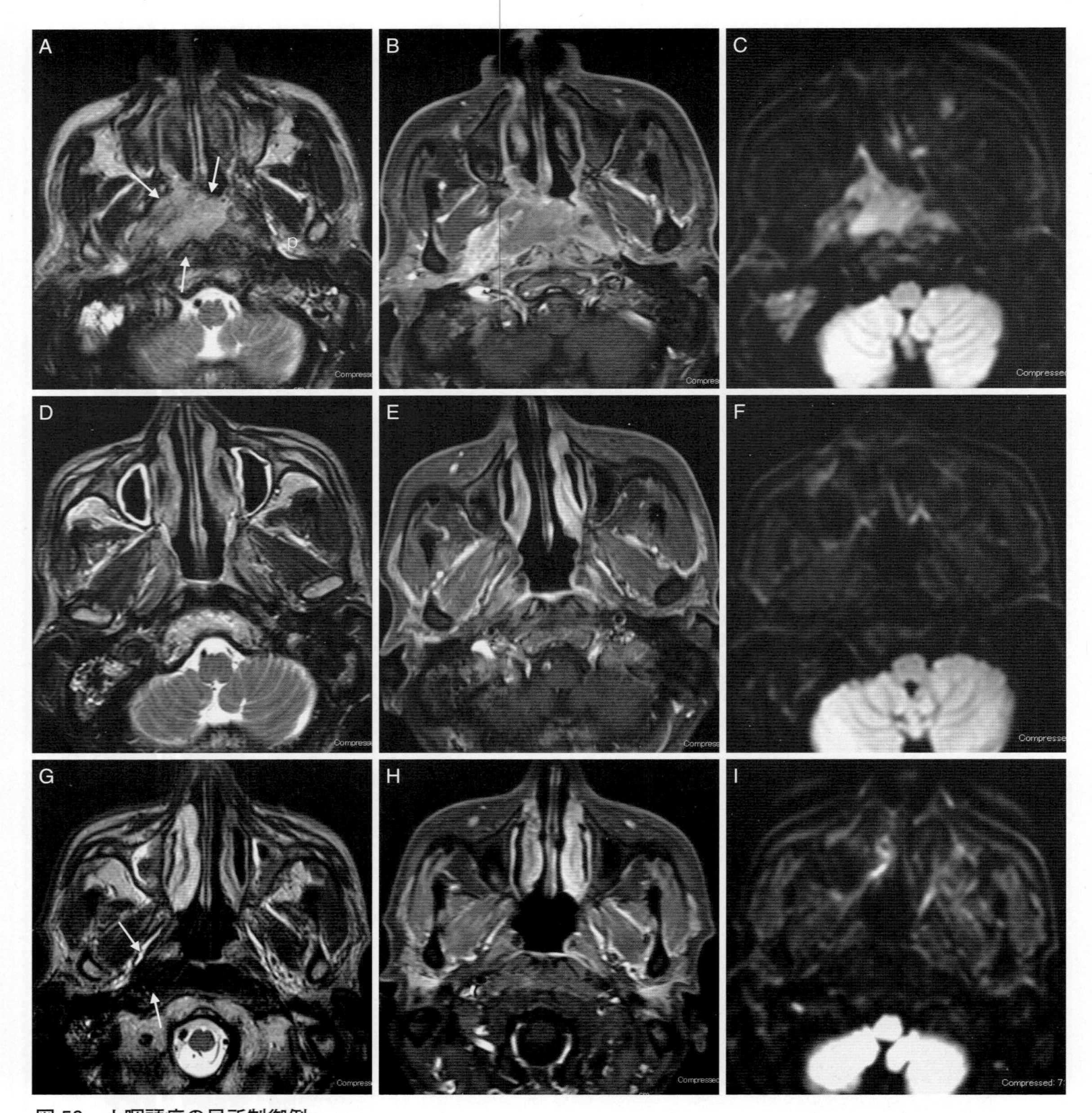

図 50　上咽頭癌の局所制御例

A：治療前の上咽頭レベル MRI，T2 強調像．上咽頭右側優位の腫瘤(矢印)を認め，右側方で傍咽頭間隙(左側で p で示す)への浸潤を示す．

B：A と同じ治療前の造影後 T1 強調脂肪抑制画像．病変は中等度の増強効果を示す．

C：A と同じ治療前の拡散強調像．病変は高信号強度を呈する．

D：治療終了後 3 ヵ月の MRI，T2 強調像．治療前(A)で認められた上咽頭病変は著明に縮小を示す．

E：D と同じ治療終了後 3 ヵ月の造影後 T1 強調脂肪抑制画像．腫瘤は消失し，増強効果は減弱するが軽度残存する．

F：D と同じ治療終了後 3 ヵ月の拡散強調像．高信号病変(C)は消失している．

G：治療終了後 6 ヵ月の MRI，T2 強調像．治療終了後 3 ヵ月(D)と比較して，上咽頭右側壁に接する組織の一部は線維化を示唆する著明な信号低下を示している(矢印)．

H：G と同じ治療終了後 6 ヵ月の造影後 T1 強調脂肪抑制画像．増強効果は認められない．

I：G と同じ治療終了後 6 ヵ月の拡散強調像．高信号病変の出現なし．

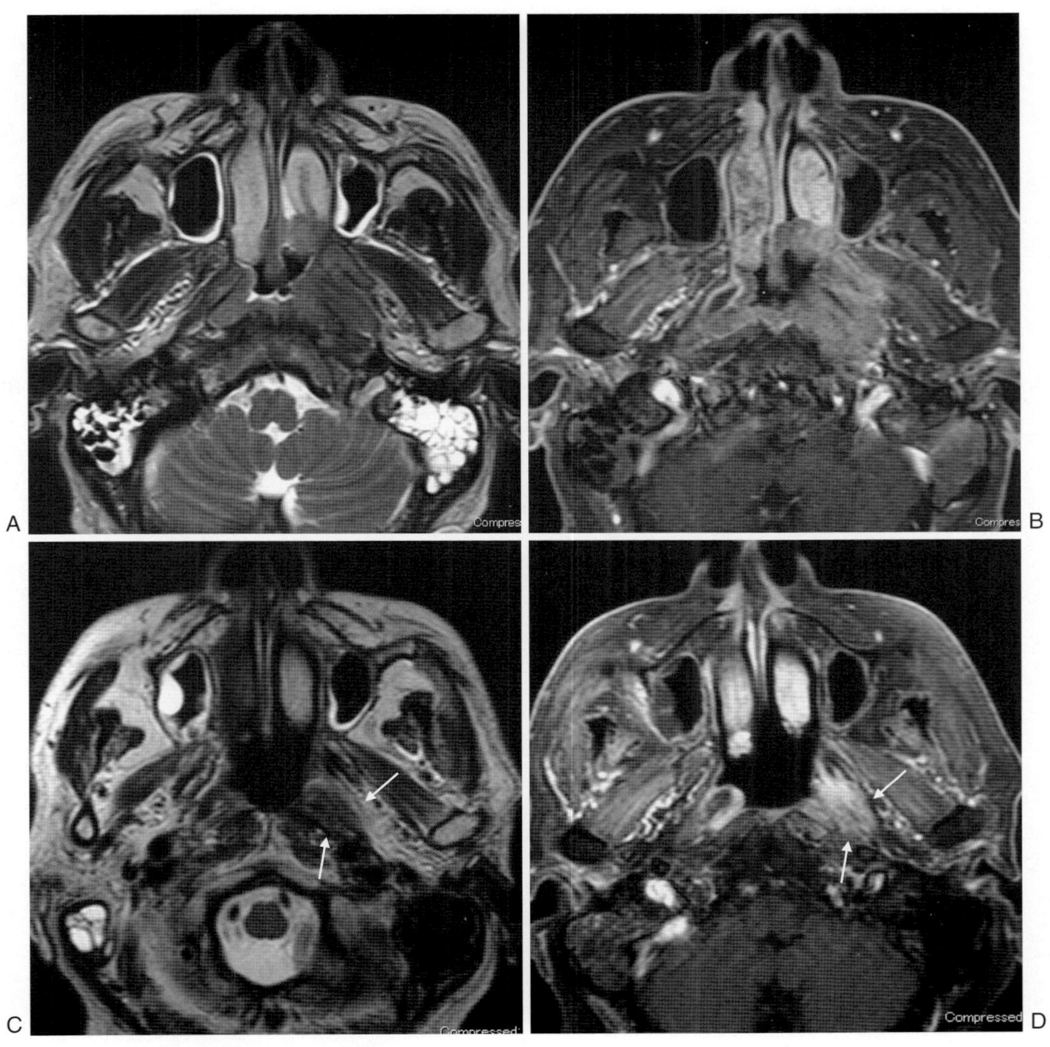

図 51　上咽頭癌治療後の未成熟瘢痕

A：治療前の上咽頭レベル MRI，T2 強調像．上咽頭の左側優位に中等度信号強度の浸潤性腫瘤あり．

B：A と同じ治療前の造影後 T1 強調脂肪抑制画像．病変は中等度の増強効果を示す．

C：治療終了後 3 ヵ月の T2 強調像．上咽頭病変は治療前(A)と比較して，著明な縮小を示すが，左側壁で口蓋帆挙筋に沿って中等度からやや高信号を呈する組織肥厚(矢印)を認める．

D：C と同じ治療終了後 3 ヵ月の造影後 T1 強調脂肪抑制画像．T2 強調像(C)での組織肥厚の領域は増強効果(矢印)を示している．

高悪性度，進行病期であるほど化学療法の役割が重要となる．

c. 若年性血管線維腫(juvenile angiofibroma)

3 章「鼻副鼻腔」を参照いただきたい．

3 その他

a. Tornwaldt 嚢胞

Tornwaldt 嚢胞は脊索の発生学的遺残から生じる先天性嚢腫である．剖検例の 4%で認められ，好発年齢は 15〜30 歳で性差はない[81]．上咽頭正中の単房性嚢胞性腫瘤として認められ，嚢胞壁は組織学的に呼吸上皮に覆われリンパ球浸潤を認め

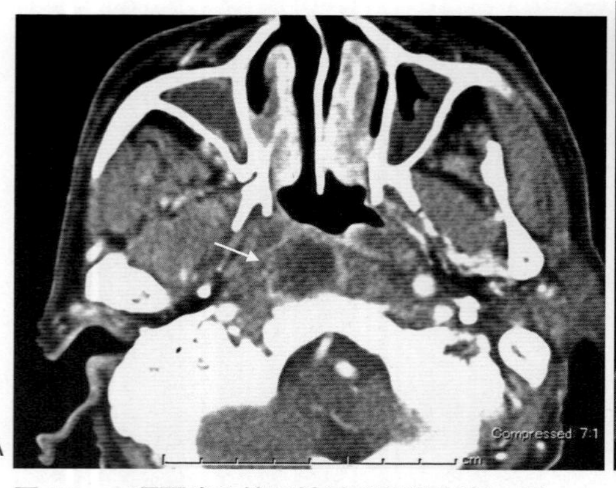

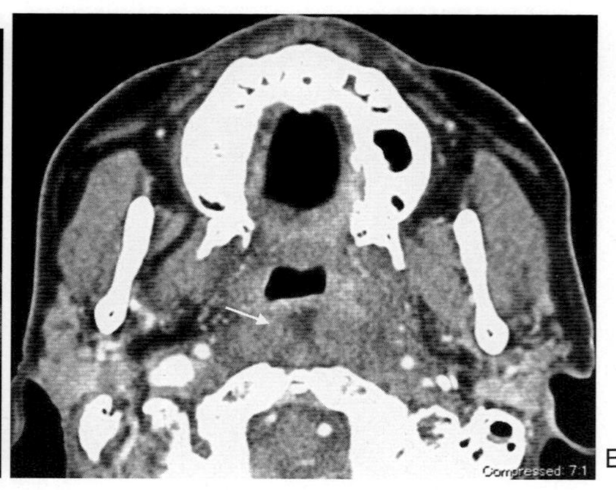

図 52　上咽頭癌の壊死性局所再発病変 2 例

治療後の上咽頭癌 2 例の造影 CT（A，B）において，いずれも肥厚した上咽頭後壁に壊死を示唆する限局性の造影不良域（矢印）を認める．ともに局所再発が証明された．

表 6　局所制御・局所再発を示す画像所見

	画像所見
局所制御	腫瘍消失（CR）の継続 経時的変化のない（stable）限局性所見 ・浸潤性軟部濃度 ・頭蓋底骨硬化 T2 強調像で低信号強度（線維化） MRI での増強効果の消失 拡散強調像で高信号領域なし
残存・再発腫瘍	経時的変化を示す軟部腫瘤 ・増大傾向 ・明らかな壊死所見 ・T2 強調像での中等度からやや高信号腫瘤の出現 ・MRI 上，増強効果・拡散強調像での高信号領域の出現 進行性骨破壊（頭蓋底）

るが濾胞の形成はみられない．1884 年に Meyer が剖検時に確認，Gustav Ludwig Tornwaldt が 26 例を最初に報告した[82, 83]．咽頭嚢の開口部が咽頭炎により閉鎖して生じる貯留嚢胞として現れる場合もある．内視鏡検査では平滑で光沢のある粘膜下腫瘤で偶発的所見として認められる[84]．多くは 1 cm 未満であるがときに数 cm に達する．1 cm 未満では通常は無症状で治療の対象とはならないが，感染の合併により口臭，咽頭痛，膿性鼻漏などを生じる．必要により経口的あるいは経鼻的に開放排膿あるいは切除を行う．

画像上は上咽頭後壁正中の単房性嚢胞性腫瘤として認められる（図 59，60）．CT では通常，ほぼ液体濃度を呈する場合が多いが，その内容液の性状（高タンパク性や出血性など）により MRI ではさまざま信号強度を呈し，充実性腫瘤と誤らないように注意を要する．発現頻度は CT で 0.013％，MRI で 0.13％との報告がある[85]．正中をはずれる場合は粘膜下貯留嚢胞（図 61），含気している場合は上咽頭アデノイド溝との癒着・牽引により生じる咽頭嚢（Luschka's bursa）（図 62）を示す．

以上，上咽頭の臨床・画像解剖および代表的病態につき，解説した．

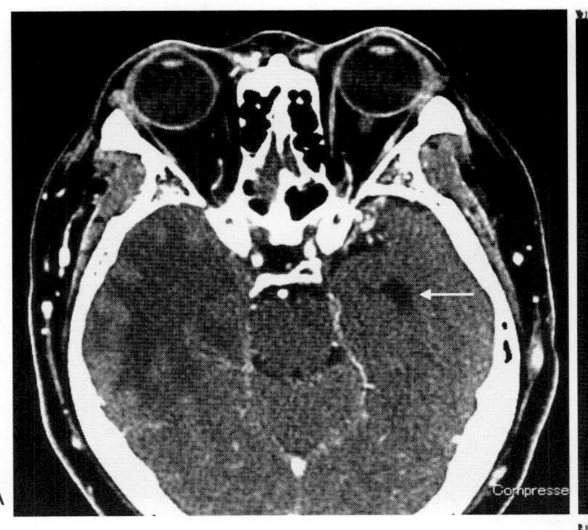

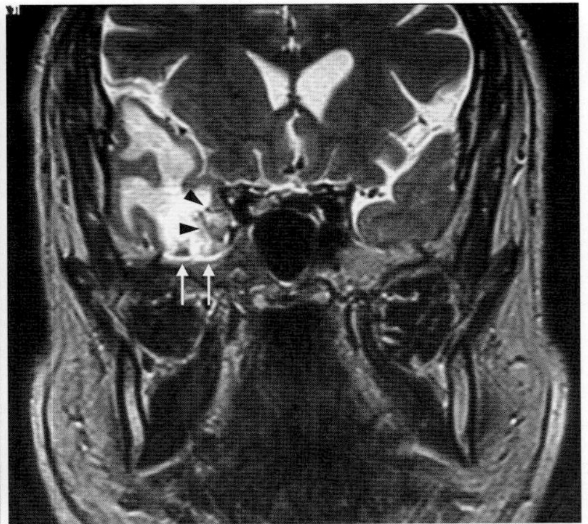

図 53 上咽頭癌治療後の放射線脳壊死

造影 CT（A）において，右側頭葉白質を中心として境界不明瞭な低濃度領域を認め，同部の脳腫脹により側脳室下角（対側で矢印で示す）は消失している．同症例の MRI，T2 強調冠状断像（B）で右側頭葉白質を中心とする高信号域を認め，側頭葉下面では灰白質の信号異常（矢印）を伴う．側頭葉内側面で不均一な信号強度（矢頭）を認める．造影後 T1 強調冠状断像（C）において，T2 強調像（B）で灰白質所見や不均一な信号強度を認めた，右側頭葉下面から内側面にかけて不規則な増強効果を示し，脳血液関門の破壊を反映する．一方で T2 強調像（B）で比較的均一な高信号の白質病変として見られた領域の増強効果は認められず，浮腫と考えられる．

■参考文献

1）Mendenhall WM, Million RR, Mancuso AA et al：Nasopharynx. Management of Head and Neck Cancer：A Multidisciplinary Approach, Million RR, Cassisi NJ（eds），J B Lippincott Company, Philadelphia, p599-626, 1994

2）Chang JT, Lin CY, Chen TM et al : Nasopharyngeal carcinoma with cranial nerve palsy : the importance of MRI for radiotherapy. Int J Radiat Oncol Biol Phys **63** : 1354-1360, 2005

3）Rouvière H：Anatomy of the Human Lymphatic System, Ann Arbor, MI：Edwards Brothers, p1-82, 1938

4）Martin CA, Gabrillargues J, Louvrier C et al : Contribution of CT scan and CT-guided aspiration in the management of retropharyngeal abscess in children based on a series of 18 cases. Eur Ann Otorhinolaryngol Head Neck Dis **131** : 277-282, 2014

5）Stone ME, Walner DL, Koch BL et al : Correlation between computed tomography and surgical findings in retropharyngeal inflammatory processes in children. Int J Pediatr Otorhinolaryngol **49** : 121-125, 1999

6）Hoang JK, BranstetterIV BF, Eastwood JD et al：Multiplanar CT and MRI of collections in the retropharyngeal space：is it and abscess? Am J Roentogenol **196**：W426-W432, 2011

7）Shefelbine SE, Mancuso AA, Gajewski BJ et al : Pediatric retropharyngeal lymphadenitis : differentiation from retrophageal abcess and treatment implications. Otolaryngol Head Neck Surg **136** : 182-188, 2007

8）Hartley J : Acute cervical pain associated with retropharyngeal calcium deposit: a case report. J Bone Joint Surg **46**-A: 1753-1754, 1964

9）Ring D, Vaccaro AR, Scuderi G et al : Acute calcific retropharyngeal tendinitis. J Bone Joint Surg **76-A**: 1636-1642, 1994

10）Zibis AH, Giannis D, Malizos KN et al : Acute cal-

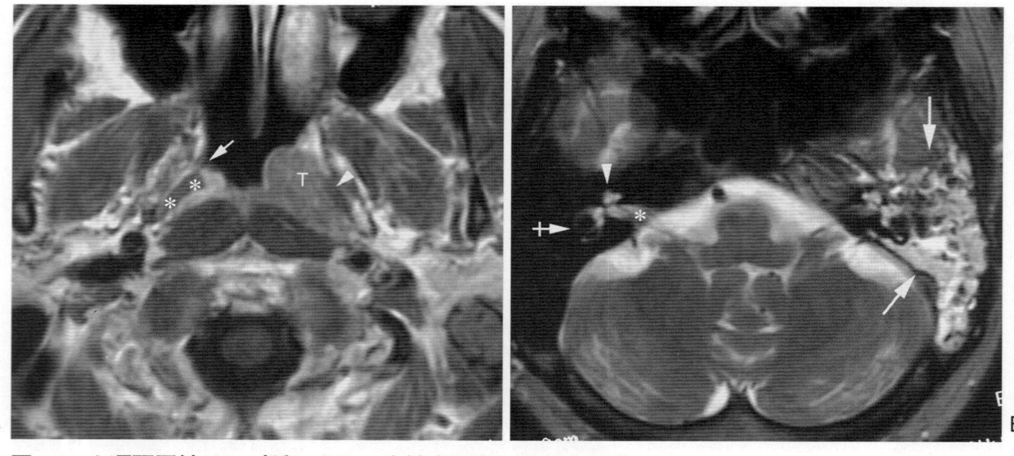

図 54　上咽頭悪性リンパ腫による二次性中耳炎・乳様突起炎

A：造影後 T1 強調横断像．上咽頭左側壁を中心として浸潤性腫瘍(T)を認め，耳管咽頭口(耳管開口部：対側で矢印で示す)領域に進展している．腫瘍内部は比較的均一なびまん性増強効果を示す．耳管軟骨部の走行を反映する口蓋帆挙筋(患側：矢頭，健側：＊で示す)後内側に沿った腫瘍進展を認める．

B：T2 強調横断像．左鼓室から乳突洞および乳突蜂巣に広範に高信号(矢印)を認め，耳管機能不全による二次性炎症としての粘膜肥厚および液体貯留に一致する．

矢頭：蝸牛，十字矢印：半規管，＊：内耳道

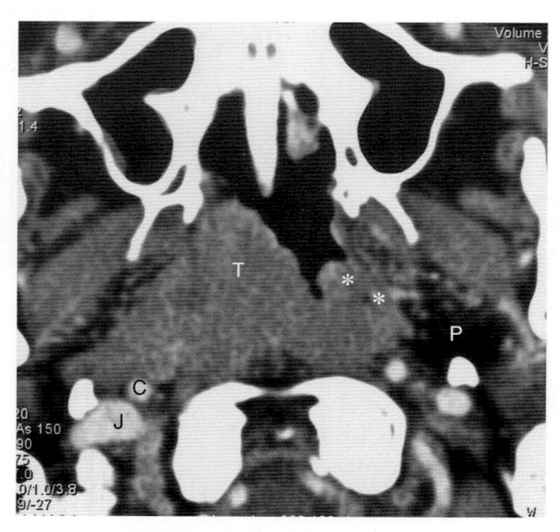

図 55　上咽頭悪性リンパ腫

造影 CT 横断像において上咽頭右側壁を中心に浸潤性腫瘍(T)を認める．内部濃度は比較的均一である．外側では傍咽頭間隙(対側で P で示す)内を通過する口蓋帆挙筋(対側で＊で示す)周囲の組織層の消失がみられ，深部浸潤を反映している．

C：内頸動脈，J：内頸静脈

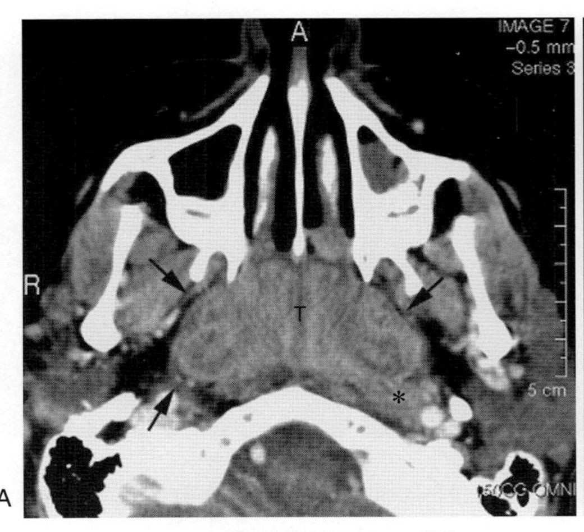

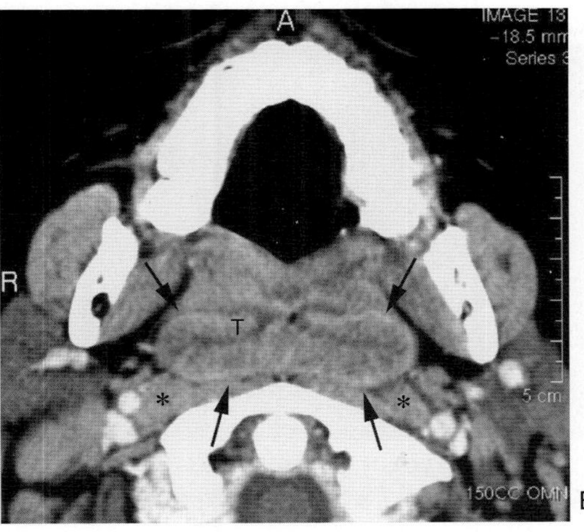

A　B

図 56　Waldeyer 輪原発悪性リンパ腫

上咽頭レベル造影 CT 横断像(A)で上咽頭腔を充満するほぼ左右対称性の軟部濃度腫瘤(T)を認める．咽頭頭底筋膜を緊満させるが(矢印)，これを越えた深部組織への浸潤はみられない．左 Rouvière リンパ節(＊)腫大あり．中咽頭レベル(B)でも咽頭腔を充満する腫瘍(T)を認めるが，咽頭収縮筋(矢印)を越えた深部浸潤はみられない．両側 Rouvière リンパ節(＊)腫大あり．

表 7　上咽頭悪性リンパ腫(非 Hodgkin リンパ腫)と上咽頭癌の画像所見の対比

		悪性リンパ腫	上咽頭癌
内部性状		均一な内部濃度・信号強度(上咽頭癌に類似)	均一な内部濃度・信号強度
発育様式(浸潤性)		外方性発育が多い(約 70%) ・咽頭腔を充満するように進展 深部浸潤性の場合： ・上咽頭癌に類似 ・ただし，既存の構造の間を埋める脂肪組織内を進展する傾向	深部浸潤性 ・既存の構造(口蓋帆挙筋など)に沿って進展する傾向
進展様式		上咽頭の壁全体に沿った進展 対称性 Waldeyer 輪の分布に従って，(頭蓋底・頭蓋内方向よりも)尾側の中咽頭側壁(左右口蓋扁桃領域)への進展	通常は偏在性 非対称性 早期より頭蓋底・頭蓋内進展
頸部リンパ節病変	内部	均一な場合が多い	均一な場合が多い
	局在	・耳下腺リンパ節，浅側頸リンパ節，レベルⅠ・Ⅴなどを含み，やや不規則な局在を示す傾向 ・(上咽頭癌以上に)両側性の傾向が強い	・Rouvière リンパ節，レベルⅡ・Ⅲにある程度の系統性あり ・両側性も多い

cvific tendinitis of the longus colli muscle: case report and review of the literature. Eur Spine J **22** (Suppl 3): S434–S438, 2013

11) Hall EM, Docken WP, Curtis HW : Calcific tendinitis of the long coli: Diagnosis by CT. AJR Am J Roentgenol **147** : 742–743, 1986

12) Kaplan MJ, Eavey RD : Calcific tendinitis of the longus colli muscle. Ann Otol Rhinol Laryngol **93** : 215–219, 1984

13) Eastwood JD, Hudgins PA, Malone D : Retropharyngeal effusion in acute calcific prevertebral tendinitis: diagnosis with CT and MR imaging. AJNR Am J Neuroradiol **19** : 1789–1792, 1998

14) Razon RV, Nasir A, Wu GS et al : Retropharyngeal calcific tendinitis: report of two cases. J Am Board Fam Med **22** : 84–88, 2009

15) Yu MC, Ho JHC, Lai SH et al : Cantonese-style salted fish as a cause of nasopharyngeal carcino-

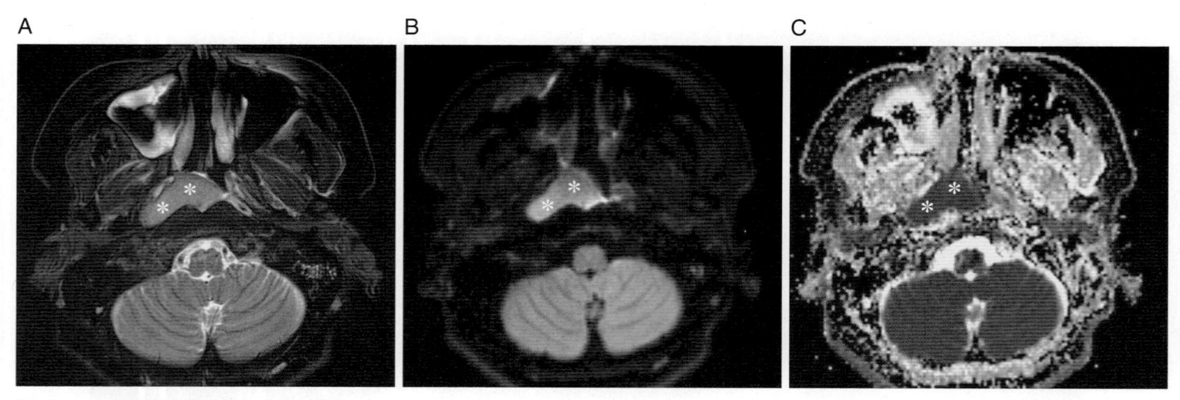

図57　上咽頭原発悪性リンパ腫

上咽頭レベルのMRI T2強調脂肪抑制横断像(A)において上咽頭右側優位に均一な中等度からやや高信号の病変(＊)を認める．深部浸潤性はみられない．病変(＊)は拡散強調像(B)で高信号，ADC map(C)で低信号を示し，強い拡散低下を反映する．

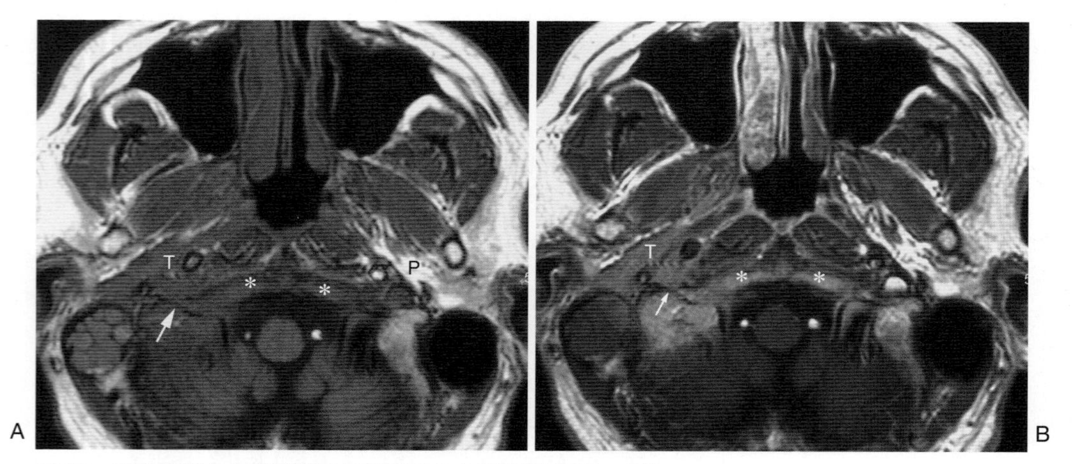

図58　頸動脈鞘から頸静脈孔に浸潤する上咽頭悪性リンパ腫

A：上咽頭レベルMRI T1強調横断像．右側の傍咽頭間隙(対側でPで示す腫瘍)に浸潤性腫瘍(T)を認め，後方の頸静脈孔周囲に進展(矢印)あり．隣接する斜台の正常脂肪髄の高信号は消失(＊)している．

B：造影後．腫瘍(T)は頸静脈孔周囲への進展(矢印)を含めて，びまん性増強効果を示している．斜台(＊)も増強効果を示しており，腫瘍浸潤を反映している．

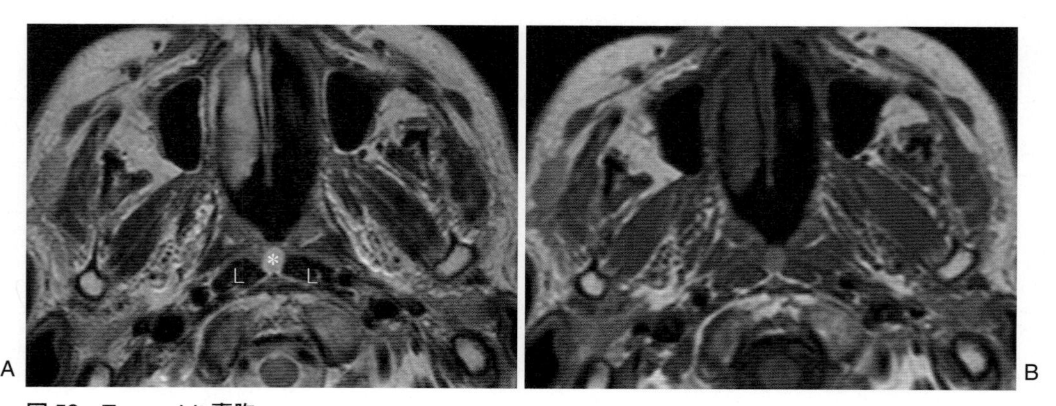

図59　Tornwaldt嚢胞

上咽頭レベルのMRI T2強調像において，上咽頭後壁正中で，左右の頸長筋の間に単房性嚢胞性腫瘤(＊)を認める．T1強調像(B)では，高蛋白内容を反映して，淡い高信号強度を呈する．

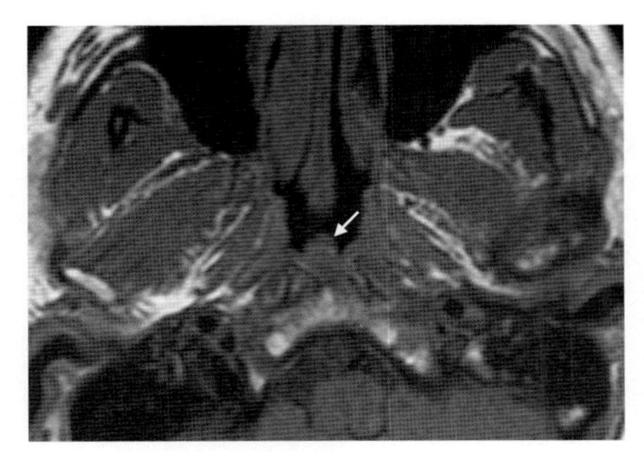

図 60 Tornwaldt 嚢胞
本例では T1 強調像で低信号強度を示している(矢印).

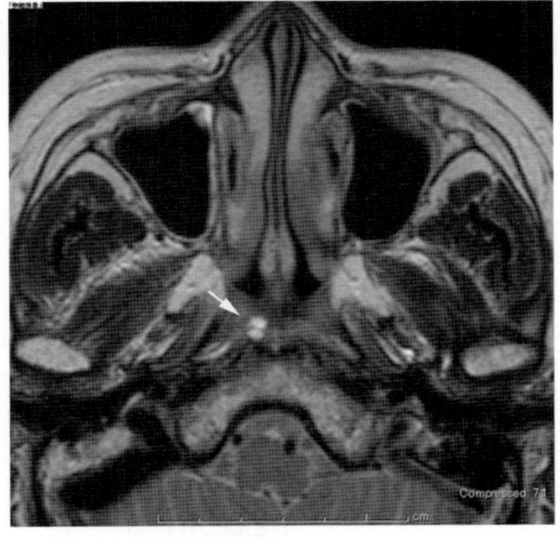

図 61 上咽頭貯留嚢胞
上咽頭レベル T2 強調横断像で，上咽頭後壁の右傍正中に 2 房性嚢胞性病変(矢印)あり．

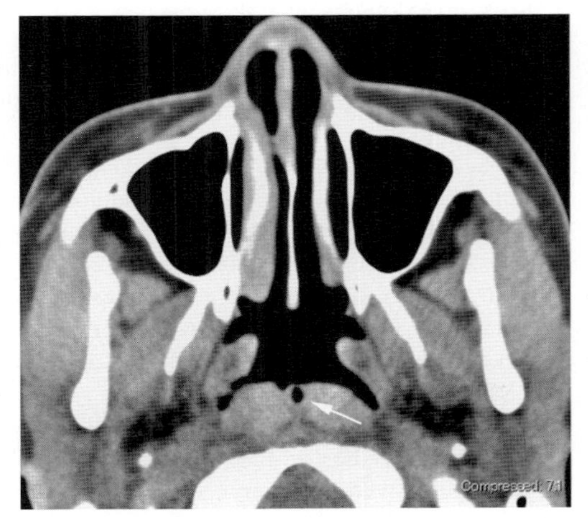

図 62 咽頭嚢(Luschka's bursa)
上咽頭レベル非造影 CT において，上咽頭後壁正中に含気嚢胞(矢印)を認める．

ma：Report of a case-control study in Hong Kong. Cancer Res **46**：956-961, 1986

16) Jemal A, Bray F, Center MM et al : Global cancer statistics. CA Cancer J Clin **61** : 69-90, 2011

17) Leveine PH：Immunologic marker for Epstein-Barr virus in the control of nasopharyngeal carcinoma and Berkitt lymphoma. Cancer Detect Prev **1** (Suppl)：217-223, 1987

18) Armstrong RW, Armstrong MJ, Yu MC et al：Salted fish and inahalants as risk factors for nasopharyngeal carcinoma in Malaysian Chinese. Cancer Res **43**：2967-2970, 1983

19) Neel HB Ⅲ：A prospective evaluation of patients with nasopharyngeal carcinoma：An overview. J Otolaryngol **15**：137-144, 1986

20) Scanlon PW, Rhodes RE Jr, Woolner LB et al：Cancer of the nasohparynx：142 patients treated in the 11 year period 1950-1960. Am J Roentgenol Radium Ther Nucl Med **99**：313-325, 1967

21) Neel HB Ⅲ：Nasopharyngeal carcinoma：Clinical presentation, diagnosis, treatment and prognosis. Otolaryngol Clin North Am **18**：479-490, 1985

22) Wang ML, Wei XE, Yu MM et al : Value of contrast-enhanced MRI in the differentiation between nasopharyngeal lymphoid hyperplasia and T1 stage nasopharyngeal carcinoma. Radiol Med **122** : 743-751, 2017

23) Lederman M：Cancer of the Nasopharynx：Its Natural History and Treatment, Charles C Thomas, Springfield, 1961

24) Petersson BF, Lewis JS, Bell D et al : Nasopharyngeal carcinoma. WHO Classification of Head and

Neck Tumours (4th ed), El-Naggar AK, Chan JKC, Grandis JR et al (eds), IARC publications, Lyon, 2017
25) Lee AW, Ma BB, Ng WT et al : Management of nasopharyngeal carcinoma: current practice and future perspective. J Clin Oncol **33** : 56-64, 2015
26) Chan KCA, Woo JKS, King A et al : Analysis of plasma Epstein-Barr virus DNA to screen for nasopharyngeal cancer. N Engl J Med **377** : 513-522, 2017
27) Lo YM, Chan LY, Chan AT et al : Quantitative and temporal correlation between circulating cell-free Epstein-Barr virus DNA and tumor recurrence in nasopharyngeal carcinoma. Cancer Res **59** : 5452-5455, 1999
28) Lo YM, Leung SF, Chan LY et al : Plasma cell-free Epstein-Barr virus DNA quantitation in patients with nasopharyngeal carcinoma. Correlation with clinical stageing. Ann N Y Acad Sci **906** : 99-101, 2000
29) Peng H, Chen L, Zhang Y et al : Survival analysis of patients with advanced-stage nasopharyngeal carcinoma according to the Epstein-Barr virus status. Oncotarget **7** : 24208-24216, 2016
30) Liu TB, Zheng ZH, Pan J et al : Prognostic role of plasma Epstein-Barr virus DNA load for nasopharyngeal carcinoma: a meta-analysis. Clin Invest Med **19** : E1-E12, 2017
31) Lo YM, Chan LY, Lo KW et al : Quantitative analysis of cell-free Epstein-Barr virus DNA in plasma of patients with nasopharyngeal carcinoma. Cancer Res **15** : 1188-1191, 1999
32) Leung SF, Zee B, Ma BB et al : Plasma Epstein-Barr viral deoxyribonucleic acid quantitation complements tumor-node-metastasis staging prognostication in nasopharyngeal carcinoma. J Clin Oncol **24** : 5414-5418, 2006
33) Amin MB, Edge SB, Brookland RK et al (eds) : Head and Neck. AJCC Cancer staging manual (8th ed), Springer, New York, p55-184, 2017
34) Neel HB Ⅲ, Taylor WF : New staging system for nasopharyngeal carcinoma : Long-term outcome. Arch Otolaryngol Head Neck Surg **115** : 1293-1303, 1989
35) Xiao GL, Gao L, Xu GZ : Prognostic influence of parapharyngeal space involvement in nasopharyngeal carcinoma. Int J Radiat Oncol Biol Phys **52** : 957-963, 2002
36) Ho HC, Lee MS, Hsiao SH et al : Prognostic influence of parapharyngeal extension in nasopharyngeal carcinoma. Acta Otolaryngol **128** : 790-798, 2008
37) Zhang GY, Huang Y, Cai XY et al : Prognostic value of grading masticator space involvement in nasopharyngeal carcinoma according to MR imaging findings. Radiology **273** : 136-143, 2014
38) Tang LL, Li WF, Chen L et al : Prognostic value and staging categories of anatomic masticator space involvement in nasopharyngeal carcinoma: a study of 924 cases with MR imaging. Radiology **257** : 151-157, 2010
39) Sham JST, Cheung YK, Choy D et al : Nasopharyngeal carcinoma : CT evaluation of patterns of tumor spread. Am J Neuroradiol **12** : 265-270, 1991
40) Chong VFH, Fan YF, Khoo JBK : Nasopharyngeal carcinoma with intracranial spread : CT and MRI characteristics. J Comput Assist Tomogr **20** : 563-569, 1996
41) Chong VFH : Nasopharyngeal carcinoma. Eur J Radiol **66** : 437-447, 2008
42) Tian L, Li YZ, Mo YX et al : Nasopharyngeal carcinoma with paranasal sinus invasion: the prognostic significance and the evidence-based study basis of its T-staging category according to the AJCC staging system. BMC Cancer **14** : 832 [Epub ahead of print], 2014
43) Ginsberg LE : Imaging of perineural tumor spread in head and neck cancer. Smin Ultrasound CT MR **20** : 175-186, 1999
44) Blandino A, Gaeta M, Minutoli F et al : CT and MR findings in neoplastic perineural spread along the vidian nerve. Eur Radiol **10** : 521-526, 2000
45) Ginsberg LE : MR imaging of perineural tumor spread. Magn Reson Imaging Clin N Am **10** : 511-525, 2002
46) Fletcher GH, Million RR : Malignant tumors of the nasopharynx. Am J Roentgenol Radium Ther Nucl Med **93** : 44-55, 1965
47) Mesic JB, Fletcher GH, Goepfert H : Megavoltage irradiation of epithelial tumors of the nasopharynx. Int J Radiat Oncol Biol Phys **7** : 447-453, 1981
48) 喜多みどり，大川智彦：上(鼻)咽頭．頭頸部腫瘍の放射線治療，堀内淳一，大川智彦(編著)，金原出版，東京，p182-191，1993
49) Ahmad A, Stefani S : Distant metastases of nasopharyngeal carcinoma : A study of 256 male patients. J Surg Oncol **33** : 194-197, 1986
50) Razek AAKA, King A : MRI and CT of nasopharyngeal carcinoma. AJR Am J Roentogenol **198** : 11-18, 2012
51) King AD, Yuen TWC, Law BKH et al : Detection of nasopharyngeal carcinoma by MR imaging: diagnostic accuracy of MRI compared with endoscopy and endoscopic biopsy based on long-term follow-up. AJNR Am J Neuroradiol **36** : 2380-2385, 2015
52) King AD, Vlantis AC, Tsang RK et al : Magnetic resonance imaging for the detection of nasopharyngeal carcinoma. AJNR Am J Neuroradiol **27** :

1288–1291, 2006

53) King AD, Vlantis AC, Bhatia KS et al : Primary nasopharyngeal carcinoma: diagnostic accuracy of MR imaging versus that of endoscopy and endoscopic biopsy. Radiology **258** : 531–537, 2011

54) Surov A, Ryl I, Bartel-Freidrich S et al : Diffusion weighted imaging of nasopharyngeal adenoid hypertrophy. Acta Radiol (Stockholm, Sweden: 1987) **56** : 587–591, 2015

55) King AD, Wong LYS, Lau BKH et al : MR imaging criteria for the detection of nasopharyngeal carcinoma: discrimination of early-stage primary tumors from benign hyperplasia. AJNR Am J Neuroradiol **39** : 515–523, 2018

56) Zheng XK, Chen LH, Wang QS et al：Influence of [18F] fluorodeoxyglucose positron emission tomography on salvage treatment decision making for locally persistent nasopharyngeal carcinoma. Int J Radiat Oncol Biol Phys **65**：1020–1025, 2006

57) Comoretto M, Balestreti L, Borsatti E et al：Detection and restaging of resicular and/or recurrent nasopharyngeal carcinoma after chemotherapy and radiation therapy：comparison of MR imaging and FDG PET/CT. Radiology **249**：203–211, 2008

58) Yang TS, Ng KT, Wang HM et al：Prognostic factors of locoregionally recurrent nasopharyngeal carcinoma – a retrospective review of 182 cases. Am J Clin Oncol **19**：337–343, 1996

59) Hwang JM, Fu KK, Phillips TL：Results and prognostic factors in the retreatment of locally recurrent nasopharyngal carcinoma. Int J Radiat Oncol Biol Phys **41**：1099–1011, 1998

60) Perez CA, Devineni VR, Marcial-Vega V et al：Carcinoma of the nasopharynx：factors affecting prognosis. Int J Radiat Oncol Biol Phys **23**：271–280, 1992

61) Sham JS, Wei WI, Kwan WH et al：Nasopharyngeal carcinoma：pattern of tumor regression after radiotherapy. Cancer **65**：216–220, 1990

62) Ma W, Lu JJ, Loh KS et al：Role of computed tomography imaging in predicting response of nasopharyngeal carcinoma to definitive radiation therapy. Laryngoscope **116**：2162–2165, 2006

63) Lin GW, Wang LX, Ji M et al：The use of MR imaging to detect residual versus recurrent nasopharyngeal carcinoma following treatment with radiation therapy. Eur J Radiol **82**：2240–2246, 2013

64) Fan F, Tsai WL, Go SF et al：Implications of quantitative tumor and nodal regression rates for nasopharyngeal carcinomas after 45 Gy of radiotherapy. Int J Radiat Oncol Biol Phys **50**：961–969, 2001

65) Zhao J, Liang B, Shen J et al：Magnetic resonance imaging findings of temporal lobe radiation encephalopathy in nasopharyngeal carcinoma. Chin Germ j Clin Oncol **5**：20–23, 2006

66) Hu JQ, Guan YH, Zhao LZ et al：Delayed radiation encephalopathy after radiotherapy for nasopharyngeal cancer：a CT study of 45 cases. J Comput Assist Tomogr **15**：181–187, 1991

67) Chan Y, Leung S, King A et al：Later radiation injury to the temporal lobes：Morphologic evaluation at MR imaging. Radiology **213**：800–807, 1999

68) Huang XM, Zheng YQ, Zhang XM et al：Diagnosis and management of skull base osteoradionecrosis after radiotherapy for nasopharyngeal carcinoma. Laryngoscope **116**：1626–1631, 2006

69) Mendenhall NP：Lymphomas and related diseases presenting in the head and neck. Management of Head and Neck Cancer：A Multidisciplinary Approach, Million RR, Cassisi NJ (eds), JB Lippincott, Philadelphia, p857–878, 1994

70) Malis DD, Moffat D, McGarry GW：Isolated nasopharyngeal Hodgkin's disease presenting as nasal obstruction. Int J Clin Pract **52**：343–346, 1998

71) King AD, Lei KIK, Richards PS et al：Non-Hodgkin's lymphoma of the nasopharynx：CT and MR imaging. Clin Radiol **58**：621–625, 2003

72) MacDermed D, Thurber L, George TI et al：Extranodal nonorbital indolent lymphomas of the head and neck：relationship betwee tumor control and radiotherapy. Int J Radiat Oncol Biol Phys **59**：788–795, 2004

73) Ezzat AA, Ibrahim EM, El WA et al：Localized non-Hodgkin's lymphoma of Waldeyer's ring：clinical features, management, and prognosis of 130 adults patients. Head Neck **23**：547–558, 2001

74) Cobleigh MA, Kennedy JL : NonHodgkin's lymphomas of the upper aerodigestive tract and salivary glands. Otolaryngol Clin North Am **19** : 685–710, 1986

75) Cho KS, Kand DW, Kim HJ et al : Differential diagnosis of primary nasopharyngeal lymphoma and nasopharyngeal carcinoma focusing on CT, MRI, and PET/CT. Otolaryngol Head Neck Surg **146** : 574–578, 2012

76) Petrella T, Delfau-Larue MH, Caillot D et al：Nasopharyngeal lymphomas：further evidence for a natural killer cell origin. Hum Pathol **27**：827–833, 1996

77) Rowley H, McRae RD, Cook JA et al：Lymphoma presenting to a head and neck clinic. Clin Otolaryngol Allied Sci **20**：139–144, 1995

78) Makepeace AR, Fermont DC, Bennet MH：Non-Hodgkin's lymphoma of the nasopharynx, paranasal sinus and palate. Clin Radiol **40**：144–146, 1989

79) Xie CM, Liu XW, Mo YX et al : Primary nasopharyngeal non-Hodgkin's lymphoma: imaging pat-

terns on MR imaging. Clin Imaging **37** : 458-464, 2013

80）Liu XW, Xie CM, Mo YX et al：Magnetic resonance imaging features of nasopharyngeal carcinoma and nasopharyngeal non-Hodgkin's lymphoma：Are there differences? Eur J Radiol **81**：1146-1154, 2012

81）Mukherji SK, Holliday RA：Pharynx Section one. Head and Neck Imaging（3rd ed）, Som PM, Curtin HD（eds）, Mosby, St Louis, p437-472, 1996

82）Miyahama H, Matsunaga T : Tornwaldt's disease. Acta Otolaryngol Suppl **517** : 36-39, 1994

83）Righi S, Boffano P, Pateras D et al : Thornwaldt cysts. J Craniofac Surg **25** : e456-e457, 2014

84）Cetinkaya EA : Thornwaldt cyst. J Craniofac Surg **29** : e560-e562, 2018

85）Moody MW, Chi DH, Mason JC et al : Tornwaldt's cyst: incidence and a case report. Ear Nose Throat J **86** : 45-47, 2007

5 口　腔

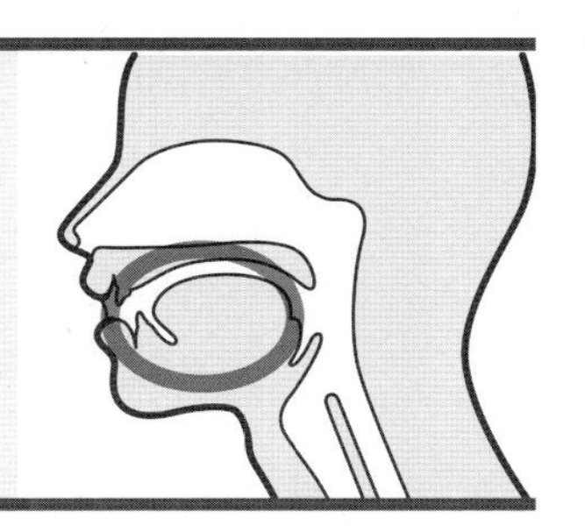

A 臨床解剖

口腔病変の画像診断において解剖の理解が必要不可欠である．

口腔は前方は口唇より始まり，後方では上方は硬口蓋・軟口蓋接合部，外側は前口蓋弓，下方は舌の有郭乳頭の線(分界溝)により後下方の舌根(中咽頭)と区別される(前口蓋弓は中咽頭側に含まれる)．AJCC (American Joint Committee on Cancer)では頬粘膜，上・下歯肉，臼後三角，硬口蓋，舌可動部，口腔底に区分している[1)]．また，歯列よりも外側(頬粘膜側)を口腔前庭，内側を固有口腔とする．

1 頬粘膜(buccal mucosa)(図1，2)

頬粘膜は上下の口唇が接する部分より後方，歯肉頬移行部(歯肉との移行部)，翼突下顎縫線(後述)まで，口唇および頬を裏打ちする粘膜面すべてを指し，口腔前庭の外側壁をなす．頬筋がさらにこれを裏打ちしている．頬筋の運動支配は顔面神経の頬枝で，頬粘膜の知覚は三叉神経第3枝(頬枝，オトガイ神経)に加えて三叉神経第2枝(眼窩下神経)による．

リンパは粘膜下のリンパ網からオトガイ下，顎下リンパ節(レベルⅠ)に注ぐ．なお，耳下腺管が上顎第2大臼歯に対する頬粘膜に開口する．

2 歯肉・歯槽(gingiva・alveolar ridge)(図1，2)

歯槽突起を覆う粘膜，粘膜下組織で，頬粘膜側では歯肉頬粘膜溝，舌側では上歯肉は硬口蓋，下歯肉は口腔底との接合部，後方は上歯肉では翼口蓋弓の上縁，下歯肉では下顎枝に連続する．知覚は上歯肉が三叉神経第2枝(上・下後歯槽神経，大口蓋神経など)，下歯肉が三叉神経第3枝(下歯槽神経，舌神経)による．

リンパは頬粘膜側の歯肉がオトガイ下，顎下リンパ節(レベルⅠ)へ，舌側歯肉は上内深頸(レベルⅡ)，外側咽頭後リンパ節(一部は耳下腺尾部，顎下リンパ節)に向かう．

3 臼後三角・臼後部(retromolar trigone)(図1，2)

下顎枝前面を覆う粘膜を指し，下顎最終大臼歯後面に基部を置き，後上方，上顎結節近傍に頂点をもつ三角形の領域を示す．内側の線は下顎骨関節突起から最終大臼歯舌側の歯尖，外側の線は下顎骨の関節突起から斜線に及び，歯肉頬粘膜溝に連続する．深部では下顎管内を下歯槽神経が通り，同部への腫瘍浸潤ではこれに沿った神経周囲進展をきたしうる(15章「神経周囲進展」，図48参照)．外側は頬粘膜，内側は前口蓋弓の粘膜に移行する．知覚は舌咽神経，三叉神経第2枝(小口蓋神経)による．

リンパは上内深頸リンパ節(レベルⅡ)の他，耳下腺尾部，外側咽頭後リンパ節に注ぐ．

4 硬口蓋(hard palate)(図1，2)

上顎骨の口蓋突起，口蓋骨の水平突起を覆う部分であり，上歯肉内側縁から連続する．後方の軟口蓋との接合部で両外側には三叉神経第2枝の大・小口蓋神経を通す大・小口蓋孔が位置し，これは翼口蓋管を介して頭側の翼口蓋窩に連続する．同部への腫瘍進展では三叉神経第2枝に沿って翼口蓋窩から，さらに正円孔，翼突管などを介し頭蓋内への神経周囲進展をきたしうる(15章

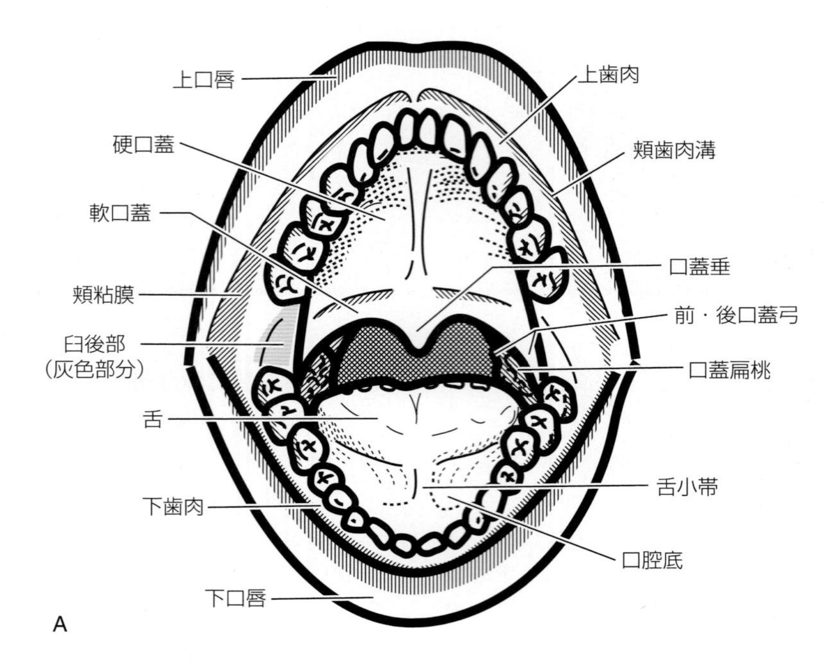

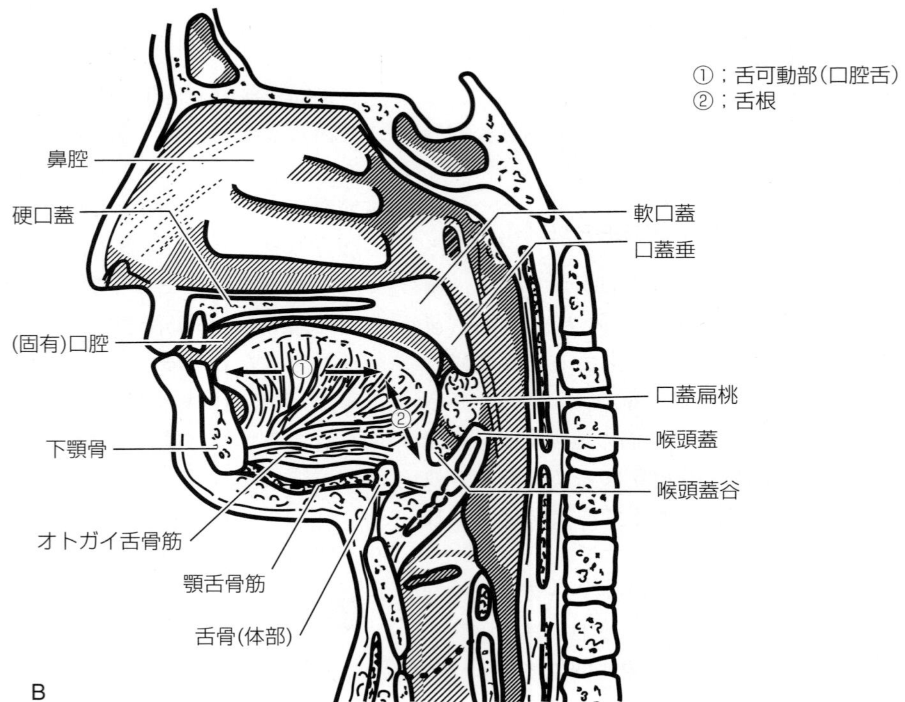

図1 口腔．シェーマ
A：前面からの図.
B：正中矢状断.

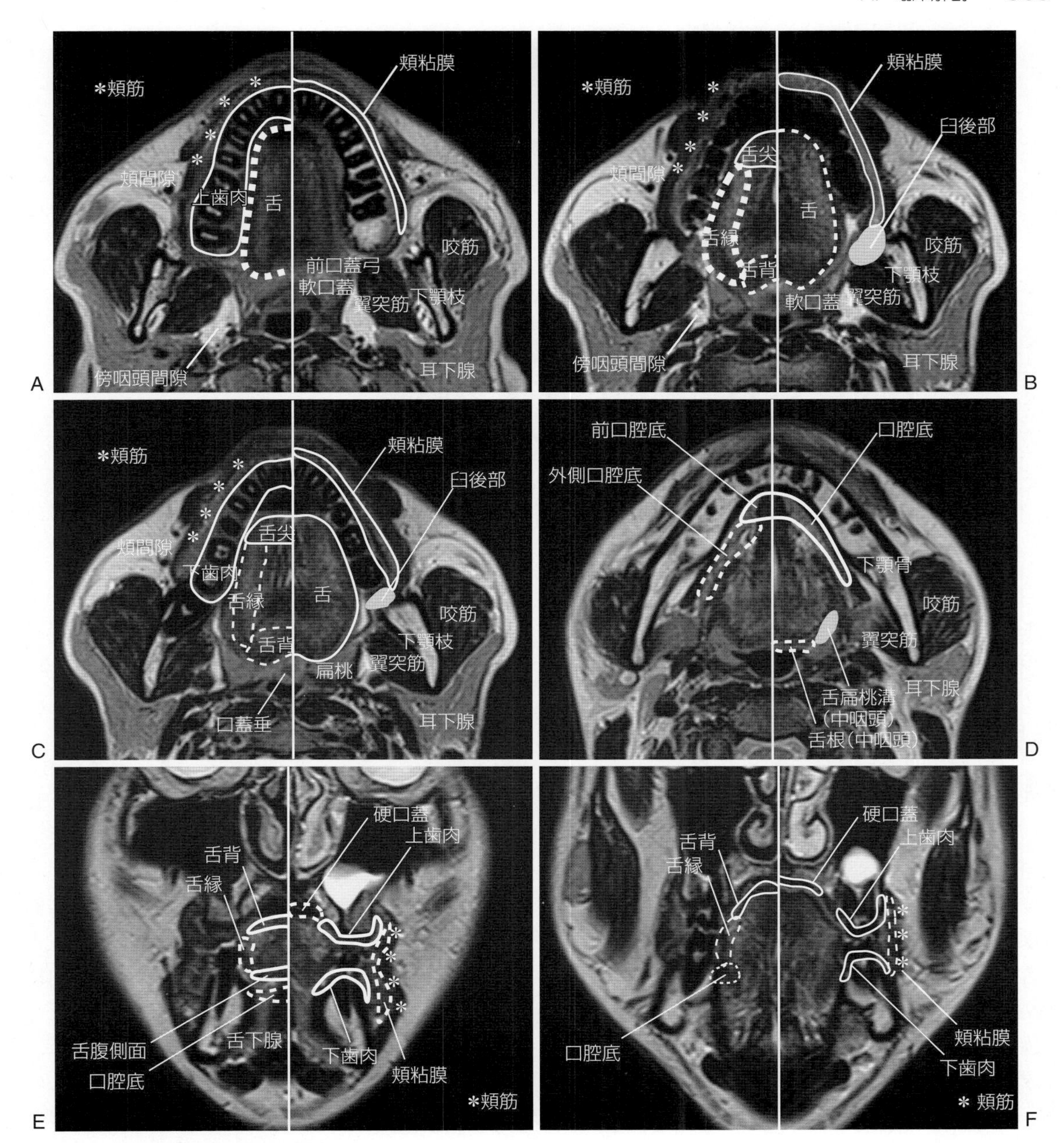

図 2 口腔亜部位の MRI 解剖

口腔領域の T2 強調横断像の上歯槽レベル(A)，咬合面レベル(B)，下歯槽レベル(C)，口腔底レベル(D)．同冠状断像の前口腔底レベル(E)，大臼歯レベル(F)．

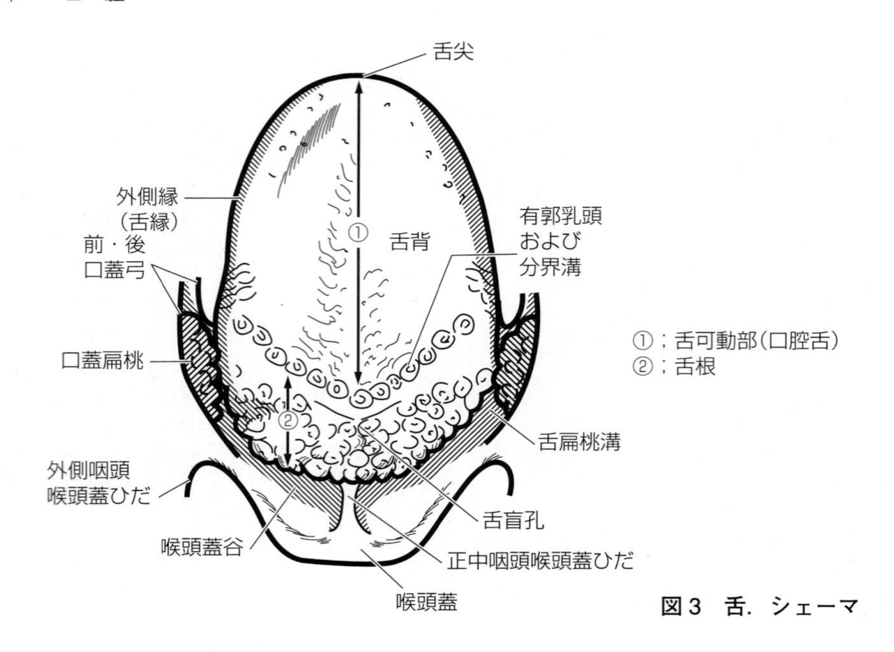

図3　舌．シェーマ

「神経周囲進展」，図30〜38)．

硬口蓋は比較的リンパに乏しいが，上内深頸リンパ節(レベルⅡ)，外側咽頭後リンパ節，一部は顎下リンパ節(レベルⅠB)に注ぐ．

5 舌可動部(口腔舌；前3分の2)(oral tongue)(図1〜3)

舌可動部は，分界溝より前方3分の2で口腔底との接合部までを含む(後方3分の1の舌根は中咽頭に含まれる)．口腔舌はさらに舌尖，外側縁(舌縁)，舌背，舌下面の4つに分けられる(WHOでは舌下面は別カテゴリーに区分される)．起始・付着ともに舌内にある内舌筋といずれかが舌外にある外舌筋があり，外舌筋にはオトガイ舌筋，舌骨舌筋，茎突舌筋が含まれる．なお，口腔癌の外舌筋浸潤はAJCCのTNM分類において第7版ではT4aに区分されていたが，第8版(後述)では評価項目から外された．正中には線維性舌中隔があり，舌骨に付着している．内側のオトガイ舌筋と外側の顎舌骨筋との間には舌下間隙(図4)が形成され，舌の神経血管束が走行する．舌下間隙はCT，MRIでオトガイ舌筋，顎舌骨筋との間の薄い脂肪層として確認可能である．舌骨舌筋，茎突舌筋は舌内で融合してシート状をなし，舌下間隙内に後方より進展，同間隙を内・外側に区分する．内側には舌動・静脈，外側には舌神経(三叉神経第3枝)，舌下神経，顎下腺管が走行する．舌動脈は舌骨大角レベルで外頸動脈から分岐し，中咽頭収縮筋と咽頭粘膜の間を前方に走行して，舌下間隙に入る．舌神経が由来する三叉神経第3枝の耳介側頭神経の存在から，舌癌の関連痛として耳痛を生じる場合があることは臨床的に重要である．

舌のリンパは粘膜下リンパ叢から上・中内深頸リンパ節(レベルⅡ・Ⅲ)に注ぐ．舌尖部側で，より尾側，後方でより頭側のリンパ節に注ぐ傾向にあり，舌尖部から前口腔底癌では頸部下部リンパ節にのみ転移を生じる場合もあり注意を要する．舌粘膜下リンパ叢のネットワークでは，対側との交通もみられ，これも舌癌の対側頸部への転移の根拠として臨床上，重要である．

6 口腔底(floor of the mouth)(図1，2，4)

下歯肉との接合部から舌下面までの半月形の粘膜領域を示し，顎下腺深部，舌下腺を含む．前方は舌小帯により左右に分かれる．顎舌骨筋，舌骨舌筋を覆い，後縁は前口蓋弓基部になる．下顎骨舌側の顎舌骨筋線から舌骨に至る顎舌骨筋はU字型のハンモック状を呈し，筋性隔膜として前口

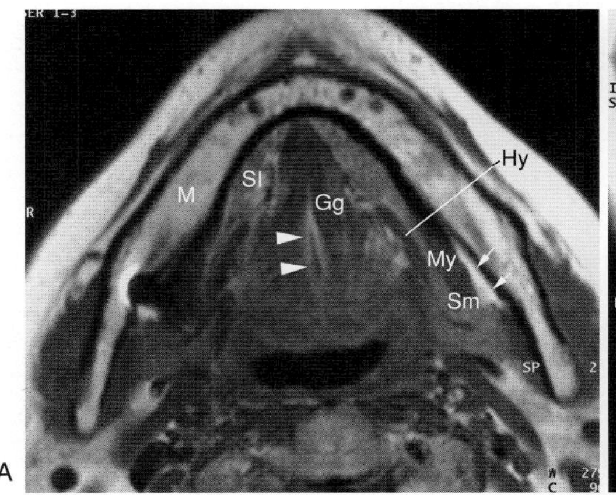

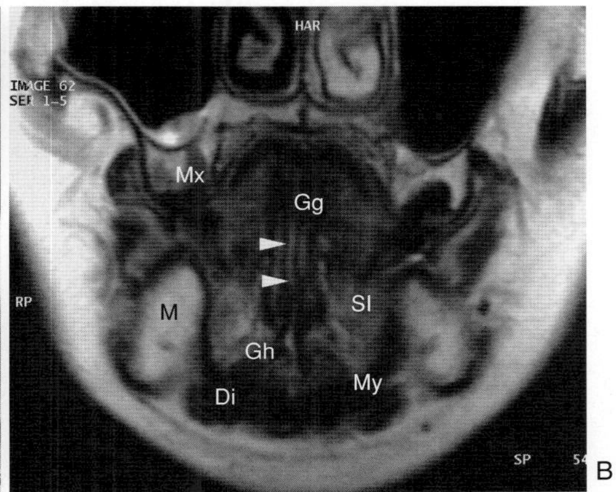

図 4 口腔底．MRI 正常解剖
A：T1 強調横断像．
B：T2 強調冠状断像の口腔やや前方レベル(B)とやや後方レベル(C)．
顎舌骨筋(My)が口腔底を形成し，顎舌骨筋(My)とオトガイ舌筋(Gg)との間が舌下間隙で，舌下腺，舌の神経血管束，顎下腺深部，顎下腺管を含む．同間隙内に後方から舌骨舌筋(Hy)が進展している．顎舌骨筋の外側後下方が顎下間隙(矢印)になり，顎下腺浅部を含む．
矢頭：舌中隔，矢印：顎下間隙，Di：顎二腹筋前腹，Gg：オトガイ舌筋，Gh：オトガイ舌骨筋，Hy：舌骨舌筋，M：下顎骨，Mx：上顎骨歯槽突起，My：顎舌骨筋，Sl：舌下腺，Sm：顎下腺

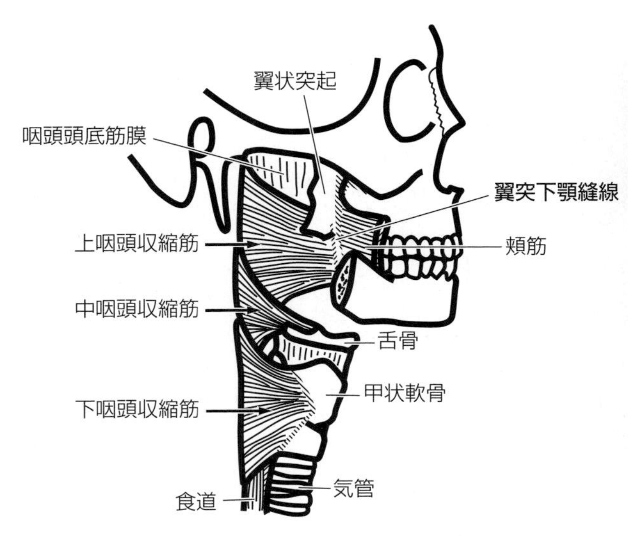

図 5 翼突下顎縫線．シェーマ

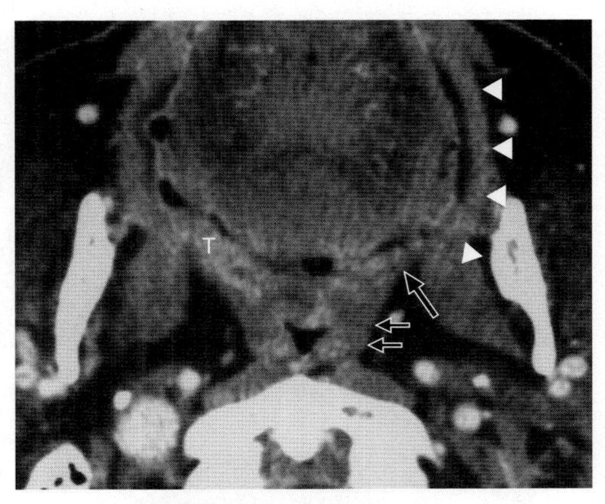

図 6 右前口蓋弓原発の扁平上皮癌．造影 CT
右前口蓋弓に浸潤性腫瘍(T)を認め，原発部位に一致．頬筋(矢頭)と上咽頭収縮筋(小矢印)との接合部に形成される翼突下顎縫線(大矢印)と前口蓋弓が解剖学上，密接に関わっていることが示されている．

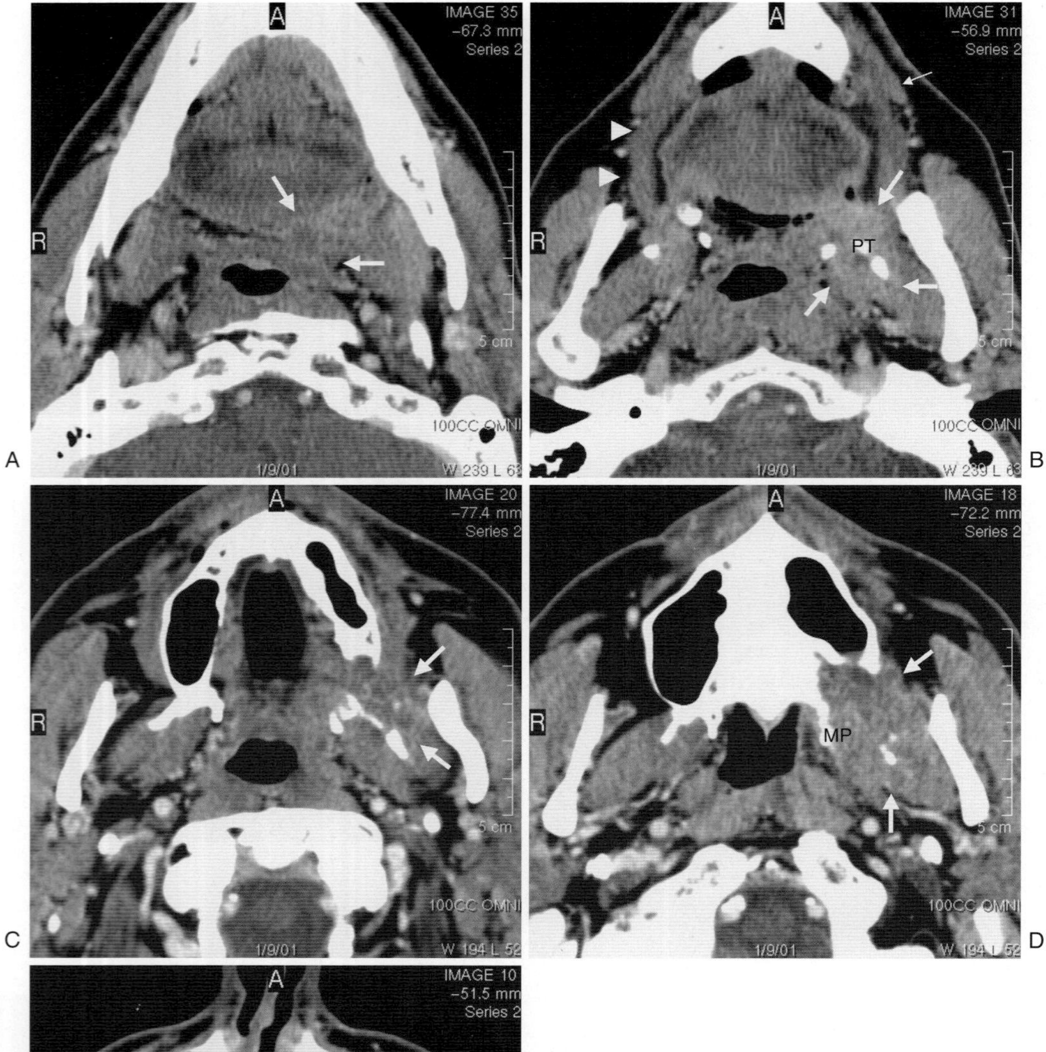

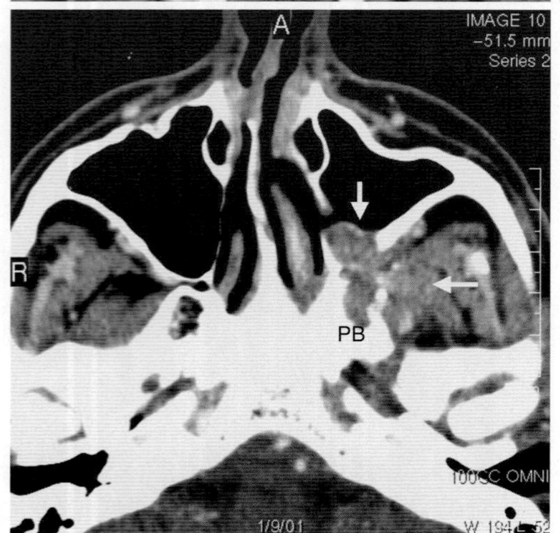

図7　翼突下顎縫線に沿って進展した扁桃（から前口蓋弓）原発扁平上皮癌．造影CT

扁桃レベル(A)において，左扁桃から前口蓋弓にかけて浸潤性腫瘍(矢印)を認める．(B)から(E)に向かって，3 mmずつ頭側のスライス断面を示す．(B)では腫瘍(矢印)は翼突下顎縫線の付着に従って，翼状突起(PT)下端周囲に進展．翼状突起および上顎骨歯槽突起後方部分を破壊して腫瘍(矢印)はさらに頭側に進展，翼口蓋窩から上顎洞後壁を破壊して上顎洞内に及ぶ(C，D，E)．上縁は翼状突起基部(PB)を破壊している．この進展は理学的所見では確認不可能であった．

MP：内側翼状突起，矢頭(B)：頬筋，小矢印(B)：表情筋

腔底を支持している．口腔底後外側は舌骨舌筋がこれを支持する．

リンパは粘膜下リンパ叢から粘膜表層部では対側との交通があり，同側・対側の（顎下腺前）顎下リンパ節，深部では同側の（顎下腺前）顎下リンパ節（レベルⅠB）に流入する．口腔底の後外側部のリンパは上内深頸リンパ節（レベルⅡ）に注ぐ．

1）翼突下顎縫線（pterygomandibular raphe）

Howard と Brodie らによると，上咽頭収縮筋と頬筋との接合部に形成される翼突下顎縫線（図5）に関する最初の記述は，1784 年の Munro, Winslow, Innes らによるとされる[2]．翼突下顎縫線は蝶形骨，内側翼突板の翼突鈎から下顎骨臼後三角後縁に向かう幅の狭い索状の腱様構造であり，その前縁に頬筋，後縁に上咽頭収縮筋が付着する．これら 2 つの筋にとっての anchor として作用し，各々の筋の独立した収縮と機能（頬筋：咀嚼，上咽頭収縮筋：嚥下）を可能にしている．発生学的にも頬筋は第 2 鰓弓，上咽頭収縮筋は第 4 鰓弓と異なる由来の構造の境界部に相当する．成人では実際には不完全あるいは欠損，または幅の広い腱膜様構造を呈している場合も多い．前口蓋弓は翼突下顎縫線と密接し，その外側に位置する．前口蓋弓（図6），扁桃（図7），臼後三角由来の扁平上皮癌では翼突下顎縫線に沿った深部進展を画像でのみ検出しうる場合もあり臨床上，重要である．

B　画像診断・撮像プロトコール

扁平上皮癌をはじめとする口腔，口腔底悪性腫瘍の画像診断では原発部位と頸部リンパ節病変の評価を十分に行う必要がある．CT は通常，両者の診断ともに適した画像情報の提供が可能であるが，しばしば義歯に由来するアーチファクトによる画質劣化が問題となる．これに対して，MRI では頸部リンパ節領域全体を含める撮像の場合，空間分解能は低く原発部位の評価は不十分となる．また，原発部位評価に十分な空間解像能を得るために範囲を絞った撮像では頸部リンパ節領域全体の評価はできない．そのため，CT 診断を行ったあと，さらに原発部位に関する画像情報が不十分と判断された場合，原発部位に合わせた MRI を付加的に施行するのが実際的と思われる．

可能な限り，CT はヨード造影剤を投与して施行される．多列検出器 CT において頭頸部全体を撮影するが，原発病変・頸部リンパ節病変ともに 3 mm 以下のスライス厚・間隔による横断像での軟部濃度表示が基本となるが，原発病変に関しては，必要に応じて冠状断像とともに，顎骨浸潤に対して上・下顎骨の骨条件表示（スライス厚 1 mm，間隔は 3 mm 以下）での評価が望まれる．

MRI は T1 強調像，T2 強調像，造影後 T1 強調像で横断像および冠状断像を撮影するのが一般的撮像プロトコールであり，スライス厚・間隔は 3〜4 mm 程度で，FOV は 20〜24 cm 程度とする．造影後 T1 強調像での脂肪抑制の要否は（撮像機種のスペックなどの）状況による．歯槽突起の部分的浸潤，破壊などは CT 横断像のみでは評価が困難な場合も多く（特に edentulous の場合），intraoral dental view あるいは再構成による CT 冠状断像などが有効となる．

C　病　態

1　炎症性疾患

a. 口腔蜂窩織炎・膿瘍，Ludwig's angina

口腔領域の感染性，炎症性疾患の多くは歯原性感染（あるいは歯科治療に起因）（図 8〜12），唾液腺管の狭窄，唾石に起因する（図 13）．

CT 診断の役割は炎症が蜂窩織炎（図 8，9）のみか，膿瘍形成（図 10〜12）を伴うかの判断（膿瘍形成では原則として外科的ドレナージを必要とする．蜂窩織炎では気道狭窄などの程度により減張切開が必要となる場合もあるが，一般的には原因疾患の治療とともに抗菌薬による内科的治療が試みられる），気道狭窄の有無，炎症の進展範囲（どの深部間隙が侵されているか？　舌骨下頸部あるいは縦隔への進展の有無？），特定の原因病変の有無（歯牙感染，唾石）などの評価にある．蜂窩織炎と膿瘍の区別には造影 CT が必要であり，非造影 CT のみでは膿瘍腔の有無の正確な判断は困難

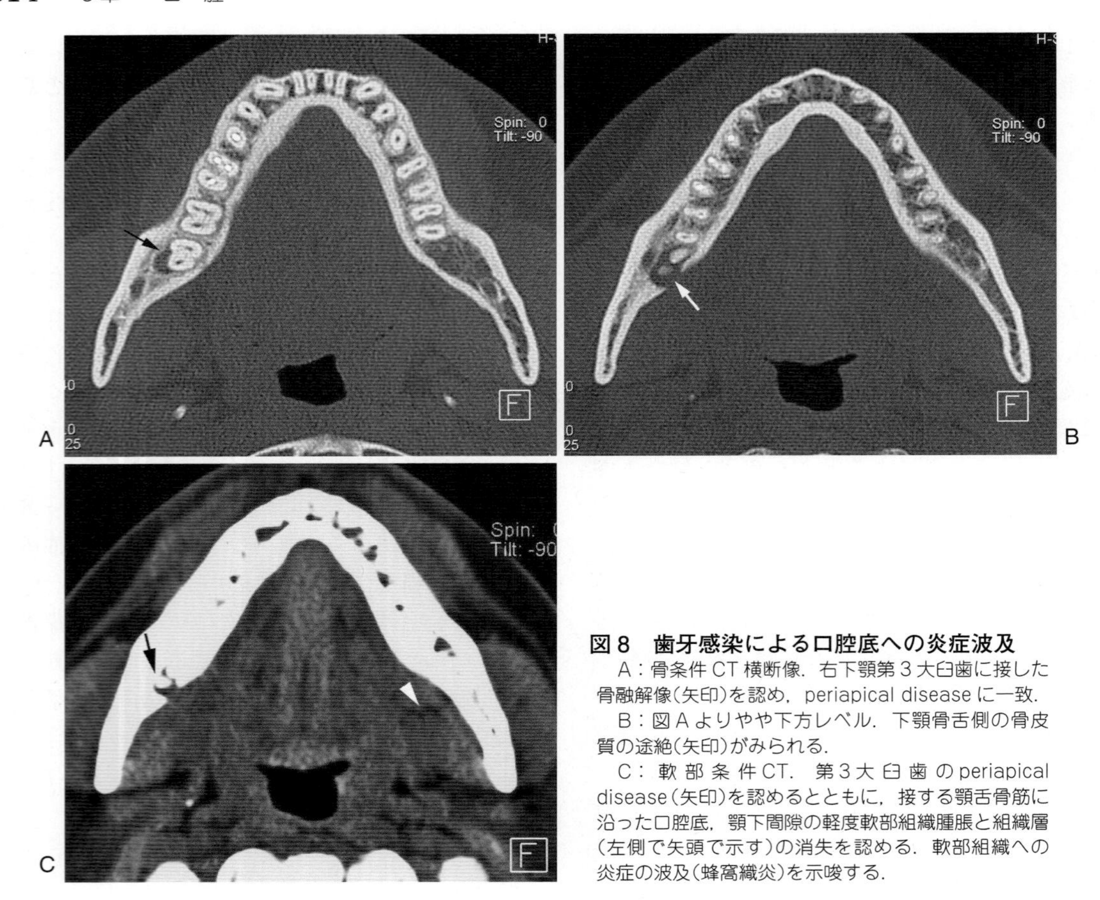

図8　歯牙感染による口腔底への炎症波及
A：骨条件CT横断像．右下顎第3大臼歯に接した骨融解像（矢印）を認め，periapical diseaseに一致．
B：図Aよりやや下方レベル．下顎骨舌側の骨皮質の途絶（矢印）がみられる．
C：軟部条件CT．第3大臼歯のperiapical disease（矢印）を認めるとともに，接する顎舌骨筋に沿った口腔底，顎下間隙の軽度軟部組織腫脹と組織層（左側で矢頭で示す）の消失を認める．軟部組織への炎症の波及（蜂窩織炎）を示唆する．

（図8）な場合も多い．なお，唾石や異物など，あるいは出血の併発の評価も合わせて必要な場合は造影前・後CTの撮影が望まれる．

1）歯原性感染（図8，9）

*Streptococcus*や*Porphyromonas*，*Prevotella*などの口腔内常在菌による歯原性感染は人間にとって最も高頻度に生じる感染症のひとつである．通常は自然経過として，あるいは抜歯により治癒するが，ときに重篤な感染症となりうる．症状として顔面痛，腫脹，咬合困難を訴える[3]．炎症の進展は顎骨皮質断裂部（通常，歯根尖部レベル）と顎舌骨筋付着部（顎舌骨筋線）との関係により異なる（図14）．顎舌骨筋の下顎骨舌側付着である顎舌骨筋線（図4）に対して，下顎小臼歯では歯根尖部はその頭側，大臼歯では尾側に位置しており，前者では顎舌骨筋の上方にある舌下間隙，後者では下方に位置する顎下間隙と密接に関係している．

炎症の骨穿通は最も薄く脆弱な部位で生じるが，下顎骨の場合は臼歯舌側皮質がこれに相当する[4]．歯原性感染の93％が複数組織間隙を侵し，その61％で顎下間隙への炎症波及を示すとの報告あり[4]．顎下間隙への進展経路として，顎舌骨筋あるいは舌下間隙を介する経路，皮質骨欠損や骨膜反応などを伴い下顎骨からの直接の波及，咀嚼筋間隙からの経路の3つがある[5]．そのため，小臼歯レベルのperiapical diseaseの顎骨皮質を越えた炎症進展では舌下間隙，大臼歯レベルでは顎下間隙（図8）に波及するのが典型である．切歯，犬歯レベルでは歯根尖部は舌側よりも頬側・唇側の骨皮質により近く，顎舌骨筋付着部よりも頭側に位置することから顎骨皮質を越えた炎症進展では通常，頬側の歯肉に口腔前庭膿瘍を形成する．また，顎骨頬側皮質を越えた炎症進展では頬筋付着部との関係から頬間隙の膿瘍形成を生じる

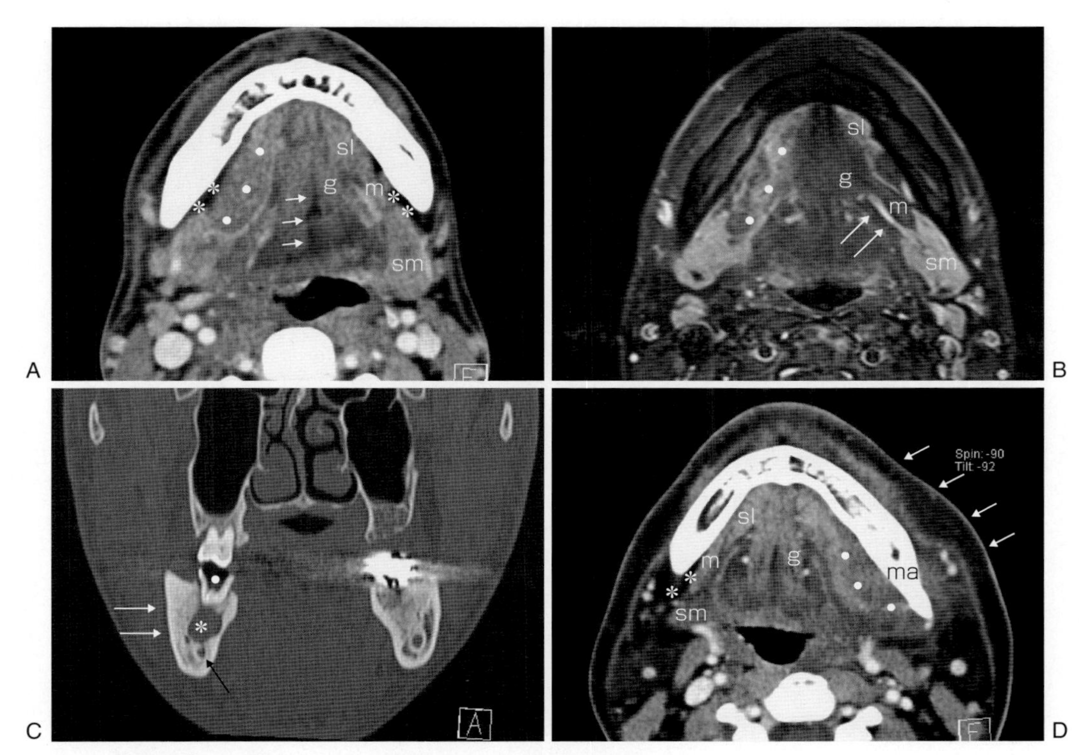

図 9 歯根囊胞，下顎骨骨髄炎に起因する口腔底蜂窩織炎 2 例

口腔底レベルの造影 CT(A)において右外側口腔底で軟部組織腫脹(・)を認め，蜂窩織炎に一致する．舌中隔を示す脂肪層(矢印)は対側に圧排，偏位する．顎舌骨筋(対側で m で示す)の外側下方に位置する顎下間隙の脂肪(＊)は明瞭に保たれている．g：オトガイ舌筋，sm：顎下腺．MRI 造影後脂肪抑制 T1 強調像(B)で右外側口腔底(・)は腫脹と境界不明瞭な増強効果亢進を示すが，膿瘍腔に相当する造影不良域はみられない．g：オトガイ舌筋，m：顎舌骨筋，sl：舌下腺，sm：顎下腺，矢印：(左舌下間隙内を走行する)顎下腺管．CT 骨条件冠状断像(C)で下顎右第 1 大臼歯のう蝕(・)および歯根囊胞(＊)を認める．尾側の下顎管(黒矢印)に近接する．同病変を囲む下顎骨は骨硬化(白矢印)を示し，随伴する骨髄炎に相当する．上記の右外側口腔底の蜂窩織炎の原因に合致する．別症例の口腔底レベル造影 CT(D)で左外側口腔底(・)の腫脹を認め，蜂窩織炎を示す．A とは異なり，顎舌骨筋(対側で m で示す)の外側に位置する顎下間隙脂肪(対側で＊で示す)は混濁しており，顎下間隙への炎症波及を反映する．顎下部から頬部下部の皮下組織腫脹，脂肪混濁(矢印)あり．g：オトガイ舌筋，m：顎舌骨筋，sl：舌下腺，sm：顎下腺．

場合もある．

上顎歯感染では直接波及，抜歯後の口腔上顎洞瘻孔形成などにより歯性上顎洞炎(3 章「鼻副鼻腔」図 45)を生じる場合がある．病歴に矛盾のない片側性副鼻腔炎では常に考慮すべきである．上顎洞の含気の歯槽突起内への進展は正常でもみられ，この場合，CT 上，歯根尖部は洞内の含気に囲まれ上顎洞下壁から洞内に突出するように認められる．症状がなく，上顎洞に明らかな炎症性粘膜肥厚などを認めない場合は正常であり，積極的に歯性上顎洞炎を示すものではない．

2）唾石（sialolithiasis）（図 13）

多くは舌下間隙を走行する顎下腺管内，あるいは顎下腺との接合部に生じ，顎下腺管の慢性的狭窄，閉塞性変化により二次性顎下腺炎や顎下腺萎縮の原因となる．詳細は 13 章「唾液腺」を参照いただきたい．

3）Ludwig's angina

Ludwig's angina (図 15)は急速進行性で致死的な口腔底，頸部軟部組織の壊疽性蜂窩織炎，炎症性浮腫であり，1836 年に Karl Freidrich Wilhelm von Ludwig により報告された[6]．その後，1939 年 Grodynsky により以下の診断基準が提唱された；単独の組織間隙ではなく，通常両側性の顎下間隙の蜂窩織炎［膿瘍(図 16)ではない］で，ほとんど膿のない結合織，筋膜，筋の炎症性浸潤性病変で，リンパ行性ではなく連続性の進展様式を呈する[6]．“angina” の用語は本来は心原性の疼

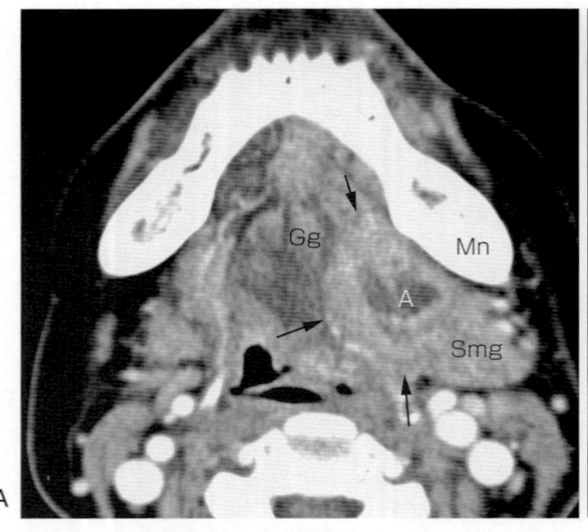

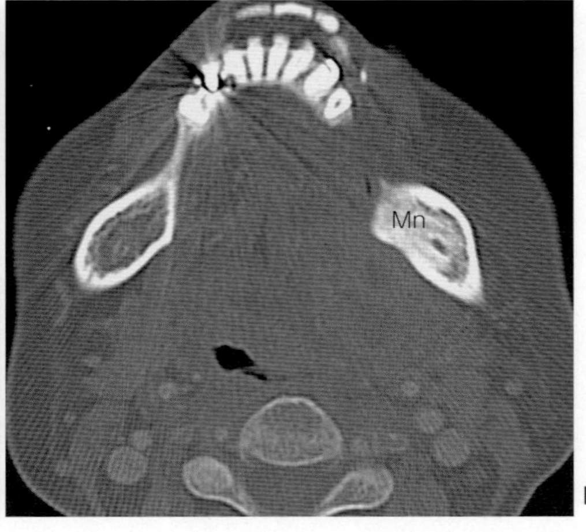

図 10　口腔底膿瘍(下顎骨骨髄炎の波及による)
造影 CT 横断像(A)において，左舌下間隙を中心に外側口腔底の軟部組織腫脹(矢印)を認める．中心のやや不整形の液体濃度域(A)は膿瘍腔を反映する．同側顎下腺(Smg)は(舌下間隙を通過する顎下腺管への圧排に起因すると思われる)二次性唾液腺炎により腫大と増強効果の亢進を呈する．隣接する下顎骨左体部(Mn)に硬化性変化を認め，下顎大臼歯の感染(CT では示されていない)に伴う骨髄炎を反映している．Gg：オトガイ舌筋
同骨条件表示(B)で下顎骨左体部(Mn)硬化性変化はより明瞭に同定可能である．

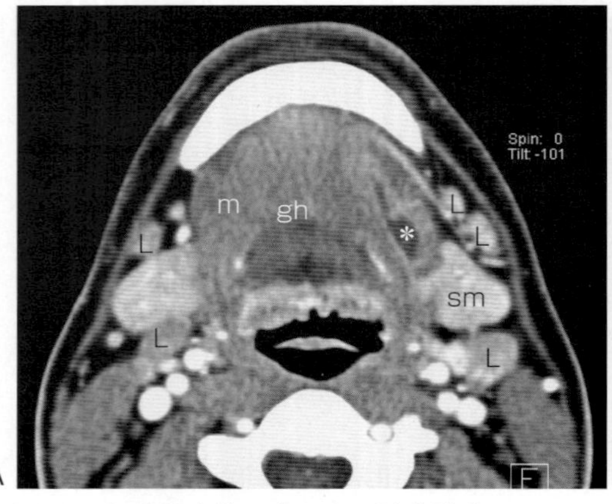

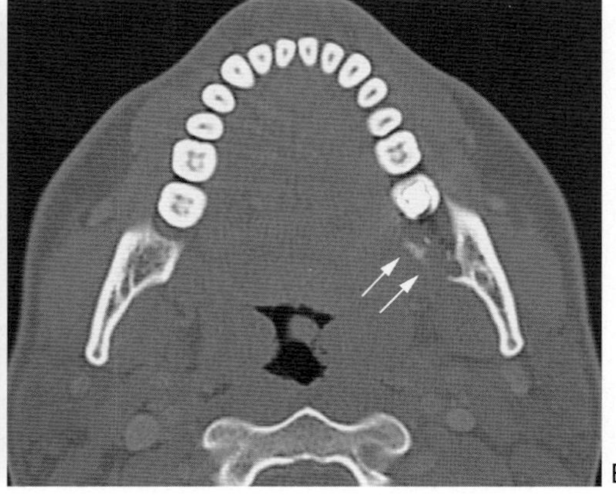

図 11　智歯抜歯後に生じた口腔底膿瘍
口腔底レベル造影 CT(A)において，オトガイ舌骨筋(対側で gh で示す)と顎舌骨筋(対側で m で示す)との間に辺縁増強効果を示す(液体濃度の)低吸収域(＊)を認め，口腔底膿瘍の形成を示す．L：リンパ節，sm：顎下腺．骨条件 CT(B)で数日前の下顎左智歯抜歯後所見(矢印)を認め，上記の原因と考えられる．

痛を表わす用語で，窒息を表すラテン語(angere)，窒息死を表すギリシャ語(ankhone)に由来する[6]．歯原性感染をもとにするものが 50〜70％と多く[7,8]，下顎第 2 大臼歯が最多で[9]第 3 大臼歯がこれに次ぐ．20〜60 歳の男性に好発する[10]．小児はまれであるが，明らかな要因なく発症する場合もあり注意を要する[9]．抗菌薬出現前は比較的多い病態で 50％を超える致死率[11]とされたが，現在は抗菌薬の使用，口内衛生の改善などにより比較的まれで，適切な外科的介入などにより致死率も 8〜10％まで低下した[7,12]．レンサ球菌，ブドウ球菌などを含む複数の口内常在菌感染として生じる．歯原性感染のほか，扁桃周囲膿瘍，傍咽頭間隙膿瘍，下顎骨骨折，口内裂傷・穿通性外傷，顎下腺唾石などが要因となりうる[11]．症状として頸部の疼痛性腫脹，嚥下困難，呼

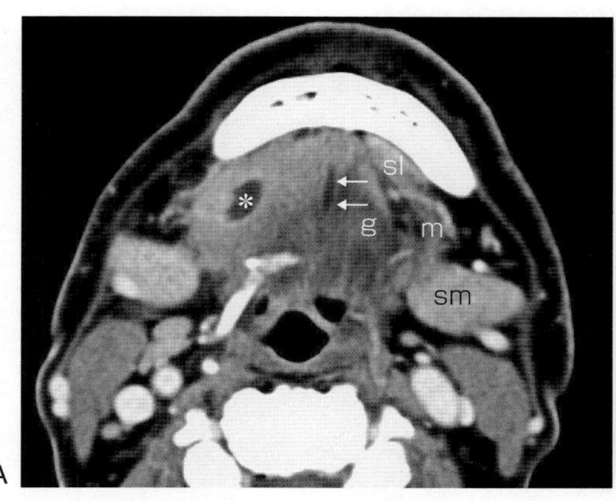

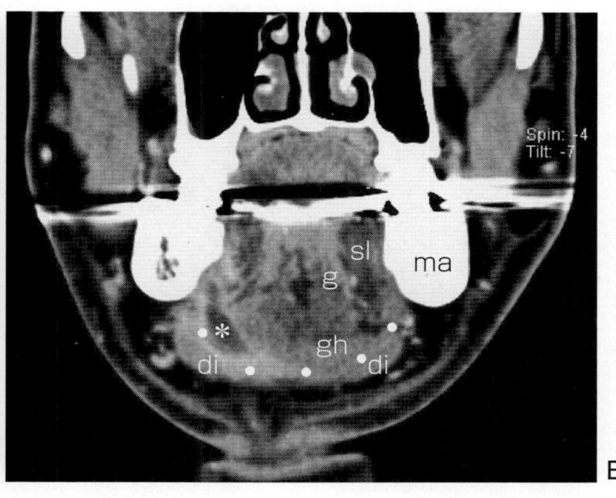

図 12　歯牙感染による口腔底膿瘍

口腔庭レベル造影 CT 横断像(A)においてオトガイ舌筋(対側で g で示す)と顎舌骨筋(対側で m で示す)との間に膿瘍腔(＊)の形成を認める．sl：舌下腺，sm：顎下腺，矢印：舌中隔．冠状断像でも同様に顎舌骨筋(・)とオトガイ舌筋(対側で g で示す)，オトガイ舌骨筋(対側で gh で示す)との間の膿瘍腔(＊)が同定される．di：顎二腹筋前腹，ma：下顎骨(骨硬化あり)，sl：舌下腺．

吸苦，発熱，悪寒，倦怠感などが多いが，局所では多くの症例で舌の挙上・偏位を示す[11]．気道狭窄・閉塞が最も重要で，主たる死因となる．気管内挿管，気管切開がしばしば必要とされる．なお，抗菌薬のみの治療では減張切開を加えた場合よりも気道狭窄の危険が高いとの報告もある[13]．頸筋膜に区分される組織間隙解剖に従った進展を示し，ときに舌骨下頸部から縦隔内に速やかに進展(頸動脈鞘あるいは咽頭後間隙を経由する場合が多い)，致死的となりうる．診断は臨床的に行われる場合も多いが感度は 55％にとどまる[14]．一方，造影 CT での診断感度は 95％と高く極めて有用である[15]．CT では炎症の範囲(特に下方，縦隔への進展)，膿瘍腔形成の有無，気道狭窄の有無，程度の評価が重要となる．

b.　ガマ腫(ranula)

舌下腺あるいは舌下間隙内小唾液腺の導管の閉塞により口腔底(図 4)に形成される貯留囊胞であり，舌下間隙に限局する単純性ガマ腫(simple ranula)と偽囊胞として同間隙を越えて後方の顎下間隙に脱出する潜入性ガマ腫(diving ranula/plunging ranula)に分けられる．

単純性ガマ腫は経口的開窓術により治療されるのに対して，潜入性ガマ腫は以前は頸部からのアプローチで囊胞壁全体を含めて切除されていたが，現在では経口的に囊胞開窓および患側舌下腺切除により顎下間隙内の囊胞成分は徐々に吸収・退縮するとされている．詳細は 11 章「頸部囊胞性腫瘤」にて解説する．

2　腫瘍および腫瘍類似疾患

a.　扁平上皮癌

口腔癌は全世界で 12 番目(発展途上国では 8 番目)に多い癌で，年間新たに 300,000 例が診断され 145,000 の死亡例があるとされる[16, 17]．WHO は今後 10 年間での増加傾向を推定している[18]．口腔癌の約 95％が 40 歳以降，平均 60 歳頃に生じる[19]．危険因子として喫煙，アルコール，齲歯などの口内衛生が重要であるが，喫煙(噛みタバコを含む)が最も重要である．口腔癌患者の 90％に喫煙歴があり，量・期間と密接な関連がみられる[20]．喫煙者の発症頻度は非喫煙者の 6 倍とされる[20]．一方，口腔癌患者の 75～80％が飲酒者であり[21]，非飲酒者における発症頻度の約 6 倍とされる[22]．喫煙とアルコールには発癌に対する相乗効果があると考えられている．噛みタバコの習慣のある中央・東南アジアのみでなく欧米先進諸国でも増加傾向にあり[23, 24]，5 年生存率は発展途上国で約 40％[25]，欧米でも依然として 66％程度[24]である．比較的分化度の高い(高分化の)扁平上皮癌が多い．

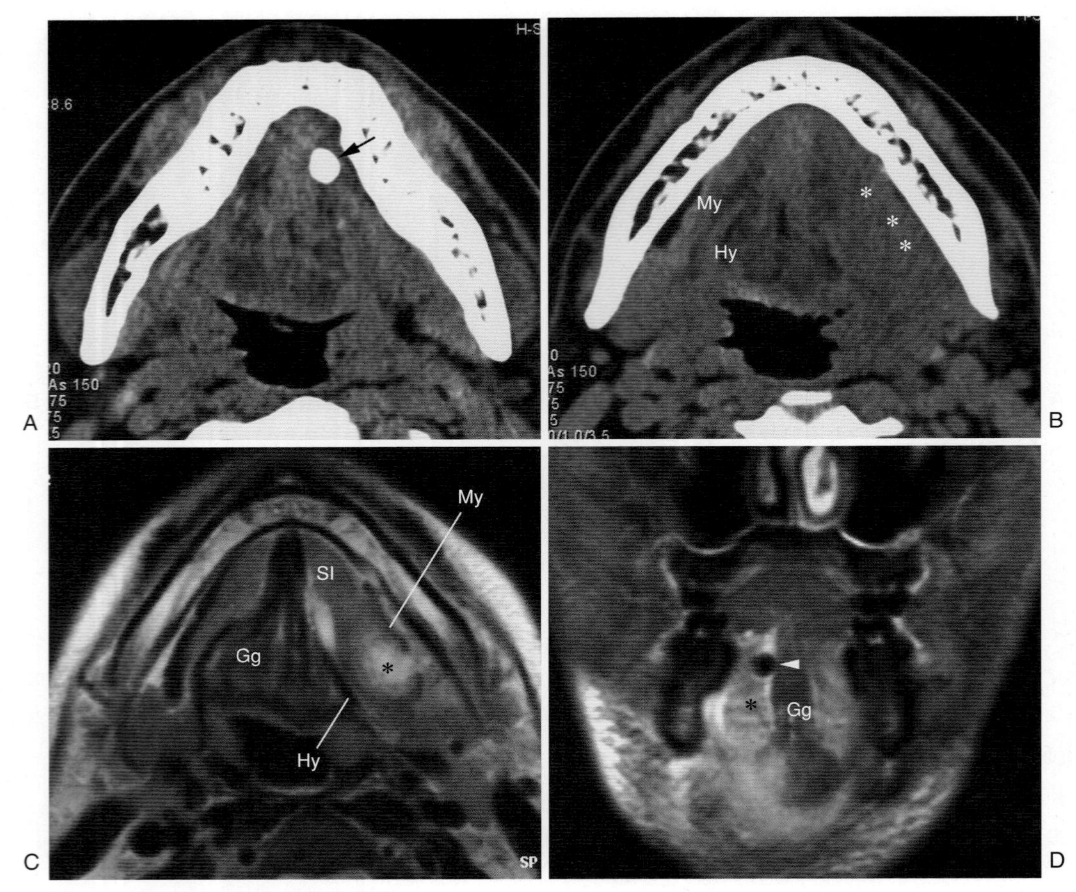

図 13　唾石による口腔底蜂窩織炎

A：CT 横断像．左舌下間隙前方に石灰化を認め，左顎下腺管の唾石（矢印）に一致する．

B：やや下方レベル．左顎舌骨筋に沿った軟部濃度肥厚を認め，口腔底の炎症（＊）を示す．明らかな液体濃度は確認できず，膿瘍形成ではなく蜂窩織炎と思われる．

C：MRI T2 強調横断像．左舌下間隙の舌骨舌筋外側を中心として軟部組織腫脹（＊）を認め，顎舌骨筋は外側に圧排されるとともに一部では腫脹と信号上昇を認める．口腔底蜂窩織炎に一致する．

D：STIR 冠状断像．左舌下間隙内に唾石を示す低信号構造（矢頭）あり．左舌下間隙の軟部組織腫脹（＊）と信号上昇を認める．

Gg：オトガイ舌筋，Hy：舌骨舌筋，My：顎舌骨筋，Sl：舌下腺

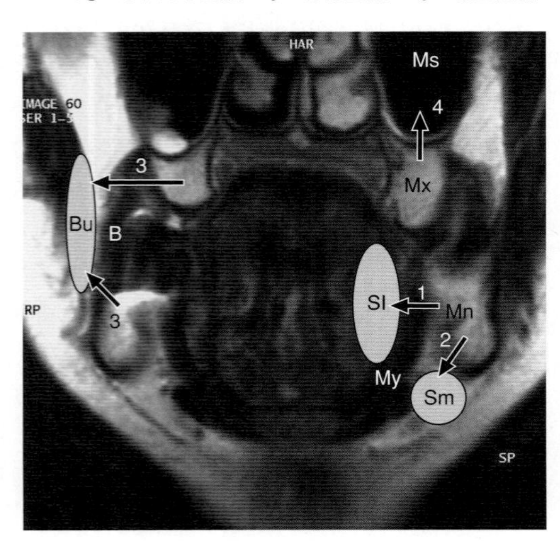

図 14　歯原性感染とその進展様式

下顎骨（Mn）から舌下間隙（Sl）への進展経路（1），下顎骨から顎下間隙（Sm）への進展経路（2），上顎骨（Mx）および下顎骨から頬間隙（Bu）への進展経路（3），上顎から上顎洞（Ms）への進展経路（歯性上顎洞炎の場合）（4）を示す．

B：頬筋，My：顎舌骨筋

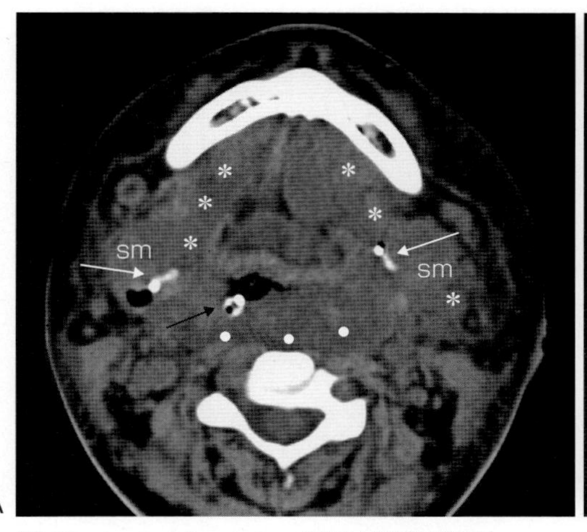

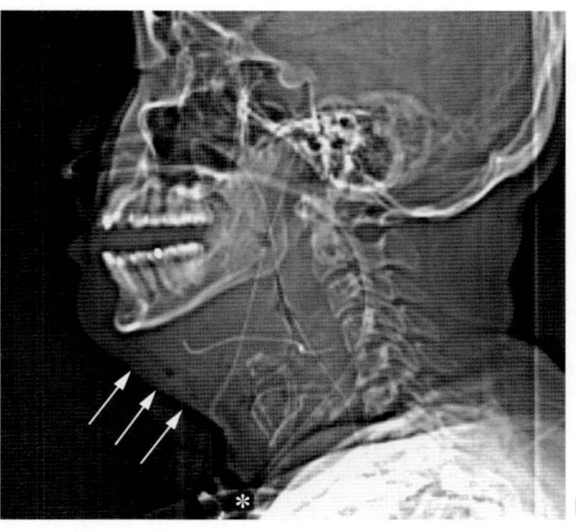

図 15 Ludwig's angina（緊急減張切開後）
口腔底レベル非造影 CT（A）において左右舌下間隙から顎下間隙にかけて軟部組織腫脹と組織層消失（＊）を認め，口腔庭の広範な蜂窩織炎に相当する．咽頭後間隙にも高度浮腫（・）を認める．両側顎下部には draining catheter（白矢印）が置かれ，経鼻胃管（黒矢印）も挿入されている．同位置決め画像（B：頸部側面）で口腔底軟部組織の著明な腫脹（矢印）を認める．気管切開・気管内カニューレ挿入（＊）を認める．

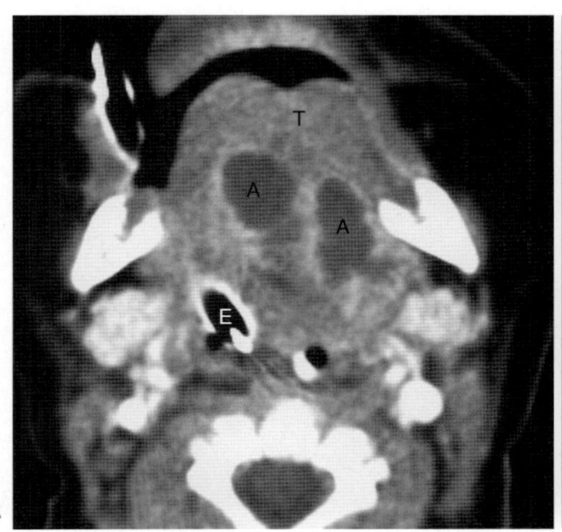

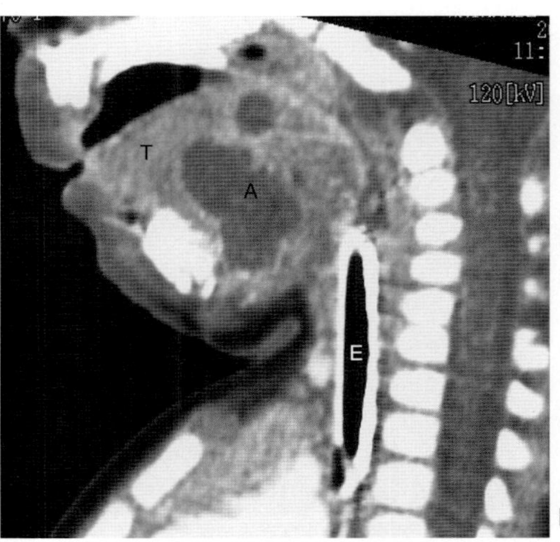

図 16 舌・口腔底膿瘍
A：造影 CT 横断像．
B：造影 CT 矢状断像．
舌（T）から口腔底にかけて辺縁に増強効果を示す液体貯留を認め，膿瘍（A）に一致する．
E：気管内挿管チューブ

病期分類は AJCC による TNM 分類（**表 1**：p320）[1]が用いられるが，第 8 版において T 分類には DOI（depth of invasion：深達度），N 分類には ENE（extranodal extension：節外浸潤）が組み入れられたことが大きな変更点として挙げられる．DOI については「舌癌」の項，ENE については 10 章「頸部リンパ節」で解説する．AJCC は口腔を頬粘膜，歯肉，臼後部，硬口蓋，舌可動部（口腔舌），口腔底の亜部位に分けるが，各亜部位における口腔癌発生頻度を**表 2**（p320）に示す[26]．全世界としては口唇が最も多いが噛みタバコの影響であり，噛みタバコの習慣のない本邦，欧米では舌（25〜40％）が最も多く，次に多い口腔底（15〜20％）と合わせると約半分となる[27]．以下に

表1　口腔癌T分類

T分類	原発病変	
TX	原発部位評価不能	
Tis	carcinoma *in situ*	
T1	最大径が2 cm以下でDOI 5 mm以下	
T2	最大径が2 cm以下でDOI 5 mmより大きい あるいは，最大径2 cmより大きく4 cm以下でDOI 10 mm以下	
T3	最大径が2 cmより大きく4 cm以下でDOI 10 mmより大きい あるいは，最大径が4 cmより大きくDOI 10 mm以下	
T4	T4a：中等度進行病変	最大径が4 cmより大きくDOI 10 mmより大きい あるいは，隣接構造のみへの浸潤（例：下・上顎骨，上顎洞，顔面皮膚など）
	T4b：高度進行病変	咀嚼筋間隙，翼状突起，あるいは頭蓋底および・あるいは頸動脈への浸潤

・DOI(depth of invasion：深達度)は腫瘍の厚さとは異なる．
・歯肉癌での歯槽突起の表層性骨侵食のみではT4としない．
(Amin MB et al (eds)：AJCC Cancer Staging Manual (8th ed), Springer, New York, p55-181, 2017)

表2　口腔癌各亜部位発生頻度

亜部位	発生頻度
口唇	44.9%
口腔舌	16.5%
口腔底	12.1%
下歯肉	12.1%
硬口蓋，上歯肉	4.7%
頬粘膜	9.7%

＊ただし，噛みタバコの習慣のない，本邦，米国などでは舌癌が最も多い．
(MacComb WS et al (eds)：Canser of the Head and Neck, Williams & Wilkins, Baltimore, p89-151, 1967)

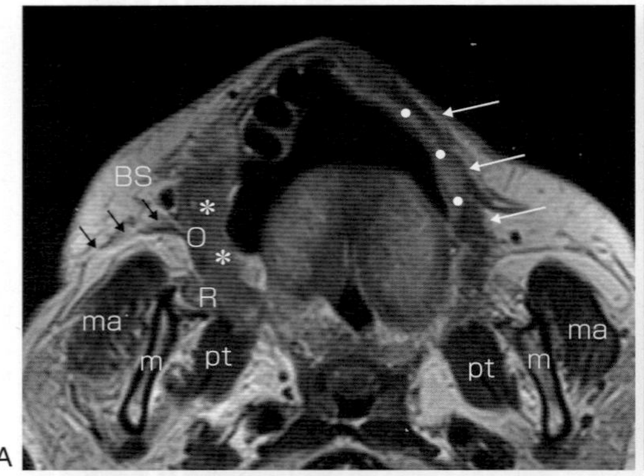

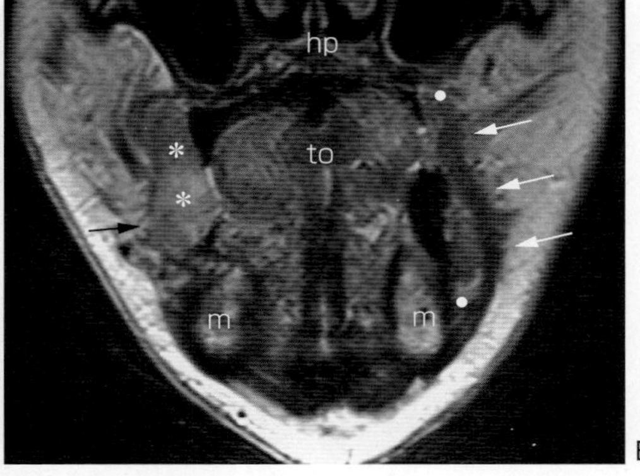

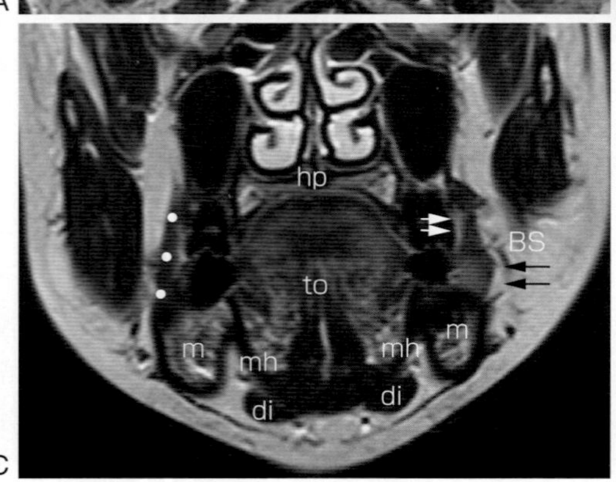

図17　頬粘膜癌2例

口腔レベルのMRI T2強調横断像(A)において右頬粘膜に不整な組織肥厚(＊)を認め，対側では同定可能な粘膜下脂肪層(・)の消失を認め，浸潤性病変であることを示す．同部では頬筋を示す低信号帯(対側で白矢印で示す)は不明瞭であるが最外層はわずかに保たれ，側方に隣接する頬間隙(BS)への明らかな浸潤はみられない．後方では臼後部(R)への進展あり．また病変は耳下腺管(黒矢印)の開口部(O)を含むが，耳下腺管の有意な拡大などはみられない．m：下顎骨，ma：咬筋，pt：翼突筋．冠状断像(B)でも右頬粘膜病変(＊)が描出され，頬筋(対側で白矢印で示す)の最外層は概ね保たれるが，一部同定困難(黒矢印)であり部分的な頬筋全層性浸潤を疑う．頭尾側ではそれぞれの歯肉頬移行部溝(対側で・で示す)に及ぶ．hp：硬口蓋，m：下顎骨，to：舌．別症例のT2強調冠状断像(C)では左頬粘膜に限局性腫瘤(黒矢印)を認め，粘膜下脂肪層(白矢印；対側でも確認可能)は病変部で途絶しており，浸潤性病変であることを示す．頬筋を示す低信号帯(対側で・で示す)は病変部で不明瞭であるが最外層はわずかに保たれており，頬筋全層性浸潤による頬間隙(BS)への進展はないと思われる．di：顎二腹筋前腹，hp：硬口蓋，m：下顎骨，mh：顎舌骨筋，to：舌．

各々の亜部位(図 2)における扁平上皮癌の臨床につき，解説する．

1) 各亜部位における扁平上皮癌

i) 頬粘膜癌(表 3)

頬粘膜癌は口腔癌の約 10%と比較的まれである[26, 28, 29]．噛みタバコの習慣のある東南アジアでは男性に多いが，その他では性差は比較的乏しく好発年齢は 50〜70 歳とされる[30]．早期病変は比較的境界鮮明な外方発育性腫瘤として認められる場合が多いが，徐々に潰瘍を伴った腫瘤を形成する．頬粘膜外側壁の咬合面に沿った領域に多い(図 17，18)．疼痛は比較的軽度であるが，耳への関連痛を生じる場合がある．耳下腺管への深部浸潤による耳下腺管閉塞では二次性耳下腺腫大を認める．腫瘍径と頸部リンパ節転移が最も重要な予後因子であり[31, 32]，5 年生存率は cN0 例では 60 % 程度，cN1-N2 例では 50 % 未満とされる[33, 34]．頸部リンパ節転移は腫瘍径と分化度(低分化腫瘍)と関連する[33, 35]．

頬粘膜の外側壁に生じた病変は深部で粘膜下脂肪層から頬筋に直接浸潤(図 17，19)，さらに進行すると頬間隙(図 20)から皮膚(図 21)，側頭下窩に至る．辺縁浸潤では歯肉頬移行部溝から歯肉に及び(図 17B，22)，進行すれば顎骨への浸潤を示す．後方で頬筋から臼後部(図 17，18，21，22)，翼突下顎縫線，翼突筋まで浸潤すれば開口障害をきたす．腫瘍の深部浸潤が生命予後に直接関係しており，深達度 6 mm 以上の症例は 6 mm 未満の症例と比較して生命予後は有意に不良である[36]．頬粘膜癌は粘膜下，主に頬筋に沿った進展による局所浸潤性が高く，30〜80%と高い局所

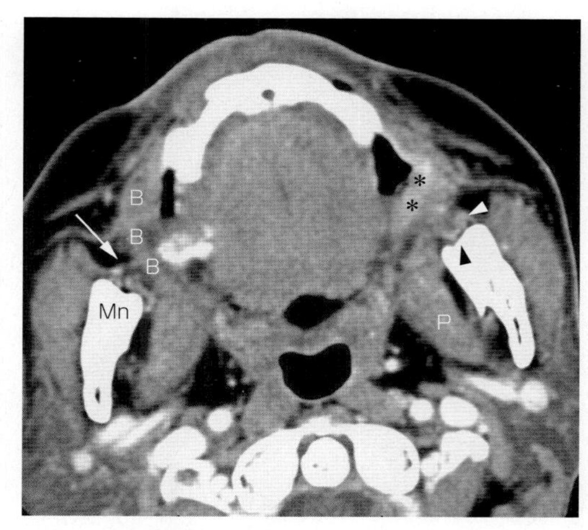

図 18　頬粘膜癌

造影 CT 横断像において，左頬粘膜外側壁に浸潤性腫瘍(＊)を認める．後方では下顎骨枝(Mn)と頬筋(対側で B で示す)との間の正常脂肪層(対側で矢印で示す)は消失，臼後部(矢頭)への浸潤を反映する．P：翼突筋

表 3　頬粘膜癌での重要な画像評価項目

前方進展	進展範囲の把握(例：右上顎犬歯に対するレベル)
後方進展	進展範囲の把握 臼後部 下顎枝・V3(下歯槽神経) 咀嚼筋間隙・側頭下窩(T4b)
深部進展	頬筋への浸潤の有無・程度(部分性・全層性) 頬間隙 頬部皮膚(T4a)
頭側進展	頭側の歯肉頬粘膜溝 上顎歯槽，上顎結節，上顎洞(T4a) 後上歯槽神経〔V2〕
尾側進展	尾側の歯肉頬移行部 下顎骨，下歯槽神経〔V3〕
神経周囲進展	CN7(頬枝) V3(下歯槽神経)
その他	大きさ：T1〜3 病期に関連 耳下腺管開口部閉塞による二次性耳下腺炎 重複癌の有無
N 因子	主に同側レベルⅠ，Ⅱ，Ⅲ(顔面リンパ節に要注意)

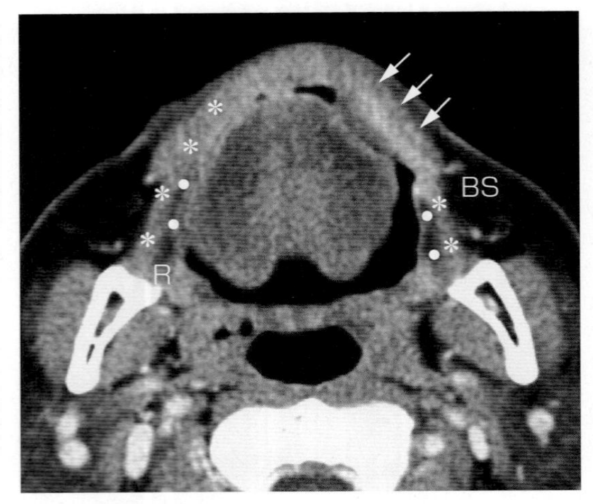

図 19　頬粘膜癌
口腔レベル造影 CT において，左頬粘膜の腫瘤(矢印)を認め，粘膜下脂肪層(・)は病変部で消失しており浸潤性病変に合致する．側方の頬間隙(BS)，後方の臼後部(対側で R で示す)への進展はみられない．＊：頬筋．

再発率を示し[36〜41]，局所再発は生存率を有意に低下させる[42]．頬間隙が脂肪を中心とする疎な組織であり腫瘍浸潤に対する障壁に乏しいことが局所再発の高さに関連すると考えられている[38, 43, 44]．局所再発は術後平均 12 ヵ月後で生じるが[43]，局所・頸部リンパ節病変の非制御が主な死因となる[45]．

頸部リンパ節転移に関しては，頬粘膜癌は他の口腔癌と比較して頻度はやや低い(16〜28%)とされるが，35 歳未満の症例では最大 50%と多いとの報告がある[45, 46]．耳下腺リンパ節転移に対しても注意を要する．

CT，MRI では原発病変の画像診断として，病変と頬筋との関係(直接浸潤の有無，程度)，頬間隙から側頭下窩への進展，臼後部から翼突下顎縫線，咀嚼筋間隙への進展，皮下組織および皮膚へ

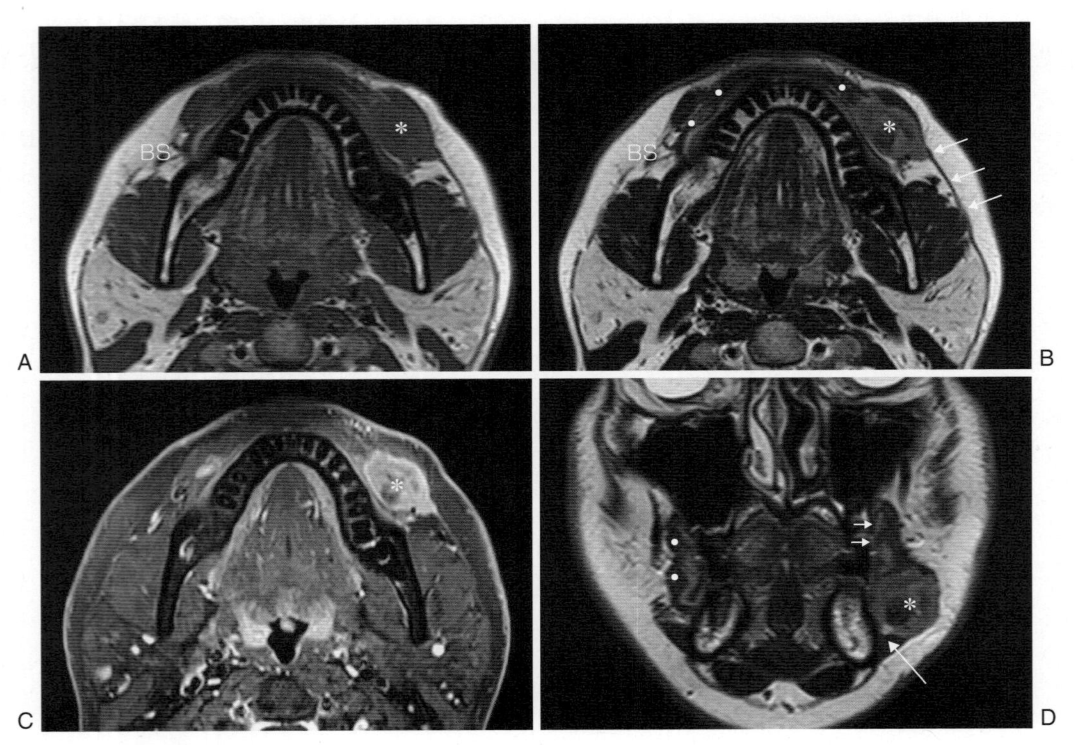

図 20　頬粘膜癌
口腔レベル MRI T1 強調横断像(A)において左頬粘膜に低信号腫瘤(＊)を認める．粘膜下脂肪層の部分的消失を示すが粘膜下を主体とする．側方では頬間隙(BS)への進展を示す．T2 強調像で病変(＊)内部は不均等な中等度からやや高信号強度を示す．病変部で頬筋(・)を示す低信号帯は途絶し側方では頬間隙(BS)に浸潤，SMAS・浅頸筋膜(矢印)まで達するが，さらに表層の皮下脂肪は保たれている．造影後 T1 強調脂肪抑制画像(C)で腫瘍(＊)は不均等な増強効果を示す．T2 強調冠状断像(D)で病変(＊)部分では粘膜下脂肪層(小矢印)，頬筋に相当する低信号帯(対側で・で示す)の途絶を認める．尾側では歯肉頬粘膜溝(大矢印)への進展あり．

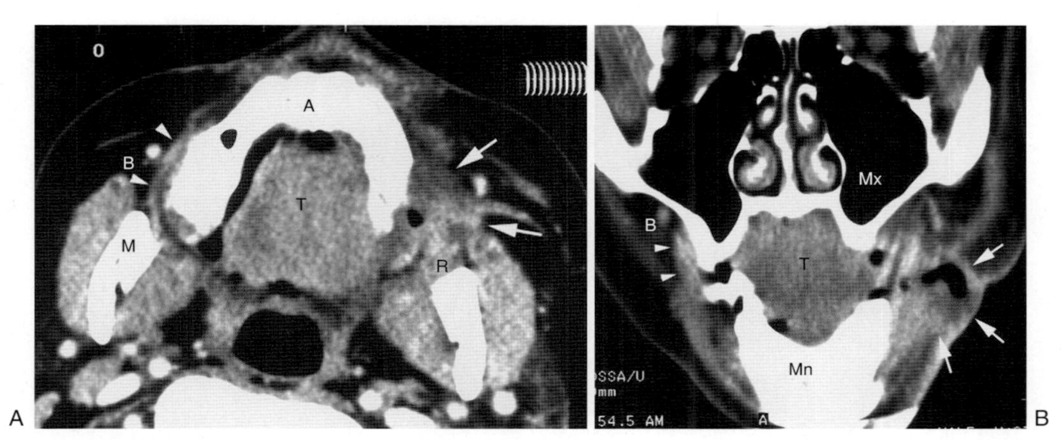

図 21　頬粘膜癌

A：造影 CT 横断像．左頬粘膜に浸潤性腫瘍(矢印)を認め，頬筋(対側で矢頭で示す)を越えて頬間隙(対側で B で示す)に浸潤あり．後方では臼後部(R)への進展を示す．A：上顎歯槽突起，M：下顎骨枝，T：舌

B：造影 CT 冠状断像．病変(矢印)は潰瘍を伴って頬筋(対側で矢頭で示す)の筋膜を越えて頬間隙(対側で B で示す)に浸潤，さらに皮下脂肪を全層性に浸潤し皮膚に至る．Mn：下顎骨，Mx：上顎洞

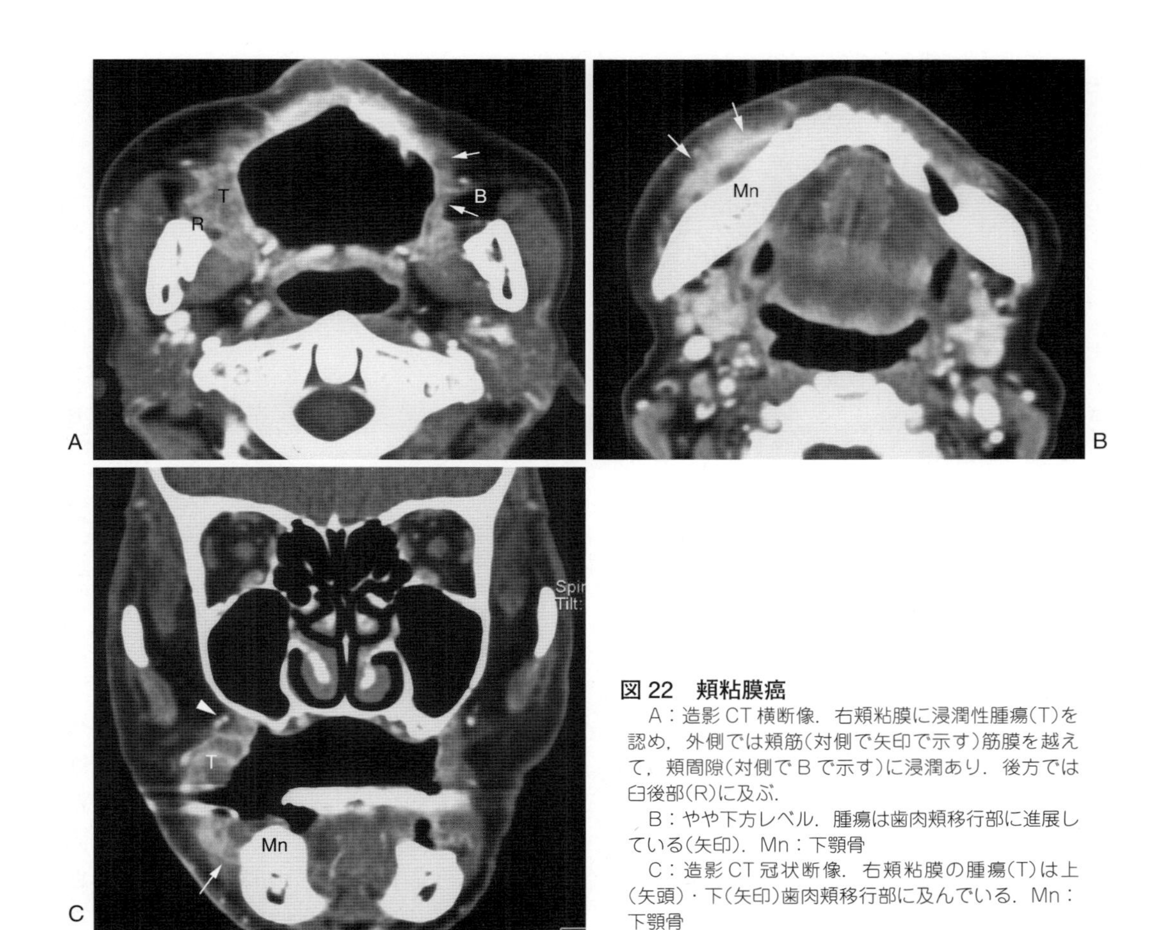

図 22　頬粘膜癌

A：造影 CT 横断像．右頬粘膜に浸潤性腫瘍(T)を認め，外側では頬筋(対側で矢印で示す)筋膜を越えて，頬間隙(対側で B で示す)に浸潤あり．後方では臼後部(R)に及ぶ．

B：やや下方レベル．腫瘍は歯肉頬移行部に進展している(矢印)．Mn：下顎骨

C：造影 CT 冠状断像．右頬粘膜の腫瘍(T)は上(矢頭)・下(矢印)歯肉頬移行部に及んでいる．Mn：下顎骨

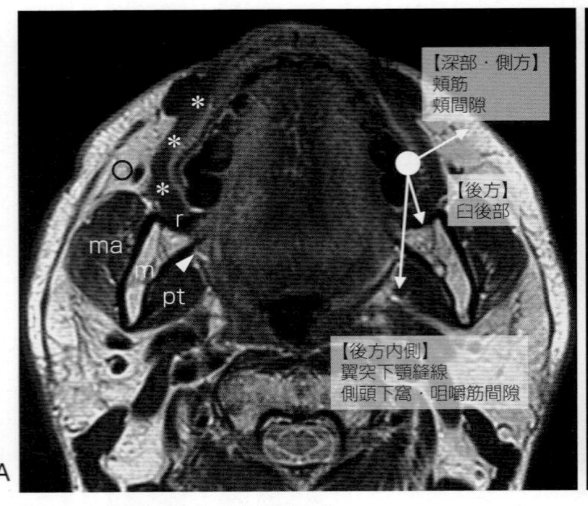

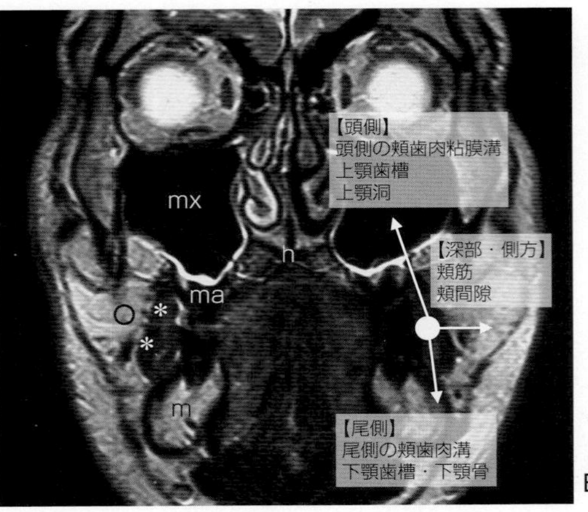

図 23　頬粘膜癌の進展様式

A：T2 強調横断像．＊：頬筋，○：頬間隙，矢頭：翼突下顎縫線（に相当），m：下顎骨，ma：咬筋，pt：翼突筋，r：臼後三角

B：T2 強調冠状断像．＊：頬筋，○：頬間隙，h：硬口蓋，m：下顎骨，ma：上顎歯槽，mx：上顎洞

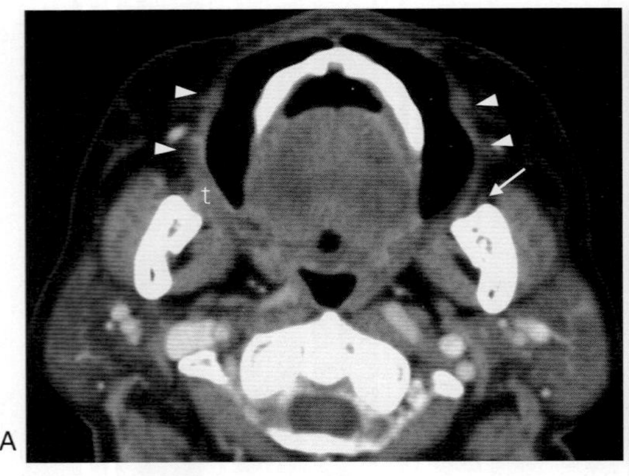

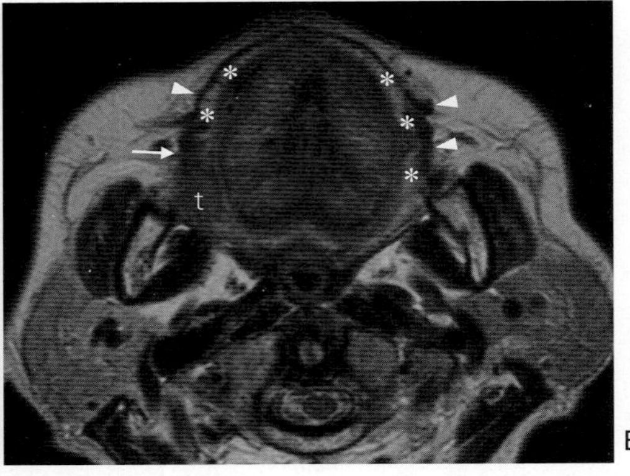

図 24　頬粘膜癌

A：造影 CT．右頬粘膜の後方中心に不整な肥厚（t）を認め，後方の臼後部で下顎枝前面との脂肪層（対側で矢印で示す）の消失を示し，浸潤性病変が示唆される．頬筋（矢頭）は健側と比較して，右側でやや厚く認められるが，腫瘍の前方進展の範囲の特定，頬筋への浸潤程度の把握は困難である．

B: 同症例の MRI，T2 強調横断像．腫瘍（t）はやや高信号強度を呈する．病変部では粘膜下脂肪層（＊）の消失を示す．その外層で頬筋は薄い低信号帯（矢頭）として同定されるが，病変部では同低信号帯は消失しており，頬筋に対する全層性浸潤（少なくとも外側筋膜に達する）を示唆する．また，頬筋との区別，粘膜下脂肪層（＊）消失の範囲により腫瘍進展の前縁（矢印）が確認可能である．

の浸潤など，進展範囲（図 23）の正確な評価が望まれる．また，深達度の評価も重要である．軟部組織での進展範囲に関しては，より高い組織コントラストを有する MRI が CT より優れる（図 24）．上顎洞，硬口蓋，歯槽突起などへの浸潤は冠状断，骨破壊の有無・程度の評価には CT 骨条件が有用である．

T1〜2 の早期病変の治療では通常，外科的切除あるいは放射線治療のいずれかが選択される．進行病変では両者および化学療法が組み合わせられるのが一般的である．T 分類と摘出標本断端の病理学的結果が治療指針，特に追加放射線療法の要否の判断に重要とされてきたが，切除断端陰性であっても再発率は高く，切除断端陰性の早期病変に対しても放射線治療が必要との報告もみられる[42]．手術は頬粘膜領域に限局する場合，周囲は 1〜1.5 cm の切除縁，深部は外側表層の頬筋筋膜を保ち，腫瘍を切除する（partial-thickness buc-

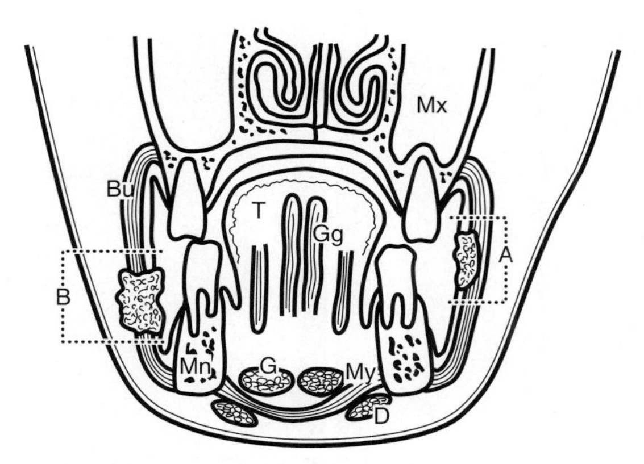

図 25　partial-thickness/full-thickness buccal resection 切除範囲．シェーマ
A：partial-thickness buccal resection 切除範囲，B：full-thickness buccal resection 切除範囲，Bu：頬筋，D：顎二腹筋前腹，G：オトガイ舌骨筋，Gg：オトガイ舌筋，My：顎舌骨筋，Mn：下顎骨，Mx：上顎洞，T：舌

cal resection，図 25，26）．外側の頬筋筋膜に到達する深部浸潤を認める症例（図 21）では皮膚まで含めた全層を切除（full-thickness buccal resection，図 25）および皮弁による再建が必要となる．また，歯槽突起や臼後部への進展（図 18，21，22）を認める場合は顎骨を含めた composite resection が必要である．

ii）歯肉癌（表 4：p326，5：p327）

全口腔癌のうちの 10％程度と比較的まれで[47]，大部分が扁平上皮癌である．粘膜病変の進展様式（図 27）としては，外側は歯肉頬粘膜移行部（図 28，29）から頬粘膜，内側は下歯肉では口腔底外側部（図 30），上歯肉では硬口蓋（図 31），後方は臼後三角部へ及ぶ．

歯肉癌では顎骨浸潤が術式選択の根拠[48,50]として重要である．また上歯肉癌の上顎骨浸潤[49]，下歯肉癌の下顎骨浸潤[50]はともに頸部リンパ節転移の予測因子として報告されている．CT，MRI，panorex view（図 32）あるいは intraoral dental view が画像評価として用いられる．CT と MRI では（後述のとおり顎骨浸潤で評価される点は異なるが）顎骨浸潤の診断能（図 33）におけるいずれかの優位性はないとされる[51]．CT では骨皮質に関する微細な評価が可能であり，顎骨浸潤も，一般にはスライス厚 1 mm，間隔 3 mm 以下の骨条件表示でほぼ正確に評価可能とされているが，骨髄内異常の描出は MRI が優れており，（下顎骨切除を判断すべき症例においては）T1 強調像で正常脂肪髄による高信号が保たれている範囲も合わせて評価すべきと思われる（図 32，34）．T1 強調像での顎骨正常脂肪髄の高信号の低信号による置換は必ずしも腫瘍浸潤自体を示す特異的所見ではなく，随伴する髄内浮腫やもともとの骨髄炎（陳旧性を含む）などを含んでおり，同所見を顎骨浸潤の根拠とすると偽陽性が問題となるが，少なくとも高信号強度が保たれている正常骨髄腔の範囲は確認可能である．MRI は感度は高く偽陰性は少ない一方で特異度は低い．通常，無歯牙の場合には進展に対する障壁がないことから顎骨髄内浸潤は咬合面を介して生じる（図 35）．口腔癌における顎骨浸潤は T4a に分類されるが，歯肉癌による歯槽突起の限局した侵食像（図 28D）に限ってはその条件として十分とはされていない[1]．口腔癌取扱い規約[52]では（下歯肉病変では）下顎管に到達する顎骨浸潤を T4a と規定しているが，頭頸部癌取扱い規約，AJCC，UICC の TNM 分類ではその程度は明記されていない．無歯牙の場合，顎骨萎縮から咬合面より下顎管の距離が短縮し，早期より下歯槽神経（CN V3）周囲に進展（図 35B），神経周囲進展をきたす頻度が高いとされる[19]．顎骨髄内浸潤は病変と正常粘膜部との境界を越える範囲へ及ぶことはまれで

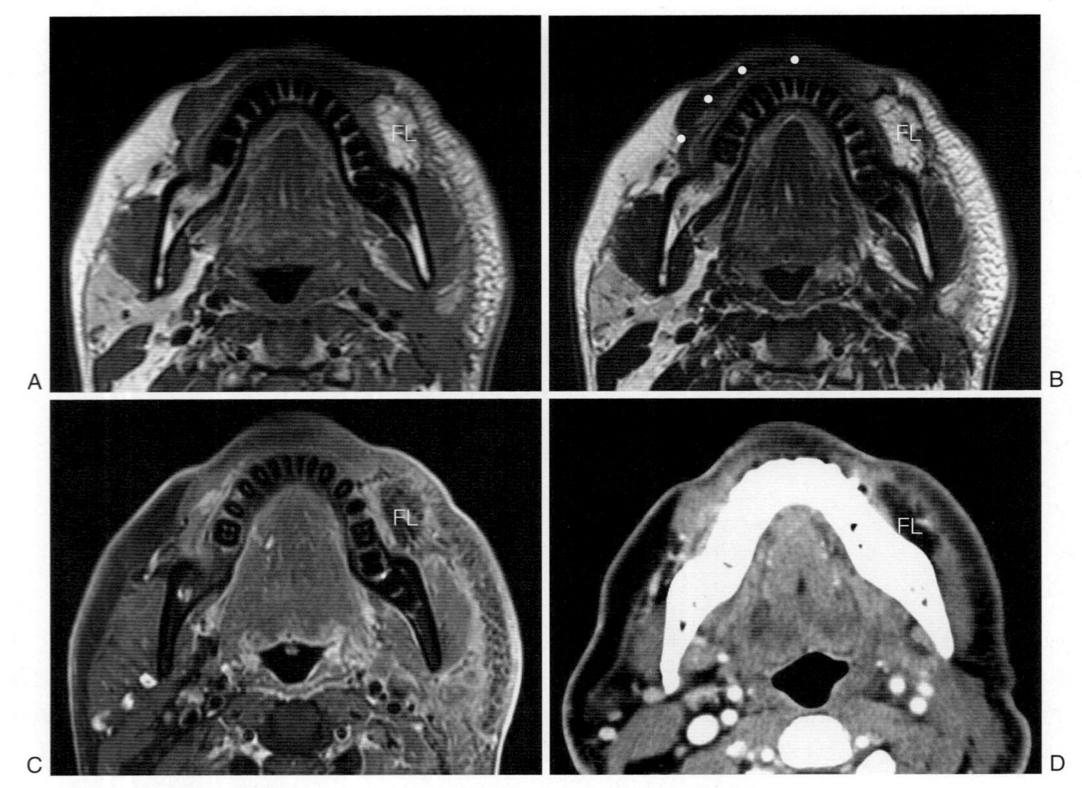

図 26　頬粘膜癌に対する partial-thickness resection および皮弁再建後
口腔レベル MRI T1 強調(A)，T2 強調(B)および造影後 T1 強調脂肪抑制(C)横断像，さらに造影 CT(D)において，頬粘膜に術後再建の皮弁(FL)が脂肪に相当する信号・濃度の領域として同定される．T2 強調像(B)で頬筋に相当する低信号帯(・)が病変部で消失しており同筋を含む切除後の状態を反映する．

表 4　上歯肉癌での重要な画像評価項目

前方進展	進展範囲の把握(例：右上顎第 1 小臼歯レベル)
後方進展	進展範囲の把握(例：右上顎第 2 大臼歯レベル) 臼後三角 上顎結節(T4a) 翼状突起(T4b)・翼口蓋窩 咀嚼筋間隙(T4b)
頭側進展	上顎歯槽(T4a)：ただし，軽度侵食のみは含まない 上顎洞(T4a)
内側進展	硬口蓋
側方進展	頭側の歯肉頬移行部 頬粘膜・頬筋・頬間隙
神経周囲進展	V2(本幹，後上歯槽神経，鼻口蓋神経など)
その他	大きさ：T1～3 病期に関連 重複癌の有無
N 因子	主に同側のレベル I，II，III

表 5　下歯肉癌での重要な画像評価項目

前方進展	進展範囲の把握(例：左下顎犬歯レベル)
後方進展	進展範囲の把握(例：左下顎第 2 大臼歯レベル) 臼後三角・下顎枝(T4a) 咀嚼筋間隙(T4b)：主に内側翼突筋・咬筋
下方進展	下顎歯槽(T4a)：ただし，軽度侵食のみは含まない(「口腔癌取扱い規約」のみ，下顎管に達する場合に T4a と規定) 下歯槽神経〔V3〕
内側進展	舌歯槽溝 外側口腔底・舌下間隙 外舌筋(T4a)：舌骨舌筋など
側方進展	尾側の歯肉頬移行部 頬粘膜・頬筋・頬間隙
神経周囲進展	下歯槽神経〔V3〕 舌神経〔V3〕
その他	大きさ：T1～3 病期に関連 重複癌の有無
N 因子	主に同側のレベル I，II，III

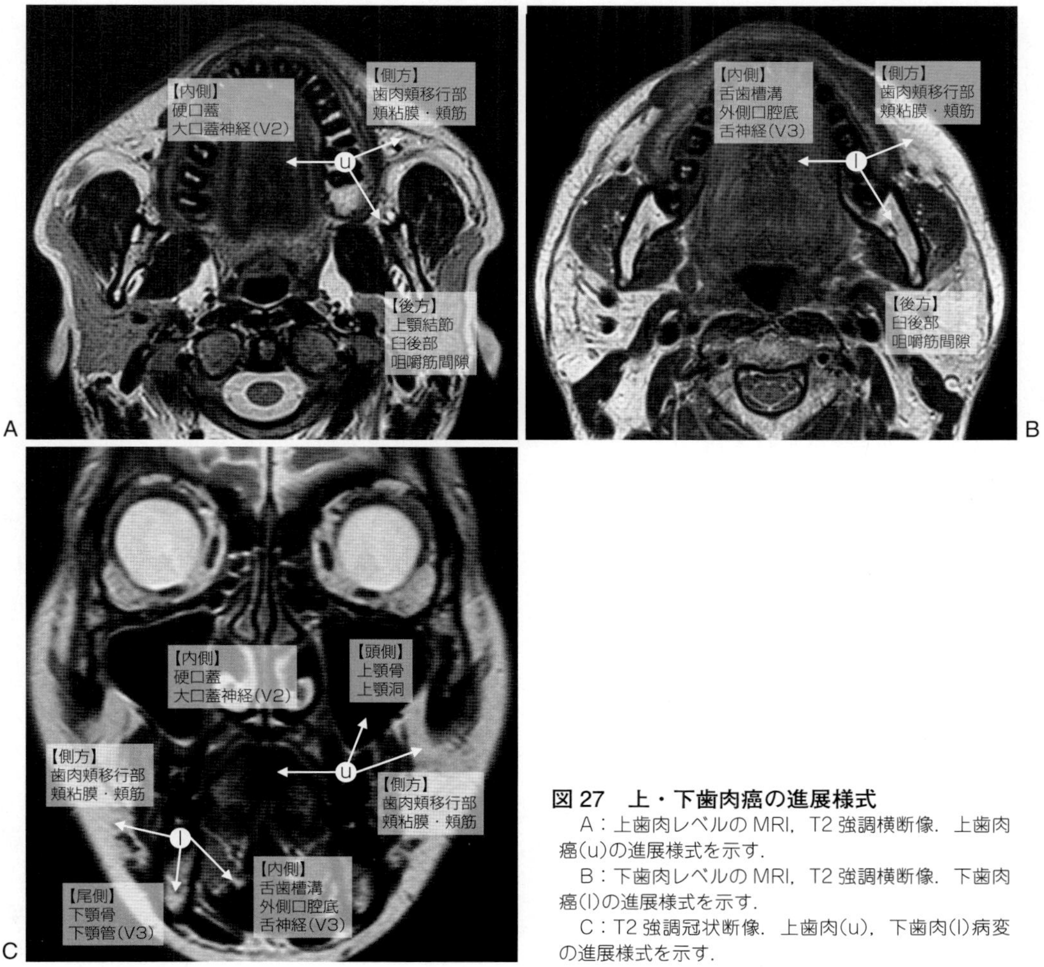

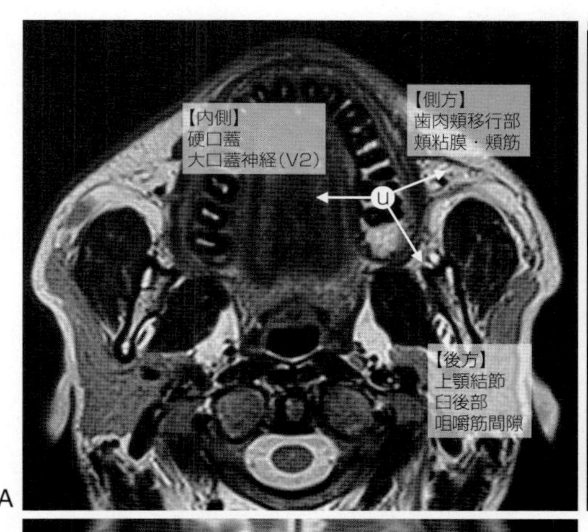

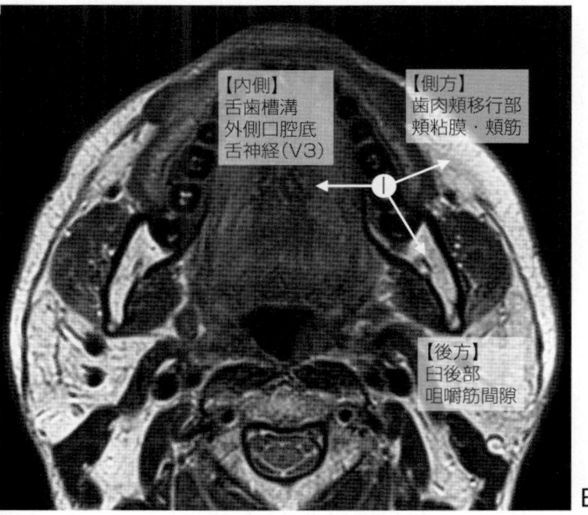

図 27　上・下歯肉癌の進展様式

A：上歯肉レベルの MRI，T2 強調横断像．上歯肉癌(u)の進展様式を示す．

B：下歯肉レベルの MRI，T2 強調横断像．下歯肉癌(l)の進展様式を示す．

C：T2 強調冠状断像．上歯肉(u)，下歯肉(l)病変の進展様式を示す．

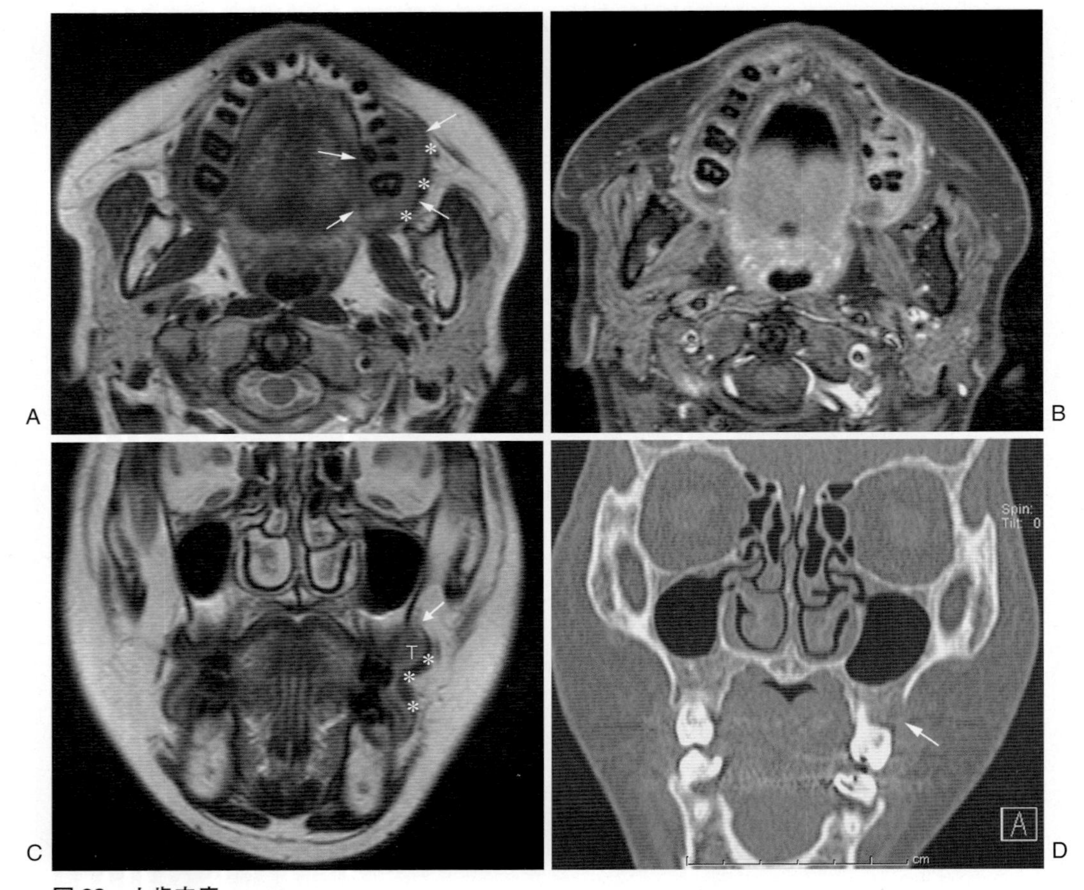

図 28　上歯肉癌

MRI T2 強調横断像(A)で，左上顎大臼歯レベル歯肉を中心に浸潤性腫瘍(矢印)を認める．外側で頬筋(＊)は側方に圧排・伸展を示すが，保たれている．造影後 T1 強調脂肪抑制画像(B)で腫瘍はびまん性充実性増強効果を示す．T2 強調冠状断像(C)で腫瘍(T)は歯肉頬移行部を充満している(矢印)．＊：頬筋

冠状断 CT 骨条件表示(D)において，左上顎歯槽外側面で骨破壊(矢印)を認める．

あり，5 mm 以上越えることはないとされる[19]．そのため，下顎骨切除範囲は粘膜病変を指標とすることが可能との古典的記述もある[53]．しかし，実際には骨髄内に広く浸潤を示す例(図 32)もあり，術前の画像評価は重要と考えられる．顎骨浸潤が疑われる，あるいは顎骨切除を考慮すべき症例では(骨条件表示を含めた) CT および MRI 両方での評価を合わせた総合的な判断が望まれる．CT，MRI いずれも，下歯肉癌よりも上歯肉癌による顎骨浸潤に対する検出の感度が低いとされる[54]．上歯肉癌では硬口蓋，上顎洞への進展とともに大・小口蓋神経，後上歯槽神経(CN V2)に沿った神経周囲進展の危険性がある(図 29，31，36)．

深部組織進展は 58％で認められ，最も多いのは頬間隙で，その頻度は下歯肉癌が 42％で臼歯部(89％)に多く，上歯肉癌が 47％で臼歯部よりも前歯部(64％)に多い[55]．次に多いとされる咀嚼筋間隙進展(図 37)は大臼歯領域の下歯肉癌に多いが，小臼歯より前方の下歯肉癌ではまれである[55]．舌下間隙浸潤が 3 番目に多いとされる[55]．

頸部リンパ節転移は下歯肉癌ではレベル I B，II が多く，その頻度は診断時に約 29％[56]，上歯肉癌で約 30〜40％である．既述のとおり，上歯肉癌による上顎骨浸潤，下歯肉癌による下顎骨浸潤は頸部リンパ節転移の予測因子とされる[49,50]

治療は大部分の症例で外科的切除の対象となる．小病変は経口的に切除可能である．切除縁は

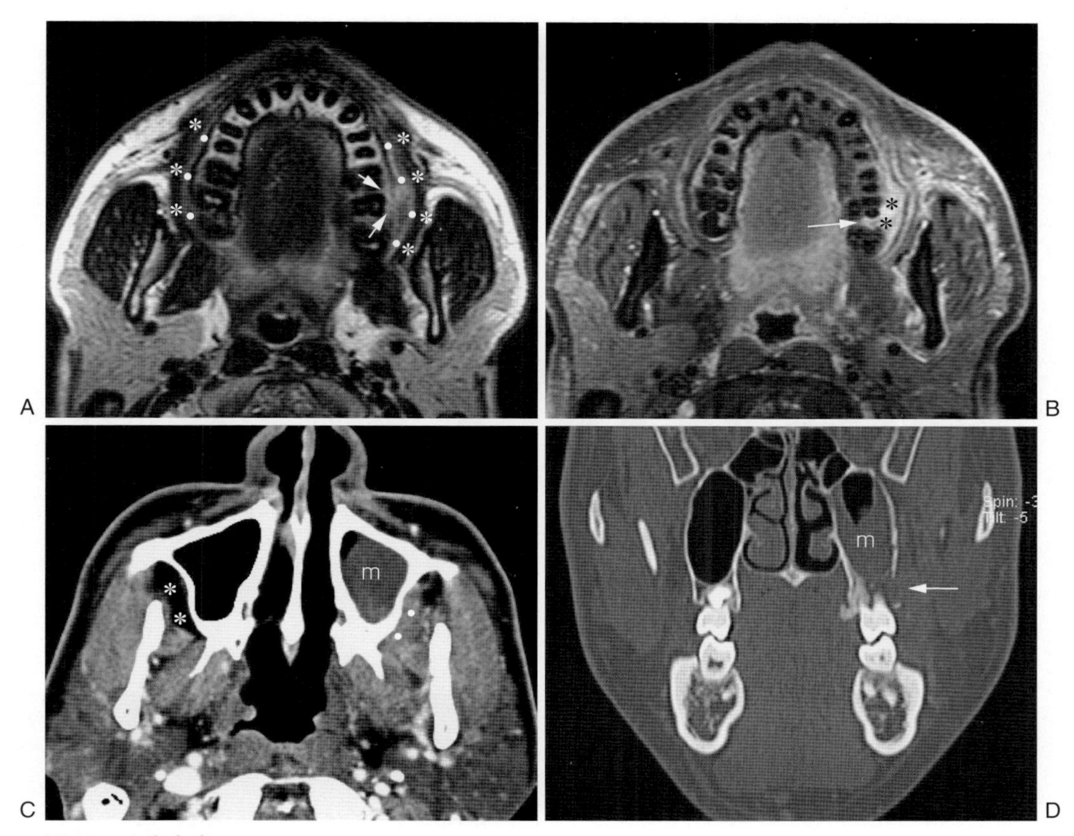

図 29　上歯肉癌

口腔レベル MRI T2 強調横断像(A)において，上顎左第 1 から第 2 大臼歯の頬側歯肉を中心に腫瘤を認め，側方で歯肉頬移行部に膨隆する(矢印)．頬粘膜癌(図 17，24)と異なり，頬粘膜の粘膜下脂肪層(・)，頬筋は圧排のみで浸潤性変化はみられない．造影後 T1 強調脂肪抑制像で同部の歯槽から頬側歯肉にかけて病変による増強効果(*)を認める．同症例の上顎洞レベル造影 CT(C)で病変の頭側進展が左上顎洞後側壁後方に沿った浸潤性軟部濃度(・)として頬間隙脂肪(対側で*で示す)内に認められる．後上歯槽神経に沿った神経周囲進展の可能性が考慮される．上顎洞内には非特異的炎症性軟部濃度(m)あり．骨条件冠状断像(D)では上顎左大臼歯レベルで頬側優位に歯槽骨の破壊(矢印)あり．骨破壊は，炎症性軟部濃度を容れる左上顎洞(m)下壁にも及んでいる．

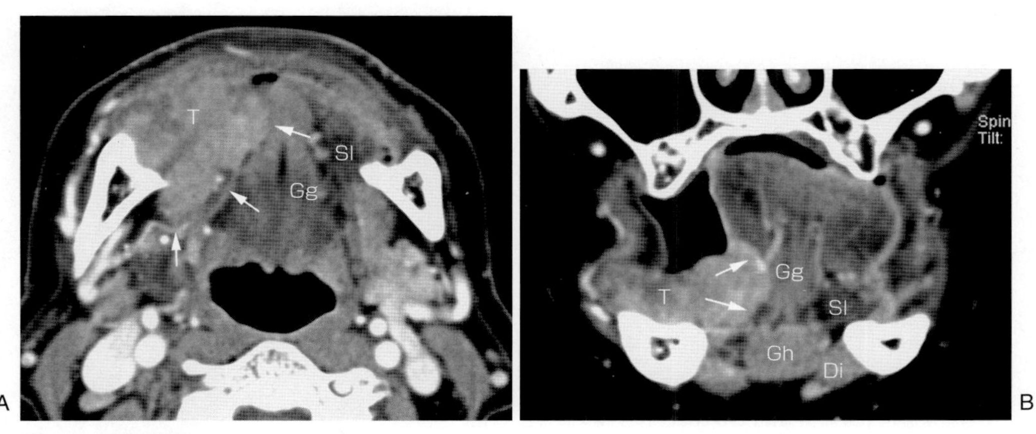

図 30　下歯肉癌

造影 CT 横断像(A)・冠状断(B)において，右下歯肉を中心に浸潤性破壊性腫瘍(T)を認め，内側では右外側口腔底への浸潤(矢印)を示す．Di：顎二腹筋後腹，Gg：オトガイ舌筋，Gh：オトガイ舌骨筋，Sl：(舌下間隙内の)舌下腺

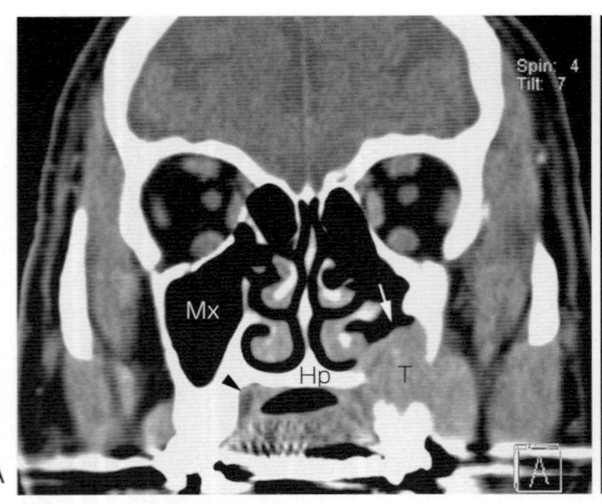

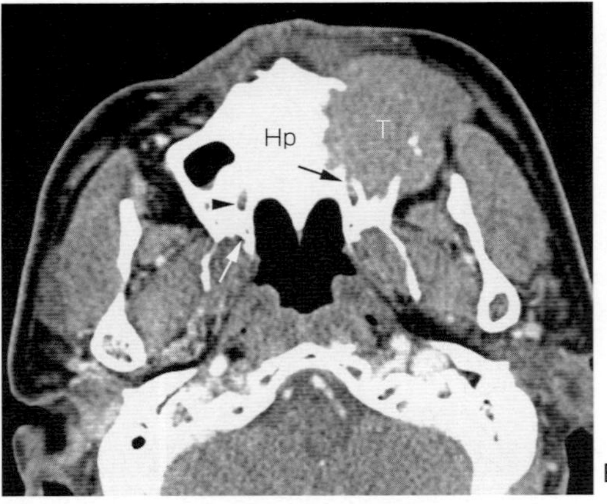

図 31　上歯肉癌

造影 CT 冠状断像(A)において，左上歯肉の浸潤性破壊性腫瘍(T)を認め，頭側では上顎洞(対側で Mx で示す)に進展，内側では硬口蓋(Hp)左外側縁の破壊を伴う．硬口蓋口腔面外側縁に位置する大口蓋神経の走行する溝(対側で矢頭で示す)内部の正常脂肪濃度は腫瘍の軟部濃度に置換されている．横断像(B)で腫瘍(T)は内側で硬口蓋に進展，大口蓋神経管(対側で矢頭で示す)への進入を示す(黒矢印)．白矢印：小口蓋神経管

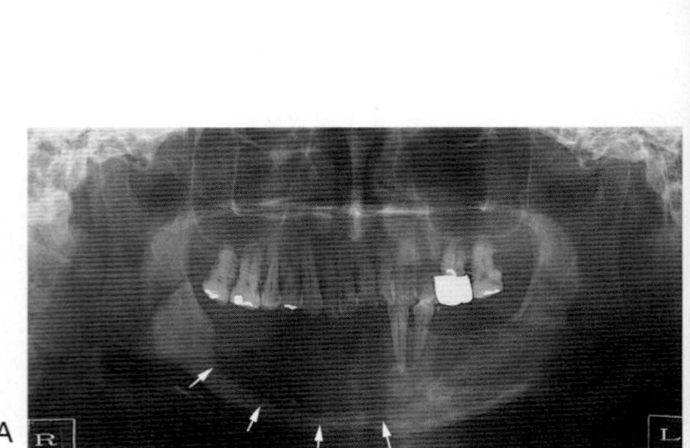

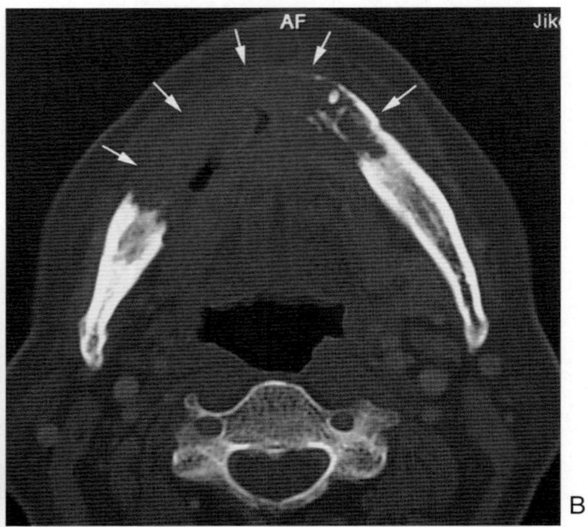

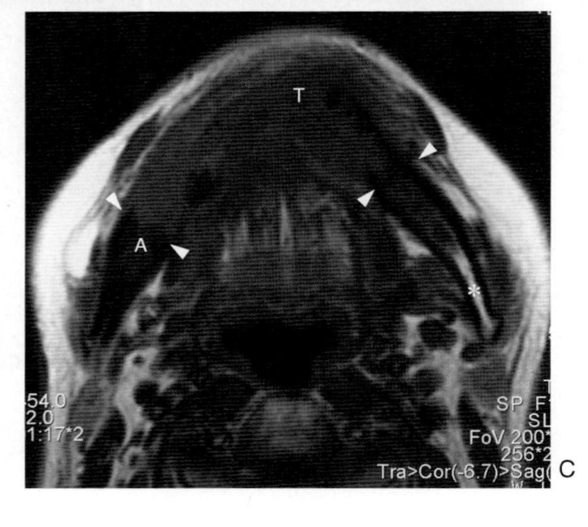

図 32　下歯肉癌

A：panorex view．下顎骨右体部を中心として広範な骨破壊(矢印)を認める．

B：骨条件 CT．下顎骨体部に広範な骨破壊(矢印)あり．

C：MRI T1 強調横断像．骨格筋とほぼ同程度の信号強度を示す浸潤性腫瘍(T)を下歯肉領域中心に認め，CT で確認された骨破壊の境界(矢頭)を越えて右下顎角(A)では骨髄内に浸潤，正常脂肪髄の高信号は腫瘍により置換されている．対側では下顎角の脂肪髄による高信号強度(＊)が保たれている．

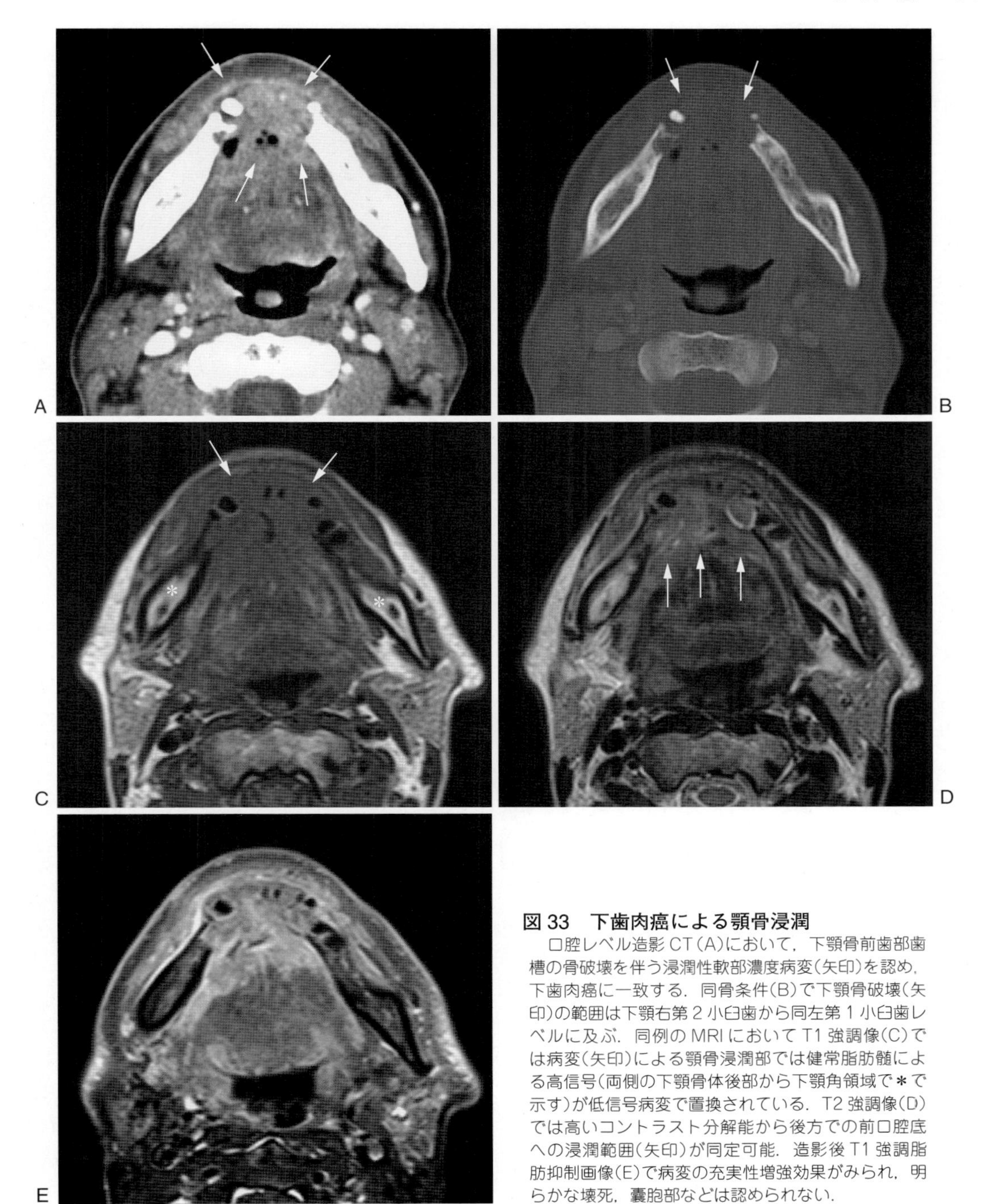

図 33　下歯肉癌による顎骨浸潤

口腔レベル造影 CT（A）において，下顎骨前歯部歯槽の骨破壊を伴う浸潤性軟部濃度病変（矢印）を認め，下歯肉癌に一致する．同骨条件（B）で下顎骨破壊（矢印）の範囲は下顎右第 2 小臼歯から同左第 1 小臼歯レベルに及ぶ．同例の MRI において T1 強調像（C）では病変（矢印）による顎骨浸潤部では健常脂肪髄による高信号（両側の下顎骨体後部から下顎角領域で＊で示す）が低信号病変で置換されている．T2 強調像（D）では高いコントラスト分解能から後方での前口腔底への浸潤範囲（矢印）が同定可能．造影後 T1 強調脂肪抑制画像（E）で病変の充実性増強効果がみられ，明らかな壊死，嚢胞部などは認められない．

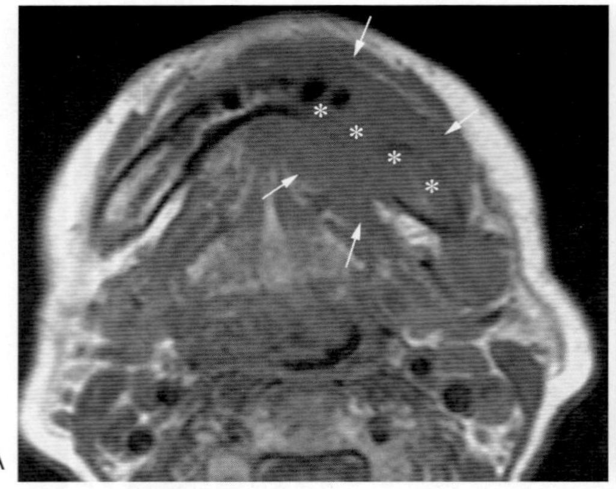
A

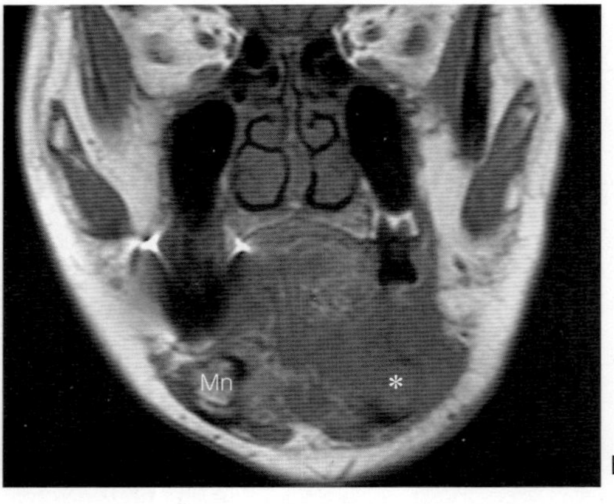

B

図 34　下歯肉癌

MRI T1 強調横断像で，左下歯肉を中心とした浸潤性腫瘍(矢印)を認め，内側は左外側口腔底，外側は歯肉頬移行部に進展を示し，下顎骨左体部への顎骨浸潤により正常脂肪髄の高信号強度は腫瘍の信号に置換されている(＊)．冠状断像(B)で下顎骨左体部(＊)の髄内は腫瘍の信号を示す．右体部(Mn)では正常脂肪髄の高信号強度が保たれている．

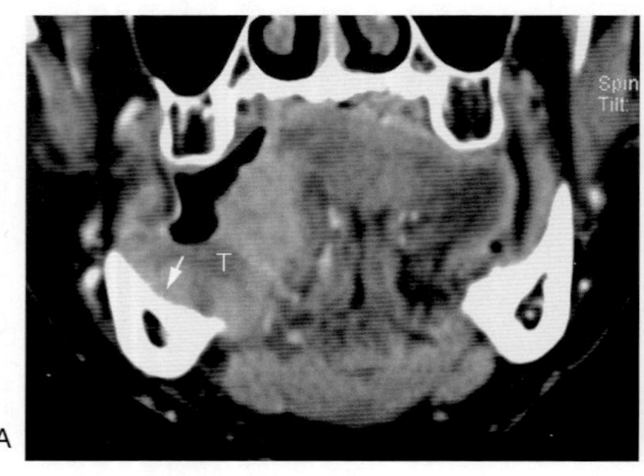

A

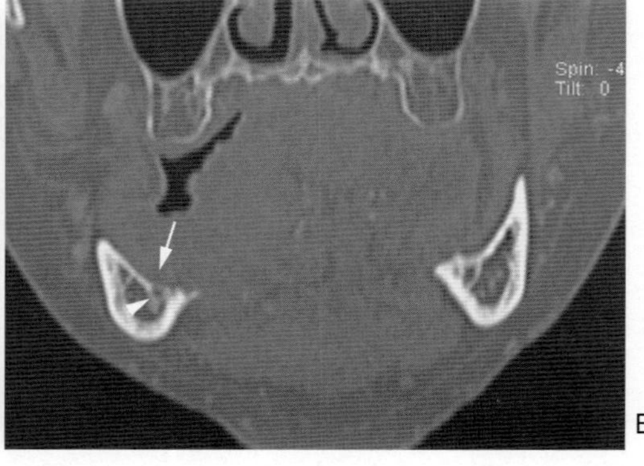

B

図 35　下歯肉癌

図 30 と同一症例．CT 冠状断像(A)で右下歯肉から口腔底に浸潤を伴う腫瘍(T)を認め，下顎骨右歯槽咬合面に接する(矢印)．骨条件表示(B)で無歯牙の歯槽咬合面からの侵食性変化(矢印)を認め，下顎管(矢頭)上面に接する．

1 cm を確保する必要がある．病変の顎骨浸潤は，その程度が術式に直接反映される[48]．上歯肉癌の歯槽突起への限局性浸潤を認める場合(図 28D，29D)は歯槽突起切除(alveolar ridge resection)，下顎骨への直接浸潤はないが腫瘍が顎骨に隣接している場合は mandibular shave あるいは下顎辺縁切除(marginal mandibulectomy)，下顎骨への明らかな浸潤がみられる場合(図 32〜34)は下顎区域切除(segmental mandibulectomy)および compression plate や腓骨などの自家骨移植を用いた再建術が選択されるのが通常である(図 38〜40)．

iii) 臼後部癌(表 6：p336)

下顎枝前面を覆う臼後三角(図 1A)に生じる口腔癌であり，本邦では口腔癌の 1.4％とまれである[57]．臼後三角は下顎第 3 大臼歯(智歯)後面を底辺として頭側の上顎結節を頂点とし，外側は頬粘膜，内側は前口蓋弓(前口蓋弓自由縁は中咽頭に含まれる)に区分される小さな領域をさすが，前口蓋弓，口蓋扁桃，軟口蓋などと近接することから臨床的にも画像上も中咽頭癌と誤認されることもしばしばである．口腔癌と中咽頭癌は治療計画が大きく異なることから両者の区別は重要である[58]．疼痛，(関連痛としての)耳痛，開口障害

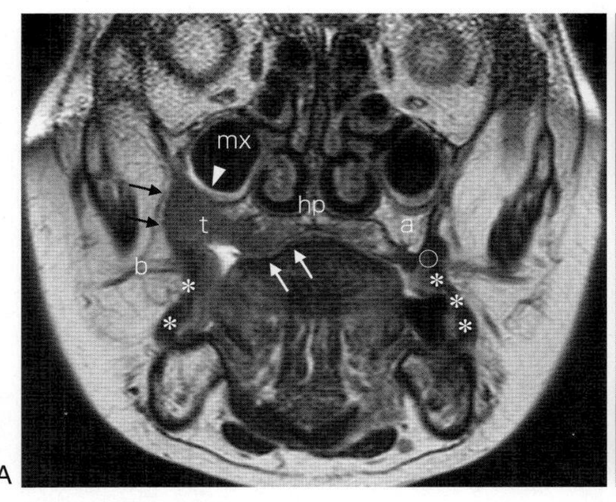

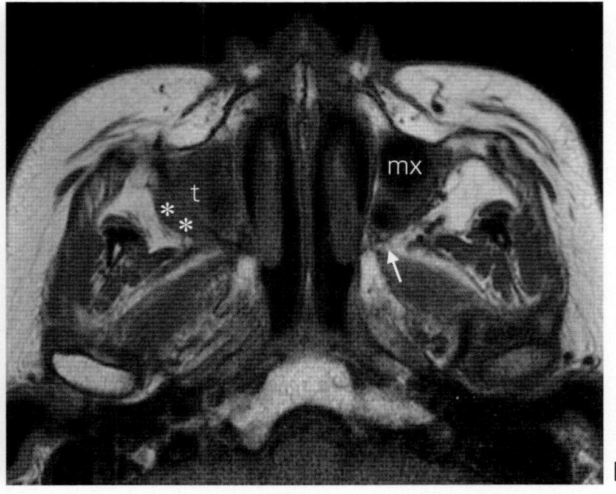

図 36　上歯肉癌

口腔レベルの MRI，T2 強調冠状断像(A)において右上歯肉を中心に浸潤性腫瘤(t)を認める．内側では硬口蓋(hp)口腔面右側に進展(白矢印)，ほぼ正中に達する．頭側では上顎歯槽骨(正常脂肪髄の高信号が保たれた対側歯槽骨を a で示す)への浸潤を示し，さらに上顎洞(mx)粘膜下に到達している(矢頭)．側方では歯肉頬移行部(対側で○で示す)から頬筋(＊)に浸潤するが，同筋外側の筋膜は辛うじて保たれており(黒矢印)，頬間隙(b)への進展は明らかでない．同例の上顎洞下部レベルでの T1 強調横断像(B)で腫瘍(t)は上顎洞(対側で mx で示す)後側壁後面に沿った浸潤(＊)を示し，内側では翼口蓋窩(脂肪層の保たれた対側翼口蓋窩を矢印で示す)への進展あり．後上歯槽神経(V2)に沿った神経周囲進展が示唆される．

などが症状として多い[58]．CT，MRI 横断像において，下顎枝前面と前内側に近接する上顎結節，頬筋との間の脂肪層の消失は(臼後部癌を代表とする)同部浸潤性病変を示唆する(図 41〜43)．粘膜が下顎骨膜および骨に癒着していることから，同部の癌は早期より下顎骨のみならず咀嚼筋間隙などを中心とする周囲深部組織への浸潤性を示すのが特徴とされる[59]．さらに臼後三角は口腔と中咽頭との接点であり複雑な解剖関係から多方向への深部浸潤傾向をもつため診断時に進行病変であることが多く，他亜部位の口腔癌や隣接する口蓋扁桃の癌と比較して予後不良とされる[60〜62]．進展様式(図 44)には特異性があり[63]，後方では翼突下顎間隙(内・外翼突筋と下顎骨との間)(図 45)から内側翼突筋，側方では頬粘膜，頬筋から頬間隙，咬筋，後内側では前口蓋弓から扁桃，上方へは翼突下顎縫線に沿って上顎骨結節，軟口蓋へと浸潤する(図 5，7，43C，46，47)[19]．下方進展は比較的まれであるが，舌下間隙を中心に外側口腔底，さらに顎舌骨筋，顎下間隙に及ぶ[64]．理学的所見のみではこれらの進展範囲は過小評価になる傾向にあり[64]画像での正確な評価が重要である．80％強で前口蓋弓への浸潤を認め，その大部分が口腔，中咽頭の 3 亜部位以上への進展を示す[65]．内側翼突筋への浸潤では開口障害がほぼ必発する．開口障害ではまずは翼突筋浸潤を疑うが，理学的所見が必ずしも正確に進展範囲を反映するものではなく腫瘍に近接する翼突筋の炎症が原因の場合もある[58]．翼突下顎縫線から上顎結節への進展は視診，触診で比較的容易に確認可能であるが[19]，範囲(特に頭側)の特定に画像診断が重要である．翼突下顎縫線の付着部である内側翼状突起からさらに上方の翼口蓋窩，上顎洞後側壁後面に接する脂肪組織(retroantral fat pad)への浸潤では三叉神経第 2 枝の枝である後上歯槽神経に沿った神経周囲進展の危険性を伴う[19](図 47)．また下顎枝内側面の下顎孔に進入する下歯槽神経，第 3 大臼歯近くで下顎骨舌側の骨膜に沿って走行する舌神経(いずれも V3 の枝)は臼後三角に近接しており V3 に沿った神経周囲進展の危険性もある[64]．翼突下顎縫線に沿って下方に進展すると口腔底浸潤を生じる[63]．臼後部癌においても顎骨浸潤は治療方針に大きく影響する重要な因子であるが，組織学的検証による顎骨浸潤の頻度は 14％とされる[66](図 42，43，45〜48)．一方，組織学的に顎骨浸潤の証明される例の 33％で術前の顎骨浸潤同定は困難である[67]．通常，臨床上あるいは画像上，顎骨浸潤が示唆され

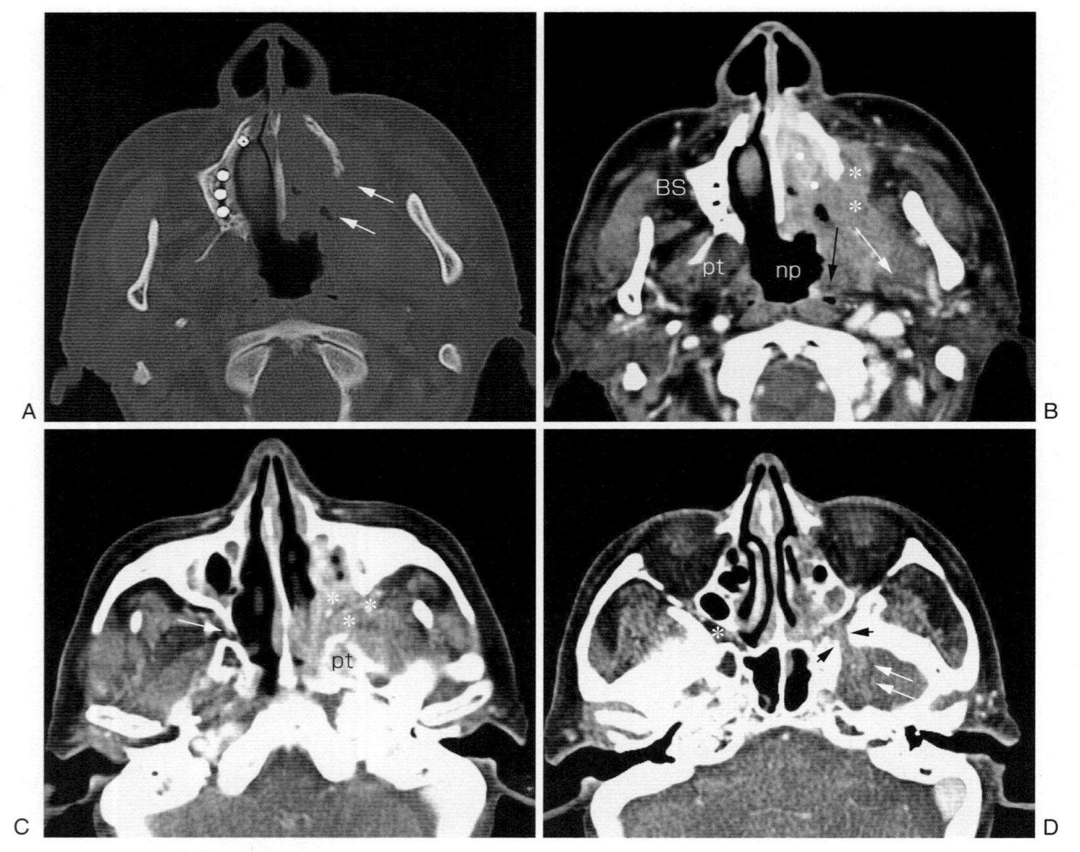

図 37　V2 神経周囲進展を伴う上歯肉癌

上顎歯槽レベル造影 CT 骨条件(A)において左上顎骨(臼歯部)歯槽骨の破壊(矢印)を認める．同軟部条件(B)で左上顎歯槽を中心とする浸潤性破壊性病変(＊)を認め，側方では歯肉頬移行部から頬間隙(対側で BS で示す)，内側では左鼻腔(・)への進展を示す．さらに後側方で咀嚼筋間隙(白矢印)，後方で上咽頭(np)左側壁(黒矢印)への進展を示す．pt：翼突筋．上顎洞レベル(C)では病変(＊)は(V2 本幹の位置する)翼口蓋窩(対側で矢印で示す)から上顎洞後方を占拠する．翼状突起基部(pt)は粗造な骨硬化を示しており腫瘍の頭蓋底浸潤を示唆する．下眼窩裂レベル(D)において下眼窩裂(対側で＊で示す)から V2 本幹に沿って拡大した正円孔(黒矢印)を介した頭蓋内への神経周囲進展を伴う．

た場合，下顎骨区域切除の適応と考えられる．

頸部リンパ節転移は予後不良因子であり，初診時に 39%で認められ[66]，顎下リンパ節(レベルⅠB)，上・中内深頸リンパ節(レベルⅡ，Ⅲ)への転移が多く，副神経リンパ節(レベルⅤ)領域はほとんどみられない[19]．ときに耳下腺近傍のリンパ節，咽頭後リンパ節転移をきたしうる[68]．病理学的な頸部リンパ節陽性は 50%程度である[69]．通常は同側に限られ，対側頸部転移は比較的まれである．

画像診断として CT と MRI が相補的であるが，まず造影 CT が行われるのが通常で骨条件表示を加える．CT は顎骨浸潤の有無・程度などを含めた原発部位の評価，頸部リンパ節病変の評価に有用である．筋肉への浸潤の有無・程度，軟部組織への進展，骨髄内病変の進展，神経周囲進展の評価には必要に応じて MRI (図 49)が施行される．CT における顎骨浸潤診断の信頼性に関してはさまざまな報告があり，意見が分かれる．Lane らの報告では CT は顎骨浸潤陽性例の評価に関しては有用であり(PPV = 90%)，CT 所見陽性の場合は顎骨浸潤を強く示唆する(偽陽性率は低い)が，感度は比較的低い(50%)としている[59]．このことから CT の顎骨浸潤の評価では偽陰性が問題となる(図 43，45)．MRI では T1 強調像で正常脂肪髄の高信号の消失，造影後 T1 強調脂肪抑制画

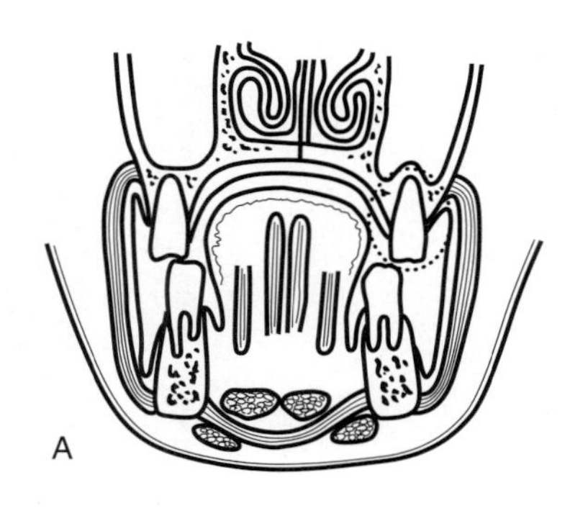

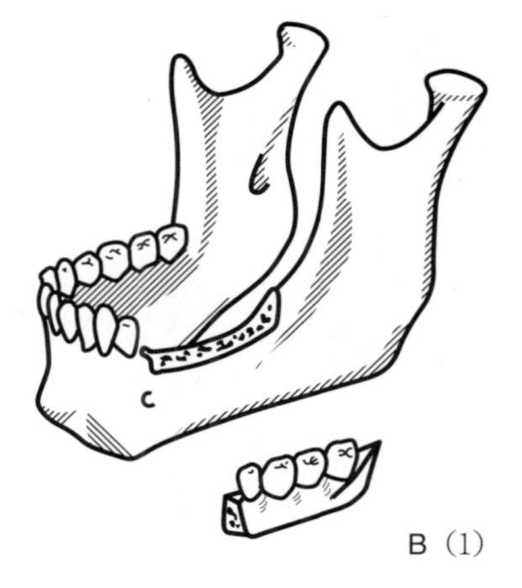

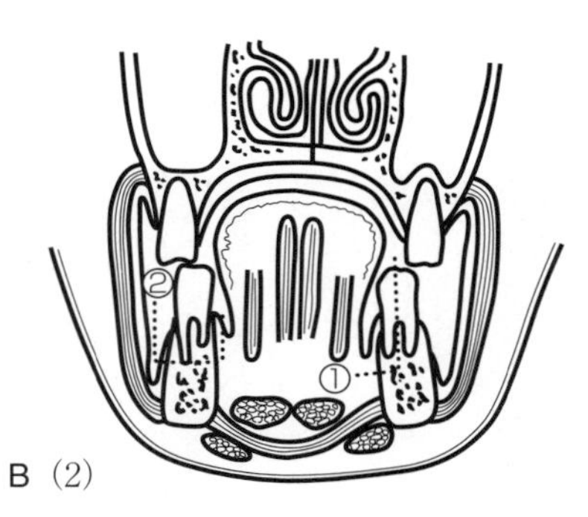

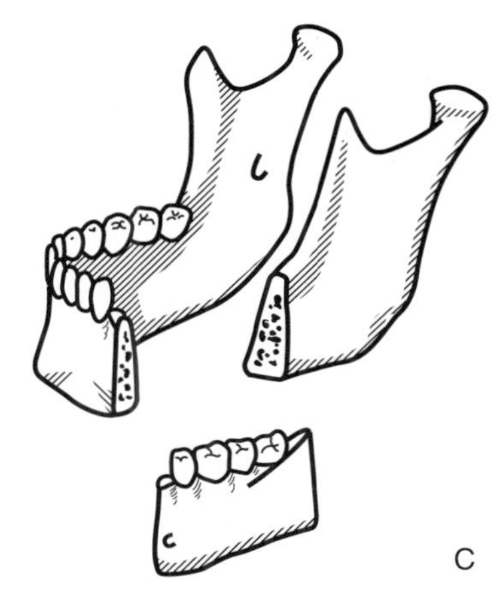

図 38　顎骨切除術式．シェーマ

A：上顎歯槽突起切除術(alveolar ridge resection)．切除範囲を点線で示す．

B：下顎辺縁切除(marginal mandibulectomy)．(1)；切除範囲を示す．(2)；①は vertical cut，②は horizontal cut による切除範囲を示す．

C：下顎区域切除(segmental mandibulectomy)：切除範囲を示す．

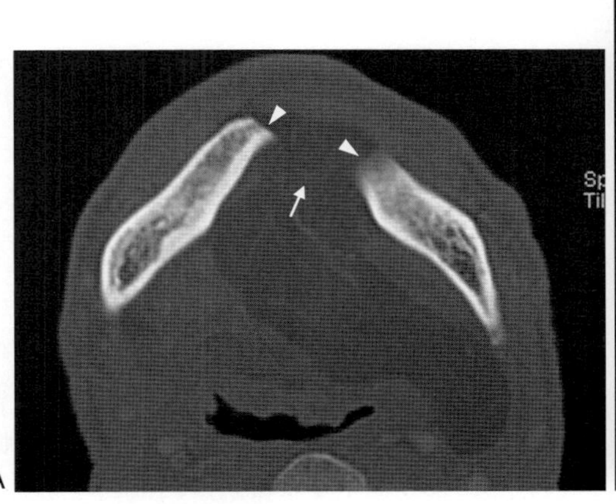

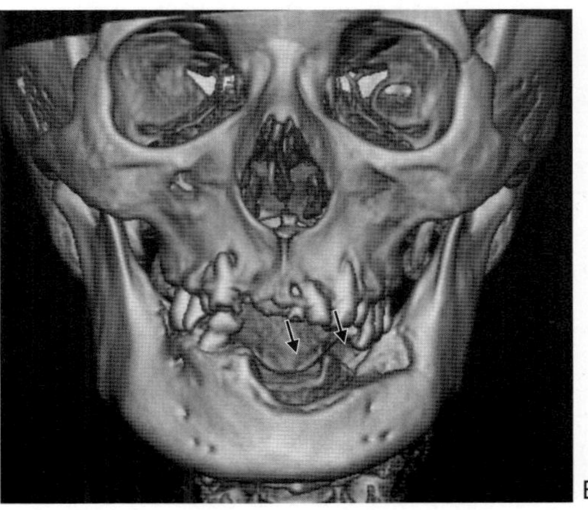

図 39　下顎辺縁切除術後

A：CT 横断像骨条件表示．下顎骨前歯部歯槽で辺縁(矢頭)鮮明な欠損(矢印)を認める．

B：同例の 3D 表示．下顎骨前歯部歯槽の術後骨欠損(矢印)を認めるが，同部での下顎骨連続性は保たれている．

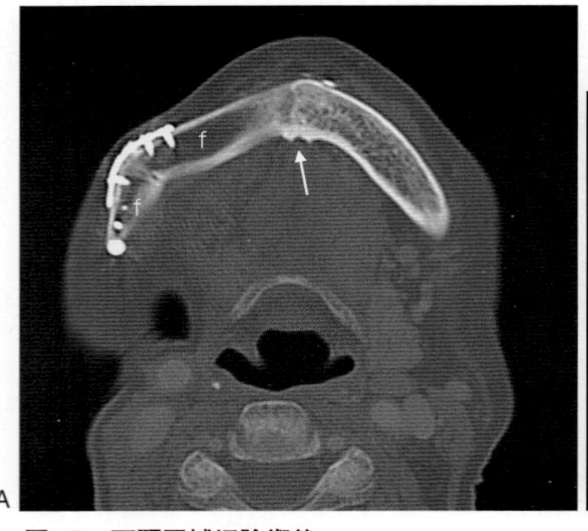

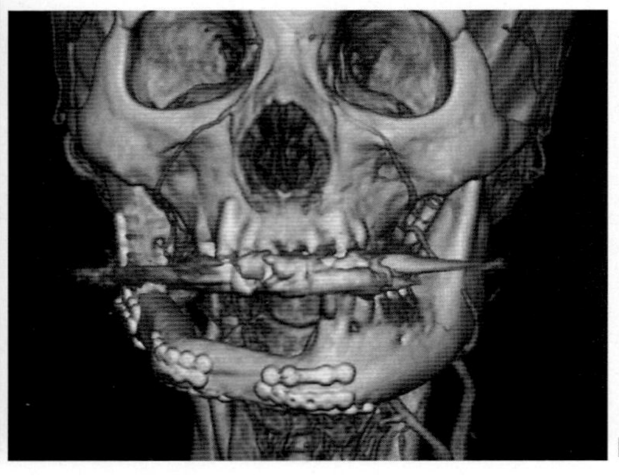

図 40　下顎区域切除術後

A：CT 横断像骨条件表示．オトガイ部(矢印)において下顎骨右体部は切除後．欠損部は腓骨による自家骨(f)で再建，金属プレート，ミニスクリューにより固定されている．

B：同例の 3D 表示．

表 6　臼後部癌での重要な画像評価項目

前方進展	頬粘膜・頬筋
後方進展	下顎枝(T4a) 下顎管・下歯槽神経 咀嚼筋間隙(T4b)
頭側進展	翼突下顎縫線 上顎結節(T4a)・上歯肉 翼口蓋窩・V2
尾側進展	下顎骨(T4a)・下歯肉 下歯槽神経〔V3〕
内側進展	外側口腔底 翼突下顎縫線 前口蓋弓・口蓋扁桃
側方進展	頬間隙
神経周囲進展	下歯槽神経〔V3〕 V2(本幹)
その他	大きさ：T1〜3 病期に関連 重複癌の有無
N 因子	主に同側のレベルⅠ，Ⅱ，Ⅲ

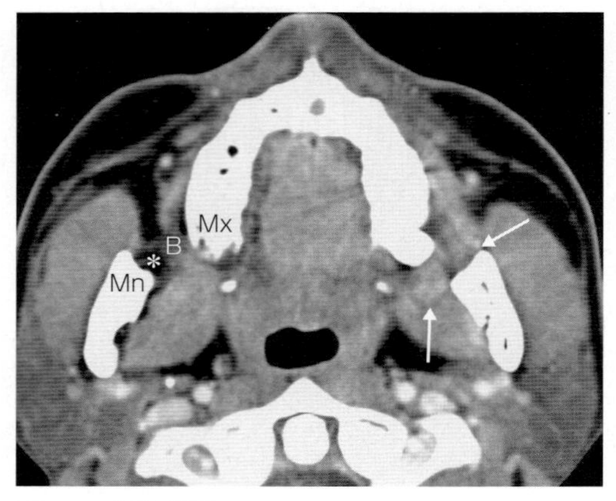

図 41　臼後部癌

横断 CT において，健側である右側では下顎骨上行枝(Mn)と上顎結節(Mx)，これを覆う頬筋(B)との間に脂肪層(＊)を認め，臼後三角の粘膜下脂肪層を示す．左側では同脂肪層を置換する軟部濃度病変(矢印)を認め，臼後部癌に一致する．

像での顎骨内の増強効果などにより診断されるが，CT よりも感度は高く，正診率は 86%とされる[58]．臼後部は(喉頭の前交連と同様に)粘膜下組織に乏しく下顎枝前面の骨に接することから早期より顎骨浸潤をきたす．顎骨切除の要否，術式選択などに大きな影響を与えるため，CT で顎骨浸潤の所見陰性であっても MRI 評価が強く推奨される(図 43，45，50)．また口腔レベルの CT はしばしば金属アーチファクトによる画質劣化が問題となる．

臼後部癌では T 分類と局所制御率との相関は弱いが[70]，T4 病変は明らかに低い局所制御率を示す．これは T1〜3 病変(**表 1**：p320)は腫瘍の大きさにより規定されるが，臼後三角癌は比較的表層性浸潤の傾向を示すため，腫瘍容積を反映していないことによると考えられる．T1〜2 病変に

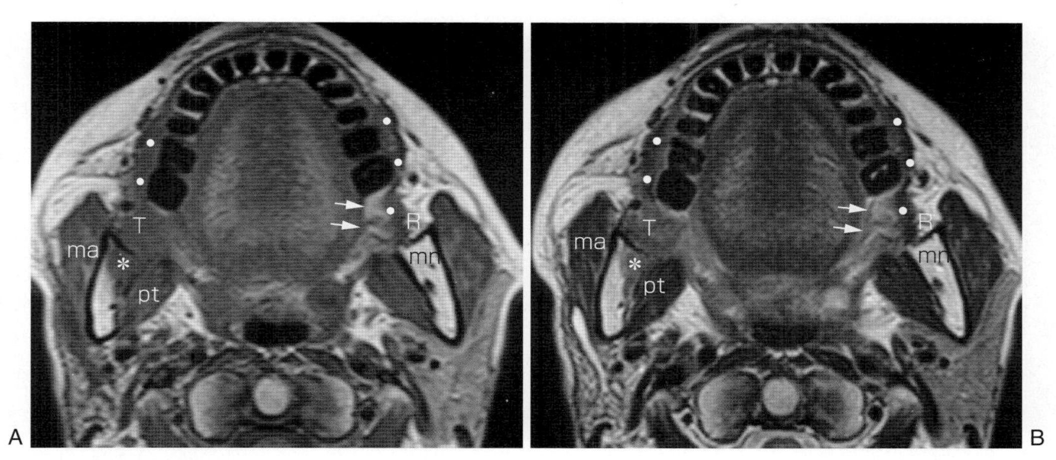

図 42 臼後部癌

口腔レベル MRI T1 強調(A)および T2 強調(B)横断像において，右臼後三角(対側で R で示す)に腫瘤(T)を認め，頬筋(・)と下顎枝前面(mn)との間の脂肪層消失がみられ浸潤性病変であることを示し，臼後部癌に一致する．上顎結節後方の粘膜下脂肪層(対側で矢印で示す)にも浸潤あり．後方に隣接する下顎枝前方 3 分の 1 の脂肪髄の高信号は低信号病変(＊)に置換しており顎骨浸潤を反映する．

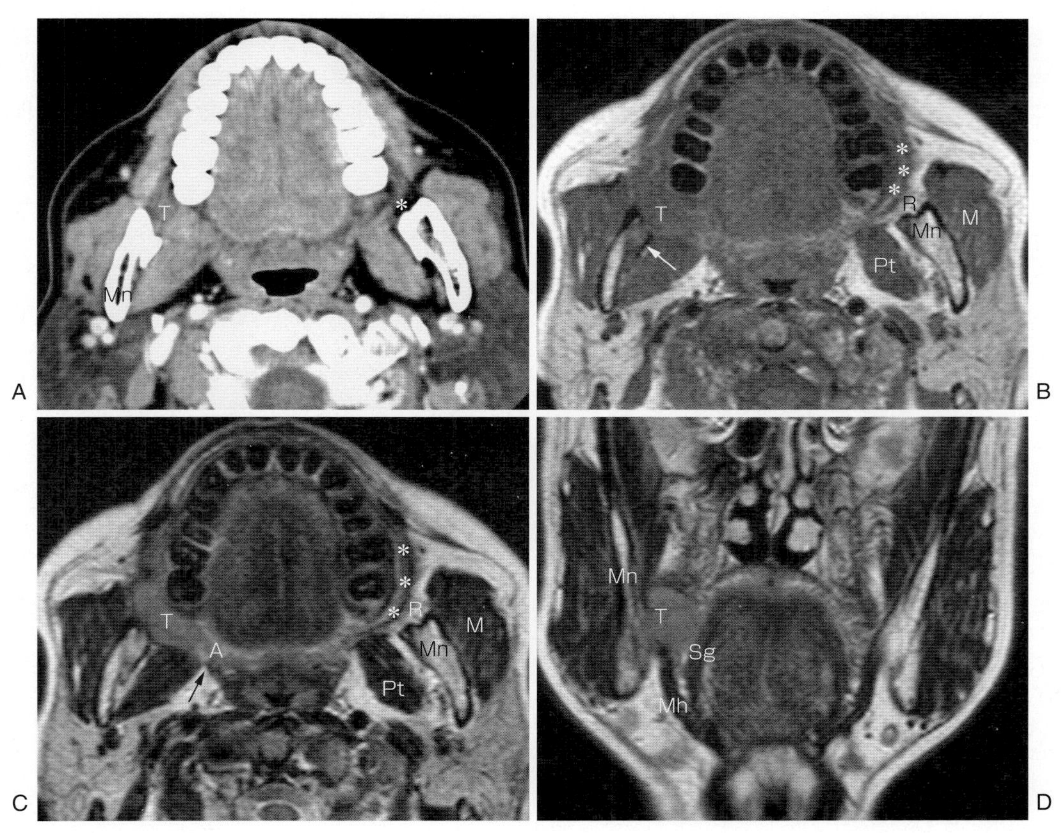

図 43 臼後部癌

横断 CT(A)で，右臼後部での粘膜下脂肪層(対側で＊で示す)の消失を認め，臼後部癌(T)の浸潤を反映する．後方に隣接する下顎骨右上行枝前面(Mn)には破壊は認められないが，硬化性変化あり(対側と比較)．MRI T1 強調(B)・T2 強調横断像(C)で，健側の左側では頬筋(＊)，臼後部粘膜下脂肪(R)，下顎骨上行枝(Mn)の正常解剖はより明瞭に同定可能．右側では同部に浸潤性腫瘍(T)を認め，T1 強調像(B)では下顎骨右上行枝前面への顎骨浸潤(矢印)が信号異常域として描出されている．A：前口蓋弓，M：咬筋，Pt：翼突筋，矢印：翼突下顎縫線．T2 強調冠状断像(D)における，臼後部の腫瘍(T)．Mh：顎舌骨筋，Mn：下顎骨上行枝，Sg：茎突舌筋・舌骨舌筋

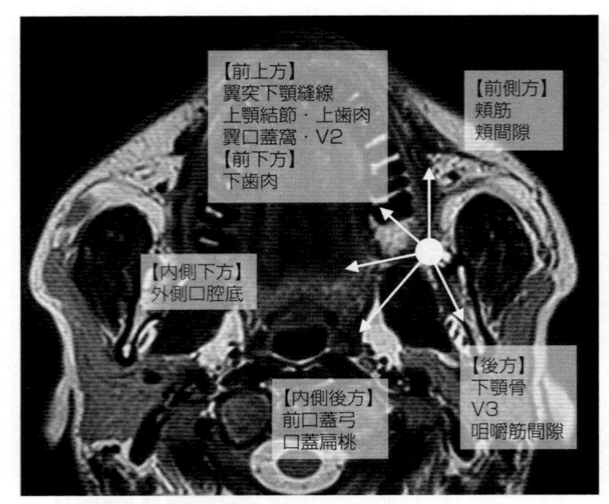

図 44　臼後部癌の進展様式
T2 強調横断像.

おける局所制御率は外科的治療，放射線治療ともに，ほぼ同程度である[66]．経口的切除の選択は表層性で境界鮮明な早期病変に限る．pull-through 法がとられる場合が多いが，病変の進展範囲により十分な術野を得るために lip splitting アプローチあるいは midline mandibulotomy を加える，または transcervical アプローチなどが必要となる例もある．切除縁は 1.5 cm を確保する．顎骨浸潤は術式に反映され，顎骨癒着のみられる(明らかな顎骨浸潤のない)早期病変では marginal mandibulectomy，進行病変あるいは明らかな顎骨浸潤のある病変では segmental mandibulectomy が選択される(図 38)．下顎骨切除範囲は通常，前方はオトガイ孔から後方の下顎切痕までの間で，画像所見などをもとに決定される．CT，MRI による進展範囲の評価は重要であり，頭蓋底浸潤，頭蓋内進展，上咽頭進展，椎前筋浸潤は切除不能(T4b)である．また，切除不能な頸部病変も外科的局所治療の適応の判断において重要な要素である．放射線治療の選択では，埋伏智歯のある患者は放射線骨壊死の危険性を軽減するために照射前の抜歯を考慮する．埋伏智歯，齲歯などの確認にも CT は有用である(図 8，9)．放射線治療単独よりも，放射線治療に外科的治

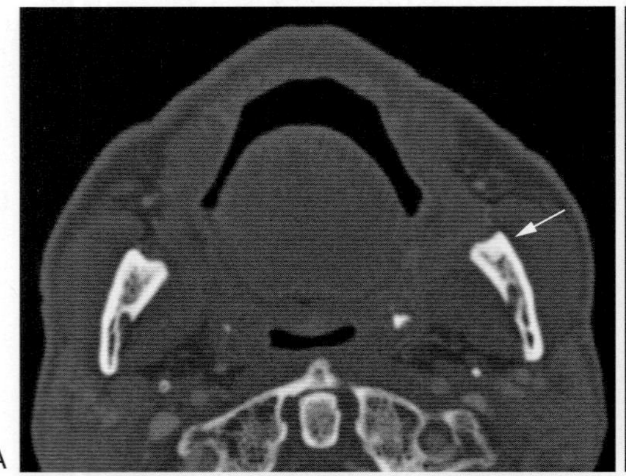

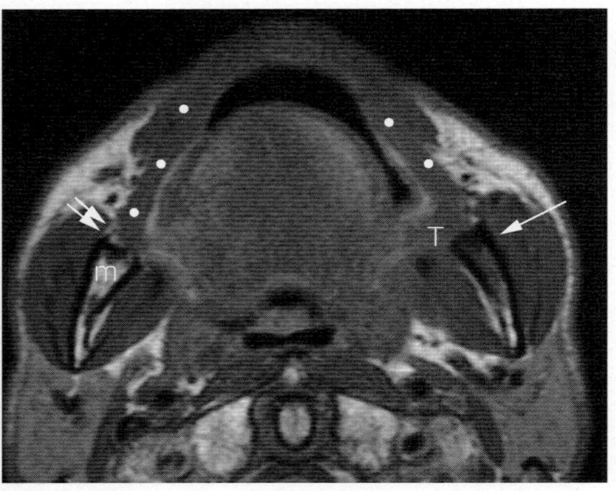

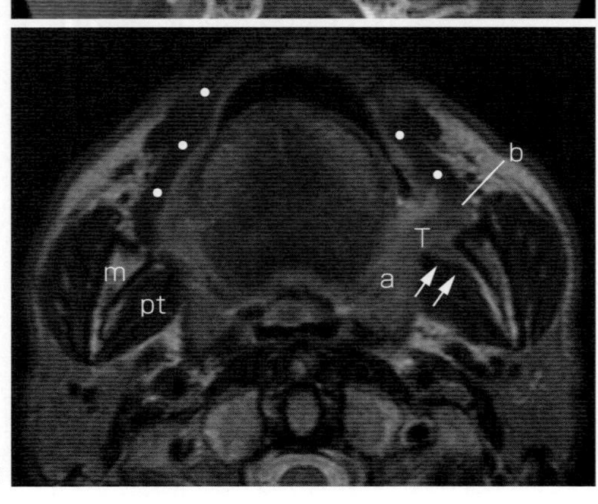

図 45　顎骨浸潤，翼突下顎間隙進展を伴う左臼後部癌

口腔レベル CT 骨条件(A)．左臼後部癌に接する左下顎枝(矢印)に明らかな破壊など，積極的に顎骨浸潤を支持する所見は明らかでない．MRI T1 強調像(B)において，左側では頬筋(・)と下顎枝(対側で m で示す)との間の脂肪層(対側で小矢印で示す)は消失しており，同部の浸潤性腫瘍(T)を示唆する．隣接する下顎枝の前方 3 分の 2 で正常脂肪髄の高信号は消失(大矢印)しており顎骨浸潤を示唆する．T2 強調像(C)で臼後部病変(T)はやや高信号強度を呈し，同部で頬筋(・)に相当する低信号帯は消失し左頬粘膜後方部(b)への進展を示す．さらに後方では翼突筋(対側で pt で示す)と下顎枝(対側で m で示す)との間の翼突下顎間隙への進展(矢印)，内側後方では前口蓋弓(a)に沿った進展もみられる．

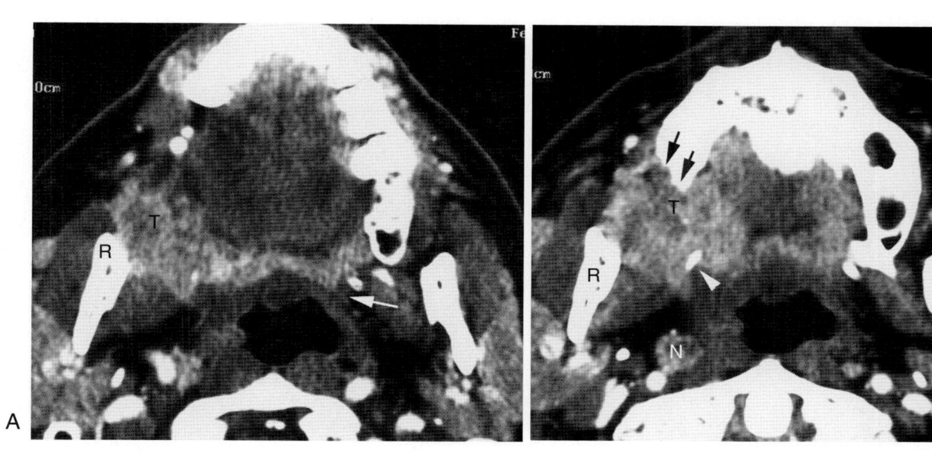

図 46　臼後部癌

A：口腔レベル造影 CT．右下顎枝(R)前方に接して浸潤性腫瘍(T)を認め，後内側では翼突下顎縫線(対側で矢印で示す)方向に進展を示す．

B：硬口蓋レベル．腫瘍(T)は上顎結節を破壊(矢印)，翼突下顎縫線の付着部である内側翼突板の翼突鈎(矢頭)周囲に及ぶ．また，同側の Rouvière リンパ節転移陽性(N)．R：下顎枝

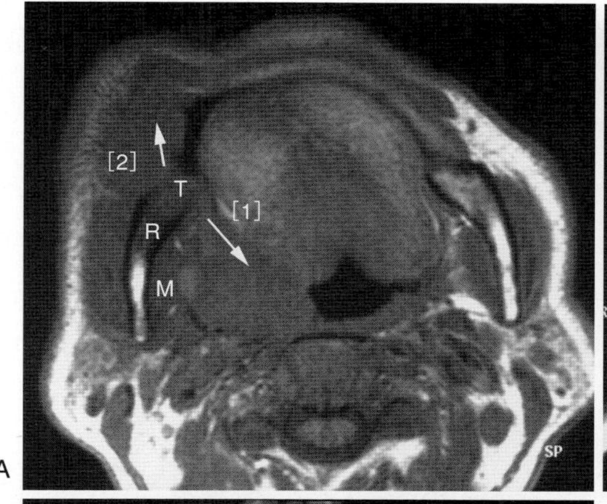

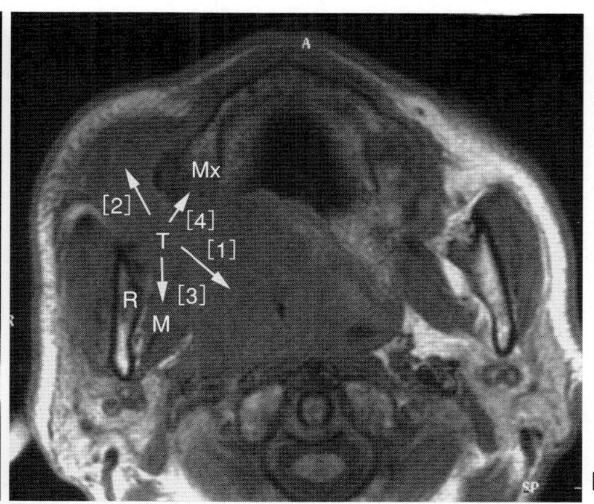

図 47　臼後部原発の進行癌

A：MRI T1 強調横断像口腔レベル．右下顎骨枝(R)前方の臼後部を中心とした浸潤性腫瘍(T)を認める．下顎枝前縁では正常脂肪髄の高信号が消失しており，腫瘍の顎骨浸潤を示す．腫瘍は後内側では前口蓋弓[1]，前側方では頬間隙[2]に向かう進展を示す．M：内側翼突筋

B：口蓋レベル．腫瘍(T)は後内側では前口蓋弓から軟口蓋[1]，前側方では頬間隙[2]，後方では内側翼突筋(M)，すなわち咀嚼筋間隙[3]，上前方では上顎結節(Mx)[4]に向かう進展を示す．下顎骨枝および上顎結節では信号変化，侵食を認め，腫瘍の骨浸潤を反映している．

C：上咽頭レベル．腫瘍(T)は外側翼突筋(対側で LM として示す)を含む咀嚼筋間隙を中心に進展している．三叉神経第 3 枝の領域(対側で矢頭で示す)は腫瘍により浸潤を受けており，これに沿った神経周囲進展の危険性を示す．右上顎洞(Mx)後側壁の後面に沿った軟部組織の肥厚(矢印)を認め，三叉神経第 2 枝である後上歯槽神経に沿った神経周囲進展を示している．

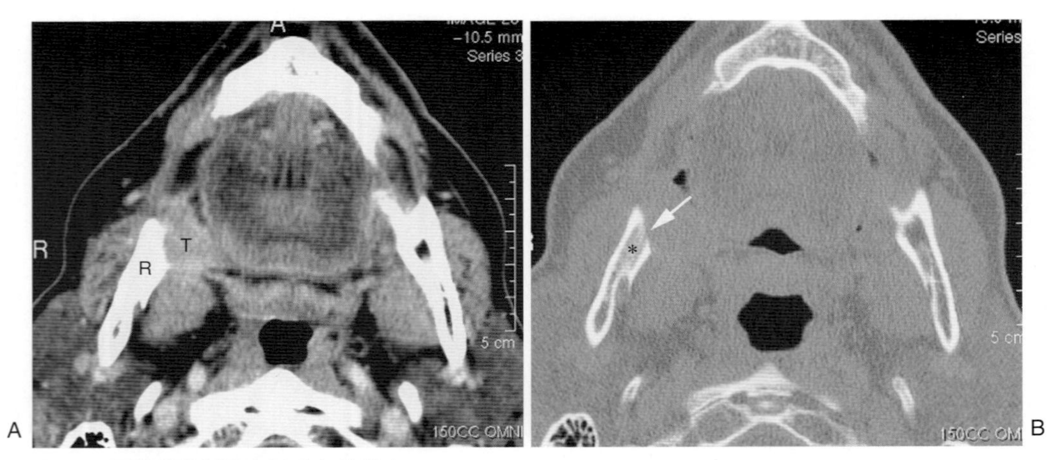

図 48　早期顎骨浸潤を示す臼後部癌

A：造影 CT．臼後部に浸潤性腫瘍(T)を認める．R：下顎枝

B：同レベル，骨条件表示．下顎骨枝前縁の骨皮質は消失しており(矢印：対側との比較で明瞭)，比較的早期の顎骨浸潤に一致する．また，骨髄腔は反応性に軽度硬化性変化(＊：これも対側との比較で明瞭)を示している．

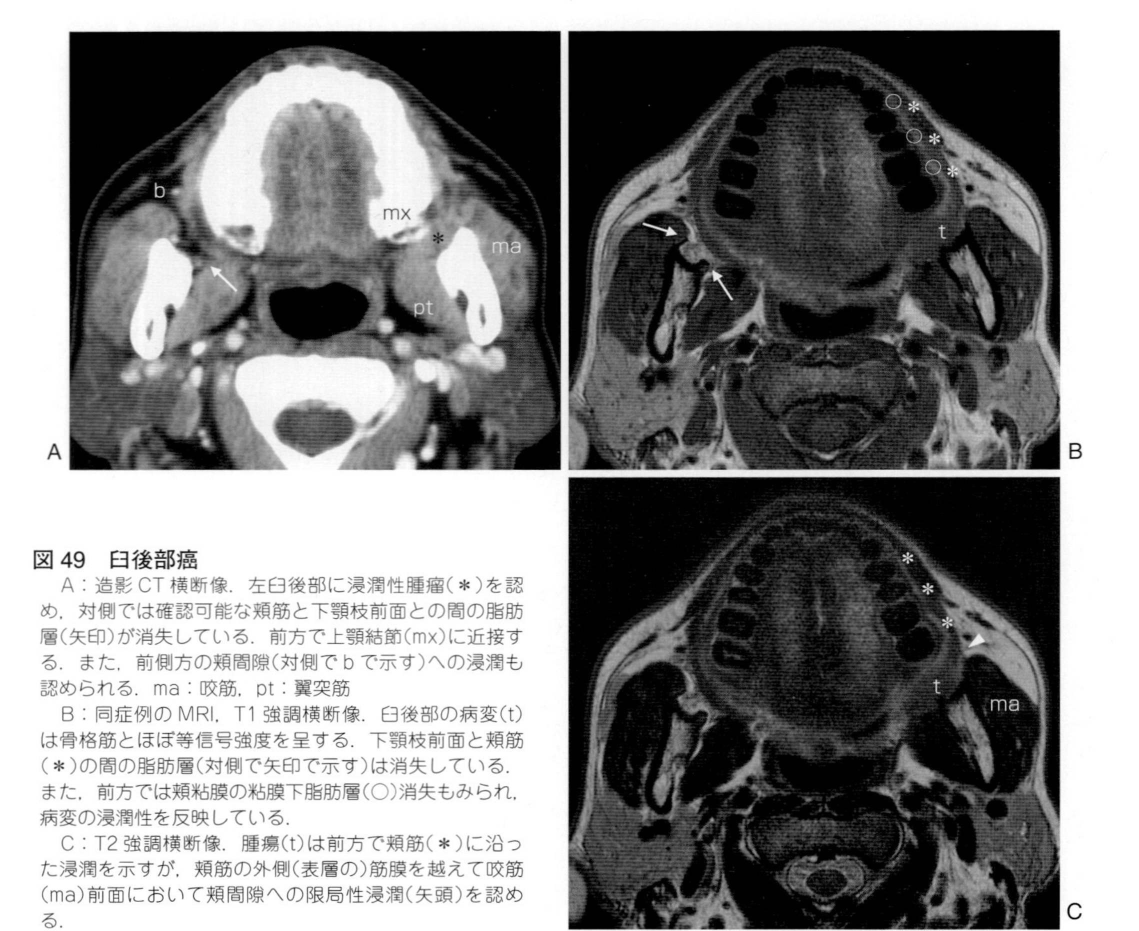

図 49　臼後部癌

A：造影 CT 横断像．左臼後部に浸潤性腫瘤(＊)を認め，対側では確認可能な頬筋と下顎枝前面との間の脂肪層(矢印)が消失している．前方で上顎結節(mx)に近接する．また，前側方の頬間隙(対側で b で示す)への浸潤も認められる．ma：咬筋，pt：翼突筋

B：同症例の MRI，T1 強調横断像．臼後部の病変(t)は骨格筋とほぼ等信号強度を呈する．下顎枝前面と頬筋(＊)の間の脂肪層(対側で矢印で示す)は消失している．また，前方では頬粘膜の粘膜下脂肪層(○)消失もみられ，病変の浸潤性を反映している．

C：T2 強調横断像．腫瘍(t)は前方で頬筋(＊)に沿った浸潤を示すが，頬筋の外側(表層の)筋膜を越えて咬筋(ma)前面において頬間隙への限局性浸潤(矢頭)を認める．

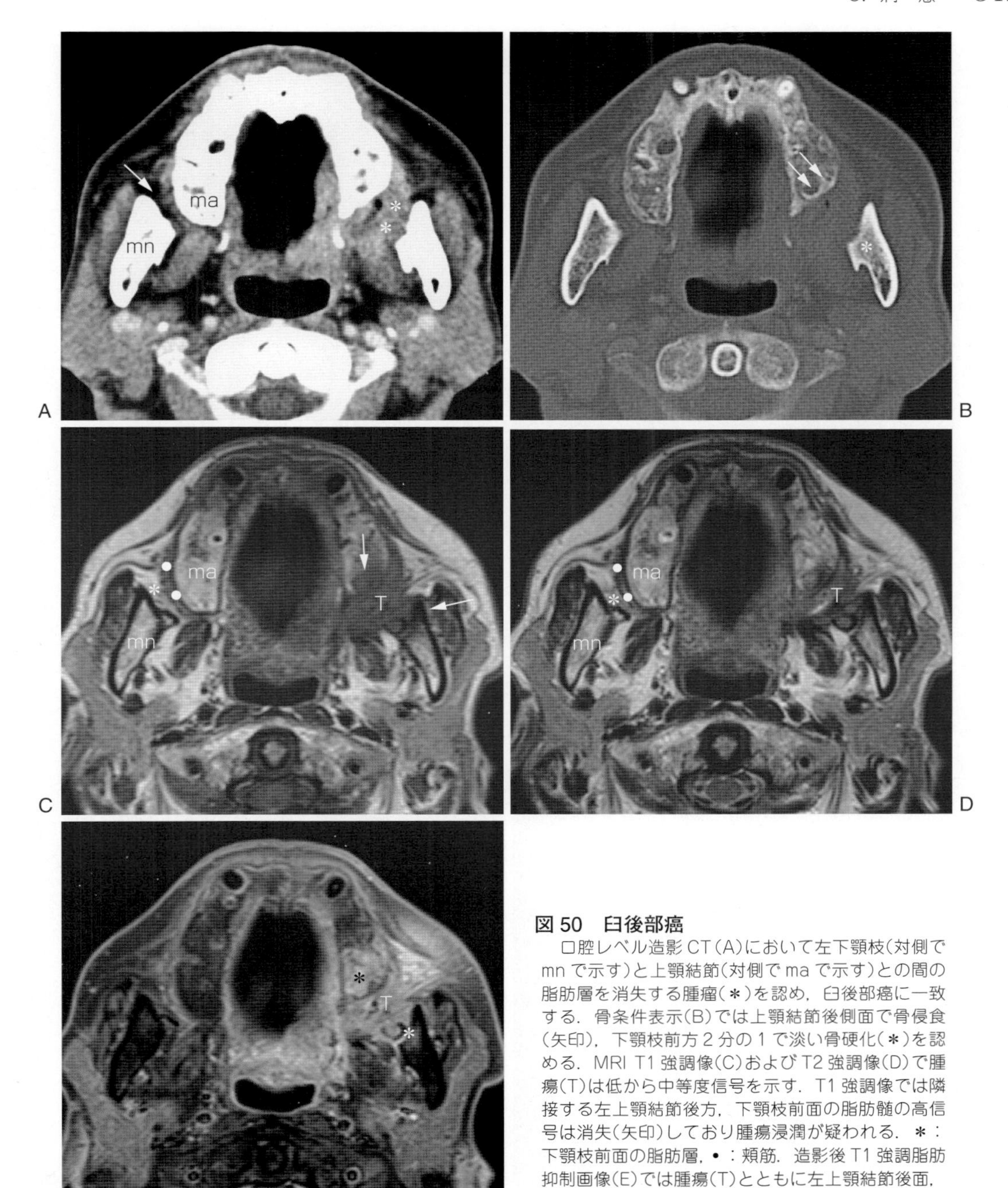

図 50　臼後部癌

口腔レベル造影 CT(A)において左下顎枝(対側で mn で示す)と上顎結節(対側で ma で示す)との間の脂肪層を消失する腫瘤(*)を認め，臼後部癌に一致する．骨条件表示(B)では上顎結節後側面で骨侵食(矢印)，下顎枝前方 2 分の 1 で淡い骨硬化(*)を認める．MRI T1 強調像(C)および T2 強調像(D)で腫瘍(T)は低から中等度信号を示す．T1 強調像では隣接する左上顎結節後方，下顎枝前面の脂肪髄の高信号は消失(矢印)しており腫瘍浸潤が疑われる．*：下顎枝前面の脂肪層，•：頬筋．造影後 T1 強調脂肪抑制画像(E)では腫瘍(T)とともに左上顎結節後面，下顎枝前方部分も増強効果(*)を示している．

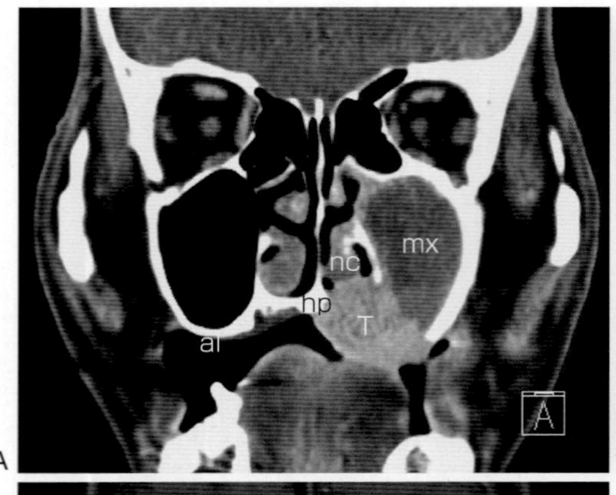

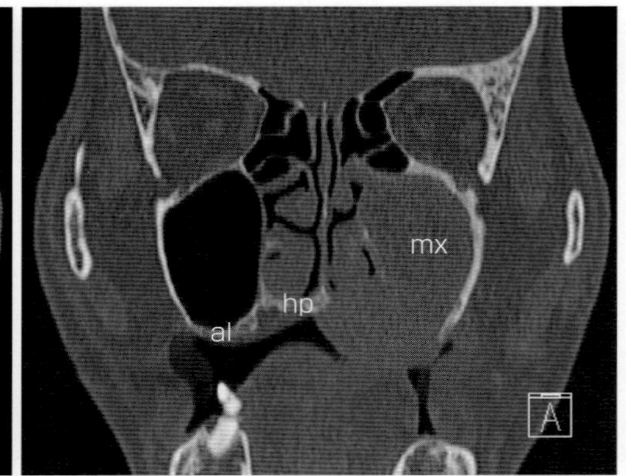

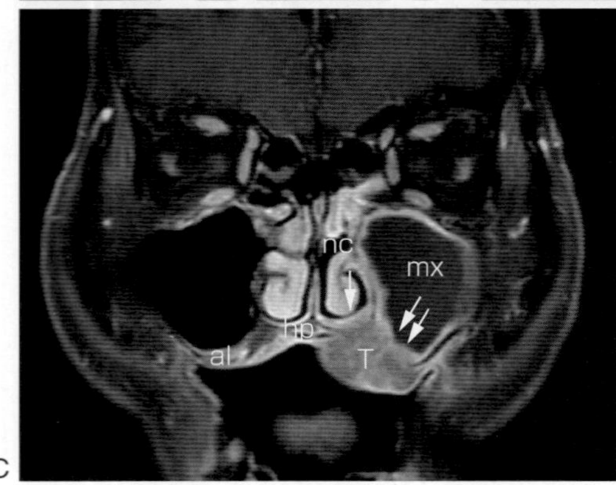

図 51　硬口蓋扁平上皮癌

口腔レベルの造影 CT 冠状断像(A)において硬口蓋左側から左上顎歯槽部にかけて浸潤性軟部濃度腫瘤(T)を認め，上内側では左鼻腔(nc)下部，頭側は左上顎洞(mx)下部に進展あり．内側は硬口蓋のほぼ正中に及ぶ．左上顎洞は二次性液体貯留を示す．骨条件表示(B)で硬口蓋(hp)左側，左上顎洞(mx)内側壁下部，歯槽突起(対側で al で示す)の骨破壊を伴う．左上顎洞は長期炎症に伴い壁の肥厚・硬化を示す．MRI 造影後 T1 強調脂肪抑制画像(C)で腫瘍(T)は充実性増強効果を示す．病変は内頭側で左鼻腔(np)底部，外側上部で左上顎洞(mx)下壁の粘膜への浸潤を示す．内側は硬口蓋(hp)の左 2 分の 1 を侵すが対側進展はみられない．al：上顎骨歯槽突起．

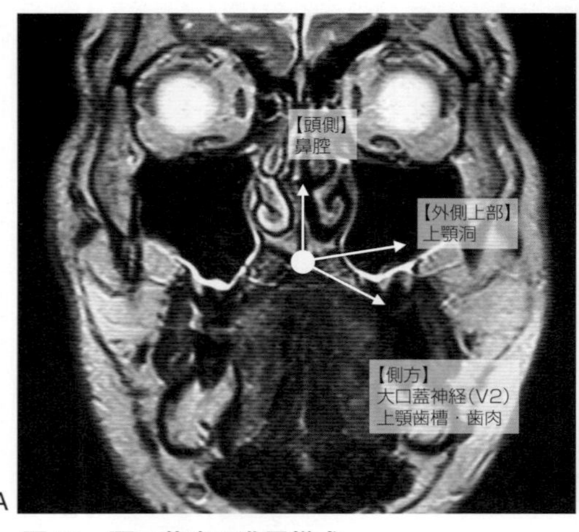

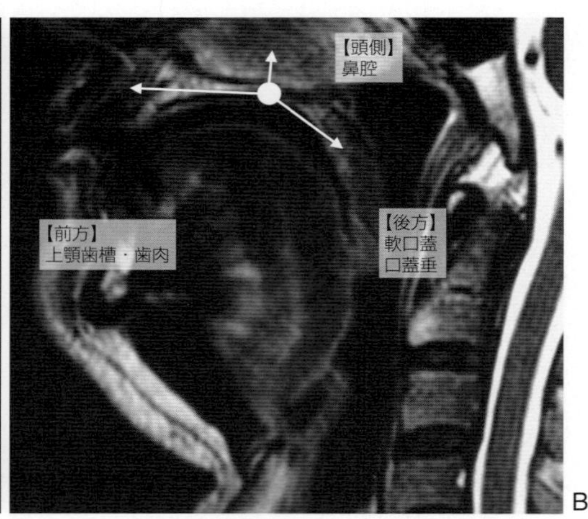

図 52　硬口蓋癌の進展様式

A：T2 強調冠状断像．
B：T2 強調矢状断像．

療，化学療法を組み合わせたほうが局所制御率，生存率ともに有意に高いとされる[71]．頸部転移陽性例では頸部郭清術が施行されるが，N0 でも 38％で潜在的転移が認められ[66]，患側 supraomohyoid neck dissection(レベルⅠ，Ⅱ，Ⅲを対象とする選択的頸部郭清術)による予防的郭清術の施行が考慮される．対側頸部転移はまれである[65]．深達度 4 mm 以上で予防的頸部郭清術が

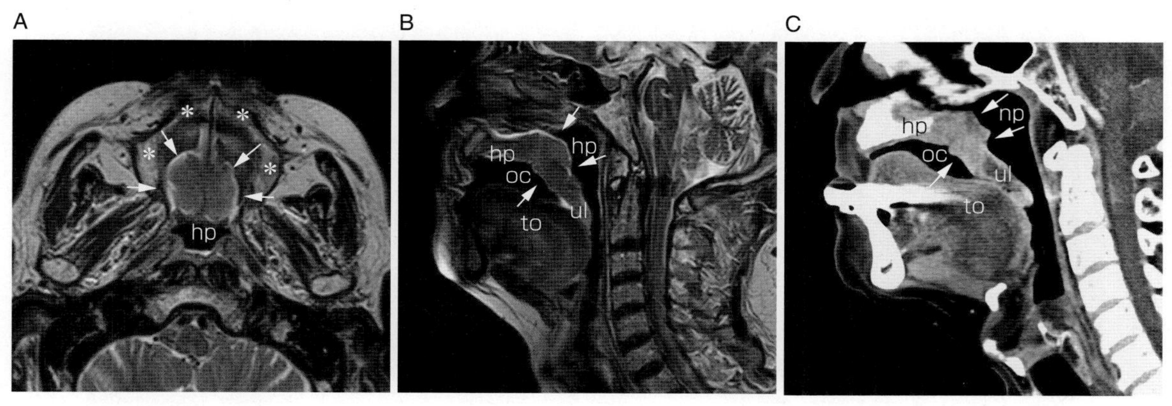

図 53　硬口蓋扁平上皮癌
口腔レベル MRI T2 強調横断像(A)で硬口蓋のほぼ正中を中心として中等度信号の腫瘤(矢印)を認める．＊：上顎骨歯槽突起，np：上咽頭．同矢状断像(B)および造影 CT 矢状断像(C)で腫瘍(矢印)は硬口蓋(hp)後方 2 分の 1 を破壊し，後方は軟口蓋に進展，口蓋垂(ul)基部に達する．oc：口腔，np：上咽頭，to：舌．

推奨されるが，2 mm 未満の場合，適応は限られる[68]．

iv）硬口蓋癌

硬口蓋は口蓋の前方 3 分の 2（後方 3 分の 1 は軟口蓋）に相当し，前方を上顎骨の口蓋突起，後方を口蓋骨の水平突起により形成される半月形の領域であり鼻腔と口腔を区分する．前方から側方は上顎歯槽弓で境される．重層扁平上皮による粘膜が骨膜と強固に癒着しているが，粘膜下組織は（上部消化管で最も密度高く分布する）小唾液腺組織の他，リンパ組織，脂肪を含む．正中前方には鼻口蓋神経（V2）の終末枝を通す切歯管，外側後方には大・小口蓋神経（V2）を通す大・小口蓋神経管が位置しており，これらは硬口蓋悪性腫瘍において神経周囲進展の経路となる．全口腔癌の約 5％程度とまれであり[72]，上歯肉，上顎洞，鼻腔などの隣接部位に由来する悪性腫瘍の直接浸潤の可能性を常に考慮する必要がある．硬口蓋では扁平上皮癌と小唾液腺腫瘍がほぼ同数であるが，これは扁平上皮癌が隣接部位からの二次性浸潤を含むことによる[73]．扁平上皮癌の硬口蓋原発は口腔亜部位のなかでは臼後部とともに最も少なく 1～3.5％程度とされる[74]．ただし，扁平上皮癌は高度の周囲浸潤性を示すことから硬口蓋，上歯肉，上顎洞の間で原発部位の区別が困難な場合も少なくない（図 51）．硬口蓋（と上顎歯槽）扁平上皮癌の 71％は T4 病変であるが，これを考慮すると診断時の頸部リンパ節転移は 10～25％[73, 75, 76]と（他亜部位と比較すると）やや低い傾向にある．多くはレベル II であるが両側頸部転移もしばしばでときに咽頭後リンパ節を侵す[77]．局所再発率は 18％と報告されている[75]．

一方で小唾液腺腫瘍の発生部位としては硬口蓋が最も多く[78, 79]，そのなかで腺様嚢胞癌（最多）と粘表皮癌が多い[80, 81]．硬口蓋のやや後方外側に偏った局在が多く，硬口蓋前方部は比較的まれである[82]．これは小唾液腺の分布による．なお小唾液腺腫瘍は扁平上皮癌よりもやや若年者に生じる傾向にある[73]．粘膜下組織は乏しく，同領域の癌では比較的早期より骨浸潤を生じる傾向を示す．画像診断における，同部病変の進展（図 52）の評価では CT と MRI が中心となり，横断像のみではなく冠状断像，矢状断像が有用である（図 53）．骨侵食・破壊性変化の評価では，硬口蓋の中央部は薄く皮質骨優位であることから CT 骨条件表示が優れるが，辺縁部は比較的厚く骨髄腔を有するため（正常脂肪髄が高信号として描出される）MRI の T1 強調像も有用である[82]．歯槽骨も同様にして舌側皮質は CT，骨髄腔は MRI で評価される．口腔レベルの CT ではアーチファクトが問題となることも多く，一般に進展範囲全般の把握にはコントラスト分解能の高い MRI での評価が有用である（図 54）．また，大口蓋神経，鼻口蓋神経に沿った神経周囲進展は，CT では大

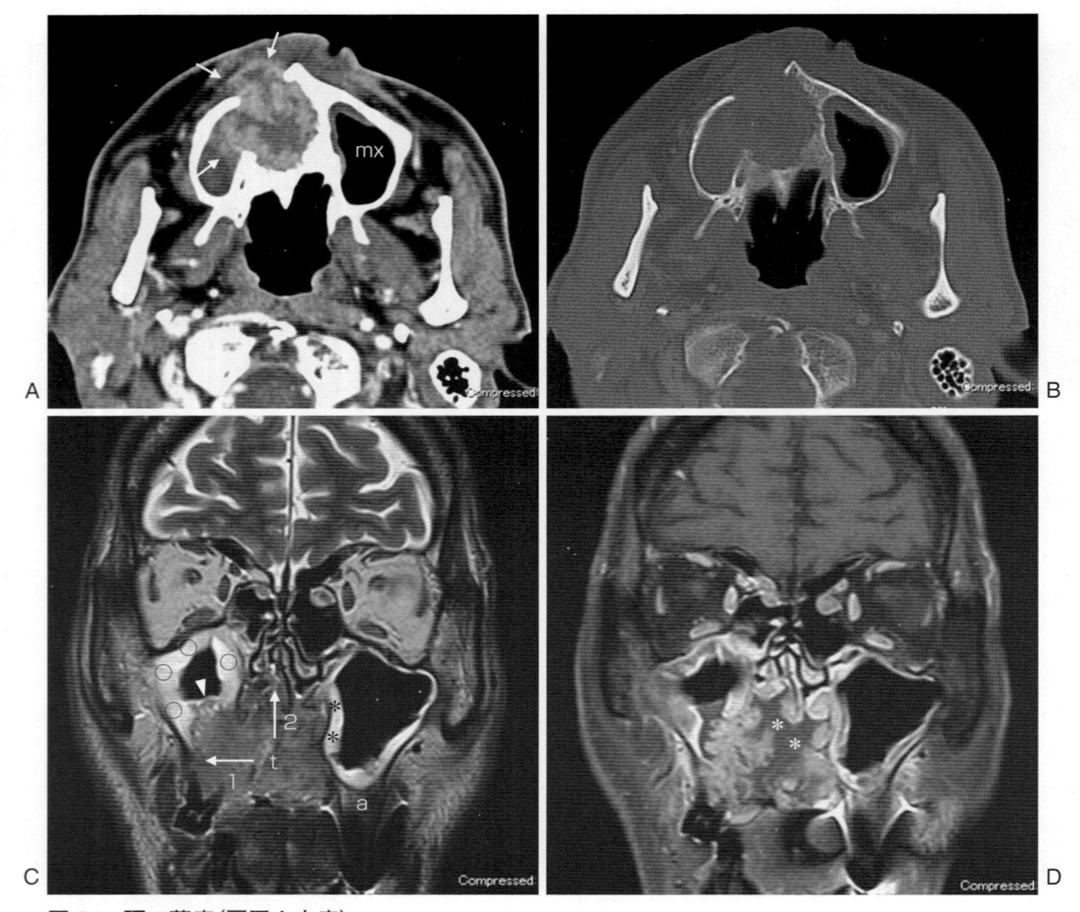

図 54　硬口蓋癌（扁平上皮癌）

A：CT 横断像軟部濃度条件．硬口蓋の右側優位に浸潤性破壊性腫瘤（矢印）を認め，一部で右上顎洞（対側で mx で示す）内への進展を示す．

B：同骨条件表示．骨破壊の範囲がより明瞭に描出されている．

C：同症例の MRI，T2 強調冠状断像．腫瘍（t）は右側方では上顎歯槽突起（対側で a で示す）を破壊（矢印 1），頭側では鼻腔への進展（矢印 2）を示す．また，右上顎洞への浸潤（矢頭）はびまん性浮腫性肥厚粘膜（○）の粘膜下にとどまっていることが確認される．また，鼻腔病変と接する左上顎洞内側は骨壁を示す線状低信号とともに軽度肥厚した粘膜（＊）も保たれており，左上顎洞進展は否定可能である．

D：造影後 T1 強調冠状断像．腫瘍は不均等な増強効果を示すが，中心部の造影不良域（＊）は壊死を反映する．

口蓋神経管，切歯管の拡大，これに連続する翼口蓋窩の脂肪層消失，正円孔拡大などとしてみられ，造影 MRI では同部に沿った増強効果を示す神経腫大，脂肪層消失としてより明瞭に同定される（詳細は 15 章「神経周囲進展」を参照されたい）．神経周囲進展は腺様嚢胞癌で知られ 30〜60％の頻度とされるが，扁平上皮癌，粘表皮癌，悪性リンパ腫などその他の悪性腫瘍でもみられる[83]．一方，良悪性の鑑別では高度浸潤性，被膜の欠損，リンパ節転移，神経周囲進展などの所見が悪性を示唆するが，低悪性度の小唾液腺腫瘍は形態的に良性に類似し，造影様式も非特異的であり MRI 拡散強調像でも鑑別が困難なことが多い[73, 84]．

外科的切除はその進展範囲に従い，歯槽突起切除（図 38A），口蓋切除術（図 55），上顎下部構造切除術（infrastructure maxillectomy resection，図 56）が施行される[85]．経口的切除が多いが，傍咽

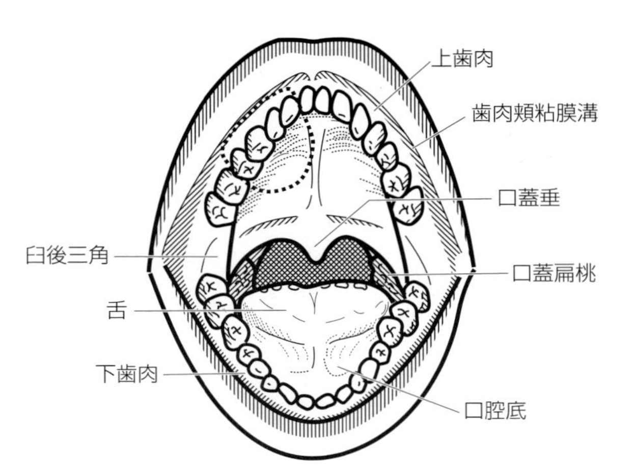

図 55　口蓋切除術．シェーマ
切除範囲を点線で示す．

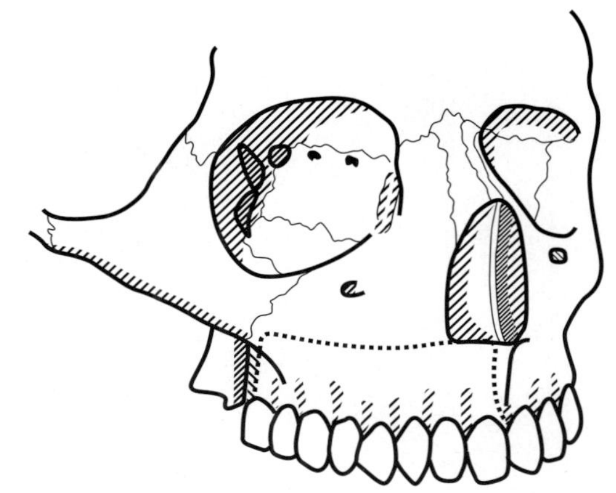

図 56　上顎骨下部構造切除術(infrastructure maxillectomy)．シェーマ
切除範囲を点線で示す．

表 7　舌癌での重要な画像評価項目

前方進展	舌尖部
後方進展	舌扁桃溝 舌根 顎下部軟部組織
内側進展	正中・舌中隔
下方進展	口腔底・舌下間隙 オトガイ下軟部組織(T4a)
外側下方進展	舌歯槽溝 下顎骨(T4a)
その他	大きさ：T1～3 病期に関連 外舌筋：舌骨舌筋・茎突舌筋・口蓋舌筋 深達度 重複癌の有無
神経周囲進展	舌神経〔V3〕 舌下神経〔CN12〕
N 因子	主にレベルⅠ，Ⅱ，Ⅲ(対側頸部，頸部下部にも要注意)

頭間隙，翼口蓋窩，咀嚼筋間隙進展など進行例では外方切開によるアプローチが必要となる．下顎と異なり，硬口蓋は可動性がないため prosthesis によるリハビリが比較的容易であることから切除縁を保ち切除すべきである[74]．進行例は術後放射線治療の適応となる．

v)舌　癌(表 7)

舌癌の 95％以上は扁平上皮癌である[19]．全世界では噛みタバコの習慣のある発展途上国による影響もあり口腔癌として口唇に次いで 2 番目(表 2：p320)であるが，本邦を含み，欧米，先進国では口腔癌全体の 40～50％と舌癌が最も多い[86]．初期症状は知覚過敏と腫瘤感が主であり，進行すると疼痛，潰瘍形成を伴う．(舌神経と同じ V3 の枝である)耳介側頭枝による関連痛としての耳痛で現れる場合もあり，注意を要する．舌癌は最も早期に発見される頭頸部腫瘍のひとつで，AJCC 病期分類で 54％が T1～2，66％が N0 に区分される[87]．

AJCC では舌可動部(口腔舌)を舌尖(図 57)，

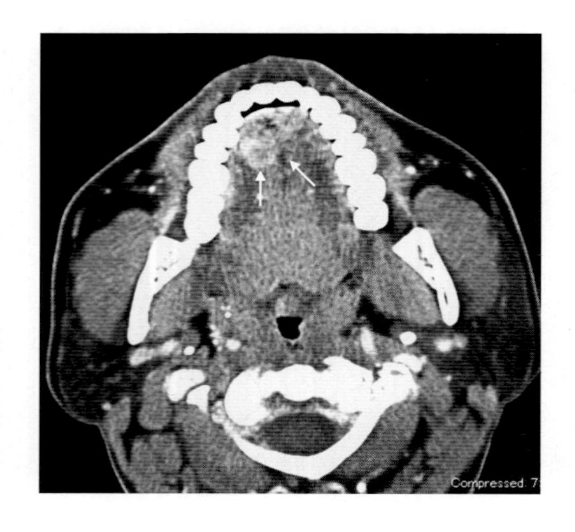

図 57　舌癌（舌尖部）

造影 CT において舌尖部右傍正中に浸潤性腫瘤（矢印）を認める．

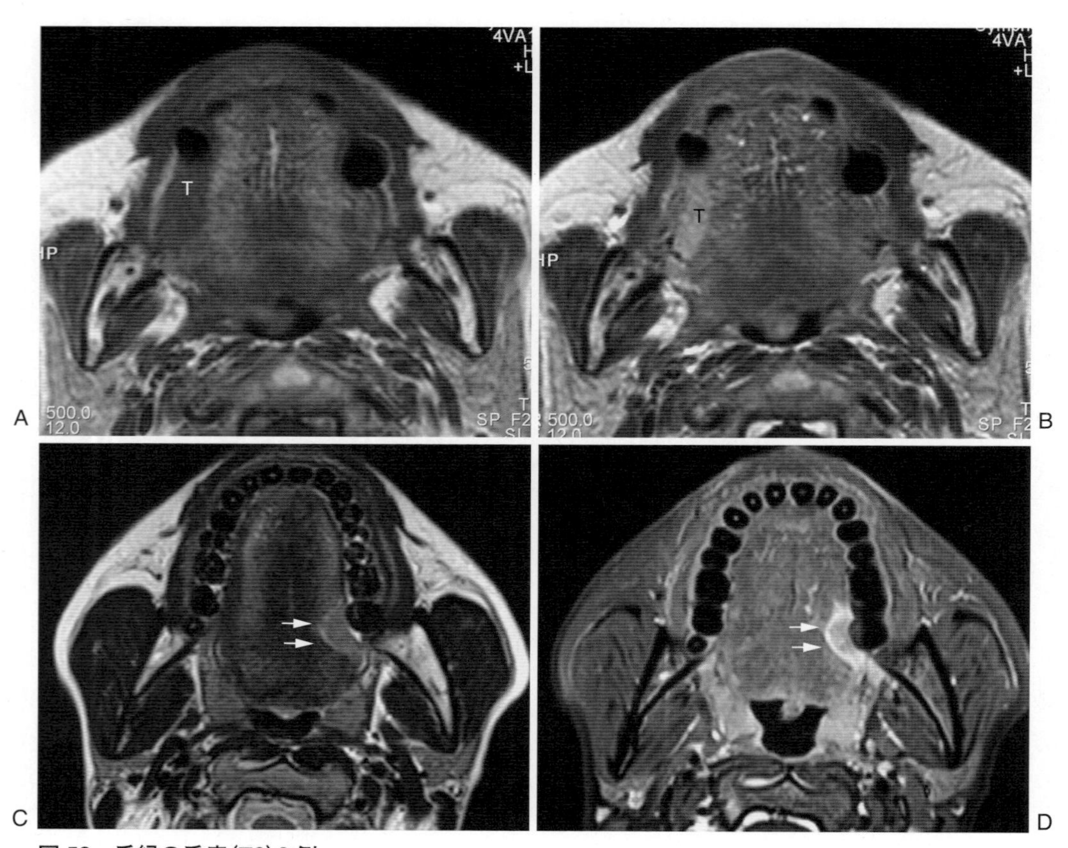

図 58　舌縁の舌癌（T2）2 例

口腔レベルの MRI 造影前（A）および後（B）T1 強調横断像．右舌縁の後方 3 分の 2 に沿って浸潤性腫瘤（T）を認め，造影前（A）には骨格筋に類似の低信号を示し，造影後（B）に充実性増強効果を示す．最大横断径約 2.3 cm，深達度は 8 mm で T2 病変に相当する．別症例の T2 強調横断像（C）で左舌縁にやや高信号の腫瘤（矢印）を認め，造影後 T1 強調脂肪抑制画像（D）で腫瘍（矢印）は充実性増強効果を呈する．最大横断径約 2 cm，深達度は約 9 mm で T2 病変に相当する．

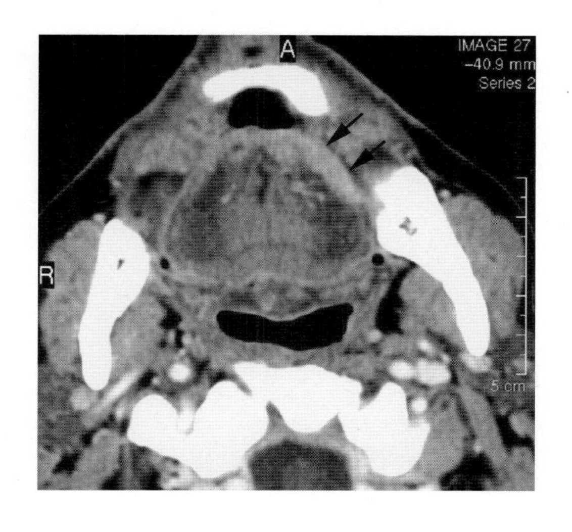

図 59　左舌縁の舌癌(T2)
造影 CT 横断像(A)において左舌外側縁に沿った不整な軟部組織肥厚(矢印)が認められ，原発病変に一致する．病変の深達度は 6〜7 mm 程度と思われる．

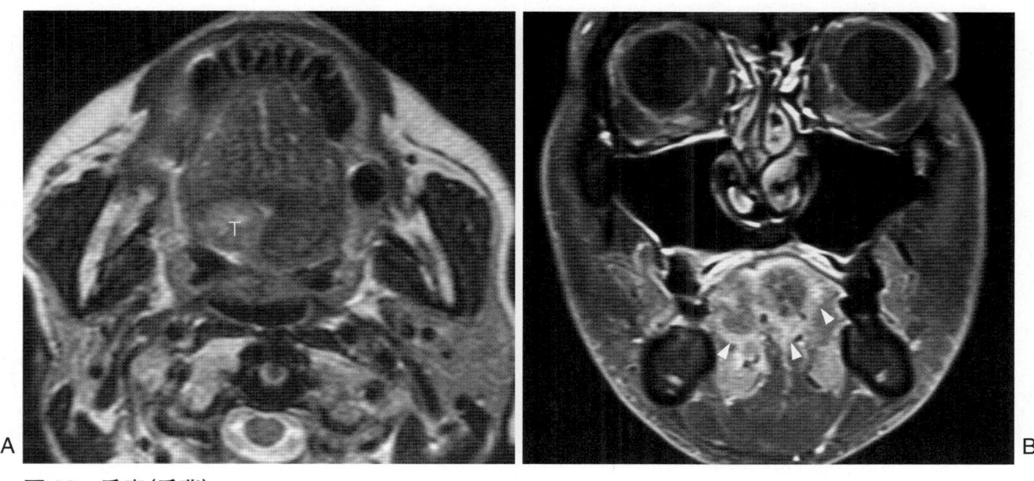

図 60　舌癌(舌背)
MRI の T2 強調横断像(A)において，舌背右側に浸潤性腫瘍(T)あり．別症例の MRI，造影後 T1 強調冠状断像(B)で正中をまたいで舌背を広範に占拠する浸潤性腫瘍(矢頭)を認める．

外側縁(舌縁)(図 58，59)，舌背(図 60，61)，舌下面(舌腹)(図 62)の 4 つに分けるが[1]，舌癌の大部分は外側縁(特に後方 3 分の 2)，次いで舌下面より発生する[19]．なお，頭頸部癌取扱い規約第 6 版補訂版では舌背面と舌縁を 1 つとして，舌腹(下面)と 2 つに分けている[88]．

AJCC による口腔癌 T 分類は 1977 年の初版から 2009 年の第 7 版[89]まで基本的な変更はなかったが，2017 年の第 8 版[1]で深達度(DOI：depth of invasion)が重要な評価項目として新たに組み入れられた(UICC も同様)．これは深達度が疾患特異的生存率(disease specific survival)と有意な相関を示すことを示した Ebrahimi らによる口腔癌 3,149 例の後ろ向き研究の報告[90]を根拠とする．また第 7 版までは T4a に区分されていた外舌筋浸潤が評価項目から外されたが，これは病理学的に内舌筋と外舌筋の区別が困難な場合が多いことによるとされる．第 7 版までの T 診断はシンプルかつ一貫性があったが低リスク例の分類に問題があった．第 8 版の T 診断は無病生存率(disease free survival)などとの相関もよく，リスク分類としての病期診断においてより高い有用性を示す[91,92]．

画像診断の意義は病変進展(図 63)の確認，主

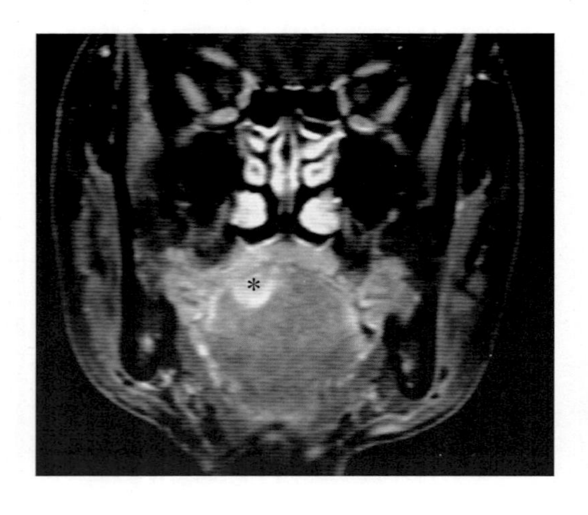

図 61　舌癌（舌背）
口腔レベルの造影後 T1 強調脂肪抑制冠状断像において舌背右側に増強効果を示す浸潤性腫瘤（＊）を認める．最大径約 1.8 cm，深達度 12 mm であり，T2 病変に相当する．

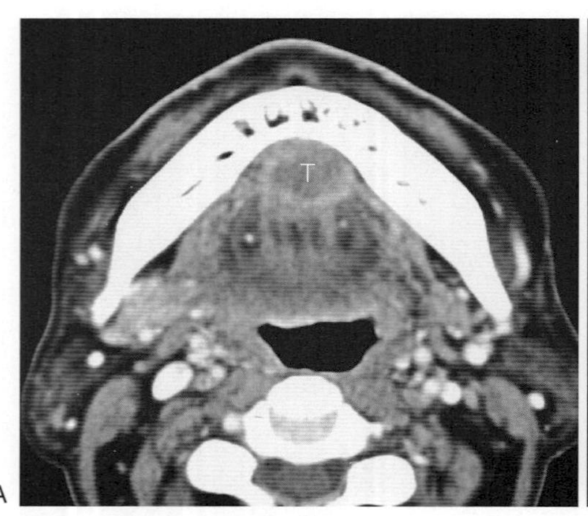

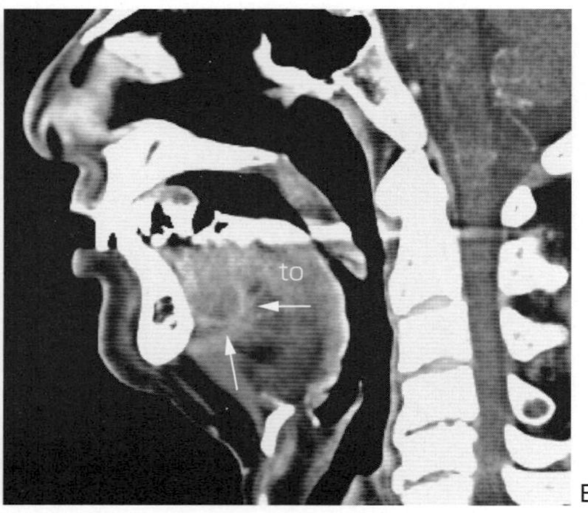

図 62　舌癌（舌下面）
下顎骨レベルの造影 CT 横断像（A）で舌下面に一致した部位に不均等な増強効果を示す腫瘍（T）を認める．矢状断像（B）において腫瘍（矢印）が舌（to）下面を中心として尾側で口腔底前方部分に浸潤する頭尾側方向の広がりが明瞭に示されている．

に舌基質への深達度（DOI）（図 58，59），口腔底への浸潤（図 64〜67），外舌筋への浸潤（図 68，69），舌の神経血管束との位置関係（図 64〜66），神経周囲進展，舌根や声門上喉頭への進展（図 70，71），正中を越えた対側への進展（図 70，72，73），頸部軟部組織への直接浸潤（図 71）および頸部リンパ節病変（対側，頸部下部への skip metastasis にも要注意）（図 74）などの評価にある．

舌癌における画像診断での DOI 評価の重要性は，従来から口腔癌の最も重要な予後因子である頸部リンパ節転移との関連，これに伴う N0 症例での予防的頸部郭清術の要否判断の面から強調されてきた[93〜96]．評価項目として含むこととなった AJCC 第 8 版[1]では，DOI の（手術標本での）病理学的計測方法（図 75）として「腫瘍に隣接する健常粘膜の（粘膜表面ではなく）基底膜をもとに“水平基準線”を設定，これから腫瘍最深部までの“垂線”を引き，ミリメートル単位で計測する」と定義している．また「DOI は“腫瘍の厚さ”とは異なる」ことも強調されている．画像上の計測は当然病理学的 DOI 計測の定義に準じて行うことが前提となるが，モダリティ，シーケンス，撮像方向などは定まっておらず，最終的な病理結果が得られるまで，すなわち治療開始前での DOI 計測値の正確な適用が困難な状況となって

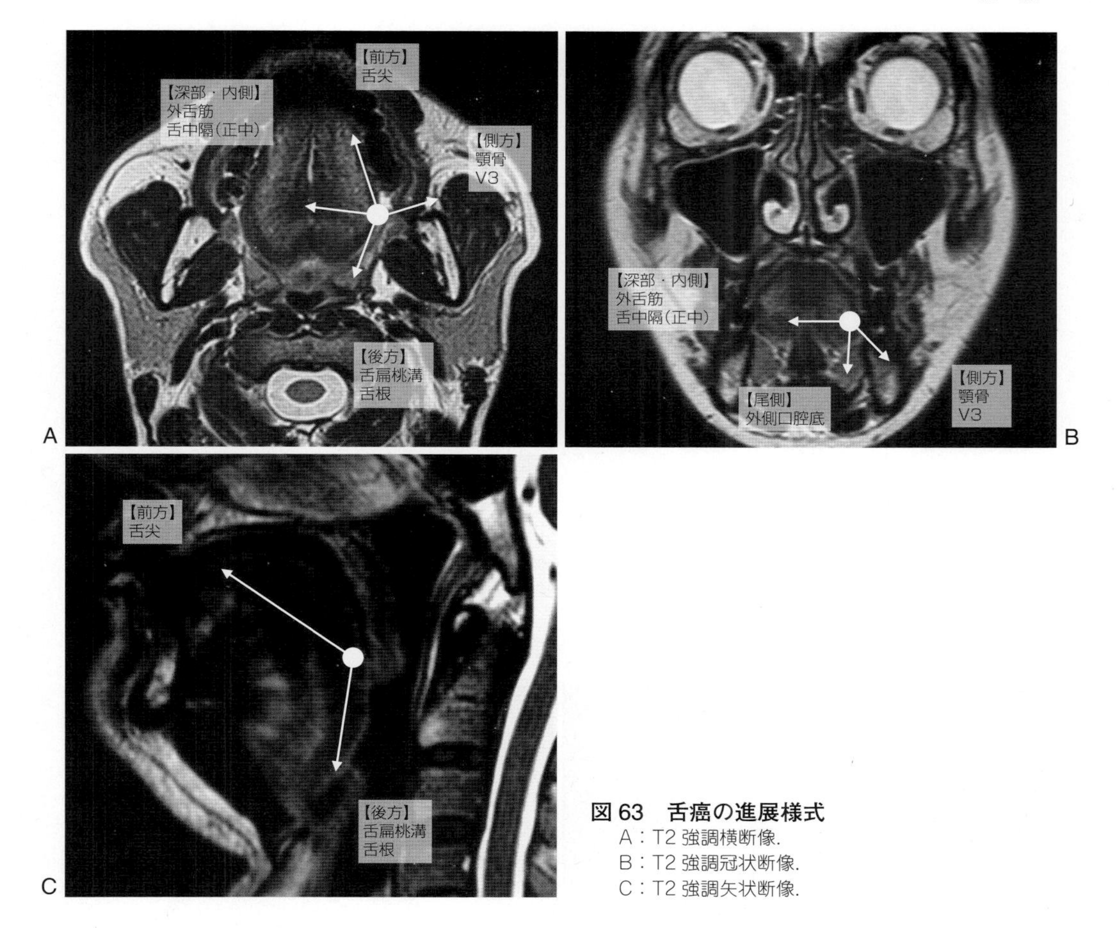

図 63　舌癌の進展様式
A：T2 強調横断像.
B：T2 強調冠状断像.
C：T2 強調矢状断像.

いる[97]．また，これまでの各論文では画像上のDOIの定義が多少異なっていたり，腫瘍の厚さと同義に用いられたりしていることも混乱の要因となり，治療前の正確な臨床病期診断，これに基づく治療計画立案にも影響している．以下に舌癌（舌縁）における画像上でのDOI計測の実際について問題点とともに解説する．

まずモダリティについてはCTでの計測も有用[98]とされるが，口腔癌は歯科治療歴のある患者が多く，歯科金属によるアーチファクトに起因した画質劣化のため評価困難な場合も多い．超音波検査は有用であるが客観性，再現性が問題となるため，DOIの画像計測の標準化ではMRIが望ましい．MRIでのDOI・腫瘍の厚さ計測の有用性，正確さ，信頼度を報告する文献[95, 99〜101]も多いが，MRIでの計測の信頼性に疑問を投げかけるものもある[102]．70％でMRIでの計測値は病理学的DOIよりも大きくなり，5 mm 以上の例では比較的正確に計測できる一方で5 mm 未満の比較的表在性病変での計測の信頼性が低いとされる[102]．病理学的DOIとMRI上のDOI計測値との差についてはいくつかの理由が挙げられる（図76）．生体から病理切片が固定される際に収縮（収縮率は約 80〜87％）を生じる[17, 102]．一方，MRIでは腫瘍と周囲の浮腫・炎症の区別が困難であり両者を合わせた計測となる，粘膜表面と基底膜の区別が困難であり粘膜の厚さを含む，さらに軽度膨隆性の認識が困難であり膨隆部分を含んだ計測になるためである．結果としてMRIでは病理学的計測と比較して 2〜3 mm（平均 2.3 mm）程度大きなDOI値となる[103]．NCCN（National Comprehensive Cancer Network）のガイドライン[104]ではDOIが 4 mm 以上の T1/T2N0 症例に対して，放射線治療を行わないとすれば予防的頸

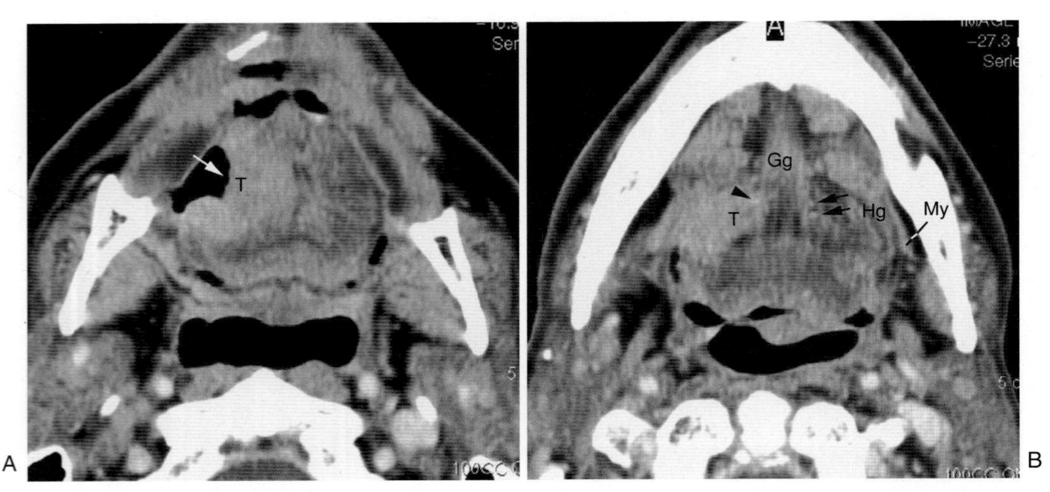

図 64　舌癌の口腔底浸潤(T3)
A：口腔レベル造影 CT 横断像．舌右外側縁に潰瘍形成(矢印)を伴う浸潤性腫瘍(T)を認める．
B：口腔底レベル．腫瘍(T)はオトガイ舌筋(Gg)と顎舌骨筋(My)との間にある舌骨下間隙内を舌骨舌筋(Hg)に沿って走行する舌神経血管束(左側で矢印で示す)周囲に浸潤している(患側で矢頭で示す)．

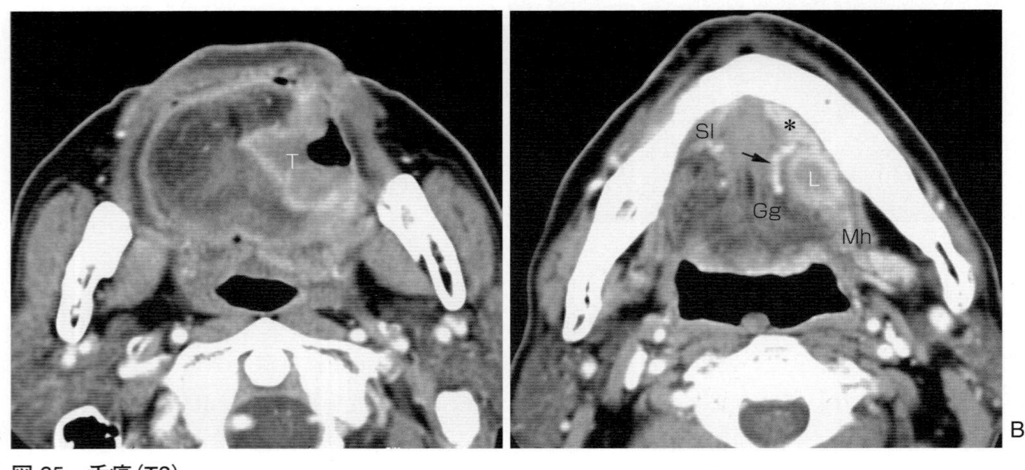

図 65　舌癌(T3)
造影 CT 横断像(A)において，舌左外側縁に潰瘍形成を伴う浸潤性腫瘍(T)を認め，尾側の口腔底レベル(B)では，オトガイ舌筋(Gg)と顎舌骨筋(Mh)との間の舌下間隙に進展あり．結節様(L)を呈し，舌下リンパ節(外側群)への転移と思われる．同側舌下腺(＊)は対側(Sl)と比較して，増強効果の亢進がみられ，唾液腺炎を反映する．矢印：舌血管

部郭清術を強く推奨するとしているが，これは Klingerman らの報告を根拠とする[105]．ただし，粘膜表面か基底膜かの差は実践的というよりは理論的な問題である[97]．口腔粘膜の厚さは 100～300 μm であり通常の計測ではほぼ無視できるが，5 mm あるいは 10 mm といった T 診断で分類を区切る値と計測値がほぼ一致した場合は(想定される粘膜の厚さを差し引いて)低い分類に診断することが適切だと思われる．明瞭な膨隆性病変，潰瘍性病変では本来の輪郭を想定した曲線からの計測(図 77)となるが，閉口位で撮影される CT・MRI で軽度の膨隆性辺縁の認識は困難であり，MRI では実際には腫瘍表面からの計測，すなわち腫瘍の厚さ(図 76)が計測されることになるが，DOI，腫瘍の厚さのいずれを用いても AJCC 第 8 版での T 診断への影響は小さいとの報

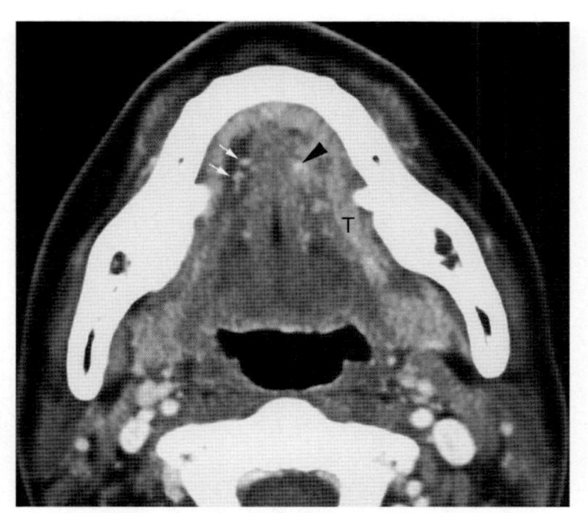

図 66　舌癌の舌神経血管束周囲への浸潤

造影 CT において左顎舌骨筋に沿った舌癌の口腔底浸潤(T)を認め，右側では舌の血管束(矢印)周囲に確認される脂肪層が左側(矢頭)で消失している．

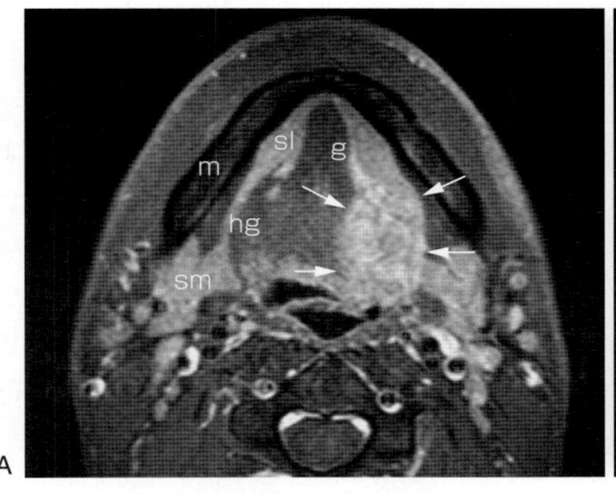

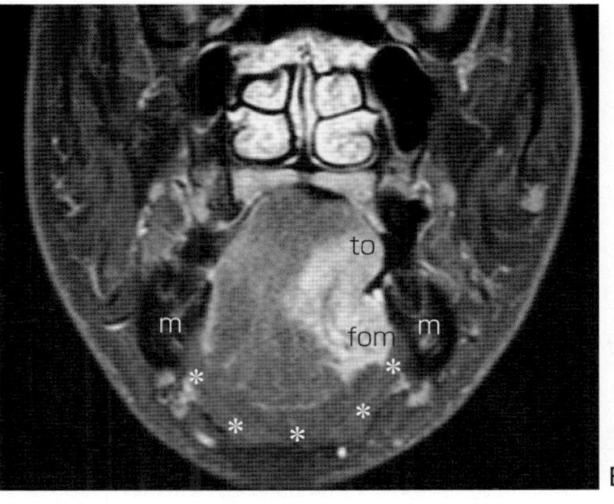

図 67　舌癌(左舌縁)の口腔底進展

口腔底レベルの MRI 造影後 T1 強調脂肪抑制画像(A)において左外側口腔底に浸潤性腫瘤(矢印)を認める．内側では同側のオトガイ舌筋(g)側面に浸潤を示すが正中，対側への進展はみられない．hg：舌骨舌筋，m：下顎骨，sl：舌下腺，sm：顎下腺．冠状断像(B)で左舌縁(to)から口腔底(fom)に連続性浸潤する腫瘍を認める．側方では顎舌骨筋(＊)の下顎骨(m)付着部(顎舌骨筋線)に近接するが顎骨浸潤はみられない．

告もある[106]．MRI の評価断面については，最も多い舌縁の癌での病理標本の多くが冠状断で切り出されるため，病理学的 DOI に近い計測値を求めるとすれば冠状断像での評価が望ましいかもしれないが，従来報告では横断像での計測も多く横断像での計測が不適切とはいえず，良好に描出されている断面を選択するのが実践的と考えられる．次にシーケンスについては，舌筋の萎縮や脂肪変性の程度により舌健常部と腫瘍とのコントラストが大きく異なるため断定的ではないが，T1 強調像よりも T2 強調像での描出能が高い．これは周囲炎症・浮腫を合わせて腫瘍類似の高信号としてとらえることも影響している．一般に造影後 T1 強調脂肪抑制画像では T1・T2 強調像よりもさらに大きく描出される傾向にある(恐らくは周囲炎症・浮腫を造影領域としてより明瞭に描出するため)(図 77，78)．Lam らは造影後 T1 強調画像で病理組織での計測値と良好な相関を示したとしている[107]．一方，病理学的 DOI 計測のもととなる隣接する正常粘膜基底膜に沿った“水平基準

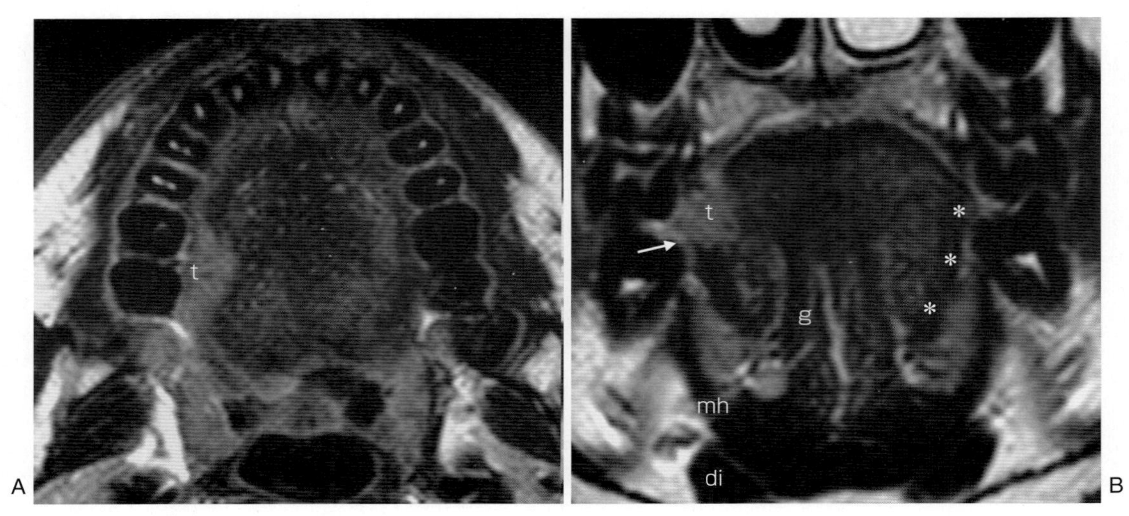

図 68　舌癌(T3)

T2 強調横断像(A)で右外側縁に浸潤性腫瘤(t)あり．同冠状断像(B)において，病変(t)は深部で茎突舌筋・舌骨舌筋による低信号帯(対側で＊で示す)上部への浸潤(矢印)を認め，外舌筋浸潤に相当する．di：顎二腹筋前腹，g：オトガイ舌筋，mh：顎舌骨筋

線”の置き方は明確には定義されていない．同一プレパラート内に腫瘍両端に接する正常粘膜が含まれ，これらが直線的に配置している場合(図 75)はそれぞれの基底膜を結ぶことで水平基準線が設定されるが，実際には舌自体が三次元的構造であり，同一プレパラート内に片側の腫瘍辺縁のみしか含まれない場合も多い．これらを考慮すると画像上は本来の舌の輪郭を想定した線(多くは曲線)を基準として腫瘍最深部までを計測するのが実践的と思われる(図 79，80)．現状，舌縁以外(舌尖部，舌背，舌腹)の舌病変，舌以外の亜部位(頬粘膜，歯肉・歯槽，臼後部，口腔底)の病変では施設間，症例間で一貫性をもった測定はより困難と考えられる．なお，表在癌については頭頸部癌取扱い規約第 6 版補訂版で(基底膜ではなく)粘膜表面からの計測と定義されている[88]．舌切除切片上，約 5％で神経周囲浸潤(perineural invasion)を認める[19]．下方(深部)進展では口腔底へ浸潤，舌骨舌筋(AJCC 第 7 版では T4a)，顎舌骨筋に沿って進展し，顎舌骨筋線に隣接した部位から顎骨浸潤(T4a)を生じる可能性がある．ときに舌下間隙内に位置する舌(舌下)リンパ節外側群への連続性・直接浸潤をきたす(図 65)．後下方では舌下間隙内で茎突舌筋，舌骨舌筋に沿った進展を示すが(図 64)，これは同筋に沿って舌下間隙内を走行する舌の神経血管束に対する神経周囲進展を反映している場合がある．口腔癌における，神経周囲浸潤〔perineural invasion；病理学用語として，原発病変内において神経周囲への浸潤を示すものであり，神経鞘・神経周囲腔に沿っての播種である神経周囲進展(perineural spread)とは異なる〕は断端陰性での腫瘍切除の難易度を高め，局所制御率，生存率は低下，血管浸潤は頸部転移，局所再発，頸部再発の率を上昇，生存率を低下させるとされる．したがって，神経周囲浸潤，血管浸潤(図 81)は治療計画や予後に直接影響を与える重要な因子となるが，Mukherji らは CT 上，腫瘍の浸潤性辺縁(aggressive tumor margin)，舌下間隙浸潤，舌下間隙内での腫瘍と舌血管との接触を診断基準として，有効に評価可能(感度 88％，特異度 83％，PVP 85％，NPV 84％)としている[108]．また，腫瘍径が 2 cm を超えると神経周囲浸潤，血管浸潤の頻度が有意に高いとしている．外科的治療が考慮される症例では腫瘍と舌の神経血管束との位置関係の評価は重要であり，片側の神経血管束周囲への腫瘍浸潤(図 64，66)では舌半切除を必要とし，両側の神経血管束周囲への腫瘍浸潤がみられる場合(図 70)は舌

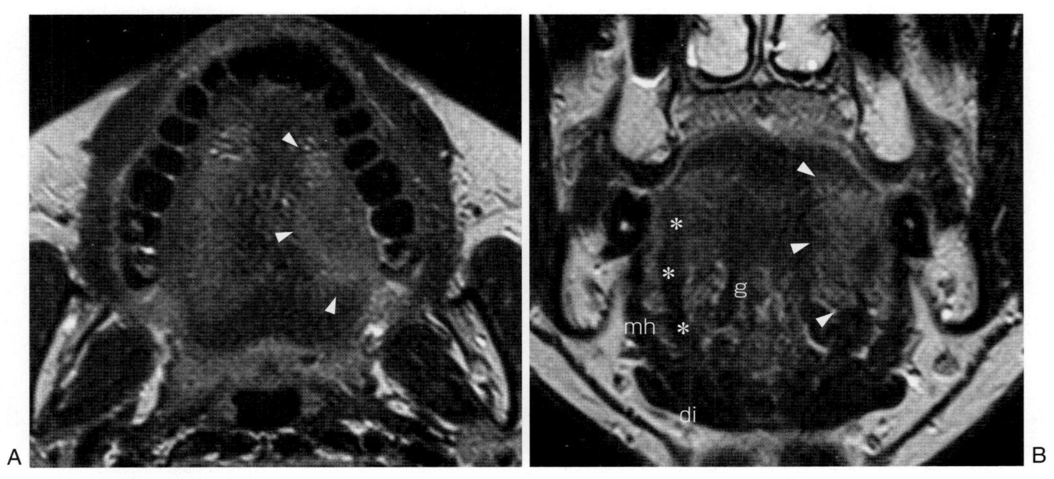

図 69　舌癌(T3)

T2 強調横断像(A)において，舌左外側縁に浸潤性腫瘤(矢頭)を認める．同冠状断像(B)で，図 68 と同様に腫瘍(矢頭)は深部で茎突舌筋・舌骨舌筋による低信号帯(＊)に浸潤を示す．di：顎二腹筋前腹，g：オトガイ舌筋，mh：顎舌骨筋

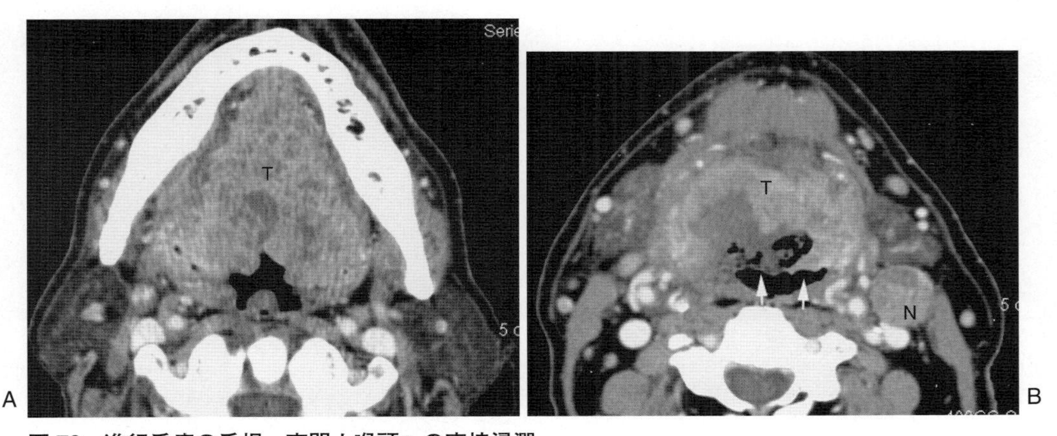

図 70　進行舌癌の舌根，声門上喉頭への直接浸潤

A：口腔レベル造影 CT 横断像．舌を置換する不整な増強効果を示す腫瘍(T)を認め，原発病変に一致する．後方では舌根にも及ぶ．

B：やや尾側レベル．腫瘍(T)は舌根基部から喉頭蓋谷に浸潤，さらに下方の声門上喉頭レベルで喉頭蓋前間隙への直接進展を認める．左レベルⅡに転移リンパ節(N)あり．

矢印：喉頭蓋

(亜)全摘以外の術式では切除不能である．舌下間隙への腫瘍浸潤は顎下骨筋とオトガイ舌筋との間の脂肪層の消失で判断される(図 64〜66)．また，舌下間隙には舌下腺，顎下腺管があることから同間隙浸潤ではときに舌下腺，顎下腺の二次性唾液腺炎を生じる(図 65B)．舌下間隙にある舌下腺炎に伴う口腔底の軟部組織腫脹，増強効果，組織層消失はしばしば腫瘍の口腔底浸潤に類似，腫瘍進展範囲の過大評価の原因となり注意を要する．

頸部リンパ節転移は舌癌において最も重要な予後因子であり，その取り扱いは最も困難な課題のひとつである(特に N0 症例)．診断時には 35％が頸部リンパ節転移陽性(N＋)で，5％が両側性(N2c)(図 74)とされる[19)]．頸部リンパ節転移の頻度と原発病変の病期(T 分類)[109]には相関がみられる．潜在的頸部リンパ節転移は 20〜50％の舌癌症例でみられ，T1/T2 の早期病変でも最大 40％とされる[93, 110)]．頸部リンパ節病変の評価は

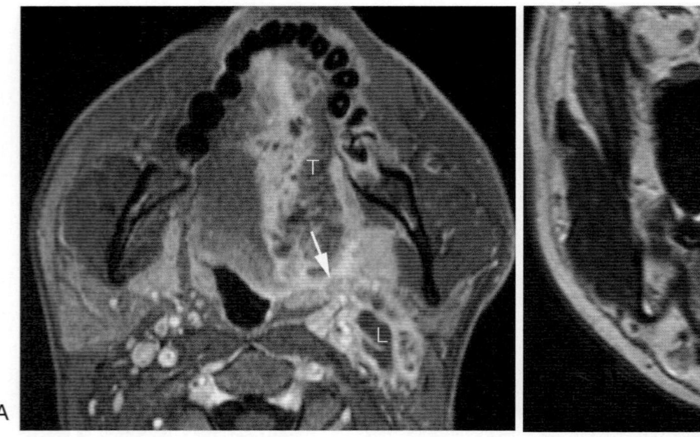

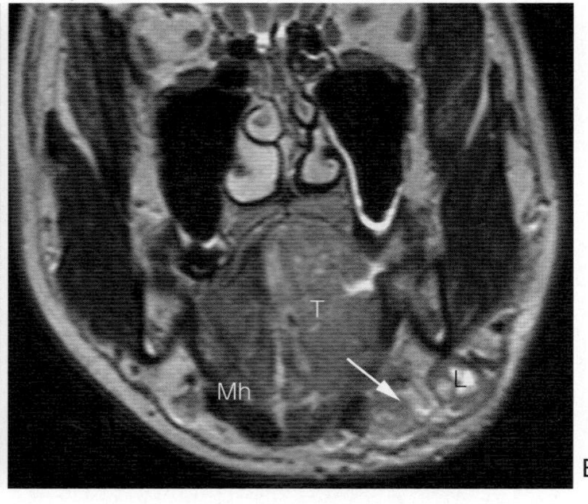

図 71　舌癌（T4a）

MRI．造影後 T1 強調横断像（A）で舌左側を置換する浸潤性腫瘍（T）を認め，後方では舌根左側への浸潤（矢印）を示す．L：レベル II 頸部リンパ節転移．T2 強調冠状断像（B）で腫瘍は尾側で大きく口腔底に浸潤，外側下方では顎舌骨筋（Mh）を破綻，顎下部の頸部軟部組織への直接浸潤（矢印）をきたしている．L：レベル Ib 頸部リンパ節転移

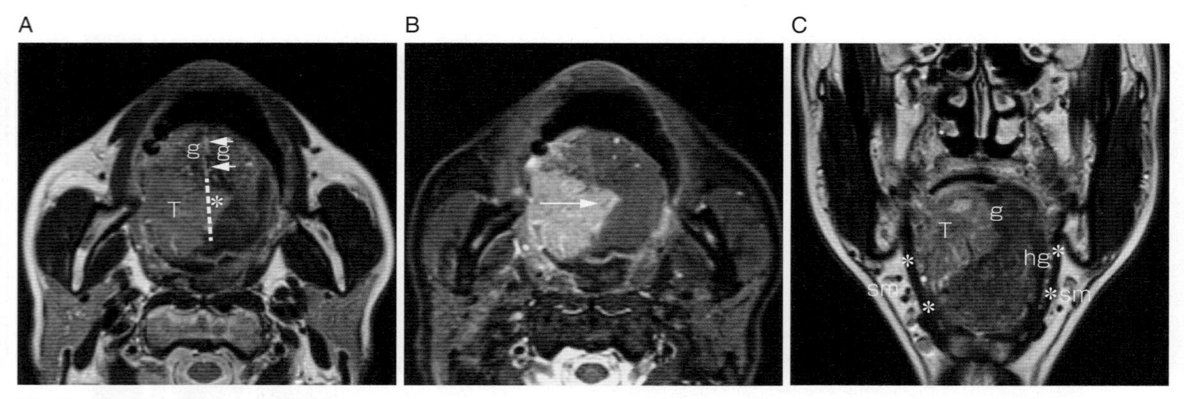

図 72　舌癌（右舌縁）の対側進展

口腔レベル MRI T2 強調横断像（A）において右舌縁を中心とする浸潤性腫瘤（T）を認め，内側では左右オトガイ舌筋（g）の間の舌中隔（矢印）で示される正中（点線）を越えて対側進展（＊）を示す．造影後 T1 強調脂肪抑制画像（B）で増強効果を示す腫瘍の対側進展（矢印）が描出されている．正中を越えていることは T2 強調像（A）より明瞭であるがどの構造に進展しているかなどについては T2 強調像（A）の方が描出に優れる．T2 強調冠状断像（C）で右舌縁を中心とする浸潤性腫瘍（T）は内側で正中を越えて対側のオトガイ舌筋（g）まで進展を示す．外側下方は顎舌骨筋（＊）に近接するが同筋は保たれ，顎下間隙への進展はみられない．hg：舌骨舌筋．

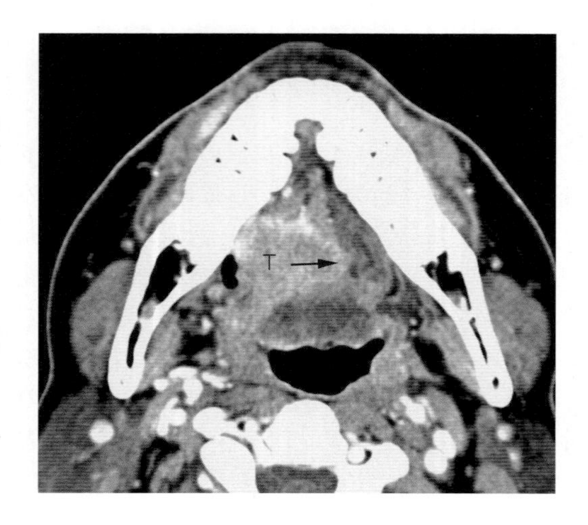

図 73　舌癌

造影 CT 横断像において，右舌縁を中心とする浸潤性腫瘍（T）は内側で正中構造を越えて対側への進展（矢印）を示す．

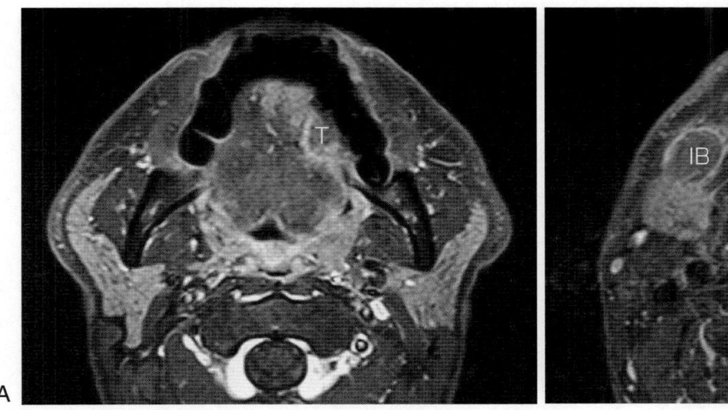

図 74　両側頸部リンパ節転移を示す舌癌

口腔レベル MRI 造影後 T1 強調脂肪抑制画像(A)で左舌縁に腫瘍(T2 病変)が描出されている．顎下部レベル(B)で両側レベル IB(IB)，患側レベル II(II)のリンパ節転移を認める．

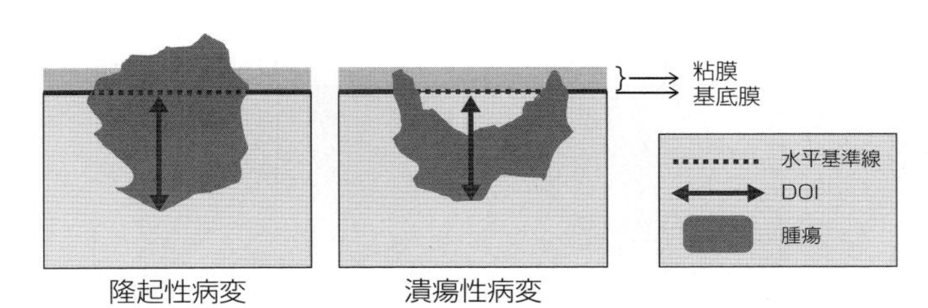

図 75　舌癌の病理学的深達度(DOI)の計測について

隆起性病変(左)，潰瘍性病変(右)における深達度(両向き矢印)計測を示す．隣接する粘膜基底膜に水平基準線(点線)を置き，腫瘍最深部までの垂線を計測する．腫瘍の厚さとは明らかに異なる．

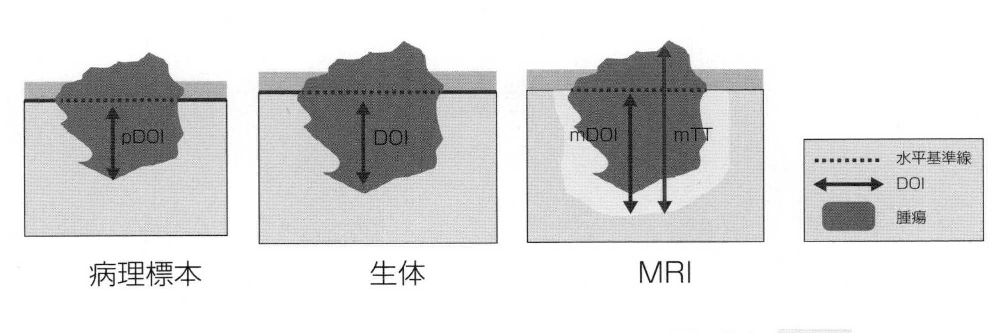

図 76　生体，病理標本，MRI での舌癌 DOI 値について

生体(中央)と比較して病理標本(左)では固定時の収縮があることから，実際の DOI(DOI)よりも病理学的 DOI(pDOI)は小さい値となる．一方で MRI(右)では周囲の浮腫・炎症と腫瘍の区別が困難なため MRI での DOI(mDOI)は理論上，生体(DOI)，病理標本(pDOI)よりも大きな値となり，さらに MRI で実際に計測されることが想定される腫瘍の厚さ(mTT)は粘膜上皮の厚さ，粘膜表面からの膨隆部分も合わせた測定となるため，より大きな計測値となる．

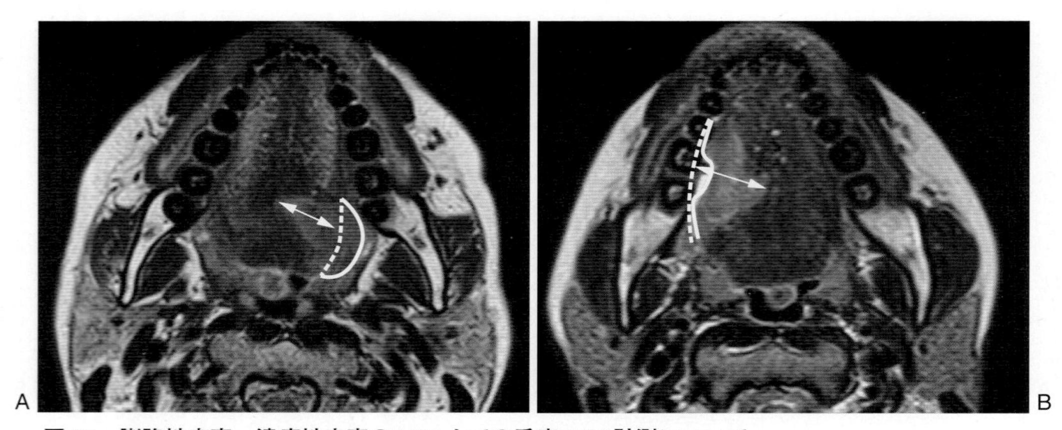

図77　膨隆性病変，潰瘍性病変のMRI上での舌癌DOI計測について
膨隆性病変（左），潰瘍性病変（右）の口腔レベルMRI T2強調横断像において，それぞれの腫瘍の輪郭（実線）に対して，想定される本来の舌の輪郭（点線），これをもとにしたDOI・腫瘍の厚さ（両向き矢印）を示す．

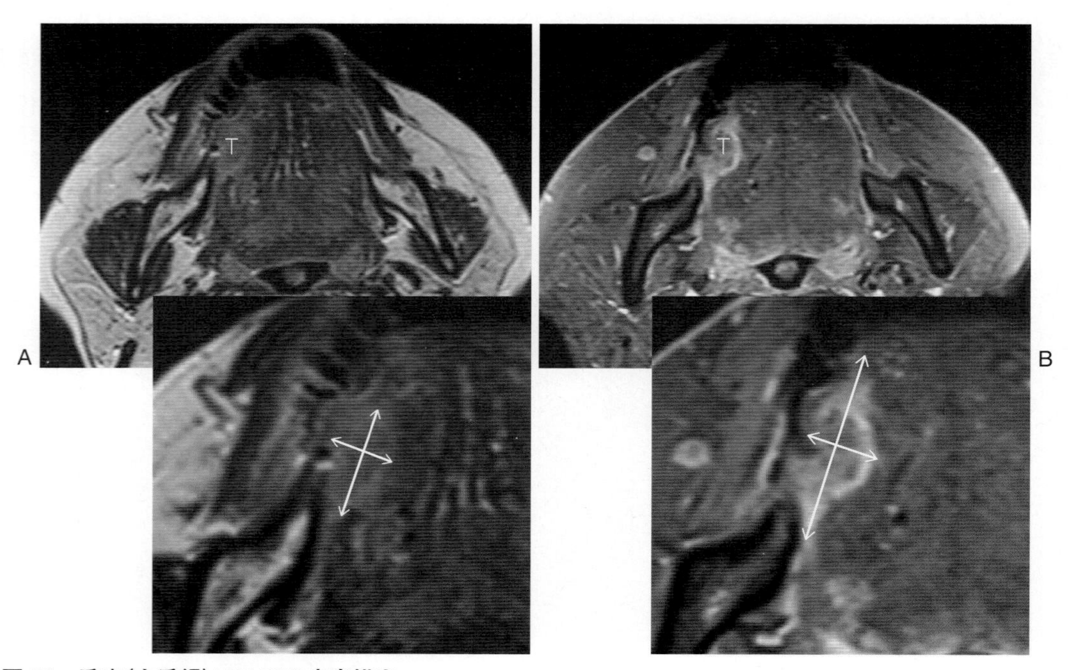

図78　舌癌（右舌縁）MRIでの病変描出
T2強調像（A）および造影後T1強調脂肪抑制画像（B）において病変（T）につき，拡大図（それぞれの右下）上で最大横断径，厚さ（深達度）を両向き矢印で示す．造影後T1強調脂肪抑制画像（B）で病変は大きく，深く認められる．

理学的所見のみよりも画像診断が優れる[110]．既述のとおり，舌癌ではDOIが頸部リンパ節転移と相関しており，NCCNガイドラインではDOI 4 mm以上のT1/T2N0例に予防的頸部郭清術を強く推奨している[104]．馬場らは外舌筋浸潤のMRI所見（図68，69）を示す舌縁の舌癌ではDOIが4 mmより大きく予後不良であることを示し，同所見が予防的頸部郭清術施行の根拠となると報告している[111]．上内深頸リンパ節，顎下リンパ節，中内深頸リンパ節（レベルⅡ，Ⅰb，Ⅲ）への転移が多く，副神経リンパ節（レベルⅤ）への転移は比較的まれである．また，舌尖部以外の癌でのオ

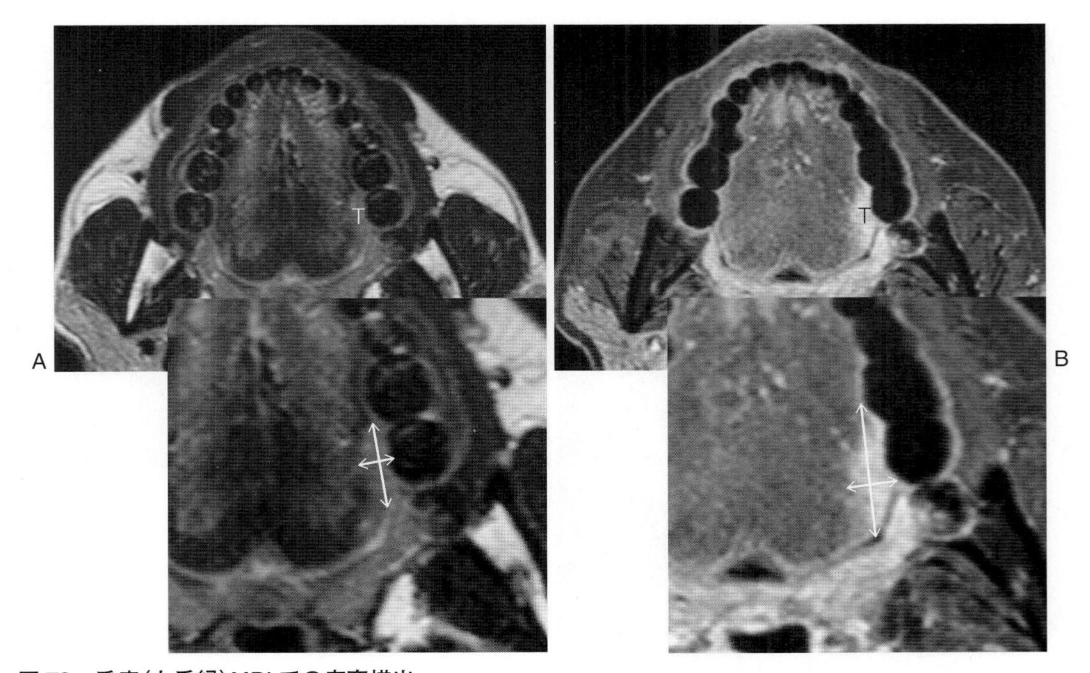

図 79　舌癌（左舌縁）MRI での病変描出
T2 強調像（A）および造影後 T1 強調脂肪抑制画像（B）において病変（T）につき，拡大図（それぞれの右下）上で最大横断径，厚さ（深達度）を両向き矢印で示す．図 78 と同様，造影後 T1 強調脂肪抑制画像（B）で病変は大きく，深く認められる．

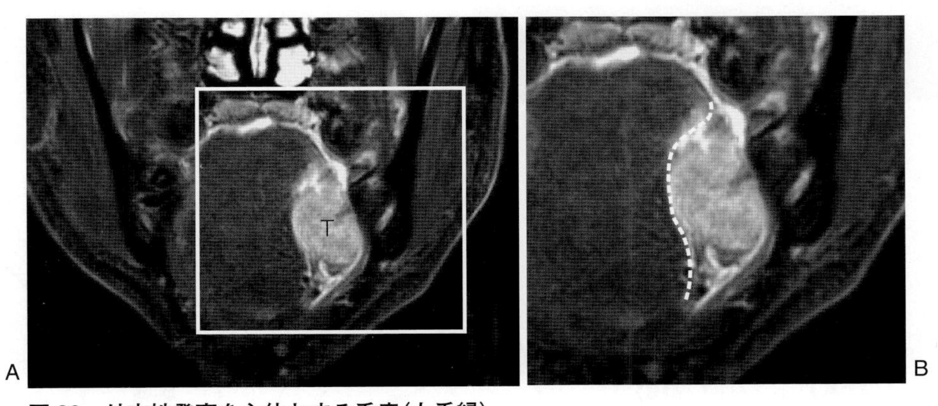

図 80　外方性発育を主体とする舌癌（左舌縁）
口腔レベルの造影後 T1 強調脂肪抑制冠状断像（□内の病変部を右側に拡大表示）において，左舌縁に増強効果を示す腫瘍（T）を認める．病変は外方性発育傾向が著明であり，深部浸潤はほとんどみられず左舌縁（点線）を圧排する．深達度と腫瘍の厚さが大きく異なる症例として提示した．

トガイ下リンパ節（レベル Ⅰa）転移の頻度は比較的低い[19]．一般的に頭頸部扁平上皮癌の頸部リンパ節転移は系統的分布を示すが，舌では頸部下部，対側とのリンパ管の交通（図 82）[112]により頸部下部，対側頸部への skip metastasis を生じる場合もあり，注意を要する．なお，CT/MRI における頸部リンパ節転移の中心壊死所見は進行病変であることを反映し，中心壊死所見のない症例と比較して生存率は低いと報告されている[113]．これは中心壊死の所見が予後不良因子である節外進展と相関を示す（感度 91〜95%，陰性的中率 88〜98%）[114, 115]ことにも合致する．

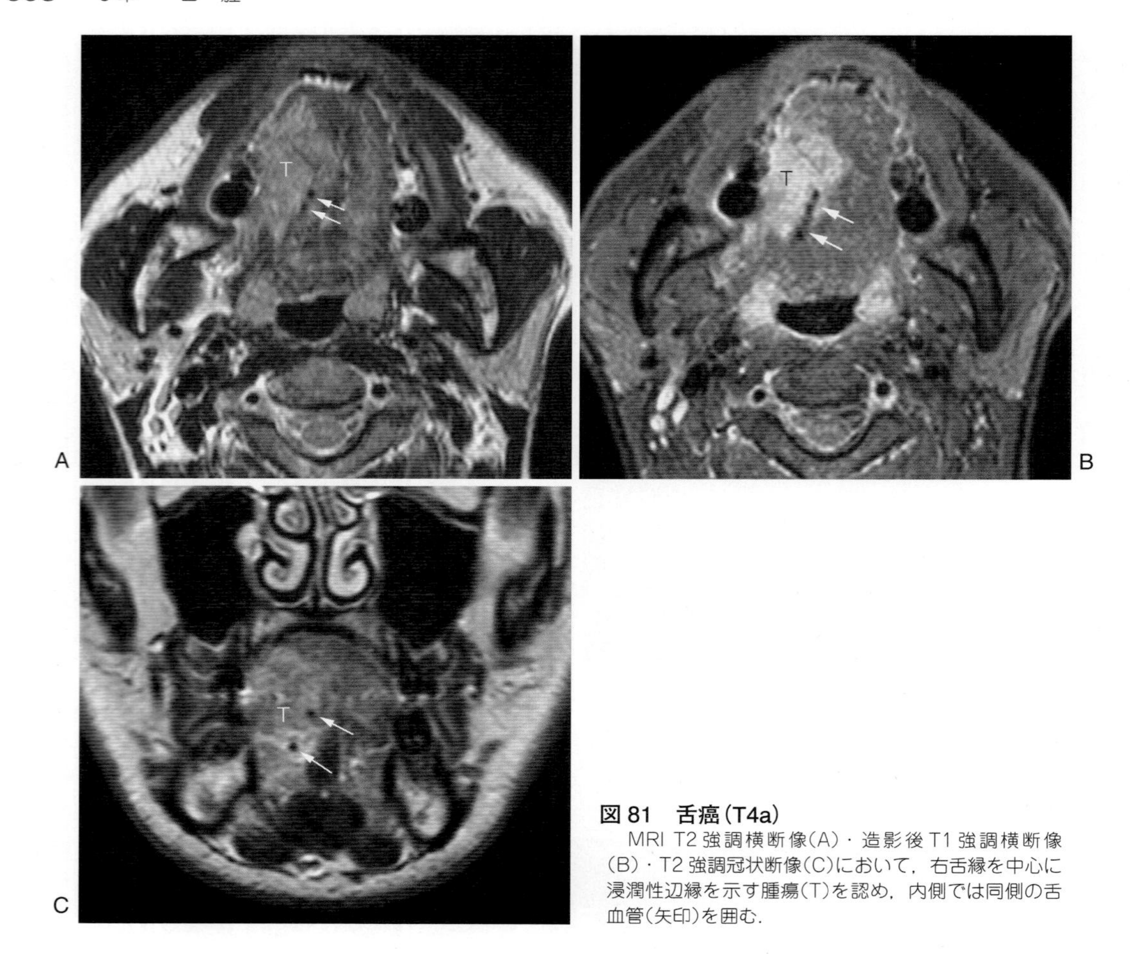

図 81　舌癌(T4a)

MRI T2 強調横断像(A)・造影後 T1 強調横断像(B)・T2 強調冠状断像(C)において，右舌縁を中心に浸潤性辺縁を示す腫瘍(T)を認め，内側では同側の舌血管(矢印)を囲む．

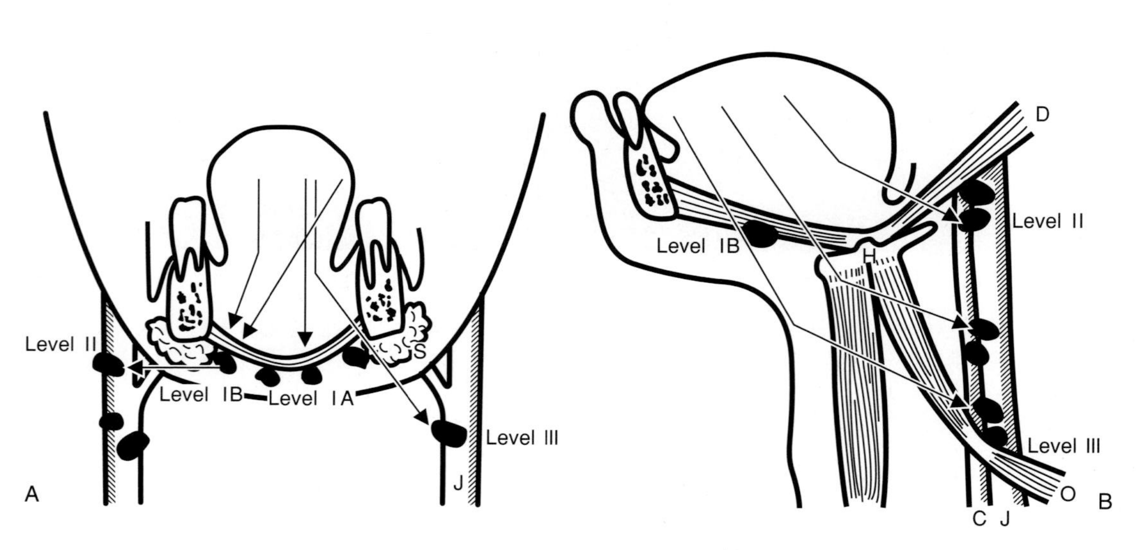

図 82　舌のリンパ経路

A：正面からみた舌リンパ環流シェーマ．対側頸部との交通を示す．

B：側面からみた舌リンパ環流シェーマ．下部頸部との交通を示す．舌尖部ほど下部，舌基部(舌根側)ほど上部に連絡する．

C：総頸動脈，D：顎二腹筋，H：舌骨，J：内頸静脈，O：肩甲舌骨筋，S：顎下腺

(Rouvière H : Anatomy of the Human Lymphatic System, Edwards Brothers, Ann Arbor, p1-81, 1938 を基に作成)

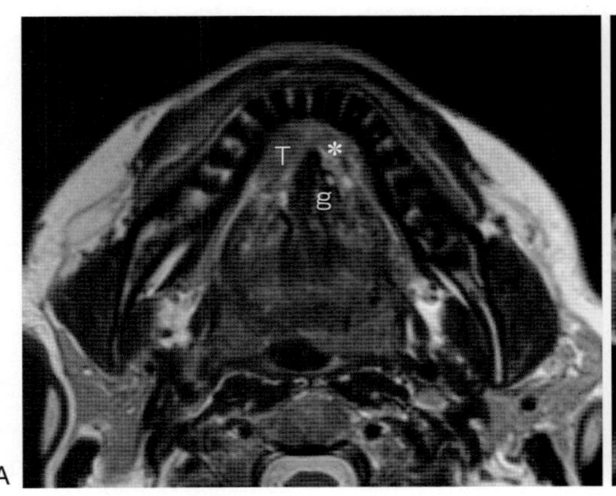

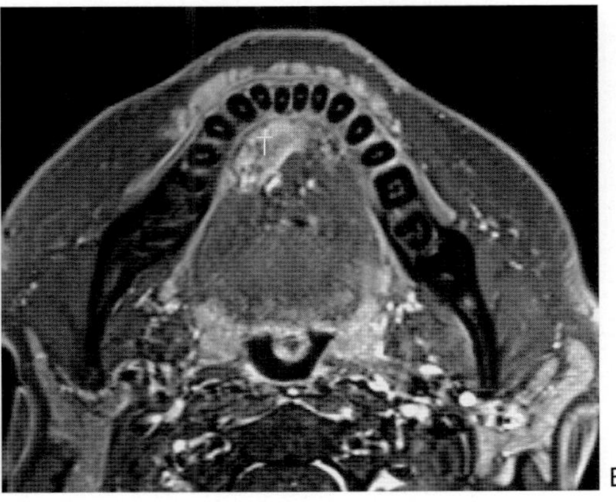

図 83 口腔底癌
口腔底レベルの MRI T2 強調横断像(A)において口腔底前方の右傍正中に腫瘤(T)を認める．対側の舌下腺(＊)と類似のやや高信号を呈する．内側はオトガイ舌筋(g)に接する．造影後 T1 強調脂肪抑制画像(B)で病変(T)は不均等な増強効果を呈し，T2 強調像(A)よりも存在は明らかである．

舌癌の原発部位病変では外科的治療(代表的術式は，「2)治療後の画像評価」において解説する)が基本となるが，同病期であれば，放射線治療もほぼ同程度の治癒率を示す[19, 116]．放射線治療ではより良好な機能温存が期待されるが[116]，機能的・形態的結果，患者・臨床医の意向などに従って選択される．無歯顎例では放射線性骨壊死の頻度は低い．放射線治療では組織内照射の適応を十分に検討する必要がある．外科的治療では(一般的に頭頸部扁平上皮癌では 1 cm の切除縁の確保で適切とされるが) 1.5〜2 cm のやや広い切除縁を確保することが必要である[19]．positive/close margin の場合は術後照射を考慮すべきである．進行癌では両者の併用治療が選択される．術前照射により 65％以上の腫瘍縮小率を得られた場合には切除範囲の縮小が可能となる[117]．早期舌癌の生命予後は局所制御率よりも頸部病変の制御に関わることが知られている[118〜121]．CT，MRI，超音波検査，PET などにより N0 (radiological N0) と判断された例においても，30〜40％で頸部再発を生じることから[122]，(既述の通り) 舌癌 N0 症例では常に予防的頸部郭清術や後療法が議論となる．なお根治目的での治療終了後 2 年以内に舌扁平上皮癌の 40％が局所・頸部再発を生じるとされる[113]．

vi) 口腔底癌

大部分が扁平上皮癌であり，口腔扁平上皮癌の発生部位としては 3 番目(表 2)，口唇を除くと舌に次いで 2 番目に多い．小唾液腺悪性腫瘍は 2〜3％程度である[19]．口腔底は下顎骨，歯槽堤，前口蓋弓で囲まれる領域で，口腔底癌の約 90％は口腔底前方の正中から 2 cm 以内の傍正中領域に好発する(図 83，84)[19]．通常，早期病変は腫瘤感あるいは軽度の知覚過敏として発見される．赤色病変では 5 mm 以下の場合，carcinoma *in situ* か浸潤癌かの確率はほぼ同程度であるが，6 mm〜2 cm では約 75％，2 cm を超えるとほぼ全例が浸潤癌である[123]．悪性の確率は白色病変のほうがやや低い．進行病変では疼痛(ときに耳への放散痛)，出血，口臭などを生じる．早期より粘膜を破綻，オトガイ舌筋，オトガイ舌骨筋，舌下腺などに浸潤する．顎舌骨筋は早期には腫瘍進展の障壁となりうるが，進行病変では同筋に沿って浸潤後(図 85)，顎骨浸潤(T4a)をきたす(図 86，87)．また，舌下間隙を通過する顎下腺管あるいは同開口部に浸潤すると顎下腺の二次性炎症性変化を生じる(図 88，89)．

画像診断では口腔底の深部組織への進展範囲(図 90) [舌下間隙(図 86，91)，舌骨舌筋(図 92，93)，顎舌骨筋(図 84〜86，93)に沿った進展]，顎骨浸潤(図 86，87，94)の正確な評価および頸部リンパ節病変(図 86C，87D)の評価が求められる．口腔底癌の進展評価では MRI の有用性は高い[124]．確認可能な粘膜病変の範囲を大き

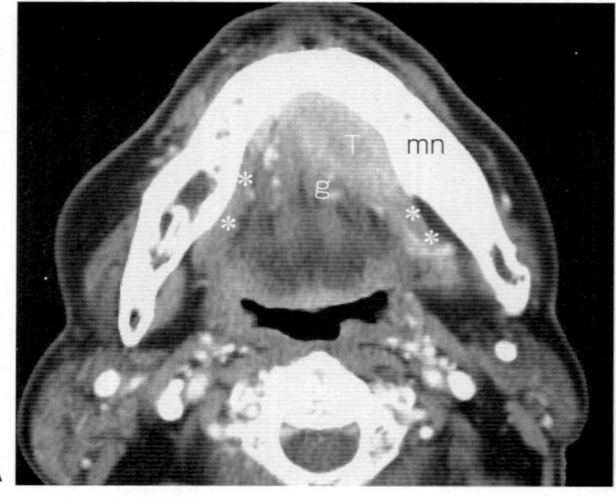

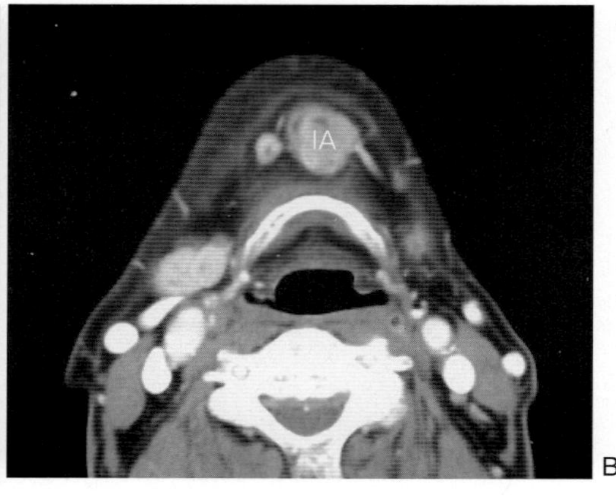

図 84　口腔底癌
口腔底レベルの造影 CT（A）において，口腔底前方左傍正中から左外側部前方にかけて浸潤性腫瘤（T）を認め，患側のオトガイ舌筋（g）の前方外側面，顎舌骨筋（＊）前方部分に浸潤を示す．側方には下顎骨（mn）が接する．顎下部レベル（B）でオトガイ下リンパ節（IA）転移を認める．

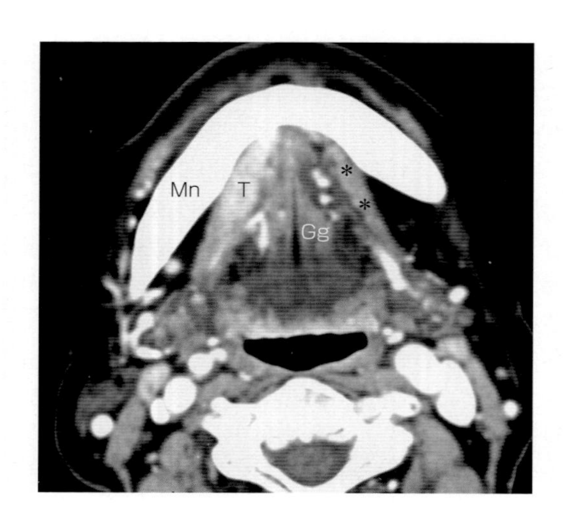

図 85　口腔底癌（T4a）
造影 CT において，右外側口腔底で顎舌骨筋（対側で＊で示す）に沿った浸潤性腫瘍（T）を認める．Gg：オトガイ舌筋，Mn：下顎骨

く越えた深部浸潤を示す症例もまれでない．オトガイ舌筋，オトガイ舌骨筋と顎舌骨筋の間にある舌下間隙の脂肪層および同間隙内を走行する舌血管束の確認が重要である（図 91，92）．MRI では腫瘍の直接浸潤がみられなくても舌下腺，顎下腺の二次性変化を信号変化として認める場合があり，注意を要する [125]．

診断，治療の改善にもかかわらず，生存率は過去数十年有意な改善はみられず，予後不良である [126, 127]．年齢・性別，組織悪性度，病期，腫瘍の大きさ，治療選択などが予後に影響する．高齢者は再発率が高く，生存率は低く予後不良とされる [128, 129]．性別では女性の生存率が高い [129, 130]．進行病期，高い組織悪性度（グレード）は全生存率，無病生存率を低下させる [131]．

早期病変（Stage Ⅰ～Ⅱ）では放射線治療，外科的治療ともにほぼ同程度の局所制御率を示すが，進行病変（Stage Ⅲ～Ⅳ）では併用療法により多少の生存率改善がみられる [132, 133]．顎骨浸潤のみを根拠に T4 に分類される病変（表 1：p320）の一部では外科的切除と術後放射線治療により治癒の可能性がある [19]．

治療選択にかかわらず，最も多い非治癒の要因は頸部病変の非制御である [134]．診断時，約 30％

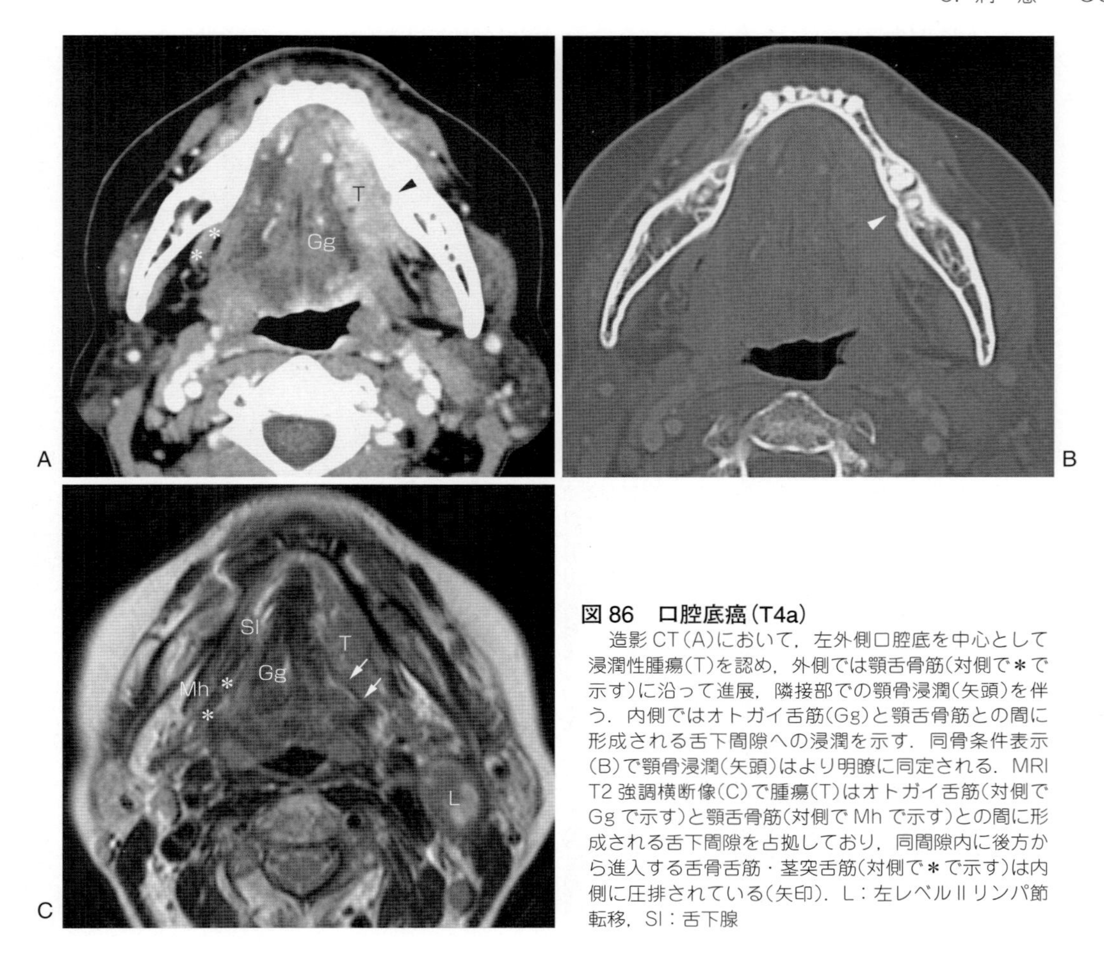

図 86　口腔底癌（T4a）

造影 CT（A）において，左外側口腔底を中心として浸潤性腫瘍（T）を認め，外側では顎舌骨筋（対側で＊で示す）に沿って進展，隣接部での顎骨浸潤（矢頭）を伴う．内側ではオトガイ舌筋（Gg）と顎舌骨筋との間に形成される舌下間隙への浸潤を示す．同骨条件表示（B）で顎骨浸潤（矢頭）はより明瞭に同定される．MRI T2 強調横断像（C）で腫瘍（T）はオトガイ舌筋（対側で Gg で示す）と顎舌骨筋（対側で Mh で示す）との間に形成される舌下間隙を占拠しており，同間隙内に後方から進入する舌骨舌筋・茎突舌筋（対側で＊で示す）は内側に圧排されている（矢印）．L：左レベルⅡリンパ節転移，Sl：舌下腺

が頸部リンパ節転移陽性例（N＋）で約 4％が両側性（N2c）である[19]．頻度はレベルⅠB（図 87D）あるいはレベルⅡ（図 86C，95）への転移が多く，頸部下部（レベルⅢ～Ⅳ），後頸三角（レベルⅤ）は比較的まれである．T 分類と頸部リンパ節転移の間に明らかな相関はなく，T1/T2 の早期病変であっても 21～62％の頻度で潜在性頸部リンパ節転移がみられる[133, 135, 136]．頸部リンパ節病変は生存率に最も大きく影響する因子である[137]．口腔底癌の T 診断においても，舌癌と同様に深達度の評価が必要となるが画像での計測については複雑な解剖構造のため舌癌以上に問題も多い．ただし，口腔底癌の深達度・腫瘍の厚さと頸部リンパ節転移との相関については報告されており，予防的頸部郭清術の適応判断では深達度 2～6 mm が基準となる[138, 139]．口腔底癌の頸部リンパ節病変は比較的早期より節外進展を生じる場合が多く[19]，節外進展は生存率低下のみならず遠隔転移の頻度の増加とも関連する[140]．

口腔底は外科的アプローチの困難さ，切除断端陽性率の高さ，早期からの顎骨・頸部軟部組織への浸潤傾向，両側頸部リンパ節転移の頻度の高さなどが治療選択を困難としている[133]．歯肉との間に正常粘膜の介在する 5 mm 以下の T1 病変では経口的切除が可能な場合が多い．病変進展の程度により，術中気道確保のために気管切開を必要とする．切除縁は少なくとも 1 cm を確保する必要がある．顎骨浸潤が術式選択に影響する．最も高頻度に認められる前方傍正中の 1～3 cm 大の病変も切除可能であるが，歯肉への進展を認める

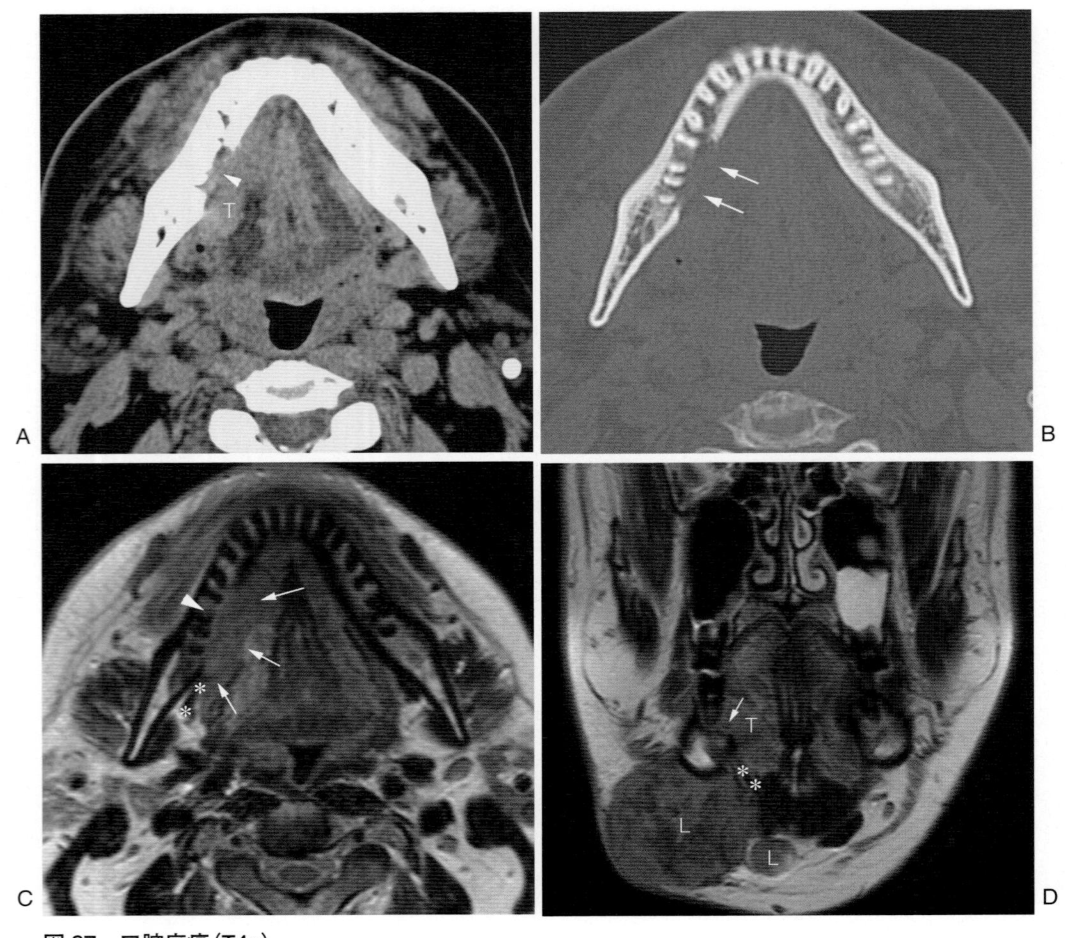

図 87 口腔底癌(T4a)
非造影 CT(A)において，右外側口腔底に浸潤性腫瘍(T)を認め，隣接部で顎骨浸潤(矢頭)を伴う．同骨条件表示(B)で顎骨浸潤(矢印)はより明瞭である．T2 強調像(C)で腫瘍(矢印)は側方で顎舌骨筋(＊)に沿った浸潤を示し，これに沿った顎骨浸潤(矢頭)を認める．同冠状断像(D)で腫瘍(T)による隣接顎骨の歯槽内側部での浸潤(矢印)を認める．レベルⅠリンパ節転移(L)との間には顎舌骨筋(＊)が介在している．

か，顎骨骨膜との癒着のある場合は骨膜切除が必要となる[19]．また，必要に応じて，marginal mandibulectomy，segmental mandibulectomy が施行されるが，明らかな骨浸潤が確認された場合は segmental mandibulectomy を選択するのが賢明である(図 38)．術式としては局在により前口腔底切除術(図 96，97)，外側口腔底切除術(図 98)などが選択される．舌神経血管束への損傷に注意をはらう必要がある．再建に関しては大胸筋による筋皮弁が一期的再建に有用であり，顎骨の露出を認める場合(特に放射線治療後)は局所皮弁が望ましい．対側頸部病変を認めない症例(N0〜N2b)では，病変が正中を越えていなければ腫瘍の厚さや深達度等にかかわらず対側頸部への予防的放射線治療の必要はないと報告されている[141]．

2) 治療後の画像評価

治療直後においては出血，皮弁壊死，縫合不全，感染などの合併症，あるいは早期での再発・転移の疑いのある例のみが画像評価の対象となる．通常の治療後画像診断では，再発・転移を評価することが最大の目的である．術後瘢痕や放射線治療後の線維化などにより，しばしば理学的所見の評価は困難であり[142]，画像診断の果たす役割は大きい．CT よりもコントラスト分解能の高

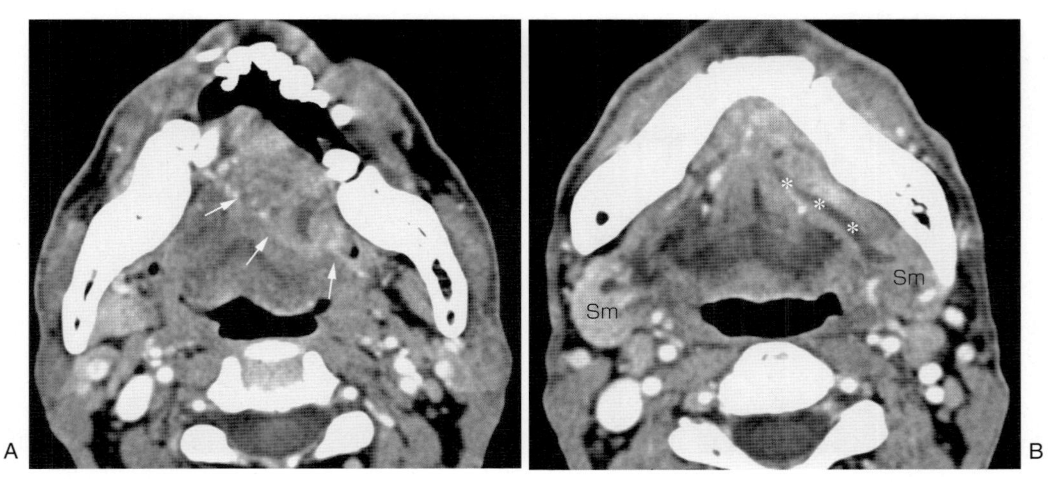

図 88　口腔底癌
造影 CT（A）で，顎下腺管開口部を含めて，前口腔底から左外側口腔底を中心とした浸潤性腫瘍（矢印）を認める．より尾側レベル（B）では，左顎下腺管（＊）の拡張を認め，顎下腺（Sm）は左側で増強効果が不良で二次性唾液腺炎を示唆する．

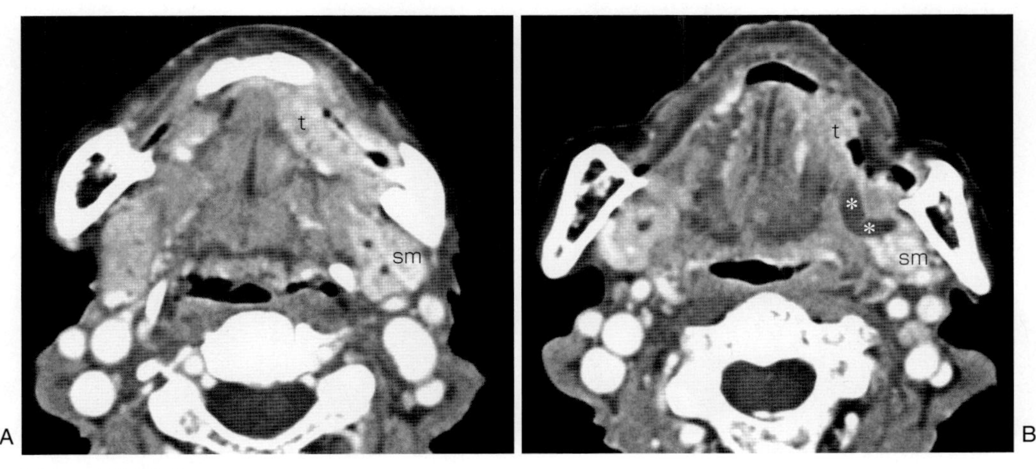

図 89　口腔底癌
造影 CT 横断像（A）において左外側口腔底を中心に浸潤性腫瘤（t）を認める．左顎下腺（sm）は対側と比較して実質増強効果の亢進を認める．A の直上レベル（B）で，左舌下間隙内の後方に，口腔底腫瘍（t）による閉塞性変化として拡張した左顎下腺管（＊）を認める．sm：左顎下腺

い MRI の有用性が高く[142]，通常の経過観察は造影 CT が施行される場合が多いが，臨床的あるいは CT で再発が考慮される（否定されない）例では MRI の評価が望まれる．

治療（口腔癌の多くが外科的治療）後画像評価では，代表的な術式，これらの術式での（通常経過の）術後所見（expected appearance），合併症に対する理解が必要である[143, 144]．治療後は組織欠損や皮弁再建，舌下神経麻痺などに伴う非対称性・解剖学的ゆがみ（anatomical distortion），あるいは治療後瘢痕組織などにより，単一回の画像所見のみでの判断がしばしば困難であり，以前の検査との比較による経時的評価が必要となる[145]．治療終了後 6 週から 3 ヵ月程度で施行される基線検査（特に MRI）は，再発病変の早期同定に有用である[142]．これより早期では治療による所見修飾が強く，偽陽性が問題となる．以下に主に舌癌における代表的術式，術後画像所見とともに再発の

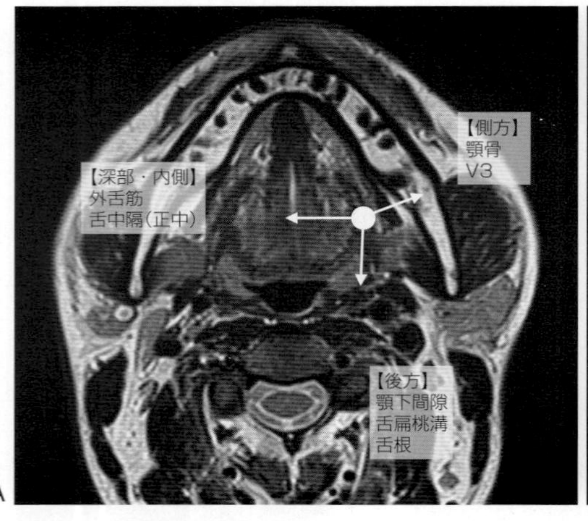

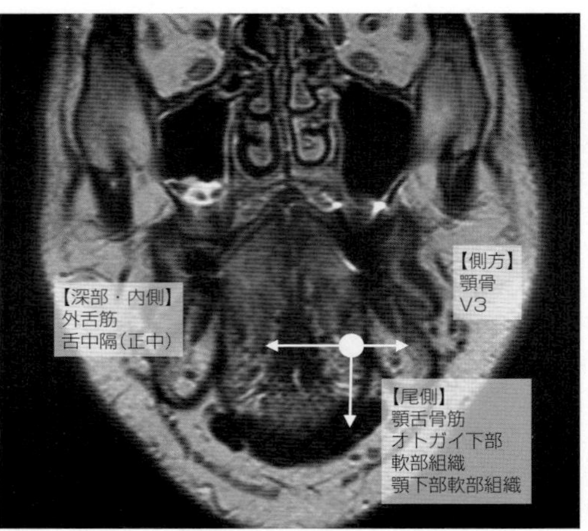

図 90　口腔底癌の進展様式
A：T2 強調横断像.
B：T2 強調冠状断像.

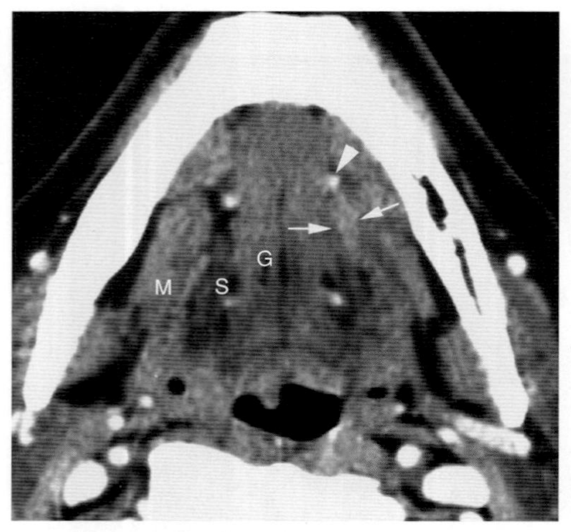

図 91　口腔底癌の舌下間隙浸潤
造影 CT 横断像でオトガイ舌筋(G)と顎舌骨筋(M)との間に形成される舌下間隙(S)の脂肪層は，左側前方の一部で増強効果を示す浸潤性腫瘍(矢印)で置換されている．舌下間隙内の舌血管束(矢頭)に隣接する.

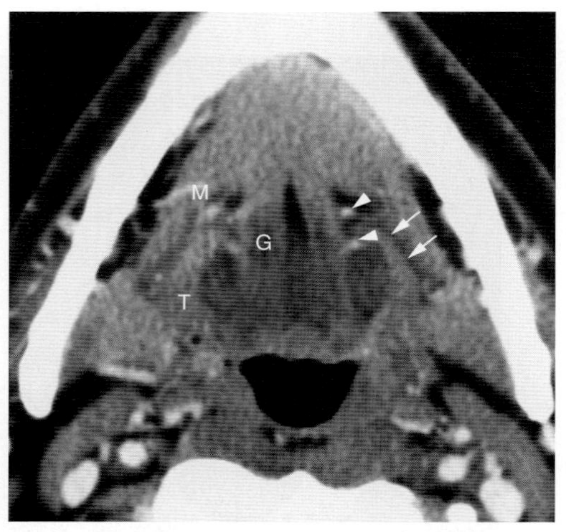

図 92　口腔底癌の舌骨舌筋に沿った進展
造影 CT 横断像でオトガイ舌筋(G)と顎舌骨筋(M)との間に形成される舌下間隙内に進展する舌骨舌筋(左側で矢印で示す)は右側で不整な肥厚と増強効果の亢進を認め，口腔底癌(T)の舌骨舌筋に沿った進展を示す．舌血管束(対側で矢頭で示す)周囲脂肪層不明瞭化がみられる.

診断につき，解説する.

舌癌は進展度に応じて，舌部分切除術(舌可動部の一部あるいは，2分の1未満の切除)，舌半側切除術(舌可動部の2分の1の切除)，舌(亜)全摘術(亜全摘：舌可動部の2分の1以上，全摘：舌可動部全部の切除)に分けられる(図 99)．舌部分切除術では術後欠損の大きさにより，そのまま縫合(primary closure)，あるいは前腕皮弁などの小さな皮弁が置かれる．画像上，皮弁再建のない例(図 100)では術側の容積減少，限局性の組織層不明瞭化を示し，皮弁再建例(図 101)では皮弁が切除縁に沿った脂肪濃度領域として認められる．正中構造の(術側への)偏位を示す場合もある(図 101B)．舌半側切除術，舌(亜)全摘術(図

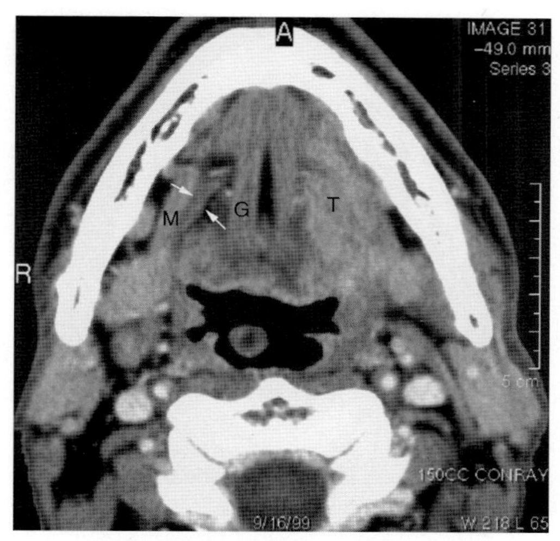

図 93　口腔底癌の顎舌骨筋に沿った進展

造影 CT 横断像で左口腔底に浸潤性腫瘍(T)を認める．腫瘍は顎舌骨筋(右側で M で示す)，舌骨舌筋(右側で矢印で示す)に沿って進展している．

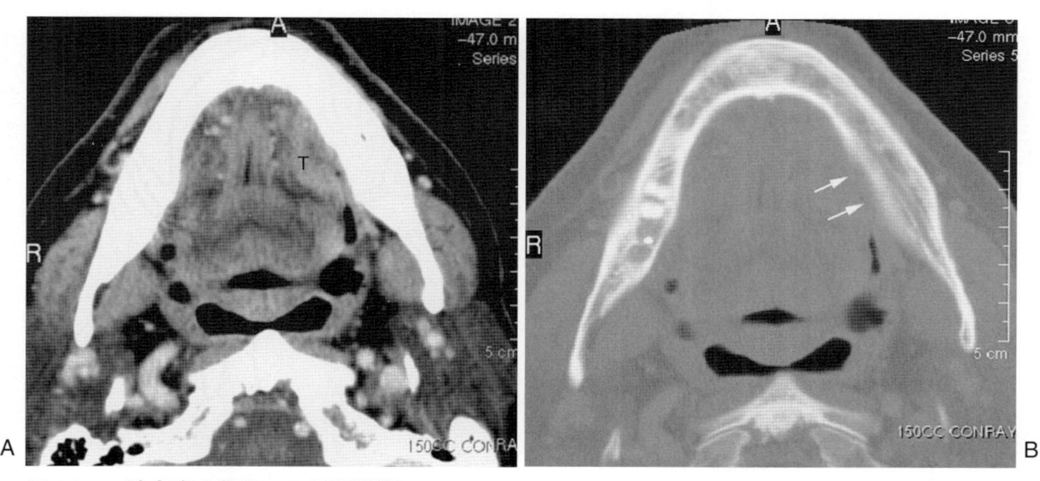

図 94　口腔底癌の顎骨への早期浸潤

A：造影 CT 横断像軟部条件．左口腔底に浸潤性腫瘍(T)を認め，原発病変に一致．

B：骨条件表示．これに接する下顎骨左体部，舌側の骨皮質の不明瞭化がみられ，早期浸潤を示す．ほぼ顎舌骨筋付着である顎舌骨筋線に相当する部位である．

102)では切除後に置かれた筋皮弁(大胸筋皮弁が用いられる場合が多い)が主に脂肪濃度・信号を示す領域として確認される．また，顎骨との関係で，適宜，下顎辺縁切除術(図 39)，下顎区域切除術(図 40)を組み合わせる．

局所再発の局在としては，切除縁(図 103)，皮弁再建例では皮弁辺縁(皮弁辺縁再発)・吻合線(図 104〜106)[142, 143]，特に皮弁辺縁再発では皮弁後縁(深部)(図 107)や顎骨近傍(図 105)が比較的多い．また，顎骨切除縁の評価も重要である(後述)．皮弁辺縁，顎骨切除縁はいずれも外科的切除縁に相当し，腫瘍断端の病理学的検索の結果の影響を受ける．

局所再発病変は中等度の増強効果を示す軟部組

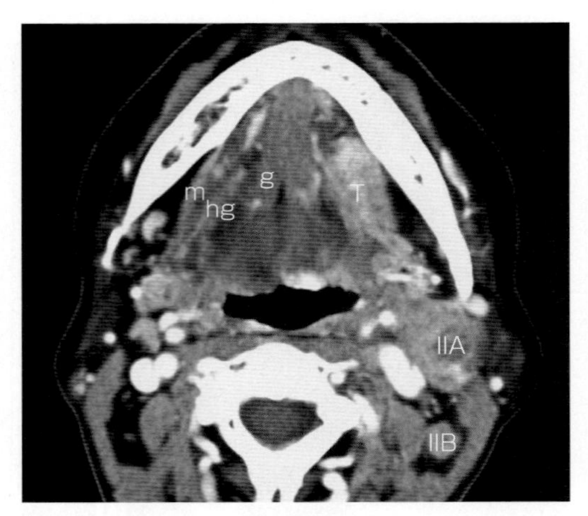

図 95　口腔底癌リンパ節転移

口腔底レベル造影 CT において口腔底左外側部に浸潤性腫瘤(T)を認める．患側の舌骨舌筋(対側で hg で示す)，顎舌骨筋(対側で m で示す)への浸潤あり．患側のレベル IIA(IIA)，IIB(IIB)リンパ節転移を伴う．

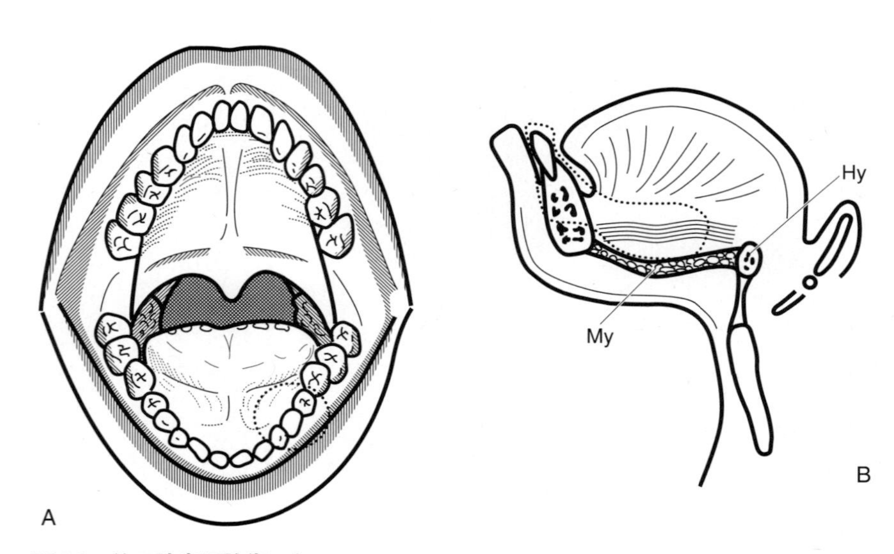

図 96　前口腔底切除術．シェーマ

A：開口時正面像．
B：口腔側面像．
切除範囲を点線で示す．Hy：舌骨(体部)，My：顎舌骨筋

織腫瘤(図 103，105，107)として認められるのが通常で，進行性骨破壊，経時的な増大傾向を伴う．再発病変の増強効果は結節様あるいはびまん性を呈する[145]．早期には皮膚，皮下組織あるいは皮弁脂肪成分内の限局性浸潤性変化として現れる場合もある．次第に皮弁辺縁，皮弁深部の不整な組織肥厚，深部浸潤性を伴う腫瘤形成を示す[143]．浸潤性軟部組織や脂肪濃度・信号強度の消失は病的であるが，既述のとおり，術後瘢痕組織が軟部組織腫瘤として認められる場合も多く，再発病変との鑑別が問題となる．早期の瘢痕組織(vascularized scar)は増強効果，T2 強調像で腫瘍に類似する中等度からやや高信号強度を呈することから，経時的評価なしに再発腫瘍との区別は困

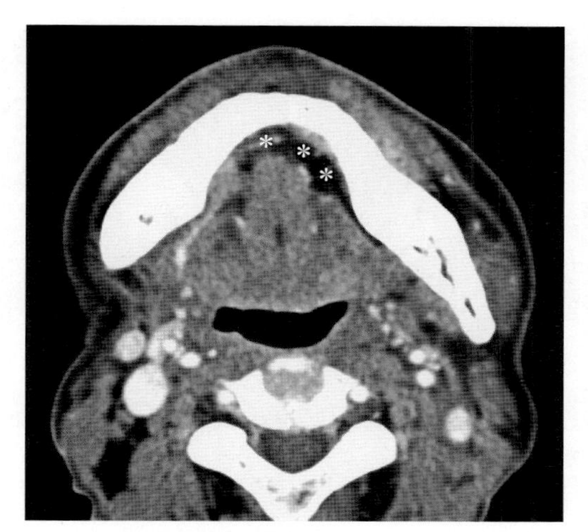

図 97　前口腔底切除術後

口腔底レベル造影 CT において口腔底前方から左外側前方にかけて切除後に置かれた筋皮弁が脂肪濃度領域(＊)として同定される．皮弁辺縁に積極的に局所再発を支持する軟部濃度病変は指摘されない．

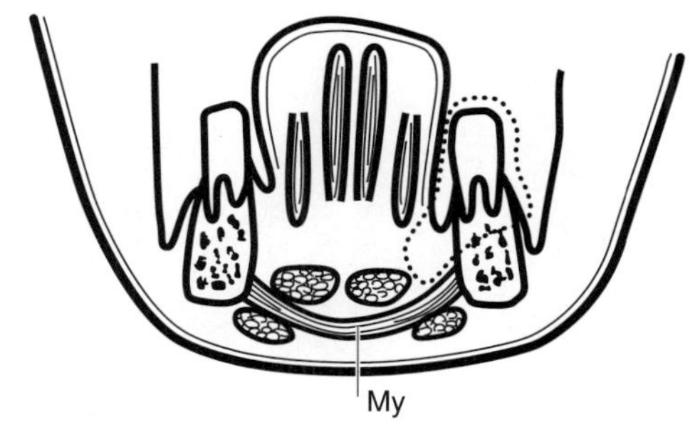

図 98　外側口腔底切除術．シェーマ

切除範囲を点線で示す．My：顎舌骨筋

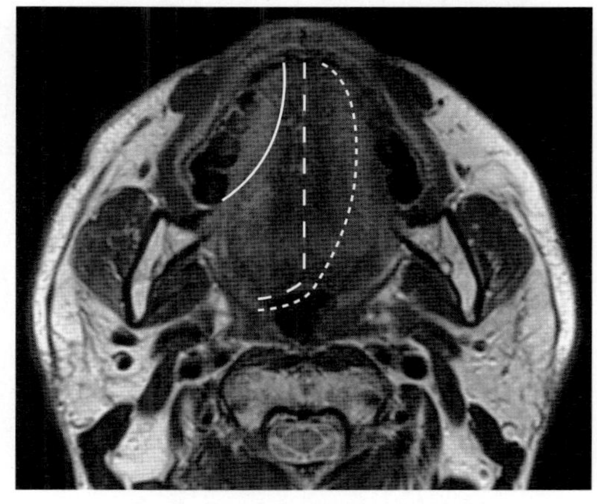

図 99　舌癌に対する各術式での切除線(MRI, T2 強調横断像)

実線：舌部分切除術(部切)，破線：舌半側切除術(半切)，点線：舌亜全摘術．

難である．しばしば MRI 拡散強調像が有用であり局所再発は高信号領域として認められる(図 106C)．晩期の瘢痕組織(non-vascularized scar)では増強効果は欠如し，T2 強調像でも強い線維化を反映して低信号強度(図 108)を呈する．経時的な不変，あるいは縮小の確認により，(再発と区別して)瘢痕の診断が可能となる[145]．6 ヵ月以内での限局性増強効果は必ずしも再発を示すものではなく[145]，増強効果はときに数年にわたり継続する[146]．孤立性結節所見(特に継時的変化に乏しい場合)も必ずしも再発を示すものではない(図 109，110)[145]．また，顎骨切除縁は通常は鮮明な直線状(図 39A)を示す必要があり，骨切除縁の輪郭不整(図 111，112)は同部での腫瘍再発を強く支持する．皮質骨の変化(図 113〜115)とともに，CT 骨条件表示がこれらの評価に優れる．

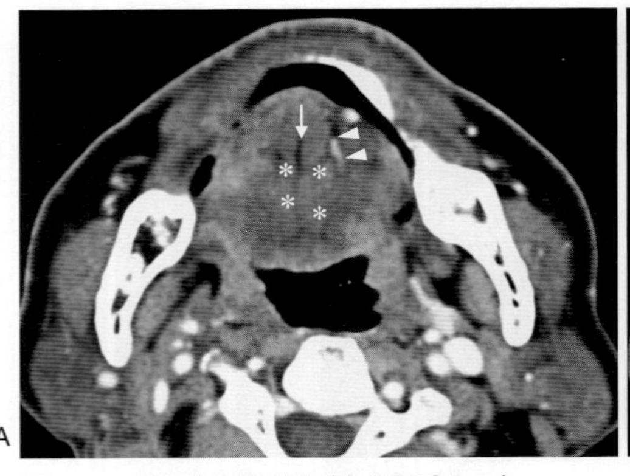

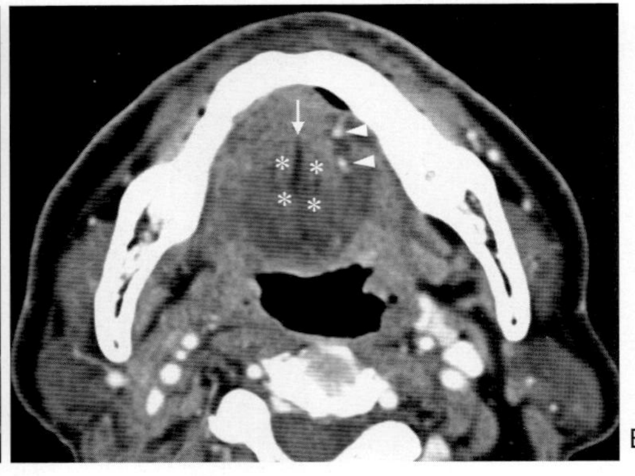

図 100　舌部分切除術後(皮弁再建なし)

舌右側の部分切除術後 2 例の造影 CT 横断像(A，B)．左右のオトガイ舌筋(＊)および舌中隔(矢印)は同定可能である．舌右側の容積は左側よりやや小さく，左側では保たれるオトガイ舌筋外側の脂肪層(矢頭)は右側で消失している．

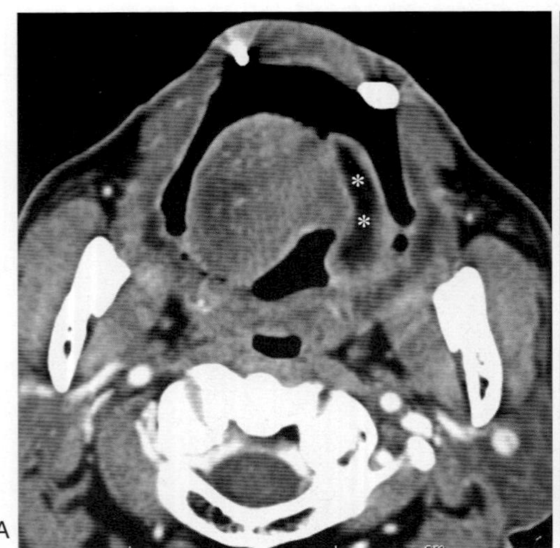

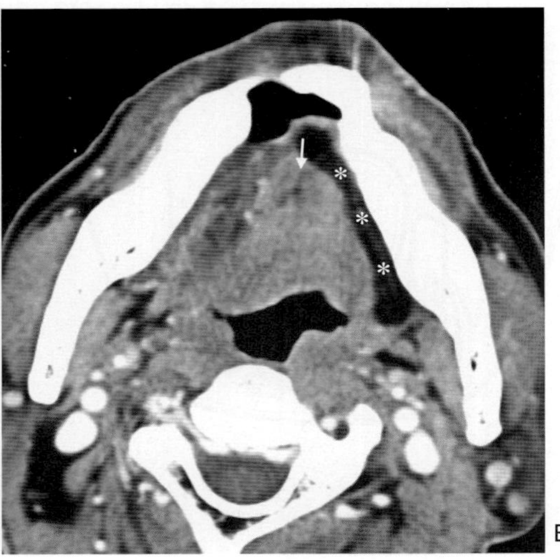

図 101　舌部分切除術後(皮弁再建あり)

舌左側の部分切除術後 2 例の造影 CT 横断像(A，B)．いずれも舌左側に沿って置かれた皮弁(＊)が脂肪濃度領域として認められる．B では舌中隔(矢印)は術側に偏位を示す．

本項では主に局所再発・皮弁辺縁再発に関して述べた．頸部リンパ節再発も重要な評価項目であるが，他の頭頸部癌と共通であり 10 章「頸部リンパ節」を参照されたい．ただし，一般的には口腔の扁平上皮癌ではレベルⅠから始まり，レベルⅡ，Ⅲと系統性を示すが，治療後では対側頸部，咽頭後リンパ節(Rouvière リンパ節)，頭側のリンパ節(up-stream nodes)への転移など，非系統的局在を示す場合もあり注意を要する．

再発以外の治療後画像診断での顎骨の評価項目である下顎区域切除後の金属プレートでの再建例における“スクリューの loosening”は，プレート不安定性による咬合不全の原因やプレート破損の原因となる．CT 骨条件表示において，スクリュー周囲の進行性骨吸収(図 116，117)として認められる．下顎骨手術後には構造的ストレスから疲労骨折を示す例もある(図 118)．また，放射線治療後ではまれに顎骨の放射線壊死をきたすが，頻度は 0.4％程度とされる[147]．放射線治療後，最大で 6 ヵ月から 1 年で生じる．歯科手術，抜歯，生検，齲歯などが最も重要な危険因子であるが，その他として組織内照射，腫瘍と骨との近

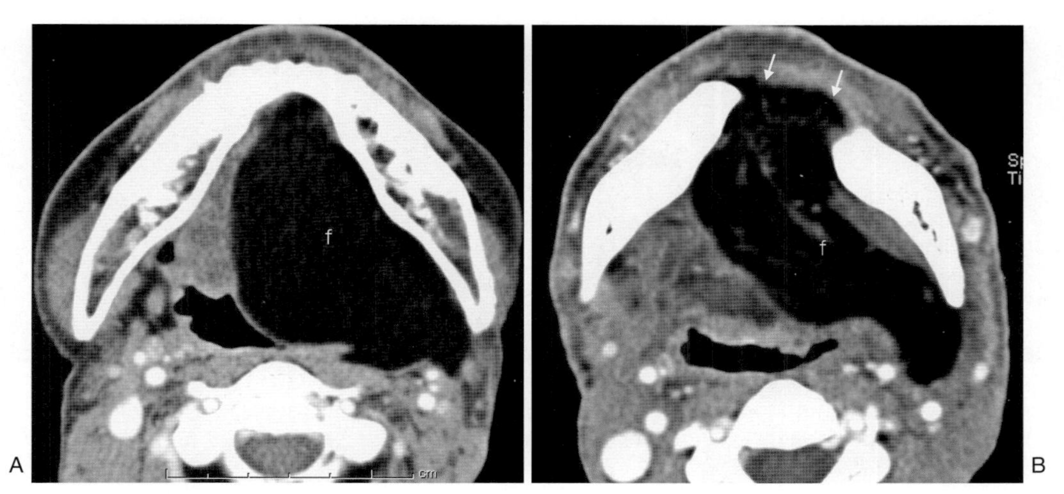

図 102　舌亜全摘後

舌亜全摘後の 2 例の造影 CT 横断像(A, B). 舌左側を中心に 2 分の 1 を超える切除が施行され, 術後欠損部は脂肪濃度を主体とする筋皮弁(f)で再建されている. B では下顎辺縁切除(矢印)が施行されている.

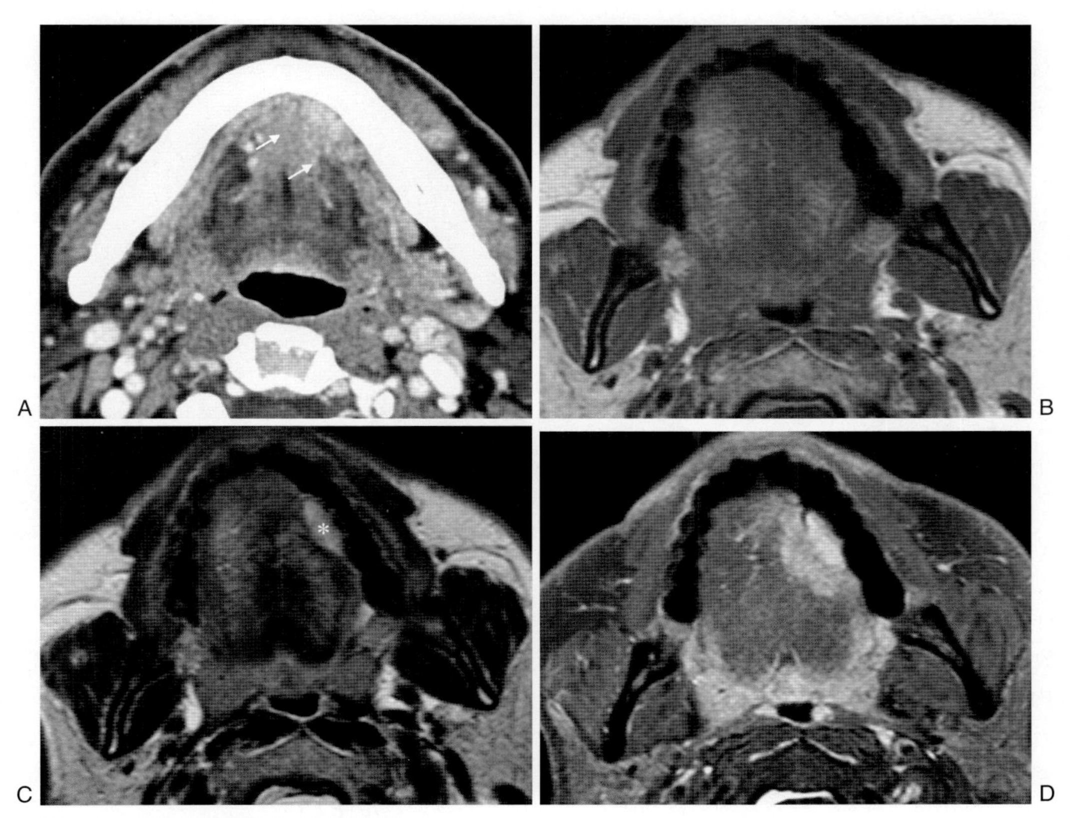

図 103　舌部分切除術後の局所再発

A：造影 CT 横断像. 左舌縁前方に限局性軟部濃度領域(矢印)を認め, 隣接する脂肪層消失を伴う. CT のみでは通常の舌部分切除術後(図 100)の術後変化のみとの区別は困難.

B：同症例の MRI, T1 強調横断像. CT で指摘された所見は骨格筋と等信号領域として認められる.

C：T2 強調横断像. CT(A), T1 強調像(B)の所見に一致して, やや高信号強度を示す腫瘤(＊)の形成が明瞭であり, 通常の術後変化のみでないことが示される.

D：造影後 T1 強調脂肪抑制横断像. 腫瘤は中等度の増強効果を示す. 局所再発(あるいは vascularized scar)に一致する.

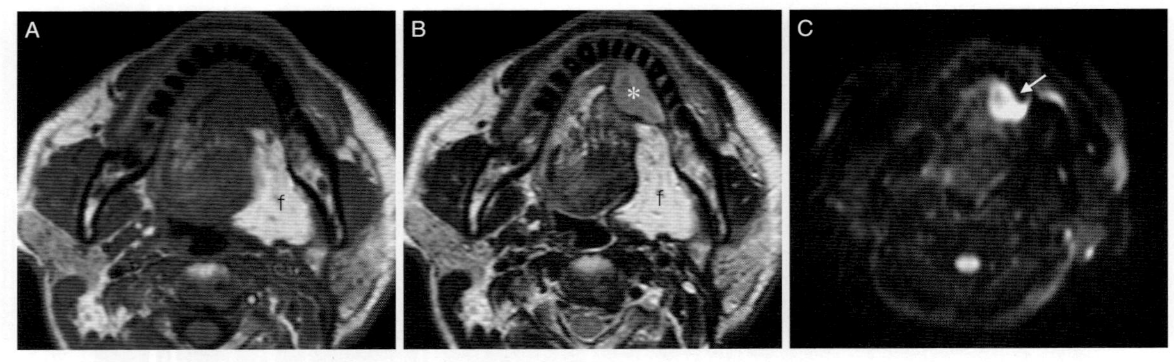

図 104　舌部分切除術後の局所再発（皮弁辺縁再発）

A：T1 強調横断像．舌（左側）部分切除術後に置かれた筋皮弁（f）が主に脂肪による高信号を示す領域として認められる．

B：T2 強調横断像．皮弁（f）前縁に接して，やや高信号を示す腫瘤（＊）を認め，皮弁辺縁再発に一致する．T1 強調像（A）では（経時的評価なしに）指摘は容易ではない．

C：拡散強調像．再発病変は著明な高信号を呈する．

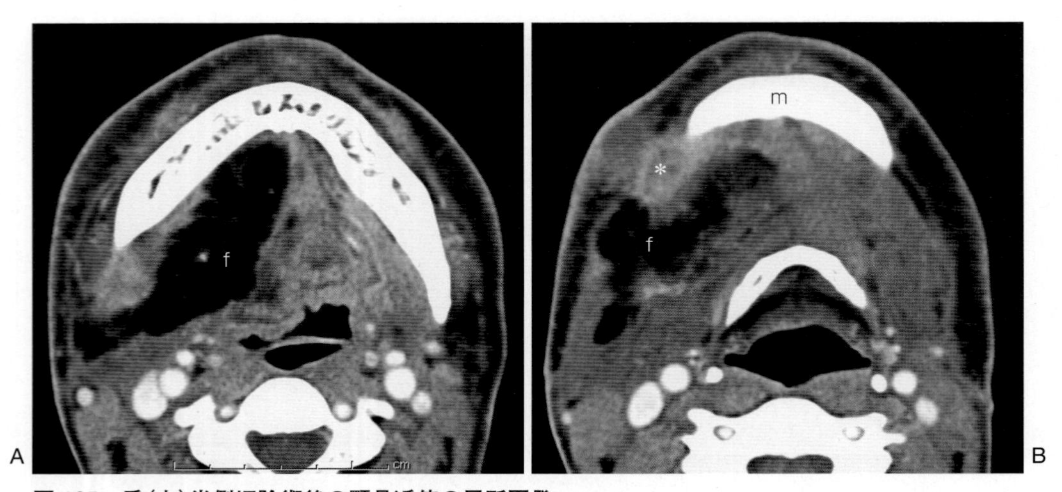

図 105　舌（右）半側切除術後の顎骨近傍の局所再発

口腔レベルの造影 CT（A）において，舌右側切除後に置かれた筋皮弁（f）が脂肪濃度領域として認められる．その 1cm 尾側の顎下レベル（B）で下顎骨（m）右体部下面に接して，内部が淡い低濃度を示す浸潤性軟部濃度腫瘤（＊）を認める．

接，放射線線量（60 Gy 未満ではまれ），顎骨の照射野内への含有，bisphosphonate での治療などが原因となる[148]．CT 骨条件表示（図 119）で皮質の途絶，腐骨形成，病的骨折，骨梁の不整・消失，脱灰，髄内のガス像，隣接軟部組織腫脹などを示す[147]．再発腫瘍の顎骨浸潤との鑑別は，もとの腫瘍と離れた部位での皮質欠損，分節化の同定による．

b．小唾液腺癌

詳細は 13 章「唾液腺」を参照されたい．小唾液腺腫瘍は口腔領域では口蓋で重要であるが，ときに舌，口腔底の粘膜下腫瘍としても認められる．歯肉発生はまれである．

c．皮様囊腫（dermoid cyst）

皮様囊腫の 6.94％が頭頸部，そのうち 11％が口腔底に生じる[149]．小児では，口腔底病変は全皮様囊腫の 1.6〜6.5％，頭頸部皮様囊腫の 23〜

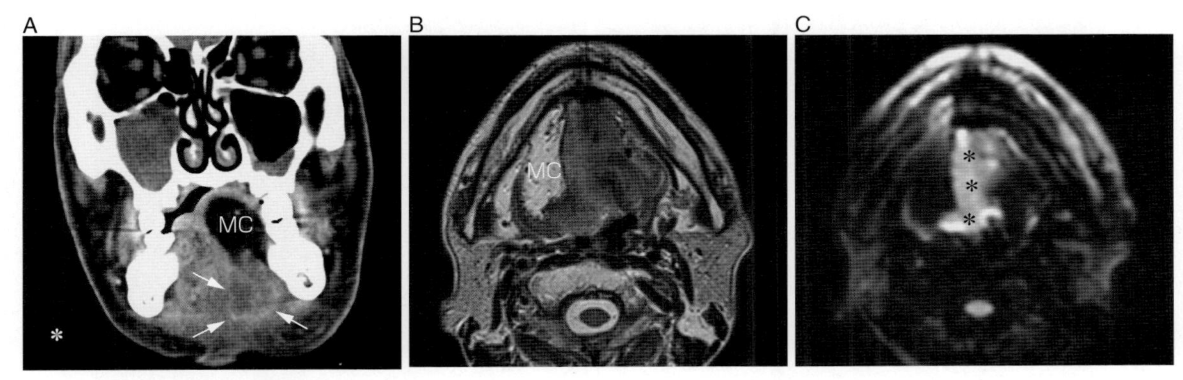

図 106　舌癌の皮弁辺縁再発 2 例

口腔レベル造影 CT 冠状断像(A)において左舌縁の癌切除部位に沿って筋皮弁(MC)が脂肪濃度領域としてみられる．皮弁下面に沿った深部に不均一な増強効果を呈する腫瘤(矢印)を認め，皮弁辺縁再発を示唆する．別症例の MRI T2 強調横断像(B)で右舌縁に沿って術後再建の筋皮弁(MC)が脂肪に相当する高信号領域としてみられる．その内側辺縁はやや無構造にみられるが輪郭を追える腫瘤の所見は明らかでない．拡散強調像(C)で皮弁内側に沿った高信号領域(＊)を認め，皮弁辺縁再発の存在，病変の範囲も明らかである．

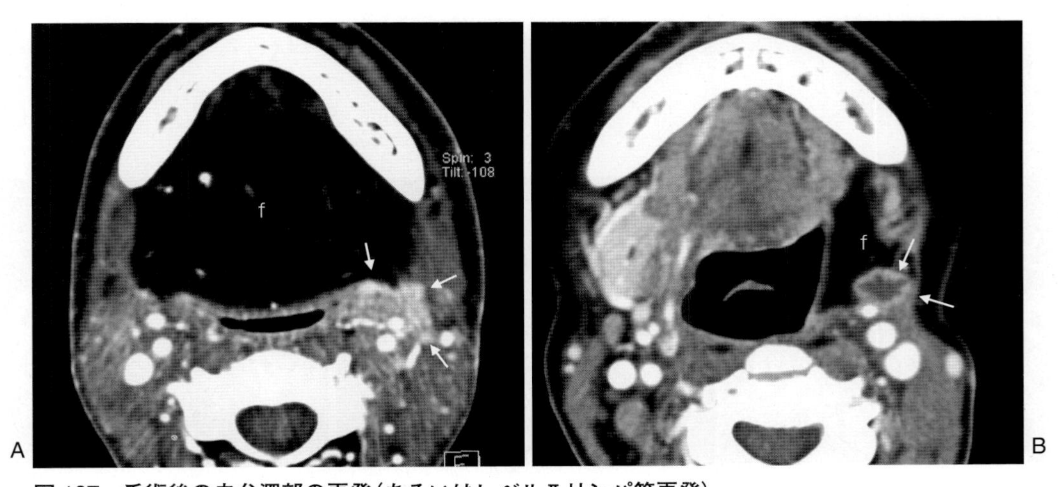

図 107　舌術後の皮弁深部の再発(あるいはレベルⅡリンパ節再発)

舌癌術後 2 例(A：舌口腔底全摘術後，B：部分切除術後)の造影 CT．いずれも皮弁(f)は脂肪濃度領域としてみられる．皮弁深部(後縁)で頸動脈鞘前面に接して，A では増強効果を示す浸潤性腫瘤(矢印)，B では内部壊死を伴う結節性病変(矢印)として再発所見を認める．皮弁辺縁再発(あるいはレベルⅡの頸部リンパ節再発)に一致する．

34％(最多は眼窩外側)，全口腔病変の 0.01％に相当する [150]．性差はない．好発年齢は 2 相性を示し，10〜20 歳に最も多いが，生後 1 年にも小さなピークがみられる [151]．

Myer は口腔底の嚢胞性病変を皮様嚢腫(dermoid)，類皮嚢腫(epidermoid)，奇形腫(teratoid)の 3 つに分類 [152] した．現在は 2013 年に Gordon ら　が congenital germline fusion cyst との新たな用語で同分類を改訂したものが用いられるが，基本的には既述の 3 つの分類と同様である．類皮嚢腫は重層扁平上皮と線維性壁構造よりなり皮膚付属器を含まないのに対して，皮様嚢腫は重層扁平上皮とともに皮膚付属器，これに随伴する皮脂腺，汗腺などの結合織を含む，奇形腫は重層扁平上皮に外・中・内胚葉すべての要素が含まれる．穿刺吸引細胞診がこれらの鑑別に有用であるが高粘稠内容のため吸引が容易でないこともしばしばである．基本的に悪性転化は極めてまれと考えられるが，口腔皮様嚢腫の 5％でみられるとの報告もある [153]．口腔底皮様嚢腫は，発生学

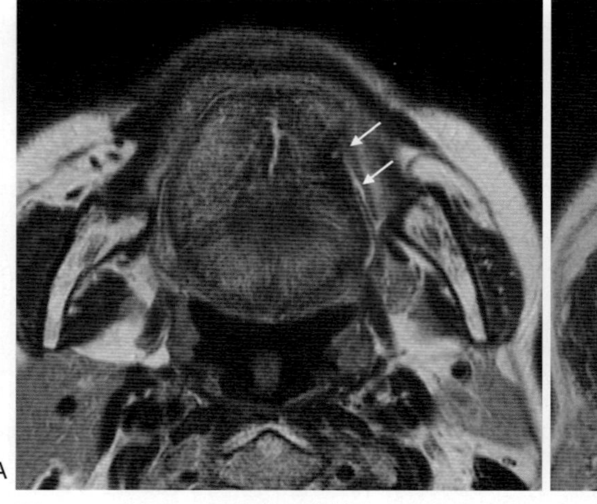

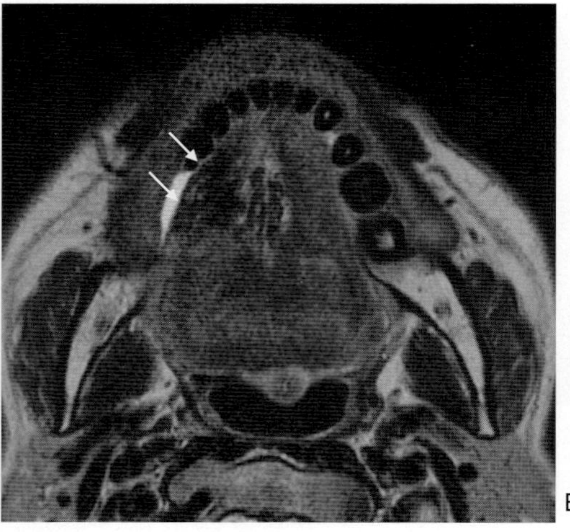

図 108　舌部分切除術後の線維化を伴う術後瘢痕 2 例

舌部分切除術後の 2 例の MRI，T2 強調横断像（A，B）．いずれも術後部位に一致してやや不整形で境界不明瞭な低信号域（矢印）を認め，線維化の強い瘢痕組織に相当する．

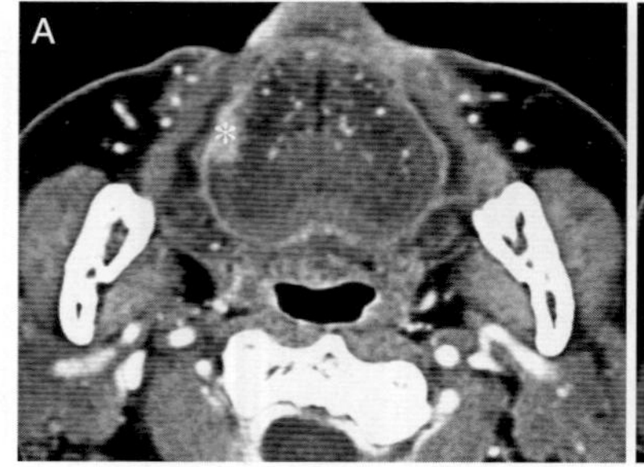

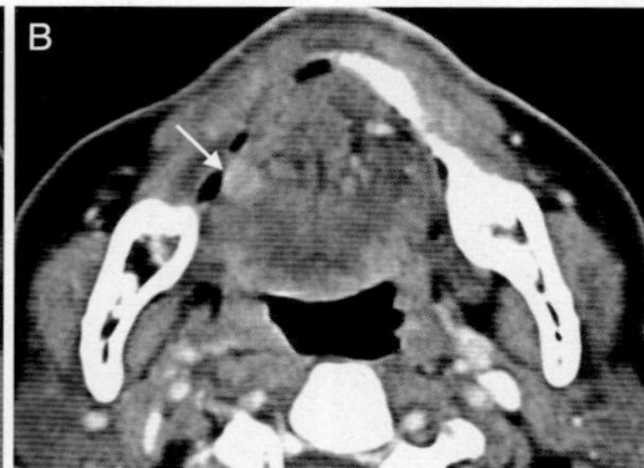

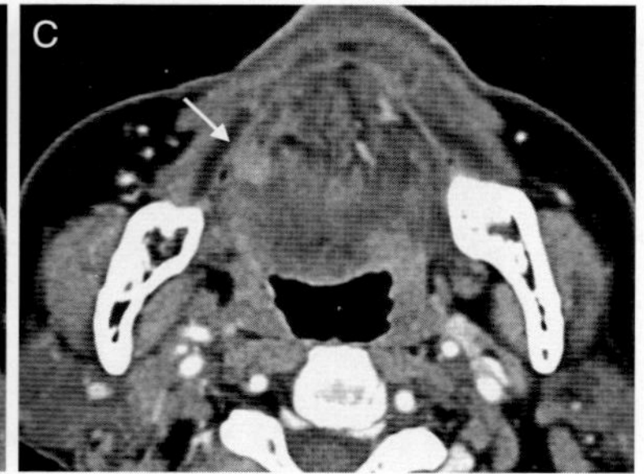

図 109　舌部分切除術後の術後瘢痕組織

A：術前の造影 CT．右舌縁に浸潤性腫瘤（*）を認め，舌癌（T1 病変）に一致する．

B：舌部分切除術後 6 ヵ月の造影 CT．右舌縁には結節病変（矢印）を認め，局所再発の可能性が考慮される．

C：術後 2 年の造影 CT．術後 6 ヵ月の CT（B）と比較して，病変（矢印）の大きさは変化なく，増強効果はやや減弱を示すことから，（局所再発ではなく）術後瘢痕組織であり，vascularized scar から non-vascularized scar への移行の過程をみているものと思われる．

的に第 1，第 2 鰓弓間の正中閉鎖時における遺残上皮から生じるとする説が有力である[154]．口腔底皮様嚢腫は狭義には同分類の皮様嚢腫のみを指すが，実際には類皮嚢腫，奇形腫にも広義に用いられる．典型的には緩徐な増大を示す口腔底正中の無症候性腫瘤として現れるが，大きさ等により嚥下困難，発声困難，会話困難，咀嚼困難などの機能障害を生じうる．場合により気道維持が重要となる．また妊娠により急速な増大を示す場合があることが知られている[151]．

CT，MRI では通常，正中から傍正中を中心とした境界明瞭な単房性嚢胞性腫瘤として認められ，内部に脂肪の確認できる場合（図 120〜122）とできない場合（図 123）がある．嚢胞壁は多少の増強効果を示す例が多い．嚢胞内部の多数小結節の集簇が“大理石のはじき石を詰めた袋（sac of marbles）”と表現される，比較的特徴的な所見を示す場合もある（図 120〜122，124）．

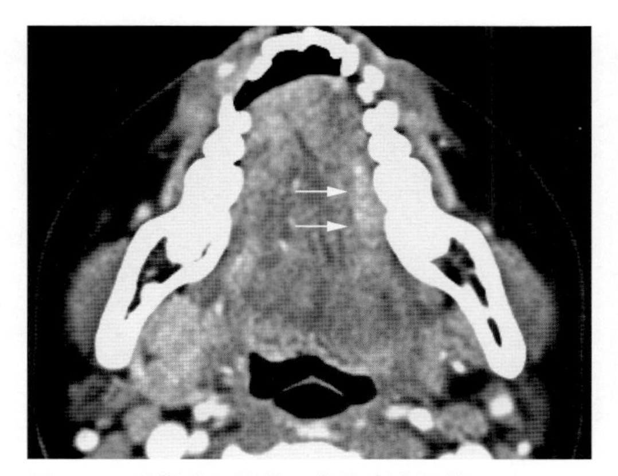

図 110　舌部分切除後の術後瘢痕組織

口腔レベル造影 CT において術後部である左舌縁に沿って淡い増強効果を示す軟部濃度領域(矢印)を認め，局所再発が疑われた．その後 1 年半の経過において局所再発なし．既述の所見は vascularized scar に相当するが経時的評価なしに画像のみでの再発病変との鑑別は容易ではない．

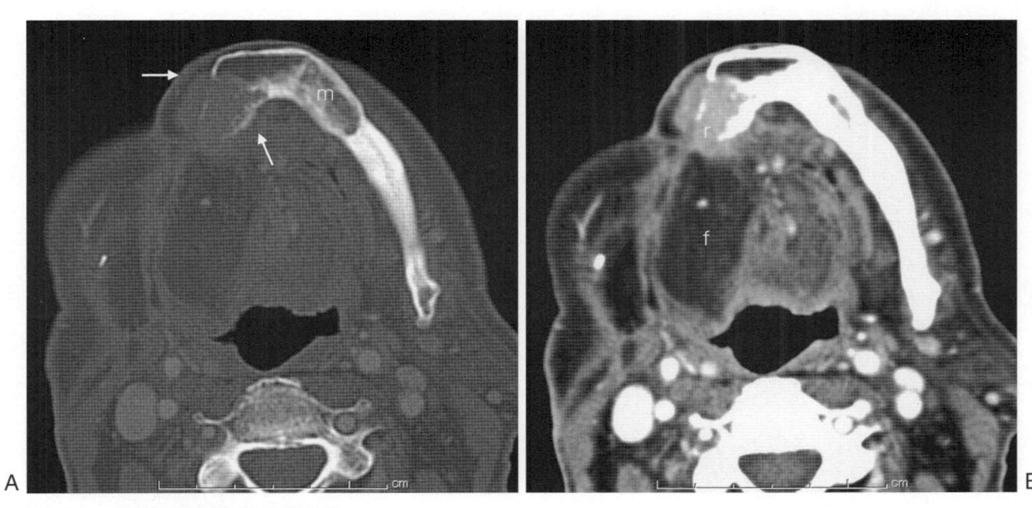

図 111　顎骨切除縁の局所再発

口腔レベルの CT 骨条件表示(A)において，下顎骨(右体部の)区域切除術後の変化を認める．金属プレートや自家骨による再建はなされていない．顎骨切除縁は不整(矢印)に認められ，同造影 CT 軟部濃度条件(B)で切除縁に一致した軟部濃度腫瘤(r)を認め，局所再発に一致する．f：筋皮弁，m：下顎骨

発生部位から 2 つに分けられ，顎舌骨筋よりも上方(口腔側)のものを舌下型(sublingual type)(図 121，125)，下方のものをオトガイ下型(submental type)(図 122)とする．オトガイ下型では二重顎(“double chin” appearance)を示すことがある[155]．治療は手術となるが，両者で術式に違いがあり，前者は経口腔的切除，後者は外方アプローチによる経頸部的切除が施行される．そのため，顎舌骨筋と病変との位置関係の評価は重要であり，必要に応じて矢状断像(図 121，122)，冠状断像(図 125)での評価を加えるのが望ましい．まれに顎舌骨筋の欠損部を介して，上下に砂時計型を呈する，舌下・オトガイ下混合型病変を形成する．なお舌下型であっても 6 cm を超えると外

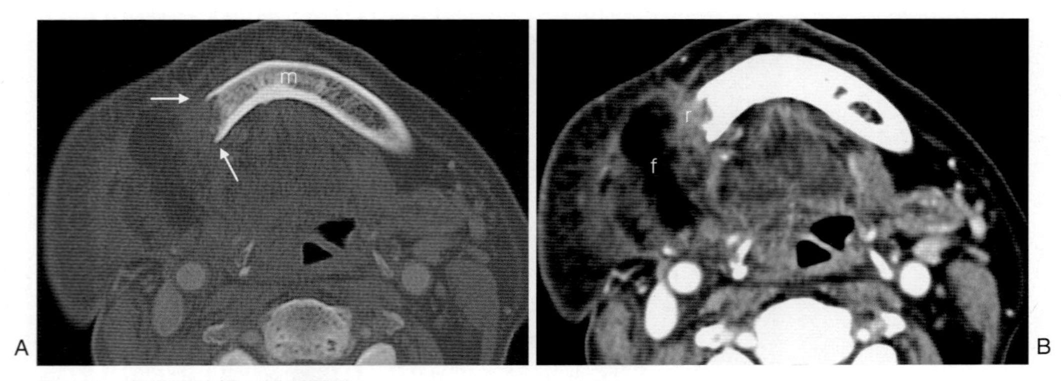

図 112　顎骨切除縁の局所再発

口腔レベルの CT 骨条件表示(A)において，下顎骨(右体部の)区域切除術後の変化を認める．金属プレートや自家骨による再建はなされていない．顎骨切除縁は不整(矢印)に認められ，同造影 CT 軟部濃度条件(B)では，図 111 と同様，切除縁に一致した軟部濃度腫瘤(r)を認め，局所再発に一致する．f：筋皮弁

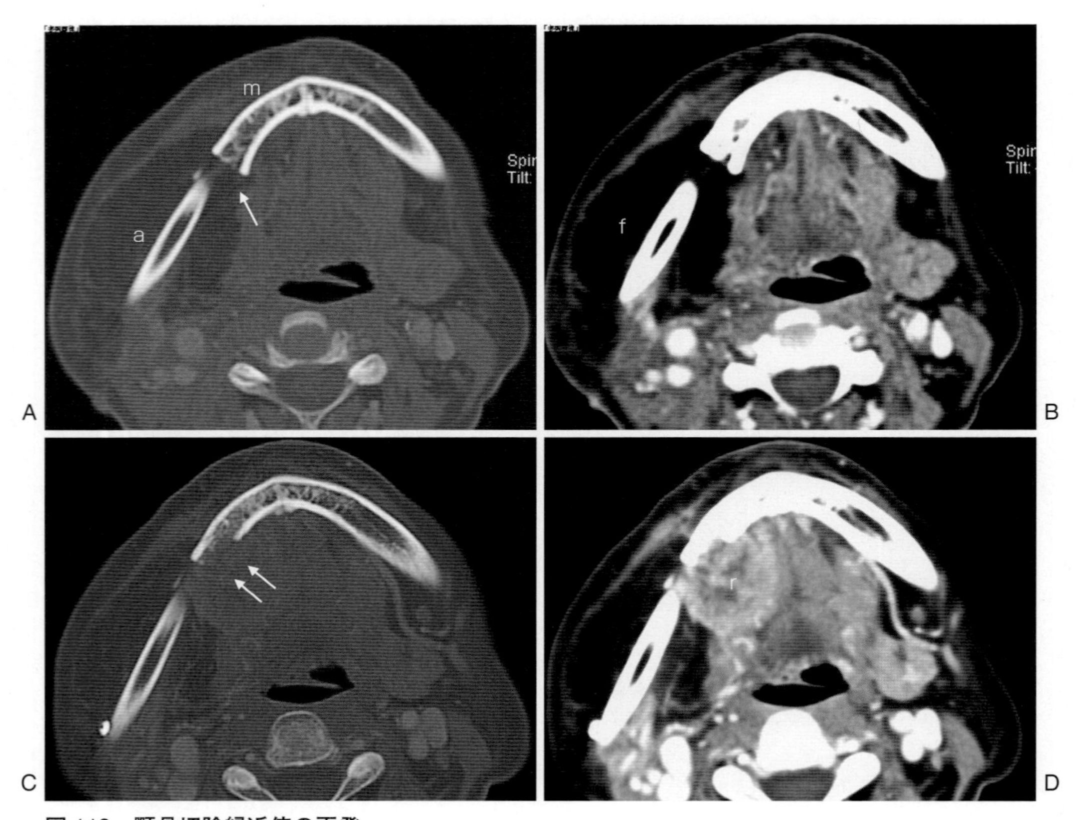

図 113　顎骨切除縁近傍の再発

A：術後 3 ヵ月の CT 骨条件表示．下顎骨(右体部)区域切除術後で(腓骨による)自家骨(a)での再建後．下顎骨(m)切除縁(矢印)は直線的で鮮明に認められる．

B：A と同じ造影 CT．自家骨周囲に皮弁(f)が脂肪濃度領域として認められる．

C：術後 6 ヵ月の CT 骨条件表示．下顎骨切除縁はやや不整で舌側皮質の途絶(矢印)を示す．

D：C と同じ造影 CT．顎骨切除縁に接する再発性腫瘤(r)を認め，顎骨舌側皮質からの破壊を伴う．

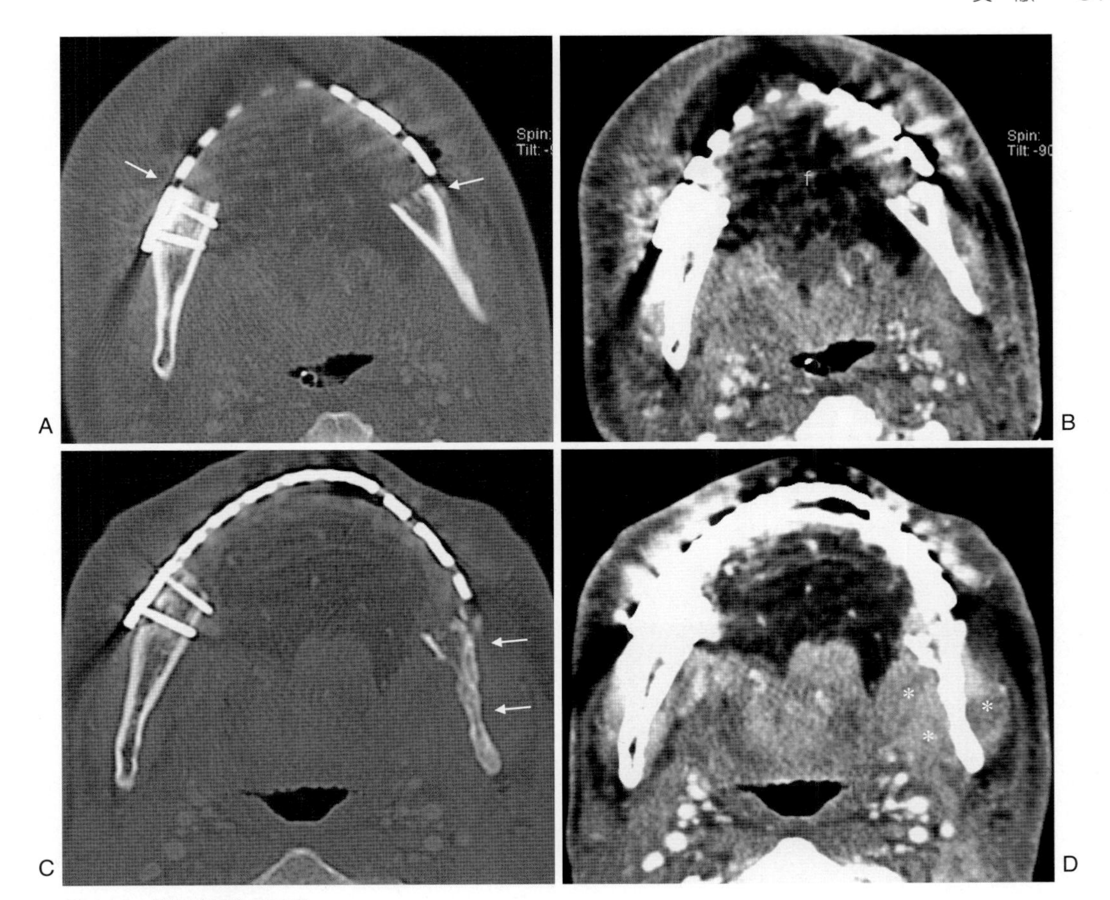

図 114　顎骨領域の再発

A：術後２ヵ月の CT 骨条件表示．下顎骨区域切除後．下顎骨切除縁は直線的かつ鮮明であり(矢印)，下顎骨の皮質も明瞭に認められる．

B：A と同じ造影 CT．筋皮弁(f)は脂肪濃度領域として認められる．

C：術後４カ月の CT 骨条件表示．残存する下顎骨左体後部から下顎角(矢印)は，切除縁の不整と皮質の途絶(矢印)を示す．下顎骨右体後部から下顎角は(A と同様に)正常に認められる．

D：C と同じ造影 CT．下顎骨左体後部から下顎角周囲の軟部組織(＊)は A と比較して肥厚を示し，骨外性再発腫瘤を示す．

方アプローチが必要になるとされるため[156]，画像での病変の大きさ計測も治療選択において重要である．術後再発はまれで予後良好である[151]．

以上，口腔における臨床解剖，代表的な炎症性・腫瘍性病変につき解説した．

■参考文献

1) Amin MB, Edge SB, Greene F et al (eds) : AJCC Cancer Staging Manual (8th ed), Springer, New York, 2017

2) Shimada K, Gasser RF : Morphology of the pterygomandibular raphe in human fetuses and adults. Anat Rec **224** : 117-122, 1989

3) Schuknecht B, Stergiou G, Graetz K : Masticator space abscess derived from odontogenic infection: imaging manifestation and pathways of extension depicted by CT and MR in 30 patients. Eur Radiol **18** : 1972-1979, 2008

4) Yonetsu K, Izumi M, Nakamura T : Deep facial infections of odontogenic origin: CT assessment of pathways of space involvement. Am J Neuroradiol **19** : 123-128, 1998

5) Ariji Y, Gotoh M, Kimura Y et al : Odontogenic infection pathway to the submandibular space: imaging assessment. Int J Oral Maxillofac Surg **31** : 165-169, 2002

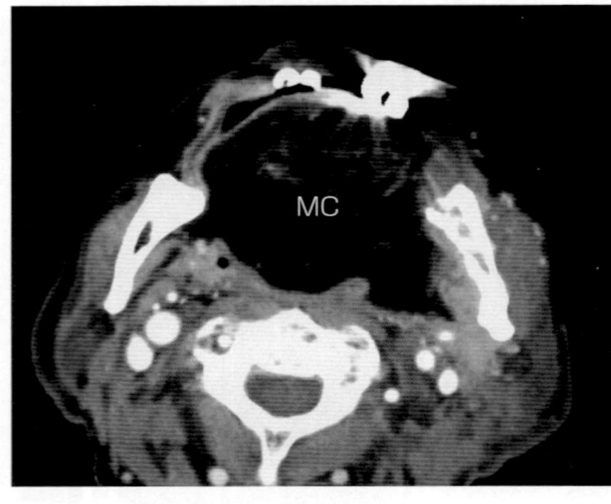

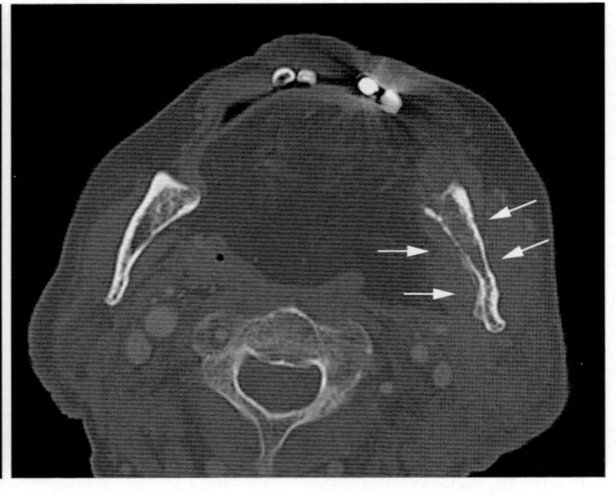

図 115　顎骨周囲の局所再発
　口腔レベル造影 CT（A）において舌全摘後に置かれた筋皮弁（MC）が脂肪濃度領域として認められる．同骨条件表示（B）で左下顎枝（矢印）の皮質は不整で不規則な途絶もみられ（対側と対比），顎骨部の再発が疑われる．軟部濃度条件（A）では右下顎枝の骨髄腔は脂肪髄による低信号を示す一方で左下顎枝の骨髄腔は軟部濃度病変で置換されている．

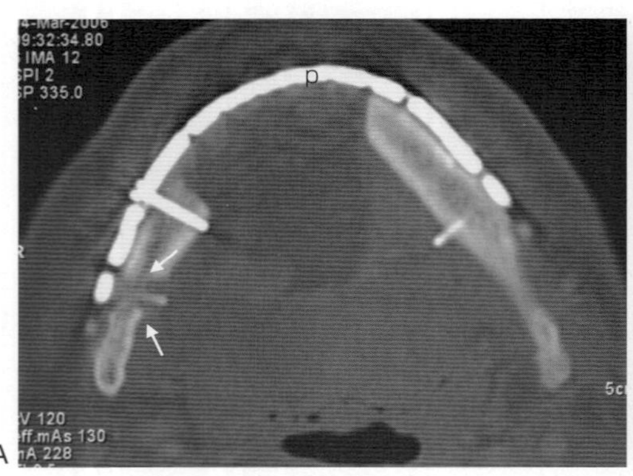

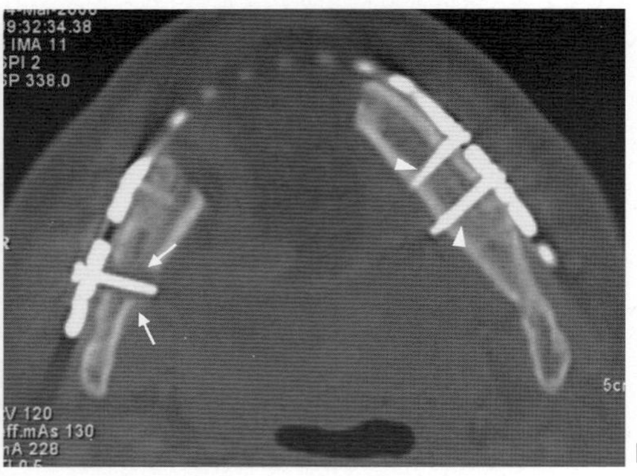

図 116　下顎区域切除後の金属プレートでの再建例における“スクリューの loosening”
　口腔レベルの CT 骨条件表示（A，B）．下顎骨区域切除術後で金属プレート（p）とスクリューによる再建後．顎骨切除縁は直線的，鮮明で正常に認められる．下顎骨右体部のスクリュー周囲は骨吸収（矢印）を示し，loosening を示唆する．左体部のスクリュー周囲の骨は健全に保たれている（矢頭）．

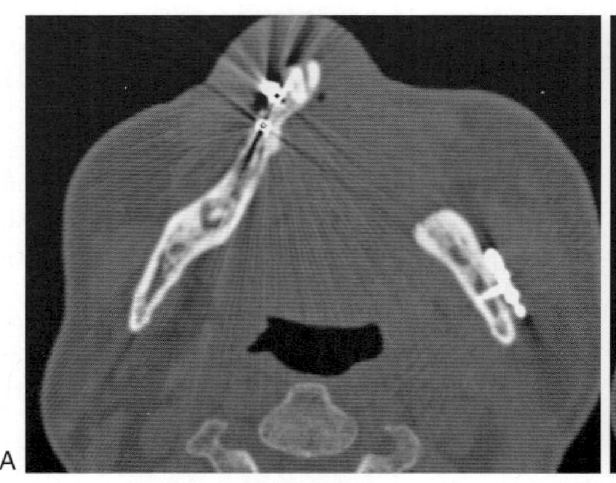

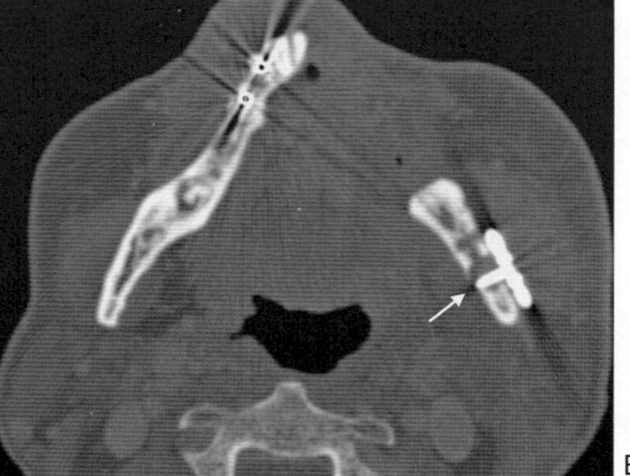

図 117　下顎区域切除後の金属プレートでの再建例における“スクリューの loosening”
　術後 5 ヵ月の CT 骨条件表示（A）で下顎骨区域切除術後の変化あり．顎骨切除縁は直線的かつ鮮明に保たれている．術後 9 ヵ月（B）では下顎骨左体後部のスクリュー周囲に進行性骨吸収（矢印）を認め，loosening を示唆する．

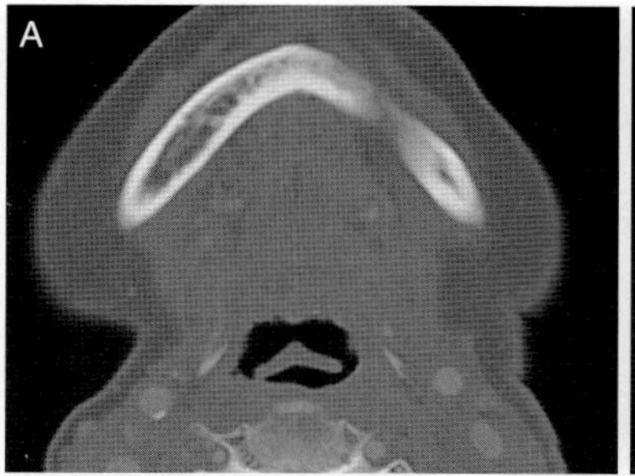

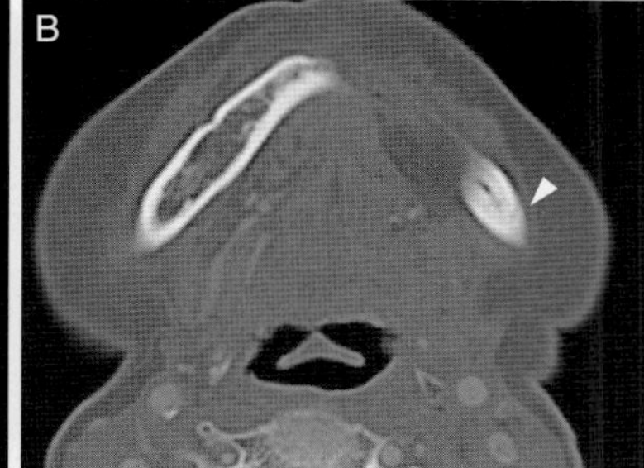

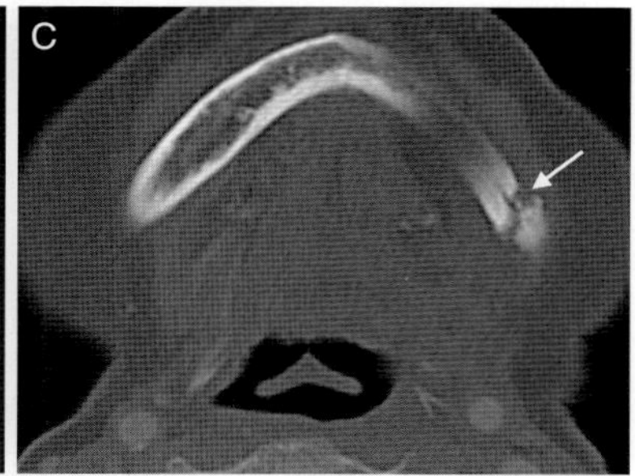

図 118　下顎骨辺縁切除術後の疲労骨折

術後 2 ヵ月(A)，4 ヵ月(B)，7 ヵ月(C)の CT 骨条件表示．下顎辺縁切除術後変化を認める．4 ヵ月後(B)で左体部にわずかな線状骨透亮所見(矢頭)を認め，7 ヵ月後(C)には完全な骨折(矢印)を生じている．

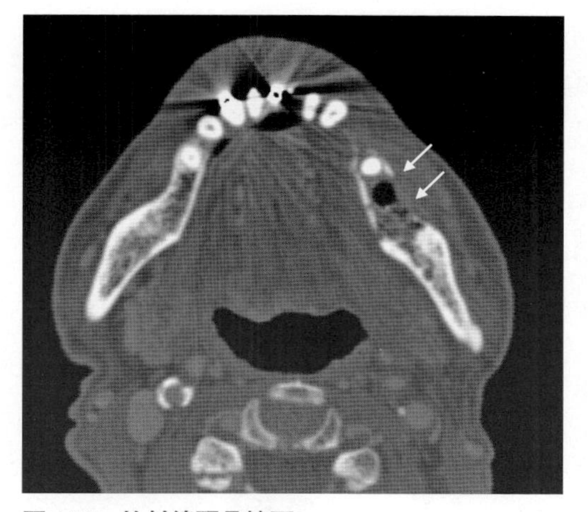

図 119　放射線顎骨壊死

CT 骨条件表示において，下顎骨左体部の不規則な皮質の途絶，脱灰および髄内ガス像(矢印)を認める．

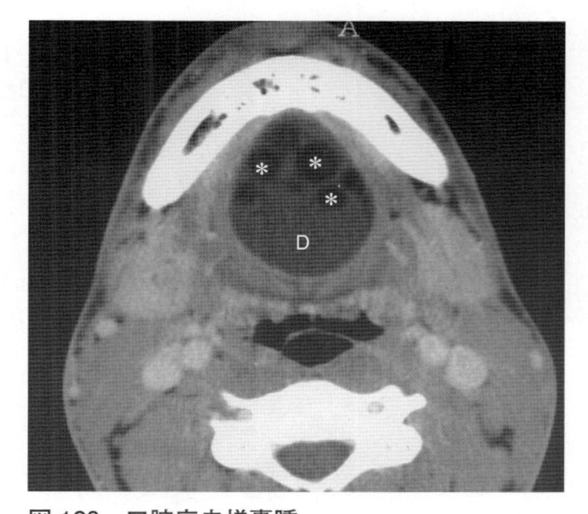

図 120　口腔底皮様嚢腫

口腔底正中を中心に単房性嚢胞性腫瘤(D)を認め，内部に多数の脂肪濃度結節(＊)がみられる．

6) Patterson HC, Kelly JH, Strome M : Ludwig's angina: an update. Laryngoscope **92**：370-378, 1982
7) Kurien M, Mathew J, Job A et al：Ludwig's angina. Clin Otolayngol **22**：263-265, 1997
8) Kremer JM, Blair T : Ludwig angina: forewarned is forearmed. J Am Assoc Nurse Anesth **74**：445-451, 2006
9) Costain N, Marrie TJ : Ludwig's angina. Am J Medicine **124**：115-117, 2011
10) Nguyen VD, Potter JL, Hersh-Schick MR : Ludwig angina: an uncommon and potentially lethal neck infection. Am J Neuroradiol **13**：215-219, 1992
11) Saifeldeen K, Evans R : Ludwig's angina. Emerg Med J **21**：242-243, 2004
12) Sethi DS, Stanley RE：Deep neck abscesses-changing trends. J Laryngology Otol **108**：138-143, 1994
13) Edetanlen BE, Saheeb BD : Comparison of outcomes in conservative versus surgical treatments for Ludwig's angina. Med Princ Pract **27**：362-366, 2018
14) Duprey K, Rose J, Fromm C : Ludwig's angina. Int J Emerg Med **3**：201-202, 2010
15) Miller WD, Furst IM, Sandor GK et al : A prospective blinded comparison of clinical exam and computed tomography in deep neck infections. Laryngoscope **109**：1873-1879, 1999
16) Bray F, Ren JS, Masuyer E et al : Global estimates of cancer prevalence for 27 sites in the adult population in 2008. Int J Cancer **132**：1133-1145, 2013
17) Goel V, Parihar PS, Parihar A et al : Accuracy of MRI in prediction of tumor thickness and nodal stage in oral tongue and gingivobuccal cancer with clinical correlation and staging. J Clin Diagn Res **10**：TC01-05, 2016
18) Lubek JE, Clayman L : An update on squamous carcinoma of the oral cavity, oropharynx, and max-

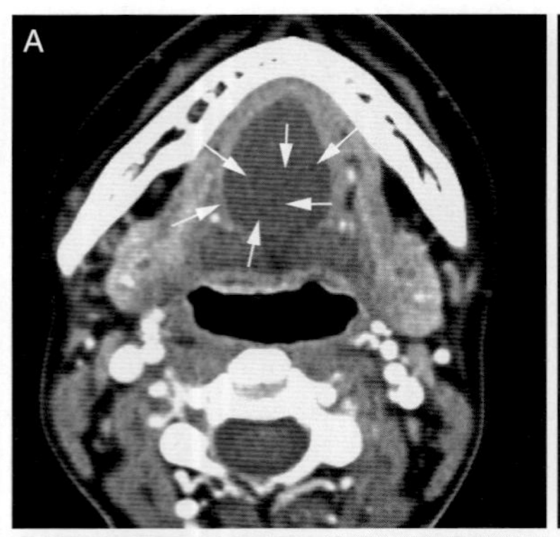

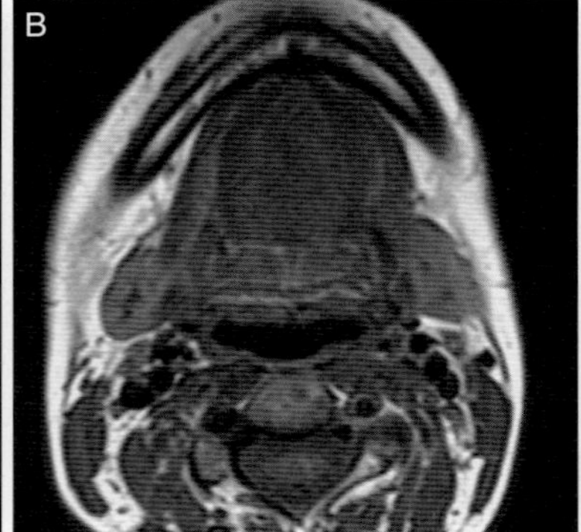

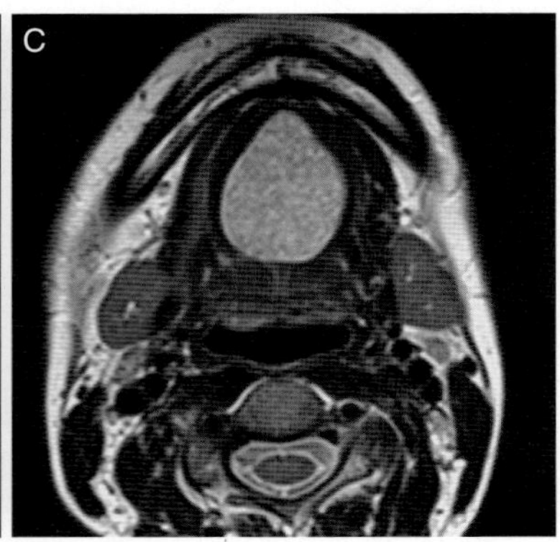

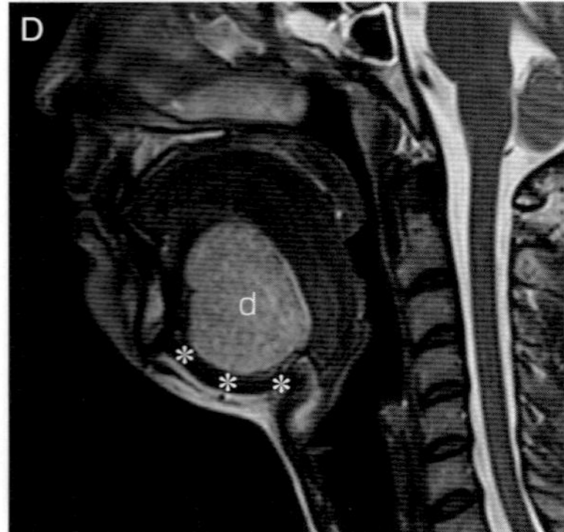

図 121　口腔底皮様囊腫（舌下型）

口腔底レベル造影 CT（A）で口腔底正中に辺縁平滑，境界明瞭，やや低吸収の楕円形腫瘤を認め，内部に散在性に脂肪を示唆する点状低信号（矢印）を認める．MRI T1 強調像（B）で病変は低信号で脂肪は明らかでない．T2 強調像（C）で病変全体は高信号を呈し，内部には小さな粒状低信号が充満し，sac of marbles の所見を呈する．T2 強調矢状断像（D）で病変（d）が顎舌骨筋（＊）頭側に位置することが確認される．

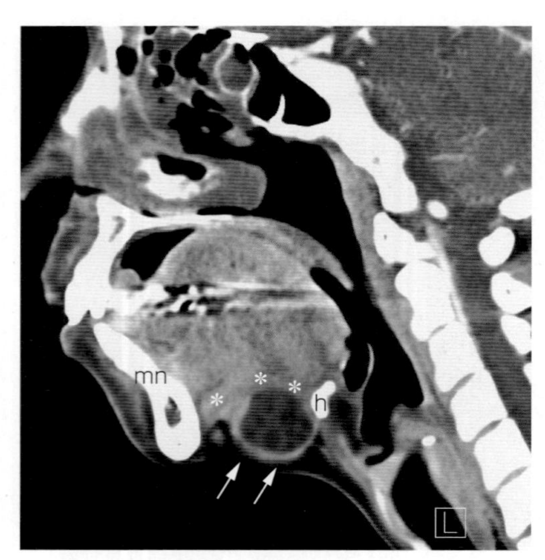

図 122　口腔底皮様囊腫（オトガイ下型）

口腔レベル造影 CT 矢状断像で顎舌骨筋（＊）を頭側に圧排，オトガイ下皮下に膨隆（矢印）する類円形の低吸収腫瘤を認め，内部には（脂肪に相当する）さらに低吸収の大小の類円形結節が充満し，sac of marbles の所見を示す．

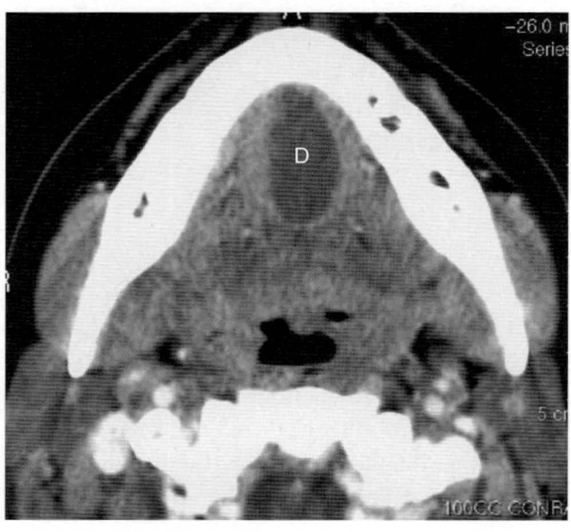

図 123　口腔底皮様囊腫

口腔底ほぼ正中を中心として単房性囊胞性腫瘤（D）を認める．内部濃度は比較的均一な液体濃度を呈している．

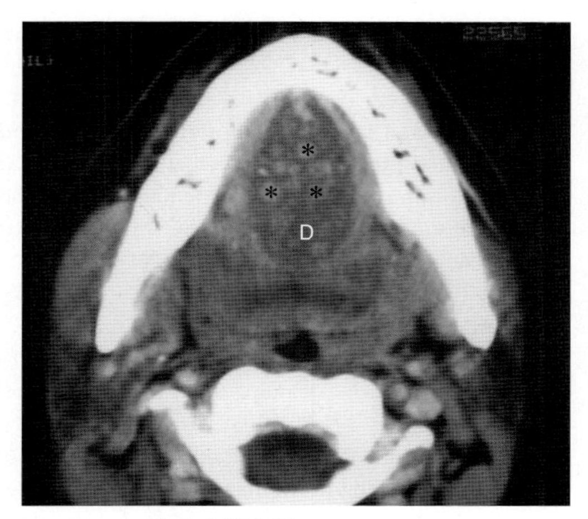

図 124 口腔底皮様囊腫
口腔底正中を中心に単房性囊胞性腫瘤(D)を認め,内部には図 120 と異なり高濃度を示す結節(*)が多数認められる.

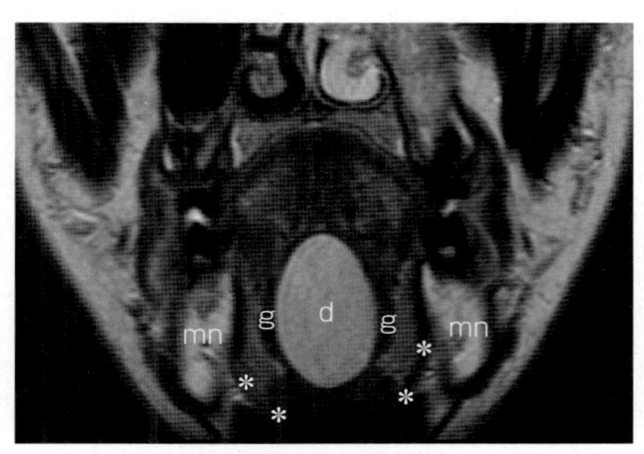

図 125 口腔底皮様囊腫(舌下型)
口腔レベル MRI T2 強調冠状断像で舌から口腔底の正中で左右オトガイ舌筋(g)の間に境界明瞭な楕円形高信号腫瘤(d)を認める.内部は sac of marbles 様を呈する.顎舌骨筋(*)頭側に位置していることが明瞭である.mn:下顎骨.

illary sinus. Oral Maxillofac Surg Clin North Am **24**:307-316, 2012

19) Million RR, Cassisi NJ, Mancuso AA:Oral cavity. Management of Head and Neck Cancer:A Multidisciplinary Approach, Million RR, Cassisi NJ (eds), JB Lippincott Company, Philadelphia, p321-400, 1994

20) Silverman S, Griffith M:Smoking characteristics of patients with oral carcinoma and he risk for second oral primary carcinoma. J Am Dent Assoc **85**:637-640, 1972

21) Trieger N, Ship I I, Taylor GW et al:Cirrhosis and other predisposing factors in carcinoma of the tongue. Cancer **11**:357-362, 1958

22) Kissin B, Kaley MM, Su WH et al:Head and neck cancer in alcoholics:The relationship to drinking, smoking, and dietary patterns. JAMA **224**:1174-1175, 1973

23) Brocklehurst P, Kujan O, O'Malley LA et al : Screening programs for the early detection and prevention of oral cancer. Cochrane Database Syst Rev **11**:CD004150, 2013

24) Krishna Rao SV, Mejia G, Roverts-Thomson K et al : Epidemiology of oral cancer in Asia in the past decased-an update (2000-2012). Asian Pac J Cancer Prev **14**:5567-5577, 2013

25) Siegel RL, Miller KD, Jemal A : Cancer statistics, 2015. CA Cancer J Clin **65**:5-29, 2015

26) MacComb WS, Fletcher GH, Healey JE Jr:Intraoral cavity. Cancer of the head and neck, MacComb WS, Fletcher GH (eds), Williams & Wilkins, Baltimore, p89-151, 1967

27) Jia J, Jia M, Zou H : Lingual lymph nodes in patients with squamous cell carcinoma of the tongue and the floor of the mouth. Head Neck **40** : 2383-2388, 2018

28) Shah JP, Cendon RA, Farr HW et al:Carcinoma of the oral cavity:Factors affecting treatment failure at the primary site and neck. Am J Surg **132**:504-507, 1976

29) Vegers JWM, Snow GB, van der Waal I:Squamous cell carcinoma of the buccal mucosa:A review of 85 cases. Arch Otolaryngol **105**:192-195, 1979

30) Sagheb K, Blatt S, Kraft IS et al : Outcome and cervical metastatic spread of squamous cell cancer of the buccal mucosa, a retrospective analysis of the past 25 years. J Oral Pathol Med **46**:460-464, 2017

31) Capote A, Escorial V, Munoz-Guerra MF et al : Elective neck dissection in early-stage oral squamous cell carcinoma-does it influence recurrence and survival? Head Neck **29**:3-11, 2007

32) Hiratsuka H, Miyakawa A, Nakamori K et al : Multivariate analysis of occult lymph node metastasis as a prognostic indicator for patients with squamous cell carcinoma of the oral cavity. Cancer **80**:351-356, 1997

33) Diaz EM Jr, Holsinger C, Zuniga ER et al : Squamous cell carcinoma of the buccal mucosa: one institution's experience with 119 previously untreated patients. Head Neck **25**:267-273, 2003

34) Brown AE, Langdon JD : Management of oral cancer. Ann R Coll Surg Engl 77 : 404-408, 1995

35) Jing J, Li L, He W et al : Prognostic predictors of squamous cell carcinoma of the buccal mucosa with negative surgical margins. J Oral Maxillofac Surg **64**:896-901, 2006

36) Urist MM, O'Brien CJ, Soong S-J et al：Squamous cell carcinoma of the buccal mucosa：Analysis of prognostic factors. Am J Surg **154**：411-414, 1987
37) Conley J, Sadoyama JA：Squamous cell cancer of the buccal mucosa：A review of 90 cases. Arch Otolaryngol **97**：330-333, 1973
38) Strome SE, Strawderman M, Gersten K et al：Squamous cell carcinoma of the buccal mucosa. Otolaryngol Head Neck Surg **120**：375-379, 1999
39) Bloom ND, Spiro RH：Carcinoma of the cheek mucosa：A retrospective analysis. Am J Surg **140**：556-559, 1980
40) Lapyre M, Peiffery D, Malissard L et al：An original technique of brachytherapy in the treatment of epidermoid carcinoma of the buccal mucosa. Int J Radiat Oncol Biol Phys **33**：447-454, 1995
41) Pop LAM, Eikenboom WMH, DeBoer MF et al：Evaluation of treatment results of squamous cell carcinoma of the buccal mucosa. Int J Radiat Oncol Biol Phys **16**：483-487, 1989
42) Sieczka E, Datta R, Singh A et al：Cancer of the buccal mucosa：Are margins and T-stage accurate predictors of local control? Am J Otolaryngol **22**：359-399, 2001
43) Huang CH, Chu ST, Ger LP et al : Clinicopathologic evaluation of prognostic factors for squamous cell carcinoma of the buccal mucosa. J Chin Med Assoc **70**：164-170, 2007
44) Lin CS, Jen YM, Cheng MF et al : Squamous cell carcinoma of the buccal mucosa: an aggressive cancer requiring multimodality treatment. Head Neck **28**：150-157, 2006
45) Yen TC, Chang JTC, Ng SH et al : Staging of untreated squamous cell carcinoma of buccal mucosa with 18F-FDG-PET: Comparison with head and neck CT/MRI and histopathology. J Nuc Med **46**：775-761, 2005
46) Jype EM, Pandey M, Mathew A et al : Squamous cell cancer of the buccal mucosa in young adults. Br J Oral Maxillofac Surg **42**：185-189, 2004
47) Smoker WRK：Oral cavity. Head and Neck Imaging (3rd ed), Som PM, Curtin HD (eds), Mosby, St. Louis, p488-544, 1996
48) van den Brekel MW, Runne RW, Smeele LE et al：Assessment of tumor invasion into the mandible：The value of different imaging techniques. Eur Radiol **8**：1552-1557, 1998
49) Ogura I, Kurabayashi T, Sasaki T et al : Maxillary bone invasion by gingival carcinoma as an indicator of cervical metastasis. Dentomaxillofac Radiol **32** : 291-294, 2003
50) Ogura I, Kurabayashi T, Amagasa T et al：Mandibular bone invasion by gingival carcinoma on dental CT images as an indicator of cervical lymph node metastasis. Dentomaxillofac Radiol **31**：339-343, 2002
51) Brandao Neto JS, Aires FT, Dedivitis RA et al : Comparison between magnetic resonance and computed tomography in detecting mandibular invasion in oral cancer: A systematic review and diagnostic meta-analysis: MRI x CT in mandibular invasion. Oral Oncol **78**：114-118, 2018
52) 日本口腔腫瘍学会(編)：口腔癌取扱い規約(第2版)，金原出版，東京，2019
53) McGregor AD, MacDonald DG：Routes of entry of squamous cell carcinoma to the mandible. Head Neck Surg **10**：294-301, 1988
54) Lee YC, Jung AR, Kwon OE et al : Comparison of computed tomography, magnetic resonance imaging, and positron emission tomography and computed tomography for the evaluation bone invasion in upper and lower gingival cancers. J Oral Maxillofac Surg **77**：875.e1-875.e9, 2019
55) Kimura Y, Sumi M, Sumi T et al：Deep extension from carcinoma arising from the gingival：CT and MR imaging features. Am J Neuroradiol **23**：468-472, 2002
56) Byers RM, Newman R, Russell N et al：Results of treatment for squamous carcinoma of the lower gum. Cancer **47**：2236-2238, 1981
57) Japan Society for Head and Neck Cancer : Report of head and neck cancer registry of Japan clinical statistic of registered patients, 2011. Jpn J Head Neck Cancer **39**：15-32, 2013
58) Genden EM, Ferlito A, Shaha AR et al：Management of cancer of the retromolar trigone. Oral Oncol **39**：633-637, 2003
59) Lane AP, Buckmire RA, Mukherji SK et al：Use of computed tomography in the assessment of mandibular invasion in carcinoma of the retromolar tirgone. Otolaryngol Head Neck Surg **122**：673-677, 2000
60) Mendenhall WM, Parsons JT, Stringer SP et al : Radiotherapy after excisional biopsy of carcinoma of the oral tongue/floor of the mouth. Head Neck **11**：129-131, 1989
61) Mendenhall WM, Morris CG, Amdur RJ et al : Definitive radiotherapy for tonsillar squamous cell carcinoma. Am J Clin Oncol **29**：290-297, 2006
62) Shaw RJ, McGlashan G, Woolgar JA et al : Prognostic importance of site in squamous cell carcinoma of the buccal mucosa. Br J Oral Maxillofac Surg **47**：356-359, 2009
63) Mukherji SK, Pillsbury H, Castillo M：Imaging squamous cell carcinomas of the upper aerodigestive tract：What the clinicians need to know. Radiology **205**：629-646, 1997
64) Mazziotti S, Pandolfo I, D'Angelo T et al : Diagnos-

tic approach to retromolar trigone cancer by multiplanar computed tomography reconstructions. Can Assoc Radiol J **65**：335-344, 2014

65) Ayad T, Guertine L, Soulieres D et al：Controversies in the management of retromolar trigone carcinoma. Head Neck **31**：398-405, 2009

66) Byers RM, Anderson B, Scwarz EA et al：Treatment of squamous carcinoma of the retromolar trigone. Am J Clin Oncol **7**：647-652, 1984

67) Weisman RA, Kimmelman CP : Bone scanning in the assessment of mandibular invasion by oral cavity carcinomas. Laryngoscope **92** : 1-4, 1982

68) Horta R, Nascimento R, Silva A et al : The retromolar trigone: anatomy, cancer treatment modalities, reconstruction, and a classification system. J Craniofac Surg **27** : 1070-1076, 2016

69) Deo SV, Shukla NK, Kallianpur AA et al : Aggressive multimoldality management of locally advanced retromolar trigone tumors. Head Neck **35**：1269-1273, 2013

70) Richaud P, Tapley N : Lateralized lesions of the oral cavity and oropharynx treated in part with electron beam. Int J Radiat Oncol Biol Phys **5** : 461-465, 1979

71) Mendenhall WM, Morris CG, Amdur RJ et al : Retromolar trigone squamous cell carcinoma treated with radiotherapy alone or combined with surgery. Cancer **103** : 2320-2325, 2005

72) Krolls SO, Hoffman S：Squamous cell carcinoma of the oral soft tissues：A statistical analysis of 14, 253 cases by age, sex, and race of patiens. J Am Dent Assoc **92**：571-574, 1976

73) Zheng Y, Xiao Z, Zhang H et al : Differentiation between benign and malignant palatal tumors using conventional MRI: a retrospective analysis of 130 cases. Oral Surg Oral Med Oral Pathol Oral Radiol **125**：343-350, 2018

74) Aydil U, Kizil Y, Bakkal FK et al : Neoplasms of the hard palate. J Oral Maxillofac Surg **72**：619-626, 2014

75) Mourouzis C, Pratt C, Brennan PA : Squamous cell carcinoma of the maxillary gingiva, alveolus, and hard palate: Is there a need for elective neck dissection? Br J Oral Maxillofac Surg **48**：345-348, 2010

76) Wein ROWR : Malignant neoplasms of the oral cavity. Cummings otolaryngology : head and neck surgery (4th ed), Cummings CW, Flint PW, Harker LA et al (ed), Elsevier Mosby, Philadelphia, p1591-1607, 2005

77) Wangmo Tshring Vogel D, Zbaeren P, Thoeny H : Cancer of the oral cavity and oropharynx. Cancer Imaging **10**：62-72, 2010

78) Lopes MA, Kowalski LP, da Cunha Santos G et al : A clinicopathologic study of 196 intraoral minor salivary gland tumours. J Oral Pathol Med **28**：264-267, 1999

79) Subhashraj K : Salivary gland tumors: A single institution experience in India. Br J Oral Maxillofac Surg **46**：635-638, 2008

80) Spiro RH：Salivary neoplasms：Overview of a 35-year experience with 2,807 patients. Head Neck Surg **8**：177-184, 1986

81) Tian Z, Li L, Wang L et al : Salivary gland neoplasms in oral and maxillofacial regions: A 23-year retrospective study of 6982 cases in an eastern Chinese population. Int J Oral Maxillofac Surg **39**：235-242, 2010

82) Kato H, Kanematsu M, Makita H et al : CT and MR imaging findings of palatal tumors. Eur J Radiol **83** : e137-e146, 2014

83) Von Stempel C, Morley S, Beale T et al : Imaging of palatal lumps. Clin Radiol **72** : 97-107, 2017

84) Yuan Y, Tang W, Jiang M et al : Palatal lesions: discriminative value of conventional magnetic resonance imaging and diffusion weighted imaging. Br J Radiol **89**：20150911, 2016

85) Truitt TO, Gleich LL, Huntress GP et al：Surgical management of hard palate malignancies. Otolaryngol Head Neck Surg **121**：548-552, 1999

86) Warnakulasuriya S : Global epidemiology of oral and oropharyngeal cancer. Oral Oncol **45**：309-316, 2009

87) Lefebvre JL, Conche-Dequeant B, Castelain B et al：Interstitial brachytherapy and early tongue squamous cell carcinoma management. Head Neck **12**：232-236, 1990

88) 日本頭頸部癌学会(編)：頭頸部癌取扱い規約(第6版補訂版), 金原出版, 東京, 2019

89) Edges S, Byrd BD, Compton CC et al (eds)：AJCC Cancer Staging Manual (7th ed), Springer, New York, 2010

90) International Consortium for outcome research in Head and Neck Cancer. Ebrahimi A, Gil Z, Amit M et al : Primary tumor staging for oral cancer and a proposed modification incorporating depth of invasion: an international multicenter retrospective study. JAMA Otolaryngol Head Neck Surg **140**：1138-1148, 2014

91) Amit M, Tam S, Takahashi H et al : Prognostic performance of the American Joint Committee on Cancer 8th edition of the TNM staging system in patients with early oral tongue cancer. Head Neck **41**：1270-1276, 2019

92) Pollaers K, Hinton-Bayre A, Friendland PL et al : AJCC 8th edition oral cavity squamous cell carcinoma staging — Is it an improvement on the AJCC 7th edition? Oral Oncol **82**：23-28, 2018

93) Fukano H, Matsuura H, Hasegawa Y et al : Depth of invasion as a predictive factor for cervical lymph node metastasis in tongue carcinoma. Head Neck **19** : 205-210, 1997

94) Kurokawa H, Yamashita Y, Takeda S et al : Risk factors for late cervical lymph node metastases in patients with stage Ⅰ or Ⅱ carcinoma of the tongue. Head Neck **24** : 731-736, 2002

95) Iwai H, Kyomoto R, Ha-Kawa SK et al : Magnetic resonance determination of tumor thickness as predictive factor of cervical metastasis in oral tongue carcinoma. Laryngoscopt **112** : 457-461, 2002

96) Asakage T, Yokose T, Muraki K et al : Tumor thickness predicts cervical metastasis in patients with stage I/II carcinoma of the tongue. Cancer **82** : 1443-1448, 1998

97) Pentenero M, Gandolfo S, Carrozzo M : Importance of tumor thickness and depth of invasion in nodal involvement and prognosis of oral squamous cell carcinoma: A review of the literature. Head Neck **27** : 1080-1091, 2005

98) Madana J, Laliberte F, Morand GB et al : Computed tomography based tumor-thickness measurement is useful to predict postoperative pathological tumor thickness in oral tongue squamous cell carcinoma. J Otolaryngol Head Neck Surg **44** : 49, 2015

99) Park JO, Jung SL, Joo TH et al : Diagnostic accuracy of magnetic resonance imaging (MRI) in the assessment of tumor invasion depth in oral/oropharyngeal cancer. Oral Oncol **47** : 381-386, 2011

100) Hu H, Cheng KL, Xu XQ et al : Predicting the prognosis of oral tongue carcinoma using simple quantitative measurement based on preoperative MR imaging: Tumor thickness versus Tumor volume. Am J Neuroradiol **36** : 1338-1342, 2015

101) Okura M, Iida S, Aikawa T et al : Tumor thickness and paralingual distance of coronal MR imaging predicts cervical node metastases in oral tongue carcinoma. Am J Neuroradiol **29** : 45-50, 2008

102) Lwin CT, Hanlon R, Lowe D et al : Accuracy of MRI in prediction of tumor thickness and nodal stage in oral squamous cell carcinoma. Oral Ondol **48** : 149-154, 2012

103) Mao MH, Wang S, Feng ZE et al : Accuracy of magnetic resonance imaging in evaluating the depth of invasion of tongue cancer. A prospective cohort study. Oral Oncol **91** : 79-84, 2019

104) NCCN Clinical Practice Guidelines in Oncology. Head and Neck Cancers (Version 1.2018.) ; 2018. Available at (https://oncolife.com.ua/doc/nccn/Head_and_Neck_Cancers.pdf.) Accessed Jul 23 2019.

105) Kligerman J, Lima RA, Soares JR et al : Supraomohyoid neck dissection in the treatment of T1/T2 squamous cell carcinoma of oral cavirty. Am J Surg **168** : 391-394, 1994

106) Dirven R, Ebrahimi A, Moeckelmann N et al : Tumor thickness versus depth invasion — Analysis of the 8th edition American Joint Committee on Cancer staging for oral cancer. Oral Oncol **74** : 30-33, 2017

107) Lam P, Au-Yeung KM, Cheng PW et al : Correlating MRI and histologic tumor thickness in the assessment of oral tongue cancer. Am J Roentogenol **182** : 803-808, 2004

108) Mukherji SK, Weeks SM, Castillo M et al : Squamous cell carcinomas that arise in the oral cavity and tongue base: Can CT help predict perineural or vascular invasion? Radiology **198** : 157-162, 1996

109) Linberg RD : Distribution of cervical lymph node metastases from squamous cell carcinoma of the upper respiratory and digestive tracts. Cancer **29** : 1446-1449, 1972

110) Moourad MAF, Higazi MM : MRI prognostic factors of tongue cancer: Potential predictors of cervical lymph nodes metastases. Radiol Oncol **53** : 49-56, 2019

111) Baba A, Okuyama Y, Yamauchi H et al : Magnetic resonance imaging findings of styloglossus and hyoglossus muscle invasion: Relationship to depth of invasion and clinical significance as a predictor of advisability of elective neck dissection in node negative oral tongue cancer. Eur J Radiol **118** : 19-24, 2019

112) Rouvière H : Anatomy of the Human Lymphatic System, Edwards Brothers, Ann Arbor, p1-82, 1938

113) Baik SH, Seo JW, Kim JH et al : Prognostic value of cervical nodal necrosis observed in preoperative CT and MRI of patients with tongue squamous cell carcinoma and cervical node metastases: A retrospective study. AJR Am J Roentgenol **213** : 1-7, 2019

114) Zoumalan RA, Kleinberger AJ, Morris LG et al : Lymph node central necrosis on computed tomography as predictor of extracapsular spread in metastatic head and neck squamous cell carcinoma: pilot study. J Laryngol Otol **124** : 1284-1288, 2010

115) Randall DR, Lysack JT, Hudon ME et al : Diagnostic utility of central node necrosis in predicting extracapsular spread among oral cavity squamous cell carcinoma. Head Neck **37** : 92-96, 2015

116) Matsuura K, Hirokawa Y, Fujita M et al : Treatment results of stage Ⅰ and Ⅱ oral tongue cancer with interstitial brachytheraphy : Maximum tumor thickness is prognostic of nodal metastasis. Int J Radiat Oncol Biol Phys **40** : 535-539, 1998

117) Kurita T, Ohgi K, Kawakami M et al：Primary tumor resection of tongue carcinoma based on response to preoperative therapy. Int J Oral Maxillofac Surg **31**：267–272, 2002
118) Fuchihata H, Nakamura M, Fujiwara M et al：Radiotherapy of carcinomas of the tongue with special reference to stage Ⅰ (T1N0M0) cases. Nippon ACTA Radiol **41**：850–856, 1981 [Japanese]
119) Horiuchi J, Okuyama T, Konishi K et al：Radiation therapy for carcinoma of the tongue：An analysis of cases for the past fifteen years. Nippon ACTA Radiol **37**：1041–1051, 1977
120) Karen KF, Ray JW, Chan EK et al：External and interstitial radiation therapy of carcinoma of the oral tongue. Am J Roentgenol **126**：107–115, 1976
121) Teichgraeber JF, Clairmont AA：The incidence of occult metastases for cancer of the oral tongue and floor of the mouth：Treatment rationalre. Head Neck Surg **7**：15–21, 1984
122) Yuen APW, Ho CM, Chow TL et al : Prospective randomized study of selective neck dissection versus observation for N0 neck of early tongue carcinoma. Head Neck **31** : 765–772, 2009
123) Mashberg A, Meyers H：Anatomical site and size of 222 early asymptomatic oral squamous cell carcinomas：A continuing prospective study of oral cancer. Ⅱ. Cancer **37**：2149–2157, 1976
124) Crecco M, Vidiri A, Palma O et al：T stages of tumors of the tongue and floor of the mouth：correlation between MR with gadopentetate dimeglumine and pathologic data. AJNR Am J Neuroradiol **15**：1695–1702, 1994
125) Murakami R, Baba Y, Nishimura R et al：MR imaging of squamous cell carcinoma of the floor of the mouth：Appearance of the sublingual and submandibular glands. Acta Radiol **40**：276–281, 1999
126) Miller BA, Chu KC, Hankey BF et al : Cancer incidence and mortality patterns among specific Asian and Pacific Islander population in the US. Cancer Causes Control **19**：227–256, 2008
127) Shiboski CH, Chiboski SC, Silverman S : Trends in oral cancer rates in the United States, 1973-1996. Cxommunity Dent Oral Epidemiol **28**：249-256, 2000
128) Chen JJ, Shah JL, Harris JP et al : Clinical outcomes in elderly patients treated for oval cavity squamous cell carcinoma. Int J Radiat Oncol Biol Phys **98** : 775–783, 2017
129) Saggi S, Badran KW, Han AY et al : Clinicopathologic characteristics and survival outcomes in floor of mouth squamous cell carcinoma: A population-based study. Otolaryngol Head Neck Surg **159**：51–58, 2018
130) Osazuwa-Peters N, Massa ST, Christophger KM et al : Race and sex disparities in long-term survival of oral and oropharyngeal cancer in the United States. J Cancer Res Clin Oncol **142**：521–528, 2016
131) Menezes MB, Lehn CN, Goncalves AJ : Epidemiological and histopathological data and E-cadherin-like prognostic factors in early carcinomas of the tongue and floor of mouth. Oral Oncol **43**：656–661, 2007
132) Rodgers LW, Stringer SP, Mendenhall WM et al：Management of squamous cell carcinoma of the floor of the mouth. Head Neck **15**：16–19, 1993
133) Hick WL, Loree TR, Garcia RI et al：Squamous cell carcinoma of the floor of the mouth：A 20 year review. Head Neck **19**：400–405, 1997
134) Hughes CJ, Gallo O, Spiro RH et al：Management of occult neck metastases in oral cavity squamous cell carcinoma. Am J Surg **166**：380–383, 1993
135) Spiro RH, Spiro JD, Strong EW：Surgical approach to squamous carcinoma confined to the tongue and floor of mouth. Head Neck **9**：27–31, 1986
136) Zupi A, Califano L, Mangone GM et al : Surgical management of the neck in squamous cell carcinoma of the floor of the mouth. Oral Oncol **34**：472–475, 1998
137) Klotch DW, Muro-Cacho C：Factors affecting survival for floor-of-mouth carcinoma. Otolaryngol Head Neck **122**：495–498, 2000
138) Balasubramanian D, Ebrahimi A, Gupta R et al：Tumor thickness as a predictor of nodal metastases in oral cancer：comparison between tongue and floor of mouth subsites. Oral Oncol **50**：1165–1168, 2014
139) Wallwork B, Anderson SR, Coman WB : Squamous cell carcinoma of the floor of the mouth: tumour thickness and the rate of cervical metastasis. ANZ J Surg **77**：761–764, 2007
140) Alvi A, Johnson JT：Development of distant metastasis after treatment of advanced-stage head and neck cancer. Head Neck **19**：500–505, 1997
141) O'steen L, Amdur RJ, Morris CG et al : Challenging the requirement to treat the contralateral neck in cases with >4mm tumor thickness in patients receiving postoperative radiation therapy for squamous cell carcinoma of the oral tongue or floor of mouth. Am J Olin Oncol **42**：89-91, 2019
142) Tomura N, Watanabe O, Hirano Y et al：MR imaging of recurrent head and neck tumors following fla reconstructive surgery. Clin Radiol **57**：109–113, 2002
143) Hudgins PA：Flap reconstruction in the head and neck：expected appearance, complications and recurrent disease. Eur J Radiol **44**：130–138, 2002
144) Hudgins PA, Burson JG, Gussack GS et al：CT and

MR appearance of recurrent malignant head and neck neoplasms after resection and flap reconstruction. AJNR Am J Neuroradiol **15**：1689-1694, 1994

145）Chikui T, Yuasa K, Inagaki M et al：Tumor recurrence criteria for postoperative contrast-enhanced computed tomography after surgical treatment of oral cancer and flap repair. Oral Surg Oral Med Oral Pathol Oral Radiol Endod **90**：369-376, 2000

146）Som PM, Urken ML, Biller H et al：Imaging the postoperative neck. Radiology **187**：593-603, 1993

147）Offiah C, Hall E：Post-treatment imaging appearances in head and neck cancer patients. Clin Radiol **66**：13-24, 2011

148）Teng MS, Futran ND：Osteoradionecrosis of the mandible. Curr Opin Otolaryngol Head Neck Surg **13**：217-221, 2005

149）New GB, Erich JB : Dermoid cysts of the head and neck. Surg Gynecol Obst **65**：48-55, 1937

150）Patil S, Rao RS, Majumdar B et al : Oral lesions in neonates. Int J Clin Pediatr Dent **9**：131-138, 2016

151）Kyriakidou E, Howe T, Veale B et al : Sublingual dermoid cysts: Report and review of the literature. J Laryngol Otol **129** : 1036-1039, 2015

152）Meyer I : Dermoid cysts（dermoids）of the floor of the mouth. Oral Surg Oral Med Oral Pathol **8**：1149-1164, 1955

153）Tsirevelou P, Papamanthos M, Chlopsidis P et al : Epidermoid cyst of the oral floor of the mouth: two case reports. Cases J **2**：9360, 2009

154）Hunter TB, Paplanus SH, Chernin MM et al：Dermoid cyst of the floor of the mouth：CT appearance. Am J Roentgenol **141**：1239-1240, 1983

155）Bhalla S, Acharya V, Ally M et al : Acute presentation of an intraoral dermoid cyst causing airway compromise in a young child. BMJ Case Rep **2**：e228421. Doi: 10.1136/bcr-2018-228421, 2019

156）Ohta N, Watanabe T, Ito T et al : A case of sublingual dermoid cyst: extending the limits of the oral approach. Case Rep Otolaryngol 2012: 634949, 2012

6 中咽頭

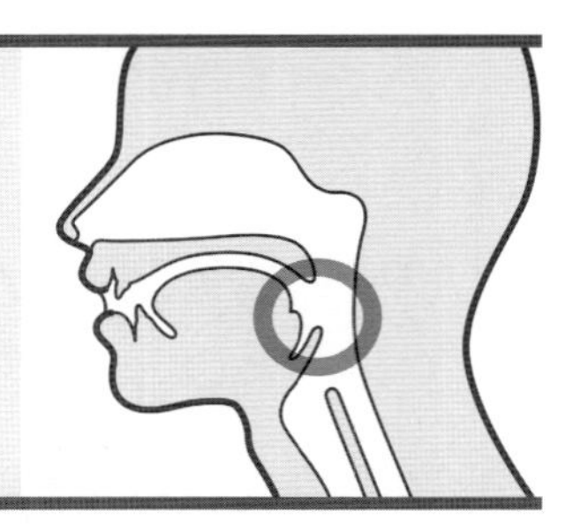

A 臨床解剖

1 粘膜解剖および深部組織間隙

中咽頭は咽頭のうち，頭尾側方向で軟口蓋下面から舌骨（あるいは喉頭蓋谷底部）レベルの間に相当し，ほぼ第2〜3頸椎レベルに位置する（図1A）．前方の口腔とは上方は硬口蓋後縁（すなわち硬口蓋と軟口蓋との接合部），外側は前口蓋弓，下方は舌の有郭乳頭の線（分界溝，すなわち舌可動部と舌根との境界）により区分される（図1, 2）．舌根，軟口蓋下面から口蓋垂，前・後口蓋弓，口蓋扁桃，舌扁桃溝，咽頭側・後壁が含まれる．舌根は舌の後方3分の1で有郭乳頭の線で前方3分の2を占める舌可動部と区別される（図1）．さらに外側は舌扁桃溝，後方は喉頭蓋により境される．中咽頭両側壁では前・後口蓋弓の間に口蓋扁桃を容れる扁桃窩が形成される．口蓋扁桃の約2〜3 cm外側後方には内頸動脈が位置する．前・後口蓋弓は各々，口蓋舌筋と口蓋咽頭筋およびこれらの筋膜と粘膜よりなる（図3）．舌根には舌（根）扁桃があり，画像上，ときに多結節性腫瘤様に認められ，非対称性の場合も多く，舌根から喉頭蓋谷の腫瘍との鑑別が問題となる．咽頭後壁から側壁の粘膜は咽頭収縮筋およびこれを囲む頬咽頭筋膜（buccopharyngeal fascia）に裏打ちされる．咽頭収縮筋は前口蓋弓外側に隣接する部位において翼突下顎縫線を介して頬筋に連続する（図2, 4）．腫瘍性病変において咽頭収縮筋および頬咽頭筋膜は病変進展の障壁となりうるが，これを越えると外側の傍咽頭間隙への深部浸潤を生じる．咽頭収縮筋への浸潤から翼突下顎縫線を介し，頭側では上顎結節，外側前方では臼後部などへの進展をきたしうる．

2 リンパ組織

口蓋扁桃および舌根のリンパの大部分は上内深頸リンパ節（レベルⅡ），一部は咽頭後リンパ節，中内深頸リンパ節（レベルⅢ）に向かい，咽頭後壁のリンパは咽頭後リンパ節を経由する，あるいは直接，上・中内深頸リンパ節（レベルⅡ，Ⅲ）に向かう[1, 2]．前・後口蓋弓のリンパは各々，口蓋舌筋，口蓋咽頭筋に沿って下行，舌根でのリンパの輸出は舌の神経血管束に沿う[2]．

B 撮像プロトコール

中咽頭では口腔と同様，義歯からのアーチファクトを可能な限り軽減する必要がある．また，呼吸運動などの体動に伴うアーチファクトの軽減も重要である．造影CTが画像診断の基本となるが，アーチファクトの影響がより小さく，コントラスト分解能の高いMRIが有用な場合も多い．中咽頭癌例における多列検出器CTでは，原発病変に関しては，上は海綿静脈洞から頭蓋底を十分に含め，下は舌骨レベルの範囲における横断像の軟部濃度条件および骨条件表示により評価する．再構成スライス厚は骨条件表示では1 mm，軟部条件表示では3 mm程度，スライス間隔は3 mm以下が望ましい．頸部リンパ節病変の評価に関しては，頭蓋底から胸郭入口部の範囲で再構成スライス厚・間隔3 mmでの評価が望ましい．

MRIはT1強調像，T2強調像，造影後T1強調像で横断像・冠状断像を撮影するのが一般的撮像プロトコールであり，スライス厚・間隔は3〜4 mm程度で，FOVは20〜24 cm程度とする．

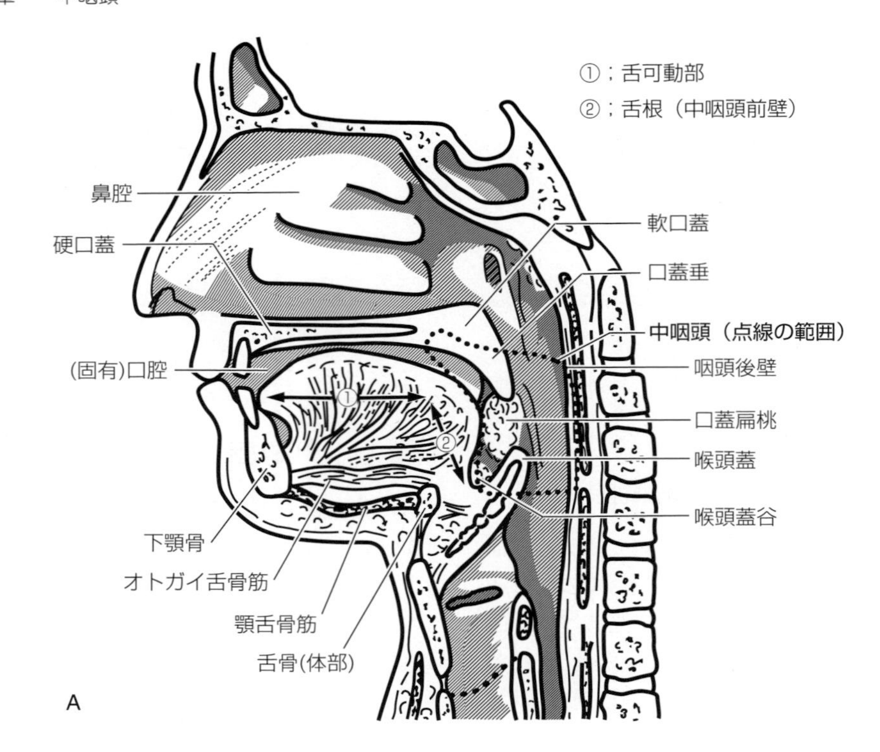

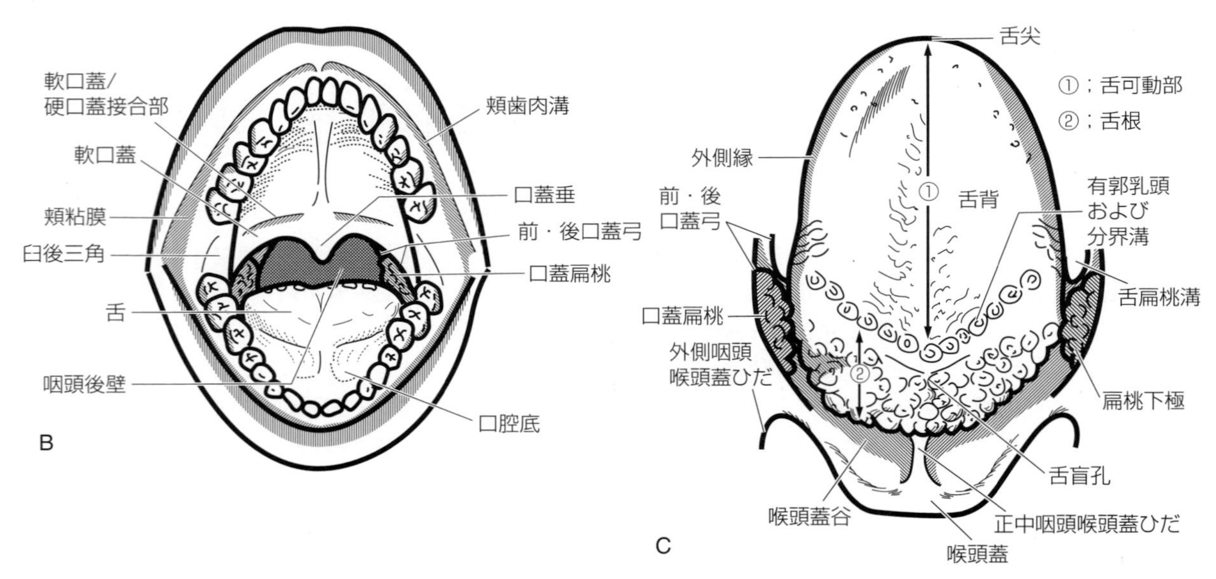

図 1　中咽頭．シェーマ
A：正中矢状断．
B：前方からの図，開口時．
C：舌背面からの図．

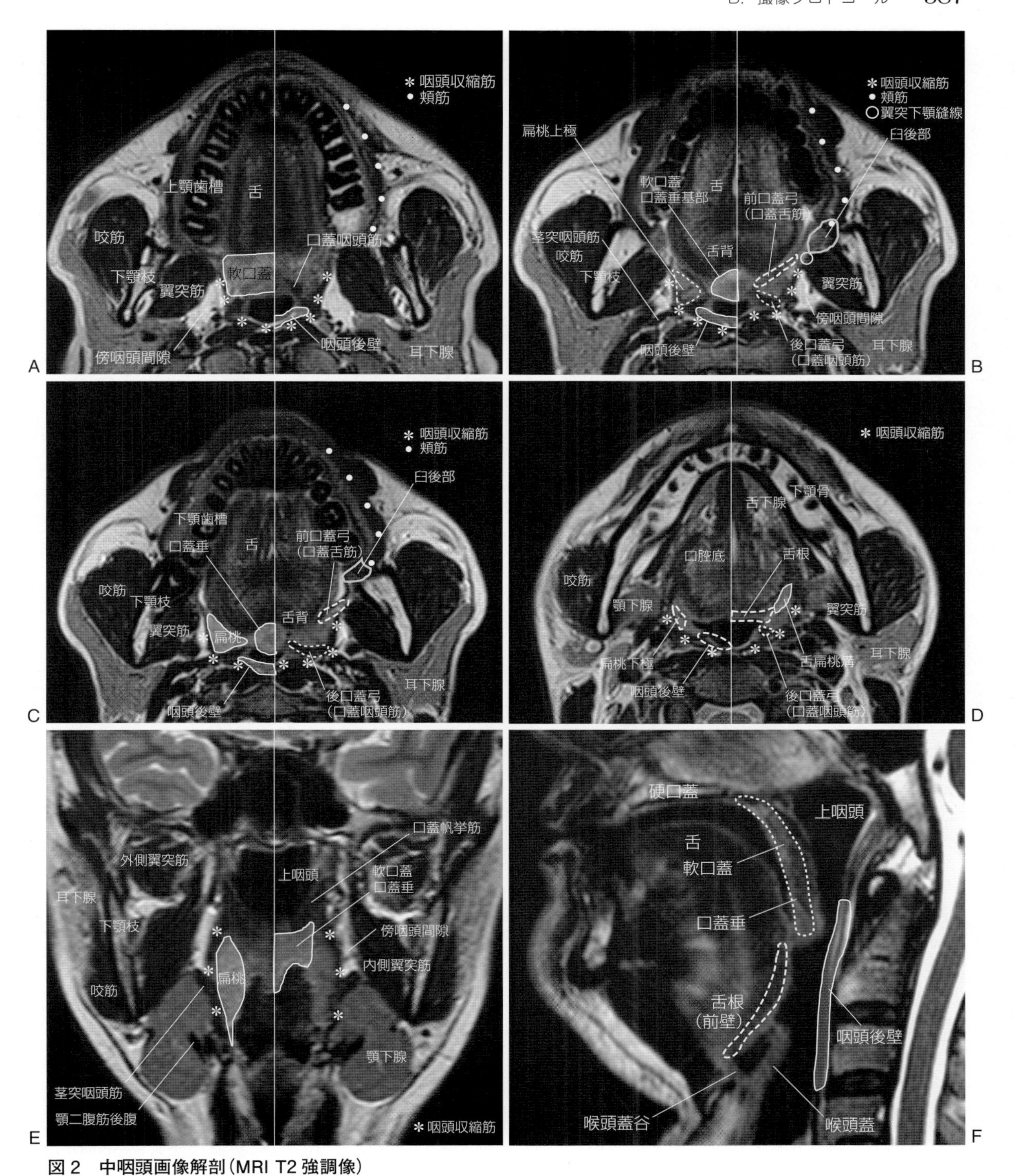

図 2　中咽頭画像解剖（MRI T2 強調像）
A〜D：横断像（A：軟口蓋レベル，B：口蓋垂基部レベル，C：口蓋垂レベル，D：舌根レベル），E：冠状断像，F：正中矢状断像

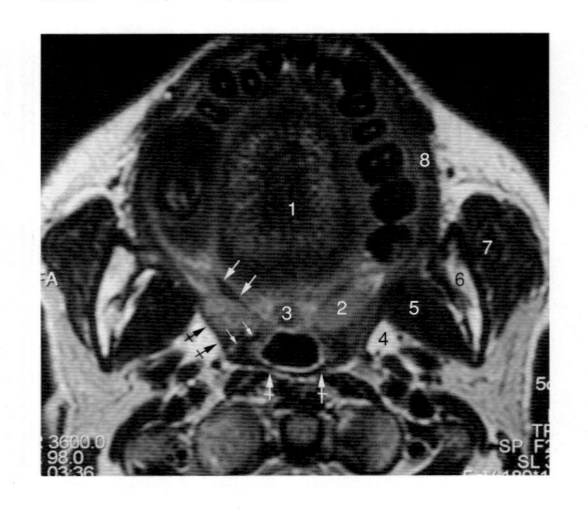

図3 中咽頭レベル．MRI T2強調横断像
1：舌，2：口蓋扁桃，3：口蓋垂，4：傍咽頭間隙，5：内側翼突筋，6：下顎骨枝，7：咬筋，8：頬筋，前口蓋弓(大矢印)，後口蓋弓(小矢印)，咽頭後壁を裏打ちする咽頭収縮筋および頬咽頭筋膜(十字矢印)

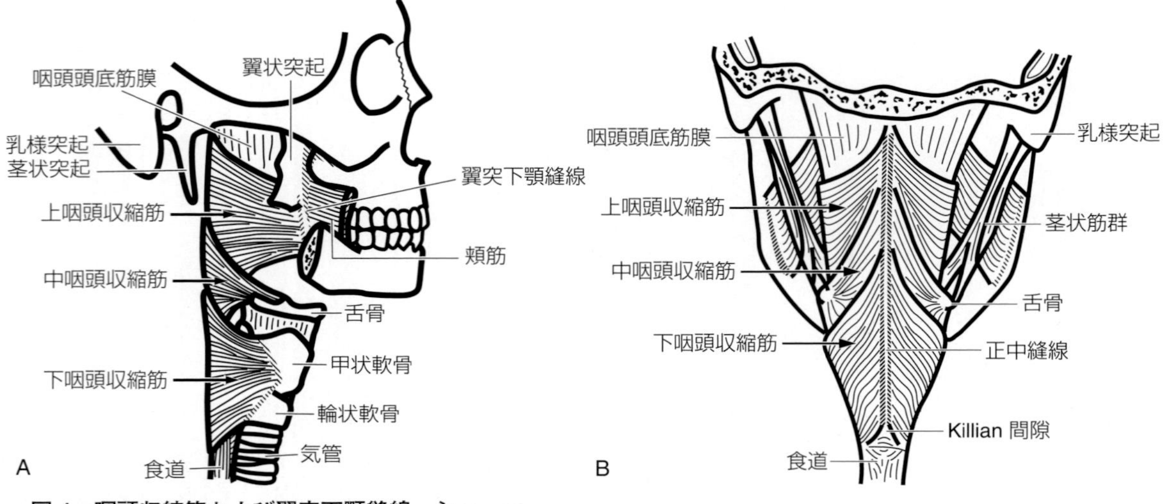

図4 咽頭収縮筋および翼突下顎縫線．シェーマ
A：側面像．
B：後面像．

造影後T1強調像での脂肪抑制の要否は(撮像機種のスペックなどの)状況による．腫瘍性病変では拡散強調像，ADC map作成が必要である．

MRIは，造影CTを施行したうえで，義歯からのアーチファクトに起因する画質劣化により，原発病変あるいは上内深頸リンパ節(レベルII)病変の十分な評価が困難な場合，あるいは他レベルであっても頸部転移病変の切除可否(頸動脈浸潤の有無など)，あるいは頭蓋底・内浸潤のさらなる詳細な評価が必要な場合に適応が考慮される．なお，舌根癌の尾側での喉頭蓋谷，声門上喉頭(喉頭蓋前間隙)への浸潤の有無の評価には(CTあるいはMRIでの)矢状断像が有用である[3)]．炎症性疾患では造影CT横断像が画像評価の中心となる．ただし，異物の同定が必要な場合は非造影および造影CTの撮影が望まれる．膿瘍形成の有無，進展範囲の評価が必要であるが，特に下方での縦隔進展の評価が重要である．通常，スライス間隔3〜5 mmで頸部全体を撮像するのが一般的で，必要に応じて下方は縦隔を含む．

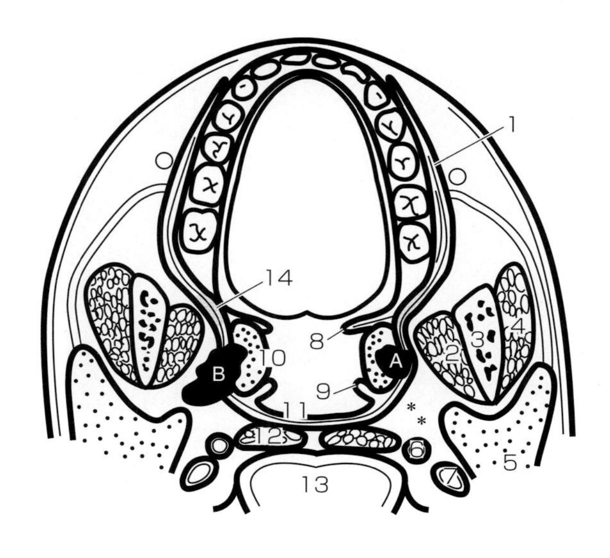

図 5　扁桃周囲膿瘍および傍咽頭間隙への進展. シェーマ

中咽頭レベルでの横断像シェーマにおいて扁桃周囲膿瘍(A)および傍咽頭間隙への膿瘍進展(B)を表す.

＊：傍咽頭間隙, 1：頬筋, 2：翼突筋, 3：下顎骨枝, 4：咬筋, 5：耳下腺, 6：内頸動脈, 7：内頸静脈, 8：前口蓋弓, 9：後口蓋弓, 10：口蓋扁桃, 11：咽頭収縮筋, 12：椎前筋, 13：頸椎, 14：翼突下顎縫線

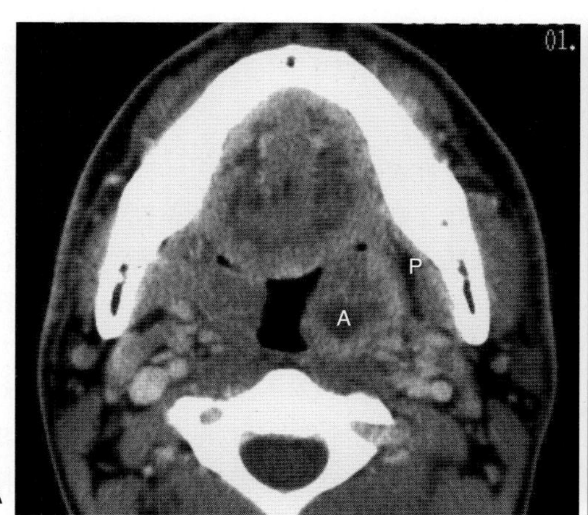

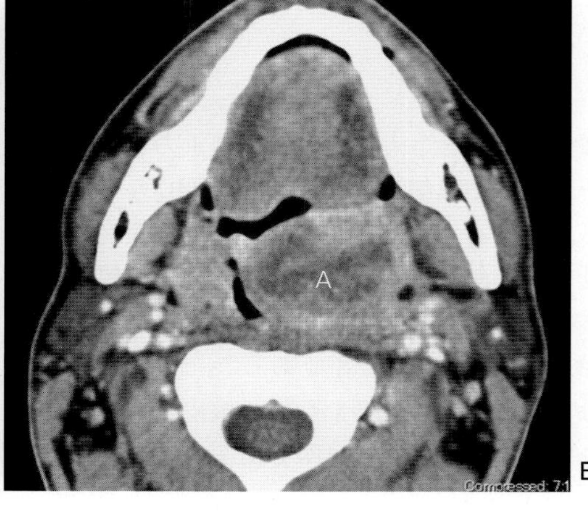

図 6　扁桃周囲膿瘍

造影 CT(A)において, 左口蓋扁桃内に不整形の液体濃度領域(A)を認め, 扁桃周囲膿瘍に一致する. 外側の傍咽頭間隙(P)の脂肪濃度は保たれている. 別症例の造影 CT(B)において, 左口蓋扁桃(A)の高度腫脹を認める. 図 A 症例と比較して, 膿瘍形成は成熟しておらず, 辺縁の被膜様増強効果は明らかでなく, 内部も(液体濃度ではなく)不均等な低濃度を呈する.

C 病 態

1 炎症性疾患

a. 扁桃周囲膿瘍(peritonsillar abscess)

扁桃周囲膿瘍(図 5)は急性化膿性扁桃炎をもとに扁桃周囲腔に形成される膿瘍で, quinsy とも称される. quinsy は喉の感染(特に扁桃炎)を表す中世の英語で, ギリシャ語の cynanche に由来するラテン語の quinancia が語源とされる[4]. 19 世紀になって quinsy が扁桃周囲膿瘍と同義となるまで, cynanche, quinancia は単なる扁桃炎を示す用語として用いられていた. 扁桃周囲腔は, 口蓋扁桃を包む扁桃被膜とこれを囲む上咽頭収縮筋および頬咽頭筋膜(深頸筋膜中葉)との間に形成される潜在腔であり, 側方には咽頭収縮筋, 頬咽頭筋膜を介して傍咽頭間隙が隣接する(図 5). なお, 扁桃上極の小唾液腺である Weber's gland 由来との説もある. 3〜6 日程度の継続する発熱, 咽頭痛, 開口障害を訴えて受診する場合が多い[5]. 通常, 片側性(図 6)であるが, 両側性(図 7, 8)もある[6]. 理学的所見として扁桃部の浸出

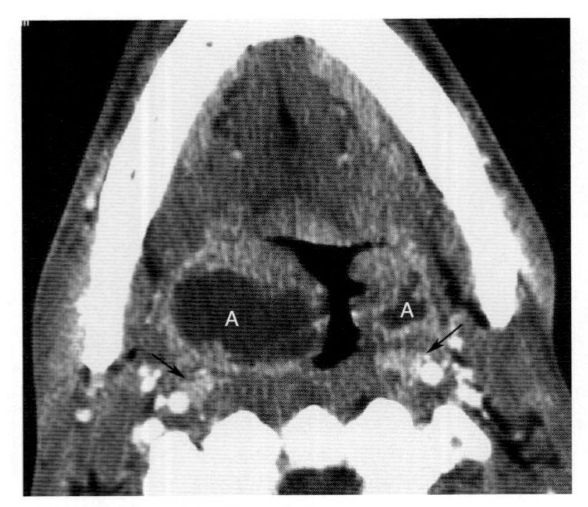

図7　両側性扁桃周囲膿瘍

造影CTにおいて，腫大した両側の口蓋扁桃に不整形の液体濃度領域(A)を認め，両側性扁桃周囲膿瘍に一致する．反応性に軽度腫大し，増強効果を示すRouvièreリンパ節(矢印)を両側性に認める．

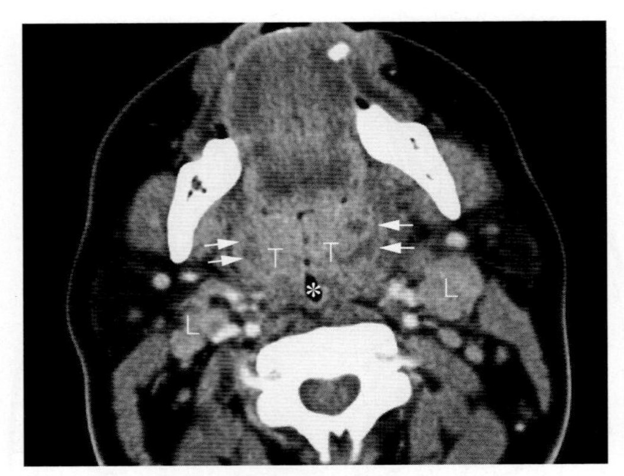

図8　扁桃周囲膿瘍による気道狭窄，リンパ節炎

中咽頭レベルの造影CTにおいて両側口蓋扁桃(T)はほぼ対称性に著明な腫脹を示し，内部に不整形の淡い低吸収領域(矢印)あり．両側の扁桃周囲膿瘍を示唆する．これにより中咽頭気道(＊)はスリット様の狭窄を示す．両側レベルIIリンパ節(L)の腫大を伴う．積極的に化膿性リンパ節炎を支持する内部低吸収はみられない．

液，腫大・硬結とともに扁桃，口蓋垂の正中への偏位を示す[7]．頸部リンパ節腫大(図8)もしばしばみられる．有意な上気道閉塞(図8)の頻度は比較的低いが，気道狭窄[8]の評価は臨床上重要である．本邦では3：1と男性に多く，3分の2が20～30歳代と比較的若年者である[9]．明らかな季節性はみられない．深頸部膿瘍や縦隔進展など，重篤な合併症の頻度は1.8%である[9]．その他として上気道閉塞(図8)，Lemierre症候群，壊死性筋膜炎，頸動脈侵食，脳膿瘍，streptococcal toxic shock syndromeなどが挙げられる[4]．

口蓋扁桃下極側を中心とする下極型の扁桃周囲膿瘍(扁桃周囲膿瘍の15～20%)(図9～11)では，舌骨下頸部，声門上喉頭にしばしば進展し，気道狭窄をきたす傾向にあることから慎重な気道管理が必要となる．また，口蓋垂が正常で偏位を認めないなど理学的所見や症状に乏しく容易に見逃される傾向にある点，(通常の上極寄りの病変と比較して)経口的排膿が困難な場合が多い点[10]においても，臨床上重要である．Monobeらは下極型扁桃周囲膿瘍では経口的排膿可能であったのは58%であったと報告している[10]．また，扁桃周囲腔の側壁は下1/3では上2/3よりも脆弱であり[11]，側方の傍咽頭間隙への膿瘍破綻が容易である可能性がある．

治療は穿刺吸引および抗菌薬投与が通常で，一般に深頸部膿瘍が切開排膿を原則とするのに比較して，やや保存的アプローチがとられる．穿刺吸引，切開排膿の治癒率は82～100%と高く，両者の間に大きな差はないとされる[4]．治療に対する反応が不良な症例および傍咽頭間隙など深頸部組織間隙への進展(深頸部膿瘍)を伴う例では切開排膿を要する(図12)．いずれも膿瘍再発予防のために術後抗菌薬が投与される．穿刺吸引の方が疼痛が多少軽いとされる一方で切開排膿の方が膿瘍再発率がやや低いとされる[12]．ただし，治療選択に関しては依然議論があり，施設，臨床医の判断によっては，はじめから切開排膿，扁桃摘出手術を行う場合もある[5,9]．しかし，扁桃周囲炎，扁桃周囲膿瘍の初発例のほとんどで緊急扁桃摘出術の必要はない[13]．

画像診断(**表1**：p392)では(穿刺吸引あるいは切開排膿の要否を判断するために)膿瘍形成の有無，すなわち内科的治療の対象となる扁桃炎と外科的治療を要する扁頭周囲膿瘍との区別，膿瘍形成がみられる場合には傍咽頭間隙などの隣接する深部組織間隙への進展(図13)の有無およびその範囲の把握，気道狭窄の有無・程度(図8)の評価

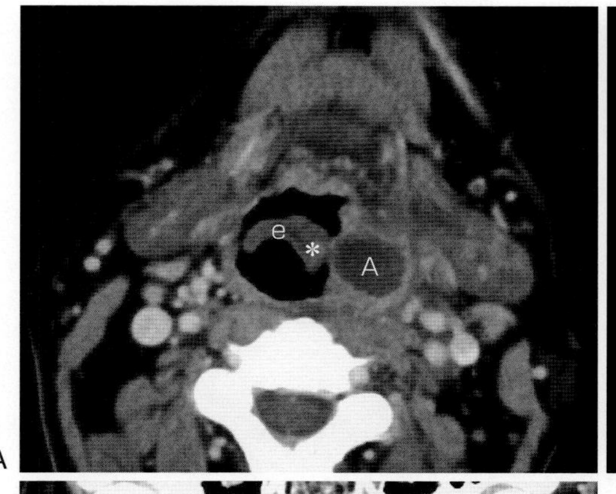

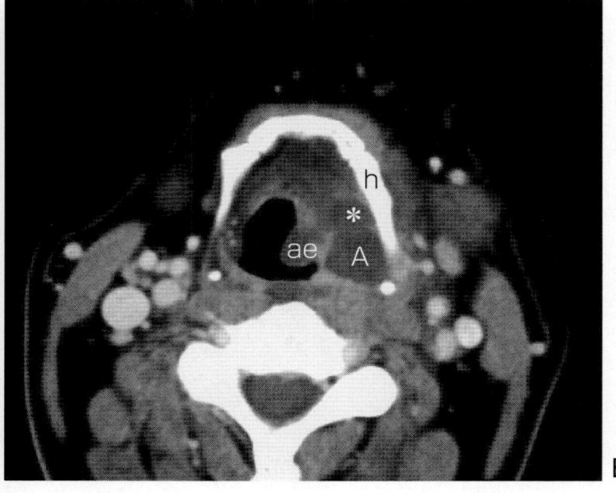

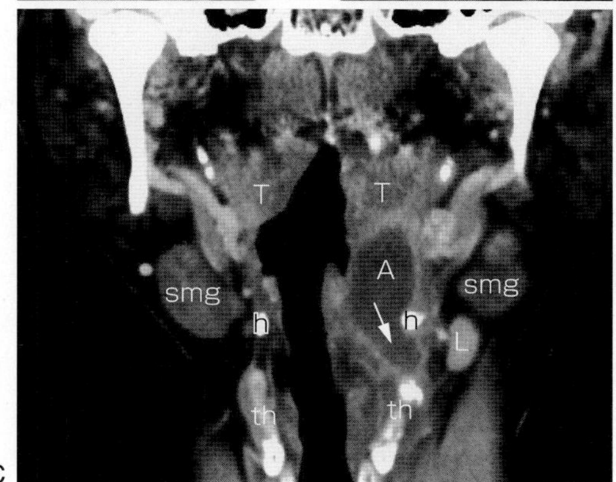

図 9　下極型扁桃周囲膿瘍

扁桃下極レベルの造影 CT 横断像(A)において左扁桃下極を中心に軟部組織腫脹，辺縁増強効果のある低吸収領域(A)を認め，化膿性扁桃炎・扁桃周囲膿瘍に一致する．喉頭蓋(e)は患側で腫脹(＊)を示す．舌骨レベル(B)で膿瘍(A)の下方進展，さらに前方で声門上レベルの傍声帯間隙への進展(＊)を示す．患側の披裂喉頭蓋ひだ(ae)の浮腫性腫脹を伴う. h：舌骨. 冠状断像(C)で膿瘍(A)は左口蓋扁桃下極に限局しており，口蓋扁桃(T)の大部分は保たれていることが確認される．舌骨下レベルへの頭尾側方向の膿瘍進展(矢印)，左レベル III リンパ節腫大(L)が描出されている．h：舌骨，smg：顎下腺，th：甲状軟骨.

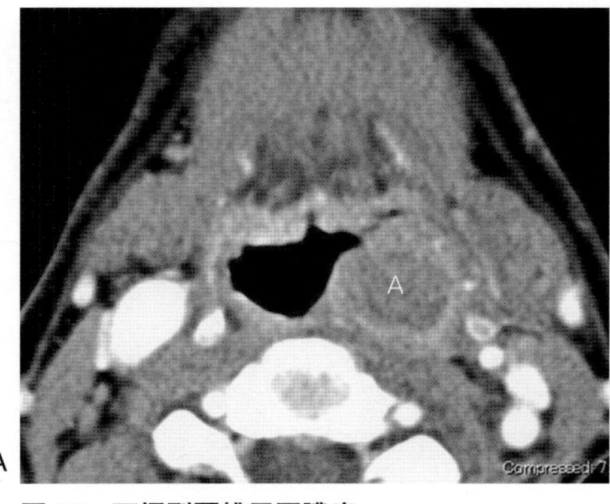

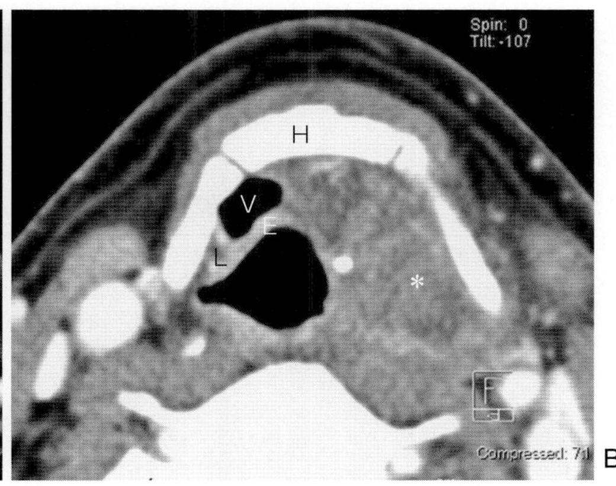

図 10　下極型扁桃周囲膿瘍

口蓋扁桃下極レベルでの造影 CT (A)で，左口蓋扁桃下極を中心に扁桃周囲膿瘍(A)の形成あり．尾側の舌骨体部(H)レベル(B)において，軟部組織腫脹(＊)は左側の外側咽頭喉頭蓋ひだ(対側で L で示す)から喉頭蓋(E)左側，喉頭蓋谷(対側で V で示す)に及ぶ.

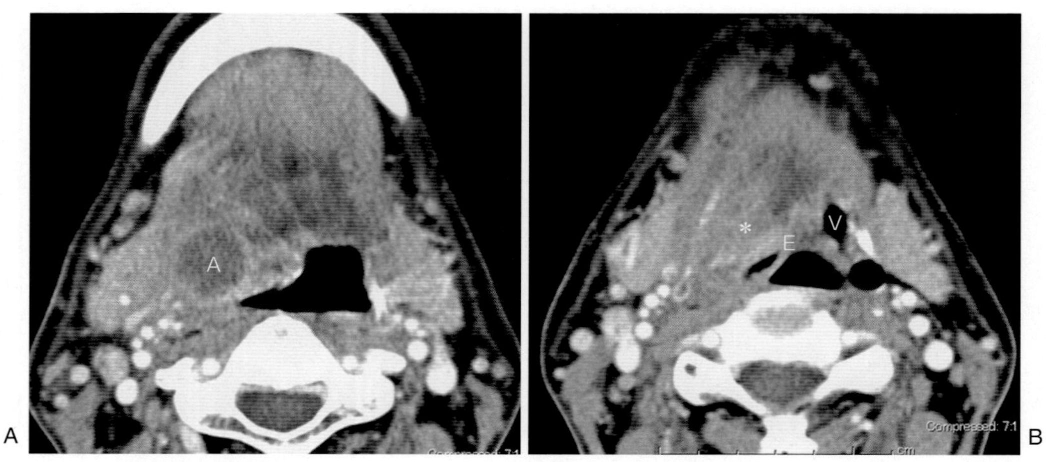

図 11　下極型扁桃周囲膿瘍
口蓋扁桃下極レベルでの造影 CT（A）で，右口蓋扁桃下極を中心に扁桃周囲膿瘍（A）の形成あり．尾側レベル（B）において，軟部組織腫脹（＊）は舌根右側から右喉頭蓋谷（対側で V で示す）に及ぶ．E：舌骨上喉頭蓋

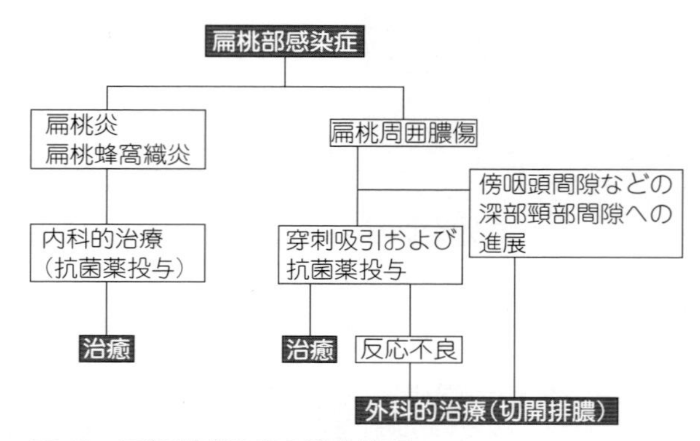

図 12　扁桃部感染症の治療選択

表 1　扁桃周囲膿瘍の画像評価項目

存在診断	扁桃周囲膿瘍の有無の評価 ＊通常，内科的治療の対象にとどまる咽頭炎と外科的治療（穿刺吸引あるいは切開排膿）を要する扁桃周囲膿瘍の区別	
進展範囲の把握	横断方向	側方（深部）進展による，傍咽頭間隙，さらに咀嚼筋間隙（側頭下窩）などの舌骨上組織間隙での深頸部膿瘍形成の有無とその範囲
	頭尾側方向	下方進展による，舌骨下頸部さらに縦隔進展の有無とその範囲 ・特に下極型病変 ・気道狭窄の有無・程度！
その他	異物（魚骨）や外傷，まれに腫瘍の関与など	

が重要である．造影 CT が基本となるが，経皮的あるいは経口的な超音波検査による診断の報告もある[14]．臨床像のみによる診断（感度 78％，特異度 50％）と比較して，CT（感度 100％，特異度 75％）や経口超音波検査（感度 89～92.3％，特異度 62.3～100％）はより信頼性が高い[14, 15]．造影 CT では口蓋扁桃から扁桃周囲腔に限局して辺縁に増強効果を示す液体濃度領域を認める（図 6A，7，

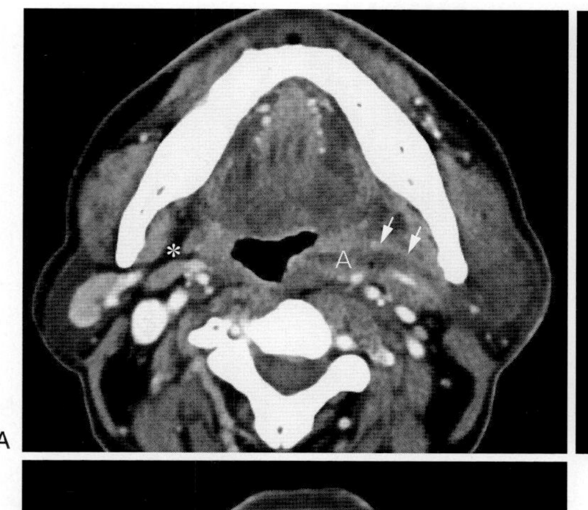

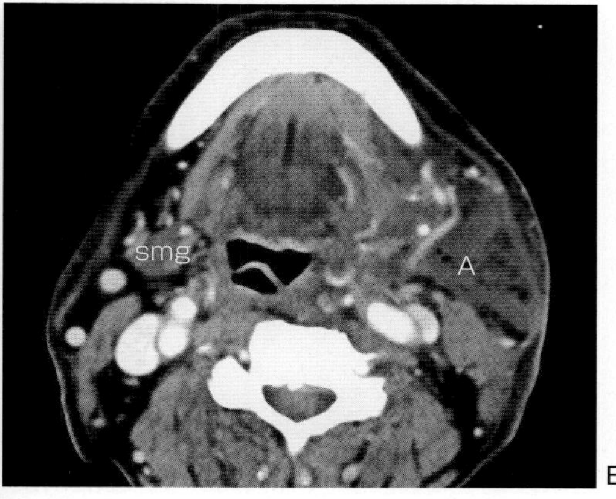

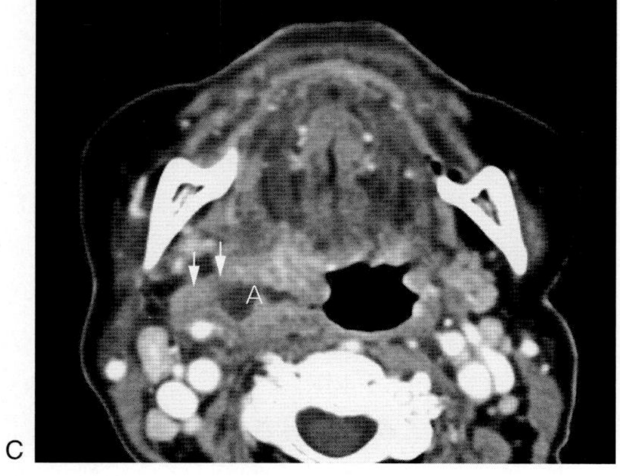

図 13　傍咽頭間隙進展を伴う扁桃周囲膿瘍 2 例
中咽頭レベル造影 CT（A）において左扁桃周囲膿瘍（A）を認め，側方の傍咽頭間隙（対側で＊で示す）への進展（矢印）を示す．やや尾側レベル（B）で膿瘍は（傍咽頭間隙の尾側で筋膜の境なく連続する）左顎下間隙への進展（A）を示す．smg：顎下腺．別症例の造影 CT（C）で右扁桃周囲膿瘍（A）の側方進展（矢印）を認める．

9）．ただし，辺縁増強効果は膿瘍の成熟度に依存するため，早期の未熟な膿瘍（図 6B，14）では明らかでないこともしばしばである．扁桃自体も炎症の程度により，増強効果亢進を示す．外側に隣接する傍咽頭間隙の脂肪が保たれているかどうかの評価も重要である．Kawabata らは造影 CT での膿瘍腔の形状により“oval type”と“cap type”を区別（図 15）し，cap type 病変は CRP，白血球数が有意に高く，より高度かつ広範な炎症を反映するとし，特に下極寄りの cap type 病変では緊急扁桃摘出術を推奨している[16]．ただし，明瞭に区分されない場合も少なくない．また，ときに扁桃癌が臨床上，扁桃周囲膿瘍として現れる場合もあり，遷延する例では基礎病態の可能性も考慮する必要がある[17]．

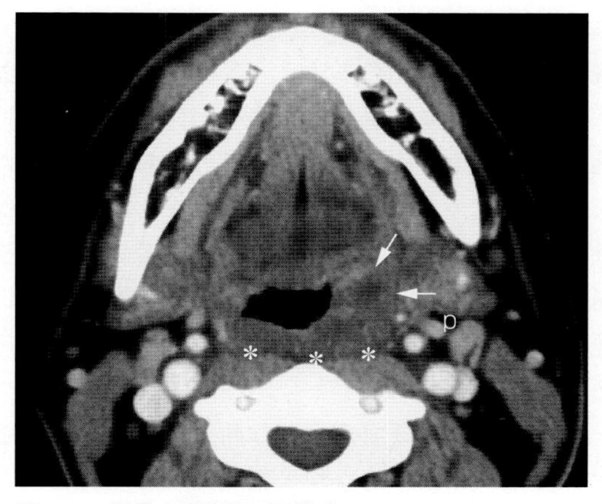

図 14　未熟な扁桃周囲膿瘍
中咽頭レベル造影 CT で腫大した左口蓋扁桃内に淡い低吸収領域（矢印）を認めるが，辺縁増強効果は明らかでない．未熟な膿瘍腔が示唆される．側方の傍咽頭間隙（p）進展はみられない．咽頭後間隙（＊）に浮腫あり．

2 腫瘍および腫瘍類似疾患

a. 扁平上皮癌

中咽頭扁平上皮癌は 50〜60 歳以上の男性（男女

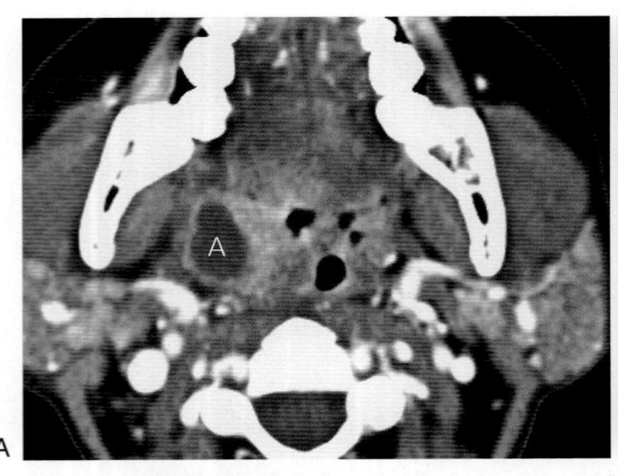

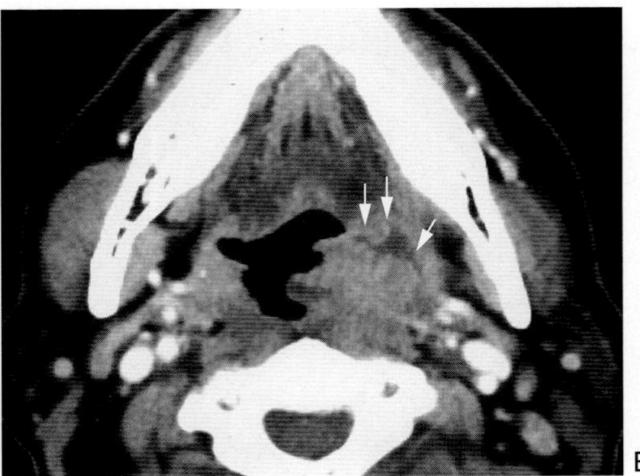

図15 扁桃周囲膿瘍"oval type"と"cap type"

中咽頭レベル造影CT(A)において右側の比較的類円形を呈する膿瘍腔(A)を認める．別症例(B)では不整形からやや半月形の膿瘍腔(矢印)を呈する．

比5〜7：1程度)に多く[18, 19]，喫煙と強い関連がある他，飲酒および口内不衛生なども危険因子となる[19]．

さらにHPV(ヒトパピローマウイルス)が新たな危険因子として認識され，HPV陽性中咽頭癌(後述)では従来からのHPV陰性中咽頭癌と治療反応性が異なることもあり，AJCCの第8版ではHPV陰性中咽頭癌のTNM分類(**表2**)に変更はないが，HPV陽性中咽頭癌に対して異なるTおよびN分類(**表3**)が設定された[20]．解剖の項で既述のとおり，AJCCでは，舌根(前壁)，軟口蓋下面から口蓋垂，前・後口蓋弓，口蓋扁桃，舌扁桃溝，咽頭側・後壁の亜部位に分けられる．ただし，扁桃窩，前・後口蓋弓を合わせて中咽頭側壁・扁桃領域とする場合もある．口蓋扁桃，舌根発生では比較的分化度が低く，前口蓋弓，軟口蓋，喉頭蓋谷発生では比較的分化度が高い傾向にある[18]．

画像診断は治療前の病期診断，予後推定，治療後合併症の評価，治療効果判定，残存・再発病変の診断など，いずれにおいても極めて重要な役割を担う．ただし，モダリティ選択，撮影の時期，画像所見の意義などは症例ごとに判断が求められる．CTとMRIは相補的であるが，中咽頭レベルでは口腔と同様にCTでは歯科金属に伴うアーチファクトが問題となり，アーチファクトの影響が小さく組織コントラストの高いMRIの有用性が高い．一般に原発部位の評価はMRI，頸部リンパ節転移の評価にCTが用いられる．PET付加については議論があり，治療前病期診断でCTあるいはMRIのみではなくPETによる評価を加えた方が3年時の癌特異的生存率が有意に高い[21]，あるいは放射線治療のtarget volumeを囲む際にCTのみではなくMRIとともにPETを用いるのが望ましい[22]等と報告されている一方で，臨床的に頸部リンパ節転移を触知しない中咽頭癌ではCTあるいはMRIへのPET付加による正診率向上はない[23]等とも報告されている．これらよりPET要否は症例や画像評価の目的ごとに判断する必要がある．以下に各亜部位における扁平上皮癌，HPV陽性中咽頭癌の臨床および画像診断につき，解説する．

1) 各亜部位における扁平上皮癌

i) 扁桃癌(表4：p396)

扁桃癌は頭頸部領域で最も高頻度にみられる悪性腫瘍のひとつで，喉頭癌に次いで2番目とされ中咽頭癌では最も多い[24, 25]．古典的には飲酒，喫煙が原因となるが，近年はこれらの危険因子のない若年者症例も増え，HPVとの関連が報告されている(後述)[26]．大部分が低分化から中分化型扁平上皮癌である．扁桃領域には粘液腺がみられ，深い陰窩(crypt)から生じた扁平上皮癌が二次性にこれらの粘液腺に浸潤した場合，両者の混在から粘表皮癌との病理診断結果となる場合もあり，注意を要する．(後述の前口蓋弓病変と異なり)扁桃窩病変では白板症あるいは粘膜の赤色調

表 2　HPV 陰性中咽頭癌の T 分類

T 分類	原発病変	
TX	原発部位評価不能	
Tis	carcinoma *in situ*	
T1	最大径が 2 cm 以下	
T2	最大径 2 cm より大きく 4 cm 以下	
T3	最大径が 4 cm より大きい，あるいは喉頭蓋舌根面(咽頭面)に浸潤	
T4	T4a：中等度進行病変	喉頭，外舌筋，内側翼突筋，硬口蓋，あるいは下顎骨への浸潤
	T4b：高度進行病変	外側翼突筋，翼状突起，上咽頭側壁あるいは頭蓋底への浸潤，あるいは頸動脈浸潤

(Amin MB, Edge SB, Greene F et al (eds)：AJCC Cancer Staging Manual (8th ed), Springer, New York, 2017)

表 3　HPV 陽性中咽頭癌の TN 分類

T 分類	原発病変	
T0	原発病変なし	
T1	最大径が 2 cm 以下	
T2	最大径 2 cm より大きく 4 cm 以下	
T3	最大径が 4 cm より大きい，あるいは喉頭蓋舌根面(咽頭面)に浸潤	
T4	中等度進行病変	喉頭，外舌筋，内側翼突筋，硬口蓋，あるいは下顎骨，あるいはそれ以上の浸潤
N 分類	**頸部リンパ節病変**	
NX	頸部リンパ節病変評価不能	
N0	頸部リンパ節病変なし	
N1	片側の孤立性，あるいは複数リンパ節転移で，いずれも 6 cm 以下	
N2	対側あるいは両側頸部リンパ節転移で，いずれも 6 cm 以下	
N3	6 cm を超える頸部リンパ節転移(孤立性あるいは複数)あり	

(Amin MB, Edge SB, Greene F et al (eds)：AJCC Cancer Staging Manual (8th ed), Springer, New York, 2017)

を呈することはまれである[3]．早期には外方性発育を示すが，病変の進展に従って中心潰瘍とともに浸潤性を示す(図 16)．症状としては，咽頭痛，耳痛(舌咽・迷走神経による関連痛)，異物感・腫瘤感，咽頭出血などを訴える．ときに，ほぼ完全な粘膜下病変を形成することから原発不明頸部転移病変の原因となる[3]．原発不明癌の約 40%で原発病変が特定されるが，そのうちの約 80%が扁桃，舌根癌である[27]．発症時には進行病変である場合が多い．

AJCC の TNM 分類(表 2，3)では，扁桃癌(中咽頭癌)は HPV 陰性・陽性癌ともに T1 (2 cm 以下)から T2(2 cm より大きく 4 cm 以下)，T3(4 cm より大きい)までは病変の大きさで区分されており[20]，画像診断では T4 診断に関与する各方向への進展範囲(図 17，18)の評価が求められる．特に HPV 陰性癌の進展をもとにした(技術的に)切除可能な T4a 病変と切除不能な T4b 病変との区別は治療計画に重要である．頭側は上咽頭側壁(図 19〜21)，上内側では軟口蓋(図 19，22)に進展．上咽頭側壁進展では直接，あるいは軟口蓋浸潤では口蓋帆挙筋に沿って進展(図 19，21)，頭蓋底浸潤を示す場合あり(図 23)．尾側では扁桃下極から外側咽頭喉頭蓋ひだ(図 24〜26)，さらに下咽頭の梨状窩(図 26，27)，下前方では舌扁桃溝から舌根(症例の 25% [3])(図 28)に及ぶ．前側方では前口蓋弓(図 29)から口腔底(図 19，30)，臼後部，翼突下顎縫線(図 17)，外側では咽頭収縮筋(図 20，22，31，32)，頬咽頭筋膜を越えて傍咽頭間隙(図 21，23)，咀嚼筋間隙(図 25)・側頭下窩(図 28)，後方では後口蓋弓から咽頭後壁(図 16，24)への進展を示す．後側方で茎

表4 扁桃癌での重要な画像評価項目

前方進展	前口蓋弓・翼突下顎縫線 臼後三角 頬粘膜・頬筋・頬間隙
後方進展	後口蓋弓 咽頭後壁 咽頭後間隙
頭側進展	上咽頭側壁(T4b) 頭蓋底(T4b)
尾側進展	舌扁桃溝 舌根 下咽頭
内側進展	軟口蓋(正中・対側進展の有無)
側方進展 後側方進展	咽頭収縮筋：T2強調像での線状低信号の破綻の有無 傍咽頭間隙 咀嚼筋間隙(T4a：内側翼突筋，T4b：外側翼突筋) 茎突咽頭筋に沿った進展の有無 頸動脈(T4b)
その他	大きさ：T1〜3病期に関連 重複癌の有無
N因子	主に同側のレベルⅡ，Ⅲ，Ⅳ(Rouvièreリンパ節に要注意)

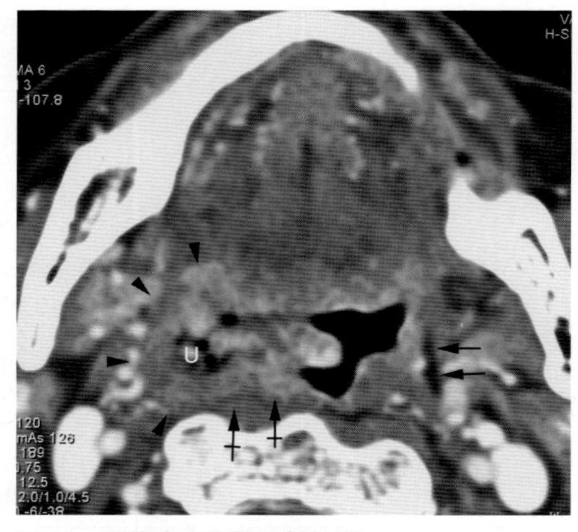

図16 扁桃癌の早期深部浸潤
造影CTにおいて，右扁桃を中心として浸潤性腫瘍(矢頭)を認め，扁桃癌に一致する．中心に潰瘍(U)を伴う．外側に隣接する傍咽頭間隙の脂肪(対側において矢印で示す)は消失しており，深部浸潤を示す．後方では後口蓋弓から咽頭後壁への浸潤を認める(十字矢印)．

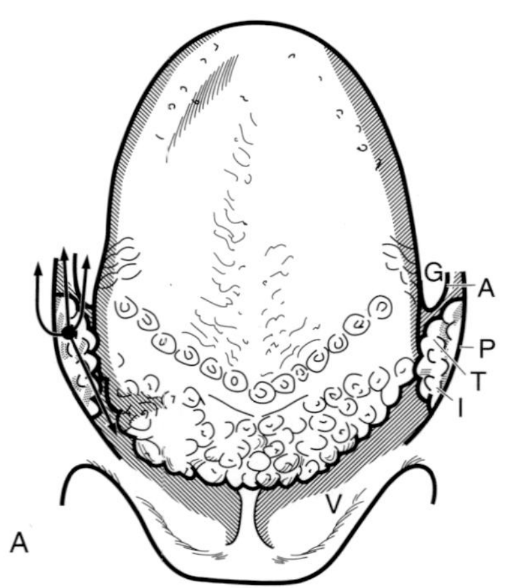

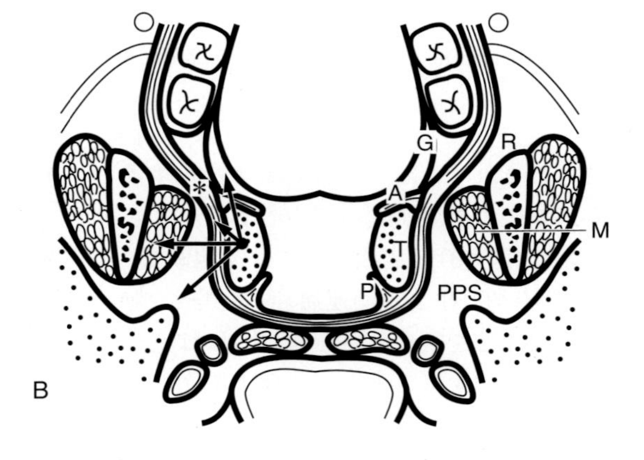

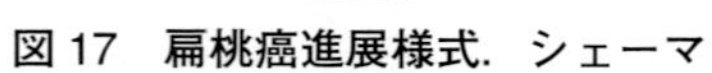

図17 扁桃癌進展様式．シェーマ
A：前口蓋弓，G：舌扁桃溝，I：扁桃下極，M：内側翼突筋，P：後口蓋弓，PPS：傍咽頭間隙，R：臼後部，T：扁桃，V：喉頭蓋谷，＊：翼突下顎縫線

突咽頭筋に沿った進展(図21，23，33，34)を示すと，頸動脈浸潤，頭蓋底浸潤(いずれもHPV陰性例ではT4b因子)をきたし[28]，レベルⅡリンパ節転移やRouvièreリンパ節転移病変と一塊となった腫瘤を形成する場合がある(図35，36)．

このような咽頭収縮筋の全層性浸潤による傍咽頭間隙への進展はT分類には関与しないが，T2扁桃癌の75%で認められ，頸部リンパ節病変の発現(頸部リンパ節転移の陽性率，転移リンパ節の数および密度)，局所および頸部リンパ節病変の

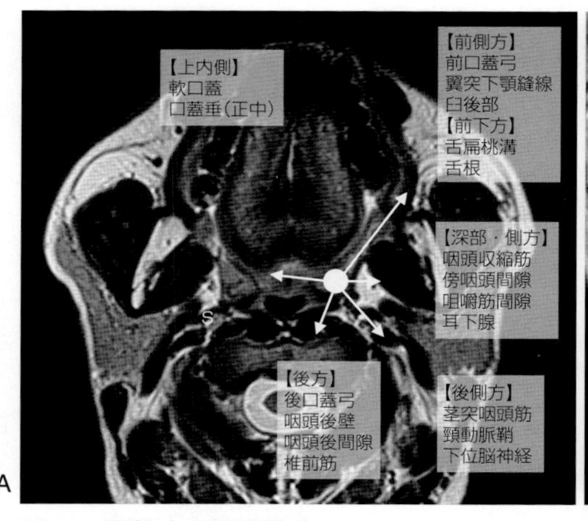

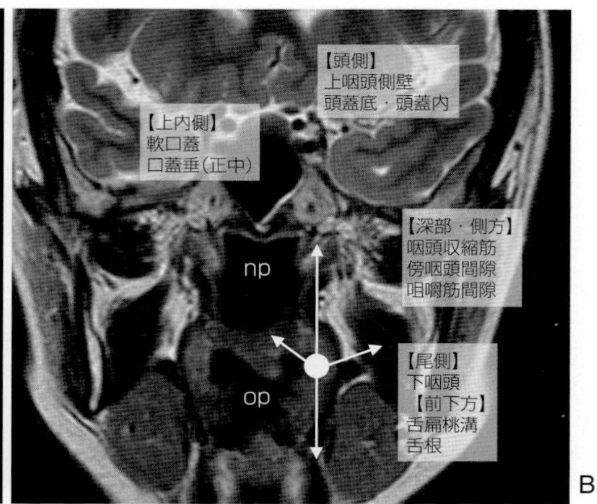

図 18　扁桃癌の進展様式
A：T2 強調横断像．s：茎突咽頭筋
B：T2 強調冠状断像．np：上咽頭，op：中咽頭

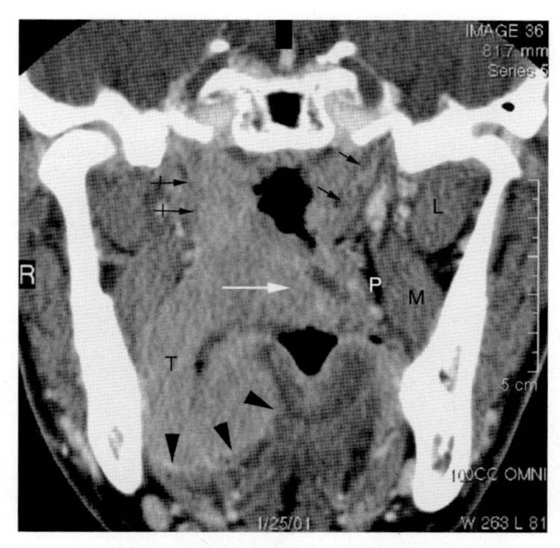

図 19　頭側は上咽頭側壁から頭蓋底，尾側は口腔底から舌根，上内側は軟口蓋に進展する扁桃癌
造影 CT 冠状断像において右口蓋扁桃を中心とする浸潤性腫瘍(T)を認める．頭側は上咽頭側壁から頭蓋底(十字矢印)，尾側は外側口腔底から舌根(および舌可動部)(矢頭)に進展している．また，上内側は軟口蓋への進展(白矢印)あり．
L：外側翼突筋，M：内側翼突筋，P：傍咽頭間隙，黒矢印：口蓋帆挙筋

5 年制御率に影響を与える[29]．

CT，MRI では中咽頭側壁の扁桃窩を中心とした浸潤性腫瘍として認められるが，扁桃に限局し深部浸潤や隣接部位への進展を伴わない早期病変の指摘は困難なこともしばしばである．扁桃の非対称性所見の特異性は低く，粘膜面の異常や頸部リンパ節腫大のない扁桃の非対称性腫大において扁桃癌存在の頻度は約 5%である(図 37)[30]．

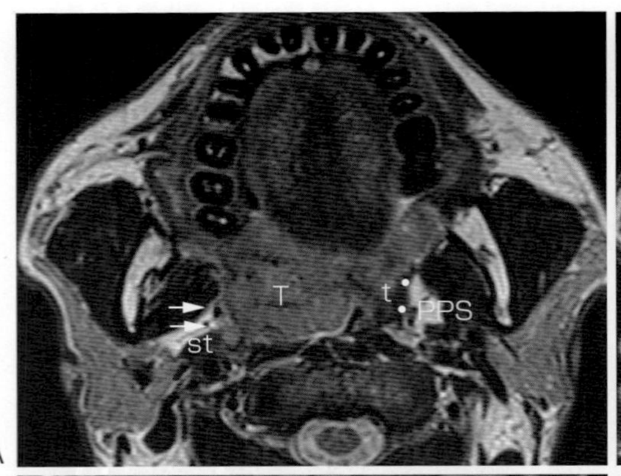

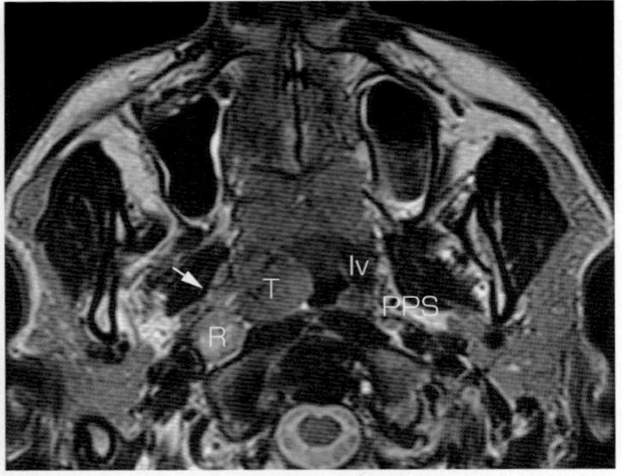

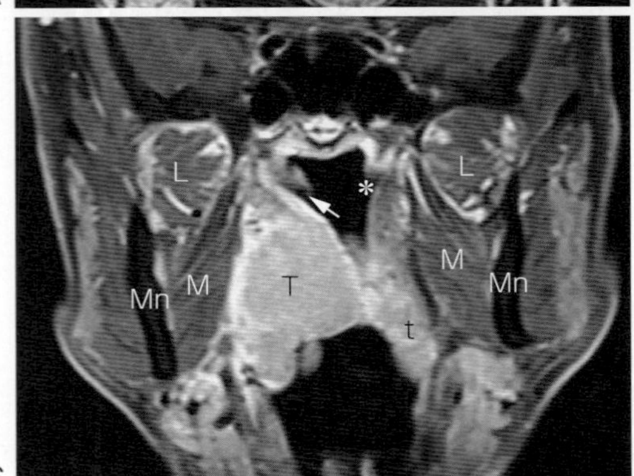

図 20　扁桃癌の上咽頭側壁進展

中咽頭レベルの MRI T2 強調横断像(A)において中咽頭右側壁の口蓋扁桃領域(対側で t で示す)を中心とする腫瘤(T)を認め，扁桃癌に一致する．深部では咽頭収縮筋(対側で • で示す)に相当する低信号帯は途絶しており，側方に隣接する傍咽頭間隙(対側で PPS で示す)内側への限局性浸潤(矢印)を伴う．茎突咽頭筋(st)に沿った深部浸潤はみられない．上咽頭レベル(B)で腫瘍(T)の上咽頭右側壁への頭側進展あり．同レベルでも傍咽頭間隙(対側で PPS で示す)への浸潤(矢印)を認める．口蓋帆挙筋(対側で lv で示す)の低信号が不明瞭であり，限局性の軟口蓋浸潤を反映する．患側 Rouviere リンパ節転移(R)を伴う．造影後 T1 強調脂肪抑制冠状断像(C)において中咽頭右側壁の腫瘍(T)は口蓋扁桃(対側で t で示す)の上極から頭側で上咽頭側壁に進展，耳管咽頭口(対側で＊で示す)下縁に及ぶ(矢印)．L：外側翼突筋，M：内側翼突筋，Mn：下顎枝．

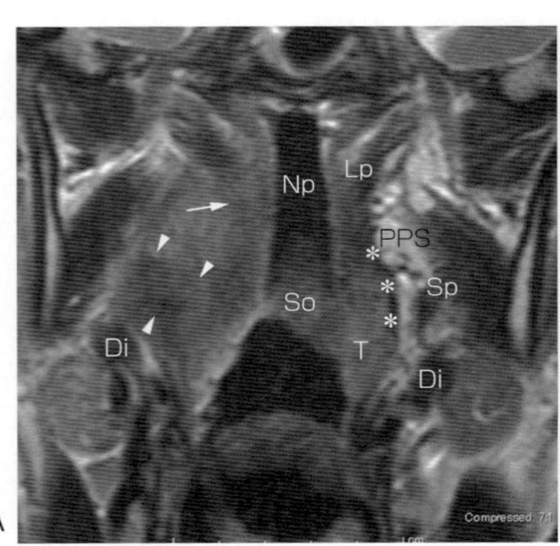

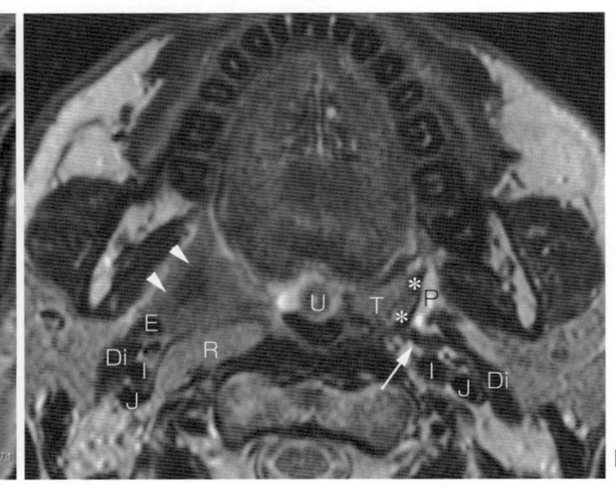

図 21　扁桃癌

MRI T2 強調冠状断像(A)において，右側の口蓋扁桃(対側で T で示す)を中心に浸潤性腫瘍を認め，頭側では軟口蓋(So)右側，上咽頭(Np)右側壁に浸潤．軟口蓋から口蓋帆挙筋(Lp)の下部に沿った浸潤(矢印)を認めるが，頭蓋底への到達なし．側方では咽頭収縮筋(＊)を越えて傍咽頭間隙(対側で PPS で示す)に進展，茎突咽頭筋(対側で Sp で示す)に沿った浸潤(矢頭)を示す．

同横断像(B)で，右口蓋扁桃(対側で T で示す)領域に浸潤性腫瘍を認め，側方では咽頭収縮筋(＊)を越えて傍咽頭間隙(P)に浸潤，茎突咽頭筋(矢印)に沿った後側方への進展(矢頭)を示し，外頸動脈(E)周囲に及ぶ．内頸動脈(I)，内頸静脈(J)は保たれている．Di：顎二腹筋後腹，R：Rouvière リンパ節転移，U：口蓋垂

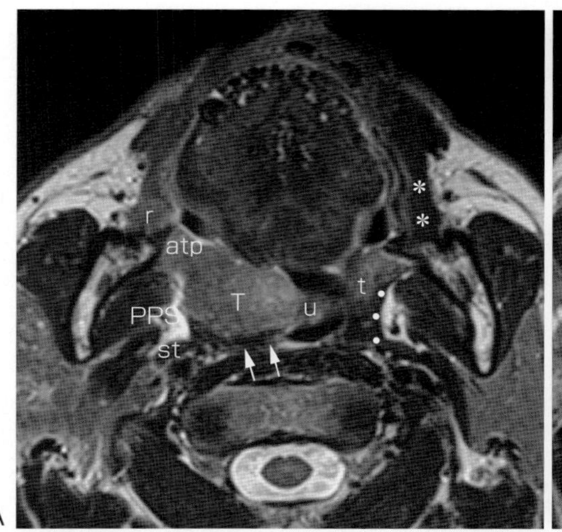

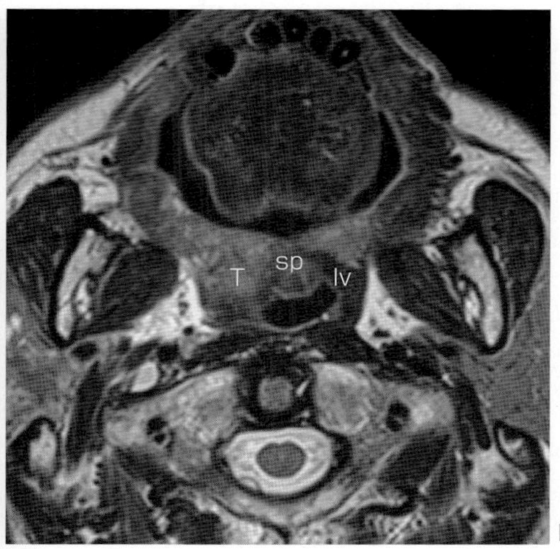

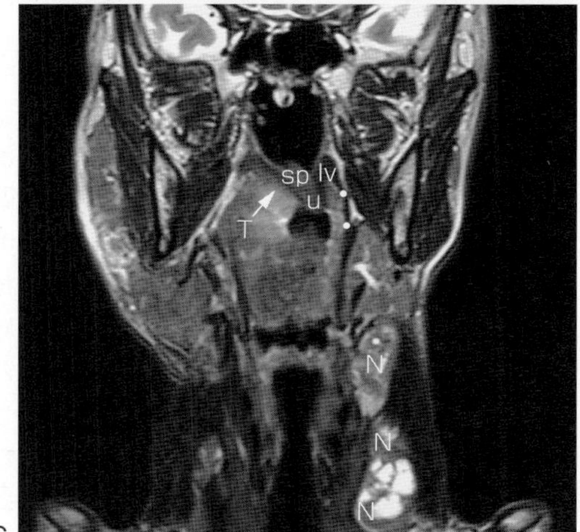

図 22　扁桃癌の軟口蓋進展 2 例

中咽頭レベルの MRI T2 強調横断像(A)において中咽頭右側壁の口蓋扁桃領域(対側で t で示す)を中心とする腫瘤(T)を認め，扁桃癌に一致する．深部では咽頭収縮筋(対側で・で示す)に相当する低信号帯は途絶しており，深部浸潤性を反映する．外側前方では前口蓋弓(atp)から臼後部(r)に進展，同部で頬筋に相当する低信号帯(対側で＊で示す)への浸潤を示す．口蓋垂(u)は腫瘍に圧排，軽度偏位を示す．側方の傍咽頭間隙(PPS)，茎突咽頭筋(st)は保たれている．軟口蓋レベル(B)で腫瘍(T)は軟口蓋右側に浸潤し，患側の口蓋帆挙筋(対側で lv で示す)に相当する低信号は消失しており浸潤を示唆する．別症例の T2 強調冠状断像(C)で中咽頭右側壁の腫瘍(T)は上内側で軟口蓋(sp)に浸潤(矢印)を示す．比較的まれであるが対側レベル III，IV の複数の頸部リンパ節転移(N)を伴う．lv：口蓋帆挙筋，u：口蓋垂．

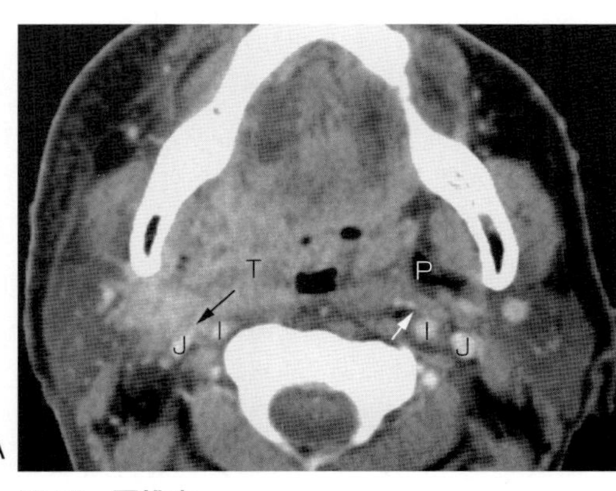

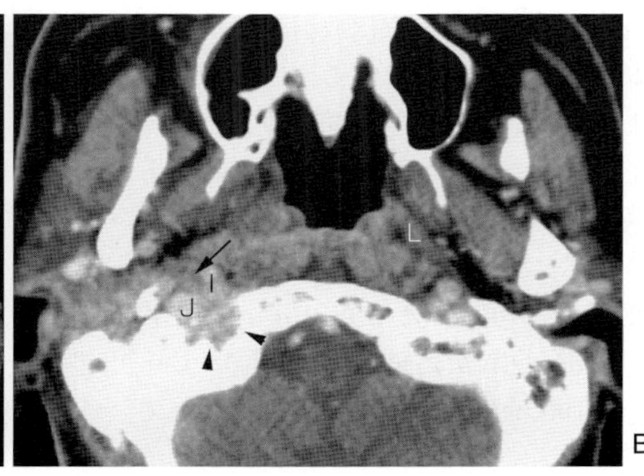

図 23　扁桃癌

扁桃レベルの造影 CT 横断像(A)において，右口蓋扁桃を中心とする浸潤性腫瘍(T)を認め，側方では傍咽頭間隙(対側で P で示す)に進展するとともに，茎突咽頭筋(対側で白矢印で示す)に沿って浸潤(黒矢印)，頸動脈鞘(I：内頸動脈，J：内頸静脈)に達する．上咽頭レベル(B)で，腫瘍は口蓋帆挙筋(対側で L で示す)に沿って浸潤(矢印)，頸動脈鞘(I：内頸動脈，J：内頸静脈)から頸静脈窩に腫瘤を形成し，頸静脈孔周囲の頭蓋底骨破壊(矢頭)を示す．

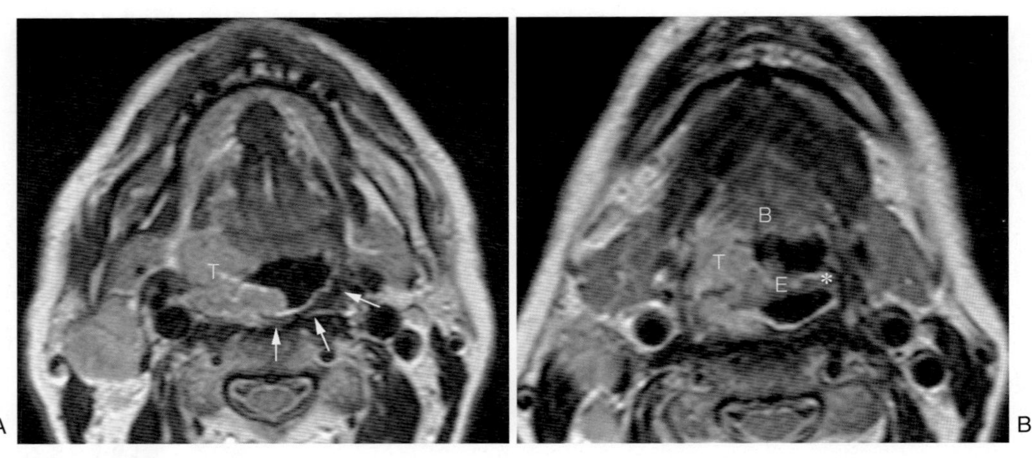

図 24　扁桃癌
MRI T2 強調横断像(A)において，右口蓋扁桃に浸潤性腫瘍(T)を認め，健側では確認可能な咽頭収縮筋による低信号帯(矢印)は右後方では途絶しており，咽頭後壁への浸潤を示す．尾側レベル(B)で，腫瘍は中咽頭右側壁下端から外側咽頭喉頭蓋ひだ(対側で＊で示す)への浸潤を示す．E：喉頭蓋，B：舌根

Lindberg による 140 例の扁桃癌の検討において 76％と多くの例でリンパ節転移陽性(N＋)で，患側レベルⅡ(図 25)が最も頻度が高く，患側では順にレベルⅢ，ⅠB，Ⅳが多く，また対側レベルⅡも 10％で転移陽性であったとしている[31]．他の中咽頭亜部位と比較して，レベルⅡB への転移との相関が比較的高いとされ，慎重な評価が望まれる[32]．扁桃癌が(レベルⅡ領域を中心とする)嚢胞性腫瘤(図 38)としての頸部転移病変で顕在化する場合があり，側頸嚢胞(由来の鰓性癌)に類似する場合があり，注意を要する(後述の HPV 陽性例で特徴的とされる)．

原発病変に対する治療は放射線治療，外科的治療あるいは両者が選択されるが，進行病変では化学療法も併用される．外科的治療として，限局した表在性病変では経口的切除が施行されるが，開口障害のない T1 あるいは T2 病変では，経口的・経頸部アプローチの組み合わせにより，下顎骨離断なしに切除する pull-through 法がとられる[33]．組織欠損部は通常，筋皮弁により再建される．放射線治療は外科的治療と比較して，治療後の機能温存に優れる．一方，外科的治療は再発時の選択肢として放射線治療を温存できるという利点がある[26]．Stage 3〜4 病変ではいずれかの単独治療よりも両者併用によって，より高い局所制御率が得られる[34]．Mendenhall らは扁桃領域(扁桃窩および前・後口蓋弓を含む)の放射線治療単独による T 病期ごとにおける 5 年局所制御率は T1 で 83％，T2 で 81％，T3 で 74％，T4 で 60％と，(治療後の機能不全がより少なく)外科的治療と同等であったとし，局所制御率は T 因子，放射線分割計画，照射線量と有意な相関が認められたとしている[35]．扁桃領域の癌は進行病変としてみつかる場合が多く，早期発見が重要である[36]．また，Mendenhall らの検討では早期病変において扁桃窩，後口蓋弓を原発とする病変は前口蓋弓病変と比較して高い局所制御率が得られている[35]．これは前口蓋弓では分化度のより高い扁平上皮癌が発生する傾向にあり，放射線感受性が異なることによると考えられる．予後因子として年齢，性別，放射線治療における総線量，治療期間などが重要で，高齢者(60 歳以上)，男性，放射線治療の総線量 7,000 cGy 未満，50 日以上の治療期間では疾患特異的生存率(disease specific survival)が有意に低いとの報告がある[37]．一側に偏在する扁桃あるいは前口蓋弓の N0〜2b (6 cm を超える頸部病変や対側病変，明らかな節外進展なし)の T1〜2 病変であれば，舌根や軟口蓋進展を認めない限りは対側頸部への予防的放射線照射の必要はないとされる(図 22)[38]．顎骨浸潤による T4 進行病変では手術および術後照射が望ましい[3]．約 30％の症例で(metachronous) sec-

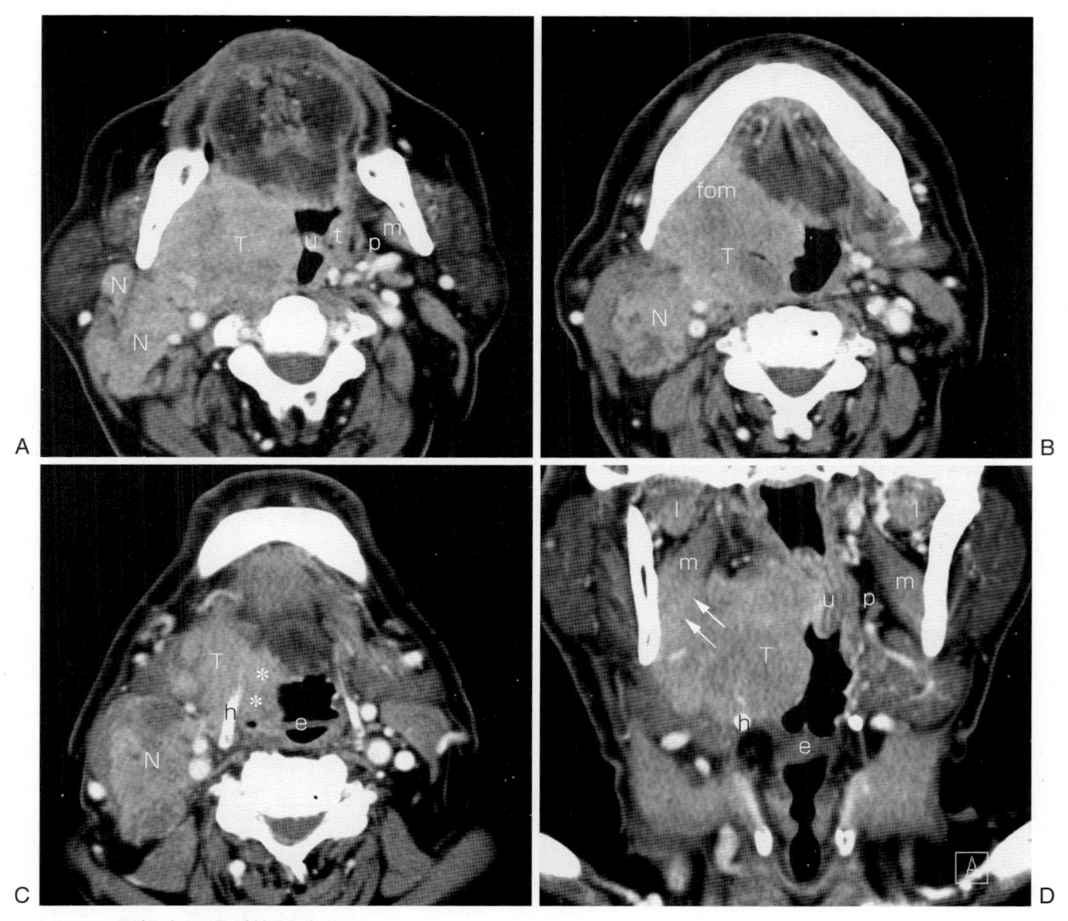

図 25　扁桃癌の咀嚼筋間隙進展

中咽頭レベル造影 CT（A）において中咽頭右側壁の口蓋扁桃（対側で t で示す）を中心とする腫瘤（T）を認め，扁桃癌に一致する．外側で傍咽頭間隙（対側で p で示す），さらに（咀嚼筋間隙に含まれる）内側翼突筋（対側で m で示す）への浸潤を示す．患側レベル II に節外進展を伴う複数頸部リンパ節転移（N）を伴う．u：口蓋垂．口腔底レベル（B）で腫瘍（T）ha 前方の口腔底右外側部（fom）に進展あり．N：患側レベル II リンパ節転移．舌骨レベル（C）で腫瘍（T）は舌骨右大角（h）周囲を囲み，内部では舌根下部から喉頭蓋谷，右外側咽頭喉頭蓋ひだ領域へ進展（＊）する．N：患側レベル II リンパ節転移．e：喉頭蓋．冠状断像（D）で中咽頭右側壁腫瘍（T）は側方で傍咽頭間隙（対側で p で示す）を介して内側翼突筋（m）の下部への直接浸潤（矢印）を示す．外側翼突筋（l）は保たれている．e：喉頭蓋，h：舌骨．

ond primary malignancy を生じるとされ，慎重な経過観察が必要となる．

ii）前口蓋弓癌

早期には無症候性で，赤色調（あるいは白色調，混合色調）を呈する．進行に従って腫瘤を形成，あるいは周囲に隆起を伴う潰瘍を形成し，（前口蓋弓を形成する）口蓋舌筋さらに隣接組織に浸潤する[18]．前口蓋弓発生の悪性腫瘍のほとんどは扁平上皮癌である[3]．前口蓋弓は臼後部の内側に隣接することから同領域の癌はしばしば両者に及び（図 39，40），いずれが原発部位かの明確な区別が困難なことも多い[39]．前口蓋弓癌の生物学的特性は口腔癌に類似して（他部位の中咽頭癌と比較して）分化度が高い傾向にあることなどからも，臨床的評価では臼後部癌と合わせて論じられる場合も少なくない[39〜41]．これは放射線治療における感受性（他の亜部位の中咽頭癌よりも低い傾向にある）にも関連する．早期病変は症状が乏しく，進行病変として認められる場合が多い．同部の病変は表在性，深部双方での進展（図 39）を示し，早期より咀嚼筋（特に内側翼突筋）に浸潤，咬合不全を生じる．多くは早期の下顎骨浸潤，翼

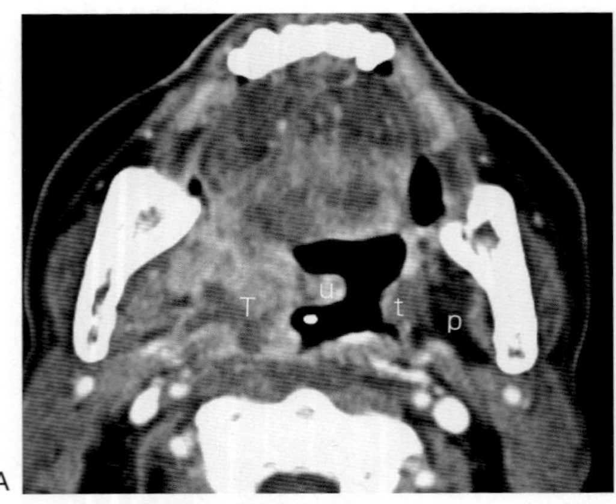

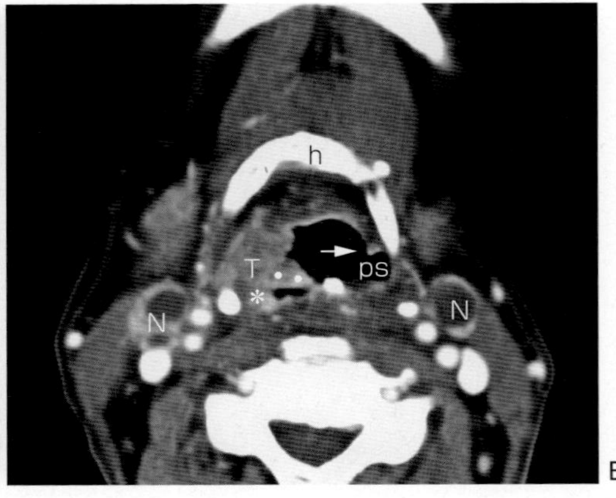

A　B

図 26　扁桃癌の下咽頭進展

中咽頭レベル造影 CT（A）において右口蓋扁桃（対側で t で示す）領域の浸潤性壊死性腫瘍（T）を認め，側方で傍咽頭間隙（対側で p で示す）への浸潤を示す．u：口蓋垂．舌骨レベル（B）で尾側に進展した腫瘍（T）は外側咽頭喉頭蓋ひだ（対側で矢印で示す）に進展（・），さらに後方で梨状窩（対側で ps で示す）の側壁への進展（＊）を示す．両側レベル II/III 境界部に壊死性リンパ節転移（N）あり．

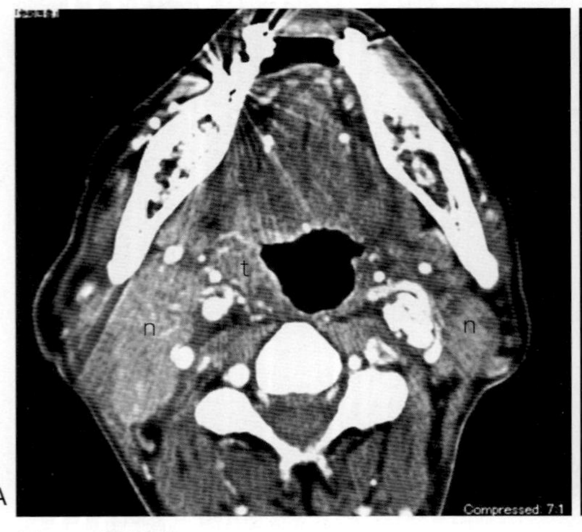

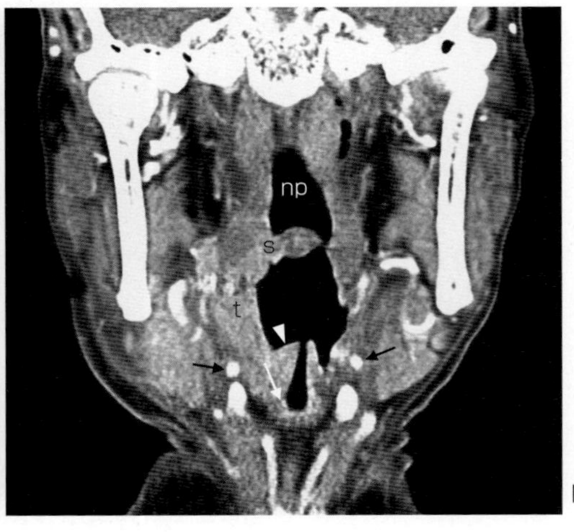

A　B

図 27　扁桃癌

A：T2 強調横断像．中咽頭の右側壁の不整な肥厚（t）を認める．両側レベル II の頸部転移（n）を伴う（N2b）．

B：同冠状断像．右口蓋扁桃を中心とする腫瘤（t）を認め，尾側では舌骨（黒矢印）を越えて右梨状窩に進展（矢印）を示す．右外側咽頭喉頭蓋ひだ（矢頭）への浸潤も見られる．np：上咽頭，s：軟口蓋

突下顎間隙（下顎枝内側面と内側翼突筋との間），扁桃窩への浸潤頻度は高い．頬神経，下顎神経，舌神経への浸潤は咬合不全とともに疼痛の原因となる．粘膜面の表在性進展は頬粘膜，歯肉，口腔底後方，舌根，扁桃領域，口蓋など，いずれの方向にも向かう．

画像評価には T4 診断に関連する構造を含めて，各方向での進展様式（図 39）の理解が必要である．上内側では軟口蓋，上前方では上歯肉に進展するが，上顎への浸潤はまれである[3]．前外側では臼後部（図 40）から歯肉頬粘膜移行部，下前方では口蓋舌筋に沿って舌，口腔底（図 41）への進展を示す．外側では隣接する翼突下顎縫線に浸潤（図 40，42，43），これに沿った頭尾側進展を生じる場合もある．進行症例では頬間隙から咀嚼筋間隙を含む側頭下窩（図 43），さらに頭蓋底への進展を認める場合もあり，この場合は開口障害をきたす．浸潤性，潰瘍形成を伴う病変は表在

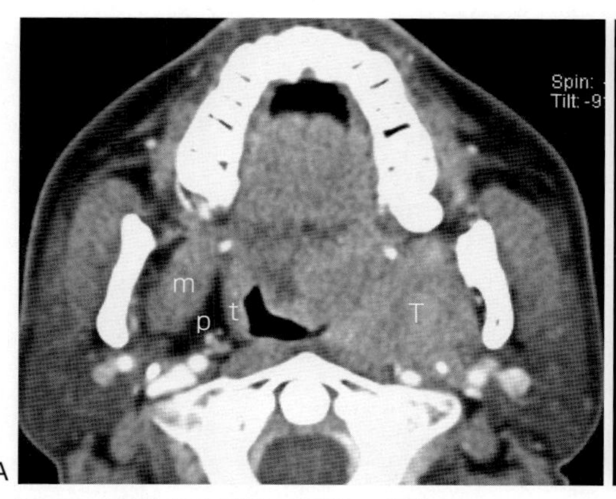

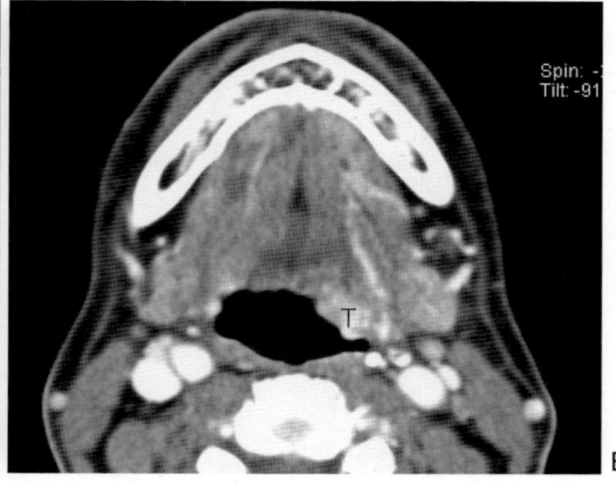

図 28　扁桃癌の舌根・側頭下窩進展

中咽頭レベル造影 CT（A）において左口蓋扁桃（対側で t で示す）領域の浸潤性腫瘍（T）を認め，扁桃癌に一致する．側方で傍咽頭間隙（対側で p で示す），さらに内側翼突筋（m）を含む咀嚼筋間隙に浸潤，側頭下窩（側頭下窩は頬骨下咀嚼筋間隙と頬間隙を合わせた領域に相当する）を大きく占拠する．舌根レベルで舌根左側への腫瘍進展（T）を認める．内側で正中，対側への進展はみられない．

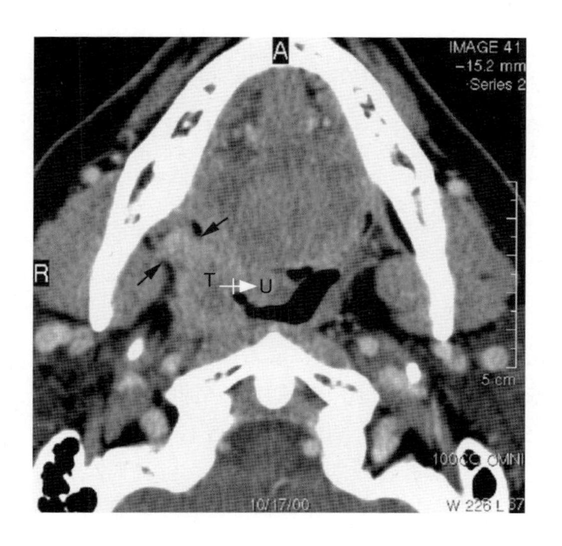

図 29　前口蓋弓に進展する扁桃癌

造影 CT において右扁桃を中心にする浸潤性腫瘍（T）は前口蓋弓に沿って前方への進展（矢印）を示すとともに内側は軟口蓋への進展（十字矢印）あり．

U：口蓋垂

性，外方発育を示す病変と比較して局所制御率が低い傾向にある[40]．浸潤性，潰瘍形成を伴う病変に対する外科的治療では，多くの症例で経口的切除よりも合併切除が必要とされる[41]．

扁桃，前口蓋弓領域のリンパは同側の上内深頸リンパ節（レベル II），古典的には jugulodigastic node に直接流入する[42]．Lindberg による 227 例の前口蓋弓，臼後三角癌の検討において 45％でリンパ節転移陽性（N＋）で，患側レベル II が最も多く，患側ではレベル I B と III がこれに次ぐ．対側レベル II は約 4％と陽性率は低い[31]．Antoniades らによる前口蓋弓・臼後部癌 31 例の後ろ向き研究では，肩甲舌骨筋上頸部郭清術・機能的頸部郭清術が施行された頸部の 87％（30 のうち 26 頸部）で頸部リンパ節転移陽性であり，cN0 症例の 64％（11 例のうち 7 例）で潜在的頸部転移を認めたとしている[39]．

T1〜2 の早期病変は放射線治療により高い局所制御率が得られる．T2〜3 の中等度進行病変では，扁桃癌と比較して放射線治療による局所制御率はやや低い[3]．「術前照射および外科的治療」では「根治的放射線治療および再発時に外科的救済を施行した場合」と比較して，治癒率に改善はみられない[43〜45]．また，前口蓋弓癌では外科的救済

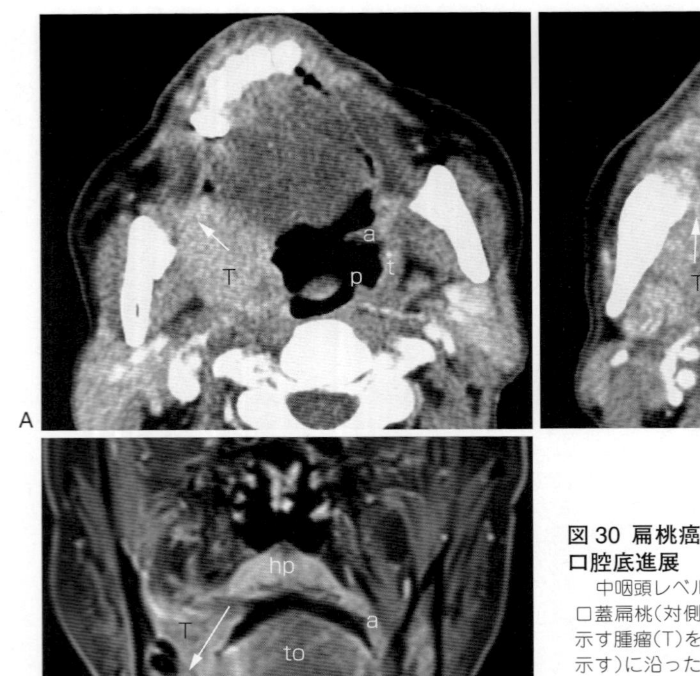

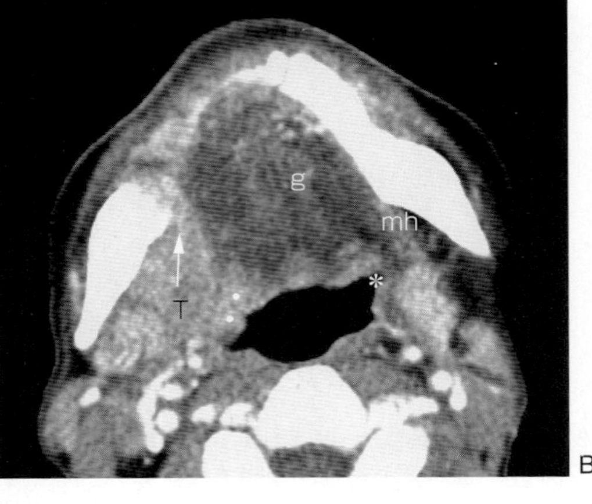

図30 扁桃癌の前口蓋弓(口蓋舌筋)を介した口腔底進展

中咽頭レベル造影CT(A)において中咽頭右側壁の口蓋扁桃(対側でtで示す)領域を中心に増強効果を示す腫瘤(T)を認め，前側方で前口蓋弓(対側でaで示す)に沿った進展(矢印)あり．p：後口蓋弓．口腔底レベル(B)で腫瘍(T)は口腔底右外側部に後方からの浸潤(矢印)を示す．舌扁桃溝(対側で＊で示す)の粘膜面(•)は保たれている．g：オトガイ舌筋，mh：顎舌骨筋．同症例のMRI造影後T1強調脂肪抑制冠状断像(C)で腫瘍(T)は前口蓋弓(対側でaで示す)に沿って外側下方に向かい(矢印)，口腔底右外側部(fom)に浸潤あり．hp：硬口蓋，to：舌．

が扁桃癌よりも期待される[3]．

iii) 後口蓋弓癌

後口蓋弓に原発する癌はまれである(図44，45)．(後口蓋弓を形成する)口蓋咽頭筋に沿って咽頭後壁に進展，ときに下方では中咽頭収縮筋，外側咽頭喉頭蓋ひだ，甲状軟骨上角へ進展する(図46)[3]．リンパ節としてはレベルⅡの上端に位置する傍咽頭リンパ節(あるいはjunctional node)，レベルV，咽頭後リンパ節(図47)への転移が考慮される[3]．

iv) 舌根癌(表5：p413)

中咽頭前壁に相当する舌根は，通常は直視困難であり間接喉頭鏡や内視鏡による観察を必要とする．舌根癌は中咽頭癌では扁桃癌に次いで2番目に多いが，早期より局所浸潤性が高く，理学的所見のみでは進展範囲を過小評価する傾向にある[3]．

症状は，嚥下障害・嚥下痛，咽頭痛，喀血，舌根部腫瘤感，(舌咽神経による関連痛としての)耳痛などが多く，ときに頸部リンパ節転移が頸部腫瘤として初発する．病変が腫瘤として顕在化しにくく，症状が非特異的なことから，診断時に舌可動部，傍咽頭間隙，喉頭蓋前間隙などに進展する進行病変としてみつかることも多い[18]．舌根癌は診断時，T1〜2病変が約20%，T3〜4病変が約80〜90%とされる[46,47]．

舌根癌の進展(図48，49)は前方では舌根から舌可動部の基質，口腔底(図50〜52)に深部浸潤をきたし，外側前方では舌扁桃溝，後方では舌骨上喉頭蓋，尾側では喉頭蓋谷から声門上喉頭の喉頭蓋前間隙(図53〜55)に及ぶ．喉頭蓋前間隙への進展はT4aに相当する．舌骨浸潤はまれではあるが予後不良を示唆する[48]．外側ではときに顎下部頸部軟部組織に直接進展，腫瘤を形成する．口腔底への進展ではしばしば舌骨舌筋に沿った舌下神経(第Ⅻ脳神経)への神経周囲進展を示す

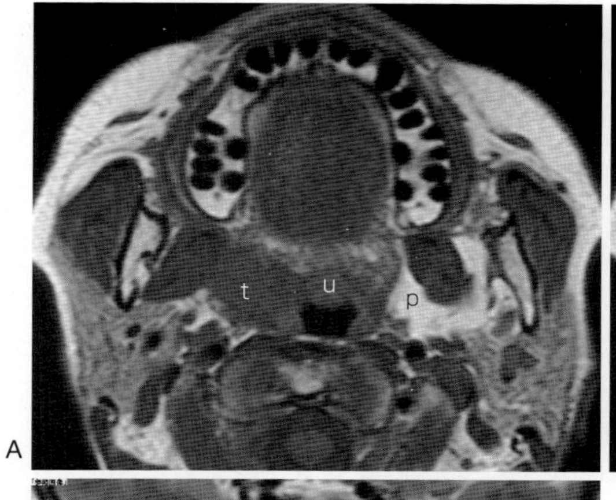

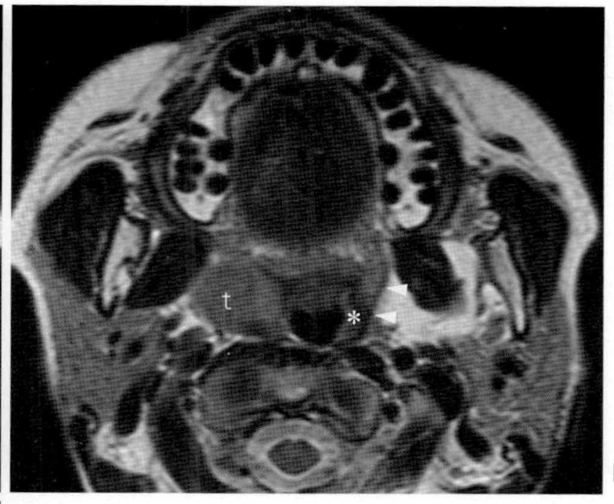

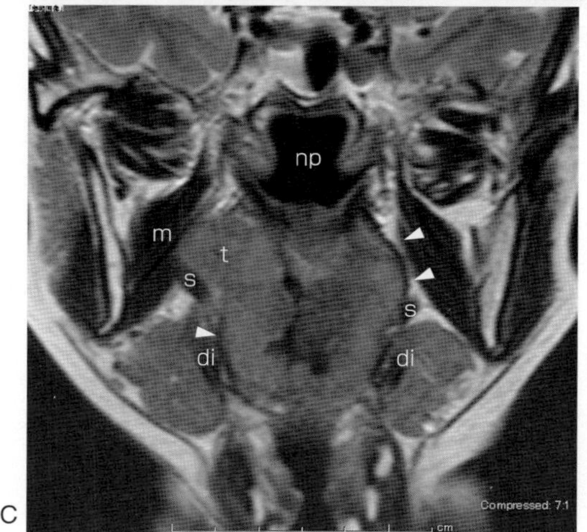

図 31　咽頭収縮筋への早期の深部浸潤性を示す扁桃癌

A：T1 強調横断像．右口蓋扁桃を中心として，骨格筋と等信号強度を示す腫瘤(t)を認め，側方で傍咽頭間隙(対側で p で示す)への浸潤を伴う．u：軟口蓋

B：T2 強調横断像．左側では口蓋扁桃(＊)を容れる扁桃窩の深部を裏打ちする咽頭収縮筋が線状低信号(矢頭)として確認され，側方の傍咽頭間隙と区分されている．これに対して，右側では腫瘍(t)深部で咽頭収縮筋を示す線状低信号は消失しており，腫瘍の(傍咽頭間隙への)深部浸潤性を反映している．

C：T2 強調冠状断像．右口蓋扁桃の上極を中心とする腫瘍(t)深部では，横断像(B)と同様，咽頭収縮筋を示す線状低信号(矢頭)は破綻しており，深部浸潤性を反映する．内側翼突筋(m)，茎突咽頭筋(s)，顎二腹筋後腹(di)への浸潤は見られない．np：上咽頭

(図 50，56，57)．

舌根癌の評価には CT，MRI が必須であり[49]，舌根部の浸潤性腫瘍として同定される．舌根に位置する舌扁桃組織は個体差も大きく，著明な軟部組織構造として認められる場合もあり，生理的範囲内で非対称性を示すこともしばしばで，(理学的所見と同様に)腫瘍性病変の同定は容易でない場合も多い．舌根は原発不明癌の原発病変の局在としても重要で，早期の深部浸潤性変化の指摘が早期病変の診断に極めて重要となる．舌根部の正常 CT 解剖として，気道側から順に気道面に平行して帯状軟部濃度，線状脂肪濃度，帯状軟部濃度，線状脂肪濃度の 4 つの組織層が同定され，これらはそれぞれ舌扁桃組織，粘膜下脂肪層，内舌筋(superior longitudinal muscle)，筋間脂肪層を表す(図 58)．MRI でもこの組織層はこれらに対応する信号強度として確認可能であり，CT，MRI において組織層の破綻は深部浸潤性病変の存在を示す(図 57，59，60)．

また，舌根癌を含む中咽頭癌では，喉頭(特に声門上喉頭での喉頭蓋前間隙)への下方進展は病期診断(T4a)とともに手術例での喉頭合併切除の要否の判断，舌部分切除術の適応を外れる点，さらにリンパ網に富む同間隙への浸潤により頸部リンパ節転移の危険性が高まるなどにおいて，重要な要素となり，同進展の有無・程度の評価には矢状断再構成画像が有用である(図 52，54，55，61)．

Lindberg による舌根癌 185 例の検討において 78％でリンパ節転移陽性(N＋)で，患側レベルⅡが最も頻度が高く，レベルⅢがこれに次ぐ．対側レベルⅡも約 24％で陽性であったとしている[31]．約 30％で両側頸部リンパ節転移陽性である(図 51，61)[3]．

舌根癌は分化度が低い傾向にあり，中咽頭癌の

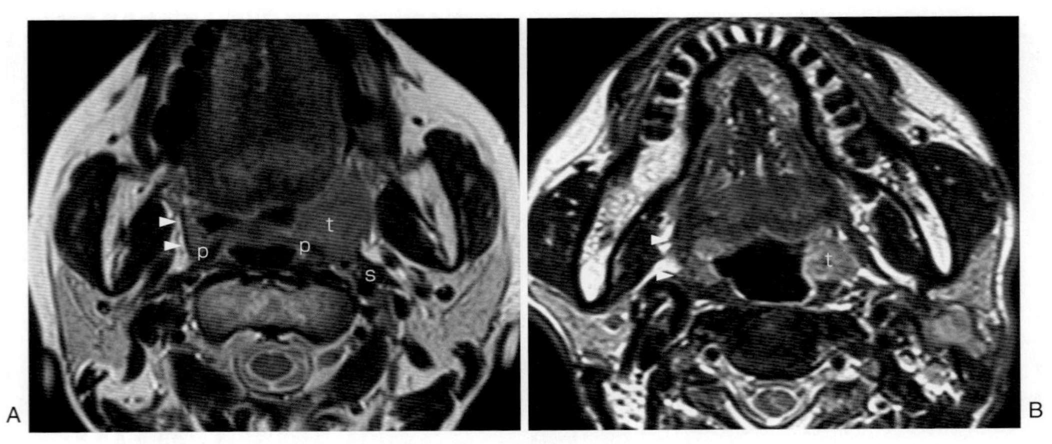

図32　咽頭収縮筋への早期の深部浸潤性を示す扁桃癌

扁桃癌2例のT2強調横断像（A，B）．いずれも左口蓋扁桃の肥厚（t）を認め，深部では咽頭収縮筋を示す線状低信号（矢頭）の破綻を伴う．s：茎突咽頭筋，p：後口蓋弓

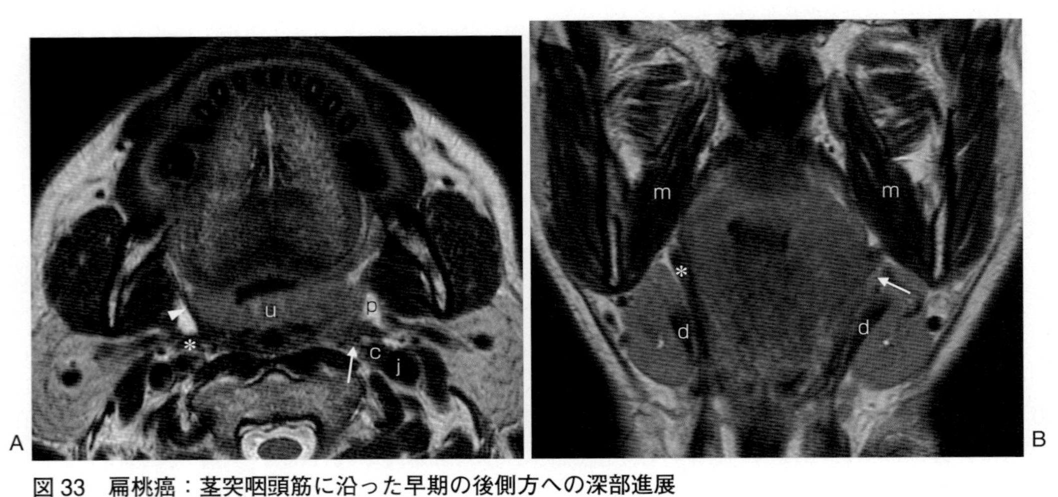

図33　扁桃癌：茎突咽頭筋に沿った早期の後側方への深部進展

A：T2強調横断像．左側において咽頭収縮筋を示す線状低信号（対側で矢頭で示す）の破綻が見られ，左口蓋扁桃に傍咽頭間隙（p）への深部浸潤性を示す腫瘍が示唆される．後側方では茎突咽頭筋（対側で＊で示す）に沿って（矢印），頸動脈鞘（c：内頸動脈，j：内頸静脈）方向への進展を認める．

B：T2強調冠状断像．左側で茎突咽頭筋（対側で＊で示す）に沿った進展（矢印）を認める．内側翼突筋（m），顎二腹筋後腹（d）は保たれている．

なかでは最も予後不良で生命予後は20％程度とされる[50]．扁桃とともにHPV陽性中咽頭癌の発生部位として知られ，HPV陽性を示すp16発現は重要な予後因子である[51]．またその他の頭頸部癌と同様にT因子，リンパ節転移の節外進展も重要な予後因子となる[52]．舌根癌は病変制御の困難さと治療後の機能障害との関わりから適切な治療についてはさまざまな議論があり，頭頸部外科医，放射線治療医にとって治療が困難な疾患のひとつである．Mendenhallらによるフロリダ大学での検討では，外照射による放射線治療の治癒率は病期，治療期間，頸部郭清術の追加の有無に影響されるが，外科的治療と比較して治療後合併症は少なく，ほぼ同等の局所制御率，生存率が得られたとしている[53, 54]．一方，外科的治療では従来，経口的合併切除か（正中あるいは傍正中での）下顎骨離断によるアプローチ（後述）がとられてきたが，これらは嚥下，発声における術後機

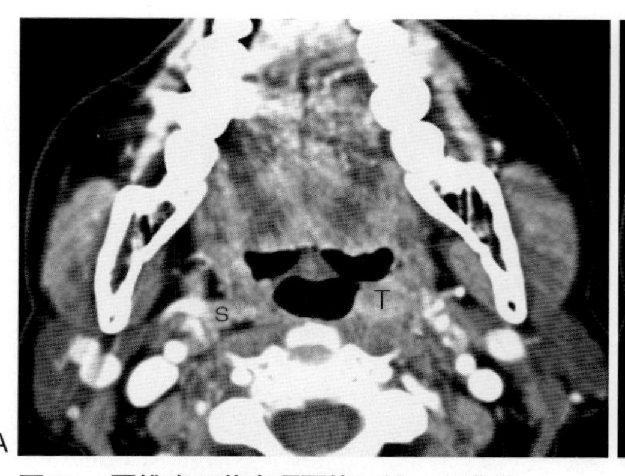

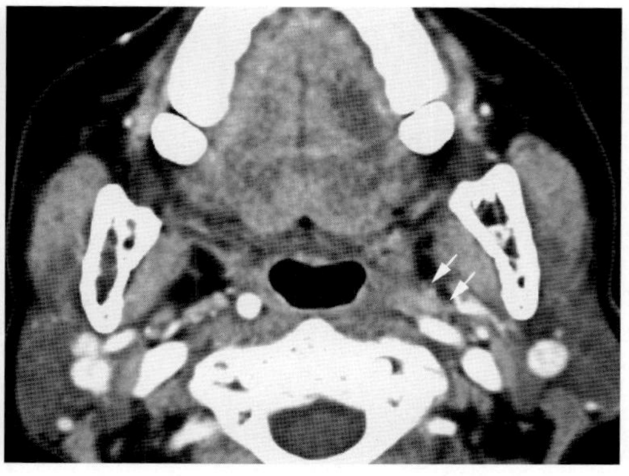

図 34　扁桃癌の茎突咽頭筋に沿った進展

中咽頭レベル造影 CT（A）において左口蓋扁桃に腫瘤（T）を認める．対側で中咽頭側壁と後壁との移行部から外側やや後方に向かう茎突咽頭筋（s）が同定される．やや頭側レベル（B）の患側において A の右茎突咽頭筋の構造に一致して外側後方に進展する増強効果のある軟部病変（矢印）を認める．

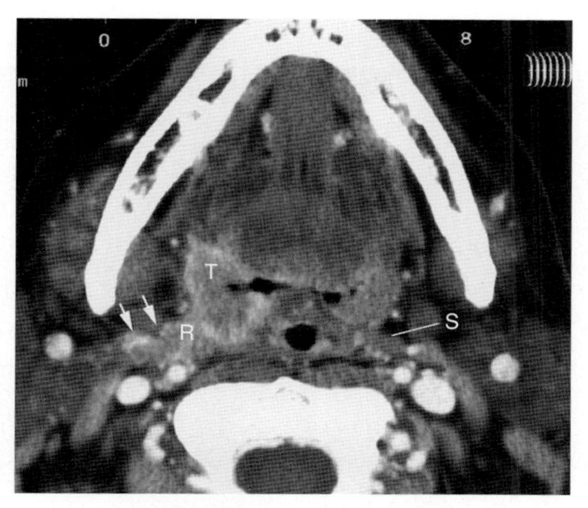

図 35　茎突咽頭筋に沿った後外側方向への進展とともに Rouvière リンパ節領域への進展と腫瘤形成を伴う扁桃癌

造影 CT において右扁桃を中心とする浸潤性腫瘍（T）あり．茎突咽頭筋（左側で S で示す）に沿った後外側方向への進展（矢印）とともに Rouvière リンパ節領域（R）にも進展，一塊となり腫瘤を形成している．

能障害，咬合障害，顔面の術創などが大きな問題であった．これに対して限局病変に関しては下顎骨温存により機能障害の少ない，経舌骨的アプローチや pull-through 法による切除がとられるようになった[55]．ただし，腫瘍が下顎骨，翼突筋，頭蓋底などに進展している場合は下顎骨離断による従来のアプローチが適している[56]．根治切除が行われても再発率が高いことが問題となる[57, 58]．最近では，機能温存を目的として，化学放射線治療が選択される場合も多く，進行例では手術および術後化学放射線療法が最も有効と思われるが，議論も多い[59]．治療方針の決定には画像診断を含めた病変の進展範囲の評価が極めて重要となる．

v）軟口蓋癌

軟口蓋原発の扁平上皮癌は比較的まれで，そのほとんどが下面（中咽頭側）より生じる[3]．喫煙，飲酒がリスク因子である．早期粘膜病変は前口蓋

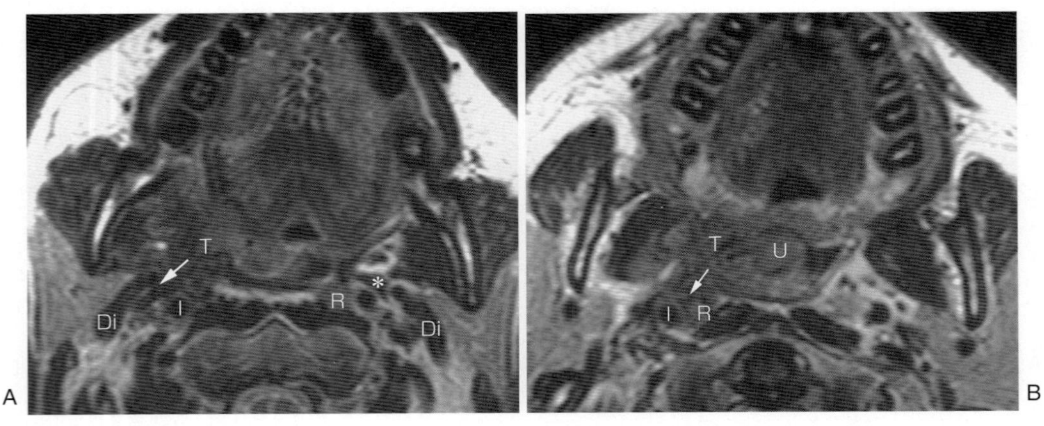

図 36　扁桃癌

MRI，扁桃レベルの T2 強調横断像(A)において，右口蓋扁桃に浸潤性腫瘍(T)を認め，後側方で茎突咽頭筋(対側で＊で示す)に沿って頸動脈鞘(I：内頸動脈)方向への進展を示す．Di：顎二腹筋後腹，R：Rouvière リンパ節．すぐ頭側レベル(B)で腫瘍(T)は Rouvière リンパ節の転移性腫瘤(R)とともに頸動脈(I)周囲への浸潤を示す(矢印)．U：口蓋垂

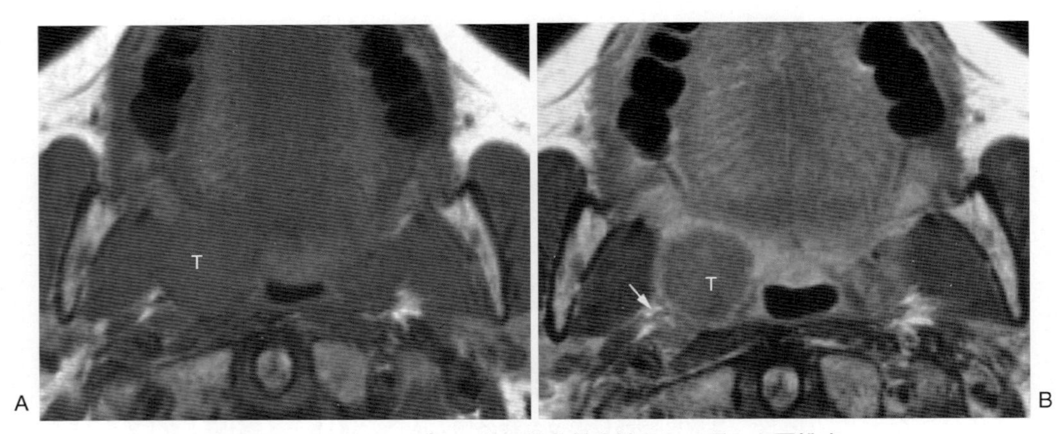

図 37　明らかな粘膜病変を指摘できず，口蓋扁桃非対称性として現れた扁桃癌

A：T1 強調横断像．右扁桃(T)の非対称性腫大あり．

B：ガドリニウム DTPA による造影後 T1 強調横断像．右口蓋扁桃部粘膜下にほぼ均一な増強効果を示す腫瘤(T)を認める．外側では収縮筋をやや緊満するが，深部浸潤を示さない．咽頭粘膜下に限局した扁桃癌に一致．同側 Rouvière リンパ節(矢印)腫大あり．

弓病変と同様に境界不鮮明な赤色調を呈する．多発傾向を示すこともまれではなく，正常粘膜が介在した多中心性発生も多い[3]．進行病変では潰瘍形成(図 62，63)や軟口蓋の穿孔を生じる場合もある．60 歳代の男性に多く，咽頭痛と嚥下痛を訴える[60]．軟口蓋が視認できることもあり T1～2 など早期病変で見つかる場合が多い[61]とされるが，軟口蓋癌は診断時の大きさに関わらず急速かつ高い浸潤性を示し予後不良の傾向にある[62]．早期病変での咽頭痛の局在ははっきりしないが，80％以上の例で早期症状として持続性の咽頭痛を訴える[63]．進行病変では嚥下障害，声の変調なども生じる[3]．60 歳以下，小さな病変，頸部リンパ節転移のない症例で予後良好な傾向にあるとされる[60]．T 因子，N 因子は全生存率，疾患特異的生存率に関わり，M 因子(遠隔転移)も生存率に関連する最も重要な予後因子であることから，正確な TNM 診断は治療計画のみならず予後推定においても極めて重要である[64]．病変の局在も重要であり，正中(あるいは対側進展を示す)

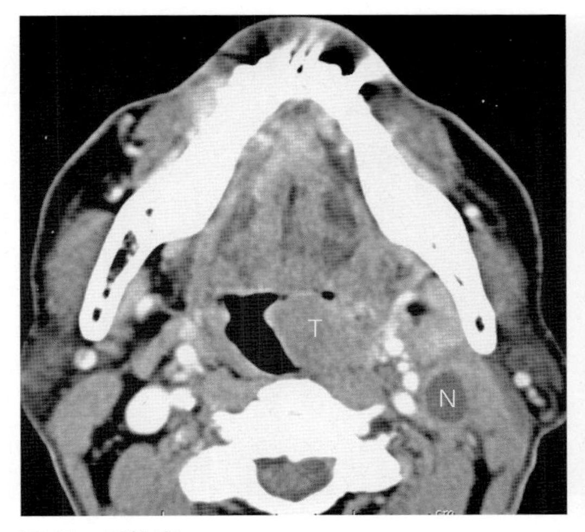

図 38　扁桃癌

造影 CT において，左口蓋扁桃に外方性発育を主体とする腫瘍(T)を認める．左レベルⅡ領域には囊胞性病変(N)を認め，囊胞性頸部転移に一致する．

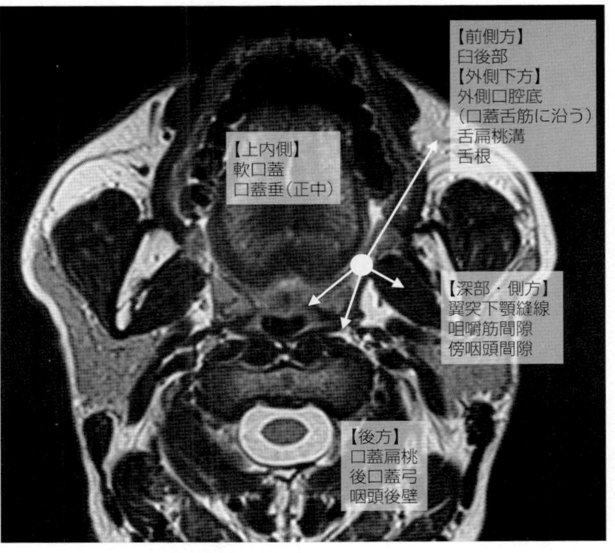

図 39　前口蓋弓癌の進展様式

T2 強調横断像．

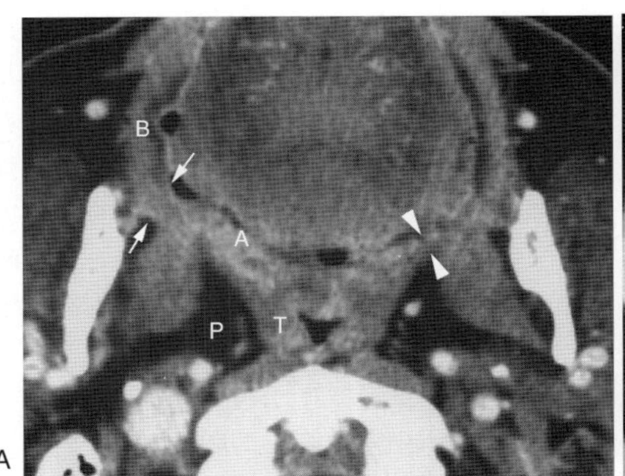

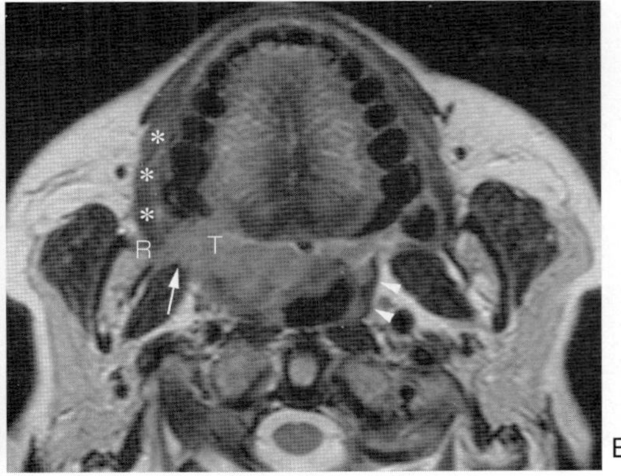

図 40　臼後部への進展を示す前口蓋弓癌

造影 CT(A)において右前口蓋弓に増強効果を示す浸潤性腫瘍(A)を認め，前外側で，隣接する翼突下顎縫線(対側で矢頭で示す)を介して，臼後部に向かう進展(矢印)を示す．

B：頬筋，P：傍咽頭間隙，T：口蓋扁桃

別症例の MRI T2 強調横断像において，右前口蓋弓に沿った浸潤性腫瘍(T)を認め，側方では頬筋(＊)と咽頭収縮筋(対側で矢頭で示す)との移行部である翼突下顎縫線の領域に浸潤(矢印)，臼後部(R)に隣接する．

病変は予後不良とされる[62, 65]．

腫瘍の進展(図 64)において前方では硬口蓋(図 62，63)，内側では口蓋垂(図 65，66)から対側軟口蓋，外側では口蓋弓(図 65)から扁桃窩(図 62，67)あるいは臼後部(図 62)，外側下方で下咽頭側壁，側方から外側上方で上・中咽頭側壁に進展，咽頭収縮筋を越えると外側に隣接する傍咽頭間隙(図 63)への進展を生じる．さらに側頭下窩に進展すると開口障害を生じる[3]．

Lindberg による軟口蓋癌 80 例の検討において 44%がリンパ節転移陽性(N＋)で，患側レベルⅡが最も頻度が高く，次いで患側レベルⅢと対側レベルⅡに多い[31]．全体として 16%で両側頸部リンパ節転移陽性であったとしている．軟口蓋癌においても頸部リンパ節転移は重要な予後因子であるが，頸部病変陽性率は T1～2 病変で 20%程度，

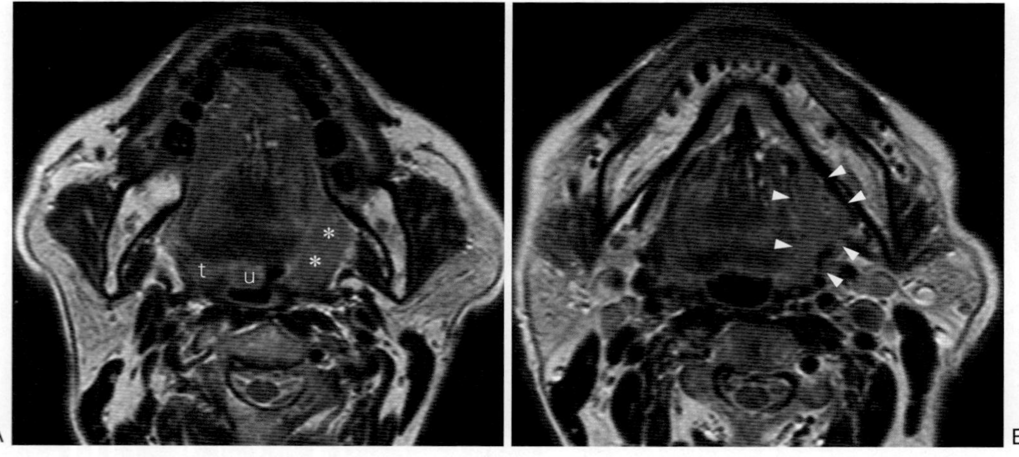

図41　前口蓋弓癌の口腔底進展
T2強調像(A)において，左前口蓋弓を中心に浸潤性腫瘤(＊)を認める．t：右口蓋扁桃，u：口蓋垂．尾側レベル(B)で，腫瘍は口蓋舌筋に沿った左外側口腔底への進展(矢頭)を示す．

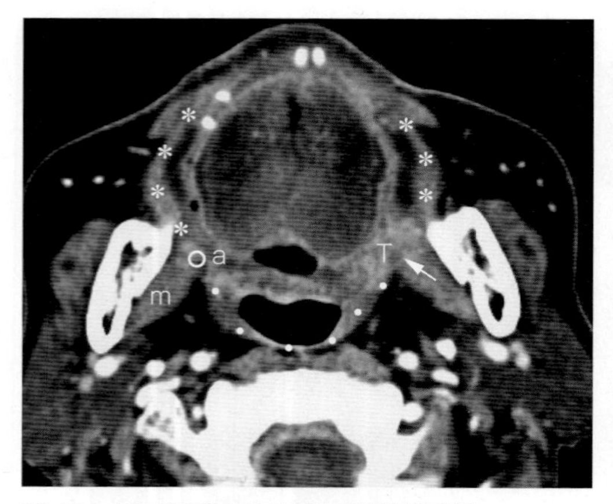

図42　前口蓋弓癌の翼突下顎縫線進展
中咽頭レベル造影CT．左前口蓋弓(対側でaで示す)に浸潤性腫瘍(T)を認める．頬筋(＊)と咽頭収縮筋(・)との接合部に相当する翼突下顎縫線(対側で○で示す)への浸潤(矢印)あり．m：内側翼突筋．

T3～4病変で60～70％程度[66]で，正中の原発病変で両側性リンパ節転移の頻度が高いとされる[62]．軟口蓋に限局した病変では副神経リンパ節領域(レベルV)，顎下リンパ節領域(レベルIB)への転移は比較的まれであるが，前口蓋弓，臼後部への進展により顎下リンパ節領域，扁桃窩，後口蓋弓への進展に伴って副神経リンパ節転移の危険性が増す[3]．

適切な治療選択は原発病変の進展範囲，頸部リンパ節病変の有無・広がり，外科的切除により想定される機能障害(velopharyngeal incompetence)などにより判断される[67]．数mm大の孤立性小病変では(経口的を含む)外科的切除も考慮されるが，軟口蓋，口蓋垂領域の広範な外科的治療では，術後の発声，嚥下における機能障害が大きな問題となる．また，多発傾向からも放射線治療がより多く選択される．根治的放射線治療における局所制御率はT1で83～92％，T2で58～91％，T3で58～67％，T4で36～49％と[68～70]，早期病変では比較的高い局所制御率が期待されるが，進行病変では再発率も高いことから化学療法の組み合わせを考慮すべきである[68]．stage I～IIでは放射線治療単独，手術単独のいずれでも同等の生存率を示すが，stage IVでは手術・(化学)放射線治療併用が望まれる[64]．なお，手術での軟口蓋欠損はprimary closureが可能であった症例よりも筋皮弁での再建を要する大きな欠損例でより高度の機能障害を示すとされる[71]．

vi）咽頭後壁癌

後壁発生の頻度は低く(図68)，多くは下咽頭後壁レベルとの連続性病変(図69，70)，あるいは隣接部位からの進展による．臨床的にも下咽頭後壁癌と区別なく理解される場合が多い(図71)[72,73]．初期症状に乏しく，軟口蓋癌と比較し

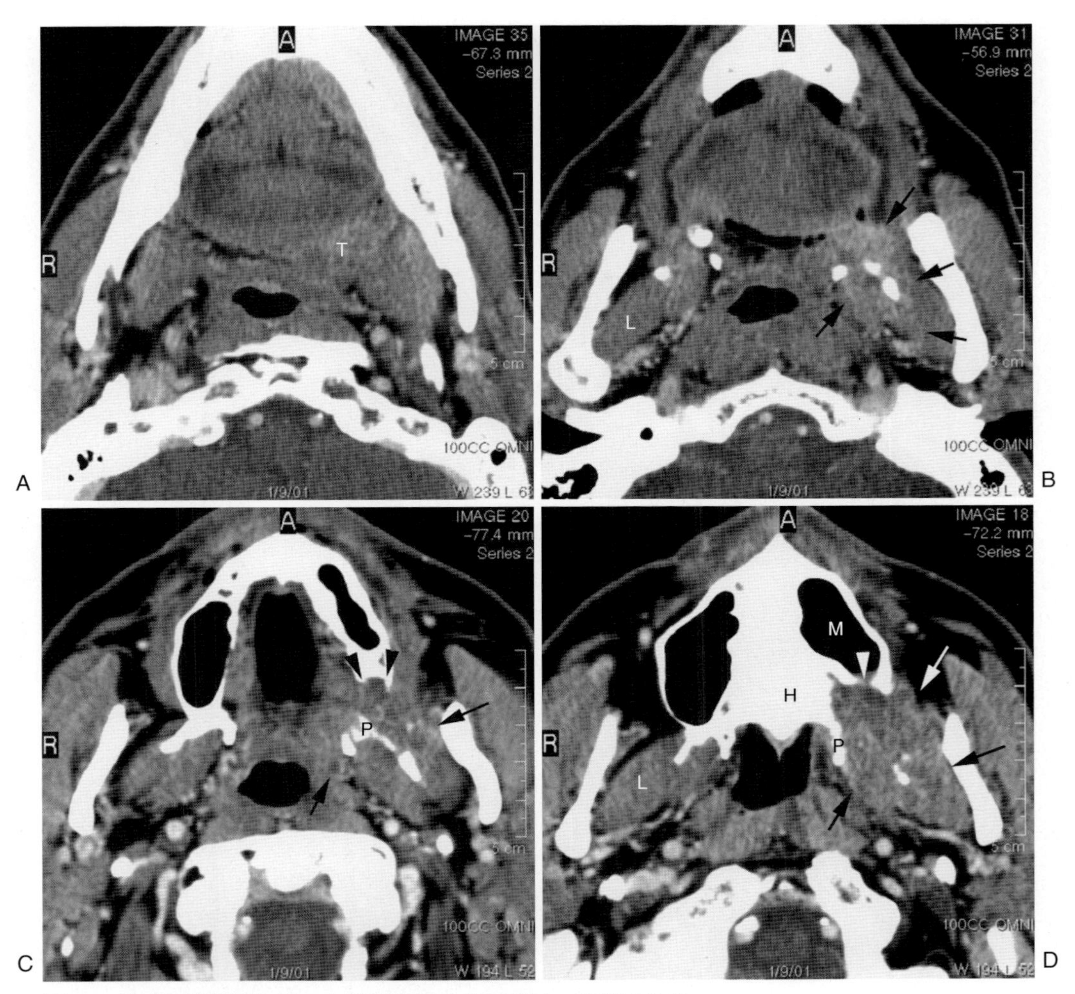

図 43　翼突下顎縫線に沿った進展を示す前口蓋弓・臼後三角癌

造影 CT(口蓋扁桃レベルから上咽頭レベルまで，尾側から頭側に向かって順に A，B，C，D).

A：左前口蓋弓に一致して浸潤性腫瘍(T)あり．翼突下顎縫線の領域を含む.

B：翼突下顎縫線の頭側付着部である内側翼状突起の翼突鉤を含めて，翼状突起下端周囲に進展(矢印)．外側翼突筋(対側で L で示す)にも浸潤を示す.

C：さらに翼状突起(P)周囲に進展した腫瘍(矢印)は前方で上顎結節後面を破壊(矢頭)している.

D：上咽頭レベル．翼状突起(P)周囲から外側翼突筋(L)に浸潤する腫瘍(矢印)は前内側では硬口蓋(H)，前方では上顎洞(M)後壁を破壊(矢頭)している.

て，症状発現から診断までに長い期間を要し(軟口蓋癌では診断時の有症状期間は通常 3 ヵ月以下)，より進行した病変として認められる傾向にある[74]．そのため，予後も他部位の中咽頭癌と比較してやや不良である[73,75]．5 年生存率は 3〜32％とされる[76]．粘膜下進展傾向が強い場合も多く[76]，進行病変で診断されることもあり，高率に咽頭後リンパ節転移を認める(図 71)[75].

画像上，咽頭後壁の限局性・腫瘤様病変(図 68，69)あるいはびまん性浸潤性腫瘍(図 70，72)として認められ，ときに潰瘍形成を伴う(図 70，73)．原発病変の進展範囲は重要な予後因子であり[77]，画像診断の役割は大きい．画像評価には病変の進展様式(図 74)の理解が重要であり，矢状断像が頭尾側方向の進展範囲の把握に有用である(図 68C，69B，70B)．後方における咽頭収縮筋を越えた進展(図 75)では，咽頭後間隙，さらに椎前筋への浸潤をきたすが，椎前筋浸潤

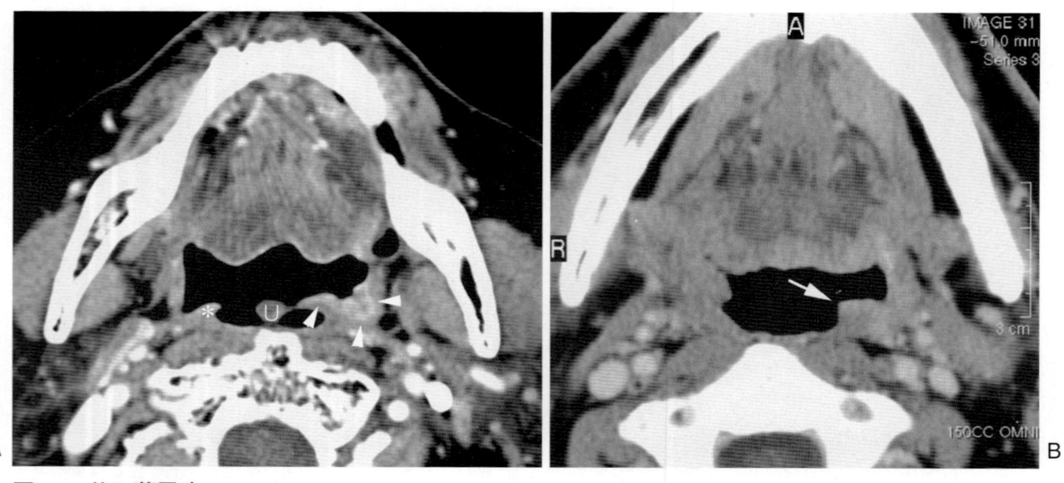

図44 後口蓋弓癌
造影CT(A)で，左側の後口蓋弓(対側で＊で示す)から口蓋扁桃に浸潤を示す腫瘍(矢頭)を認める．U：口蓋垂
別症例の造影CT横断像(B)において左後口蓋弓の肥厚(矢印)を認める．

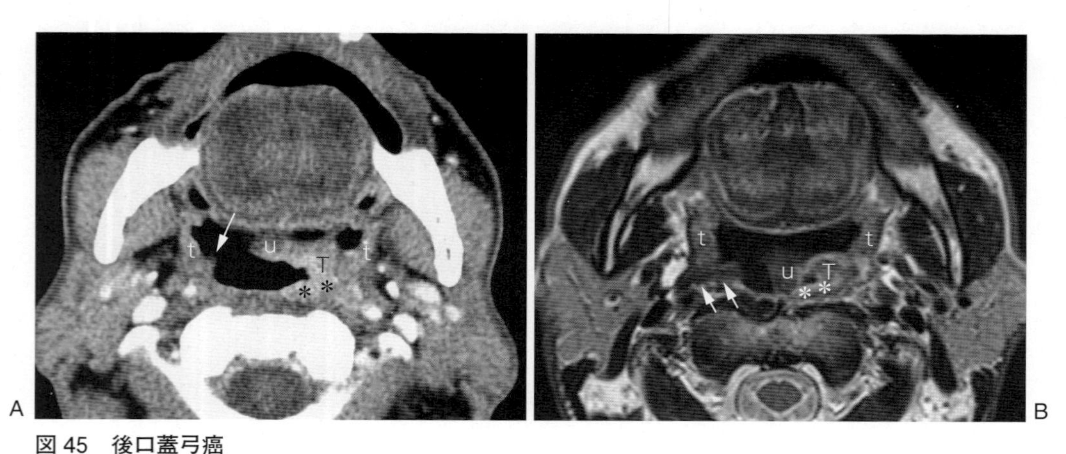

図45 後口蓋弓癌
中咽頭レベル造影CT(A)において左後口蓋弓(対側で矢印)の不整な腫瘤(T)を認め，連続性に従い咽頭後壁左側(＊)への浸潤を示す．t：口蓋扁桃．MRI T2強調横断像(B)でも同様に左後口蓋弓の腫瘤(T)を認め，咽頭後壁左側(＊)への浸潤あり．健側での後口蓋弓を形成する口蓋咽頭筋が低信号構造(矢印)として描出されている．t：口蓋扁桃．

(T4b)では一般に治癒切除が困難となる．横断画像で咽頭収縮筋を示すT2強調像での帯状低信号(図75)あるいは咽頭後間隙の脂肪層を示すCTでの線状低濃度，T1強調像での線状高信号強度が保たれている場合は，椎前筋浸潤の否定が可能である(高い陰性的中率を示す)[78]．ただし，逆にこれらの組織層の途絶・不明瞭化，椎前筋の信号変化や増強効果などの画像所見による陽性的中率は低く，最終的には術中所見による判断が求められる．既述のとおり，進行病変で診断される場合が多いことから頸部リンパ節転移，特に咽頭後リンパ節転移が重要である．まずは患側のレベルII転移を生じるが，対側レベルIII転移は咽頭後リンパ節転移の存在を示唆する[79]．中咽頭癌全体では16%，N+例では23%が咽頭後リンパ節転移陽性であり，咽頭後壁癌の放射線治療時ではN0例であっても咽頭後リンパ節領域をtarget volumeに入れるべきとされる[79]．

治療選択には依然として議論があるが，一般的にはT1〜2の小病変は根治的放射線治療(あるい

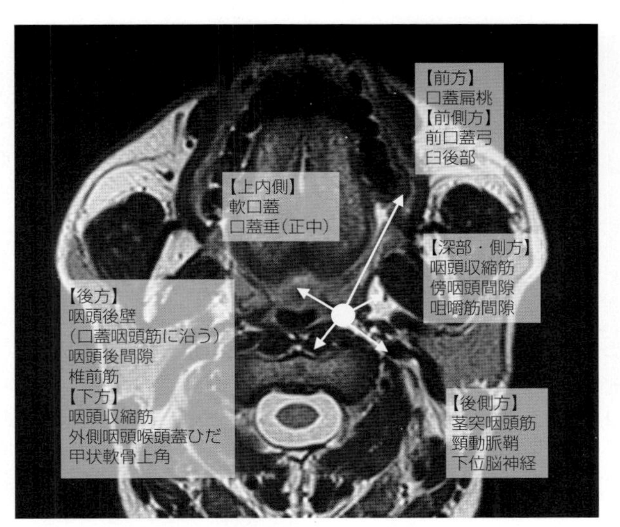

図 46　後口蓋弓癌の進展様式
T2 強調横断像.

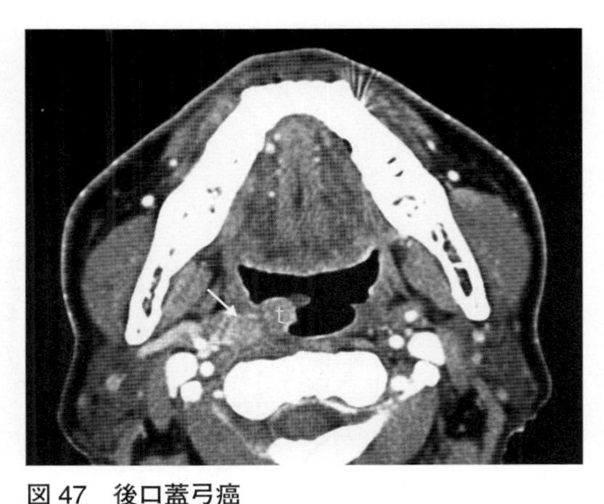

図 47　後口蓋弓癌
造影 CT において，右後口蓋弓に沿った不整形軟部濃度腫瘤(t)を認め，後口蓋弓癌に一致する．後側方に近接する右 Rouvière リンパ節への転移(矢印)を伴う．

表 5　舌根癌での重要な画像評価項目

前方(深部)進展	舌根の 4 つの組織層の同定 舌・口腔底基質への浸潤 外舌筋(T4a)
後方進展	舌骨上喉頭蓋(咽頭面のみの進展は喉頭進展に含めない)
頭側進展	舌背
尾側進展	喉頭蓋谷 声門上喉頭〔喉頭蓋前間隙〕(T4a)
内側進展	正中・対側への進展(両側性頸部リンパ節転移の危険性)
側方進展	舌扁桃溝 顎下間隙 咀嚼筋間隙(T4a：内側翼突筋)
その他	大きさ：T1〜3 病期に関連 重複癌の有無
N 因子	“両側”のレベル Ⅱ，Ⅲ，Ⅳ(Rouvière リンパ節に要注意)

は低侵襲外科的治療)，進行病変では外科的治療と術後照射および / あるいは化学療法を組み合わせる傾向にある[80〜82]．最近は早期病変に対しては経口的レーザー切除(必要に応じて選択的頸部郭清術を組み合わせる)により，通常の外科的治療と同等の局所制御率，生存率の報告がなされている[76]．

2) ヒトパピローマウイルス (human papillomavirus：HPV) 陽性中咽頭癌

従来，中咽頭癌の危険因子は喫煙，飲酒とされてきたが，2007 年に IARC (International Agency for Research on Cancer)[83] により HPV (とくに HPV16 型，後述)が新たな危険因子として認定されたことにより，2018 年の AJCC 第 8 版[20] から古典的な HPV 陰性癌とは異なる T 分類，N 分類(表 3：p395)が設定された．平均年齢は 50〜56 歳で，性差は 4：1 で男性に多い[84]．喫煙，飲酒による従来の中咽頭癌は減少する一方で，HPV 陽性中咽頭癌は増加を示し，中咽頭癌全体としては増加傾向にある．HPV 陽性中咽頭癌は(従来の

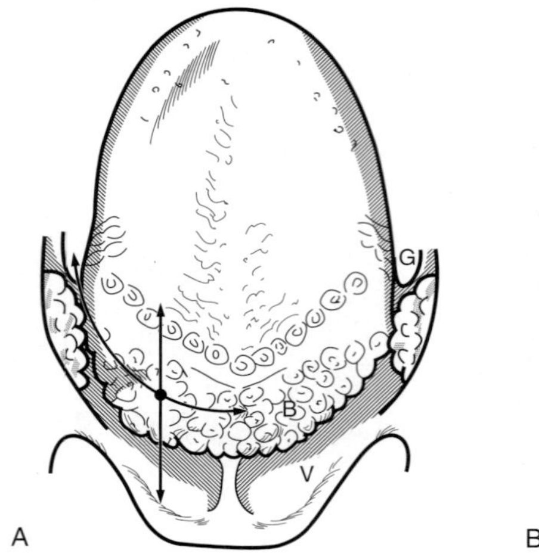

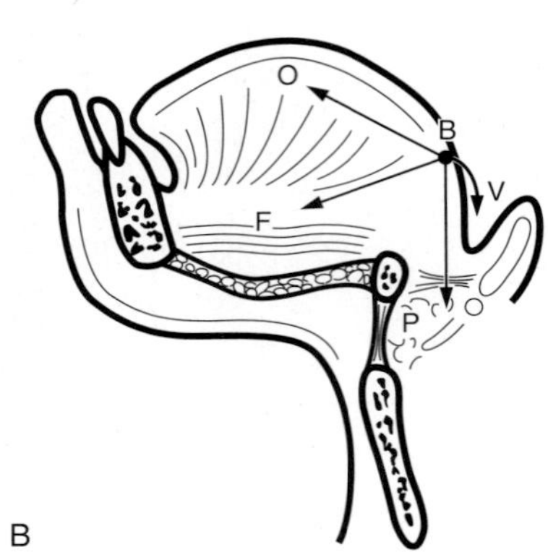

図48　舌根癌進展様式．シェーマ
B：舌根，F：口腔底，G：舌扁桃溝，O：舌可動部，P：喉頭蓋前間隙，V：喉頭蓋谷

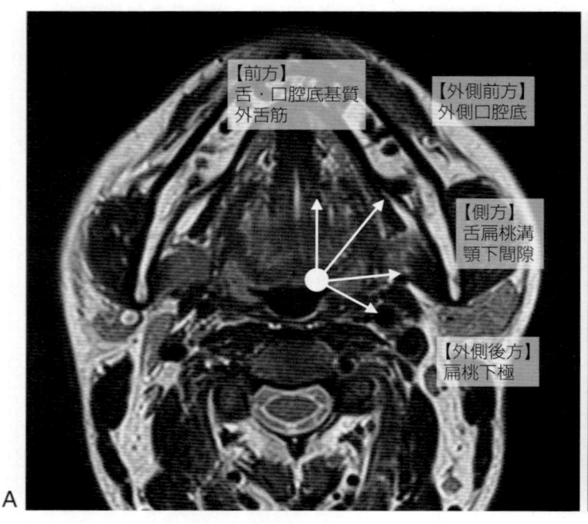

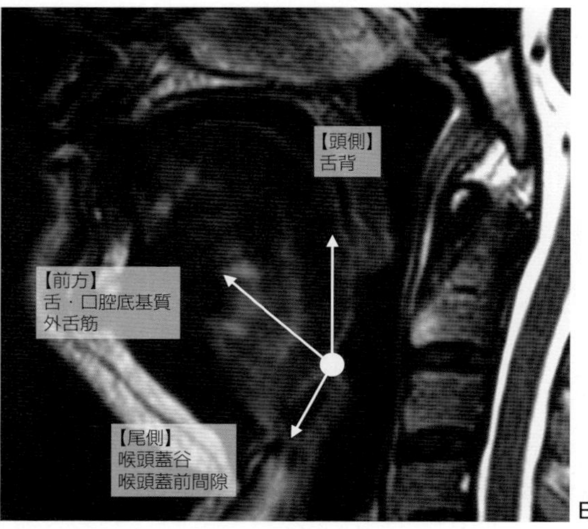

図49　舌根癌の進展様式
A：T2強調横断像．
B：T2強調矢状断像．

喫煙，飲酒に誘発される）HPV陰性例とは臨床像が異なり，臨床上も疾患概念が確立されているHPV陰性癌と比較すると喫煙者でない場合が多いが，それでもHPV口腔感染率は有意に高く，HPV口腔感染からHPV陽性中咽頭癌への移行に喫煙が多少の役割を果たしている可能性がある[84)]．

HPVは約8,000塩基対からなる環状二本鎖DNAをゲノムとしてもつDNAウイルスで150近い型が報告されている．多くが皮膚に関連するが，同様に相当数が粘膜との関連をもつ．高リスクと低リスクに分かれ，高リスク型HPVは従来子宮頸癌の危険因子として認知されてきたが，会陰部の癌のほか，中咽頭や一部の頭頸部癌の発癌にも関連する[85)]．子宮頸癌の90％以上で高リスク型HPVが検出されている．中咽頭癌では数10％から半数近くがHPV陽性とされ，HPV16型がその90％以上と大部分を占める[83, 86)]．本邦

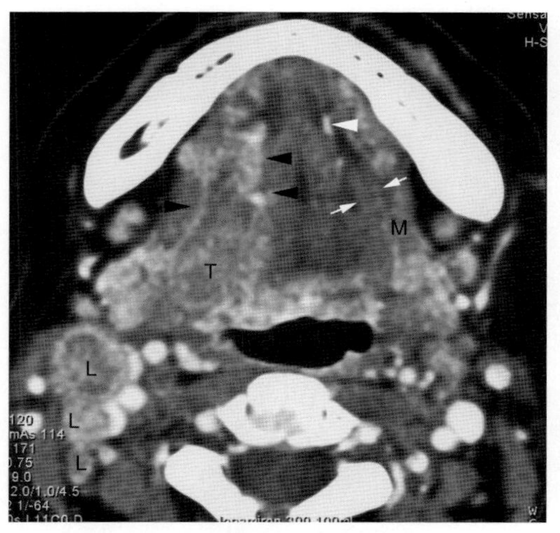

図 50　口腔底に進展する舌根癌
造影 CT において舌根右側を中心に浸潤性腫瘍(T)を認め，前方では舌骨舌筋(左側で矢印で示す)に沿って口腔底に大きく進展(黒矢頭)している．舌血管束(左側で白矢頭で示す)周囲に浸潤あり．顎舌骨筋(左側で M で示す)を越えた頸部軟部組織への進展はみられない．右レベルⅡに複数のリンパ節転移(L)あり．

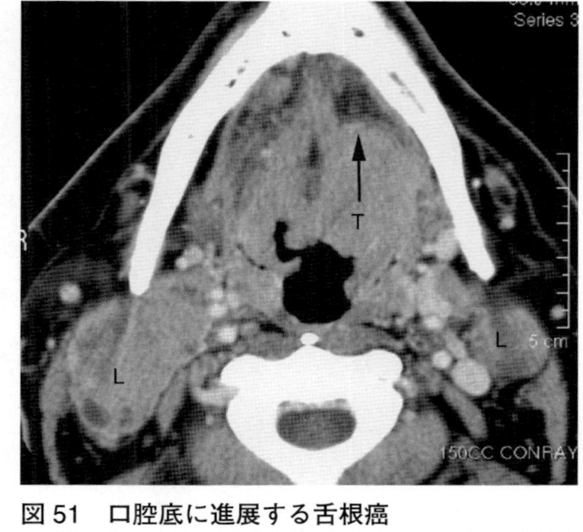

図 51　口腔底に進展する舌根癌
造影 CT において舌根左側優位に浸潤性腫瘍(T)を認め，前方の口腔底に大きく進展(矢印)している．両側レベルⅡ領域に転移リンパ節(L)あり．

の中咽頭癌の HPV 陽性率は約 50％で，ここ 30 年での増加傾向は顕著である[87]．HPV 陽性中咽頭癌の増加には sexual behavior が強く関連すると考えられている．HPV は分子アッセイで同定するが，HPV16/18 が転写で同定される最も多い活動性 HPV ウイルス型である[88]．免疫組織化学染色での p16 のびまん性過剰発現(overexpression)がハイリスク HPV に対する十分かつ信頼性高い代理マーカーとされている[84]．HPV の直接検出は低い汎用性，高いコストに加えて，p16 発現に対する優位性がないことなどから行われないのが一般的である．p16 (HPV)を評価していない場合，“扁平上皮癌，HPV の状況不明(squamous cell carcinoma, HPV status unknown)”，あるいは非角化など HPV 陽性癌の特徴(後述)が明らかな場合は“扁平上皮癌，HPV 未評価，形態的に HPV 関連の可能性が高い(squamous cell carcinoma, HPV not-tested, morphology highly suggestive of HPV association)”とされる[84]．

組織学的には HPV 陰性例では角化性であるのに対して，HPV 陽性例では類基底細胞性，非角化性で中から低分化の傾向にある[89]．その他の頭頸部扁平上皮癌のように組織学的なグレード分類は適用されない[84]．HPV 陽性例は，HPV 陰性例と比較して，治療前の原発病変はより小さく(低容量)，頸部リンパ節病変はより進行性で，進行病期である傾向にある[84, 90]．HPV 陽性例の多くは扁桃あるいは舌根の限局性病変である．HPV 陽性癌の原発病変は比較的境界明瞭な外方性発育を主体とするのに対して，HPV 陰性癌は浸潤性で潰瘍や壊死を示す傾向にある[90]．なお，HPV 陽性癌では潰瘍形成は喫煙者に多い[90]．HPV 陽性の頸部リンパ節病変を有する例では，臨床的に潜在性の粘膜下で低容積中咽頭癌の原発が示唆される[91]．

AJCC 第 8 版で TNM 分類をもとにする病期診断において，臨床病期診断と病理学的病期は異なる[20]．これは両者の N 診断の考えが異なるためであるが，臨床 N 診断(**表 3**：p395)は 98％が放射線治療を受けた対象とした多施設研究である ICON-S (international collaboration on oropharyngeal cancer network for Staging)[92]の結果をもとに患側，両側(対側)病変，6 cm の大きさの基準による．一方で病理学的 N 診断は頸部郭清術施行例を対象とした Haughey ら[93]，Sinha ら[94]

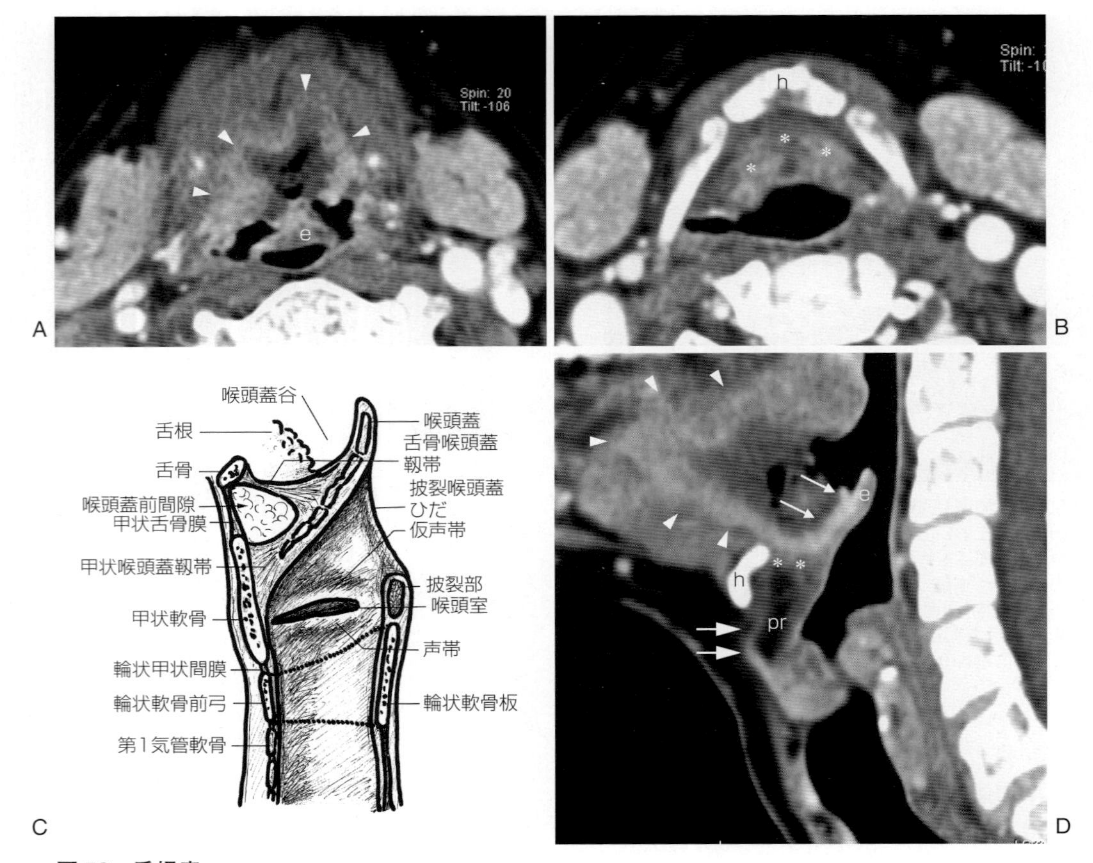

図 52　舌根癌

A：舌根レベルの造影 CT 横断像．舌根に潰瘍形成を伴う浸潤性腫瘤(矢頭)を認める．e：舌骨上喉頭蓋

B：舌骨レベルの造影 CT 横断像．舌骨(h)後方に沿った腫瘍進展(＊)を認め，横断像では喉頭蓋前間隙への腫瘍浸潤(T4a 病変)の可能性も考慮される．

C：舌根・喉頭領域の正中矢状断でのシェーマ

D：C と同様のレベルでの矢状断像．舌根を中心にして潰瘍形成を伴い，前方の舌基質に進展する浸潤性腫瘤(矢頭)を認める．尾側から後方では喉頭蓋谷底部から舌骨上喉頭蓋舌根面に沿った進展(小矢印)を示す．喉頭蓋谷底部では舌骨喉頭蓋靱帯(＊)により喉頭蓋前間隙(pr)とは明瞭に区分されており，喉頭蓋前間隙浸潤は否定される．大矢印：甲状舌骨膜，h：舌骨

による研究結果をもとに(患側か両側・対側かに関わらず)転移リンパ節の総数(4 個より少ないか，4 個以上か)が基準となっている．Hall らは HPV 陽性中咽頭癌 213 例の後ろ向き検討において術後に約 30%が病期診断の変更があった(治療前の臨床診断と病理学的診断が異なっていた)が，臨床・病理いずれの N 診断であっても無再発生存率と有意な相関があったとしている[95]．病期変更のあった 4 分の 3 が進行病期への upstage で，これは理学的所見，画像診断の限界によるが，主に早期の頸部リンパ節転移に対する感度，一塊となったリンパ節個数の正確な数の把握の困難さ，病理切片作成時のアーチファクトなどが原因と考えられる．HPV 陽性中咽頭癌も，従来の HPV 陰性中咽頭癌と同様の系統的な転移を示し[90]，患側レベル II に最も多い．癒合傾向を示す複数リンパ節(“matted” lymph nodes)は HPV 陰性・陽性にかかわらず遠隔転移のリスクを高めるとされる[96]．

HPV 陽性例は HPV 陰性例と比較して，生命予後は有意に良好(死亡リスクは 28〜80%低くなる)で，より高い局所制御率，より高い頸部病変の制御率を示す[85, 86]．予後改善は治療法の選択とは関連しない[91]．非喫煙者では予後はさらに

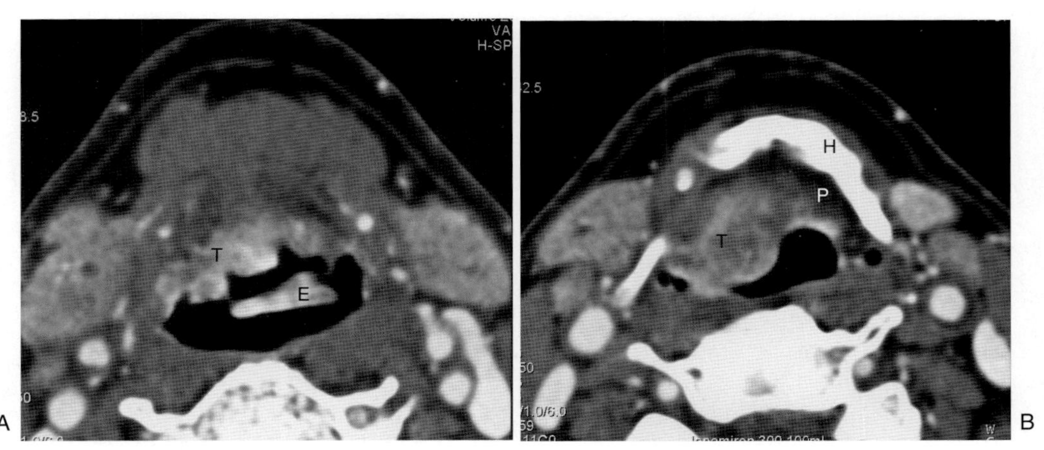

図 53　喉頭蓋前間隙に進展する舌根癌
A：舌根レベル造影 CT．舌根から喉頭蓋谷右側に増強効果を示す腫瘍(T)を認める．
B：声門上喉頭レベル．腫瘍(T)は喉頭蓋前間隙(P)右側に進展する．E：喉頭蓋，H：舌骨

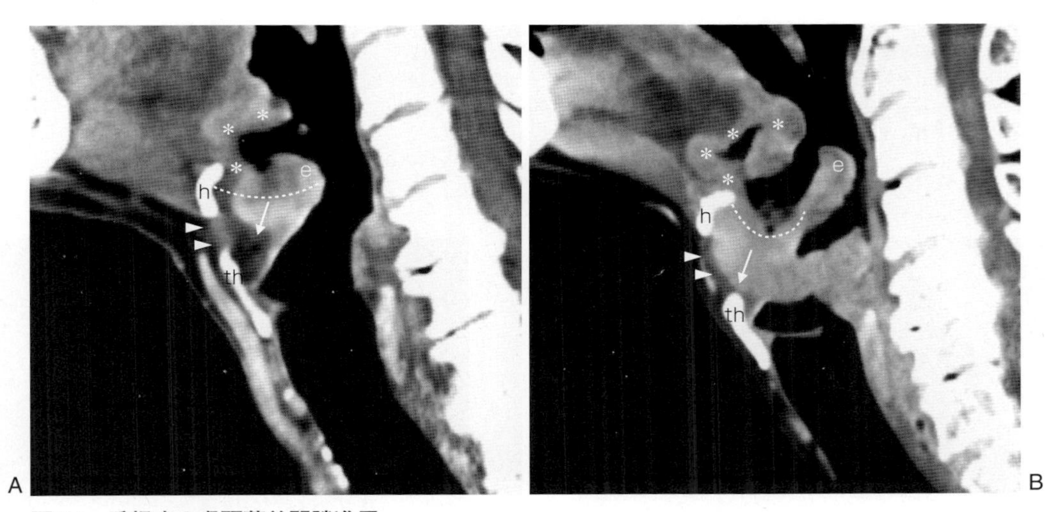

図 54　舌根癌の喉頭蓋前間隙進展
2 症例の造影 CT 矢状断像(A，B)において，舌根に潰瘍形成を伴う浸潤性腫瘤(＊)を認め，尾側では図 52D とは異なり，舌骨喉頭蓋靱帯(点線)を越えて喉頭蓋前間隙への進展(矢印)を示す．矢頭：甲状舌骨膜，e：舌骨上喉頭蓋，h：舌骨，th：甲状軟骨

良好[97]で，二次性癌発生の頻度も低い[85]．HPV 陽性例での局所・頸部再発率(locoregional failure)は 6〜13％である[97, 98]．予後良好の要因は明らかにはなっていないが，化学放射線療法や導入化学療法，放射線治療への反応の高さが大きな要因と考えられる[99, 100]．基本的には標準的治療を行い，(治療反応性に合わせて)治療強度を落とすべきではない[101]．ただし，HPV 陽性例ではより長い生存期間が期待されることから，治療における晩期障害に伴う QOL 低下を十分に考慮した治療選択が必要となる．遠隔転移の頻度は，HPV 陽性，陰性例でほぼ同等とされるが，HPV 陽性例でより進行してから(晩期)生じるとの報告もある[85]．HPV 陽性例では T4 あるいは N3 病変で遠隔転移の発現率(24％)が高い[85]．HPV 陽性扁桃癌において，T 因子は必ずしも N(頸部病変)陽性率とは相関しないが，頸部転移陽性例ではその広がりと多少の相関を示す[102]．

画像診断において，HPV 陽性例は HPV 陰性例と比較して，原発病変は境界がより明瞭な傾向

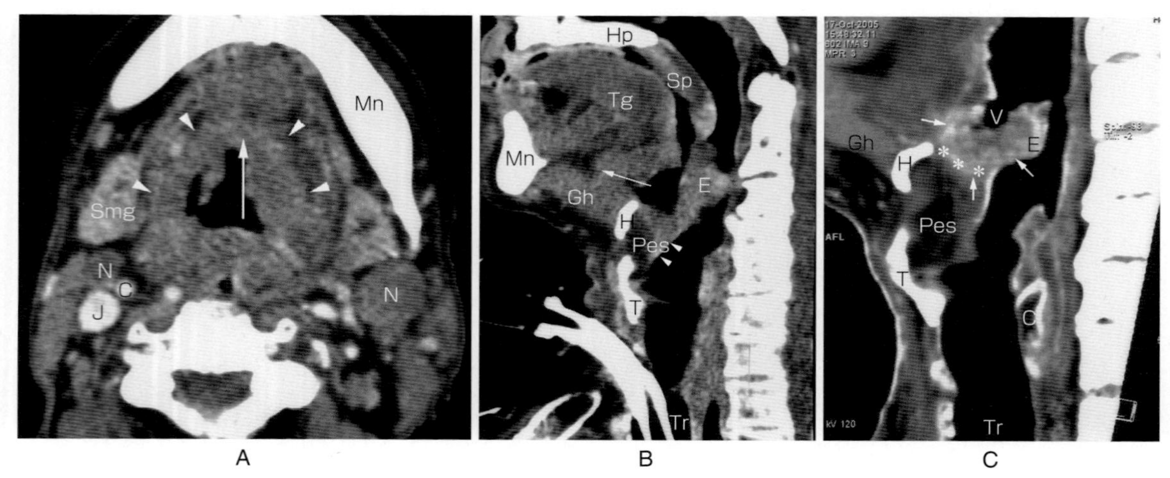

図 55　舌根癌

造影 CT 横断像(A)において，舌根に潰瘍形成を伴う浸潤性腫瘍を認め，前方の口腔底に大きく進展(矢印)している．C：頸動脈，J：内頸静脈，N：頸部転移(レベル II)，Mn：下顎骨，Smg：顎下腺

矢状断再構成画像(B)で，腫瘍の口腔底への前方浸潤(矢印)とともに尾側での喉頭蓋前間隙(Pes)後方から舌骨下喉頭蓋への浸潤(矢頭)が明瞭に描出されている．舌骨上喉頭蓋(E)にも不整な浸潤あり．Gh：オトガイ舌骨筋，H：舌骨，Mn：下顎骨，Sp：軟口蓋，Hp：硬口蓋，T：甲状軟骨，Tg：舌，Tr：気管

舌根癌別症例での造影 CT 矢状断再構成画像(C)では，舌根から喉頭蓋谷，後方で喉頭蓋(E)舌面に浸潤性腫瘍(矢印)を認め，尾側は(図 B とは異なり)舌骨喉頭蓋靱帯(＊)により区分され，喉頭蓋前間隙(Pes)が保たれていることが確認可能である．C：輪状軟骨，Gh：オトガイ舌骨筋，H：舌骨，T：甲状軟骨，Tr：気管

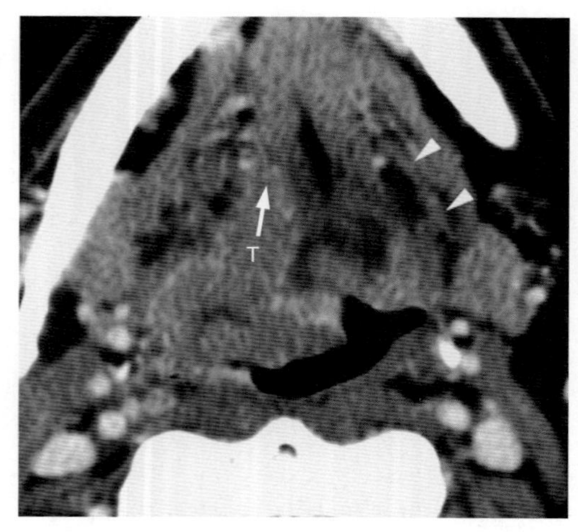

図 56　舌下神経に沿った神経周囲進展を示す舌根癌

造影 CT において舌根右側を中心にする浸潤性腫瘍(T)は舌骨舌筋(左側で矢頭で示す)に沿って口腔底の舌下間隙に進展(矢印)している．

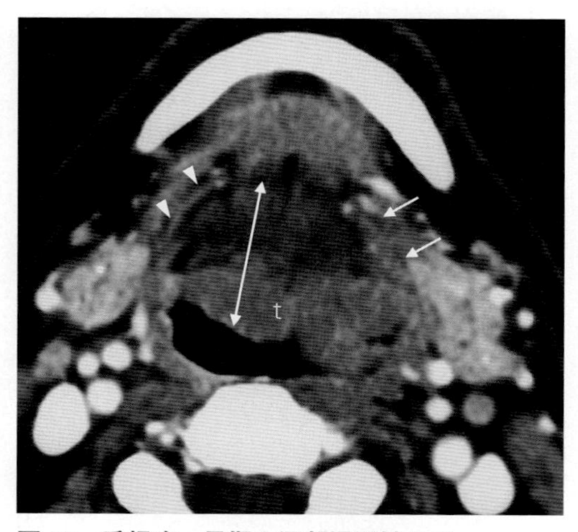

図 57　舌根癌：早期の深部浸潤性あり

舌根下部レベルの造影 CT．舌根の 4 つの組織層(両向き矢印)は保たれているが，舌扁桃に相当する帯状軟部濃度(t)は左側で厚く認められる．左側の舌骨舌筋(矢印)は右側(矢頭)と比較して，肥厚とともに増強効果亢進を示し，舌骨舌筋・舌神経血管束に沿った深部浸潤を反映している．

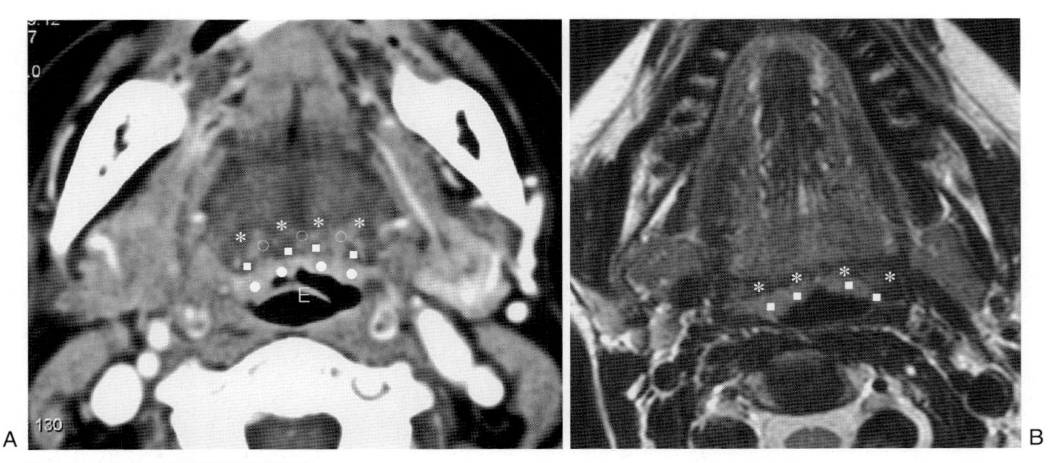

図 58　舌根の正常画像解剖

造影 CT 横断像(A)で，舌根部の気道側から帯状軟部濃度(●)，線状脂肪濃度(■)，帯状軟部濃度(○)，線状脂肪濃度(＊)の 4 つの組織層が同定可能であり，各々が気道面より順に舌扁桃組織，粘膜下脂肪層，内舌筋(superior longitudinal muscle)，筋間脂肪層を示す．MRI T2 強調像(B)では，気道面から舌扁桃組織(■)，内舌筋(＊)の組織層が区分される．

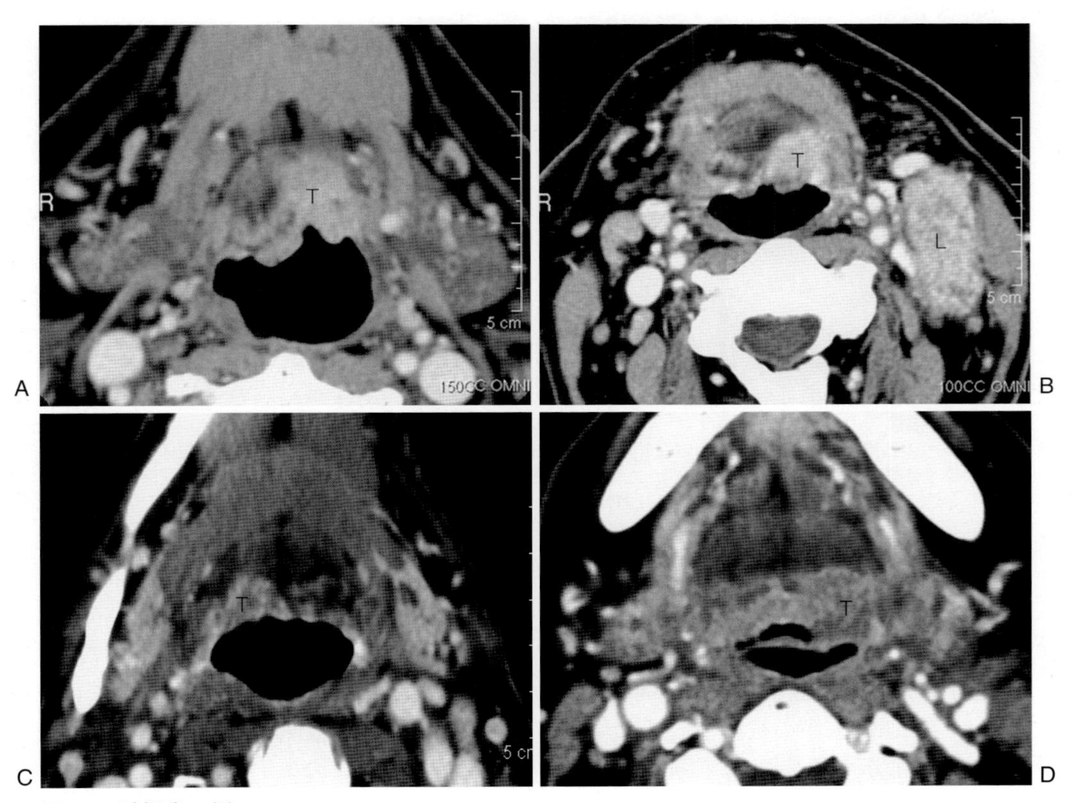

図 59　舌根癌 4 例

造影 CT(A，B，C，D)．舌根部での 4 つの組織層(図 58A)は，A，B，D では左側，C では右側で破綻しており，浸潤性腫瘍(T)を示す．いずれも内方性発育を主体とし，咽頭腔側への膨隆は認められない．4 例ともに原発不明癌の精査として CT が施行された．B では左レベルⅡの頸部転移(L)が描出されている．

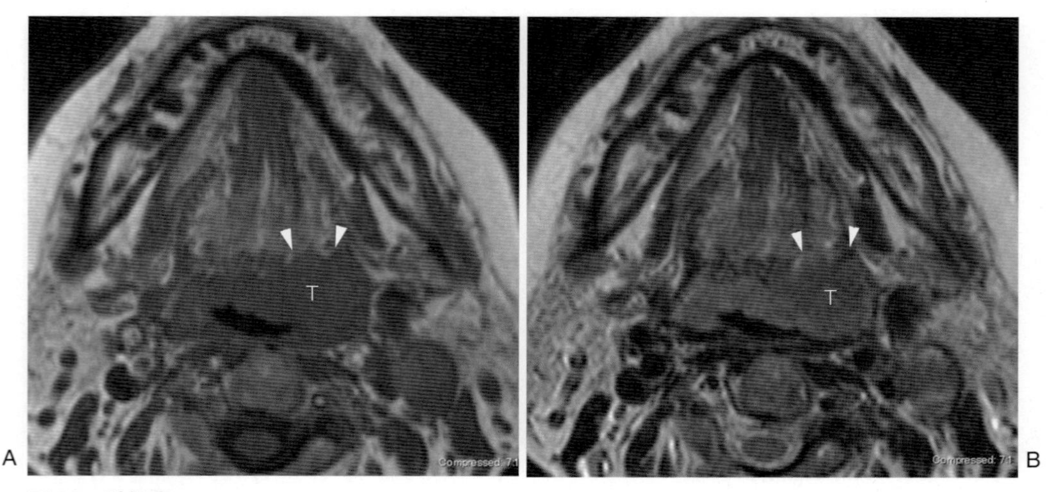

図60　舌根癌

MRI T1強調横断像(A)，T2強調横断像(B)において，舌根の組織層は左側で破綻(矢頭)しており，浸潤性腫瘍(T)を示唆する．

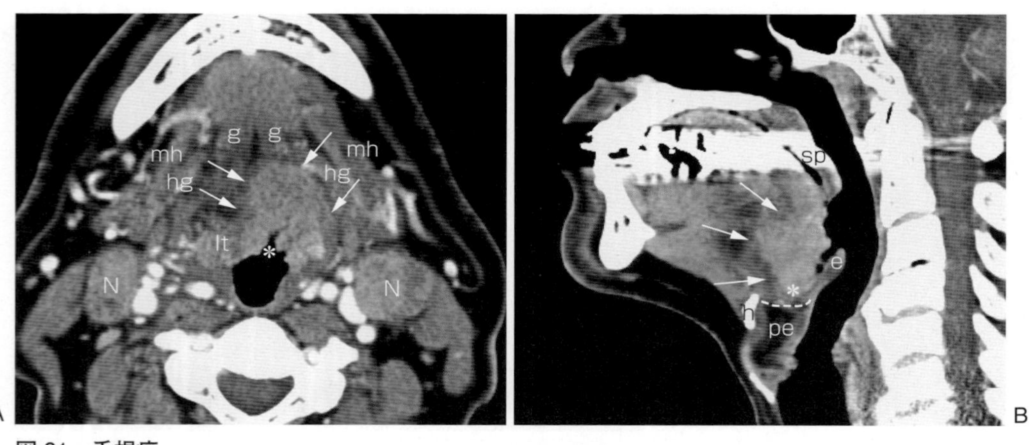

図61　舌根癌

舌根レベル造影CT横断像(A)で舌根左側に組織層破綻と潰瘍形成(＊)を伴う浸潤性腫瘤(矢印)を認める．前方・深部で患側のオトガイ舌筋(g)に浸潤，外側で舌骨舌筋(hg)を側方に圧排，偏位している．内側は正中から対側に限局性に進展あり．両側レベルIIリンパ節転移あり．lt：舌扁桃，mh：顎舌骨筋．矢状断像(B)で舌根の浸潤性腫瘤(矢印)を認める．尾側で喉頭蓋谷底部(＊)に達するが，舌骨喉頭蓋靱帯(点線)を越えた喉頭蓋前間隙(pe)への進展なし．喉頭蓋(e)咽頭面への浸潤もみられない．h：舌骨，sp：軟口蓋．

にあり，頸部リンパ節病変は嚢胞性転移が特徴的とされる(図76)[102]．嚢胞性リンパ節転移の定義としては，厚さ2mm未満の被膜で内部は均一な液体濃度・信号を示すリンパ節で，充実部などを伴わないものとするが，HPV陽性例の87%で嚢胞性リンパ節転移を伴うとされる[88]．扁桃，舌根のいずれでもHPV陽性癌での(最も転移頻度の高い)レベルII病変は局在および所見から，第2鰓裂嚢胞(側頸嚢胞)が鑑別として重要になる．臨床上の鑑別が困難な場合(図77)も多く，実際に鰓性癌としての古い報告の多くは潜在性の扁桃癌からの嚢胞性リンパ節転移であったとも考えられている．なお，HPV陽性癌のリンパ節転移が嚢胞性を示す理由は明らかにされていない．また嚢胞性の定義に該当しない造影不良の低吸収域を伴う(いわゆる壊死性)リンパ節転移についてはHPV陰性癌により多くみられる(図26)[88]．HPV陽性癌は予後良好とされるが一部は局所再

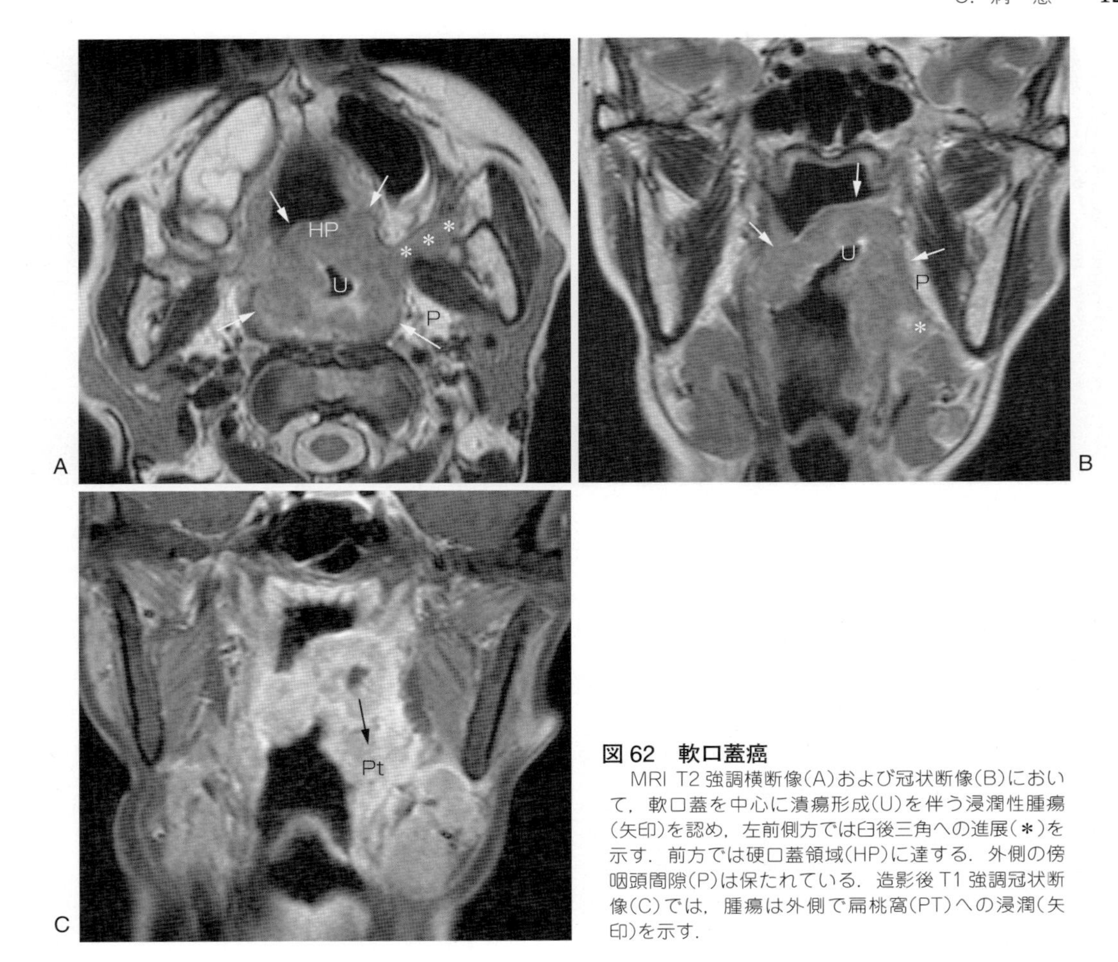

図 62 軟口蓋癌
MRI T2 強調横断像(A)および冠状断像(B)において，軟口蓋を中心に潰瘍形成(U)を伴う浸潤性腫瘍(矢印)を認め，左前側方では臼後三角への進展(＊)を示す．前方では硬口蓋領域(HP)に達する．外側の傍咽頭間隙(P)は保たれている．造影後 T1 強調冠状断像(C)では，腫瘍は外側で扁桃窩(PT)への浸潤(矢印)を示す．

発，遠隔転移などを示す予後不良例があり，充実性リンパ節転移を示す場合に制御困難で無病生存率が低下し，画像所見としての節外浸潤も(N 診断の評価項目ではないが)有意な予後不良因子になるとの報告がある[104]．拡散強調像については議論があり，原発病変，頸部リンパ節病変ともに HPV 陰性癌よりも低い ADC 値を示すとの報告[105]がある一方で，ADC 値と HPV 陰性・陽性との関連はないとの報告[106]もある．

3）外科的治療法

中咽頭癌の術式には喉頭癌の術式のように一般的に用いられている用語はなく，「頭頸部癌取扱い規約」では経口的切除か否かとともに切除した亜部位を列記することを記述の方法としてあげている(表 6：p430)[107]．顎骨，口蓋，舌・舌根の切除では術後の咀嚼，嚥下，発声などにおける機

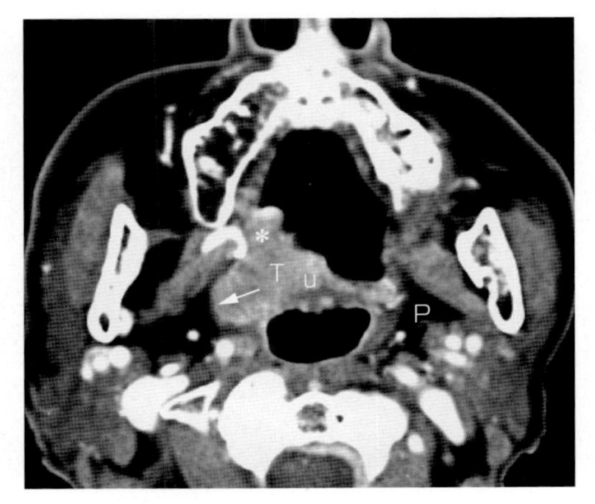

図 63 軟口蓋癌
軟口蓋レベル造影 CT において，軟口蓋右側を中心に浸潤性腫瘤(T)を認め，内側は口蓋垂基部(u)に及ぶが明らかな対側進展なし．前方は硬口蓋右側後方(＊)への進展，側方は傍咽頭間隙(対側で P で示す)への進展(矢印)を示す．

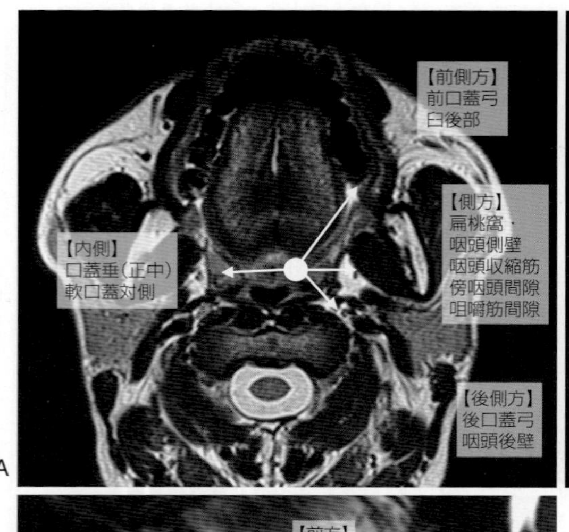

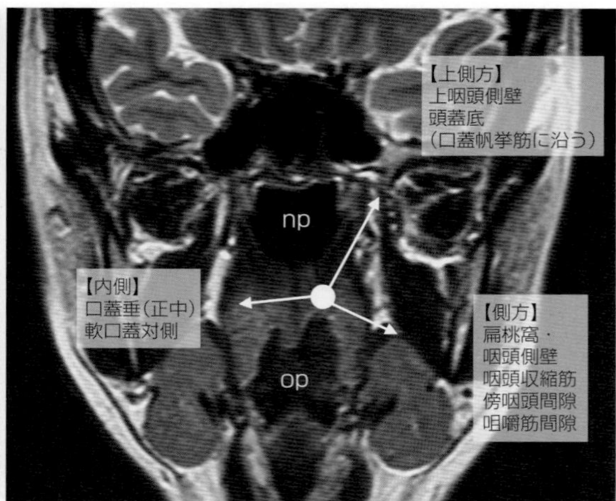

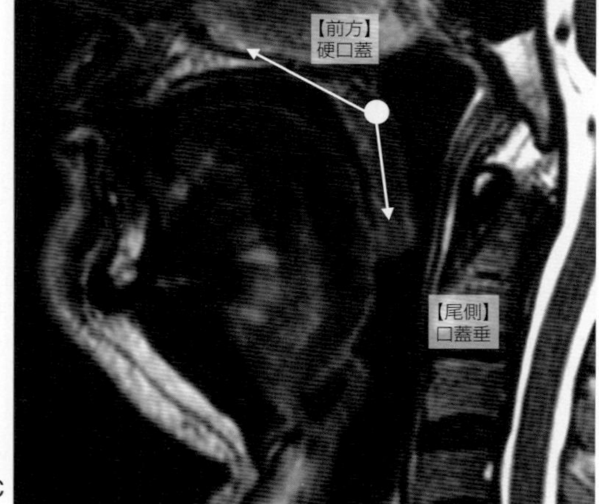

図 64　軟口蓋癌の進展様式
A：T2 強調横断像.
B：T2 強調冠状断像.
C：T2 強調矢状断像.
np：上咽頭，op：中咽頭

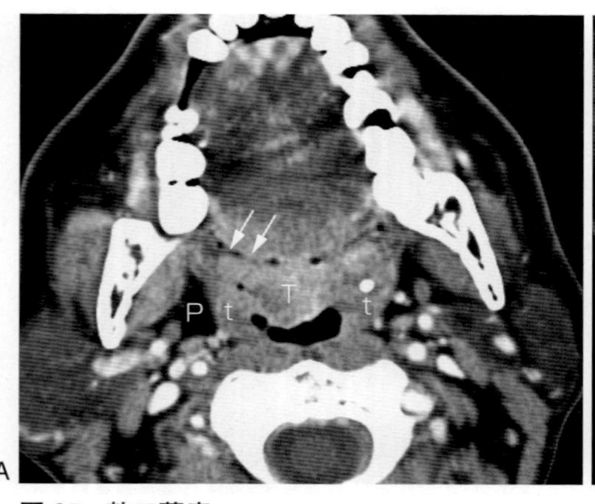

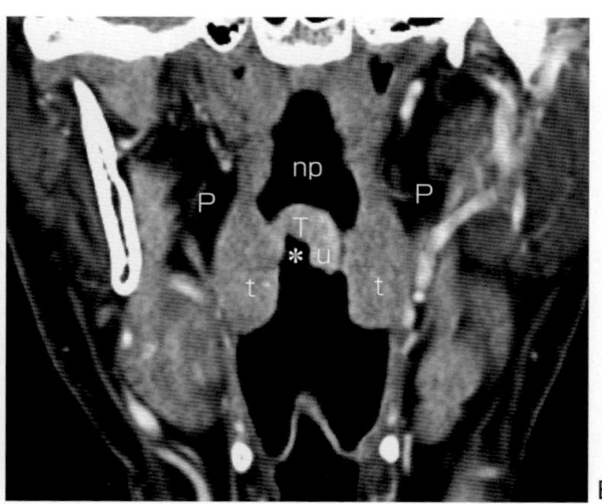

図 65　軟口蓋癌
軟口蓋レベル造影 CT 横断像(A)において，軟口蓋の右 2/3 を置換する浸潤性腫瘤(T)を認める．外側前方で前口蓋弓(口蓋舌筋)に沿った進展(矢印)を示す．側方の扁桃上極(t)，傍咽頭間隙(P)への進展なし．冠状断像(B)で腫瘍(T)による軟口蓋の右傍正中下面から口蓋垂(u)右側の組織欠損・潰瘍形成(＊)を認める．np：上咽頭，t：口蓋扁桃，P：傍咽頭間隙．

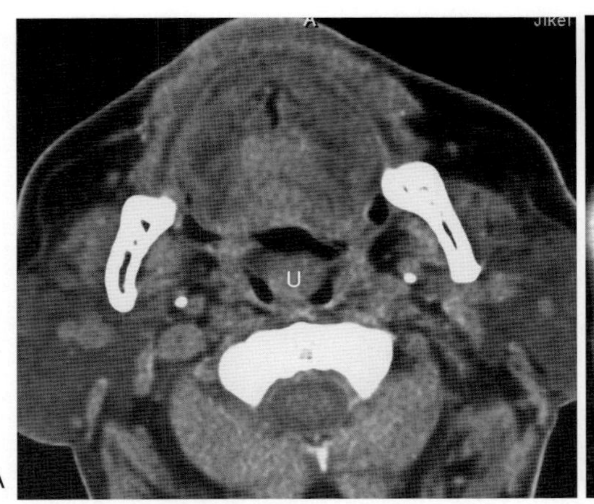

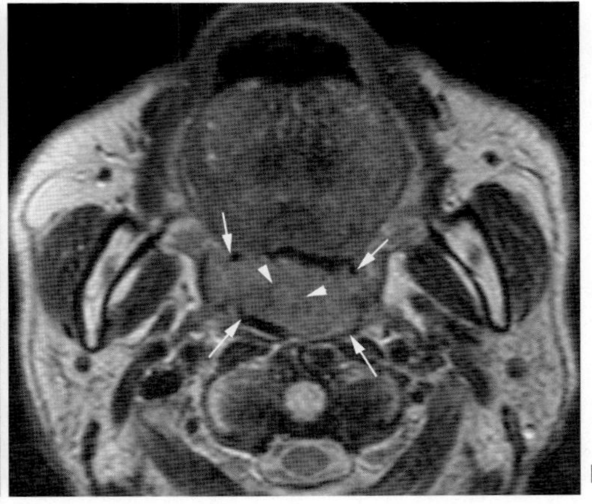

図 66　軟口蓋・口蓋垂癌
非造影 CT 横断像(A)において，口蓋垂(U)の腫大を認める．別症例の MRI T2 強調横断像(B)で，軟口蓋領域を中心とした浸潤性腫瘍(矢印)を認める．腫瘍は正中で口蓋垂基部(矢頭)をはさみ，左右軟口蓋にびまん性進展を示す．

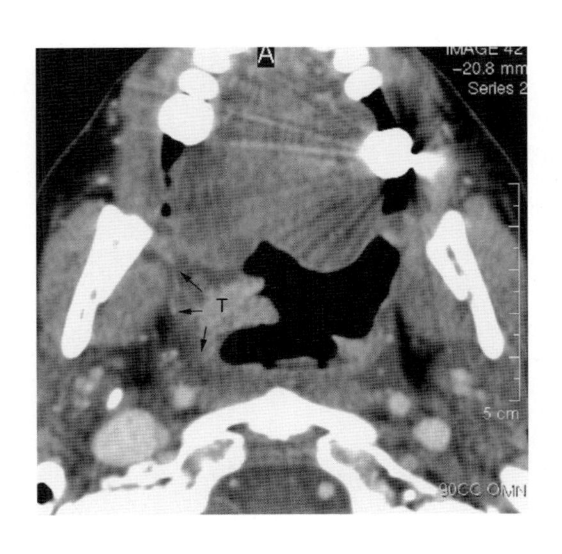

図 67　軟口蓋癌
造影 CT において軟口蓋右側を中心に軟部濃度腫瘍(T)を認め，外側では隣接する扁桃窩，前・後口蓋弓領域に進展(矢印)を示す．

能障害が大きな問題となる．以下に代表的亜部位における外科的治療につき解説する．

i) **扁桃癌および口蓋弓癌**：2 cm 以下(から最大 4 cm まで)の小病変は経口的に局所広範囲切除が施行されるが[108]，より大きな病変や舌根進展を示す病変では，下顎骨への接触や浸潤のないことを条件として，オトガイ孔より前方レベルにおいて(正中あるいは傍正中で)下顎骨を離断，顎関節を亜脱臼させ，下顎骨を外側に展開するアプローチ“mandibular swing”がとられる(図 78, 79)[3]．mandibular swing は傍舌切開(paralingual incision)を加えることで，より広い視野が得られる．顎骨離断の再建にはときに compression plate が用いられるが，再建時の再現性を高めるために離断前の計測が重要である[108]．下顎骨離断を伴う術式では放射線治療後に放射線性骨壊死の危険性が高くなる[3]．予防のための齲歯治療も QOL にとって重要な因子となる．また，開口障害のない T1 あるいは T2 病変では，経口的・経頸部アプローチの組み合わせにより，下顎骨離断なしに切除する pull-through 法(図 80)がとられる場合も多い[33]．しばしば患側頸部郭清術と組み合わされ，組織欠損部は通常，筋皮弁により再建される．既述の下顎骨離断を要する

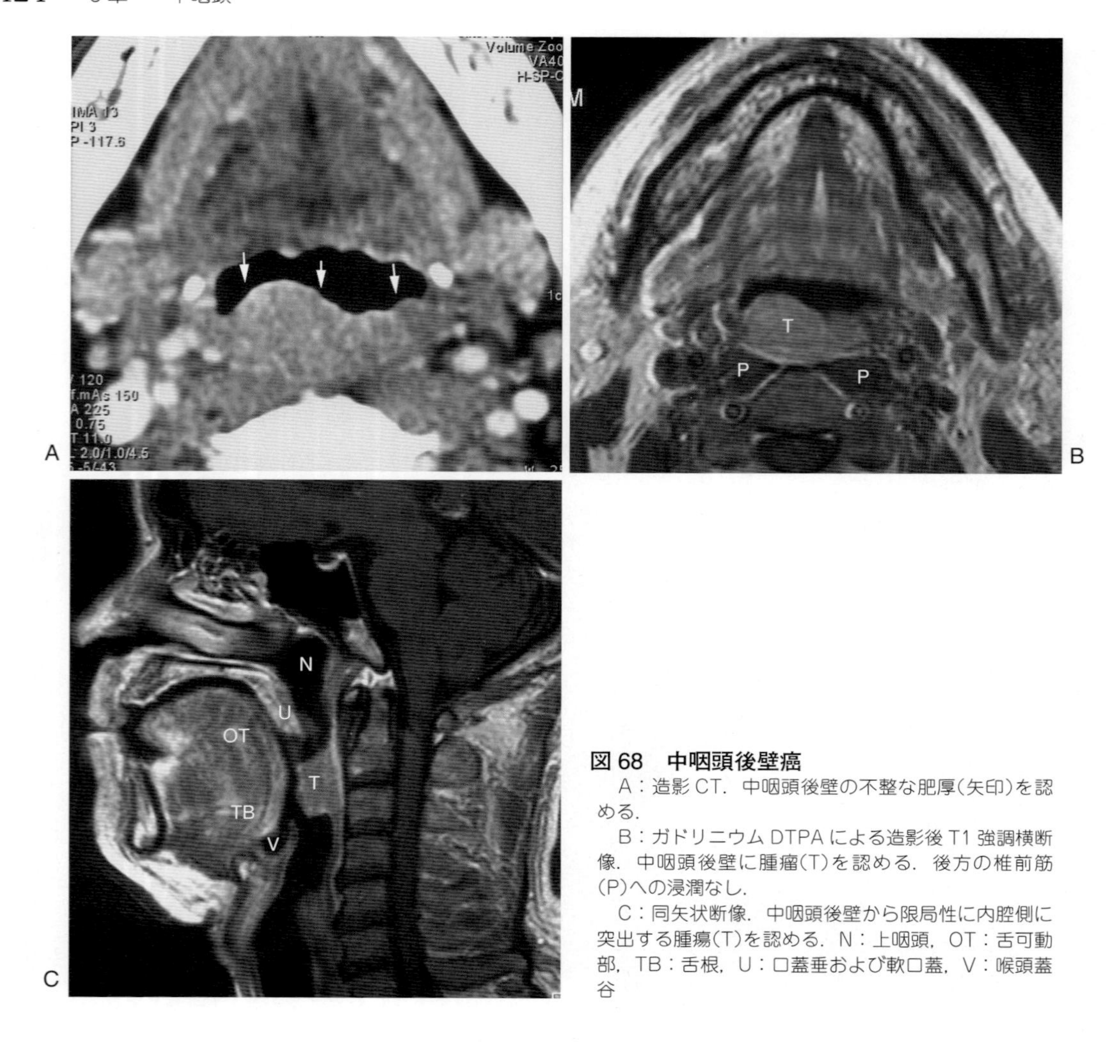

図 68 中咽頭後壁癌

A：造影 CT．中咽頭後壁の不整な肥厚(矢印)を認める．

B：ガドリニウム DTPA による造影後 T1 強調横断像．中咽頭後壁に腫瘤(T)を認める．後方の椎前筋(P)への浸潤なし．

C：同矢状断像．中咽頭後壁から限局性に内腔側に突出する腫瘍(T)を認める．N：上咽頭，OT：舌可動部，TB：舌根，U：口蓋垂および軟口蓋，V：喉頭蓋谷

mandibular swing と比較して，咬合不全の発生が少ないことは術後 QOL において重要な要素となる．さらに大きな病変，顎骨に隣接あるいは浸潤する病変では顎骨の一部，軟口蓋や舌・舌根の部分的切除が必要となる．腫瘍が顎骨に隣接する場合は marginal mandibulectomy，浸潤を認める場合は segmental mandibulectomy が施行される(5 章「口腔」の図 38 参照)．その判断には CT 骨条件表示および MRI T1 強調像が有用である．

ii) 舌根癌：後下方への進展範囲(喉頭蓋前間隙への進展)(図 53～55)により声門上喉頭切除あるいは喉頭全摘術が必要となる．代表的アプローチとしては，患側の頸部郭清術後に健側の喉頭蓋谷から咽頭腔に入り，喉頭蓋を温存しながら患側喉頭蓋谷，扁桃下極に切り進め，舌根を翻転して明視下に腫瘍を切除する．また，喉頭蓋谷に進展を示す場合には同術式に声門上喉頭部分切除術を組み合わせる(glosso-valleculo-epiglottectomy)[33]．その他として，正中で口唇，顎骨，舌を切断(median labiomandibular glossotomy)(図 81)，下顎骨を患側のほぼ下顎角レベルで離断(mandibulotomy)，下顎骨舌側骨膜を剝離し舌および口腔底全体を頸部側に脱転(“floor drop” procedure)，あるいは頸部前面より舌骨上縁に沿って切開，展開(transhyoid resection)する方法(図 82)などがとられる．median labiomandibular glossotomy は比較的大きな舌根，咽頭後壁の病変，transhyoid resection は喉頭，扁桃，舌可動部への進展のない，2 cm 以下の舌根および咽頭後壁病変が適応となる．頸部リンパ節転移陽性例

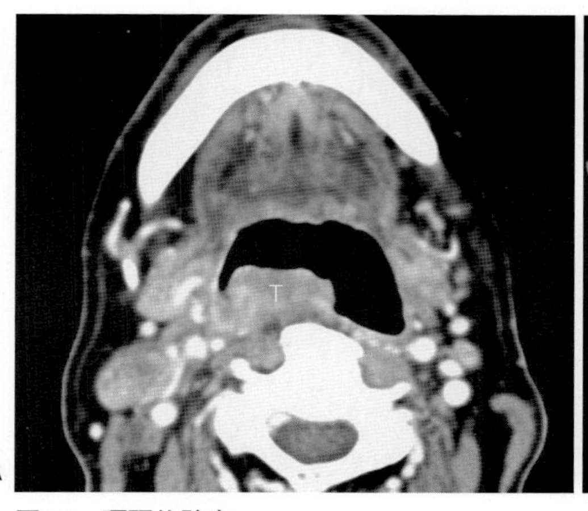

A

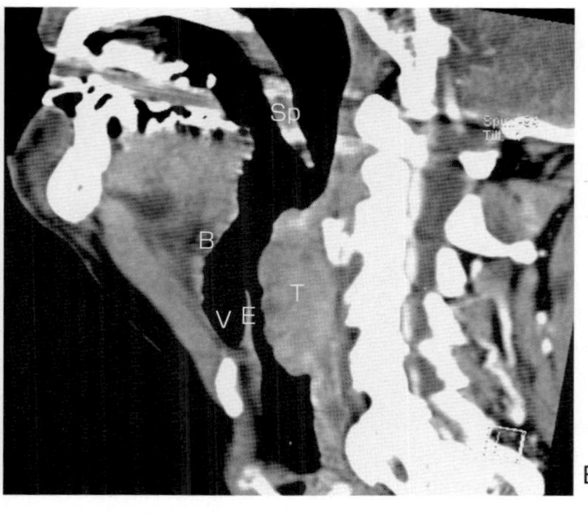

B

図 69　咽頭後壁癌

中咽頭レベルの造影 CT 横断像(A)において，咽頭後壁の右側優位の不整な肥厚による腫瘤(T)を認め，矢状断再構成画像(B)で腫瘍(T)の中・下咽頭レベルでの頭尾側方向の進展範囲が明瞭に描出されている．B：舌根，E：喉頭蓋，Sp：軟口蓋，V：喉頭蓋谷

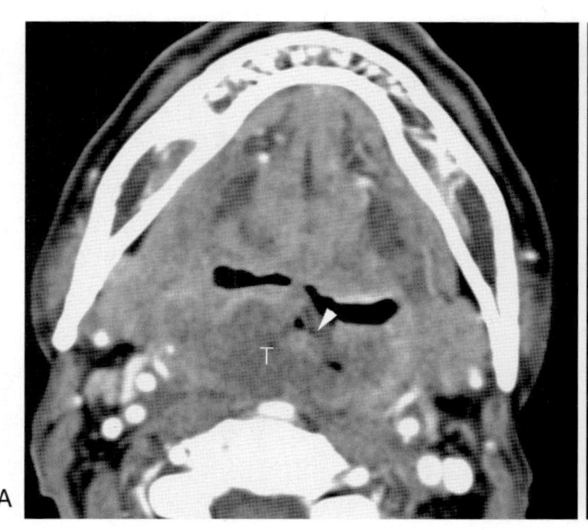

A

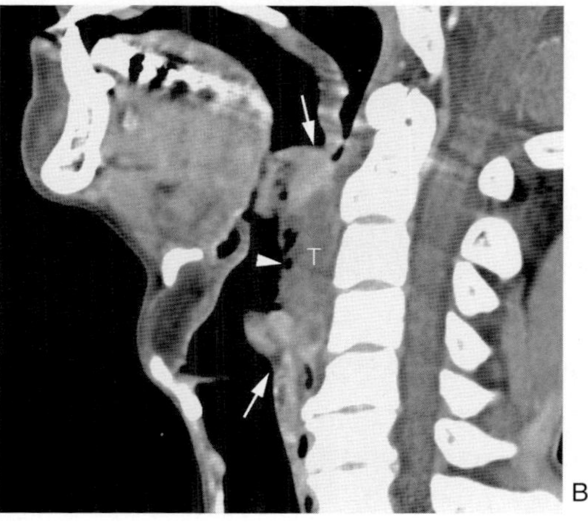

B

図 70　咽頭後壁癌

中咽頭レベルの造影 CT 横断像(A)および矢状断再構成画像(B)において，咽頭後壁にびまん性浸潤を示す腫瘤(T)を認める．潰瘍形成(矢頭)を伴う．矢状断像(B)で頭尾側方向の進展範囲(矢印)が中・下咽頭レベルにわたることが示されている．

ではこれらと異なる他のアプローチが望ましい[108]．transhyoid resection は従来の手技と比較して術後機能(嚥下，発声)回復・温存，形態温存において優れるが，顎骨，翼突筋，頭蓋底などに浸潤を示す例は適応外となる[55, 56]．術中，術後合併症に伴う死亡率は 4～5%，局所再発は 27%との報告あり[3, 109]．進行病変では放射線治療，化学療法などの併用が望ましい[110]．外科的治療では放射線治療と比較して，発声，嚥下機能の障害は大きいが唾液分泌機能は温存される傾向にある[111]．

iii) **軟口蓋癌**：通常，経口的切除が施行される．軟口蓋の全層性切除でなければ，機能不全は比較的軽度である[3]．軟口蓋全層性(“through-and-through”)切除では，欠損の大きさにより局所皮弁あるいは prosthesis により塞がれるが，機能不全(velopharyngeal incompetence)の問題は重要である．限局性切除での velopharyngeal in-

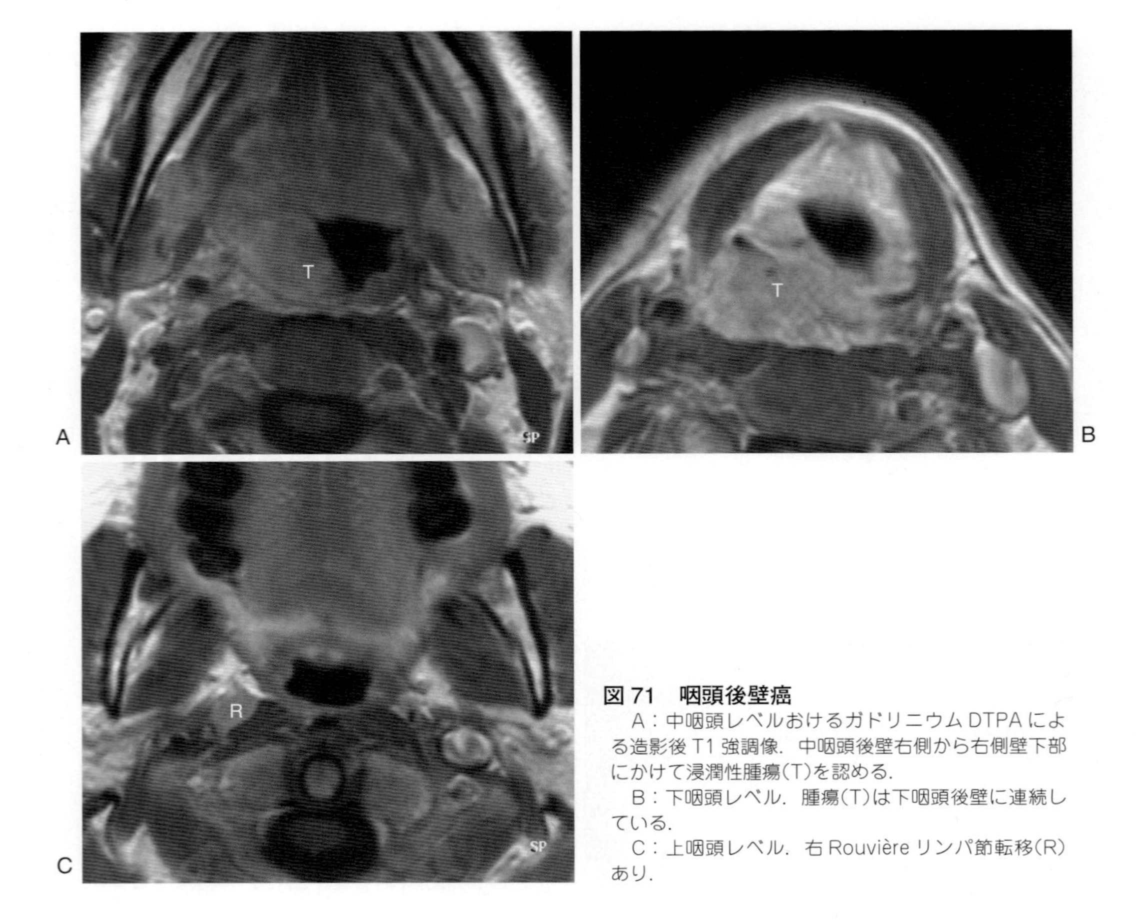

図71　咽頭後壁癌
A：中咽頭レベルおけるガドリニウム DTPA による造影後 T1 強調像．中咽頭後壁右側から右側壁下部にかけて浸潤性腫瘍(T)を認める．
B：下咽頭レベル．腫瘍(T)は下咽頭後壁に連続している．
C：上咽頭レベル．右 Rouvière リンパ節転移(R)あり．

competence は一時的であることが多いが，高度の機能不全の場合には prosthesis によるリハビリに慣れるまでは経鼻胃管等による栄養が必要となる[108]．外科的切除のみで治療された場合の疾患特異的生存率は 38%と報告されている[112]．

3）画像診断と治療選択および経過観察との統合

i）治療選択：放射線療法，外科的療法および化学療法が単独あるいは組み合わされて用いられる．早期病変は放射線治療単独，外科的治療単独両者ともに比較的高い局所制御率を示し，機能温存と治療による根治性などを考慮しながら選択が行われる．進行病変に対しては両者併用療法に加えて，症例により化学療法が組み合わされる．中咽頭癌の根治的放射線治療では，喉頭癌，下咽頭癌などとは異なり，腫瘍容積と局所制御率との相関は比較的低い[113, 114]．理由は，中咽頭癌は他部位と比較して放射線感受性が高い傾向にあり相対的に局所制御率が腫瘍容積の影響を受けにくいことによると考えられる．また，中咽頭癌では T 因子が放射線治療の局所制御における最も重要な要素とされる[113]．治療前画像診断において，顎骨浸潤の有無・程度，頸部軟部組織への進展，腫瘍径など，T 診断に必要な要素の評価が重要となる．これらは予後の推定のみならず，治療選択に強い影響を与える．

ii）治療後の画像評価：治療後早期では，出血，感染，皮弁壊死などの合併症の評価を必要とする場合，あるいは増大傾向を示すなど臨床的に明らかな残存・再発病変を認める場合のみが画像診断の対象となる．通常(予測される範囲内)の治療経過をとる例では再発・残存病変が最も重要な評価項目である．根治目的での治療後中咽頭癌の約半数が再発を示し，再発のほとんどが治療後 3 年以内(多くは 2 年以内)とされる[115]．治療終了後早期の画像では治療に伴う軟部組織変化による所見の修飾が強く評価が困難である．その後も単

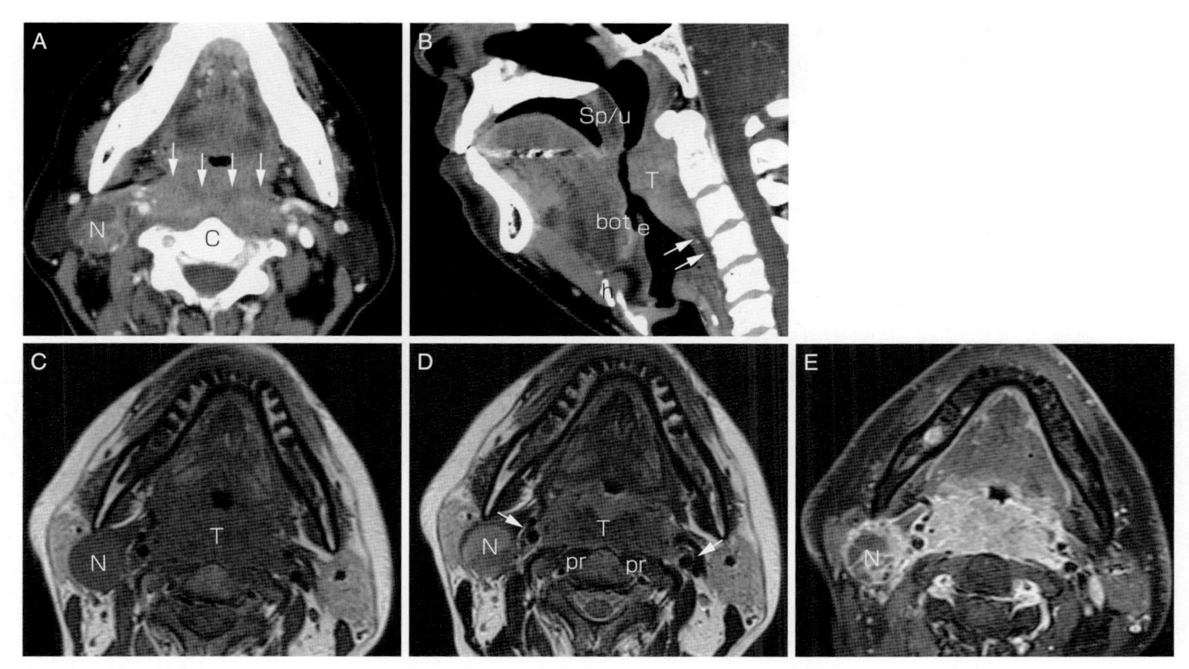

図 72　咽頭後壁癌

中咽頭レベル造影 CT 横断像(A)において咽頭後壁のびまん性組織肥厚(矢印)を認める．頸椎椎体(C)前面の椎前筋との区別は困難であり，同筋浸潤(T4b 相当)の否定は困難である．右レベル II リンパ節転移(N)を伴う．同矢状断像(B)で咽喉後壁腫瘤(T)下端は舌骨(h)よりも頭側に位置しており，中咽頭レベルに限局した病変であり下咽頭レベルへの連続性進展がないことが同定可能である．病変尾側で椎体前方の脂肪層(矢印)として同定される咽頭後間隙は病変レベルで消失を示し，同間隙への腫瘍浸潤を反映する．bot：舌根，e：喉頭蓋，sp/u：軟口蓋・口蓋垂．MRI T1 強調像(C)で腫瘍(T)は骨格筋に類似の低信号，T2 強調像(D)では不均等な中等度からやや高信号を呈し，造影後 T1 強調脂肪抑制像(E)で不均等な増強効果を示す．T2 強調像(D)で病変(T)と椎前筋(pr)前面との境界は平滑，明瞭であり，積極的に椎前筋膜，椎前筋浸潤を示すものではない．両側方で頸動脈(矢印)内側面に隣接するが，これも最大接触角度からは積極的に頸動脈浸潤(T4b に相当)を支持する所見ではない．N：右レベル II リンパ節転移．

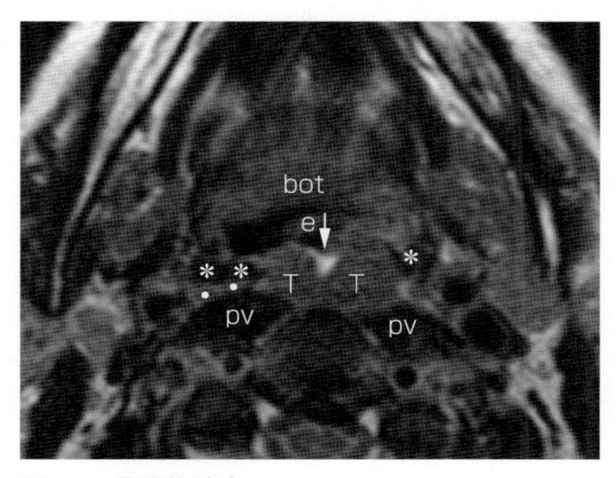

図 73　咽頭後壁癌

中咽頭レベル MRI T2 強調横断像において，咽頭後壁に潰瘍形成(矢印)を伴う腫瘤(T)を認める．咽頭収縮筋に相当する低信号帯(＊)は途絶しており，後方の椎前筋(pv)との間に形成される咽頭後間隙(•)への浸潤を示す．椎前筋前面との境界は平滑であり，積極的に椎前筋膜・椎前筋浸潤を示す所見ではない．bot：舌根，e：喉頭蓋．

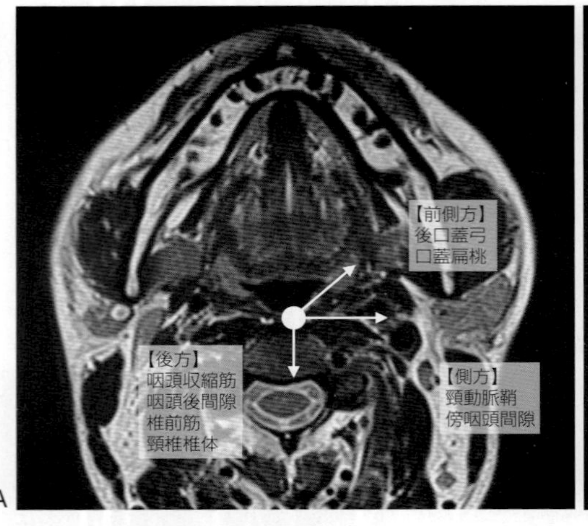

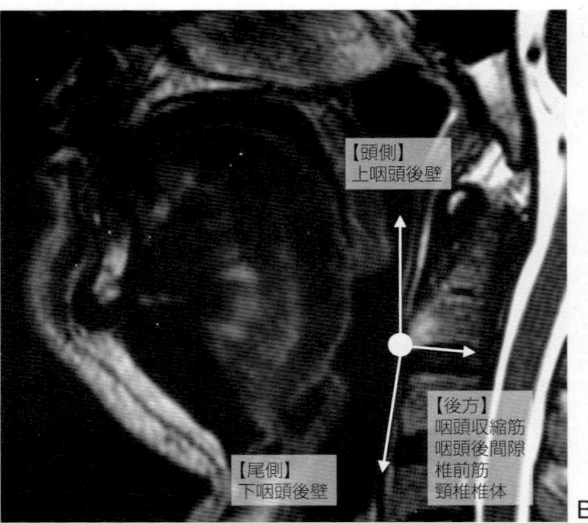

図 74　咽頭後壁癌の進展様式
A：T2 強調横断像.
B：T2 強調矢状断像.

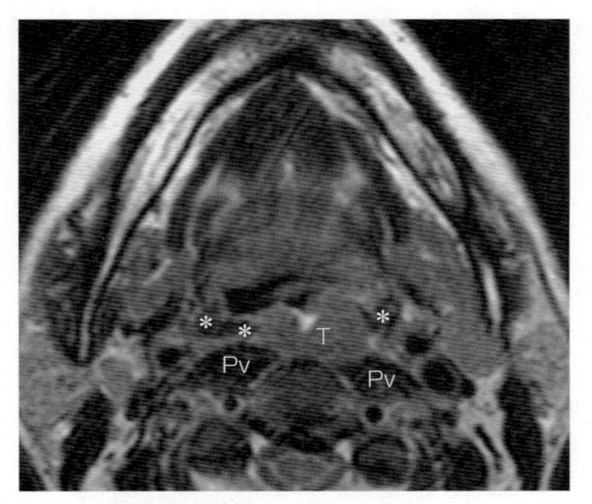

図 75　咽頭後壁癌
MRI T2 強調像で咽頭後壁の左側優位に浸潤性腫瘍(T)を認め，咽頭収縮筋を示す帯状低信号(*)は腫瘍部で途絶を示す．左側では椎前筋(Pv)前面に多少の圧排を示すが，腫瘍との境界は平滑である．画像所見のみで椎前筋浸潤の判断は困難と思われる.

一回の検査での確定的判断は困難なことが多く，(治療後の軟部組織変化の所見が軽減してくる)治療終了後6週間から3ヵ月程度で基線検査を施行し，その後同検査との比較による経時的評価が重要である．60 Gy以上の被ばくで，ほぼ対称性のびまん性軟部組織肥厚，脂肪混濁，組織層不明瞭化，筋膜肥厚などの軟部組織変化を来す(図 83).

局所制御例では当然，腫瘍の消失(図 84)を示す場合も少なくないが，中咽頭癌では何かしらのfocalな所見を残して制御されることもしばしばである．Ojiriらによる中咽頭癌46例の検討では，高線量放射線治療後6週間におけるCT所見として，びまん性対称性軟部濃度肥厚のみ(図 85)，明らかな腫瘤を指摘できない軟部組織の軽度非対称性(図 86)，1 cm以下の腫瘤様所見の残存を認めた全例において局所制御が得られ，1 cmを超

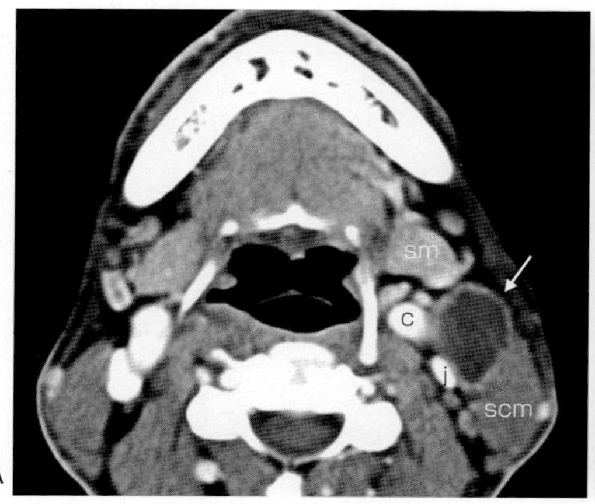

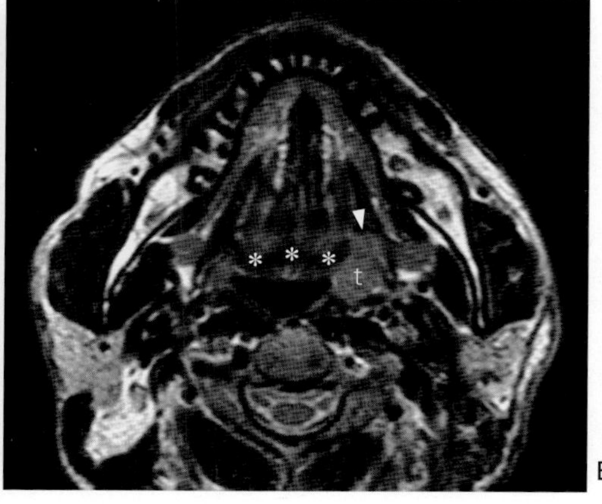

図 76　HPV 陽性中咽頭癌の嚢胞性リンパ節転移

造影 CT 横断像(A)において，左側頸部でレベル II 領域に単房性嚢胞性病変(矢印)を認める．嚢胞性リンパ節転移に矛盾ないが，顎下腺(sm)の後方，胸鎖乳突筋(scm)の内側，頸動脈鞘(c：内頸動脈，j：内頸静脈)の外側の局在は第 2 鰓裂嚢胞(Bailey type 2)にも合致する．同病変切除 3 ヵ月後の MRI，T2 強調像(B)で左扁桃下極から舌根左側にかけて腫瘤(t)を認め，顕在化した中咽頭癌に一致する．舌根では内舌筋(＊)は病変部で途絶(矢頭)しており，浸潤性病変であることを示す．

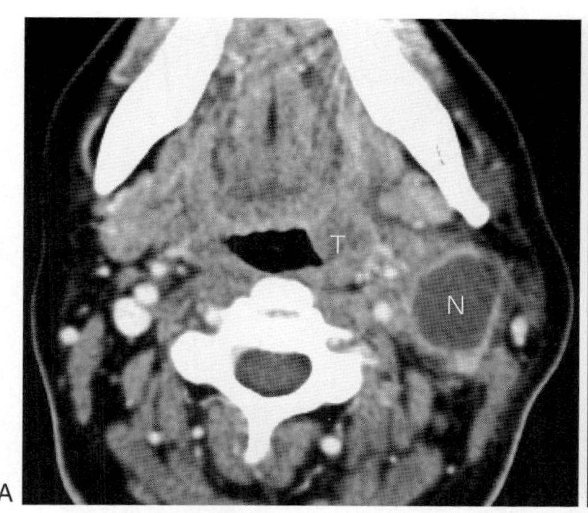

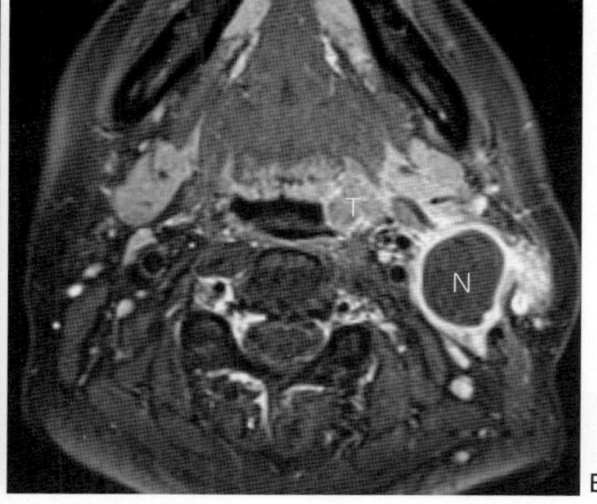

図 77　HPV 陽性扁桃癌のレベル II リンパ節転移

中咽頭レベル造影 CT(A)および MRI 造影後 T1 強調脂肪抑制像(B)で左レベル II 領域に比較的厚く概ね均一な壁を有する単房性嚢胞性腫瘤(N)を認める．局在，所見からは感染(既往を含む)を伴う第 2 鰓裂嚢胞にも矛盾ない．左口蓋扁桃に腫瘤(T)を指摘することにより扁桃癌からのリンパ節転移との診断が可能である(ただし，扁桃病変が明らかでない場合もしばしばであり，原発不明癌との扱いとなる)．

える腫瘤の残存を認めた症例(図 87，88)でも高い局所制御率を示したとしている[116]．また局所非制御例(図 89)は，限局性腫瘤様所見を残したまま制御が得られた他症例とこの時点の CT 所見のみでは区別は困難であった．すなわち，中咽頭癌の放射線治療後 CT での focal mass は必ずしも局所再発あるいは残存病変を示すものではなく，放射線治療終了後 6 週間以後の基線検査との比較により判断されなければならない．

外科的治療後においても基線検査との比較による画像評価が必要である．局所再発は一般的には切除縁，再建における筋皮弁辺縁(flap margin)(図 90〜92)や顎骨切除縁近傍(図 93)に多く，これらの領域を慎重に評価しなければならない．また，開口障害などの特異的症状を示す症例では，原因となりうる咀嚼筋，顎骨，顎関節などの特異

表6　中咽頭癌手術における切除部位の記載

亜部位	比較的多い切除部位記述例
前壁	舌根切除 舌根・喉頭蓋切除
側壁	側壁切除 軟口蓋半切除＋片側側壁切除 軟口蓋半切除＋片側側壁切除＋舌根半側切除
後壁	後壁切除
上壁	口蓋垂切除 軟口蓋切除 軟口蓋全摘＋両側側壁切除

（日本頭頸部癌学会（編）：頭頸部癌取扱い規約（第6版補訂版），金原出版，東京，p45，2019より許諾を得て転載）

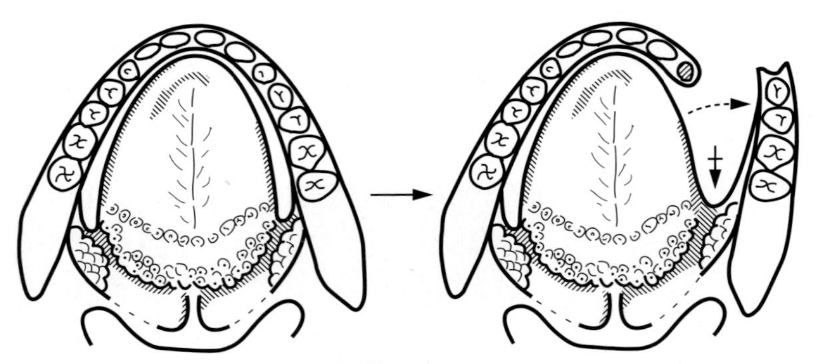

図78　mandibular swing（点線矢印）および paralingual incision（十字矢印）による扁桃，舌根領域への外科的アプローチ

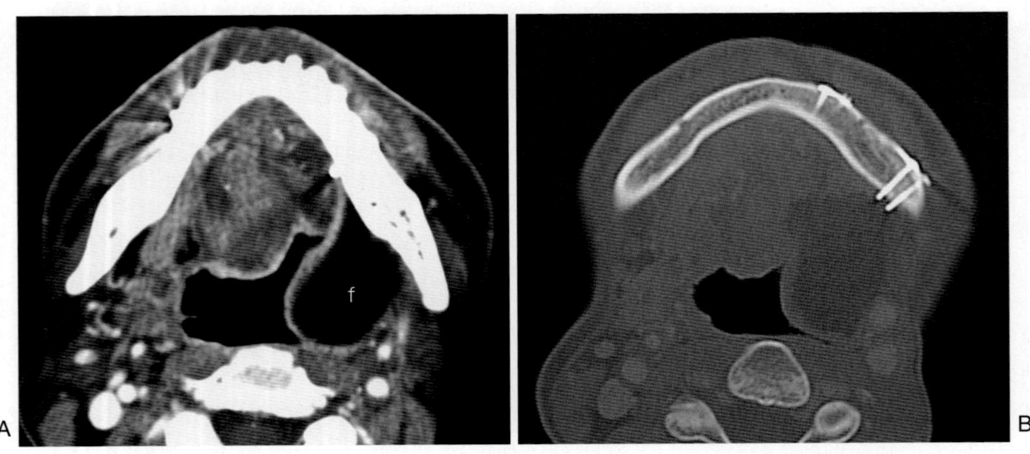

図79　下顎離断（および mandibular swing，paralingual incision）による扁桃癌切除後
中咽頭レベルの造影CT（A）では切除による中咽頭左側壁の組織欠損部に筋皮弁（f）が置かれている．同骨条件表示（B）で下顎骨左体部での離断および修復後の金属プレート・スクリューを認める．

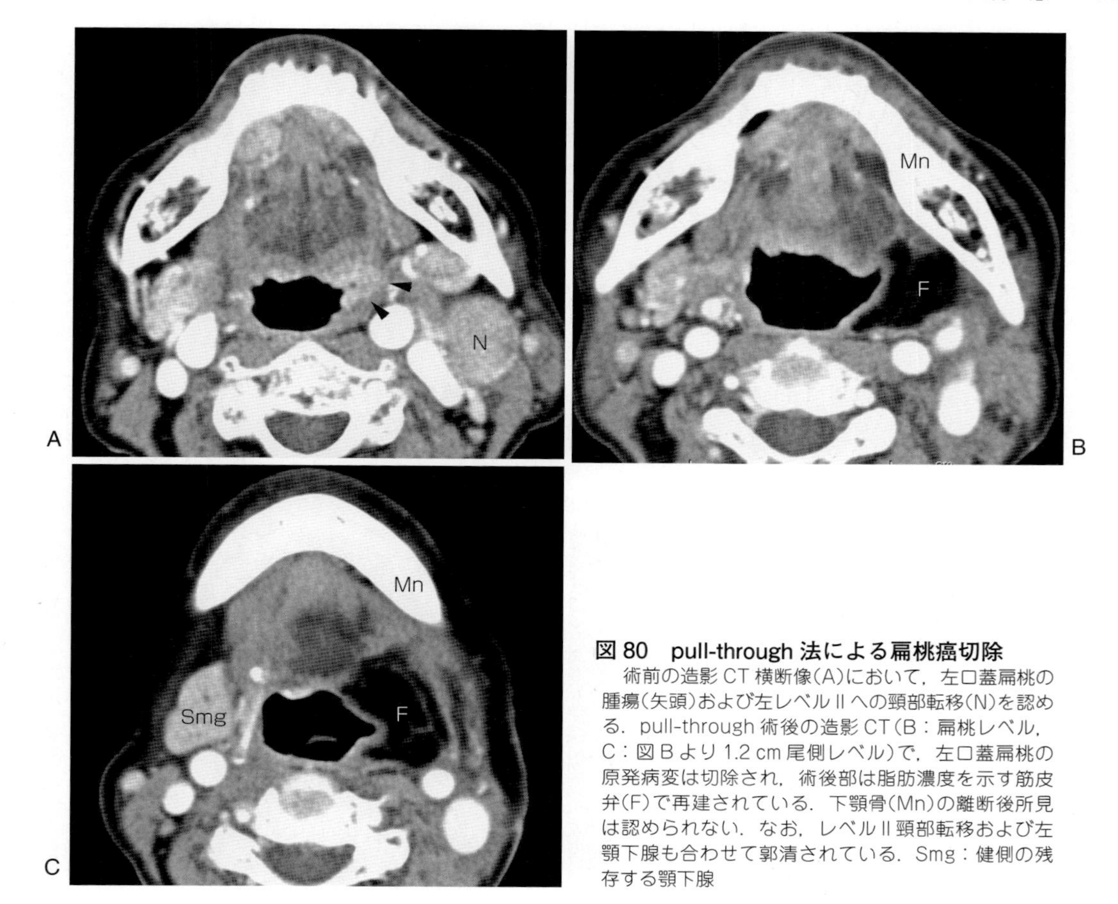

図 80 pull-through 法による扁桃癌切除
術前の造影 CT 横断像(A)において，左口蓋扁桃の腫瘍(矢頭)および左レベル II への頸部転移(N)を認める．pull-through 術後の造影 CT(B：扁桃レベル，C：図 B より 1.2 cm 尾側レベル)で，左口蓋扁桃の原発病変は切除され，術後部は脂肪濃度を示す筋皮弁(F)で再建されている．下顎骨(Mn)の離断後所見は認められない．なお，レベル II 頸部転移および左顎下腺も合わせて郭清されている．Smg：健側の残存する顎下腺

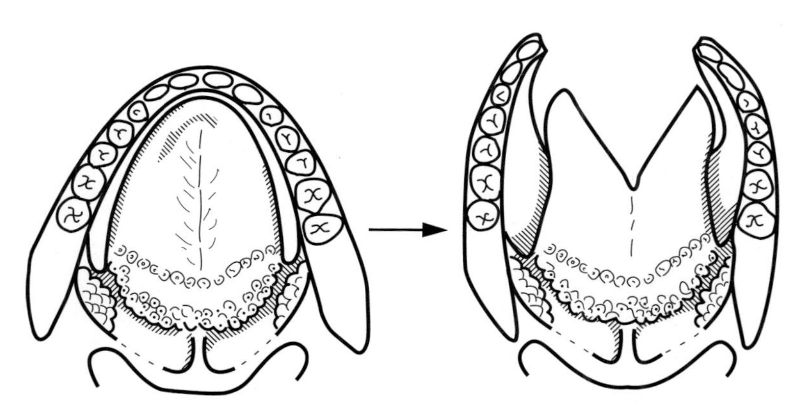

図 81 median labiomandibular glossotomy による舌根領域への外科的アプローチ

的解剖学的領域を慎重に評価する必要がある(図 94)．

PET-CT は治療後画像評価において有用であるが，適応や施行時期・間隔などに定まった考えはない．感度が高いとされる一方で CT や MRI と同様に治療終了後早期では偽陽性所見の問題が多く，治療終了後 3 ヵ月(最低でも 2 ヵ月)での施行が望ましい[115, 117]．この時点での PET が陰性を示

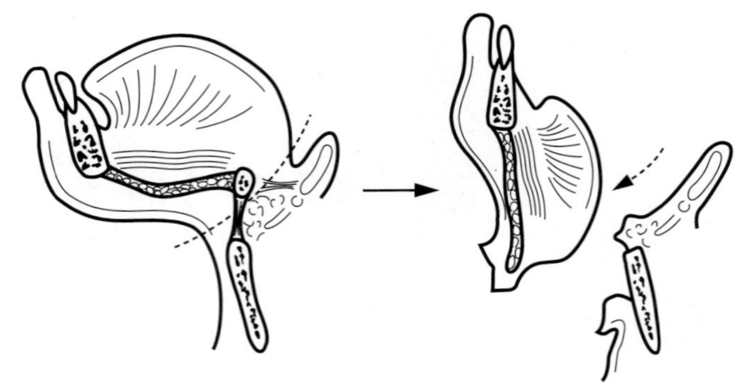

図82　transhyoid resectionによる舌根領域への外科的アプローチ
点線：切開線

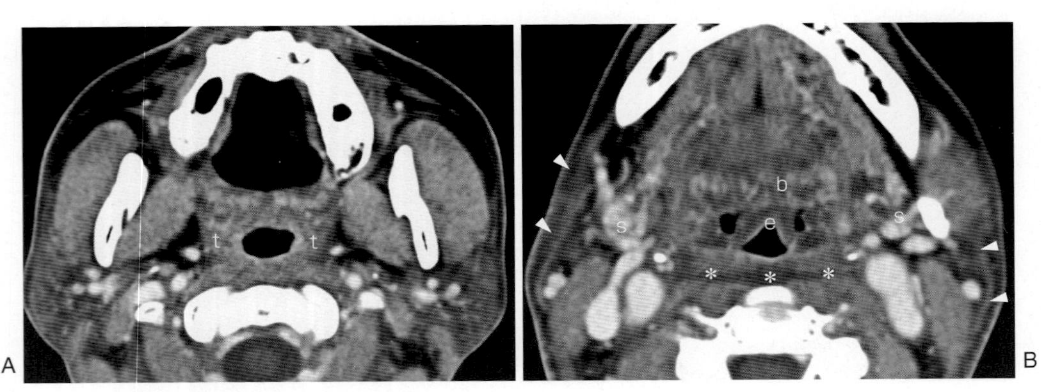

図83　放射線治療後のCT軟部組織変化
口蓋扁桃レベル(A)，舌根レベル(B)の造影CT横断像において，ほぼ対称性に軟部組織肥厚，組織層不明瞭化を認める．筋膜肥厚(Bで矢頭で示す)，咽頭後間隙の浮腫性肥厚(Bで∗で示す)を伴う．顎下腺(s)は増強効果亢進を示し，顎下腺炎を示唆する．b：舌根，e：舌骨上喉頭蓋，t：口蓋扁桃

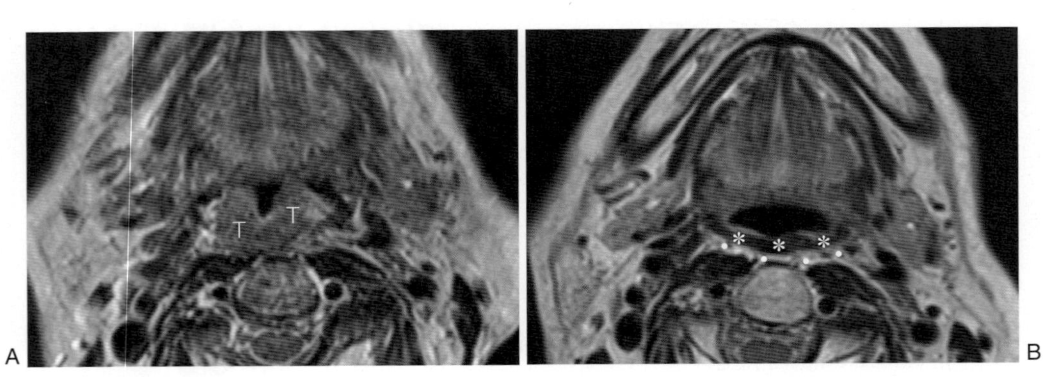

図84　咽頭後壁癌
治療前MRI T2強調像(A)において咽頭後壁のびまん性腫瘤(T)を認める．化学放射線治療施行10ヵ月後(B)に腫瘤は完全に消失しており，治療前(A)には明らかでなかった咽頭収縮筋に相当する低信号帯(∗)，咽頭後間隙を示す線状高信号(•)の正常解剖はともに同定可能となっている．

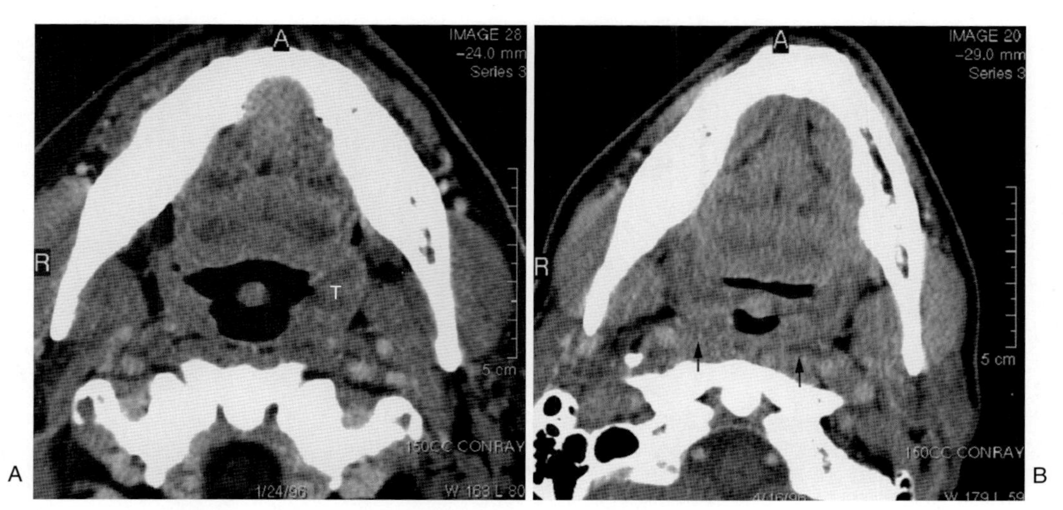

図 85　根治的放射線治療により局所制御の得られた左扁桃癌

A：放射線治療前造影 CT．左口蓋扁桃に腫瘤(T)を認め，扁桃癌に一致する．

B：治療終了 6 週間後造影 CT．扁桃の非対称性はみられず，治療前(A)と比較して咽頭後間隙の脂肪の混濁(矢印)を認めるのみである．その後，局所再発なし．

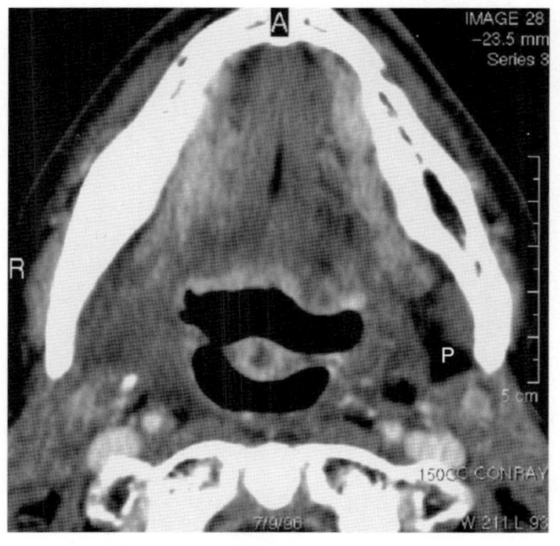

図 86　根治的放射線治療により局所制御の得られた右扁桃癌

放射線治療終了後 6 週間での造影 CT において右傍咽頭間隙の脂肪(対側で P で示す)の混濁が認められる．その後，局所再発なし．

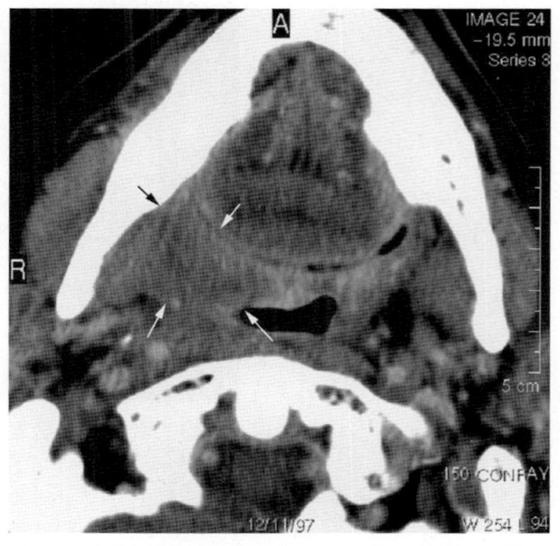

図 87　根治的放射線治療により局所制御の得られた右扁桃癌

放射線治療終了後 6 週間での造影 CT において右口蓋扁桃から前口蓋弓にかけて約 3×2.5 cm 大の軟部濃度腫瘤(矢印)の残存を認める．その後，局所再発なし．

す例では再発率は低く，予後良好とされる[115]．治療終了後 3 ヵ月時の PET と比較して，治療終了後より早期に撮影される傾向にある MRI 拡散強調像は，化学放射線治療後の中咽頭癌例での頸部リンパ節転移残存病変の評価において，PET と同等の感度，より高い特異度を示すとの報告もある[118]．

b. 悪性リンパ腫(malignant lymphoma)

悪性リンパ腫は頭蓋外頭頸部におけるリンパ増殖性疾患の中で最も多く[119]，頭頸部悪性腫瘍で扁平上皮癌に次いで 2 番目に多い．本邦では人口

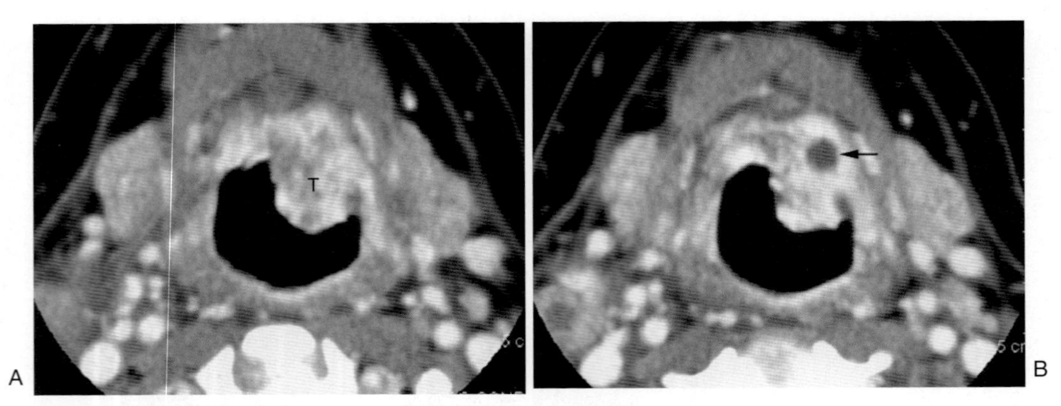

図88　根治的放射線治療により局所制御の得られた舌根癌

A：放射線治療前造影CT．舌根左側から咽頭腔に突出する腫瘤(T)を認める．

B：放射線治療終了6週間後造影CT．治療前とほぼ同じ大きさの腫瘤が残存している．内部に一部，低濃度部分(矢印)が出現している．その後，局所再発なし．

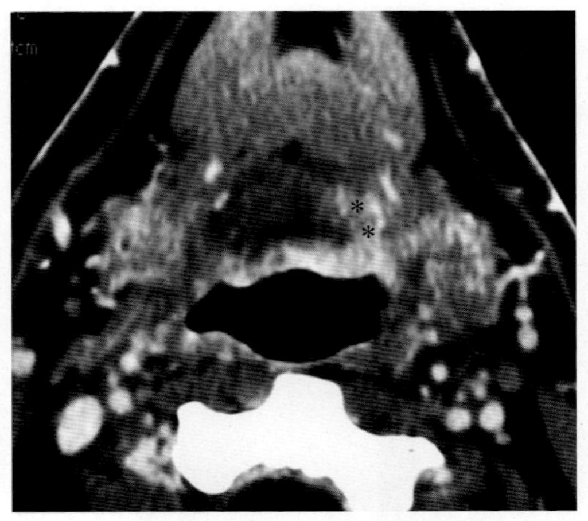

図89　舌根癌の放射線治療後の非制御例

造影CTにおいて，舌根左側に限局性の浸潤性軟部濃度(＊)の所見あり．3ヵ月後に局所再発を来した．

10万人あたり，1985年は5.5人，1995年は8.9人，2005年は13.3人，2011年は19.4人と増加傾向にあり，男女比は約3：2で男性に多く，70歳代が発症のピークとされる[120]．Hodgkinリンパ腫と非Hodgkinリンパ腫の2つに大きく分けられるが，本邦では非Hodgkinリンパ腫が約80～90％を占める[121]．この比率は米国とほぼ同程度である[119]．現在，最も広く用いられている組織型分類は2017年に発刊されたWorld Health Organization(WHO)分類(**表7**：p438)である[122]．

Hodgkinリンパ腫は98％がリンパ節病変を示し[119]，節外病変はまれである．複数箇所のリンパ節領域を侵す場合，90％で隣接する領域に分布している[119]．これはリンパ経路に沿って進展する単中心性病変であることを反映している．Hodgkinリンパ腫は組織学的診断も確立しており，規則に従った進展様式，放射線療法，化学療法ともに良好な反応と高い治癒率を示す独立した疾患概念を有する病態である[119]．Hodgkinリンパ腫の70％は頸部下部および鎖骨上リンパ節に

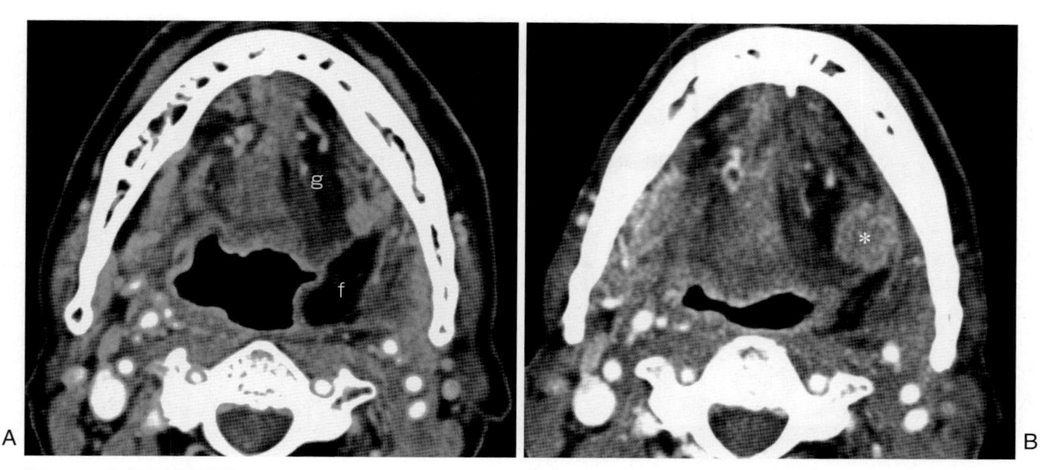

図 90　皮弁辺縁再発

A：術後 3 ヵ月の造影 CT．中咽頭左側壁切除後に筋皮弁(f)が置かれている．舌左側(g)は舌下神経麻痺による萎縮(脂肪浸潤による濃度低下)を示す．

B：術後 6 ヵ月の造影 CT．皮弁前縁に接する軟部濃度腫瘤(＊)の出現が見られ，局所再発・皮弁辺縁再発に一致する．

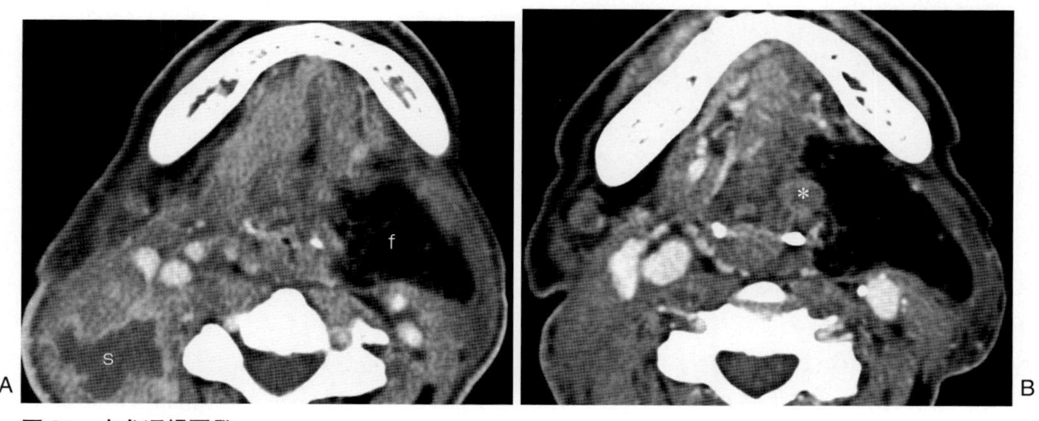

図 91　皮弁辺縁再発

A：術後 7 週の造影 CT．舌根左側から左外側口腔底切除後に筋皮弁(f)が置かれている．右側頸部では頸部郭清術後の液体貯留(s：seroma)を認める．

B：術後 4 ヵ月の造影 CT．皮弁内側縁に沿って結節(＊)の出現を認め，局所再発・皮弁辺縁再発を示す．

初発する[119]．

Waldeyer 輪病変やリンパ節外病変を示すものの大部分は非 Hodgkin リンパ腫である．男性にやや多く，Hodgkin リンパ腫と比較して高齢者に発症する傾向にある．また，多くの組織型を含むため，各々により臨床像が異なる．頭頸部は胃腸に次いで節外病変が最も多い領域のひとつである[123]．頭頸部節外病変として最も多い組織型はびまん性大細胞型である[82]．

臨床分類において，Working Formulation 分類(1982 年)では低悪性度(無治療での予後が年単位で進行)，中悪性度(月単位で進行)，高悪性度(週単位で進行)が区分され，米国の National Cancer Institute (1989 年)では疾患の悪性度，活動性，進行性を考慮して，indolent (低悪性度)，aggressive (中悪性度)，highly aggressive (高悪性度)の分類が提唱され，臨床試験で広く用いられてきた[124]．

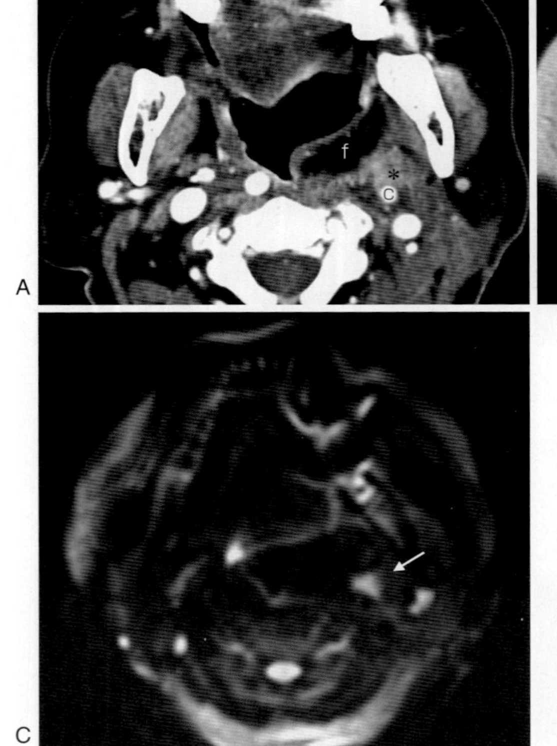

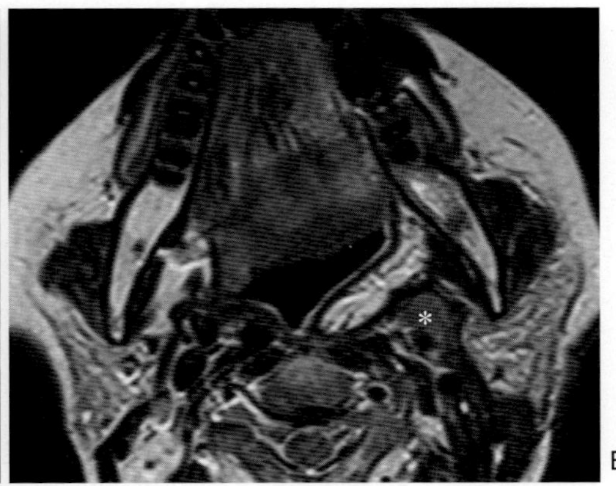

図92　皮弁辺縁再発

A：術後3ヵ月の造影CT．中咽頭左側壁から後壁左側切除後で同部に筋皮弁(f)が置かれている．皮弁後方に接して，中等度増強効果を示す不整形軟部濃度腫瘤(＊)を認める．皮弁辺縁再発，あるいは左内頸動脈(c)にも隣接しておりレベルⅡの頸部再発が考慮される．

B：MRI，T2強調横断像．病変(＊)は中等度からやや高信号強度を呈する．信号強度からは未熟な瘢痕組織(vascularized scar)との区別は困難．

C：拡散強調像．病変は高信号(矢印)を呈しており，再発腫瘍が示唆される．

病変の広がりによる正確な病期診断は治療選択，予後予測において極めて重要であり，CT・MRIやPETなどの画像診断の果たす役割は大きい．従来，Ann Arbor分類(表8：p440)[125)]が用いられてきたが，2014年にスイスのLuganoで開催された第11回国際悪性リンパ腫会議(International Conference on Malignant Lymphoma)において，普遍的かつ曖昧さのない病期分類作成を目的にAnn Arbor分類を修正したLugano分類(表9：p441)が作成された[126)]．Lugano分類ではPETによる所見が正式に組み込まれた．Hodgkin病と大部分のびまん性大細胞型B細胞リンパ腫の通常の病期診断から骨髄生検が除外され，Ann Arbor分類の症状によるA・B分類はHodgkinリンパ腫にのみ残された．また，Lugano分類ではWaldeyer輪病変をリンパ節病変として扱っている(後述)．

本邦での頭頸部における悪性リンパ腫の初発部位はWaldeyer輪が約60〜70%，頸部リンパ節が10〜15%，鼻副鼻腔などのリンパ節外病変が20%と報告されている[127)]．また，全悪性リンパ腫の中でWaldeyer輪原発は5〜10%に相当する[128)]．Waldeyer輪は咽頭扁桃(上咽頭アデノイド)，左右の口蓋扁桃，舌扁桃により咽頭に形成されるリンパ組織の輪で，生後数ヵ月より現れ，小児期に最も著明であるが，思春期を過ぎると退縮傾向を示す．Waldeyer輪原発悪性リンパ腫をリンパ節病変とするか節外病変とするかに関しては依然議論があり，既述のとおり，Lugano分類[126)]ではリンパ節性病変としているが，節外病変として扱った最近の記述[129, 130)]も多く，節外リンパ組織病変との概念にも妥当性がある．臨床的には，潰瘍形成を伴う粘膜下腫瘤を形成し扁平上皮癌に類似する[3)]．Waldeyer輪原発悪性リンパ腫の組織型としては大細胞型リンパ腫が最も多いが[131)]，地域により多少異なる．北米では76〜

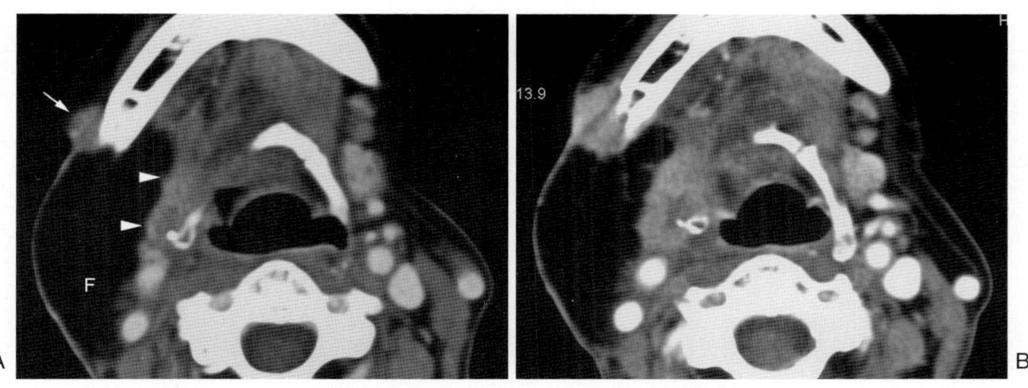

図 93　再建筋皮弁辺縁および切除縁に再発を生じた外科的治療後中咽頭癌症例

A：造影 CT．切除縁に一致した下顎骨右体部下縁に接した皮下に軟部濃度結節（矢印）を認める．さらに舌骨体部右前面に接した，再建筋皮弁（F）深部辺縁にも不整形の軟部濃度腫瘤（矢頭）あり．

B：図 A より 5 ヵ月後のほぼ同レベル造影 CT．両者ともに明らかな増大傾向を示し，局所再発性病変に一致する．

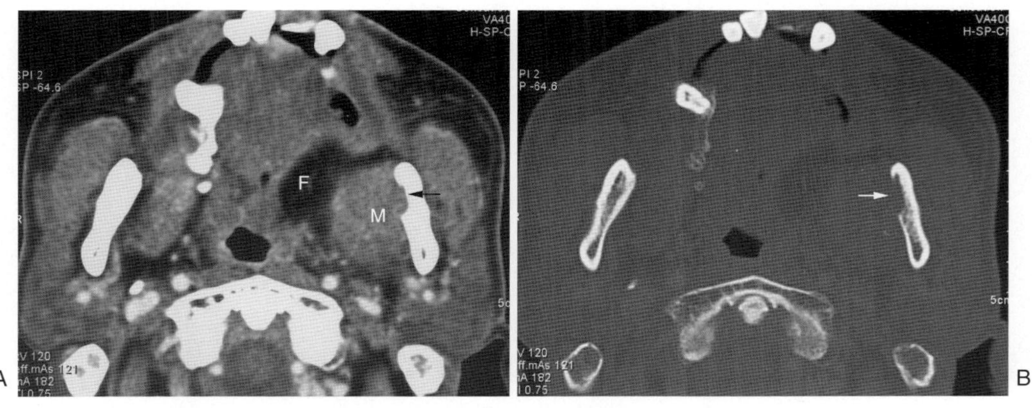

図 94　外科的治療後，進行性の開口障害を生じた中咽頭癌症例

A：造影 CT．再発病変の輪郭を明瞭に指摘することは困難であるが，左内側翼突筋の腫大（M）と接する下顎骨左上行枝内側前方に骨破壊（矢印）が認められ，局所再発を強く示唆する．F：咽頭左側壁切除後の再建筋皮弁

B：同レベル骨条件表示．顎骨の骨破壊（矢印）が明瞭に描出されている．

85％が中間あるいは高悪性度群で[132, 133]，本邦では低悪性度群は 4％とされる[134]．低悪性度群は MALT 組織より生じる[135]．Waldeyer 輪の中では扁桃が最も多く 40～79％，上咽頭がこれに続く[128]．扁桃由来病変は舌根や上咽頭由来の病変と比較して予後良好とされる[134, 136]．予後不良因子としては高齢者，高容積病変，進行病期などがあげられる[132, 134, 137]．組織型は低悪性度，中～高悪性度の 2 つの予後グループに分けられるが，その他，分子遺伝学的区別，臨床病期，全身状態など，個々の要素が関わる．aggressive リンパ腫には国際予後指標（IPI：International prognostic index），びまん性大細胞型 B 細胞リンパ腫には NCCN（National Comprehensive Cancer Network）-IPI が提唱され，進行期 Hodgkin リンパ腫には国際予後スコア（IPS：International prognostic score）が用いられる[42]．IPI では骨髄，中枢神経，肝・胃腸，肺などの特定の節外病変を予後不良として強調している（画像でのこれらの病変有無に関する評価は重要である）．CHOP 療法の時代，節外病変は予後不良とされていたが[138]，1990 年代後半にびまん性大細胞型 B 細胞リンパ腫に対して通常の CHOP あるいは CHOP 類似のレジメンに Rituximab が追加されて生存

表7　悪性リンパ腫組織型WHO分類(2017)

成熟B細胞腫瘍	慢性リンパ性白血病/小リンパ球性リンパ腫(chronic lymphocytic leukemia/small lymphocytic lymphoma) 単クローン性B細胞リンパ球増加症(monoclonal B-cell lymphocytosis) B細胞前リンパ球性白血病(B-cell prolymphocytic leukemia) 脾辺縁帯リンパ腫(splenic marginal zone lymphoma) 有毛細胞白血病(hairy cell leukemia) 脾B細胞リンパ腫/白血病・分類不能型(splenic B-cell lymphoma/leukemia, unclassifiable) 脾びまん性赤脾髄小型B細胞リンパ腫(splenic diffuse red pulp small B-cell lymphoma) 有毛細胞白血病・バリアント型(hairy cell leukemia-variant) リンパ形質細胞性リンパ腫(lymphoplasmacytic lymphoma) 意義不明の単クローン性ガンマグロブリン血症(MGUS)・IgM型(monoclonal gammopathy of undetermined significance, IgM) μ重鎖病(μ heavy chain disease) λ重鎖病(λ heavy chain disease) α重鎖病(α heavy chain disease) 形質細胞骨髄腫(plasma cell myeloma) 骨孤在性形質細胞腫(solitary plasmacytoma of bone) 骨外性形質細胞腫(extraosseous plasmacytoma) 単クローン性免疫グロブリン沈着病(monoclonal immunoglobulin deposition disease) 粘膜関連リンパ組織型節外性辺縁帯リンパ腫(MALTリンパ腫)(extranodal marginal zone lymphoma of mucosa-associated lymphoid tissue) 節性辺縁帯リンパ腫(nodal marginal zone lymphoma) 濾胞性リンパ腫(follicular lymphoma) 小児型濾胞性リンパ腫(pediatric type follicular lymphoma) *IRF4*再構成を伴う大細胞型B細胞リンパ腫(large B-cell lymphoma with *IRF4* regrrangement) 原発性皮膚濾胞中心リンパ腫(primary cutaneous follicle center lymphoma) マントル細胞リンパ腫(mantle cell lymphoma) びまん性大細胞型B細胞リンパ腫・非特定型(diffuse large B-cell lymphoma, NOS) T細胞/組織球豊富型大細胞型B細胞リンパ腫(T-cell/histiocyte-rich large B-cell lymphoma) 原発性中枢神経系びまん性大細胞型B細胞リンパ腫(primary DLBCL of the central nervous system) 原発性皮膚びまん性大細胞型B細胞リンパ腫・下肢型(primary cutaneous DLBCL, leg type) EBV陽性びまん性大細胞型B細胞リンパ腫・非特定型(EBV positive DLBCL, NOS) EBV陽性粘膜皮膚潰瘍(EBV positive mucocutaneous ulcer) 慢性炎症関連びまん性大細胞型B細胞リンパ腫(DLBCL associated with chronic inflammation) リンパ腫様肉芽腫症(lymphomatoid granulomatosis) 原発性縦隔(胸腺)大細胞型B細胞リンパ腫(primary mediastinal [thymic] large B-cell lymphoma) 血管内大細胞型B細胞リンパ腫(intravascular large B-cell lymphoma) ALK陽性大細胞型B細胞リンパ腫(ALK positive LBCL) 形質芽球性リンパ腫(plasmablastic lymphoma) 原発性体腔液リンパ腫(primary effusion lymphoma) HHV8陽性びまん性大細胞型B細胞リンパ腫・非特異型(HHV8 positive DLBCL, NOS) バーキットリンパ腫(Burkitt lymphoma) 11q異常を伴うバーキット様リンパ腫(Burkitt-like lymphoma with 11q aberration) *MYC*および*BCL2*と*BCL6*の両方か一方の再構成伴う高悪性度B細胞リンパ腫(high-grade B-cell lymphoma, with *MYC* and *BCL2* and/or *BCL6* rearrangement) 高悪性度B細胞リンパ腫・非特異型(high-grade B-cell lymphoma, NOS) びまん性大細胞型B細胞リンパ腫と古典的ホジキンリンパ腫の中間的特徴を伴うB細胞リンパ腫・分類不能型(B-cell lymphoma, unclassifiable, with features intermediate between DLBCL and classical Hodgkin lymphoma)
成熟T細胞およびNK細胞腫瘍	T細胞前リンパ球性白血病(T-cell prolymphocytic leukemia) T細胞大型顆粒リンパ球性白血病(T-cell large granular lymphocytic leukemia) 慢性NK細胞リンパ増殖異常症(chronic lymphoproliferative disorder of NK-cell) 急速進行性NK細胞白血病(aggressive NK-cell leukemia) 小児全身性EBV陽性T細胞リンパ腫(systemic EBV positive T-cell lymphoma of childhood) 種痘様水疱症様リンパ増殖異常症(hydroa vacciniforme-like lymphoproliferative disorder) 成人T細胞白血病/リンパ腫(adult T-cell leukemia/lymphoma) 節外性NK/T細胞リンパ腫・鼻型(extranodal NK/T-cell lymphoma, nasal type) 腸症関連T細胞リンパ腫(enteropathy-associated T-cell lymphoma) 単形性上皮向性腸管T細胞リンパ腫(monomorphic epitheliotropic intestinal T-cell lymphoma) 胃腸管緩徐進行性T細胞リンパ増殖異常症(indolent T-cell lymphoproliferative disorder of the GI tract) 肝脾T細胞リンパ腫(hepatosplenic T-cell lymphoma) 皮下脂肪組織炎様T細胞リンパ腫(subcutaneous panniculitis-like T-cell lymphoma) 菌状息肉腫(mycosis fundoides) セザリー症候群(Sezary syndrome) 原発性皮膚CD30陽性T細胞リンパ増殖異常症(primary cutaneous CD30 positive T-cell lymphoproliferative disorder) リンパ腫様丘疹症(lymphomatoid papulosis) 原発性皮膚未分化大細胞型リンパ腫(primary cutaneous anaplastic large cell lymphoma) 原発性皮膚γδT細胞リンパ腫(primary cutaneous gamma-delta T-cell lymphoma) 原発性皮膚CD8陽性急速進行性表皮向性細胞傷害性T細胞リンパ腫(primary cutaneous CD8 positive aggressive epidermotropic cytotoxic T-cell lymphoma) 原発性皮膚先端型CD8陽性T細胞リンパ腫(primary cutaneous acral CD8 positive T-cell lymphoma) 原発性皮膚CD4陽性小型/中型T細胞リンパ増殖異常症(primary cutaneous CD4 positive small/medium T-cell lymphoproliferative disorder) 末梢性T細胞リンパ腫・非特定型(peripheral T-cell lymphoma, NOS) 血管免疫芽球性T細胞リンパ腫(angioimmunoblastic T-cell lymphoma) 濾胞T細胞リンパ腫(follicular T-cell lymphoma) 濾胞ヘルパーT細胞形質を伴う節性末梢性T細胞リンパ腫(nodal peripheral T-cell lymphoma with TFH phenotype) 未分化大細胞リンパ腫・ALK陽性型(anaplastic large cell lymphoma, ALK positive) 未分化大細胞リンパ腫・ALK陰性型(anaplastic large cell lymphoma, ALK negative) 乳房インプラント関連未分化大細胞リンパ腫(breast implant-associated anaplastic large-cell lymphoma)

表 7　悪性リンパ腫組織型 WHO 分類(2017)(つづき)

ホジキンリンパ腫	結節性リンパ球優位型ホジキンリンパ腫(nodular lymphocyte predominant Hodgkin lymphoma)	
	古典的ホジキンリンパ腫 (classical Hodgkin lymphoma)	結節性硬化型(nodular sclerosis)
		混合細胞型(mixed cellularity)
		リンパ球豊富型(lymphocyte-rich)
		リンパ球減少型(lymphocyte depletion)

(Jsffe ES : Introduction and over view of the classification of lymphoid neoplasms. WHO classification of Tumours of Haematopoietic and Lymphoid Tissues. Swerdlow SH, et al (eds), IARC, Lyon, p 190-198, 2017)

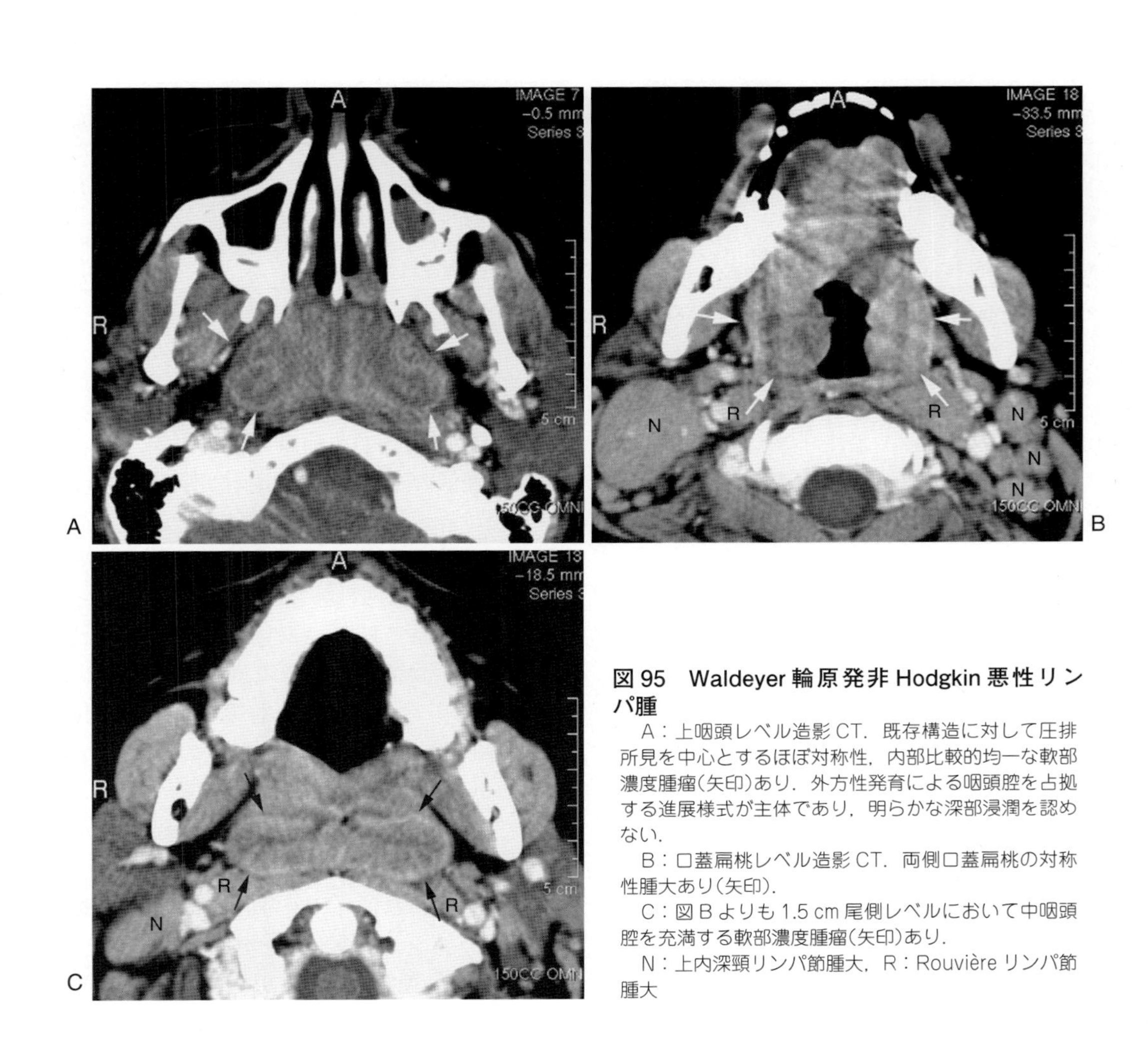

図 95　Waldeyer 輪原発非 Hodgkin 悪性リンパ腫

A：上咽頭レベル造影 CT．既存構造に対して圧排所見を中心とするほぼ対称性，内部比較的均一な軟部濃度腫瘤(矢印)あり．外方性発育による咽頭腔を占拠する進展様式が主体であり，明らかな深部浸潤を認めない．

B：口蓋扁桃レベル造影 CT．両側口蓋扁桃の対称性腫大あり(矢印)．

C：図 B よりも 1.5 cm 尾側レベルにおいて中咽頭腔を充満する軟部濃度腫瘤(矢印)あり．

N：上内深頸リンパ節腫大，R：Rouvière リンパ節腫大

率が大きく改善された[139, 140]．ただし，一般の節外病変のびまん性大細胞型 B 細胞リンパ腫症例はリンパ節病変のみの例と比較して疾患特異的生存率が高く予後良好との報告もある[130]．

CT，MRI において節外病変は内部均一な軟部濃度，中等度信号強度を呈する腫瘤として認められ，リンパ節病変も均一な内部性状を呈する(ただし，例外あり)，複数領域の両側性リンパ節腫大を呈するのが典型的である．短い病歴で，Waldeyer 輪の咽頭複数壁において，外方性発育を主体とし咽頭腔を占拠するように，周囲構造に対して(浸潤性よりも)圧排傾向を呈する，比較的大きく内部均一な腫瘤(図 95〜100)とともに，内部均一な(複数，両側性)頸部リンパ節腫大(図

表8　Ann Arbor 分類

病期	病変部位
I期	単独リンパ節領域の病変(I) またはリンパ節病変を欠く単独リンパ外臓器または部位の限局性病変(IE)
II期	横隔膜の同側にある2つ以上のリンパ節領域の病変(II) または所属リンパ節病変と関連している単独リンパ外臓器または部位の限局性病変で，横隔膜の同側にあるその他のリンパ節領域の病変の有無を問わない(IIE) 病変のある領域数は下付きで表してもよい(例：II_3)
III期	横隔膜の両側にあるリンパ節領域の病変(III) 隣接するリンパ節病変と関連するリンパ外進展(IIIE)，または脾臓病変(IIIS)，あるいはその両者(IIIES)を伴ってもよい
IV期	1つ以上のリンパ外臓器のびまん性または播種性病変で，関連するリンパ節病変の有無を問わない． または隣接する所属リンパ節病変を欠く孤立したリンパ外臓器であるが，離れた部位の病変を併せもつ場合．

AおよびB分類
各病期は以下のように定義される全身症状の有無に従って，AまたはBのいずれかに分類される．
1）発熱：38℃より高い理由不明の発熱
2）寝汗：寝具(マットレス以外はかけ布団，シーツなどを含む，寝間着は含まない)を変えなければならない程の汗
3）体重減少：診断前の6ヵ月以内に通常大衆の10％を超える原因不明の体重減少

(Carbone PP, Kaplan HS, Musshoff K et al：Cancer Res **31**：1860-1861, 1971)

95，101)を認める場合，悪性リンパ腫の診断が示唆される[141]．ただし，浸潤性変化を確認する場合もまれではない(図102，103)．この場合，画像所見による扁平上皮癌との鑑別は困難である．Waldeyer輪原発悪性リンパ腫では高頻度にRouvièreリンパ節腫大を認める(図95，99)．画像上は分化度の低い扁平上皮癌が鑑別疾患となるが，一般に扁平上皮癌のほうが周囲への浸潤傾向が強い．高悪性度群，AIDS合併例，重複感染例などでは，ときにリンパ節病変内部の不均一性を認め(図97A，101，103)，比較的分化度の高い扁平上皮癌の転移，化膿性リンパ節炎などとの鑑別が画像上問題となる場合がある．眼窩，鼻副鼻腔，唾液腺などの節外病変に関しては，それぞれ該当の章，リンパ節病変については10章「頸部リンパ節」の記載を参照されたい．なおLugano分類に組み入れられたPETを行うことにより，10～30％の症例で病期の変更が生じ，多くがより進行病期に修正される[126]．実際の治療選択や最終的な予後に大きく影響する場合は少ないが，より正確な病期診断は過小治療，過大治療を受ける患者を少しでも減らすことにつながり，特に放射線治療前の病期診断では重要である．なお，びまん性大細胞型B細胞リンパ腫の骨髄浸潤に対するPETの感度は骨髄生検よりも高いが，それでも低容積浸潤の10～20％で指摘は困難である[126]．

治療は経過観察から放射線治療，高濃度化学療法まで幅広いが[137]，外科医，病理医，放射線治療医，血液腫瘍内科医などが密に連携をとって行うことが重要である．節外病変の最も多い治療上のミスは生検標本の解釈の誤りに起因する[119]．Hodgkinリンパ腫では放射線療法単独，化学療法単独あるいは両者併用療法により治療される．非Hodgkinリンパ腫は幅広い組織型を有するため，各症例ごとに治療法を検討，決定する必要がある．詳細は成書を参照されたい．

治療効果判定は「NHL効果判定基準の標準化国際ワークショップ(1999年)」が広く用いられている[142]．通常はCTが用いられるがPETの有用性を考慮した「改訂版NHLの効果判定基準の標準化国際ワークショップレポート(2007年)」(表10：p446)が公表された[143]．本来臨床試験の評価の国際的統一を目的としていたが，予後との相関が高いこともあり[144]，日常臨床での効果判定にも有用性がある[124]．

治療後，Hodgkinリンパ腫，非Hodgkinリンパ腫ともに最初の3年間は慎重な経過観察を行う必要がある．これは再発例の約80％が最初の3

表 9　Lugano 分類(2014)；リンパ節を原発とする悪性リンパ腫のための改訂病期分類

病期		病変部位	節外病変(E)の状態
限局期	I 期	1 つのリンパ節病変 または隣接するリンパ節病変の集合	リンパ節病変を伴わない単独のリンパ外臓器の病変
	II 期	横隔膜同側にある 2 つ以上のリンパ節病変の集合	リンパ節病変の進展による，限局性かつリンパ節病変と連続性のある節外臓器病変を伴う I または II 期
	II 期 bulky ＊	bulky 病変を伴う II 期	該当なし
進行期	III 期	横隔膜の両側にある複数リンパ節病変または脾臓病変を伴う横隔膜の上側の複数リンパ節病変	該当なし
	IV 期	リンパ節病変に加えてそれとは非連続性のリンパ外臓器の病変	該当なし

病変進展は，集積を示す悪性リンパ腫では PET，集積を示さないリンパ節では CT で決定する．扁桃，Waldeyer 輪，脾臓はリンパ節病変とみなす．

＊ bulky 病変を伴う II 期を限局期または進行期のいずれで扱うかは，組織型や予後因子の数による決定も可能．bulky 病変の定義は組織型により異なるため，"X" 表記はせず最長径を記録する．

Ann Arbor 分類の A および B 分類(症状)は，Lugano 分類(2014)からは削除されている．Hodgkin リンパ腫のみで付加する．

(Cheson BD, Fisher RI, Barrington SF et al : J Clin Oncol **32** : 3059-3067, 2014)

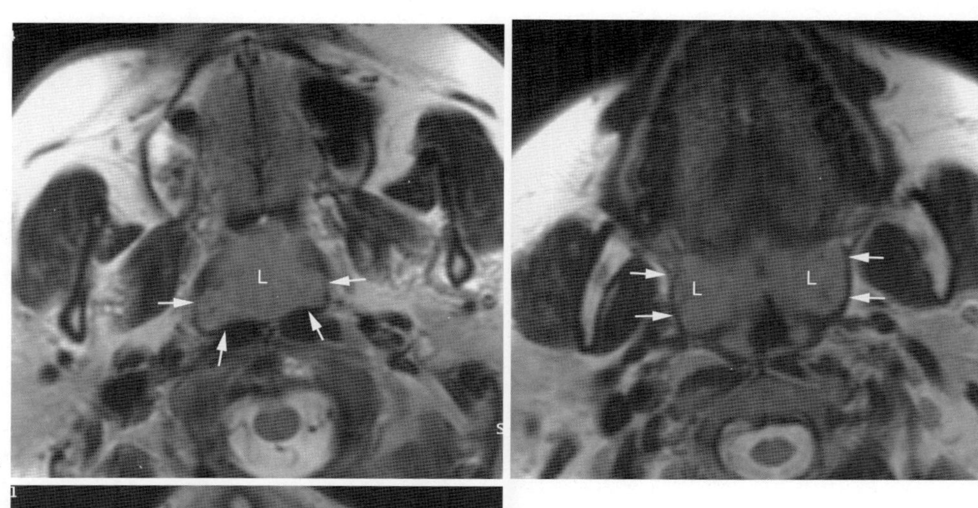

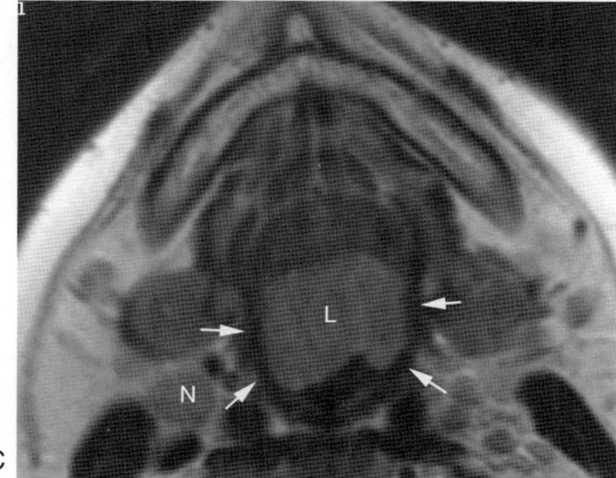

図 96　Waldeyer 輪原発非 Hodgkin 悪性リンパ腫

A：上咽頭レベル MRI T2 強調横断像．
B：口蓋扁桃レベル MRI T2 強調横断像．
C：舌根レベル MRI T2 強調横断像．

内部均一な，骨格筋と比較して高信号を示す腫瘍(L)を，上咽頭，両側口蓋扁桃，舌根部に連続性に認める．低信号帯として描出される，咽頭粘膜を裏打ちする咽頭収縮筋(矢印)を越えた深部浸潤は認められず，外方性発育を主体とする．

N：リンパ節

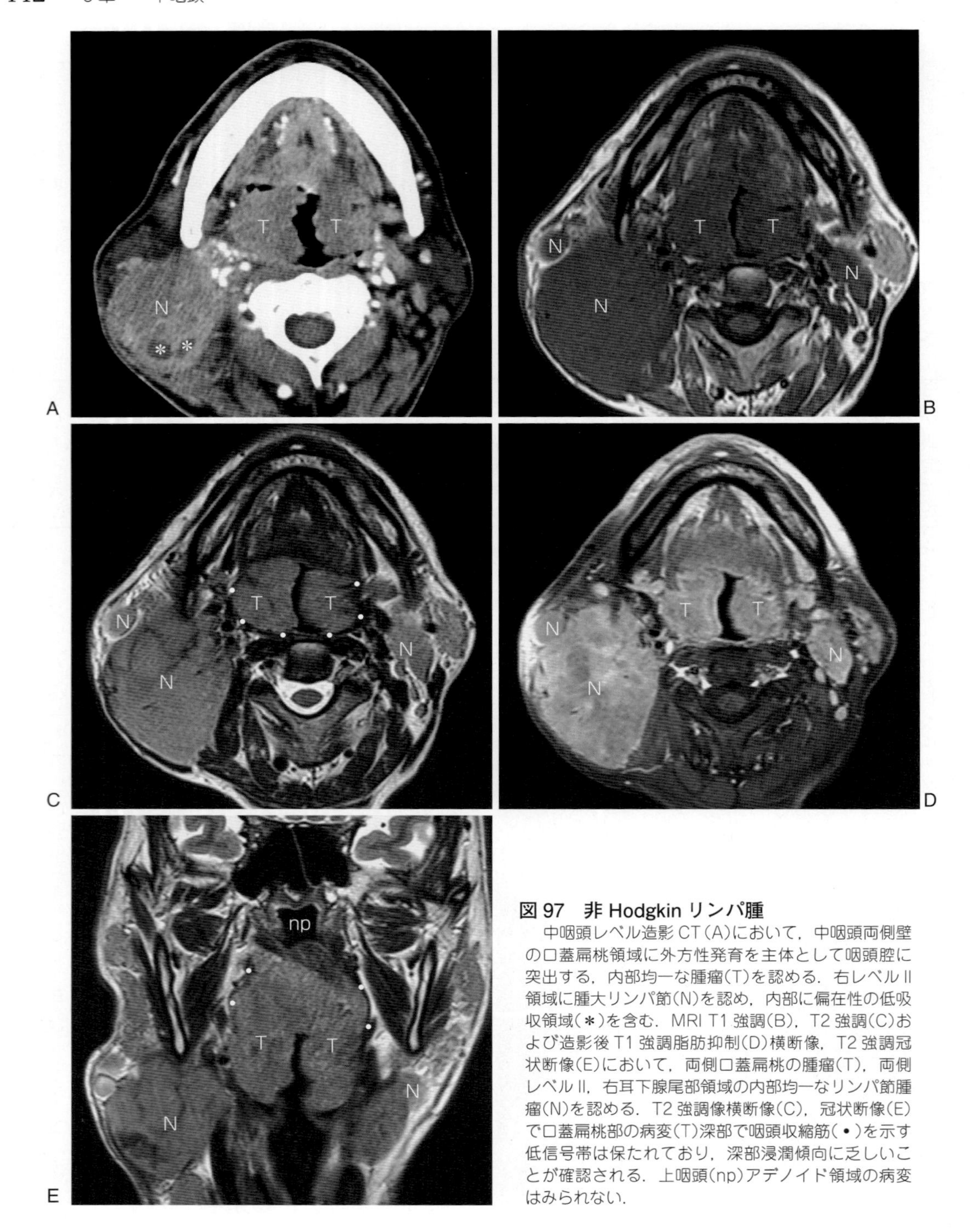

図97　非Hodgkinリンパ腫

中咽頭レベル造影CT(A)において，中咽頭両側壁の口蓋扁桃領域に外方性発育を主体として咽頭腔に突出する，内部均一な腫瘤(T)を認める．右レベルII領域に腫大リンパ節(N)を認め，内部に偏在性の低吸収領域(＊)を含む．MRI T1強調(B)，T2強調(C)および造影後T1強調脂肪抑制(D)横断像，T2強調冠状断像(E)において，両側口蓋扁桃の腫瘤(T)，両側レベルII，右耳下腺尾部領域の内部均一なリンパ節腫瘤(N)を認める．T2強調像横断像(C)，冠状断像(E)で口蓋扁桃部の病変(T)深部で咽頭収縮筋(•)を示す低信号帯は保たれており，深部浸潤傾向に乏しいことが確認される．上咽頭(np)アデノイド領域の病変はみられない．

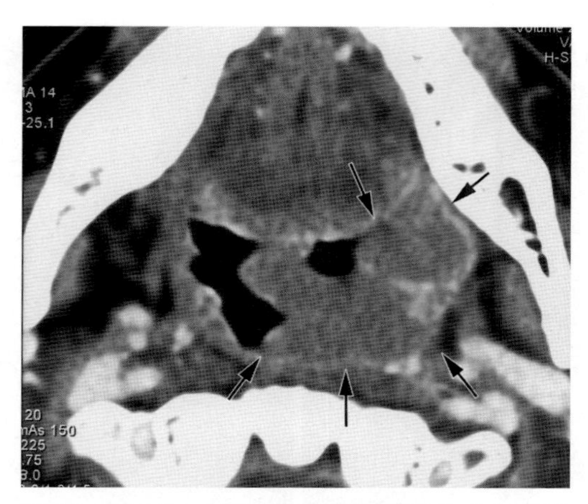

図 98　Waldeyer 輪，左口蓋扁桃を中心とする非 Hodgkin 悪性リンパ腫

造影 CT において左口蓋扁桃を中心として内部均一な軟部濃度を呈する腫瘤(矢印)を認める．病変は偏在性であるが，図 95，図 96 と同様，深部浸潤性は乏しく，咽頭腔に突出する外方性発育を示している．

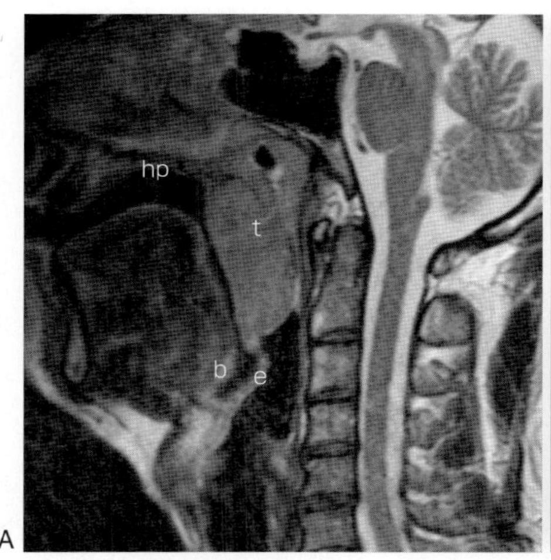

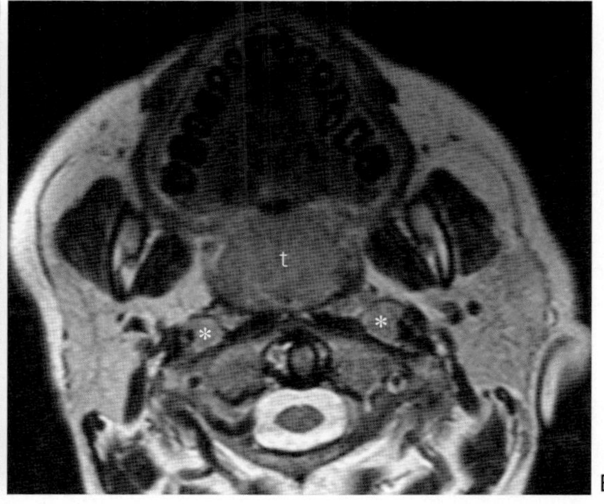

図 99　軟口蓋原発の悪性リンパ腫

T2 強調矢状断像において軟口蓋を中心とする腫瘤(t)を認める．舌根(b)の舌扁桃病変は認められない．e：喉頭蓋，hp：硬口蓋．同横断像(B)で腫瘤(t)は周囲に対して圧排性，膨隆性を示す．両側 Rouvière リンパ節(＊)病変を伴う．

年以内に生じるためであるが，最大 12 年後まで再発の可能性があるとされる[119]．経過観察の頻度，期間に関して明確なエビデンスはなく，悪性度などにより異なるが，CR(完全寛解)の得られた症例では治療後 2 年間は 2〜3 ヵ月ごと，その後 3 年間は 3〜6 ヵ月ごとの追跡が推奨されている[124]．非 Hodgkin リンパ腫の再発・非制御例の大部分は放射線照射野外のリンパ節あるいはリンパ組織からである[137, 145, 146]．そのため，放射線治療の場合，照射野の設定が非常に重要な因子となる．悪性リンパ腫再発例の約 80％は症状出現により診断[147, 148]され，経過観察 CT で症状出現前の再発病変早期発見が予後改善につながるかは明確ではない[149]．また，定期的経過観察における PET の有用性のエビデンスもないため[150〜152]，画像による経過観察は患者利益，医療経済的側面

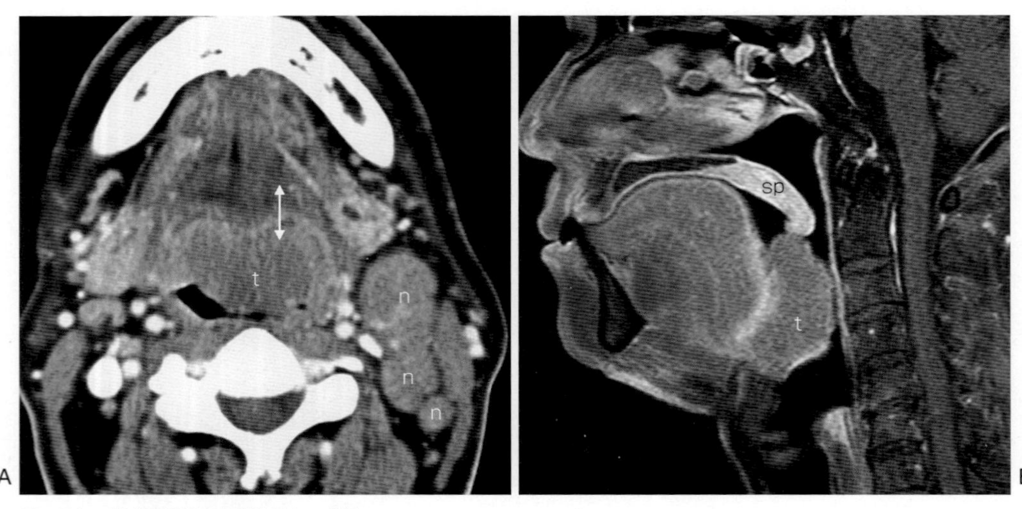

図 100　舌根原発の悪性リンパ腫

造影 CT 横断像(A)において，舌根に軟部組織腫瘤(t)を認めるが，舌根の組織層(図 58 参照)は保たれており(両向き矢印)，深部浸潤性には乏しい．左レベルⅡ領域に複数の均一な内部濃度のリンパ節病変(n)を認める．同症例の MRI，造影後 T1 強調矢状断像(B)においても病変(t)の外方性発育傾向が明瞭に確認される．sp：軟口蓋

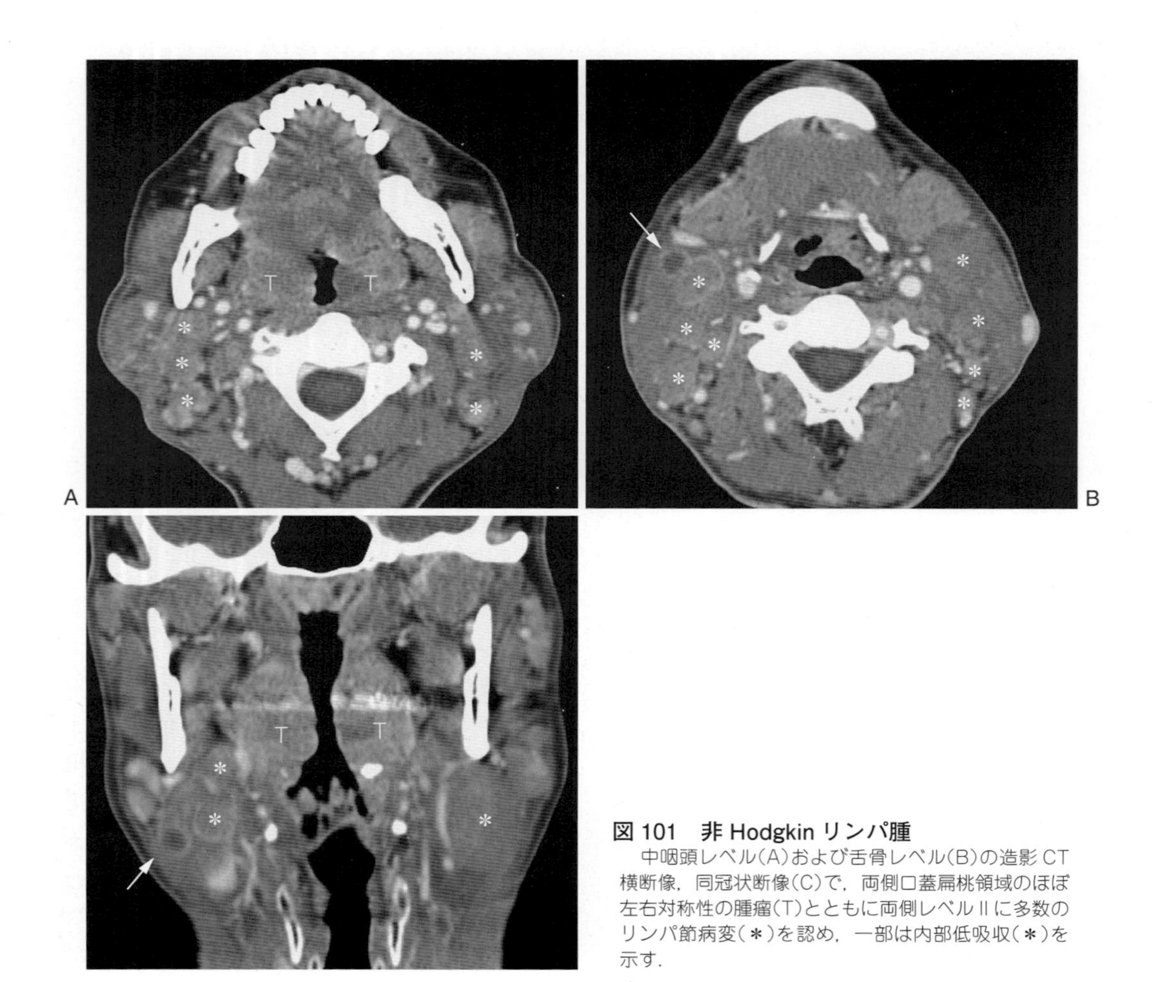

図 101　非 Hodgkin リンパ腫

中咽頭レベル(A)および舌骨レベル(B)の造影 CT 横断像，同冠状断像(C)で，両側口蓋扁桃領域のほぼ左右対称性の腫瘤(T)とともに両側レベルⅡに多数のリンパ節病変(＊)を認め，一部は内部低吸収(＊)を示す．

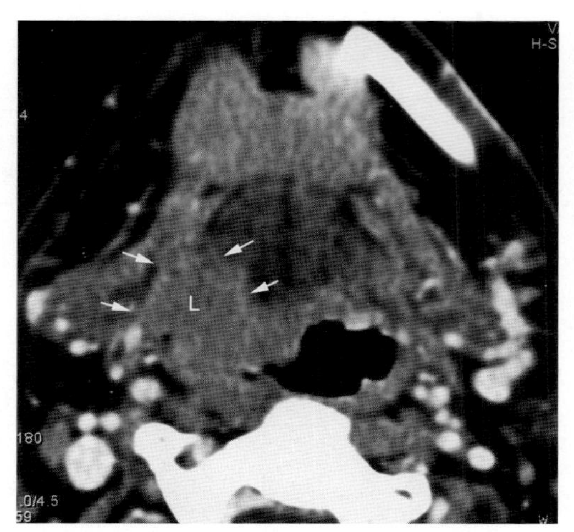

図 102　舌根部非 Hodgkin 悪性リンパ腫

造影 CT において舌根部右側を中心として舌根から口腔底後方に浸潤(矢印)を示す腫瘍(L)を認める．CT 上，舌根癌との区別は困難と考えられる．

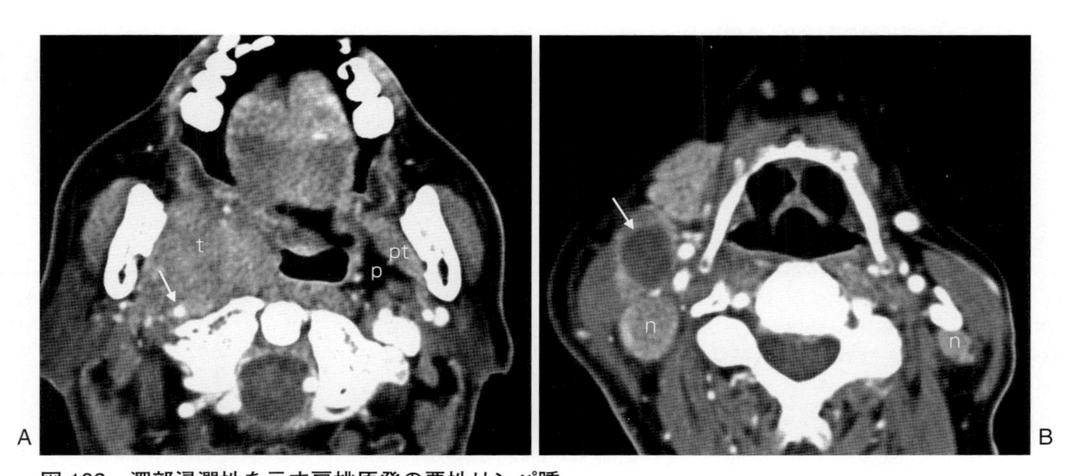

図 103　深部浸潤性を示す扁桃原発の悪性リンパ腫

造影 CT 横断像(A)において，右口蓋扁桃を中心とする腫瘤(t)を認め，側方では傍咽頭間隙の脂肪(対側で p で示す)は消失しており，同間隙への浸潤を示す．恐らくはさらに翼突筋(対側で pt で示す)にも浸潤，咀嚼筋間隙・側頭下窩への進展を伴う．後側方では頸動脈(矢印)を囲む．舌骨下頸部レベル(B)で，右レベルⅢに囊胞性を示すリンパ節病変(矢印)を認める．その他，両側に内部ほぼ均一なリンパ節病変(n)も認められる．

も考慮して判断すべきである．

c. 小唾液腺腫瘍(minor salivary gland tumor)

13 章「唾液腺」にて詳述するが，中咽頭にも多数の小唾液腺が分布しており，これらから各組織型の唾液腺腫瘍が生じる．小唾液腺腫瘍は唾液腺腫瘍全体の 15%を占め，口蓋では同部に原発する腫瘍の 42%を占める[153]．唾液腺癌は頭頸部全悪性腫瘍の約 3%に相当するが，小唾液腺癌は唾液腺癌全体の 15～20%を占める[154, 155]．

組織型としては多形腺腫(図 104，105)が最も多いが，悪性腫瘍では腺様囊胞癌(10～64％)(図 106～108)，粘表皮癌(21～52％)(図 109～111)が多い[155, 156]．良性腫瘍(70～80％)の多い大唾液

表10　改訂版NHLの効果判定基準(2007年)

【CTのみ，PETは考慮しない場合】

総合効果	標的病変の正常化ならびにSPD		非標的病変		肝腫大 脾腫 腎腫大	腫瘍関連症状と腫瘍関連検査値異常	骨髄浸潤	新病変
	節性	節外性	節性	節外性				
CR	正常	消失	正常	消失	消失	正常	—	—
CRu	正常	消失	正常	消失	消失	正常	不確定	—
	75%以上縮小		正常	消失	消失	正常	—or 不確定	—
PR	75%以上縮小		正常	消失	消失	正常	+	—
	50%以上縮小		正常 or 非増大	消失 or 非増大	消失 or 非増大	正常	問わない (未検可)	—
SD	50%未満の縮小～ 50%未満の増大		正常 or 非増大	消失 or 非増大	消失 or 非増大	正常 or 非増悪	問わない (未検可)	—
PD	50%以上増大	50%以上増大	増大	増大	増大	増悪	陰性化後の陽性	+
RD		再腫大	再腫大	再出現	再出現	再出現		

【PET所見を考慮した場合】

総合評価	標準病変のSPD		非標的病変		骨髄浸潤	PET	新病変
	節性	節外性	節性	節外性			
CR	SPDの変化は問わない(未検は不可)				陰性	陰性	—
PR	SPDの変化は問わない(未検は不可)				陽性	陰性	—
	50%以上縮小		正常 or 非増大	消失 or 非増大	問わない (未検可)	陽性	—
SD	50%未満の縮小～ 50%未満の増大		正常 or 非増大	消失 or 非増大	問わない (未検可)	陽性	—
PD	50%以上増大		増大	増大	陽性化	陽性	+
RD	再腫大	再出現	再腫大	再出現			

SPD：sum of the products of the greatest diameter，CR：complete response，CRu：complete response/unconfirmed，PR：partial response，SD：stable disease，PD：progressive disease，RD：relapsed disease
(Cheson BD, Pfistner B, Juweid ME et al : J Clin Oncol **25** : 579-586, 2007)

腺とは異なり，小唾液腺腫瘍の40～80%が悪性とされる[154, 157]．ただし，唾液腺腫瘍の組織診断については病理医の判断が一定せず，多数回に及ぶ診断基準の改訂などもあり最大29%で異なる病理診断が下されるとされる[155, 158]．

中咽頭の発生部位としては舌根(39.2～61%)，軟口蓋(30～38.6%)が多く，(扁平上皮癌では最も多い)口蓋扁桃(9～16.3%)は少ない[155, 157]．性差はなく，年齢に幅があるが40歳代に多い[159]．症状は発生部位，病変の大きさにより嚥下困難，談話困難などを生じる[160]．一般に症状は乏しい場合が多く，粘膜下の局在と進展様式，潰瘍や出血などの所見に乏しく，臨床医も不慣れであることなどから病変の同定は難しい場合が多い[155, 161]．

悪性の場合，病期分類は扁平上皮癌と同じAJCC第8版のTNM分類[20]が適用され，T因子，N因子ともに独立した予後因子である[155, 157]．このため画像診断での病変進展の把握による正確な病期診断は予後推測，治療選択の点から重要である．約半数で遠隔転移を認め，最も多いのは肺転移である[157]．臨床病期とともに切除縁の状態(close margin，microscopic/gross positive marginは予後不良)，病変の局在・亜部位(舌根は不良)，組織悪性度，年齢も予後因子として報告されている[155, 157, 161]．5年疾患特異的生存率は舌根病変が68%に対して軟口蓋病変は89%[155]，全生存率は舌根病変が他亜部位病変の6分の1と

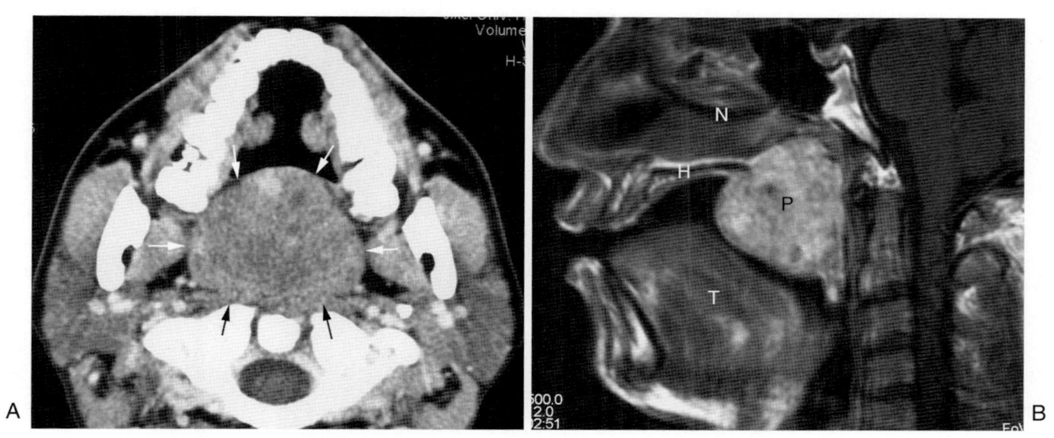

図 104　軟口蓋発生の多形腺腫

A：造影 CT．中咽頭内腔を充満する軟部濃度腫瘤（矢印）あり．

B：造影 MRI T1 強調矢状断像．軟口蓋を中心に内部不均一な増強効果を示す腫瘤（P）を認める．H：硬口蓋，N：鼻腔，T：舌

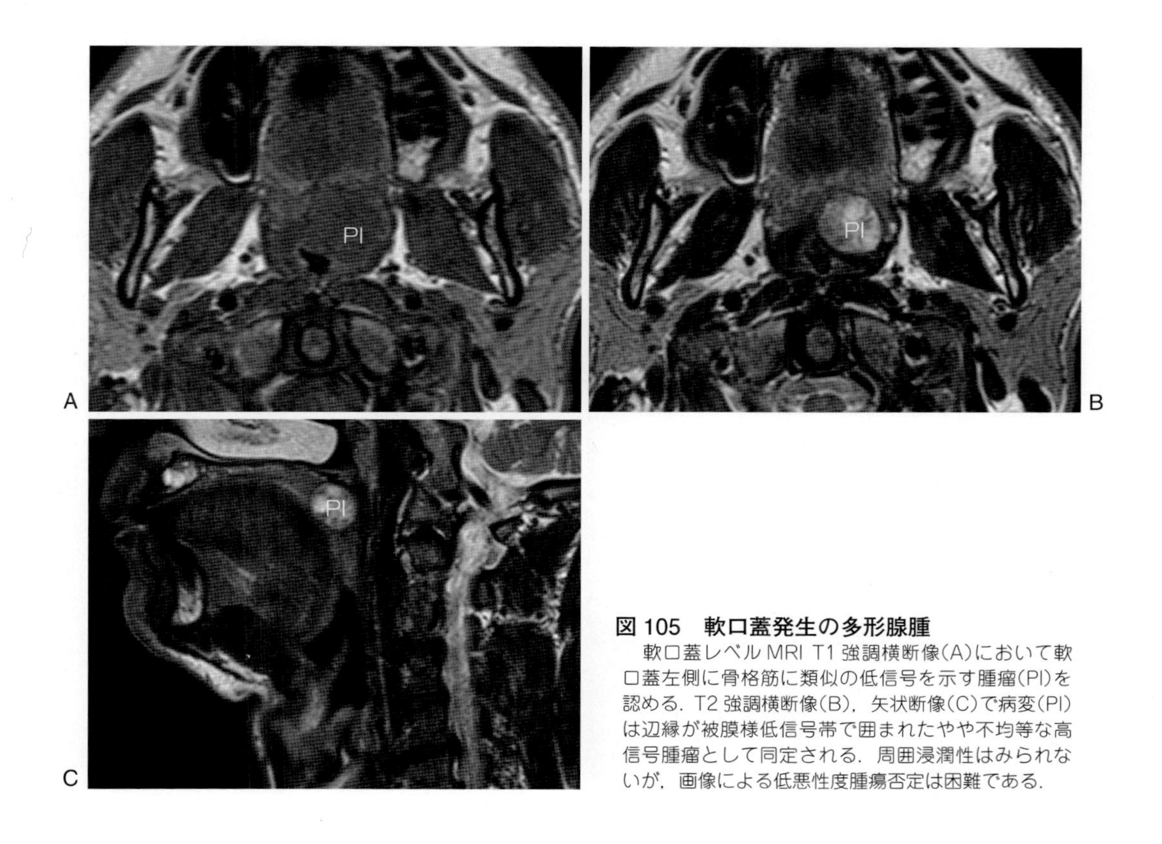

図 105　軟口蓋発生の多形腺腫

軟口蓋レベル MRI T1 強調横断像（A）において軟口蓋左側に骨格筋に類似の低信号を示す腫瘤（PI）を認める．T2 強調横断像（B），矢状断像（C）で病変（PI）は辺縁が被膜様低信号帯で囲まれたやや不均等な高信号腫瘤として同定される．周囲浸潤性はみられないが，画像による低悪性度腫瘍否定は困難である．

される[157]．70 歳以上の高齢は予後不良因子[155]とされるが，年齢と生存率は相関しない[162]など，年齢については多少議論がある．また腫瘍の悪性度も病理医間で判断基準の一貫性に乏しく注意を要する[155]．

画像所見は非特異的であり，良性腫瘍（図 104，105）および低悪性度腫瘍（図 108，110）では辺縁平滑，境界明瞭な腫瘤，高悪性度腫瘍（図 106）で

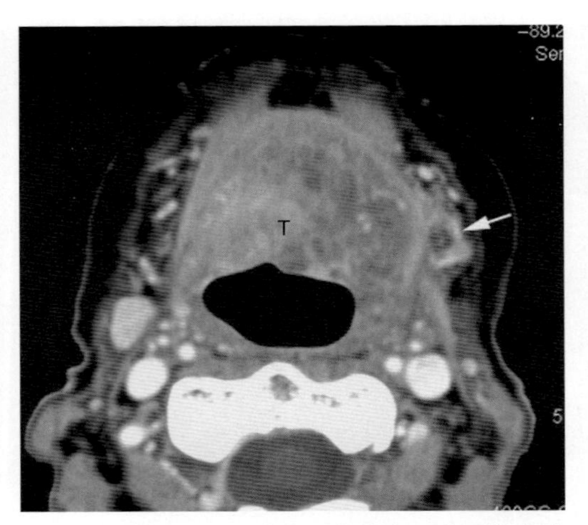

図 106　舌根から口腔底に進展する高悪性度腺様嚢胞癌

造影 CT において舌根から口腔底に浸潤性に進展する腫瘍(T)を認める．左顎下リンパ節転移(矢印)あり．

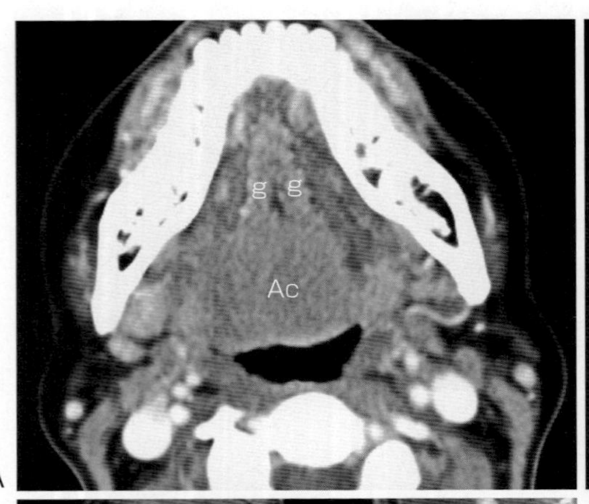

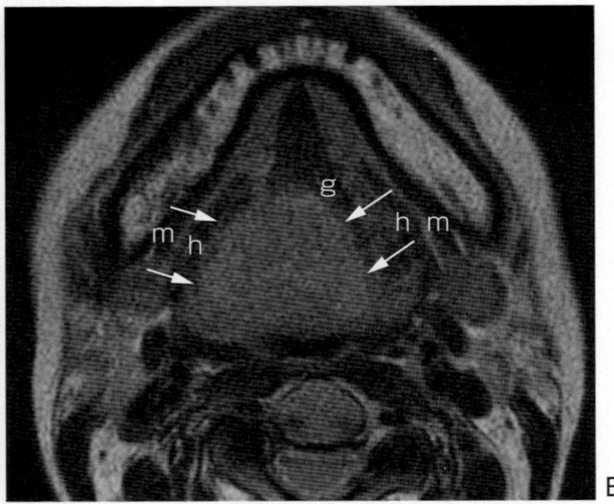

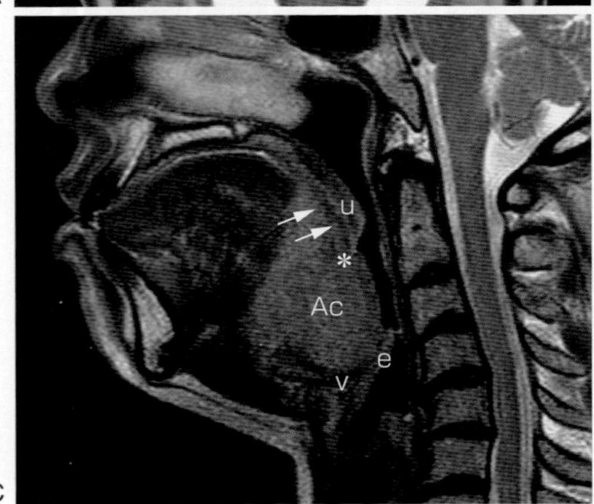

図 107　舌根発生の腺様嚢胞癌

舌根レベル造影 CT(A)において舌根から前方の舌・口腔底基質への浸潤を伴う軟部濃度腫瘤(Ac)を認める．左右オトガイ舌筋(g)前方は正常に描出されるが，CT のコントラスト分解能では病変部で周囲の筋との関係は明らかでない．MRI T2 強調横断像(B)で腫瘤の内部はほぼ均一な中等度からやや高信号強度を呈する．右側方は舌骨舌筋(h)，左側方はオトガイ舌筋(g)を圧排偏位している(矢印)．m：顎舌骨筋．同矢状断像(C)において舌根の腫瘍(Ac)は頭側前方では口蓋垂(u)下端レベルに相当する舌背部と舌根との境界(＊)を越えて舌背部への進展(矢印)を示す．尾側は喉頭蓋谷(v)直上にとどまり声門上喉頭への進展はみられない．e：喉頭蓋

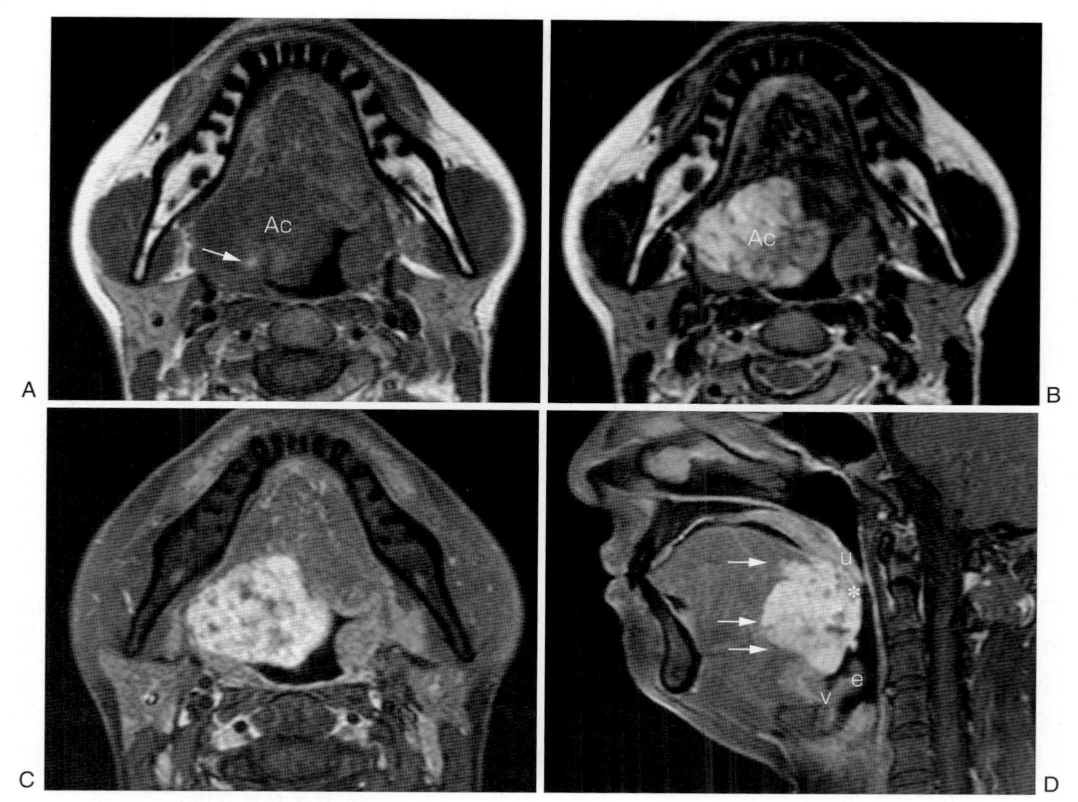

図 108　舌根発生の腺様嚢胞癌

舌根レベル MRI T1 強調(A)および T2 強調(B)横断像において，舌根右側に腫瘤(Ac)を認める．T1 強調像(A)では概ね骨格筋に類似の低信号強度であり，輪郭は明瞭ではない．内部に出血あるいは高タンパク内容の嚢胞部に相当すると思われる淡い高信号領域がみられる．T2 強調像(B)では圧排性辺縁であり境界は比較的明瞭に認められる．内部は不均等な高信号強度を示す．造影後 T1 強調脂肪抑制画像(C)で腫瘍は不均等な増強効果を示す．分葉状辺縁も含めて，多形腺腫の所見に類似する．同矢状断像(D)では腫瘍前方深部は部分的に浸潤性辺縁(矢印)を示す．頭側で口蓋垂(u)下端レベルに相当する舌背部と舌根との境界(＊)を越えて舌背部への進展あり．尾側での喉頭蓋谷(v)への到達，声門上喉頭への直接浸潤はみられない．e：喉頭蓋

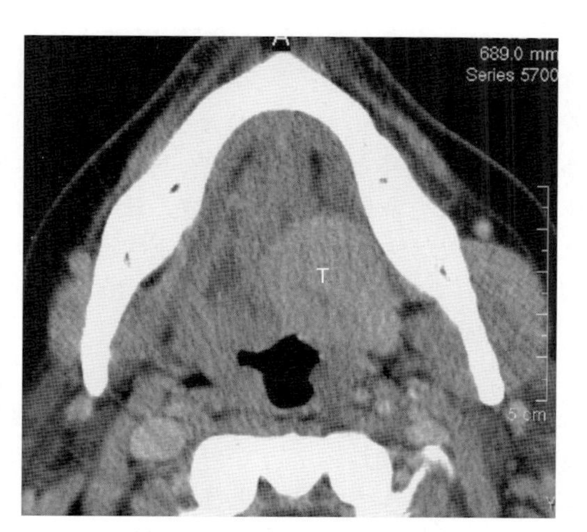

図 109　舌根から口腔底に進展する粘表皮癌

造影 CT において舌根左から口腔底に進展する軟部濃度腫瘍(T)あり．辺縁は比較的平滑であるが，高い浸潤傾向を示す．

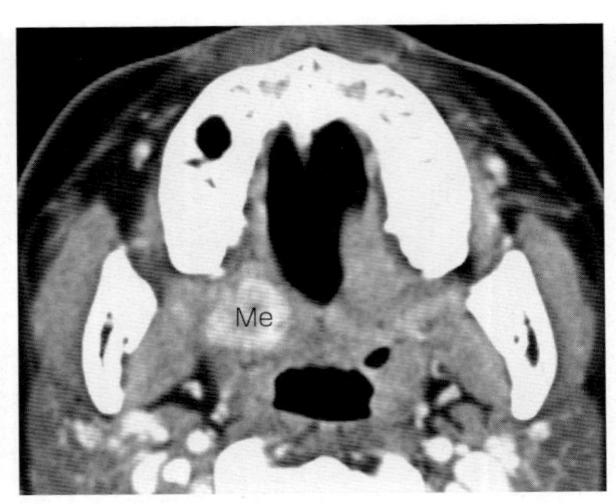

図110　軟口蓋発生の粘表皮癌
軟口蓋レベル造影CTにおいて，軟口蓋右側に比較的境界明瞭，辺縁平滑で充実性増強効果を示す腫瘤(Me)を認める．周囲浸潤性はみられない．

は浸潤性腫瘤を形成，領域により骨侵食や神経周囲進展を伴い，多彩な画像所見を呈する．大唾液腺に生じた唾液腺腫瘍と類似するが，大唾液腺由来腫瘍が隣接組織に進展する場合，唾液腺被膜がある程度の障壁として機能する．これと比較して同様の被膜をもたない小唾液腺由来の場合，より早期から浸潤性変化を示す傾向にある．多形腺腫など，良性腫瘍においても外科的切除縁を確保する意味で，大唾液腺由来症例よりも取り扱いが困難な傾向にある．Kurabayashiらによる口蓋発生小唾液腺腫瘍63例のCT所見の検討では悪性腫瘍の57%が骨破壊を示したとしている[163]．原発病変の形態にかかわらず，頸部リンパ節転移は悪性を支持する(図111)．なお，口蓋の小唾液腺腫瘍での吸引細胞診による診断率は高くない[156]．

治療は病変部位に応じた外科的切除が基本となるが，悪性病変では切除の技術的困難さ，粘膜下進展や神経周囲進展などの進展様式などから，適切な切除縁(negative surgical margin)での完全切除が困難な例も多く(46%)[157]，しばしば局所再発の要因となる．適切な切除縁は生存，局所・頸部病変制御における重要な予測因子である．close/positive margin，頸部リンパ節転移陽性例では術後放射線治療の適応を考慮すべきである[157]．全層性軟口蓋切除後では術後velopharyngeal incompetenceが問題となる．最近では経口的アプローチによる切除(TLM：transoral laser microsurgery，本邦以外ではTORS：transoral robotic surgery)が安全で機能温存，局所・頸部制御における術後成績も良好で合併症の少ない方法として適応が拡大している[164,165]．

なお，N0例への予防的頸部郭清術は一般に推奨されない．粘表皮癌は大部分が中間・低悪性度病変で生命予後は良好であるが[164]，高悪性度病変では潜在的頸部リンパ節転移の頻度が高いことから(46%)[157]，高悪性度のT3-4病変に対しては予防的頸部郭清術の適応が考慮される[166]．一方，腺様嚢胞癌では頸部リンパ節よりも遠隔転移での再発が多いことから[167]，頸部郭清術要否にはさらに議論がある．粘表皮癌，腺様嚢胞癌の5年生存率はそれぞれ78%と79%とほぼ同等であるが，10年生存率は腺様嚢胞癌で有意な低下を示す[157]．腺様嚢胞癌は初期には比較的予後良好であるが，長期には局所，遠隔再発などにより生存率は低下する．このため同部の小唾液腺悪性腫瘍は多くで20年間の経過観察が推奨されている[168,169]．

d. 異所性甲状腺組織(ectopic thyroid)

甲状腺原基は舌盲孔(成人では舌の前3分の2と後ろ3分の1の接合部正中に位置する)から舌，口腔底の筋を貫き，舌骨，喉頭の前方を下行，胎生7週頃までには前頸部(第2～4気管輪レベル)の最終的な甲状腺の位置に至る．この下行が不完

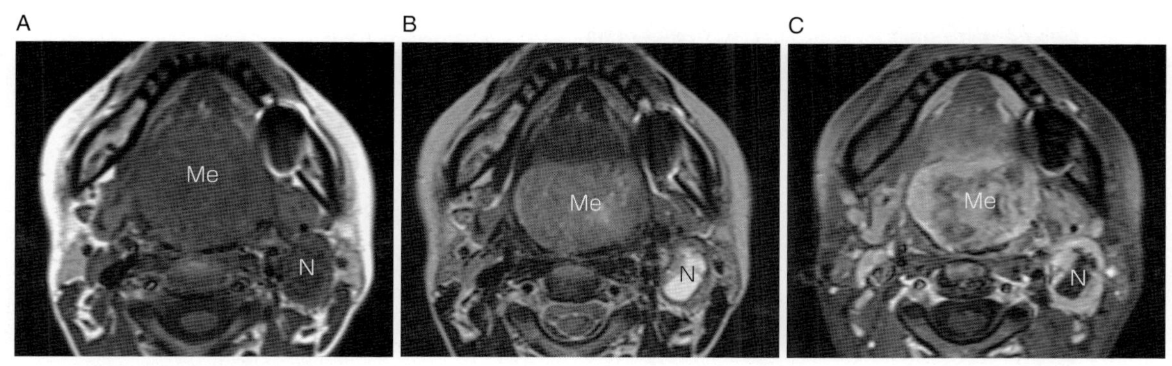

図 111　舌根発生の粘表皮癌

舌根レベル MRI T1 強調(A)および T2 強調(B)横断像において，舌根を大きく占拠する腫瘤(Me)を認める．辺縁は比較的平滑で内部は均一にみられる．T1 強調像(A)では骨格筋に類似の低信号，T2 強調像(B)では淡い高信号を示す．造影後 T1 強調脂肪抑制画像(C)で腫瘍(Me)は不均等な増強効果を示す．左レベル II に頸部リンパ節転移(N)を伴い，内部は壊死(T2 強調像で高信号，造影後に造影不良)領域を含む．

全であった場合は異所性甲状腺として認められる．なお，この下行経路である甲状舌管内に約 5%で甲状腺組織の要素を認め，この上皮細胞分泌機能の退縮不全により嚢胞を生じた場合，甲状舌管嚢胞(11 章「頸部嚢胞性腫瘤」において詳述)を発生する．

異所性甲状腺は舌根部に最も高頻度(約 90%)であり“lingual thyroid”と呼ばれる(図 112，113)[170]．大きさは数 mm～数 cm まで様々で，剖検では約 10%に認められ，性差はない[171]．臨床上の頻度は 1：100,000～300,000 人，甲状腺疾患症例の 1：4,000～8,000 人程度である[172, 173]．大きさにより談話障害，咽頭部腫脹，嚥下障害，呼吸苦，異物感などの原因となる[173, 174]．症候性症例の大部分は思春期，妊娠中，月経時に症状を示すことから臨床例は 7：1 で女性に多く，平均年齢は 40 歳である[170, 175, 176]．約 70%で甲状腺機能低下を示す[170, 176]．先天的甲状腺機能低下症および喘鳴は lingual thyroid の存在を示唆する[177]．まれに外側原器が内側と融合しなかった場合，側頸部，多くは顎下部に位置する異所性甲状腺組織を認める(図 114)[170, 178]．ただし，診断には高分化甲状腺腫瘍のリンパ節転移の可能性を除外する必要がある[170]．現在までに 30 例弱の lingual thyroid 原発悪性腫瘍の報告がみられるが[179～181]，lingual thyroid 例の 1%程度とまれで，性差は 2：1 で女性，20 歳代の若年者に多い[182]．通常の甲状腺と比較して，濾胞癌の発生が多い[182, 183]．(通常の甲状腺に最も多い乳頭癌がリンパ行性転移を主体とするのに対して)濾胞癌は血行性転移を示す傾向にあるが，20%で頸部リンパ節転移，14%で遠隔転移を認める[184]．

CT では舌根部ほぼ正中に境界鮮明な(正常甲状腺同様の)高濃度を呈する腫瘤として同定され(図 112，113)，造影剤投与による充実性増強効果を示す(図 113)．MRI では，T1，T2 強調像ともに骨格筋よりも軽度高信号から等信号を示し，造影剤投与により軽度から中等度増強効果を示す腫瘤として認められる[185, 186]．CT，MRI における正診率は高いが，確定診断および正常部位における甲状腺組織の確認を目的として甲状腺シンチが有用である[178, 185, 187]．

適切な治療選択についてのコンセンサスは無い．病変の大きさや症状(起動閉塞，嚥下困難，発声困難)の他，年齢，甲状腺機能，病変による合併症(潰瘍，出血，悪性の疑い)などにより外科的切除の対象となりうるが，70～75%の lingual thyroid 例で同組織が唯一の甲状腺組織であり(図 112，113)，術後甲状腺機能低下が問題として考慮される[188, 189]．経口的アプローチの他，経舌骨性，舌骨上あるいは側咽頭切開によるアプローチがとられる．小児や若年成人の(悪性併発のない)病変では生殖器その他への影響を考慮してヨード内服治療は回避すべきである[172]．

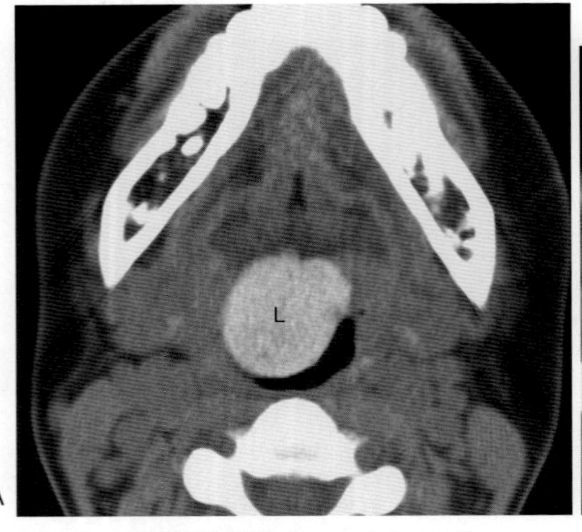

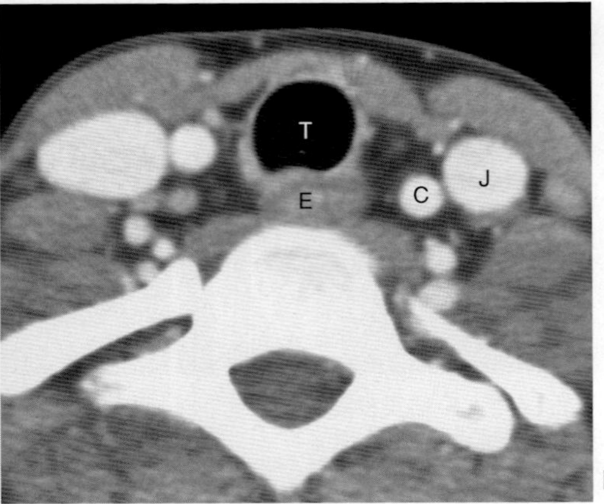

図 112　異所性甲状腺 "lingual thyroid"
A：中咽頭レベル単純 CT．舌根部ほぼ正中を中心として境界鮮明な類円形高濃度腫瘤（L）あり．
B：舌骨下頸部レベル造影 CT．正常甲状腺を同定できない．C：総頸動脈，E：食道，J：内頸静脈，T：気管

lingual thyroid 原発癌の場合，十分な切除縁をとった外科的切除が標準となるが，頸部郭清術は臨床的 N＋例に限るのが通常である[190]．多くの例で術後浮腫による一時的な気管切開術が必要となる[182, 184]．切除断端陽性例，頸部リンパ節陽性例ではヨード内服治療の適応が考慮される[183]．通常の甲状腺癌治療後と同様の治療後経過観察が望まれ，TSH レベルの確認とともに CT，MRI は重要なツールとなる[182]．

以上，中咽頭における臨床解剖，代表的病態につき臨床的事項を含めて解説した．

■参考文献

1）Vikram B：Changing patterns for failure in advanced head and neck cancer. Arch Otolaryngol Head Neck Surg **110**：564–575, 1984
2）Werner JA, Dunne AA, Myers JN：Functional anatomy of the lymphatic drainage system of the upper aerodigestive tract and its role in metastasis of squamous cell carcinoma. Head Neck **25**：322–332, 2003
3）Million RR, Cassisi NJ, Mancuso AA：Oropharynx. Management of Head and Neck Cancer：A Multidisciplinary Approach, Million RR, Cassisi NJ（eds）, J B Lippincott Company, Philadelphia, p401–429, 1994
4）Klug TE : Peritonsillar abscess：Clinical aspects of microbiology, risk factors, and the association with parapharyngeal abscess. Dan Med J **64**：pii: B5333, 2017
5）Steyer TE：Peritonsillar abscess：Diagnosis and treatment. Am Fam Physician **65**：93–96, 2002
6）Mobley SR：Bilateral peritonsillar abscess：Case report and presentation of its clinical appearance. Ear Nose Throat J **80**：381–382, 2001
7）Spires JR, Owens JJ, Woodson GE et al：Treatment of peritonsillar abscess. A prospective study of aspiration vs ID. Arch Otolaryngol Head Neck Surg **113**：984–986, 1987
8）Templer JW, Holinger LD, Wood RT 2nd et al : Immediate tonsillectomy for the treatment of peritonsillar abscess. Am J Surg **134**：596–598, 1977
9）Matsuda A, Tanaka H, Kanaya T et al：Peritonsillar abscess：A study of 724 cases in Japan. Ear Nose Throad J **81**：384–389, 2002
10）Monobe H, Suzuki S, Nakashima M et al：Peritonsillar abscesss with parapharyngeal and retropharyngeal involvement：incidence and intraoral approach. Acta otolaryngol Suppl **559**：91–95, 2007
11）Licameli GR, Grillone GA：Inferior pole peritonsillar abscess. Otolaryngol Head Neck Surg **118**：95–99, 1998
12）Chang BA, Thamboo A, Burton MJ et al：Needle aspiration versus incision and drainage for the treatment of peritonsillar abscess. Cochrane Database Syst Rev. **12**：CD006287. Doi: 10.1002/14651858. CD006287. Pub4., 2016
13）Raut VV：Management of peritonsillitis/peritonsillar abscess. Rev Laryngol Otol Rhinol（Bord）**121**：107–110, 2000
14）Miziara ID, Koishi HU, Zonato AI et al：The use

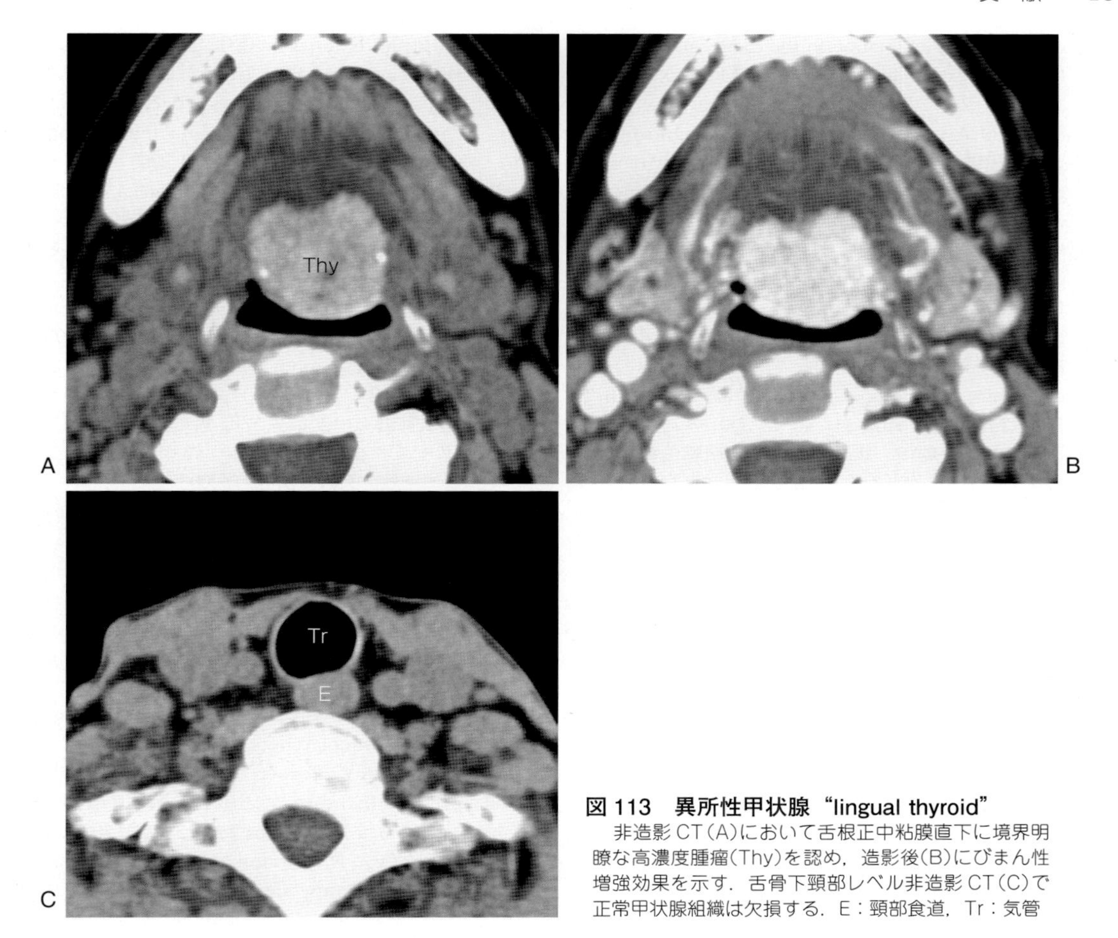

図 113　異所性甲状腺 "lingual thyroid"

非造影 CT（A）において舌根正中粘膜直下に境界明瞭な高濃度腫瘤（Thy）を認め，造影後（B）にびまん性増強効果を示す．舌骨下頸部レベル非造影 CT（C）で正常甲状腺組織は欠損する．E：頸部食道，Tr：気管

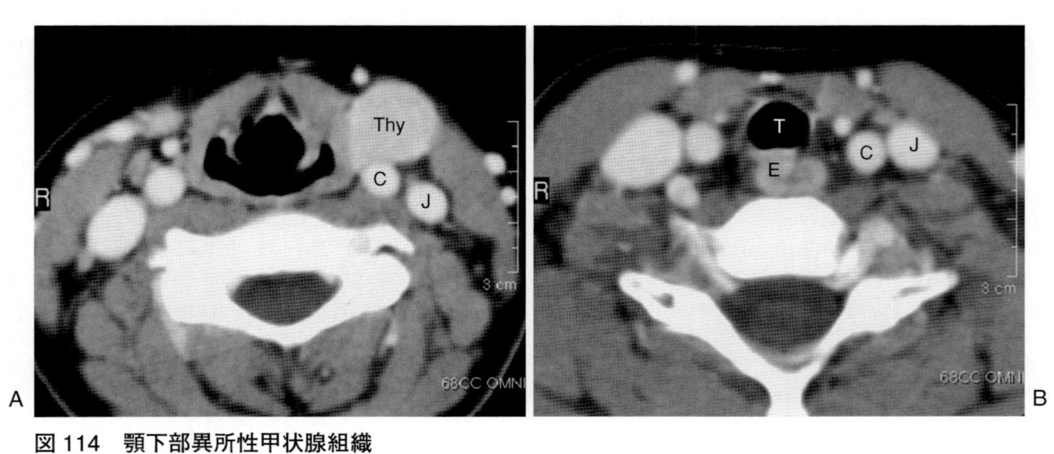

図 114　顎下部異所性甲状腺組織

A：声門上喉頭レベル造影 CT．左顎下部に正常甲状腺組織と同様，高濃度を示す類円形腫瘤（Thy）あり．
B：舌骨下頸部レベル．正常甲状腺を同定できない．C：総頸動脈，E：食道，J：内頸静脈，T：気管

of ultrasound evaluation in the diagnosis of peritonsillar abscess. Rev Laryngol Otol Rhinol (Bord) **122**：201-203, 2001

15) Scott PM, Loftus WK, Kew J et al：Diagnosis of peritonsillar infections：A prospective study of ultrasound, computerized tomography and clinical diagnosis. J Laryngol Otol **113**：229-232, 1999

16) Kawabata M, Umakoshi M, Makise T et al：Clinical classification of peritonsillar abscess based on CT and indications for immediate abscess tonsillectomy. Auris Nasus Larynx **43**：182-186, 2016

17) Holmes SB, Vora K, Hardee PS：Squamous cell carcinoma presenting as a peritonsillar abscess. Br J Oral Maxillofac Surg **39**：46-48, 2001

18) 池田　恢：中咽頭．頭頸部腫瘍の放射線治療，堀内淳一，大川智彦(編著)，金原出版，東京，p192-203，1993

19) Parsons JT, Mendenhall WM, Stringer SP et al：Squamous cell carcinoma of the oropharynx：Surgery, radiation therapy, or both. Cancer **94**：2967-2980, 2002

20) Amin MB, Edge SB, Greene F et al (eds)：AJCC Cancer Staging Manual (8th ed), Springer, New York, 2017

21) Morgan RL, Eguchi MM, Mueller AC et al：Imaging at diagnosis impacts cancer-specific survival among patients with cancer of the oropharynx. Cancer **125**：2794-2802, 2019

22) Thiagarajan A, Caria N, Schoder H et al：Target volume delineation in oropharyngeal cancer：Impact of PET, MRI, and physical examination. Int J Radian Oncol Biol Phys **83**：220-227, 2012

23) Sohn B, Koh YW, Kang WJ et al：Is there an additive value of 18F-FDG PET-CT to CT/MRI for detecting nodal metastasis in oropharyngeal squamous cell carcinoma patients with palpably negative neck? Acta Radiol **57**：1352-1359, 2016

24) Jones AS, Fenton JE, Husband DJ：The treatment of squamous cell carcinoma of the tonsil with neck node metastases. Head Neck **25**：24-31, 2003

25) Bopp FP, White JA：Tonsil cancer. J Louisiana St Med Soc **141**：11-14, 1989

26) Genden EM, Ferlito A, Scully C et al：Current management of tonsillar cancer. Oral Oncol **39**：337-342, 2003

27) Mendenhall WM, Mancuso AA, Amdur RJ et al：Squamous cell carcinoma metastatic to the neck from an unknown head and neck primary site. Am J Otolaryngol **22**：261-267, 2001

28) 尾尻博也：頭頸部癌の画像診断－臨床において重要な画像所見－．頭頸部癌 **35**：234-239, 2009

29) Park JO, Lee YS, Joo YH et al：Significant invasion of the pharyngeal constrictor muscle in early squamous cell carcinoma of the tonsil. Prediction of multiple regional metastasis. Arch Otolaryngol Head Neck Surg **138**：1034-1039, 2012

30) Syms MJ, Birkmire-Peters DP, Holtel MR：Incidence of carcinoma in incidental tonsil asymmetry. Laryngoscope **110**：1807-1810, 2000

31) Lindberg R：Distribution of cervical lymph node metastases from squamous cell carcinoma of the upper respiratory and digestive tracts. Cancer **29**：1446-1449, 1972

32) Gross BC, Olsen SM, Lewis JE et al：Level IIB lymph node metastasis in oropharyngeal squamous cell carcinoma. Laryngoscope **123**：2700-2705, 2013

33) 鬼塚哲郎：中咽頭癌．新 癌の外科－手術手技シリーズ 8 頭頸部癌，林　隆一(編)，メジカルビュー社，東京，p41-47, 2003

34) Wang MB, Kuber N, Kerner MM et al：Tonsillar carcinoma：Analysis of treatment results. J Otolaryngol **27**：263-269, 1998

35) Mendenhall WM, Amdur RJ, Stringer SP et al：Padiation therapy for squamous cell carcinoma of the tonsillar region：A preferred alternative to surgery? J Clin Oncol **18**：2219-2225, 2000

36) Guay ME, Lavertu P：Tonsillar carcinoma. Eur Arch Otorhinolaryngol **252**：259-264, 1995

37) Hannisdal K, Boysen M, Evensen JF：Different prognostic indices in 310 patients with tonsillar carcinomas. Head Neck **25**：123-131, 2003

38) Kennedy WR, Herman MP, Daraniyagala RL et al：Radiotherapy alone or combined with chemotherapy as definitive treatment for squamous cell carcinoma of the tonsil. Eur Arch Otolaryngol **273**：2117-2125, 2016

39) Antoniades K, Lazaridis N, Vahtsevanos K et al：Treatment of squamous cell carcinoma of the anterior facial pillar - retromolar trigone. Oral Oncol **39**：680-686, 2003

40) Lo K, Fletcher GH, Byers RM et al：Results of irradiation in the squamous cell carcinomas of the anterior faucial pillar-retromolar trigone. Int J Radiat Oncol Biol Phys **13**：969-974, 1987

41) Barker JL, Fletcher GH：Time, dose and tumor volume relationships in megavoltage irradiation of squamous cell carcinomas of the retromolar trigone and anterior tonsillar pillar. Int J Radiat Oncol Biol Phys **2**：407-414, 1977

42) Shah J, Candela F, Poddar A：The patterns of cervical lymph node metastases from squamous carcinoma of the oral cavity. Cancer **66**：109-113, 1990

43) Perez CA, Lee FA, Ackerman LV et al：Non-randomized comparison of preoperative irradiation and surgery versus irradiation alone in the management of carcinoma of the tonsil. Am J Radiol **126**：248-260, 1976

44) Weichert KA, Aron BS, Maltz R et al：Carcinoma of the tonsil：Treatment by a planned combination of radiation and surgery. Int J Radiat Oncol Biol Phys **1**：505-508, 1976
45) Strong MS, Vaughan CW, Kayne HL et al：A randomized trial of preoperative radiotherapy in cancer of the oropharynx and hypopharynx. Am J Surg **136**：494-500, 1978
46) Mackle T, O'Dwyer T : A comparative analysis of anterior versus posterior squamous cell carcinoma of the tongue : a 10-year review. J Laryngol Otol **120** : 393-396, 2006
47) Gourin C, Jhonson J : Surgical treatment of squamous cell carcinoma of the base of tongue. Head Neck **23** : 653-660, 2001
48) Heaton CM, Al-Shwaiheen F, Liu CSJ et al：Prognostic significance of hyoid bone invasion in advanced base of tongue carcinoma treated by chemoradiation. Clin Otolaryngol **40**：260-265, 2015
49) Harrison L, Ferlito A, Shaha A et al : Current philosophy on the management of cancer of the base of the tongue. Oral Oncol **39**：101-105, 2003
50) Trotta BM, Pease CS, Rasamny JJ et al：Oral cavity and oropharyngeal squamous cell cancer：Key imaging findings for staging and treatment planning. Radiographics **31**：339-354, 2011
51) Park S, Cho Y, Lee J et al : Survival and functional outcome after treatment for primary base of tongue cancer : A comparison of definitive chemoradiotherapy versus surgery followed by ajuvant radiotherapy. Cancer Res Treat **50**：1214-1225, 2018
52) Iyer NG, Kim L, Nixon IJ et al：Outcome of patients with early T1 and T2 squamous cell carcinoma of the base of tongue managed by conventional surgery with adjuvant postoperative radiation. Head Neck **35**：999-1006, 2013
53) Mendenhall WM, Stringer SP, Amdur RJ et al：Is radiation therapy a preferred alternative to surgery for squamous cell carcinoma of the base of tongue? J Clin Oncol **18**：35-42, 2000
54) Hinerman RW, Parsons JT, Mendenhall WM et al：External beam irradiation alone or combined with neck dissection for base of tongue carcinoma：An alternative to primary surgery. Laryngoscope **104**：1466-1470, 1994
55) Azizzadeh B, Enayati P, Chhetri D et al：Long-term survival outcome in transhyoid resection of base of tongue squamous cell carcinoma. Arch Otolaryngol Head Neck Surg **128**：1067-1070, 2002
56) Agrawal A, Wenig BL：Resection of cancer of the tongue base and tonsil via the transhyoid approach. Laryngoscope **110**：1802-1806, 2000
57) Sessions DG, Lenox J, Spector GJ et al：Analysis of treatment results for base of tongue cancer. Laryngoscope **113**：1252-1261, 2003
58) Machtay M, Perch S, Markiewicz D et al：Combined surgery and postoperative radiotherapy for carcinoma of the base of tongue：analysis of treatment outcome and prognostic value of margin status. Head Neck **19**：494-499, 1997
59) Karatzanis AD, Psychogios G, Mantsopoulos K et al：Management of advanced carcinoma of the base of tongue. J Surg Oncol **106**：713-718, 2012
60) Russ JE, Applebaum EL, Sisson GA：Squamous cell carcinoma of the soft palate. Laryngoscope **87**：1151-1156, 1977
61) Osborne RF, Brown JJ：Carcinoma of the oral pharynx: an analysis of subsite treatment heterogeneity. Surg Oncol Clin North Am **13**：71-80, 2004
62) Expinosa RF, Martinez CG, Martin MC：T1-T2 squamous cell carcinoma of the uvla: a little big enemy. Otolaryngol Head Neck Surg **146**：81-87, 2012
63) Cheng VS, Shetty KC, Deutsch M：Carcinoma of the anterior tonsillar pillar and the soft palate-uvla: Treatment by radiation therapy. Radiology **134**：497-501, 1980
64) Chan CK, Hand AY, Alonso JE et al：Squamous cell carcinoma of the soft palate in the United States: A population-based study. Otolaryngol Head Neck Surg **159**：662-668, 2018
65) Schernberg A, Canova C, Blanchard P et al：Prognostic factors in patients with soft palate squamous cell carcinoma. Head Neck **41**：1441-1449, 2019
66) Cohan DM, Popat S, Kaplan SE et al：Oropharyngeal cancer: current understanding and management. Curr Opin Otolaryngol Head Neck Surg **17**：88-94, 2009
67) Weber RS, Peters LJ, Wolf P et al：Squamous cell carcinoma of the soft palate, uvla, and anterior faucial pillar. Otolaryngol Head Neck Surg **99**：16-23, 1988
68) Erkal HS, Serin M, Amdur RJ et al：Squamous cell carcinomas of the soft palate treated with radiation theray alone or followed by planned neck dissection. Int J Radiat Oncol Biol Phys **50**：359-366, 2001
69) Keus RB, Pntvert D, Brunin F et al：Results of irradiation in squamous cell carcinoma of the soft palate and uvula. Radiother Oncol **11**：311-317, 1988
70) Horton D, Tran L, Greenberg P et al：Primary radiation therapy in the treatment of squamous cell carcinoma of the soft palate. Cancer **63**：2442-2445, 1989
71) Zuydam AC, Lowe D, Brown JS et al：Predictors

of speech and swallowing function following primary surgery for oral and oropharyngeal cancer. Clin Otolaryngol **30**：428-437, 2005
72) Barzan L, Barra S, Franchin G et al：Squamous cell carcinoma of the posterior pharyngeal wall：Characteristics compared with the lateral wall. J Laryngol Otol **109**：120-125, 1995
73) Jones AS, Stell PM：Squamous carcinoma of the posterior pharyngeal wall. Clin Otolaryngol **16**：462-465, 1991
74) Mak-Kregar S, Keus RB, Balm AJ et al：Carcinoma of the soft palate and the posterior oropharyngeal wall. Clin Otolaryngol **19**：22-27, 1994
75) Nigauri T, Kamata SE, Kawabata K et al：Squamous carcinoma of the posterior oropharyngeal wall. Nippon Jibiinkoka Gakkai Kaiho **105**：882-886, 2002
76) Canis M, Wolff HA, Ihler F et al：Oncologic results of transoral laser microsurgery for squamous cell carcinoma of the posterior pharyngeal wall. Head Neck **37**：156-161, 2015
77) Yoshida K, Inoue T, Inoue T et al：Treatment results of radiotherapy with or without surgery for posterior pharyngeal wall cancer of oropharynx and hypopharynx：prognostic value of tumor extension. Radiat Med **22**：30-36, 2004
78) Hsu WC, Loevner LA, Karpati R et al : Accuracy of magnetic resonance imaging in predicting absence of fixation of head and neck cancer to the prevertebral space. Head Neck **27** : 95-100, 2004
79) Bussels B, Hermans R, Reijnders A et al：Retropharyngeal nodes in squamous cell carcinoma of oropharynx: Incidence localization, and implications for target volume. Int J Radiation Oncol Biol Phys **65**：733-738, 2006
80) Julieron M, Kolb F, Schwaab G et al：Surgical management of posterior pharyngeal wall carcinomas：Functional and oncologic results. Head Neck **23**：80-86, 2001
81) Spiro RH, Kelly J, Vega AL et al：Squamous carcinoma of the posterior pharyngeal wall. Am J Surg **160**：420-423, 1990
82) Teichgraeber JF, McConnel FM：Treatment of posterior pharyngeal carcinoma. Otolaryngol Head Neck Surg **94**：287-290, 1986
83) Dalianis T：Human papillomavirus and oropharyngeal cancer, the epidemics, and significance of additional clinical biomarkers for prediction of response to therapy (Review). Int J Oncol **44**：1799-1805, 2014
84) WHO classification of Head and Neck Tumours. El-Naggar AK, Chan JKC, Grandis JR et al (eds), International Agency for Research on Cancer (IARC), Lyon, 2017
85) Urban D, Corry J, Rischin D：What is the best treatment for patients with human papillomavirus-positive and -negative oropharyngeal cancer? Cancer **120**：1462-1470, 2014
86) Chaturvedi AK：Epidemiology and clinical aspects of HPV in head and neck cancers. Head Neck Pathol **6**：S16-S24, 2012
87) Hama T, Toumaru Y, Fujii M et al：Prevalence of human papillomavirus in oropharyngeal cancer：a multicenter study in Japan. Oncology **87**：173-182, 2014
88) Huang YH, Yeh CH, Cheng NM et al：Cystic nodal metastasis in patients with oropharyngeal squamous cell carcinoma receiving chemoradiotherapy: Relationship with human papillomavirus status and failure patterns. PLoS One **12**：e0180779. doi: 10.1371/journalpone.0180779. eCollection 2017
89) Marur S, D'Souza G, Westra WH et al：HPV-associated head and neck cancer：a virus-related cancer epidemic. Lancet Oncol **11**：781-789, 2010
90) Chan MW, Yu E, Bartlett E et al：Morphologic and topographic radiologic features of human papilloma-related and -unrelated oropharyngeal carcinoma. Head Neck **39**：1524-1534, 2017
91) Begum S, Gillison ML, Ansari-Lari MA et al：Detection of human papillomavirus in cervical lymph nodes：a highly effective strategy for localizing site of tumor origin. Clin Cancer Res **9**：6469-6475, 2003
92) O'Sullivan B, Huang SH, Su J et al：Development and validation of a staging system for HPV-related oropharyngeal cancer by the International Collaboration on Oropharyngeal cancer Network for Staging (ICON-S) a multicentre cohort study. Lancet Oncol **17**：440-451, 2016
93) Haughey BH, Sinha P, Kallogjeri D et al：Pathology-based staging for HPV-positive squamous carcinoma of the oropharynx. Oral Oncol **62**：11-19, 2016
94) Sinha P, Kallogjeri D, Gay H et al：High metastatic node number, not extracapsular spread or N-classification is node-related prognosticator in transorally-resected, neck-dissected p16-positive oropharynx cancer. Oral Oncol **51**：514-520, 2015
95) Hall S, Neel GS, Chang BA et al：American Joint Committee on Cancer either edition human papilloma virus positive oropharyngeal cancer staging system: Discordance between clinical and pathological staging systems. Head Neck **41**：2716-2723, 2019
96) Spector ME, Chinn SB, Bellile E et al：Matted nodes as a predictor of distant metastasis in advanced-stage III/IV oropharyngeal squamous cell carcinoma. Head Neck **38**：184-190, 2016

97) Ang KK, Harris J, Wheeler R et al：Human papillomavirus and survival of patients with oropharyngeal cancer. N Engl J Med **363**：24-35, 2010
98) Rischin D, Young RJ, Fischer R et al：Prognostic significance of p16INK4A and human papillomavirus in patients with oropharyngeal cancer treated on TROG 02.02 phase III trial. J Clin Oncol **28**：4142-4148, 2010
99) Ang KK, Sturgis EM：Human papillomavirus as a marker of the natural history and response to therapy of head and neck squamous cell carcinoma. Semin Radiat Oncol **22**：128-142, 2012
100) Fakhry C, Westra WH, Li S et al：Improved survival of patients with human papillomavirus-positive head and neck squamous cell carcinoma in a prospective clinical trial. J Natl Cancer Inst **100**：261-269, 2008
101) Rassy E, Nicolai P, Pavlidis N：Comprehensive management of HPV-related squamous cell carcinoma of the head and neck of unknown primary. Head Neck **41**：3700-3711, 2019
102) Sood AJ, Mcllwain W, O'Connell B et al：The association between T-stage and clinical nodal metastasis in HPV-positive oropharyngeal cancer. Am J Otolaryngol **35**：463-468, 2014
103) Cantrell SC, Peck BW, Wei LQW et al：Differences in imaging characteristics of HPV-positive and HPV-negative oropharyngeal cancers：a blinded matched-pair analysis. AJNR Am J Neuroradiol **34**：2005-2009, 2013
104) Rath TJ, Narayanan S, Hughes MA et al：Solid lymph nodes as an imaging biomarker for risk strafication in Human papillomavirus-related oropharyngeal squamous cell carcinoma. AJNR Am J Neuroradiol **38**：1405-1410, 2017
105) Chan MW, Higgins K, Enepekides D et al：Radiologic differences between human papillomavirus-related and human papillomavirus-unrelated oropharyngeal carcinoma on Diffusion-weighted imaging. ORL J Otolaryngol Relat Spec **78**：344-352, 2016
106) Schouten CS, de Graaf P, Bloemena E et al：Quantitative diffusion-weighted MRI parameters and human papillomavirus status in oropharyngeal squamous cell carcinoma. AJNR Am J Neuroradiol **36**：763-767, 2015
107) 日本頭頸部癌学会(編)：頭頸部癌取扱い規約(第6版補訂版)，金原出版，東京，2019
108) Bailey BJ, Calhoun KH, Coffey AR et al (eds)：Atlans of Head and Neck Surgery-Otolaryngoloty, Lippincott-Raven Publishers, Philadelphia, 1996
109) Whicker JH, DeSanto LW, Devine KD：Surgical treatment of squamous cell carcinoma of the base of tongue. Laryngoscope **82**：1853-1860, 1972
110) Gourin CG, Johnson JT：Surgical treatment of squamous cell carcinoma of the base of tongue. Head Neck **23**：653-660, 2001
111) Perlmutter MA, Johnson JT, Snyderman CH et al：Functional outcomes after treatment of squamous cell carcinoma of the base of tongus. Arch Otolaryngol Head Neck Surg **128**：887-891, 2002
112) Ratzer ER, Schweitzer RJ, Frazell EL：Epidermoid carcinoma of the palate. Am J Surg **119**：294-297, 1970
113) Nathu RM, Mancuso AA, Zhu TC et al：The impact of primary tumor volume on local control for oropharyngeal squamous cell carcinoma treated with radiotherapy. Head Neck **22**：1-5, 2000
114) Hermans R, Op de Beeck K, Van den Bogaert W et al：The relation of CT-determined tumor parameters and local and regional outcome of tonsillar cancer after definitive radiation treatment. Int J Radiat Oncol Biol Phys **50**：37-45, 2001
115) Koshkareva Y, Branstetter BF, Gaughan JP et al：Predictive accuracy of first post-treatment PET/CT in HPV-related oropharyngeal squamous cell carcinoma. Laryngoscope **124**：1843-1847, 2014
116) Ojiri H, Mendenhall WM, Mancuso AA：CT findings at the primary site of oropharyngeal squamous cell carcinoma within 6-8 weeks after definitive radiotherapy as predictors of primary site control. Int J Radiat Oncol Biol Phys **52**：748-754, 2002
117) Nakamura S, Torihara A, Okochi K et al：Optimal timing of post-treatment［18F］fluorodeoxyglucose-PET/CT for patients with head and neck malignancy. Nucl Med Commun **34**：162-167, 2013
118) Yu Y, Mabray M, Silveira W et al：Earlier and more specific detection of persistent neck disease with diffusion-weighted MRI versus subsequent PET/CT after definitive chemoradiation for oropharyngeal squamous cell carcinoma. Head Neck **39**：432-438, 2017
119) Mendenhall NP：Lymphomas and related diseases presenting in the head and neck. Management of Head and Neck Cancer：A Multidisciplinary Approach, Million RR, Cassisi NJ (eds), J B Lippincott Company, Philadelphia, p857-878, 1994
120) 独立行政法人国立がん研究センターがん対策情報センター がん情報サービス ganjoho.jp (https://ganjoho.jp/reg_stat/index.html)
121) 田中真喜子，大川智彦：Non-Hodgkin. 頭頸部腫瘍の放射線治療，堀内淳一，大川智彦(編著)，金原出版，東京，p281-290，1993
122) Jsffe ES : Introduction and over view of the classification of lymphoid neoplasms. WHO classification of Tumours of Haematopoietic and Lymphoid Tissues. Swerdlow SH, et al (eds), IARC, Lyon, p190-

198, 2017
123) Thakral B, Zhou J, Medeiros LJ：Extranodal hematopietic neoplasms and mimics in the head and neck：an update. Hum Pathol **46**：1079-1100, 2015
124) 日本血液学会(編)：第II章 リンパ腫．造血器腫瘍診療ガイドライン 2018年度版，2018(http://www.jshem.or.jp/gui-hemali/2_soron.html)
125) Carbone PP, Kaplan HS, Musshoff K et al : Report of the committee on Hodgkin's disease staging classification. Cancer Res **31** : 1860-1861, 1971
126) Cheson BD, Fisher RI, Barrington SF et al：Recommendations for initial evaluation, staging, and response assessment of Hodgkin and Non-Hodgkin lymphoma: The Lugano classification. J Clin Oncol **32**：3059-3067, 2014
127) 堀越 昇，川端一嘉：悪性リンパ腫—化学療法を中心に．頭頸部腫瘍の放射線治療，堀内淳一，大川智彦(編著)，金原出版，東京，p291-298，1993
128) Ezzat AA, Ibrahim EM, El Weshi AN et al：Localized non-Hodgkin's lymphoma of Waldeyer's ring：Clinical features, management, and prognosis of 130 adult patients. Head Neck **23**：547-558, 2001
129) Cabecadas J, Martinez D, Andreasen S et al：Lymphomas of the head and neck region: an update. Virchows Archiv **474**：649-665, 2019
130) Lee DY, Kang K, Jung H et al：Extranodal involvement of diffuse large B-cell lymphoma in the head and neck: An indicator of good prognosis. Auris Nasus Larynx **46**：114-121, 2019
131) Banfi A, Bonadonna G, Carnevali G et al：Lymphoreticular sarcomas with primary involvement of Waldeyer's ring：Clinical evaluation. Cancer **26**：341-351, 1970
132) Saul SH, Kapadia SB：Primary lymphoma of Waldeyer's ring：Clinicopathologic study of 68 cases. Cancer **56**：157-166, 1985
133) Barton JH, Osborne BM, Butler JJ et al：Non-Hodgkin's lymphoma of the tonsil：A clinicopathologic study of 65 cases. Cancer **53**：86-95, 1984
134) Harabuchi Y, Tsubota H, Ohguro S et al：Prognostic factors and treatment outcome in non-Hodgkin's lymphoma of Walderyer's ring. Acta Oncologica **36**：413-420, 1997
135) Paulsen J, Lenner K：Low-grade B-cell lymphoma of mucosa-associated lymphoid tissue type in Walderyer's ring. Histopathology **24**：1-11, 1994
136) Jacobs C, Hoope RT：Non-Hodgkin's lymphoma of the head and neck extranodal sites. Int J Radiat Oncol Biol Phys **11**：357-364, 1985
137) Nathu RM, Mendenhall WP, Almasri NM et al：Non-Hodgkin's lymphoma of the head and neck：A 30 year experience at the University of Florida. Head Neck **21**：247-254, 1999
138) The International Non-Hodgkin's Lymphoma Prognostic Factors Project：A predictive model for aggressive non-Hodgkin's lymphoma. N Engl J Med **329**：987-994, 1993
139) Coiffier B, Lepage E, Briere J et al：CHOP chemotherapy plus rituximab compared with CHOP alone in elderly patients with diffuse large-B-cell lymphoma. N Engl J Med **346**：235-242, 2002
140) Habermann TM, Weller EA, Morrison VA et al：Rituximab-CHOP versus CHOP alone or with maintenance rituximab in older patients with diffuse large B-cell lymphoma. J Clin Oncol **24**：3121-3127, 2006
141) King AD, Lei KIK, Ahuja AT：MRI of primary non-Hodgkin's lymphoma of the palatine tonsil. Br J Radiol **74**：226-229, 2001
142) Cheson BD, Horning SJ, Coifffier B et al：Report of an international workshop to standardize response criteria for non-Hodgkin's lymphomas. J Clin Oncol **17**：1244-1253, 1999
143) Cheson BD, Pfistner B, Juweid ME et al : Revised response criteria for malignant lymphoma. J Clin Oncol **25**：579-586, 2007
144) Juweid ME, Wiseman GA, Vose JM et al：Response assessment of aggressive non-Hodgkin's lymphoma by integrated international workshop criteria and fluorine-18-fluorodeoxyglucose positron emission tomography. J Clin Oncol **23**：4652-4661, 2005
145) Teshima T, Chatani M, Hata K et al：Radiation therapy for primary non-Hodgkin's lymphoma of the head and neck in stage I-II. Strahlenther Onkol **162**：478-483, 1986
146) Fuller LM, Krasin MJ, Velasquez WS et al：Significance of tumor size and radiation dose to local control in stage I-III diffuse large cell lymphoma treated with CHOP-Bleo and radiation. Int J Radiat Oncol Biol Phys **31**：3-11, 1995
147) Weeks JC, Yeap BY, Canellos GP et al：Value of follow-up procedures in patients with large-cell lymphoma who achieve a complete remission. J Clin Oncol **6**：1196-1203, 1991
148) Oh YK, Ha CS, Samuels BI et al：Stages I-III follicular lymphoma: role of CT of the abdomen and pelvis in follow-up studies. Radiology **210**：483-486, 1999
149) Liedtke M, Hamlin PA, Moskowitz CH et al：Surveillance imaging during remission identifies a group of patients with more favorable aggressive NHL at time of relapse: a retrospective analysis of an uniformly-treated patient population. Ann Oncol **17**：909-913, 2006
150) Jerusalem G, Bequin Y, Fassotte MF et al：Early

detection of relapse by whole-body positron emission tomography in the follow-up of patients with Hodgkin' s disease. Ann Oncol **14**：123-130, 2003

151）Hiniker SM, Pollom EL, Khodadoust MS et al：Value of surveillance studies for patients with stage I to II diffuse large B-cell lymphoma in the rituximab era. Int J Radiat Oncol Biol Phys **92**：99-106, 2015

152）Huntington SF, Svoboda J, Doshi JA：Cost-effectiveness analysis of routine surveillance imaging of patients with diffuse large B-cell lymphoma in first remission. J Clin Oncol **33**：1467-1474, 2015

153）Waldron CA, El-Mofty SK, Gnepp DR：Tumors of the intra oral minor salivary glands：A demographic and histologic study of 426 cases. Oral Surg Oral Med Oral Pathol **66**：323-333, 1988

154）Hyam DM, Veness MJ, Morgan GJ：Minor salivary gland carcinoma involving the oral cavity or oropharynx. Aust Dent J **49**：16-19, 2004

155）Goel AN, Badran KW, Braun APG et al：Minor salivary gland carcinoma of the oropharynx: A population-based analysis of 1426 patients. Otolaryngol Head Neck Surg **158**：287-294, 2018

156）Sahai K, Kapila K, Dahiya S et al：Fine needle aspiration cytology of minor salivary gland tumors of the palate. Cytopathology **13**：309-316, 2002

157）Iyer NG, Kim L, Nixon IJ et al：Factors predicting outcome in malignant minor salivary gland tumors of the oropharynx. Arch Otolaryngol Head Neck Surg **136**：1240-1247, 2010

158）Vander Poorten VLM, Balm AJM, Hilgers FJM et al：Stage as major long term outcome predictor in minor salivary gland carcinoma. Cancer **89**：1195-1204, 2000

159）Spiro RH, Koss LG, Hajdu SI et al：Tumors of minor salivary gland origin: a clinicophatologic study of 492 cases. Cancer **31**：117-129, 1973

160）Yoshihara T, Suzuki S：Pleomorphic adenoma of tongue base causing dysphagia and dysphasia. J Laryngol Otol **114**：793-795, 2000

161）Carrillo JF, Maldonado F, Carrillo LC et al：Prognostic factors in patients with minor salivary gland carcinoma of the oral cavity and oropharynx. Head Neck **33**：1406-1412, 2011

162）Roper PR, Wolf PF, Luna MA et al：Malignant salivary gland tumors of the base of tongue. South Med J **80**：605-608, 1987

163）Kurabayashi T, Ida M, Yoshino M et al：Differential diagnosis of tumors of the minor salivary glands of the palate by computed tomography. Dentomaxillofac Radiol **26**：16-21, 1997

164）Schoppy DW, Kupferman ME, Hessel AC et al：Transoral endoscopic head and neck surgery（eHNS）for minor salivary gland tumors of the oropharynx. Cancers Head Neck **2**：5. Doi: 10.1186/s41199-017-0024-2. eCollection 2017

165）Villanueva NL, de Almeida JR, Sikora AG et al：Transoral robotic surgery for the management of oropharyngeal minor salivary gland tumors. Head Neck **36**：28-33, 2014

166）Elis MA, Graboyes EM, Day TA et al：Prognostic factors and occult nodal disease in mucoepidermoid carcinoma of the oral cavity and oropharynx: An analysis of the National Cancer Database. Oral Oncol **72**：174-178, 2017

167）Spiro RH：Distant metastasis in adenoid cystic carcinoma of salivary origin. Am J Surg **174**：495-498, 1997

168）Evans HL, Batsakis JG：Polymorphous low-grade adenocarcinoma of minor salivary glands：a study of 14 cases of a distinctive neoplasm. Cancer **53**：935-942, 1984

169）Paleri V, Robinson M, Bradley P：Polymorphous low-grade adenocarcinoma of the head and neck. Curr Opin Otolaryngol Head Neck Surg **16**：163-169, 2008

170）Batsakis JG, El-Naggar AK, Luna MA：Thyroid gland ectopias. Ann Otol Rhinol Laryngol **105**：996-1000, 1996

171）Sauk JJ Jr：Ectopic lingual thyroid. J Pathol **102**：239-243, 1970

172）Noussios G, Anagnostis P, Goulis DG et al：Ectopic thyroid tissue: anatomical, clinical, and surgical implications of a rare entity. Eur J Enedocrinol **165**：375-382, 2011

173）Thomas G, Hoilat R, Daniels JS et al：Ectopic lingual thyroid : a case report. Int J Oral Maxillofac Surg **32**：219-221, 2003

174）Gallo A, Leonetti F, Torri E et al：Ectopic lingual thyroid as unusual cause of severe dysphagia. Dysphagia **16**：220-223, 2001

175）Katz AD, Zager WJ：The lingual thyroid：Its diagnosis and treatment. Arch Surg **102**：582-585, 1971

176）Neinas FW, Gorman CA, Devine KD et al：Lingual thyroid：Clinical characteristics of 15 cases. Ann Intern Med **79**：205-210, 1973

177）Chan FL, Low LC, Yeung HW et al：Case report：Lingual thyroid, a cause of neonatal stridor. Br J Radiol **66**：462-464, 1993

178）Andrieux S, Douillard C, Nocaudie M et al：Lingual thyroid：A case report. Ann Endocrinol（Paris）**62**：538-541, 2001

179）Massine RE, Durning SJ, Koroscil TM：Lingual thyroid carcinoma：A case report and review of the literature. Thyroid **11**：1191-1196, 2001

180）Goldstein B, Westra WH, Califano J：Multifocal papillary thyroid carcinoma arising in a lingual thyroid：A case report. Arch Otolaryngol Head Neck Surg **128**：1198-2000, 2002

181) Seoane JM, Cameselle-Teijeiro J, Romero MA：Poorly differentiated oxyphilic (Hürthle cell) carcinoma arising in lingual thyroid：A case report and review of the literature. Endocr Pathol **13**：353-360, 2002

182) Sturniolo G, Violi MA, Galletti B et al：Differentiated thyroid carcinoma in lingual thyroid. Endocrine **51**：189-198, 2016

183) Mogi C, Shinomiya H, Fujii N et al：Transoral videolaryngoscopic surgery for papillary carcinoma arising from lingual thyroid. Auris Nasus Larynx **45**：1127-1129, 2018

184) Klubo-Gweizdzinska J, Manes RP, Chia SH et al：Ectopic cervical thyroid carcinoma—review of the literature with illustrative case series. J Clin Endocrinol Metab **96**：2684-2691, 2011

185) Takashima S, Ueda M, Shibata A et al：MR imaging of the lingual thyroid：Comparison to other submucosal lesions. Acta Radiol **42**：376-382, 2001

186) Johnson JC, Coleman LL：Magnetic resonance imaging of a lingual thyroid gland. Peiatr Radiol **19**：461-462, 1989

187) Aktolun C, Demir H, Berk F et al：Diagnosis of complete ectopic lingual thyroid with Tc-99m pertechnetate scintigraphy. Clin Nucl Med **26**：933-935, 2001

188) Kansal P, Sakati N, Rifai A et al：Lingual thyroid：Diagnosis and treatment. Arch Intern Med **147**：2046-2048, 1987

189) Radokowski D, Arnold J, Healy GB et al：Thyroglossal duct remnants：Preoperative evaluation and management. Arch Otolaryngol Head Neck Surg **117**：1378-1381, 1991

190) Weiss SD, Orlich CC：Primary papillary carcinoma of a thyroglossal duct cyst：report of a case and literature review. Br J Surg **78**：87-89, 1991

7 喉　頭

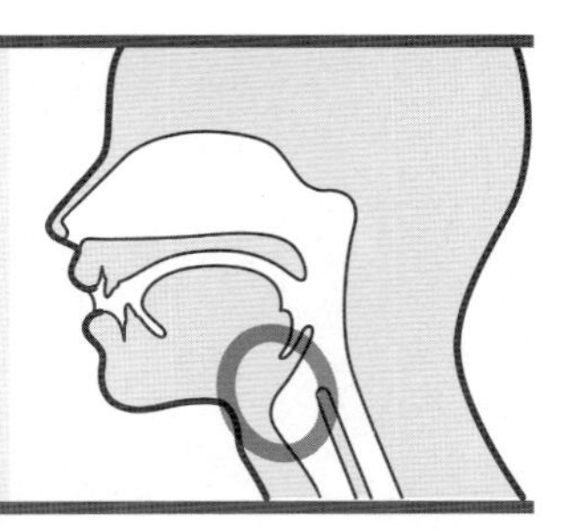

A 臨床解剖

喉頭(図 1〜3)は第 3〜6 頸椎レベルに相当する舌骨下頸部の前面正中で，臓側筋膜(深頸筋膜中葉)に囲まれる臓側間隙内に位置する．頭側は喉頭蓋自由縁を境界として中咽頭，尾側は輪状軟骨下縁レベルで気管に連続し，背側は下咽頭と密接に位置する．頭側の中咽頭は消化管と気道が同じ経路を兼ねるが，喉頭蓋レベルで気道として喉頭，消化管として下咽頭が機能を別にする．喉頭は発声というもうひとつの重要な機能を有することから“voice box”とも呼ばれる．

喉頭は粘膜，喉頭軟骨による骨格，これらを繋ぐ靱帯および線維性組織による膜様構造(間膜)，内喉頭筋，さらに粘膜と喉頭軟骨骨格との間を埋める粗な結合織(間隙)よりなる．また，臨床上，喉頭の亜区域，神経支配，血管支配，リンパ支配領域の理解も重要である．以下，これらにつき解説する．

1 喉頭粘膜(図 2)

喉頭の内面を裏打ちする粘膜面には臨床上重要な指標となる構造があり，喉頭病変の画像診断を行う際，内視鏡所見などの臨床情報と対比するときの理解に必要である．これらには喉頭蓋，披裂喉頭蓋ひだ，声帯，仮声帯，喉頭室，前交連などが含まれる．線維軟骨である喉頭蓋軟骨を粘膜面が覆い形成される喉頭蓋は前上面である咽頭面(舌根面)と後下面である喉頭面の 2 面を有し，臨床上さらに舌骨上，下に区分される．喉頭蓋前面は両側方より外側咽頭喉頭蓋ひだ，正中より正中舌喉頭蓋ひだが連続し，これらの間で喉頭蓋前面下部に左右の喉頭蓋谷を形成する．両側下方には披裂部に向かい披裂喉頭蓋ひだが連続し，これにより喉頭はその外側の下咽頭梨状窩と区分されるが，両者は近接しており梨状窩内側壁は喉頭と壁を共有する．喉頭両側面には頭側の仮声帯，尾側の声帯が平行するひだとしてみられ，両者の間に喉頭室と呼ばれる陥凹を形成する．喉頭鏡検査では喉頭室尖部，声帯下面および声門下(後述)などが死角となりやすく注意を要する．両声帯は前方で近接し接合するが，ここを前交連と称する．声門は左右声帯内側縁，前交連，披裂軟骨声帯突起，披裂間部(後交連)で囲まれる．

2 喉頭軟骨および靱帯，間膜(図 1，3，4)

喉頭は軟骨による骨格を靱帯，間膜が繋ぐことでその構造を保っている．喉頭軟骨は喉頭蓋軟骨，甲状軟骨，輪状軟骨および一対をなす披裂軟骨，楔状軟骨，角状軟骨よりなる．ただし，臨床上，画像診断上，楔状軟骨，角状軟骨が問題となることは少ない．喉頭蓋軟骨および披裂軟骨声帯突起は弾性軟骨で他は硝子軟骨よりなることから，他の喉頭軟骨と比較して喉頭蓋軟骨の骨化(図 5)はまれである．

喉頭蓋軟骨は葉状の形態をとり，柄と呼ばれる尾側部は甲状喉頭蓋靱帯により甲状軟骨内側面正中，甲状切痕下部に付着する．また，喉頭蓋軟骨前面と舌骨を舌骨喉頭蓋靱帯が繋ぐ．喉頭蓋軟骨には無数の孔が空いているため声門上癌が喉頭蓋喉頭面より咽頭面に進展する障壁としての意義は乏しい．

喉頭軟骨の中で最も大きな甲状軟骨は左右の側板が前面正中で接合し喉頭隆起を形成することで全体の形をとる．思春期以降の発育の性差により両側板の接合角度は成人男性で 90°，女性で 120°

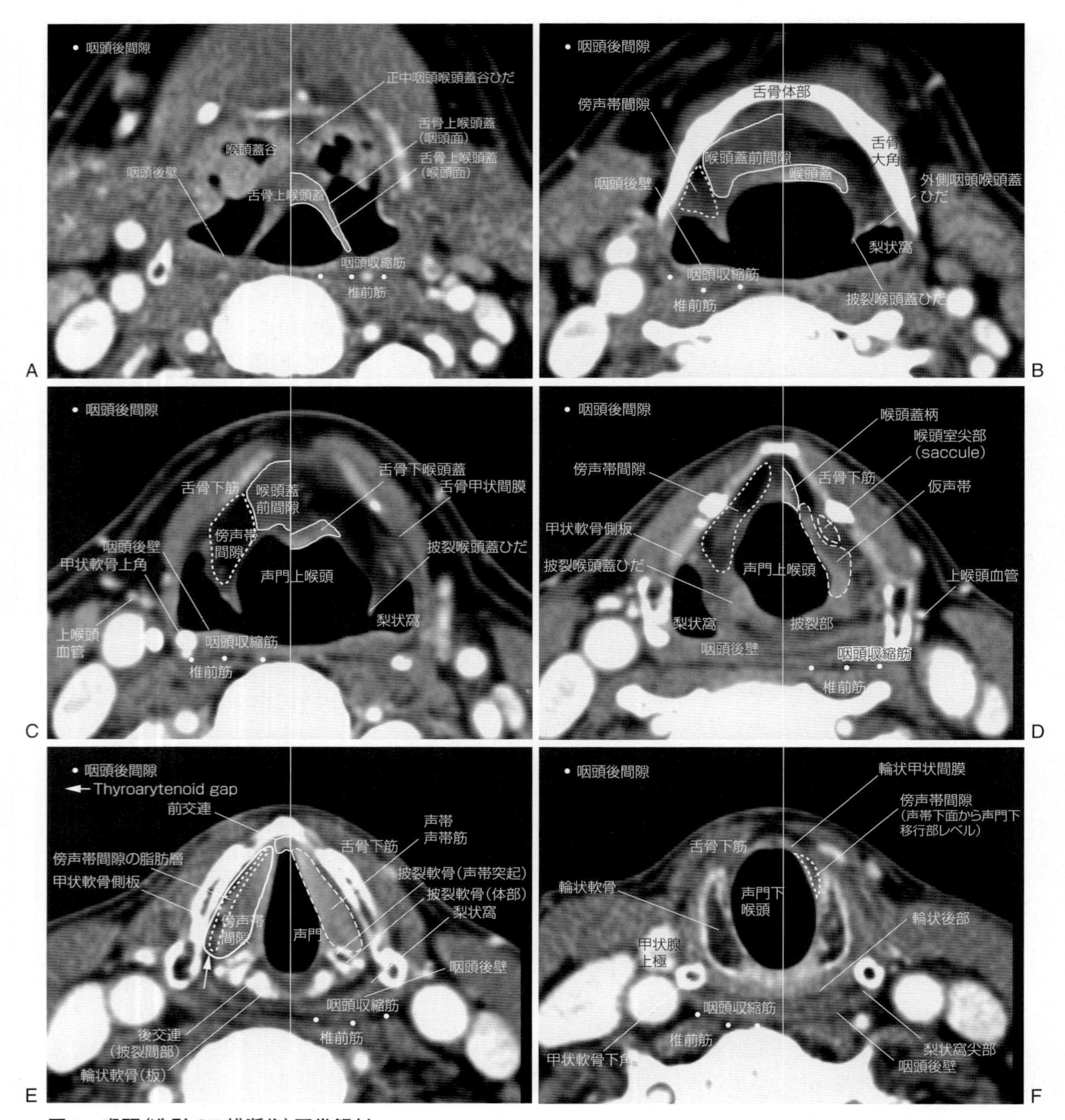

図 1　喉頭(造影 CT 横断像)正常解剖
喉頭蓋レベル(A)，舌骨レベル(B)，甲状舌骨膜レベル(C)，仮声帯レベル(D)，声門レベル(E)，声門下レベル(F)

程度である．また，女性の喉頭軟骨骨格は男性と比較して一般に小さい(特に前後径)．両側板接合部上縁には甲状切痕という V 字の切痕を形成する．側板の後縁上下には各々，上角(大角)，下角(小角)という突起がみられ，下角は輪状軟骨関節面と輪状甲状関節を形成する．

舌骨体部および大角と甲状軟骨側板上縁および上角との間には甲状舌骨膜が張り喉頭骨格を舌骨から吊っている．その両側の後側面を上喉頭動脈とこれに伴走する迷走神経由来の上喉頭神経喉頭

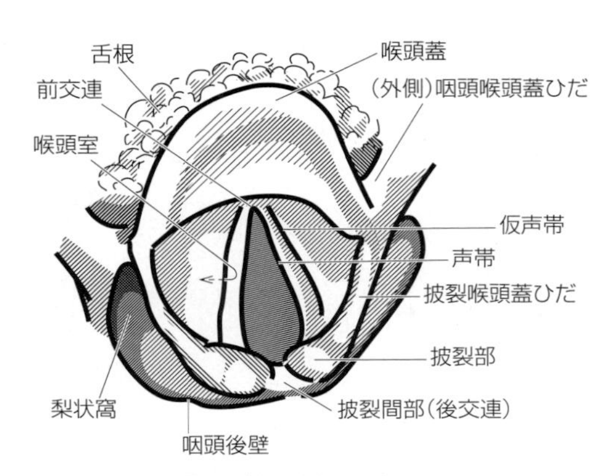

図 2 喉頭粘膜面(喉頭鏡所見). シェーマ

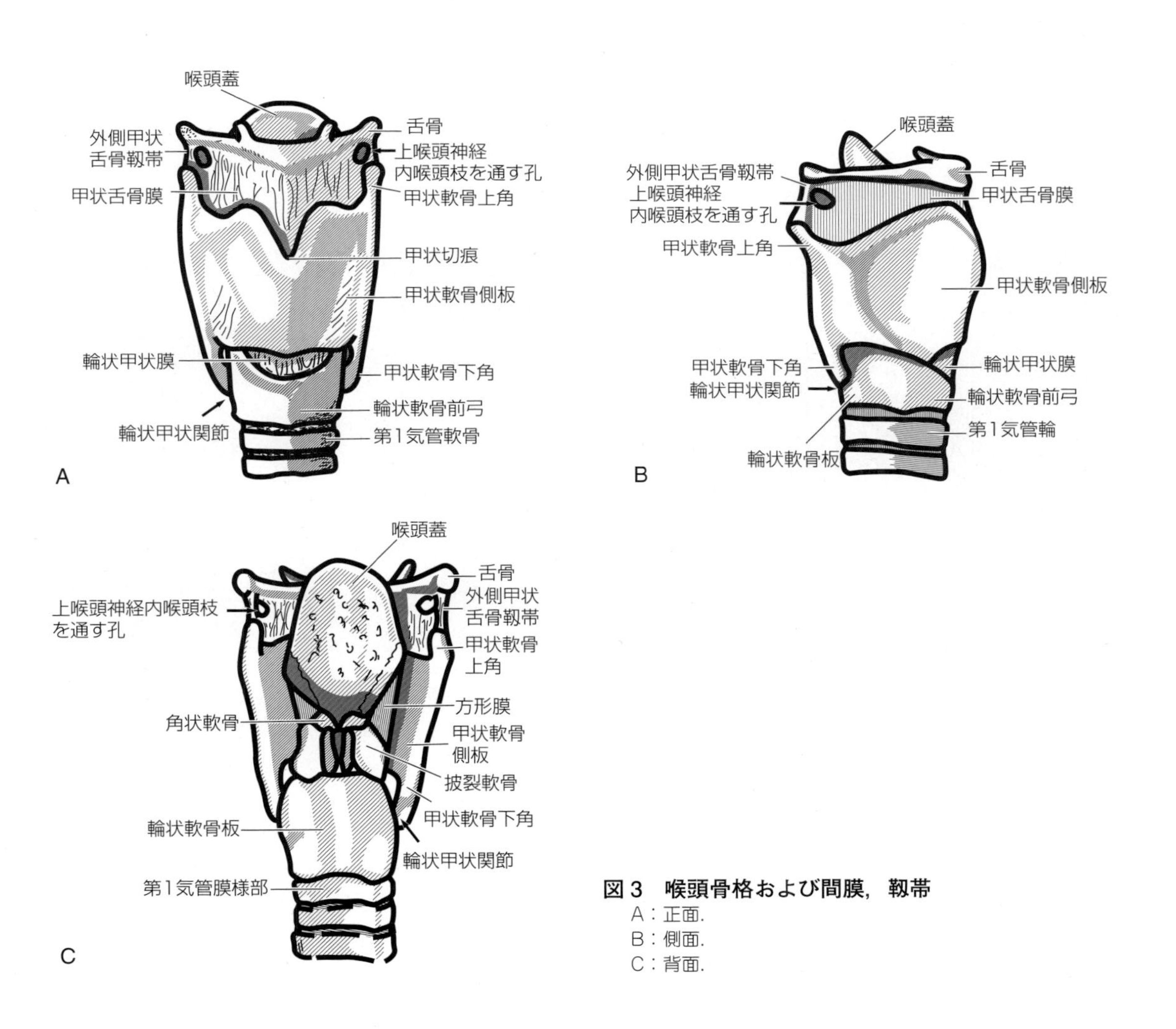

図 3 喉頭骨格および間膜, 靱帯
A：正面.
B：側面.
C：背面.

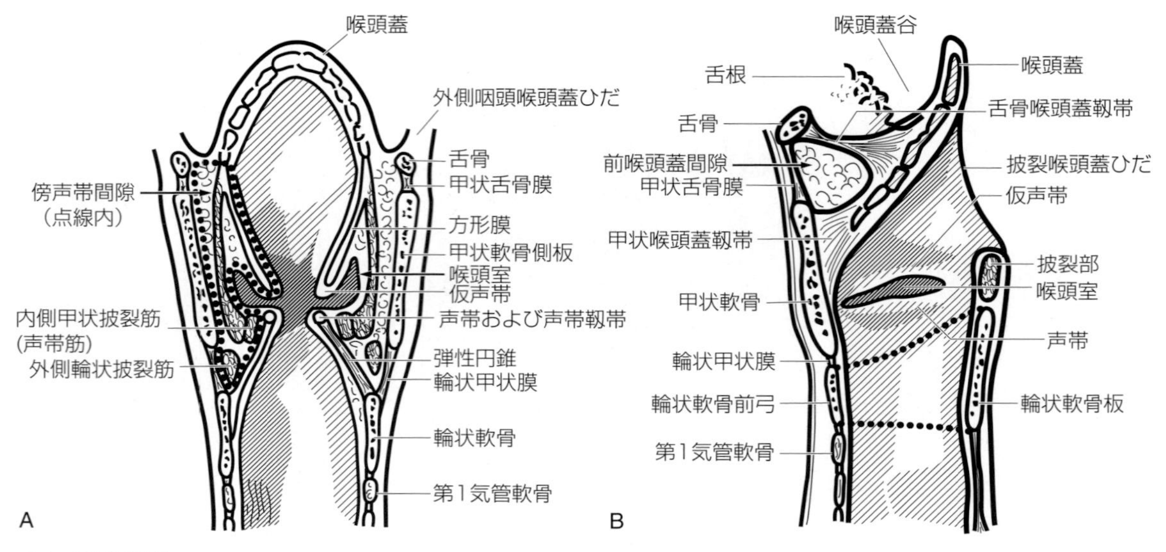

図4　喉頭断面

A：冠状断面．

B：矢状断面．

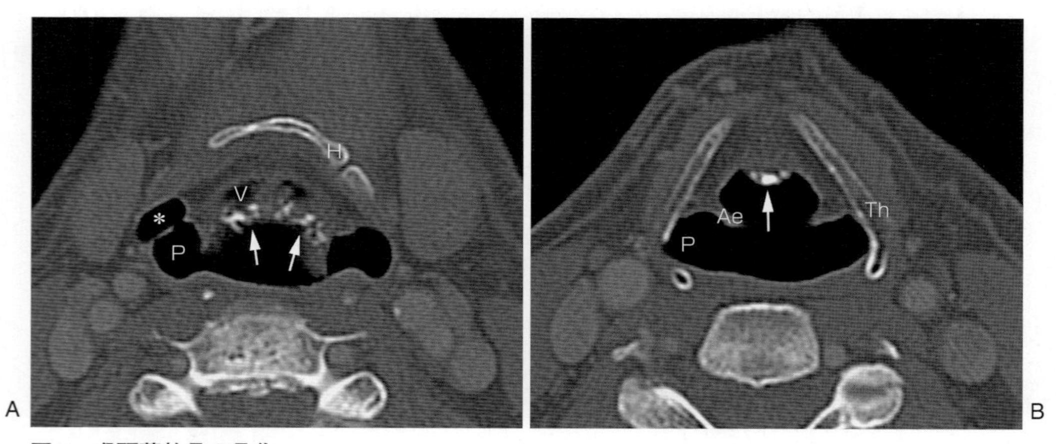

図5　喉頭蓋軟骨の骨化

舌骨(H)レベル非造影 CT 骨条件表示(A)において，喉頭蓋軟骨の骨化(矢印)を認める．P：梨状窩，V：喉頭蓋谷，＊：咽頭瘤．甲状軟骨レベル(B)でも喉頭蓋柄の骨化(矢印)を認める．Ae：披裂喉頭蓋ひだ，P：梨状窩，Th：甲状軟骨側板

内枝(内喉頭神経)が貫通する．甲状舌骨膜後縁は一部肥厚して外側甲状舌骨靱帯を形成，舌骨大角と甲状軟骨上角の間に張る．

下方では輪状軟骨との間に輪状甲状膜が張る．甲状軟骨側板の外側表面の斜線には下咽頭収縮筋，胸骨甲状筋，甲状舌骨筋が付着する．このことから甲状軟骨側板は斜線に沿って集中した機械的ストレスを受け，ときに繰り返す微小外傷により側板の dystrophic ossification が限局性膨隆を形成し内視鏡において仮声帯レベルの粘膜下腫瘤様に認められる場合がある(図6)[1]．喉頭機能温存術において軟骨切断前に甲状軟骨側板外側面の軟骨膜をもち上げる際，術中これを傷つけないように注意することが喉頭閉鎖時に重要である．内面は粘膜軟骨膜が覆うが，前交連部のみこれが欠如する．甲状軟骨骨化は 20 歳頃より始まり 60 歳代では脂肪髄を有するようになる．

一対の披裂軟骨は小さなピラミッド状の形態を

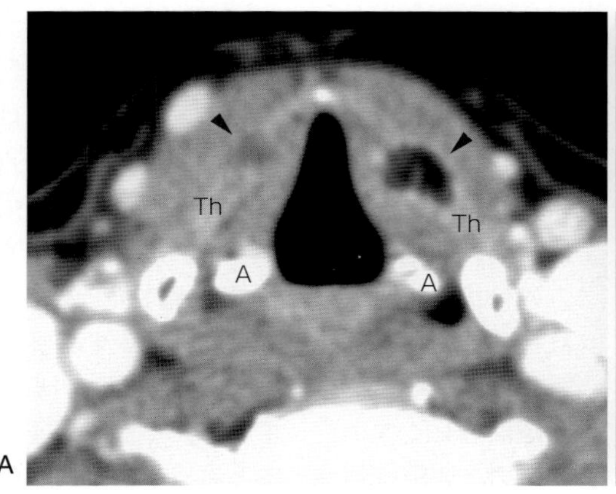

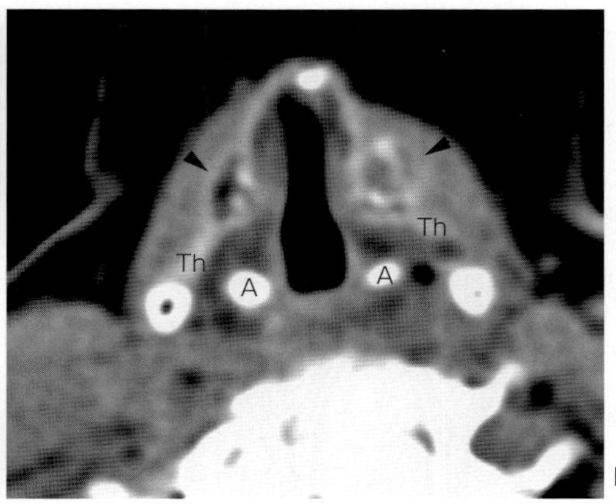

A　B

図 6　甲状軟骨側板の dystrophic ossification

甲状軟骨レベル造影 CT（A）において，両側甲状軟骨側板（Th）ほぼ中央部からやや前方よりに限局性膨隆性変化（矢頭）を認める．左側では骨化に伴う脂肪髄が低濃度を示すが，右側は軟部濃度であり，恐らくは軟骨成分によると思われる．

別症例（B）でも同様に，甲状軟骨（Th）の限局性膨隆あり．A：披裂軟骨

とり，輪状軟骨の板部（lamina）の上外側縁との間に滑膜関節である輪状披裂関節を形成する．滑膜関節であることから，まれに関節リウマチが同関節を侵す．上方に伸びる尖部には披裂喉頭蓋ひだおよび楔状軟骨，前方に伸びる声帯突起には声帯靱帯，外側に伸びる筋突起には後，外側輪状披裂筋が付着する．輪状披裂関節は声帯の可動性，すなわち発声にとって最も重要である．

輪状軟骨は甲状軟骨の下方に位置し，喉頭軟骨の中で唯一，喉頭腔全周を輪状に囲んでおり気道保持に最も重要である．背側で 2〜3 cm の高さをもつ板部（lamina）と腹側で 5〜7 mm と低い前弓が輪状に配置し全体として印環リングの形態をなす．下方は気管へと連続し，背側は下咽頭輪状後部と壁を共有する．

方形膜（quadràngular membrane）は喉頭粘膜下の薄い結合織の膜様構造で喉頭蓋軟骨外側と披裂軟骨外側面および角状軟骨との間に張る．上方の自由縁は披裂喉頭蓋ひだ，下方の自由縁は仮声帯ひだを形成する．ただし，方形膜は画像上では確認されず，喉頭癌の進展にとって障壁としての意義も乏しい．

弾性円錐（elastic cone）は，方形膜よりも厚くより明瞭な，喉頭粘膜下のもうひとつの結合織膜様構造である．声帯靱帯より下方に連続し，側方は輪状軟骨上縁，一部の線維はさらに下方の輪状軟骨内側面に移行，付着する．前方ではより強靱で輪状甲状膜へ付着，輪状甲状靱帯を形成する．弾性円錐の外側には外側輪状甲状筋，甲状披裂筋が位置し，内側面は粘膜が直接覆う．喉頭癌進展に対してある程度の障壁となる．

3 喉頭筋

喉頭筋は外喉頭筋と内喉頭筋に分かれるが，前者は喉頭全体をひとつの単位として動かす筋肉で上方に牽引する舌骨上筋，茎突咽頭筋，下方に牽引する舌骨下筋が含まれる．一方，内喉頭筋は喉頭内の部分構造を動かす筋肉で声帯を開閉する外側・後輪状披裂筋，横披裂筋，声帯靱帯の緊張を調整する内・外甲状披裂筋，輪状甲状筋，喉頭入口部の形態を変化させる披裂喉頭蓋筋，甲状喉頭蓋筋が含まれる．

内喉頭筋のうち重要なものにつき解説する．画像診断上，甲状披裂筋は CT 横断像においてその軟部組織濃度により声帯（声門）レベルを示し，脂肪優位で低濃度を示す仮声帯レベルと区別するという意味で重要である（図 1）．同筋は甲状軟骨左右側板の前接合部の内側面下方より起こり，声帯レベルにおいて声帯靱帯，弾性円錐の側方に位置する．内・外甲状披裂筋が平行してみられるが，前者は声帯筋とも呼ばれ披裂軟骨声帯突起に，後者は披裂軟骨前外側面に付着する．後輪状披裂筋

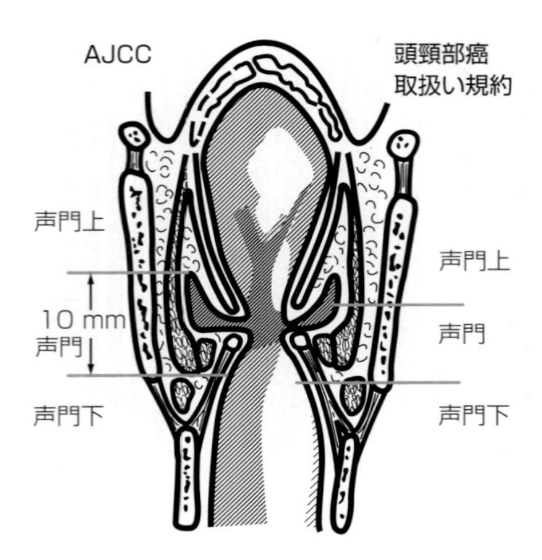

図7　喉頭亜区域分類
左：AJCC，右：頭頸部癌取扱い規約.

は声帯を外転させ声門を開く作用をもつ唯一の筋という意味で機能的には最も重要とされる．輪状軟骨板部内側面下方より起こり同側披裂軟骨筋突起に付着する．

4 粘膜下組織間隙(図1，4)

喉頭蓋前間隙(preepiglottic space)，傍声帯間隙(paraglottic space)は喉頭癌の粘膜下進展の理解ならびに機能温存手術における切除範囲の適切性を図るうえで重要である．両間隙ともに脂肪を主とした粗な結合織よりなるが，(特に喉頭蓋前間隙において)リンパ網，毛細血管網の発達が著しい．したがって，同間隙を侵す喉頭癌の進展はリンパ節転移のリスクを高める．

喉頭蓋前間隙(space of Boyer)は上方を喉頭蓋谷底部粘膜を裏打ちする舌骨喉頭蓋靱帯，前方を甲状舌骨膜および甲状軟骨上部，後下方を喉頭蓋軟骨，甲状喉頭蓋靱帯および方形膜に境界される脂肪に満ちた間隙で正中矢状断像では三角形をなす(図4B)．両側方では次に述べる傍声帯間隙へと交通している．舌骨喉頭蓋靱帯は薄く喉頭癌進展の障壁とはならず，喉頭蓋前間隙は実質上，舌根へと連続している[2)]．

傍声帯間隙は前側方を甲状軟骨側板，下内方を弾性円錐，内側を喉頭粘膜および喉頭室，後方を梨状窩内側壁粘膜が境界し，内・外甲状披裂筋を含む．同間隙は甲状軟骨側板内面の上下に沿った広がりをもつことから，臨床上重要な経声門進展(声門上および声門にまたがる進展)あるいは声門下進展などの頭尾側方向の進展経路となる点，甲状軟骨内面に接することから同間隙への腫瘍浸潤は容易に軟骨浸潤(T3)をきたす点に加えて，下方の輪状甲状間隙を介して喉頭外頸部軟部組織と直接連続しており，喉頭癌が喉頭外進展(T4)をきたす経路として重要である．声帯レベルでは同間隙は著しく狭小化している．

声門下間隙は弾性円錐と声門下部喉頭粘膜との間であるが，実際は粘膜と弾性円錐，輪状甲状膜，輪状軟骨軟骨膜とは癒着している．

5 亜区域分類(図7)

喉頭は病変，特に喉頭癌の発生部位として声門上部，声門，声門下部の3つを区分する．これらの分類は各亜区域の喉頭癌が各々異なる臨床像を呈することより重要である．AJCC(American Joint Committee on Cancer 第8版)[3)]では左右喉頭室外側縁と声帯上面との接合部を通る第1の基準面，1 cm尾側でこれに平行する第2の基準面を決め，第1基準面より頭側を声門上部，両基準面の間を声門部，第2基準面より尾側を声門下部とする．一方で現行の「頭頸部癌取扱い規約(第6版補訂版)」[4)]では亜区域分類を明確に定めていない．

発生学上，喉頭は第3，4鰓弓の頬咽頭原基(buccopharyngeal anlage)に由来する声門上喉頭と第5, 6鰓弓の気管気管支原基(tracheobronchial anlage)に由来する声門・声門下喉頭に2分され，粘膜は前者が非角化重層扁平上皮，後者が線毛円柱上皮より形成される．各亜部位の癌の生物学的特性の差はこれらの発生学的，組織学的因子によるところが大きいと考えられる．

声門上部には喉頭蓋(舌骨上・下)，披裂喉頭蓋ひだ，仮声帯，喉頭室上面，声門には声帯および声帯(上・下面)，前交連，後交連，声門下部には輪状軟骨内腔を覆う粘膜が含まれる．臨床上，声門上喉頭部分切除の概念において披裂軟骨上部が声門上部に含まれることは重要である．

6 神経支配

内喉頭筋の神経支配は輪状甲状筋のみ上喉頭神経(CN10)の枝である外喉頭神経，その他すべてが反回神経(CN10)支配である．また，内喉頭筋は横披裂筋を除くすべてが左右一対をなすが，横披裂筋のみが反回神経の両側支配を受ける．迷走神経の枝である上喉頭神経は頸動脈三角上縁レベルで下迷走神経節より起こり，頸動脈鞘内で知覚枝である内喉頭神経と運動枝である外喉頭神経に分岐する．前者は伴走する上喉頭動脈とともに甲状舌骨膜を後側面下方より貫通して喉頭内に入る．後者は胸骨甲状筋後方を下行し，下咽頭収縮筋を貫通して輪状甲状筋の動きを支配する．

一方，同様に迷走神経の枝である反回神経は右が鎖骨下動脈，左が大動脈の下面をそれぞれ反回したのち同側の気管食道溝に沿って上行し下咽頭収縮筋の下縁深部，輪状甲状関節近傍を通過，下喉頭神経として輪状甲状筋以外すべての内喉頭筋を支配する．

7 血管支配

喉頭の動脈支配は声帯レベルで上下に分割されるが，上部は外頸動脈より分岐した上甲状腺動脈の枝である上喉頭動脈，下部は甲状頸動脈より分岐した下甲状腺動脈の枝で下喉頭神経と伴走する下喉頭動脈に栄養される．前交連部は比較的乏血性である．

静脈還流は上甲状腺静脈と合流し内頸静脈に注ぐ上喉頭静脈と，下甲状腺静脈あるいは気管前面の甲状腺静脈叢に合流後に左腕頭静脈に注ぐ下喉頭静脈とによる．

8 リンパ支配

声門上部粘膜のリンパは上喉頭動静脈に沿い上内深頸リンパ節(レベルII)に注ぐ．この概念は機能温存手術のひとつである声門上喉頭部分切除の可否の理解に必要である．声門はリンパ流は乏しく，声門癌のリンパ節転移が比較的まれであることの根拠となる．声門下部のリンパ還流はやや複雑で前面は喉頭前リンパ節および輪状甲状膜前面にある輪状甲状リンパ節(Delphian node)から気管前リンパ節(いずれもレベルVI)，鎖骨上リンパ節へ，両側面および後面は輪状気管膜を貫通し気管傍リンパ節(レベルVI)から上縦隔リンパ節(レベルVII)へと向かう．喉頭蓋前間隙，傍声帯間隙のリンパ網は豊富であり，これらに進展した喉頭癌では高頻度に頸部リンパ節転移を認める．両間隙ともにリンパ主還流は上内深頸リンパ節(レベルII)に向かう．

B 画像診断・撮像プロトコール

喉頭の画像診断としては歴史的には単純X線撮影，喉頭造影，通常断層撮影などが行われてきた．喉頭蓋炎(あるいは声門上炎)などでは依然として頸部単純X線撮影側面像も有効ではあるが，現在ではこれら一部の例外を除きCTおよびMRIが喉頭画像診断の主体をなしている．CTおよびMRI検査では適切な撮影プロトコールが重要であり，これによりはじめて喉頭内，喉頭周囲の頸部軟部組織の詳細な解剖を描出しうる．

喉頭癌の画像診断には原発巣と頸部リンパ節の評価が望まれるが，臨床的には喉頭鏡では確認できない粘膜下の病変の拡がりを描出する点において極めて重要である．これらの情報は病期診断，治療方針に直接反映される．軟骨，骨，筋肉，脂肪，喉頭内腔の空気など，喉頭を形成するさまざまな組織はCT，MRIでは各固有のコントラストにおいて描出される．以下に適切な撮像プロトコール，CTおよびMRIでの喉頭における組織コントラストを解説する．

1 撮像プロトコール

喉頭のCT撮像では三次元表示による偽内視鏡像表示，多列検出器型CTでも三次元データを得ることからさまざまな任意の断面による表示などが可能であるが，現行では横断像が評価の基準と考えられる．

まず喉頭癌CT検査の基本を述べる．多列検出器CTでは同じ画像データを基とするが，原発病変(T因子)と頸部リンパ節(N因子)を評価する画像は分けて考えるべきである．撮影時，被検者は検査台に頸部を伸展した仰臥位をとるが，安静呼吸を指示する(呼吸停止では声帯が内転，声門が閉鎖し，しばしば声門部病変の評価が困難になる)．経静脈的ヨード造影剤投与が必要であり，秒間3 mL程度で注入し，約70秒程度からの撮影が一般的である(早過ぎると病変の増強効果は不十分となる)．

撮像範囲は，上は頭蓋底から下は胸郭入口部(声門下病変がみられる場合は適宜，上縦隔まで含む)まで，頭頸部全体を設定する．原発病変に関しては，喉頭全体の範囲で声帯に平行(舌骨，喉頭室あるいはC4～5，C5～6椎間腔などが基準となる)に，再構成スライス厚・間隔は2 mmの横断像で軟部濃度・骨条件両方での表示，頸部リンパ節病変に関しては，頭頸部全体を再構成スライス厚・間隔3 mmでの横断像軟部濃度表示が望まれる．原発病変は喉頭蓋前間隙から舌根・喉頭蓋谷領域への進展などの評価には矢状断，経声門・声門下伸展の評価には冠状断が有用な場合もあり，適宜表示する．

MRIもCTと同様，仰臥位，頸部伸展位で撮像される．CTと比較して検査時間がかかることより検査中の安静維持の指導はより重要である．多断面の撮影が可能である利点がある一方，CTに比べ検査時間が長く呼吸苦のある被検者では体動による画像劣化が問題である．実際，喉頭・下咽頭のMRI検査では約16％で検査時の体動，閉所恐怖症などの理由により診断的価値のある画像が得られないとされる[5~7]．撮影はHelmholtz型あるいはphased-array型のコイルにより頭蓋底から鎖骨レベルまでの頸部全体を範囲として含み良好な信号雑音比を得ることが可能である．

実際の撮像プロトコールは放射線診断医の考えとハードウェアによることが多いが，基本的なものを以下に述べる．矢状断位置決め撮像で喉頭室を確認しこれに平行に舌根部から輪状軟骨全体を含む範囲でSE(スピンエコー)法によるT1強調横断像，Fast-SE法によるT2強調横断像を撮像する．これに直行するT1強調冠状断像，矢状断像を撮影する．冠状断は喉頭室，傍声帯間隙，経声帯(transglottic)病変の評価，矢状断は舌根，喉頭蓋，喉頭蓋前間隙の評価に有用である．FOVは20 cmあるいはそれ以下とし，マトリックスは最低でも256×192とする．ガドリニウムDTPAによる造影の可否に関してはいまだ評価は定まっていないが，投与後T1強調横断像を加えるのが一般的で，症例により脂肪抑制法の併用が有用である．血管からのアーチファクトを軽減するため，位相エンコーディングは横断像では前後方向，冠状断像では上下方向とする．他の新しい撮像シーケンスに関しての評価はいまだ確立されておらず，現行のシーケンスを補足しても置き換えるに至ってはいない．また，短時間で撮影を終了しなければならないような呼吸苦を伴う被検者などでは撮像パラメータの設定にも制限が生じる．

2 組織コントラスト

CT(図1)においては喉頭内腔は空気濃度，喉頭蓋前間隙，傍声帯間隙などの粘膜下組織間隙は主に脂肪濃度，内・外喉頭筋，その他の筋は軟部組織濃度を示す．正常喉頭粘膜は平滑で造影CTによる増強効果は認められない[2]．喉頭癌は淡い増強効果を呈する軟部組織濃度を示すのが典型である．そのため，喉頭蓋前間隙，傍声帯間隙への喉頭癌進展は主に脂肪濃度が主体のこれら粘膜下組織間隙と軟部組織濃度を示す腫瘍との間のコントラストにより評価可能である．喉頭軟骨は本来は軟部組織濃度であるが，加齢に伴う骨化により次第に辺縁は皮質骨濃度，内部は脂肪髄による脂肪濃度を示すようになる．実際，喉頭癌の罹患年齢ではほぼ骨化しているが，非対称性や分節様であることもしばしばで，軟骨成分の遺残なども合わせて複雑な内部濃度・信号強度を呈することから，喉頭癌による軟骨浸潤の画像診断は容易ではない．

声帯に平行に撮影された横断像での仮声帯レベルと声帯レベルの区別は前者では傍声帯間隙が主に脂肪濃度を呈するのに対し後者では内・外甲状披裂筋の存在により軟部組織濃度を示すことによる(図1，8)．喉頭室小嚢(saccule)がやや頭側に向かい，これが仮声帯レベルでは全体として脂肪濃度を示す傍声帯間隙内腹側の一部に類円形，線状の空気濃度あるいは軟部組織濃度として認められる(図1D，8B)．披裂軟骨声帯突起は，声帯レ

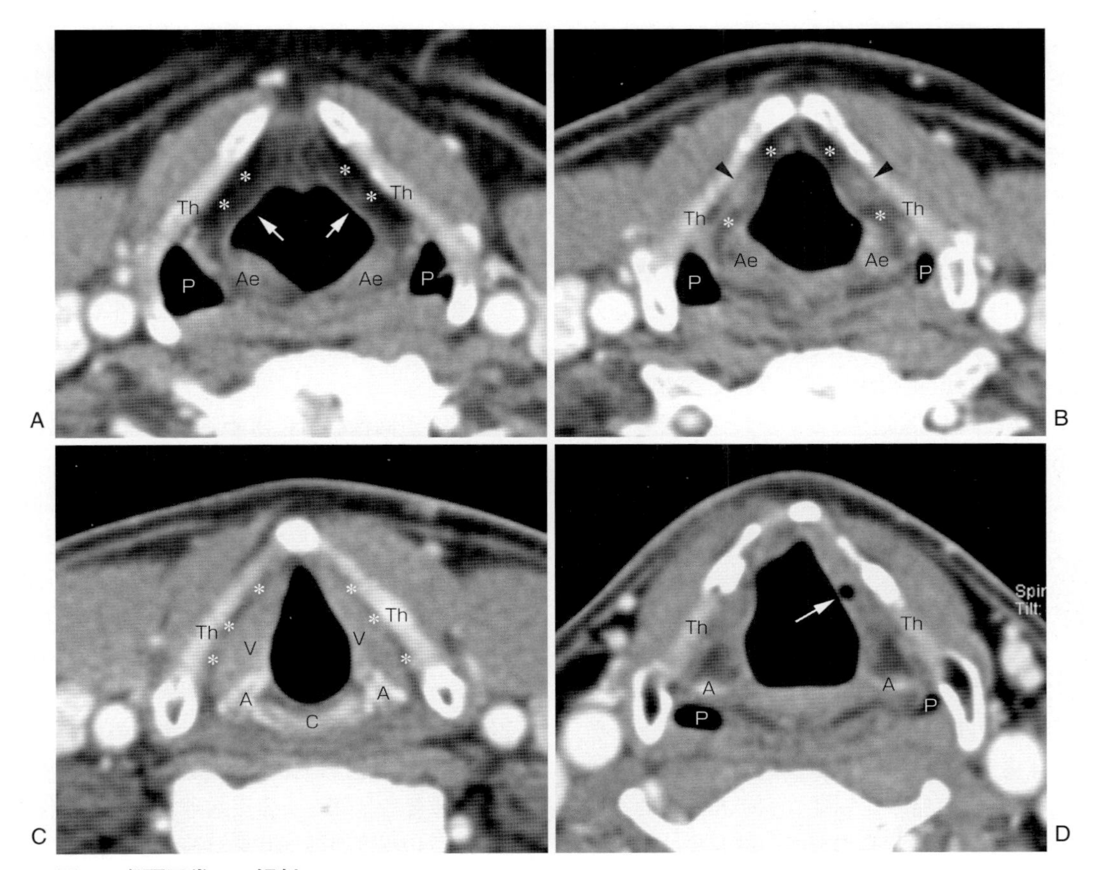

図 8　喉頭正常 CT 解剖

仮声帯レベル上部(A)で，仮声帯(矢印)は甲状軟骨側板(Th)内面に沿った傍声帯間隙(＊)による脂肪濃度を主体とする．仮声帯下部レベル(B)では傍声帯間隙(＊)の脂肪濃度内で仮声帯ほぼ中央部に限局性軟部濃度域(矢頭)を認め，喉頭室小嚢を示す．声帯レベル(C)で，声帯は声帯筋(V)による軟部濃度が主体をなし，これにより狭小化した傍声帯間隙(＊)は甲状軟骨側板(Th)内面に沿った薄い線状脂肪層として認められる．

別症例の仮声帯レベル造影 CT (D)で，左仮声帯の傍声帯間隙内に小さな含気腔(矢印)として喉頭室小嚢を認める．

A：披裂軟骨，Ae：披裂喉頭蓋ひだ，C：輪状軟骨，P：梨状窩

ベルを示す構造として重要である(図 1E)．声帯レベルでは傍声帯間隙(図 8C)は甲状軟骨側板内面に沿った薄い線状脂肪濃度として確認されるが，声門癌例で同脂肪層の消失は傍声帯間隙浸潤(T3 病変)を反映する．

前交連では喉頭気道腔と甲状軟骨との間に介在する軟部組織の厚さは 1 mm 以下が正常であり，1.6 mm を超えた場合は異常な軟部組織肥厚とされ[8]，喉頭癌では同領域への腫瘍浸潤が考慮される．声門下レベルでは喉頭粘膜と輪状軟骨軟骨膜，輪状甲状膜，弾性円錐の癒着により，CT 上は喉頭内腔の空気は輪状軟骨内側面に直接接するのが正常である(図 1F)．放射線治療後に左右対称性に軽度の軟部組織肥厚を認めることがあるが，それ以外は異常と判断される．

MRI は一般に CT よりも優れた組織コントラストが得られる．また，いくつかの異なったシーケンスの画像を比較することによりさらなる組織の特定が可能である．ただし，CT よりも撮像時間が長く(時間分解能が低く)，喉頭領域では呼吸，嚥下などの体動に伴う画質劣化により十分な情報が得られない場合も少なくない．T1 強調像では脂肪は高信号，粘膜は低から中等度信号，筋肉・腫瘍などの軟部組織は中等度信号，液体はややそれよりも低信号域，空気は無信号を呈する．T2 強調像では液体は極めて高信号，粘膜は中等

度から高信号，筋肉は中等度信号，脂肪は軽度高信号から中等度信号，空気は無信号を示す．

正常喉頭粘膜はCTでは造影効果はないがMRIではガドリニウムDTPA静注後に軽度の増強を示す場合もある．良好な脂肪抑制画像では脂肪は低信号を示す．腫瘍は典型的には造影前T1強調像では筋肉と同程度，T2強調像では筋肉よりやや高信号を呈する．造影剤投与により増強効果を示す．(既述のとおり）CT上，声門下では喉頭内腔の空気は直接輪状軟骨に接して認めるが，MRIのT2強調像では粘膜およびこれに付着する粘液が薄い高信号の層として輪状軟骨内側面に沿うように認められる．

C 喉頭癌

1 一般的事項

喉頭腫瘍のほとんどが悪性であり，扁平上皮癌が喉頭腫瘍全体の90％，悪性腫瘍の98％を占める[9,10]．扁平上皮癌のうち約10％が非典型的組織亜型に属する．全世界において，喉頭癌は頭頸部癌の5分の1に相当し2番目に多く[11]，男性の癌では11番目に多い．病因として喫煙歴，アルコール多飲と強く関連する．50〜60歳代の中高年男性に多い．代表的症状は嗄声，嚥下障害，咽頭痛，関連痛としての耳痛などである．病変部位を声門上，声門，声門下の各亜区域(図7)で特定することは各々に生じる扁平上皮癌が異なった臨床像を呈することから重要である．声門癌と声門上癌との比率はだいたい3：1で，声門下原発はまれである．声門癌の大部分が高あるいは中分化癌であるのに対し，声門上癌はやや分化度が低い傾向にある．声門癌は，声門上癌と比較して生存率が高い傾向にある[12]．喉頭癌全体としての5年生存率は40％程度である[13]．他の喉頭悪性腫瘍では，まれに輪状軟骨板部より軟骨肉腫(主に低悪性度)が生じることは重要である．

喉頭癌の大部分を占める扁平上皮癌の多くは画像診断に頼ることなく，内視鏡による存在診断，生検による組織診断が可能である．したがって，臨床医が画像診断医に求めるのは「喉頭病変は扁平上皮癌である」という質的診断に焦点を絞った画像情報の提供ではない．たとえ，画像所見が内視鏡所見と一致し扁平上皮癌に典型的であったとしても，画像診断報告書の記述のみで組織診断なくして放射線照射や声を失う手術は行われない．また，画像所見が非典型的であることを理由に，乳頭状扁平上皮癌，疣状扁平上皮癌などのさまざまな組織亜型や分化度など，幅広い生物学的特性をもつ扁平上皮癌を否定することも極めて危険である．

臨床医が画像診断に求める情報は(内視鏡で確認困難な）粘膜下進展，声門下進展の把握，特に病期診断や治療方法に大きく影響する特異的解剖学的部位への進展の有無や範囲，頸部リンパ節転移といった情報であることを画像診断医は認識する必要がある．これらの画像情報は機能温存手術の可否，放射線治療後の原発病変の局所制御率の推定，放射線治療後の頸部郭清術の要否，化学療法併用の要否といった臨床医が患者の生命予後，機能予後を推定，適切な治療選択などを判断するうえで重要な情報となる．病理組織上では深部進展の深さの程度が頸部リンパ節転移の頻度，無病期生存期間に影響があることが確かめられている[14]．恐らく，画像所見としての深部進展もこれらを反映するものと思われる．同時発生の重複癌(second primary malignancy)の有無も治療計画に大きく影響し，画像診断にその評価が望まれる．頭頸部悪性腫瘍の患者全体の15％が同時(4〜8％)あるいは異時の重複癌をもつ．一般に，頭頸部癌症例において，重複癌発生の危険性は継続的で毎年4〜7％程度とされる[15,16]．

治療前喉頭癌では生検後の出血，炎症などの二次性変化による修飾を防ぐ意味で生検前に画像診断を施行することが望ましい．また，表在性低容積病変ではたとえ内視鏡で明らかであってもCT，MRIで指摘できないこともありうる，すなわち画像で病変が同定されないことを根拠に喉頭癌を否定できるわけでないということも認識する必要がある．このような例では，画像診断は表在性低容積病変であること(内視鏡所見での粘膜病変が氷山の一角でないこと）を確認することに大きな臨床的意義がある．また，喉頭の粘膜下腫瘤

表 1 喉頭癌 TNM 分類

原発巣(T)
Tx：原発巣の評価不可能
Tis：粘膜内の限局癌(carcinoma *in situ*)

声門上癌
T1：声帯運動正常で腫瘍が声門上部の 1 亜部位に限局
T2：声帯固定なく，腫瘍が声門上部の 1 亜部位を越えるか，声門，声門上喉頭外(舌根粘膜，喉頭蓋谷，梨状窩内側壁など)に浸潤を示す
T3：声帯固定があり腫瘍が喉頭内に限局，および / あるいは輪状後部，喉頭蓋前間隙，傍声帯間隙，および / あるいは甲状軟骨内板への浸潤
T4
T4a(中等度進行病変)：腫瘍が甲状軟骨全層性浸潤，および / あるいは喉頭外(気管，外舌筋を含む頸部軟部組織，舌骨下筋，甲状腺組織あるいは食道)進展
T4b(高度進行病変)：腫瘍が椎前組織，頸動脈に浸潤，あるいは縦隔に進展

声門癌
T1：声帯の動きが正常で腫瘍が一側，あるいは両側声帯に限局(前・後交連への進展の有無は問わない)
T1a：1 側の声帯に限局
T1b：両側の声帯に及ぶが，これに限局
T2：腫瘍の声門上および / または声門下進展，および / あるいは声帯の運動制限
T3：声帯固定があり腫瘍が喉頭内に限局および / または傍声帯間隙および / または甲状軟骨内板へ浸潤
T4
T4a(中等度進行病変)：腫瘍が甲状軟骨全層性浸潤，および / または喉頭外(気管，外舌筋を含む頸部軟部組織，舌骨下筋，甲状腺組織あるいは食道)進展
T4b(高度進行病変)：腫瘍が椎前組織，頸動脈に浸潤，あるいは縦隔に進展

声門下癌
T1：腫瘍が声門下部に限局
T2：声帯運動が正常か可動制限があり，腫瘍が片側あるいは両側声帯に進展
T3：声帯固定があり腫瘍が喉頭内に限局
T4
T4a(中等度進行病変)：腫瘍が輪状軟骨あるいは甲状軟骨に浸潤，および / または喉頭外(気管，外舌筋を含む頸部軟部組織，舌骨下筋，甲状腺組織あるいは食道)進展
T4b(高度進行病変)：腫瘍が椎前組織，頸動脈に浸潤，あるいは縦隔に進展

所属リンパ節(N)
NX：リンパ節の評価不可能
N0：リンパ節転移なし
N1：患側の単独リンパ節転移，最大径 3 cm 以下で節外進展なし
N2 N2a：患側の単独リンパ節転移，3 cm より大きく 6 cm 未満で節外進展なし
N2b：患側の複数リンパ節転移，いずれも 6 cm 未満で節外進展なし
N2c：両側あるいは対側リンパ節転移，いずれも 6 cm 未満で節外進展なし
N3 N3a：単独リンパ節転移，6 cm より大きく節外進展なし
N3b：臨床的に明らかな節外進展を伴う頸部リンパ節転移，部位・数は問わない
(正中リンパ節は患側の扱いとなる)

遠隔転移(M)
M0：遠隔転移なし
M1：遠隔転移あり

(Amin MB et al (eds) : AJCC Cancer Staging Manual (8th ed), Springer, New York, 2017)

で最も多いのが喉頭癌であることも極めて重要である[17].

喉頭癌の病期診断は AJCC による TNM 分類に基づく(**表 1**)[3]．これは画像所見との関連を直接考慮したものではないが，AJCC では理学的検査(間接喉頭鏡，触診)とともに内視鏡検査，CT などの画像診断を合わせて評価することを勧めている．必然，臨床医との情報共有に必要である．AJCC 第 7 版から第 8 版[3]への改訂で，T (原発病変) 分類では原発不明癌が別項目として独立したことから「T0(原発病変なし)」が除外され，N(頸部リンパ節転移) 分類では他の頭頸部癌と同様に

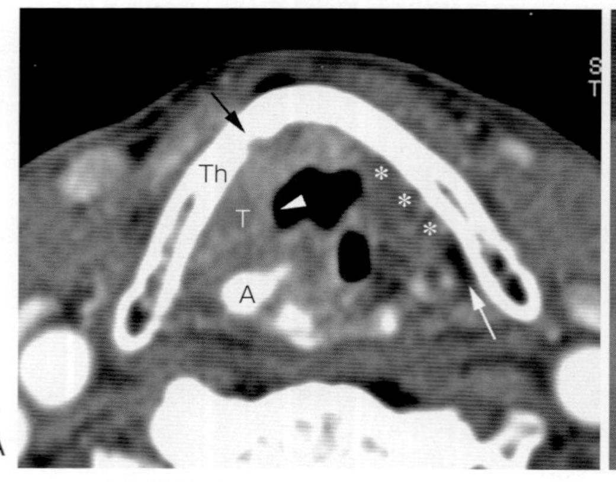

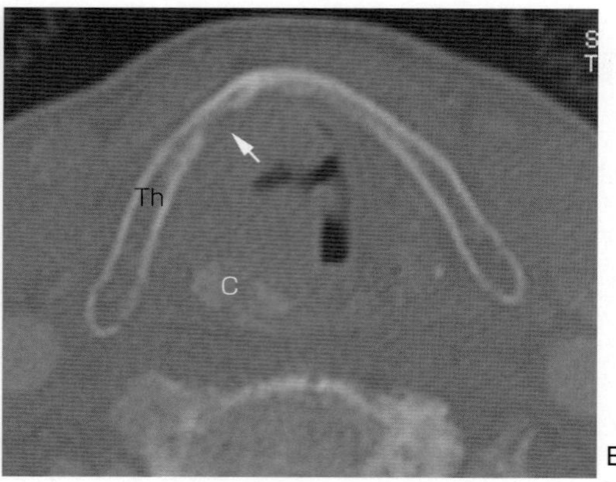

図9　甲状軟骨内板侵食を伴う声門癌（T3 病変）

声門レベル造影 CT 軟部濃度条件（A）において，右声帯を中心として潰瘍形成（矢頭）を伴う浸潤性腫瘍（T）を認め，深部では甲状軟骨側板（Th）内面に沿った傍声帯間隙の脂肪層（対側で＊で示す）の消失を認め，同間隙への深部浸潤（T3 因子）を反映する．隣接する甲状軟骨内板に限局性侵食性変化（黒矢印）を認める（これも T3 因子）．傍声帯間隙後縁では硬化した披裂軟骨（A）と甲状軟骨側板との間である thyroarytenoid gap（対側で白矢印で示す）内への進展も認められる．骨条件表示（B）で甲状軟骨右側板（Th）の限局性侵食性変化（矢印），輪状軟骨板（C）右側の淡い硬化所見を認める．

明らかな節外進展の有無が組み入れられ，臨床分類と病理分類が区別された．第 7 版にあった「レベル VII を所属リンパ節と考える」との注釈が外されたが，第 8 版での変更点としての記載がなく概念としては継続していると思われる．

喉頭癌の治療は放射線治療，手術，化学療法がその症例ごとに同時，異時とさまざまに組み合わされて行われる．治療経過の中であっても病変の治療への反応をみて，適時治療方針を決めていく必要がある．画像診断は重要な役割を担うが，これには適切な検査計画が必要である．手術，特に機能温存手術に関しては後の項において画像診断に必要な範囲で解説する．放射線治療は喉頭癌治療において極めて重要な位置を占めており，この詳細は本章の解説の範囲を超えるため，専門の教科書を参照していただきたい．ただし，喉頭癌に対する放射線治療後経過観察としての画像診断において通常（放射線治療後に予測される変化）と異常（局所再発病変，軟骨壊死など）を判断するうえで，放射線治療後変化の画像に関する知識は必要不可欠である．これについては後述する．

化学療法の関与はここ数年でさらに重要な位置づけとなり，特に以前は喉頭全摘術が標準治療であった進行病期の病変において，単独あるいは放射線療法・機能温存手術との組み合わせを含め，機能温存が期待される治療として選択される場合が多い．これらの機能温存治療で局所制御が得られなかった再発例の治療においては，喉頭全摘術が依然として重要な役割を果たす．

2 軟骨浸潤

a. 臨床的意義

喉頭癌の TNM 分類では，甲状軟骨の内板のみの浸潤（図 9，10）は T3，全層性浸潤（図 11，12）は T4a に区分される [3]．正確な病期進展という点に加えて，T4a 病変では機能温存手術および根治的放射線治療の適応を外れるという意味においても，喉頭軟骨浸潤の画像診断の意義は極めて大きい．放射線治療では局所再発の危険性が高く，また同時に照射前の軟骨浸潤が著明であるほど放射線治療後軟骨壊死の危険性も高くなる [18, 19]．ただし，最近では限局性の軟骨浸潤は放射線治療あるいは化学放射線治療により治癒可能な場合もあることが示されている．

声門上に限局する扁平上皮癌では喉頭軟骨への浸潤は比較的まれで，主に声門癌，下咽頭癌において問題となる．軟骨浸潤が明らかな症例は化学放射線療法の適応となる場合が多いが，従来は喉頭全摘術が施行されていた．ただし，喉頭蓋軟骨，一側の披裂軟骨声帯突起のみの浸潤は声門上

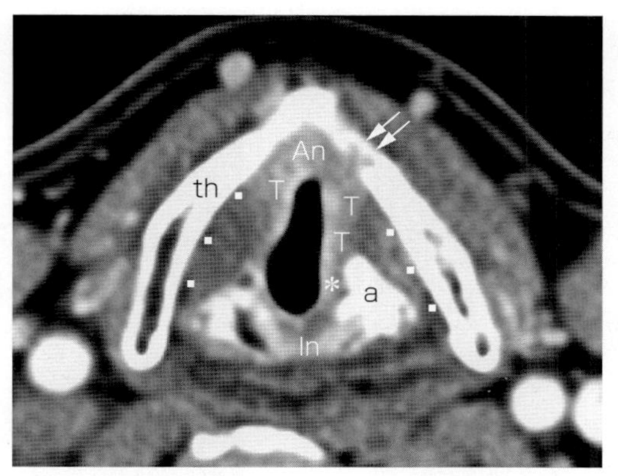

図 10　甲状軟骨内板侵食を伴う声門癌(T3 病変)

声門レベル造影 CT において，左声帯ほぼ全域と右声帯前方 2 分の 1 に及ぶ淡い増強効果を伴う軟部濃度腫瘤(T)を認め，既知の病変を示す．前方で前交連(An)肥厚を認め，同部を介した対側進展を示唆する．病変部では傍声帯間隙(・)脂肪層が消失しており同間隙浸潤を示唆する．さらに隣接する甲状軟骨側板(th)骨化部の内板に限局性侵食(矢印)を認める．後方で硬化を示す左披裂軟骨(a)と気道との間に介在する軟部濃度組織(＊)を認め，披裂軟骨内側から披裂間部(In)の左外側部への進展あり．

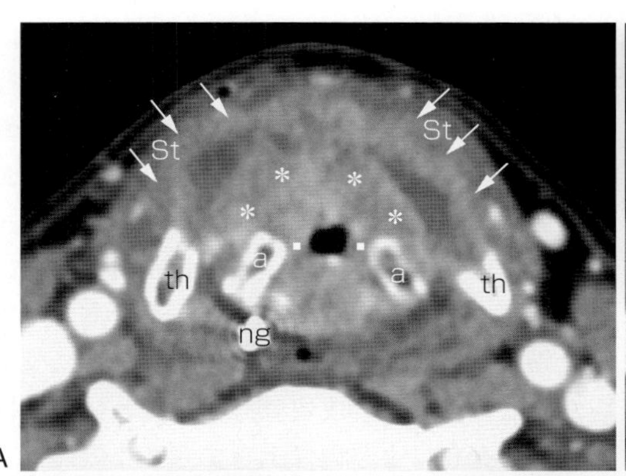

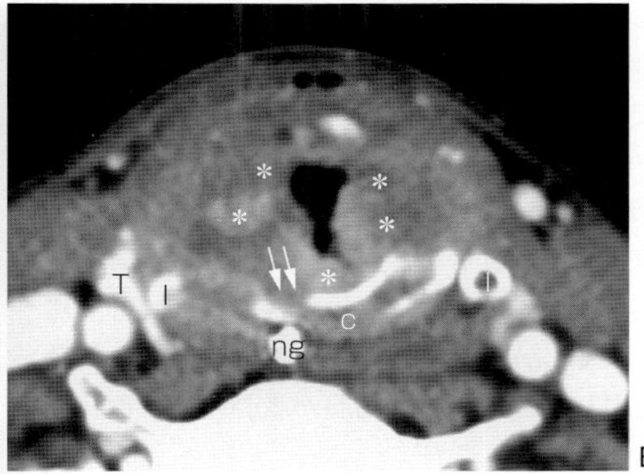

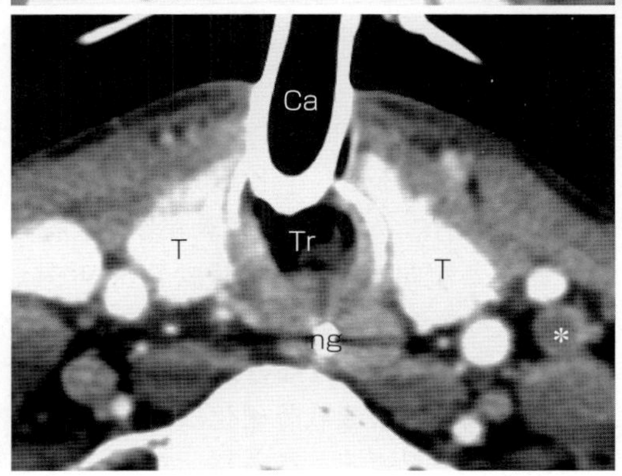

図 11　甲状軟骨全層性浸潤を伴う声門癌(T4a 病変)

声門レベル造影 CT(A)において両側声帯に及ぶ広範な浸潤性軟部濃度病変(＊)を認め，両側甲状軟骨側板(th)に対する全層性浸潤(矢印)を示すが，舌骨下筋(St)表層筋膜を越えた皮下進展はみられない．後方で披裂軟骨(a)内側面と気道との間に介在する軟部濃度(・)を認め，同部への腫瘍浸潤を反映する．ng：経鼻胃管．声門下レベル(B)で全周性の腫瘍浸潤(＊)を認め，輪状軟骨板部(c)は右側 3 分の 1 で破壊(矢印)を示す．I：甲状軟骨下角，ng：経鼻胃管，T：甲状腺(右葉上極)．気管レベル(C)で左レベル III リンパ節転移(＊)を認める．Ca：気管内カニューレ，T：甲状腺，Tr：気管，ng：経鼻胃管

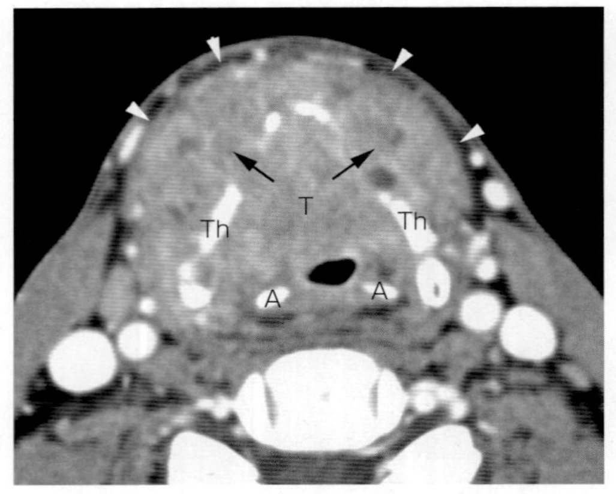

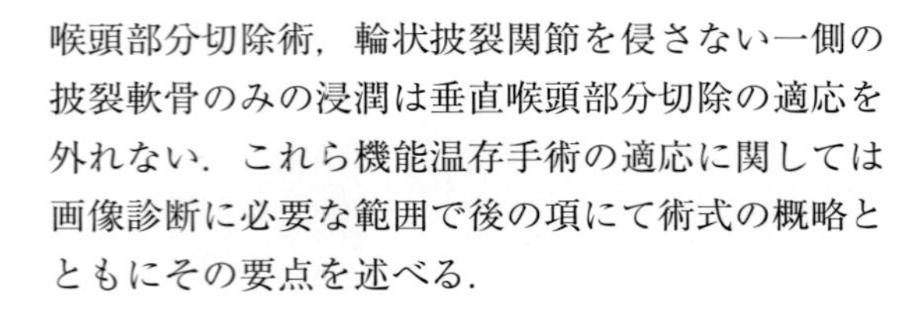
図 12　甲状軟骨の全層浸潤を伴う喉頭癌(T4a 病変)

声門レベル造影 CT において，両側声帯，前交連領域を中心とした浸潤性破壊性腫瘍(T)を認め，両側の傍声帯間隙に浸潤，隣接する甲状軟骨側板を両側性に全層性浸潤(矢印)を示す．ただし，舌骨下筋表層筋膜(矢頭)は緊満するが，同筋膜を越えた頸部皮下軟部組織への浸潤は認められない．A：披裂軟骨

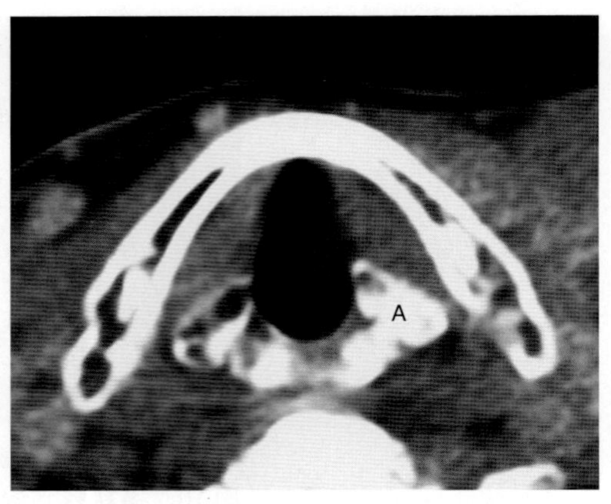

図 13　健常者にみられる披裂軟骨の硬化性変化(声門レベル CT)

左披裂軟骨(A)の硬化性変化を認めるが，これに接して明らかな病変を認めない．

喉頭部分切除術，輪状披裂関節を侵さない一側の披裂軟骨のみの浸潤は垂直喉頭部分切除の適応を外れない．これら機能温存手術の適応に関しては画像診断に必要な範囲で後の項にて術式の概略とともにその要点を述べる．

b. 病理機転

前交連，甲状軟骨側板後縁，甲状軟骨側板前 4 分の 1，輪状披裂関節，輪状甲状膜付着部等，膠原線維束(Sharpey's fiber)の軟骨付着部では軟骨膜が欠損しており，腫瘍細胞が軟骨組織に直接進展する経路となる[20〜22]．

喉頭軟骨の腫瘍浸潤は，①隣接する腫瘍の骨新生刺激による軟骨の炎症性変化，②骨溶解性変化，③腫瘍の軟骨内浸潤といった 3 つの過程をとる．すなわち，実際の腫瘍細胞の浸潤をきたすよりも前に軟骨の変化が生じていることになる．これらの過程には腫瘍より放出される血管新生因子，プロスタグランディン，インターロイキン-1 などの因子が作用すると考えられている．また，軟骨は乏血性で骨は富血流の組織であることから，軟骨(非骨化部)よりも骨化部で腫瘍浸潤をきたしやすいことが知られている．

c. 画像所見

TNM 分類に反映されるのは甲状軟骨の変化のみで，明らかな甲状軟骨への浸潤は T4a に区分され，根治的放射線治療の適応外であり予後不良とされる(下咽頭癌では甲状軟骨に加えて輪状軟骨への浸潤が T 分類の評価項目となっており，喉頭癌とは異なる)．その臨床的意義の大きさと診断の困難さから，喉頭癌軟骨浸潤の診断は画像診断医の最も重要な課題のひとつである．硝子軟骨からなる喉頭軟骨骨格は加齢とともに骨化をきたすため，軟骨，皮質骨，脂肪髄といった異なる組織の存在により画像上さまざまな組織コントラストをとることが診断を困難にする原因のひとつである．

通常，癌年齢では甲状軟骨，輪状軟骨の大部分は骨化しているが，骨化は不均一かつしばしば非対称性である．加齢による軟骨骨化は筋付着部より始まる傾向があり，甲状軟骨側板では下から上，後ろから前に向かって進行するのが通常である．輪状軟骨では板部上縁より始まる．CT において片側性の披裂軟骨硬化は健常例の 16％でみられ注意を要する．特に 60，70 歳代の女性の左側に多く，披裂軟骨体部に最も多い(図 13)[23]．ときに輪状披裂関節強直(cricoarytenoid

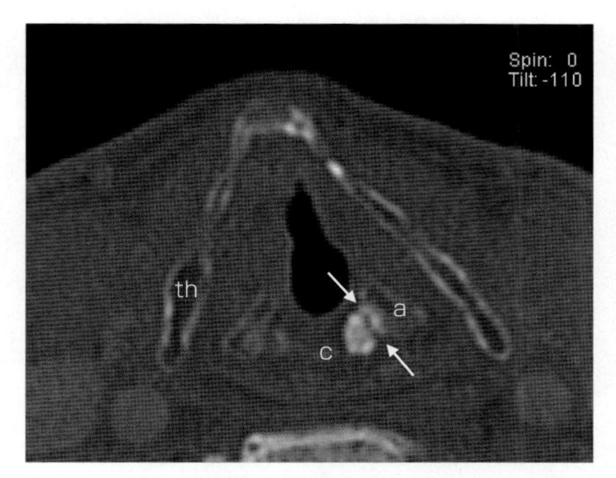

図 14　輪状披裂関節強直(cricoarytenoid ankylosis)

声門レベルの CT 骨条件表示において，左側の輪状披裂関節の関節裂隙狭小化(矢印)とともに，関節を挟んで左披裂軟骨(a)および輪状軟骨(c)の関節下骨硬化を認める．th：甲状軟骨

ankylosis)が披裂軟骨の硬化所見に類似する．関節炎，反回神経麻痺，放射線治療，外傷などにより生じ，CT(図 14)では輪状披裂関節の関節裂隙狭小化，関節下骨硬化，披裂軟骨の固定などの所見を示す．CT 所見とともに病歴の確認が重要である[24]．

1) 軟骨浸潤の CT 所見

腫瘍と軟骨非骨化部が同じ軟部濃度を呈することから，非骨化部への微細な軟骨浸潤の診断は困難である．ただし，既述のとおり腫瘍の軟骨浸潤は非骨化部よりも骨化部で生じやすい．

CT の正診率は報告ごとに大きく異なり，残念ながら軟骨浸潤に対する感度は高いとはいえない[6, 25, 26]．軟骨浸潤の確実な CT 所見は軟骨を挟んで両側に腫瘍を認めることであるが，これは腫瘍の全層性軟骨浸潤を示しており進行病変においてのみみられる(図 12，15)．Ryu らは，病理学的に確認された甲状軟骨全層性浸潤の約 4 分の 3 (72%)が CT で同定可能であったと報告している[27]．一方，実際の CT 診断で最も問題となるのは軟骨の硬化性変化である(図 16)．硬化性変化は早期の顕微鏡的軟骨浸潤を示唆するとされるが[28]，病理機転の項でも述べたとおり，実際に腫瘍が軟骨に浸潤していなくとも二次性変化として硬化性変化をきたしうる．また，腫瘍と関連せず片側披裂軟骨の硬化性変化を認めることがあることも先に述べた(図 13)[23]．腫瘍に接する軟骨に硬化性変化をみたとき，明らかな破壊性変化がなければ軟骨浸潤と二次性変化の可能性は各々50%程度とされる[28]．硬化性変化を軟骨浸潤の診断基準として用いた際の特異度は，甲状軟骨で 40%，輪状軟骨で 76%，披裂軟骨で 79%である[25]．硬化性変化の CT 所見のみによる軟骨浸潤の診断能は不十分であり[29]，偽陰性では undertreatment(に伴う制御率の低下)，偽陽性では(喉頭全摘などの) overtreatment の危険性がある[29]ことを認識しておく必要がある．一方で Tart らはひとつの軟骨のみの硬化性変化を示す T3 声門癌 15 症例において 13 例(87%)が放射線治療のみにより，他の 2 例も放射線治療後のサルベージ手術により治癒しえたと報告している[30]．一方，本報告は CT 上，2 つ以上の軟骨の硬化性変化は予後不良を示唆している．放射線治療前後の比較で硬化性変化が変化なく継続することの臨床的意義は乏しいが，硬化性変化が消失した場合(図 17)は予後良好である可能性が示されている[30]．逆に，治療後の硬化性変化の出現や進行が局所再発・残存病変を支持する場合もある(図 18，19)．軟骨浸潤を示唆するその他の CT 所見としては軟骨溶解像，軟骨侵食像(図 9，10)，骨化した軟骨において脂肪髄濃度を置換する軟部濃度，軟骨の輪郭不整などがあげられる．軟骨溶解

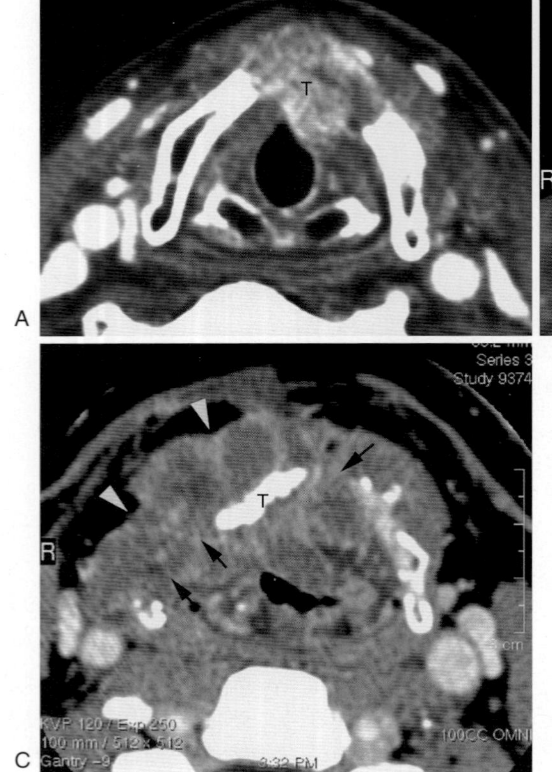

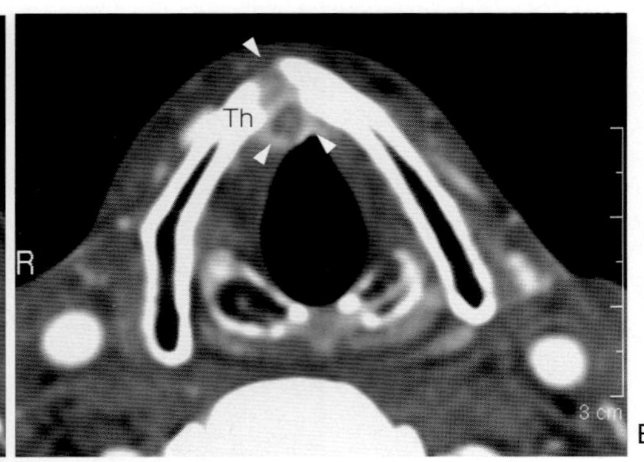

図 15　甲状軟骨浸潤 3 例（T4a）．CT

A：腫瘍（T）により甲状軟骨は前方部分を中心に全層性の破壊を認める．

B：右声帯前縁に浸潤性腫瘤（矢頭）を認め，前方で甲状軟骨右側板（Th）前縁の全層性浸潤を伴う．

C：腫瘍は甲状軟骨を広範に全層性に破壊（矢印）し，喉頭外軟部組織に大きく進展（矢頭）している．残存する甲状軟骨（T）は硬化を示す．

像，侵食像の所見は軟骨浸潤にとって高い診断特異度（93%）を示すが，感度は低い[25]．Kats らは，（放射線治療の行われていない）喉頭全摘 94 例の術前 CT の検討で，甲状軟骨浸潤陽性例の腫瘍容積は平均 60 cm^3，陰性例は平均 28 cm^3 であり，一方で軟骨浸潤の頻度は腫瘍容積が 25 cm^3 以下の場合は 23 %，25～50 cm^3 の場合は 17 %，50 cm^3 より大きい場合は 78%と，腫瘍容積と甲状軟骨浸潤の相関について報告している[31]．Kuno らは dual-energy CT（2 管球 CT）の weighted average image に iodine overlay image の情報を加えて軟骨浸潤を評価することで，感度（86%）を落とすことなく特異度が有意に上昇した（70% vs. 96%）と報告している[32, 33]．さらに甲状軟骨浸潤評価における MRI との比較で，感度に有意差なく，MRI よりも高い特異度（98%）を示したとしている[34]．なお dynamic CT については通常の造影 CT からの診断能の改善はない[35]．

また，Murakami らの検討では，CT 所見として腫瘍と甲状軟骨の接している例での根治的放射線治療による局所制御率（42%）は接していない例（95%）と比較して低いと報告している[36]．

2）軟骨浸潤の MRI 所見

MRI は CT 診断において重要な所見である硬化性変化に対する感度は低いが，高いコントラスト分解能により髄内の信号変化を複数の撮像シーケンスでより詳細に観察することが可能である．MRI は通常の CT と比較して高い感度（約 90%），高い陰性的中率（90%）を示し，特異度（約 80%）も比較的良好である[5, 37, 38]．一般的には T1 強調像で脂肪髄は高信号，腫瘍は骨格筋と同等の中等度からやや低信号強度，T2 強調像では脂肪髄，非骨化軟骨よりも腫瘍のほうがやや高い信号強度を示す．声門癌において，T2 強調像での軟骨内中等度信号強度と下咽頭進展は，根治目的の放射線治療による局所制御率を低下させる予後因子となる[39]．造影後 T1 強調像で腫瘍は中等度の増強効果を示す．これらの所見がみられなければ軟骨

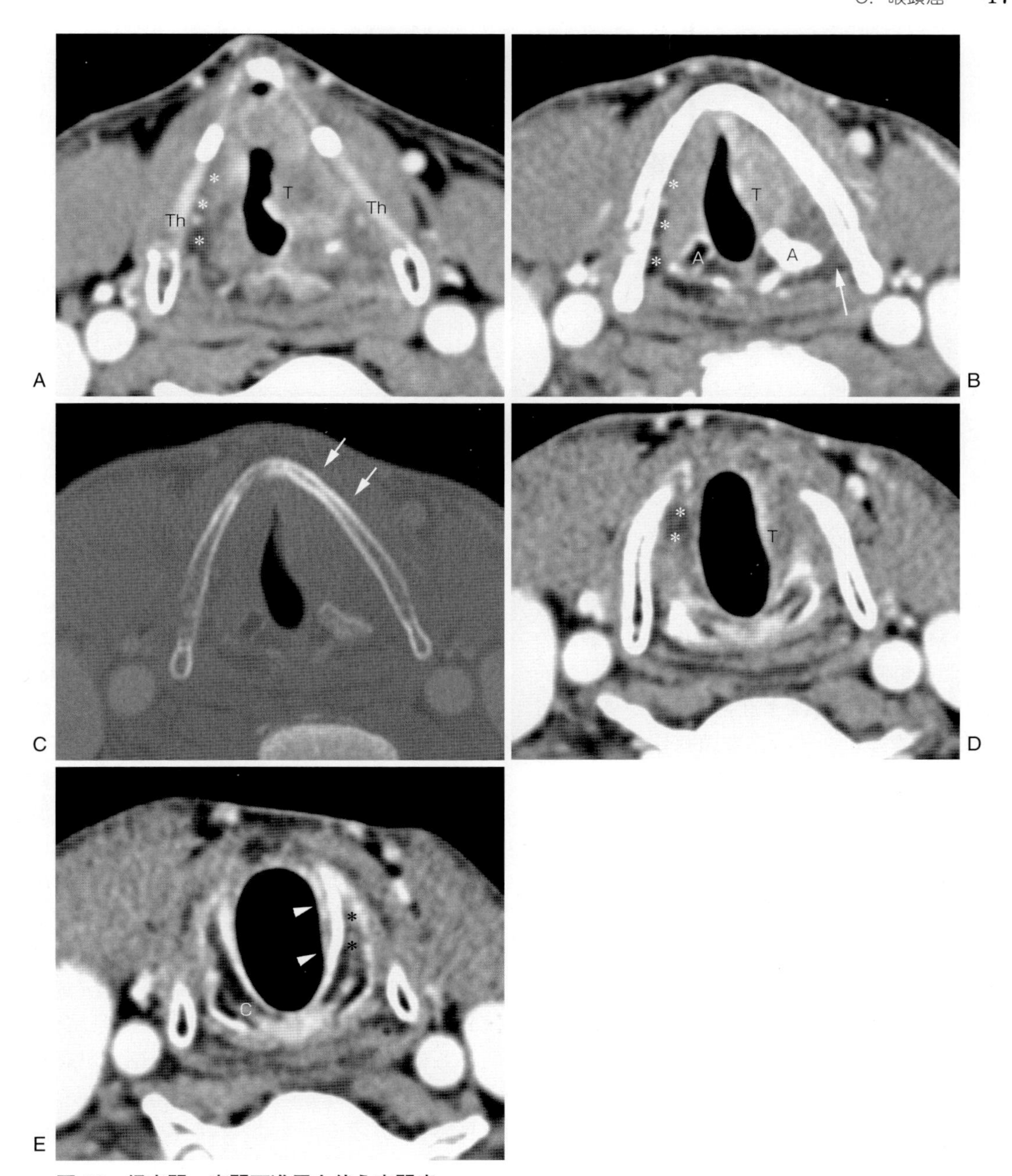

図 16　経声門・声門下進展を伴う声門癌

仮声帯レベル造影 CT 横断像(A)において，左仮声帯領域に浸潤性腫瘍(T)を認め，深部では傍声帯間隙の脂肪層(対側で＊で示す)は消失しており，同間隙への浸潤を示す．Th：甲状軟骨．声門レベル(B)で，腫瘍(T)は左声帯を中心としており，深部で傍声帯間隙(対側で＊で示す)に浸潤を示し，披裂軟骨(A)は左側で硬化を示す．後方では thyroarytenoid gap(矢印)の開大と同脂肪層の消失を認め，同部への浸潤を示唆する．ほぼ同レベルの骨条件表示(C)で甲状軟骨左側板の硬化(矢印)を認める．声帯下面レベル(D)において，左側で腫瘍(T)による組織肥厚と同レベルでの傍声帯間隙(対側で正常脂肪層を＊で示す)浸潤あり．さらに尾側の声門下レベル(E)でも輪状軟骨(C)左内面に沿った軟部組織肥厚(矢頭)を認め，声門下進展に一致する．輪状軟骨は隣接部で淡い硬化性変化(＊)を示している．

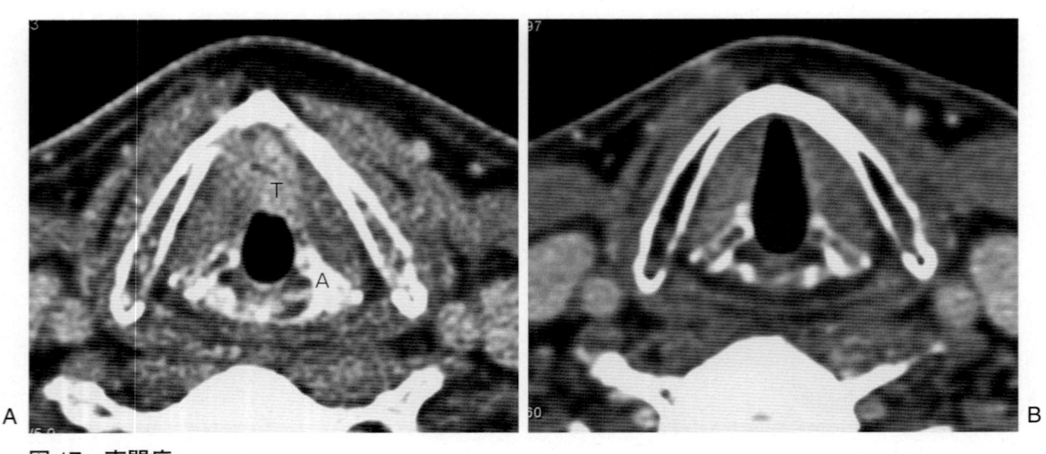

図17　声門癌
治療前造影CT(A)で左声帯前方を中心とする肥厚を認め，声門癌(T)に一致する．同側披裂軟骨(A)の硬化性変化あり．放射線治療後3ヵ月のCT(B)において，腫瘍消失とともに左披裂軟骨硬化性変化の改善を認める．本例はその後，局所制御が得られた．

浸潤は90％以上の高い確率で否定が可能である[5,6]．MRIは炎症，浮腫，線維化などが腫瘍の軟骨浸潤に類似の所見を示しうることから，特異度はやや低く，特に軟骨骨化部の炎症が偽陽性所見の要因となる[34]．また，喉頭軟骨自体，その骨化の程度からさまざまな信号強度を示し，正常像は一定ではない．骨化した軟骨の皮質骨部分はほぼ無信号である．軟骨両側の腫瘍の存在が軟骨浸潤を示すことはCTと同様である．拡散強調像の甲状軟骨浸潤評価における有用性に関する報告もある[38]．

3 外科的治療

最初の喉頭全摘出術は1874年，ドイツでTheodore Billrothにより施行されるが，機能温存手術の始まりも1878年，器官温存術のひとつとしてBillrothにより喉頭半切除が行われたのが最初である[40]．しかし，喉頭機能温存手術の新しい概念としての認知はこれより一世紀ほど経過してからで，これには形成外科的手技，抗菌薬の進歩などに負うところが大きい．機能温存手術の目標は根治手術と同等の根治性を保ちながら，“話す”ことと“(永久気管切開孔の不要な)気道維持”が可能で“誤飲をしない”という喉頭の機能を残すことである．垂直喉頭半切除術の最初の記述は先のBillrothによるが，声門上喉頭部分切除術は1947年ウルグアイの外科医，Alonso[41]，輪状軟骨上喉頭部分切除術はさらに遅れること12年，1959年にオーストリアの外科医MajerとReiderによる．歴史的にはこれらの喉頭機能温存手術はフランスを中心としたヨーロッパで発展し，その後1990年代になって米国などに広まっていった．なお，下咽頭癌に対する喉頭を温存した咽頭切除術も同様に手技の拡がりとともに適応が検討されてきた．1970～1980年代にこれらの術式に関する報告が相次ぎ，1990年代になって早期報告の再評価，画像診断の発展と摘出標本の臨床病理学的研究により喉頭癌の三次元的進展様式の理解，今までの経験に対する長期予後の結果の蓄積などから各術式の適応の確立が進んだ現在，機能を温存しながら良好な結果を望むことが可能な術式として受け入れられている．機能温存手術による声門上癌の局所制御率は92～94％，喉頭機能温存率は92～95％，声門癌の局所制御率は92～95％，喉頭機能温存率は95～100％と極めて良好な結果が得られている[40]．最近では，放射線治療後例で慎重に適応を検討すれば，限局した残存・再発病変に対しても有効な術式として考えられている[42]．以下に代表的な術式を解説する．

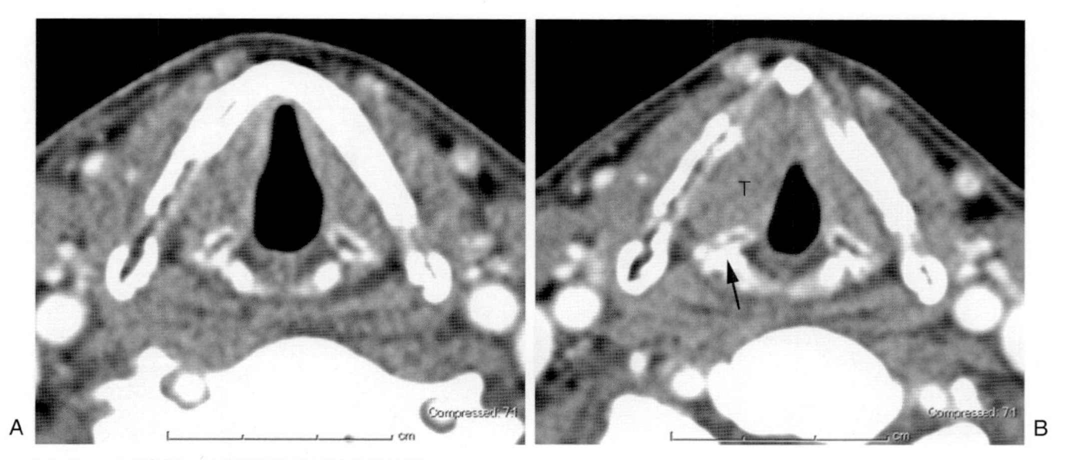

図 18　声門癌の放射線治療後局所再発

放射線治療後 3 ヵ月での声門レベル造影 CT（A）において，明らかな局所再発・残存病変を認めない．放射線治療後 6 ヵ月での CT（B）では，右声帯の肥厚（T）とともに右披裂軟骨（矢印）の淡い硬化性変化の出現を認め，局所再発を支持する所見に一致する．

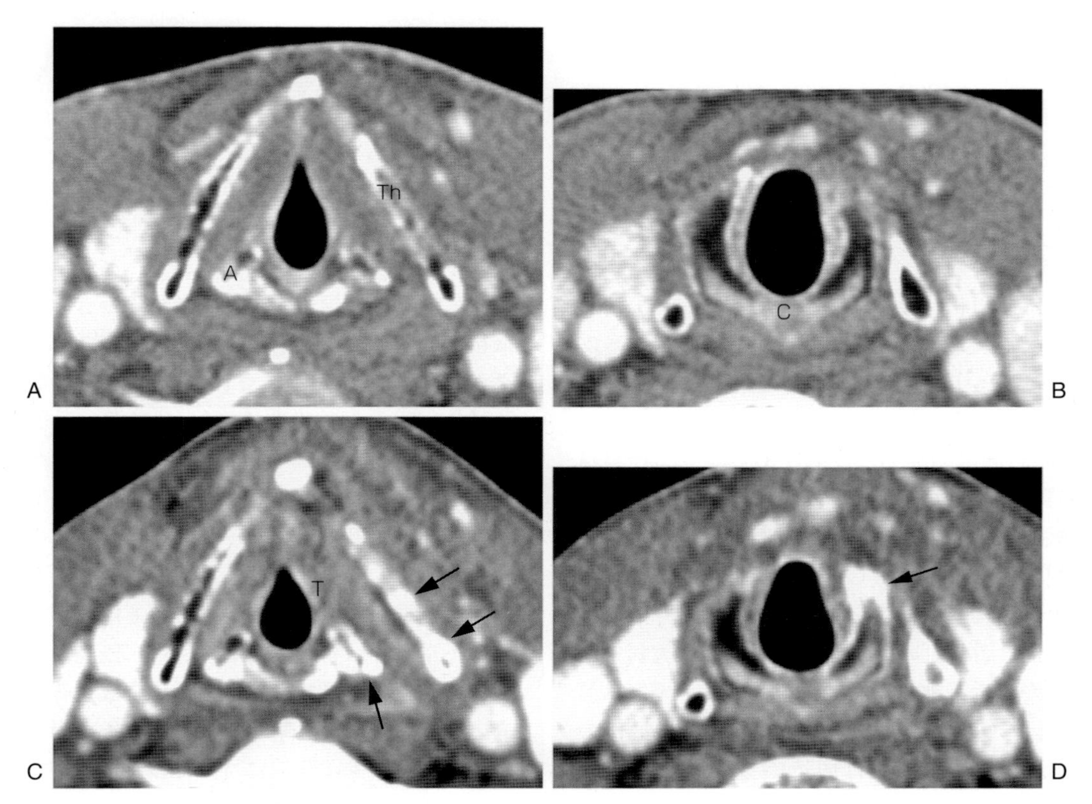

図 19　声門癌の放射線治療後局所再発

放射線治療後 3 ヵ月での造影 CT，声門レベル（A），声門下レベル（B）において，明らかな局所再発所見なし．A：披裂軟骨，C：輪状軟骨，Th：甲状軟骨

放射線治療後 6 ヵ月での造影 CT，声門レベル（C），声門下レベル（D）で，左声帯（T）の肥厚とともに甲状軟骨左側板，左披裂軟骨，輪状軟骨左側の硬化性変化（矢印）の出現を認め，局所再発を示唆する．

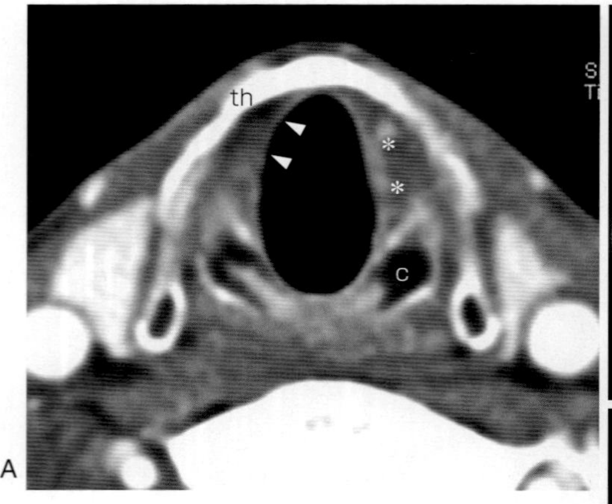

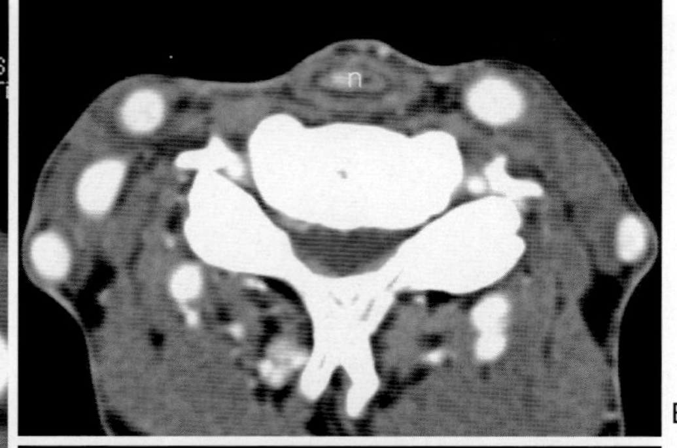

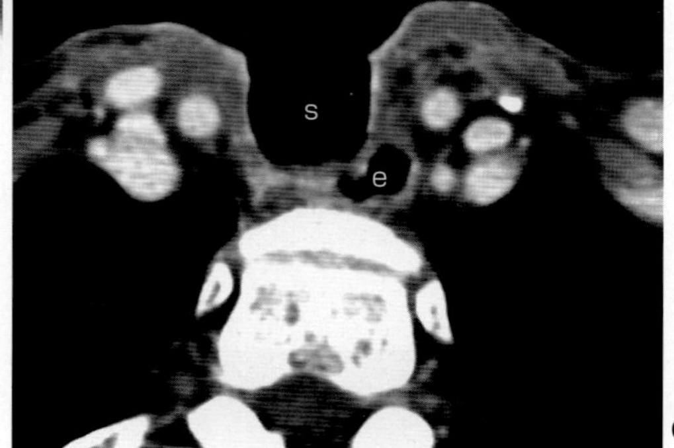

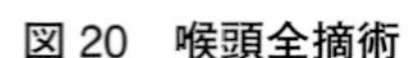

図 20　喉頭全摘術
術前の声帯下面レベルでの造影 CT(A). 左声帯下面の肥厚および傍声帯間隙の浸潤性病変(＊)を認め, T3 喉頭癌に一致する. 健側の傍声帯間隙(矢頭)は脂肪濃度を呈する. c：輪状軟骨, th：甲状軟骨. 術後の造影 CT 舌骨下レベル(B)で primary closure 後の neopharynx(n)を認める. さらに尾側レベル(C)で永久気切孔(s)が置かれている. e：頸部食道

a. 喉頭全摘術

前頸部で甲状軟骨中央部を横切り, 頸部郭清側は乳様突起尖端に達する(U 字, T 字, Y 字等)皮膚切開を行い広頸筋深部の層で皮弁を挙上したら, 舌骨下筋を頸部下部レベルで切断し甲状腺を露出する(腫瘍の喉頭外浸潤がある場合, 片葉は切除可). 甲状軟骨左右側板後縁を同定して下咽頭収縮筋との付着を露出, 甲状軟骨後縁で切離する. 甲状舌骨膜を露出し甲状軟骨上角内側に位置する上喉頭神経血管束を結紮, 切断する. 頭側は舌骨上筋と舌骨との付着を切断して舌骨大角を露出するが, 舌下神経損傷に気を付ける. 尾側は第 4 気管輪レベルで気管を切断し(声門下進展例では最低でも第 4 気管輪は切除), 気管後壁と輪状軟骨を食道から分離する. 非腫瘍側の喉頭蓋谷あるいは梨状窩から咽頭に入る. 梨状窩内側壁に沿って輪状軟骨レベルまで切開を進めると, 頭尾側双方の切開線がつながり粘膜切除により喉頭が摘出される. その後, 咽頭閉鎖, 永久気切孔造設を行う. 腫瘍に対する十分な切除縁を保つ中で最大限粘膜を残すことが重要である. 高度気道狭窄病変に対して気管切開を先行させる場合, 喉頭全摘術が 48 時間以上遅延すると気切孔再発のリスクが増す可能性が示唆されている[43]. 再発, 根治的放射線治療後の非治癒(症状の強い軟骨壊死を含む), 明らかな軟骨浸潤, 輪状軟骨レベルに及ぶ 1.5 cm 以上の声門下進展, 機能温存手術後の再発などが適応となる. これらに含まれない場合は腫瘍学的に受け入れられる安全性のもとに機能温存の方法を探る必要がある. 遠隔転移, 全身状態不良などは禁忌である. さらに既述の喉頭全摘術の適応に関しても, 最近は化学放射線治療の適応の拡大により, 第一選択とならない場合も多く, 再発や制御困難例に対してのサルベージ手術としてのみ施行すべきとの考えもある[12].

b. 機能温存手術

喉頭の(開放手術における)機能温存手術は喉頭内への入り方により大きく垂直喉頭部分切除術と水平喉頭部分切除術との 2 つに分けられる.

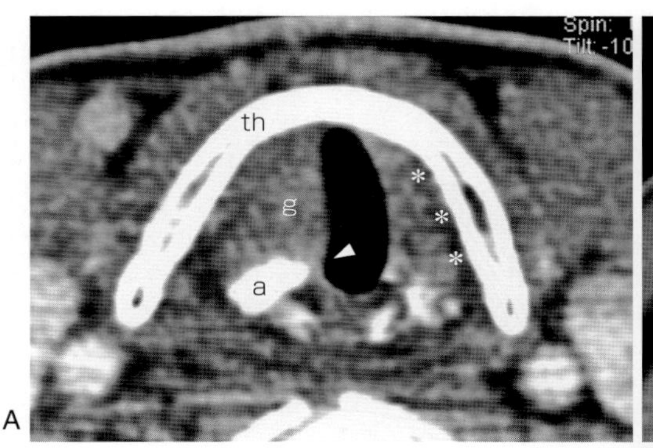

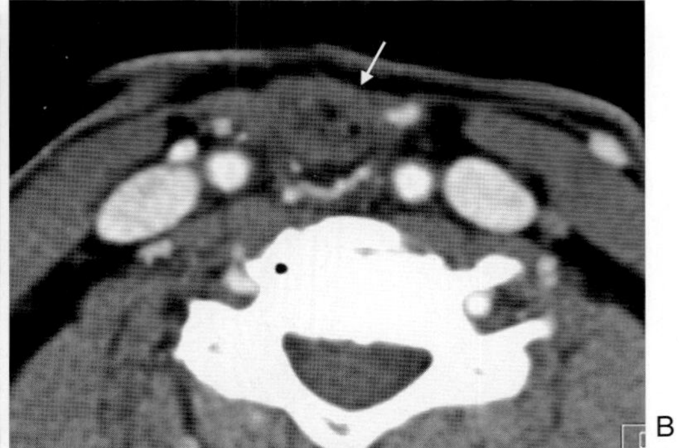

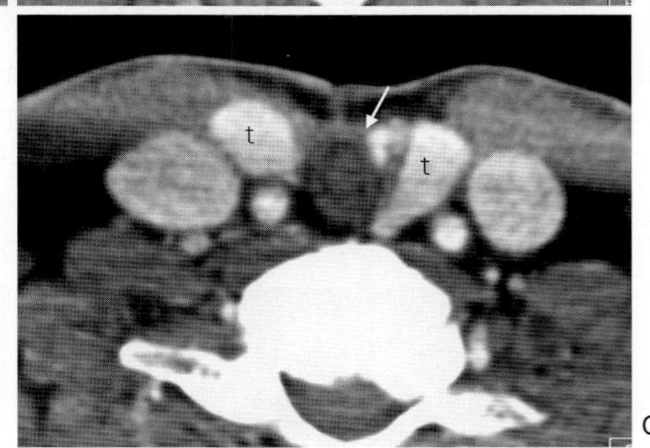

図 21　喉頭全摘術
術前の声門レベル造影 CT(A)において，右声帯の不整な肥厚(g)を認める．左側の傍声帯間隙に相当する甲状軟骨(th)側板内側面に沿った脂肪層(＊)は右側で消失しており，同間隙への浸潤を伴う右声帯癌(声門癌：T3 病変)に一致する．後方では硬化を示す披裂軟骨(a)内側面での軽度の軟部濃度肥厚(矢頭)が認められ，披裂間部への進展を示唆する．術後の舌骨下頸部上部(B)および下部(C)レベル造影 CT で，neopharynx(矢印)を認める．t：甲状腺

1）垂直喉頭部分切除術

いくつかある垂直喉頭部分切除術の共通点は甲状軟骨，傍声帯間隙を垂直に(縦に)切開して，喉頭内に入ることである．この際，狭い視野の展開のみでほとんど盲目的に切開しなければならないことが大きな欠点となる．基本的には術前の画像診断，喉頭鏡所見をもとに病変の進展範囲を想定して行われるが，腫瘍との間に必ずしも安全な距離が保てなかったり，腫瘍に切り込んでしまう危険性を残すため注意を要する．

ｉ)喉頭切開および声帯切除(laryngofissure with cordectomy)：開放手術としては最も侵襲性が低い．甲状軟骨正中切開で喉頭内に入り，患側の声帯を傍声帯間隙，対応する甲状軟骨側板の一部とともに切除する．適応の中心となる T1 声門癌では再発率 2〜3％と良好な成績が報告されているが，これらの病変は比較的限局しており放射線治療やレーザー治療でも十分完治が望まれる．頸部リンパ節転移もまれで画像診断の要否についても定まっていない．

ⅱ)垂直喉頭半切除術(vertical hemilaryngectomy)・垂直喉頭部分切除術(vertical partial laryngectomy)(図 22，23)：声門癌，輪状軟骨に達していない声門下癌および経声門癌などが主な適応となる．標準的な「垂直喉頭半切除術」では片側の声帯，喉頭室，仮声帯，甲状軟骨側板の大部分(甲状軟骨切除範囲は術者により異なる)および含まれる傍声帯間隙が切除される．切除側の甲状軟骨軟骨膜は術後喉頭閉鎖のため温存される．甲状軟骨軟骨膜を剥がし温存したあと，輪状甲状軟骨間膜に小切開を加え下から上に向かって正中甲状軟骨切開術で喉頭内に入る．喉頭を展開し，腫瘍を直視下に水平方向の切除により標本を摘出する．拡大手技により前交連を介して対側の声帯前 3 分の 1 まで(前側方垂直喉頭部分切除術)(図 23A)，または披裂軟骨声帯突起(後側方垂直喉頭半切除術)は切除可能であり，必要に応じて患側披裂軟骨を摘出する(図 23B)．「前側方垂直喉頭部分切除術」では正中を避けて病変の少ない側から甲状軟骨切開術を行う．また，標準的術式では

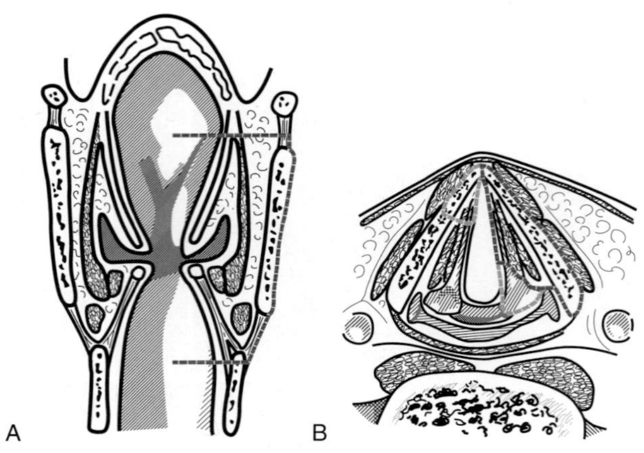

図22　垂直喉頭半切除術の切除範囲(▬▬の線の内；▬▬は拡大術式で切除可能な範囲)

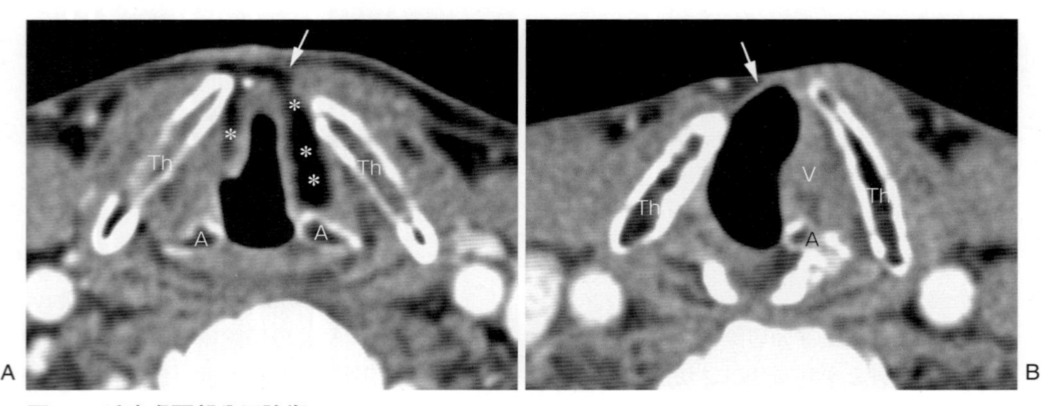

図23　垂直喉頭部分切除術

声門レベル造影CT(A)において甲状軟骨(Th)左側板前方4分の1，前接合部および右側板前縁は切除(矢印)され，声帯筋および傍声帯間隙は左側でほぼ全域，右側では前方3分の1で切除され，組織欠損部は皮下脂肪(＊)で充填されている．披裂軟骨(A)は両側とも温存されている．

別症例CT(B)では，甲状軟骨(Th)右側板前方3分の1および前接合部は切除(矢印)され，右側では声帯筋(対側でVで示す)，傍声帯間隙は切除されている．右披裂軟骨(対側でAで示す)も摘出されている．

切除の下縁は輪状軟骨上縁となるが，腫瘍との十分な距離が取れない場合は輪状軟骨の片側上半分の範囲で切除可能である(拡大垂直喉頭半切除術)．明らかな輪状軟骨浸潤は適応外となる．横断画像上，声門レベルから前方で1 cm，後方で5 mmの声門下進展が指標となる．輪状披裂関節，披裂間部への腫瘍浸潤，声帯固定，甲状軟骨浸潤，放射線治療後の非治癒・再発は適応外である．一般的な適応・禁忌を表2(p484)に記述する．

T1声門癌では再発率0〜11％，原発巣治癒率約90％と良好な成績が報告されているが[44, 45]，T2，T3声門癌では原発巣非治癒率が20〜30％以上とあまり良好な結果を示す報告はない．前交連進展例では拡大手技のひとつである「前側方垂直喉頭部分切除術」が行われるが，再発率は14％で声門下部に最も多い．

2）水平喉頭部分切除術

腫瘍と距離をおいた横切開あるいは水平切開で広い視野のもとで喉頭内に入ることが可能である．

ⅰ)声門上喉頭部分切除術(supraglottic partial

laryngectomy)(図 24)：適応(表 3：p484)は喉頭室より上部に限局したT1～2声門上癌および一部のT3声門上癌(喉頭蓋前間隙進展の明らかでない例など)で，T1～2声門上癌における術後局所再発率は10～15%以下，治癒率は90%以上と良好であるが，T3～4声門上癌での結果は報告により大きく異なる[46, 47]．そのため，T3～4声門上癌に対する適応の選択は慎重であるべきである．

「声門上喉頭部分切除術」の標準術式では左右喉頭室を通過する軟部組織切開線より上部，声門上部を切除する．腫瘍と前交連との距離は最低で5 mm，腫瘍と下方切開線との距離は最低で2～3 mmを必要とする．上方の軟部組織切開線は喉頭蓋谷とする．患側の上喉頭神経血管束は結紮，切断される．健側は可能であれば温存する．術後機能回復のためには舌骨温存は重要であるが，必要であれば切除対象に含む．患側甲状軟骨側板の下方切開線よりも上部レベルは切除される．拡大術式として片側の披裂軟骨あるいは梨状窩上部，または舌根の合併切除が可能である．舌根を含む場合では腫瘍辺縁より切開線までは2 cmを必要とし，最低でも有郭乳頭から後方1 cmまでの舌根を残さなければならない．

ⅱ)輪状軟骨上喉頭部分切除術および輪状軟骨舌骨喉頭蓋固定術(supracricoid partial laryngectomy with cricohyoidoepiglottopexy)(図 25)：本術式と次に解説する「輪状軟骨上喉頭部分切除術および輪状軟骨舌骨固定術」との違いは，その適応の中心が前者は声門癌で後者は声門上癌であること，術式として前者は喉頭蓋の一部(舌骨上部のみ)を残すが後者は切除する点である．

主な適応(表 4：p485)は選択されたT2～3声門癌である．本術式後の局所再発率はT2声門癌で4.5%[48, 49]，T3声門癌で10%と良好な成績が報告されている．良好な成績は全甲状軟骨とともに両側傍声帯間隙を一塊として切除することによる．

本術式では両側の仮声帯，喉頭室，声帯，傍声帯間隙および甲状軟骨全体(軟骨膜を除く)を切除する．必要であれば一側の披裂軟骨は切除可能である．経喉頭蓋横切開により喉頭内に入り，喉頭蓋は柄で切断される．結果，舌骨上部喉頭蓋のみが温存される．続いて健側の仮声帯・披裂軟骨接合部に向けて縦方向に切開を進めるが輪状披裂関節に入らないように注意を要する．喉頭展開後，腫瘍側に同様に切開を加える．ここで必要であれば披裂軟骨の一部あるいは全部が切除されるが，この際に披裂軟骨後方の粘膜をなるべく多く温存するのが喉頭内再建時に重要である．再建では舌骨と輪状軟骨を引き寄せるように縫合し，その縫合時に残った喉頭蓋上部下端を含める．この再建術式故に輪状軟骨舌骨喉頭蓋固定術と呼ばれる．

本術式では声門上部の完全切除とならないため，声門上部，声門部をともに侵す経声門癌では後述の「輪状軟骨上喉頭部分切除術および輪状軟骨舌骨固定術」が望ましい．

ⅲ)輪状軟骨上喉頭部分切除術および輪状軟骨舌骨固定術(supracricoid partial laryngectomy with cricohyoidopexy)(図 26)：本術式により，通常の「声門上喉頭部分切除術」では適応外となる喉頭室，前交連の声門部への進展(経声門進展)，喉頭蓋前間隙への進展，限局した甲状軟骨浸潤などを伴う進行声門上癌の切除が可能である．声門下，輪状軟骨レベルに及ぶ進展は適応外となる(表 5：p486)．声門上癌のうち20～54%が声門進展(経声門進展)を示す[50]．

選択された適応症例に対する本術式後の局所再発率は3.3%[51]，明らかな喉頭蓋前間隙進展を伴う症例に対する治癒率も94.4%[52]と良好な結果が報告されている．

梨状窩を喉頭から外したのちに両側輪状披裂軟骨を脱臼させる際，甲状軟骨下角外側を通過する反回神経を温存することが重要である．「輪状軟骨上喉頭部分切除術および輪状軟骨舌骨喉頭蓋固定術」と同様に経喉頭蓋横切開により喉頭内に入るが，本術式では喉頭蓋とともに喉頭蓋前間隙を切除することが異なる．その後，やはり先の術式と同様にして健側の仮声帯・披裂軟骨接合部に向けて縦方向に切開を進めるが，輪状披裂関節の温存に注意する．喉頭展開後，腫瘍側も同様に切開を加え切除を完了する．再建では舌骨と輪状軟骨を引き寄せるように縫合する．このために輪状軟骨舌骨固定術と呼ばれる．

「輪状軟骨上喉頭部分切除術および輪状軟骨舌

表 2　垂直喉頭部分切除術の主な適応・禁忌

【主な適応】
声門癌(主に T1～2)*，**
声門下癌および経声門癌(輪状軟骨に達しないもの)*
放射線治療後声門癌再発例*

【禁　忌】
輪状披裂軟骨への腫瘍浸潤
披裂間部への腫瘍浸潤
両側披裂軟骨への腫瘍浸潤
（一側披裂軟骨声帯突起のみの浸潤は切除可能）
声帯固定(一部で切除可能な例もある)
前 3 分の 1 を超える対側声帯への腫瘍浸潤
（これ以下の対側声帯への浸潤は拡大手技にて切除可能）
輪状軟骨に達する声門下進展(前方で 10 mm，後方で 5 mm)
明らかな甲状軟骨浸潤

*：ただし，禁忌となる所見を含まないもの.
**：ただし，大部分の T1 声門癌と一部の T2 声門癌では放射線治療による完治も十分期待できるため治療法の選択には慎重であるべきである.

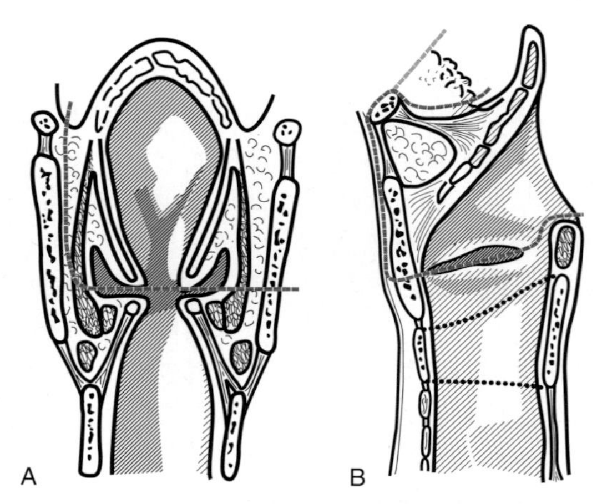

図 24　声門上喉頭部分切除術の切除範囲(▬▬の線の内；▬▬は拡大術式で切除可能な範囲)

表 3　声門上喉頭部分切除術の主な適応・禁忌

【主な適応】
喉頭室より上部に限局した声門上癌(主に T1～2)*
（舌骨上・下喉頭蓋，披裂喉頭蓋ひだ，喉頭蓋喉頭面に限局した病変など）
一部の T3 声門上癌(喉頭蓋前間隙進展の明らかでない症例)*
梨状窩由来の T1 下咽頭癌で梨状窩尖部から 1.5 cm の距離をもって上方内側壁に限局したもの

【禁　忌】
声帯固定あるいは声帯の可動制限
両側披裂軟骨進展(一側披裂軟骨進展は切除可能)
明らかな甲状軟骨浸潤
輪状軟骨に達する声門下進展
有郭乳頭後方 1 cm を超える舌根進展
（これ以下の舌根進展および喉頭外舌面への腫瘍浸潤は拡大手技により切除可能）
経声門進展(切除のためには前方では腫瘍と前交連との距離は最低で 5 mm を要する)
下咽頭，輪状軟骨後部あるいは梨状窩尖部への腫瘍浸潤
放射線治療歴は相対的禁忌

*：ただし，禁忌となる所見を含まないもの.

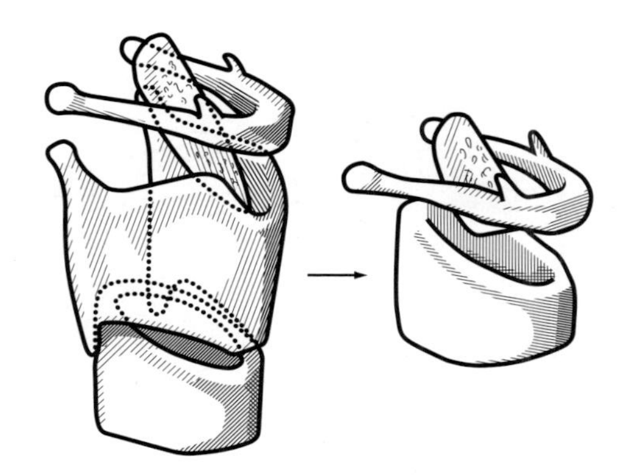

図 25　輪状軟骨上喉頭部分切除術および輪状軟骨舌骨喉頭蓋固定術

表 4　輪状軟骨上喉頭部分切除および輪状軟骨舌骨喉頭蓋固定術の主な適応・禁忌

【主な適応】
垂直後頭部分切除で安全な切除不可能な声門癌のうち；
主に T2〜3 声門癌で声帯固定のないもの*
一部の T1b，T4 声門癌*
T1 声門癌で前交連進展を伴うもの
【禁　忌】
経声門癌，特に前交連，喉頭室への腫瘍浸潤など喉頭蓋前間隙進展が強く示唆される例
輪状披裂関節，披裂間部進展などによる声帯固定
（甲状披裂筋への腫瘍浸潤による声帯可動制限例の一部は切除可能）
輪状軟骨に達する声門下進展
より侵襲性の小さな手技により安全に切除可能な症例
明らかな甲状軟骨浸潤（軽微な甲状軟骨浸潤は切除可能）
前交連進展
術前呼吸機能の低下

*ただし，禁忌となる所見を含まないもの．

骨喉頭蓋固定術」，「輪状軟骨上喉頭部分切除術および輪状軟骨舌骨固定術」ともに一側の輪状披裂関節の温存により発声，誤飲の防止，輪状軟骨の温存により気道維持という喉頭機能が保たれる．

4 内視鏡下声帯切除・経口 CO_2 レーザー治療

1920 年に Lynch が内視鏡下声帯切除に関する最初の記述を行ったが[53]，発展，普及したのは Strong による CO_2 レーザーによる切除の報告[54]以後である．現在でも，適応は病変の大きさ，深部進展の範囲や術者の考えなどにより確定的ではないが，一部の症例においては機能障害が少なく，高い制御率が期待される．European Laryngological Society の working committee では，術式の理解・教育，治療成績の比較を目的として，内視鏡下声帯切除の術式分類（表 6：p487）がなされている[55]．適応の判断には原発病変の進展範囲，頸部リンパ節病変の評価が重要である．術後合併症として術後出血，皮下気腫，誤嚥性肺炎などを生じ，抗凝固剤服用は術後出血のリスクとなるが，これらの合併症は比較的安全に管理可能とされる[56]．

5 声門上癌（supraglottic cancer）

a. 亜部位（図 1A〜D）

声門上喉頭は喉頭蓋（舌骨上・下），披裂喉頭蓋ひだ（喉頭面），披裂部，仮声帯に区分される．なお，ヨーロッパ（主にフランス）では腫瘍学的に声門上喉頭全体を epilarynx とそれ以外（声門上喉

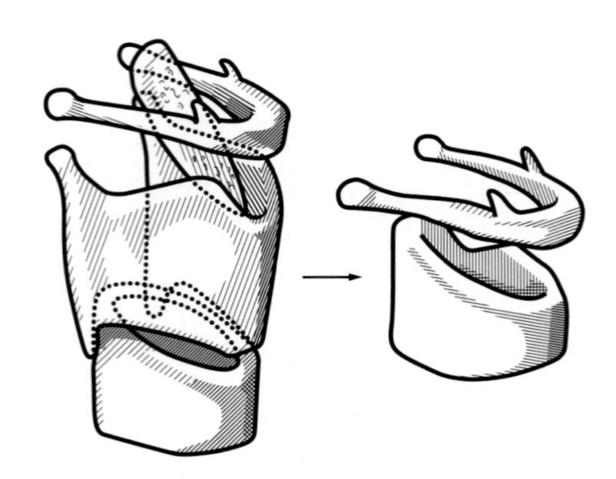

図 26　輪状軟骨上喉頭部分切除術および輪状軟骨舌骨固定術

表 5　輪状軟骨上喉頭部分切除および輪状軟骨舌骨固定術の主な適応・禁忌

【主な適応】
通常の声門上喉頭部分切除術で安全な切除不可能な声門上癌のうち；
喉頭室，舌骨上喉頭蓋，仮声帯後方進展を伴う T1～2 声門上癌
前交連の声門部進展を伴う T1～2 声門上癌(声帯可動制限の有無は問わない)
軽度の前喉頭間隙進展を伴う声門上癌
声門部病変が声帯に限局した T3 経声門癌
限局した甲状軟骨浸潤

【禁　忌】
輪状軟骨に達する声門下進展
より侵襲性の小さな手技により安全に切除可能な症例
輪状披裂軟骨，披裂間部，披裂軟骨への進展
咽頭壁，喉頭蓋谷，舌根，輪状軟骨後部への進展
広範な喉頭蓋前間隙進展

*ただし，禁忌となる所見を含まないもの.

頭下部)に 2 分して考える場合もあり，前者は舌骨上喉頭蓋，披裂喉頭蓋ひだ，披裂部，後者は舌骨下喉頭蓋，仮声帯に相当する[57, 58]．既述のとおり，声門上喉頭は声門部よりもリンパ管の分布が密であるが，声門上喉頭内においては epilarynx(特に披裂喉頭蓋ひだ)で声門上喉頭下部よりもリンパ網が豊富であるとされる.

b. 臨床的事項

声門上喉頭癌は初期症状に乏しく，最大 40%が進行病期で診断される[59, 60]．症状は嚥下時痛，嚥下困難，(関連痛としての)耳痛，喉の違和感の他，喀血や慢性咳嗽など，特異性の低い訴えが多い．原発病変の症状よりも頸部転移が先に頸部腫瘤として顕在化する例もある.

声門上喉頭癌の予後は不良で声門癌(後述)より有意に劣り，stage III で 47～56 %，stage IV で 29～45 % とされる[61]．予後因子として切除断端の病理学的結果(陽性・陰性)，年齢(60 歳あるいは 65 歳以下は予後良好)，N 因子が重要であり[62]，頸部リンパ節転移および節外進展が(治療選択にかかわらず)生存率・再発率における最も重要な予後因子とされる[63]．口腔癌と同様，腫瘍の深達度(浸潤深度)が頸部リンパ節転移の発現と強い相関を示し，Tomifuji らは cN0 症例に対し，腫瘍の深達度が 1 mm を超える場合は予防的頸部郭清術の施行，0.5 mm 未満では通常の経過観察，0.5～1 mm では慎重な経過観察を推奨している[64]．一方，Ye らは深達度 4.5 mm を超えた N0 例に対する予防的頸部郭清術，1 mm 未満では通常の経過観察，1 mm から 4.5 mm の間では間隔をつめた経過観察あるいは予防的治療の考

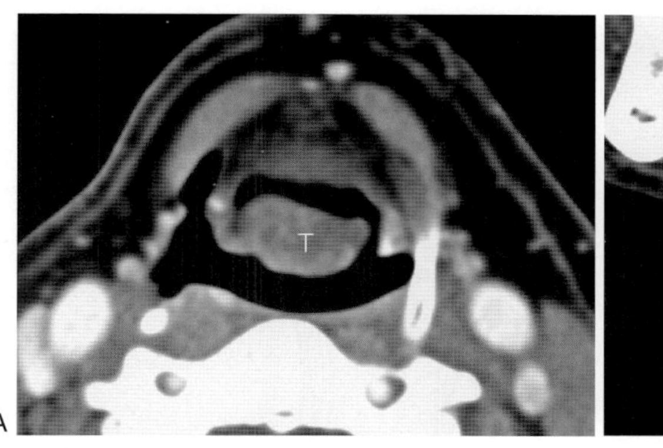

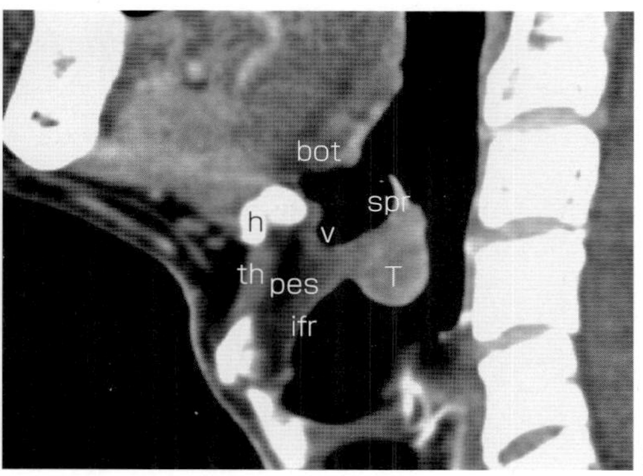

図 28 声門上癌(舌骨上喉頭蓋)

声門上レベル造影 CT(A)において舌骨上喉頭蓋に一致して限局性軟部濃度腫瘤(T)を認める. 矢状断像(B)では病変(T)は舌骨上喉頭蓋(spr)の喉頭面の限局性病変として認められ, 前方の喉頭蓋谷(v)下方の舌骨下喉頭蓋(ifr), 前下方の喉頭蓋前間隙(pes)などへの進展はみられない. bot：舌根, th：甲状舌骨膜

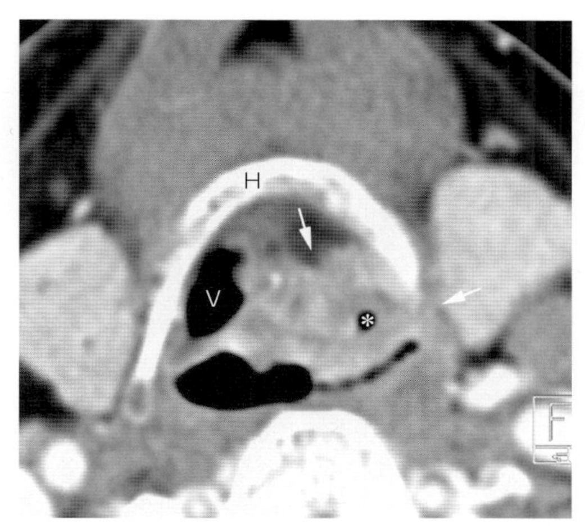

図 29 声門上癌(舌骨上喉頭蓋)

舌骨(H)レベル造影 CT において, 舌骨上喉頭蓋左側を中心とした浸潤性腫瘍(矢印)を認め, 潰瘍形成(＊)を伴う. V：喉頭蓋谷

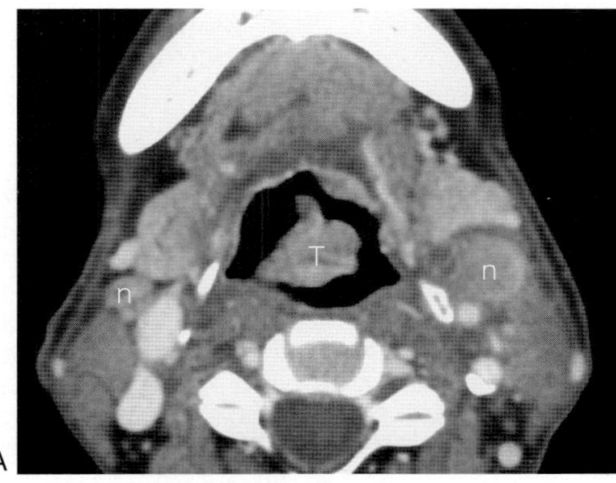

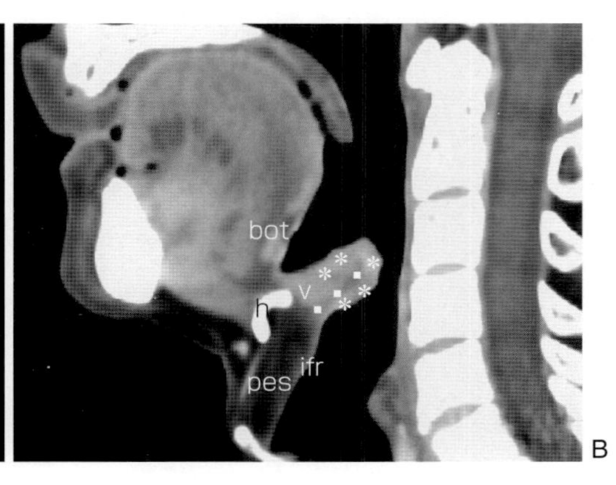

図 30 声門上癌(舌骨上喉頭蓋)

舌根レベル造影 CT(A)において舌骨上喉頭蓋に一致した不整形腫瘤(T)を認め, 両側レベル II リンパ節転移(n)を伴う. 矢状断像(B)において腫瘍(＊)は舌骨上喉頭蓋(•)をびまん性に囲み, 前方で喉頭蓋谷(v)に連続性浸潤を示す. 舌根(bot), 舌骨下喉頭蓋(ifr), 喉頭蓋前間隙(pes)は保たれている.

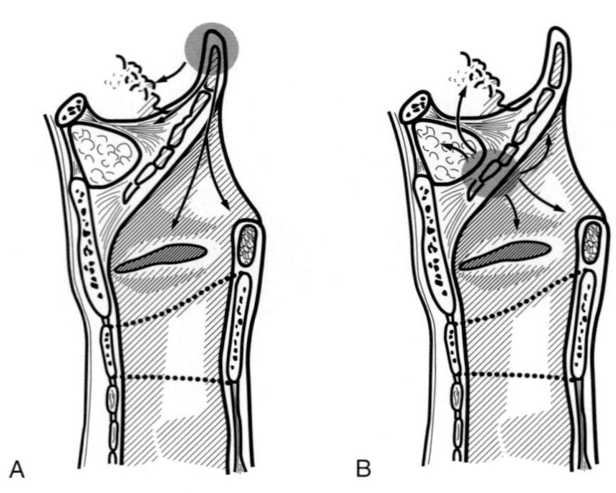

図 31　腹側型声門上癌の進展様式．シェーマ
A：舌骨上喉頭蓋．
B：舌骨下喉頭蓋．

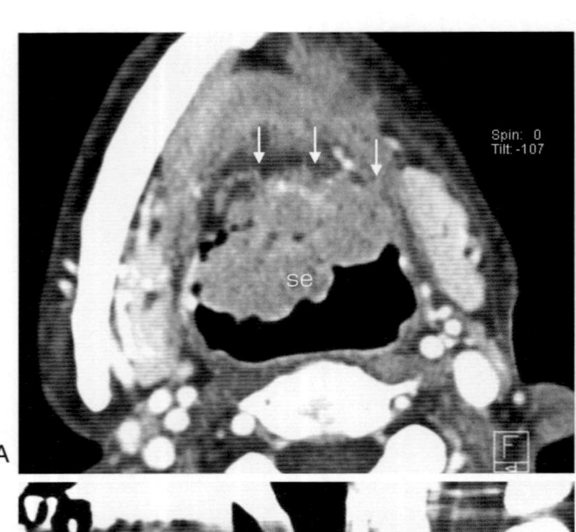

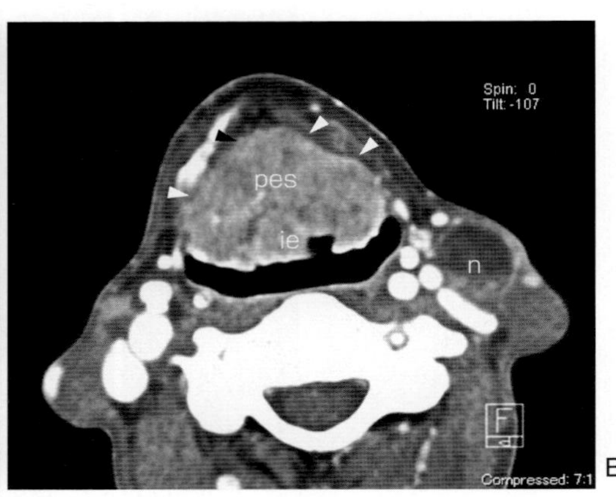

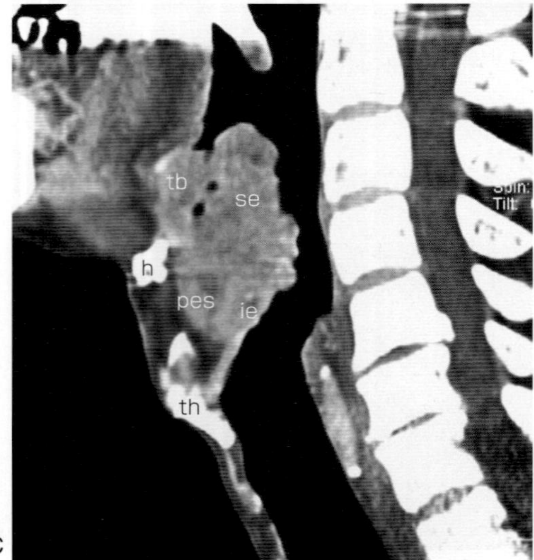

図 32　舌骨上喉頭蓋癌
舌根レベルの造影 CT(A)で舌骨上喉頭蓋を中心とする不整形腫瘤(se)を認め，前方では喉頭蓋谷を介して舌根への進展(矢印)を示す．舌骨下レベル(B)で腫瘍は舌骨下喉頭蓋(ie)から，前方で喉頭蓋前間隙(pes)を占拠している．前面は甲状舌骨膜(右側は一部で甲状軟骨右側板)により明瞭に区分(矢頭)されている．左レベルⅢの嚢胞性リンパ節転移(n)を伴う．ほぼ正中の矢状断再構成画像(C)で腫瘍は舌骨上喉頭蓋(se)を中心として前方で舌根(tb)，尾側で舌骨下喉頭蓋(ie)から喉頭蓋前間隙(pes)への進展を示す．h：舌骨，th：甲状軟骨

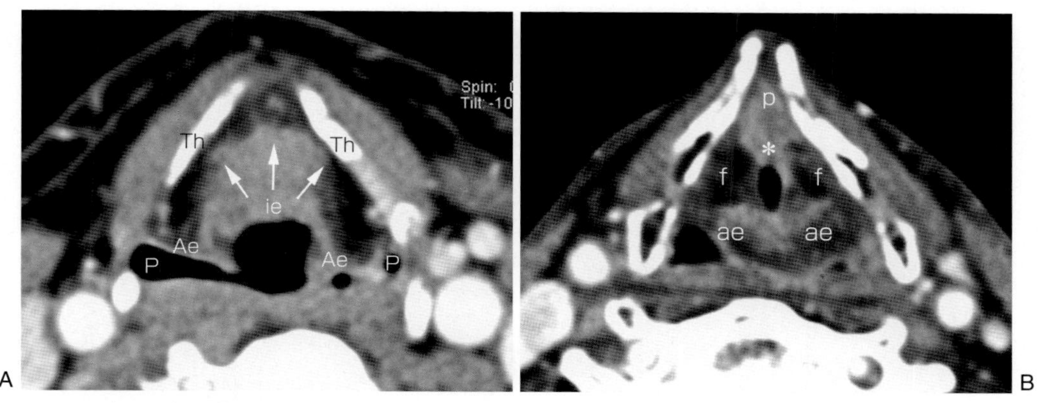

図 33　舌骨下喉頭蓋癌 2 例

造影 CT（A）において，舌骨下喉頭蓋（ie）から喉頭蓋前間隙への浸潤（矢印）を示す腫瘤を認める．Ae：披裂喉頭蓋ひだ，P：梨状窩，Th：甲状軟骨．別症例の甲状軟骨レベルの造影 CT（B）．舌骨下喉頭蓋の不整な肥厚（＊）を認め，前方で喉頭蓋前間隙（p）下部への進展を伴う．ae：披裂喉頭蓋ひだ，f：仮声帯

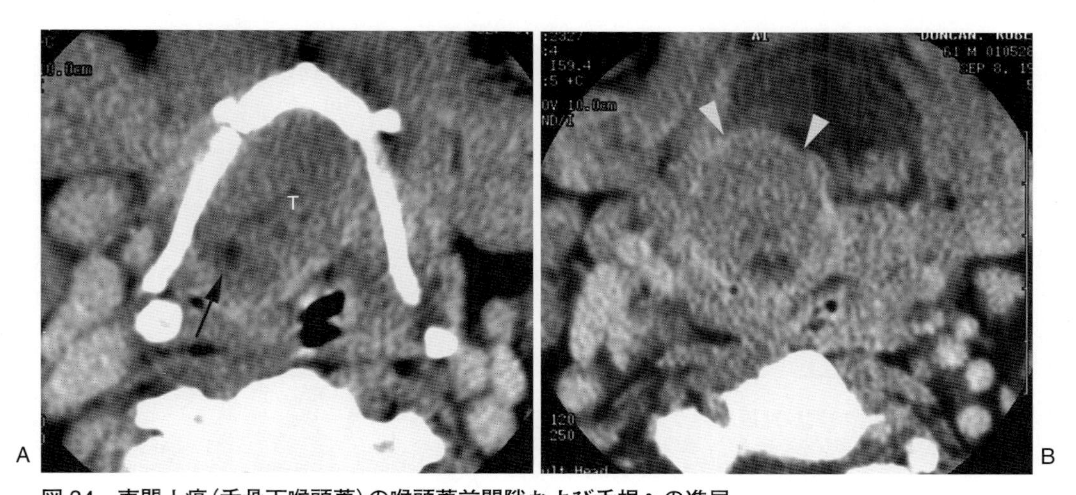

図 34　声門上癌（舌骨下喉頭蓋）の喉頭蓋前間隙および舌根への進展

A：舌骨レベル．喉頭蓋前間隙の脂肪を置換するように発育する腫瘍（T）を認め，内部には壊死と思われる低濃度領域（矢印）を認める．

B：舌根レベル．腫瘍は前方の舌根から舌可動部後方の一部に大きく進展（矢頭），右側の舌神経血管束の領域を侵す．

帯を越えた）喉頭蓋谷，舌根への進展（同進展のみであれば T2）の評価には矢状断像が有用である（図 36）．CT，MRI における喉頭蓋前間隙進展の診断の感度はいずれも 100%，特異度はそれぞれ 93%，84〜90% と高い[78〜80]．喉頭蓋前間隙を占拠した喉頭癌はしばしば壊死をきたすが（図 34，37），これは同間隙の乏血管性を反映するもので同部病変の放射線治療への反応不良の原因ともなっている．また，喉頭蓋前間隙への進展例ではその 88% で両側性の頸部リンパ節転移を示すとされる（図 38）．喉頭蓋柄に癌が生じた場合，前交連への声門部進展の頻度は高い（図 39）．画像上は喉頭蓋前間隙下端の組織浸潤がこれを示唆するが，小病変の画像診断は困難であり内視鏡所見が重要である．この場合，後の項でも述べるが経声門癌（transglottic cancer）として区分され，前

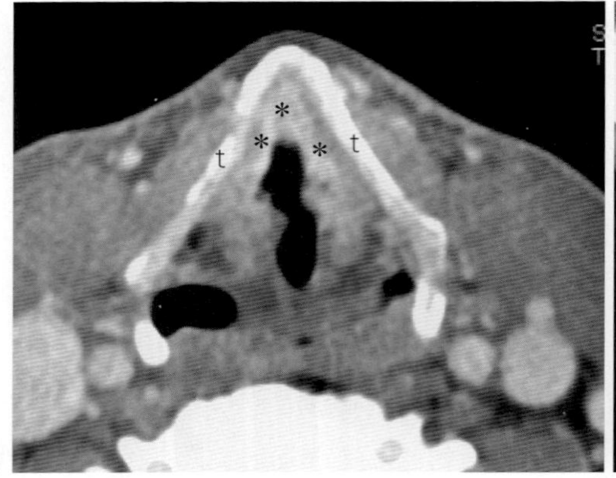

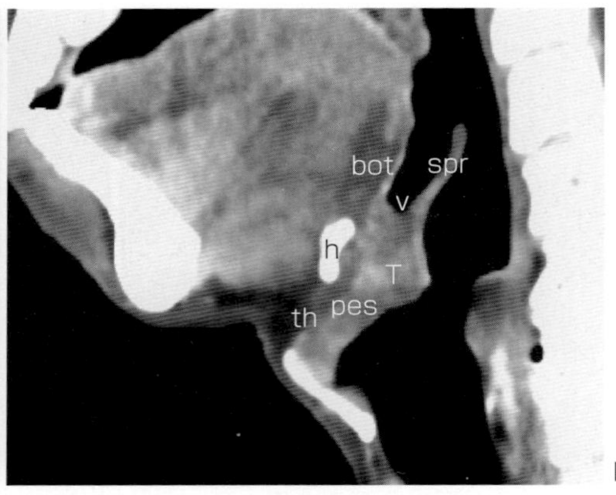

図 35　声門上癌（舌骨下喉頭蓋）

仮声帯レベル造影 CT（A）において前方正中で舌骨下喉頭蓋領域を中心に両側仮声帯前方部に進展を伴う浸潤性腫瘍（＊）を認める．t：甲状軟骨側板．矢状断像（B）で舌骨下喉頭蓋を中心に浸潤性腫瘤（T）を認め，前方で喉頭蓋前間隙（pes）に浸潤，同間隙の脂肪濃度は消失している．前方の甲状舌骨膜（th）を越えた前頸部皮下への進展はみられない．舌骨上喉頭蓋（spr），喉頭蓋谷（v），舌根（bot）は保たれている．

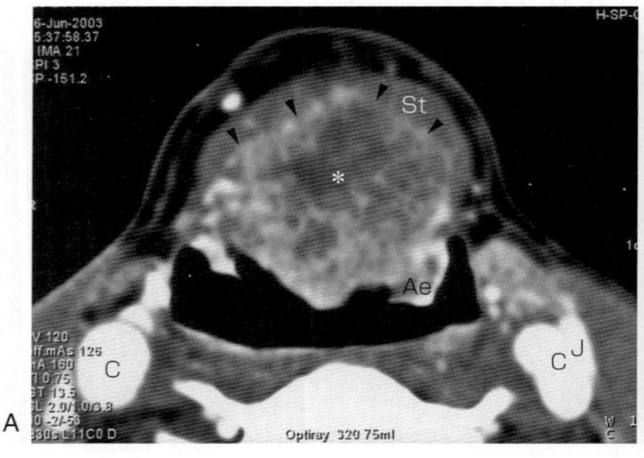

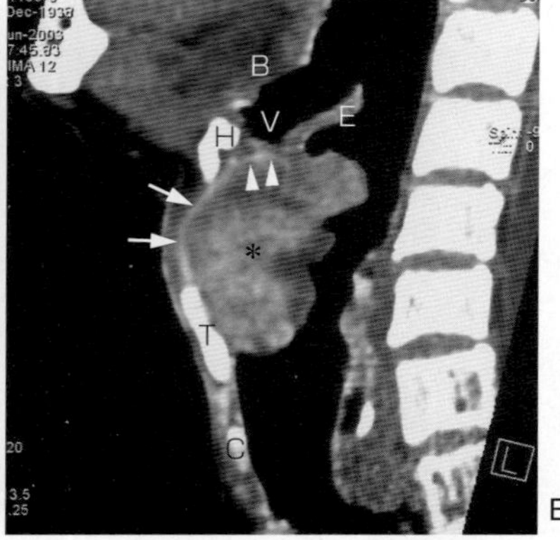

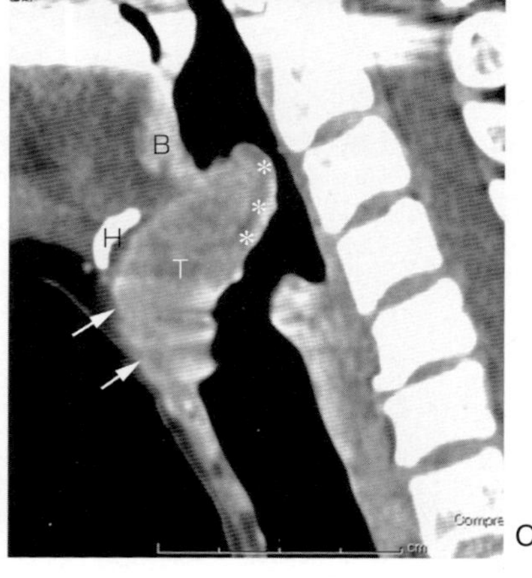

図 36　喉頭蓋前間隙進展を伴う声門上喉頭癌

造影 CT 横断像（A）において，喉頭蓋前間隙を充満する腫瘍（＊）を認める．前方は甲状舌骨膜（矢頭）により舌骨下筋（St）との間の境界は平滑である．Ae：披裂喉頭蓋ひだ，C：総頸動脈，J：内頸静脈．同一症例の正中矢状断再構成画像（B）において，腫瘍（＊）の前面は甲状舌骨膜（矢印），頭側は舌骨喉頭蓋靱帯（矢頭）により区分され，喉頭蓋谷（V），舌根（B）との境界は保たれている．C：輪状軟骨，E：舌骨上喉頭蓋，H：舌骨，T：甲状軟骨

別症例の正中矢状断再構成画像（C）では，喉頭蓋前間隙を占拠する腫瘍（T）を認め，前方は既出の症例（図 A・B）と同様に甲状舌骨膜で境界（矢印）されているが，頭側では喉頭蓋軟骨（＊）および舌骨喉頭蓋靱帯を貫通している．喉頭蓋谷底部粘膜下への進展を示すが，舌根（B）は保たれている．

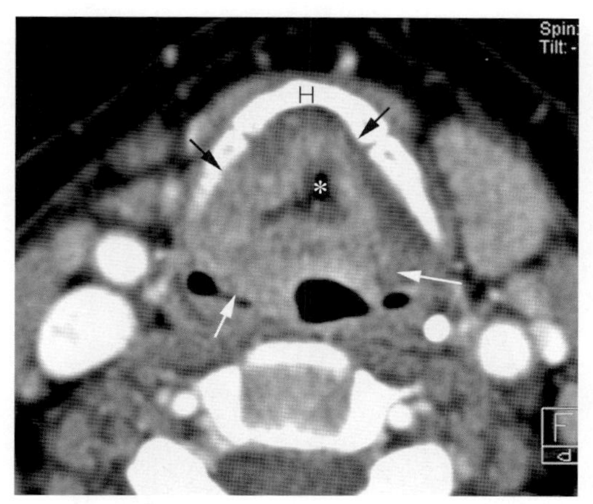

図 37　声門上癌
造影 CT において，喉頭蓋，右披裂喉頭蓋ひだから喉頭蓋前間隙に浸潤する腫瘍(矢印)を認め，内部に壊死・潰瘍形成(＊)を伴う．H：舌骨

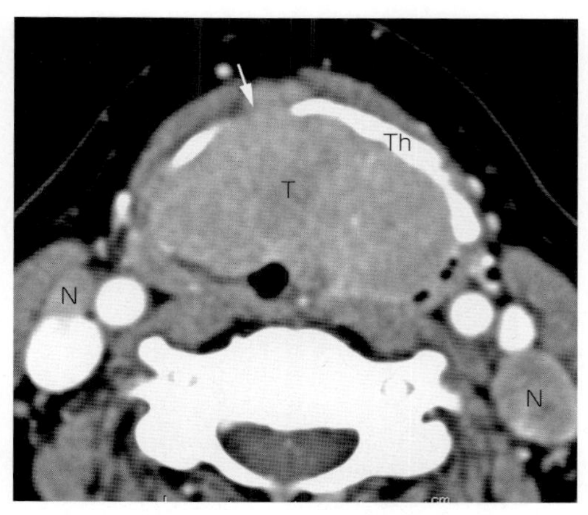

図 38　声門上癌
造影 CT において喉頭蓋前間隙に高容積腫瘍(T)を認め，前方では甲状軟骨(Th)右側板の全層性浸潤(矢印)を示す．両側レベルⅢに頸部転移病変(N)を伴う(N2c)．

交連に及ぶ進展は甲状軟骨に付着する Broyle 靱帯に沿う軟骨浸潤(T3)の危険性を示唆する．靱帯付着部は筋肉あるいは軟骨膜を介さずに直接軟骨へ浸潤が可能である．高容積の喉頭蓋前間隙進展では，特に甲状軟骨切痕から 1 cm の範囲において軟骨浸潤をきたしうる(図 38)[2]．舌骨下喉頭蓋由来の声門上癌が前交連進展，喉頭室を越える進展なしにこれより尾側レベルでの甲状軟骨浸潤はまれである．すなわち，喉頭蓋由来の声門上癌において明らかな軟骨浸潤は経声門癌であることを示唆する．また，甲状舌骨膜を越える喉頭外進展，舌骨への直接進展も比較的まれである．

舌骨の温存は「声門上喉頭部分切除」ならびに「輪状軟骨上喉頭部分切除および舌骨輪状軟骨固定術」の機能温存手術において重要である．

2）外側型(仮声帯，喉頭室，披裂喉頭蓋ひだ)

仮声帯，喉頭室由来の癌の多くは浸潤性，潰瘍性で，早期より傍声帯間隙(T3 に相当)に進展，診断時にはすでに広範な粘膜下進展を伴う(図 40)．傍声帯間隙の進展(図 41～44)は CT，MRI 上，外側甲状披裂筋の不明瞭化，甲状軟骨側板内面に沿う脂肪層の消失として確認される．前方を中心とした病変では舌骨下喉頭蓋から喉頭蓋前間隙への進展もみられる(図 45，46)．

披裂喉頭蓋ひだ由来の癌では初期(図 47)は外方発育を示すものが多いが，次第に内方発育により周囲組織への浸潤をきたす．臨床上，輪状披裂筋，輪状披裂関節への進展(図 48)による喉頭固定は機能温存手術の適応を外れるという意味で重要である．また，進行例では近接する梨状窩内側壁由来の下咽頭癌と区別困難な例もみられる．

3）腹外側型(喉頭蓋と披裂喉頭蓋ひだ接合部)

喉頭蓋と披裂喉頭蓋ひだ接合部より生じるもので，喉頭蓋喉頭面より生じる腹側型とは異なり，喉頭蓋軟骨を介してではなく回り込むようにして喉頭蓋前間隙に浸潤する(図 49)．喉頭蓋谷，咽頭喉頭蓋ひだへも進展する傾向がある．比較的特徴的なこの進展様式によりこの声門上癌一亜型は Winkel 癌とも呼ばれ，高頻度に軟骨骨格へ浸潤する[77]．その際の好発部は再び甲状軟骨上縁の甲状舌骨膜付着部である．経声門進展後は他部位における軟骨浸潤をきたしうる．

4）後壁型(披裂部，披裂間部)

披裂部，披裂間部に原発する癌は比較的まれである．粘膜下進展は連続性に下咽頭輪状軟骨後部へ及ぶことがある．

d. 画像所見と治療計画の統合(表 7：p500)

声門上癌の機能温存療法として，根治的放射線治療，さまざまな機能温存手術，化学放射線療法があげられる．高頻度に高容積粘膜下進展を伴い，内視鏡所見の範囲を越える進展のリスクが高

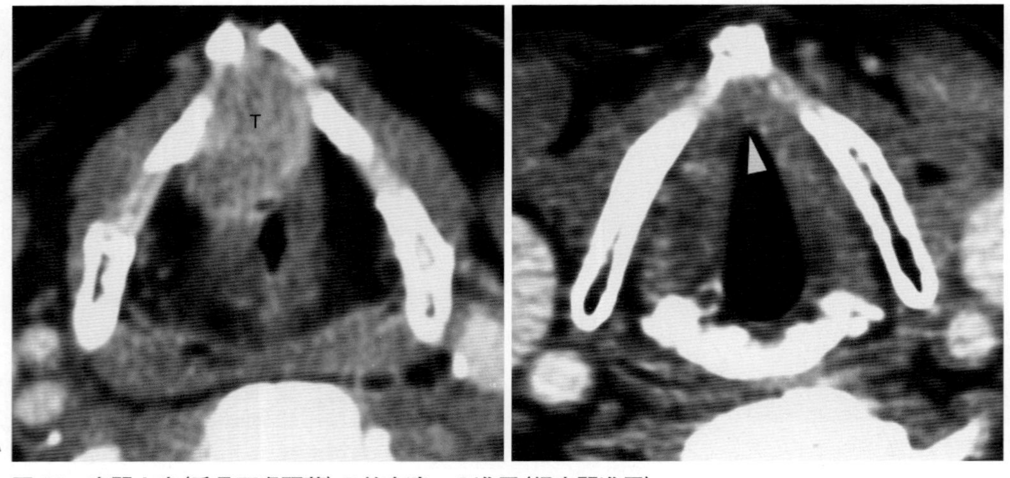

図 39　声門上癌（舌骨下喉頭蓋）の前交連への進展（経声門進展）
（ただし，画像上では前交連由来の声門癌の声門上進展との区別は困難である）
A：声門上喉頭レベル造影 CT．喉頭蓋柄から喉頭蓋前間隙下部に進展する腫瘍（T）を認める．
B：声門レベル造影 CT．前交連肥厚（矢頭）を認め，同レベルへの経声門進展を示す．

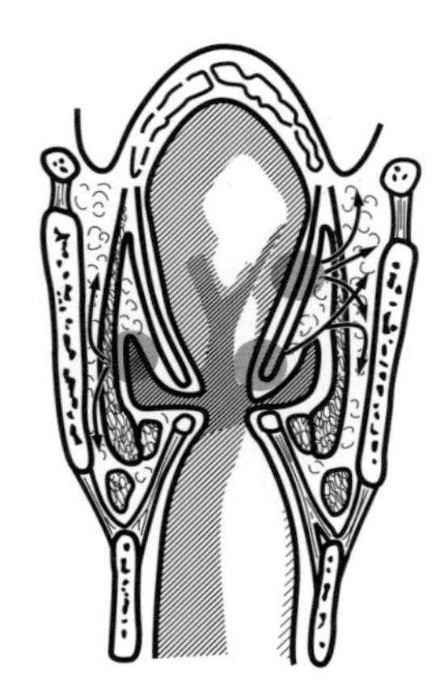

図 40　外側型声門上喉頭癌の進展様式．シェーマ

い．声門上癌では，舌根，軟骨，輪状披裂関節，喉頭外頸部軟部組織への浸潤，輪状軟骨レベルの声門下進展は機能温存手術の適応外となるので治療前画像所見として重要である．ときに輪状甲状膜を後側方で貫通する上喉頭神経血管束（上甲状腺動脈から分岐する上喉頭動脈，迷走神経から分岐する上喉頭神経喉頭内枝）（図 3）に沿った頸部軟部組織への進展（T4 に相当）を示すが，早期の同進展は理学的所見としての把握は困難であり，画像診断（図 50）が重要な役割を担う．同部は頸動脈に近接しており，頸動脈浸潤を伴えば T4b 病変と診断される．下咽頭の梨状窩癌でもしばしば同様の進展様式を示し，注意を要する．声門上喉頭部分切除術では腫瘍辺縁と前交連との間に最低 5 mm の距離を必要とする．CT，MRI はこれらの情報を提供し，治療方針の決定に重要な役割を果たす．

頸部リンパ節転移は機能温存手術，根治的放射線治療の禁忌とはならないが，正確な病期の把握が治療計画では必要不可欠である．既述のとお

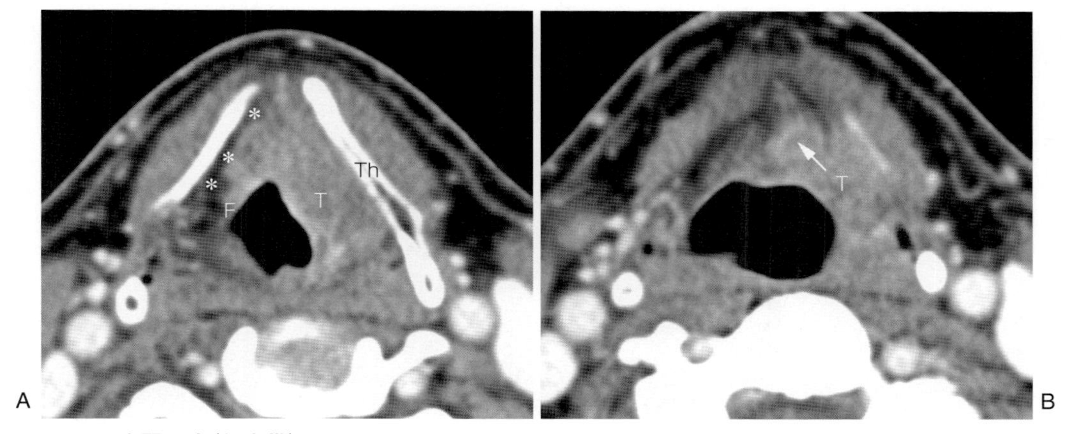

図 41　声門上癌（仮声帯）
仮声帯（F）レベルの造影 CT（A）で，左仮声帯に浸潤性腫瘍（T）を認め，甲状軟骨側板（Th）内面に沿った傍声帯間隙の脂肪層（右側で＊で示す）は消失しており，傍声帯間隙への粘膜下進展を反映する．甲状舌骨膜レベル（B）で，腫瘍（T）は前方で喉頭蓋前間隙への進展（矢印）を示す．

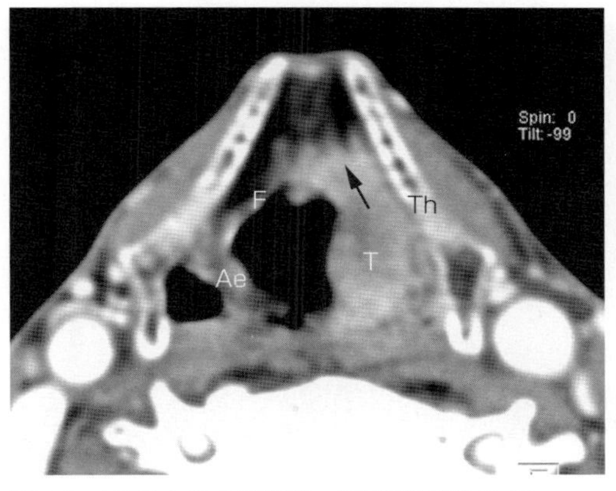

図 42　声門上癌（仮声帯・披裂喉頭蓋ひだ）
造影 CT において，左側の仮声帯（対側で F で示す）および披裂喉頭蓋ひだ（対側で Ae で示す）を中心に浸潤性腫瘍を認め，図 41 症例と同様，側方では甲状軟骨側板（Th）内面に沿った傍声帯間隙への粘膜下進展を示し，前方で舌骨下喉頭蓋および喉頭蓋前間隙への進展（矢印）を伴う．

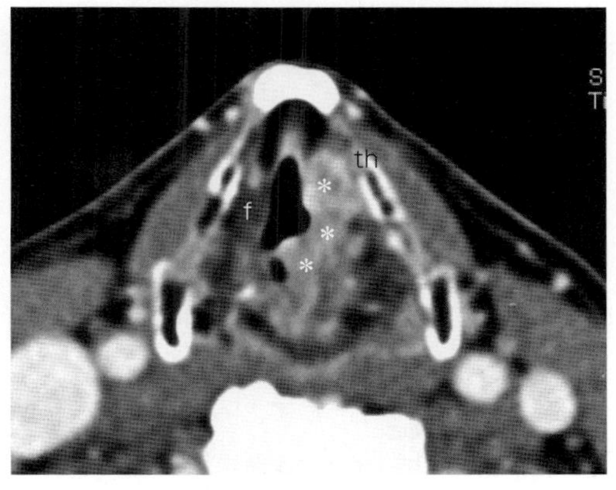

図 43　声門上癌（仮声帯）
仮声帯レベルの造影 CT において，左仮声帯（対側で f で示す）を中心とする浸潤性腫瘤（＊）を認め，深部では傍声帯間隙に浸潤，甲状軟骨左側板（th）に隣接するが，明らかな軟骨浸潤は認められない．T3 病変に相当する．

り，声門上喉頭癌において頸部リンパ節転移（図 30，32，38）は最も重要な予後因子であるか[63]，リンパ節画像診断に関しては後述の「リンパ節転移」の項（p514）とともに，10 章「頸部リンパ節」を参照されたい．遠隔転移に関しても，T 分類，治療選択にかかわらず，治療前 N 因子が唯一の予後因子であり，N3 例では N0 例と比較して，その頻度は 5 倍となる[63]．このことから N3 例では画像診断による遠隔転移（主に，肺，肝，骨）の慎重な評価が望まれる．

声門上癌の根治的放射線治療に関して，Mancuso らは治療前 CT における腫瘍容積と局所制御率は相関があり，腫瘍容積が 6 cm^3 より小さい場合の原発巣治癒率は 89 %，6 cm^3 以上では 52 %（喉頭機能温存率 40 %）として，治療前 CT の腫瘍容積から期待される局所制御率の推定が可能であるとしている（表 8：p501）[81]．Herman らも根治的放射線治療後の声門上癌に関して，CT

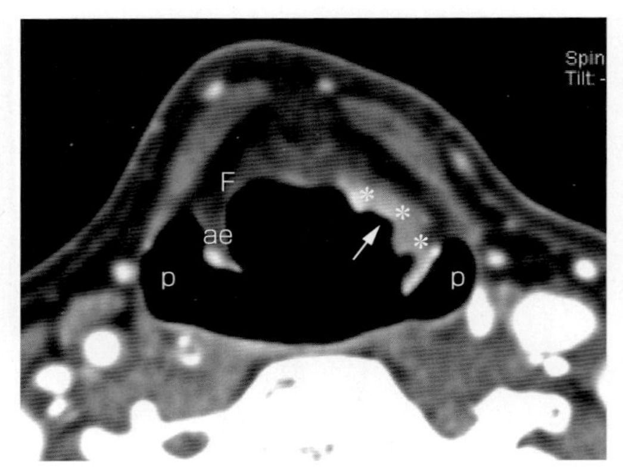

図 44　声門上癌（仮声帯）

仮声帯レベル造影 CT において，左仮声帯（対側で F で示す）を中心に潰瘍形成（矢印）を伴う浸潤性腫瘤（＊）を認め，後方で披裂喉頭蓋ひだ（対側で ae で示す）に進展する．p：梨状窩

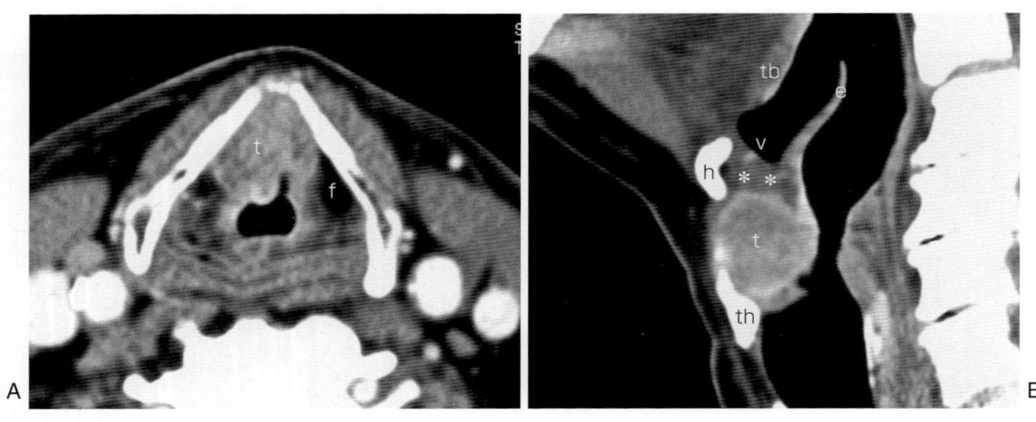

図 45　声門上癌（仮声帯）

仮声帯レベルの造影 CT（A）．右仮声帯前方 4 分の 3 を中心に浸潤性腫瘤（t）を認め，前方では喉頭蓋柄から喉頭蓋前間隙を占拠，さらに対側仮声帯前方 2 分の 1 にも進展を示す．左仮声帯後方 2 分の 1（f）では傍声帯間隙の脂肪濃度が保たれている．同症例の矢状断像（B）において，喉頭蓋前間隙を充満する腫瘍（t）は頭側では舌骨喉頭蓋靱帯（＊）に区分され，喉頭蓋谷（v），舌根（tb），舌骨上喉頭蓋（e）への進展はみられない．h：舌骨体部，th：甲状軟骨

での腫瘍容積は局所制御率，声門レベルでの傍声帯間隙浸潤と声門下進展は局所再発率と相関するとしている[82]．

良好な画質の CT，MRI で指摘困難な表在性低容積の声門上癌はそのほとんどが根治的放射線治療により治癒可能である．また，早期声門上癌（図 47）に対しては，経口 CO_2 レーザー切除により，通常の機能温存術式（声門上喉頭部分切除術）と同等の局所制御率，生存率が得られ，機能障害は少なく，誤飲の危険性も低いとされる[12]．機能温存療法にとって負の予後因子とされる軟骨浸潤と関連のある喉頭蓋前間隙浸潤に関して，同間隙の 25％を超える腫瘍浸潤（図 36，38）は，軟骨壊死などの原因を含み最終的に喉頭機能を失う可能性が高いことを示唆する．

6 声門癌（glottic cancer）

a．臨床的事項

声門癌は，声門を囲む左右声帯（上面，自由縁，下面），前交連，後交連（披裂間部）（図 1E）に由来し，90％以上が扁平上皮癌である．声帯自由縁前方 3 分の 1 の発生が多く[83]（図 51），前交連進展

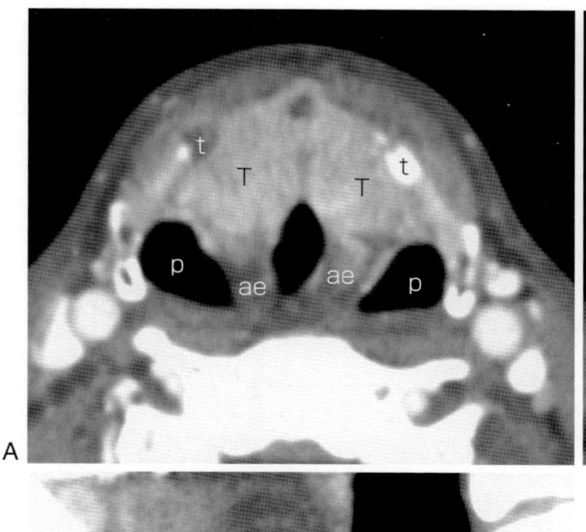

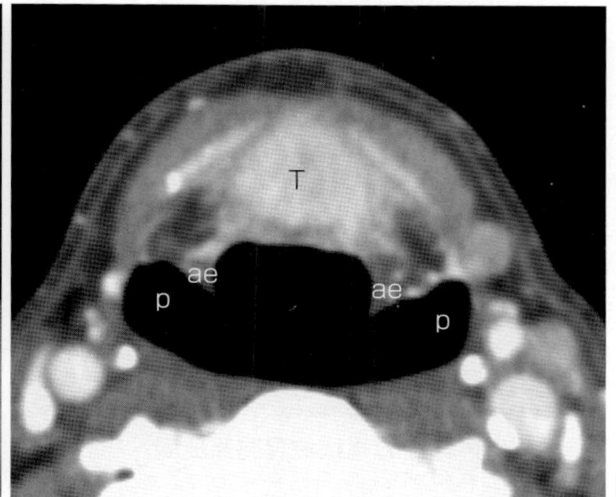

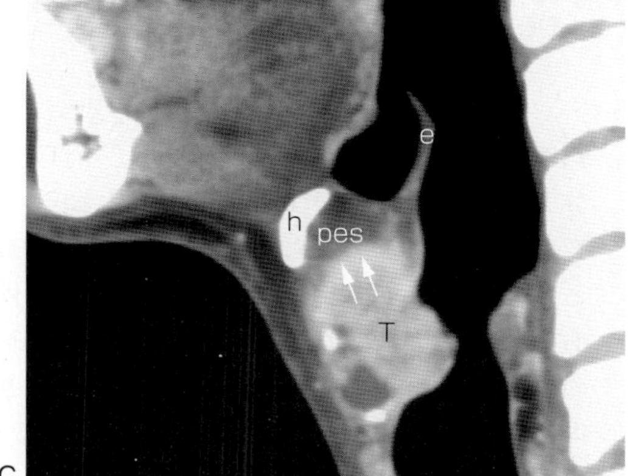

図 46　声門上癌（仮声帯）の喉頭蓋前間隙進展
仮声帯レベル造影 CT（A）において両側仮声帯にほぼ左右対称性に進展する腫瘍（T）を認める．ae：披裂喉頭蓋ひだ，p：梨状窩．やや頭側の甲状軟骨側板上縁レベル（B）で喉頭蓋前間隙への粘膜下進展を示す腫瘍（T）を認める．ae：披裂喉頭蓋ひだ，p：梨状窩．矢状断像（C）において舌骨下喉頭蓋領域から喉頭蓋前間隙（pes）に進展（矢印）する腫瘍（T）を認める．e：喉頭蓋，h：舌骨

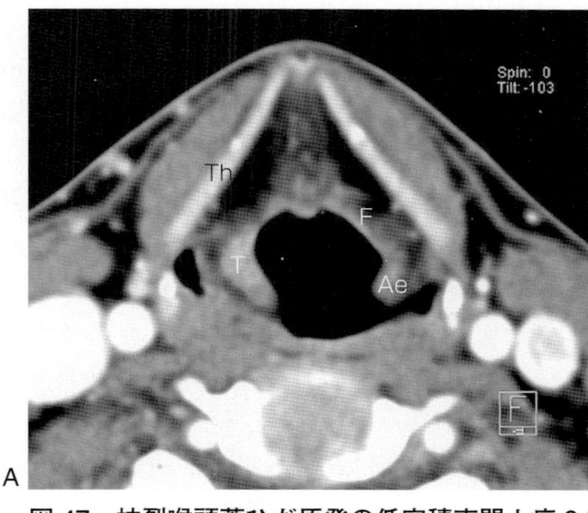

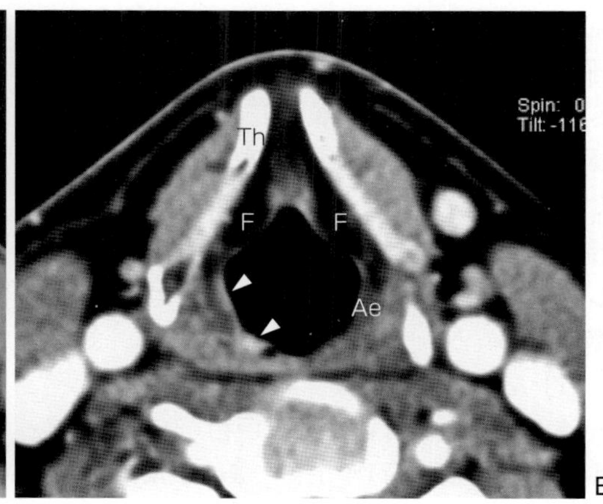

図 47　披裂喉頭蓋ひだ原発の低容積声門上癌 2 例
仮声帯（F）レベルの造影 CT（A，B）において，右側の披裂喉頭蓋ひだ（対側で Ae で示す）の喉頭面に限局性の軟部濃度腫瘤（A の T，B の矢頭）を認め，T1 病変を示す．

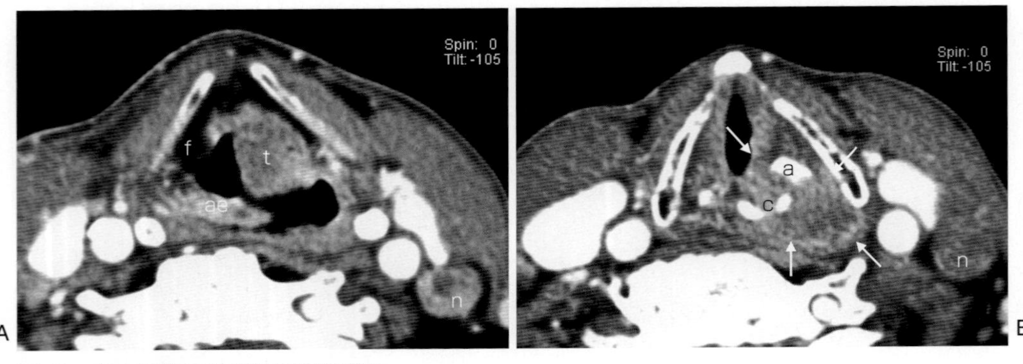

図48　仮声帯癌の輪状披裂関節進展
仮声帯レベルでの造影CT(A)において，左仮声帯(対側でfで示す)から披裂喉頭蓋ひだ(対側でaeで示す)を中心とする浸潤性腫瘤(t)を認める．左レベルⅢリンパ節転移(n)を伴う．同声門レベル(B)で，披裂喉頭蓋ひだに沿って尾側に進展した腫瘍(矢印)は硬化を示す左披裂軟骨(a)を囲む．c：輪状軟骨，n：左レベルⅢリンパ節転移

は全体の10%程度[84]，後交連進展はまれである[85]．

声帯病変の症状として初期より認められる継続性嗄声が重要であり，これにより比較的早期に発見される傾向にある．小病変が強い嗄声をきたす場合もあり，嗄声は一般的には早期病変の症状である．その他として咽喉頭痛，関連痛としての耳痛，進行例では気道閉塞症状，喀血などをきたす．

TN(M)分類(**表1**：p471)のT診断には，内視鏡所見による声帯の可動性(可動制限，固定の有無)評価，画像診断による(喉頭鏡では確認困難な場合も多い)傍声帯間隙や喉頭蓋前間隙への粘膜下進展，声門下進展，軟骨浸潤(既述)の有無・程度などの評価が必要となる．各画像所見は次項の進展様式において示す．N診断は身体所見をもとにして画像診断による情報を加えて行われるのが実際である．N分類に関しては，10章「頸部リンパ節」を参照されたい．

治療は，従来，放射線治療，手術(垂直喉頭部分切除術，喉頭全摘術)が主体であったが，化学療法(化学放射線治療)の進歩，経口CO_2レーザー治療などの普及により，局所制御率，生存率の低下なく，より良好な器官温存を図る治療が選択されるようになった．根治的放射線治療における局所制御率は，T1病変で78～90%[86,87]，T2病変で59～73%程度[87,88]と，声門上癌より多少高い制御率を示すが，放射線治療のみでは声門癌T1病変の10%[89]，T2病変の25%[87]，T3病変の57%[90]で局所非制御(local failure)となる．T1病変を代表とする早期喉頭癌に対しての放射線治療と外科的治療との治療成績の単純な比較は困難であるが，ほぼ同等とされる．T1およびT2病変への根治的放射線治療例では年齢と腫瘍の大きさ，声帯外への進展(T2以上)が予後因子となる[91,92]．T1病変に関しては，経口CO_2レーザー治療でも89%の局所制御率，96%の器官温存率と良好な治療成績が報告されている[93]．通常の手術と同様，経口CO_2レーザー治療でも安全な切除縁をとった切除が重要であるが，声門癌では1～2 mmと他の頭頸部癌(1.5～2 cm)と比較して狭い切除縁での切除が許容される[94]．ただし，実際には適切な切除は容易ではなく，切除断端陽性が疑われる例ではレーザー焼灼で再発リスクを減らせるとされる[95]．経口CO_2レーザー治療は低侵襲で，気管切開や経鼻胃管挿入を必要とする率が低く，後遺症も少なく，さらに限局性の局所再発に対しては(放射線治療や開放手術と異なり)再施行可能であるなどの利点がある[12]．一方で治療後の声質は放射線治療にやや劣るとされる．進行病変に対しては，古典的には喉頭全摘術が唯一の治療法であったが，ここ20年で集学的治療の適応となる例が大部分となった．最近では，喉頭全摘は主に器官温存治療後再発・残存病変に対するサルベージ治療として施行される場合が多い．

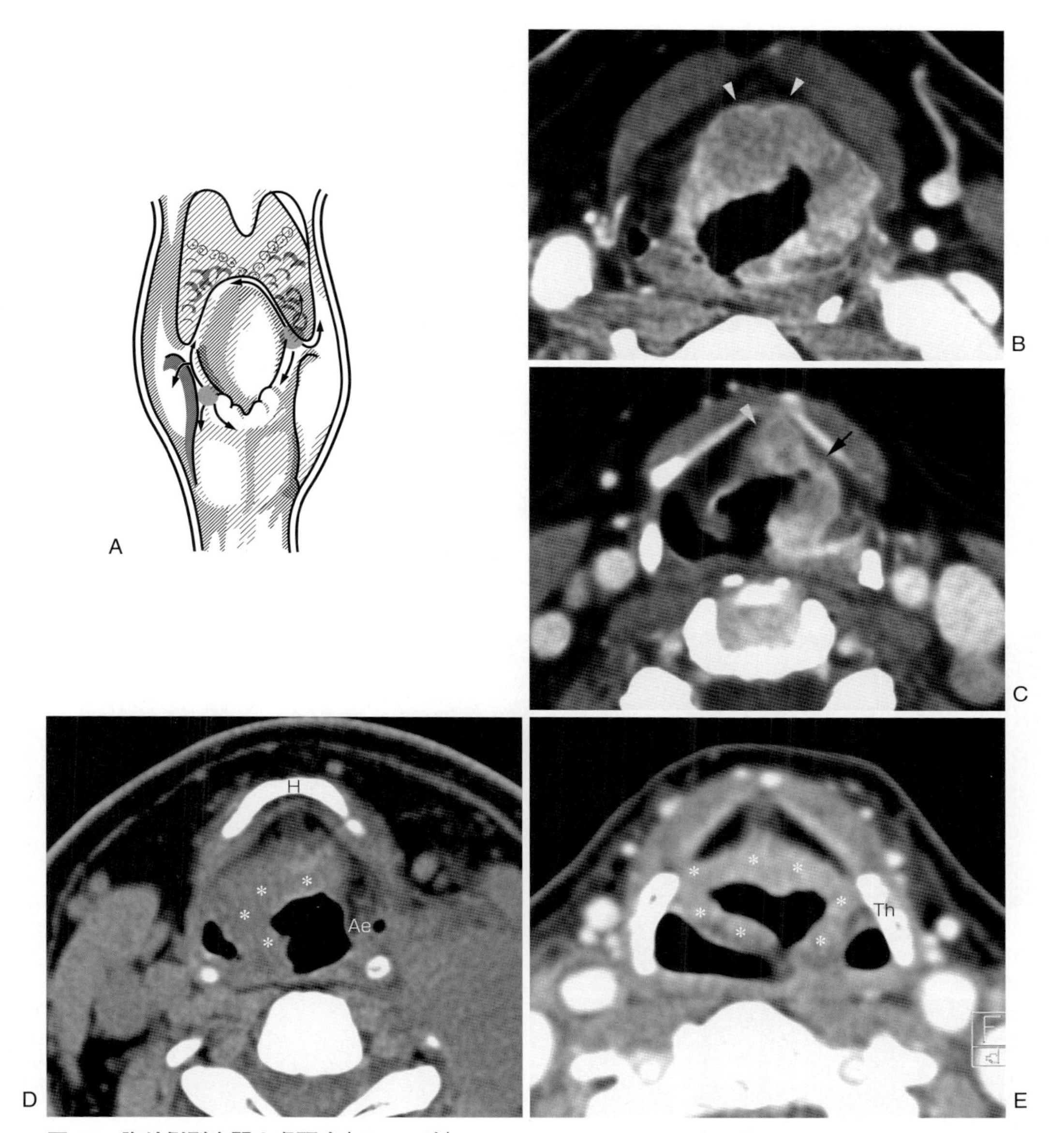

図 49　腹外側型声門上喉頭癌（Winkel 癌）

腹外側型声門上喉頭癌の進展様式（A，シェーマ）

造影 CT（B）において，左披裂喉頭蓋ひだから舌骨下喉頭蓋，喉頭蓋前間隙（矢頭）へと気道を取り囲むように進展する腫瘍を認める．

別症例の造影 CT（C）で，左披裂喉頭蓋ひだから取り囲むように前方の傍声帯間隙（矢印），喉頭蓋前間隙（矢頭）へと進展する腫瘍を認める．

別症例非造影 CT（D）で，右側の披裂喉頭蓋ひだ（対側で Ae で示す）から喉頭蓋領域に回り込むように進展する腫瘍（＊）を認める．H：舌骨

別症例造影 CT（E）においても，左右の披裂喉頭蓋ひだから喉頭蓋領域にわたり，声門上喉頭気道を取り囲むように回り込む進展を示す腫瘍（＊）を認める．Th：甲状軟骨

表7　声門上癌での重要な画像評価項目

局在	亜部位(舌骨上・下喉頭蓋，仮声帯，披裂喉頭蓋ひだ)の特定
頭側進展	喉頭蓋谷 舌根 外舌筋
尾側進展	経声門進展(声門レベル) 声門下進展(声門下レベル)
内側進展	正中・対側進展の有無：対側頸部リンパ節転移の頻度に関連
その他	粘膜下進展(T3)：喉頭蓋前間隙，傍声帯間隙 甲状軟骨浸潤(T3：内板のみ，T4a：全層性) 喉頭外軟部組織進展 　＊上喉頭神経血管束に沿った甲状舌骨膜を介した進展 　＊頸動脈浸潤あり(T4b)・なし(T4a) 腫瘍容積(6 cm^3 より小さいか，大きいか)：RT での局所制御率に関連 気道狭窄の有無・程度
N因子	“両側”の主にレベルⅡ，Ⅲ，Ⅳ

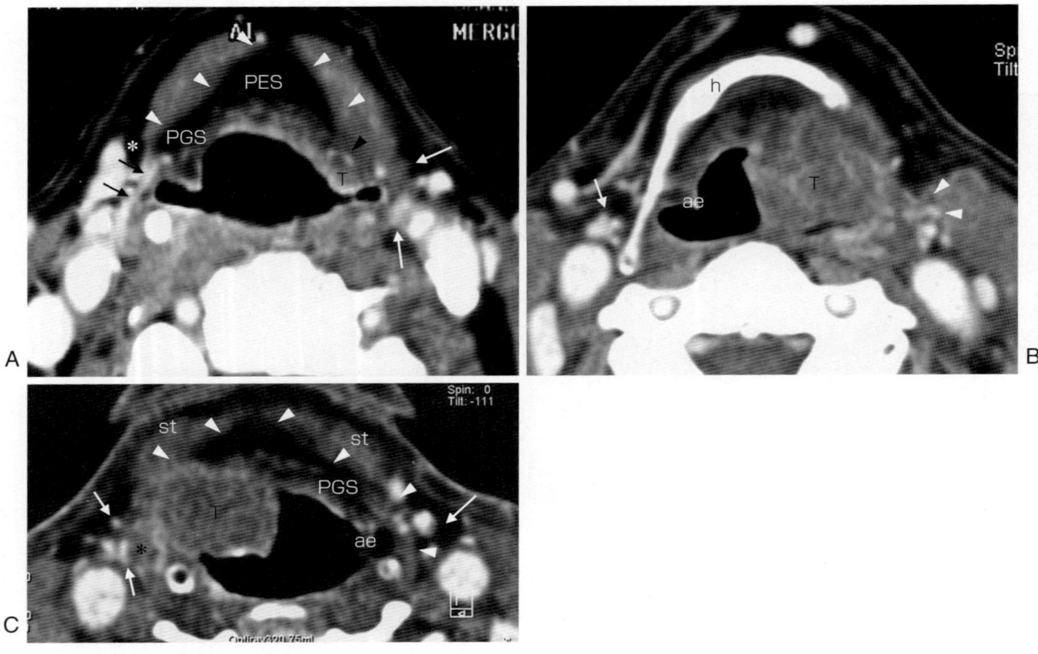

図50　上喉頭神経血管束に沿って甲状舌骨膜を越えた頸部軟部組織進展を示す声門上癌3例(いずれもT4a病変)

A：甲状舌骨膜レベルでの造影CT．左披裂喉頭蓋ひだに浸潤性腫瘤(T)を認める．右側では甲状舌骨膜(矢頭)を越えて傍声帯間隙(PGS)後方に進入する上喉頭血管(黒矢印)周囲の脂肪層(＊)は保たれているのに対して，患側では同血管周囲の(喉頭外)頸部軟部組織に浸潤性変化(白矢印)を認め，同神経血管束に沿った頸部軟部組織進展を示す．左傍声帯間隙後方に進入した同血管(矢頭)周囲に腫瘍浸潤あり．PES：喉頭蓋前間隙

B：別症例の舌骨レベル造影CT．左披裂喉頭蓋ひだ(対側でaeで示す)を中心とする浸潤性腫瘤(T)を認める．右側の上喉頭血管(矢印)周囲で保たれる組織層は患側で消失(矢頭)しており，同神経血管束に沿った喉頭外(頸部軟部組織)進展を示唆する．h：舌骨

C：別症例の甲状舌骨膜レベルでの造影CT．右披裂喉頭蓋ひだ(対側でaeで示す)を中心に浸潤性腫瘤あり．深部で傍声帯間隙(対側でPGSで示す)への浸潤を示す．甲状舌骨膜(矢頭)より外の上喉頭血管(小矢印)周囲の浸潤性腫瘤形成(＊)がみられ，喉頭外頸部軟部組織進展を示す．対側脂肪層(大矢印)は保たれている．st：舌骨下筋

表 8　声門上癌の根治的放射線治療後における治療前 CT 所見に基づく原発巣非治癒の危険度分類

放射線治療後 原発巣再発の危険度	診断基準	局所治癒率	喉頭機能温存率
低危険度	腫瘍容積が 6 cm^3 未満	89%(n = 34)	89%(n = 34)
高危険度	腫瘍容積が 6 cm^3 以上	52%(n = 13)	40%(n = 10)

(Mancuso AA et al : J Clin Oncol **17** : 631-637, 1999)

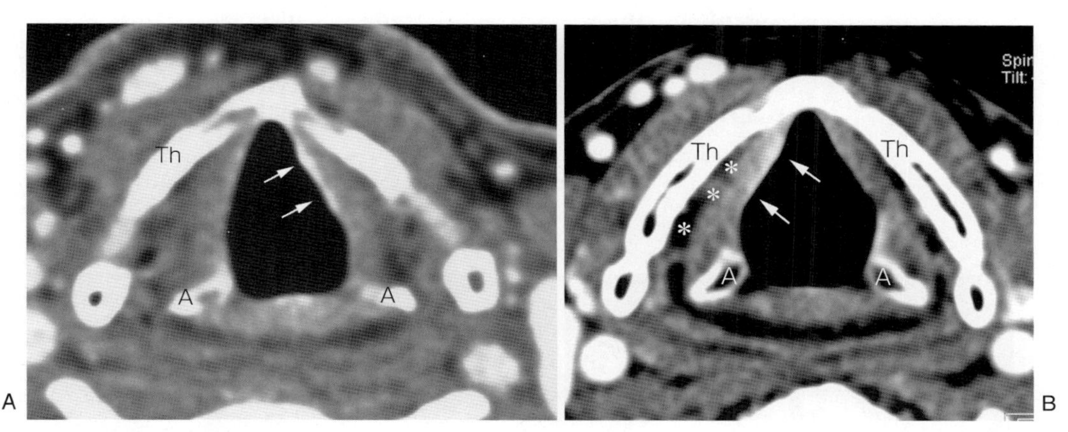

図 51　声門癌(T1a 病変)
声帯癌症例の造影 CT 横断像(A)で左側，別症例の造影 CT(B)では右側の声帯前方 2 分の 1〜3 分の 2 において，自由縁粘膜面に沿った増強効果(矢印)を認め，片側声帯に限局した表在性低容積病変(T1a 病変)を示す．A：披裂軟骨，Th：甲状軟骨側板，＊：傍声帯間隙

b. 進展様式(図 52)

声門癌は典型的には声帯前方 2〜3 分の 1 の自由縁，上面より起こり，診断時に 3 分の 2 の症例で声帯，通常は片側に限局している(図 51)．進行すると前交連から対側に進展する．これらの典型例と前交連(図 53，54)に生じて早期より喉頭蓋前間隙下部から喉頭蓋柄へと経声門進展を示す浸潤性の高い病変(図 39)とは臨床的に区別する場合がある．声帯に限局し，声帯固定のない症例(T1 病変)では軟骨浸潤の可能性は低い．表在性低容積病変は，(増強効果を示さない正常喉頭粘膜に対して)粘膜面に沿った限局性増強効果(図 51)として同定される例も多い．これらの病変での画像診断の臨床的意義は，喉頭鏡所見では指摘困難な傍声帯間隙などへの粘膜下進展(水面下の氷山：T3 病変の可能性)の否定にある．

最近，広く普及した経口 CO_2 レーザー治療において，声門癌の前交連浸潤が局所制御率の低下を示す[96, 97]か否か[98, 99]に関しては，依然として議論があるが，いずれにしろ同部浸潤の画像評価は臨床的意義が大きい．声門癌の約 20%が前交連に進展するが，前交連の原発は 1%に過ぎない[100]．後述のとおり，腫瘍が前交連に浸潤すると甲状軟骨，声門下，喉頭蓋前間隙などの重要な構造や領域に容易に進展する[101]．CT 上，前交連の厚さは通常 1 mm，正常上限は 1.6 mm とされる[8]．これを超える組織肥厚は腫瘍浸潤(図 10)などの異常が疑われる．喉頭鏡所見，臨床症状と合わせた場合の前交連浸潤に対する画像診断の正診率は，CT が 80%，MRI が 87%[20]と MRI が正診率では優れ，感度(93〜96%)は高いとされるが特異度は劣る[5]．CT では過小評価，MRI では過大評価の傾向にあり，それぞれ不適切な治療選択につながるリスクがある[101]．

声門癌の進展様式は大きく水平進展(前後方向への進展)と垂直進展(頭尾方向への進展)とに区別される．前交連進展は前方での水平進展として主に早期にみられるのに対し，垂直進展は比較的

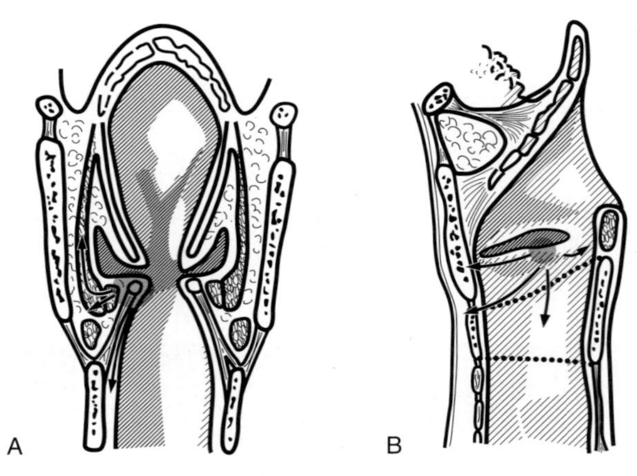

図 52　声門癌の進展様式．シェーマ
A：冠状断．
B：矢状断．

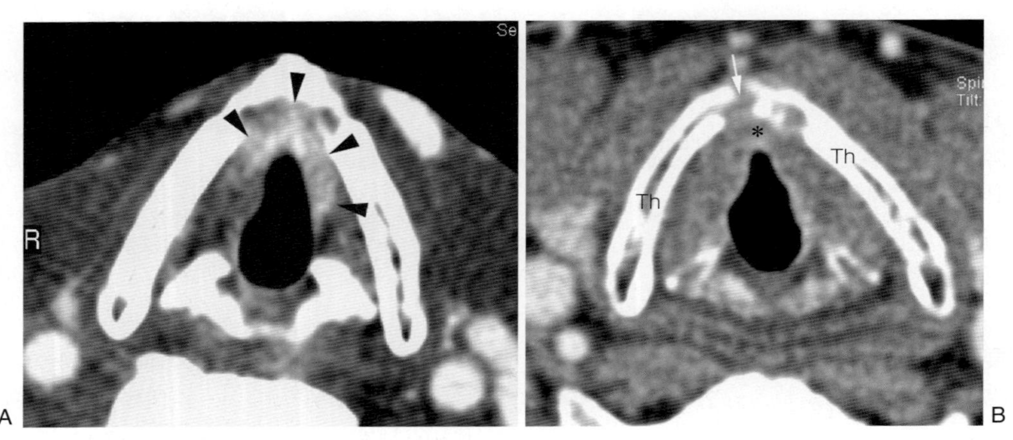

図 53　前交連に進展を示す声門癌（T3〜4a 病変）
造影 CT（A）で，前交連を介して両側声帯に進展する増強効果を示す腫瘍（矢頭）を認める．
別症例の造影 CT（B）において，前交連での軟部組織肥厚（＊）を認め，隣接する甲状軟骨（Th）の限局性浸潤（矢印）を伴う．

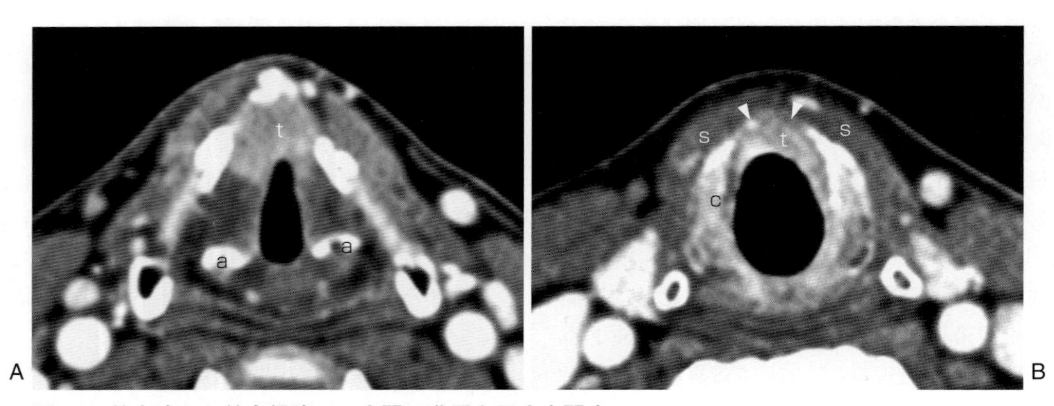

図 54　前交連から前方経路での声門下進展を示す声門癌
声門直上レベルでの造影 CT（A）で前交連から喉頭蓋柄下端，喉頭蓋前間隙下縁，さらに両側の仮声帯前方 3 分の 1 への浸潤を示す腫瘤を認める．a：披裂軟骨上部．声門下レベル（B）で前方経路での声門下進展を示す腫瘍（t）は前方で輪状甲状膜により舌骨下筋（s）後面と明瞭に区分（矢頭）されている．c：輪状軟骨

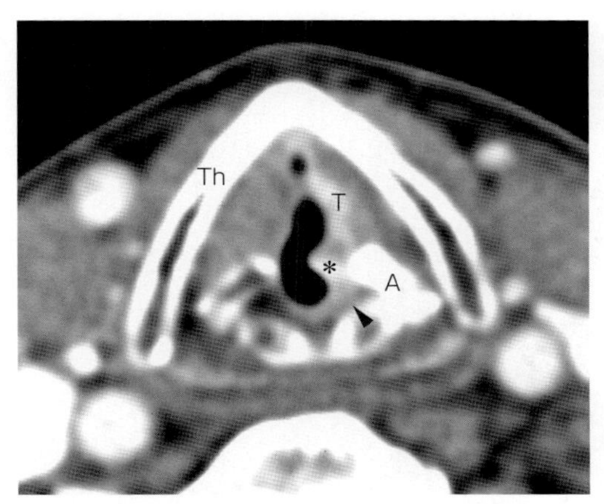

図 55　披裂間部進展を伴う声門癌（T3 病変）
造影 CT において，左声帯を中心とした浸潤性腫瘍（T）を認め，後方では硬化を示す左披裂軟骨（A）内側面の軟部組織肥厚（＊），さらに披裂間部への浸潤（矢頭）を認める．Th：甲状軟骨

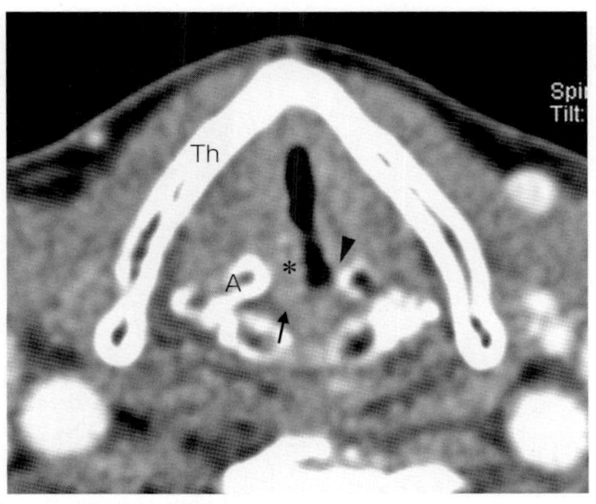

図 56　披裂間部進展を示す声門癌（T3 病変）
造影 CT で軽微な硬化を示す右披裂軟骨（A）内側面に沿った軟部組織肥厚（＊）あり．後方で披裂間部に進展（矢印）あり．左側では披裂軟骨内側面は部分的に声門の気道腔とほぼ接するように認められる（矢頭）．

進行してから認められる．

水平進展において，前交連進展は甲状軟骨に付着する Broyle 靱帯に沿う甲状軟骨浸潤の危険性を示唆する（図 53）．また，前交連から対側声帯への進展（T1b）（図 53A），声門下から輪状甲状膜を介する進展経路を得る（図 54）．声帯後方に進展した癌では粘膜下の Reinke 腔から披裂軟骨内側面，輪状披裂関節，披裂間部への進展をきたす（図 55，56）．声門レベル CT 横断像において，披裂軟骨内側面は少なくとも部分的には直接気道腔に接するように認められるのが正常画像解剖であり，声帯癌の患側で披裂軟骨内側面の軟部組織肥厚（図 10，55〜58）は同部への腫瘍浸潤を支持，後方の披裂間部進展の経路となる．

声帯病変は側方，深部への進展により声帯靱帯，声帯筋（内側甲状披裂筋）さらには傍声帯間隙へ到達する．内視鏡所見として片側声帯に限局した T1a 病変として認められる病変の一部は，CT での傍声帯間隙浸潤（図 59）により T3 病変と判断される．声門癌の好発部位が声帯前方のため，輪状披裂関節は必ずしも侵されず声帯の可動性は比較的保たれている例もあり，注意を要する．一度，傍声帯間隙に進展した腫瘍は，甲状軟骨側板内面に沿った同間隙の頭尾側方向の拡がり（図 4A）に従った垂直進展を示す（図 16，52，58，60〜62）．頭側に向かい声門上喉頭に達すると経声門進展，尾側に向かうと声門下進展をきたす（図 52，61，63，64）．また，後方では披裂軟骨外側面と甲状軟骨側板の内側面との間 “thyroarytenoid gap” を介して，梨状窩への浸潤を示す場合もある（図 9，60，65）．のちに軟骨浸潤（T3〜4a）（図 66），間膜の破綻による頸部軟部組織への進展（T4）（図 61）を生じる．

垂直進展で最も多いのは声門下進展で，弾性円錐は腫瘍進展の強い障壁とはならない（図 4A）．声門下進展はしばしば粘膜下であり（図 62，64），喉頭鏡では確認困難で病期診断を誤る危険性があり，画像診断の果たす役割は大きい．臨床的には前方で約 10 mm，後方で約 5 mm の声門下進展により輪状軟骨上縁に至るとされるが，CT 横断像であれば（骨化した）輪状軟骨自体を確認できるので，同レベルに及ぶ声門下進展（CT 横断像での輪状軟骨内面に接する腫瘍浸潤）は比較的容易に判断できる（図 16，58，60，61，63，68）．輪状軟骨レベルへの進展はほとんどの症例で機能温存手術の適応を外れる．前方での声門下進展は輪状甲状膜内側面に沿う（図 54）．同間膜は腫瘍進展に対して強い障壁となりうるが，これを介して喉頭前頸部軟部組織へ腫瘍が進展（T4）する際は甲状軟骨下縁の付着部近傍で貫通する神経血管束

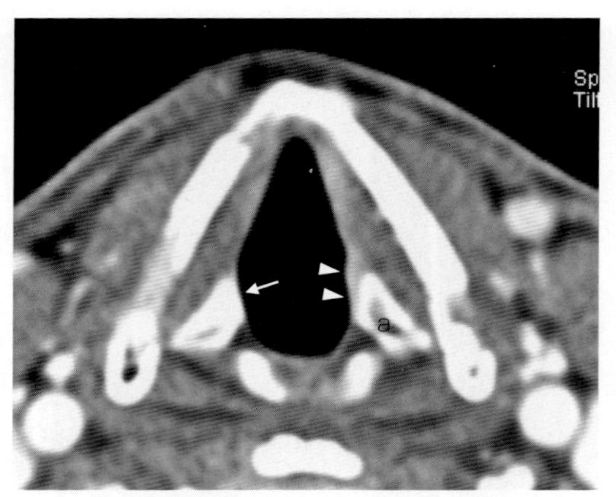

図57　披裂軟骨内側面への進展を示す声門癌
声門レベルでの造影CTにおいて，左声帯後方3分の1で増強効果の軽度亢進を示す不整な肥厚(矢頭)を認める．後方で左披裂軟骨(a)と声門の気道腔との間に介在する．対側(健側)では披裂軟骨内側面と気道腔とは軟部濃度の介在なく接している(矢印)．

に沿って生じる(図69，70)．すなわち，輪状甲状膜を介する喉頭外進展では頻度高く甲状軟骨あるいは輪状軟骨破壊を伴う．

声門部喉頭後壁である披裂間部(後交連)より生じる癌はまれである．水平進展により傍声帯間隙に進展(T3)することで垂直進展の経路を得る．外側へ進展し，隣接する梨状窩に粘膜下進展をきたす場合もある．

c．画像所見と治療計画の統合(表9：p511)

声帯に限局し，表在性低容積の声門癌(図51)ではリンパ節転移の可能性は極めて低い．これらの病変は放射線治療，経口的な内視鏡下レーザー切除(表6：p487)，喉頭切開による声帯切除(laryngofissure and cordectomy)などの比較的低侵襲の開放手術など，いずれにおいても高い治癒率を示し，画像診断は不必要とされる場合もある．これらの症例でも声門下進展や粘膜下進展(図63，64，68)，声帯固定などに疑問が残る例ではCT，MRIがその進展範囲の特定に有用である．早期の声門癌であっても，CT所見をもとにした放射線治療計画では有意差をもって高い局所頸部制御率，急性放射線障害の低い発現率が得られるとの報告もある[102]．画像で病変を確認できないことは病変の存在を否定するものではなく，表在性低容積病変であることを異なる容観性をもって確認するという大きな臨床的意義がある．早期の声帯癌に対しては経口CO_2レーザー治療は放射線治療後よりも治療後の声質はやや不良とされる[103]．Hongらは，早期声帯癌の治療後の脳血管障害の発現に関して，10年間での発現は放射線治療後は56.5%，術後は48.7%と，放射線治療後で高い傾向にあったが有意差はなかったと報告しており，年齢(高齢者)，時期(診断後早期)がより高い関連性を示すとしている[104]．

経声門進展(後述)，輪状軟骨レベルに至る声門下進展(図16，54，61，63，68)，傍声帯間隙への粘膜下進展(T3病変；図16，60〜65，67，68)，軟骨浸潤(T3〜4a病変；図9，12，53，66)，披裂軟骨内側面(図55〜58，61A)から輪状披裂関節への浸潤，披裂間部浸潤(図55，56，61)は，正確な病期診断，治療計画，術式選択，器官・生命予後などに大きく影響するため，画像所見として重要である．また前交連に進展した病変は放射線治療反応性が低く，再発リスクになる[94,105]．前方での声門下進展は横断画像上，輪状甲状膜の不整な肥厚としてみられる．輪状披裂関節への軽度浸潤は画像でとらえるのは困難なことが多いが，周囲軟部組織肥厚，披裂軟骨偏位，輪状・披裂軟骨の硬化性変化などがこれを示唆

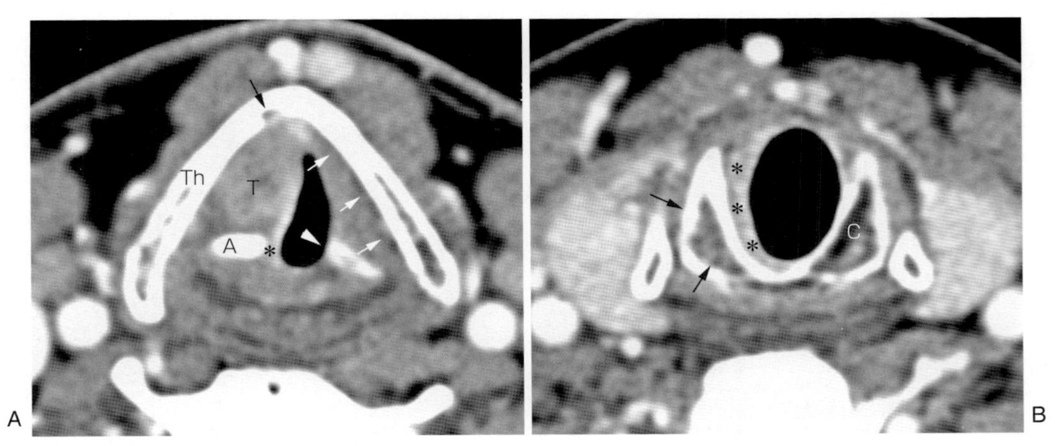

図 58　声門癌（T3 病変）

声門レベル造影 CT（A）において，右声帯を中心とした浸潤性腫瘍（T）を認め，深部では甲状軟骨（Th）側板内面に沿った傍声帯間隙の脂肪層（左側で白矢印で示す）の消失を認め，同間隙進展（T3）を反映する．甲状軟骨内板には限局性の浸潤（黒矢印）あり．後方では披裂軟骨（A）内側面の肥厚（＊）を認め，披裂間部進展を反映する．左披裂軟骨の内側面は気道腔に直接接するように認められる（矢頭）．声門下レベル（B）では輪状軟骨（C）右側内面の軟部組織肥厚（＊）を認め，声門下進展を示す．接する輪状軟骨に淡い硬化所見（矢印）を伴う．

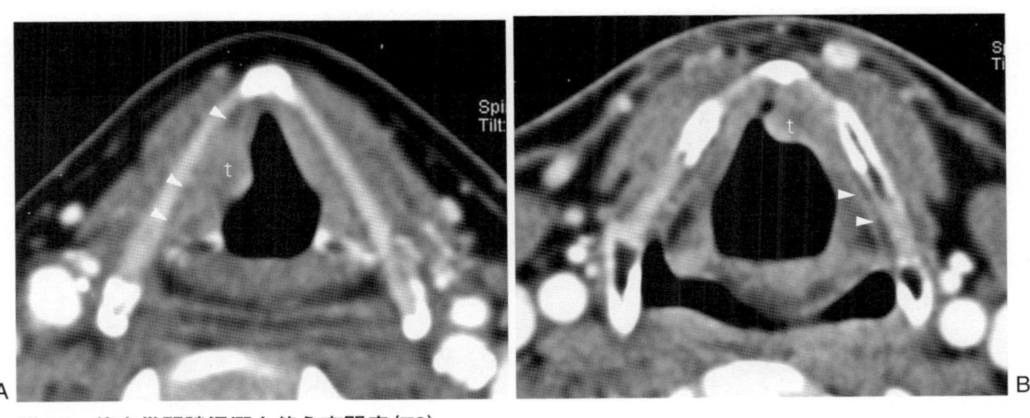

図 59　傍声帯間隙浸潤を伴う声門癌（T3）

声帯癌 2 例の声門レベルの造影 CT（A，B）．A では右声帯中 3 分の 1，B では左声帯前方 3 分の 1 に結節様肥厚（t）を認め，内視鏡所見では T1a 病変が疑われた．いずれも甲状軟骨側板内側に沿った傍声帯間隙による薄い脂肪層（矢頭）が病変レベルで途絶しており，CT によって傍声帯間隙浸潤を伴う T3 病変が診断された．

し，喉頭鏡所見での声帯固定（T3 病変～）が重要である．声帯固定の要因としては，内喉頭筋への浸潤，腫瘤による機械的圧排，喉頭神経浸潤，傍声帯間隙浸潤，輪状披裂関節浸潤などが含まれるが，機械的圧排を除き，腫瘍の浸潤性の高さを反映する[106]．大きな声帯病変が上方に突出し，横断像上で仮声帯，喉頭室への進展と区別が困難な例では冠状断が有用な場合もある．T2 病変では通常，根治的放射線治療か機能温存手術がとられる．これらの病変は内視鏡では確認困難な広範な粘膜下進展を伴う例もあり，画像での正確な進展範囲と腫瘍容積の把握が不可欠である．

T3 病変では，明らかな軟骨浸潤を伴わない（硬化性変化および / あるいは内板のみの侵食性変化），一部の低容積病変は根治的放射線治療あるいは化学放射線療法による制御も期待されるが，以前は喉頭全摘術が施行される例も多くみられた．Pameijer らは T3 声門癌で CT 上，3.5 cm^3 よ

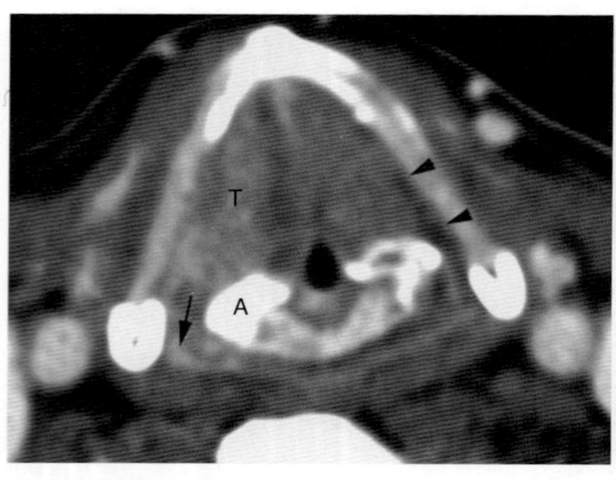

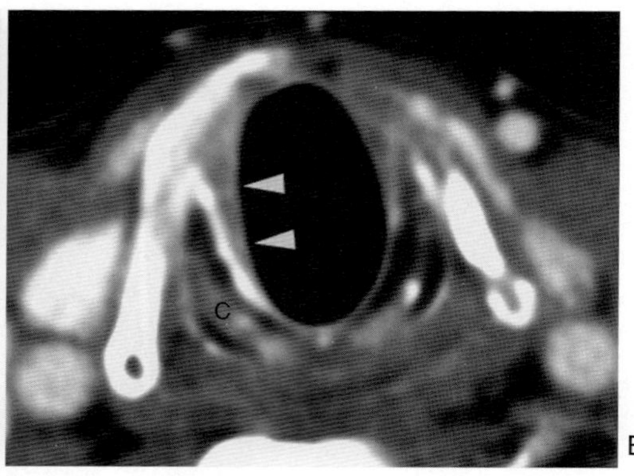

図 60　声門癌（垂直進展）

A：声帯レベル造影 CT．右声帯の肥厚を認め，傍声帯間隙の脂肪濃度（対側で矢頭で示す）が消失している．声帯由来の声門癌（T）に一致．披裂軟骨（A）の硬化性変化あり．甲状披裂間隙を介して梨状窩側への進展（矢印）あり．

B：声門下レベル造影 CT．輪状軟骨（C）右側に接する軟部病変（矢頭）を認め，声門下進展を示す．輪状軟骨は腫瘍隣接部で軽度硬化性変化あり．

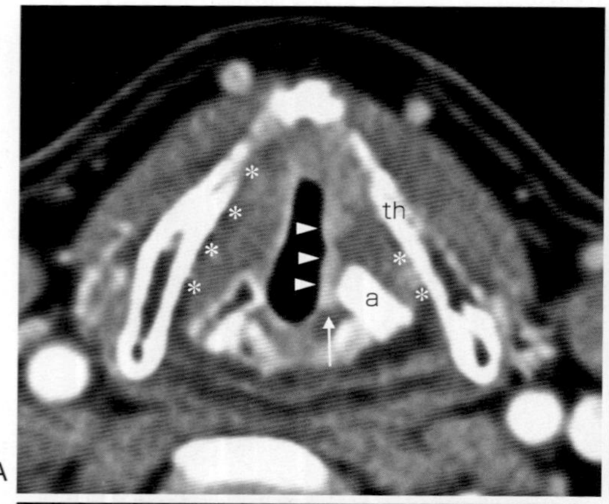

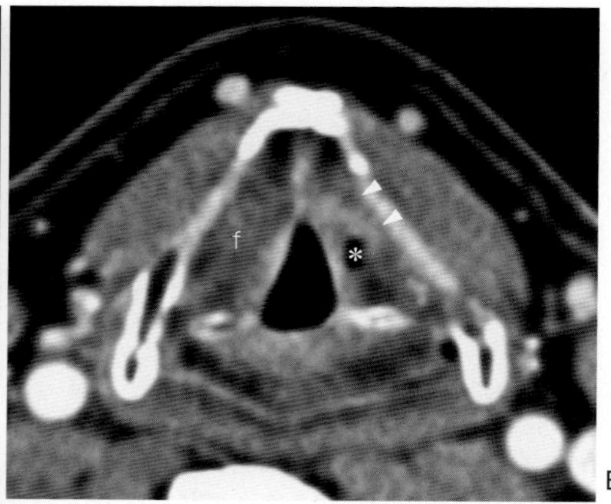

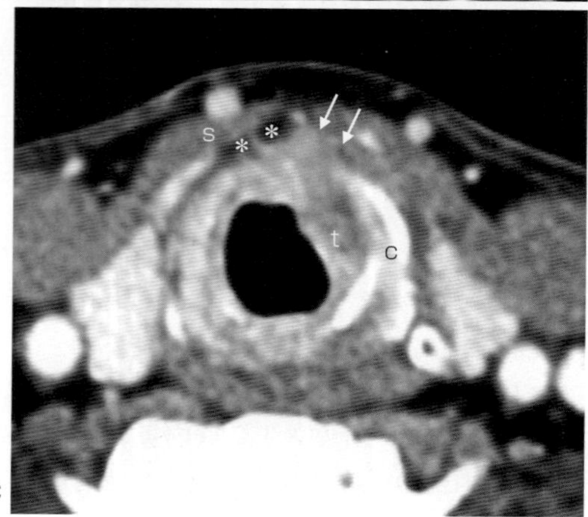

図 61　傍声帯間隙を介した経声門・声門下進展を示す声門癌（T4a 病変）

A：声門レベルの造影 CT．左声帯の肥厚と増強効果の軽度亢進（矢頭）がみられ，後方では硬化を示す左披裂軟骨（a）内側面に沿って披裂間部左側（矢印）への進展を示す．甲状軟骨側板（th）内側面に沿った薄い脂肪層として確認される傍声帯間隙（＊）は左側前方 2 分の 1 で消失しており，同間隙浸潤が示唆される．

B：仮声帯（声門上）レベル．左仮声帯レベルの傍声帯間隙に浸潤性軟部濃度（矢頭）を認める．＊：喉頭室の空気，f：主に脂肪濃度を呈する右仮声帯

C：声門下レベル．左側方を中心とする声門下進展を示す腫瘍（t）を認める．接する輪状軟骨左側（c）は硬化を示す．前方では，対側で確認可能な，輪状甲状膜と舌骨下筋（s）との間の脂肪層（＊）消失がみられ，輪状甲状膜を越えた（舌骨下筋深部にとどまる）前頸部軟部組織への進展（矢印）を示す．同喉頭外進展より T4a 病変と診断される．

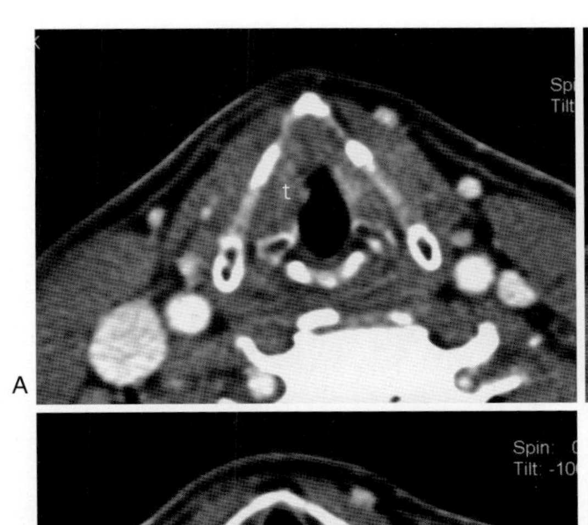

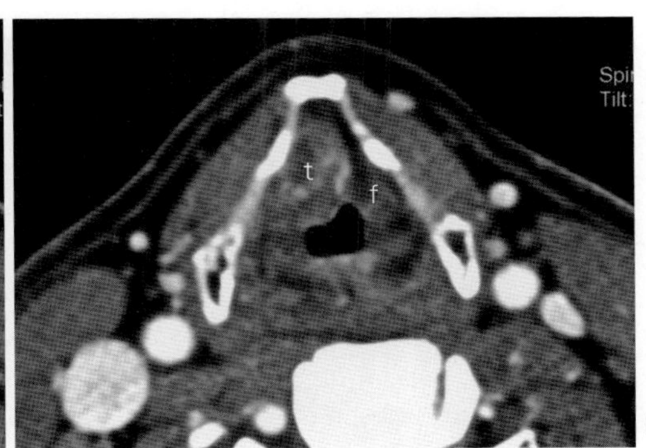

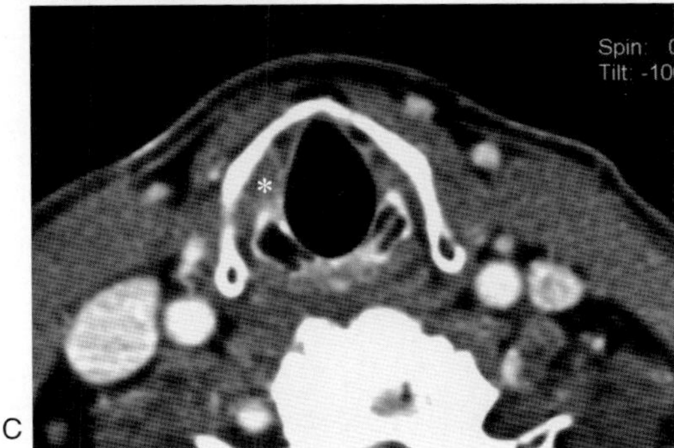

図 62　傍声帯間隙を介した経声門・声門下進展を示す声門癌（T3 病変）

A：声門レベルの造影 CT．右声帯の不整（t）を認め，右声門癌に一致する．

B：仮声帯（声門上）レベル．右仮声帯レベルの傍声帯間隙前方に浸潤性軟部腫瘤（t）を認める．f：主に脂肪濃度を呈する正常な左仮声帯

C：声帯下面から声門下移行部レベル．右傍声帯間隙に限局した完全に粘膜下の声門下進展（＊）を認める．

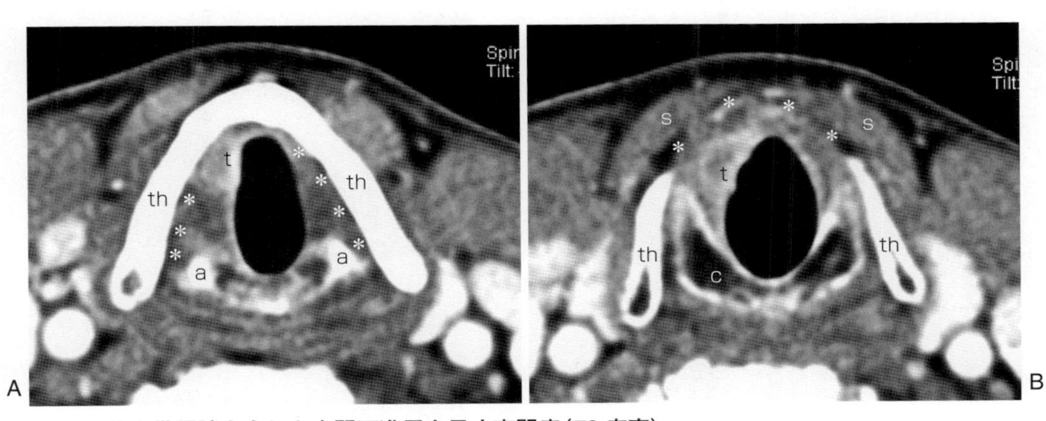

図 63　傍声帯間隙を介した声門下進展を示す声門癌（T3 病変）

A：声門レベルの造影 CT．右声帯前方 2 分の 1 で深部の傍声帯間隙への浸潤を伴う腫瘍（t）を認める．＊：傍声帯間隙による線状脂肪層，a：披裂軟骨，th：甲状軟骨

B：声門下レベル．右側やや前方を中心として，粘膜下を主体とする声門下進展を示す腫瘍（t）を認める．図 61 とは異なり，前方では舌骨下筋（s）と輪状甲状膜との間の脂肪層（＊）は保たれており，同間膜の破綻，前頸部軟部組織への進展はみられない．c：輪状軟骨，th：甲状軟骨

りも低容積病変で軟骨硬化性変化がないか 1 つの軟骨のみで硬化性変化のある症例は根治的放射線治療で高い原発巣治癒率（90％）を期待できるとしている（表 10：p511）[107]．3.5 cm^3 よりも低容積で 2 つ以上の軟骨の硬化性変化をみる症例，3.5 cm^3 以上の容積で軟骨硬化性変化がないか 1 つの軟骨のみで硬化性変化のある症例を中危険度，3.5 cm^3 以上の容積で 2 つ以上の軟骨の硬化性変化をみる症例を高危険度と区分し，根治的放射線治療による原発巣治癒率は各々 43％と 14％であったとしている．MRI T2 強調像において軟骨浸潤を示唆する軟骨内中等度信号強度と下咽頭進展は局所制

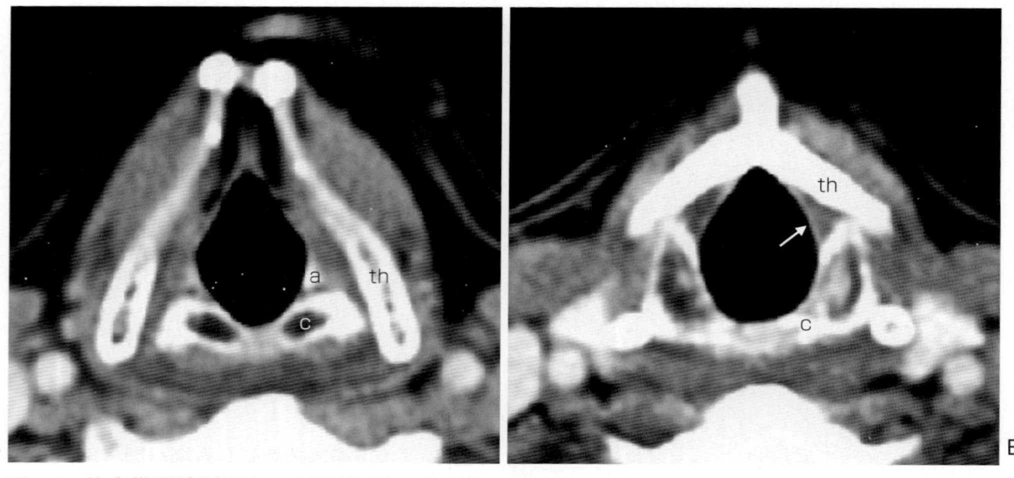

図 64　傍声帯間隙浸潤を示す声門癌（T3 病変）

A：声門レベルの造影 CT．声帯の肥厚，明らかな腫瘤は指摘されない．声帯深部の傍声帯間隙の脂肪は中 3 分の 1 で多少の非対称性を示すが，浸潤性変化との確定的判断は困難と思われる．a：披裂軟骨，c：輪状軟骨，th：甲状軟骨

B：声帯下面から声門下移行部レベル．左側で傍声帯間隙の脂肪層混濁（矢印）が認められ，傍声帯間隙への粘膜下浸潤を伴う左声門癌が疑われる．c：輪状軟骨，th：甲状軟骨

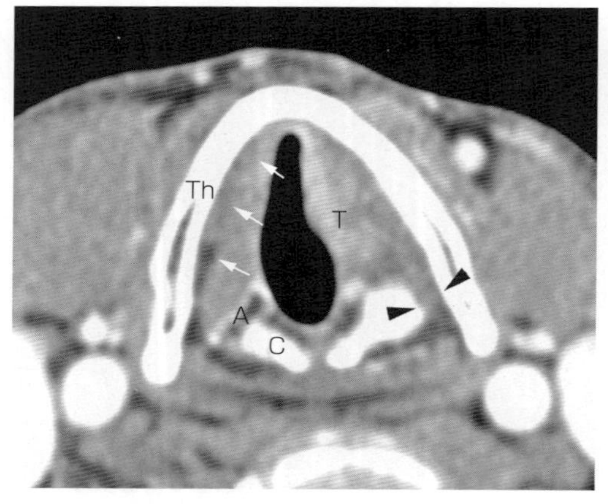

図 65　声門癌（T3 病変）

造影 CT において，左声帯を中心とした浸潤性腫瘍（T）を認め，深部では甲状軟骨（Th）側板内面に沿った傍声帯間隙の脂肪層（右側で白矢印で示す）の消失を認め，同間隙進展（T3）を反映する．同間隙後縁では開大した thyroarytenoid gap（矢頭）内への進展を認める．A：披裂軟骨，C：輪状軟骨

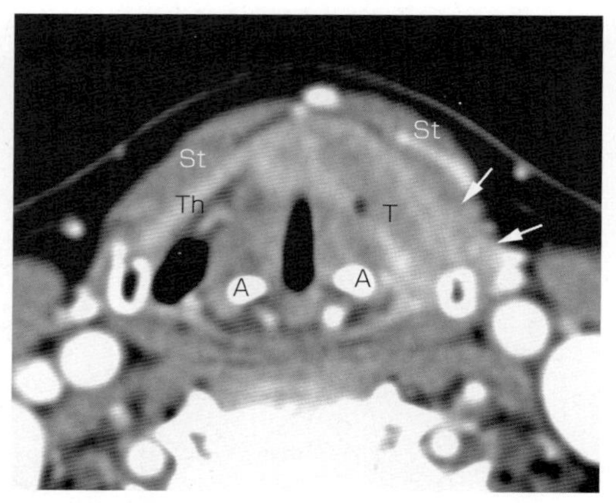

図 66　声門癌（T4a 病変）

造影 CT で傍声帯間隙浸潤を伴う左声門癌（T）を認める．隣接する甲状軟骨（Th）左側板の部分的な全層性破壊を示し，舌骨下筋（St）深部の頸部軟部組織に膨隆（矢印）を示す．A：披裂軟骨

御率を有意に低下させる[39]．

進行病変に対しては，器官維持を目的として化学放射線療法が施行される場合が多く，喉頭全摘術は主にこれらの治療における制御困難例・再発例に対して施行される傾向にある．

声門癌の頸部リンパ節転移の頻度は低いが，いずれの T 病変においても頸部リンパ節転移は生存率を低下させる重要な因子となる．傍声帯間隙，輪状軟骨部への浸潤を示す声門癌では頸部転移陽性率が有意に高いとされる[108]．Joo らは 98

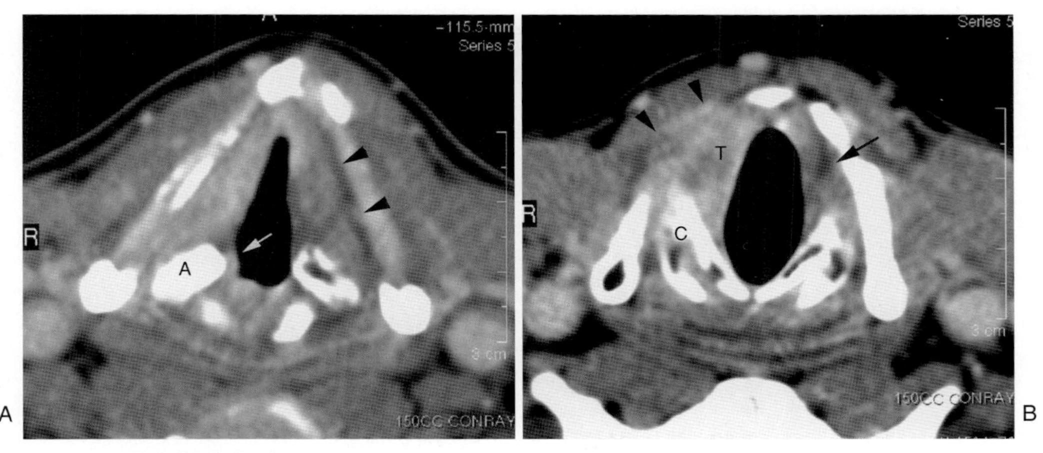

図 67　声門癌（垂直進展）

A：声門レベル造影 CT．右声帯は対側と比較して増強効果が著明であり，傍声帯間隙の脂肪（左側で矢頭で示す）は消失している．右声門癌を示す．硬化性変化を示す披裂軟骨（A）内側面の軟部組織肥厚（矢印）がみられ，披裂間部方向への進展を示す．

B：声門下部レベル造影 CT．腫瘍（T）は輪状軟骨（C）内面に接して存在し，正常で認められる声帯下面レベルの傍声帯間隙の脂肪（対側で矢印で示す）は軟部濃度に置換されている．輪状甲状膜を介する喉頭外進展（矢頭）あり．

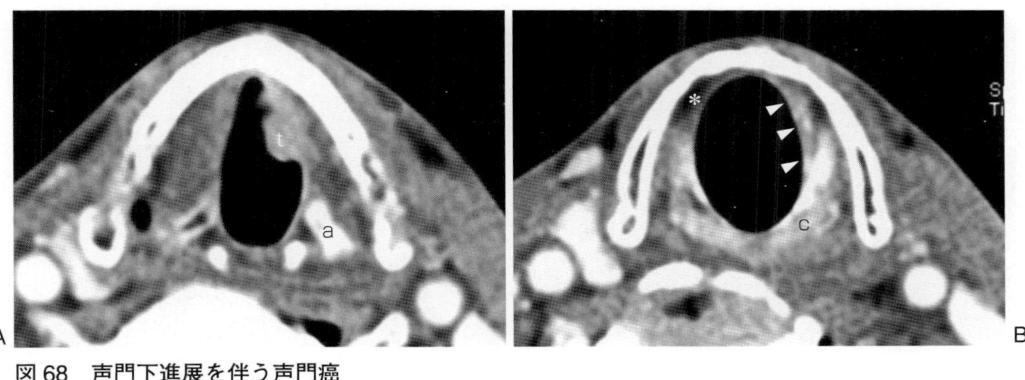

図 68　声門下進展を伴う声門癌

声門レベルの造影 CT（A）において，左声帯の前方 2 分の 1 で結節様肥厚（t）を示す．左披裂軟骨（a）は硬化を示すが，腫瘍との明らかな隣接はみられず，恐らくは正常変異による所見と思われる．声帯下面から声門下喉頭移行部レベル（B）では，気道腔の輪郭自体は比較的平滑であるが，左側で組織肥厚（矢頭）を認め，同レベルでの傍声帯間隙（対側で＊で示す）の気道側の一部に浸潤を示す．恐らくは粘膜下での声門下進展に相当する．隣接する輪状軟骨左側（c）で軽度の硬化あり．

例の輪状軟骨上喉頭部分切除術が施行された声門癌の検討で，声帯の可動制限のない症例の約40％で傍声帯間隙浸潤を認め，傍声帯間隙浸潤陽性例と陰性例での頸部リンパ節転移の頻度は各々，25.4％と7.7％と有意な差があったと報告している[109]．

7 経声門癌（transglottic cancer）

a．進展様式

“経声門癌”の定義はやや曖昧さを残すが，一般的概念としては診断時において声門上部，声門部ともに侵す喉頭癌（図 39，48，62）に対する用語である．大部分で声帯固定を伴い，一般に予後不良である[110]．喉頭室をまたぐ外側型（図 16，40，71，72），喉頭室よりも前方あるいは後方を

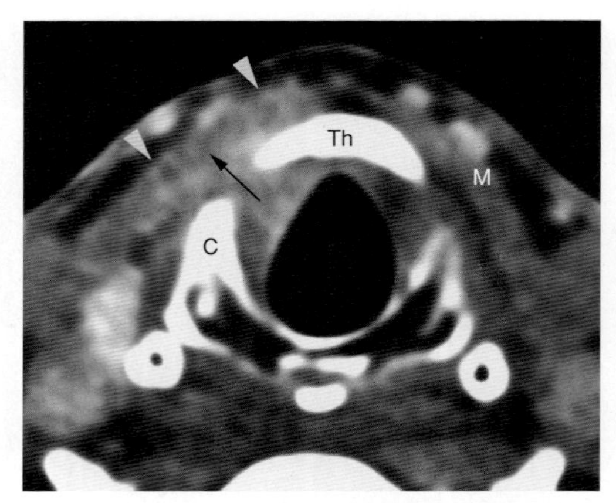

図 69　輪状甲状膜を介した喉頭癌の頸部軟部組織進展

声門下進展した声門癌(右声帯)は甲状軟骨(Th)と輪状軟骨(C)の間の輪状甲状膜を介して頸部軟部組織へ喉頭外進展(矢印)を示している．喉頭外部分(矢頭)は舌骨下筋群(対側で M で示す)の外側の筋膜を越えた進展はなく，喉頭全摘術の適応となりうる．

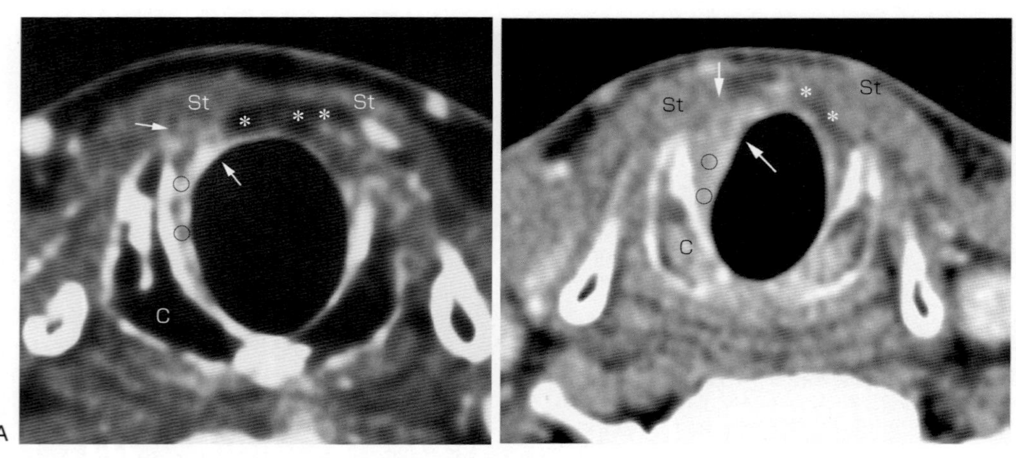

図 70　輪状甲状膜を介して限局性頸部軟部組織進展を示す声門下進展病変(T4a 病変)

声門下レベル造影 CT(A)において，右側で輪状軟骨(C)内面に沿った声門下進展(○)を認め，前方では舌骨下筋(St)と輪状甲状膜との間の脂肪層(＊)の消失(矢印)を認め，輪状甲状膜の破綻を示す．別症例(B)でも，同様に右側の声門下進展(○)とともに，舌骨下筋(St)と輪状甲状膜との間の脂肪層(＊)の消失(矢印)を認める．C：輪状軟骨

中心とする前方型(図 39)，後方型に分けられる．前交連部を中心とする前方型病変，外側型の低容積病変では必ずしも声帯固定はみられない．

喉頭室底部(小嚢；saccule)より生じた外側型病変ではほぼ完全に粘膜下病変として現れる場合がある．逆に，ほぼ完全に粘膜下進展のみの病変をみた場合，喉頭室底部由来を強く疑う．一方，粘膜病変が明らかな経声門癌例では粘膜病変の中心を腫瘍の原発部と考える．

前交連を中心とする前方型病変は通常，声門上癌の声門進展，声門癌の声門下進展といった垂直方向の進展によるが，軟骨浸潤(特に甲状軟骨)，および輪状甲状膜を介する前方の喉頭外頸部軟部組織への進展をきたす．

表 9　声帯癌(声門癌)での重要な画像評価項目

頭側進展	経声門進展(声門上レベル)の有無・範囲
尾側進展	声門下進展の有無・範囲：輪状軟骨内面に接する腫瘍の有無 輪状甲状膜を介した前頸部軟部組織への喉頭外進展(T4)の有無
前方進展	前交連進展および同部での甲状軟骨浸潤(T3/4a)の有無
後方進展	輪状披裂関節周囲・披裂軟骨周囲 披裂間部(後交連)進展の有無
その他	粘膜下進展(T3)：主に傍声帯間隙 甲状軟骨浸潤(T3：内板のみ，T4a：全層性) 腫瘍容積(3.5 cm^3 より小さいか，大きいか)および喉頭軟骨硬化(2 つ以上の軟骨硬化の有無)の評価：RT での局所制御率に関連 気道狭窄の有無・程度
N 因子	T1，T2 病変では頸部リンパ節転移の頻度は低い 声門下進展例ではレベルⅥ(気管傍リンパ節)に要注意

表 10　声門癌(T3)の根治的放射線治療後における治療前 CT 所見に基づく原発巣非治癒の危険度分類

放射線治療後原発巣再発の危険度	診断基準	局所治癒率
低危険度	腫瘍容積が 3.5 cm^3 未満で，軟骨硬化性変化がないかひとつの軟骨でのみみられるもの	90%(n = 21)
中危険度	腫瘍容積が 3.5 cm^3 未満で，2 つ以上の軟骨で硬化性変化のみられるもの あるいは 腫瘍容積が 3.5 cm^3 以上で軟骨硬化性変化がないかひとつの軟骨でのみみられるもの	43%(n = 14)
高危険度	腫瘍容積が 3.5 cm^3 以上で 2 つ以上の軟骨で硬化性変化のみられるもの	14%(n = 7)

(Pameijer FA et al : Int J Radiat Oncol Biol Phys **37** : 1011-1021, 1997)

後方型では早期より輪状披裂関節，披裂間部などへ進展し，声帯固定を認める．

b. 画像所見と治療計画の統合

経声門進展は古典的機能温存手術(声門上喉頭部分切除，垂直喉頭半切除)の適応を外れ，一般的に進行例が多いために化学放射線療法，あるいは喉頭全摘，喉頭亜全摘および術後放射線照射などが行われる．通常，CT 横断像で十分診断可能であるが，外側型では冠状断，前方型では正中矢状断が有用な場合もある．

経声門進展でしばしばみられる粘膜下進展の画像診断は重要で，内視鏡のみでは病変進展範囲を小さくとらえ，病期を過小評価する危険性が高い．また前方型で高頻度にみられる軟骨浸潤，輪状甲状膜を越える喉頭外進展(図 67，69)は理学的所見のみでは確認できない場合も多く，画像診断が重要となる．下咽頭，気管への浸潤も術前に評価されなければならない．下咽頭進展例で手術が選択される場合は喉頭全摘および咽頭部分切除あるいは咽頭全摘の適応となりうる．声門下部から気管への下方進展範囲を確認しなければ腫瘍に近接して，あるいは通過して気管切開孔を設置する危険性がある．

経声門癌でも低容積病変で声帯固定もなく，軟骨浸潤もみられない場合は根治的放射線治療や低

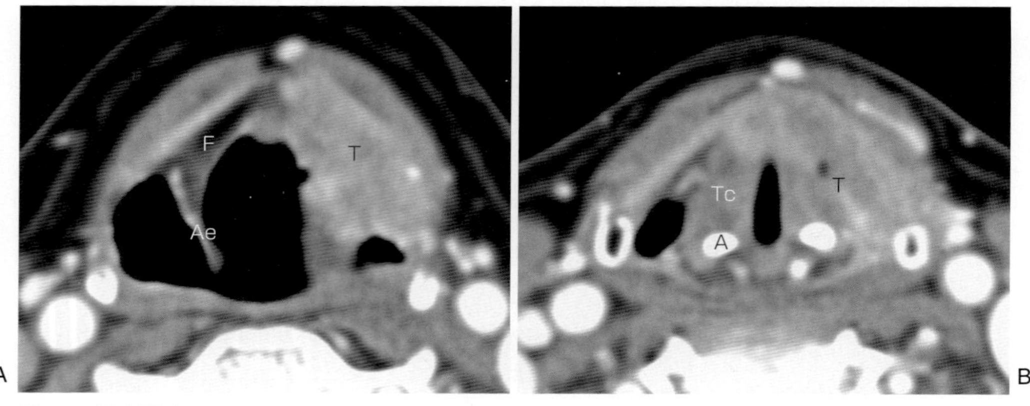

図 71　経声門癌

声門上レベル造影 CT（A）において，左側の仮声帯（対側で F で示す）を中心として浸潤性腫瘍（T）を認め，声門レベル（B）で左声帯への進展（T）を示す．A：披裂軟骨，Ae：披裂喉頭蓋ひだ，Tc：右声帯

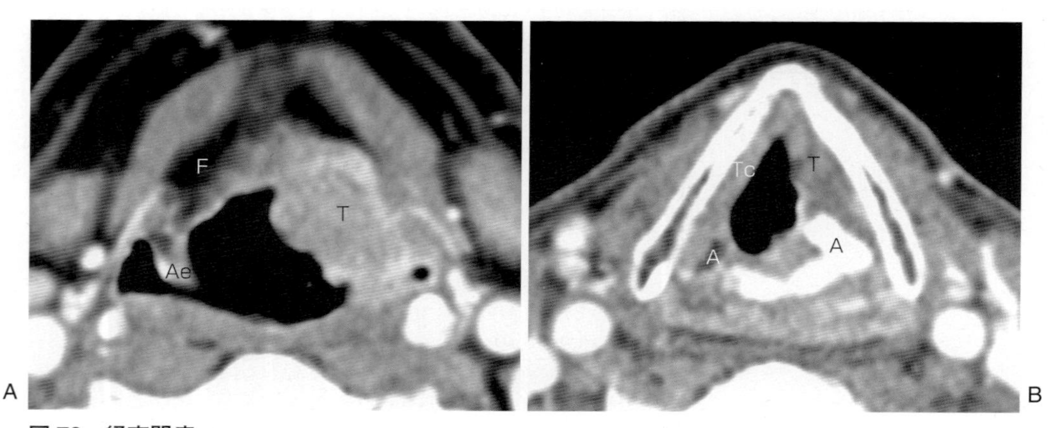

図 72　経声門癌

図 71 の症例と同様，声門上レベル造影 CT（A）において，左側の仮声帯（対側で F で示す）を中心として浸潤性腫瘍（T）を認め，声門レベル（B）で左声帯への進展（T）を示す．披裂軟骨（A）は左側で硬化を示す．Ae：披裂喉頭蓋ひだ，Tc：右声帯

侵襲手術の適応となりうる．

8 声門下癌（subglottic cancer）

a. 臨床的事項

声門下癌はまれで，喉頭癌全体の 1～3％程度とされる[111, 112]．1876 年 Isambert により最初に記載された[113]．扁平上皮癌（中分化度が約 60％と多い）が 55～66％と最も多く，腺様囊胞癌がこれに次ぐ[114]．性差は 3.83：1 で男性に多く，50 歳代に多いとされる[114]．なお声門下部の解剖学的定義について，下端は輪状軟骨下縁で明確であるが，上端すなわち声門と声門下部との境界には議論が多い．AJCC[3]では左右喉頭室外側縁と声帯上面を通過する基準平面の 1 cm 尾側の平面が境界としているが（基準平面は内視鏡でも画像診断でも明確な確認が困難であり）臨床的な適用は容易ではない．文献的には声帯自由縁の 5 mm あるいは 1 cm 尾側レベルとして扱う場合が多い[115]．症状として，早期病変では嗄声・喘鳴が重要であり，進行例では気道閉塞症状を呈する．内視鏡での十分な観察が困難な例も多く，早期病変の症状は乏しく症状の特異性も低いことなどからしばしば診断遅延をきたし，診断時には進行病変である場合が多く予後不良である．診断時の T

分類では，T1〜2の早期病変は20%，T3〜4の進行病変は80%とされる[116]．局所浸潤性が高く，輪状軟骨内で急速に増大，急速な気道閉塞をきたし，緊急気管切開などの気道管理が必要な場合も多い．これは気切孔再発の頻度が高い原因のひとつと考えられる[117]．進行病変が多いこと，気管傍リンパ節(レベルVI)，上縦郭リンパ節(レベルVII)への転移傾向，気切孔再発のリスクが高いことなどから，(声門癌，声門上癌と比較して)予後不良とされる(47.2% vs 57.4%)[118, 119]．20年以上にわたり生存率の向上はみられない[118]．組織学的悪性度，T因子は予後因子である[115]

頸静脈鎖リンパ節転移の頻度は高くないが，喉頭前(Delphian node)・気管前・気管傍リンパ節(レベルⅥ)，上縦隔リンパ節(レベルⅦ)転移が重要であり，声門下部のリンパは正中を交差することから気管傍リンパ節は両側性転移に注意を要する[115]．報告されているリンパ節転移の頻度は4〜24%と幅がある[114]．喉頭前リンパ節転移は甲状腺浸潤のリスクが高く，5年生存率が低い(11.5%)ことを示す[115]．声門下癌は局所浸潤性が特徴的ではあるが4.3%で遠隔転移がみられ，肺が最も多い[114]．

声門下癌の治療についてはNCCNを含めてガイドラインとして明確に示されてたものはない．早期病変は放射線単独でも手術でも成績は良好であるが[114, 120]，喉頭機能の保持を目的として進行病変のために手術(および放射線治療)を温存するとの考えもある[116]．進行病変に対する放射線治療での照射野には喉頭に加えて，両側の頸部，鎖骨上，上縦隔リンパ節領域を含める必要があり[116]，総線量55〜75 Gyで行う[115]．手術でも喉頭全摘術に加えて，必要に応じて甲状腺全摘，(リンパ節転移陽性例に対しては)両側レベルⅥリンパ節郭清術が施行される[117]．尾側での気管切除は十分な切除縁を取る必要があり，特に気管切開を先行した例では気切孔再発のリスクを抑えるためにも重要である[121]．なお，気切孔再発は極めて予後不良であり，腫瘍の局在，病期，気管切除断端陽性，甲状腺浸潤，腫瘍のインプラント，気管切開先行，気管傍リンパ節転移などが要因となる[121]．救済可能な場合は少ないことから，既述のとおり十分な切除縁での切除，気管傍リンパ節の丁寧な郭清，ハイリスク例での術後照射などによる予防が極めて重要となる．Chiesaらは患側甲状腺切除，気管傍リンパ節郭清を行った場合と行わなかった場合の気切孔再発の頻度はそれぞれ0.07%と0.55%であったとしている[122]．

b. 進展様式

声門下に由来する喉頭癌はまれで，声門下にみる喉頭癌のほとんどが声門癌，声門上癌の声門下進展(secondary subglottic carcinoma)である．ときにこれらの病変と声門下癌の区別は臨床上も画像上も困難である．ただし，声門下癌の進展様式は，水平方向では輪状軟骨内において全周性(声門癌・声門上癌の声門下進展では，前交連を経由する前方型病変を除き，片側優位性を示すのが通常)で(図73)，頭尾側方向では頭側の声帯上面への進展は比較的まれであり，気管・甲状腺など尾側方向への進展を示す傾向にあることから[123]，通常，声帯上面から声門下に連続する病変は声門癌の声門下進展と判断される．声門下癌の進展は粘膜下において弾性円錐の内外で傍声帯間隙に進展するのが通常であり，早期より輪状軟骨，輪状甲状膜浸潤，喉頭外頸部軟部組織進展をきたし，気管，甲状腺などへも浸潤する(図74)．頸部軟部組織進展は輪状甲状膜を介した進展が多く[124]，軟骨浸潤は甲状軟骨が67%，輪状軟骨が33%の頻度で前交連領域，甲状軟骨・輪状軟骨それぞれの骨化部から生じる[115]．声帯固定も高頻度にみられる．

c. 画像所見と治療計画の統合

声門癌，声門上癌の声門下進展である場合に関してはすでにそれぞれの項で述べた．声門癌と診断された場合と同様，画像診断には病変の正確な進展範囲の把握が望まれる．輪状軟骨への浸潤，輪状甲状膜を介する喉頭外組織への進展(図74)，これが外側の舌骨下筋表層の筋膜を越えているか否か，下方進展の範囲(気管浸潤など)(図75)，周囲臓器(甲状腺，下咽頭，頸部食道)への進展(図74)，気管傍リンパ節(レベルⅥ)・上縦隔リンパ節(レベルⅦ)への転移の有無などが治療計画

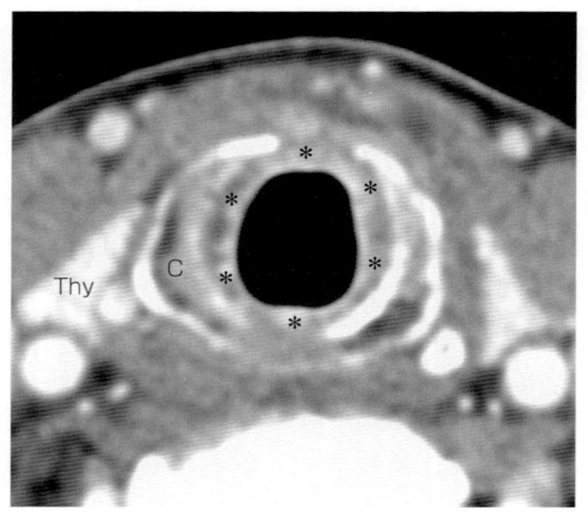

図73　声門下癌
声門下喉頭レベルの造影CT横断像．輪状軟骨(C)内面に沿った全周性軟部組織肥厚(＊)を認める．Thy：甲状腺

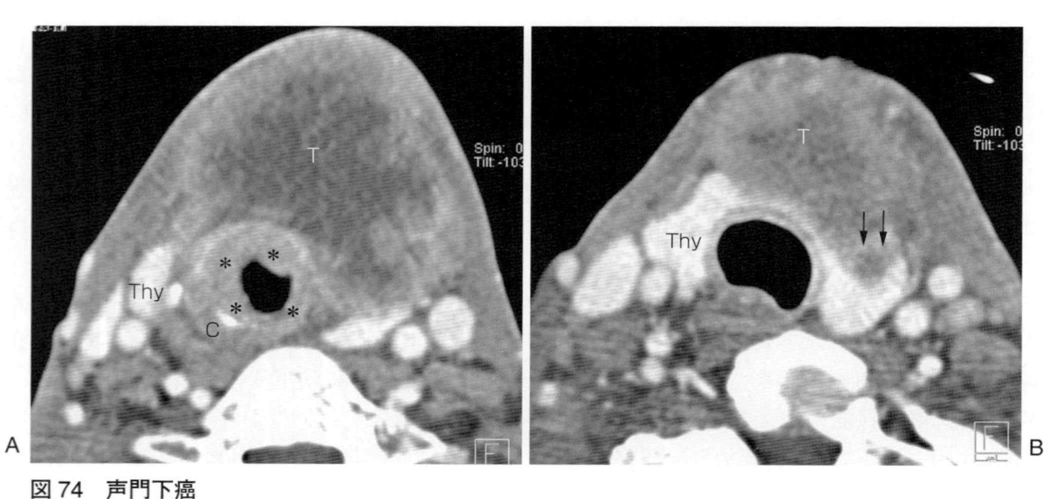

図74　声門下癌
声門下喉頭レベルの造影CT横断像(A)において，輪状軟骨(C)内面に沿った全周性軟部組織肥厚(＊)を認め，50％強の気道狭窄をきたしている．前方では輪状甲状膜を越えて前頸部軟部組織に腫瘤(T)を形成している．気管レベル(B)では，同腫瘤(T)は甲状腺(Thy)左葉から峡部に対して前面からの浸潤(矢印)を示す．

において重要な情報となる．なお10mm以上の声門下進展および輪状軟骨浸潤は甲状腺浸潤を示唆するとされる[115]．既述のとおり，声門下癌は粘膜下進展傾向があり，内視鏡で確認困難な腫瘍進展の確認において画像診断の役割は大きい．

9 リンパ節転移

喉頭癌において，頸部リンパ節転移は最も重要な予後因子であり[125]，局所制御，生存率を有意に低下させる[126]．生存率に最も大きな影響を与えるのは，対側頸部病変(N2c)および節外進展とされる[126]．節外進展はAJCC第8版においてN診断の重要な評価項目(明らかな節外進展はN3bに区分)として追加された[3]．頸部転移陽性例での遠隔転移の頻度は，(N0例と比較して)節外進展のない場合で約3倍，節外進展のある場合で約9倍とされる[127]．

喉頭癌頸部リンパ節転移の診断精度は，CT

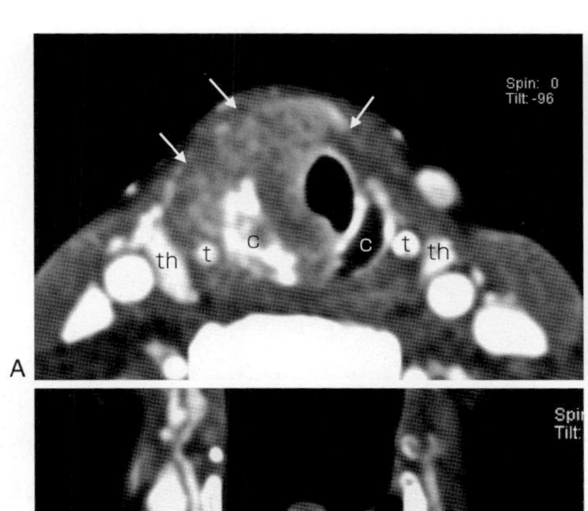

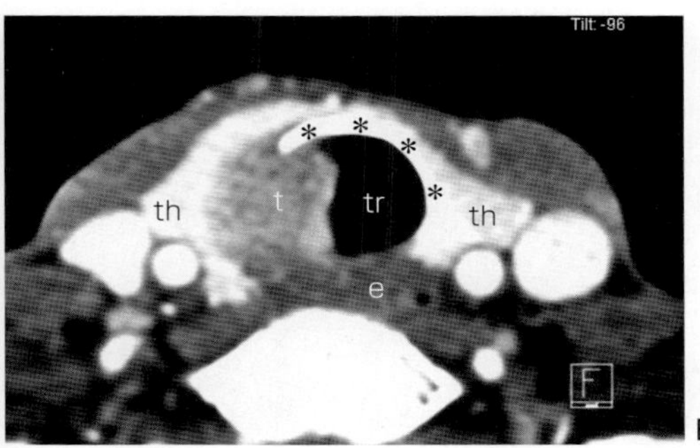

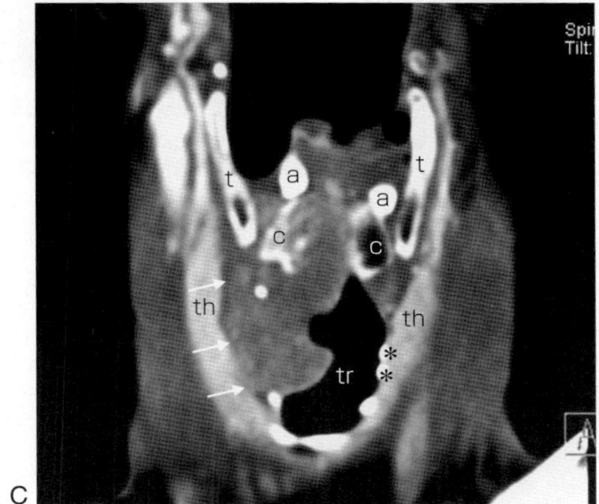

図 75　気管浸潤を伴う声門下癌

声門下レベルの造影 CT（A）で右側優位の浸潤性腫瘤（矢印）を認め，前方で輪状甲状膜を越えて前頸部軟部組織，右側方で甲状腺（th）内側へ進展を示す．輪状軟骨（c）は右側で皮質の不整と粗造な硬化を呈し，浸潤を示唆する．t：甲状軟骨下角．気管レベル（B）に進展を示した腫瘍（t）は気管（tr）を狭小化，気管輪（＊）を右側方で破壊し，甲状腺（th）右葉内側との間へ進入する．e：頸部食道．冠状断像（C）において声門下から第 2 気管輪レベルの右側を中心とする浸潤性腫瘍は右側方で気管輪（対側で＊で示す）を破壊，頸部軟部組織に進展，甲状腺（th）内側に進展（矢印）を示す．声門下レベルでは輪状軟骨（c）右側の硬化を示す．a：披裂軟骨，t：甲状軟骨側板

（84.5％），MRI（85％）が触診（69.7％），超音波検査（72.7％）より優れる[125]．臨床解剖の項で述べたとおり，喉頭のリンパ還流は声門上部，声門，声門下部で各々異なる．必然的に，各亜区域における喉頭癌のリンパ節転移にもこれが反映され，系統的な転移様式をみる．系統的転移様式の理解はリンパ節転移の画像評価に際し，極めて重要であり，個々のリンパ節において診断基準（「10 章　頸部リンパ節」を参照されたい）に照らして転移の判断が困難な場合，リンパ節の局在（頸部レベル）の系統的転移における転移リスクの高さを考慮して臨床的取り扱いを決定する必要がある．ただし，術後（たとえ単独リンパ節生検のみであっても），放射線治療後はもともとみられるリンパ網の交通，変異などによりこれには従わない場合もあり注意を要する．以下に各亜区域の喉頭癌における系統的頸部リンパ節転移様式につき解説する．

a．声門上癌

声門上癌において，頸部リンパ節転移（図 30，32，38）および節外進展が（治療選択にかかわらず）生存率・再発率における最も重要な予後因子とされる[63]．一般に声門上癌の診断時，理学的所見での頸部病変陽性率は 48～55％で，声門上癌 N0 例の潜在的頸部転移率は 4～35％とされる[66]．T1～2 病変で 16％，T3～4 病変では 62％が N＋である．また，声門上癌 T1～2 病変の潜在性頸部転移率に関しては，epilarynx 進展のある病変では 20.5％と同進展のない病変の 3.1％に比較して高いとの報告がある[66]．Deganello らは T3 以上，epilarynx 進展を伴う T2 病変の N0 声門上癌に対して，予防的頸部郭清術の必要性を報告している[128]．正中に及ぶ声門上喉頭癌において，対側頸部の潜在性リンパ節転移率は，患側（病変優位側）頸部が pN＋例では 44％，pN－例では 5.3％であり，対側頸部転移の危険性は同側頸部転移陽性，節外浸潤の存在で有意に高く，T 因子との相関は低いとされる[67]．患側頸部郭清術の

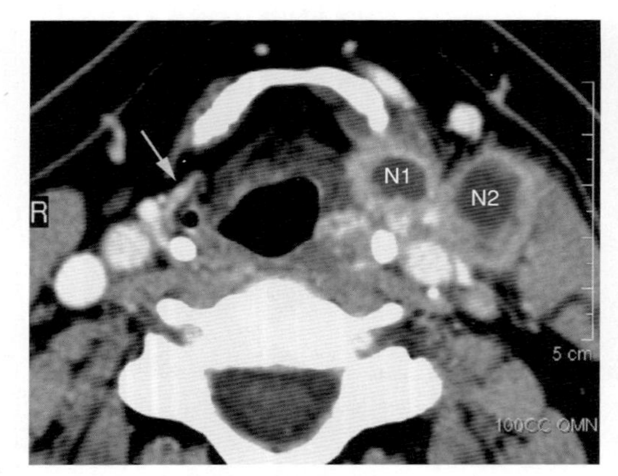

図 76　上喉頭神経血管束に沿ったリンパ節転移（レベルⅢ）
上喉頭神経血管束（右側で矢印で示す）に沿った喉頭内リンパ節（N1），レベルⅢリンパ節（N2）への転移．

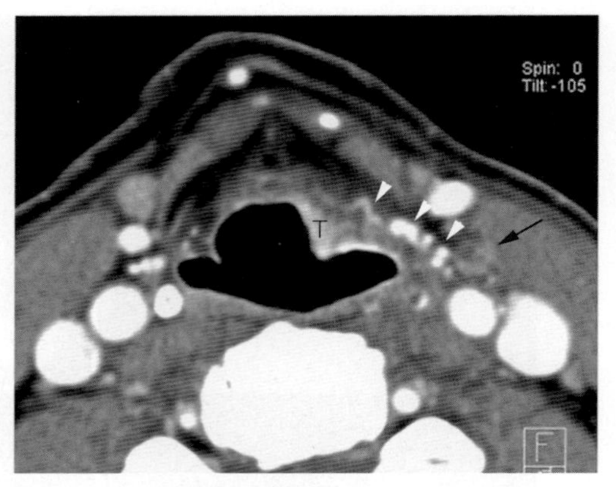

図 77　上喉頭神経血管束に沿ったリンパ節転移（レベルⅢ）
造影 CT において，舌骨下喉頭蓋左側から左披裂喉頭蓋ひだ喉頭面にかけて浸潤性腫瘍（T）を認める．上喉頭神経血管束（矢頭）に沿って甲状舌骨膜外側に隣接する左レベルⅢリンパ節転移（矢印）を伴う．

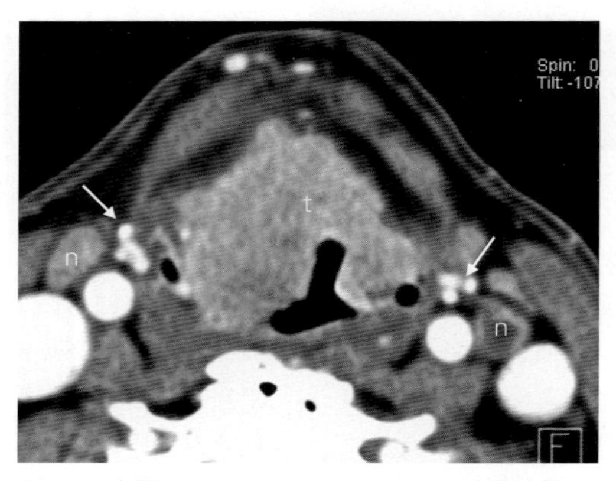

図 78　声門上癌の両側レベルⅢリンパ節転移
甲状舌骨膜レベルでの造影 CT．舌骨下喉頭蓋，両側披裂喉頭蓋ひだのびまん性浸潤性腫瘤（t）を認め，前方で喉頭蓋前間隙浸潤を伴う．T3 の声門上癌に相当する．両側の上喉頭血管（あるいは上甲状腺血管）（矢印）に近接した転移リンパ節（n）を認める．左側で内部低濃度（focal defect）を伴う．いずれも明らかな節外進展はみられない．

病理結果が陽性（pN＋）であった場合，その 37％で遅発性に対側頸部リンパ節転移を認める．

最も高頻度に転移をきたすのは患側の上・中内深頸リンパ節（レベルⅡ，Ⅲ）である．特に甲状舌骨膜の後外側を通過する上喉頭神経血管束に沿った部位に相当するレベルⅢリンパ節転移は重要である（図 76〜78）．顎下リンパ節（レベルⅠ），後頸（あるいは副神経）リンパ節（レベルⅤ）への転移は比較的まれである．また，16％の症例で両側頸部リンパ節転移（N2c）（図 78）を認めること，10％の症例で気管傍リンパ節（レベルⅥ）転移を認めることは臨床上重要である．舌根，梨状窩への喉頭外進展は頸部リンパ節転移の危険性を高める．

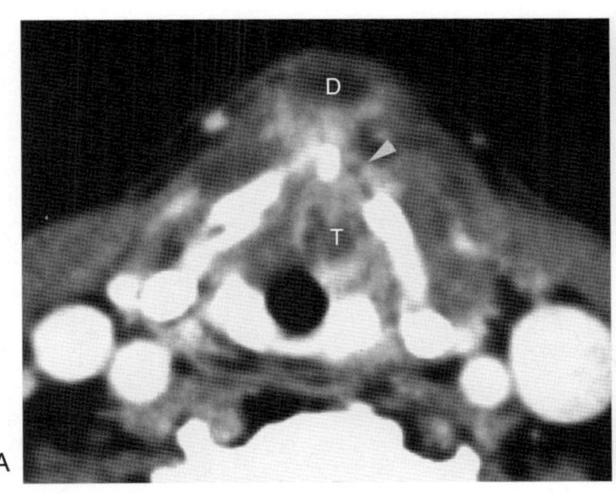

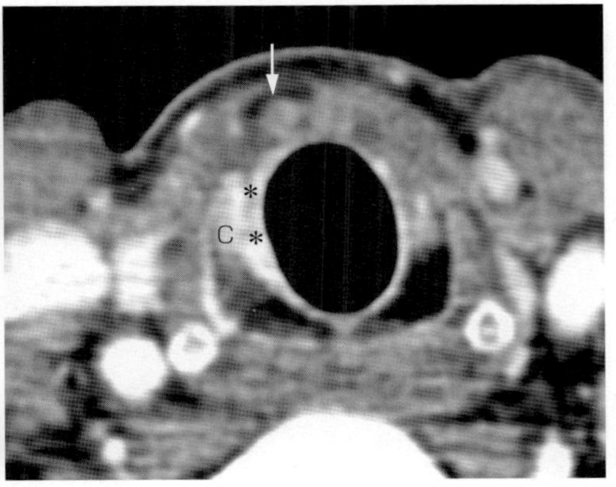

図 79 Delphian node 転移例
造影 CT(A). 前交連から声門下進展した腫瘍(T)は甲状軟骨左側板を前方で破壊(矢頭)している. また, 甲状軟骨前方に接して Delphian node(D)の壊死性腫大を認める.
別症例の造影 CT(B). 輪状軟骨(C)内面右側に沿った声門下進展(*)を伴う右声門癌. 輪状軟骨は腫瘍隣接部で淡い硬化性変化を示す. 輪状甲状膜前方に Delphian node(矢印)転移と思われる結節を認める.

b. 声門癌

声帯のリンパ網の発達は極めて乏しく, これを反映して声門癌の頸部リンパ節転移(図 11c)の頻度は低い. T1 病変ではほぼ 0%, T2 病変で 2〜7%, T3〜4 病変でも 20%程度である. stage Ⅰでは 0〜2%, stage Ⅱ, Ⅲでも 10%, 15%程度であり, 一般に N0 例での頸部病変の予防的治療(放射線治療, 選択的郭清術)は不要とされる[129]. ただし, 頸部リンパ節転移陽性例では気管傍リンパ節(レベルⅥ)転移に注意すべきである. 前交連から声門下部前方進展例では中・下内深頸リンパ節(レベルⅢ, Ⅳ), 喉頭前リンパ節(Delphian node)(図 79)および気管傍リンパ節(レベルⅥ), 声門上部進展例(経声門癌)では上・中内深頸リンパ節(レベルⅡ, Ⅲ)への転移を伴う. Delphian node 転移は前交連進展のほか, 治療後再発例で問題となる. 気管傍リンパ節転移は重要な予後不良因子であり, 遠隔転移, 気切孔再発との相関が高いとされる[130〜132]. Peters らの検討では最大径 5 mm 以上を気管傍リンパ節転移陽性としたときの感度, 特異度は各々 CT で 70%と 36%, MRI で 50%と 71%であり, リンパ節の大きさに加えて, 声門下進展, 頸部(レベルⅠ〜Ⅴ)転移陽性が危険因子になるとしている[130]. 経声門癌の頸部リンパ節転移頻度は腫瘍径と相関し, 腫瘍径が 4 cm より小さな病変では 34%, 4 cm 以上の病変では 55%でリンパ節転移を伴うとされる.

c. 声門下癌

診断時に声門下癌が頸部リンパ節転移を伴うのは約 10%で, 気管傍リンパ節(レベルⅥ)が重要である. また, 喉頭前リンパ節転移は予後不良を示唆するとの報告もある[133].

10 経過観察における検査計画および局所再発の評価

手術, 放射線治療, 化学放射線療法のいずれにしても局所のみならず頸部全体に大きな侵襲を与え, 急性・慢性のさまざまな変化を生じる. 画像評価では適切な時期の選択が重要な要素となり, これらの変化についての理解なく治療後経過観察を目的とした画像所見の解釈は不可能である.

術後あるいは放射線治療終了後の画像による基線検査(baseline study)は 3 ヵ月後に施行, その後 3 年までは 4〜6 ヵ月ごと, 続く 2〜3 年は 6〜12 ヵ月ごとに経過観察検査を施行するのが一般的である. 各画像診断は基線検査との比較とともにその変化の有無を含めて評価されなければならない. この間, 2 回以上の連続した経過観察検査で原発巣の所見に変化がないことが確認されれば 90%以上の確率で局所制御を示唆する(図 80). 根治的放射線治療施行例で治療前 CT 所見から原

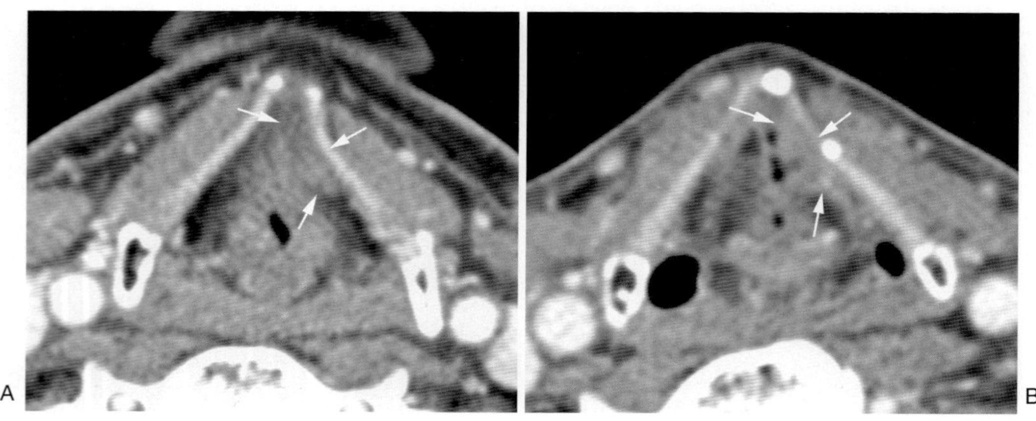

図 80　喉頭癌放射線治療後
左仮声帯原発の声門上喉頭癌の放射線治療後 3 ヵ月後(A)および 5 ヵ月後(B)の造影 CT．左仮声帯前方(原発部位に一致)を中心として限局性の軟部濃度領域(矢印)を認めるが，両者の間に明らかな経時的変化は認められず，積極的に局所再発を支持する所見とは判断されない．本例はその後 3 年経過し，画像上の変化なく局所制御が得られている．

発巣非治癒の危険性の高い区分(表 8，10：p501, 511)に入る症例ではより慎重な比較を要する．また，声帯運動制限を伴う T2 病変，声帯固定を示す T3 病変では，放射線治療・化学療法による声帯運動機能回復は予後良好を示すが，継続性の声帯運動障害は局所非制御・再発のリスクが高い[106]．このような症例を含め，経過観察検査において腫瘍再発・残存が少しでも疑われる場合，その時点での生検，あるいは通常よりも短期(2〜3 ヵ月後)での追加観察を必要とし，この結果によってさらなる判断が望まれる．

基線検査が治療終了後 3 ヵ月以内で施行された場合，軟部組織の腫脹などの反応性変化が著しく，残存腫瘍との区別は困難である．明らかな進行を示す残存・再発病変，治療後の管理不可能な出血，感染の疑いなど，急性合併症のある場合を除きこの期間の画像診断を必要としない．なお原発病変の放射線治療に対する反応(治療効果)の臨床的評価は治療終了後 6 週間で行われるのが通常である．

一般に頭頸部扁平上皮癌では高線量放射線治療後局所再発の救済は非常に困難であるが，喉頭癌は喉頭全摘出術による救済が期待できる場合も多く，再発・残存病変の早期判断が重要である．

また，皮膚は放射線治療後にはしばしば板状硬となり頸部リンパ節の診察などが困難となるため，頸部リンパ節の評価も画像診断が有用である．ただし，治療後変化が十分軽減するまではリンパ節の輪郭の整・不整をもとにした節外進展の有無，周囲構造への浸潤の正確な画像評価は困難である．

手術症例の経過観察では再建部位，切除辺縁，気切孔周囲，頸部リンパ節の変化などに留意すべきである．代表的術式についての切除対象は先に解説した．

Herman らは放射線治療後の経過観察において，再発例の 41％で内視鏡を含む臨床所見のみよりも CT が早期に再発病変を検出することを確認している[134]．高線量(通常 6,800〜7,000 cGy 以上)の放射線治療により頸部軟部組織には明らかな変化が生じる[135]．根治的放射線治療後症例の画像診断では放射線治療後に予測される変化とそれ以外の変化を区別することが重要である．これに関しては Mukherji らによるランドマーク的論文があるので，詳細はこれを参考にしていただきたい[136, 137]．以下にその概略，および常に臨床上，腫瘍再発との鑑別が問題となる放射線治療後喉頭軟骨壊死，さらに術後画像評価(術後再発の画像診断)につき解説する．

a. 放射線治療後に予測されるCT上の喉頭の変化［括弧内は発現頻度(%)を示す］

声門上部の変化として喉頭蓋(舌骨上部63%, 舌骨下部47%), 披裂喉頭蓋ひだ(100%), 仮声帯(100%)の軽度の対称性肥厚, 傍声帯間隙の脂肪の濃度上昇(83%), 声門部の変化として傍声帯間隙の脂肪の濃度上昇(組織層の消失)(50%), 前交連(22%)・後交連(27%)の肥厚, 声門下部の変化として輪状軟骨に接する粘膜および粘膜下組織の軽度の対称性肥厚(79%)などがあげられる(図81, 82). その他に咽頭後壁の軽度肥厚(57%)と造影効果(55%), 咽頭後間隙浮腫(50%), 皮膚・広頸筋の肥厚, 皮下脂肪組織の索状変化(60～90%), 顎下腺の造影効果の増強(57%)(図81)なども高頻度に認められる. これらの変化は原則としてほぼ対称性であることが重要である. 一度のみの画像診断では判断が困難であっても, これを基線検査とした次検査時に両者を比較することで多くの症例で腫瘍残存・再発と放射線治療後変化の鑑別が可能である. なお, 約半数の症例は, 1年程度でこれらの変化が軽減・消失するとされる.

RTOG (Radiation Therapy Oncology Group) / EORTCによる喉頭における遅発性放射線障害のgrade分類を表11(p521)に示す.

b. 原発巣の放射線治療に対する反応の評価

Mukherjiらの検討では, 放射線治療により局所制御が得られた全症例で, 治療前・後CTの比較において50%以上の腫瘍容積減少がみられ, 95%の症例で治療後CT上腫瘍は完全に消失したとしている[137]. 放射線治療後CT上, 明らかな残存腫瘤を認めずに予測される放射線治療後変化のみである場合は局所制御の可能性が高く, 腫瘍容積の減少が50%以下の場合, 非治癒の可能性が高いとしている. また, 治療後CT上, 明らかな腫瘤がみられた例(図83)の31%が非治癒であり, この状況においては以前の基線検査との腫瘤容積の比較が重要である. 検査間で腫瘤増大がみられた症例は腫瘍再発・残存あるいは軟骨壊死(後述)を示す. 軟骨変化に関しては, 局所制御が得られた例でも軟骨硬化に変化が認められない場合が多いが, 硬化性変化の消失・軽減(図17, 84)は予後良好であることを, 硬化性変化の進行, 新たな硬化性変化の出現(図18, 図19)は非治癒・再発を示唆する. 原発巣非治癒例の50%で軟骨硬化性変化の進行がみられ, 残る半数の症例では軟骨壊死や継続するさまざまな喉頭の症状を示したと報告されている. 局所制御が得られた例では, 治療前CTで腫瘍浸潤による破壊を認めた軟骨が治療後CTで再骨化による再生を示す場合(図85)があるが, 既述の進行性の軟骨硬化所見とは区別すべきである. 喉頭壊死(後述)も通常, 腫瘍再発と同様に喉頭全摘出術を必要とする点で喉頭の器官死を意味しており, これを含めると進行性軟骨硬化性変化は器官予後不良を強く示す.

すなわち, 治療前CTとの比較で腫瘍容積の50%以上の減少を認め, 治療後CT上で腫瘤の残存を指摘できない場合は原発病変制御の可能性が高い. 一方で腫瘍容積の減少が50%以下, 腫瘤の残存や増大(図86), 新たな軟骨硬化あるいは破壊の出現・進行(図18, 19)は原発巣非治癒を示唆する(表12：p524). 軟部組織の軽度非対称(図80)は臨床所見などとともに次回経過観察の画像診断と比較のうえで判断するのが妥当と思われる.

c. 放射線性軟骨壊死

喉頭癌に対して放射線治療が用いられるようになって90年以上が経過している[138]. 喉頭癌の放射線治療後, 放射線性軟骨壊死は常に臨床上, 画像診断上, 腫瘍再発との鑑別が問題となる[139]. いずれもが原則として喉頭全摘出術を必要とする点において喉頭の器官死と考えられる(放射線性軟骨壊死では, 喉頭の高度不安定性による気道への影響がときに致死的となる). 放射線性軟骨壊死の頻度は1970年代には最高で12%であったが, 最近は1～5%程度まで低下した[140]. これはIMRTなど照射技術の向上により周囲組織の被ばく低減による. ただし, 進行病変の喉頭温存を目的とする化学放射線療法の増加により再増加の傾向にあると推察されている. 症状として嚥下痛, 嚥下困難, 気道閉塞, 嗄声, 繰り返す誤嚥を訴え

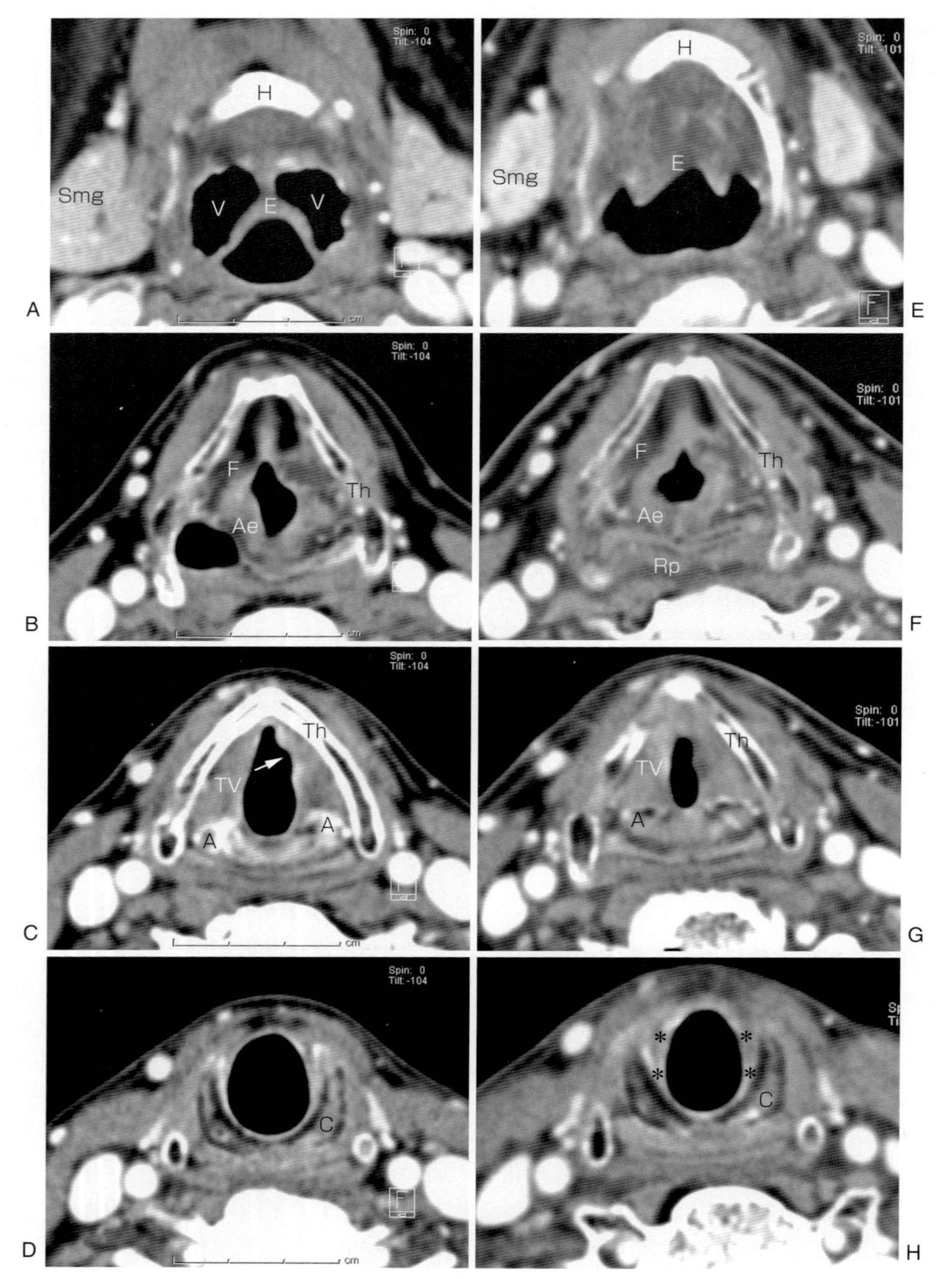

図 81　喉頭，高線量放射線治療後変化

左声帯癌の放射線治療前（A：舌骨レベル，B：仮声帯レベル，C：声帯レベル，D：声門下レベル）および治療後（E：舌骨レベル，F：仮声帯レベル，G：声帯レベル，H：声門下レベル）の造影 CT.

声帯レベルの治療前 CT（図 C）において，左声帯に原発病変（矢印）を認める．治療後 CT において，原発病変は消失している（図 G）．喉頭蓋（E），仮声帯（F），披裂喉頭蓋ひだ（Ae），声門下軟部組織（＊：図 H）の両側ほぼ対称性の肥厚を認める．仮声帯レベル治療後 CT（図 F）において傍声帯間隙における脂肪の混濁，咽頭後間隙（Rp）の浮腫性肥厚を伴う．顎下腺（Smg）は治療後（図 E）に増強効果亢進を示し，顎下腺炎を反映する．A：披裂軟骨，C：輪状軟骨，H：舌骨，Th：甲状軟骨，TV：声帯，V：喉頭蓋谷

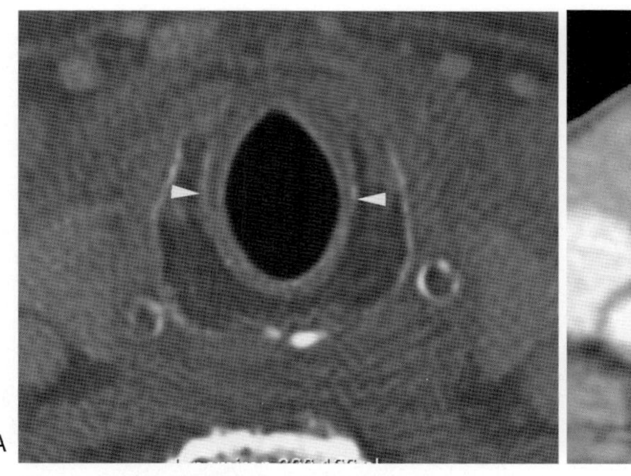

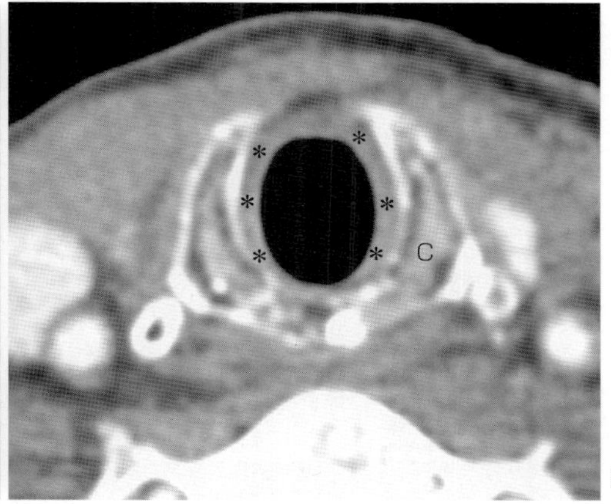

図 82 放射線治療後の声門下喉頭

声門下喉頭レベルの CT 骨条件表示(A)において，両側対称性に輪状軟骨内面に沿う軟部組織の軽度肥厚(矢頭)あり．

別症例の軟部濃度条件(B)でも，同様に輪状軟骨(C)内面に沿って，両側対称性に平滑な軟部組織肥厚(＊)を認める．

表 11 RTOG/EORTC Late Radiation Morbidity Scoring Schema(喉頭)

Grade 0	none
Grade 1	hoarseness slight arytenoids edema
Grade 2	moderate arytenoids edema chondritis
Grade 3	severe edema severe chondritis
Grade 4	necrosis
Grade 5	death directly related radiation late effects

(http://www.rtog.org/members/toxicity/late.html)

るが，特異性は低く局所再発や通常の放射線治療後変化に類似する．臨床症状の主原因が腫瘍再発，軟骨壊死，あるいはその両者であるかを早期に判別することは重要であるが臨床上の鑑別はしばしば困難である．腫瘍再発，放射線性軟骨壊死ともに主に治療終了後 1 年以内に生じることが多く発症時期はあまり有用な情報とはならない．放射線性軟骨壊死は最大で治療終了 25 年後の遅発例の報告もある[138]．放射線治療後の腫瘍再発率は T1～2 病変で 10～20 %，T3～4 病変で 40～50%であるのに対して，喉頭軟骨壊死は既述のとおり 1～5%と比較的まれである[140, 141]．ただし，放射線性軟骨壊死症例の約半数は局所再発を伴うとされ，注意を要する．病理学的に，放射線性軟骨壊死は軟骨膜を栄養する周囲小血管の動脈炎・塞栓による血行・リンパ流の障害[142]に伴う虚血，線維化，瘢痕化から進行した組織壊死である[143]．喉頭放射線治療後遅発性障害の RTOG/EORTC 分類(**表 11**)では Grade 4 に相当する．また重症度については Chandler グレード分類(**表 13**：p525)[144]が用いられるが，大部分が grade IV と重症でみられる[140]．

治療前 CT 上において腫瘍による甲状軟骨の変化が著しいほど，また放射線照射野が大きいほど軟骨壊死のリスクが高い．その他に感染，喫煙(特に治療中の喫煙継続)，外傷，糖尿病，甲状腺機能低下，動脈硬化，末梢血管障害などが危険因子となる[145]．放射線治療時の感染，以前の手術，

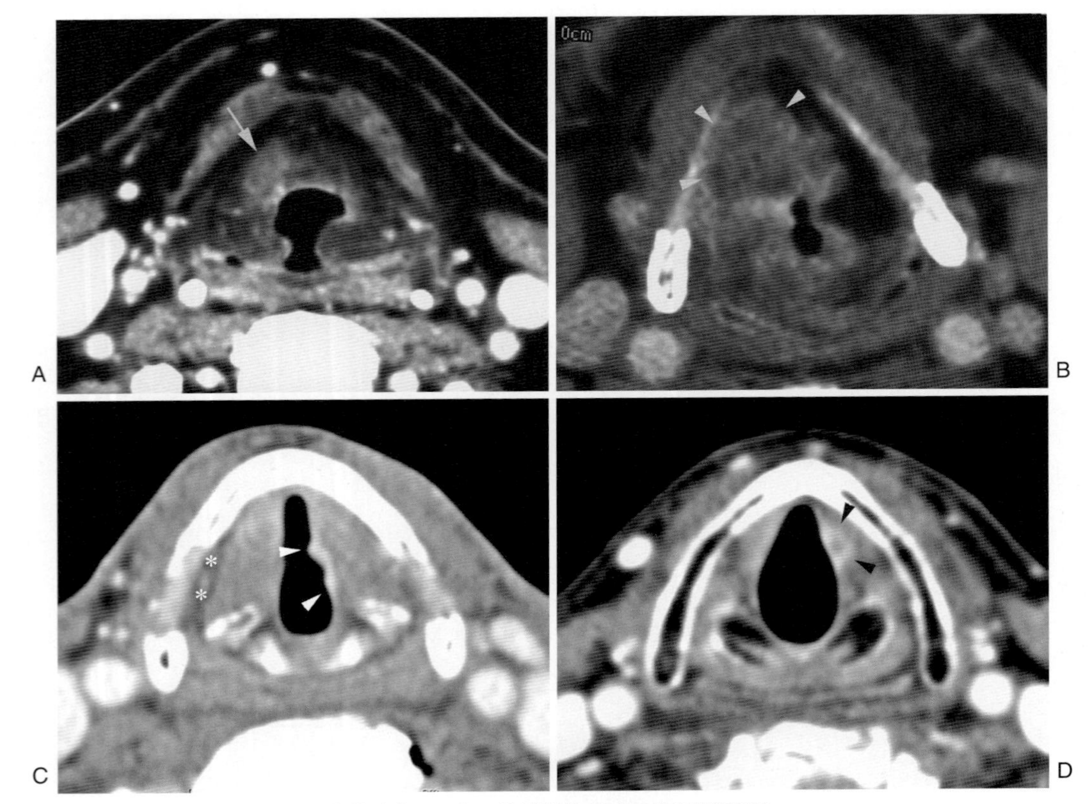

図 83　声門上癌(A，B)・声帯癌(C，D)：放射線治療後の限局性腫瘤

声門上レベル，造影 CT(A)において披裂喉頭蓋ひだの肥厚，喉頭蓋前間隙の肥厚と脂肪混濁など，予測される放射線治療後軟部組織変化を認める．これに加えて，喉頭蓋前間隙右側に軟部組織腫瘤(矢印)あり．

別症例の仮声帯レベル，造影 CT(B)で明らかな残存腫瘤(矢頭)が喉頭蓋前間隙下部から右傍声帯間隙にかけて認められる．

別症例の声門レベル，造影 CT(C)において，左声帯自由縁に沿った不整な肥厚と増強効果(矢頭)を認める．傍声帯間隙の脂肪層(右側で＊で示す)の不明瞭化を伴う．

別症例の声帯下面レベル，造影 CT(D)で，左声帯下面の傍声帯間隙内に限局性腫瘤(矢頭)を認める．

腫瘍浸潤などによる軟骨膜の障害は危険因子として考えられている[146]．

放射線性軟骨壊死の CT 所見[139]は非特異的な場合も多いが，周囲の軟部組織腫脹，甲状軟骨の分節化(fragmentation)・虚脱，披裂軟骨の脱落，軟骨内や軟骨に接する異常ガス像などはこれを強く示唆する(図 87～90)．甲状軟骨虚脱を示す例では気道閉塞による突然死の危険性に注意を要する．PET は再発との鑑別で有用な場合もあるが，確定診断には生検が必要である[140, 145]．また既述のとおり放射線性軟骨壊死では常に再発病変の存在(図 91)を考慮すべきである．

放射線性軟骨壊死は基本的には非可逆性であるが，保存的治療として高圧酸素療法，抗菌薬，ステロイド投与，保湿，外科的治療として喉頭全摘術が行われる．Chandler 分類(表 13：p525)の早期病変(grade I，II)は保存的治療が第一選択となる場合が多いが，有効性に関するエビデンスは乏しい[140]．進行病変(grade III，IV)では最終的には気管切開あるいは喉頭摘出が必要となるとされる[138, 144]．ただし，進行病変でも高圧酸素療法で72％に著明な改善がみられたとの報告もある[143]．いずれにしても治療が容易でない病態であり，放射線治療後の禁煙，断酒などの予防の必要性が強調されるべきである．

d．術後の画像評価(術後再発の画像診断)

喉頭癌は，経口的 CO_2 レーザー切除から喉頭

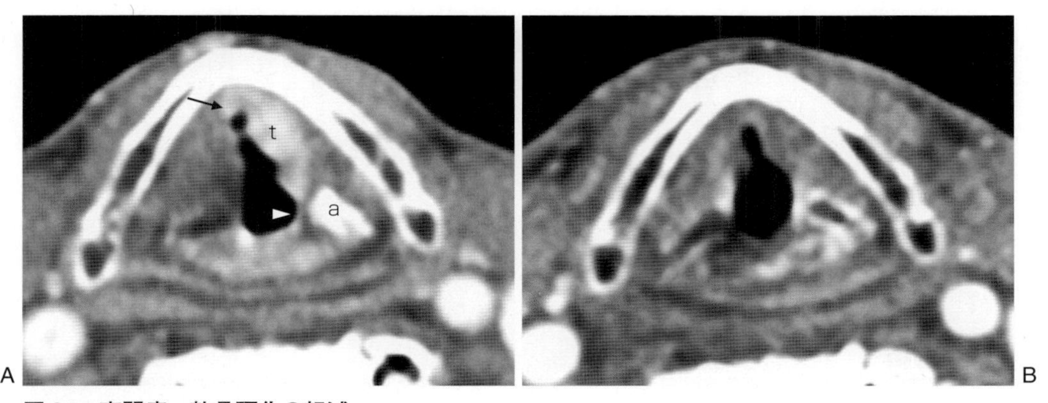

図 84　声門癌：軟骨硬化の軽減

治療前の声門レベル造影 CT（A）において，左声帯の不整な肥厚（t）を認め，声帯癌に一致する．前方は前交連（矢印）に達し，後方では硬化を示す左披裂軟骨（a）の内側面に沿った進展（矢頭）あり．放射線治療後（B）には左声帯の腫瘍は消失，左披裂軟骨の硬化も軽減している．

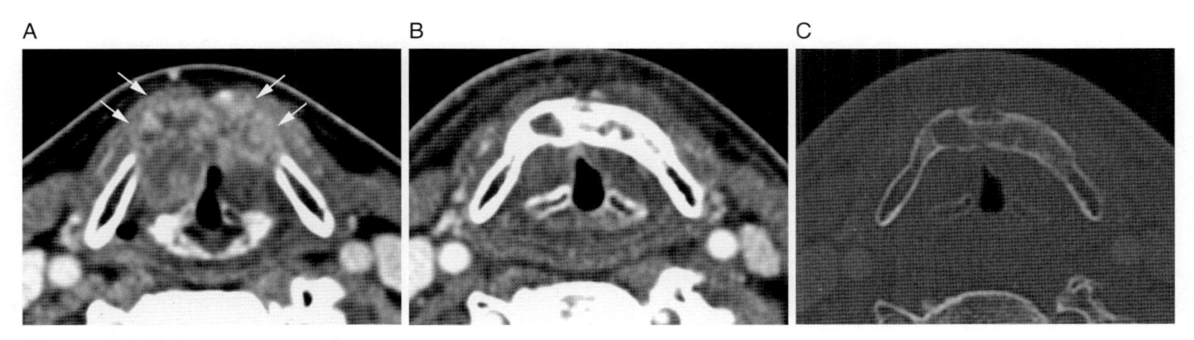

図 85　治療後の喉頭軟骨再骨化

治療前の声門レベル造影 CT（A）で両側声帯前方から前交連にかけて浸潤性腫瘤を認め，甲状軟骨には全層性浸潤による広範な破壊（矢印）を伴う．治療後 CT（B）および同骨条件表示（C）で腫瘍縮小とともに甲状軟骨破壊部の再骨化による骨再生を認める．皮質骨，骨髄腔の分離も可能である．

全摘術に至る，低侵襲から高侵襲まで，多くの術式の対象となる．代表的な各術式の適応，切除範囲や手技などに関しては，本章で既述した．術式の選択，あるいは放射線治療や化学放射線治療などとの組み合わせについては，病期診断や患者の意向・状態，臨床医の技術や考えなどのさまざまな要素に影響を受ける．診断時の根治目的の場合や他モダリティでの治療後の再発・残存病変に対する救済手術の場合（放射線治療後や喉頭部分切除術後の局所再発，導入化学療法後あるいは化学放射線治療後の再発・非制御など）など，目的や施行時期も各症例により多様である．

術後画像評価では，診断時の病期診断，術前後の全経過における臨床情報を考慮し，各術式での切除範囲，通常の術後画像所見の十分な理解をもとに，局所再発の診断を行う必要がある．

出血や感染，皮弁壊死などの急性術後合併症，あるいは術直後から顕在化する再発病変などを除き，術後早期での画像診断の有用性は低い．通常の経過をとる例では，放射線治療後と同様，術後（術直後の軟部組織変化が多少軽減してくる）3 ヵ月前後での基線検査を施行し，経時的に評価するのが原則であり，以前の術後画像との比較が最も有効かつ重要である．

いかなる術式による術後例においても，増大傾向を示す軟部濃度腫瘤，進行性の軟骨破壊（あるいは硬化）は局所再発を強く支持する（図 92〜95）．その多くは切除辺縁・吻合部，喉頭全摘例

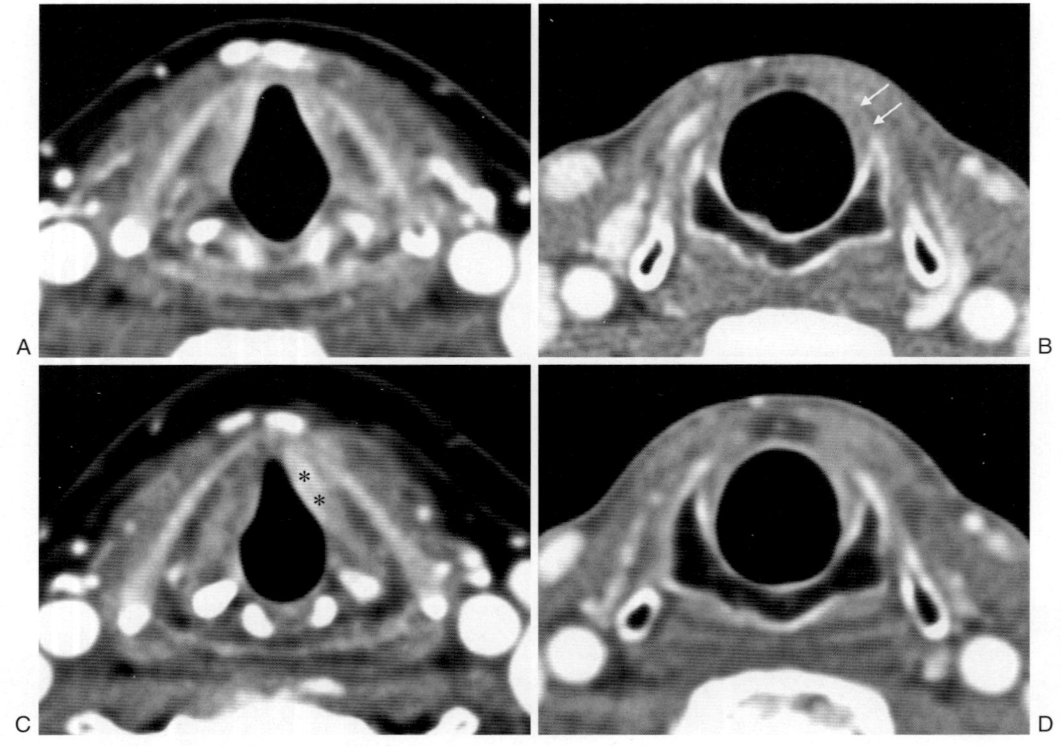

図 86　声門癌：放射線治療後局所再発

治療前の声門レベル(A)および声門下レベル(B)の造影 CT．声門下(B)喉頭の左側で軽度の組織肥厚(矢印)を認める．声門レベル(A)で左声に明らかな腫瘤・浸潤性変化は指摘されないが，(恐らくは傍声帯間隙を介した)声門下進展を伴う左声門癌(最大で T3 病変)が疑われる．喉頭軟骨の硬化，破壊の所見なし．

放射線治療後 6 ヵ月の声門レベル(C)および声門下レベル(D)．声門レベル(C)において，左声帯前方 3 分の 2 で増強効果を伴う限局性浸潤性腫瘤(＊)を認め，声門下レベル(D)の左側の組織肥厚は増悪を示しており，局所再発(非制御)を支持する．

表 12　放射線・化学放射線治療後の喉頭癌局所制御・再発を示唆する CT 所見

局所制御	・腫瘤消失 ・50％以上の腫瘍容積減少 ・軟骨硬化の不変・消失(軽減)
局所非制御・再発	・50％未満の腫瘍容積減少(声門癌は通常はほぼ消失，声門上癌は 1 cm 程度までの focal abnormality 残存の場合あり) ・軟骨硬化の進行・出現 ・軟骨破壊の進行・出現

では neopharynx の壁あるいは気切孔周囲に認められる．軟骨硬化の出現，進行は局所再発に伴って認められる場合(図 92，93)も多く，注意を要するが，術後の反応性・炎症性変化として(必ずしも再発病変を伴わずに)認められる場合(図 96)もあり，慎重な評価が求められる．

D　その他

以下に臨床上，比較的重要あるいは頻度の高い喉頭癌以外の喉頭の疾患・病態について解説する．

表 13 喉頭放射線治療後反応における Chandler グレード分類

Grade	症状	所見	治療
I	軽度嗄声，軽度乾燥	軽度浮腫，血管拡張	不要
II	中等度嗄声，中等度乾燥	軽度声帯運動障害，中等度浮腫および赤色斑	不要
III	重度嗄声および呼吸困難，中等度嚥下痛および嚥下困難	少なくとも片側声帯の重度運動障害あるいは固定，高度浮腫，皮膚変化	蒸気，抗菌薬
IV	呼吸障害，重度疼痛，重度嚥下痛，体重減少，脱水，発熱	瘻孔，口臭，後頭の皮膚への固定，後頭閉鎖，浮腫による気道閉塞，中毒症	気管切開および・あるいは喉頭全摘術

(Chandler JR：Ann Otol Rhinol Laryngol **88**(4 Pt 1)：509-514, 1979)

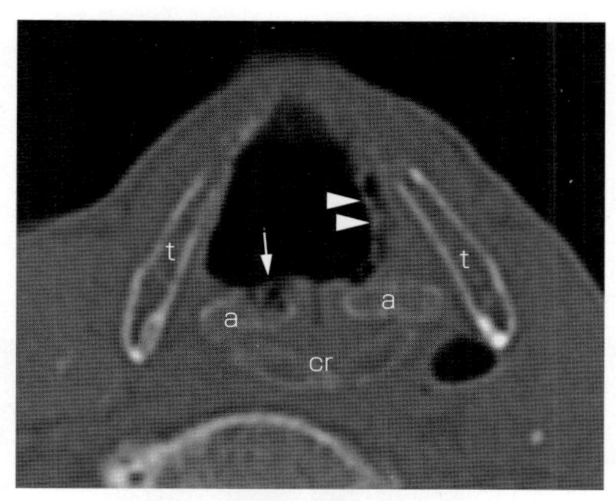

図 87 披裂軟骨の放射線性軟骨壊死

喉頭室レベル CT 骨条件表示において左声帯上面には粘膜下に組織脱落に伴う空気迷入(矢頭)あり．右披裂軟骨内にもガス像(矢印)を認める．a：披裂軟骨，cr：輪状軟骨，t：甲状軟骨

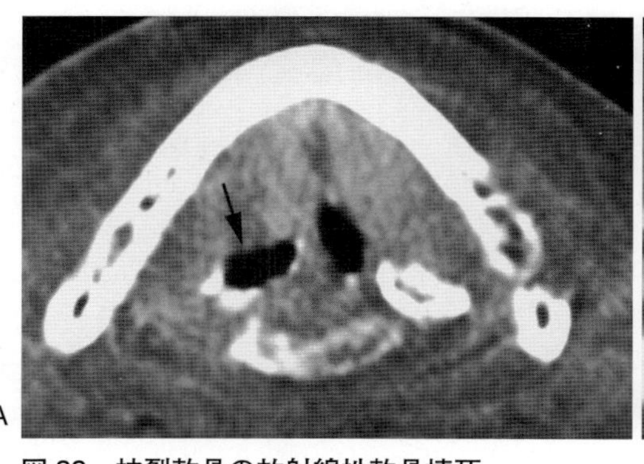

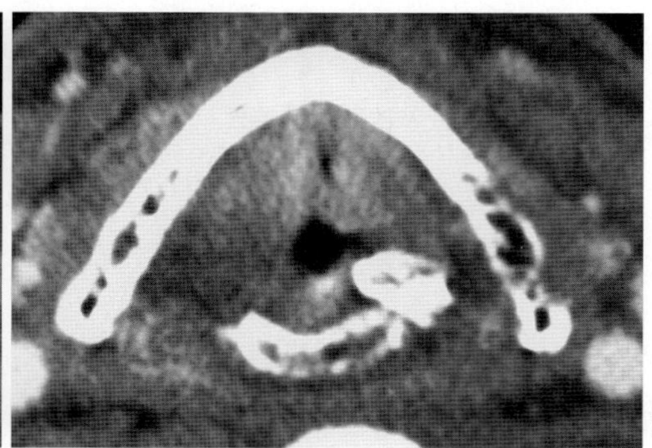

図 88 披裂軟骨の放射線性軟骨壊死

A：放射線治療終了後，約 6 週間の造影 CT．右披裂軟骨(矢印)内に異常なガス像を認める．
B：図 A の約 1 ヵ月後．右披裂軟骨は脱落，消失している．

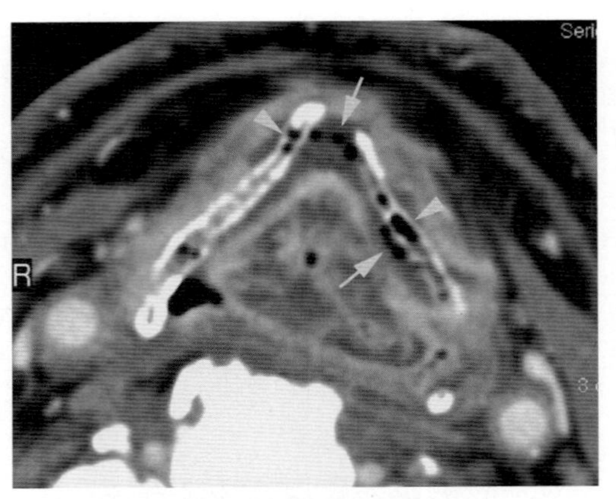

図 89　甲状軟骨の放射線性軟骨壊死
皮膚，広頸筋の肥厚，皮下脂肪の混濁など，広範に放射線治療後の軟部組織変化あり．甲状軟骨側板の骨髄腔内(矢頭)およびこれに接する傍声帯間隙から喉頭蓋前間隙の軟部組織内(矢印)に異常なガス像を認める．

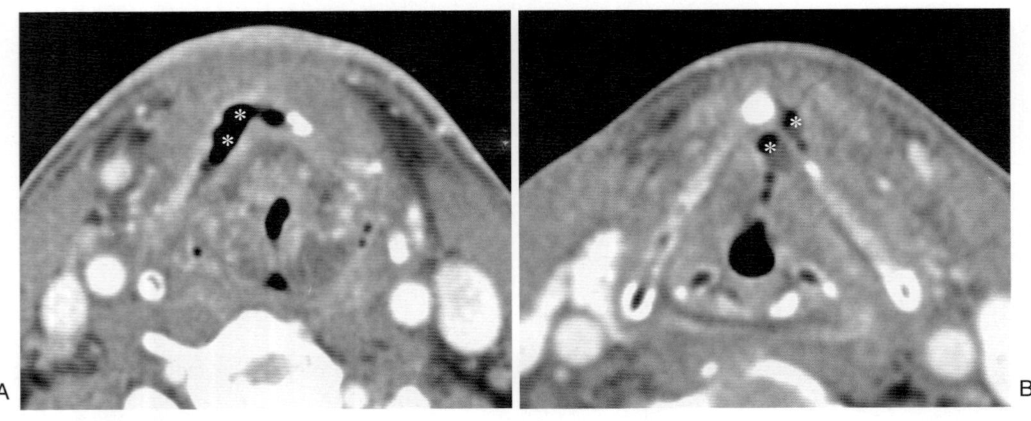

図 90　甲状軟骨の放射線性壊死
声門上レベル(A)および声帯レベル(B)の造影 CT．喉頭内・外軟部組織には広範な浮腫性変化を認める．甲状軟骨内および隣接する軟部組織内に空気濃度(＊)を認める．

1 喉頭瘤(laryngocele)および喉頭囊胞

喉頭室の機能的(吹奏楽器奏者，ガラス職人，慢性的咳嗽など)・器質的(炎症，外傷，腫瘍など)閉塞による喉頭室内圧の上昇に起因した喉頭室小囊の拡張を示す．ただし，多くの例でこれらの基礎要因がみられず片側性であることなどから，病因に関しては多少の議論があり[147]，(喉頭室内圧上昇のみではなく)もともと喉頭室が大きいあるいは喉頭の組織脆弱性など，先天的要素の関与も考慮されている[148, 149]．性差は5〜7：1で男性，40〜50歳代に多く，80〜85％が片側性である[147]．左右の優位性はない．正常では喉頭室小囊は喉頭室前方と交通しており，やや頭側，仮声帯レベルの傍声帯間隙に位置している(図 1D, 4A, 8B・D)．喉頭瘤は，喉頭粘膜下腫瘤として，喉頭癌(図 97)に次いで2番目に多い．“喉頭瘤”の用語は，1867年 Virchow が喉頭室拡大に対して最初にを用いたとされるが[147]，喉頭瘤のうち内容が空気である場合に狭義の喉頭瘤(図 98,

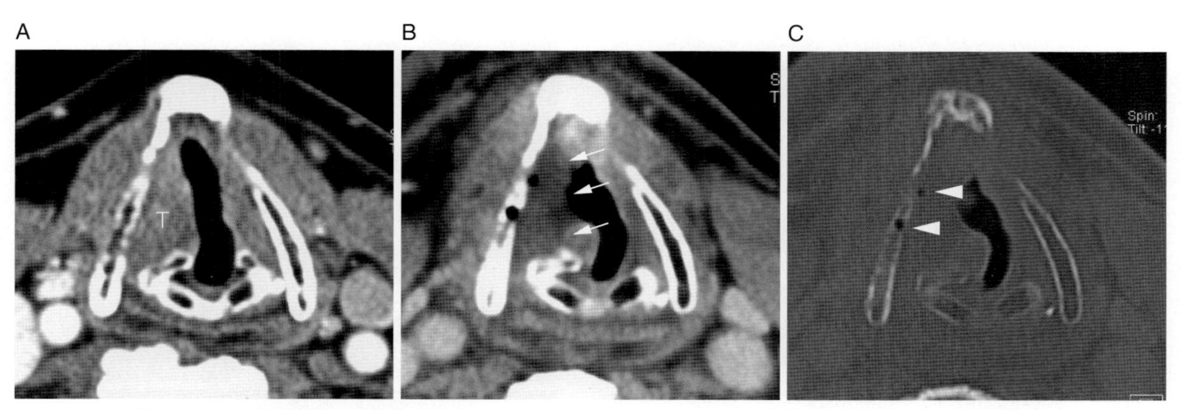

図 91　局所再発を伴う放射線性軟骨壊死
声帯レベルの治療前 CT（A）において右声帯の肥厚（T）を認め，声門癌に一致する．根治的放射線治療後 10 ヵ月の CT（B），同骨条件表示（C）において右声帯領域には（壊死性腫瘤を示唆する）やや低吸収領域（矢印）を認め，傍声帯間隙および甲状腺側板内にガス像（矢頭）を伴う．喉頭全摘術が施行され，軟骨壊死とともに局所再発が病理学的に証明された．

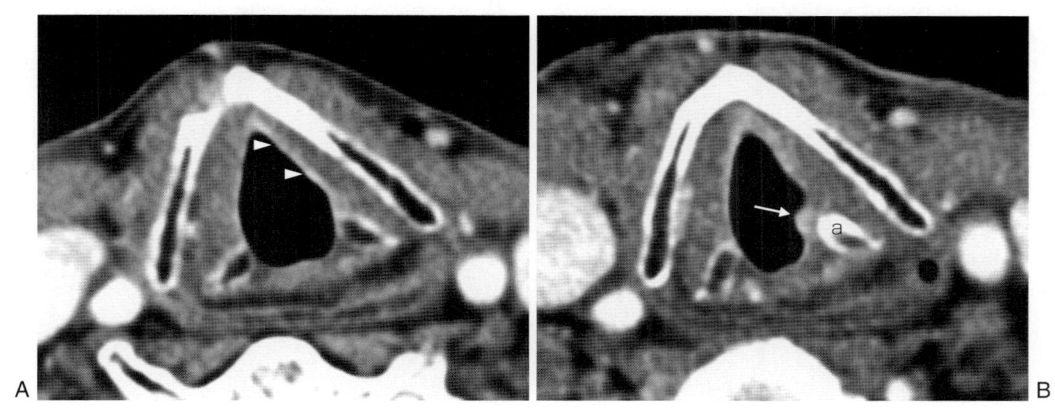

図 92　経口的レーザー術後の局所再発
術前の声門レベルの造影 CT（A）で，左声帯前方 3 分の 2 の自由縁に沿った粘膜増強効果（矢頭）を認め，声門癌が示唆される．経口レーザー術後 6 ヵ月（B）において，左披裂軟骨（a）は硬化を示すとともに，同軟骨内側面に沿った結節様組織肥厚（矢印）の出現あり．

99），粘液である場合に喉頭粘液瘤（図 100，101），感染により膿を含む場合には喉頭粘液膿瘤と区別する．また局在による区分では従来，甲状舌骨膜の内側で傍声帯間隙内にとどまっている場合を内喉頭瘤（図 98，100，101），甲状舌骨膜を越えて喉頭外進展したものを外喉頭瘤（図 99，102）と称し，後者の場合は喉頭内成分を必ず伴うことより混合型喉頭瘤とも呼ばれていた．ただし，理論的に（内喉頭瘤を伴わない）純粋な外喉頭瘤は存在しないことから，現在は内喉頭瘤と混合型喉頭瘤の 2 つに区分している[147]．なお混合型喉頭瘤の多くはは甲状舌骨膜の側方で上喉頭神経血管束の通過する孔（図 1C，3）から頸部に進展する．臨床症状は病変の部位，大きさによるが，嗄声，イビキ，上気道閉塞症状の他，異物感，咽頭痛，嚥下困難，咳嗽などを訴える．外喉頭瘤では喉頭所見に乏しく頸部腫瘤として顕在化する場合もある[150]．

診断は臨床所見，内視鏡所見とともに画像診断で行われる．CT は病変の存在診断，診断の確定の他，病変の広がり，周囲の解剖学的構造との相対的位置の把握，喉頭瘤内容の確認（空気 vs 液

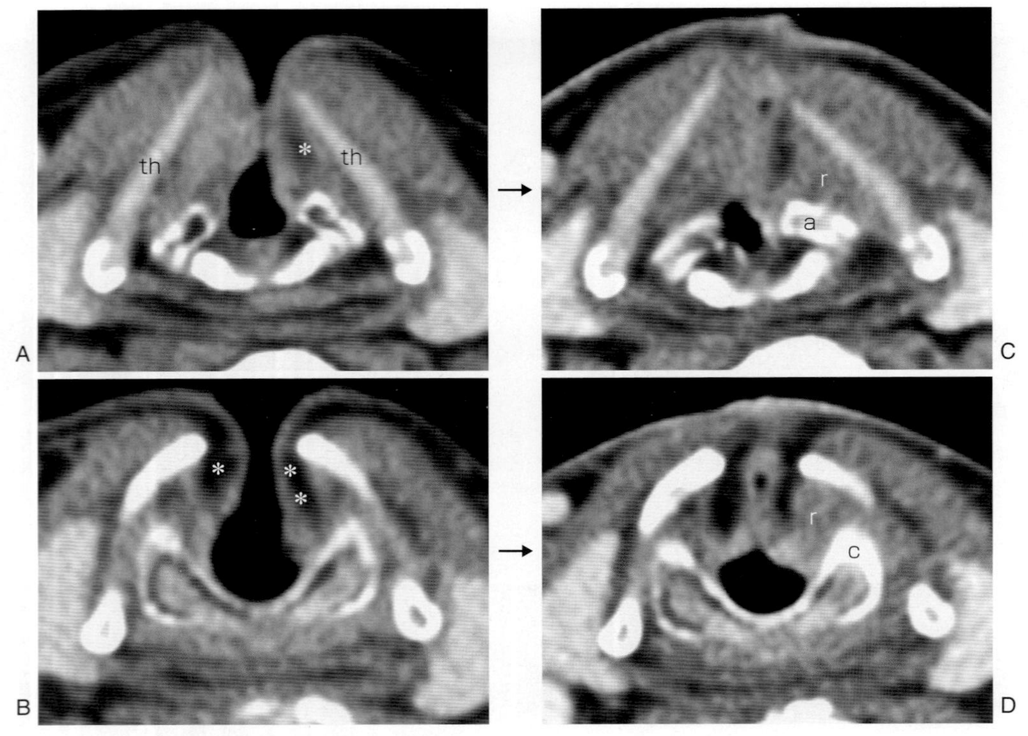

図 93　垂直喉頭部分切除術後の局所再発
術後3ヵ月での声門レベル(A)および声門下レベル(B)の造影CT．甲状軟骨前接合部で切除，開窓後．開窓部からの甲状軟骨側板(th)内側に沿った皮膚の折込みに伴い，皮下脂肪が声門左側から声門下両側で側壁に沿った低濃度領域(＊)として認められる．術後8ヵ月の声門レベル(C)，声門下レベル(D)では甲状軟骨左側板内側面に沿った軟部濃度腫瘤(r)の出現とともに，これに隣接する左披裂軟骨(a)，輪状軟骨左側(c)の硬化性変化の出現を認める．

体)が主な役割となる．また，喉頭瘤症例の約10%で喉頭癌を合併[147]するとされ，画像診断ではこの確認が最も重要である(図102，103)．ただし，画像上閉塞病変を認めないことは腫瘍の存在を否定するものではなく，原則として全例に内視鏡検査を施行する必要がある．喉頭癌による喉頭室閉塞によって生じた場合を二次性喉頭瘤とも称する．また，喉頭瘤は頸部CT上，健常者の2%，喉頭癌症例の18%で認められる．

治療は外科的治療が原則だが，アプローチ・術式は病変の大きさや外科医の経験，考えによる[151, 152]．内喉頭瘤の多くは内視鏡的アプローチに，場合によりCO_2レーザーを組み合わせて切除される[147]．内視鏡で嚢胞被膜を確認し，切除範囲は可能な限り内側にとどめる．混合型喉頭瘤に対しては病変への到達が容易で再発のリスクの低い外方アプローチ(および，必要に応じた内視鏡的切除との組み合わせ)で切除される．場合により気管切開が必要となる．

喉頭嚢胞は粘膜，粘膜下に分布する小唾液腺の貯留嚢胞として表層性あるいは粘膜下に生じる．部位により披裂嚢胞(arytenoid cyst)(図104)，喉頭蓋谷嚢胞(vallecular cyst)(図105)などと呼ばれるが，喉頭内では声帯を除くあらゆる部位が発生部位となりうる．

2 炎症性・感染性疾患

喉頭の炎症性・感染性疾患の画像診断では，臨床診断の確認，程度・範囲の把握とともに気道狭窄の有無・程度の評価が重要となる．本項では，代表的病態としてクループと急性喉頭蓋炎について解説する．

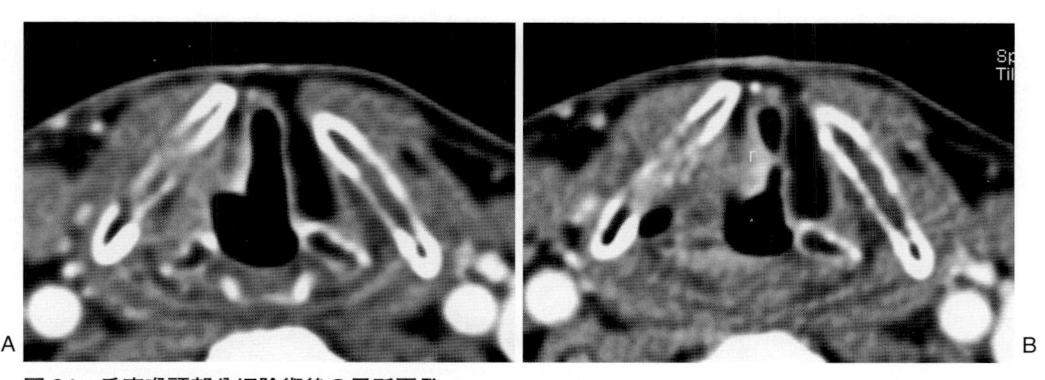

図 94 垂直喉頭部分切除術後の局所再発
術後 4 ヵ月の造影 CT(A：図 23A と同様のため図 23A の説明文を参照されたい)．術後 9 ヵ月(B)において，右声帯中 3 分の 1 で結節様腫瘤(r)の出現あり．

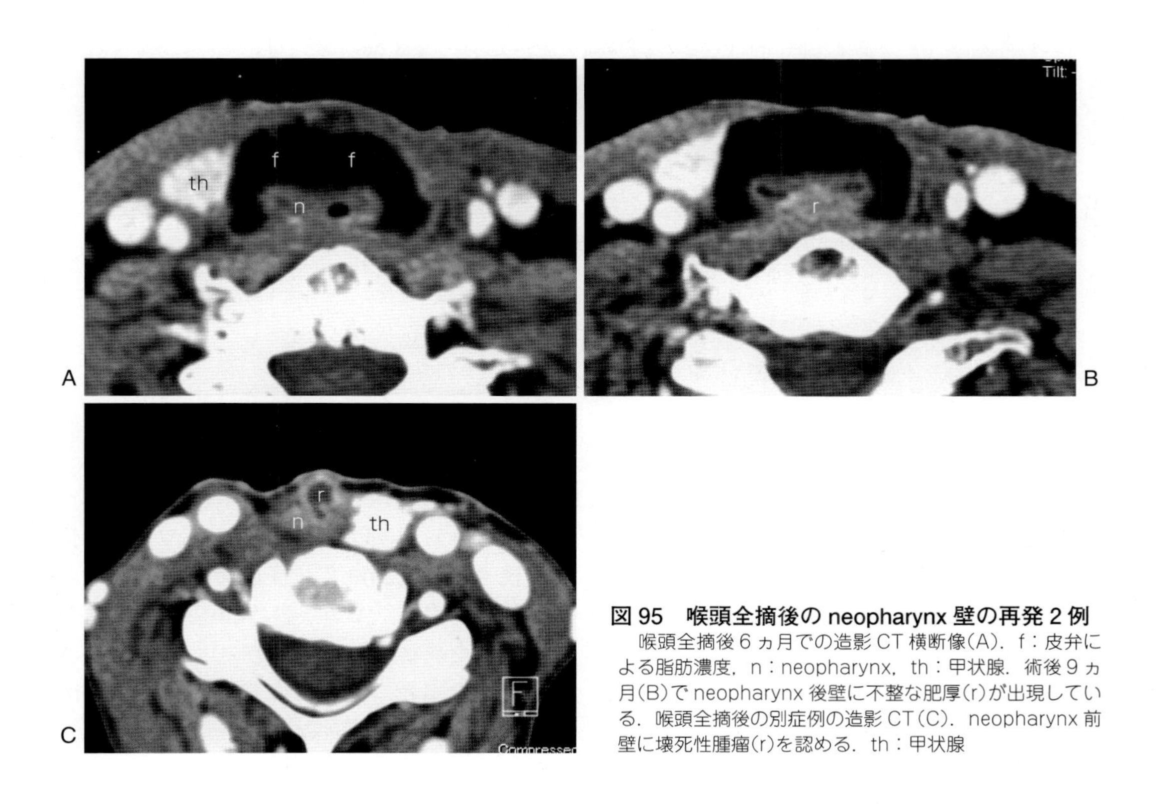

図 95 喉頭全摘後の neopharynx 壁の再発 2 例
喉頭全摘後 6 ヵ月での造影 CT 横断像(A)．f：皮弁による脂肪濃度，n：neopharynx，th：甲状腺．術後 9 ヵ月(B)で neopharynx 後壁に不整な肥厚(r)が出現している．喉頭全摘後の別症例の造影 CT(C)．neopharynx 前壁に壊死性腫瘤(r)を認める．th：甲状腺

a. クループ(喉頭気管気管支炎)

3 ヵ月から 3 歳の小児に生じる急性ウイルス感染で主に声門下喉頭を侵す．パラインフルエンザ 1 型ウイルスによることが多い．数日の気道感染症状に引き続き，古典的な犬吠咳，吸気時喘鳴を生じる．気管挿管を要する例，完全気道閉塞を示す例は少ない．小児では成人に比較して声門下喉頭の粘膜，粘膜下組織は粗で，これにより著明な腫脹をきたす．通常，臨床的に診断可能であるが，画像診断上は頸部単純 X 線撮影正面像において，粘膜腫脹により狭窄した声門下喉頭内腔の形態を“ワインボトル様”あるいは“尖頭様(steeple-shaped)”と表現する．声門上喉頭は正常である．

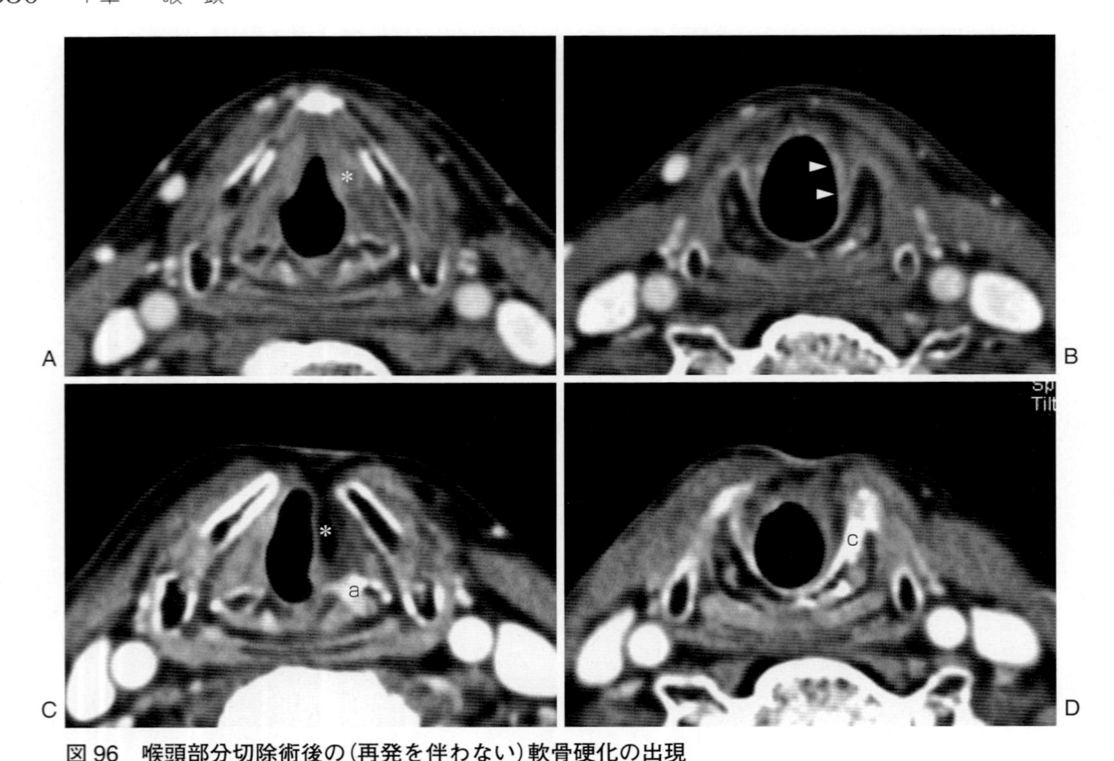

図96　喉頭部分切除術後の(再発を伴わない)軟骨硬化の出現
術前の声門レベル(A)および声帯下面から声門下移行部レベル(B)の造影CT．声門レベル(A)において左声帯に軽度肥厚(＊)を認め，声帯下面から声門下部で左側の組織肥厚(矢頭)あり．垂直喉頭部分切除術後1年後の声門レベル(C)，声門下レベル(D)の造影CT．声門レベル(C)で甲状軟骨前接合部の切除後変化，左側板内側面に沿って織り込まれた皮下脂肪(＊)による低濃度を認める．術後部に接する左披裂軟骨(a)，輪状軟骨左側(c)は術前(A，B)ではみられなかった硬化性変化を示している．本例はその後も局所制御が維持されている．

b.　急性喉頭蓋炎(声門上炎)

古典的にはヘモフィルスインフルエンザ菌B型(Hib：*Haemophilus influenzae* type b)による声門上喉頭の潜在的劇症的な急性感染症である．3～6歳とクループと比較してやや年長の小児に生じる．急速に進む流涎，咽頭痛，発熱および気道閉塞症状を示す．臨床所見としては“苺様”と表される明るい赤色を呈して腫脹する声門上喉頭を認める．「声門上炎」とも呼ばれるが，これは喉頭蓋のみならず，通常，披裂部，披裂喉頭蓋ひだを高度に侵すこの病態をより正確に表す．急速に生じる完全気道閉塞の潜在的リスクのため，一般的に，より軽症のクループとの鑑別は臨床上重要である．

既述のとおり，従来は小児の疾患とされていたが，Hibワクチンの導入により小児例は著明に減少した[153]．本邦では2008年からワクチン接種が可能となり，2013年に予防接種法改正により定期接種に導入，A類疾患(保護者が子供に受けさせる努力義務のあるワクチン)として実施されるようになった．本邦でのHibワクチン接種率は50％強とされる．結果として，最近では成人例が増加[154]したが，成人例の起炎菌は(小児例のHibからシフトして)グラム陽性菌(ブドウ球菌など)が最も多いが，グラム陰性菌(肺炎レンサ球菌など)，ウイルス，真菌など多様化している[155, 156]．性差は1.1～4：1で男性，中年に多いとされる[157, 158]．季節性はみられない[159]．また，後天性免疫不全症候群(AIDS)の拡がりや糖尿病も成人例増加に関与しているとされる．成人の声門上炎は小児と異なる病態とも考えられており[155]，症状はやや非特異的で，しばしば他の上気道感染

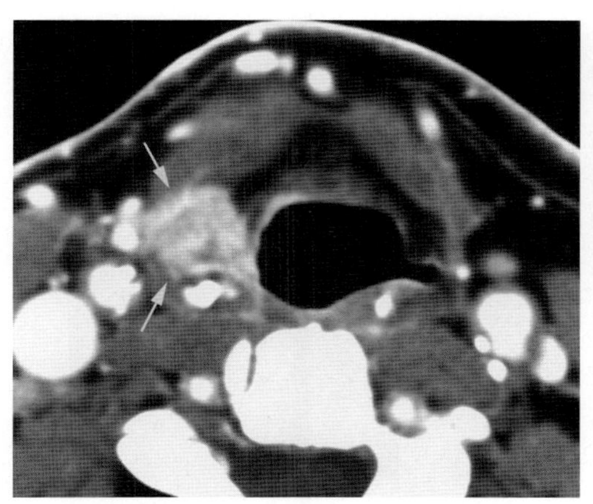

図 97　粘膜下腫瘤としてみられた喉頭癌
右仮声帯から披裂喉頭蓋ひだの粘膜下，右傍声帯間隙やや後方を中心に増強効果のある浸潤性腫瘍（矢印）を認める．

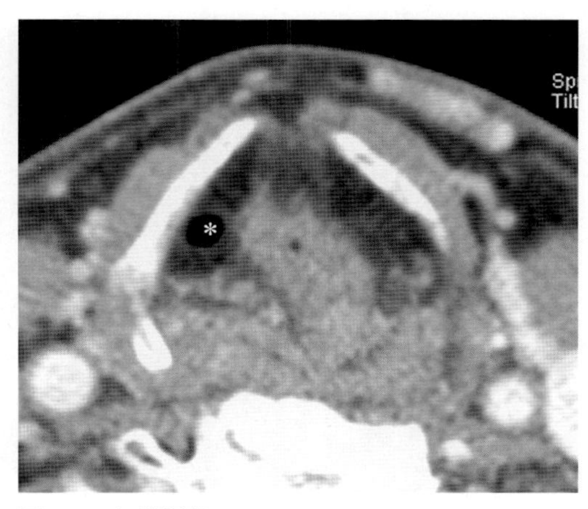

図 98　内喉頭瘤
仮声帯レベル造影 CT．右傍声帯間隙内に限局性の空気濃度領域（＊）を認め，喉頭瘤に一致する．

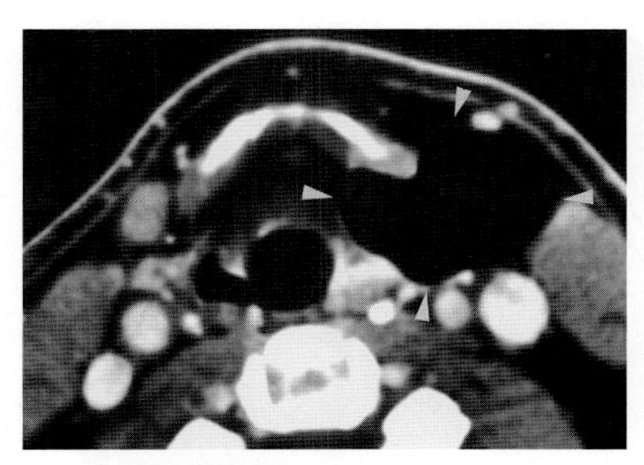

図 99　混合型喉頭瘤
左の傍声帯間隙から甲状舌骨膜を介して左側頸部に連続する，内部に空気を含んだ腫瘤（矢頭）を認める．

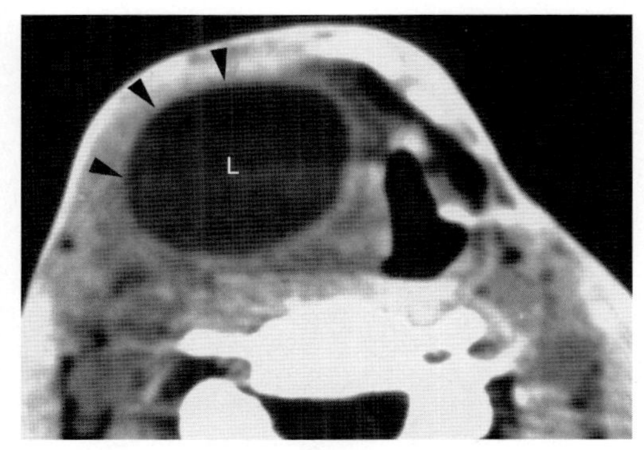

図 100　内喉頭（粘液）瘤
右傍声帯間隙に単房性囊胞性腫瘤（L）を認める．外側は伸展した甲状舌骨膜（矢頭）に境界される．

に類似する．咽頭痛，嚥下時疼痛が最も多く（90％強），その他に声質変化，流涎，呼吸苦，喘鳴などが含まれ，咳嗽は 50％以下である．前頸部，特に舌骨上部での圧痛が特徴的である．小児と比較して気道径が大きいため気道閉塞の危険性は低く，ICU 入院率や気道確保（挿管や気管切開）を必要とする率も低いとされるが，気道確保は依然として重要であり，最近の文献で 15～32％で気道確保を必要としたと報告されている[157]．ときに感染巣の癒合（あるいは喉頭蓋囊胞の感染）をもとに喉頭蓋膿瘍（図 106）が形成される[160]．典型的には喉頭蓋舌根面を侵すが，疎な粘膜が喉頭蓋軟骨を覆っていること，喉頭蓋囊胞が同面に多いことなどが要因とされる[161]．

診断は喉頭鏡所見が最も重要とされ，通常の咽頭検査での声門上炎否定は困難である．成人例は小児での“苺様”とは異なり，赤色調に鬱血した喉頭蓋と周囲声門上構造を認めるのが典型的である[159]．血液生化学所見，細菌学検査は有用でない例が多い．画像診断を必要とする場合，立位による頸部単純 X 線撮影側面像にて腫脹した喉頭蓋（“thumb sign”）（図 107），喉頭蓋谷の消失（“vallecula sign”），肥厚した披裂喉頭蓋ひだと拡張した下咽頭腔等を確認する．ただし，頸部側

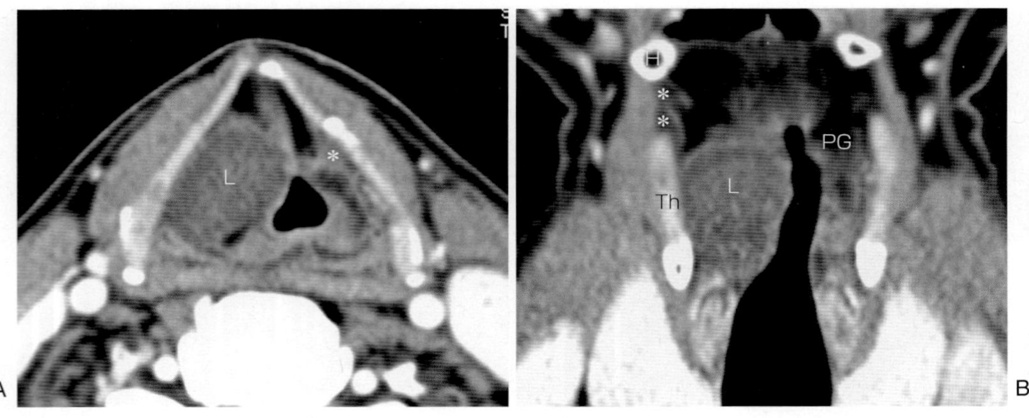

図 101　内喉頭瘤

仮声帯レベル造影 CT 横断像(A)において，右傍声帯間隙内に囊胞性腫瘤(L)あり．対側の傍声帯間隙内には虚脱した喉頭室小囊(＊)を認める．冠状断像(B)で傍声帯間隙(左側で PG で示す)内に限局する喉頭瘤(L)を認める．
H：舌骨，Th：甲状軟骨側板，＊：甲状舌骨膜

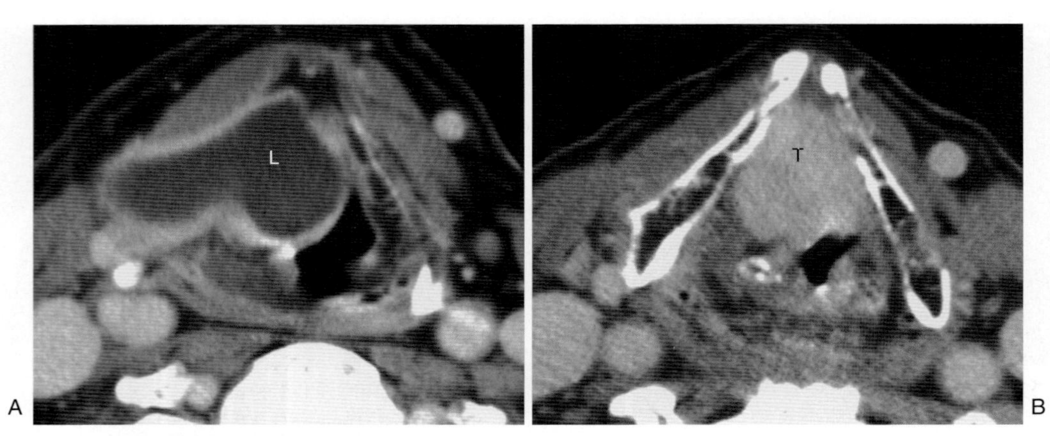

図 102　喉頭肉腫により生じた喉頭瘤

A：声門上レベル造影 CT．右側に混合型喉頭(粘液)瘤(L)を認める．
B：ほぼ声帯レベル造影 CT．右傍声帯間隙から前交連にかけて，増強効果を示す腫瘤(T)を認める．

面像の感度，特異度は中等度であり，初期の病変は見逃される危険性がある[162]．頸部側面像で 79％が診断可能と報告されている[163]．“thumb sign” の発現頻度は 65.9～77％であるが，“vallecula sign” は 1.4～53.9％と報告に幅がある[164, 165]．撮影前の経口抗菌薬服用は偽陰性のリスクとなり注意を要する[163]．喉頭蓋の幅(厚さ)を計測，あるいは第 3 あるいは 4 頸椎椎体の幅との比などを客観的な指標とするが，喉頭蓋の厚さのカットオフ値は 5～8 mm である[166]．従来，仰臥位は気道閉塞の危険性を高めることから CT は避けられていたが，最近では(気道閉塞の危険性の低い)成人例の増加，ヘリカル CT 以後，CT 撮像時間の短縮などにより，診断確定とその程度の把握や膿瘍形成の評価を目的として，CT 検査対象となる場合が多い[167]．症状や身体所見からの診断が困難なことから，膿瘍形成の評価においても，ルーチンの CT 施行を推奨する考えもある[168]．CT では，喉頭蓋，披裂喉頭蓋ひだを中心に，声門上喉頭で軟部組織のびまん性腫脹を認める(図 107，108)．多少の非対称性を示す例も多い．ときに粘膜下膿瘍形成(図 106，109)を認め

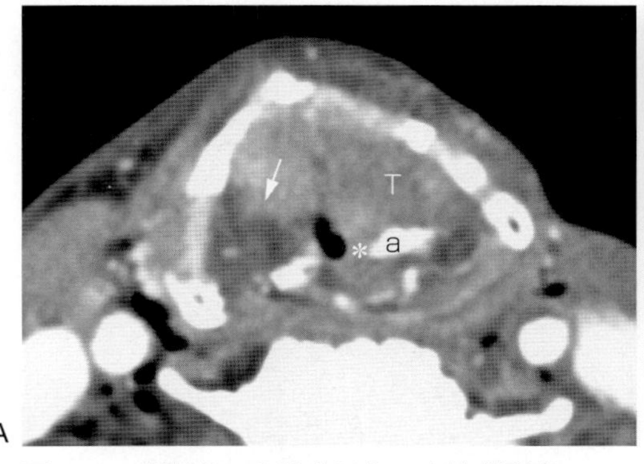

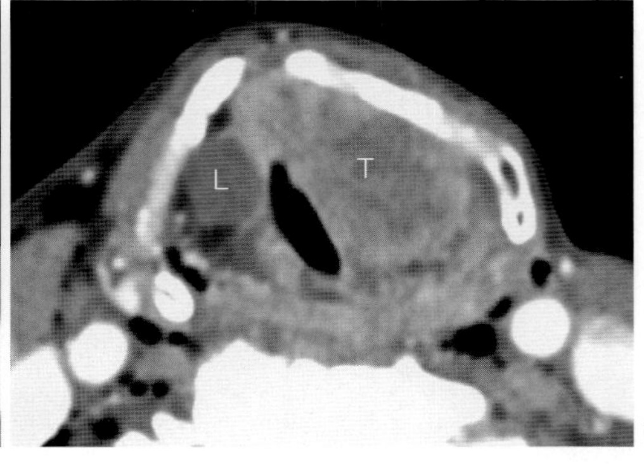

図 103　喉頭癌により生じた二次性喉頭瘤

声帯上面レベル造影 CT（A）において，左声帯を中心に浸潤性腫瘤（T）を認め，後方で披裂軟骨（a）内側（＊）から披裂間部左側に進展，前方では前交連を介して右声帯の前方 2 分の 1 強に及ぶ（矢印）．仮声帯レベル（B）において左仮声帯領域に広範な腫瘍浸潤（T）がみられる．右側では傍声帯間隙の脂肪内に単房性囊胞性腫瘤（L）を認め，A でみられた右声帯上面に進展した腫瘍による喉頭室閉鎖に起因した内喉頭瘤に相当する．

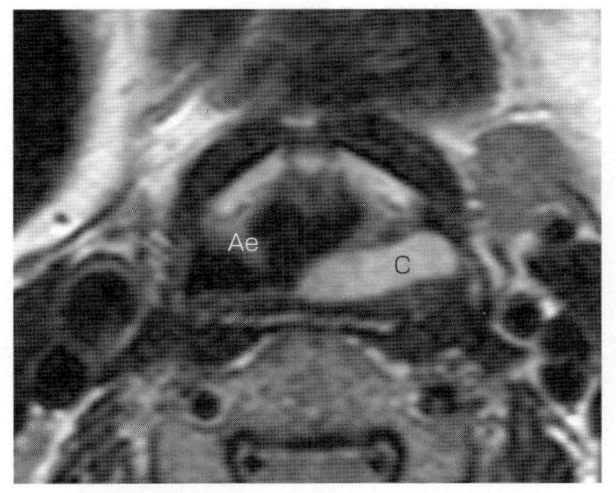

図 104　披裂囊胞

MRI T2 強調横断像．左披裂喉頭蓋ひだ（右側で Ae で示す）に沿って囊胞性腫瘤（C）を認める．

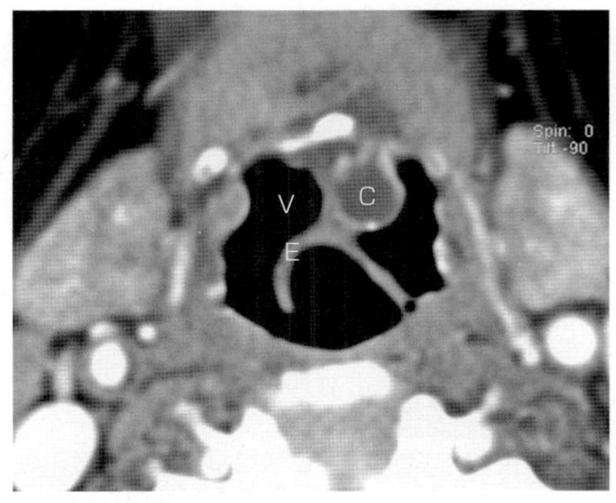

図 105　喉頭蓋谷囊胞

造影 CT．左喉頭蓋谷（右側で V で示す）に単房性囊胞性腫瘤（C）を認める．E：喉頭蓋

るが，混濁した脂肪との区別はときに困難である．なお，頸部単純 X 線撮影側面像での thumb sign は CT 位置決め画像あるいは矢状断再構成画像でもこれに相当する所見が確認可能である（図 107A・B）．まれに下極型の扁桃周囲膿瘍の声門上領域への進展により，臨床上，画像上も類似した所見を呈する（図 110）．

治療の基本は気道管理，抗菌薬投与，外科的治療となるが，抗菌薬は第 3 世代セファロスポリン系が主に用いられる [169]．また声門上喉頭の浮腫軽減を目的にステロイド投与も行われる [153]．

3 喉頭外傷

喉頭外傷は原因から鈍的外傷，穿通性外傷，医原性，熱傷など，その時期から急性，慢性に分けられる．穿通性喉頭外傷は穿通性頸部外傷全体の最大で 15％とされる [170]．鈍的外傷は穿通性外傷よりも一般により重症であり [171]，入院期間の平均が鈍的外傷では 21 日であるのに対して，穿通性外傷では 10 日 [172]，短期での死亡率は鈍的外傷で最大 40％，穿通性外傷で 20％と報告 [173] されている．ただし，長期予後に大きな差はないともされる [174]．外傷要因からは外因性，内因性に区分

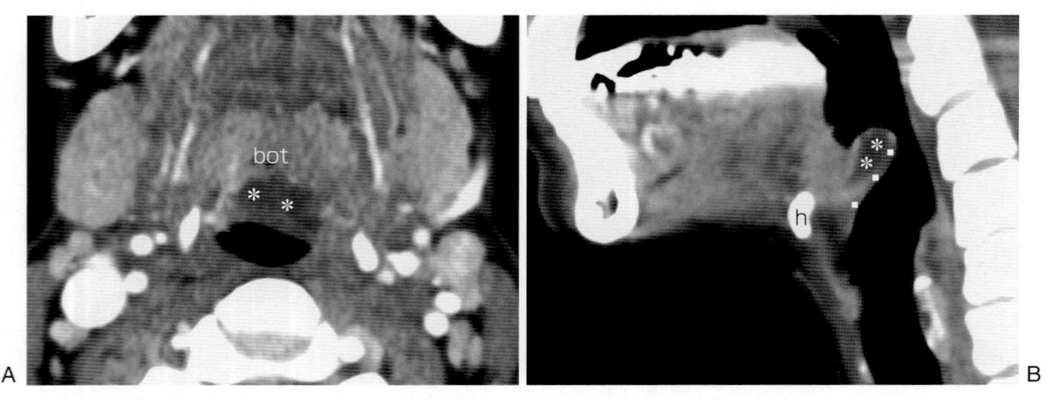

図 106　喉頭蓋膿瘍形成を伴う急性喉頭蓋炎

舌根レベル造影 CT で喉頭蓋前方(舌根面)と舌根との間を埋めるように液体濃度の組織肥厚(＊)を認める．矢状断像(B)で喉頭蓋軟骨(•)の腹側に液体濃度の組織肥厚(＊)を認め，喉頭蓋膿瘍を示唆する．

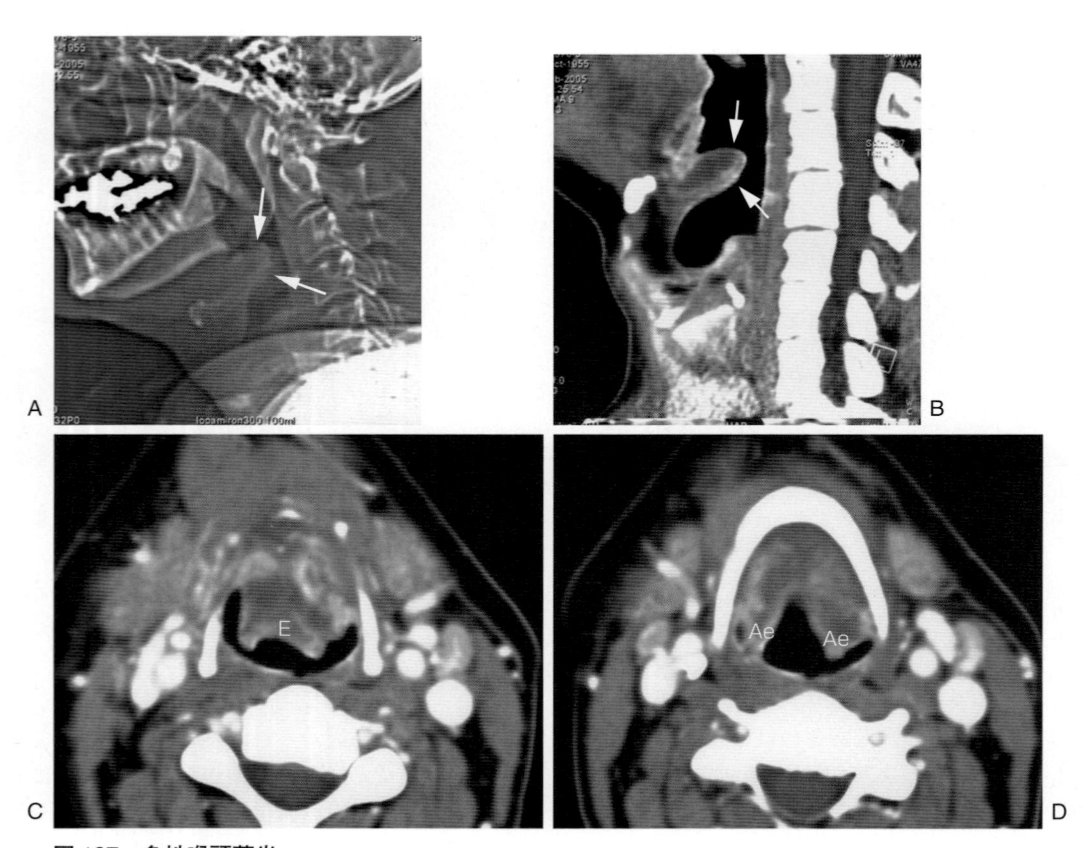

図 107　急性喉頭蓋炎

CT 位置決め画像(A)および矢状断再構成画像(B)において，腫大した喉頭蓋(矢印)を認める(thumb sign)．声門上喉頭レベル造影 CT 横断像(C，D)において，喉頭蓋(E)，両側披裂喉頭蓋ひだ(Ae)の高度浮腫性肥厚を認める．

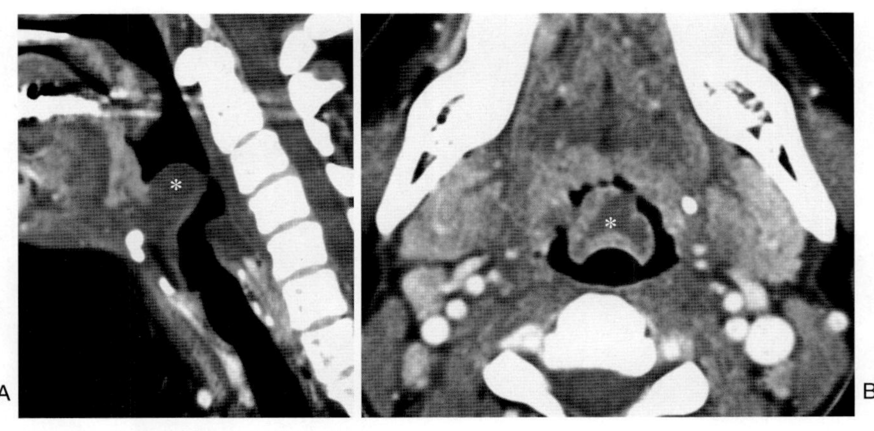

図 108　急性喉頭蓋炎（声門上炎）
頸部 CT 正中矢状断像（A）および横断像（B）において，舌骨上喉頭蓋の浮腫性腫大（＊）を認める．

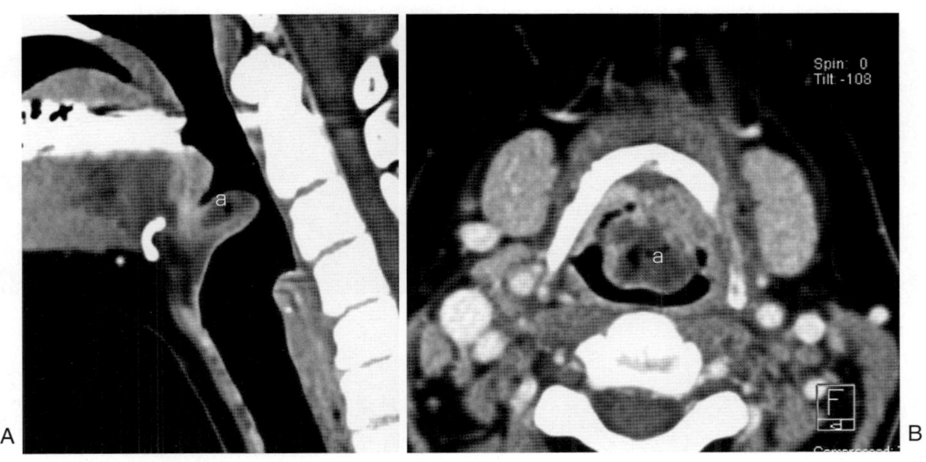

図 109　粘膜下膿瘍を伴う声門上炎
頸部 CT 正中矢状断像（A）および横断像（B）において，高度腫大した舌骨上喉頭蓋の咽頭面に粘膜下膿瘍形成（a）を認める．膿瘍壁の一部破綻により内部に空気の迷入がみられる．

されるが，内因性では気管内挿管に伴う医原性損傷が臨床上，重要である．外因性では交通外傷，スポーツ外傷（アメリカンフットボール，アイスホッケー，サッカー，ラグビー等），clothesline（物干し用ロープ）損傷，頸部絞扼（絞殺）・首吊り，切創，銃創などが主であることから，若年男性に多い．過去 30 年間での自動車運転でのシートベルト着用の普及，エアバッグ導入，スポーツでのプロテクトギア普及などにより鈍的外傷の頻度は低下してきた．clothesline 損傷は典型的にはオートバイの運転手が走行中に頸部の高さにある水平に横切る障害物と衝突した際に生じるが，ときに皮膚は保たれ診断遅延のリスクがある．鈍的外傷では，自動車事故で，頸部がハンドルやダッシュボードにぶつかるときに，（第 4〜6 頸椎の高さに位置する）喉頭が前方より頸椎に向かって押しつぶされる圧迫外傷が典型的である．喉頭外傷例の約 50％で喉頭以外の外傷（頭蓋底・顔面頭蓋 21％，頭蓋内 13〜15％，肺，脊椎，腹部など）を合併しており[24]，他の損傷部位の精査や気道維持などの点から急性期に喉頭の画像診断が行われない場合も多いが，早期発見，早期外科的介入が

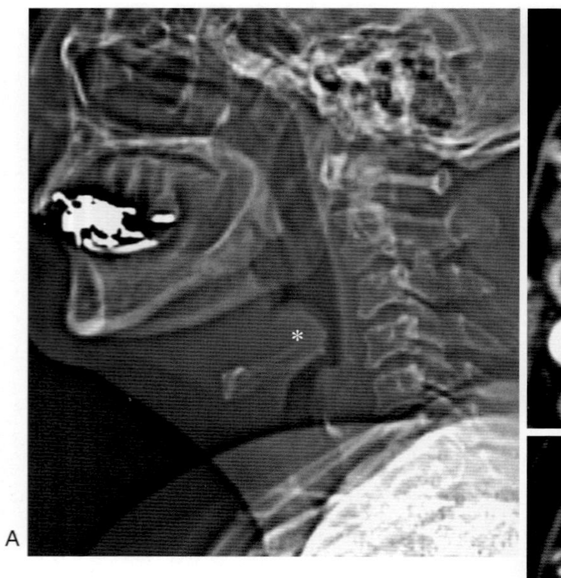

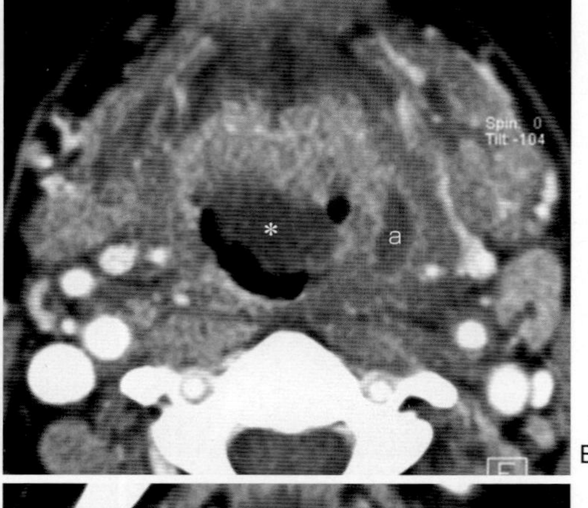

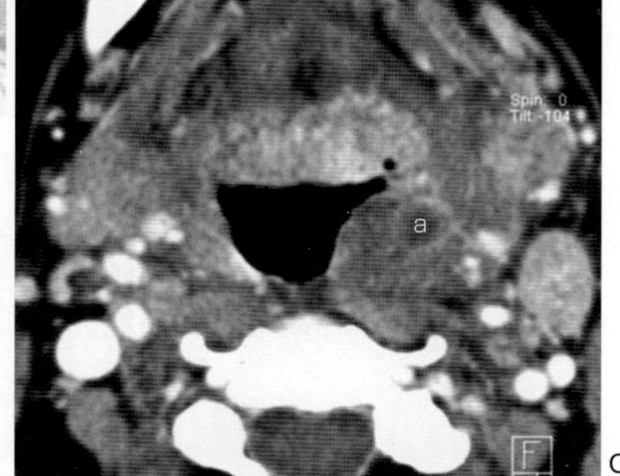

図110　急性喉頭蓋炎に類似の所見を示した下極型の扁桃周囲膿瘍

CT位置決め画像(A)において，喉頭蓋(＊)の腫大(thumb sign)を認め，急性喉頭蓋炎が疑われた．舌骨上喉頭蓋レベルの造影CT(B)で喉頭蓋の浮腫性腫大(＊)を認めるとともに，中咽頭左側壁下部の肥厚と内部の膿瘍腔(a)を認める．さらに約1cm頭側レベル(C)で左扁桃の腫大，(Bの膿瘍腔から連続する)扁桃周囲膿瘍(a)の所見を認める．

器官予後にとって重要となる．

喉頭骨格骨折は(どのような外傷センターかにもよるが)外傷患者5,000～137,000例に1例程度[175]とまれで，緊急CTの対象となる頸部外傷全例の1%程度とされる[176]．喉頭外傷例の致死率は最大で80%とされるが[179]，気道維持の可否に直接的に関連しており，気道が保持された場合は5%以下と低い[178]．発声困難，前頸部痛，嚥下困難，呼吸困難などの症状を呈するが，無症状で画像診断により初めて喉頭外傷が判明する場合もあり，損傷程度との相関が低いことは重要である．最大で受傷後48時間経過してからの症状発現もありうるとされる[179]．頸部絞扼では初期に粘膜裂傷や血腫がみられなくても12～24時間後に喉頭浮腫を生じる場合もあり，このため最低でも24時間の慎重な観察が推奨されている[180]．

喉頭外傷に関しては，重症度，初期治療と予後を考慮した，Schaefer[181]，Fuhrman[182]らにより提唱された重症度分類(**表14**)が最も広く受け入れられている．Group 2，3あるいは4が大部分であり，Group 5はまれである．粘膜裂傷などは内視鏡，喉頭軟骨骨格骨折などに関してはCT(やMRI)が有用であり，これらの所見を統合して判断する必要がある．代表的な外傷性変化としては喉頭軟骨骨格の骨折，軟骨関節の脱臼，軟部組織損傷があげられる．喉頭気管分離は完全な気道の途絶を示し，通常致死的である．

診断では内視鏡が最も重要であるが，安定した気道維持が可能な症例ではCTの評価対象となる．

一般にSchaefer重症度分類のGroup1～3ではCT評価が推奨されるが，気道の状態を含めて不安定なGroup4，5例は直接手術が施行される[174]．鈍的外傷では高度の喉頭浮腫により内視

表 14　喉頭外傷の Schaefer 重症度分類

Group	重症度
Group 0	正常
Group 1	明らかな骨折を伴わない，軽微な喉頭内血腫あるいは裂傷 気道障害(airway compromise)なし
Group 2	軟骨露出のない，より重度の浮腫，血腫，軽度の粘膜離開 偏位のない骨折 多少の気道障害
Group 3	広範な浮腫，大きな粘膜裂傷，軟骨露出，偏位を伴う骨折 声帯可動制限 気道障害あり
Group 4	Group 3 と同様であるが，より重度で，喉頭前部の離断， 不安定性骨折，2 つ以上の骨折線 重度の粘膜外傷 安定性維持に mold を要する
Group 5	完全な喉頭気管分離

(Schaefer SD：Arch Otolaryngol Head Neck Surg **118**：598-604, 1992)
(Fuhrman GM, Stieg 3rd FH, Buerk CA：J Trauma **30**：87-92, 1990)

鏡検査が困難な場合もあり，障害部の近位，遠位ともに CT での評価が有用である．CT 評価は①前頸部への鈍的外力による外傷例(身体所見，特に発声障害，喀血を伴う場合と伴わない場合あり)，②浮腫あるいは血腫により喉頭と気管連続性の評価が困難な例，③外傷範囲が不明の場合，④臨床医による気道管理下で施行可能な場合，において有用と考えられる[183]．(骨化の有無にかかわらず)軟骨の非連続性の CT 所見により骨折が診断される[24]．また，(粘膜損傷部位の同定にかかわらず)傍声帯間隙など，粘膜下組織の空気(軟部組織気腫)を認めれば粘膜裂傷が診断される(後述)[184]．ただし，軟部組織気腫の発現頻度は高くなく[176]，同所見を認めない場合に粘膜裂傷を否定してはならない．高分解能 CT では，軟骨骨格の状態に加え，内視鏡で確認困難な前交連，声門下部の評価，頸部軟部組織の変化(血腫形成や気道損傷に伴う軟部組織気腫など)の評価が可能である．

初期管理では気道の評価，安定性の確保，重症度の適切な判断に焦点が絞られる．気道確保の最善の選択については確立していないが，耳鼻科医の多くは気管内挿管ではなく輪状甲状膜切開，気管切開を選択する．喉頭骨格が安定しており気道も維持されているようであれば，Schaefer 分類の Group1 および一部の Group2 は発声の抑制，加湿，頭部挙上，プロトンポンプ阻害薬などの保存的治療に反応する．ただし，連続した内視鏡検査での慎重な観察が必要である．偏位のない喉頭骨格骨折である Group2 に対しては観血的整復・内固定，偏位のある喉頭骨格骨折である Group3, 4 に対してはミニプレートを用いた再建手術が行われる．最善の結果を得るためには数日(24 時間から 3～5 日)以内の外科的介入が求められる[175]．たとえ軽度の喉頭外傷であっても高度の長期発声障害を生じうる[185]．

以下に喉頭の各外傷性変化について解説する．

a. 喉頭軟骨骨格骨折

喉頭軟骨骨折(図 111～117)は甲状軟骨に最も多いが，最大 37 % で複数軟骨の骨折を認める[186]．完全骨折，あるいは軟骨膜の保たれた若木骨折として生じる．骨折の発生は喉頭軟骨の骨化の程度に依存する[187]，骨折での骨片は可動性があり気道側に偏位することから粉砕骨折は比較的まれであるが，骨化の進んだ高齢者では粉砕骨折の危険性が高い．軟骨の骨化後であれば比較的容易に骨折の確認が可能であるが，小児など骨化のない例や偏位のない例(図 116)では診断が困難な場合も多い(図 115)．なお骨化は加齢に応じて

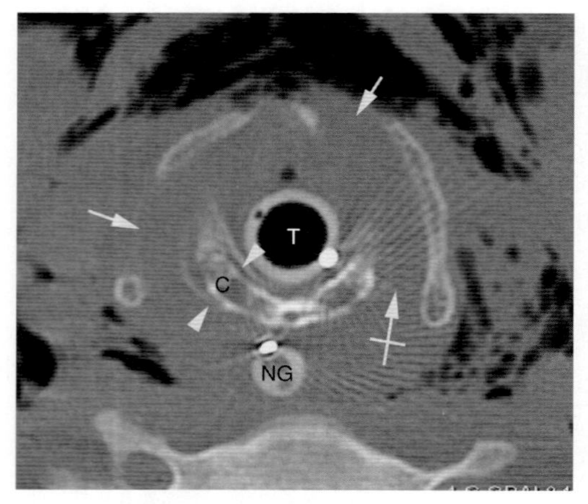

図 111　喉頭外傷（交通事故）

骨条件 CT において甲状軟骨に一部偏位を伴う骨折（矢印）を認める．輪状軟骨（C）にも骨折あり（矢頭）．左輪状甲状関節部の開大（十字矢印）を認め，同関節の脱臼を示す．対側の輪状甲状関節も軽度離開が疑われる．周囲の頸部軟部組織には広範な気腫性変化あり，間接的に気道外傷を示唆する．

NG：経鼻胃管，T：気管内挿管チューブ

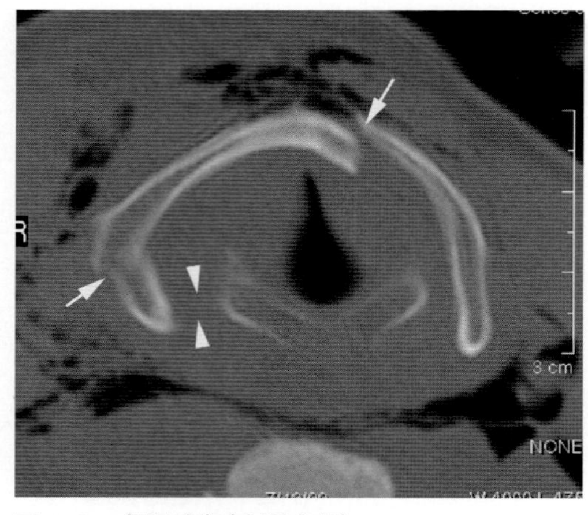

図 112　喉頭外傷（交通事故）

骨条件 CT において甲状軟骨に複数箇所の骨折（矢印）を認め，右甲状軟骨側板が左側板の下に入り込んでいる．右輪状甲状関節の脱臼（矢頭）あり．頸部軟部組織の気腫性変化を伴う．

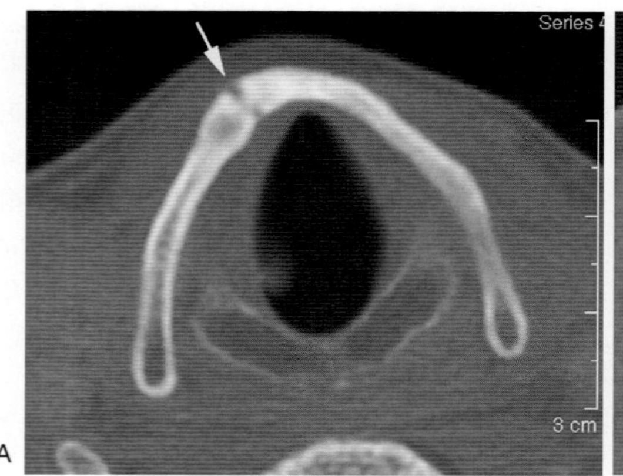

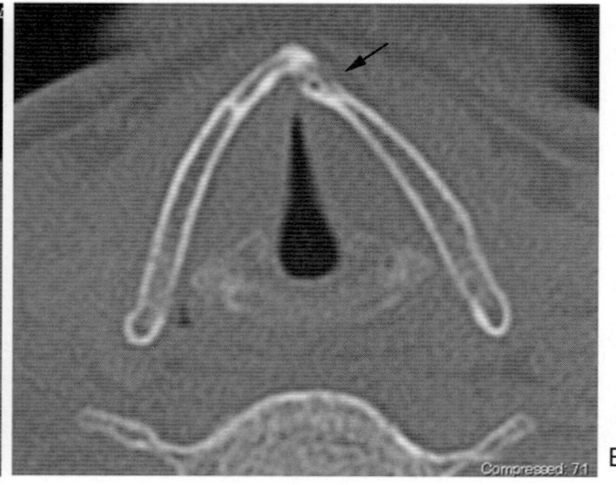

図 113　陳旧性喉頭外傷（外傷機転不明）

前頸部腫瘤の疑いで撮像された CT 横断像骨条件表示（A）において，甲状軟骨右側板前方に骨折線（矢印）を認め，硬化性変化とともに仮骨形成がみられる．陳旧性骨折に一致する．

別症例（B）でも同様にして，甲状軟骨左側板前方に陳旧性骨折による仮骨形成（矢印）を認める．

進行するが，基本的には硝子軟骨である甲状軟骨，輪状軟骨，（声帯突起を除く）披裂軟骨に生じ，弾性軟骨である喉頭蓋軟骨，楔状軟骨，角状軟骨，披裂軟骨声帯突起の骨化はまれである．甲状軟骨の骨化は 18〜20 歳で後下縁，下角から始まり，上角，上縁が続き，65 歳までにほぼ全体に及ぶ．輪状軟骨は後方の板部上縁から始まり前弓など全体に広がるが，甲状軟骨より骨化の程度は弱い．甲状軟骨，輪状軟骨ともに，女性の骨化は男性よりも軽度である[188]．

甲状軟骨骨折は骨折線の方向から垂直骨折，水平骨折と両者の混合型に分けられる．主に垂直骨折は成人，水平骨折は小児に生じやすい．垂直骨折は骨折線とスキャン面が直行する CT 横断像で比較的容易に診断されるが，水平骨折ではスキャン面と平行の骨折線であり見落とす危険性がある．同様に舌骨骨折も横断像のみでは見落としの危険性がある．甲状軟骨の垂直骨折は，喉頭がハンドル外傷のように前方から椎体に向けて押し付けられた場合に片側傍正中に生じるのが典型的である[175]．垂直骨折では一側の甲状軟骨側板が対側側板の下に入り込む場合があり（図 112），気道への影響が大きい．慢性期には，骨折部の仮骨形成による限局性膨隆性変化を示し，臨床医により頸部腫瘤と診断される例がある（図 113）．水平骨折は古典的には頸部の絞扼で生じ，典型的には甲状軟骨上縁，上角を侵すが[175]，声門上喉頭の軟部組織損傷，喉頭蓋損傷（裂傷や脱臼）を伴う場合があり注意を要する．気道閉塞症状はその程度，骨片の気道内偏位の有無などによる．甲状軟骨上角や舌骨の骨折の診断は，副骨の存在や舌骨の体部・大角の軟骨結合の癒合不全などの正常変異により困難な場合も多く[189]，症状，病歴などとの対比が必要である．一般に境界が鮮明な場合は骨折で，鈍的，円弧状の場合は副骨を示す．

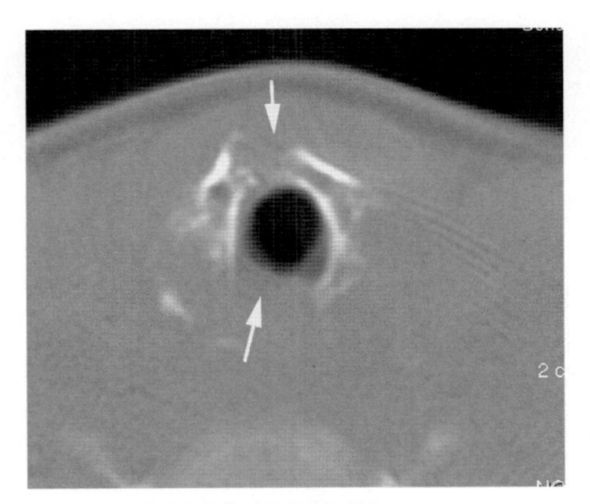

図 114 喉頭外傷（交通事故）
輪状軟骨前弓および板部に骨折（矢印）を認める．輪状軟骨内部の軟部組織肥厚がみられる．

輪状軟骨は唯一，喉頭気道腔全周を囲む輪状の軟骨であり，輪状軟骨骨折（図 114，115）はほと

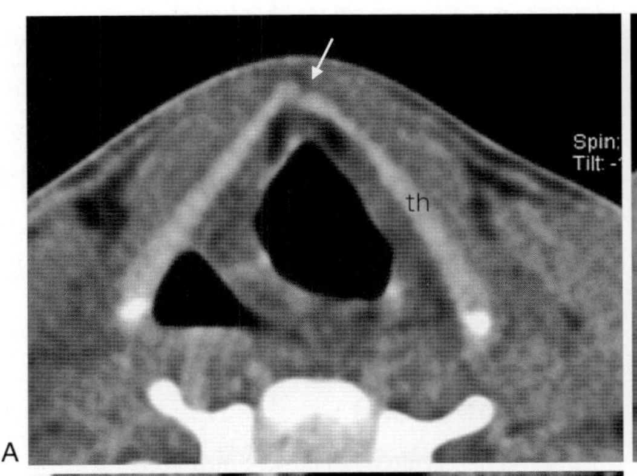

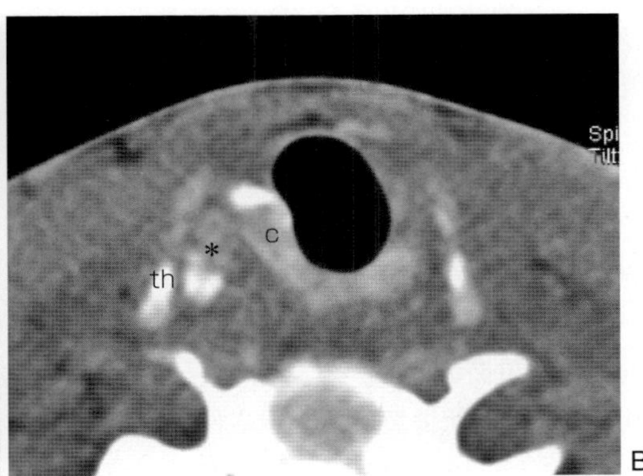

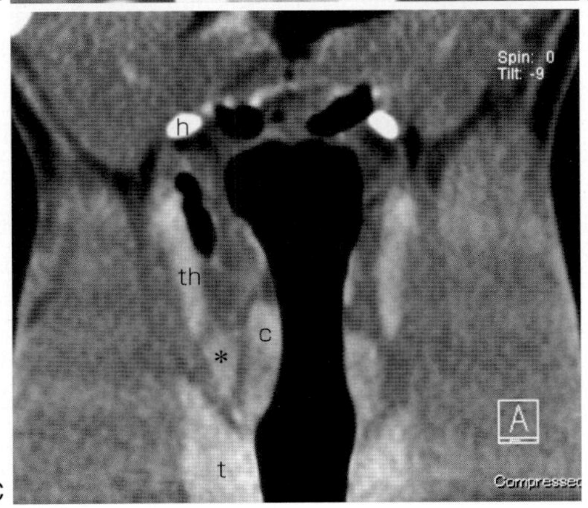

図 115 甲状軟骨および輪状軟骨の骨折
声門上喉頭レベルでの CT 横断像（A）．骨化の乏しい甲状軟骨左側板（th）前縁に，淡い線状透亮所見（矢印）として，偏位を伴わない骨折を認める．声門下レベル（B）で輪状軟骨（c）右側方での骨折を認め，一部で同骨片（＊）は甲状軟骨右側板（th）との間に偏位，介在する．喉頭レベルでの冠状断像（C）．偏位を伴う輪状軟骨の骨片（＊）により輪状軟骨右側方（c）は内側に圧排される．h：舌骨，t：甲状腺，th：甲状軟骨側板

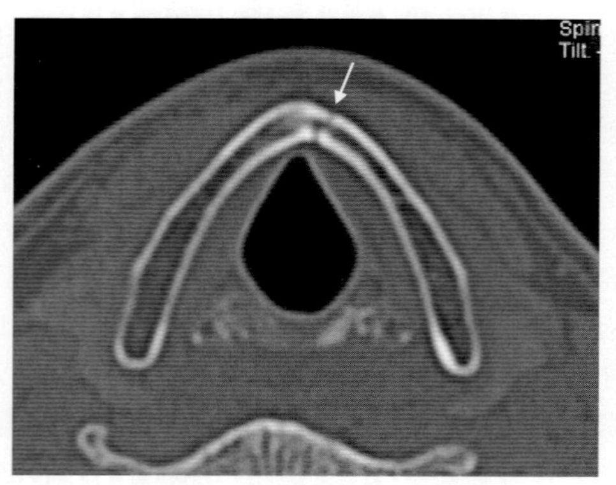

図 116　偏位を伴わない甲状軟骨骨折
喉頭レベルの CT 横断像骨条件表示において，甲状軟骨前方左傍正中で偏位を伴わない骨折線（矢印）を認める．

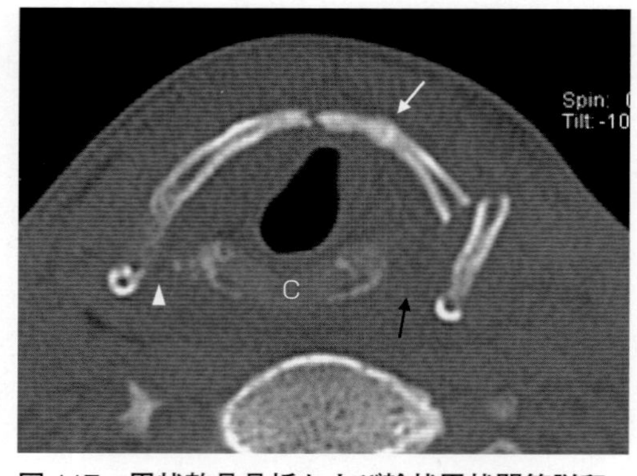

図 117　甲状軟骨骨折および輪状甲状関節脱臼
空手で前頸部を殴られて受傷．甲状軟骨の前接合部および左側板の骨折を認める．後者は骨片の偏位を伴うとともに，甲状軟骨左側板後縁と輪状軟骨（c）との間の開大（黒矢印）を認め，輪状甲状関節離開が示唆される．これに対して，健側での輪状軟骨と甲状軟骨側板後縁は近接（矢頭）する．甲状軟骨左側板前方部分には仮骨を伴う陳旧性骨折による限局性硬化，膨隆所見（白矢印）を認める．反復する外傷歴を示す．

んどの例で両側性複数箇所の骨折を示す．通常，外科的介入を要する．輪状軟骨単独の骨折は極めてまれである[190]．輪状軟骨骨折例の 50％以上で部分的あるいは完全喉頭気管分離を伴うとされ，気管破裂は典型的には第 1 気管輪レベルで生じる[184]．粘膜裂傷に伴う軟骨露出も最大 50％で認めるとされる[24]．後方板部（lamina）の骨折の頻度が高い．前方の骨折片が声門下気道腔内に偏位した際，気道閉塞に注意する必要がある．

b. 喉頭軟骨関節の脱臼

関節の脱臼は輪状披裂関節，重症例では輪状甲状関節を侵す（図 111，112，117，118）．輪状披裂関節の脱臼は軽症の喉頭外傷でも認められ，披裂軟骨の前方偏位を認めるのが通常であるが軽度の偏位では CT での指摘，反回神経損傷による声帯麻痺との区別は困難である．約 50％が両側性とされ，気管内挿管での医原性損傷が最も多い．披裂軟骨の声帯突起は前下方あるいは頭側に傾斜，体部は回旋を示す[175]．診断には内視鏡所見との対比が重要である．輪状甲状関節脱臼例では通常，甲状軟骨，輪状軟骨あるいは両者の骨折を伴う例がほとんどである（図 111，112，117）．CT 上では甲状軟骨下角と輪状軟骨後側面との距離（crico-thyroid distance）の非対称性拡大（図 117）などとして認められるが，同所見は偽陽性が多いことが問題となる．甲状軟骨下角と輪状軟骨との間（crico-thyroid space）に介在する軟部組織気腫（空気濃度）は（crico-thyroid distance の増大の有無にかかわらず）輪状甲状関節脱臼を示す（図 118，119）．反回神経が輪状甲状関節関節後方を近接して通過，喉頭内に進入することより，同関節の脱臼例では反回神経損傷を生じる場合が多い（図 118）．

c. 軟部組織損傷

CT 上，軟部組織内に異常ガス像をみた場合，喉頭鏡により粘膜損傷の有無を確認する必要がある（図 111，112，118）．既述のとおり，CT 上は，（粘膜損傷部位の同定にかかわらず）傍声帯間隙など，粘膜下組織の空気（軟部組織気腫）を認めれば粘膜裂傷が診断されるが[184]，軟部組織気腫の発現頻度は高くなく[176]，同所見を認めない場合に粘膜裂傷を否定してはならない．ときに周囲軟部組織腫脹（図 120）が間接所見として重要となる．その他の変化としては出血などによる隣接軟部組織の腫脹（図 120）が重要で，通常骨折などの変化とともにみられるが単独にも生じうる．声門上，

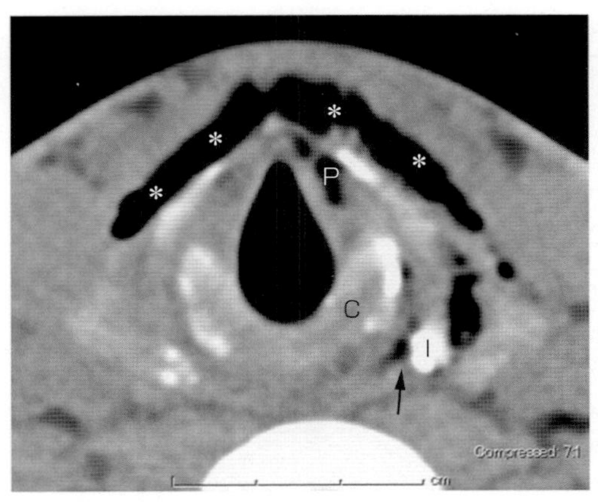

図 118　喉頭外傷
喉頭レベル CT 軟部濃度条件表示．喉頭周囲軟部組織気腫(*)を認め，粘膜損傷を示唆する．左声帯下面の傍声帯間隙(P)にも気腫あり．後方では輪状甲状関節を形成する，輪状軟骨(C)と甲状軟骨左下角(I)との間に介在する空気(矢印)を認める．本例は，(同関節後方に隣接して通過する)左反回神経麻痺を示した．

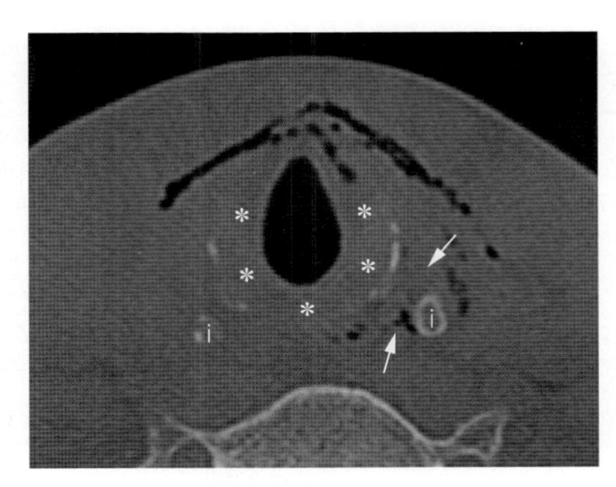

図 119　輪状甲状関節脱臼
輪状軟骨レベル CT において，喉頭周囲の軟部組織気腫を認める．輪状軟骨(*)と甲状軟骨下角(i)との間は左でやや開大がみられ，同部に軟部組織気腫の進入あり．輪状甲状関節脱臼を反映する．

声門下部に多いとされる．

4 反回神経麻痺・声帯麻痺

反回神経麻痺の画像診断(表 15：p542)においては，①喉頭において反回神経麻痺に類似の声帯運動障害をきたす喉頭病変(主に喉頭癌)の否定，②反回神経麻痺を反映する喉頭および周囲所見の確認，③脳幹から喉頭に至る反回神経の全走行経路においての器質的異常の評価が必要となる．

反回神経自体の経路の長さ(後述)より，左側に多く(左側：右側＝4：1)，症状として嗄声，声質低下・変化，喉頭易疲労感，息切れ，窒息(両側性の場合)などを訴えるが，最大 40%が無症状である[191]．

原因[192～194]は，特発性が 13%，外傷性が 32%で術後が多く，甲状腺手術，特に拡大甲状腺摘出術や複数回の手術が最も多い．その他，気管内挿管，胸部手術，食道手術，頸動脈内膜剝離術，前方からの頸椎手術の他，放射線治療後などが含まれる．腫瘍性が 30%で，甲状腺腫瘍，食道，肺，縦隔の悪性腫瘍の他，頸部・縦隔リンパ節転移などが含まれる．気管内挿管による反回神経麻痺のリスクは 50 歳以上で約 3 倍，挿管時間が 3 時間を超えると約 2 倍，6 時間を超えると 15 倍となり，糖尿病や高血圧の基礎疾患では約 2 倍になる[195]．

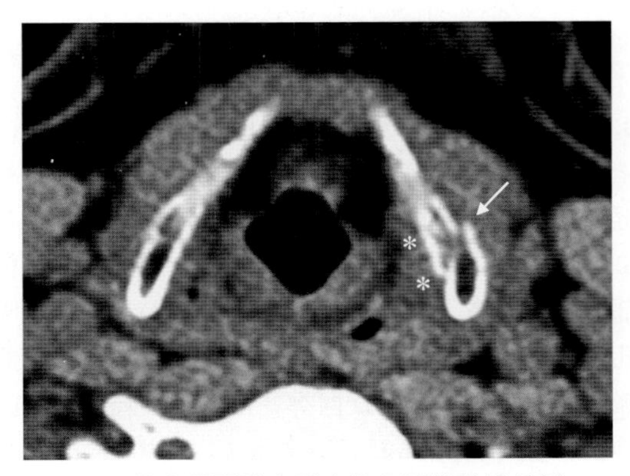

図 120　傍声帯間隙血腫を伴う甲状軟骨骨折
仮声帯レベルでの CT 横断像．甲状軟骨左側板後方で骨折(矢印)を認める．深部で骨折線に隣接する傍声帯間隙後方 2 分の 1 で軟骨に沿った軟部組織肥厚(*)あり．

心大血管病変を原因とする反回神経麻痺を Ortner's syndrome (cardiovocal syndrome) と称し，僧帽弁狭窄，大動脈瘤，僧帽弁閉鎖不全，心房粘液腫，左房動脈瘤，肺性心などが原因となる．1897 年に Ortner により最初の記述がなされたものである[196]．

表15　反回神経麻痺での画像評価項目

評価項目	代表的病態・疾患および所見	
喉頭病変*の否定	喉頭癌，輪状披裂関節の脱臼	
反回神経麻痺の喉頭所見の確認	患側声帯筋萎縮(声帯の菲薄化，脂肪浸潤による濃度低下) 患側披裂軟骨の前内側への偏位 患側喉頭室(および梨状窩)の拡大	
脳幹から喉頭に至る反回神経の全経路における器質的異常の有無の評価	脳幹	出血，梗塞，脱髄性疾患，腫瘍(転移)など
	頸静脈孔	転移，下位脳神経腫瘍，paraganglioma (glomus jugulare)，髄膜腫
	頸動脈鞘	リンパ節病変(転移・悪性リンパ腫)：レベルⅡ/Ⅲ/Ⅳ 神経原性腫瘍(主にCN10，交感神経)
	大動脈弓周囲 AP window 右鎖骨下動脈周囲	大動脈瘤** 心拡大(主に左房)** リンパ節病変(転移・悪性リンパ腫)：縦隔，右鎖骨上リンパ節 縦隔腫瘍・肺癌
	気管食道溝	リンパ節病変(転移・悪性リンパ腫)：レベルⅥ/Ⅶ 甲状腺病変(腫瘍，甲状腺腫) 食道癌
	喉頭	既述

*臨床的に反回神経麻痺に類似する声帯可動制限を伴う喉頭の器質的病変
** Cardiovocal syndrome (Ortner's syndrome)

a. 反回神経・迷走神経(CN10)の解剖(図121)

迷走神経は，頸部から胸部，腹部に至る，脳神経で最も長い経路を有しており，運動枝と感覚枝よりなる．神経核は延髄に位置し，迷走神経脳槽部は延髄側方より出て頸静脈孔に向かう．頸静脈孔を介して頭蓋外に出た後，頸動脈鞘内で頸動静脈の間を下行する．反回神経は咽頭神経，上喉頭神経に次いで頸部で分岐する3本目の枝で，(発生学上の理由により)左右異なる経路をとる．右反回神経は鎖骨下動脈前方で分岐，鎖骨下動脈下面を反回し，気管食道溝に沿って上行する．左反回神経は，大動脈弓レベルで迷走神経より分岐，弓下面を反回し，気管食道溝に沿って上行する．右反回神経の長さ(右鎖骨下動脈下面・腕頭動脈分岐部レベルから輪状甲状関節まで)は平均5〜6 cmであるのに対して，左反回神経の長さ(大動脈弓から輪状甲状関節まで)は平均12 cmと長く，縦郭内走行路が多くを占める[197]．下咽頭収縮筋下縁でその深部，輪状甲状関節後方を通過して，(下甲状腺動脈の枝である)下喉頭動脈とともに喉頭内に進入，内喉頭筋を支配する．

b. 反回神経麻痺の喉頭領域の画像所見(図122)

反回神経麻痺例での患側声帯の位置は，典型的には傍正中部(正中から0〜1.5 mm)から中間位(正中から1.5〜2.5 mm)の固定が多く，迷走神経麻痺の場合は中間位から外側位(正中から2.5 mm以上)の場合が多いとされるが，実際にはさまざまである．

主に声帯の外転を担う内喉頭筋である後輪状披裂筋の麻痺に伴って，患側披裂軟骨は前内側への偏位，声帯後方の内側への偏位(膨隆)(図122)を示す場合が多いが，これらも一定した所見とはいえない．ある程度長期にわたる反回神経麻痺では声帯筋(内側甲状披裂筋)の萎縮により，CT上で声帯の(軟部濃度から脂肪濃度への)濃度低下(図123)，容積減少，二次性の喉頭室拡大などを認める．患側梨状窩の拡大や披裂喉頭蓋ひだの肥厚と内側偏位(図124)を示す場合もあるが，これも一定した所見ではない．披裂軟骨の前内側偏位，声帯後方部分の内側偏位とともに喉頭室拡大を示す場合，気道は船の帆の形状を示す(sailサイン)(図122B)．

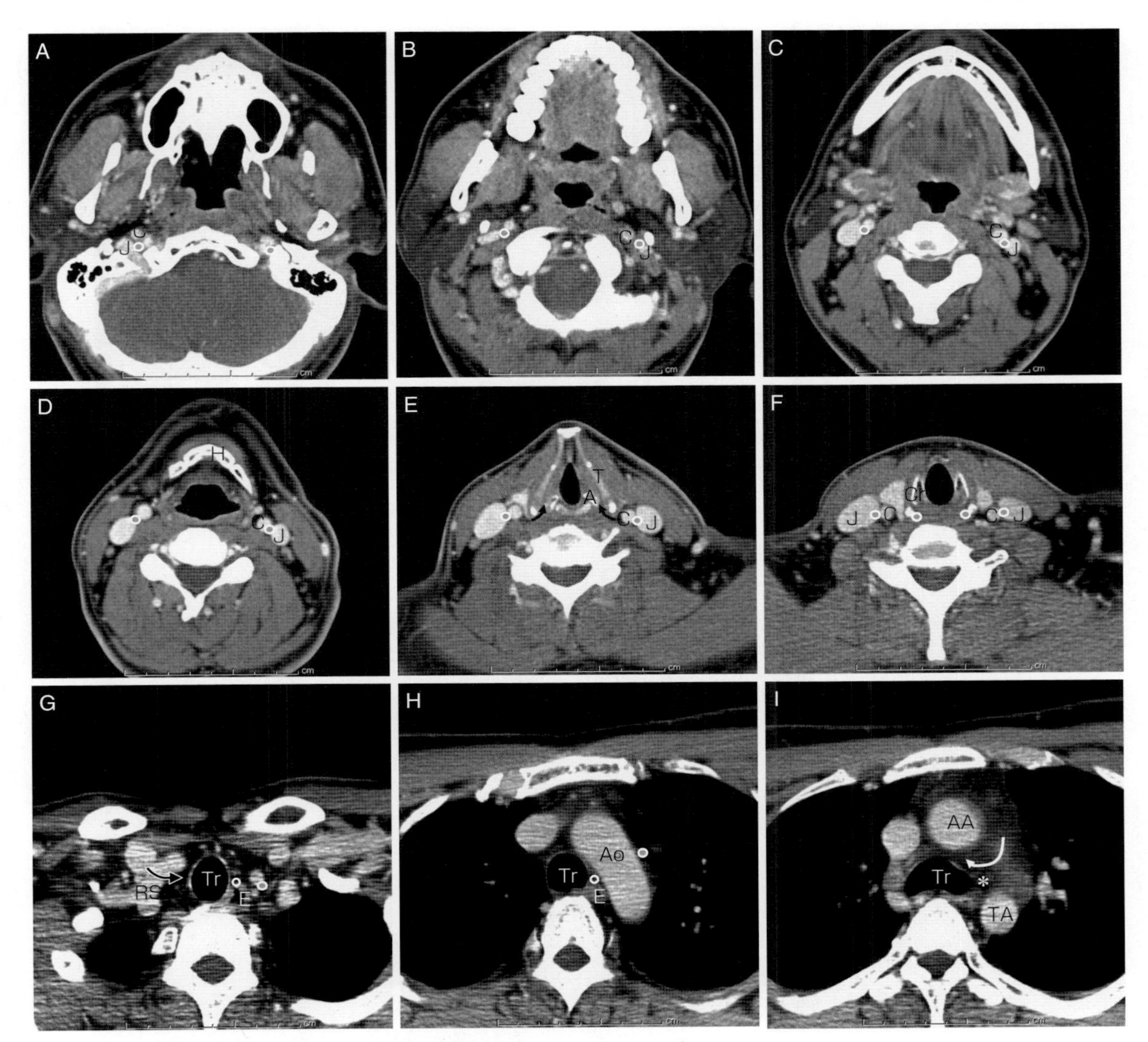

図 121　迷走神経・反回神経の画像解剖（横断画像上での走行経路）

頭側より頸静脈孔レベル(A)，中咽頭上部レベル(B)，中咽頭下部レベル(C)，舌骨・声門上喉頭レベル(D)，声門レベル(E)，声門下喉頭レベル(F)，胸郭入口部レベル(G)，大動脈弓部レベル(H)，AP window レベル(I)の造影 CT．迷走神経(●)，反回神経(○)

A：披裂軟骨，AA：上行大動脈，Ao：大動脈弓，C：頸動脈，Cr：輪状軟骨，E：食道，H：舌骨，J：内頸静脈，RS：右鎖骨下動脈，T：甲状軟骨，TA：胸部大動脈，Tr：気管

矢印：図 E では反回神経の喉頭への進入，図 G では右反回神経の鎖骨下動脈下面の反回走行，図 I では左反回神経の大動脈弓下面，AP window(＊)の反回走行を示す．

c. 画像診断

反回神経麻痺症例では脳幹から喉頭に至る反回神経全経路の評価が必要となる．以下，各領域での代表的病変につき，解説する．

1）脳幹（延髄）および脳槽部

主に MRI で評価される．出血，虚血，脱髄疾患，腫瘍などによる．

2）頸静脈孔

髄膜腫(図 125)，転移(図 126)，傍神経節腫瘍，神経原性腫瘍，リンパ腫(図 127)などによる．

3）頸動脈鞘

頸静脈リンパ節病変(主に転移)(図 128)の他，頸動脈瘤，頸動脈内膜剝離術などが要因となる．

4）AP window（大動脈肺動脈窓）

大動脈下リンパ節病変(転移：図 129)，肺癌の

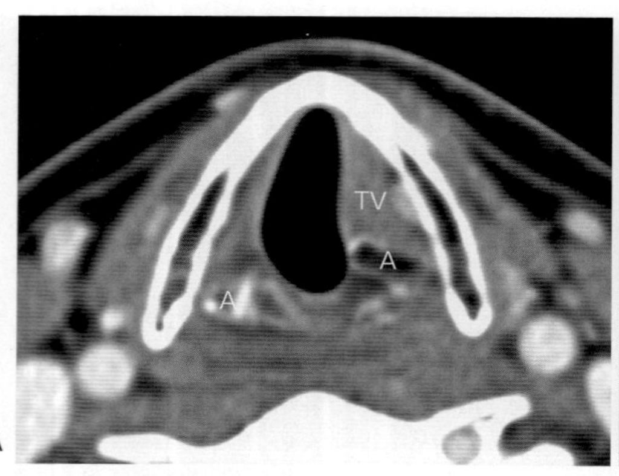

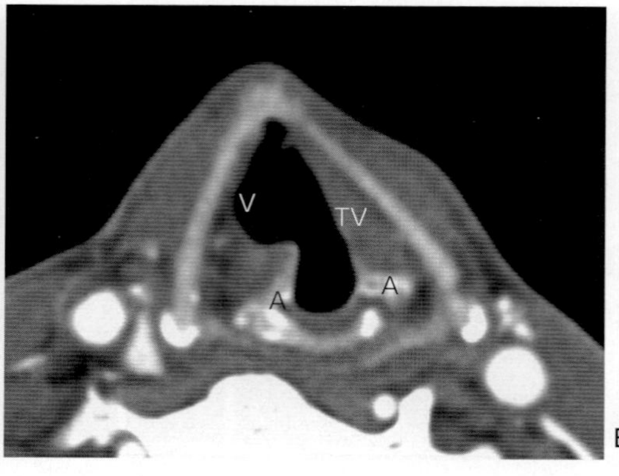

図 122　反回神経麻痺
左反回神経麻痺症例の声門レベル造影 CT(A)．披裂軟骨(A)は患側で前内側への偏位を示す．声帯筋は軟部濃度が維持されており，明らかな萎縮は認められない．右反回神経麻痺症例(B)では，右声帯筋(対側で TV で示す)の萎縮，二次性の喉頭室(V)拡大を認め，披裂軟骨(A)は患側で軽度の前内側偏位，声帯後方の内側への膨隆を示す．結果として気道は船の帆様の形状として認められる(sail サイン)．

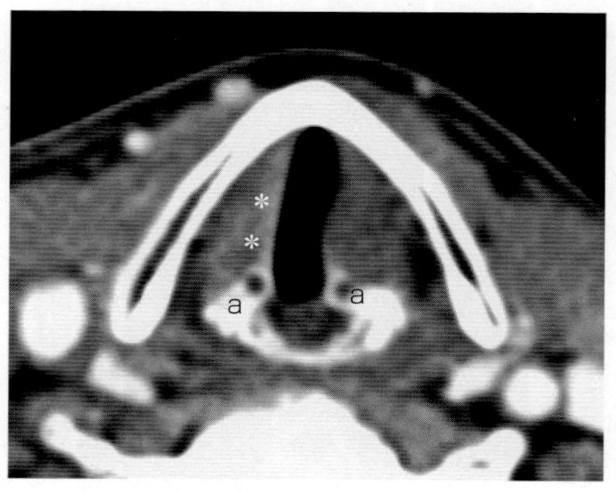

図 123　左声帯麻痺
声門レベル造影 CT において，披裂軟骨(a)は左側でやや内側前方へ偏位し，声帯(右側で＊で示す)は左側で濃度低下を示している．左反回神経麻痺による変化に一致する．

直接浸潤(図 130)，縦隔腫瘍，大動脈弓部の大動脈瘤(図 131)，左心房病変などが原因となる．既述のとおり，心大血管病変を原因とする反回神経麻痺は Ortner's syndrome(cardiovocal syndrome)と呼ばれる．

5）気管食道溝

主にレベルⅥ，Ⅶ(縦隔)リンパ節病変(転移，図 132)，食道癌(図 133)，甲状腺腫瘍(必ずしも癌でなくても生じうる，図 134)の浸潤・圧排などが主な要因となる．ちなみに甲状腺乳頭癌による反回神経浸潤は予後への強い影響はないとされ[198]，反回神経温存は予後不良因子とはならない[199]．このため無理な反回神経切除は，予後の著しい改善なく QOL の低下を招くことになり回避が望ましい．

6）原因となる器質的病変なし

画像上，既述の反回神経走行経路に相当する各領域に原因となる明らかな器質的異常を認めない場合，迷走神経近位(脳幹～頸静脈直下レベル)障害と末梢反回神経障害とのいずれかを(可能であれば)区別する．前者では反回神経とともに咽頭神経叢による咽頭運動枝も障害を受けるため，患

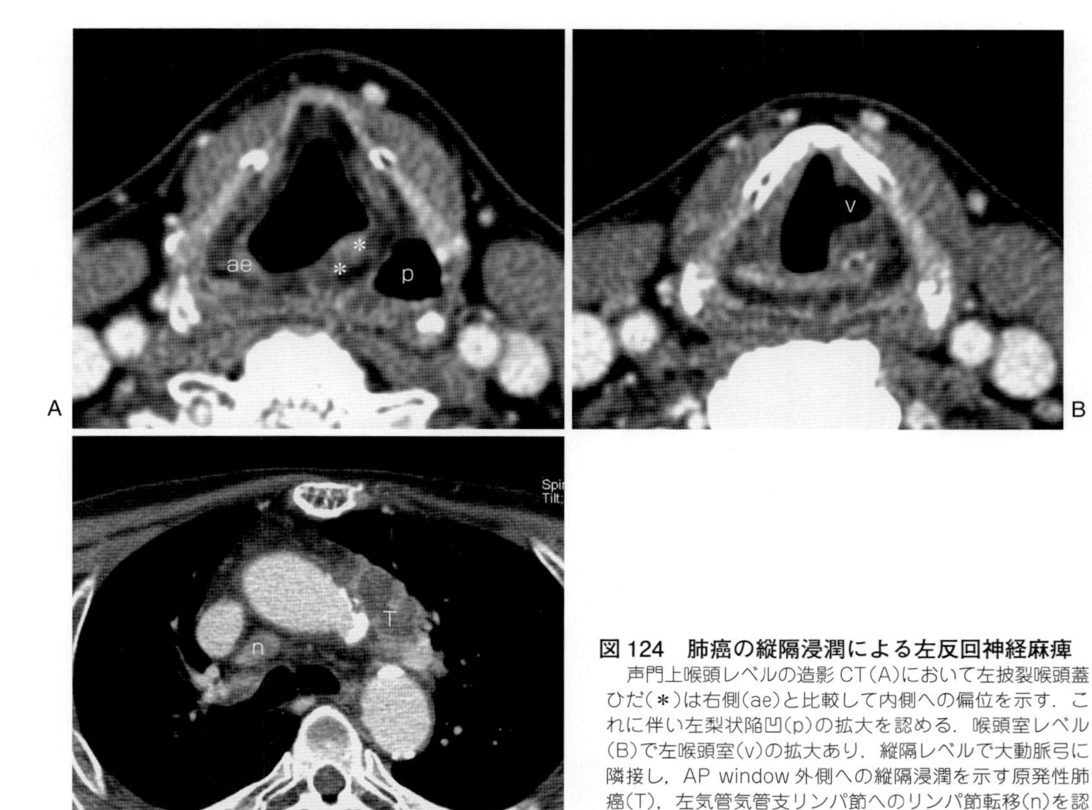

図 124　肺癌の縦隔浸潤による左反回神経麻痺
　声門上喉頭レベルの造影 CT（A）において左披裂喉頭蓋ひだ（＊）は右側（ae）と比較して内側への偏位を示す．これに伴い左梨状陥凹（p）の拡大を認める．喉頭室レベル（B）で左喉頭室（v）の拡大あり．縦隔レベルで大動脈弓に隣接し，AP window 外側への縦隔浸潤を示す原発性肺癌（T），左気管気管支リンパ節へのリンパ節転移（n）を認める．

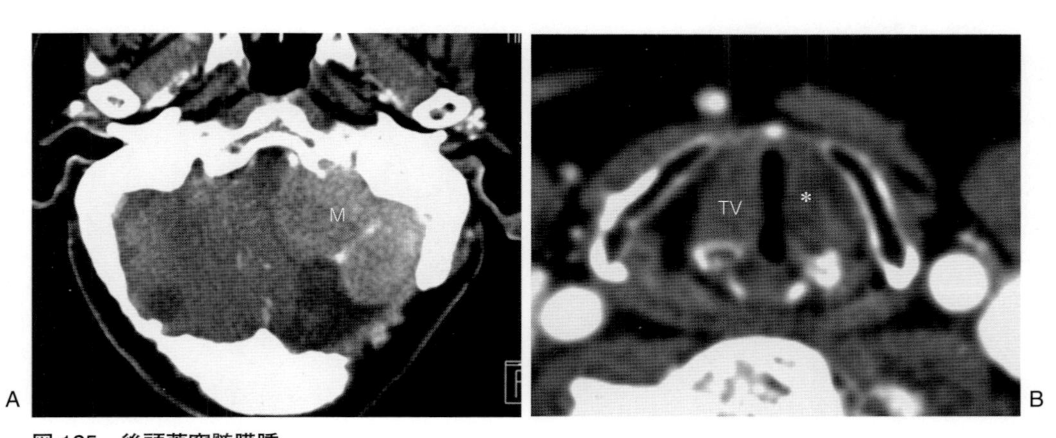

図 125　後頭蓋窩髄膜腫
　後頭蓋窩レベル造影 CT（A）において，後頭蓋窩左側を中心として，ほぼ均一な増強効果を示す実質外腫瘤を認め，髄膜腫（M）に一致する．喉頭レベル（B）で左声帯（＊）の濃度低下を認め，萎縮による脂肪浸潤を反映する．
TV：健側の声帯

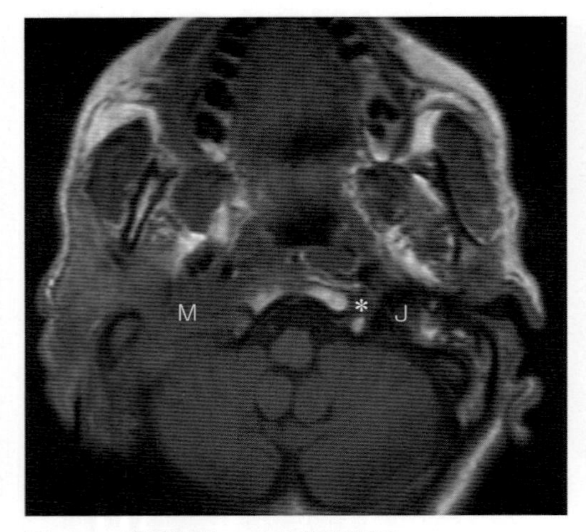

図 126　頸静脈孔への転移性腫瘍

肺癌症例．MRI T1 強調像で右側の頸静脈孔(左側でJで示す)から舌下神経管(左側で＊で示す)領域の一部にかけて，頭蓋底転移(M)を認める．右側の反回神経，舌下神経を含め，下位脳神経障害を認める．

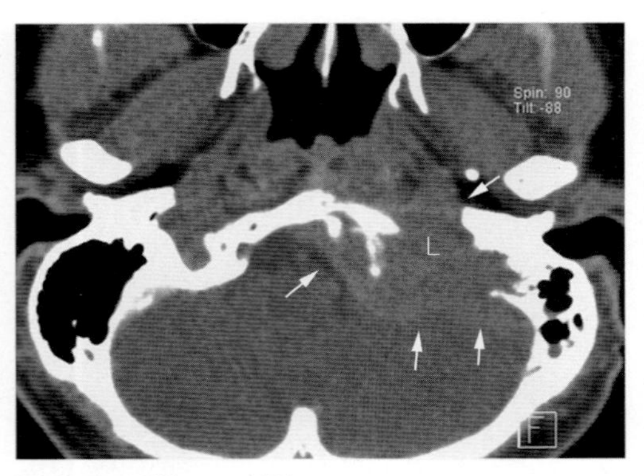

図 127　悪性リンパ腫

後頭蓋窩レベル CT において，左頸静脈孔領域を含めて，後頭蓋底左側を中心に骨内・外にわたる軟部濃度腫瘤(L：矢印)を認める．左反回神経麻痺を訴える．

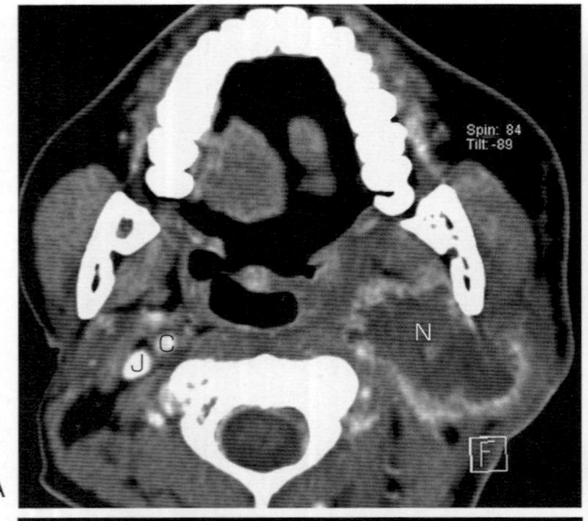

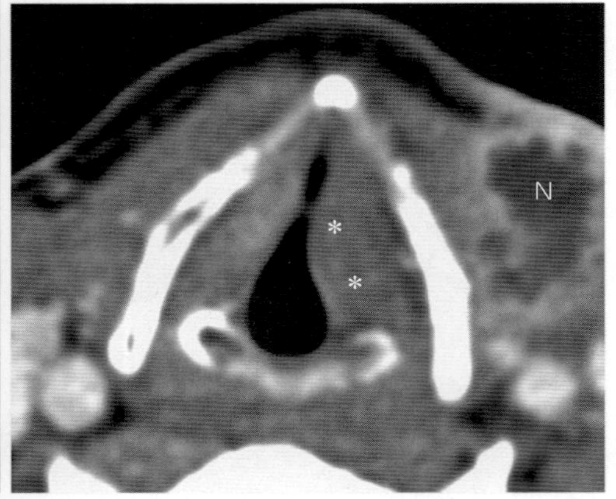

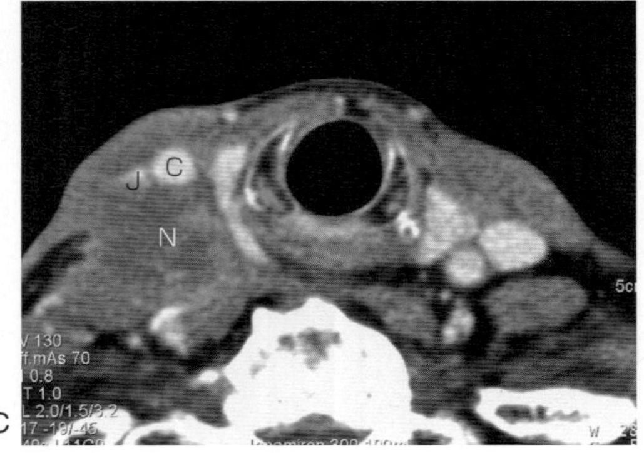

図 128　頸部再発・転移 2 例

舌癌頸部再発例の中咽頭レベルの造影 CT(A)で，左レベルⅡ領域を中心とした壊死性腫瘤(N)を認める．喉頭レベル(B)で左声帯(＊)は軽度の濃度低下を示す．左レベルⅢにも頸部病変(N)を認める．右反回神経麻痺を伴う下咽頭癌の頸部転移例の造影 CT(C)で，右レベルⅢに節外進展を伴う頸部転移(N)を認める．C：総頸動脈，J：内頸静脈

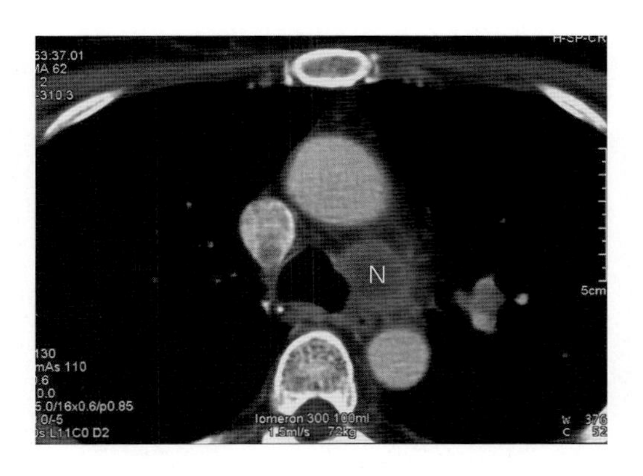

図 129 肺癌の大動脈下リンパ節転移
縦隔レベルの造影 CT．AP window 内にリンパ節腫瘤(N)を認める．

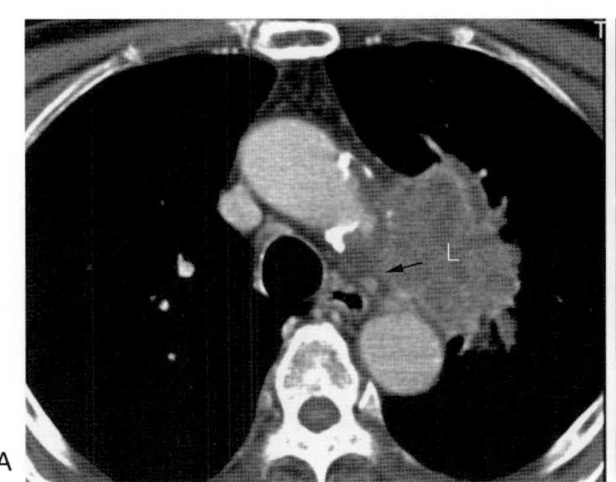

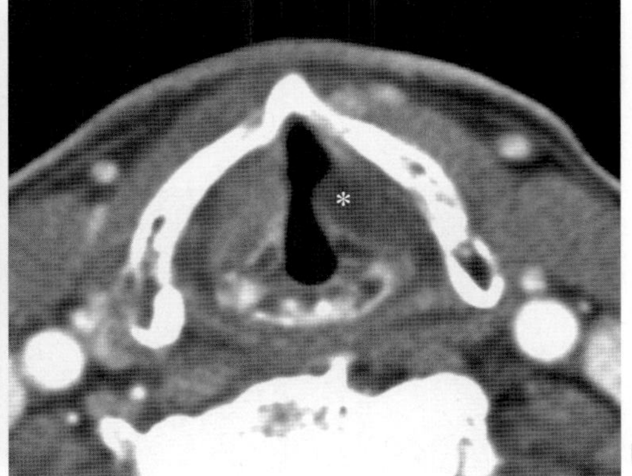

図 130 肺癌の AP window への浸潤
縦隔レベル造影 CT(A)において，左肺門上部を中心に浸潤性腫瘤(L)を認め，縦隔側で AP window への浸潤(矢印)を示す．喉頭レベル(B)で左声帯(＊)は濃度低下を示す．

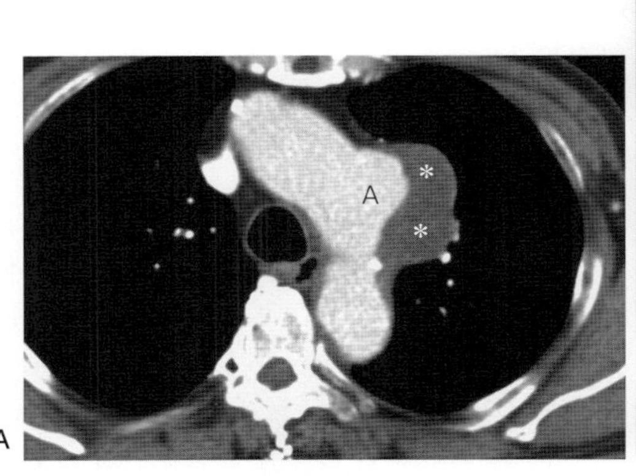

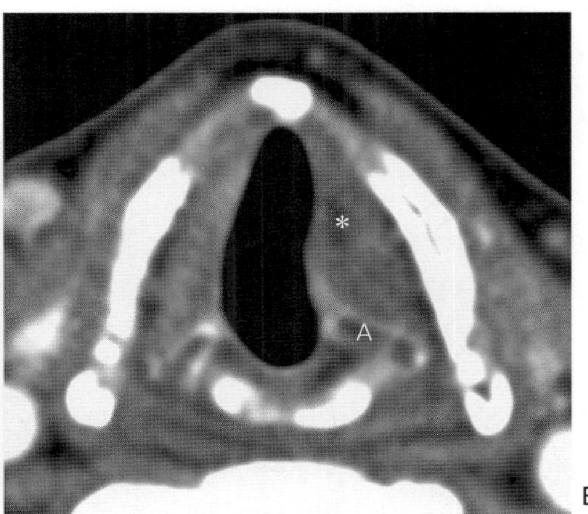

図 131 Ortner's syndrome
縦隔レベル造影 CT(A)で，大動脈弓に壁在血栓(＊)を伴い外側に突出する大動脈瘤(A)を認める．喉頭レベル(B)で左声帯(＊)の濃度低下，左披裂軟骨(A)の内側前方への軽度偏位がみられる．

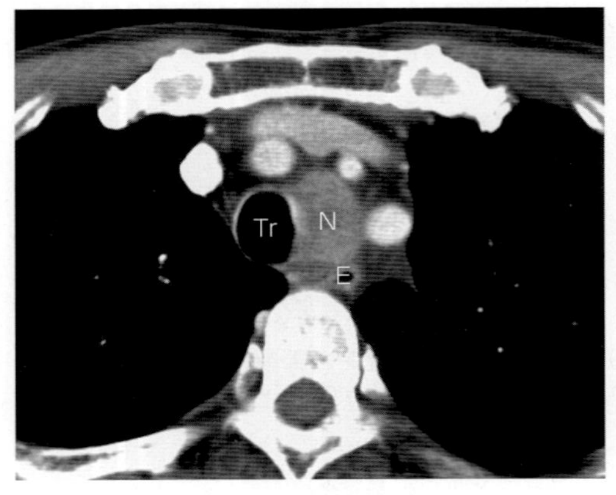

図 132　レベルⅦリンパ節転移
縦隔レベル造影 CT で左気管食道溝に腫瘤(N)を認め，転移リンパ節に一致する．E：食道，Tr：気管

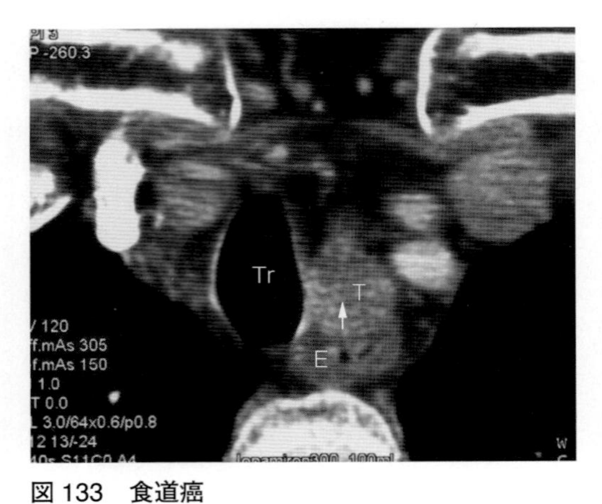

図 133　食道癌
造影 CT．胸部上部食道(E)前壁より前方の気管食道溝に進展(矢印)する腫瘤(T)を認める．恐らくはリンパ節への直接浸潤を示す．

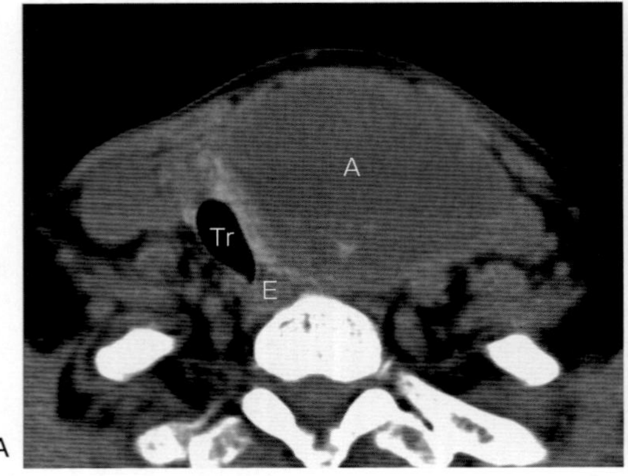

図 134　甲状腺腺腫
頸部下部レベル非造影 CT(A)において，甲状腺左葉に大きな腫瘤(A)を認める．気管(Tr)を対側に圧排する．E：頸部食道．喉頭レベル(B)で，左声帯(＊)の濃度低下，披裂軟骨(A)の内側前方偏位，梨状窩(P)の拡大を認め，左反回神経麻痺による変化を反映する．

側の咽頭収縮筋の萎縮(非薄化)，これによる患側中咽頭側壁の膨隆(outward bowing)，口蓋垂の健側への偏位を示すのが典型的である[197]．

d. 治　療

1）内科的治療

効果は限定的．voice therapy に関しては，単独(声帯の位置などにより適応が図られる)あるいは外科的治療(後述)と組み合わせて施行される．

2）外科的治療

様々な術式があり，一過性と根治目的とに大きく分けられる．声帯に物質を注入し，(萎縮した声帯を)内側に張り出させるものが一般的で，injection laryngoplasty あるいは thyroplasty と呼ばれる．テフロン，シリコンや Gore-tex は CT で高濃度領域として認められ(図 135，136，137A)，声質の良好な改善が得られる．ただし，遅発性炎症性異物反応が問題となり，長期経過観察での発生率は 50％以上と高率である．脂肪組

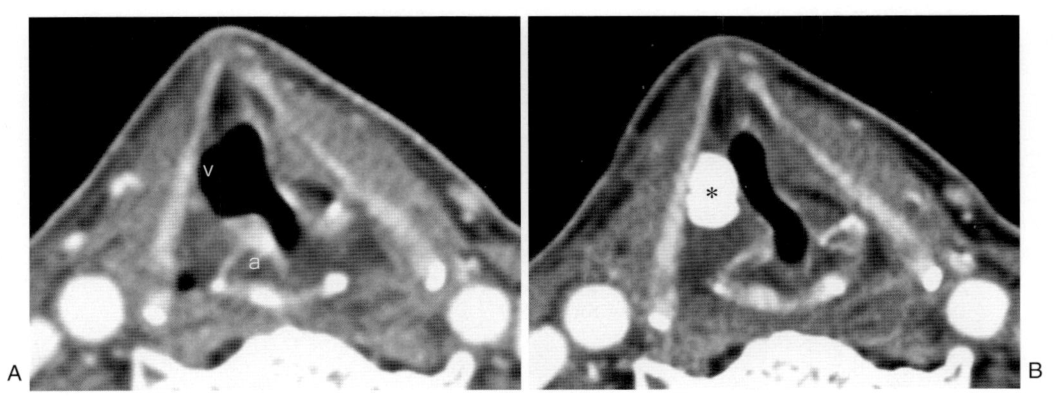

図 135　thyroplasty 施行例

術前の声門レベルでの造影 CT（A）において，右側で喉頭室（v）拡大，披裂軟骨（a）の内側への偏位を認め，右反回神経麻痺による喉頭所見を示す．術後（B）では右声帯粘膜下に高濃度異物（＊）が注入されている．披裂軟骨の位置に明らかな変化は認められない．

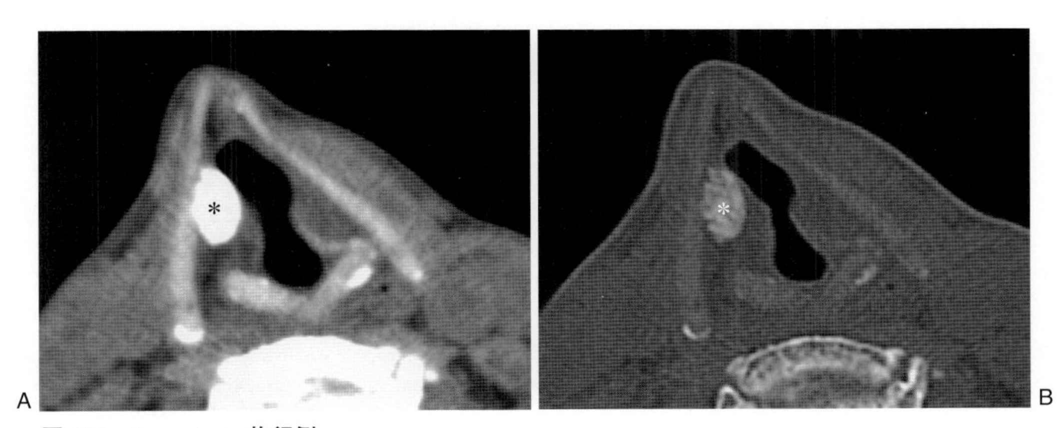

図 136　thyroplasty 施行例

声門レベル非造影 CT（A），同骨条件表示（B）において，左声帯粘膜下に高濃度異物（＊）を認める．

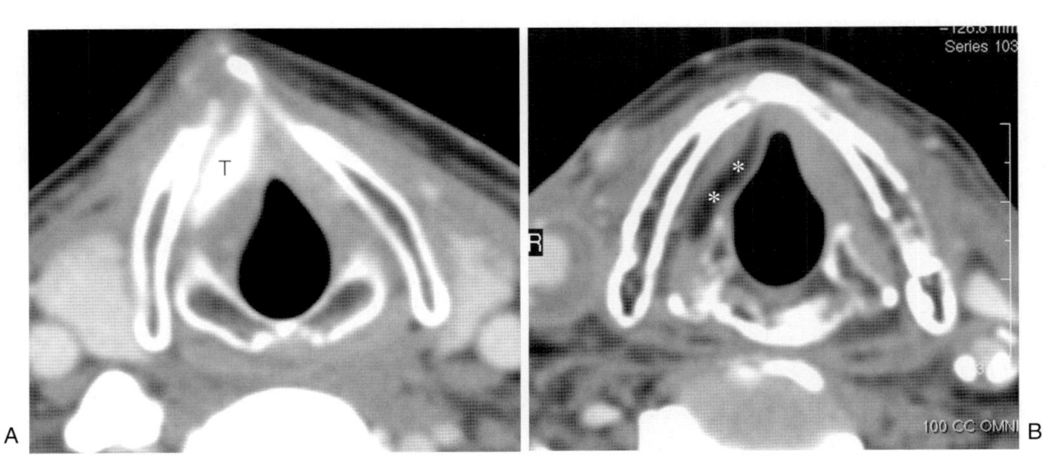

図 137　injection laryngoplasty

声帯下面レベル造影 CT（A）で，右側声帯粘膜下に注入された teflon が高濃度域（T）として描出される．別症例（B）では，脂肪の自家移植が粘膜下低濃度域（＊）として認められる．

表16　Isshikiによる喉頭形成術術式分類

分類	術式
Type Ⅰ	medialization
Type Ⅱ	lateralization
Type Ⅲ	relaxation thyroplasty
Type Ⅳ	tension thyroplasty
	arytenoid adduction procedure

(Isshiki N : Phonosurgery-theory and practice, Springer, Heidelberg Berlin New York, 1989)

表17　European Laryngological Society，Phonosurgery committeeによる喉頭形成術術式分類

分類	術式
approximation laryngoplasty	medializatin thyroplasty (thyroplasty type Ⅰ)
	arytenoid adduction
expansion laryngoplasty	lateralization thyroplasty (thyroplasty type Ⅱ)
	vocal fold abduction
relaxation laryngoplasty	shortening thyroplasty (thyroplasty type Ⅲ)
tensioning laryngoplasty	cricothyroid approximation (thyroplasty type Ⅳa)
	elongation thyroplasty (thyroplasty type Ⅳb)

(Friedrich G et al : Aur Arch Otorhinolaryngol **258** : 389-396, 2001)

織の自家移植(図137B)は迅速で安全，安価な手技で，合併症もまれであるが，その後の組織吸収などにより，声質改善の長期予測が困難とされる．

声質改善を目的とする喉頭形成術(thyroplasty・laryngeal framework surgery)の分類を表16[200)]，17[201)]に示す．

以上，喉頭の解剖，喉頭癌ならびに，その他の重要な病態に加えて，反回神経麻痺の画像評価について解説した．各々の病態において画像所見が画像診断医に与えてくれる情報は病態の把握，治療計画，予後判定に直結する重要なものである．画像診断医がこれらの情報を正しく評価，把握し，臨床医に正しく伝える責任は重大である．

■参考文献

1) Galline J, Marsot-Dupuch K, Bigel P et al : Bilateral dystrophic ossification of the thyroid cartilage appearing as symmetrical laryngeal masses. Am J Neuroradiol **26** : 1339-1341, 2005
2) Mancuso AA：Evaluation and staging of laryngeal and hypopharyngeal cancer by computed tomography and magnetic resonance imaging. Laryngeal Cancer, Silver CE (ed), Thieme Medical Publishers, New York, 1991
3) Amin MB, Edge SB, Brookland RK et al (eds)：AJCC Cancer Staging Manual (8th ed), Springer, New York, 2017
4) 日本頭頸部癌学会(編)：頭頸部癌取扱い規約第6版補訂版，金原出版，東京，2019
5) Becker M, Zbaren P, Laeng H：Neoplastic invasion of the laryngeal cartilage：Comparison of MR imaging and CT with histopathologic correlation. Radiology **194**：661-669, 1995
6) Castelijins JA, Gerritsen GJ, Kaiser MC et al：Invasion of laryngeal cartilage by cancer：Comparison of CT and MR imaging. Radiology **167**：199-206, 1988
7) Vogl TJ, Steger W, Grevers G et al：MRI with GdDTPA in tumors of larynx and hypopharynx. Eur Radiol **1**：58-64, 1991

8) Kallmes DF, Phillips CD：The normal anterior commissure of the glottis. Am J Roentgenol **168**：1317-1319, 1997
9) Becker M：Larynx and hypopharynx：Head and neck imaging. Radiol Clin North Am **36**：891-920, 1998
10) Harnsberger HR：Handbook of Head and Neck Imaging (2nd ed), 1995；多田信平(監訳)：頭頸部画像診断ハンドブック―断層解剖から学ぶ鑑別診断，メディカル・サイエンス・インターナショナル，東京，1998
11) American Cancer Society: Cancer facts & figures 2015. Atlanta：American Cancer Society, 2015
12) Papadas TA, Alexopoulous EC, Mallis A et al : Survival after laryngectomy: a review of 133 patients with laryngeal carcinoma. Eur Arch Otorhinolaryngol **267** : 1095-1101, 2009
13) Devesa SS Jr, Blot WJ, Stone BJ et al : Recent cancer trends in the United States. J Natl Cancer Inst **87** : 175-182, 1995
14) Yilmaz T, Hosal S, Gedikoglu G et al：Prognostic significance of depth of invasion in cancer of the larynx. Laryngoscope **108**：764-768, 1998
15) Sood S, Bradley PJ, Quraishi MS : Second primary tumours in squamous cell carcinoma of the head and neck-incidence, site, location and prevention. Curr Opin Otolaryngol **8** : 87-90, 2002
16) Holland JM, Arsanjani A, Liem BJ et al : Second malignancies in early stage laryngeal carcinoma patients treated with radiotheraphy. J Laryngol Otol **116** : 190-193, 2002
17) Saleh EM, Mancuso AA, Stringer SP：CT of submucosal and occult laryngeal masses. J Comput Assist Tomogr **16**：87-93, 1992
18) Castelijns GA, Becker M, Hermans R：The impact of cartilage invasion on treatment and prognosis of laryngeal cancer. Eur Radiol **6**：156-169, 1996
19) Curtin HD：The importance of imaging demonstration of neoplastic invasion of laryngeal cartilage. Radiology **194**：643-644, 1995
20) Yeager VL, Archer CR：Anatomical routes for cancer invasion of laryngeal cartilages. Laryngoscope **92**：449-452, 1982
21) Harrison DFN：Significance and means by which laryngeal cancer invades thyroid cartilage. Ann Otol Rhinol Laryngol **93**：293-296, 1984
22) Kirchner JA：Invasion of the framework by laryngeal cancer. Acta Otolaryngol **97**：392-397, 1984
23) Schmalfuss IM, Mancuso AA, Tart RP：Arytenoid cartilage sclerosis：Normal variations and clinical significance. Am J Neuroradiol **19**：719-722, 1998
24) Becker M, Leuchter I, Platon A et al：Imaging of laryngeal trauma. Eur J Radiol **83**：142-154, 2014
25) Becker M, Zbaren P, Delavelle J et al：Neoplastic invasion of the laryngeal cartilage：Reassessment of criteria for diagnosis at CT. Radiology **203**：521-532, 1997
26) Sulfaro S, Barzan L, Querin F et al：T-staging of the laryngohypopharyngeal carcinoma：A 7-year multidisciplinary experience. Arch Otolaryngol Head Neck Surg **115**：613-620, 1989
27) Ryu IS, Lee JH, Roh JL et al：Clinical implication of computed tomography findings in patients with locally advanced squamous cell carcinoma of the larynx and hypopharynx. Eur Arch Otorhinolaryngol **272**：2939-2945, 2015
28) Munoz A, Ramos A, Ferrando J et al：Laryngeal carcinoma：Sclerotic appearance of the cricoid and arytenoid cartilage：CT-pathologic correlation. Radiology **189**：433-437, 1993
29) Beitler JJ, Muller S, Grist WJ et al：Prognostic accuracy of computed tomography findings for patients with laryngeal cancer undergoing laryngectomy. J Clin Oncol **28**：2318-2322, 2010
30) Tart RP, Mukherji SK, Lee WR et al：Value of laryngeal cartilage sclerosis as a predictor of outcome in patients with stage T3 glottic cancer treated with radiation therapy. Radiology **192**：567-570, 1994
31) Kats SS, Muller S, Aiken A et al：Laryngeal tumor volume as a predictor for thyroid cartilage. Head Neck **35**：426-430, 2013
32) Kuno H, Onaya H, Iwata R et al：Evaluation of cartilage invasion by laryngeal and hypopharyngeal squamous cell carcinoma with dual-energy CT. Radiology **265**：488-496, 2012
33) Kuno H, Onaya H, Fujii S et al：Primary staging of laryngeal and hypopharyngeal cancer：CT, MR imaging and dual-energy CT. Eur J Radiol **83**：e23-e35, 2014
34) Kuno H, Sakamaki K, Fujii S et al：Comparison of MR imaging and dual-energy CT for the evaluation of cartilage invasion by laryngeal and hypopharyngeal squamous cell carcinoma. AJNR Am J Neuroradiol **39**：524-531, 2018
35) Dankbaar JW, Oosterbroek J, Jager EA et al：Detection of cartilage invasion in laryngeal carcinoma with dynamic contrast-enhanced CT. Laryngoscope Investig Otolaryngol **31**：373-379, 2017
36) Murakami R, Furusawa M, Baba Y et al：Dynamic helical CT of T1 and T2 glottic carcinomas：predictive value for local control with radiotherapy. Am J Neuroradiol **21**：1320-1326, 2000
37) Becker M, Zbaren P, Casselman JW et al：Neoplastic invasion of laryngeal cartilage: Reassessment of criteria for diagnosis at MR imaging. Radiology **249**：551-559, 2008
38) Taha MS, Hassan O, Amir M et al：Diffusion-

weighted MRI in diagnosing thyroid cartilage invasion in laryngeal carcinoma. Eur Arch Otorhinolaryngol **271**：2511-2516, 2014
39) Ljumanovic R, Langendijk JA, van Wattingen M et al : MR imaging predictors of local control of glottis squamous cell carcinoma treated with radiation alone. Radiology **244** : 205–212, 2007
40) Lefebvre JL：What is the role of primary surgery in the treatment of laryngeal and hypopharyngeal cancer? Arch Otolaryngol Head Neck Surg **126**：285–288, 2000
41) Alonso JM：Conservative surgery of he larynx. Trans Am Acad Ophthalmol Otolaryngol **51**：633–642, 1947
42) Santoro R, Maccariello G, Mannelli G et al：Surgical options in radiotheraphy-failed early glottic cancer. Eur Arch Otorhinolaryngol **271**：777–785, 2014
43) Wong FSH：Total laryngectomy. Atlas of Head & Neck surgery - Otolaryngology (2nd ed), Bailey BJ, Calhoun KH, Freidman NR et al (eds), Lippincott Williams & Wilkins, Philadelphia, 2001
44) Laccourreye O, Weinstein G, Brasnu D et al：Vertical partial laryngectomy：A critical analysis of local recurrence. Ann Otol Rhinol Laryngol **100**：68–71, 1991
45) Rothfield RE, Johnson JT, Myers EN et al：The role of hemilaryngectomy in the management of T1 vocal cord cancer. Arch Otolaryngol Head Neck Surg **115**：677–680, 1989
46) Bocca E, Pignataro O, Oldini C et al：Extended supraglottic laryngectomy：Review of 84 cases. Ann Otol Rhinol Laryngol **96**：384–386, 1987
47) Spaulding CA, Constable WC, Levine PA et al：Partial laryngectomy and radiotherapy for supraglotic cancer：A conservative spproach. Ann Otol Rhinol Laryngol **98**：125–129, 1988
48) Laccourreye O, Weinstein G, Brasnu D et al：A clinical trial of continuous cisplatin-flourouracil induction chemotherapy and supracricoid partial laryngectomy for glottic carcinoma classified as T2. Cancer **74**：2781–2790, 1994
49) Laccourreye O, Salzer SJ, Brasnu D et al：Glottic carcinoma with a fixed true vocal cord：Outcomes after neoadjuvant chemotherapy and supracricoid partial laryngectomy with cricohyoidoepiglottopexy. Otolaryngol Head Neck Surg **114**：400–406, 1996
50) Weinstein GS, Laccourreye O, Brasnu D et al：Reconsidering a paradigm：The spread of supraglottic carcinoma to the glottis. Laryngoscope **105**：1129–1133, 1995
51) Chevalier D, Piquet JJ：Subtotal laryngectomy with cricohyoidopexy for supraglottic carcinoma：Review of 61 cases. Am J Surg **168**：472–473, 1994
52) Laccourreye O, Brasnu D, Merite-Drancy A et al：Crcohyoidopexy in selected infrahyoid epiglottic carcinomas presenting with pathological preepiglottic space invasion. Arch Otolaryngol Head Neck Surg **119**：881–886, 1993
53) Lynch RC : Intrinsic carcinoma of the larynx, with a second report of the cases operated on by suspension and dissection. Trans Am Laryngol Assoc **42** : 119–126, 1920
54) Strong MS : Laser excision of carcinoma of the larynx. Laryngoscope **85** : 1286–1289, 1975
55) Remacle M, Eckel HE, Antonelli A et al : Endoscopic cordectomy. A proposal for a classification by the working committee, European Laryngological Society. Eur Arch Otorhinolaryngol **257** : 227–231, 2000
56) Kishimoto Y, Sogami T, Uozumi R et al：Complications after endoscopic laryngopharyngeal surgery. Laryngoscope **128**：1546-1550, 2018
57) Petrovic Z, Krejovic B, Janosevic S : Occult metastases from supraglottic laryngeal carcinoma. Clin Otolaryngol Allied Sci **22** : 522–524, 1997
58) Welsh LW, Welch JJ, Rizzo TA Jr : Laryngeal spaces and lymphatics : current anatomic concepts. Ann Otol Rhinol Laryngol Supple **105** : 19–31, 1983
59) Raitiola H, Pukander J, Laippala P：Glottic and supraglottic laryngeal carcinoma: difference in epidemiology, clinical characteristics and prognosis. Acta Otolaryngol **119**：847-851, 1999
60) Karatzanis AD, Psychogios G, Waldfahrer F et al：Management of locally advanced laryngeal cancer. J Otolaryngol Head Nekc Surg **43**：4, 2014
61) Patel TD, Echanique KA, Yip C et al：Supraglottic squamous cell carcinoma: A population-based study of 22,675 cases. Laryngoscope **129**：1822-1827, 2019
62) Sessions DG, Lenox J, Spector GJ : Supraglottic laryngeal cancer. Analysis of treatment results. Laryngoscope **115** : 1402–1410, 2005
63) Ganly I, Patel SG, Matsuo J et al : Predictors of outcome for advanced-stage supraglottic laryngeal cancer. Head Neck **31** : 1489–1495, 2009
64) Tomifuji M, Imanishi Y, Araki K et al：Tumor depth as a predictor of lymph node metastasis of supraglottic and hypopharyngeal cancers. Ann Surg oncol **18**：490–496, 2011
65) Ye LL, Rao J, Fan XW et al：The prognostic value of tumor depth for cervical node metastasis in hypopharyngeal and supraglottic carcinomas. Head Neck **41**：2116-2122, 2019
66) Yuce I, Cagh S, Bayram A et al : Occult metastases from T1-2 supraglottic carcinoma: role of primary tumor localization. Eur Arch Otorhinolaryngol **266**

: 1301–1304, 2009
67) Ozturkcan S, Katilmis H, Ozdemir I et al : Occult contralateral nodal metastases in supraglottic laryngeal cancer crossing the midline. Eur Arch Otorhinolaryngol **266** 117–120, 2009
68) Smee RI, De-Ioyde KJ, Broadley K et al：Prognostic factors for supraglottic laryngeal carcinoma：Importance of the unfit patient. Head Neck **35**：949–958, 2013
69) Elegbede AJ, Rybicki LA, Adelstein DJ et al：Oncologic and functional outcomes of surgical and nonsurgical treatment of advanced squamous cell carcinoma of the supraglottic larynx JAMA Otolaryngol Head Neck Surg **141**：1111-1117, 2015
70) Asik MB, Satar B, Serdar M：Meta-analytic comparison of robotic and transoral laser surgical procedures in supraglottic carcinoma J Laryngol Otol **133**：404-412, 2019
71) Goudakos JK, Markou K, Nikokau A et al：Management of the clinically negative neck（N0）of supraglottic laryngeal carcinoma：a systematic review. Eur J Surg Oncol **35**：223–229, 2009
72) Prades JM, Timoshenko AP, Schmitt TH et al：Planned neck dissection before combined chemoradiation for pyriform sinus carcinoma. Acta Otolaryngol **128**：324-328, 2008
73) Hicks WL Jr, Kollmorgen DR, Kuriakose MA et al：Patterns of nodal metastasis and surgical management of the neck in supraglottic laryngeal carcinoma. Otolaryngol Head Neck Surg **121**：57-61, 1999
74) Rodrigo JP, Suarez C, Silver CE et al：Transoral laser surgery for supraglottic cancer. Head Neck **30**：658-666, 2008
75) Jia S, Wang Y, He H et al：Incidence of level IIB node metastasis in surpaglottic laryngeal squamous cell carcinoma with clinically negative neck - a prospective study. Head Neck **35**：987–991, 2013
76) Kanayama N, Nishiyama K, Kawaguchi Y et al：Selective neck irradiation for supraglottic cancer: focus on sublevel IIb omission. Jpn J Clin Oncol **46**：51-56, 2016
77) Myer-Breiting E, Burkhardt A：Tumors of the larynx. Histopathology and Clinical Inferences, Springe-Verlag, Berlin, 1988
78) Loevner LA, Yousem DM, Montone KT et al：Can radiologists accurately predict peepiglottic space invasion with MR invasion? Am J Roentgenol **169**：1681–1688, 1997
79) Zbaren P, Becker M, Lang H：Pretherapeutic staging of laryngeal cancer：Clinical findings, computed tomography and magnetic resonance imaging versus histopathology. Cancer **77**：1263–1273, 1996
80) Zbaren P, Becker M, Lang H：Staging of laryngeal cancer：Endoscopy, computed tomography and magnetic resonance imaging versus histopathology. Eur Arch Otolaryngol **254**：117–122, 1997
81) Mancuso AA, Mukherji SK, Schmalfuss I et al：Preradiotherapy computed tomography as a predictor of local control in supraglottic carcinoma. J Clin Oncol **17**：631–637, 1999
82) Hermans R, Van den Bogaert W, Rinders A et al : Value of computed toromgraphy as outcome predictor of supraglottic squamous cell carcinoma treated by definitive radiation theraphy. Int J Radiat oncol Bil Phys **44** : 755–765, 1999
83) Shvero J, Shvili I, Mizrachi A et al : T1 glottic carcinoma involving the posterior commissure. Laryngoscope **119** : 1116–1119, 2009
84) Shvero J, Hadar T, Segal K et al : T1 glottic carcinoma involving the anterior commissure. Eur J Sug Oncol **20** : 557–560, 1994
85) Rucci L, Bocciolini C, Romagnoli P et al : Risk factors and prognosis of anterior commissure versus posterior commissure T1-T2 glottic cancer. Ann Otol Rhinol Laryngol **112** : 223–229, 2003
86) Carl J, Andersen LJ, Pedersen M et al : Prognostic factors of local control after radiotherapy in T1 glottic and supraglottic carcinoma of the larynx. Radiother Oncol **39** : 229–233, 1996
87) Klintenberg C, Lundgren J, Adell G et al : Primary radiotherapy of T1 and T2 glottic carcinoma-analysis of treatment results and prognostic factors in 223 patients. Acta Oncol **35**（Suppl 8）: 81–86, 1996
88) Mendenhall WM, Amdur RJ, Morris CG et al : T1-T2N0 squamous cell carcinoma of the glottic larynx treated with radiation therapy. J Clin Oncol **19** : 4029–4036, 2001
89) Fernberg JO, Ringborg U, Silfversward C et al : Radiation therapy in early glottis cancer analysis of 177 consecutive cases. Acta Otolaryngol **108** : 478–481, 1989
90) Johansen LV, Grau C, Overgaard J : Glottic carcinoma-patterns of failure and salvage treatment after curative radiotherapy in 861 consecutive patients. Radiother Oncol **63** : 257–267, 2002
91) Nomura T, Ishikawa J, Ohki M et al：Multifactorial analysis of local control and survival in patients with early glottic cancer. Laryngoscope 130: 1701-1706, 2020
92) Sert F, Kaya I, Ozturk K et al：Patterns of failure for early-stage glottic carcinoma: 10 years' experience in conformal radiotherapy era. J Cancer Res Ther **15**：576-581, 2019
93) Sjögren EV, Landveld TP, Baatenburg de Jong RJ : Clinical outcome of T1 glottic cancer since the introduction of endoscopic CO_2 laser surgery as

treatment option. Head Neck **30** : 1167–1174, 2008
94) Son HJ, Lee YS, Ku JY et al：Radiological tumor thickness as a risk factor for local recurrence in early glottic cancer treated with laser cordectomy. Eur Arch Otorhinolaryngol **275**：153-160, 2018
95) Lucioni M, Bertolin A, D'Ascanio L et al：Margin photocoagulation in laser surgery for early glottic cancer: impact on disease local control. Otolaryngol Head Neck Surg **146**：600-605, 2012
96) Rodel RM, Steiner W, Muller RM et al：Endoscopic laser surgery of early glottis cancer：involvement of the anterior commissure. Head Neck **31**：583–592, 2009
97) Chone CT, Yonehara E, Martins JE et al：Importance of anterior commissure in recurrence of early glottis cancer after lase endoscopic resection. Arch Otolaryngol Head Neck Surg **133**：882–887, 2007
98) Halkeem AH, Tubachi J, Pradhan SA：Significance of anterior commissure involvement in early glottis squamous cell carcinoma treated with tran-oral CO_2 laser microsurgery. Laryngoscope **123**：1912–1917, 2013
99) Steiner W, Ambrosch P, Rodel RM et al：Impact of anterior commissure involvement on local control of early glottis carcinoma treated by laser microresection. Laryngoscope **114**：1485–1491, 2004
100) Rifai M, Khattab H：Anterior commissure carcinoma: I-histopathologic study. Am J Otolaryngol **21**：294-297, 2000
101) Wo JH, Zhao J, Li ZH et al：Comparison of CT and MRI in diagnosis of laryngeal carcinoma with anterior vocal cord commissure involvement. Sci Rep **6**：30353. Doi: 10.1038/srep30353, 2016
102) Mourad WF, Hu KS, Shourbaji RA et al：The impact of computed tomography on early glottis cancer outcomes. Onkologie **36**：83–86, 2013
103) Laoufi S, Mirghani M, Janot F et al：Voice quality after treatment of T1a glottis cancer. Laryngoscope **124**：1398–1401, 2014
104) Hong JC, Kruser TJ, Gondi V et al：Risk of cerebrovascular events in elderly patients after radiation therapy versus surgery for early-stage glottic cancer. Int J radiat Oncol Bil Phys **87**：290–296, 2013
105) Ahmed WA, Suzuki H, Horibe Y et al：Pathologic evaluation of primary laryngeal anterior commissure carcinoma both in patients who have undergone open surgery as initial treatment and in those who have undergone salvage surgery after irradiation failure. Ear Nose Throat **90**：223-230, 2011
106) Iloabachie K, Nathan CAO, Ampil F et al : Return of vocal cord movement : an independent predictor of response to nonsurgical management of laryngeal cancers. Laryngoscope **117** : 1925–1929, 2007
107) Pameijer FA, Mancuso AA, Mendenhall WM et al：Can pretreatment computed tomography predict local control in T3 squamous cell carcinoma of the glottic larynx treated with definitive radiotherapy? Int J Radiat Oncol Biol Phys **37**：1011–1021, 1997
108) Chijiwa H, Sato K, Umeno H et al : Histopathological study of correlation between laryngeal space invasion and lymph node metastasis in glottic carcinoma. J Laryngol Otol **31**(Suppl) : 48–51, 2009
109) Joo YH, Park JO, Cho KJ et al：Relationship between paraglottic space invasion and cervical lymph node metastasis in patients undergoing supracricoid partial laryngectomy. Head Neck **34**：1119–1122, 2012
110) Kirchner JA, Carter D：Intralaryngeal barriers to the spread of cancer. Acta Otolaryngol (Stockh) **103**：503–513, 1987
111) Berger G, Harwood AR, Bryce DP et al : Primary subglottic carcinoma masquerading clinically as T1 glottic carcinoma: A report of nine cases. J Otolaryngol **14** : 1–6, 1985
112) Yu H, Tao L, Zhou L et al：Results of surgical treatment alone for primary subglottic carcinoma. Acta Otolaryngol **139**：432-438, 2019
113) Isambert E：Contribution to the study of laryngeal cancer. Ann Mal Oreil Larynx **2**：1-23, 1876
114) Marchiano E, Patel DM, Patel TD et al：Subglottic squamous cell carcinoma: A population-based study of 889 cases. Otolaryngol Head Neck Surg **154**：315-321, 2016
115) Coskun H, Mendenhall WM, Rinaldo A et al：Prognosis of subglottic carcinoma: Is it really worse? Head Neck **41**：511-521, 2019
116) Garas J, McGuirt WF : Squamous cell carcinoma of the subglottis. Am J Otolaryngol **27** : 1–4, 2006
117) Smee RI, Williams JR, Bridger GP : The management dilemmas of invasive subglottic carcinoma. Clin Oncol **20** : 751–756, 2008
118) MacNeil SD, Patel K, Liu K et al：Survival of patients with subglottic squamous cell carcinoma. Curr Oncol **25**：e569-e575, 2018
119) MacMeil SD, Liu K, Shariff SZ et al：Secular trends in the survival of patients with laryngeal carcinoma, 1995-2007. Curr Oncol **22**：e85-e99, 2015
120) Guedea F, Parsons JT, Mendenhall WM et al : Primary subglottic cancer : results of radical radiation therapy. Int J Radiat Oncol Biol Phys **21** : 1607–1611, 1991
121) Kowalski L, Rinaldo A, Robins K et al：Stomal recurrence: pathophysiology, treatment and prevention. Acta Otolaryngol **123**：421-432, 2003

122) Chiesa F, Tradati N, Calabrese L et al : Surgical treatment of laryngeal carcinoma with subglottic involvement. Oncol Rep **8** : 137-140, 2001

123) Ferlito A, Rinalda A : The pathology and management of subglottic cancer. Eur Arch Otorhinolaryngol **257** : 168-173, 2000

124) Olofsson J : Specific features of laryngeal carcinoma involving the anterior commissure and the subglottic region. Can J Otolaryngol **4** : 618-636, 1975

125) Kau RJ, Alexiou C, Stimmer H et al : Diagnostic procedure for detection of lymph node metastases in cancer of the larynx. Otorhinolaryngol Relat Spec **62** : 199-203, 2000

126) Kowalski LP : Lymph node metastasis as a prognostic factor in laryngeal cancer. Rev Paul Med **111** : 42-45, 1993

127) Oosterkamp S, de Jong JM, Van den Ende PL et al : Predictive value of lymph node metastases and extracapsur extension for the risk of distant metastases in laryngeal carcinoma. Laryngoscope **116** : 2067-2070, 2006

128) Deganello A, Gitti G, Meccariello G et al : Effectiveness and pitfalls of elective neck dissection in N0 laryngeal cancer. Acta Otorhinolaryngol **31** : 216-221, 2011

129) Spaulding CA, Hahn SS, Constable WC : The effectiveness of treatment of lymph nodes in cancers of the pyriform sinus and supraglottis. Int J Radiat Oncol Biol Phys **13** : 963-968, 1987

130) Peters TTA, Castelijins JA, Ljumanovic R et al : Diagnostic value of CT and MRI in the detection of paratracheal lymph node metastasis. Oral Oncol **48** : 450-455, 2012

131) Ljumanovic R, Langenkijk JA, Hoekstra OS et al : Distant metastasis in head and neck carcinoma : identification of prognostic groups with MR imaging. Eur J Radiol **60** : 58-66, 2006

132) Petrovic Z, Djordjevic V : Stromal recurrence after primary total laryngectomy. Clin Otolaryngol Allied Sci **29** : 270-273, 2004

133) Ferlito A, Shaha AR, Rinaldo A : Prognostic value of Delphian lymph node metastasis from laryngeal and hypopharyngeal cancer. Acta Otolaryngol **122** : 456-457, 2002

134) Hermans R, Pameijer FA, Mancuso AA et al : Laryngeal or hypopharyngeal squamous cell carcinoma : Can follow-up CT after definitive radiation therapy be used to detect local failure earlier than clinical examination alon? Radiology **214** : 683-687, 2000

135) Mancuso AA, Hanafee WN : Larynx and hypopharynx. Computed Tomography and Magnetic Resonance Imaging of the Head and Neck (2nd ed), Mancuso AA, Hanafee WN (eds), Williams & Wilkins, Baltimore, p241-358, 1985

136) Mukherji SK, Mancuso AA, Kotzur IM et al : Radiologic appearance of the irradiated larynx : Part Ⅰ. Expected changes. Radiology **193** : 141-148, 1994

137) Mukherji SK, Mancuso AA, Kotzur IM et al : Radiologic appearance of the irradiated larynx : Part Ⅰ. Primary site response. Radiology **193** : 149-154, 1994

138) Fitzgerald PJ, Koch RJ : Delayed radionecrosis of the larynx. Am J Otolaryngol **20** : 245-249, 1999

139) Hermans R, Pameijer FA, Mancuso AA et al : CT findings in chondronecrosis of the larynx. Am J Neuroradiol **19** : 711-718, 1998

140) Gassert TG, Britt CJ, Maas AM et al : Chondroradionecrosis of the larynx: 24-year University of Wisconsin experience. Head Neck **39** : 1189-1194, 2017

141) Parsons JT : The effect of radiation on normal tissues of the head and neck. Management of Head and Neck Cancer : A Multidisciplinary Approach, Million RR, Cassisi NJ (eds), Lippincott, Philadelphia, p245-289, 1994

142) Calcaterra TC, Stem F, Ward PH : Dilemma of delayed radiation injury of the larynx. Ann Otol Rhinol Laryngol **81** : 501-507, 1972

143) FilntisisGA, Moon RE, Kraft KL et al : Laryngeal radionecrosis and hyperbaric oxygen therapy: report of 18 cases and review of the literature. Ann Otol Rhinol Laryngol **109** : 554-562, 2000

144) Chandler JR : Radiation fibrosis and necrosis of the larynx. Ann Otol Rhinol Laryngol **88** (4 Pt 1) : 509-514, 1979

145) Rowley H, Walsh M, McShane D et al : Chondroradionecrosis of the larynx: still a diagnostic dilemma. J Laryngol Otol **109** : 218-220, 1995

146) Keene M, Harwood AR, Bryce DP et al : Histopathological study of radionecrosis in laryngeal carcinoma. Laryngoscope **92** : 173-180, 1982

147) Mobashir MK, Basha WM, Mohamed AE et al : Laryngocele: Concepts of diagnosis and management. Ear Nose Throat J **96** : 133-138, 2017

148) Verret DJ, DeFatta RJ, Sinard R : Combined laryngocele. Ann Otol Rhinol Laryngol **113** : 594-596, 2004

149) Marcotullio D, Paduano F, Magliulo G : Laryngopyocele: An atypical case. Am J Otolaryngol **17** : 345-348, 1996

150) Felix JA, Felix D, Mello LF : Laryngocele: A cause of upper airway obstruction. Braz J Otorhinolaryngol **74** : 143-146, 2008

151) Szwarc BJ, Kashima HK : Endoscopic management of a combined laryngocele. Ann Otol Rhinol

Laryngol **106**(Pt 1):556-559, 1997
152) Thome R, Thome DC, De La Cortina RA:Lateral thyrotomy approach on the paraglottic space for laryngocele resection. Laryngoscope **110** (3 Pt 1):447-450, 2000
153) Hindy J, Novoa R, Slovik Y et al:Epiglottic abscess as a complication of acute epiglottitis. Am J Otolaryngol **34**:362-365, 2013
154) Berger G, Landau T, Berger S et al:The rising incidence of adult acute epiglottitis and epiglottic abscess. Am J Otolaryngol **24**:374-383, 2003
155) Bizaki AJ, Mumminen J, Vasama JP et al:Acute supraglottitis in adults in Finland:Review and analysis of 308 cases. Laryngoscope **121**:2107-2113, 2011
156) Hermansen MN, Schmidt JH, Krug AH et al:Low incidence of children with acute epiglottis after introduction of vaccination. Dan Med J **61**:1-5, 2014
157) Baird SM, Marsh PA, Padiglione A et al:Review of epiglottitis in the post Haemophilus influenzae type-b vaccine era. ANZ J Surg **88**:1135-1140, 2018
158) Cheung CS, Man SY, Graham CA et al : Adult epiglottitis : 6 years experience in a university teaching hospital in Hong Kong. Eur J Emerg Med **16** : 221-226, 2009
159) Al-Qudah M, Shetty S, Alomari M et al:Acute adult supraglottitis:Current management and treatment. South Med J **103**:800-804, 2010
160) Stack BC, Ridley MB:Epiglottic abscess. Head Neck **17**:263-265, 1995
161) Heeneman H, Ward KM:Epiglottic abscess (its occurrence and management). J Otolaryngol **6**:3-36, 1977
162) Fujiwara T, Okamoto H, Ohnishi Y et al:Diagnostic accuracy of lateral neck radiography in ruling out supraglottitis:a prospective observational study. Emerg Med J **32**:348-352, 2015
163) Mayo-Smith MF, Hirsch PJ, Wodzinski SF et al:Acute epiglottitis in adults. An eight-year experience in the state of Rhode Island. N Engl J Med **314**:1133-1139, 1986
164) Lee SH, Yun SJ, Kim DH et al:Do we need a change in ED diagnostic strategy for adult epiglottitis? Am J Emerg Med **35**:1519-1524, 2017
165) Ng HI, Sin LM, Li MF et al:Acute epiglottitis in adults:a retrospective review of 106 patients in Hong Kong. Emerg Med J **25**:253-255, 2008
166) Kim KH, Kim YH, Lee JH et al:Accuracy of objective parameters in acute epiglottitis diagnosis. A case-control study. Medicine **97**:e12256, 2018
167) Walden CA, Rogers LF : CT evaluation of adult epiglottitis. J Comput Assist Tomogr **13** : 883-885, 1989
168) Lee YC, Kim TH, Eun YG:Routine computerized tomography in patients with acute supraglottitis for the diagnosis of epiglottic abscess:is it necessary? - a prospective, multicenter study. Clin Otolaryngol **38**:142-147, 2013
169) Acute epiglottitis. In:eTG complete [Internet]. Melbourne: Therapeutic Guidelines. Limited, 2015
170) Miller RH, Duplechain JK:Penetrating wounds of the neck. Otolaryngol Clin North Am **24**:1113-1118, 1991
171) Lambert GE Jr, McMurry GT:Laryngotracheal trauma: recognition and management. JACEP **5**:883-887, 1976
172) Gussack GS, Jurkovich GJ, Luterman A:Laryngotracheal trauma: a protocol approach to a rare injury. Laryngoscope **96**:660-665, 1986
173) Irish JC, Hekkenberg R, Gullane PJ et al:Penetrating and blung neck trauma: 10-year review of a Canadian experience. Can J Surg **40**:33-38, 1997
174) Shi J, Uyeda JW, Duran-Mendicuti A et al:Multidetector CT of laryngeal injuries: Principles of injury recognition. Radiographics **39**:879-892, 2019
175) Becker M, Leuchter I, Platon A et al:Imaging of laryngeal trauma. Eur J Radiol **83**:142-154, 2014
176) Becker M, Duboe PO, Platon A et al:Assessment of laryngeal trauma with MDCT:value of 2D multiplanar and 3S reconstructions. AJR Am J Roentgenol **201**:W639-647, 2013
177) Mandel JE, Weller GE, Chennupati SK et al:Transglottic hifh frequency jet ventilation for management of laryngeal fracture associated with air bag development injury. J Clin Anesth **20**:369-371, 2008
178) Jewett BS, Shockley WW, Rutledge R:External laryngeal trauma analysis of 392 patients. Arch Otolaryngol Head Neck Surg **125**:877-880, 1999
179) Paluska SA, Lansford CD:Laryngeal trauma in sport. Curr Sports Med Rep **7**:16-21, 2008
180) Juutilainen M, Vintturi J, Robinson S et al:Laryngeal fractures: clinical findings and considerations on suboptimal outcome. Acta Otolaryngol **128**, 213-218, 2008
181) Schaefer SD:The acute management of external laryngeal trauma. A 27-year experience. Arch Otolaryngol Head Neck Surg **118**:598-604, 1992
182) Fuhrman GM, Stieg 3rd FH, Buerk CA:Blunt laryngeal trauma:classification and management protocol. J Trauma **30**:87-92, 1990
183) Schaefer SD:Management of acute blunt and penetrating external laryngeal trauma. Laryngoscope **124**:233-244, 2014
184) Scaglione M, Romano S, Pinto A et al:Acute tracheobronchial injuries:impact of imaging on diagnosis and management implications. Eur J Radi-

ol **59**：336-343, 2006

185）Brosch S, Johannsen HS：Clinical course of acute laryngeal trauma and associated effects on phonation. J Laryngol Otol **113**：58-61, 1999

186）Knopke S, Todt I, Enrst A et al：Pseudoarthroses of the cornu of the thyroid cartilage. Otolaryngol Head Neck Surg **143**：186-189, 2010

187）Bockholdt B, Hempelmann M, Maxeiner H：Experimental investigations of fractures of the upper thyroid horns. Leg Med（Tokyo）**5**（Suppl 1）：S252-255, 2003

188）Jurik AG：Ossification and calcification of the laryngeal skeleton. Acta Radiol Diagn（Stockh）**25**：17-22, 1984

189）Green H, james RA, Gilbert JD et al：Fractures of the hyoid bone and laryngeal cartilages in suicidal hanging. J Clin Forensic Med 7：123-126, 2000

190）Oh JH, Min HS, Park TU et al：Isolated cricoid fracture associated with blunt neck trauma. Emerg Med J **24**：505-506, 2007

191）Collazo-Clavell ML, Gharib H, Maragos NE：Relationship between vocal cord paralysis and benign thyroid disease. Head Neck **17**：24-30, 1995

192）Schneider B, Schickinger-Fischer B, Zumtobel M et al : A concept for diagnosis and therapy of unilateral recurrent laryngeal nerve paralysis following thoracic surgery. Thorac Cardiovasc Surg **51** : 327-331, 2003

193）Erbil Y, Barbaros U, Issever H et al : Predictive factors for recurrent laryngeal nerve palsy and hypoparathyroidism after thyroid surgery. Clin Otolaryngol **32** : 32-37, 2007

194）Krasna JM, Forti G : Nerve injury: Injury to the recurrent laryngeal, phrenic, vagus, long thoracic and sympathetic nerves during thoracic surgery. Thorac Surg Clin **16** : 267-275, 2006

195）Kikura M, Suzuki K, Itagaki T et al : Age and comorbidity as risk factors for vocal cord paralysis associated with tracheal intubation. Br J Anaesth **98** : 524-530, 2007

196）Ortner N : Recurrent laryngeal nerve paralysis with mitral stenosis. Wien Klin Wochenschr **10** : 753-755, 1897

197）Paquette CM, Manos DC, Psooy BF：Unilateral vocal cord paralysis: A review of CT findings, mediastinal causes, and the course of the recurrent laryngeal nerve. Radiographics **32**：721-740, 2012

198）McCaffrey TV, Bergstralh EJ, Hay ID : Locally invasive papillary thyroid carcinoma : 1940-1990. Head Neck **16** : 165-172, 1994

199）Nishida T, Nakao K, Hamaji M et al : Preservation of recurrent laryngeal nerve invaded by differentiated thyroid cancer. Ann Surg **226** : 85-91, 1997

200）Isshiki N : Phonosurgery-theory and practice, Springer, Heidelberg Berlin New York, 1989

201）Friedrich G, de Jong FICRS, Mahieu HF et al : Laryngeal framework surgery : a proposal for classification and nomenclature by phonosurgery committee of the European laryngological society. Aur Arch Otorhinolaryngol **258** : 389-396, 2001

8 下咽頭

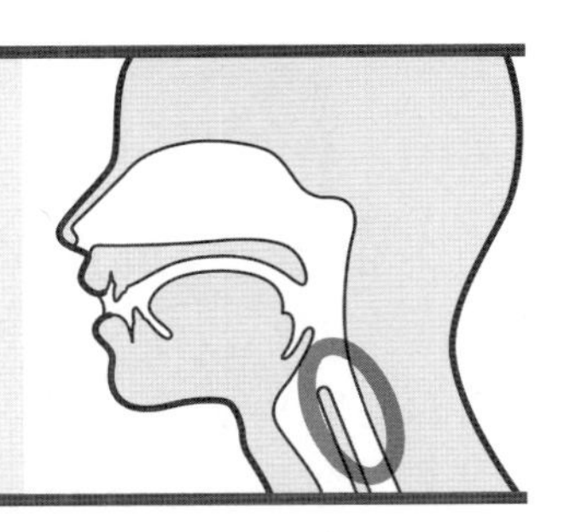

A 臨床解剖(図 1〜3)

上・中・下と区分される咽頭の中で下咽頭は最も尾側に位置する．頭側は舌骨レベル，喉頭蓋底部，咽頭喉頭蓋ひだで中咽頭から連続，尾側は輪状軟骨下縁レベルで頸部食道に移行する．通常，第4〜6頸椎レベルに相当する．下咽頭前方には喉頭が密接に位置しており，喉頭入口部を介して粘膜腔も連続する．臨床上も両者の解剖学的密接性は下咽頭癌の喉頭進展，喉頭癌の下咽頭進展，各々の外科的治療，放射線治療，化学療法などを考えるうえで非常に重要である．事実，扁平上皮癌に関する論文や臨床的教科書で喉頭，下咽頭は同時で扱われている場合も少なくない．

（本書では7章「喉頭」とは別章としているが喉頭に関する臨床的知識なしに本章を読むのは不十分である．喉頭と下咽頭の解剖上，臨床上の関連性を意識しながら本章を理解し，7章「喉頭」も参照していただきたい）

1 亜区域(図 1〜6)

臨床的には梨状窩(梨状陥凹)，(下)咽頭後壁，輪状後部に分けられる．さらに側壁を後壁とともに論じたり，声門上喉頭との境界となる披裂喉頭蓋ひだを辺縁部として加える場合もある．以下，それぞれにつき解説する．

1) 梨状窩(梨状陥凹)

喉頭が下咽頭前面より入り込むことから下咽頭の両側方に形成される陥凹で(図 1B，C)，前・外側・内側壁に囲まれるが，内側後方は咽頭腔と連続する．上方は外側咽頭喉頭蓋ひだと披裂喉頭蓋ひだ自由縁，上側方は咽頭側壁上で披裂喉頭蓋ひだ自由縁に対応する想像上の斜めの線により境界される．逆ピラミッド状を呈する梨状窩の頂点(尖部)は輪状軟骨下縁レベルの両外側端に達する(図 1C)．

梨状窩前壁は傍声帯間隙後方に接し，その内部に(甲状舌骨膜を貫通して喉頭内に進入する)上喉頭神経喉頭内枝を含む．梨状窩外側壁の上部は甲状舌骨膜，下部は甲状軟骨側板内側面が外側より裏打ちされ(図 4)，各々，外側壁の膜様部，軟骨部として区別される．内側壁(実際は前内側)は披裂喉頭蓋ひだによるが，その上縁，声門上喉頭との境界部を辺縁部とも呼ぶ．声門レベルでは，披裂軟骨の後外側に位置し，thyroarytenoid gap(披裂軟骨と甲状軟骨側板との間)を介して，前方の傍声帯間隙後方に隣接する．

咽頭後壁(後述)との境界は甲状軟骨外側縁，輪状後部(後述)との境界は輪状軟骨外側縁とされる[1]．

2) (下) 咽頭後壁(および側壁)

中・下咽頭収縮筋により形成される下咽頭後側壁は扁平上皮癌の臨床上，中咽頭後側壁と連続するひとつの領域として扱われる場合もある．これには上咽頭後壁は含まれないが，両者との境界はPassavant 隆起と呼ばれる上咽頭収縮筋の括約筋様部による．下方は輪状咽頭筋と融合し輪状軟骨下縁レベルで頸部食道後壁に移行する．咽頭後壁は全体として幅 4〜5 cm，長さ 6〜7 cm 程度の領域に相当する．中咽頭レベルでは口蓋咽頭筋およびこれを覆う粘膜よりなる後口蓋弓の後方に位置するが，下咽頭レベルでは梨状窩側壁へと連続する．

咽頭後壁は深頸筋膜中葉である臓側筋膜(buccopharyngeal fascia)により裏打ちされ，その後方の咽頭後間隙と境界される．咽頭後間隙と

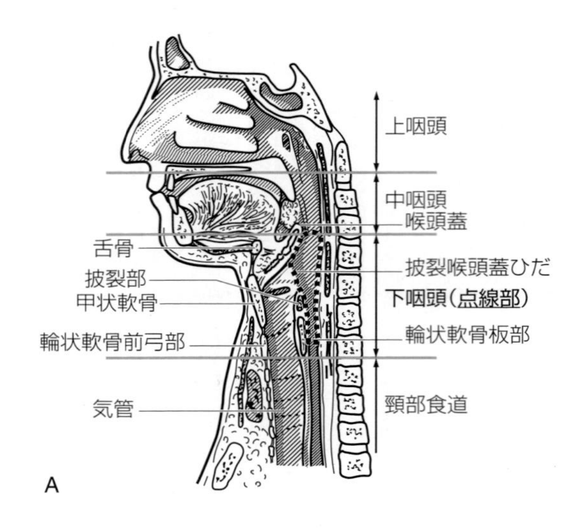

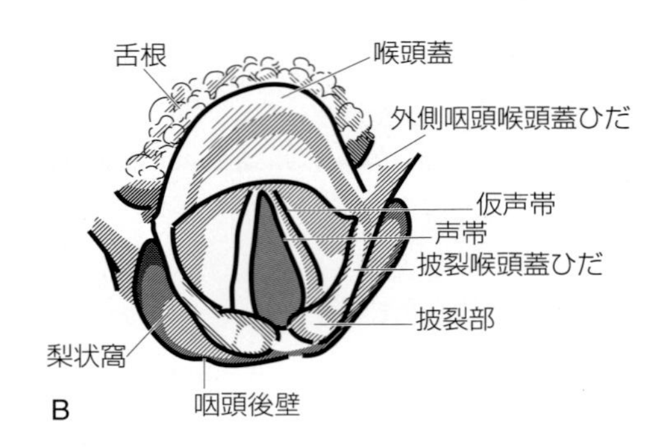

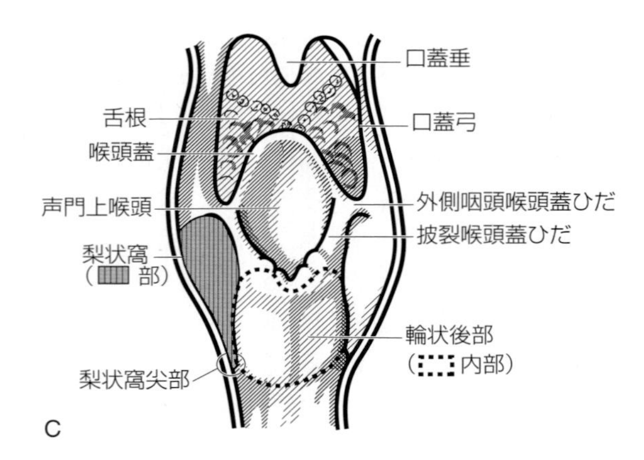

図1　下咽頭解剖．シェーマ
A：頸部正中矢状断．下咽頭：点線部
B：喉頭，下咽頭粘膜面(手前が後方，上が前方)．輪状後部は通常，虚脱しており喉頭鏡検査での観察は困難である．
C：咽頭後面像．

さらに後方の椎前間隙とは深頸筋膜深葉である椎前筋膜により区分される．

3）輪状後部（咽頭食道接合部）

主に輪状軟骨板(lamina)後面を覆う粘膜を示し，しばしば“party wall”と呼ばれる．披裂軟骨，披裂間部から輪状軟骨下縁との間で，頭尾側約3～4 cmの範囲で，下咽頭前壁を形成し，側方は左右の梨状窩と交通する．尾側は輪状軟骨下縁レベルで頸部食道に移行する(実際の食道入口部は輪状軟骨下縁から頭側3 mm以内の範囲とされる)．輪状後部は通常は虚脱しており，喉頭間接鏡検査では可視困難で，内視鏡でも観察が容易でないことから画像評価が重要である．同部側方はその深部やや前方，甲状腺との間に反回神経を通すことが解剖学上，臨床上ともに重要である．

2 咽頭筋(図7)

咽頭は，後側壁の外層を(上・中・下)咽頭収縮筋，内層を口蓋咽頭筋，耳管咽頭筋，茎突咽頭筋が形成する．下咽頭と密接に関連する下咽頭収縮筋は甲状軟骨側板外側面の斜線および輪状軟骨側面より起始し，咽頭後壁背側正中の正中縫線に付着する．下咽頭収縮筋の斜走する筋線維と同筋最下部に含まれ横走する輪状咽頭筋との間隙は咽頭後壁の構造的脆弱部のひとつでKillian間隙と称し，圧出性機転によるZenker憩室の発生部位として知られる(図8)．また，反回神経および下喉頭動脈は下咽頭収縮筋下縁の間隙を通過して喉頭内に入る．

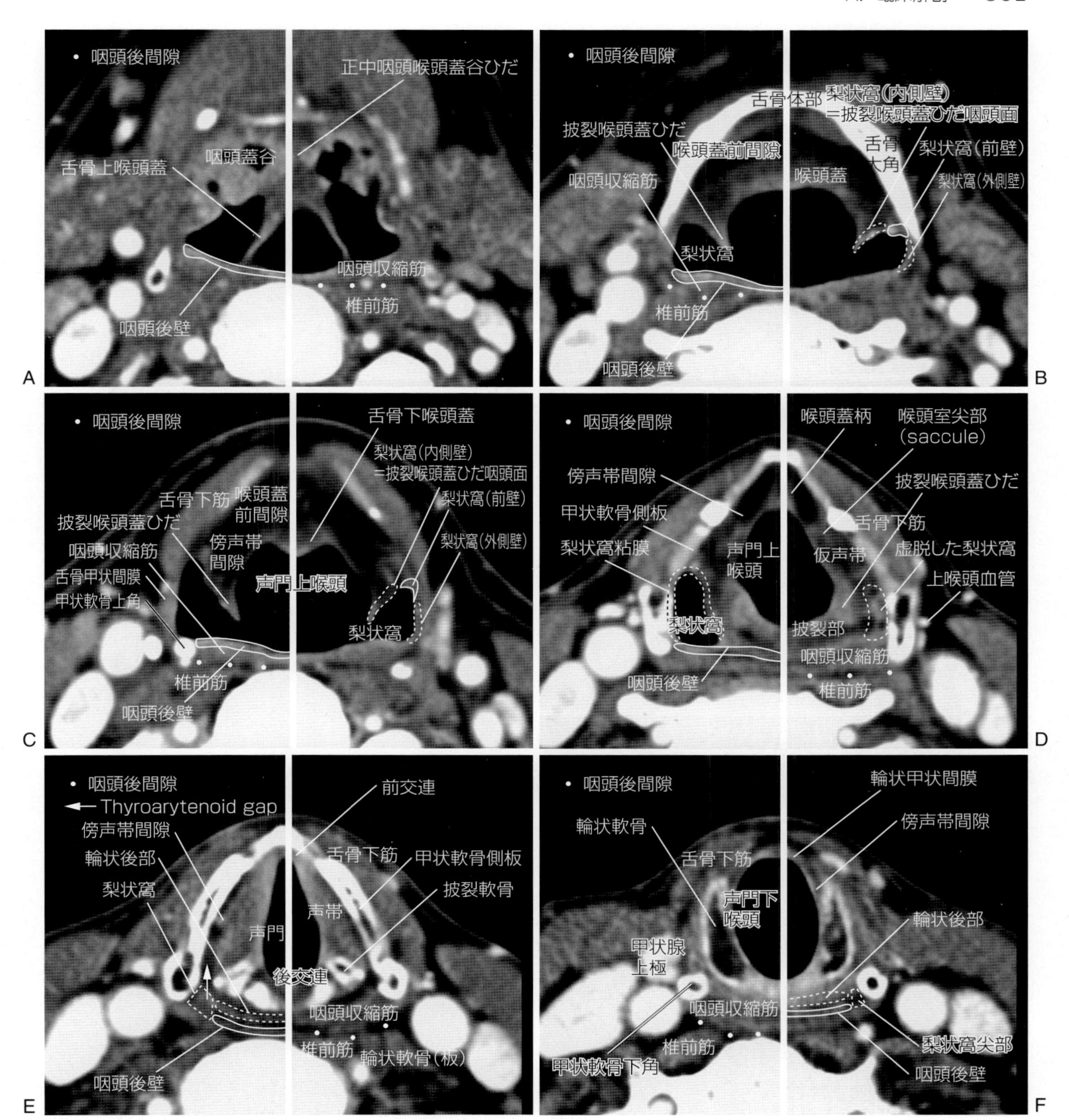

図 2　下咽頭・喉頭レベルの造影 CT(正常解剖)

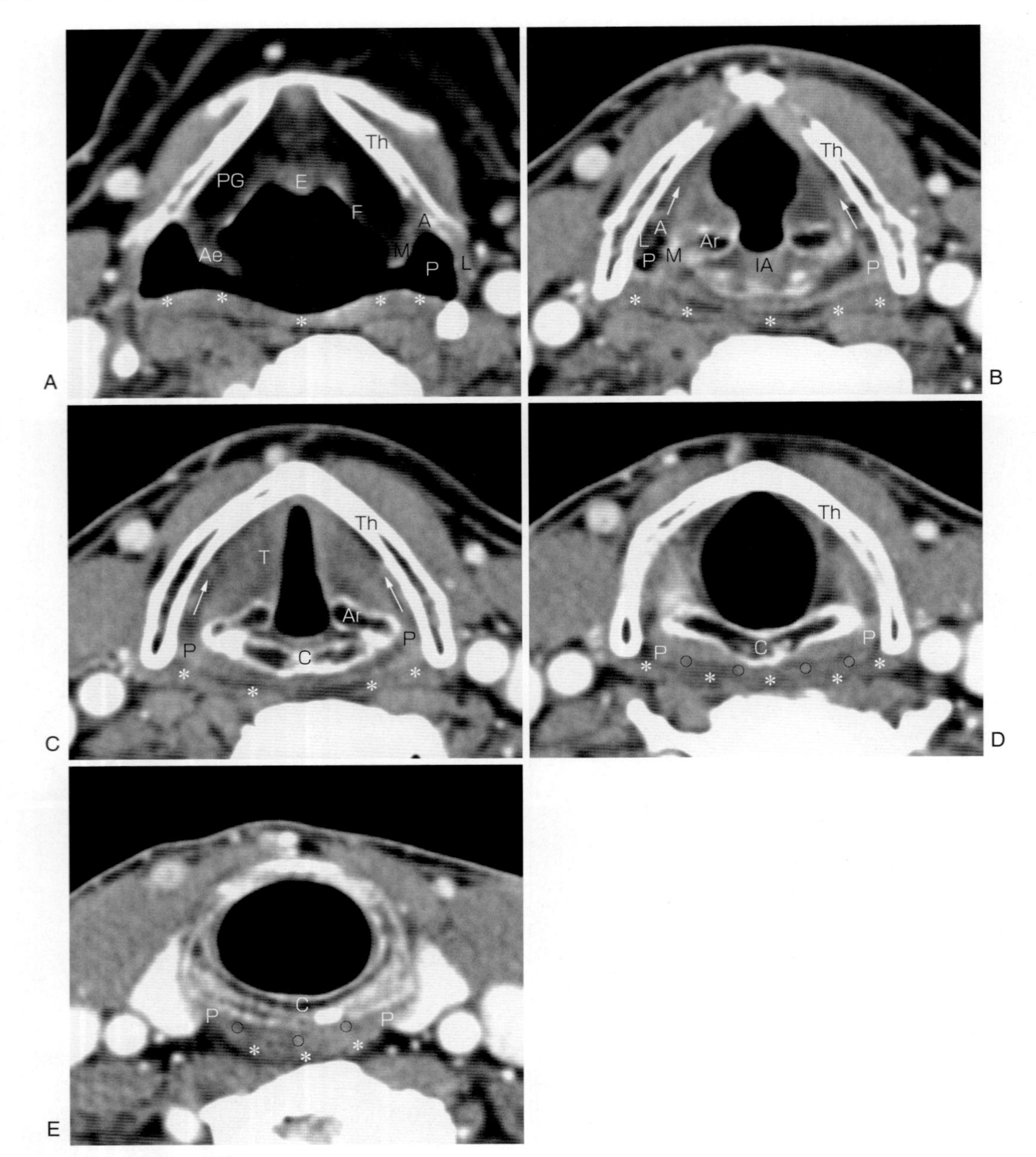

図3　下咽頭正常CT

造影CTの仮声帯レベル(A)，喉頭室レベル(B)，声門レベル(C)，声帯下面レベル(D)，声門下レベル(E)での横断像．A：梨状窩前壁，Ae：披裂喉頭蓋ひだ，Ar：披裂軟骨，C：輪状軟骨，E：喉頭蓋，F：仮声帯，IA：披裂間部(喉頭)，L：梨状窩外側壁，M：梨状窩内側壁(披裂喉頭蓋ひだ咽頭面)，P：梨状窩，PG：傍声帯間隙，T：声帯，Th：甲状軟骨側板，○：輪状後部，＊：咽頭後壁

両側梨状窩の前壁は，甲状軟骨側板と披裂軟骨との間(thyroarytenoid gap)を介して，喉頭の傍声帯間隙後方へと連続する(矢印；図B・C)．逆ピラミッド型を形成する梨状窩で内腔の含気が確認されるのは声門(図C)かその直上レベル(図B)までであり，これより尾側レベルでは梨状窩は虚脱し，輪状軟骨両側縁のわずかな領域に相当する(P：図D・E)．輪状軟骨後面では，下咽頭は虚脱し，輪状後部(○)と咽頭後壁(＊)が接するように認められるのが通常であるが，各々の粘膜下脂肪層の存在により，両者の区分が可能である(図D)．ただし，尾側ほど，同脂肪層は不明瞭となる(図E)．

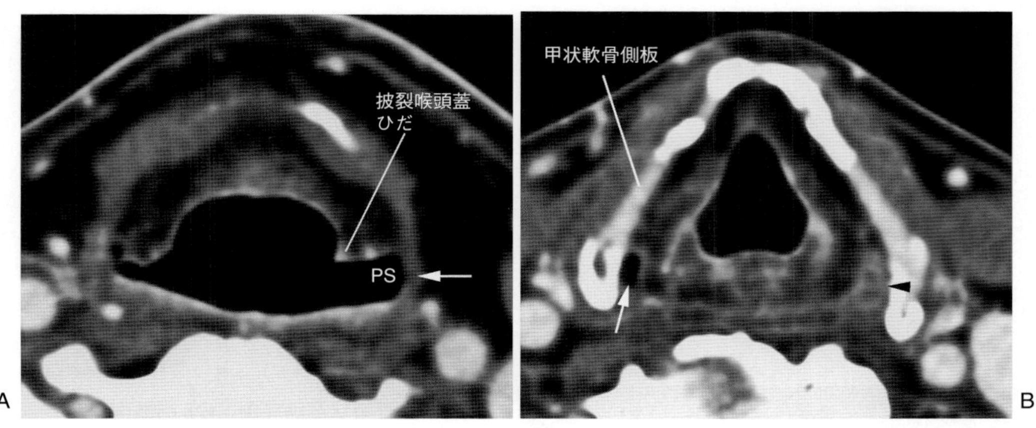

図 4　早期梨状窩癌症例．CT 横断像
A：甲状舌骨膜レベル横断像．梨状窩(PS)は前方は披裂喉頭蓋ひだ，外側は甲状舌骨膜(矢印)に境されている．
B：甲状軟骨側板レベル横断像．梨状窩(矢印)外側は甲状軟骨側板に境される．左梨状窩には増強効果を示す不整な腫瘤(矢頭)を認め，早期の梨状窩癌が示唆される．

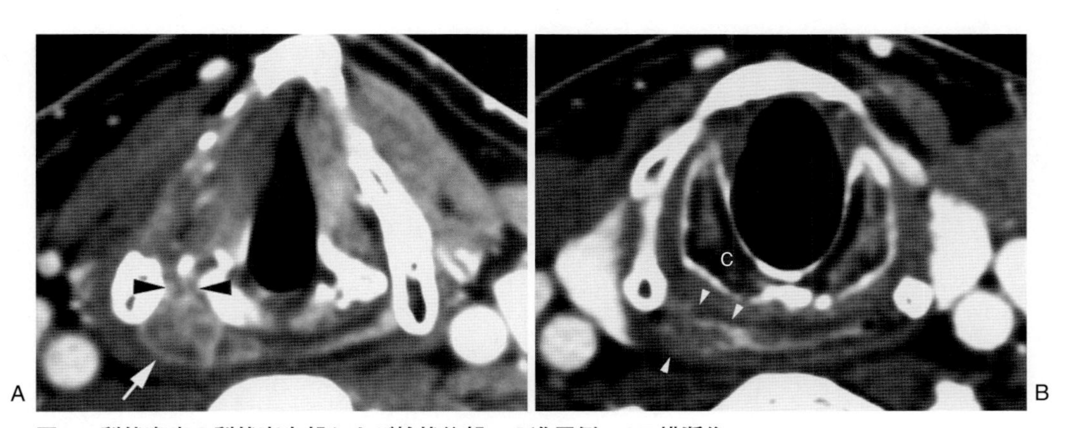

図 5　梨状窩癌の梨状窩尖部および輪状後部への進展例．CT 横断像
A：声帯レベル横断像において右梨状窩に不整な腫瘤(矢印)を認め，梨状窩癌に一致する．甲状軟骨と披裂軟骨との間(thyroarytenoid gap：矢頭)の開大がみられ，前方の傍声帯間隙(喉頭)への進展を示唆する．
B：輪状軟骨(C)レベル横断像．梨状窩癌は梨状窩尖部から輪状後部への下方進展(矢頭)を示す．

3 神経支配

咽頭の神経支配は，主に迷走神経(CN 10)と副神経(CN 11)からなる咽頭神経叢による．咽頭収縮筋の運動は主に迷走神経，下咽頭の知覚は舌咽神経(CN 9)および迷走神経の枝である上喉頭神経喉頭内枝の支配による．迷走神経の耳介枝(Arnold 神経)への関連痛より，下咽頭癌の初期症状として耳痛と嚥下痛の組み合わせはまれではない．

4 血管支配

咽頭下部の動脈支配は主に外頸動脈の枝である上甲状腺動脈および甲状頸動脈の枝である下甲状腺動脈による．主な静脈還流は咽頭静脈叢あるいは内頸静脈に向かう．

5 リンパ支配

下咽頭のリンパ支配は複雑で，前方と後方の還流に区分される[2]．

前方では梨状窩粘膜のリンパは，声門上喉頭の

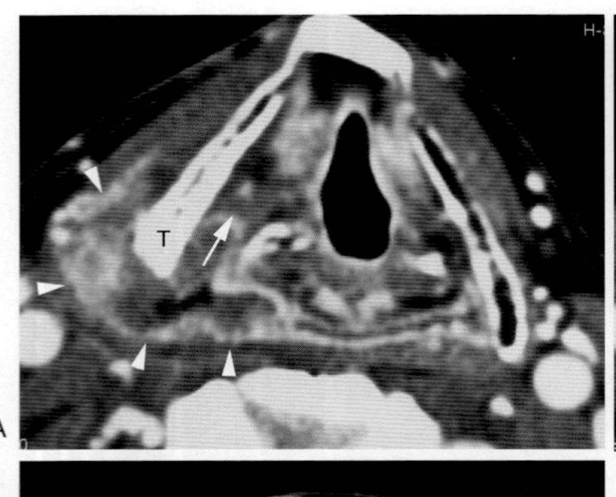

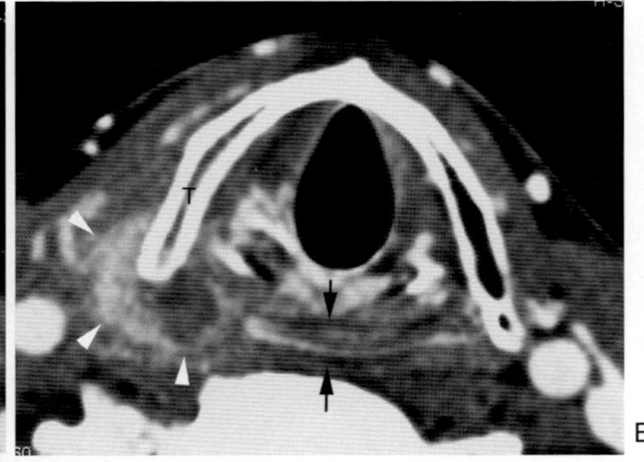

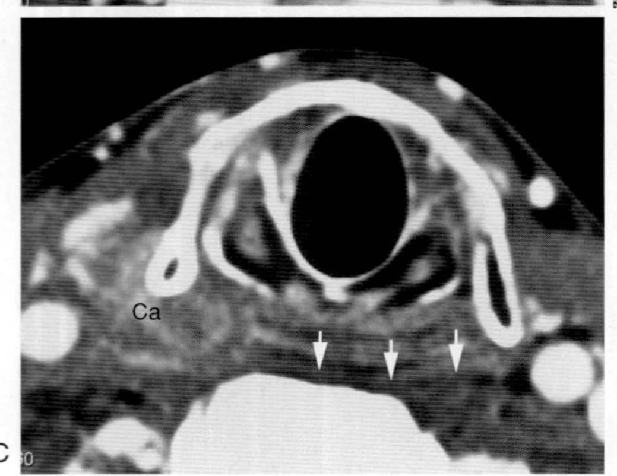

図6　進行梨状窩癌症例．CT横断像

A：声帯レベル横断像．右梨状窩を中心として浸潤性腫瘍(矢頭)を認め，梨状窩癌に一致する．thyroarytenoid gapを介して前方の傍声帯間隙に向かう進展(矢印)あり．甲状軟骨側板(T)は硬化性変化を示し，その後縁に破壊あり．腫瘍は下咽頭収縮筋の付着に従い，甲状軟骨側板後縁を包み込むように(wrap around)頸部軟部組織に進展している．

B：声帯下面から声門下部レベル横断像．梨状窩癌の梨状窩尖部から輪状後部への腫瘍の進展(矢頭)を認める．正常では確認可能な輪状後部(前壁側)および同レベルの咽頭後壁(後壁側)の壁内脂肪層(矢印)が右側では同定できない．

C：図Bよりさらに下方の声門下部レベルの横断像．梨状窩癌(Ca)は梨状窩尖部下端に進展．左側では確認可能な咽頭後間隙の脂肪層(矢印)が病変部では確認できず，後方の椎前筋膜に達する腫瘍進展が示唆される．同進展は外科的切除を不可能とする．

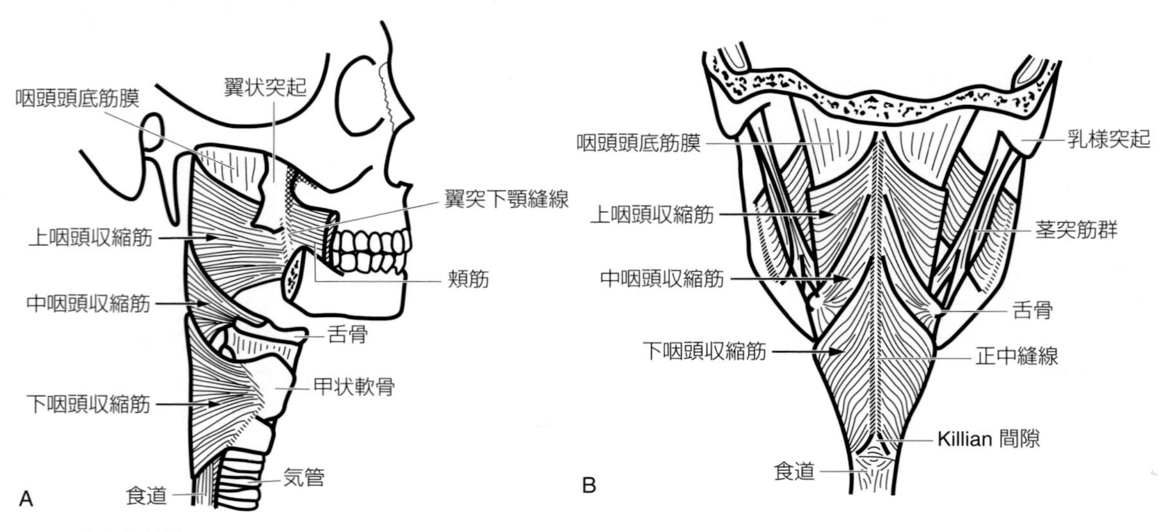

図7　咽頭収縮筋．シェーマ

A：咽頭収縮筋側面．
B：咽頭収縮筋後面．

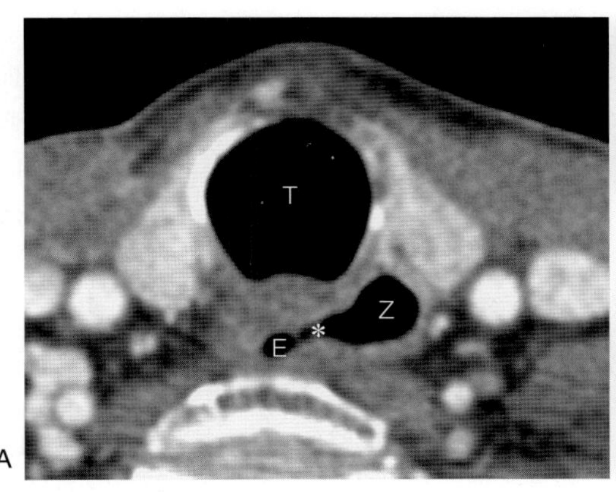

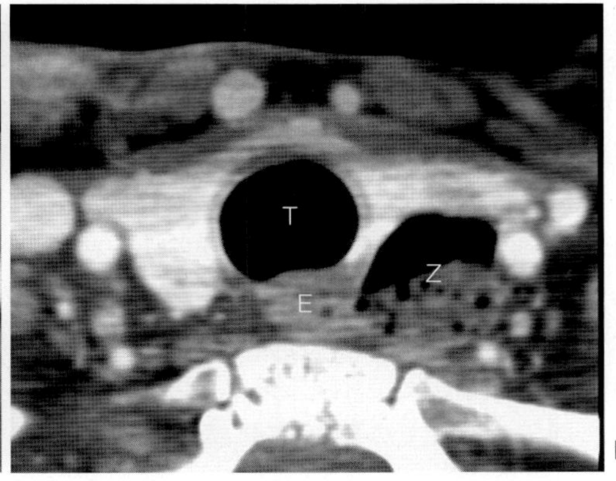

図 8 Zenker 憩室
造影 CT(A). 頸部食道(E)との交通(＊)を示し, 左側に連続する含気腔(Z)を認め, Zenker 憩室に一致する.
別症例(B). 頸部食道(E)左側に隣接して, 内腔に残渣を含む憩室(Z)を認める. T：気管

リンパとともに甲状舌骨膜を通過する上喉頭神経血管束に沿って喉頭骨格外に出たあと, 甲状舌骨膜に沿ったリンパ節あるいは主にレベルⅡ, Ⅲのリンパ節へと還流する.

後方では咽頭後壁のリンパ網からのリンパが甲状軟骨側板後縁近傍を通過して咽頭後リンパ節あるいは内頸静脈に沿う内深頸リンパ節へと還流する.

B 画像診断・撮像プロトコール

バリウムによる咽頭造影検査は経済性, 簡便性などもあり, 依然, 嚥下困難を訴える場合の最初の画像診断となる場合がある. 病変の全体像をとらえる, 咽頭の可撓性を評価する動態検査となる, 同時多発病変のスクリーニングという点においても重要である. 特に可撓性評価に対してはビデオ撮影を組み合わせた検査も行われている. これらに関しては歴史的記述を含め, 耳鼻科医, 放射線科医, 両者による数多くの論文や記述がみられ, 詳細はこれらを参考にしていただきたい.

本項では高い空間分解能, コントラスト分解能により病変および周囲の重要な構造, また頸部リンパ節病変も同時に, 直接描出しうる CT, MRI を中心に解説する.

現在, 下咽頭癌で最も多い梨状窩癌の評価では経済性, 時間効率, 喉頭軟骨の変化などの評価の必要性などもあり CT の選択が一般的である. ただし, 輪状後部から頸部食道の解剖の描出は MRI が優れるとの報告もあり[3], 軟骨浸潤のさらなる評価, 気管壁・食道壁浸潤, 甲状腺浸潤などの評価において MRI が有用な場合も多い. これらの画像診断から得られる情報は病期診断, 治療選択, 治療後(再発・転移)の評価に直接反映される. 以下に適切な撮像プロトコール, CT および MRI での下咽頭における組織コントラストの概略を解説する.

1 撮像プロトコール

下咽頭 CT 診断の撮像プロトコールは喉頭のそれと重なる. 下咽頭と喉頭との強い臨床的関連性を反映するもので, 下咽頭癌で最も多い梨状窩癌では喉頭軟骨評価が不可欠であり, 軟部組織, 空気, 軟骨(実際は軟骨, 皮質骨, 脂肪髄の組み合わせ)を評価しなければならない点で喉頭癌の画像診断とまったく同様であることによる.

多列検出器 CT による下咽頭癌の画像診断においては, 同じ画像データを基とするが, 原発病変(T 因子)と頸部リンパ節(N 因子)を評価する画像は分けて考えるべきである. 撮影時, 被検者は検査台に頸部を伸展した仰臥位をとるが, 安静呼吸を指示する. 経静脈的ヨード造影剤投与が必要であり, 秒間 2 mL から 3 mL 程度で注入し, 約 70 秒程度からの撮影が一般的である(早過ぎると病

変の増強効果は不十分となる）.

撮像範囲は，上は頭蓋底から下は胸郭入口部（声門下病変がみられる場合は適宜，上縦隔まで含む）まで，頭頸部全体を設定する．原発病変に関しては，下咽頭全体の範囲で声帯に平行（舌骨，喉頭室あるいはC4〜5，C5〜6椎間腔などが基準となる）に，再構成スライス厚・間隔は2mmの横断像で軟部濃度・骨条件両方での表示，頸部リンパ節病変に関しては，頭頸部全体を再構成スライス厚・間隔3mmでの横断像軟部濃度表示が望まれる．原発部位での骨条件表示は，喉頭軟骨浸潤の評価に必要となる．咽頭後壁癌では，頭尾側方向の進展の把握に矢状断再構成画像が有用な場合もある．

MRI撮像プロトコールも喉頭とほぼ同様である．CTと同様に仰臥位，頸部伸展位で撮像される．CTと比較して検査時間がかかることより検査中の安静維持の指導はより重要である．多断面の撮影が可能である利点がある一方，CTに比べ検査時間が長く体動による画像劣化が問題となる．実際，喉頭，下咽頭のMRI検査では約16％で検査時の体動，閉所恐怖症などの理由により診断的価値のある画像が得られないとされる[4〜6]．撮影はHelmholtz型あるいはphased-array型のコイルにより頭蓋底から鎖骨レベルまでの頸部全体を範囲として含み，良好な信号雑音比を得ることが可能である．

実際の撮像プロトコールは放射線診断医の考えとハードウェアに依ることが多いが，基本的なものを以下に述べる．矢状断位置決め撮像で喉頭室を確認しこれに平行に舌根部から輪状軟骨全体を含む範囲でSE（スピンエコー）法によるT1強調横断像，Fast-SE法によるT2強調横断像を撮像する．これはCTと同様，下咽頭原発病変の詳細な評価を必要とするために重要である．必要に応じて，これに直行するT1強調冠状断像，矢状断像を撮像する．特に矢状断は後壁病変の頭尾側方向進展範囲の把握，下咽頭後壁病変と後方の咽頭後間隙，椎前筋へ関連の評価に有用な場合がある．FOVは20cmあるいはそれ以下とし，マトリックスは最低でも256×192とする．ガドリニウムDTPAによる造影の可否に関してはいまだ評価は定まっていないが，投与後T1強調横断像を加えるのが一般的で，症例により脂肪抑制法の併用が有用である．血管からのアーチファクトを軽減するため，位相エンコーディングは横断像では前後方向，冠状断像では上下方向とする．短時間で撮影を終了しなければならないような被検者では撮像パラメータの設定にも制限が生じる．

2 組織コントラスト

CTにおいては開放した下咽頭腔，喉頭内腔は空気濃度，後方の咽頭後間隙，喉頭内の各粘膜下間隙（喉頭蓋前間隙，傍声帯間隙）および咽頭壁の粘膜下脂肪層は主に脂肪濃度，咽頭壁（咽頭収縮筋）と内・外喉頭筋，その他の筋は軟部組織濃度を示す．CTでは喉頭粘膜が増強効果を示さないのに対し，正常下咽頭粘膜は軽度増強効果を示すため，表在性低容積病変の指摘には注意を要する[7]．下咽頭癌は軟部組織濃度を呈するのが典型的で，その増強効果，形状などは非特異的である．声門上喉頭癌とは内視鏡所見と同様，病変局在と進展様式により区別される．下咽頭癌の喉頭組織間隙への進展は主に軟部組織濃度が占める前者と脂肪濃度を示す後者との間のコントラストにより評価可能である．喉頭軟骨の描出は7章「喉頭」を参照いただきたい．

MRIは一般にCTよりも高い組織コントラストを得られると考えられる．また，いくつかの異なったシーケンスの比較により，さらなる組織の特定が可能である．T1強調像では脂肪は高信号，粘膜は低から中等度信号強度，筋肉・腫瘍などの軟部組織は中等度信号強度，液体はややそれよりも低信号域強度，空気は無信号を呈する．T2強調像では液体は著明な高信号，粘膜は中等度信号強度，筋肉は中等度から低信号強度，脂肪は軽度高信号から中等度信号強度，空気は無信号を示す．T2強調横断像では低信号の咽頭収縮筋とやや高信号の粘膜との区別は比較的容易である．CT同様，正常下咽頭粘膜はガドリニウムDTPA静注後に軽度の増強を示す．良好な脂肪抑制画像では脂肪は低信号を示す．腫瘍は典型的には造影前T1強調像では筋肉と同程度，T2強調像では筋肉よりやや高い信号強度を呈する．

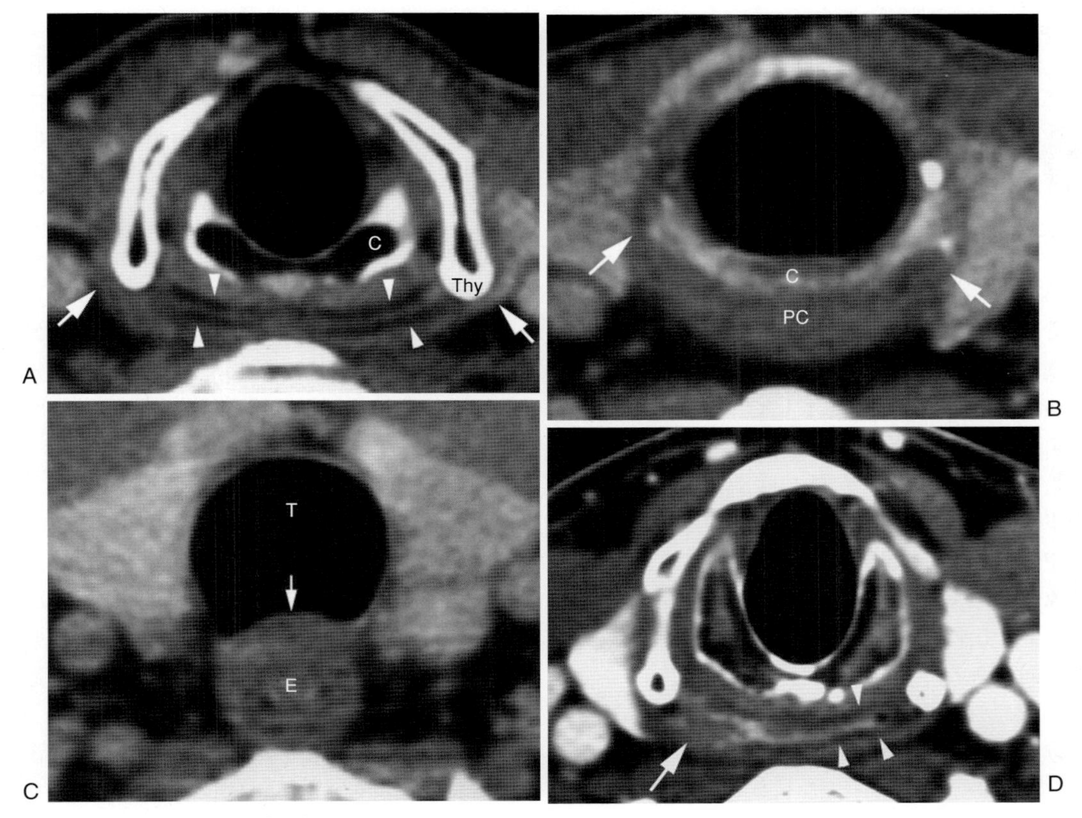

図 9　輪状後部および壁内脂肪層．CT

A：正常輪状軟骨(C)上部レベル横断像．同レベルで下咽頭は下咽頭収縮筋の付着に従って，甲状軟骨側板(Thy)後縁を回り込むように外側に進展(矢印)，全体として扁平な形状を示す．前壁を形成する輪状後部，後壁を形成する咽頭後壁には各々，粘膜下脂肪層(矢頭)が明瞭に確認される．

B：正常輪状軟骨(C)中部レベル横断像．輪状後部(PC)は外側に進展(矢印)，輪状軟骨外側面に付着するが，図Aと比較して幅が狭く，壁内脂肪層が不明瞭になっている．

C：正常頸部食道(E)レベル横断像．輪状軟骨から気管(T)に移行したことを反映して，気管膜様部が頸部食道(E)により圧排されることから気道後方は凹(矢印)の輪郭を呈する．頸部食道は下咽頭収縮筋のように外側への付着はみられず，全体として類円形を呈する．

D：輪状後部へ進展した梨状窩癌症例(図 5B，6C と同一)．横断 CT において左側では確認可能な壁内脂肪層(矢頭)が右側で消失し，右梨状窩尖部から輪状後部への腫瘍浸潤(矢印)を示す．

下咽頭輪状後部と頸部食道の横断像における正常像は，前者が下咽頭収縮筋が両側に拡がり甲状軟骨下角に付着することから横断面では横長で扁平なのに対して，後者はやや横長の楕円形を呈することで区別される(図 9)．声門に平行な横断画像において，輪状後部の前後径は 10 mm，頸部食道の前後径は 16 mm，左右径は 24 mm を超えると異常と判断される[3]．輪状後部ではその頭側から尾側レベルにかけて，左右径は約 10 mm 減じる．また，同部は前壁(平均 2.5 mm)が後壁(平均 3.5 mm)に比べてやや薄いのが通常である．輪状後部では壁内脂肪層と呼ばれる脂肪濃度・信号強度の薄い層が壁内に認められるが，上部レベルでより明瞭であり，描出は MRI よりも CT で優れる(図 9)．頸部食道後側壁は輪状後部と比較してやや厚く，側壁で 5 mm，後壁で 4.5 mm が上限と考えられる．前方に接する気管との共通壁では，気管と頸部食道壁の画像上の分離は食道入口部において約 3 分の 2 で可能であるが，下部レベルにいくに従って困難になる．MRI がその描出に有用である．このため頸部食道レベルの評価では MRI が CT よりも優れる．また下咽頭癌の甲状腺浸潤の評価においても同様である．

C 下咽頭癌

1 一般的事項

下咽頭癌は頭頸部癌全体の約5％に相当するが，その大部分が梨状窩（66〜75％）より生じ，咽頭後壁（20〜25％），輪状後部（15〜20％）由来は比較的少ない[8,9]．発生頻度としては喉頭癌の1/5〜1/4程度とされる．55〜70歳代の男性に多く（男性：女性＝4：1），喫煙，飲酒に関連する．30歳以下はまれである．輪状後部の癌は古典的にはPlummer-Vinson症候群との関連より例外的に女性に多いとされてきたが現在は男性が多い．男性と比較して，女性のほうが予後はやや良好な傾向にある．

下咽頭悪性腫瘍の95％が扁平上皮癌で，通常は低分化型（角化型が60％程度，非角化型が30％程度）である．外科的摘出標本では高頻度にその辺縁に粘膜癌や多巣性病変が存在しており，十分に安全な辺縁組織を含む切除を困難にしている．

Plummer-Vinson症候群（あるいはPaterson-Brown-Kelly症候群）は体重減少，鉄欠乏性貧血，下咽頭食道web，嚥下困難を症状とし，30〜50歳の主に女性（男性：女性＝1：2）にみられる．線維化により生じるwebは下咽頭下部，輪状後部から頸部食道に多くみられ，初期は前方のみであるが徐々に全周性となる．バリウムによる咽頭造影がその診断に有用である．女性で輪状後部癌を生じる症例の1/3〜2/3に基礎疾患として存在し，無治療例に癌が多いとされる．ただし，最近では女性例でも過度のアルコール，喫煙に関連したものが増加している．中咽頭癌と同様，一部の下咽頭癌（特に梨状窩癌）と高リスクHPVウイルスとの関連が報告されている[11]．

下咽頭癌の初期は無症状であることが多く，症状発現から診断までは通常2〜4ヵ月とされる．最も代表的な初発症状は咽頭痛である．下咽頭側壁，梨状窩癌では片側優位の咽頭痛を特徴とするが，咽頭炎が癌年齢と比較して若年者に多く，両側性であるのが一般的であることから区別されることが多い．頸部リンパ節転移による頸部腫瘤で初発することもある．進行すると嚥下困難，関連痛による耳痛，声質変化などが生じる．病期診断はAJCCに基づくTNM分類（表1）が広く用いられている[12]．AJCCの第8版への改訂により，T分類から（原発不明癌が独立した項目となったことにより）T0が削除され，N分類は他領域と同様に節外進展（ENE：extranodal extension）が組み入れられ，明らかな節外進展はN3bに区分されることとなった．原発巣（T）診断は理学的所見，内視鏡検査，画像診断に基づく．

下咽頭癌では粘膜下進展が特徴的であり，特に梨状窩癌では尖部進展の評価において内視鏡所見とCT，MRI所見との相違が大きいことが知られている（図5）[13]．粘膜病変の範囲を1 cm以上越えた粘膜下進展や，skip lesion，多発病変もまれではない．初期症状が乏しいことと粘膜下進展の特徴から多くが進行例として診断される．T1N0病変は全体の1〜2％程度で，70〜85％が診断時にすでにstage Ⅲあるいは Ⅳとされる[14]．また，診断時に65〜80％で頸部リンパ節転移を認め，N0症例の潜在性の対側頸部リンパ節転移も30〜40％に達する[15,16]．下咽頭癌の対側頸部リンパ節転移（図10）の頻度は35％，潜在性転移例は27％とされる[17]．対側頸部転移は触知可能な患側頸部転移陽性，喉頭固定，咽頭後壁進展でリスクが高いとされる[17,18]．頸部リンパ節転移陽性例であってもレベルI，IIB，V病変はまれであり[16]，多くの場合，N0例においてはレベルII，III，IVの選択的頸部郭清術が推奨される[19]．レベルVI転移および甲状腺進展を約30％で認め，輪状後部癌では20％で患側レベルVI病変を伴うとされる[20]．正中を越える病変では両側頸部郭清術，梨状窩尖部進展例では患側レベルVI郭清が望まれる[15]．レベルVI転移例は他の頸部レベルへのリンパ節転移の頻度が高く，その後の縦隔・遠隔転移の頻度も高く，生存率を低下する[20,21]．遠隔転移は診断時に20〜40％でみられ[22]，肺，縦隔リンパ節，肝，骨に好発する[14]．全体の4〜15％で同時あるいは異時の二次癌を認めることも臨床上重要である．下咽頭癌は頭頸部癌のなかで

表1　下咽頭癌 TNM 分類

【T 分類：原発病変】		
TX	原発巣の評価不能	
Tis	粘膜内の限局癌(carcinoma *in situ*)	
T1	下咽頭の 1 亜部位に限局，および / あるいは最大径 2 cm 以下	
T2	下咽頭の 2 亜部位以上あるいは隣接部位への進展，あるいは最大径が 2 cm を超えるが 4 cm 以下，ただし片側喉頭固定なし	
T3	最大径 4 cm を超えるか，片側喉頭固定，あるいは食道粘膜進展	
T4	中等度あるいは高度進行病変	
	T4a：中等度進行病変	甲状軟骨・輪状軟骨，舌骨，甲状腺，食道あるいは中央部軟部組織(舌骨下筋，皮下脂肪)への浸潤
	T4b：高度進行病変	椎前筋膜，頸動脈，あるいは縦隔への浸潤
【N 分類：所属リンパ節(頸部リンパ節)】		
NX	リンパ節病変の評価不能	
N0	リンパ節病変なし	
N1	患側の孤立性リンパ節転移で，最大径 3 cm 以下，節外進展なし	
N2	N2a	患側の孤立性リンパ節転移で，最大径 3 cm を超えて 6 cm 未満，節外進展なし
	N2b	患側の複数リンパ節転移で，いずれも最大径 6 cm 未満，節外進展なし
	N2c	両側あるいは対側リンパ節転移で，いずれも最大径 6 cm 未満，節外進展なし
N3	N3a	最大径 6 cm を超えるリンパ節転移で，節外進展なし
	N3b	臨床的に明らかな節外進展を伴うリンパ節転移あり
【M：遠隔転移】		
M0	遠隔転移なし	
M1	遠隔転移あり	

(Amin MB et al (eds) : AJCC Cancer Staging Manual (8th ed), Springer, New York, 2017)

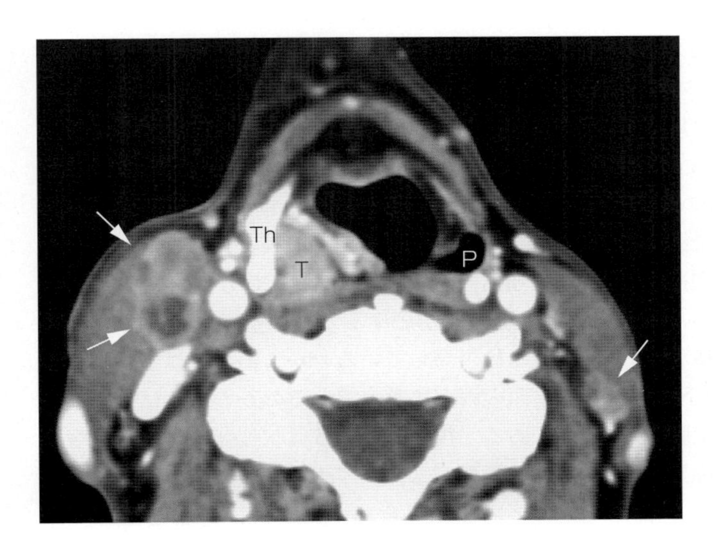

図 10　両側頸部リンパ節転移を伴う梨状窩癌

造影 CT において右梨状窩を占拠する腫瘤(T)を認め，両側レベル III に内部低吸収(focal defect)を伴う転移リンパ節(矢印)を認める．いずれも辺縁はやや不整で節外進展を示唆する．P：左梨状窩，Th：甲状軟骨右側板

異時性二次癌が最も多く，食道癌，肺癌，他の頭頸部癌がその代表である[23]．

梨状窩内側壁から披裂喉頭蓋ひだを中心とした進行癌では，しばしば梨状窩由来の下咽頭癌と披裂喉頭蓋ひだ由来の声門上喉頭癌との鑑別が困難である．一般的に梨状窩癌の喉頭進展のほうが声門上喉頭癌の梨状窩進展よりも起こりやすいとされる．

予後はTNM分類により異なるが，外科手術や化学放射線治療等の進歩にもかかわらず5年生存率は全体で30%程度と不良であり，T1～2病変で約60%，T3～4病変あるいは多発頸部転移例では20～30%程度である．下咽頭癌は頭頸部全領域のなかで最も予後不良とされる[24]．禁煙により放射線治療に対する感受性の向上，生存率の改善，二次癌発生率の低下がみられる．ほぼ半数が再発するが，その大部分が12ヵ月以内に生じる[14]．そして，その約半数で遠隔転移を認める[14]．切除断端陽性例では70%が局所再発を生じるとされる[25]．局所再発の少なくとも3分の2の例で有効な救済治療は困難である[26]．

診断には病歴確認とともに，内視鏡検査，バリウム検査，CT，MRI，PET-CTなどが施行されるが，確定には生検が必要となる．継続性，進行性の症状を訴える場合，バリウム検査が陰性結果であったとしても内視鏡検査を施行するべきである．CT，MRIは主に粘膜下進展などを含む原発病変の進展範囲，頸部転移の有無・範囲や節外進展の有無，ときに遠隔病変の評価などを目的とする．CTは声帯浸潤を過大評価，頸部食道浸潤を過小評価する傾向にあり，甲状軟骨浸潤，頸部リンパ節転移での評価の困難さにも課題がある[27]．MRIでも微小病変，リンパ節への微小転移などの評価は容易でない[28]．MRI拡散強調像のADC値は腫瘍の大きさとは関連しない[27]．甲状腺浸潤に対するMRIの診断能は感度100%，特異度97.4%，陽性的中率75%，陰性的中率100%と報告されている[29]．気管傍リンパ節転移（レベルVI）は下咽頭癌例の約30%でみられるが[30]，画像診断での感度，特異度はCTで最低で70%，30%，MRIは50%，71%であり，MRI，超音波検査，PETと比較してCTが最も高い感度，陰性的中率を示す．

治療に関しては，本章にて後述する．

2 進展様式

下咽頭癌の進展様式は発生した亜部位，生物学的侵襲性の高さ，隣接する喉頭との解剖学的位置関係により異なる．しばしば，隣接する他の亜部位，喉頭への進展，喉頭軟骨骨格の破壊，喉頭外頸部軟部組織への進展をきたす．下咽頭癌は粘膜下進展傾向が強いことから通常は進行病期で診断され，頸部リンパ節転移の頻度も高い[31]．以下に下咽頭各亜部位に生じた下咽頭癌の進展様式につき解説する．

a．梨状窩癌（図11，表2）

下咽頭癌の中で最も多い（66～75%）．初期病変（図4，12）は小結節様を示すが，粘膜下進展が特徴的であり，粘膜病変の輪郭を1 cm以上越える進展もまれではない．喉頭進展のリスクの高い内側型（図13）と比較的低い外側型（図14）に分かれる．

梨状窩内側壁あるいは前壁の内側型梨状窩癌では，前方進展での甲状披裂間隙（thyroarytenoid gap）を介した傍声帯間隙への喉頭進展（図15）が臨床上重要で，内視鏡で喉頭進展が確認困難な場合も多い（図15A，16）．いったん喉頭蓋前間隙まで到達すると対側の傍声帯間隙への臨床上潜在的な進展を起こしうる．また，披裂喉頭蓋ひだ自由縁を越えた喉頭進展（図17）もしばしば認められ，この場合は声門上喉頭癌との鑑別が問題となる．通常，同進展は内視鏡で明らかであるが，CT上は病変が肥厚した披裂喉頭蓋ひだの下咽頭面のみに限局しているのか，あるいは下咽頭面，喉頭面の両方に及んでいるのかの判断は困難な場合もある．後方進展では輪状披裂筋，輪状披裂関節への浸潤により声帯固定をきたす（図18）．臨床上，内側壁を含めて侵す梨状窩癌は61%で半喉頭固定，64%で対側，特に輪状披裂後部への進展を示す[32]．画像上はいずれも不整な浸潤性腫瘍として描出される．画像での喉頭進展（図15，16）の指摘は術式選択に関して喉頭温存の可否（発声機能を残せるか否か）に関わる点において重

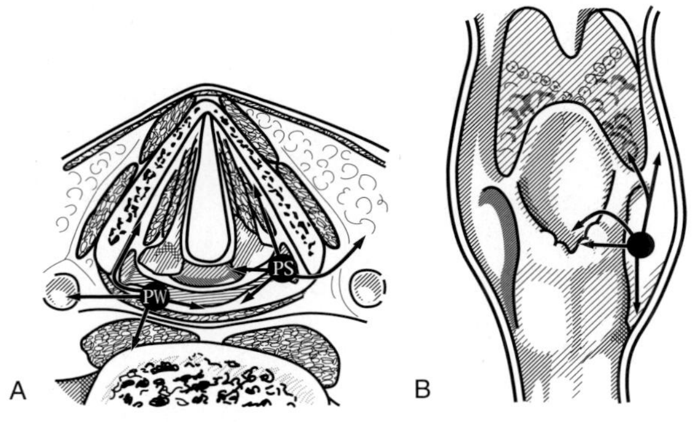

図 11　下咽頭癌の進展様式
A：声門部横断像シェーマ(PS：梨状窩癌，PW：咽頭後壁癌の進展様式).
B：梨状窩癌の進展様式(咽頭後壁正中より切開し展開した像のシェーマ).

表 2　梨状窩癌での重要な画像評価項目

前方進展	thyroarytenoid gap を介した喉頭(傍声帯間隙)への進展：喉頭温存術式選択の可否に関連 甲状軟骨側板への浸潤(T4a)
後方進展	咽頭後壁への進展およびその範囲〔正中・対側への進展〕(T2 以上) 咽頭後間隙 椎前筋膜・筋(T4b)
頭側進展	中咽頭への進展
尾側進展	梨状窩尖部への進展の有無，同部病変最大横断径(1cm 以上か否か)：RT の局所制御率に関連 輪状後部への進展およびその範囲(T2 以上)：粘膜下脂肪層の同定 輪状軟骨浸潤の有無(T4a) 頸部食道(T3)・気管浸潤・気管食道溝 甲状腺浸潤(T4a)
内側進展 内側後方進展	輪状披裂関節・披裂軟骨周囲：喉頭固定により T3 披裂部〔正中・対側進展の有無〕
側方進展	甲状軟骨側板への浸潤(T4a) 上喉頭神経血管束に沿った甲状舌骨膜を介した頸部軟部組織進展(T4 以上)
その他	大きさ：T1～3 病期に関連 腫瘍容積(6.5 cm^3 より小さいか，大きいか)：RT での局所制御率に関連 気道への影響・程度の把握 重複癌の有無
N 因子	主に同側のレベルⅡ，Ⅲ，Ⅳ(Ⅴ，Ⅵ，Rouvière リンパ節にも要注意) レベルⅥは，特に梨状窩尖部進展例で要注意 正中・対側進展では対側頸部にも要注意

要である.

外側壁を中心とする外側型梨状窩癌では梨状窩外側壁の深部に位置する甲状軟骨側板後縁(軟骨部)および甲状舌骨膜(膜様部)を越えた喉頭外頸部軟部組織への進展をきたす傾向がある(図 19～21). 膜様部では後上方の上喉頭神経血管束に沿って甲状舌骨膜を介した喉頭外進展を認める(図 22～25). 比較的早期より甲状軟骨側板後縁，輪状軟骨後上縁の破壊(図 26)を示し，あるいは輪状甲状膜，甲状軟骨後縁を介して頸部軟部組織(図 6，20，21)，甲状腺，甲状腺内あるいは傍甲状腺のリンパ管へ進展する. 側方進展では，下咽

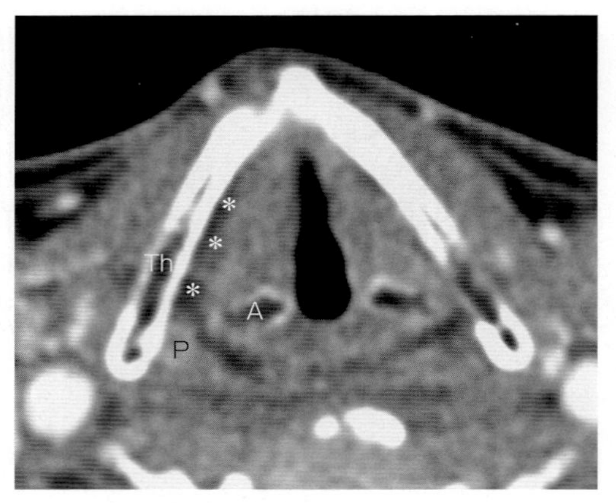

図 12　梨状窩癌初期病変

声門レベル造影 CT において，右梨状窩に低容積腫瘤(P)を認める．前方では披裂軟骨(A)と甲状軟骨側板(Th)との間(thyroarytenoid gap)を介して，傍声帯間隙(＊)後縁に隣接する．

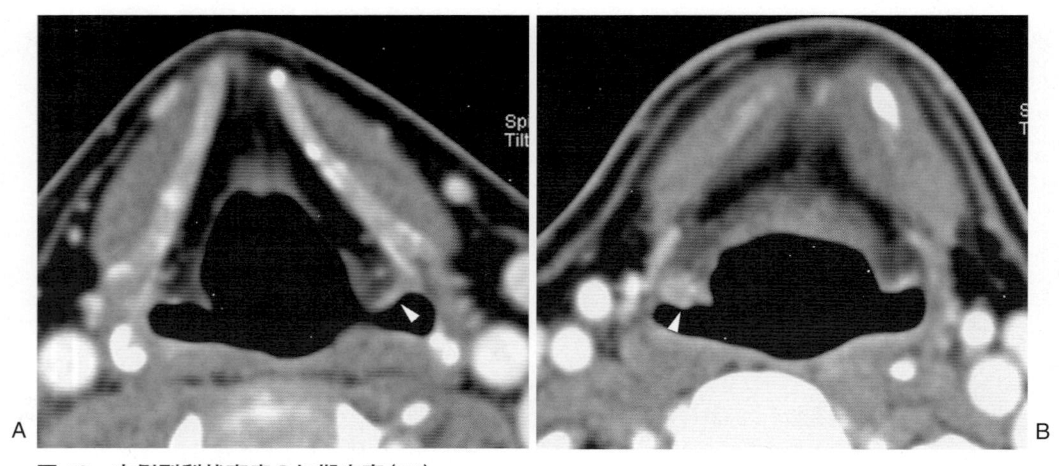

図 13　内側型梨状窩癌の初期病変(T1)

造影 CT(A，B)において，梨状窩内側壁(披裂喉頭蓋ひだ咽頭面)に結節様肥厚(矢頭)を認める．

頭収縮筋の付着(図 7A)に従い，甲状軟骨側板後縁を包み込むような進展(wrap around)が特徴的とされる(図 6，20，21，25B)．甲状軟骨後縁は喉頭の前交連と同様に，粘膜と軟骨との間に粘膜下組織はほとんど介在せず，早期より軟骨浸潤をきたす．また，同筋表層の筋膜破綻を伴う頸部軟部組織への浸潤では，近接する頸動脈浸潤(図 20，27)の危険性がある．頭頸部癌の中で，原発病変による頸動脈への直接浸潤を示す癌として，梨状窩癌が最も多いとされる．梨状窩外側壁の梨状窩癌では咽頭後壁への粘膜下進展にも注意すべきである．内喉頭筋への浸潤は進行してからのため，早期より喉頭進展を生じる内側型と比較して喉頭温存術式が可能なことが多い．

梨状窩尖部への腫瘍進展は，しばしば喉頭軟骨浸潤，輪状甲状関節，頸部軟部組織，気管食道溝上部，さらに輪状後部から頸部食道や甲状腺への進展を伴う(図 5，6，22，23，28，29)．画像診断において梨状窩尖部は，声門から輪状軟骨の高さでの下咽頭両側端に相当し，同部への腫瘍浸潤は輪状後部，咽頭後壁の粘膜下脂肪層(図 3D・E)の消失により診断される(図 5，9，23，28，

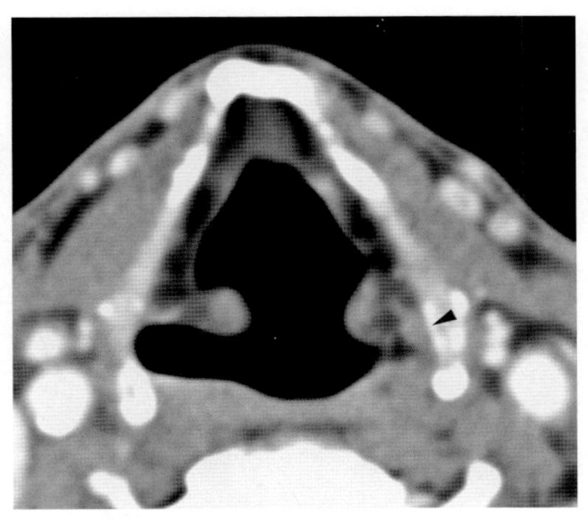

図 14　外側型梨状窩癌の初期病変（T1）
造影 CT．左梨状窩外側壁（軟骨部）に限局性の肥厚（矢頭）を認める．隣接する甲状軟骨の破壊，硬化の所見なし．

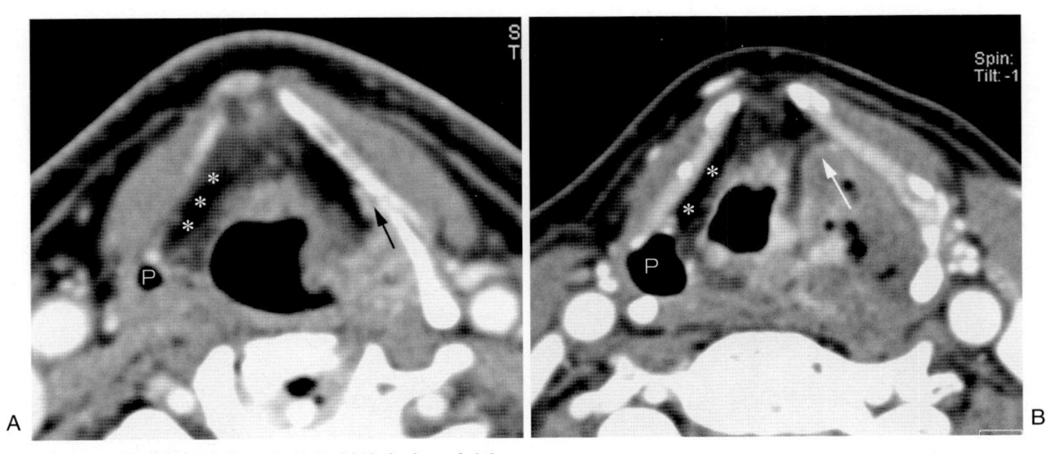

図 15　傍声帯間隙進展を伴う梨状窩癌 2 症例
造影 CT（A，B）．いずれの症例においても左梨状窩（対側で P で示す）を中心に浸潤性腫瘍を認め，傍声帯間隙（対側で＊で示す）への前方進展（矢印）あり．

30）．甲状披裂間隙を介した傍声帯間隙への進展も重要である（図 6，15，16，19〜21）．通常，梨状窩尖部への進展例の切除には喉頭全摘出術を必要とする．Pameijer らは，画像所見としての梨状窩尖部への明らかな腫瘍進展は腫瘍高容積とともに根治的放射線治療での有意な予後不良因子であるとしている[13]．Pameijer らによると腫瘍容積が 6.5 cm^3 以上で直径 1 cm を超える梨状窩尖部進展のある例は予後不良で，腫瘍容積 6.5 cm^3 以上で尖部進展が 1 cm 以下，あるいは腫瘍容積が 6.5 cm^3 より小さく 1 cm を超える尖部進展を示す病変は中等度，腫瘍容積が 6.5 cm^3 より小さく尖部進展も 1 cm 以下の例は予後良好としている（表 3：p581）．T1，T2 病変での腫瘍容積には症例によりかなりの不均一性が認められる（図 31）．

b．咽頭後（外側）壁癌（図 11，表 4：582）

咽頭後壁癌進行例ではしばしば中・下咽頭レベルともに侵すが，尾側は披裂部レベルにとどまる

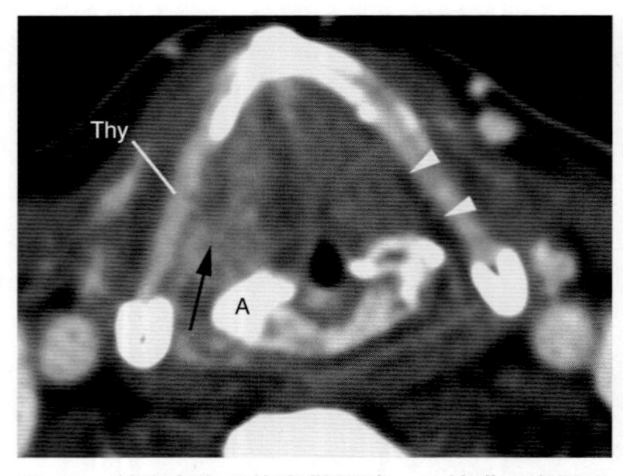

図16　梨状窩癌の傍声帯間隙への粘膜下喉頭進展例．横断CT

右梨状窩にみられる浸潤性腫瘍はthyroarytenoid gapを介して前方の傍声帯間隙に連続（矢印）．対側では甲状軟骨側板（Thy）内側に沿って確認可能な傍声帯間隙の脂肪層（矢頭）が確認できない．同進展は粘膜下であり，喉頭鏡所見で同定不可能であった．A：披裂軟骨

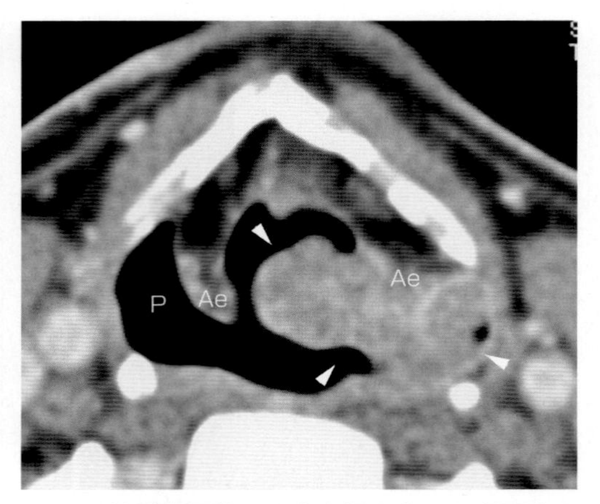

図17　披裂喉頭蓋ひだ自由縁を介した喉頭進展を伴う梨状窩癌

造影CTにおいて，左梨状窩（対側でPで示す）を中心とした浸潤性腫瘤（矢頭）を認め，披裂喉頭蓋ひだ（Ae）自由縁を回り込み，声門上喉頭（披裂喉頭蓋ひだ喉頭面）への進展を示す．

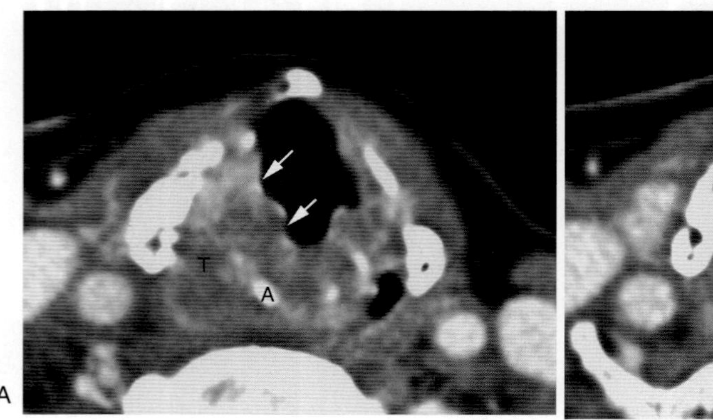

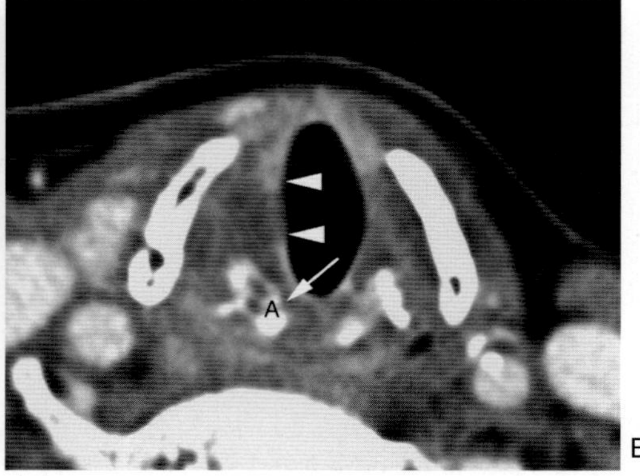

図18　梨状窩癌の披裂軟骨周囲への進展．横断CT

A：右梨状窩に生じた腫瘍（T）が前方の披裂喉頭蓋ひだ（矢印）から内側後方の披裂軟骨（A）周囲に進展している．

B：図Aよりもやや下方レベルの横断像．声帯下面（矢頭）から連続して披裂軟骨（A）表面，輪状披裂関節（矢印）部へ連続する軟部組織肥厚を認め，腫瘍進展を示す．

傾向（図32）をもち[7, 22]，輪状後部レベルへの進展は比較的まれである．頭側は口蓋咽頭ひだから舌扁桃溝，後口蓋弓から軟口蓋へ進展，連続性に上咽頭へ進展する例もあるが，頭蓋底浸潤はまれである．

画像上，進行例は不整な広範かつびまん性壁肥厚を示す場合が多く（図33），側壁から梨状窩への進展（実際は梨状窩癌からの後壁進展との区別は困難な例も多い）（図34），また全周性の拡がり（図35，36）もしばしば認められる．早期病変での発見はまれである．ときに外方発育を示すが粘膜下病変として存在する場合も多い．喉頭軟骨浸潤はまれである．咽頭収縮筋はMRIのT2強調像で，低信号帯構造として描出されるが，薄く腫瘍進展の障壁とはならず，咽頭後間隙を越えた椎前筋膜，椎前間隙，頸椎などへの直接浸潤は比較的まれである（図33，37）．椎前筋膜・椎前筋浸潤は治癒切除とはならず，T4b病変に区分される．

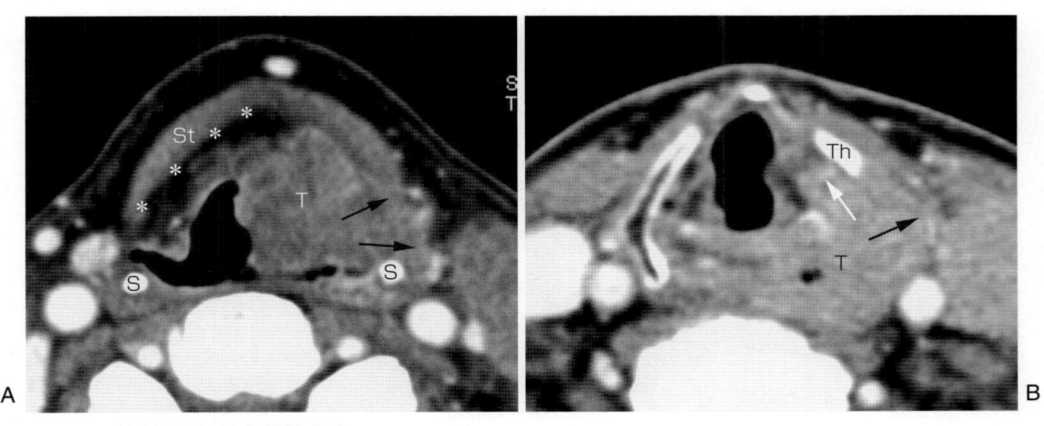

図 19　外側進展を示す梨状窩癌

甲状舌骨膜レベルの造影 CT(A)において，左披裂喉頭蓋ひだを中心とする浸潤性腫瘍(T)は側方で甲状舌骨膜(対側で＊で示す)を越えて舌骨下筋(St)深部の頸部軟部組織に限局性進展(矢印)を示す．S：甲状軟骨上角

甲状軟骨レベル(B)では，腫瘍(T)は側方で甲状軟骨側板(Th)後方を破壊(黒矢印)，前方では喉頭の傍声帯間隙への進展(白矢印)を示す．

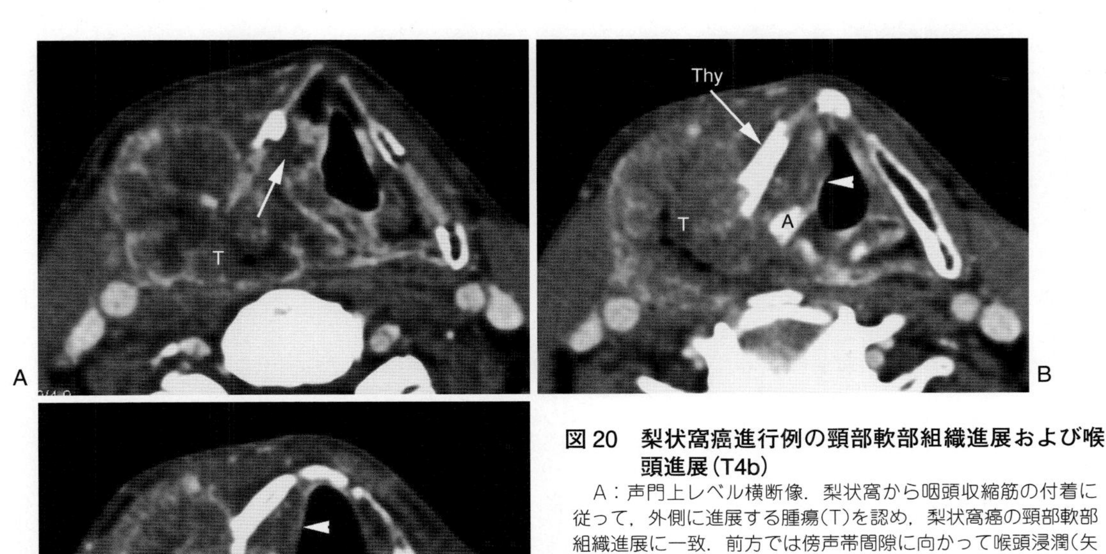

図 20　梨状窩癌進行例の頸部軟部組織進展および喉頭進展(T4b)

A：声門上レベル横断像．梨状窩から咽頭収縮筋の付着に従って，外側に進展する腫瘍(T)を認め，梨状窩癌の頸部軟部組織進展に一致．前方では傍声帯間隙に向かって喉頭浸潤(矢印)あり．

B：声帯レベル横断像．腫瘍(T)は硬化性変化を示す甲状軟骨側板(Thy)後縁を破壊している．右披裂軟骨(A)にも硬化像を認め，喉頭内に進展した腫瘍により右声帯の肥厚(矢頭)をきたしている．

C：声門下部レベル横断像．腫瘍(T)の頸部軟部組織進展が依然として認められ，同レベルにおいても声門下軟部組織肥厚(矢頭)あり．側方で頸動脈浸潤の所見あり(矢印)．

椎前筋浸潤の CT 診断は感度(50％)，特異度(61％)ともに低く，正診率は約 55％で描出率も低いとされる[32, 33]．MRI T1 強調横断像での咽頭後間隙の脂肪層が保たれていれば信頼性高く切除可能病変を判断可能であり[34]，同間隙脂肪層の完全な消失が椎前間隙浸潤の最も優れた指標となる[35]．Loevner らは椎前筋の陥凹，腫瘍と椎前筋との境界不整，椎前筋の T2 強調像での高信号，椎前筋増強硬化を椎前筋浸潤所見としての検討において，椎前筋の陥凹と増強効果の感度は

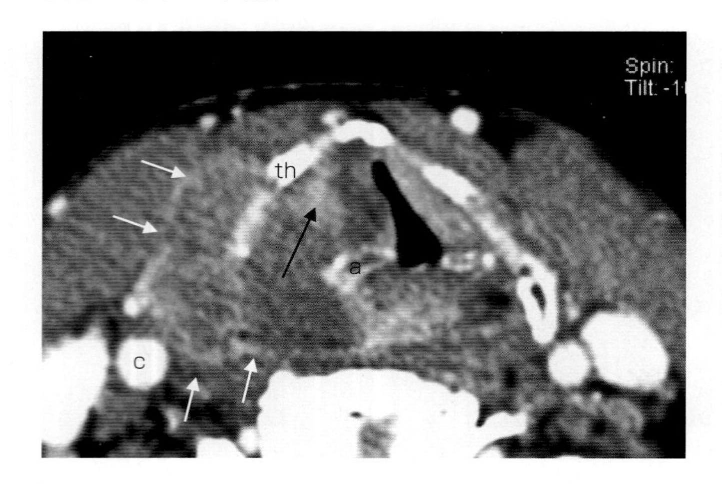

図 21　梨状窩癌（T4a）

声門レベルの造影 CT．右梨状窩を中心として，甲状軟骨右側板（th）を後方から包み込むように（wrap around）側方で頸部軟部組織に進展を示す浸潤性腫瘤（白矢印）を認め，梨状窩癌に一致する．甲状軟骨右側板後縁の破壊を伴う．側方で右内頸動脈（c）に接するが，最大接触角度は 180 度程度であり，明らかな浸潤所見ではない．前方では thyroarytenoid gap を介して傍声帯間隙への進展（黒矢印）を示す．a：披裂軟骨

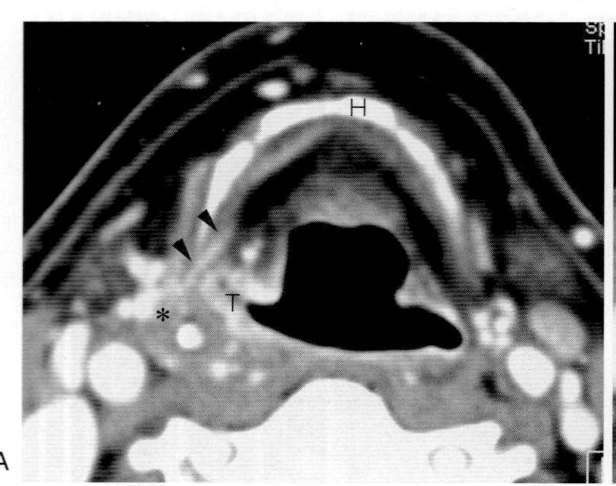

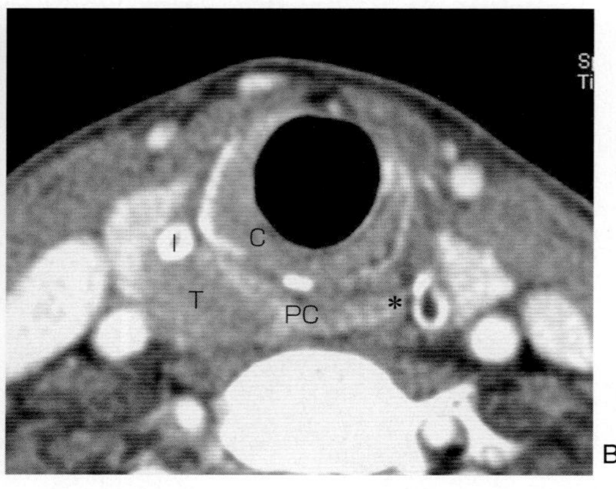

図 22　梨状窩癌

甲状舌骨膜レベルの造影 CT（A）．右梨状窩を中心に浸潤性腫瘍（T）を認め，側方で甲状舌骨膜を貫通する上喉頭血管（矢頭）の走行に沿って進展，頸部軟部組織への浸潤（*）を示す．H：舌骨

尾側の輪状後部レベル（B）において，腫瘍（T）は梨状窩尖部（対側で*で示す）から輪状後部（PC）右側に進展，前方では輪状甲状関節を形成する甲状軟骨右下角（I）周囲に及ぶ．C：輪状軟骨

88%で特異度は低い（それぞれ 14%と 29%）と報告している[36]．安易に椎前筋浸潤陽性の画像診断を行うべきではなく，依然として術中所見が重要である．

一方，側壁に限局する癌は比較的まれであるが，進行例では咽頭収縮筋，甲状舌骨膜を越えて頸部軟部組織へ進展し，ときに頸動・静脈へ浸潤する．舌咽，迷走神経に沿う神経周囲進展，下側壁からの甲状腺浸潤，上方での咽頭喉頭蓋ひだ，喉頭蓋谷への進展，前側方での梨状窩前・側壁への進展などもみられる．

c.　輪状後部癌（図 11）

輪状後部に原発する癌（図 38〜40）は比較的まれで，同部を侵す癌のほとんどが梨状窩癌（図 6，22，29），頸部食道癌，喉頭癌の二次性進展である．多くは輪状後部から頸部食道に拡がる病変で，いずれが原発部位かの特定が困難な場合も多い（図 41，42）．早期より披裂軟骨，輪状軟骨，後輪状披裂筋へと浸潤，声帯固定を生じる[37]．連続性に頸部食道に至るもの，粘膜下に全周性に取り囲むように発育するものもみられる．また，ときに早期より隣接する梨状窩尖部に浸潤する．これらの場合，内視鏡での進展範囲の把握は困難であり（特に内視鏡の通過困難な例における尾側進展範囲の特定），画像診断の情報が治療計画上重要である（図 42）．なお，梨状窩尖部進展を示す輪状後部癌で臨床上 N0 に区分された症例の

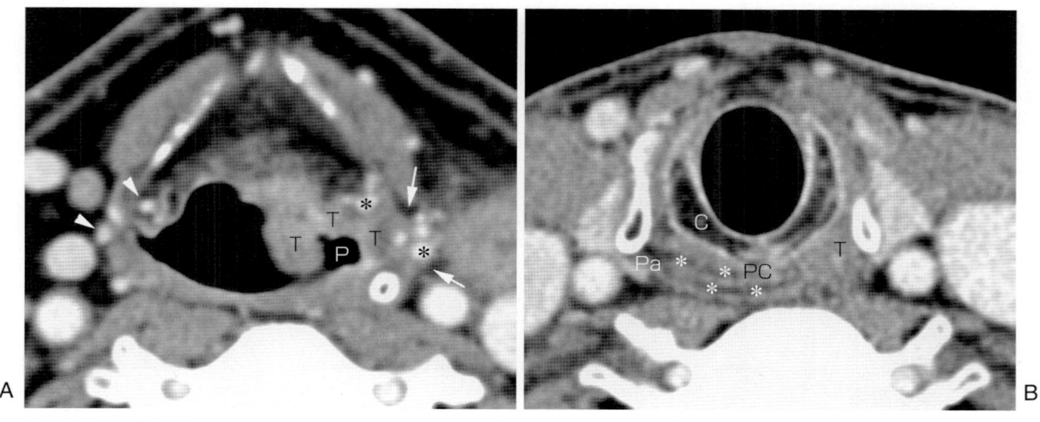

図 23　梨状窩癌

甲状舌骨膜レベルの造影 CT（A）．左梨状窩（P）を中心とした浸潤性腫瘍（T）を認め，上喉頭血管（＊）に沿って，甲状舌骨膜外に進展，頸部内の同血管周囲に腫瘤（矢印）を形成している．矢頭：健側の上喉頭血管

尾側の輪状後部レベル（B）で，腫瘍（T）は梨状窩尖部（対側で Pa で示す）への粘膜下進展を示す．C：輪状軟骨，PC：輪状後部，＊：輪状後部および咽頭後壁の粘膜下脂肪層（左梨状窩尖部では腫瘍により脂肪層は消失している）

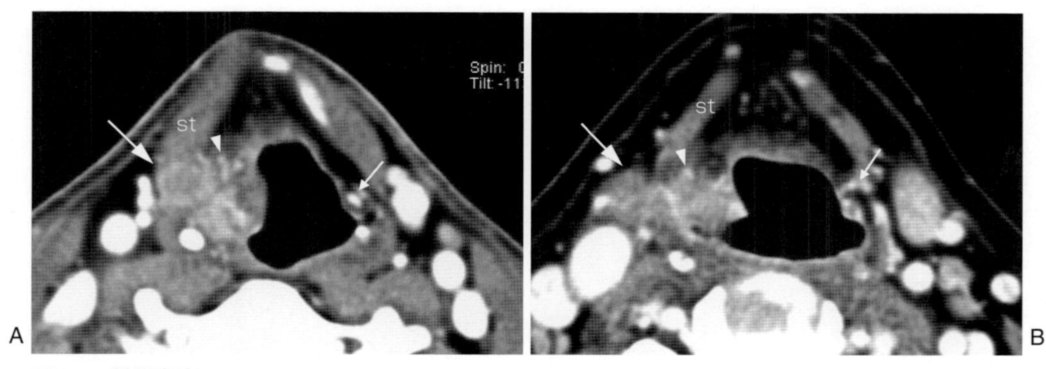

図 24　梨状窩癌

2 例の甲状舌骨膜レベルでの造影 CT（A，B）．2 例ともに右梨状窩を中心とする浸潤性腫瘤を認め，梨状窩癌に一致する．甲状舌骨膜外側後方で傍声帯間隙後方に進入する上喉頭血管（対側で小矢印で示す）に沿って，同間膜を越えた頸部軟部組織への進展（大矢印）を認める．矢頭：腫瘍内に同定される上喉頭血管，st：舌骨下筋

20％で潜在的に患側レベル VI リンパ節転移を示すとされる[16, 38]．診断時には進行性病変のことが多く，下咽頭の他部位よりも予後不良の傾向にある[39]．

3 喉頭軟骨浸潤

下咽頭癌の喉頭軟骨（甲状軟骨あるいは輪状軟骨）浸潤は T4a に区分され，特に梨状窩癌で比較的高頻度に認められる．喉頭癌での T 診断の軟骨浸潤が，甲状軟骨のみの所見に限定され，内板の侵食のみが T3，全層性浸潤が T4a と，その程度により区別されるのとは異なる．梨状窩癌では側壁から生じる外側型で甲状軟骨側板後縁（図 6，19，20，21），輪状後部癌あるいは同部に進展した梨状窩癌では輪状軟骨（図 26，29），披裂軟骨（図 43）への浸潤が特徴的である．

下咽頭癌における喉頭軟骨浸潤は予後不良因子であり，Deleyiannis らは組織学上軟骨浸潤のない場合の 3 年生存率を 55％，軟骨浸潤のある場合を 25％と報告している[40]．しかし，同時に著者らは重症例における軟骨浸潤の予後への影響は統計学的に有意ではないとしている．

軟骨浸潤の画像診断に関しては喉頭癌と同様であり，7 章「喉頭」の「喉頭癌，軟骨浸潤」の項

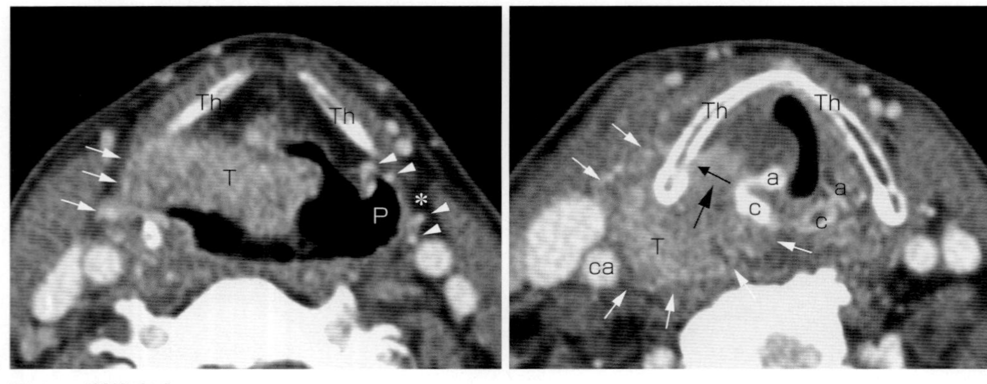

図25　梨状窩癌

甲状軟骨側板上縁レベルの造影CT(A)において右梨状窩(対側でPで示す)の内側壁から前壁を中心とする浸潤性腫瘤(T)を認める．側方では上喉頭血管(矢印，健側の同血管は矢頭で示す)に沿った浸潤を示し，頸部軟部組織に進展を示す(健側で＊で示される脂肪層の消失あり)．声門レベル(B)で腫瘍(T)は甲状軟骨側板(Th)後方を包み込むような進展(wrap around：白矢印)を示す．側方は右総頸動脈(ca)内側面に接するが，明らかな頸動脈浸潤なし．前方は甲状軟骨側板と披裂軟骨(a)との間(thyroarytenoid gap)を介した傍声帯間隙進展(黒大矢印)を示す．接する甲状軟骨右側板の内板の侵食(黒小矢印)，甲状軟骨右側板，右披裂軟骨，輪状軟骨(c)右側で硬化性変化を示す．

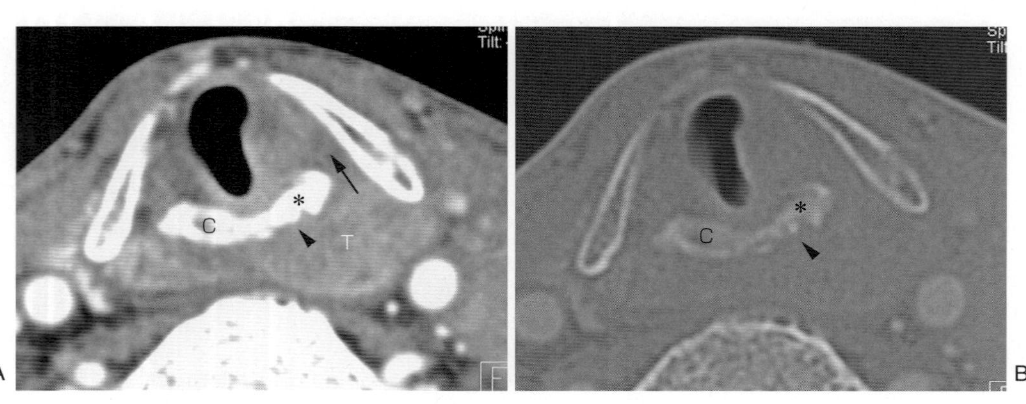

図26　輪状軟骨後上縁の破壊を伴う梨状窩癌

造影CT(A：軟部濃度条件，B：骨条件)において，左梨状窩を中心とする浸潤性腫瘍(T)を認め，隣接する輪状軟骨(後上縁)で侵食性変化(矢頭)とともに硬化性変化(＊)を伴う．前方ではthyroarytenoid gapを介して傍声帯間隙に進展(矢印)を示す．

(p472)を参照していただきたい．

4 頸部リンパ節転移

下咽頭癌は豊富なリンパ管の発達に加えて早期からのびまん性粘膜下進展傾向より，診断時に75％が頸部リンパ節転移陽性で(図44)，10〜20％が両側性(図10)である．頸部転移陽性率は原発病変(T因子)との相関は比較的小さいが[22]，腫瘍径[41]や腫瘍容積とは相関を示す[42]．分化度の低い癌で頸部リンパ節転移の頻度が高くなるのが一般的であるが，下咽頭癌ではこの傾向は乏しいとされる[41]．N2〜3病変では頸部再発，遠隔転移の頻度が高く[43]，N因子とともにリンパ節転移陽性率(lymph node ratio)も独立した予後不良因子となる[41]．梨状窩癌のリンパ節転移は主に内深頸リンパ節である上・中内深頸リンパ節(レベルⅡ，Ⅲ)を侵し，ここから傍咽頭リンパ節(または接合部リンパ節)，副神経リンパ節(レベルⅤ)にも至る．ときに咽頭後リンパ節転移を認め，中咽頭に及ぶ病変でより高頻度である．梨状

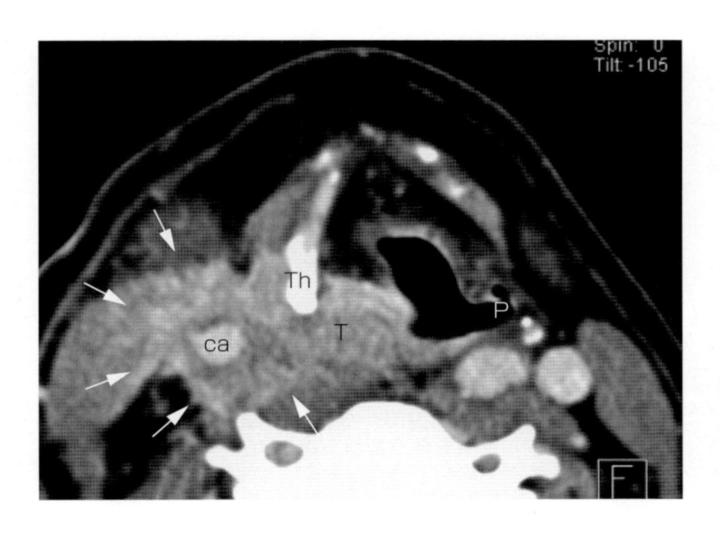

図 27　頸動脈浸潤を示す梨状窩癌

下咽頭レベル造影 CT において，右梨状窩（対側で P で示す）から咽頭後壁右側にかけて浸潤性腫瘤（T）を認め，側方で頸部軟部組織に進展，右総頸動脈（ca）周囲を囲む浸潤（矢印）あり．Th：甲状軟骨側板

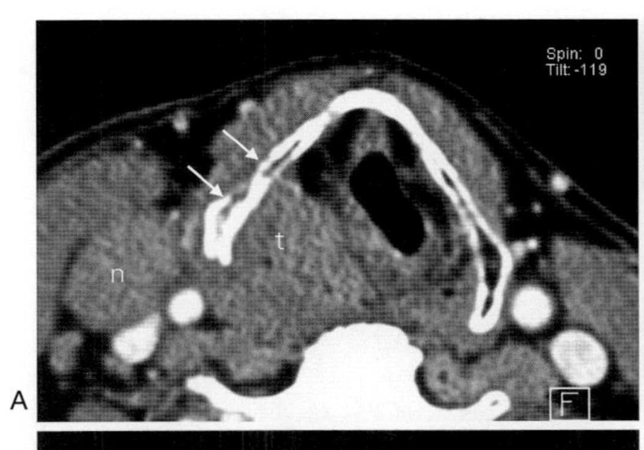

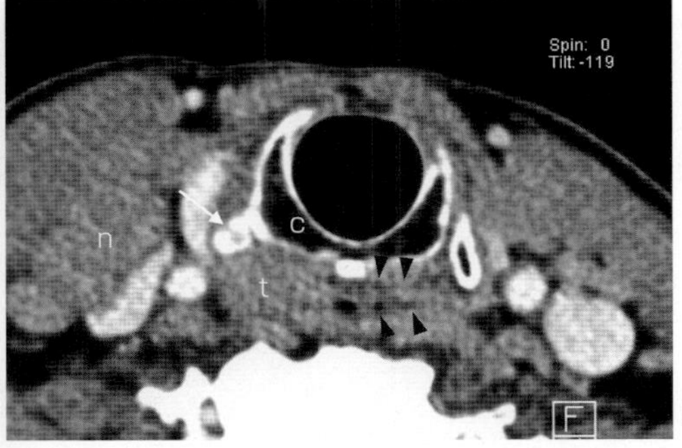

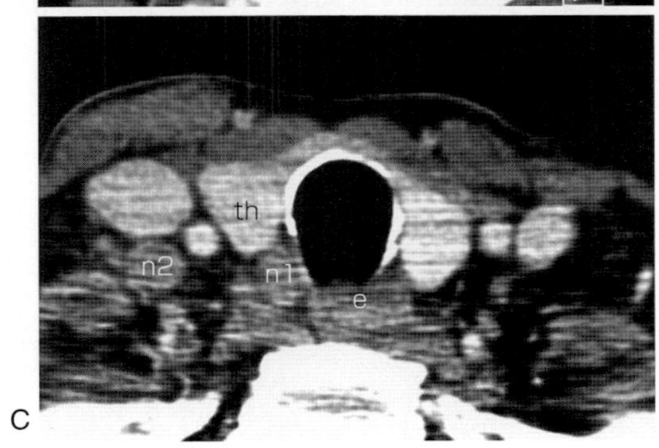

図 28　梨状窩癌の梨状窩尖部進展およびレベルⅥリンパ節転移

甲状軟骨レベルでの造影 CT（A）において，右梨状窩を中心に浸潤性腫瘤（t）を認める．側方に隣接する甲状軟骨右側板（矢印）は（対側と比較して）軽度の硬化および，骨化した脂肪髄の低濃度の消失を示し，甲状軟骨浸潤を示唆する．右レベルⅢリンパ節転移（n）あり．

輪状軟骨レベル（B）で，梨状窩尖部を中心に腫瘤（t）を認め，正中から左側では同定可能な輪状後部，咽頭後壁の粘膜下脂肪層による線状低濃度（矢頭）は消失しており，粘膜下進展傾向を反映する．隣接する右側の甲状軟骨下角（矢印）の硬化を示す．c：輪状軟骨，n：右レベルⅢリンパ節転移

甲状腺レベル（C）において，右レベルⅥ（n1），レベルⅣ（n2）への転移を認める．e：頸部食道，th：甲状腺

窩尖部進展例では気管傍リンパ節（レベルⅥ）（図 28），披裂部正中への進展を示す症例では対側頸部病変にも注意を要する．

咽頭後壁癌では咽頭後リンパ節（図 45），輪状後部癌あるいは輪状後部，声門下喉頭への進展を伴う症例では気管傍リンパ節転移（レベルⅥ）に注意を要する．Harada らの下咽頭癌 152 例における CT，MRI での咽頭後リンパ節（Rouvière リンパ節）転移の検討において，1 cm 以上を転移陽性とした場合，咽頭後壁癌では，その他の部位と比較して頻度は有意に高く（23.8% vs. 5.3%），咽頭後リンパ節転移陽性例は遠隔転移の頻度が高く，

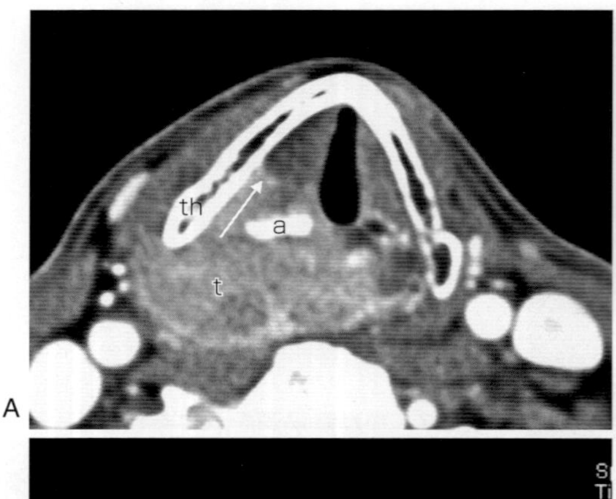

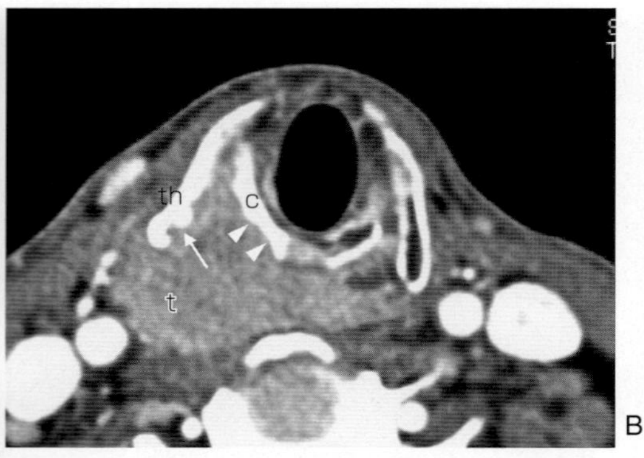

図 29　梨状窩尖部から輪状後部，頸部食道への進展を伴う梨状窩癌（T4a）

A：甲状軟骨レベルの造影 CT．右梨状窩を中心に浸潤性腫瘤（t）を認める．甲状軟骨右側板（th），右披裂軟骨（a）の硬化あり．前方で thyroarytenoid gap を介した右傍声帯間隙への進展（矢印）を示す．

B：輪状軟骨上部レベル．右梨状窩尖部を中心に，輪状後部，咽頭後壁の右側優位に浸潤を示す腫瘤（t）を認め，前方で硬化を伴う甲状軟骨右側板下端（th），輪状軟骨板右側（c）への軟骨浸潤の所見（各々，矢印および矢頭）あり．

C：頸部食道レベル．頸部食道への腫瘍進展（t）を認めるが，隣接する気管（tr），甲状腺右葉（th）への明らかな直接浸潤の所見なし．

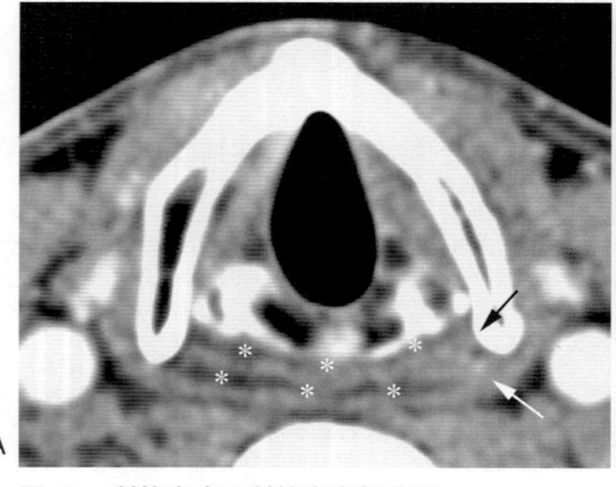

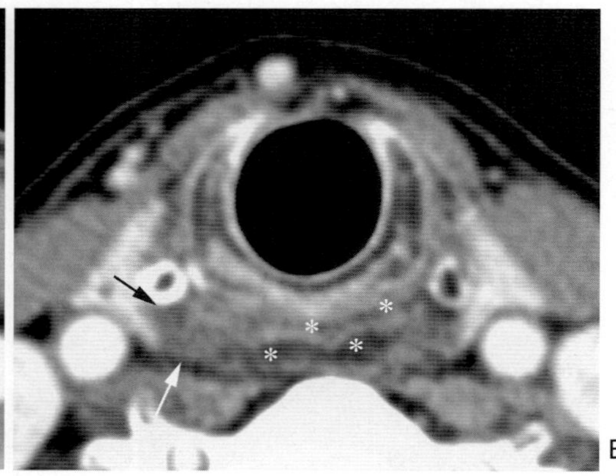

図 30　梨状窩癌の梨状窩尖部進展

声門レベルの造影 CT（A）では左側，別症例の輪状軟骨レベル造影 CT（B）では右側の梨状窩尖部に浸潤性腫瘍（矢印）を認める．輪状後部，咽頭後壁の脂肪層（*）は病変部で不明瞭化，部分的な消失を示す．

陰性例と比較して予後不良であったとしている[44]．下咽頭癌においては，頸部転移のレベルは全生存率（overall survival），原病生存率（disease-specific survival），無再発生存率（relapse-free survival）における重要な予後因子となる[45]．

下咽頭癌頸部リンパ節に対する治療には多少の議論があるが，梨状窩癌では梨状窩内側壁に及ぶ，あるいは正中に達する病変，患側頸部転移陽性の stage Ⅳ病変については，対側頸部転移の可能性が高く，両側の頸部病変に対する治療の必要性が示されている[46〜48]．下咽頭癌では，既述の

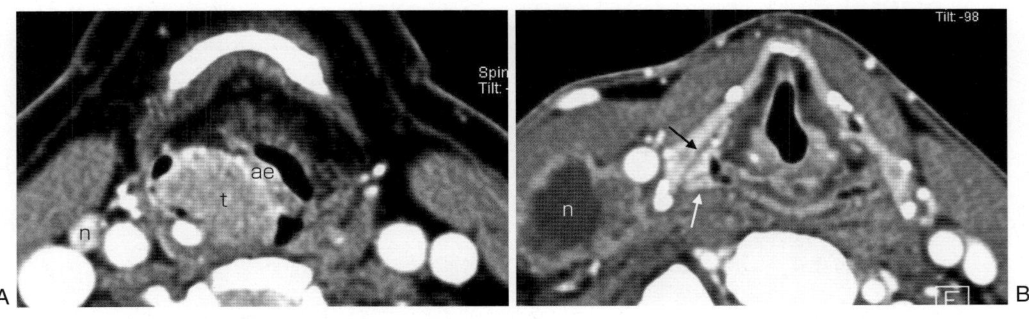

図 31 梨状窩癌 T2 病変の 2 症例

造影 CT（A）において，右梨状窩内側壁である右披裂喉頭蓋ひだ（ae）咽頭面から外方性発育を主体とし，梨状窩内に突出する 2 cm 強の腫瘤（t）を認める．梨状窩前，外側壁への進展はみられず，T2 病変と判断される．患側のレベルⅢリンパ節転移（n）あり．別症例の造影 CT（B）で，右梨状窩の前・外側壁の粘膜面に沿った不整な増強効果（黒矢印）を認め，後方では右梨状窩に対する，咽頭後壁右外側端への進展（白矢印）を伴う．比較的低容積の表在性病変であるが，2 亜部位に及ぶところから T2 病変に区分される．患側レベルⅢに高度節外進展を伴う，壊死性リンパ節転移（n）を伴う．

表 3 T1～2 梨状窩癌の根治的放射線治療後における治療前 CT 所見に基づく原発巣非治癒の危険度分類

放射線治療後 原発巣再発の危険度	診断基準	局所治癒率
低危険度	腫瘍容積が 6.5 cm^3 よりも小さく梨状窩尖部への進展が径 1.0 cm を超えないもの	94%（n = 16）
中危険度	腫瘍容積が 6.5 cm^3 よりも小さく梨状窩尖部への進展が径 1.0 cm を超えるもの あるいは 腫瘍容積が 6.5 cm^3 以上で梨状窩尖部への進展が径 1.0 cm を超えるもの	50%（n = 4）
高危険度	腫瘍容積が 6.5 cm^3 以上で梨状窩尖部への進展が径 1 cm を超えるもの	0%（n = 2）

（Prameijer FA et al : Head Neck **20** : 159–168, 1998）

とおり 10～20% で両側頸部転移陽性とされ，対側頸部転移は予後不良因子となるが[46]，患側頸部リンパ節転移陰性での対側頸部転移は比較的まれである．また，レベルⅠへの転移もまれであり，患側頸部転移陽性例であったとしても，（舌下神経損傷の危険性などもあり，レベルⅠ転移陰性例では）レベルⅠを温存した選択的頸部郭清術が施行されるべきである[49, 50]．さらに N0 の場合，レベルⅡb，Ⅴも温存可能と考えられている[51～53]．咽頭後壁癌（図 45，46），輪状後部癌では咽頭後リンパ節転移の頻度が高く，咽頭後リンパ節郭清の追加が必要との報告もある[54]．同様に，梨状窩尖部進展（図 28）では患側レベルⅥの郭清が推奨されている[15]．

5 治　療

下咽頭癌の治療では，放射線治療，外科的治療，化学療法（化学放射線療法）の 3 つが基本となるが，局所・頸部病変に対して最も高い制御率を前提に，機能障害を最低限に抑えることを目的として，症例によりいずれかが選択，あるいは組み合わされて施行される．最近では，機能温存を目的とした縮小手術，IMRT（intensity-modulated radiation therapy）など放射線治療の進歩，（cetuximab などの分子標的薬を含む）化学療法の進歩により，選択の幅は拡がっている．

実際は原発巣（T）が同じ病変であっても個々の病変の拡がり，腫瘍容積，N 分類は極めて不均

表4　咽頭後壁癌での重要な画像評価項目

頭側進展	頭側進展範囲の特定
尾側進展	尾側進展範囲の特定
内側進展	正中・対側進展の有無(偏在性の場合)
側方進展	咽頭収縮筋を越えた頸部軟部組織進展(T4以上)
前側方進展	梨状窩外側壁への進展(T2以上)・さらに前方の前壁，傍声帯間隙
後方進展	咽頭収縮筋(T2強調像で低信号帯として同定) 咽頭後間隙 椎前筋膜・椎前筋・頸椎椎体〔椎前間隙〕浸潤の有無(T4b)
その他	大きさ(最大横断径・最大頭尾側径)
N因子	レベルⅤ，Rouvièreリンパ節に要注意

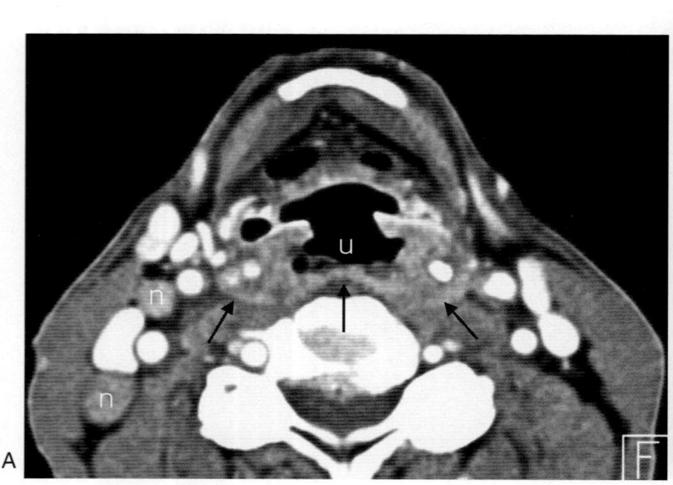

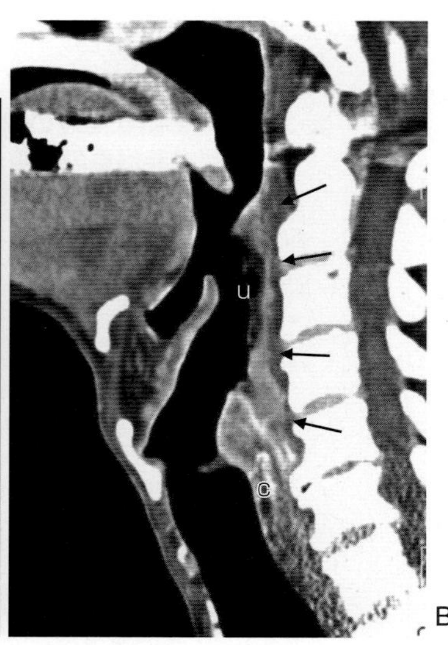

図32　咽頭後壁癌
甲状舌骨膜レベルのCT横断像(A)において，咽頭後壁に潰瘍形成(u)を伴う，不整なびまん性壁肥厚(矢印)を認める．右レベルⅢに複数の頸部転移(n)あり．ほぼ正中での矢状断像(B)で腫瘍(矢印)の頭尾側方向の進展範囲は明瞭に描出されており，下端は輪状軟骨lamina(c)上縁レベルでとどまる．u：潰瘍

一であり(図31)，治療法選択は正しい病変進展範囲の把握をもとにして症例ごとに決定されるべきである．以下に下咽頭癌の一般的治療につき解説する．

a.　各亜部位での治療

1）梨状窩癌

声帯固定がなく，梨状窩に限局するT1〜2病変では根治的放射線治療あるいは喉頭咽頭部分切除術により80〜90％の治癒率が得られる．喉頭機能がほぼ完全に温存されること，両側頸部リンパ節領域が照射野に含まれることから，一般的には放射線療法が好ましいと考えられる．5,000 cGy以上の照射後は術後合併症の危険性が高く，喉頭咽頭部分切除は避けられる[22]．経口的CO_2レーザー切除の対象となる場合も多い．

声帯固定のある例(T3以上)に対する根治術として喉頭咽頭全摘出術がとられるが，腫瘍容積が小さく梨状窩尖部進展が限局している例では根治的放射線療法の適応となる例もある[13, 22]．多く

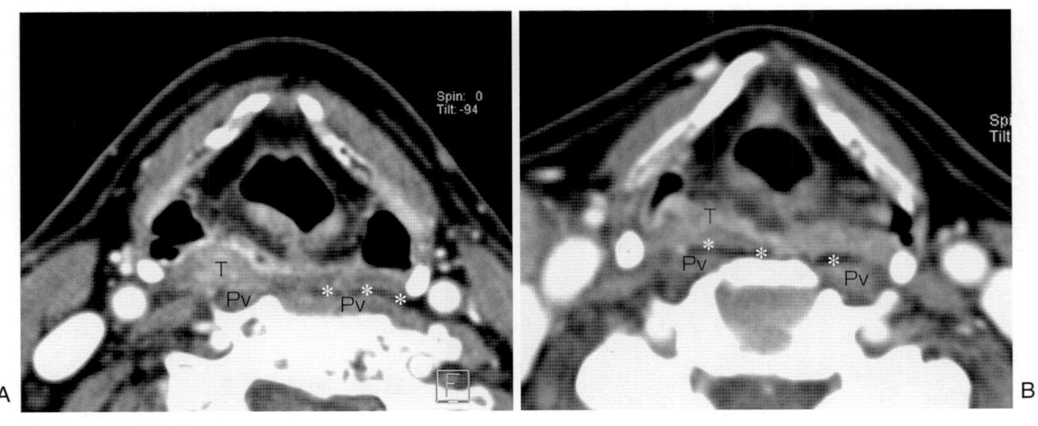

図 33　咽頭後壁癌
造影 CT（A）において，咽頭後壁右側で肥厚（T）を認める．椎前筋（Pv）と咽頭後壁との間の咽頭後間隙の脂肪層（＊）は病変部で不明瞭であるが，椎前筋前面との境界は平滑であり，積極的に椎前筋膜を越えた進展を示す所見とは言い難い．別症例（B）で，同様に咽頭後壁右側の不整な肥厚（T）あり．後方の咽頭後間隙脂肪層（＊）は病変部を含めて保たれており，椎前筋（Pv）浸潤は否定的．

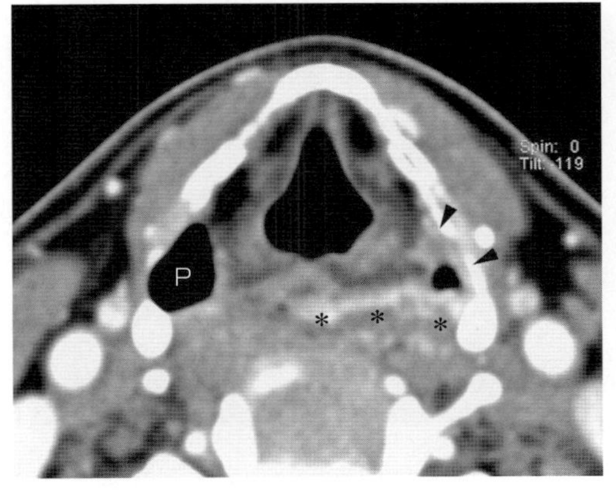

図 34　咽頭後壁癌の梨状窩側壁進展
造影 CT．咽頭後壁左側を中心とした不整な肥厚（＊）を認め，左側方では左梨状窩（対側で P で示す）の外側壁，前壁への連続性進展（矢頭）を示す．

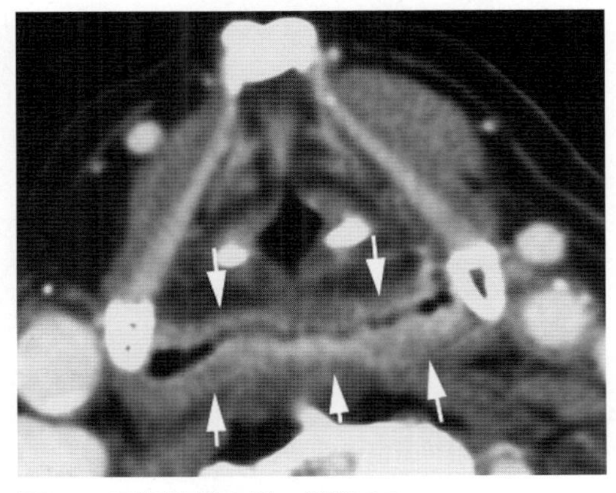

図 35　咽頭後壁癌例．横断 CT
下咽頭後壁から全周性に不整な壁肥厚（矢印）がみられ，下咽頭癌に一致する．

の場合，化学放射線治療により可能な限り喉頭温存が図られる[55]．さらなる進行例では可及的に喉頭咽頭全摘出術，あるいは場合により導入化学療法が施行される．頸部リンパ節転移の固定例では術前照射がときに有効である．

2）咽頭後壁癌

一般的には放射線治療が行われるが，外科的切除では病変の大きさ，範囲などから経舌骨的，経口的，median labiomandibular glossotomy（6 章「中咽頭」，図 80 参照）などのアプローチがとられる．後方での椎前筋浸潤では治癒切除は困難となる．Stage Ⅲ以上の場合は，手術，放射線治療（通常は術後）に化学療法が組み合わされる．

3）輪状後部癌

同部の癌あるいは同部への進展を示す病変は比較的早期より輪状軟骨，披裂軟骨，輪状披裂関節へ進展することから，手術が選択される場合は喉頭咽頭全摘出術がとられるのが一般的である．通常，患側のレベルⅥ（食道傍・気管傍）リンパ節郭清術，甲状腺半切を加える．Stage Ⅲ以上の場合

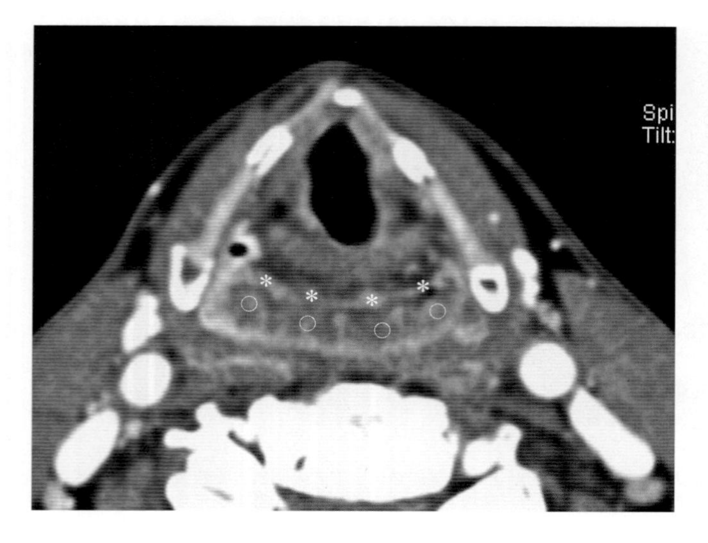

図36　咽頭後壁癌

甲状軟骨レベルでの造影CTにおいて，咽頭後壁(○)のびまん性壁肥厚を認め，咽頭後壁癌に一致する．前方の披裂部後面(＊)にも(咽頭後壁側よりは軽度であるが)壁肥厚がみられ，全周性を示す．

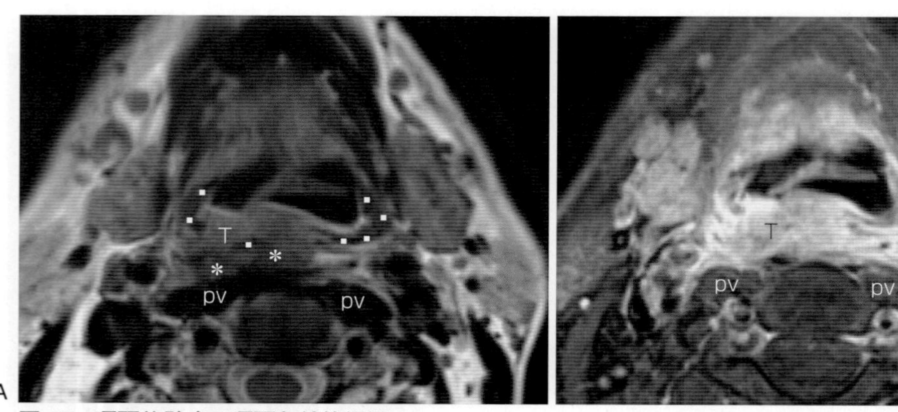

図37　咽頭後壁癌の咽頭収縮筋浸潤

中・下咽頭境界レベルMRI T2強調像(A)において咽頭後壁右側優位に中等度からやや高信号を示す腫瘤(T)を認め，咽頭収縮筋に相当する低信号帯(■)は腫瘍部で不規則に途絶，後方の咽頭後間隙への腫瘍進展(＊)を認める．椎前筋(pv)前面との境界は平滑で，椎前筋の低信号は保たれている．造影後T1強調脂肪抑制画像(B)で腫瘍(T)は充実性増強効果を示す．椎前筋との境界は明瞭で椎前筋の不整な増強効果なども認められず，積極的に腫瘍の椎前筋浸潤を支持するものではない．

は，手術，放射線治療(通常は術後)に化学療法が組み合わされる．

b. 術　式

下咽頭癌に対しては主に下咽頭喉頭切除術がとられるが，これは同術式のみが腫瘍浸潤のリスクの高い甲状軟骨，喉頭蓋前間隙，傍声帯間隙を安全に切除できるという概念にもとづく[56]．下咽頭癌の外科的手術では切除の根治性・安全性と同時に喉頭機能(発声，気道維持，誤飲防止)の温存が問題となる．すなわち，喉頭機能温存を期待する喉頭咽頭部分切除術(図47，48)，咽頭部分切除術か，喉頭機能を失い永久気切孔を必要とする下咽頭喉頭全摘出術(図49，50)かの選択を迫られる．

歴史的には喉頭咽頭全摘出術は喉頭全摘出術の理論的延長から始まった．1873年，Billrothにより最初の喉頭全摘出術が施行され，1875年にvon Langenbeckが全喉頭切除に加えて咽頭および頸部食道の亜全摘を行い，1877年にはCzernyにより最初の喉頭咽頭全摘出術が施行された[57]．しかし，実際にこの術式が広く行われるように

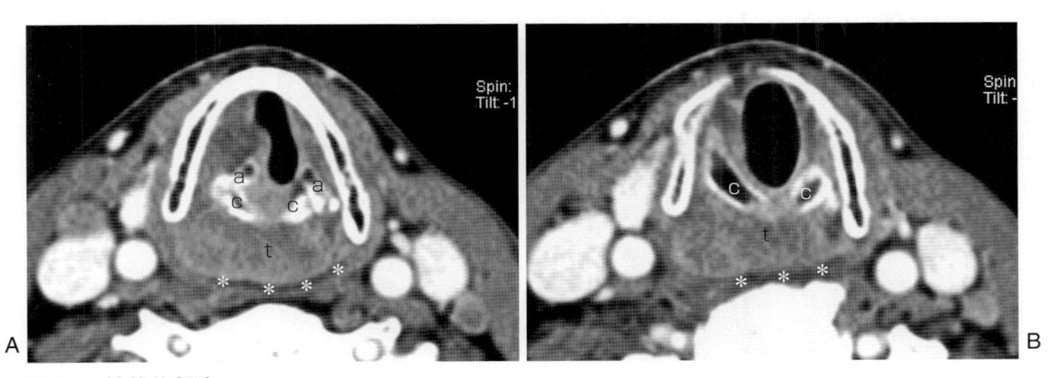

図 38　輪状後部癌
輪状軟骨上縁レベル(A)および中央部レベル(B)の造影 CT 横断像．輪状後部をびまん性に侵す腫瘤(t)を認める．咽頭後壁側の粘膜下脂肪層(＊)は保たれている．a：披裂軟骨，c：輪状軟骨

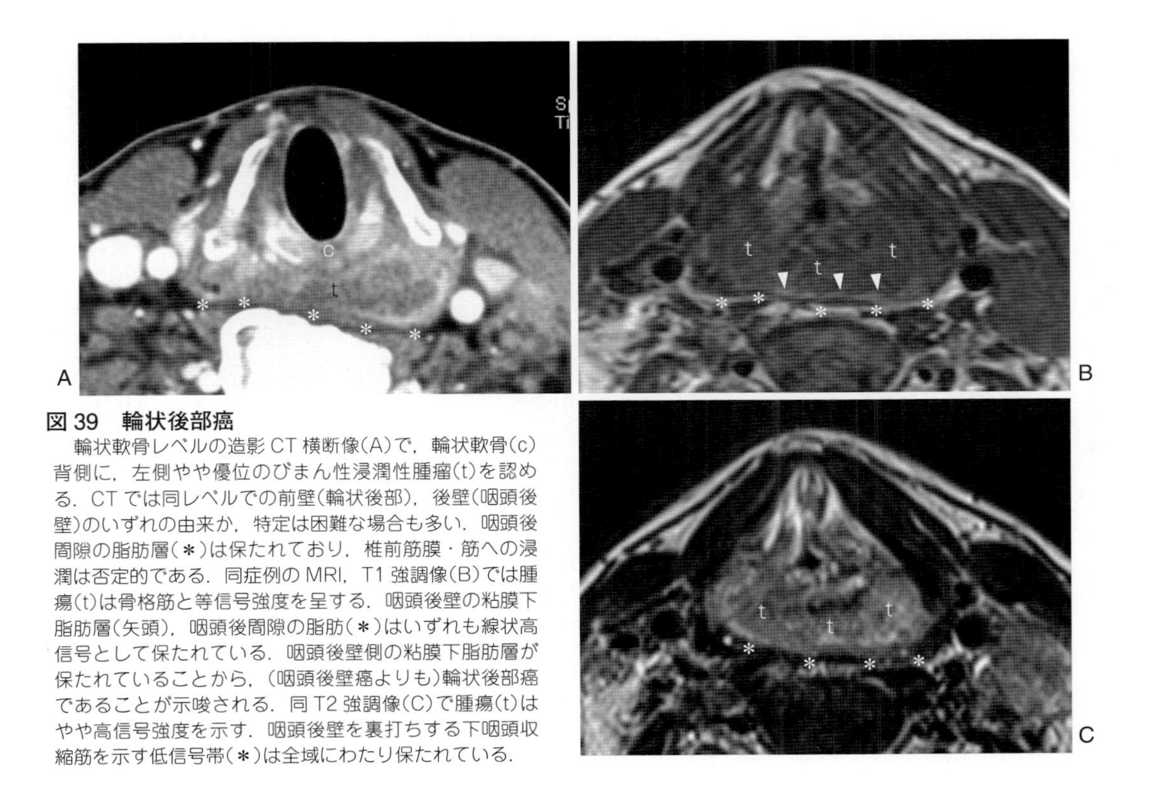

図 39　輪状後部癌
輪状軟骨レベルの造影 CT 横断像(A)で，輪状軟骨(c)背側に，左側やや優位のびまん性浸潤性腫瘤(t)を認める．CT では同レベルでの前壁(輪状後部)，後壁(咽頭後壁)のいずれの由来か，特定は困難な場合も多い．咽頭後間隙の脂肪層(＊)は保たれており，椎前筋膜・筋への浸潤は否定的である．同症例の MRI，T1 強調像(B)では腫瘍(t)は骨格筋と等信号強度を呈する．咽頭後壁の粘膜下脂肪層(矢頭)，咽頭後間隙の脂肪(＊)はいずれも線状高信号として保たれている．咽頭後壁側の粘膜下脂肪層が保たれていることから，(咽頭後壁癌よりも)輪状後部癌であることが示唆される．同 T2 強調像(C)で腫瘍(t)はやや高信号強度を示す．咽頭後壁を裏打ちする下咽頭収縮筋を示す低信号帯(＊)は全域にわたり保たれている．

なったのは皮弁の概念が紹介され出した 1920 年代に入ってからであった．さらに感染症などに対する術後管理が良好になるに従い，再建術とともに喉頭機能温存に対する関心が高まっていった．

下咽頭癌における放射線療法，化学療法も含めた統合的な喉頭機能温存治療に対する研究も，喉頭癌の機能温存手術と同様にヨーロッパを中心に試みられてきた[58]．声帯固定，梨状窩尖部への腫瘍浸潤，対側披裂軟骨への進展，固定のある大きな頸部リンパ節転移を伴う例，肺機能低下などでは喉頭咽頭部分切除は禁忌となる．喉頭咽頭部分切除術は多くの手技が報告されてきたが，側咽頭切開，声門上喉頭咽頭側方部分切除では限局した小病変が対象となる．拡大喉頭咽頭部分切除では梨状窩内・外壁を侵す病変の切除が可能であるが，甲状軟骨下部と披裂軟骨は切除範囲に入らな

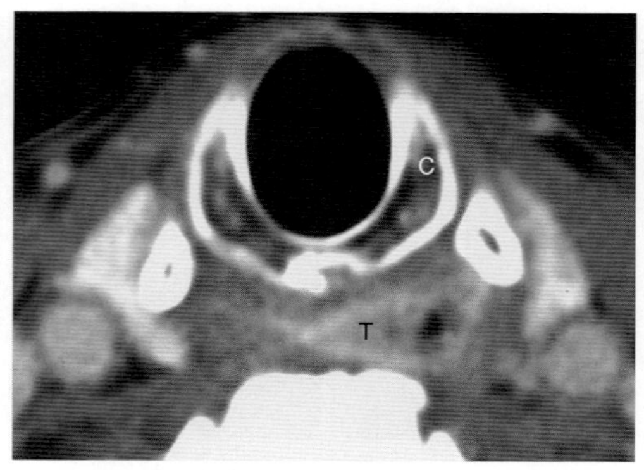

図40　輪状後部癌例．横断CT
輪状軟骨後部左側に浸潤性腫瘍(T)を認め，輪状後部癌に一致する．C：輪状軟骨

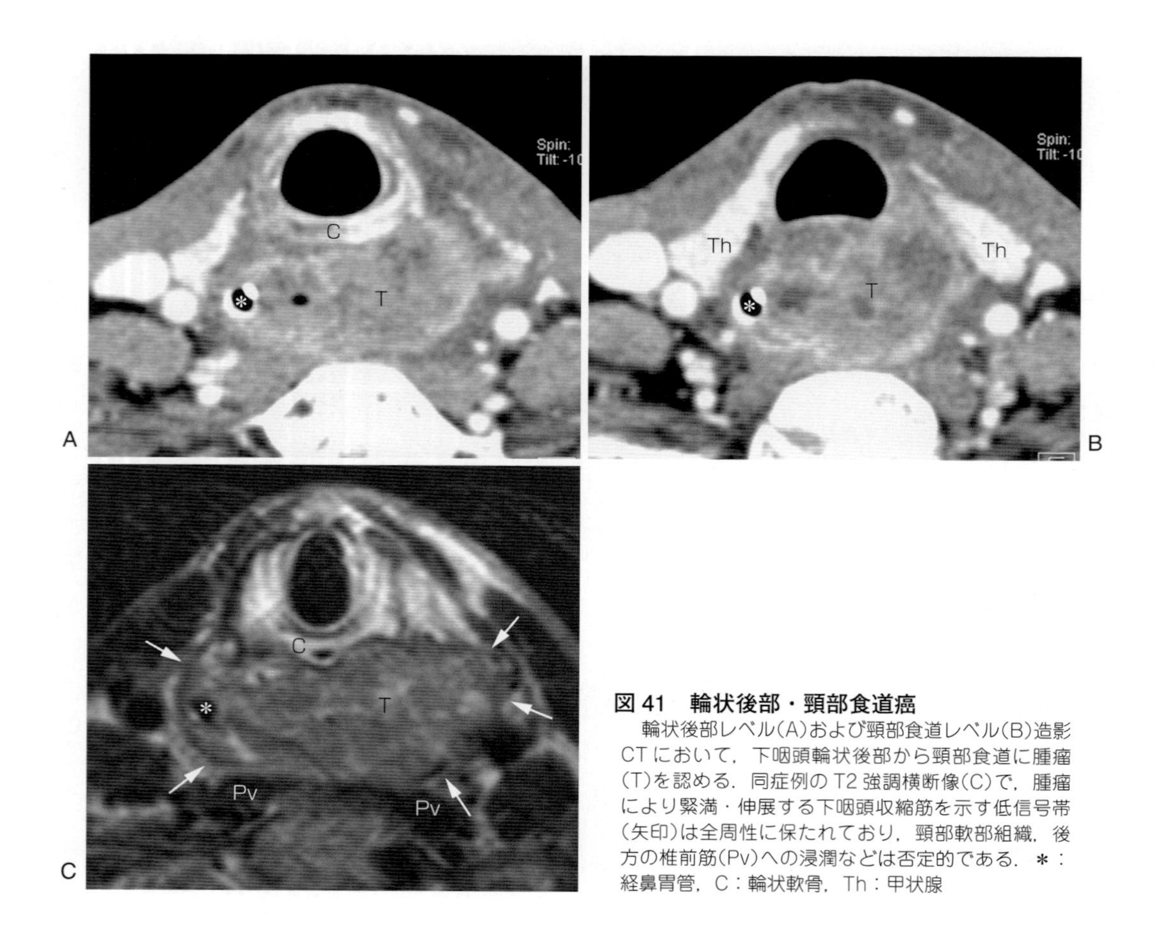

図41　輪状後部・頸部食道癌
輪状後部レベル(A)および頸部食道レベル(B)造影CTにおいて，下咽頭輪状後部から頸部食道に腫瘤(T)を認める．同症例のT2強調横断像(C)で，腫瘤により緊満・伸展する下咽頭収縮筋を示す低信号帯(矢印)は全周性に保たれており，頸部軟部組織，後方の椎前筋(Pv)への浸潤などは否定的である．*：経鼻胃管，C：輪状軟骨，Th：甲状腺

い．粘膜下進展を正確に把握しなければこれらの手技による切除の安全性に問題が生じる．切除断端陽性は予後不良因子であり，術後局所再発は下咽頭癌患者が癌死する原因として最も多いものである．

Laccourreyeらは T2 梨状窩癌に対して喉頭機能温存を目的とし，喉頭咽頭部分切除術のひとつである輪状軟骨上喉頭咽頭半切除術(図51)を施

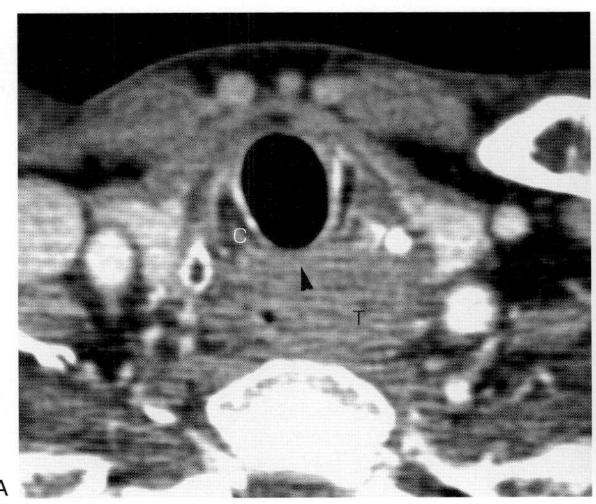

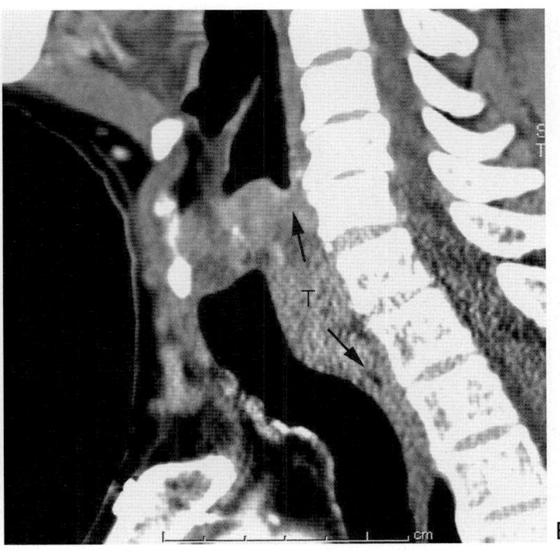

図 42 輪状後部・頸部食道癌

輪状後部レベルの造影 CT(A)において，輪状後部を中心とした浸潤性腫瘤(T)を認め，前方に隣接する輪状軟骨(C)後方 lamina への浸潤(矢頭)を伴う．矢状断再構成画像(B)で，披裂部の高さから頸部食道に及ぶ，腫瘍(T)の頭尾側方向の進展範囲(矢印)が明瞭に描出されている．

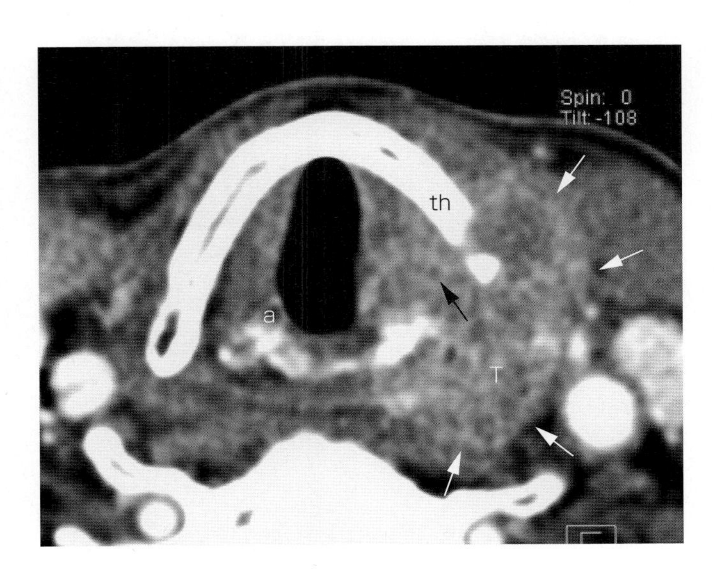

図 43 甲状軟骨，披裂軟骨浸潤を示す梨状窩癌

下咽頭レベル造影 CT で左梨状窩領域を中心とする浸潤性腫瘤(T)を認め，甲状軟骨左側板(th)後縁を囲むように進展(矢印：wrap around)，甲状軟骨左側板後方部分とともに左披裂軟骨(右側で a で示す)を破壊する．

行し，術後 5 年間での局所制御率が 96.6%と良好な結果を報告している[56]．一部の手技では梨状窩全体と輪状軟骨半分を切除するため，発声，嚥下機能は保たれるが気道維持が困難であり気管挿管チューブの抜管が不可能な場合も少なくない．清野らは原発病変の状態(手術のみでの局所制御可否，術後の発声や嚥下機能保持の可否)，頸部リンパ節転移(手術のみでの制御可否)，患者要因(誤飲に耐えうる全身状態およびモチベーションがあるか否か：performance status 0，80 歳以下)を考慮した適応基準による喉頭温存下咽頭部分切除術の検討により，良好な局所制御率とともに発声，嚥下機能の温存が可能であったとしている[59, 60]．腫瘍の進展により，患側の披裂軟骨，輪状軟骨の一部を合併切除する拡大術式がとられる(図 52)．術後誤嚥性肺炎の発生に気を付ける

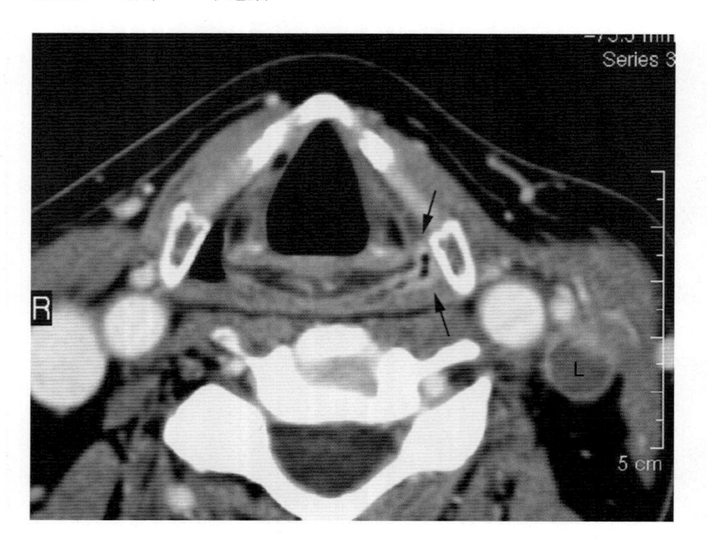

図 44 原発部位不明の頸部リンパ節転移として現れた梨状窩癌症例．CT

左レベルⅢに内部に低濃度を伴う約 10 mm 大のリンパ節を認め，頸部リンパ節転移に一致する．左梨状窩には粘膜面に沿った増強効果を示す低容積腫瘍(矢印)を認め，NBI 内視鏡にて原発部位と確認された．

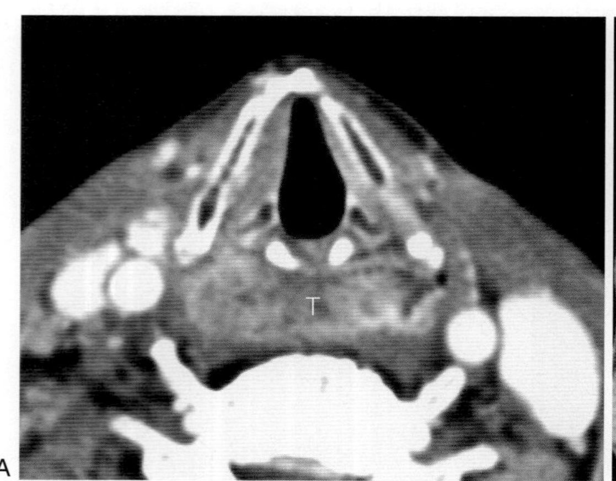

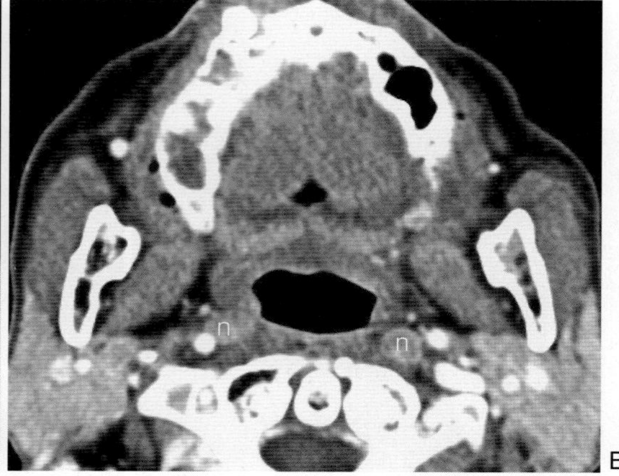

図 45 Rouviere リンパ節転移を伴う咽頭後壁癌

下咽頭レベル造影 CT(A)で咽頭後壁をびまん性に侵す腫瘤(T)を認め，上咽頭レベル(B)で両側咽頭後リンパ節転移(n)を伴う．

必要がある(図 53)．

c. 放射線治療・化学放射線治療

下咽頭癌に対する放射線治療は従来は原発巣，両側の頸部リンパ節領域を含めて左右対向二門による側方照射野で行われてきたが，現在は三次元治療計画が強く推奨される．根治的放射線治療後の再発，非治癒例における救済(salvage)手術はあまり良好な結果の報告はないが，放射線治療では喉頭軟骨壊死などの例を除き，喉頭機能がほぼ温存されるという利点がある．通常，梨状窩癌，輪状後部癌に対しては 7,000 cGy，咽頭後壁癌に対しては 5,000～5,500 cGy 程度を照射する．T1 病変や T2 の低容積病変は，比較的容易に制御可能であるが(表 2：p571)，高容積 T2 病変，T3 病変の一部も根治的放射線治療の適応となりうる．より進行病変に対しては，cisplatin 併用の同時化学放射線療法が考慮される．化学放射線治療では，化学療法の内容，N 因子(特に N2c で予後不良)が重要な予後因子となる[61]．また，導入化学療法に対する反応が放射線治療に対する感受性，生存率と相関するとされる[62]．適応ならびに手

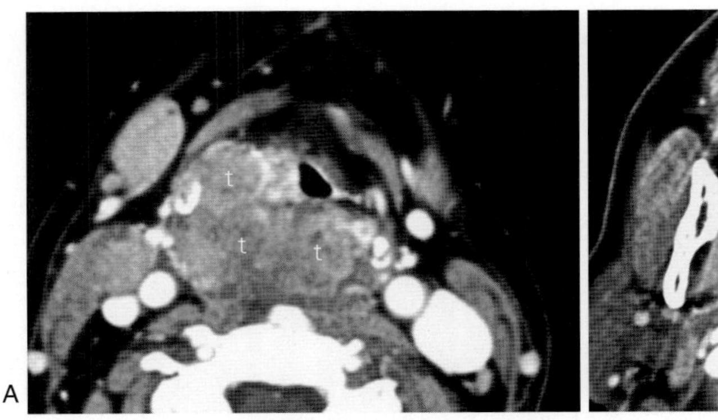

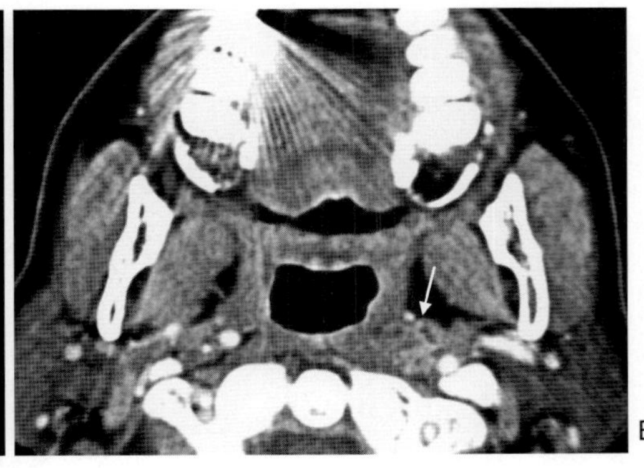

図 46　咽頭後リンパ節転移を伴う咽頭後壁癌
下咽頭レベルの造影 CT（A）において，咽頭後壁から右側では梨状窩に進展する腫瘍（t）がみられる．上咽頭レベル（B）で左咽頭後リンパ節転移（矢印）を認める．

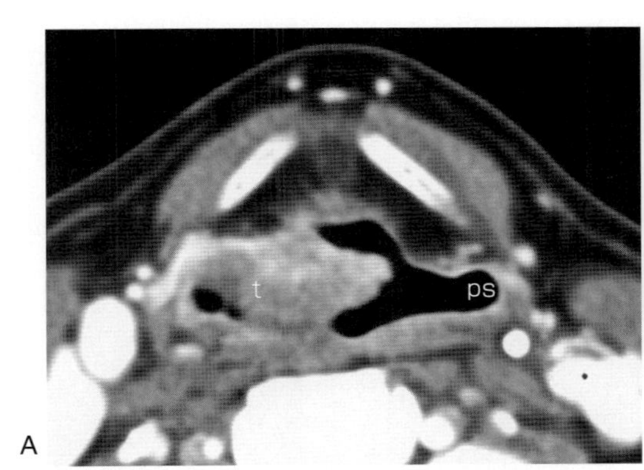

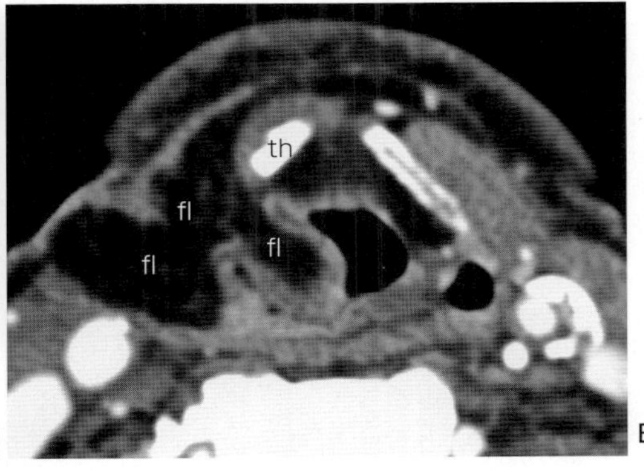

図 47　梨状窩癌に対する咽頭部分切除術
術前 CT 横断像（A）において，右梨状窩内側壁（右披裂喉頭蓋ひだ咽頭面）から外方性発育を主体とする腫瘤（t）を認め，梨状窩癌に一致する．ps：健側の梨状窩．術後 CT（B）では腫瘍とともに甲状軟骨右側板（th）後方 4 分の 3 は合併切除され，同部に脂肪濃度を主体とする皮弁（fl）が置かれている．

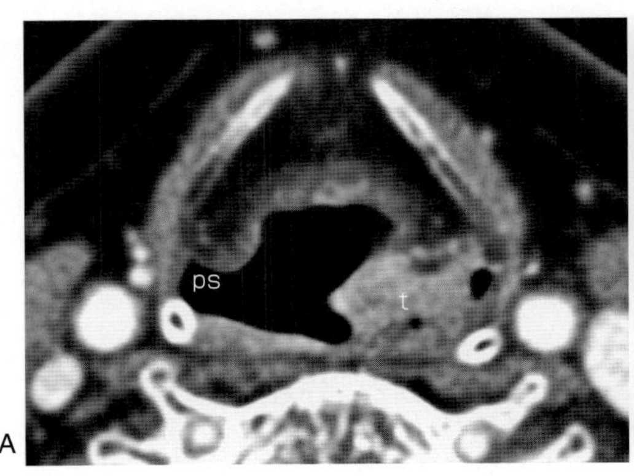

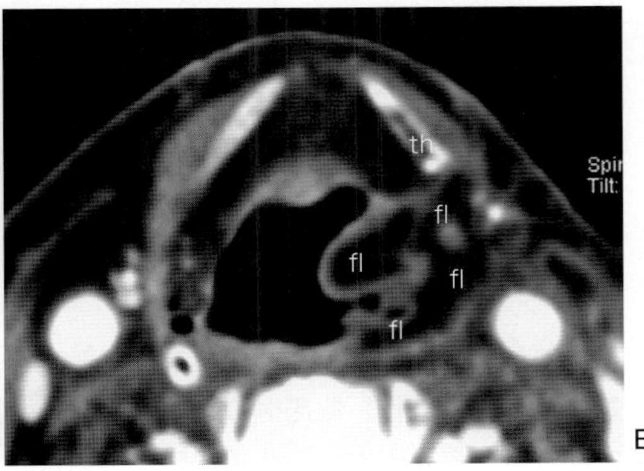

図 48　梨状窩癌に対する咽頭部分切除術
術前 CT 横断像（A）において，左梨状窩内側壁（左披裂喉頭蓋ひだ咽頭面）から外方性発育を主体とする腫瘤（t）を認め，梨状窩癌に一致する．ps：健側の梨状窩．術後 CT（B）では腫瘍とともに甲状軟骨左側板（th）後方 3 分の 2 は合併切除され，同部に脂肪濃度を主体とする皮弁（fl）が置かれている．

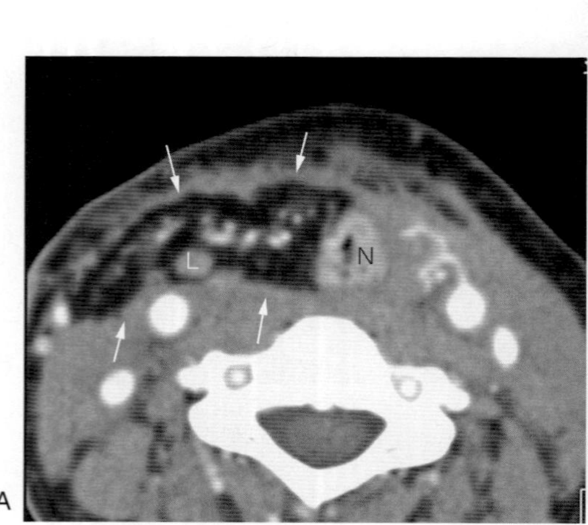

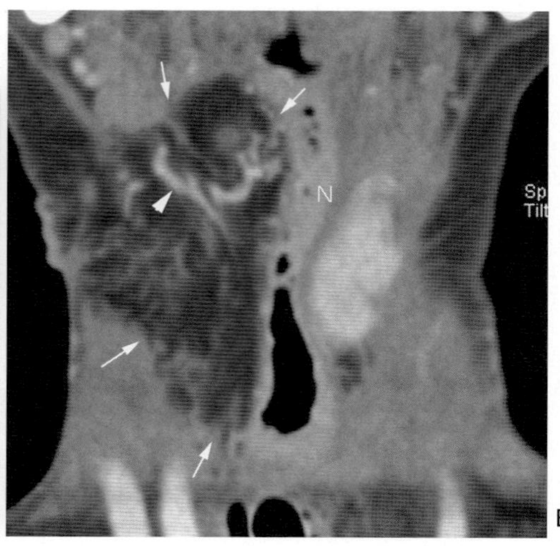

図 49 下咽頭喉頭全摘出術
造影 CT 横断像(A). 遊離空腸により再建された neopharynx(N)に随伴する腸管膜(矢印)内にやや著明なリンパ節(L)を認めるが, 通常は病的意義は乏しい.
冠状断再構成画像(B). N：neopharynx, 矢印：随伴する腸管膜脂肪, 矢頭：腸管膜内を走行する血管

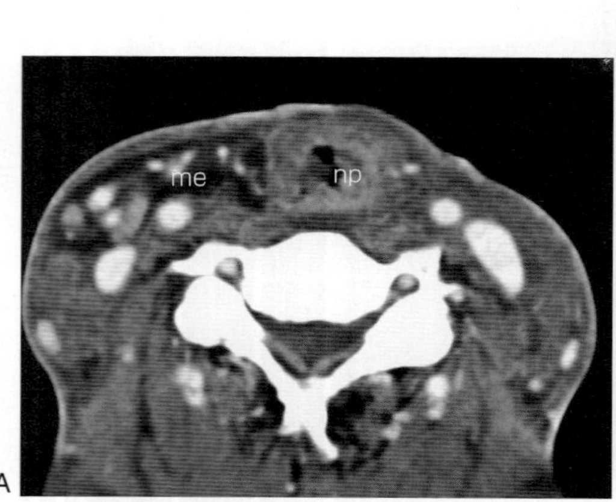

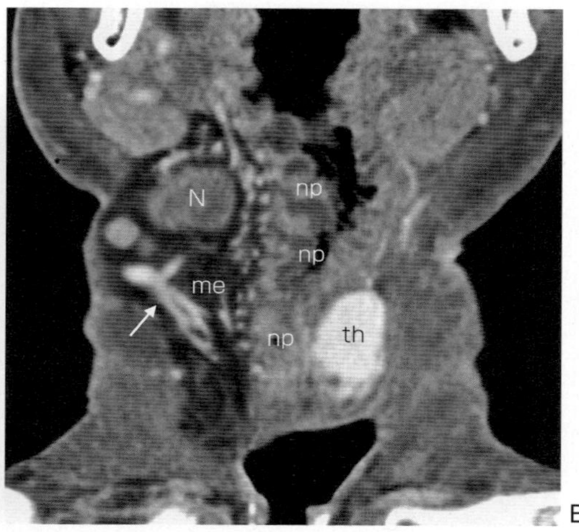

図 50 下咽頭喉頭全摘出術
舌骨下頸部レベルでの CT 横断像(A). 遊離空腸により形成された neopharynx(np)および, その右側に随伴する(脂肪濃度を主体とする)腸間膜(me)を認める. 同冠状断像(B)で, 壁がやや浮腫様を呈する neopharynx(np), 右側に随伴する腸間膜脂肪(me)を認める. 同術式後には, 腸間膜内にしばしば著明なリンパ節(N)を認めるが, 一般に転移の頻度は低い. 腸間膜血管(矢印)の増強効果は良好に保たれており, 血流は良好であることを示している.
th：甲状腺組織

術, 化学療法との組み合わせとの関連もあり, さらに各施設における設備, 臨床医の経験と考え方にも影響される. 放射線治療, 化学療法の実際についての詳細は専門書を参照していただきたい.

6 画像診断と治療計画の統合

下咽頭癌は診断時にすでに根治的放射線治療や喉頭機能温存術式の適応とならない高容積進行病変である場合が多いが, 逆に CT で低容積病変であるとともに喉頭軟骨浸潤, 輪状披裂関節, 輪状

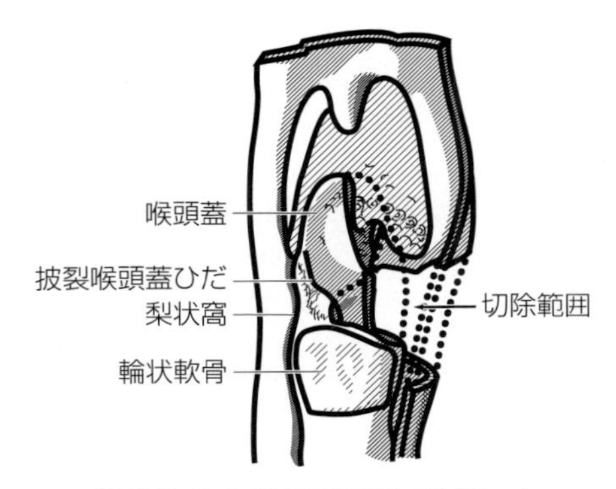

図 51　輪状軟骨上喉頭咽頭半切除術．シェーマ

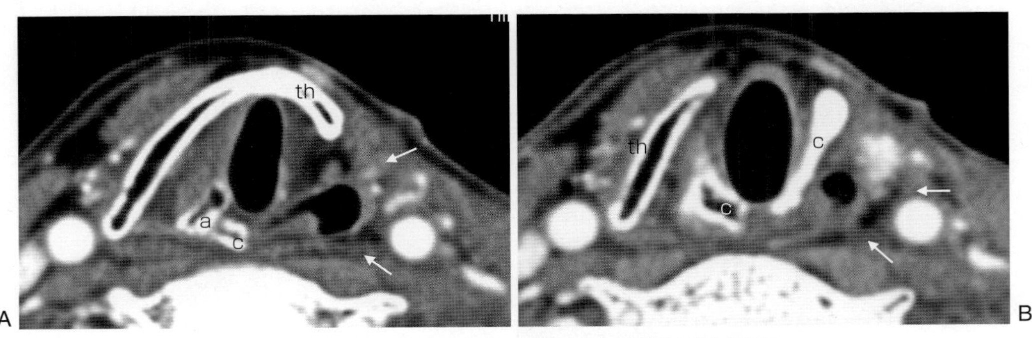

図 52　患側の披裂軟骨，輪状軟骨の一部の合併切除を伴う咽頭部分切除例

左梨状窩癌に対する咽頭部分切除術後．声門レベルでの造影 CT 横断像(A)において，左梨状窩を中心とする下咽頭とともに，甲状軟骨左側板(th)後方 3 分の 2，患側の披裂軟骨(健側で a で示す)，輪状軟骨板左側(健側で c で示す)は合併切除され，切除部に皮弁(矢印)が置かれている．声門下レベル(B)で輪状軟骨(c)左側の切除後変化，同部に接する皮弁(矢印)を認める．th：甲状軟骨右側板

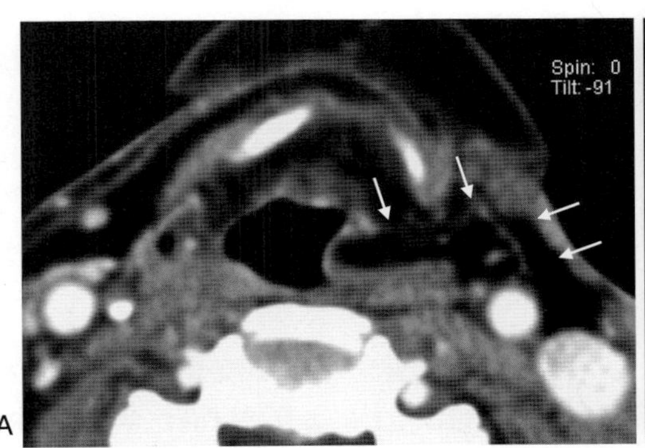

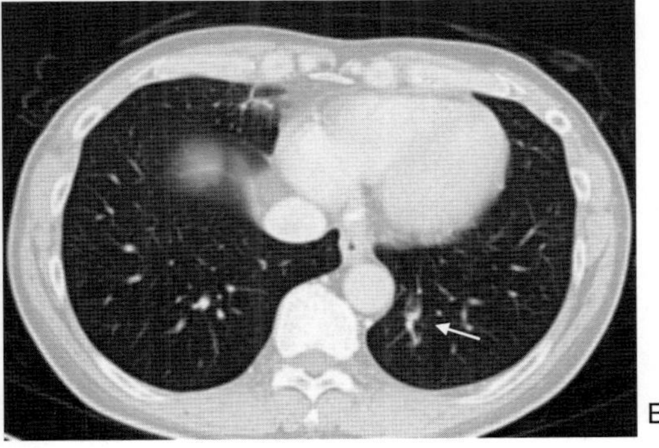

図 53　患側肺の誤嚥性肺炎を伴う咽頭部分切除例

左梨状窩癌に対する咽頭部分切除術後．下咽頭レベル造影 CT(A)で術後変化を認める．矢印：皮弁．胸部下部レベル CT 肺野条件(B)において，患側である左肺の下葉 S10 の気管支血管束に沿って誤嚥性肺炎(矢印)の所見を認める．

表5　放射線治療・化学放射線治療後での局所再発を示唆する所見

項目	所見		意義
腫瘍容積	容積減少率50%以下		
限局性軟部濃度	増大傾向		局所再発を強く支持する
	変化なし		必ずしも局所再発ではない（要経過観察） ⇒6ヵ月以上変化ない場合，局所制御を支持
喉頭軟骨所見	進行性破壊		局所再発を強く支持（まれに軟骨壊死）
	硬化	進行性	局所再発を示唆（ただし，部分切除後は再発なしに進行の場合あり）
		不変	病的意義は乏しい
		改善	局所制御を示唆する場合あり

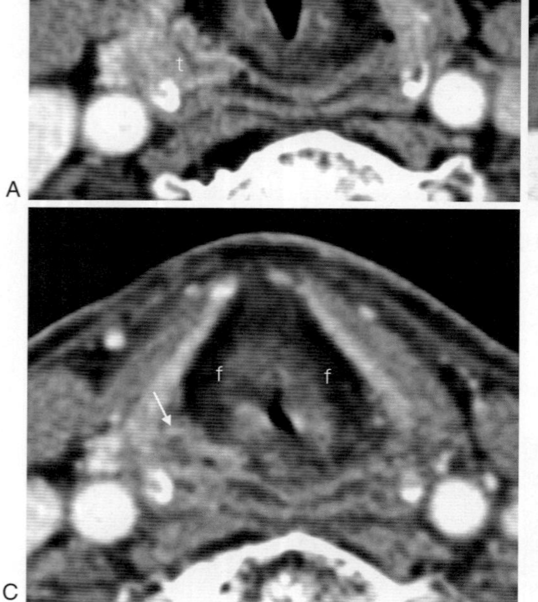

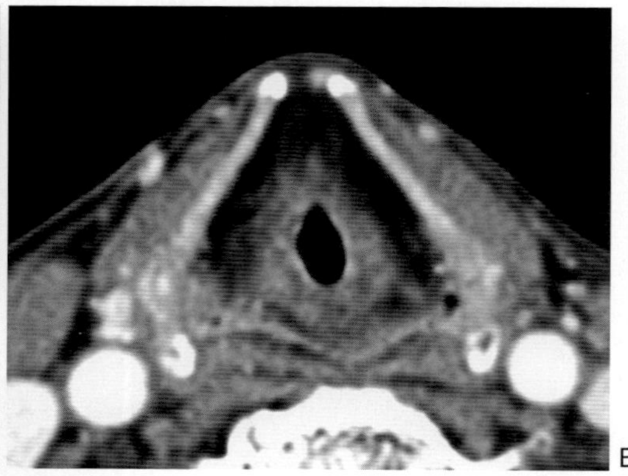

図54　梨状窩癌（T2）の放射線治療後局所再発

治療前造影CT（A）：右梨状窩を中心とする浸潤性腫瘤（t）を認める．

放射線治療終了後3ヵ月でのCT（B）：病変の軽度縮小とともに増強効果減弱が認められる．

放射線治療終了後5カ月でのCT（C）：病変（矢印）の軽度増大がみられ，局所再発が示唆される．両側仮声帯（f）などの対称性浮腫性肥厚はBよりも高度に認められる．

軟骨後部，頸部軟部組織への腫瘍浸潤の所見がないことなどが確認されれば喉頭機能温存を想定した治療法がより信頼性高く選択可能となる．

著明な粘膜下進展を特徴とする下咽頭癌では，内視鏡による粘膜病変と実際のT診断との相関は低く，CTでの進展範囲の正確な把握が病期診断，これに基づく治療計画において必須となる．CTを加えることにより，20%程度の症例で病期診断は変更され，一般にはより高い病期診断となる（主にT4病変）[63]．下咽頭癌の治療計画に必要な画像情報はCTによりほぼ満たされ，MRIを必要とする例は10%以下と少ない[7]．原発病変の腫瘍容積と放射線治療での局所制御率との関わりに関しては，表3（p581）で示したとおり，CT所見により算出した原発病変と頸部リンパ節病変を合わせた腫瘍容積も放射線治療での制御率と相関を示し，40 cm^3 未満であれば喉頭温存治療を選択すべきとされる[64]．臨床所見におけるT2〜3

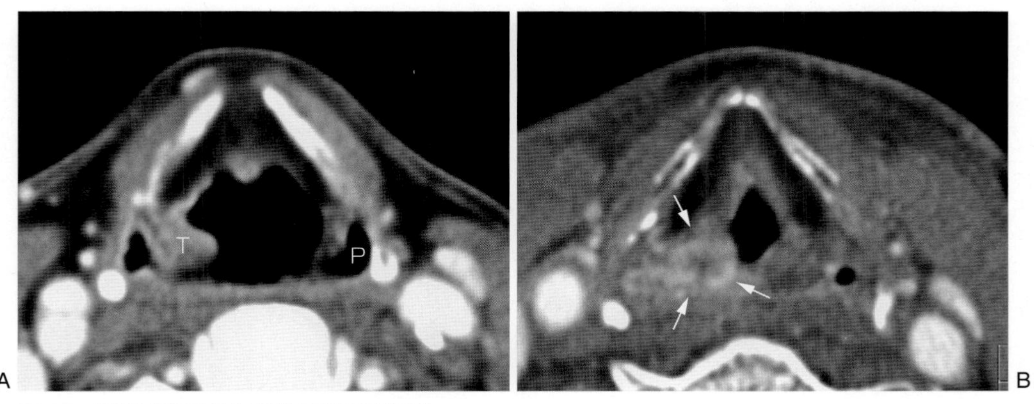

図 55　梨状窩癌の放射線治療後局所再発

治療前造影 CT（A）において右梨状窩（対側で P で示す）内側壁から披裂喉頭蓋ひだにかけて腫瘍（T）を認める．治療終了 1 年後（B）で治療前（A）よりも明瞭な腫瘤形成（矢印）がみられ，局所再発を支持する．頸部には高線量放射線治療後の浮腫，皮膚，筋膜肥厚などの所見を認める．

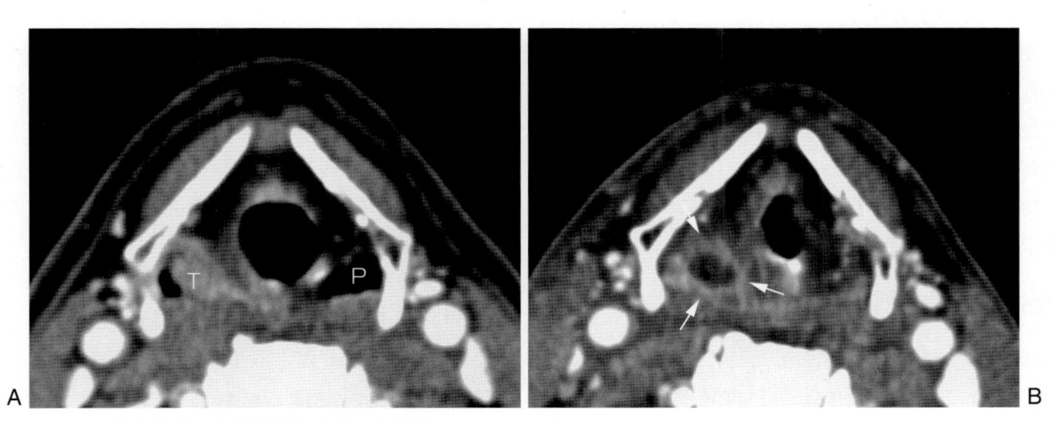

図 56　梨状窩癌の放射線治療後局所再発

治療前造影 CT（A）において右梨状窩（対側で P で示す）内側壁から披裂喉頭蓋ひだにかけて腫瘍（T）を認める．治療終了 10 ヵ月後（B）で明瞭な壊死性腫瘤（矢印）の残存を認め，局所再発に一致する．

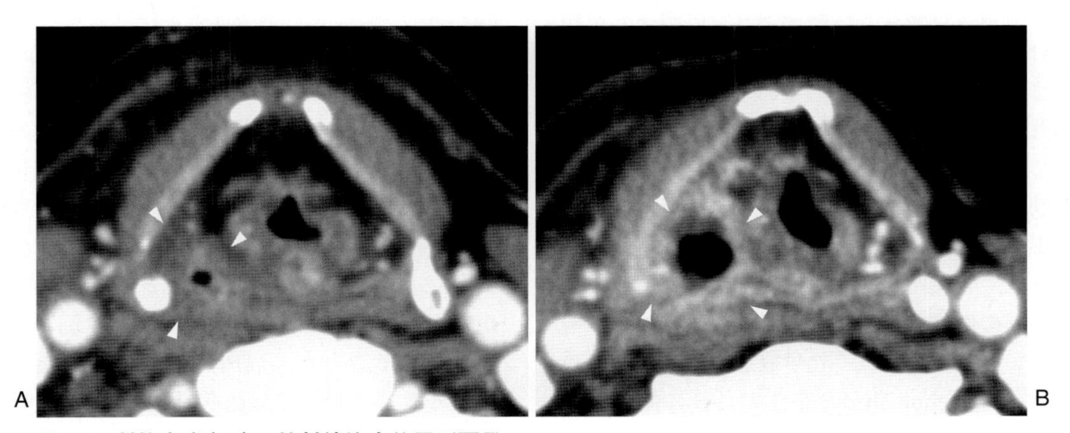

図 57　梨状窩癌（T2）の放射線治療後局所再発

放射線治療終了後 3 ヵ月での造影 CT（A）において，右梨状窩領域に壁に沿った限局性軟部濃度領域（矢頭）を認め，治療終了後 6 ヵ月後（B）では病変増大とともに辺縁増強効果を示す壊死性腫瘤の所見を呈し，局所再発に一致する．

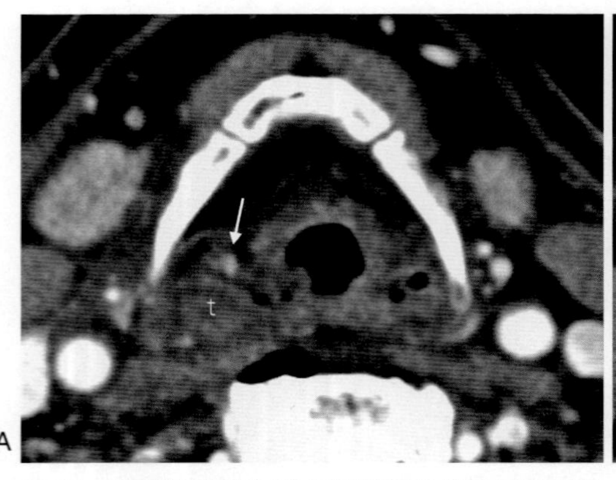

A

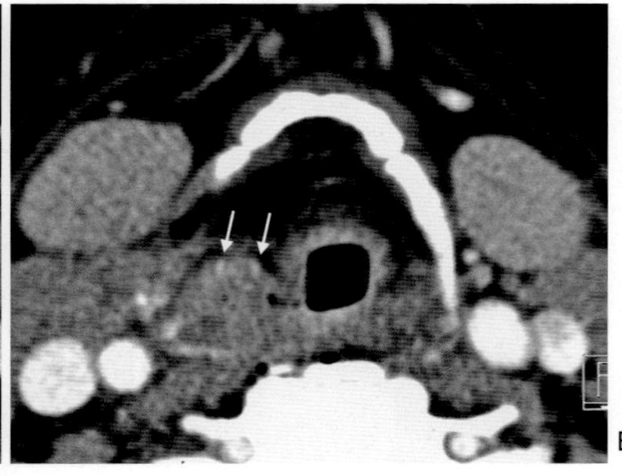

B

図 58　咽頭後壁癌（T2）の放射線治療後局所再発

放射線治療終了後 4 ヵ月での造影 CT（A）において，右梨状窩に対する咽頭後壁右側に結節様の限局性軟部濃度所見（t）の残存あり．梨状窩前壁内の血管（矢印）周囲脂肪層は保たれている．治療終了後 9 ヵ月（B）において，腫瘤の増大がみられ局所再発を支持する．右梨状窩前壁粘膜下の血管（矢印）周囲への腫瘍浸潤あり．

病変では，喉頭軟骨浸潤の画像所見を認めればT4a 病変となるので注意を要する．

また，頭頸部悪性腫瘍の画像診断では常に二次癌の有無を確認することを忘れてはならない．こうした病変の存在は予後，治療計画に大きく影響するのは論じるまでもない．

7 治療後画像評価

下咽頭癌の無病生存率は初発時の原発病変の局在と T 診断に強く相関するが，再発例の 25% は，臨床医に指摘されるまで患者自身の自覚はない[65]．これは治療後経過観察の重要性を示している．

経過観察を目的とした画像検査の計画は喉頭癌の場合に準ずる．手術，放射線治療終了直後はさまざまな二次性変化を生じることから，その解釈は困難であり，この時期に原発巣に残存腫瘤がみられても発育していくのか，退縮していくのか正確な判断は不可能である．治療後の管理不能な出血，感染の疑い，明らかな増大傾向を示す残存・再発病変，気道閉塞症状などのある場合を除き，この期間の画像診断を必要としない．一般的に術後あるいは放射線治療，化学放射線治療終了後の基線検査（baseline study）を 3 ヵ月後に施行，その後 3 年までは 4～6 ヵ月ごと，続く 2～3 年は 6～12 ヵ月ごとに経過観察検査を施行する．

根治的放射線治療例では，治療前 CT との比較で腫瘍容積の 50% 以上の減少を認め，治療後 CT 上で腫瘤の残存を指摘できない場合は局所制御の可能性が高く，腫瘍容積の減少が 50% 以下，明らかな腫瘤の残存（あるいは以前の基線検査との比較で腫瘤増大）では原発巣非治癒（残存あるいは再発）を示唆する．

各画像検査は基線検査との比較とともにその経時的評価を含めて評価されなければならない．

放射線治療・化学放射線治療後において，限局性軟部濃度所見は一般には局所再発を示唆するが，増大傾向が認められればより確実に診断される（表 5：p592，図 54～58）．喉頭軟骨の新たな硬化や破壊もしばしば局所再発を示唆する（図 59，60）．ただし，限局性軟部濃度を認めたとしても，必ずしも局所再発を示すものではない（図 61，62）．臨床的に再発の疑いが強くない場合，経時的変化の有無が重要となり，2 回以上の続く経過観察の画像検査上で原発巣の所見に変化がないことが確認されれば 90% の確率で局所制御を示唆する．前回 CT との比較での腫瘍の縮小や消失（図 54，63，64）よりも，たとえ軟部濃度領域が残存していたとしても所見の不変（図 61，62）を確認することが，局所制御をより強く支持する．ときに軟骨硬化の改善（図 65）が局所制御を示唆するが，制御の確認にはさらなる経過観察を要する．軟部組織の軽度非対称は理学的所見などとともに次回の経過観察画像と比較のうえで判断

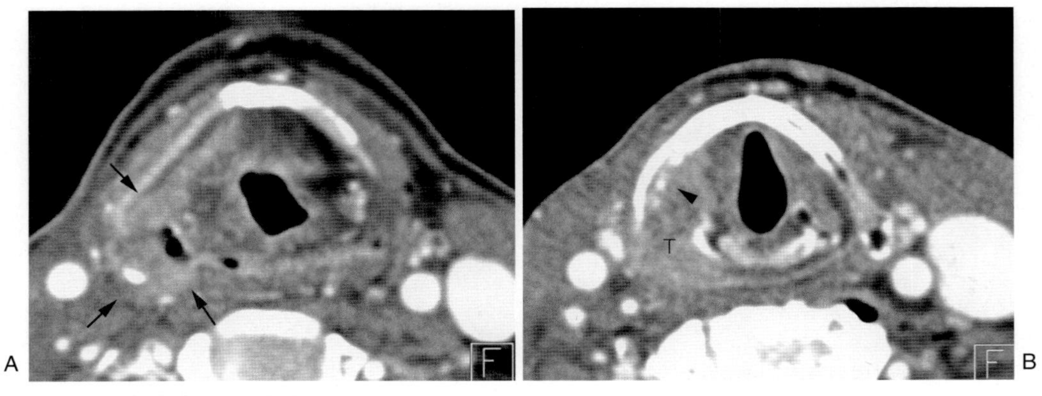

図 59　梨状窩癌の局所再発

放射線治療終了後 6 ヵ月での造影 CT（A）において，右梨状窩には明らかな限局性の浸潤性軟部濃度所見（矢印）を認め，尾側レベル（B）では，腫瘍（T）に隣接する甲状軟骨右側板には（治療前 CT では認められなかった）破壊性変化（矢頭）を伴い，局所再発病変を強く支持する．

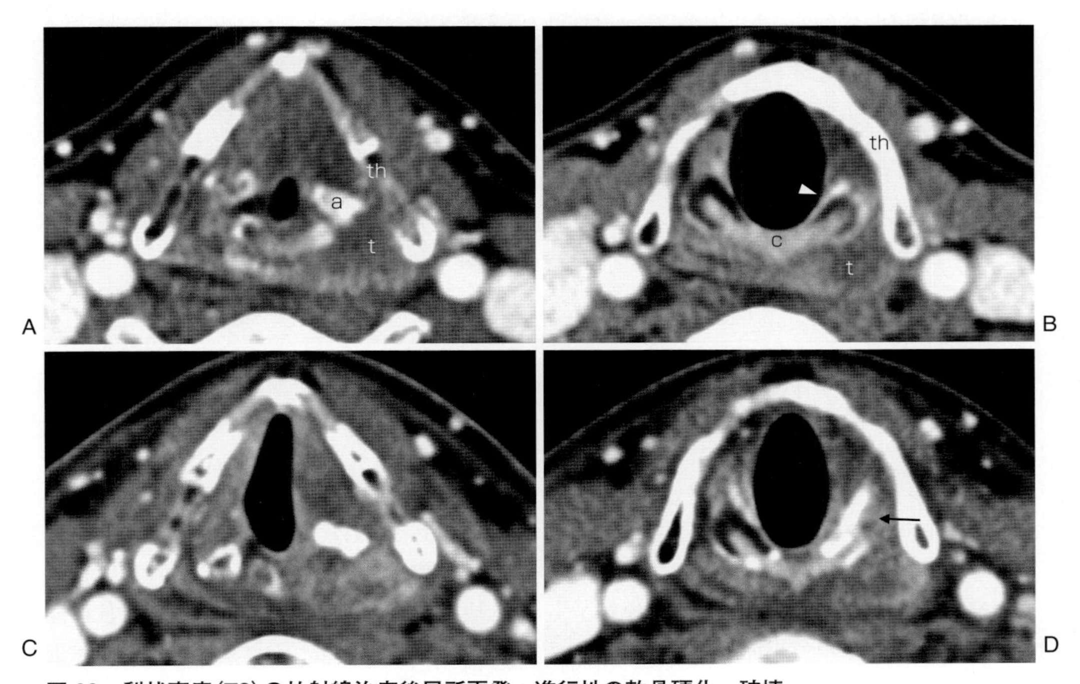

図 60　梨状窩癌（T3）の放射線治療後局所再発：進行性の軟骨硬化，破壊

放射線治療終了後 3 ヵ月での声門（A）および声門下レベル（B）の造影 CT．左梨状窩を中心に限局性軟部濃度領域（t）を認め，梨状窩癌の治療後病変に一致する．隣接する左披裂軟骨（a），輪状軟骨（c）の左側（矢頭）で淡い硬化を認める．th：甲状軟骨

治療終了後 9 ヵ月での声門（C）および声門下（D）レベルの造影 CT．左梨状窩領域の軟部濃度所見は有意な増大は示さないが，左披裂軟骨，輪状軟骨左側の硬化は進行，輪状軟骨左側の破壊（矢印）を新たに認める．局所再発を支持する．

するのが妥当と思われる．根治的放射線治療施行例で治療前 CT 所見から原発巣非治癒の危険性が高い区分に入る症例ではより慎重な比較を要する．このような症例を含め，経過観察検査において腫瘍再発・残存が少しでも疑われる場合，その時点での生検，あるいは通常よりも短期（2〜3 ヵ

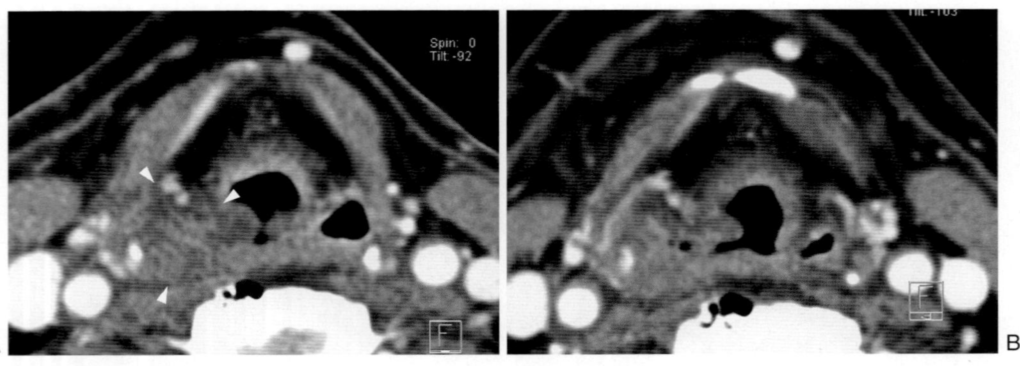

図 61　梨状窩癌の局所制御例

放射線治療終了後 3 ヵ月の造影 CT（A）で右梨状窩を中心に限局性軟部濃度（矢頭）を認めるが，10 ヵ月後（B）においてもまったく変化なし．その後，2 年半にわたり局所再発なく経過している．

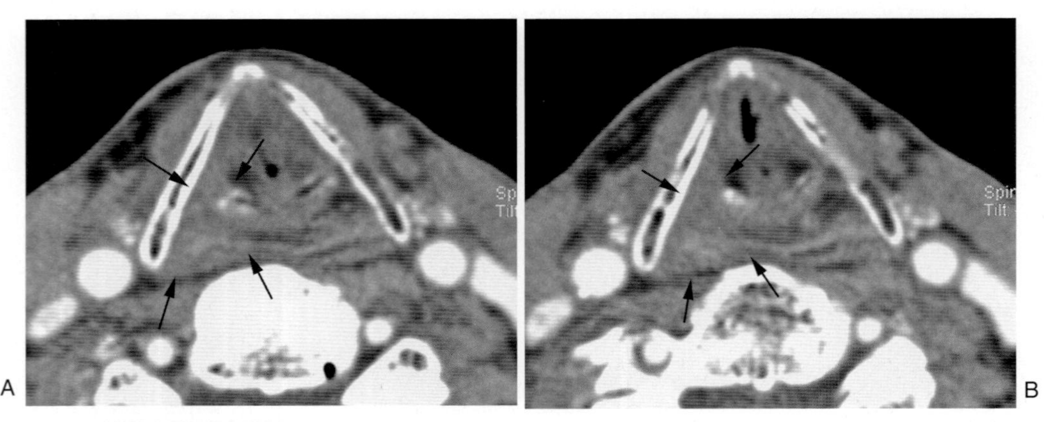

図 62　梨状窩癌の局所制御

放射線治療終了後 3 ヵ月での造影 CT（A）において，原発部位である右梨状窩を中心とした限局性軟部濃度領域（矢印）を認める．5 ヵ月後（B）においても，同所見（矢印）に変化は認められず，積極的に局所再発・残存病変を示す所見ではない．

月後）での追加経過観察を必要とし，この結果によってさらなる判断が望まれる．なお，放射線治療による原発巣の反応の臨床的評価は，治療終了後 6 週間程度で行われるのが通常である．放射線治療後には皮膚も板状硬となり頸部リンパ節の理学的診察が困難となるため，画像診断による頸部リンパ節の評価も重要である．ただし，治療後変化が十分軽減するまではリンパ節の輪郭の整・不整から節外進展の有無を評価したり，周囲構造への浸潤を正確に評価するのは困難な場合が多い．

Herman らにより喉頭癌，下咽頭癌の治療後経過観察において再発例のうち 41％で内視鏡などの臨床所見のみよりも CT がより早期に再発病変を検出することが確認されている[66]．高線量（通常 6,800～7,000 cGy 以上）の放射線治療により頸部軟部組織には明らかな変化が生じる[67]．根治的放射線治療後症例の画像診断では放射線治療後に予測される変化とそれ以外の変化を区別することが重要である．これに関しては 7 章「喉頭」の「喉頭癌，経過観察における検査計画および局所再発の評価」の項（p517）にて要点を解説しており，参考にしていただきたい．

手術症例の経過観察（表 6：p598）では再建部位，切除辺縁，皮弁辺縁，気切孔周囲，頸部リンパ節の変化などに留意すべきである．代表的術式の切除対象は先に解説した．術後画像評価では，各術式で想定される術後所見に対する理解をもとに，局所再発を支持する増大傾向のある軟部濃度

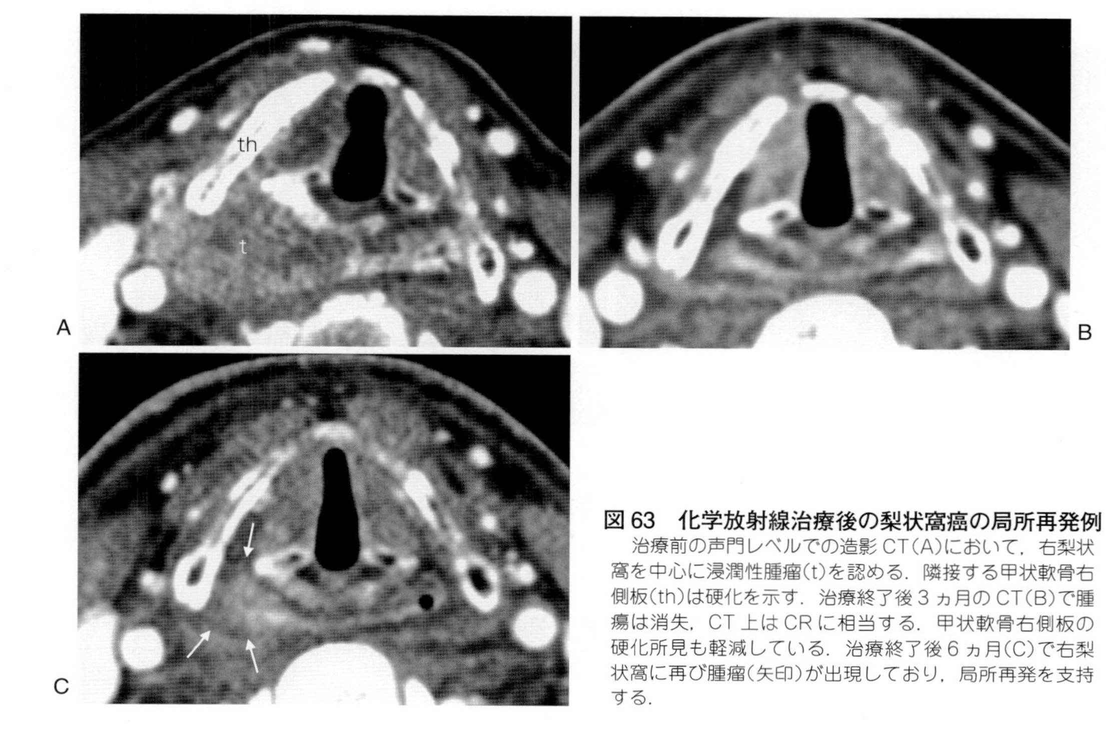

図 63　化学放射線治療後の梨状窩癌の局所再発例
治療前の声門レベルでの造影 CT（A）において，右梨状窩を中心に浸潤性腫瘤（t）を認める．隣接する甲状軟骨右側板（th）は硬化を示す．治療終了後 3 ヵ月の CT（B）で腫瘍は消失，CT 上は CR に相当する．甲状軟骨右側板の硬化所見も軽減している．治療終了後 6 ヵ月（C）で右梨状窩に再び腫瘤（矢印）が出現しており，局所再発を支持する．

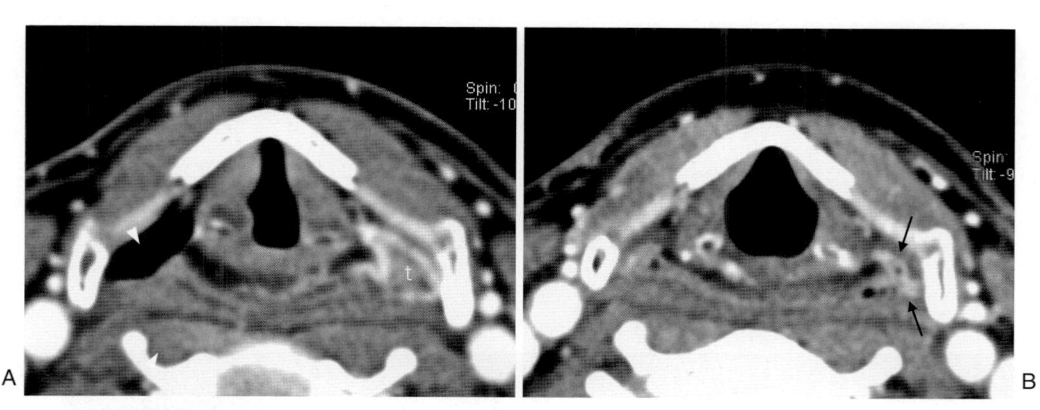

図 64　梨状窩癌の放射線治療例
治療前の造影 CT（A）で左梨状窩に腫瘤（t）を認める．矢頭：含気を示す右梨状窩．放射線治療終了後 3 ヵ月（B）で腫瘤は縮小，ほぼ消失するが，左梨状窩の粘膜面に沿った増強効果（矢印）は残存する．

病変の有無，軟骨の進行性破壊により判断される．下咽頭部分切除術後であれば，切除縁に相当する皮弁辺縁での再発（皮弁辺縁再発）（図 66〜68），下咽頭喉頭全摘出術後であれば neopharynx の吻合部，壁の再発（図 69〜72）が重要である．これらはしばしば粘膜下であり，理学的所見での指摘は困難であり自覚もない場合も多く，画像での指摘が重要である．術後画像では解剖学的非対称による誤診に注意しなければならない（図 73）．温存された筋肉も脱神経支配のために対称性が失われる場合もあり，萎縮，あるいは代償性肥大した筋肉を再発性病変と誤ってはならない．下咽頭喉頭切除術後の再建咽頭（neopharynx）の評価においても CT，MRI の横断像ではその層構造を評価することが可能であり（図 74），吻合部以外の部位での部分的壁肥厚は再発を示唆する

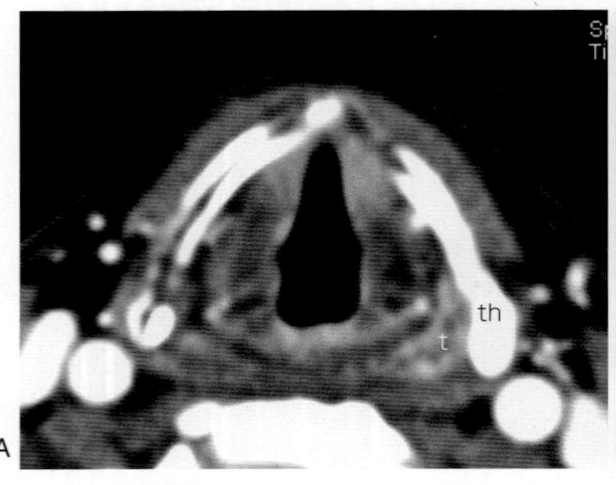

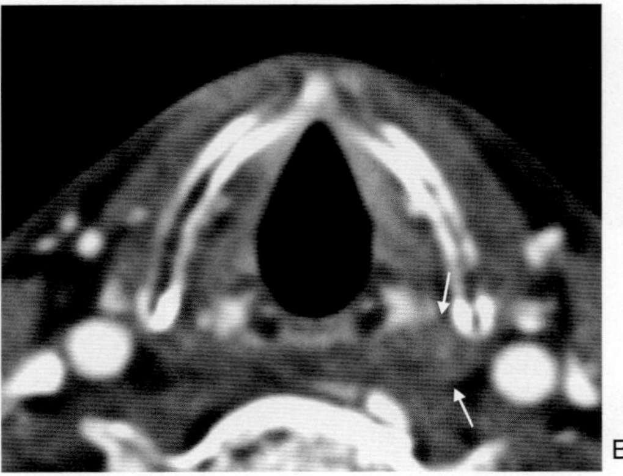

図 65　梨状窩癌例での軟骨硬化の改善

治療前の造影 CT（A）で左梨状窩に増強効果を示す腫瘤（t）を認め，隣接する甲状軟骨左側板（th）は硬化を示す．放射線治療終了後 3 ヵ月（B）で腫瘤（矢印）は縮小とともに増強効果の減弱を認める．甲状軟骨左側板の硬化も改善を示す．その後，局所再発なく経過している．

表 6　術後局所再発の画像診断

<table>
<tr><td>好発部位</td><td colspan="4">切除縁・皮弁辺縁（皮弁辺縁再発）
neopharynx 周囲（吻合部，壁）
気切孔周囲（気切孔再発）</td></tr>
<tr><td rowspan="6">画像所見</td><td rowspan="2">限局性軟部濃度</td><td colspan="2">増大傾向</td><td>局所再発を強く支持する</td></tr>
<tr><td colspan="2">変化なし</td><td>必ずしも局所再発ではない（要経過観察）
⇒ 6 ヵ月以上変化ない場合，局所制御を支持</td></tr>
<tr><td rowspan="4">喉頭軟骨所見</td><td colspan="2">進行性破壊</td><td>局所再発を強く支持</td></tr>
<tr><td rowspan="3">硬化</td><td>進行性</td><td>局所再発を示唆
＊ただし，部分切除後は再発なしに進行の場合あり</td></tr>
<tr><td>不変</td><td>病的意義は乏しい</td></tr>
<tr><td>改善</td><td>局所制御を示唆する場合あり</td></tr>
</table>

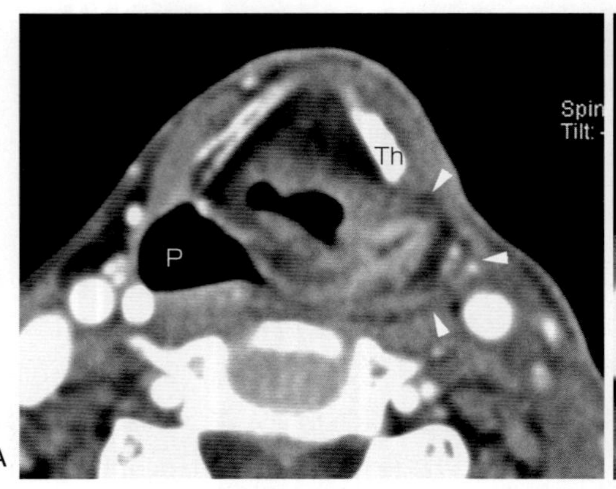

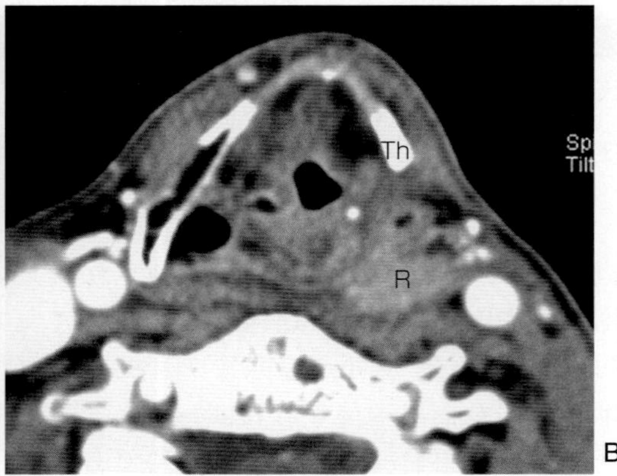

図 66　梨状窩癌に対する下咽頭部分切除術後の局所再発

術後 3 ヵ月での造影 CT（A）．左梨状窩（右側で P で示す）を中心として咽頭部分切除が施行され，皮弁による再建後（矢頭）．術後 6 ヵ月での CT（B）で，再建された左梨状窩に対する後壁粘膜下に再発性腫瘤（R）を認める．患者の自覚症状なく，内視鏡でも指摘されなかった．Th：甲状軟骨

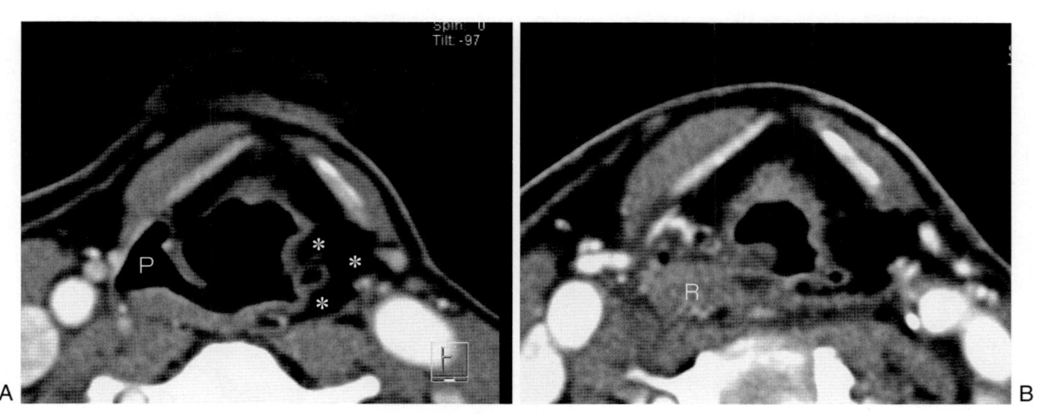

図 67　梨状窩癌に対する下咽頭部分切除後の局所再発

左梨状窩癌に対する下咽頭部分切除後の造影 CT（A）において，左梨状窩壁（対側で P で示す）は切除され，脂肪濃度の皮弁（＊）で再建されている．術後 1 年後の CT（B）で皮弁深部に連続した咽頭後壁右側に軟部濃度腫瘤（R）を認め，皮弁辺縁再発を示す．

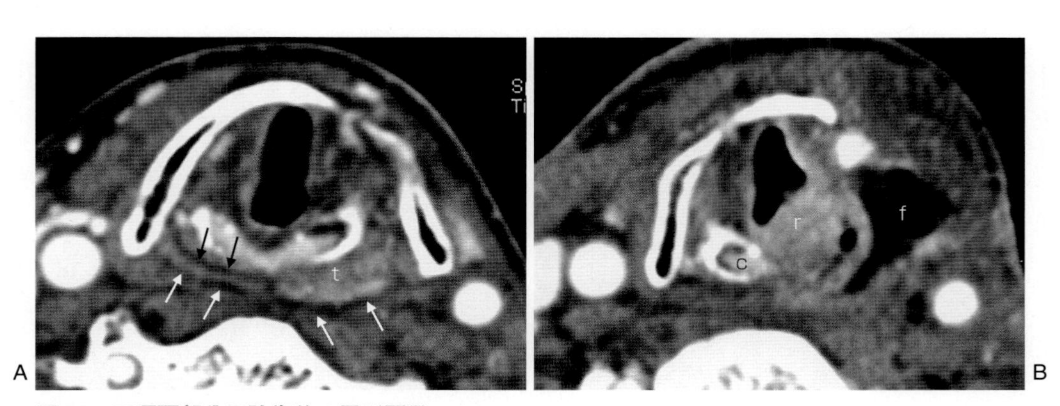

図 68　下咽頭部分切除術後の局所再発

術前の造影 CT（A）において，左梨状窩尖部から輪状後部にかけて浸潤性腫瘤（t）を認める．輪状後部右側の粘膜下脂肪層（黒矢印）は保たれているが，病変のある輪状後部左側で脂肪層は消失している．咽頭後壁の脂肪層（白矢印）は全域で保たれている．術後 6 ヵ月での造影 CT（B）で，脂肪濃度を主体とする皮弁（f）が置かれている．その内側に中等度の増強効果を伴う軟部濃度腫瘤（r）を認め，輪状軟骨（c）左側の破壊を伴い，局所再発を支持する．

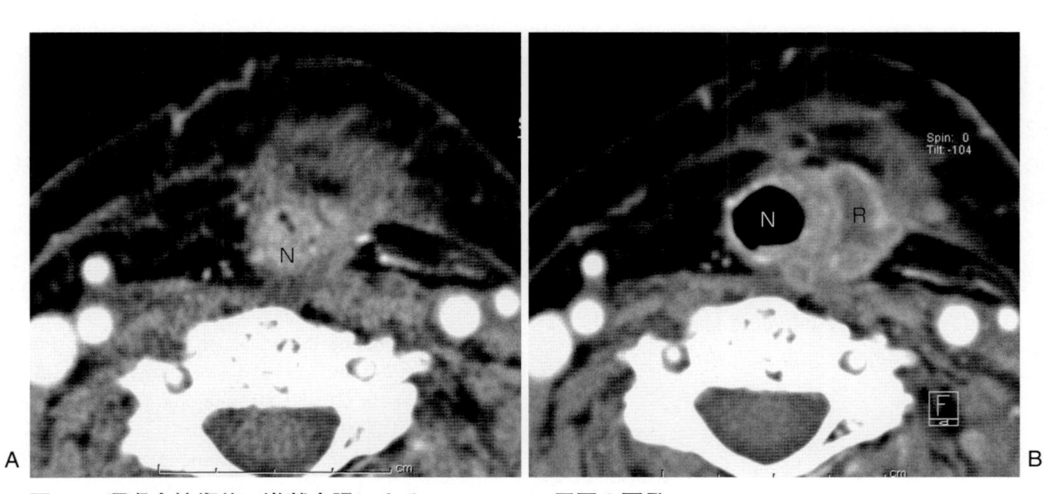

図 69　咽喉食摘術後，遊離空腸による neopharynx 周囲の再発

術後 3 ヵ月での造影 CT（A）．術後 6 ヵ月での同レベル CT（B）で，neopharynx（N）左側に沿って壊死性腫瘤（R）の出現があり，再発に一致する．患者は軽度の疼痛を訴えていたが，理学的所見での指摘は困難であった．

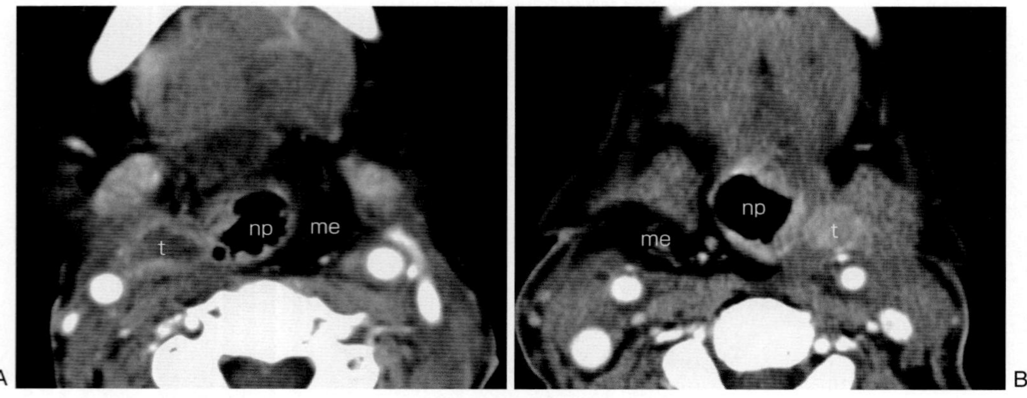

図70　咽喉食摘術後のneopharynx近位吻合部での局所再発2例
2例ともに造影CT（A，B）において，遊離空腸によるneopharynx（np）近位吻合部に隣接して腫瘤（t）を認め，吻合部再発に一致する．腫瘍はAでは壊死性，Bでは充実性を示している．遊離空腸に随伴する腸間膜（me）は脂肪濃度領域として認められる．

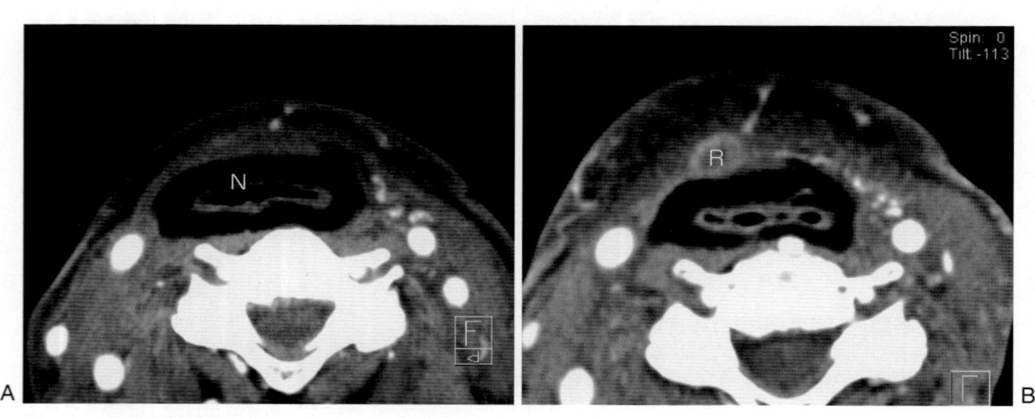

図71　咽喉食摘術後のneopharynx壁の再発
術後3ヵ月の下咽頭レベル造影CT（A）で再建咽頭（N：neopharynx）は比較的均一な輪状の脂肪濃度構造として認められる．術後10ヵ月（B）で再建咽頭前壁に接して結節病変（R）を認め，再発を示す．

（図72）．超音波検査とCT所見との比較が再建咽頭の評価に有効との報告もある[68]．

頭頸部癌の中で下咽頭癌は遠隔転移の頻度が最も高く，最も頻度が低い口腔癌と比較して，約10倍とされる[69]．下咽頭癌再発例では，T1〜2病変であったとしても約半数が遠隔転移を生じ，局所再発，頸部再発のない場合も多い[70]．

以上，本章では下咽頭の解剖，下咽頭癌の臨床および画像診断を中心に解説した．

■参考文献

1）日本頭頸部癌学会（編）：頭頸部癌取扱い規約（第6版補訂版），金原出版，東京，2019
2）Rouvière H：Lymphatic system of the head and neck. Anatomy of the Human Lymphatic System, Tobias MJ（trans）, Edwards Brothers, Ann Arbor, p5-28, 1938
3）Schmaluss IM, Mancuso AA, Tart RP：Postcricoid region and cervical esophagus：Normal appearance at CT and MR imaging. Radiology **214**：237-246, 2000
4）Becker M, Zbaren P, Laeng H：Neoplastic invasion of the laryngeal cartilage：Comparison of MR imaging and CT with histopathologic correlation. Radiology **194**：661-669, 1995

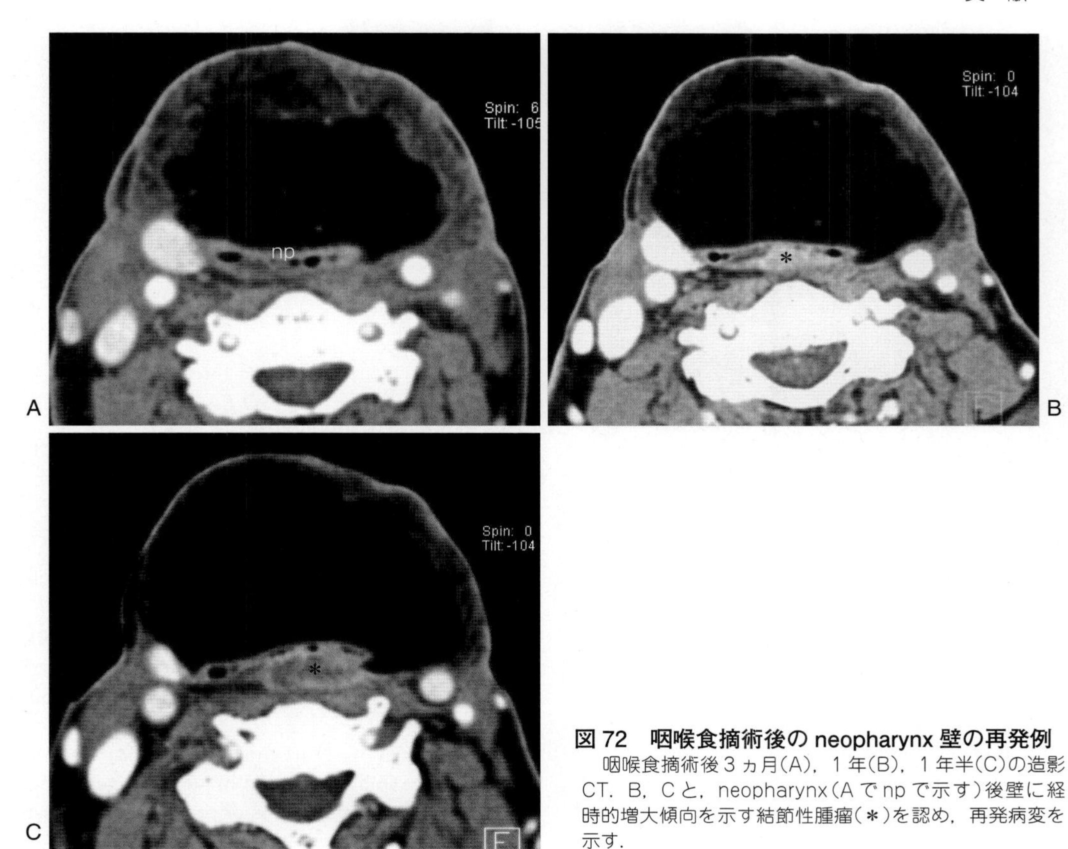

図 72　咽喉食摘術後の neopharynx 壁の再発例
　咽喉食摘術後３ヵ月(A)，１年(B)，１年半(C)の造影 CT．B，C と，neopharynx(A で np で示す)後壁に経時的増大傾向を示す結節性腫瘤(＊)を認め，再発病変を示す．

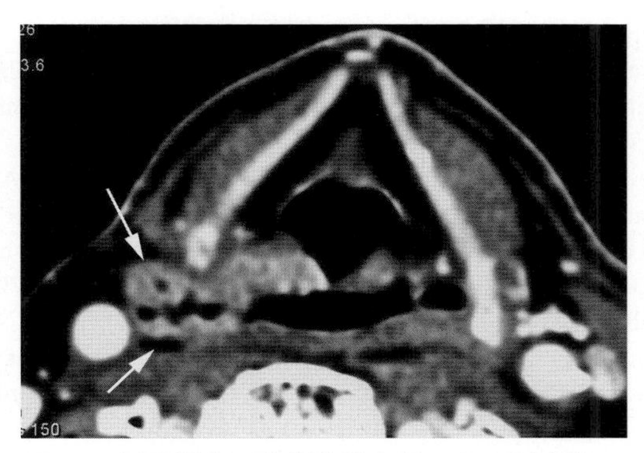

図 73　咽頭部分切除後遊離空腸による再建術後．CT
　右梨状窩の部位から部分的に外側の頸部に膨隆する再建空腸(矢印)を認める．一見，梨状窩癌の頸部軟部組織進展(図 20)に類似しており，臨床情報が重要である．

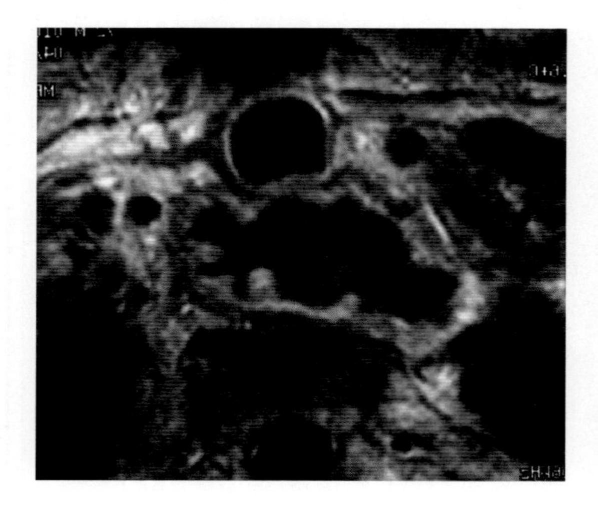

図 74　再建咽頭(neopharynx)
咽喉頭全摘出術後，胃管による再建術後 MRI，造影後 T1 強調横断像では胃管の正常層構造が確認可能である．

5) Castelijins JA, Gerritsen GJ, Kaiser MC et al：Invasion of laryngeal cartilage by cancer：Comparison of CT and MR imaging. Radiology **167**：199-206, 1988
6) Vogl TJ, Steger W, Grevers G et al：MR with GdDTPA in tumors of larynx and hypopharynx. Eur Radiol **1**：58-64, 1991
7) Mancuso AA：Evaluation and staging of laryngeal and hypopharyngeal cancer by computed tomography and magnetic resonance imaging. Laryngeal Cancer, Silver CE(ed), Thieme Medical Publishers, New York, p46-94, 1991
8) Carpenter RJ, De Santo LW：Cancer of the hypopharynx. Surg Clin North Am **57**：723-735, 1977
9) Pingree TF, Davis RK, Reichman O et al：Treatment of hypopharyngeal carcinoma：A 10-yearreview of 1362 cases. Laryngoscope **97**：901-904, 1987
10) Mura F, Fertino G, Occhini A et al：Surgical treatment of hypopharyngeal cancer：a review of the literature and proposal for a dicisional flow-chart. Acta Otorhinolaryngol Ital **33**：299-306, 2013
11) Joo YH, Lee YS, Cho KJ et al：Characteristics and prognostic implications of high-risk HPV-associated hypopharyngeal cancers. PLoS One **8**：e78718, 2013
12) Amin MB, Edge SB, Brookland RK et al (eds)：AJCC Cancer Staging Manual (8th ed), Springer, New York, 2017
13) Pameijer FA, Mancuso AA, Mendenhall WM et al：Evaluation of pretreatment computed tomography as a predictor of local control in T1/T2 pyriform sinus carcinoma treated with definitive radiotherapy. Head Neck **20**：159-168, 1998
14) Takes RP, Strojan P, Silver CE et al：Current trends in initial management of hypopharyngeal cancer：the declining use of open surgery. Head Neck **34**：270-281, 2012
15) Chung EJ, Lee SH, Baek SH et al：Pattern of cervical lymph node metastasis in medial wall pyriform sinus carcinoma. Laryngoscope **124**：882-887, 2014
16) Buckley JG, MacLennan K：Cervical node metastases inlaryngeal and hypopharyngeal cancer：a prospective analysis of prevalence and distribution. Head Neck **22**：380-385, 2000
17) Marks JE, Devineni VR, Harvey J et al：The risk of contralateral lymphatic metastases for cancers of the larynx and pharynx. Am J Otolaryngol **13**：34-39, 1992
18) Kowalski LP, Santos CR, Magrin J et al：Factors influencing contralateral metastasis and prognosis from pyriform sinus carcinoma. Am J Surg **170**：440-445, 1995
19) Ferlito A, Shaha AR, Buckley G et al：Selective neck dissection for hypopharyngeal cancer in the clinically negative neck: should it be bilateral? Acta Otolaryngol **121**：329-335, 2001
20) Chung EJ, Kim GW, Cho BK et al：Pattern of lymph node metastasis in hypopharyngeal squamous cell carcinoma and indications for level VI lymph node dissection. Head Neck **38**：E1969-E1973, 2016
21) Amatsu M, Mohri M, Kinishi M：Significance of retropharyngeal node dissection at radial surgery for carcinoma of the hypopharynx and cervical esophagus. Laryngoscope **111**：1099-1103, 2001
22) Million RR, Cassissi NJ, Mancuso AA：Hypopharynx：Pharyngeal wals, pyriform sinus, postcricoid pharynx. Management of Head and Neck Cancer：A Multidisciplinary Approach, Million RR, Cassissi NJ(eds), JB Lippincott, Philadelphia, p505

-532, 1994

23) Popescu C, Bertesteanu S, Mirea D et al：The epidemiology of hypopharynx and cervical esophagus cancer. J Med Life **3**：396-401, 2010

24) Newman JR, Connolly TM, Illing EA et al：Survival trends in hypopharyngeal cancer: a population-based review. Laryngoscope **125**：624-629, 2015

25) Donnadieu J, Klopp-Dutote N, Biet-Hornstein A et al：Therapeutic management of pyriform sinus cancer: Results of a single-center study of 122 patients. Otolaryngol Head Neck Surg **156**：498-503, 2017

26) Vourexakis Z, Le Ridant AM, Dulguerov P et al：Pyriform sinus squamous cell carcinoma: oncological outcomes in good responders of induction chemotherapy-based larynx preservation protocols. Eur Arch Otorhinolaryngol **272**：1725-1731, 2015

27) Zhang SC, Zhou SH, Shang DS et al：The diagnostic role of diffusion-weighted magnetic resonance imaging in hypopharyngeal carcinoma. Oncol Lett **15**：5533-5544, 2018

28) Zhong J, Lu Z, Xu L et al：The diagnostic value of cervical lymph node metastasis in head and neck squamous cell carcinoma by using diffusion-weighted magnetic resonance imaging and computed tomography perfusion. Biomed Res Int 2014：260859, 2014

29) Lin P, Huang X, Zheng C et al：The predictive value of MRI in detecting thyroid gland invasion in patients with advanced laryngeal and hypopharyngeal carcinoma. Eur Arch Otorhinolaryngol **274**：361-366, 2017

30) Wei WI：The dilemma of treating hypopharyngeal carcinoma: more or less: Hayes Martin Lecture. Arch Otolaryngol Head Neck Surg **128**：229-232, 2002

31) Canis M, Wolff HA, Ihler F et al：Oncologic results of transoral laser microsurgery for squamous cell carcinoma of the posterior pharyngeal wall. Head Neck **37**：156-161, 2015

32) Zbaren P, Egger C：Growth patterns of piriform sinus carcinomas. Laryngoscope **107**：511-518, 1997

33) Righi PD, Kelley DJ, Ernst R et al：Evaluation of prevertebral muscle invasion by squamous cell carcinoma. Can computed tomography replace open neck exploration? Arch Otolaryngol Head Neck Surg **122**：660-663, 1996

34) Hsu WC, Loevner LA, Karpati R et al：Accuracy of magnetic resonance imaging in predicting absence of fixation of head and neck cancer to the prevertebral space. Head Neck **27**：95-100, 2005

35) Meerwein CM, Pizzuto DA, Vital D et al：Use of MRI and FDG-PET/CT to predict fixation of advanced hypopharyngeal squamous cell carcinoma to prevertebral space. Head Neck **41**：503-510, 2019

36) Loevner LA, Ott IL, Yousem DM et al：Neoplastic fixation to the prevertebral compartment by squamous cell carcinoma of the head and neck. AJR Am J Roentgenol **170**：1389-1394, 1998

37) Kadapa N, Mangale K, Watve P et al：Postcricoid carcinoma: Is organ preservation justified in T3? Laryngoscope **125**：356-359, 2015

38) Joo YH, Sun DI, Cho KJ et al：The impact of paratracheal lymph node metastasis in squamous cell carcinoma of the hypopharynx. Eur Arch Otorhinolaryngol **267**：945-950, 2010

39) Spector JG, Sessions DG, Emami B et al：Squamous cell carcinoma of the pyriform sinus: a nonrandomized comparison of therapeutic modalities and long-term results. Laryngoscope **105**：397-406, 1995

40) Deleyiannis FW, Piccirillo JF, Kirchner JA：Relative prognostic importance of histologic invasion of the laryngeal framework by hypopharyngeal cancer. Ann Otol Rhinol Laryngol **105**：101-108, 1996

41) Hua YH, Hu QY, Piao Y et al：Effect of number and ratio of positive lymph nodes in hypopharyngeal cancer. Head Neck **37**：111-116, 2015

42) Kimura Y, Sumi M, Ichikawa Y et al：Volumetric MR imaging of oral, maxillary sinus, oropharyngeal, and hypopharyngeal cancers：Correlation between tumor volume and lymph node metastasis. Am J Neuroradiol **26**：2384-2389, 2005

43) Blanchard P, Tao Y, Veresezan O et al：Definitive radiotherapy for squamous cell carcinoma of the pyriform sinus. Radiother Oncol **105**：232-237, 2012

44) Harada R, Isobe K, Watanabe M et al：The incidence and significance of retropharyngeal lymph node metastases in hypopharyngeal cancer. Jpn J Clin Oncol **42**：794-799, 2012

45) Chu PY, Li WY, Chang SY：Clinical and pathologic predictors of survival in patients with squamous cell carcinoma of the hypopharynx after surgical treatment. Ann Otol Thinol Laryngol **117**：201-206, 2008

46) Koo BS, Lim YC, Lee JS et al：Management of contralateral N0 neck in pyriform sinus carcinoma. Laryngoscope **116**：1268-1272, 2006

47) Johnson JT, Bacon GW, Myers EN et al：Medial vs lateral wall pyriform sinus carcinoma：implications for management of regional lymphatics. Head Neck **16**：401-405, 1994

48) Amar A, Dedivitis RA, Rapoport A et al：Indica-

tion of elective contralateral neck dissection in squamous cell carcinoma of the hypopharynx. Braz J Otorhinolaryngol **75**：493-496, 2009
49) Mercante G, Bacciu A, Oretti G et al：Involvement of level I neck lymph nodes and submandibular gland in laryngeal and/or hypopharyngeal squamous cell carcinoma. J Otolaryngol **35**：108-111, 2006
50) Lim YS, Lee JS, Choi EC：Therapeutic selective neck dissection (level II-V) for node-positive hypopharyngeal carcinoma：is it oncologically safe? Acta Otolaryngol **129**：57-61, 2009
51) Katilmis H, Ozturkcan S, Ozdemir I et al：Is dissection of level 4 and 5 justified for cN0 laryngeal and hypopharyngeal cancer? Acta Otolaryngol **127**：1202-1206, 2007
52) Hoyt BJ, Smith R, Smith A et al：IIb or not IIb：oncologic role of submuscular recess inclusion in selective neck dissections. J Otolaryngol Head Neck Surg **37**：689-693, 2008
53) Kim YH, Koo BS, Lim YC et al：Lymphatic metastases to level IIb in hypopharyngeal squamous cell carcinoma. Arch Otolaryngol Head Neck Surg **132**：1060-1064, 2006
54) Kamiyama R, Saikawa M, Kishimoto S：Significance of retropharyngeal lymph node dissection in hypopharyngeal cancer. Jpn J Clin Oncol **39**：632-637, 2009
55) Chan JY, Wei WI：Current management strategy of hypophrygeal carcinoma. Auris Nasus Larynx **40**：m2-6, 2013
56) Laccourreye O, Merite-Drancy A, Brasnu D et al：Supracricoid hemilaryngopharyngectomy in selected pyriform sinus carcinoma staged as T2. Laryngoscope **103**：1373-1379, 1993
57) Simpson JF：Some facets of hypopharyngeal surgery. J Laryngol Otol **80**：1077-1090, 1966
58) Lefebvre JL, Chevalier D, Luboinski B et al：Larynx preservation in pyriform sinus cancer：Preliminary results of a European Organization for Reserch and Treatment of Cancer phase III trial：EORTC Head and Neck Cancer Coorperative Group. J Natl Cancer Inst **88**：890-899, 1996
59) 清野洋一，飯野　孝，青木謙祐ほか：下咽頭がんにおける下咽頭部分切除術例の検討．頭頸部癌 **36**：57-61, 2010
60) 清野洋一，石田勝大，加藤孝邦：下咽頭癌に対する喉頭温存手術治療．耳鼻 **56**(補1)：S81-S88, 2010
61) Taguchi T, Nishimura G, Takahashi M et al：Treatment results and prognostic factors for advanced squamous cell carcinoma of the hypopharynx treated with concurrent chemoradiotherapy. Cancer Chemother Pharmacol **73**：1147-1154, 2014
62) Mesia R, Majem M, Barretina Ginesta MP et al：Treatment of patients with unresectable squamous head and neck cancer with induction chemotherapy followed by hyperfractionated radiotherapy. Cancer Radiother **12**：88-95, 2008
63) Barbera L, Goome PA, Mackillop W et al：The role of computed tomography in the T classification of laryngeal carcinoma. Cancer **91**：394-407, 2001
64) Chen SW, Yang SN, Liang JA et al：Value of computed tomography-based tumor volume as a predictor of outcomes in hypopharyngeal cancer after treatment with definitive radiotheraphy. Laryngoscope **116**：2012-2017, 2006
65) Sesterhenn AM, Muller HH, Wiegand S et al：Cancer of the oro- and hypopharynx-when to expect recurrence? Acta Otolaryngol **128**：925-929, 2008
66) Hermans R, Pameijer FA, Mancuso AA et al：Laryngeal or hypopharyngeal squamous cell carcinoma：Can follow-up CT after definitive radiation therapy be used to detect local failure earlier than clinical examination alone? Radiology **214**：683-687, 2000
67) Mancuso AA, Hanafee WN：Larynx and hypopharynx. Computed Tomography and Magnetic Resonance Imaging of the Head and Neck (2nd ed), Mancuso AA, Hanafee WN (eds), Williams & Wilkins, Baltimore, p241-358, 1985
68) Lee JH, Sohn JE, Choe DH et al：Sonographic findings of the neopharynx after total laryngectomy：Comparison with CT. Am J Neuroradiol **21**：823-827, 2000
69) Garavello W, Ciardo A, Spreafico R et al：Risk factors for distant metastases in head and neck squamous cell carcinoma. Arch Otolaryngol Head Neck Surg **132**：762-766, 2006
70) Lim YC, Jeong HM, Shin HA et al：Larunx-preserving partial pharyngectomy via lateral pharyngotomy for the treatment of small (T1-2) hypopharyngeal squamous cell carcinoma. Clin Experiment Otorhinolaryngol **4**：44-48, 2011

9 頸部食道

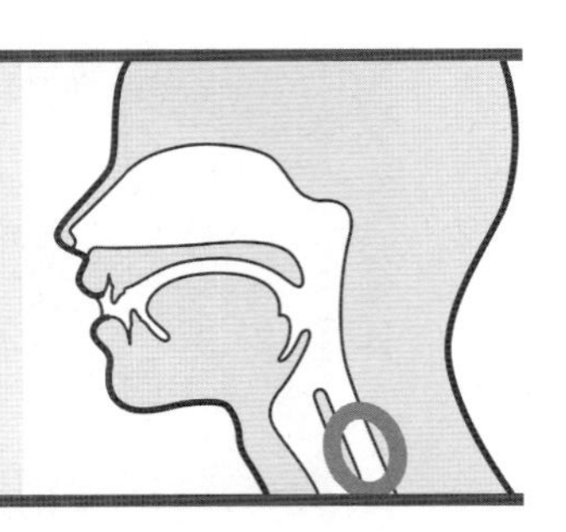

A はじめに

頸部食道は，下咽頭から連続する消化管として頸部に含まれる．しかし，臨床では食道全体を胃まで連続するひとつの構造ととらえるため，頸部食道のみを頭頸部構造として取り上げて区分していない．このため，必ずしも耳鼻科，頭頸部外科の主な対象部位として扱われるわけではなく，消化器外科，内視鏡科などの関与も大きく，臨床的な境界領域となっている．

画像診断でも同様に，食道疾患自体が頭頸部画像診断に限らず，胸部画像診断，腹部画像診断など，病変の発生した領域ごとに個別に扱われる場合が多いことから，やはり主な評価対象として十分に認識されているとは言い難い．

頸部食道癌は，同領域で最も重要な疾患であり，本章では主に頸部食道癌における画像診断(主にCT，MRI)，これに必要な臨床解剖・画像解剖，臨床的事項を解説する．

B 解　剖

1 下咽頭輪状後部から頸部食道への移行・食道入口部

下咽頭後壁を形成する下咽頭収縮筋の下部1〜2 cmは，輪状咽頭筋(cricopharyngeal part of the inferior constrictor muscle)として食道入口部において嚥下時に弛緩して食物の通過をたすけ，安静時に持続性収縮により逆流を防止する括約筋機能を有する．筋組織の重なり，神経血管束の通過による欠損部があり，輪状咽頭筋下縁のKillian-Jamieson areaを介したZenker憩室は有名である(本書では8章「下咽頭」を参照されたい)．

CT，MRI横断像において，下咽頭の輪状後部は下咽頭収縮筋が左右の甲状軟骨側板後縁を回り込んで甲状軟骨側板表面の斜線，甲状軟骨下角，輪状軟骨側面より起始するため，左右に拡がる扁平な形状を示すのに対して，頸部食道はこれらの付着を失うことからやや横長の楕円形を呈する(図1，2)[1]．輪状軟骨下端の同定とともに，この形状変化の認識は横断像において病変の頭尾側進展範囲(下咽頭癌の頸部食道への進展，あるいは頸部食道癌の下咽頭への進展)の特定に有用である．

2 食道の区分

食道は下咽頭から連続する約22〜25 cmの管状臓器で，食道入口部(esophageal verge)から胃食道接合部(esophagogastric junction：EGJ)をつなぐ．本邦の日本食道学会編「食道癌取扱い規約(第11版)」では頸部食道(Ce)，胸部食道(Te)，腹部食道(Ae)の3つに区分される(図3A)[2]．頸部食道は輪状軟骨下縁の食道入口部から胸郭入口部レベル，胸部食道はさらに上・中・下部に分類され，胸部上部食道(Ut)は胸郭入口部から気管分岐レベル，気管分岐レベルから食道裂孔レベルの間で上2分の1が胸部中部食道(Mt)，下2分の1が胸部下部食道(Lt)，腹部食道は食道裂孔からEGJの間で規定されている．これに対して，「AJCC(American Joint Committee on Cancer)のTNM分類(第8版)」では，頸部食道(cervical esophagus)，胸部上部食道(upper thoracic esophagus)，胸部中部食道(middle thoracic esophagus)，胸部下部食道(lower thoracic esophagus)の

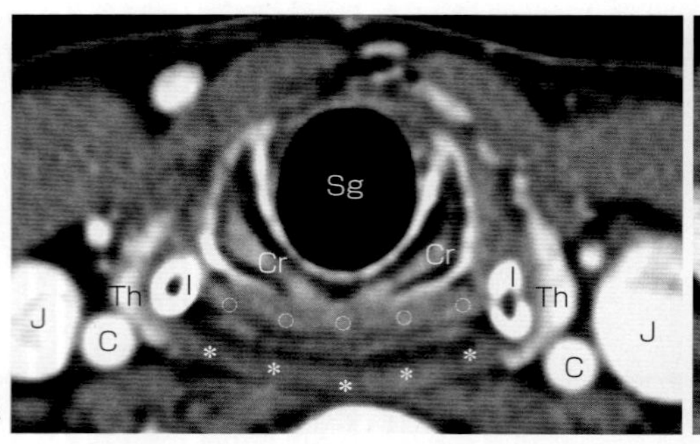

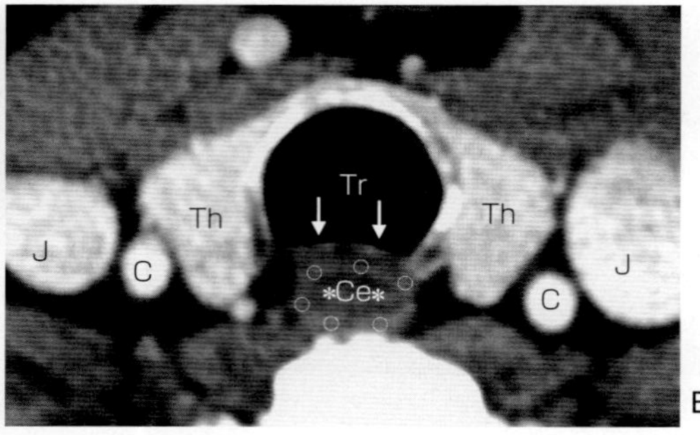

図1　下咽頭(輪状後部)および頸部食道レベルの造影CT横断像

下咽頭，輪状後部レベル(A)．同レベルで輪状後部(○)により前壁，咽頭後壁(＊)により後壁が形成される下咽頭は両側方において甲状軟骨下角(I)に至る横長で扁平な形状をとる．C：総頸動脈，Cr：輪状軟骨，J：内頸静脈，Sg：声門下喉頭，Th：甲状腺(上極)．

同一例の頸部食道レベル(B)．頸部食道(Ce)は楕円形から類円形の形状をとり，内部より増強効果を呈する粘膜(＊)，低濃度の粘膜下(脂肪)，最外層の軟部濃度を示す固有筋層(○)と同心円状の構造を呈する．前方では気管(Tr)膜様部と密接に関連，これを前方に圧排(矢印)する．C：総頸動脈，J：内頸静脈，Th：甲状腺

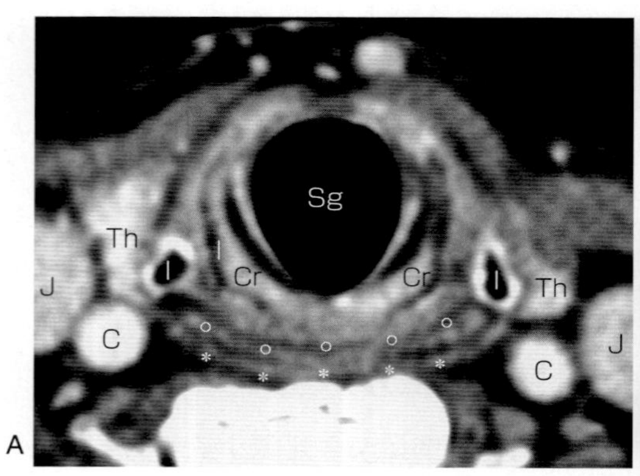

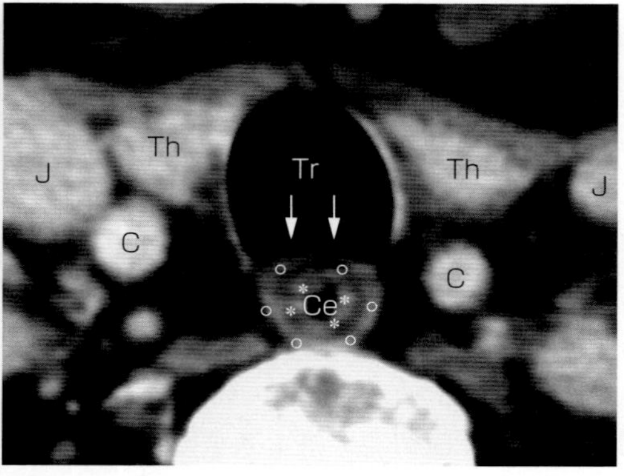

図2　下咽頭(輪状後部)および頸部食道レベルの造影CT横断像

説明文は図1と同じ．

4つに区分されている(図3B)[3]．頸部食道は食道入口部から胸郭入口部，胸部上部食道は胸郭入口部から奇静脈レベル，胸部中部食道は奇静脈下縁レベルから下肺静脈レベル，胸部下部食道は下肺静脈から胃までの間で，EGJを含む．なお，AJCC第8版ではEGJを侵す病変ではその中心がEGJから2 cm以下の場合は食道癌，2 cmを超える場合は胃癌として扱うと規定された[3]．

頸部食道に関してはいずれにおいても同一の定義が用いられている[2,3]．通常6〜8 cmの長さで，気管に対してやや左側に偏位を示す場合が多い．下甲状腺動静脈の血管支配を受ける．粘膜下には豊富なリンパ管網がみられ，壁を貫通して近接するリンパ節への連続を示す一方，粘膜下で頭尾側方向に広範な拡がりももつ．このため，頸部食道癌のリンパ節転移は近接部(レベルⅥやⅣ)のみではなく，頭尾側にやや離れて生じることもしばしばである．

3 食道壁の解剖

食道癌では，口腔癌を除く頭頸部癌とは異なり，(腫瘍の大きさではなく)深達度による病期診断が用いられるため[1,2]，食道壁の層解剖の理解は極めて重要である．

食道壁は大まかに，内側から粘膜，粘膜下層，固有筋層の3つより構成され，最外層に漿膜はな

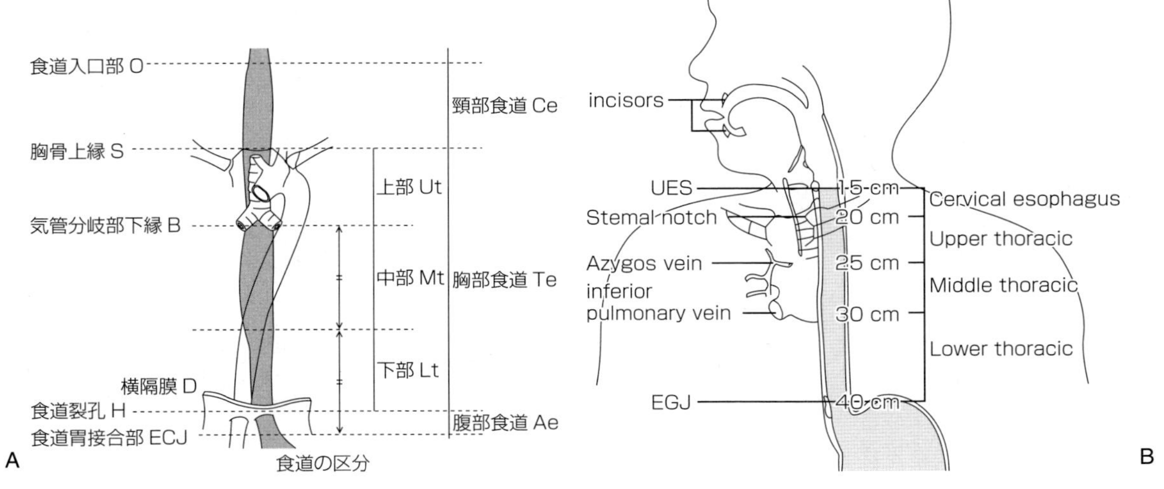

図 3　食道の区分
食道癌取扱い規約による食道の区分(A).
(日本食道学会(編)：臨床・病理 食道癌取扱い規約(第 11 版), 金原出版, 東京, 2015 を参考に作成)
AJCC による食道の区分(B).
(Amin MB et al (ed) : American Joint Committee on Cancer, AJCC Cancer Staging Manual (8th ed), Springer, New York, 2017)

く外膜が直接覆っている(図 4)[2]. 漿膜の欠如から, 食道癌は比較的早期より周囲構造への浸潤(T4 病変)をきたすことが知られている. さらに粘膜は(内腔側から)上皮, 粘膜固有層, 粘膜筋板を含み, 基底膜により深部と区分される. 固有筋層も内輪層, 外縦層に分かれる. 組織学的検討で, 粘膜, 粘膜下, 固有筋層の厚さはそれぞれ 0.6〜0.9 mm, 1〜3 mm, 1〜3 mm とされる[4].

食道壁層解剖の画像における描出では, 一般に超音波内視鏡(endoscopic ultrasonography : EUS) (図 5)が最も優れるが, CT, MRI においても多くで粘膜, 粘膜下層, 固有筋層の 3 層の分離が可能である.

造影 CT (図 1B, 2B, 6)では内側から粘膜は増強効果を呈し, 粘膜下(脂肪)層は低濃度, 固有筋層は軟部濃度として同心円状に同定される. ただし, 食道の拡張の程度(図 7), 造影時相, 肩との重なりによるアーチファクトなどの要因により, これらの層解剖が明らかでない場合も少なくない. 一方, MRI (図 8, 9)の T1 強調像(図 8B)では内側から粘膜(および内腔)は低信号, 粘膜下(脂肪)層は高信号, 固有筋層は骨格筋と同等の低信号として 3 層が同定される. T2 強調像(図 8C)では, 内側から粘膜(および内腔の粘液)は高信号, その他は低信号を示す 2 層(図 9A・B), あるいは内側から粘膜(および内腔)は高信号, 粘膜筋板および基底膜は低信号, 粘膜下層は高信号, 固有筋層は低信号と 4 層の分離が可能な場合(図 9C)もある. これら食道壁層解剖の画像での理解は食道癌の深達度診断(T 分類)に必要不可欠である. 食道癌において, 固有筋層に相当する CT の軟部濃度, T2 強調像の低信号の部分的破綻は T2 病変(図 8C), 全層性破綻は T3 病変(以上)を示唆することとなる.

また, CT, MRI では, EUS で困難な(外膜を越えた)周囲臓器への浸潤の有無・範囲に加えて, 重要な予後因子であるリンパ節病変(N 因子)の診断も同時に可能である.

4 頸部食道周囲の解剖

頸部食道の前面は気管膜様部と接することから, 横断画像では気管の後面である膜様部は平坦あるいは気管内腔に陥凹した輪郭を呈する(図 1B, 2B, 7). これは輪状軟骨に囲まれた声門下喉頭が, 後方にも凸で全体としてやや縦長の楕円形から類円形を示すのとは異なる(図 1A, 2A). 頸部食道の後方は咽頭後間隙(および危険間隙)を介して椎前筋(膜)と接する. 側方の傍食道領域,

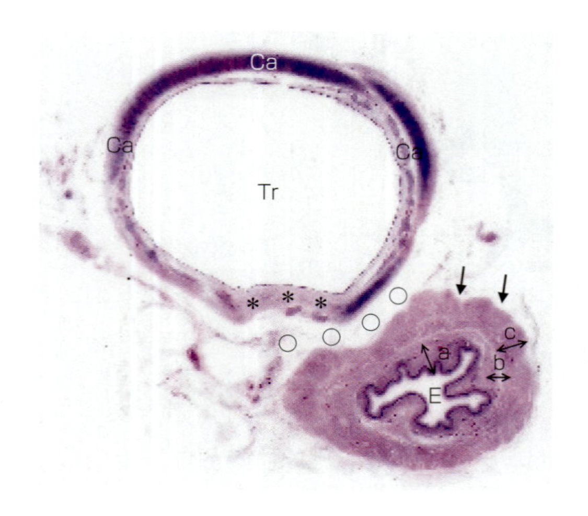

図4　頸部食道，気管の組織解剖
頸部食道(E)：粘膜(a)，粘膜下層(b)，固有筋層(c)，外膜(矢印)
気管(Tr)：気管軟骨(Ca)，膜様部(＊)
○：気管膜様部と頸部食道との間の脂肪層

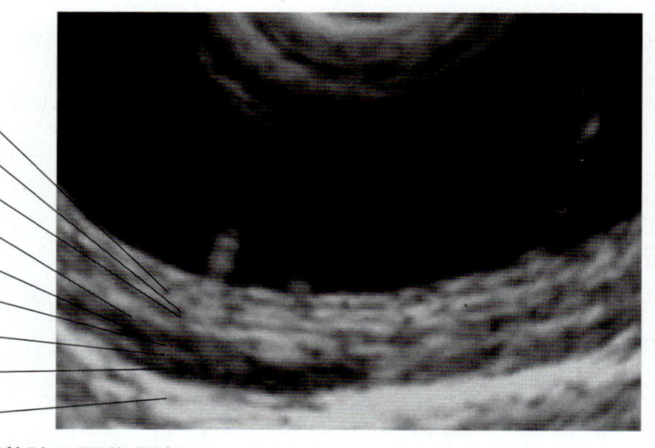

図5　超音波内視鏡(EUS)における食道壁の画像解剖
郷田憲一先生(東京慈恵会医科大学内視鏡科)のご好意による.

気管食道溝はレベルⅥリンパ節(図8, 10)を含み，同部を左右反回神経が上行する．気管食道溝のレベルⅥリンパ節は1 cm未満までが正常範囲とされる[1]．外側前方から，側方には甲状腺左右両葉，さらに外側には頸動脈鞘(総頸動脈，内頸静脈，レベルⅣリンパ節)が位置する(図1B)．

C　頸部食道癌

1　臨床的事項

頸部食道癌は食道癌の2〜10％と比較的まれとされる[5,6]．欧米ではまれで最も多いのは東アジア，南アフリカとされる[7]．食道癌の組織型では扁平上皮癌と腺癌が90％を占めるが，腺癌は主に食道下部に発生することから，頸部食道癌の95％とほぼすべてが扁平上皮癌である[8]．喫煙，飲酒が危険因子であり，両者には相乗効果があることが知られている．その他として頭頸部癌の既往，HPV (human papilloma virus)感染，頻度は低いがPlummer-Vinson症候群も危険因子に含まれる．中高年特に50，60歳代に多い．基本的には家族歴の関与はない．その他の悪性腫瘍として肉腫，小唾液腺腫瘍などが挙げられる．

症状では嚥下困難，嚥下痛が多く，嚥下困難は固形物から徐々に始まり液体に及ぶ．嚥下困難は下咽頭癌よりも早期から生じる傾向にあるが，これは頸部食道径がより小さいことによる[9]．約70％の症例で体重減少を認め，予後不良因子とされる．その他，反回神経麻痺などが含まれる．

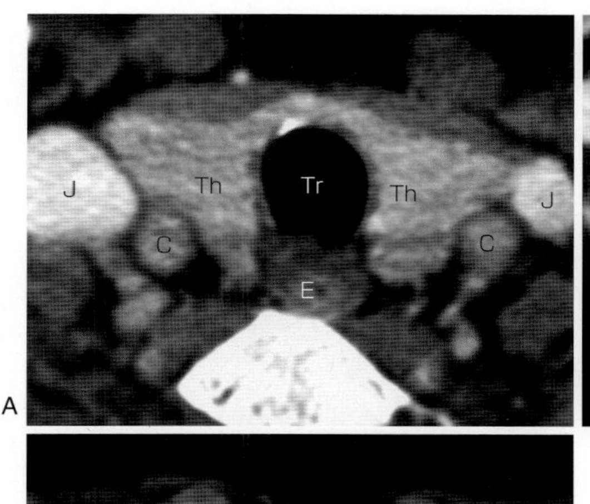

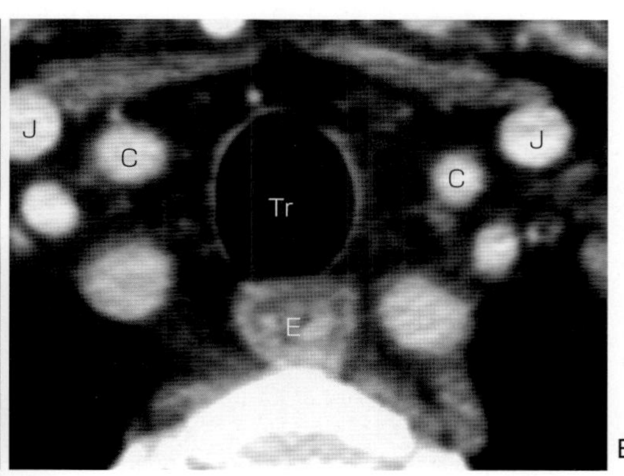

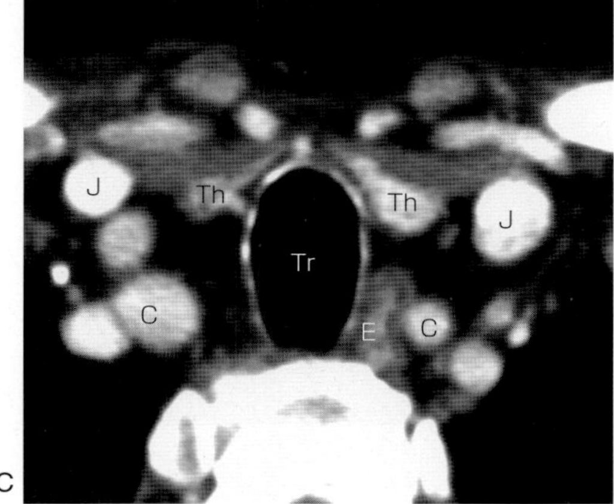

図 6 CT における食道壁の画像解剖

3 例の正常頸部食道造影 CT 横断像．頸部食道(E)はいずれにおいても(図 1B と同様に)内から外に向かって，造影される粘膜，低濃度の粘膜下(脂肪)，軟部濃度の固有筋層よりなる同心円状の層状解剖が描出されている．A，B の 2 例では食道は気管(Tr)の正中後方に位置するが，C では左側に偏位して認められる．C：総頸動脈，J：内頸静脈，Th：甲状腺

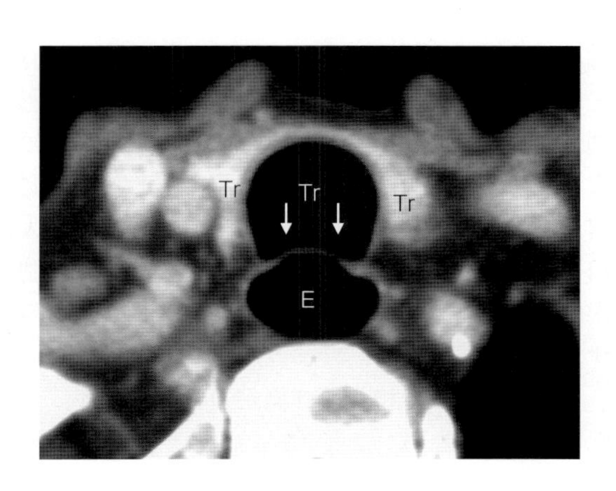

図 7 CT における食道壁の画像解剖

正常例の頸部食道レベルの造影 CT 横断像．頸部食道(E)は拡張傾向を示す．図 6 での収縮した頸部食道と比較して，壁は薄くみられる．前方では気管(Tr)膜様部を前方に圧排(矢印)する．Th：甲状腺

頸部食道癌は局所浸潤性が高く，しばしば下咽頭，喉頭，気管，甲状腺，反回神経などの周囲構造への浸潤を示すことに加えて，診断遅延，多くの患者で全身状態不良，高い再発率，遠隔転移の頻度などにより予後は不良である．また同時・異時性の重複癌はリスクも 12〜30％と高い[7)]．一般に下咽頭癌よりも予後不良で 5 年生存率は 18〜35％とされる[10)]．

局所制御率は主に病変深達度，リンパ節転移の状態，治療選択によるとされ，局所非制御は生存率に対する重要な予後因子となる．60〜80％の例は診断時にリンパ節転移陽性で，40％が対側リンパ節転移陽性とされる[11)]．

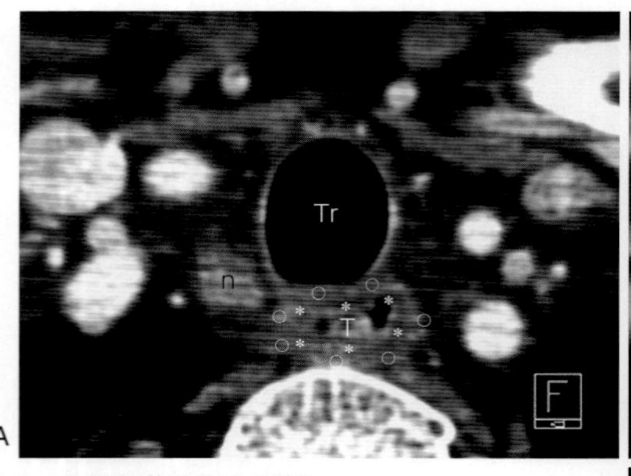

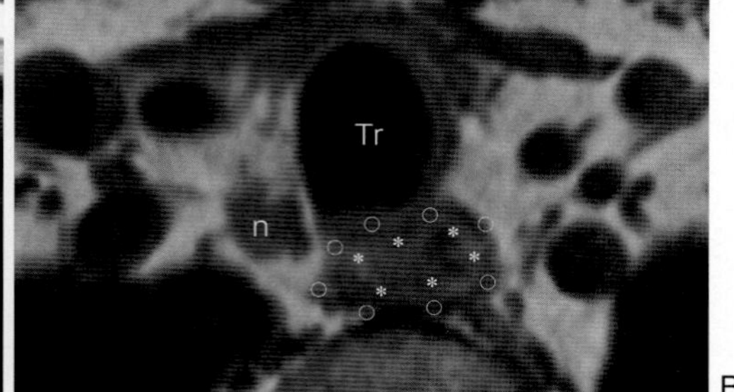

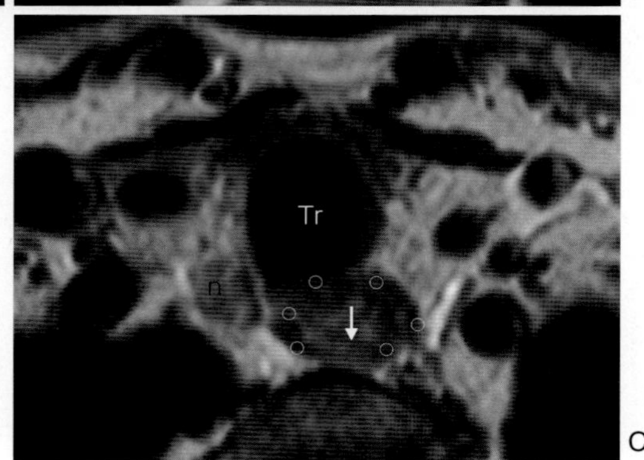

図8　頸部食道癌(T1病変)

造影CT横断像(A)において，頸部食道後壁から内腔に突出する結節性腫瘤(T)を認め，原発病変に一致する．低濃度の粘膜下(＊)，軟部濃度の固有筋層(○)は全周性に保たれている．右気管傍リンパ節病変(n)を伴う．同レベルでのMRI，T1強調横断像(B)で原発病変は明らかでないが，(脂肪により)高信号を呈する粘膜下(＊)，(骨格筋に類似する)中等度信号強度を呈する固有筋層(○)は保たれる．T2強調横断像(C)では食道壁は内側から外側に向けて，高信号，低信号，高信号，低信号の4層を呈し，固有筋層を示す外側の低信号(○)が病変の位置する後壁側で一部不明瞭(矢印)であり，固有筋層への限局性浸潤(T2病変)の可能性も考慮されるが，T1強調像(B)で同部を含む後壁側において粘膜下の高信号が保たれることから，深部浸潤は否定的と思われる．

2 画像診断

食道癌の存在診断・質的診断として内視鏡・内視鏡下生検が第一選択であり，その正診率は98%とされる．食道癌が診断された症例では，可能な限り正確な病期診断を行うことが適切な治療法選択の最初の重要なステップであり，CT，MRIはEUS，PET-CTなどの他のモダリティと相補的に大きな役割を担う．画像評価には食道の解剖，食道癌の進展様式に対する理解に加えて，各モダリティの特徴・限界に対する知識が必要とされる．

a. 撮像プロトコール

CT，MRIともに基本的には喉頭・下咽頭癌の撮像プロトコールと共通であるが，病変の局在から必然，尾側の撮像範囲設定の調整が重要である．縦隔進展の有無，尾側進展の範囲の特定は治療計画にも大きく影響を与える．また，胸郭入口部レベルのCTでは，上肢挙上や頸部の伸展や肩との重なりの違い，あるいは鎖骨下静脈での造影剤停滞などは，アーチファクトによる画質劣化に大きく影響する要素であることを認識しておく必要がある．一方，MRIでも頸部下部から胸郭入口部では，造影後T1強調像での均一な脂肪抑制が困難な場合も多く，撮影，読影ともに注意を要する．

造影CTは平衡相での評価が通常であるが，原発病変の同定，T1/2とT3/4病変との区別に関してはdynamic CTでの動脈相が優れるとの報告もある[12, 13]．頭尾側進展範囲の把握に矢状断像(図11)がしばしば有用である．

b. 原発病変の画像評価(T因子)

CT，MRIでの食道癌の存在診断は，食道の浸潤性腫瘤，不整な壁肥厚の同定による．腫瘍は経静脈的造影剤投与により中等度の増強効果を示す．嚥下困難，嚥下痛などを訴える例の画像評価

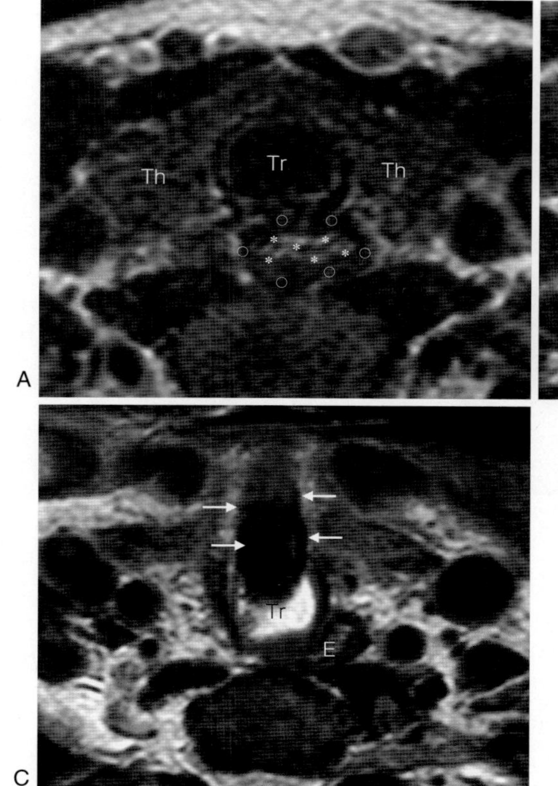

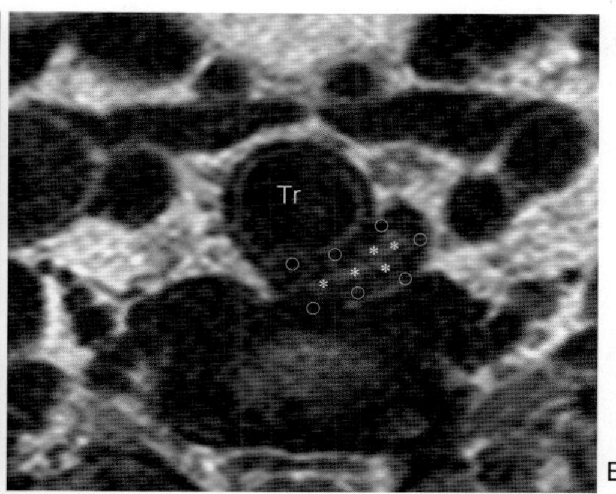

図 9　MRI，T2 強調像における食道壁の画像解剖

3 例での正常頸部食道 MRI，T2 強調横断像．A・B において，頸部食道は粘膜(および一部は内腔の粘液)を示すと思われる高信号(*)，固有筋層を中心とする低信号(○)より 2 層の同心円状構造として認められる．これに対して，C では食道(E)は内側から外側に向けて，粘膜を示す高信号，恐らくは粘膜筋板・基底膜を示す線状低信号，粘膜下の淡い高信号，固有筋層を示す低信号と 4 層が区分される．Tr：気管．C は気管切開施行例で，気管内カニューレ(矢印)が置かれている．

で，これらの食道所見はその原因となる器質的異常のひとつとして重要な評価項目となる．壁肥厚の画像診断に関しては後述する．

食道癌の正確な病期診断が適切な治療計画に必要不可欠である．食道癌の T 診断(**表 1**：p612，**2**：p613)において，T1〜3 病変では(口腔癌を除く頭頸部癌とは異なり)病変の深達度により判断されるため，壁の層解剖の理解が求められる．この深達度診断には EUS(**図 5**)が最も優れるが，術者依存性が高い点や高度狭窄病変では評価困難な点が問題となる．高分解能 CT，MRI では，より客観性，再現性高く，ある程度の深達度診断が可能であり，本項で後述する．T4 病変は外膜を越えた周囲構造への浸潤により規定される．周囲浸潤は漿膜の欠如により比較的早期から認められ，同診断は CT，MRI 所見での判断が最も重要である．T4 病変は切除可能な T4a と切除不能な T4b とに区分されるが，画像での正確な進展評価は外科的切除の適応となる症例，あるいは集学的治療の対象となる症例の選別が目的となる．

また，頸部食道癌の多くは頭側での下咽頭，あるいは尾側での胸部上部食道領域への連続性進展を示し，(T 診断に直接は関わらないが)頭尾側方向の進展範囲の把握は，放射線治療での適切な照射野の設定，頸部食道癌では胸部食道への進展有無を考慮した術式選択において重要な要素となる．内視鏡検査では，照射野設定に必要な解剖学的指標(胸郭入口部，気管分岐部など)との相対的位置関係の把握，粘膜下進展や周囲浸潤範囲の確認が困難であり，これらの診断で CT，MRI が有用である．食道癌では粘膜病変辺縁を 1〜2 cm 越えた粘膜下進展もしばしば認められる．

1）食道壁肥厚の診断

食道壁肥厚は，CT (および MRI)での食道癌の病変同定において最も基本的な所見である．5 mm を超えると食道壁の有意な肥厚(**図 12**)とされ，5 mm が標準的な診断基準とされる[14〜16]．偏在性壁肥厚はより信頼度が高く，病的と判断さ

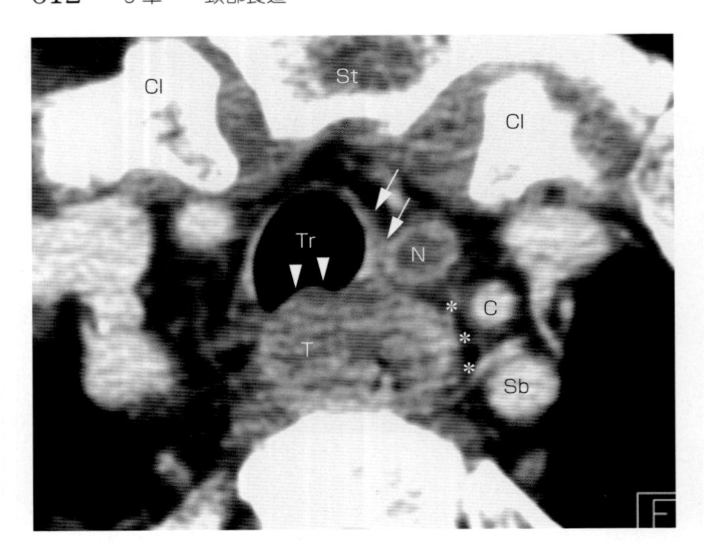

図10　頸部食道癌の気管壁浸潤，レベルVIリンパ節転移

胸郭入口部レベル造影CTにおいて，頸部食道から胸部上部食道移行部で右側壁から前壁側優位にほぼ全周性の不整な壁肥厚による腫瘤(T)を認め，食道癌に一致する．前方で気管膜様部(矢頭)に広範に接するが輪郭は平滑であり確定的な気管壁浸潤とはいえない．左前方では気管左側壁に沿った浸潤性軟部濃度(矢印)による脂肪層消失がみられ，気管壁(少なくとも外層への)浸潤の可能性を示唆する．左側方の左総頸動脈(C)，左鎖骨下動脈(Sb)と原発病変との間の脂肪層(*)は保たれており，これらへの浸潤は否定される．正常上限大の左気管傍リンパ節(N)は内部低吸収を示し，リンパ節転移を支持する．Cl：鎖骨頬骨端，St：胸骨柄

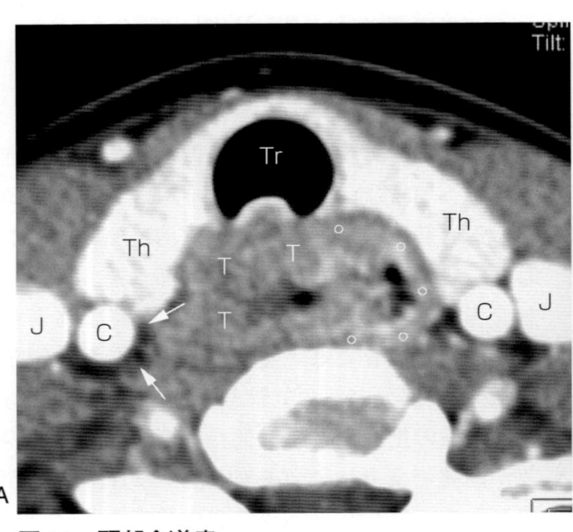

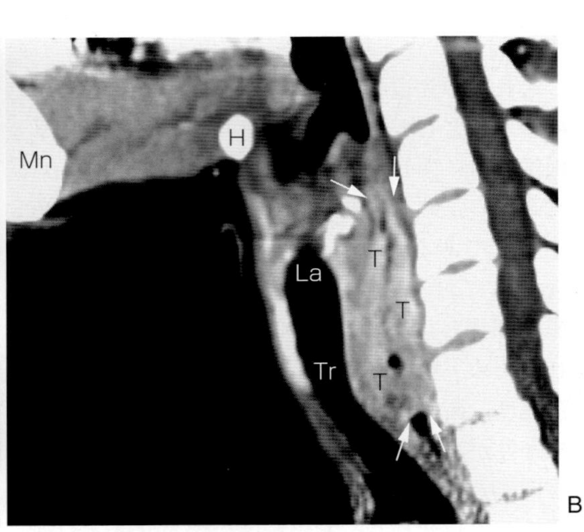

図11　頸部食道癌

甲状腺レベル造影CT(A)において，頸部食道右側壁から前壁を優位とする不整な壁肥厚による腫瘤形成(T)を認める．左側で増強効果を示す粘膜下に軟部濃度で同定される固有筋層(○)は病変領域では同定されず，固有筋層をほぼ全層性に侵していると想定される．右総頸動脈との脂肪層(矢印)は保たれており，その他も周囲構造への明らかな浸潤はみられず，T3病変相当と思われる．J：内頸静脈，Th：甲状腺，Tr：気管．矢状断像(B)で病変(T)の頭側端(小矢印)，尾側端(大矢印)が明瞭に同定可能で，頭尾側方向の拡がりの把握に有用である．H：舌骨，La：口頭，Mn：下顎骨，Tr：気管

表 1　食道癌取扱い規約による食道癌の臨床所見記載に基づく分類(TNM)

T	TX	原発巣の壁深達度は判定不可能	
	T0	原発巣の所見なし	
	T1a	早期癌：粘膜内にとどまる	
		T1a-EP(Tis)	粘膜上皮内にとどまる
		T1a-LPM	粘膜固有筋層にとどまる
		T1a-MM	粘膜筋板に達する
	T1b	表在癌：粘膜下層にとどまる	
		SM1	粘膜下層の上 1/3 にとどまる
		SM2	粘膜下層の中 1/3 にとどまる
		SM3	粘膜下層の下 1/3 に達する
	T2	固有筋層にとどまる	
	T3	食道外膜に浸潤	
	T4	食道周囲臓器に浸潤(浸潤した臓器を明記する)　例：T4(肺)	
N	NX	所属リンパ節病変の評価困難	
	N0	所属リンパ節病変の所見なし	
	N1	第 1 群リンパ節のみに転移	
		CePh の第 1 群	101，102
		Ce の第 1 群	101，106rec*
	N2	第 2 群リンパ節まで転移	
		CePh の第 2 群	103，104，106rec*
		Ce の第 2 群	102，104，105*
	N3	第 3 群リンパ節まで転移	
		CePh の第 3 群	100，105*
		Ce の第 3 群	100
	N4	第 3 群リンパ節より遠位のリンパ節(第 4 群)に転移	
M	M0	遠隔転移なし	
	M1	遠隔転移あり	

註）*を付したリンパ節は頸部から郭清可能な範囲
100：頸部の浅在性リンパ節(浅頸リンパ節，顎下リンパ節，頸部気管前リンパ節，副神経リンパ節)
101：頸部食道傍リンパ節
102：深頸リンパ節(上・中深頸リンパ節)
103：咽頭周囲リンパ節
104：鎖骨上リンパ節
105：胸部上部食道傍リンパ節
106rec：反回神経リンパ節
(日本食道学会(編)：臨床・病理 食道癌取扱い規約(第 11 版)，金原出版，東京，2015 を参考に作成)

れる(図 12，13)．Moss らは食道壁の厚さが 5 mm より厚いと異常(Moss stage Ⅱ)，3～5 mm で明らかな壁肥厚がない場合は早期病変であることを示唆するとしている[17]．画像上の食道壁の厚さは食道の状態に大きく依存しており(図 6，7)，Xia らは収縮時は 5 mm，拡張時は 3 mm 程度であり，状態にかかわらず 5.5 mm を超えると異常とし，拡張時には頸部食道，収縮時には腹部食道で最も厚い傾向にあるとしている[15]．さらに男性は女性より約 1 mm 厚く認められ，年齢，皮下脂肪の厚さなどの影響は受けない[15]．壁肥厚による閉塞性病変が疑われる場合，口側の食道拡張を認めれば，所見信頼性はより高い．Schmalfuss らの CT，MRI 横断像での検討では，頸部食道の前後径は 16 mm，左右径は 24 mm を超えると異常であり，壁の厚さは側壁で

表2　AJCCによる食道癌のTNM分類

T	TX	原発巣の評価困難	
	T0	原発巣の所見なし	
	Tis	高度異形成	
	T1	粘膜固有層，粘膜筋板，あるいは粘膜下に浸潤	
		T1a	粘膜固有層，粘膜筋板に浸潤
		T1b	粘膜下に浸潤
	T2	固有筋層に浸潤	
	T3	外膜に浸潤	
	T4	食道周囲構造への浸潤	
		T4a	胸膜，心膜，横隔膜，甲状腺*への浸潤
		T4b	大動脈，椎体，気管，頸動脈*などへの浸潤による切除不能病変
N	NX	所属リンパ節病変の評価困難	
	N0	所属リンパ節病変の所見なし	
	N1	所属リンパ節1～2個への転移	
	N2	所属リンパ節3～6個への転移	
	N3	所属リンパ節7個以上への転移	
M	M0	遠隔転移なし	
	M1	遠隔転移あり	

註｝ ＊AJCCのTNM分類には明記されていないが，頸部食道癌の一般臨床において，（頭頸部癌と同様）頸動脈浸潤は切除不可（T4b），甲状腺への浸潤は切除可能（T4a）との判断が妥当と考えられる．
（American Joint Committee on Cancer, AJCC Cancer Staging Manual（8th ed）, Amin MB et al（ed）, Springer, New York, 2017）

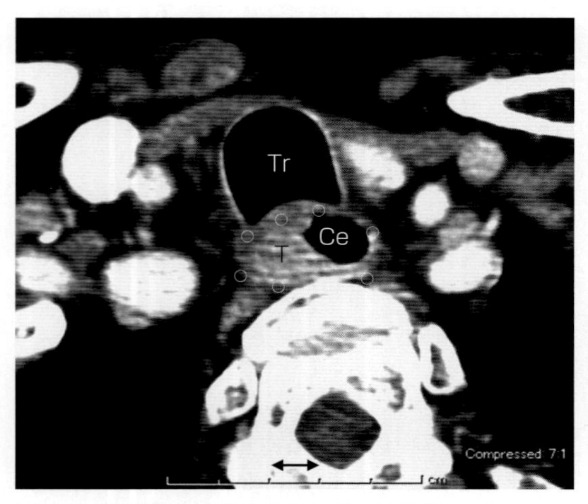

図12　頸部食道癌（T1あるいはT2病変）
造影CT横断像において，頸部食道（Ce）の右側に偏在性に不整な壁肥厚（T）を認め，頸部食道癌に一致する．画像下端のスケールから1cm（両向き矢印）を越える壁肥厚を示す．固有筋層と思われる食道壁の軟部濃度（○）は病変レベルを含めて，概ね保たれており，T3以上の病変は否定的である．気管（Tr）側においても固有筋層（○）は保たれていることから，気管浸潤は否定的．

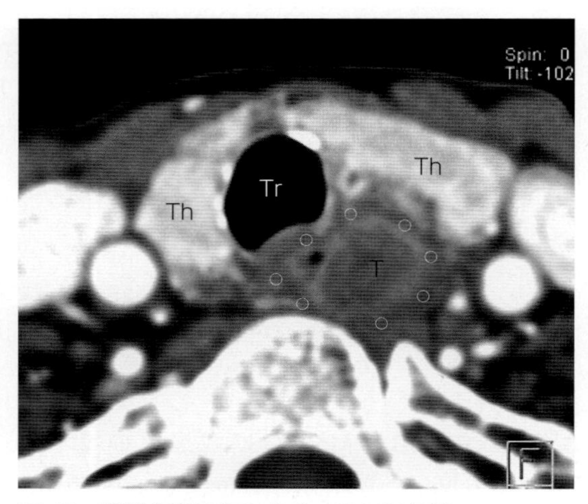

図13　頸部食道癌（T1あるいはT2病変）
造影CT横断像において，頸部食道の左側に偏在性の腫瘤（T）を認める．固有筋層（○）は全周性に保たれており，T3以上の病変は否定的であり，T1あるいはT2病変に相当する．
Th：甲状腺，Tr：気管

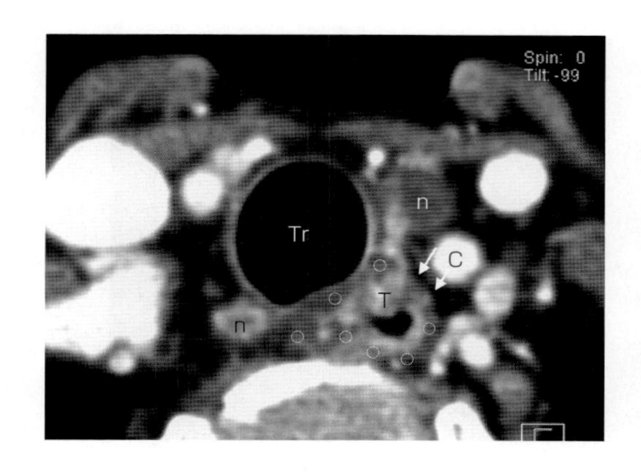

図 14　頸部食道癌（T3 病変）
造影 CT 横断像．頸部食道前壁の結節様壁肥厚（T）を認め，頸部食道癌が疑われる．増強効果を示す内層の粘膜とほぼ等濃度の増強効果を示す．食道固有筋層に相当する外層の軟部濃度（○）は左側壁前方で腫瘍（T）による途絶（矢印）を示し，腫瘍の固有筋層ほぼ全層性浸潤を反映する．ただし，最外層の輪郭は平滑であり，T4 以上の病変を示唆する周囲浸潤性は認められない．近接する左総頸動脈（C）との間に介在する脂肪層は保たれている．気管（Tr）と食道の接触部では固有筋層（○）は全域で保たれており，気管壁浸潤は否定的である．両側レベルⅥリンパ節転移（n）あり．

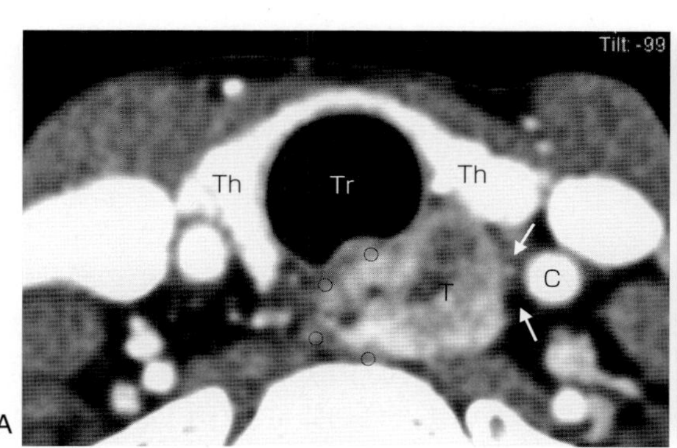

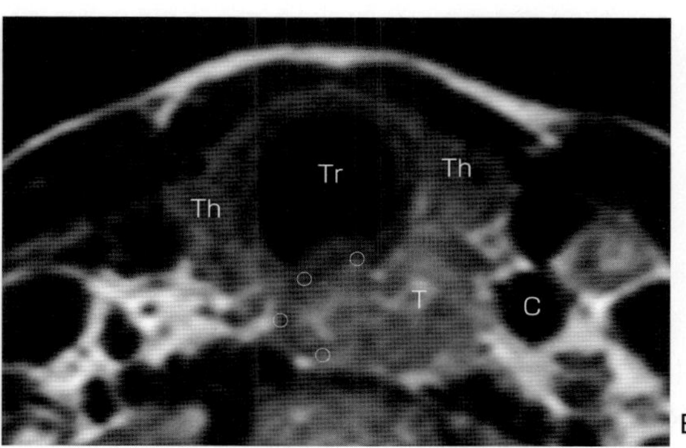

図 15　頸部食道癌（T3 病変）
造影 CT 横断像（A）において，頸部食道に不均等な増強効果を示す浸潤性腫瘤（T）を認め，頸部食道癌に一致する．食道固有筋層を示す軟部濃度（○）は食道左側では同定されず，固有筋層全層性の腫瘍浸潤を示唆するが，辺縁の輪郭は概ね平滑で左総頸動脈（C）との間に介在する脂肪層（矢印）は保たれており，頸動脈浸潤は否定可能である．気管（Tr）壁の構造は正常に同定される．同レベルの MRI，T2 強調横断像（B）でも中等度の信号強度を示す腫瘍（T）を認め，固有筋層に相当する低信号帯（○）は食道左側で消失している．C：総頸動脈，Th：甲状腺，Tr：気管

4.8 mm，後壁で 3.8 mm としている[1]．

2）深達度診断

食道壁内の深達度により区分される T1〜3 病変（表 1：p613，2）に対しては EUS が最も有用であるが，造影 CT（図 1B，2B，6）においても，内層から増強効果を示す粘膜，やや低濃度の粘膜下層，軟部濃度の固有筋層と，大まかに 3 層の分離が可能な場合も多く，中等度の増強効果を示す腫瘍によるこれらの層解剖の破綻の範囲により深達度を推定することが可能である．一方，MRI の T1 強調像（図 8B）では，内側から粘膜（および内腔）は低信号，粘膜下（脂肪）層は高信号，固有筋層は骨格筋と等信号として 3 層が同定され，T2 強調像では内側から粘膜（および内腔の粘液）は高信号，その他は低信号を示す 2 層（図 9A・B），あるいは内側から粘膜（および内腔）は高信号，粘膜筋板および基底膜は低信号，粘膜下層は高信号，固有筋層は低信号と 4 層の分離が可能な場合（図 8C，9C）もある．T1〜3 病変に関しては，T1 強調像での粘膜下層の高信号の破綻の有無，T2 強調像の固有筋層を示す低信号帯の腫瘍による中等度信号強度での置換の有無・程度により，深達度（T 因子）が診断される（図 8，12〜15）．T4 病変は周囲構造への浸潤により診断される（後述）（表 1：p613）．

3）周囲構造（頸動脈・気管・甲状腺など）浸潤（T4）の診断

周囲構造への直接浸潤は T4 病変に相当し，さらに外科的切除可能な T4a と切除不能な T4b 病変が区分される（表 1：p613）．病変の切除可否の

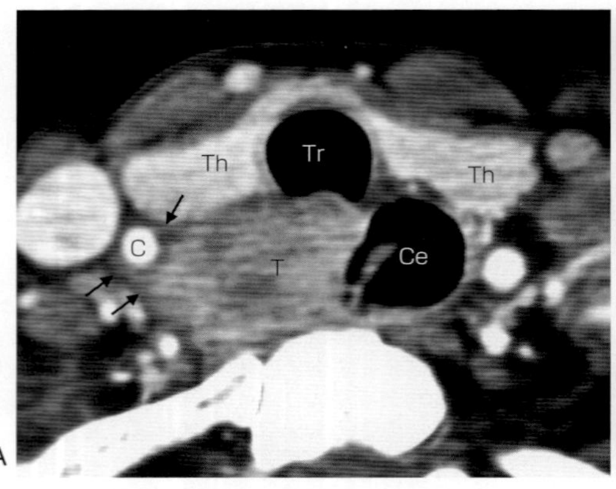

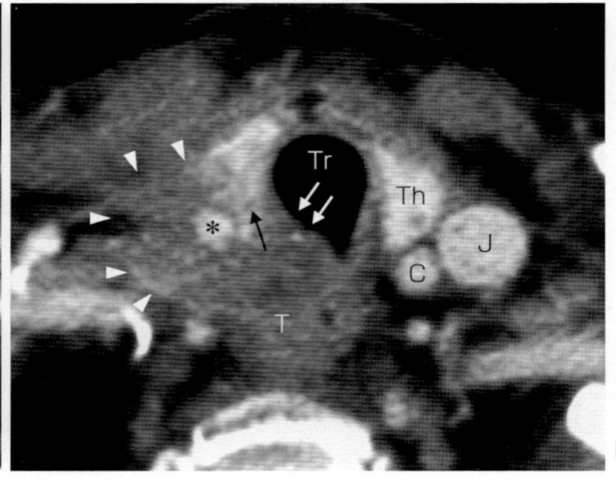

図16　頸動脈浸潤を伴う頸部食道癌(T4b病変)

造影CT横断像(A). 頸部食道(Ce)右側に偏在性の腫瘤(T)を認め, 原発病変に一致する. 側方で外膜外周囲組織への浸潤を示し, 右総頸動脈(C)を3分の2(240度程度)取り囲んでおり, 頸動脈浸潤(矢印)が示唆される. 別症例の造影CT横断像(B)において, 頸部食道やや右側を中心とする浸潤性腫瘤(T)を認め, 頸部食道癌に一致する. 側方では大きく外膜外周囲組織浸潤(矢頭)を伴い, 右総頸動脈(*)を取り囲む. 頸動脈浸潤を示す. また, 前方では甲状腺右葉浸潤(黒矢印), 気管壁浸潤(白矢印)を伴う. 右内頸静脈は同定されず, 浸潤による虚脱を示す.
C：左総頸動脈, J：左内頸静脈, Th：甲状腺左葉, Tr：気管

判断は適切な治療選択を考えるうえで, 不必要な手術の回避, 切除による治癒機会の確保などの意味において最も重要な臨床的要素となり, CT, MRI所見が判断の基準となる. 同部での腫瘍浸潤の診断に関しては, 質の高いMRIが最も評価に優れるが, 胸郭入口部ではしばしばアーチファクトによる画質劣化が問題となる.

頸部食道癌において, 頸動脈, 気管, 椎前筋, 椎体などへの浸潤は切除不能(T4b病変)と判断される. CT, MRIで, 腫瘍と周囲構造との間に介在する脂肪層・組織層温存は高い信頼性で浸潤の否定を可能にする(図10, 14, 15). 介在する脂肪層・組織層の消失や不明瞭化は必ずしも浸潤を示すものではないが, 上下で保たれているにもかかわらず, 病変レベル部のみで消失している場合は浸潤が考慮される[18]. ただし, 手術や放射線治療後, 感染合併によっても脂肪層・組織層の混濁, 不明瞭化が生じることを認識する必要がある. また, LeForら[19]は, 3 cm以上の範囲で腫瘍と接する場合, 腫瘍浸潤の可能性が高いとともに生存率を低下させると報告している. その他として, 腫瘍による周囲構造の圧排や変形も浸潤を示唆する所見とされる. 頸部食道癌での切除可否の判断で最も重要となる頸動脈浸潤の画像診断に関しては, 頭頸部癌の原発病変, 頸部リンパ節病変での判断と同様である. 通常, 腫瘍の頸動脈に対する最大接触角度が270度を超えると頸動脈浸潤陽性(切除不可)(図16), 270度あるいは180度より小さい場合は切除可能(図17)と判断される[20, 21]. また, 腫瘍と頸動脈の接触が4 cm以上の場合, 80%で頸動脈浸潤陽性とされる[22].

気管壁浸潤は気管食道瘻の形成あるいは気道内への腫瘍浸潤(図18, 19)が最も確定的な画像所見であるが, 進行病変でのみ認められる. より早期の気管壁浸潤の評価は腫瘍との間に介在する組織層・脂肪層の消失とともに, 気管壁の不整な肥厚(図17, 20)やCTで軟部濃度, MRIのT2強調像でやや低信号を示す気管壁(図21)の腫瘍濃度・信号による途絶・置換(図22, 23)の有無により診断される. 逆に気管壁構造が正常に同定される場合(図24), (表層性浸潤の否定は困難ではあるが)気管壁の全層性浸潤の否定が可能である. 気管と接する部位での食道固有筋層が正常に同定される場合, より信頼性高く気管壁浸潤の否定が可能である(図8, 12, 13, 15). 正常例CT, MRI横断像での気管膜様部と食道前壁との区別(図25)は, 食道入口部で最も明瞭で, 尾側にいくに従ってやや不明瞭となる傾向にある[1]. 気管後壁の偏位や圧排所見(図16B, 17, 20)も浸潤を示唆する[23].

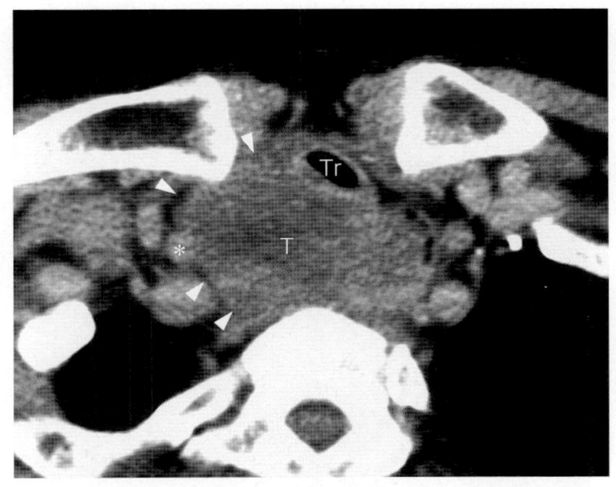

図 17　頸動脈に接する頸部食道癌（T4b 病変；気管壁浸潤あり）

造影 CT 横断像において，頸部食道領域を中心とする浸潤性腫瘤（T）を認め，右側方に大きく進展（矢頭），右総頸動脈（＊）に接触，介在する脂肪層は消失している．右総頸動脈は側方に圧排，偏位されるが，最大接触角度は約 180 度であり，頸動脈浸潤の陽性所見とは言い難い．ただし，前方で気管（Tr）は腫瘍により高度圧排，変形を示し，気管壁も不整な壁肥厚を呈し，気管壁浸潤が示唆される．

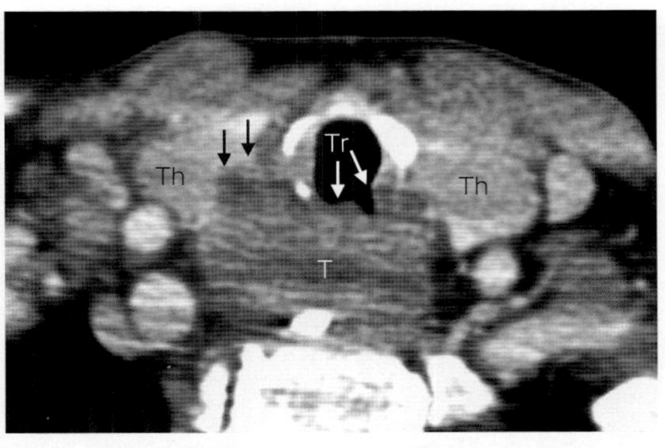

図 18　気管壁浸潤を伴う頸部食道癌（T4b 病変）

造影 CT 横断像で頸部食道領域の浸潤性腫瘤（T）を認める．前方では気管（Tr）後方の膜様部および左側壁側で全層性壁浸潤を伴い，気管内腔への進展（白矢印）を認める．甲状腺（Th）右葉後面にも浸潤（黒矢印）あり．

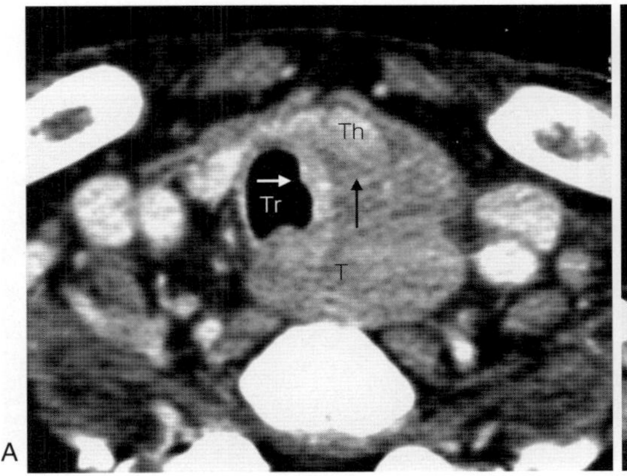

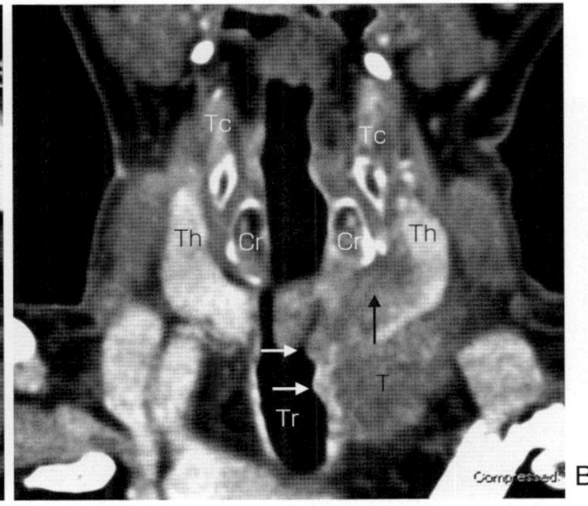

図 19　気管壁浸潤を伴う頸部食道癌（T4b 病変）

造影 CT 横断像（A）および冠状断像（b）．頸部食道の浸潤性腫瘤（T）を認め，甲状腺（Th）左葉に浸潤（黒矢印）するとともに，その内側では気管（Tr）左側壁への全層性浸潤，気管内腔への進展（白矢印）を示す．Cr：輪状軟骨，Tc：甲状軟骨（側板）

c. 所属リンパ節病変の画像評価（N 因子）

食道癌では豊富なリンパ網の発達により所属リンパ節への転移を生じ，N 因子は最も重要な予後因子である．リンパ節転移の頻度は原発病変の長さ（頭尾側径）と相関し，5 cm 未満では 5% であるのに対して，5 cm 以上では 90% とされる[9]．

食道癌の N 診断は食道癌取扱い規約と AJCC・UICC とで多少異なる．食道癌取扱い規約（**表 1**：p613）では原発病変の食道での占拠部位により，各々，第 1〜3 群のリンパ節群を設定し，これらへのリンパ節転移の範囲により分類される[2]．これに対して，AJCC（**表 2**：p614）では所属リンパ節転移の病変の数により分類される[3]．いずれにしろ所属リンパ節全体を評価した結果と

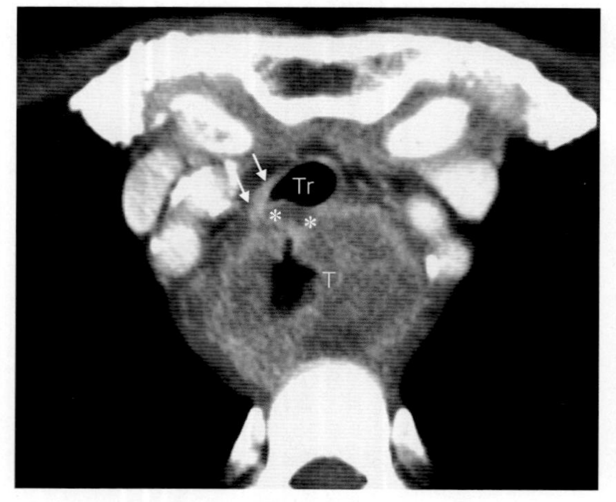

図 20　気管壁浸潤を伴う食道癌(T4b 病変)
頸部食道・胸部上部食道移行部レベルでの造影 CT 横断像．食道は全周性の不整な壁肥厚による腫瘤(T)を形成し，食道癌に一致する．前方では気管(Tr)膜様部を圧排(＊)するとともに右側壁に沿った浸潤(矢印)を示す．

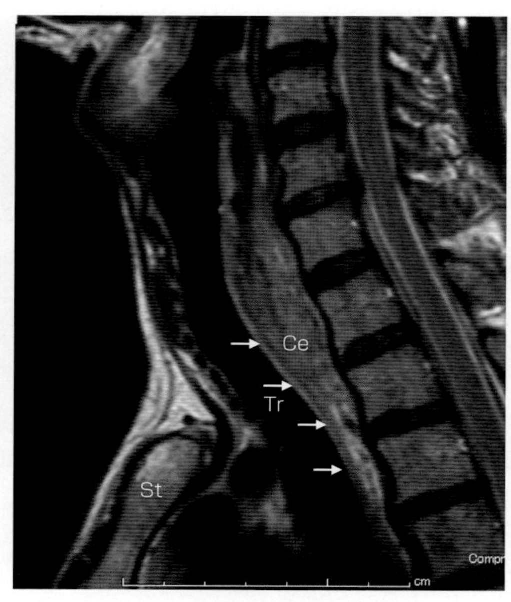

図 21　頸部の T2 強調正中矢状断像
頸部食道(Ce)前方に隣接する気管(Tr)の後壁である膜様部は線状低信号(矢印)として認められる．これに平行して気管内腔寄りの線状高信号は粘膜および粘液を示す．St：胸骨柄

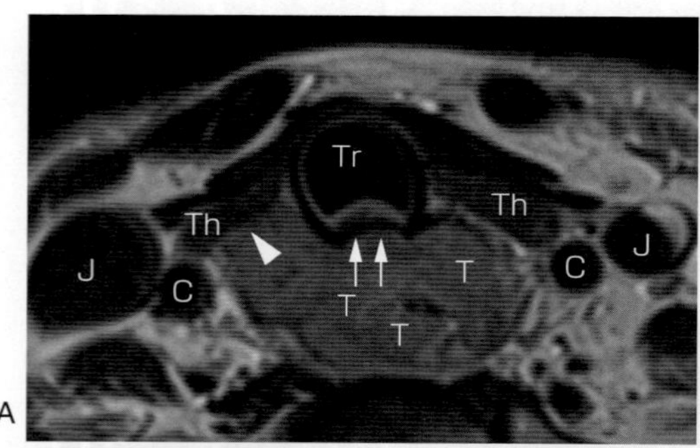

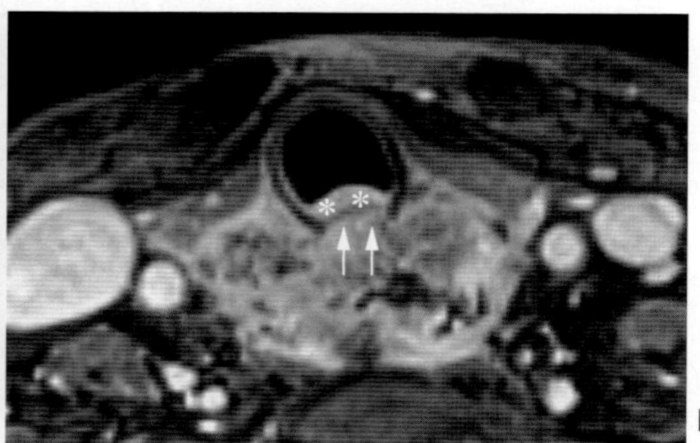

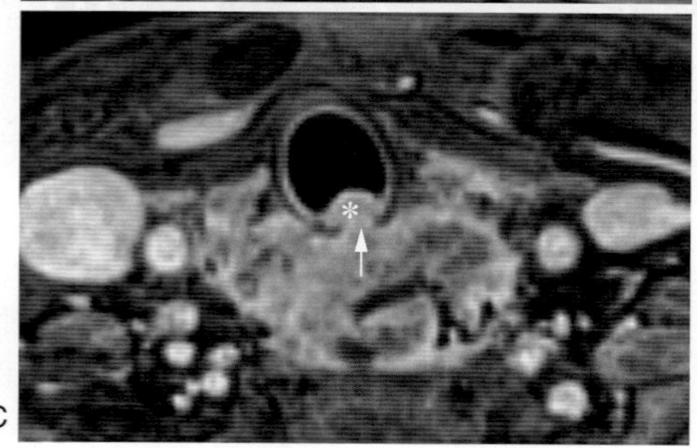

図 22　気管壁浸潤を伴う頸部食道癌
甲状腺レベル MRI T2 強調横断像(A)において頸部食道に不整な腫瘤(T)を認め，頸部食道癌に一致する．右前方では食道固有筋層を示す低信号帯は同定されず，食道壁の全層性浸潤による右気管傍領域への進展(矢頭)を示す．甲状腺(Th)右葉後面に接するが両者の境界は平滑であり，確定的な甲状腺浸潤の所見ではない．前方では気管(Tr)膜様部と広範に接するが，膜様部で気管壁を示す低信号帯(矢印)は明瞭に保たれており，同部での気管壁浸潤は指摘されない．C：総頸動脈，J：内頸静脈．同レベルの造影後 T1 強調脂肪抑制画像(B)で腫瘍は不均等な増強効果を示す．気管膜様部の低信号帯(矢印)は保たれるが，同部で気管内腔には増強効果亢進を示す組織肥厚(＊)あり．直下のレベル(C)において気管膜様部の壁に相当する低信号帯は途絶(矢印)しており，同部を介した気管内進展(＊)に相当する．

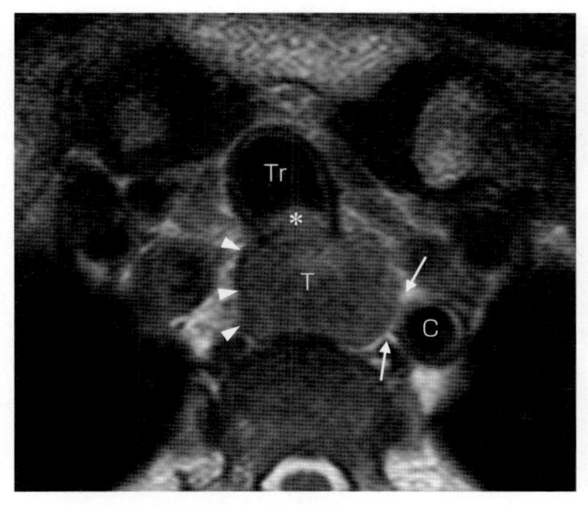

図 23　気管壁浸潤を伴う食道癌(T4b 病変)
MRI, T2 強調横断像において，頸部食道を中心に浸潤性腫瘤(T)を認める．右側壁では食道固有筋層(矢頭)は保たれるが，その他の領域では明らかでなく，固有筋層の全層性浸潤が示唆される．前方で気管膜様部を介して，気管(Tr)内腔への進展(＊)あり．左総頸動脈(C)に近接するが，介在する脂肪層(矢印)は保たれており，頸動脈浸潤は否定される．

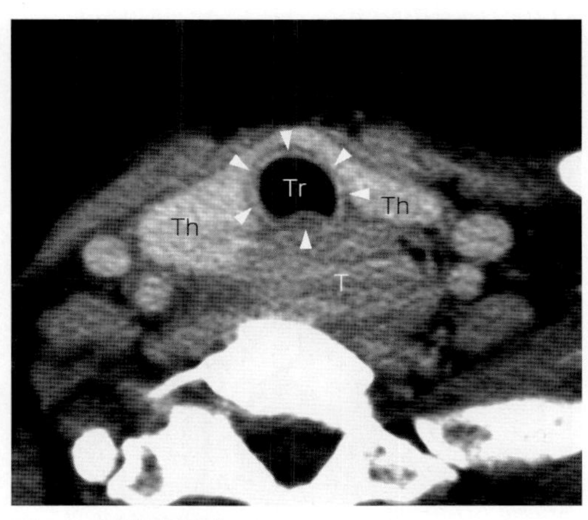

図 24　頸部食道癌
造影 CT 横断像で頸部食道癌(T)を認める．気管(Tr)の壁構造は全周性に保たれている(矢頭)．Th：甲状腺

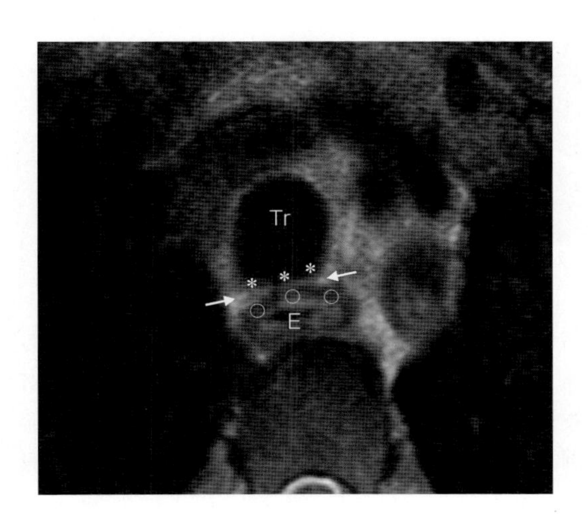

図 25　食道壁と気管膜様部との区分
胸部上部食道レベルの MRI, T2 強調横断像．食道(E)前壁の固有筋層(○)と気管(Tr)膜様部(＊)との間に介在する脂肪層(矢印)が同定される．

して N 分類が決定されることになる．頸部食道癌の所属リンパ節転移は(レベルシステムで表示すると)レベルⅣ, Ⅵ(図 8, 10, 14)が最も頻度が高いが，レベルⅡを含むいずれの頸部レベルにも生じうるとされ，鎖骨上，上縦隔リンパ節転移もみられる．食道癌取扱い規約で使用されるリンパ節の番号での表示(表 1：p613, 図 26)は取扱い規約独自の表記であり，AJCC・UICC の TNM 分類(表 2：p614)でのリンパ節の名称(図 27)とは異なる．

一般に食道癌のリンパ節病変の画像評価では，EUS, CT, PET が用いられ，食道に隣接するリンパ節の評価は EUS が優れるが，頸部食道癌での頸部リンパ節や鎖骨上リンパ節など，食道壁から離れたリンパ節病変の評価では CT, PET-CT の有用性が高い．また，EUS は高度狭窄性病変では病変より遠位レベルの評価が困難となる欠点がある．頸部食道癌の N 因子の画像評価(個々のリンパ節の形態学的評価)に関しては他の頭頸部癌と同様であり，詳細は 10 章「頸部リンパ節」

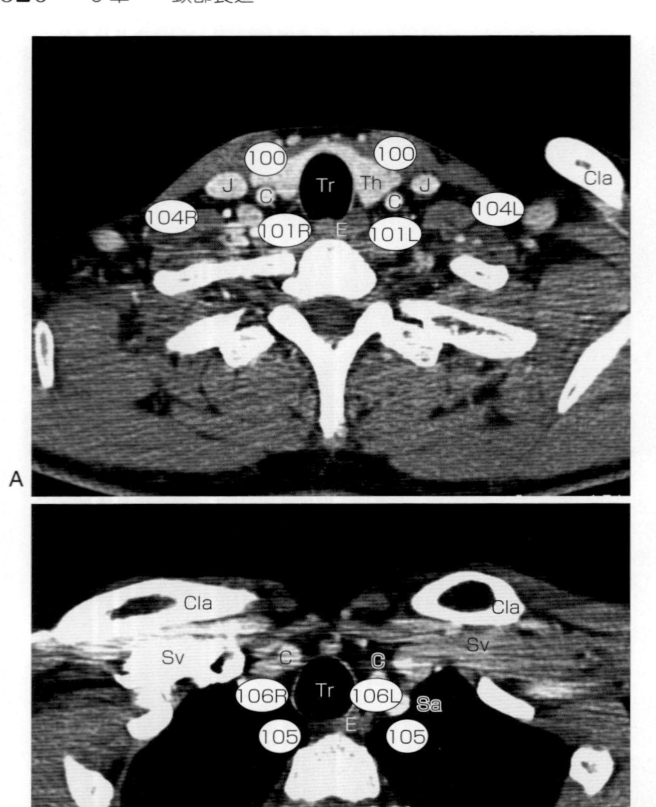

図 26 「食道癌取扱い規約」でのリンパ節名称
甲状腺レベル(A)および胸郭入口部レベル(B)の造影CT横断像.
100：頸部の浅在性リンパ節(浅頸リンパ節，顎下リンパ節，頸部気管前リンパ節，副神経リンパ節)，101：頸部食道傍リンパ節，104：鎖骨上リンパ節，105：胸部上部食道傍リンパ節，106rec：反回神経リンパ節，C：総頸動脈，Cla：鎖骨，E：食道，J：内頸静脈，Sa：鎖骨下動脈，Sv：鎖骨下静脈，Th：甲状腺，Tr：気管

を参照されたい．通常は最小横断径 1 cm を基準とする大きさによる診断基準が適用されるが，(他の頭頸部癌と同様に)偽陰性・偽陽性が多いことが知られている．食道癌の所属リンパ節転移の画像診断での感度・特異度は各々，CT で 50%，83 %，PET で 51 %，84 % であり[24, 25]，MRI は CT とほぼ同等の診断能を示す[26]．

d. 遠隔転移の画像評価(M 因子)

食道癌は診断時にしばしば遠隔転移を認め，血行性転移では(頻度の高い順で)肝，肺，骨に多く，その他として副腎，腎，脳などに認められる．遠隔転移の早期診断は，正確な病期診断，適切な治療選択において重要であり，CT が標準的選択と考えられる[27]．遠隔リンパ節の診断に関しては，CT，MRI ともに感度は低いが特異度は高い[28]．FDG-PET も遠隔転移の評価に有用であり，CT よりも感度は高いとされる[29]．CT，MRI など，通常の画像診断で遠隔転移なしとされた症例の 15% で PET により転移が同定されたとの報告もある[30, 31]．ただし，一般に PET は 1 cm 未満の病変の同定は困難である．

3 治　療

食道癌の治療戦略として，外科的治療，放射線治療，化学療法(化学放射線治療)のほか，内視鏡的切除などが挙げられる．現在は NCCN (National Comprehensive Cancer Network)[32]，ESMO (European Society for Medical Oncology)[33]から根治的な化学放射線治療が標準的治療として推奨されているが，実際には患者によってその他の治療も選択肢となる．

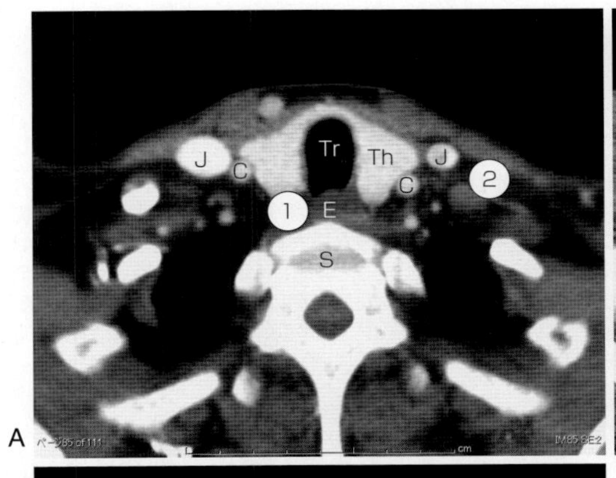

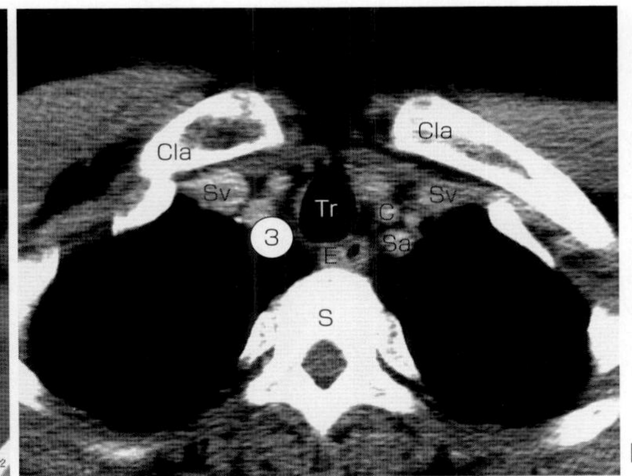

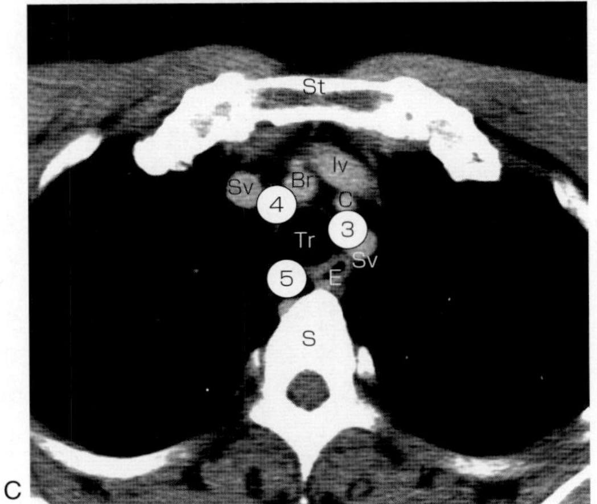

図 27　「AJCC・UICC」でのリンパ節名称
甲状腺レベル(A)，頸部下部レベル(B)および胸郭入口部レベル(C)の造影 CT 横断像.
1：cervical paraesophageal node(頸部食道傍リンパ節)，2：supraclavicular node(鎖骨上リンパ節)，3：recurrent nerve node(反回神経リンパ節)，4：pretracheal node(気管前リンパ節)，5：upper thoracic paraesophageal node(胸部上部食道傍リンパ節)，Br：腕頭動脈，C：総頸動脈，Cla：鎖骨，E：食道，Iv：無名静脈，J：内頸静脈，S：脊椎，Sa：鎖骨下動脈，St：胸骨，Sv：鎖骨下静脈，Th：甲状腺，Tr：気管
(American Joint Committee on Cancer, AJCC Cancer Staging Manual (8th ed), Amin MB et al (ed), Springer-Verlag, New York, 2017)

内視鏡的切除は，リンパ節転移の頻度の低い，粘膜固有層あるいは粘膜筋板までの表在性病変(T1a 病変)が適応となる．通常，同治療の適応は EUS 所見を根拠として判断される．

咽喉食摘術が導入された 1960 年代には頸部食道癌の治療の標準は外科的切除であった[10)]．外科的治療の選択は病期診断，切除可否に従うが，その判断において画像診断が重要な役割を果たす．頸部食道癌では病変の局在，進展範囲によって，頸部食道切除(ときに咽喉食摘術)あるいは食道(亜)全摘術が施行され，遊離空腸，胃管挙上などで再建される．遊離空腸での再建は胃管再建と比較して，術後早期より嚥下開始が可能で在院日数も短く，術後合併症の頻度も低いが，血管縫合の技術的な難易度，2 ヵ所での吻合(胃管では 1 ヵ所)を必要とし，断端陽性率も高いとされる[34)]．甲状腺は浸潤の有無により片側切除あるいは全摘術が施行される．術後の生存率に有意な影響を与える予後因子として，性別，進行 T 因子，N 因子，声帯麻痺，節外進展などが挙げられるが，術後再発は局所再発・頸部再発が 82％と大部分である[34)]．

放射線治療は単独，あるいは外科的治療，化学療法と組み合わせて用いられる．頸部食道癌の放射線治療は，脊髄前方に近接する点(通常，2～3 cm 前方)，胸郭入口部での急激な形状の変化，レベルⅥリンパ節を含める必要性などから技術的に困難とされる．また，頸部食道癌でのリンパ節に対する放射線治療は，レベルⅡからⅥ，鎖骨上，上縦隔リンパ節を含める必要がある．手術および術後放射線治療，放射線治療および治療後手術では，手術あるいは放射線治療単独と比較しての優位性はない[35)]とされる．また局所制御率，遠隔転移，全生存率において，放射線治療と外科

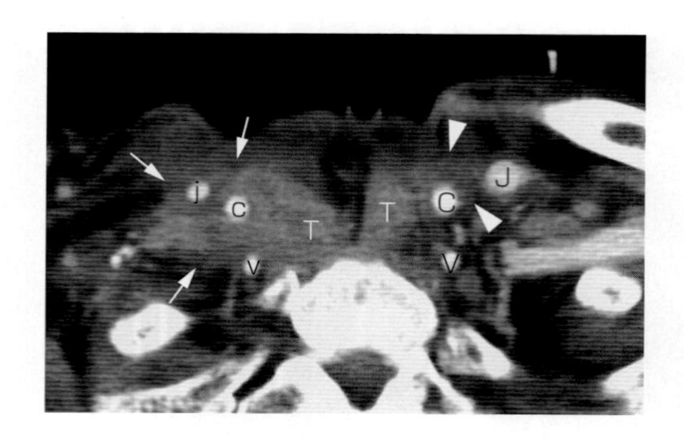

図 28　頸部食道癌の再発
頸部食道癌に対する食道亜全摘後．頸部下部レベルの造影 CT において，再建食道の領域から右鎖骨上領域にかけて浸潤性軟部濃度腫瘤(T)を認め，再発性腫瘤に一致する．恐らくは局所再発および一塊となったリンパ節再発による腫瘤形成と思われる．右総頸動脈(c)，内頸静脈(j)，椎骨動脈(v)は腫瘍に囲まれ(矢印)，左総頸動脈(C)も腫瘍浸潤(矢頭)を受けている．

的治療との差はない．

最近は化学療法を含めた集学的治療の有用性が示されている．手術単独と比較して，cisplatin，fluorouracil を用いた術後化学療法は再発を抑制する[36]．また，Wang らは術後放射線治療が予後の改善に寄与すると報告している[37]．さらに術後放射線単独療法と比較して，cisplatin を用いた術後化学放射線療法は進行病変において原発病変・頸部リンパ節病変の制御，無病生存期間の改善を示すとされる[38]．既述のとおり，化学放射線治療がガイドライン[32, 33]では推奨されており，現在の標準的治療選択となっている．ただし，化学放射線治療後の局所非制御率は最大 14～42％であり[7]，12％でグレード 3 以上の副作用が発生し，44％に放射線治療後狭窄を生じるとされる[39]．手術との組み合わせの有無にかかわらず，CR（完全寛解）が得られることが化学放射線治療での最も重要な予後因子である[40]．化学放射線治療と外科的治療との間で局所再発[10]，全生存率[41]ともに有意な差はない．局所再発に対しては（切除可能であれば）外科的治療のみが比較的長期の予後を期待できる可能性がある[42]．

4 経過観察

頸部食道癌の治療後経過観察のプロトコールは頭頸部癌と同様である．治療終了後 6 週間から 3 ヵ月で基線検査を施行．最初の 1～2 年は 3 ヵ月に 1 回程度，3～5 年は 6 ヵ月に 1 回，5 年以降は年 1 回の画像検査を施行するのが一般的である．ただし，術直後で出血，感染，吻合部不全，皮弁壊死などの急性合併症，あるいはより早期に再発を疑う症例では，適宜，画像評価が必要となる（逆に，これらの疑いのない場合は既述のプロトコールに従うのが適切である）．また，治療前の病期診断，術後病理結果による高リスク群，症状の訴え，画像所見としての再発の疑い例では，通常より短い間隔での画像検査，あるいは別モダリティでの追加評価が施行される場合もある．

急性合併症の評価では CT が第一選択であるが，（高吸収を呈する）急性期血腫の可能性がある例では非造影（単純）CT，皮弁壊死の疑いでは血行動態確認を目的にダイナミック CT が必要となる．通常のプロトコールとしての造影 CT 平衡相のみでは十分な評価ができない場合もあり，注意を要する．

再発は遠隔転移よりも局所再発，所属リンパ節再発の頻度がより高い（図 28）．再発・転移の評価では，CT と MRI は相補的な役割を担い，状況により PET での評価も有用である．画像所見としては，放射線治療後あるいは化学放射線治療後では原発部位，術後では吻合部，neopharynx/neoesophagus 周囲，皮弁辺縁における，増大傾向のある軟部腫瘤，進行性の壁肥厚は局所再発を支持する．所属リンパ節再発の診断は頭頸部癌と同様である．また，これも頭頸部癌同様，画像評価において second primary cancer の危険性を常に考慮すべきである．

D 周囲悪性腫瘍の頸部食道への浸潤

癌死の剖検例の約 3％で食道転移を認めるが，その多くは周囲臓器の原発病変あるいは頸部リンパ節転移からの直接浸潤である[43]．食道浸潤で

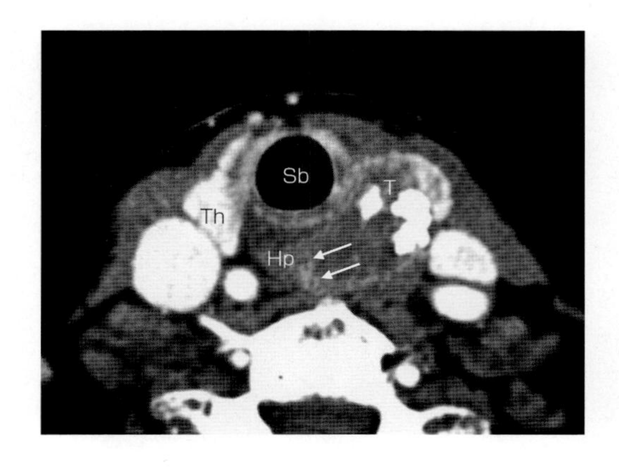

図 29　甲状腺乳頭癌の下咽頭・食道浸潤
造影 CT 横断像において，甲状腺(Th)左葉に石灰化を伴う不整形腫瘤(T)を認め，後方で下咽頭(Hp)の輪状後部・咽頭後壁から頸部食道右側壁への直接浸潤(矢印)を示す．Sb：声門下喉頭

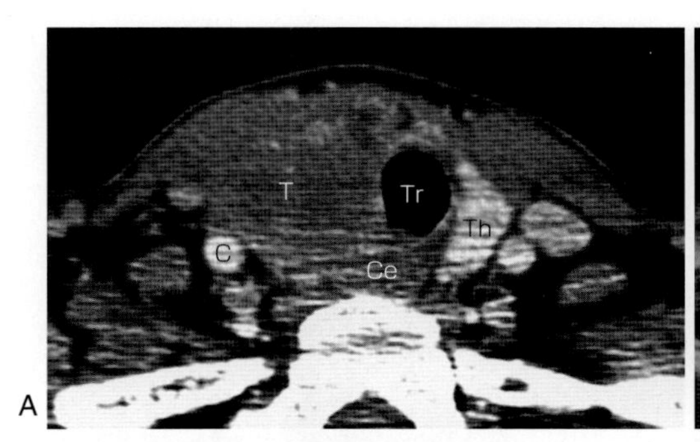

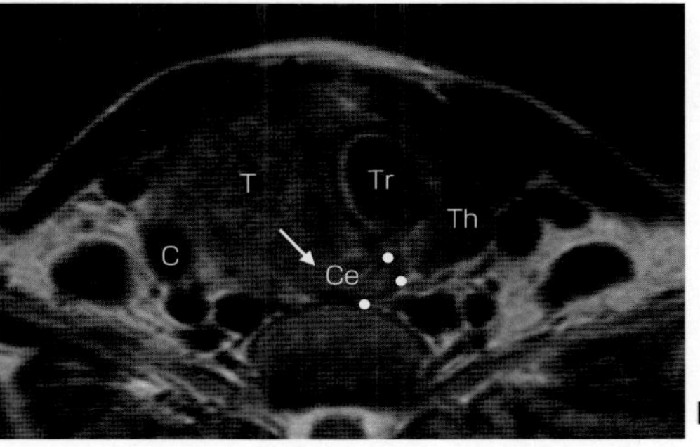

図 30　甲状腺乳頭癌の頸部食道浸潤
造影 CT 横断像(A)において，甲状腺(Th)右葉を中心とする浸潤性腫瘤(T)を認め，後方で頸部食道(Ce)領域への進展を示す．ただし，アーチファクトとの重なりに加えて，CT での濃度分解能の限界により浸潤，その範囲に関して確定的判断は困難．右総頸動脈(C)に接するが，最大接触角度からは頸動脈浸潤陽性とは判断されない．同レベルの MRI，T2 強調横断像(B)で腫瘍(T)は後方で頸部食道(Ce)に向けて進展(矢印)．左側で確認される食道固有筋層(●)による低信号帯は患側で消失しており，食道壁浸潤を強く支持する．C：右総頸動脈，Th：甲状腺，Tr：気管

は，固有筋層は速やかに侵され早期より圧排に伴う嚥下障害を生じるが，粘膜，粘膜下は保たれる傾向にあり食道内腔への浸潤はまれとされる[44]．一般に原発病変では進行病期と判断され，外科的治療の適応の判断，術式選択などに影響を与えるとともに予後不良因子となる．血行性転移は極めてまれであるが，膵，精巣，眼球，舌，骨，肝，腎，子宮，前立腺などの報告がある[44]．

頸部食道では，甲状腺癌(図 29，30)，下咽頭癌(図 31)，喉頭癌の直接浸潤，リンパ節病変(主にレベルⅥ)の節外進展による浸潤(図 32)が重要である．

Luboinski らは咽頭摘出が施行された下咽頭癌 100 例での手術標本の検討において，23%で頸部食道への下方進展がみられたとしている[45]．下咽頭癌の下方進展は粘膜下を経路とする場合も多く内視鏡では過小評価する傾向にあり，診断には CT が優れる[46]．

甲状腺癌の死亡率は甲状腺被膜内にとどまる場合は 2.5%未満であるのに対して，被膜外浸潤陽性例では最大 38%とされる[4,47]．甲状腺癌の上部消化管気道への浸潤は，未分化癌を除く高分化型甲状腺癌(乳頭癌)の 4〜16%で生じ，予後不良因子となる[48〜50]．頸部リンパ節転移の節外進展よりも，原発病変の甲状腺被膜外進展からの食道浸潤の頻度がより高い．甲状腺癌の食道壁浸潤自体の生存率への影響には議論があるが，食道壁浸潤病変は不完全切除例と比較して完全切除例で生存率は高く，5 年生存率は 70%程度とされる[51]．食道浸潤に対する術式選択では，固有筋層までに

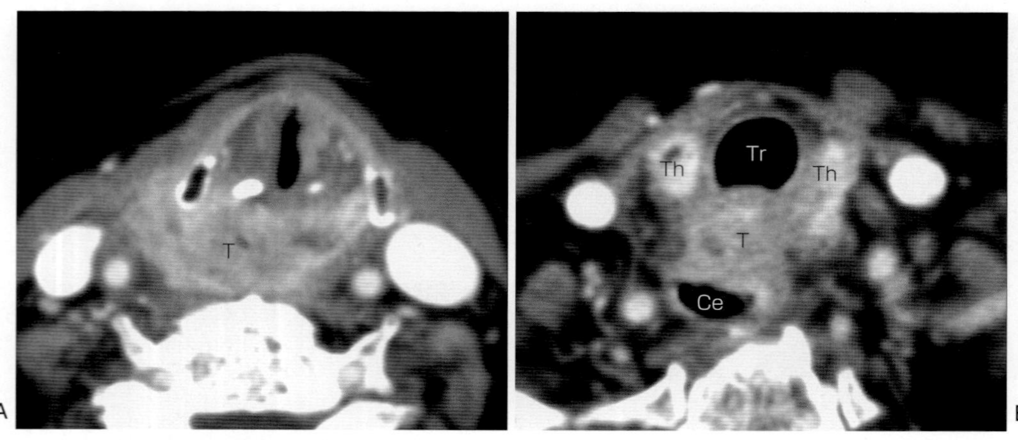

図31　下咽頭癌の頸部食道浸潤

下咽頭レベルの造影CT横断像(A)において，右梨状窩から披裂部後面，咽頭後壁に広範な浸潤を示す腫瘤(T)を認め，下咽頭癌に一致する．尾側レベル(B)で，腫瘍(T)は頸部食道(Ce)前壁に浸潤，気管(Tr)膜様部との間に腫瘤を形成している．Th：甲状腺

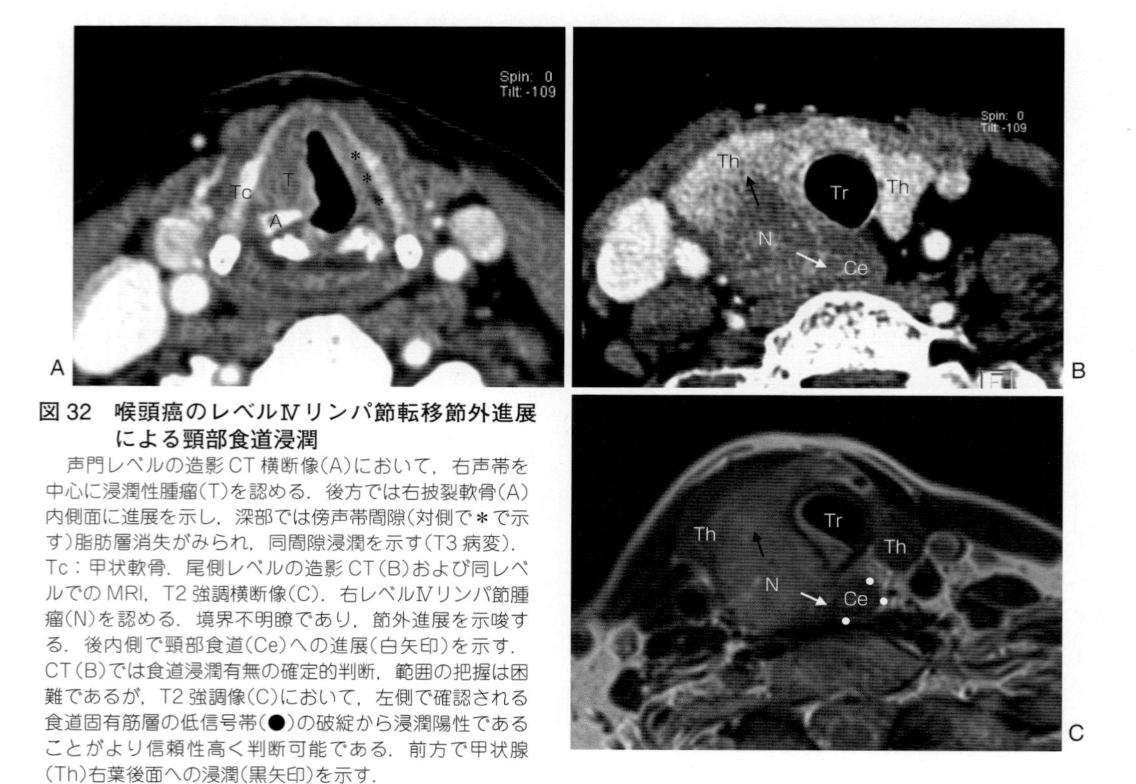

図32　喉頭癌のレベルⅣリンパ節転移節外進展による頸部食道浸潤

声門レベルの造影CT横断像(A)において，右声帯を中心に浸潤性腫瘤(T)を認める．後方では右披裂軟骨(A)内側面に進展を示し，深部では傍声帯間隙(対側で＊で示す)脂肪層消失がみられ，同間隙浸潤を示す(T3病変)．Tc：甲状軟骨．尾側レベルの造影CT(B)および同レベルでのMRI，T2強調横断像(C)．右レベルⅣリンパ節腫瘤(N)を認める．境界不明瞭であり，節外進展を示唆する．後内側で頸部食道(Ce)への進展(白矢印)を示す．CT(B)では食道浸潤有無の確定的判断，範囲の把握は困難であるが，T2強調像(C)において，左側で確認される食道固有筋層の低信号帯(●)の破綻から浸潤陽性であることがより信頼性高く判断可能である．前方で甲状腺(Th)右葉後面への浸潤(黒矢印)を示す．

とどまる場合はshaving excision，腔内進展の場合は全層切除が必要となる．

食道浸潤の画像診断基準として，腫瘍と食道との最大接触角度が180度以上，あるいは270度以上，食道壁あるいは内腔の腫瘍浸潤による解剖の破綻，MRIのT2強調像での食道壁内の高信号(図30B，32C)などが挙げられる．Seoらの甲状腺癌84例のCT所見での検討では，最大接触角度180

度以上，あるいは食道壁・内腔解剖の破綻のいずれかを認めた場合に浸潤ありと判断した場合，感度28％，特異度95％，陽性的中率33～50％，陰性的中率94％，正診率90％であったとしている[52]．一方，Wangらは甲状腺癌67例のMRI所見の検討において，食道固有筋層に相当する食道壁外層(正常ではT1・T2強調像ともに低信号)への浸潤によるT2強調像での高信号，造影後T1強調像での増強効果により浸潤陽性を判断した場合，感度82％，特異度94％，陽性的中率82％，陰性的中率94％，正診率94％と報告している[4]．SeoらのCT所見の感度が低い理由としてCT，MRIでのコントラスト分解能の差(図30，32)が考えられる．

病変と食道との間の脂肪層が保たれ，食道壁の不整な肥厚やMRI，T2強調像での食道壁内高信号が認められない場合，高い信頼性をもって食道浸潤の否定が可能である[51]．

以上，食道の臨床解剖，画像解剖，食道癌の臨床的事項，画像診断を中心に解説した．

参考文献

1) Schmalfuss IM, Mancuso AA, Tart RP：Postcricoid region and cervical esophagus：Normal appearance at CT and MR imaging. Radiology **214**：237-246, 2000
2) 日本食道学会(編)：臨床・病理 食道癌取扱い規約(第11版)，金原出版，東京，2015
3) Amin MB et al (ed)：American Joint Committee on Cancer, AJCC Cancer Staging Manual (8th ed), Springer, New York, 2017
4) Wang J, Takashima S, Matsushita T et al：Esophageal invasion by thyroid carcinomas：Prediction using magnetic resonance imaging. J Comput Assist Tomogr **27**：18-25, 2003
5) Mendenhall WM, Sombeck MD, Parsons JT et al：Management of cervical esophageal carcinoma. Semin Radiat Oncol **4**：179-191, 1994
6) Lee DJ, Harris A, Gillette A et al：Carcinoma of the cervical esophagus：diagnosis, management, and results. South Med J **77**：1365-1367, 1984
7) Hoeben A, Polak J, Van de Voorde L et al：Cervical esophageal cancer: a gap in cancer knowledge. Ann Oncol **27**：1664-1674, 2016
8) Popescu CR, Bertesteanu SV, Mirea D et al：The epidemiology of hypopharynx and cervical esophagus cancer. J Med Life **3**：396-401, 2010
9) Mancuso AA, Mendenhall WN, Werning JW：Cervical esophagus：Benign and malignant tumors. Head and Neck Radiology, Mancuso AA, Hanafee WN；with contributions from Verbist BM, Hermans VB, Walters Kluwer Health/Lippincott, Williams & Wilkins, Philadelphia, p2198-2210, 2010
10) Valmasoni M, Pierobon S, Zanchettin G et al：Cervical esophageal cancer treatment strategies: A cohort study appraising the debated role of surgery. Ann Surg Oncol **25**：2747-2755, 2018
11) Gourin CG, Terris DJ：Carcinoma of the hypopharynx. Surg Oncol Clin N Am **13**：81-98, 2004
12) Umeoka S, Koyama T, Togashi K et al：Esophageal cancer：Evaluation with triple-phase dynamic CT-initial experience. Radiology **239**：777-783, 2006
13) Umeoka S, Okada T, Daido S et al："Early esophageal rim enhancement"：A new sign of esophageal cancer on dynamic CT. Eur J Radiol **82**：459-463, 2013
14) Desai RK, Tagliabue JR, Wegryn SA et al：CT evaluation of wall thickening in the alimentary tract. Radiographics **11**：771-783, 1991
15) Xia F, Mao J, Ding J et al：Observation of normal appearance and wall thickness of esophagus on CT images. Eur J Radiol **72**：406-411, 2009
16) Liao ZX, Liu H, Komaki R：Target delineation for esophageal cancer. J Women's Imaging **5**：177-186, 2003
17) Moss AA, Schnyder P, Thoeni RF et al：Esophageal carcinoma：pretherapy staging by computed tomography. Am J Roentgenol **136**：1051-1056, 1981
18) Noh HM, Fishman EK, Forastiere AA et al：CT of the esophagus：spectrum of disease with emphasis on esophageal carcinoma. Radiographics **15**：1113-1134, 1995
19) Lefor AT, Merino MM, Steinberg SM et al：Computerized tomographic prediction of extraluminal spread and prognostic implications of lesion width in esophageal cancer (abstr). Radiology **171**：290, 1989
20) Yousem DM, Hatabu H, Hurst RW et al：Carotid artery invasion by head and neck masses：prediction with MR imaging. Radiology **195**：715-720, 1995
21) Yoo GH, Hocwald E, Korkmaz H et al：Assessment of carotid artery invasion in patients with head and neck cancer. Laryngoscope **110**：386-390, 2000
22) Gritzmann N, Grasl MC, Helmer M et al：Invasion of the carotid artery and jugular vein by lymph node metastases：detection with sonography. AJR Am J Roentogenol **154**：411-414, 1990
23) Picus D, Balfe DM, Koehler RE et al：Computed tomography in the staging of esophageal carcino-

ma. Radiology **46**：433–438, 1983
24) Van Vliet EP, Heijenbrok–Kal MH, Hunink MG et al：Staging investigation for oesophageal cancer：a meta–analysis. Br J Cancer **98**：547–557, 2008
25) Van Westreenen HL, Westerterp M, Bossuyt PM et al：Systematic review of the staging performance of 18F–fluiorodeoxyglucose positron emission tomography in esophageal cancer. J Clin Oncol **22**：3805–3812, 2004
26) Lehr L, Rupp N, Siewert JR：Assessment of resectability of esophageal cancer by computed tomography and magnetic resonance imaging. Surgery **103**：344–350, 1988
27) Holsher AH, Dittler HJ, Siewert JR：Staging of squamous esophageal cancer：Accuracy and value. World J Surg **18**：312–320, 1994
28) Takashima S, Takeuchi N, Shiozaki H et al：Carcinoma of the esophagus：CT vs MR imaging in determining resectability. AJR Am J Roentgenol **156**：297–302, 1991
29) Flanagan FL, Dehdashti F, Siegel BA et al：Staging of esophageal cancer with 18F–fluirodeoxyglucose positron emission tomography. AJR Am J Roentgenol **168**：417–424, 1997
30) Flamen P, Lerut A, Van Cutsem E et al：Utility of positron emission tomography for the staging of patients with postentially operable esophageal carcinoma. J Clin Oncol **18**：3202–3210, 2000
31) Downey RJ, Akhurst T, Ilson D et al：Whole body 18FDG–PET and the response of esophageal cancer to induction therapy：results of the prospective trial. J Clin Oncol **21**：428, 2003
32) National Comprehensive Cancer Network. Clinical practice guidelines in oncology（NCCN Guidelines）. Esophageal and esophagogastric junction cancers 2015. NCCN.org.
33) European Society for Medical Oncology：clinical practice guidelines, In Oesophageal cancer：ESMO Clinical Practice Guidelines for diagnosis, treatment and follow-up. Ann Oncol **24**（Supple 6）：vi51-56, 2013
34) Daiko H, Hayashi R, Saikawa M et al：Surgical Management of carcinoma of the cervical esophagus. J Surg Oncol **96**：166–172, 2007
35) Buckstein M, Liu J：Cervical esophageal cancers: Challenges and Opportunities. Curr Oncol Rep **21**：46, 2019
36) Ando N, Iizuka T, Ide H et al ; Japan Clinical Oncology Group：Surgery plus chemotherapy compared with surgery alone for localized squamous cell carcinoma of the thoracic esophagus: a Japan Clinical Oncology Group Study–JCOG9204. J Clin Oncol **21**：4592–4596, 2003
37) Wang LS, Chu PY, Kuo KT et al：A reappraisal of surgical management for squamous cell carcinoma in the pharyngoesophageal junction. J Surg Oncol **93**：468–476, 2006
38) Cooper JS, Pajak TF, Forastiere AA et al ; Radiation Therapy Oncology Group 9501–Intergroup：Postoperative concurrent radiotherapy and chemotherapy for high–risk squamous cell carcinoma of the head and neck. N Engl J Med **350**：1937–1944, 2004
39) Burmeister BH, Dickie G, Smithers BM et al：Thirty-four patients with carcinoma of the cervical esophagus treated with chemoradiation therapy. Arch Otolaryngol Head Neck Surg **126**：205-208, 2000
40) Aoyama N, Noizumi H, Minamide J et al：Prognosis of patients with advanced carcinoma of the esophagus with complete response to chemotherapy and/or radiation therapy：a questionnaire survey in Japan. Int J Clin Oncol **6**：132-137, 2001
41) Takebayashi K, Tsubosa Y, Matsuda S et al：Comparison of curative surgery and definitive chemoradiotherapy as initial treatment for patients with cervical esophageal cancer. Dis Esophagus **30**：1-5, 2017
42) Schieman C, Wigle DA, Deschamps C et al：Salvaga resections for recurrent or persistent cancer of the proximal esophagus after chemoradiotherapy. Ann Thorac Surg **95**：459-463, 2013
43) Toreson W：Secondary carcinoma of the esophagus as a cause of dysphagia. Arch Pathol **38**：82–84, 1944
44) Agha F：Secondary neoplasms of the esophagus. Gastrointest Radiol **12**：187–193, 1987
45) Luboinski B, Micheau C, Kleinman S：Modalities d'envahissements macroscopiques et microscopiques des cancer de l'hypopharynx I Tumori della Testa e della Colllo, Vernesi U（ed）, Milan, Ambrosiana, 1979
46) Saleh E, Mancuso A, Stringer S：Relative roles of computed tomography and endoscopy for determining the inferior extent of pyriform sinus carcinoma：correlative histopathologic study. Head Neck **15**：44–52, 1993
47) Greenfield LD, Luk KH：Thyroid. Principles and practice of radiation oncology（2nd ed）, Perez CA, Brady LW（eds）, JB Lippincott, Philadelphia, p1356–1392, 1992
48) McCaffrey JC：Aerodigestive tract invasion by well–differentiated thyroid carcinoma：diagnosis, management, prognosis and biology. Layrngoscope **116**：1–11, 2006
49) McCaffrey JC：Evaluation and treatment of aerodigstive tract invasion by well–differentiated thyroid carcinoma. Cancer Control **7**：246–252,

2000
50) Seoung HG, Kim JH, Choi JC et al：A case of papillary thyroid cancer recurring as an esophageal submucosal tumor. Chonnam Med J **48**：60-64, 2012
51) Roychowdhury S, Loevner LA, Yousem DM et al：MR imaging for predicting neoplastic invasion of the cervical esophagus. AJNR Am J Neuroradiol **21**：1681-1687, 2000
52) Seo YL, Yoon DY, Lim KJ et al：Locally advanced thyroid cancer：Can CT help in prediction of extrathyroidal invasion to adjacent structures? AJR Am J Roentogenol **195**：W240-244, 2010

10 頸部リンパ節

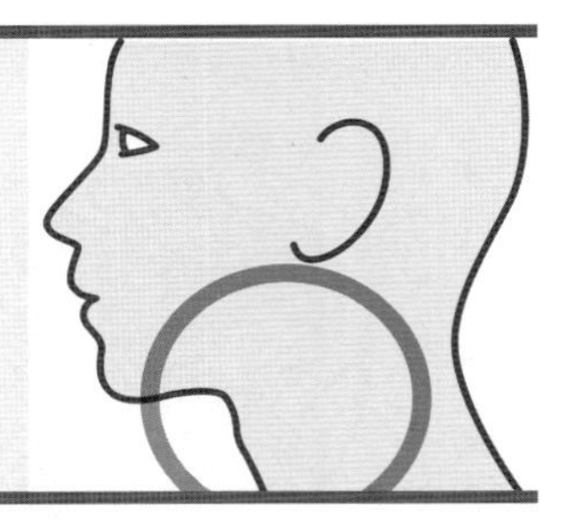

A 正常リンパ組織の解剖

リンパ系の発生は結合織内のリンパ嚢として始まり，これが統合して内皮細胞に覆われるリンパ管を形成する．輸入リンパ管は各リンパ節皮質の辺縁洞に注ぎ，さまざまな経路を介してリンパ節体部を通過，または辺縁洞より直接，リンパ門の輸出リンパ管より流出する(図1)．輸出リンパ管が合わさりリンパ幹を形成，最終的には内頸静脈と鎖骨下静脈で形成される静脈角より終末リンパ幹である胸管，鎖骨下リンパ管，右リンパ管を介して静脈大循環に合流する．頸部のリンパの一部は内頸静脈へ直接流入する．上記の主流経路以外にも末梢において輸出リンパ管と静脈系の間のリンパ静脈交通がみられる．

リンパ節(図1)は円形，類円形をした末梢リンパ器官で，輸入，輸出リンパ管を介してリンパ還流を接続する役目をもつ．リンパ節は被膜，細網細胞および細網線維による網状構造，肉柱構造などによる骨格に支えられ，内部に皮質，傍皮質，髄質を有する．皮質にはB細胞領域としてリンパ濾胞が存在し，辺縁部の外套と中心部の胚中心よりなる．傍皮質はT細胞領域であり，皮質・髄質接合部に相当する．髄質は形質細胞の領域で液性免疫を担う抗体が産生される．これらの間に辺縁洞(あるいは被膜下洞)，中間洞(あるいは皮質洞)，髄質洞が介在する．中間洞は辺縁洞と髄質洞をつなぐ経路として機能する．リンパ節の血行はリンパ門より数本の小動脈が入り，髄質から皮質，傍皮質と分岐，毛細血管網を形成，静脈還流は再びリンパ門より小静脈として出ていく(図2)．

リンパ系の生理機能は組織の間質液で細胞，形質などを血行にのせることであるが，これは間質内組織間隙のムコ多糖類がリンパ管以外の組織間隙での間質液の流れに対して大きな抵抗となっていることによる．また，リンパ節間のリンパの流れはさらに末梢のリンパ節へと免疫反応を伝達する働きももつ．

哺乳類では各リンパ節領域の解剖学的位置はほぼ一定している．大きさ，性状は年齢，からだの各部位により多少異なる．人体では全身で約800個あるリンパ節のうち，頸部には約300個が存在する[1]．末梢リンパ節は若年者で著明であるが，新生児では認められない．リンパ節の画像評価においても常に年齢を考慮すべきで，特に若年者は通常の“大きさによる診断基準”のみでは病的リンパ節の判断は困難である(偽陽性が問題となる)．

B Rouvièreによるリンパ節解剖(図3，表1：p632)

頭頸部におけるリンパ節解剖はフランスの解剖学者Rouvièreの詳細な記述につきる[2]．臨床での「レベル」システム，さらに本邦における「頭頸部癌取扱い規約」で扱われるリンパ節解剖のすべてを網羅し，これらの基礎となるものである．Rouvièreによる頸部リンパ節の記述に対する解説のあと，「レベル」システム，「頭頸部癌取扱い規約」でこれがどのように反映されているかを述べる．

Rouvièreは頭頸部領域のリンパ節を以下の10の主なリンパ節群に分けている．

①後頭リンパ節，②乳突部リンパ節，③耳下腺リンパ節，④顎下リンパ節，⑤顔面リンパ節，⑥

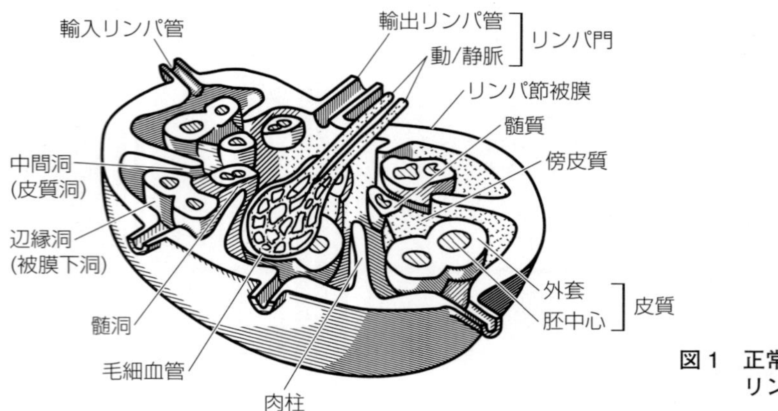

図1 正常リンパ節組織解剖. リンパ節断面シェーマ

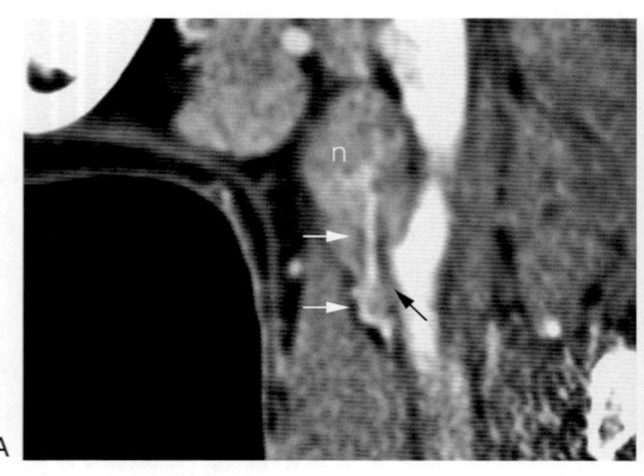

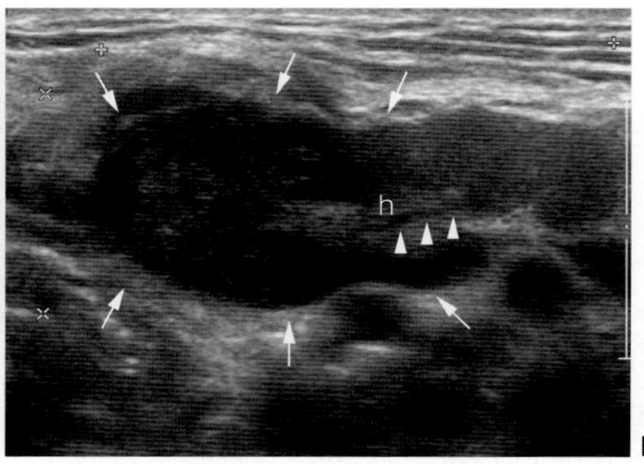

図2 リンパ節

造影CT矢状断再構成(A)において, 右レベルIIリンパ節(n)にリンパ門(黒矢印)から入る(あるいは出ていく)小血管(白矢印)を認める. 同リンパ節の超音波像(B)において低エコーを示すリンパ節(矢印)に対して, (脂肪の存在により)高エコーで認められるリンパ門(h)内に線状低信号として小血管(矢頭)が同定される.

オトガイ下リンパ節, ⑦舌下リンパ節, ⑧咽頭後リンパ節, ⑨前頸リンパ節, ⑩側頸リンパ節. このうち, ①〜⑧までの8つのリンパ節群が頭部と頸部との接合部に沿う横断面上に位置し, 頭部からのリンパのフィルターとしての機能をもつ傍頸部リンパ輪(図3D)を形成する. 一方, 前頸リンパ節, 側頸リンパ節はここを通過したリンパが頸部を下行する主経路となる. 以下にそれぞれのリンパ節群を解説する.

1 後頭リンパ節(occipital node)(図3A)

頭蓋冠と項部との接合部に位置し, 筋膜, 筋肉などとの解剖学的位置関係により表層から深部に向かって以下の3つに区分される.

a. 筋膜上または表在性(suprafascial/superficial)(図4)

リンパ節1〜6個が胸鎖乳突筋上後縁あるいは胸鎖乳突筋と僧帽筋の後頭骨付着部の表面, 後頭骨上斜線を覆う線維靱帯性組織の表面, あるいは後頭筋上の胸鎖乳突筋の表面, 板状筋筋膜の表面に深頸筋膜浅葉表面と接して存在する. 後頭動脈枝, 大後頭神経と近接する.

b. 筋膜下(subfascial)

後頭骨上斜線近傍で板状筋の表面, 深頸筋膜浅葉深部に孤立性にリンパ節を認めるが, 欠損する

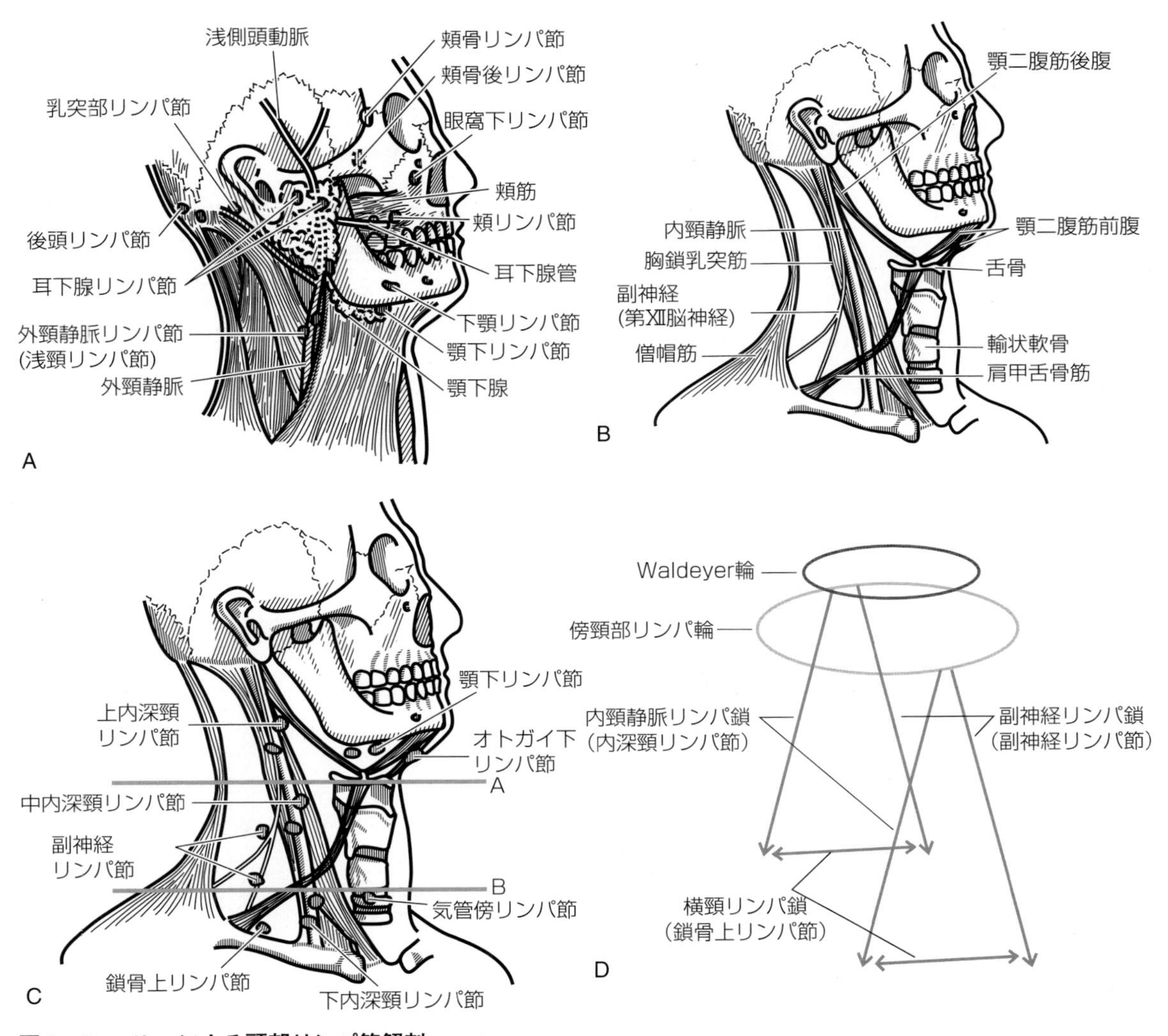

図3 Rouvière による頸部リンパ節解剖
A：後頭リンパ節，耳下腺リンパ節，顎下リンパ節，顔面リンパ節，浅頸リンパ節の解剖学的分布.
B：頸部リンパ節の解剖学的指標.
C：前頸リンパ節，側頸リンパ節，顎下リンパ節，オトガイ下リンパ節の解剖学的分布.
D：傍頸部リンパ輪.

場合が多い.

c. 筋層下または板状筋下(submuscular/subsplenius)

頭板状筋下でその付着近傍で，上斜筋と頭最長筋の内側で後頭血管に沿って1～3個のリンパ節が存在する．Rouvière は深板状筋下後頭リンパ節と呼ぶことを提唱している.

後頭リンパ節の輸入リンパ管領域は後頭部の頭皮，項部の皮膚，後頭部頸部の深層で，輸出リンパ管は主に副神経リンパ節鎖上部に流入する.

2 乳突部リンパ節(mastoid node)(図3A)

耳介後部の乳突部で，通常，後耳介筋の下，胸鎖乳突筋付着部前縁を覆う線維性組織の表面に一致して1～4個(通常1～2個)のリンパ節を認める．乳突部リンパ節の輸入リンパ管領域は頭頂部と耳介の皮膚の一部で，輸出リンパ管は胸鎖乳突

表1 頸部リンパ節解剖(Rouvière 分類)

Rouvière リンパ節分類	輸入リンパ管領域	輸出リンパ管流出先
後頭リンパ節 筋膜上または表層性 筋膜下 筋層下または板状筋下	後頭部頭皮 項部皮膚 後頭部項部深部	副神経リンパ節鎖
乳突部リンパ節	頭頂部 耳介の皮膚の一部	耳下腺下リンパ節 胸鎖乳突筋リンパ節
耳下腺リンパ節 筋膜上または表在性 筋膜下腺外 耳介前 耳介下 耳下腺内	前頭部のほとんど,顔面,頬粘膜,外耳,耳管の一部,側頭部,耳下腺,乳突部リンパ節,他の耳下腺リンパ節など	後耳介経路 静脈経路 動脈経路
顎下リンパ節 腺前 血管前 血管後 腺後 (顎下腺内)	顔面,口腔(舌,口蓋,口腔底,歯肉,頬粘膜),軟口蓋,鼻腔前方,オトガイ下リンパ節など	傍静脈主経路 傍動脈主経路 (直接副経路) (オトガイ下副経路)
顔面リンパ節 下顎 頬(前・後) 眼窩下 頬骨 頬骨後	顔面(眼瞼,頬部,鼻,上・下口唇,鼻・口唇ひだ),他の顔面リンパ節,側頭下窩など	顎下リンパ節
オトガイ下リンパ節 前 中(外側・内側) 後	顔面下部(顎,下口唇,頬部),口腔前方(口腔底前部,舌尖)	同・対側顎下リンパ節 同・対側内深頸リンパ節
舌下リンパ節 外側 内側	舌	舌根方向
咽頭後リンパ節 外側 内側	鼻・中咽頭,鼻副鼻腔,硬・軟口蓋,中耳	上内深頸リンパ節 外側咽頭後リンパ節
前頸リンパ節 前頸静脈リンパ鎖 傍臓側 喉頭前(甲状軟骨間,甲状軟骨,輪状甲状軟骨間) 甲状腺前 気管前 気管外側(反回神経リンパ鎖)	舌骨下頸部前面の皮膚・筋肉,喉頭,甲状腺,気管,食道など	頸静脈リンパ節鎖 横頸リンパ節鎖 胸管(左側) 右リンパ管 (頸静脈・鎖骨静脈接合部) 上縦隔リンパ節
側頸リンパ節 浅頸リンパ節 深頸リンパ節 内深頸リンパ節 外側 前方(上・中・下) 副神経リンパ節 鎖骨上窩リンパ節(または横頸)	舌骨上・下頸部のリンパすべてが直接あるいは間接的に含まれる 前胸部,肩の皮膚	内頸静脈リンパ経路 副神経リンパ経路 横頸リンパ経路 胸管(左側) 右リンパ管(右側)

(Tobias MJ(trans): Anatomy of the Human Lymphatic System, Edwards Brothers, Ann Arbor, p5-28, 1938)

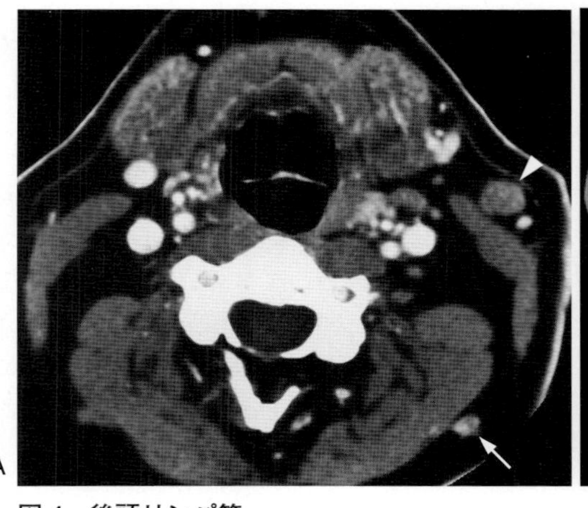

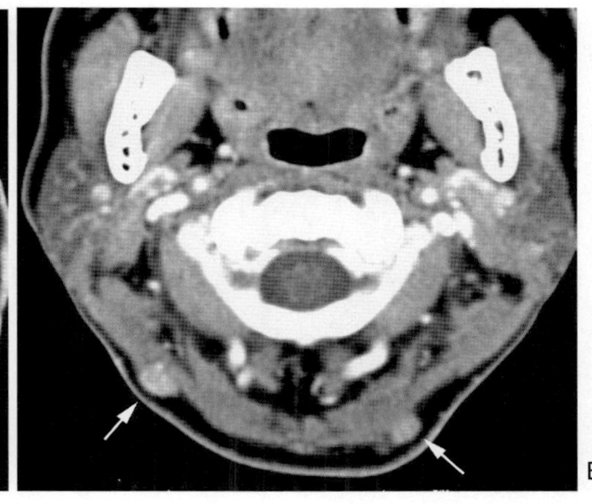

図4 後頭リンパ節

頭皮の扁平上皮癌症例の造影CT(A)において，左後頸部皮下に結節(矢印)を認め，後頭リンパ節に一致する．さらに，左外頸静脈前方に外頸静脈リンパ節(矢頭)を認める．いずれも転移を示す．悪性リンパ腫症例の造影CT(B)で両側性に後頭リンパ節腫大(矢印)を認め，リンパ節病変を示す．

筋前縁に沿って耳下腺下リンパ節(筋膜下)を介して，あるいは直接，内頸静脈リンパ鎖と副神経リンパ鎖の接合部レベルで内頸静脈背側に位置する胸鎖乳突筋リンパ節に流入する．

3 耳下腺リンパ節(parotid node)(図3A)

耳下腺領域に位置するリンパ節すべてを総称(耳下腺内に限らない)するが，さらに解剖学的位置関係より以下の3つに区分される．

a. 筋膜上または表層性耳下腺リンパ節(suprafascial/superficial parotid node)

3分の1の頻度で耳介の前，耳珠近傍に1〜2個のリンパ節があり，ときに浅側頭動・静脈に接するように認めるが，これらの前方に位置することはまれである．

b. 筋膜下腺外リンパ節(subfascial extraglandular node)(図5)

深頸筋膜浅葉と耳下腺被膜との間に位置するこのリンパ節群は耳介との相対的位置からさらに以下の2つに分けられる．

1) 前あるいは耳介前筋膜下リンパ節(subfascial preauricular node)

ほとんどの例で通常1〜2個のリンパ節が耳珠近傍，あるいは耳介からやや離れた前方において深頸筋膜浅葉の直下で耳下腺被膜との間に位置している．ときに耳介前方に位置する同リンパ節に耳下腺表層部の前縁が部分的あるいはその全体に覆い被さる．

2) 下あるいは耳介下耳下腺下リンパ節(inferior parotid infra-auricular node)

外頸静脈が耳下腺から出るレベルに一致して，深頸筋膜浅葉と耳下腺被膜の下方進展および胸鎖乳突筋表層の筋膜との間に1〜3個のリンパ節が位置する．

c. 深耳下腺内リンパ節・腺内耳下腺リンパ節(deep intraglandular node)(図6，7)

耳下腺被膜内，腺内には肉眼で確認可能なリンパ節が4〜10個程度存在する．外頸静脈，下顎後静脈に沿う領域に多くみられる．顔面神経主幹部より外側に多い．

耳下腺リンパ節の輸入リンパ管領域は広範で，表層性耳下腺リンパ節には頭蓋冠の前頭部の大部分(鼻根部，上眼瞼，下眼瞼外側半分，耳介部，

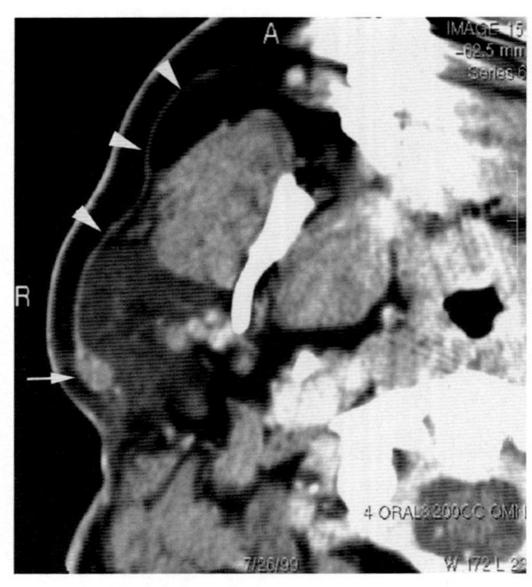

図5　筋膜下腺外耳下腺リンパ節.
右耳下腺表面に接して，顔面表情筋，広頸筋と連続するSMAS（superficial musculoaponeurotic system：浅頸筋膜からなる）（矢頭）との間に介在する結節（矢印）を認め，筋膜下腺外リンパ節に一致する.

外耳，ときに鼻，上唇を含む）の領域のリンパが流入する．耳管の一部のリンパも鼓膜，外耳のリンパ管を介して表在性，あるいは筋膜下リンパ節に入る．耳下腺下リンパ節には頬部後方，頬粘膜，臼歯部歯肉，上唇，耳下腺からのリンパの流入とともに他の耳下腺リンパ節，乳突部リンパ節，外耳からの輸出リンパ管からの流入もある．腺内リンパ節は耳下腺からが主であるが，前側頭部や耳介前リンパ節などからのリンパの流入も多少みられる．

耳下腺リンパ節からのリンパ流出経路は大きく3つに分けられる．耳下腺後縁に沿い耳下腺下リンパ節を介して，あるいは直接，上内深頸リンパ節に至る後（あるいは耳下腺後）経路，耳介前リンパ節から耳下腺内の外頸静脈周囲の腺内リンパ節を介して同静脈に沿って上内深頸リンパ節に至る静脈経路，耳介前リンパ節から浅側頭動脈に沿って下行，内頸静脈リンパ鎖の顎二腹筋下リンパ節に至る動脈経路である．

4 顎下リンパ節（submandibular/submaxillary node）

（図3A・C，8）

顎下間隙に位置するリンパ節で，Rouvièreは解剖学的位置関係により前方から後方に向かって以下の5つを区分している．(a)〜(d)までは顎下間隙を形成する深頸筋膜浅葉の内であるが，顎下腺被膜の外に，(e)のみが顎下腺被膜内に位置する．これに加えてDiNardoらの報告にある深顎下リンパ節(f)が含まれる[3]．

a．腺前（preglandular）

顎下間隙内で後方を顎下腺前縁，上方を下顎骨下縁，下内側を顎二腹筋前腹外側縁，底部を顎舌骨筋で境界される部に位置するリンパ節で，通常1〜2個がオトガイ下静脈に沿って存在する．

b．血管前（prevascular）

顔面動脈に接して前顔面静脈前方に位置しており，通常1個で顎下リンパ節の中で最も大きい．

c．血管後（retrovascular）

前顔面静脈後方に位置する1〜2個のリンパ節で，前顔面静脈と後顔面静脈の合流部にみられることが多い．

d．腺後（retroglandular）

顎下腺後縁，血管後リンパ節よりも後方に位置するリンパ節で，存在は比較的まれである．通常，下顎角内側やや下方にあり，血管後リンパ節よりも深層に位置する．後述のレベルシステムでは，顎下腺後縁より後方はレベルIB（顎下リンパ節）ではなく，レベルII（上内深頸リンパ節）に分類される．

e．顎下腺被膜内（intracapsular）

Rouvièreの記述によると顎下腺実質内に1個から数個存在し，舌癌が顎下腺浸潤する際の経路となるとしている．しかし，はっきりとした臨床例の報告はなく，多くの教科書でも発生学上の理由とともに大唾液腺のうち，腺実質内にリンパ節

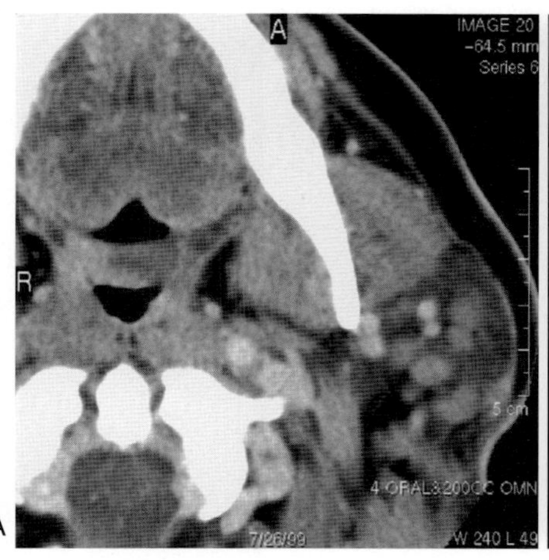

A

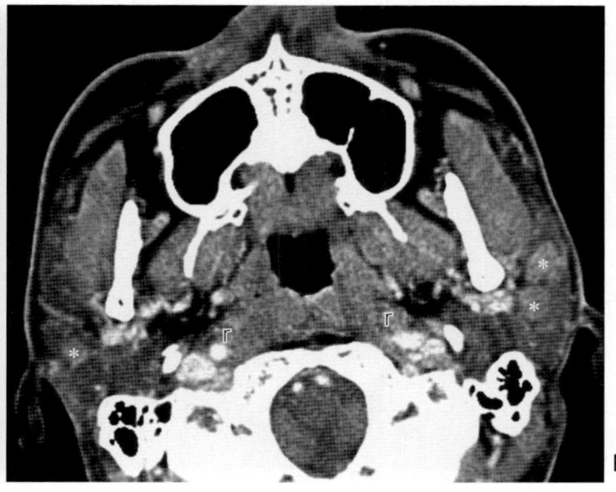

B

図6　深耳下腺内リンパ節．造影CT

非Hodgkin悪性リンパ腫の造影CT（A）．左耳下腺内に多数の軟部濃度結節を認め，耳下腺（腺内）リンパ節に一致する．サルコイドーシスの造影CT（B）において，両側耳下腺内に数個の結節（＊）を認める．両側Rouvièreリンパ節（r）病変もみられる．

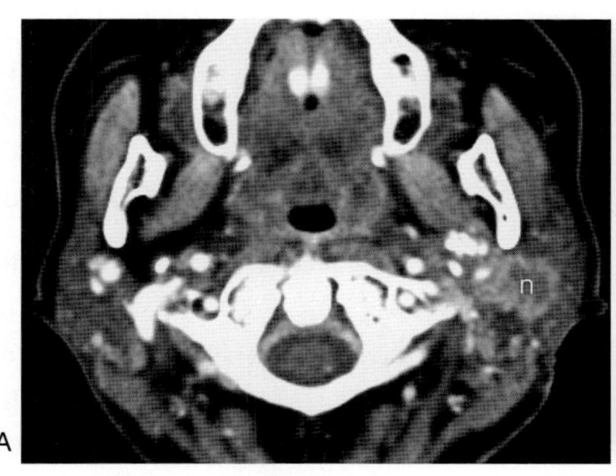

A

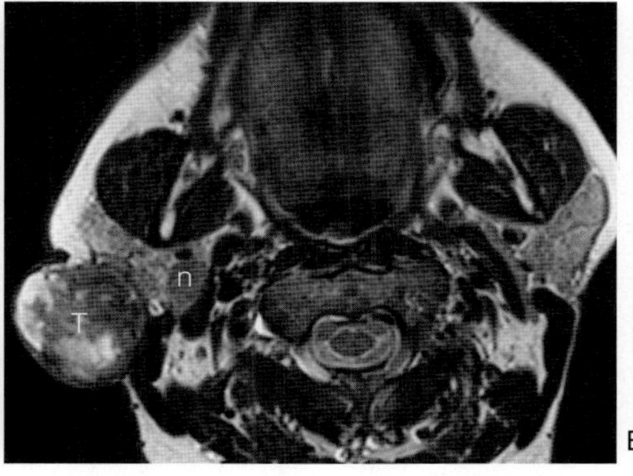

B

図7　耳下腺リンパ節転移2例

下咽頭癌術後1年の耳下腺レベル造影CT（A）において，左耳下腺内で浅葉から深葉にかけて辺縁増強効果を示す不整形腫瘤（n）を認め，耳下腺（内）リンパ節転移を示す．別症例のMRI耳下腺レベルT2強調横断像（B）上，右耳下腺浅葉から外側に膨隆する腫瘤（T）を認め，多形腺腫内癌として発生した唾液腺導管癌に相当する．耳下腺深葉に淡い低信号結節（n）として耳下腺（内）リンパ節転移を伴う．

を含むのは耳下腺のみとしている．

f．深顎下リンパ節（deep）（図9）

解剖学書の記述はほとんどないが，著名なGrayの解剖学書で顎下腺深部にあるリンパ節に関する簡単な記述をみることができる[4]．同リンパ節はときに顎下腺深部，顎二腹筋あるいはオトガイ舌筋後面との間に認められる[3]．

顎下リンパ腺の輸入リンパ管領域は顎外側，上・下唇，頬，鼻といった顔面の多く，歯・歯肉，舌，口腔底，硬・軟口蓋といった口腔の大部分と中咽頭の一部，鼻腔前方，さらにオトガイ下リンパ節からのリンパが含まれる．顔面のリンパは顔面リンパ節（後述）を介して，あるいは直接，顎下リンパ節へ注ぐ．

顎下リンパ節からのリンパは，しばしば同側，対側の顎下リンパ節との交通をもち，最終的に内

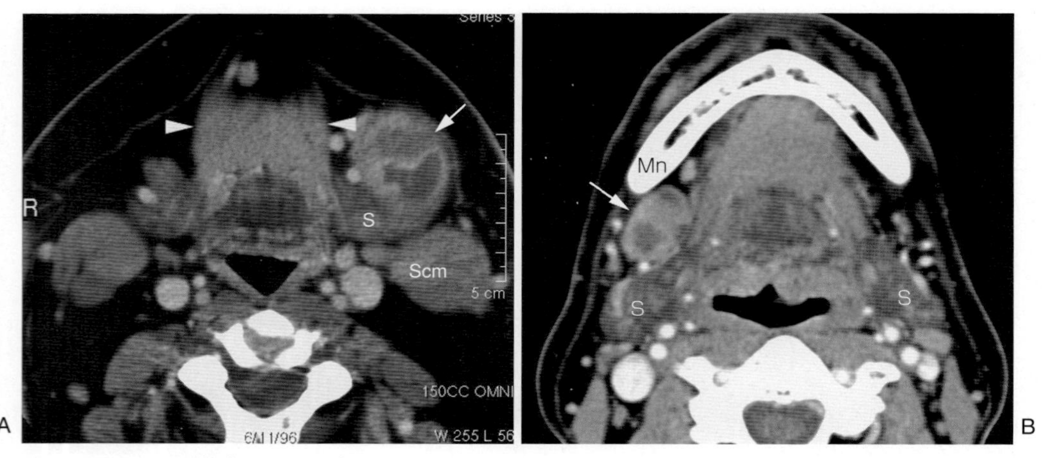

図8　顎下リンパ節(レベルⅠB)

猫ひっかき病症例の造影CT(A)において，左顎下腺(S)前側方に接して腫大したリンパ節(矢印)を認め，内部には化膿性変化を示唆する低濃度領域を含んでいる．矢頭：顎二腹筋前腹，Scm：胸鎖乳突筋

口腔癌症例の造影CT(B)．右顎下腺(S)の前方に隣接して，内部のfocal defect(低濃度域)を含むリンパ節腫大を認め，リンパ節転移に一致する．明らかな節外進展は認められない．Mn：下顎骨

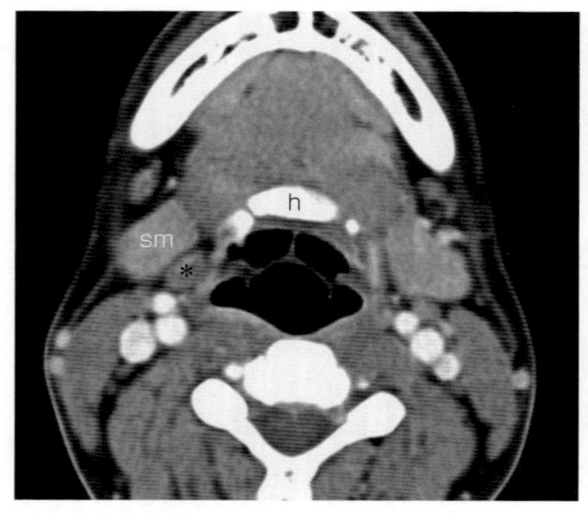

図9　深顎下リンパ節

造影CT横断像．右顎下腺(sm)深部で舌骨(h)右大角との間に楕円形の結節(*)を認め，深顎下リンパ節を示す．

深頸リンパ節へと注ぐ．これには血管前・後リンパ節から顔面静脈に沿い上内深頸リンパ節，顎二腹筋下リンパ節へ至る傍静脈経路と，血管前・後リンパ節から外上顎動脈に沿い顎下腺深部上縁をまわり顎二腹筋後腹，茎状舌骨筋と交差したのちに上内深頸リンパ節，顎二腹筋下リンパ節へ至る傍動脈経路という2つの主経路がある．さらに副経路として，腺前，血管前・後リンパ節から下行して直接，内頸静脈リンパ鎖の肩甲舌骨筋上リンパ節に至る直接経路と血管前，腺前リンパ節から外側オトガイ下リンパ節を介して内頸静脈リンパ鎖に至るオトガイ下経路の2つがある．

5 顔面リンパ節(facial node)(図3A)

顔面動脈，前顔面静脈に沿い顔面の皮下組織内に存在するリンパ節で，通常小さく，しばしば欠損する．Rouvièreは解剖学的位置により分類される下顎リンパ節，頬リンパ節，眼窩下リンパ節，頬骨リンパ節の4つに関して記述しているが，Tartらはこれに頬骨後リンパ節を加えて顔面リンパ節の画像診断について報告している[5]．同報告によると顔面リンパ節への転移は頭頸部悪性腫瘍の進行例でのみ問題となる．各顔面リンパ節につき，以下に解説する．

a. 下顎リンパ節(inferior maxillary/mandibular node)(図10)

下顎骨体部外側面の表層，咬筋前方で三角筋あるいは頬筋の下顎骨付着部の表面に接して前顔面静脈前方に位置するリンパ節である．通常1〜2個が存在する．顎下リンパ節と下顎リンパ節とは前者が深頸筋膜浅葉よりも深部の顎下間隙，後者がより表層の皮下組織内にある点で異なる．

輸入リンパ管領域は主に眼窩下リンパ節，頬リ

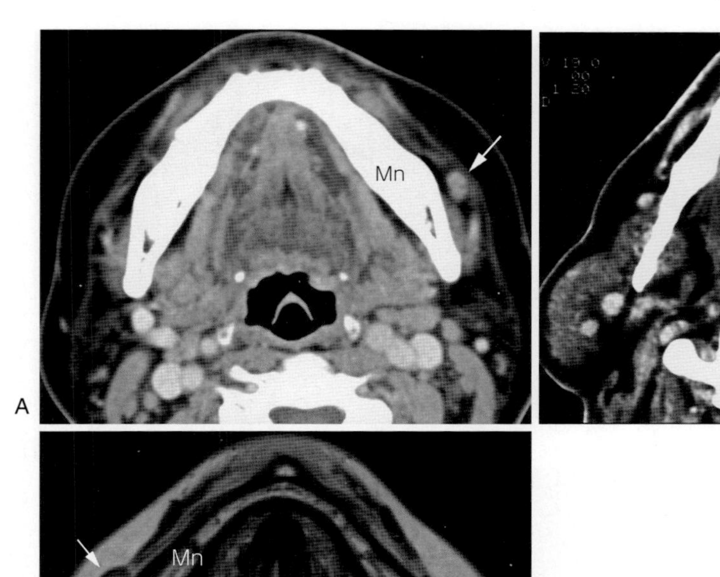

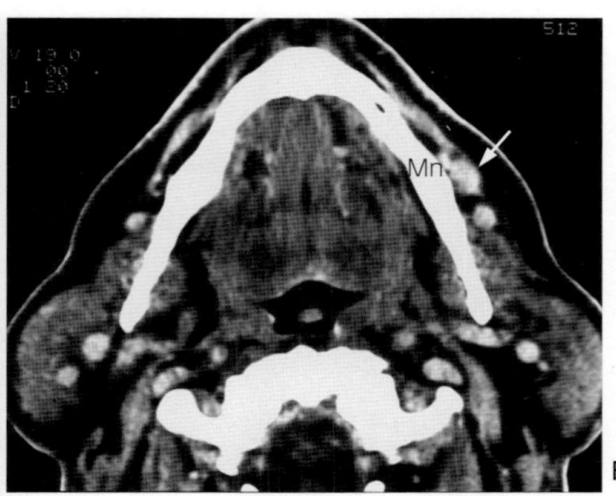

図10 下顎リンパ節
2例の造影CT(A，B)，1例のMRI(T2強調横断像)(C)において，下顎骨体部(Mn)表面に隣接して，結節(矢印)を認める．

ンパ節，口唇，頬部で，歯肉，口蓋が含まれるのはまれである．

b. 頬リンパ節(buccinator node)(図11，12)

口角から耳介基部を結ぶ線上で頬筋およびその筋膜上にあるリンパ節を指す．以下の2つに区分され，両者の輸入リンパ管領域は眼瞼，鼻と上唇，頬部．

1) **前頬リンパ節(anterior/commissural subgroup)**

口角から2〜3 cm後方，顔面動脈と前顔面静脈の間に位置する1〜2個のリンパ節．

2) **後頬リンパ節(posterior subgroup)**

前顔面静脈の後方で，耳下腺管(Stensen管)の頬筋貫通部下方に近接して位置する1〜2個のリンパ節．

c. 眼窩下リンパ節(infraorbital/nasolabial node)(図13，14)

外上顎動脈，前顔面静脈に沿い，鼻口唇ひだ，あるいは犬歯窩に位置するリンパ節で，存在は比較的まれである．輸入リンパ管領域は眼瞼内側，内眼角，鼻，鼻・口唇ひだ．

d. 頬骨リンパ節(malar node)(図15)

外眼角のやや下方で上眼瞼からのリンパ管の経路上にまれに存在する小さなリンパ節．外眼角から耳下腺リンパ節への輸出リンパ管が同リンパ節を経由する．

e. 頬骨後リンパ節(retrozygomatic node)(図14)

側頭下窩で上顎洞後縁後方，頬骨弓深部に位置するリンパ節．輸入リンパ管領域は側頭部深部，側頭下窩と考えられる[5]．

すべての顔面リンパ節の輸出リンパ管は直接，あるいは他の顔面リンパ節を介して顎下リンパ節へ注ぐ．

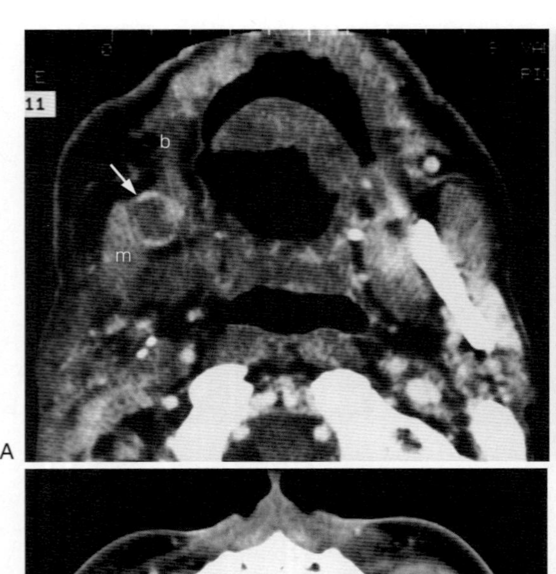

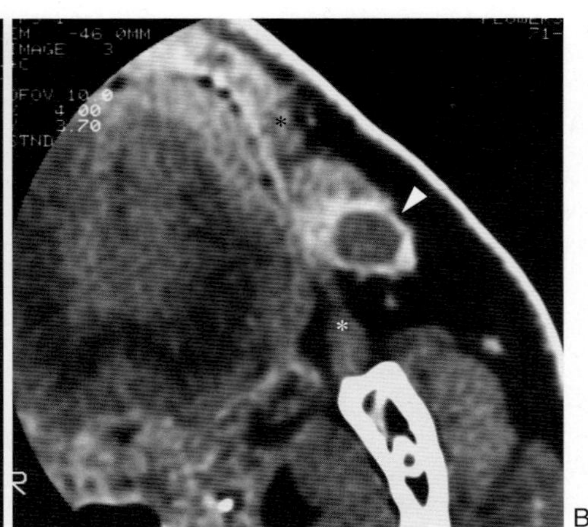

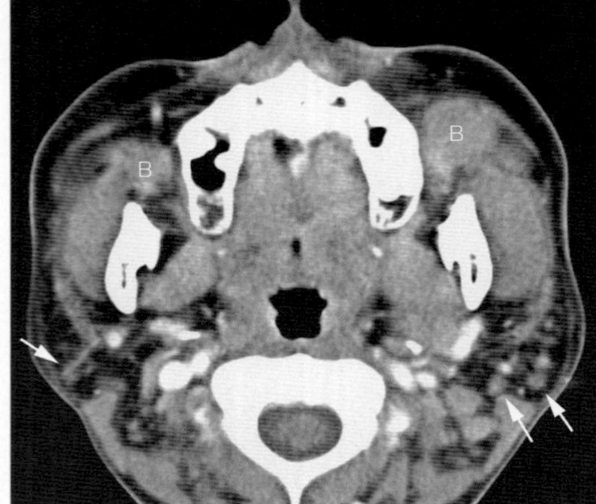

図 11　頬リンパ節．造影 CT

A：右頬間隙内，耳下腺管開口部後方で頬筋(b)と咬筋(m)の間に介在するようにリンパ節(矢印)を認める．後頬リンパ節に一致する．

B：左頬間隙内，頬筋(＊)外側に接して内部に低濃度を含んだリンパ節(矢頭)を認める．

C：Sjögren 症候群に合併した悪性リンパ腫症例．両側性に頬リンパ節(B)腫大を認めるとともに，Sjögren 症候群により萎縮(脂肪浸潤)を示す両側耳下腺内に複数の結節(矢印)を認め，耳下腺内リンパ節病変に一致する．

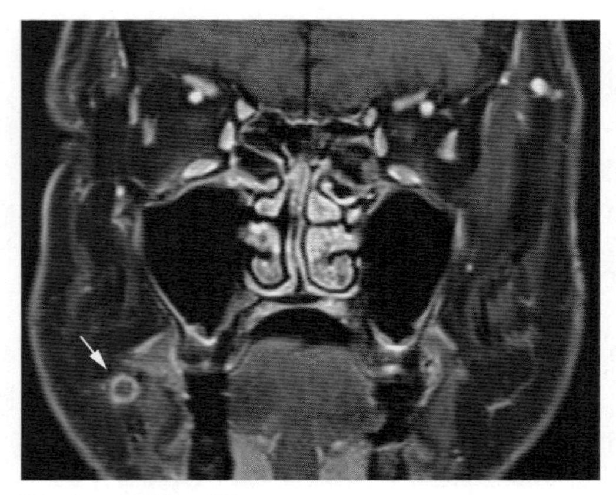

図 12　頬リンパ節

MRI 造影後 T1 強調脂肪抑制冠状断像において，右頬間隙内に内部の増強効果は乏しく辺縁増強効果を呈する類円形病変(矢印)を認め，頬リンパ節に一致する．

6 オトガイ下リンパ節(submental node)(図 3C)

前方を下顎骨体部，後方を舌骨，両側を左右顎二腹筋前腹，底部を顎舌骨筋に囲まれるオトガイ下三角内にあるリンパ節で，その多くは深頸筋膜浅葉下に位置する．1～8 個(通常は 2～3 個)がみられるが，リンパ節の総数が多いほど各リンパ節は小さくなる傾向にある．解剖学的位置関係から以下 3 つを区別する．

a. 前オトガイ下リンパ節(anterior group)

オトガイ下三角内の前方寄りに 1～2 個みられるリンパ節で，約半数の例で存在する．

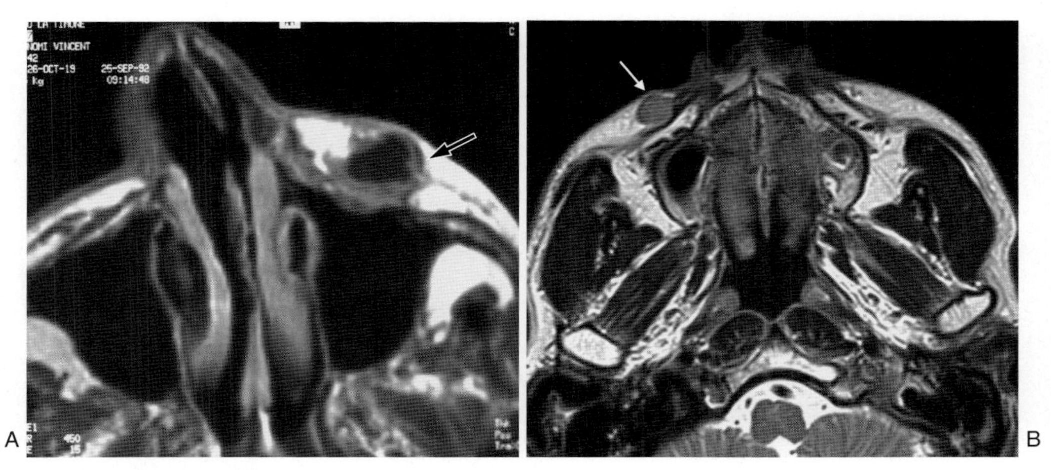

図 13　眼窩下リンパ節
MRI，造影後 T1 強調横断像(A)において，左頬部皮下，上顎洞前壁に接する犬歯窩レベルに一致して中心部が造影不良を示す結節(矢印)を認め，眼窩下リンパ節に一致する．別症例の T2 強調横断像(B)．右頬部皮下で上顎洞前方に近接した結節(矢印)を認める．

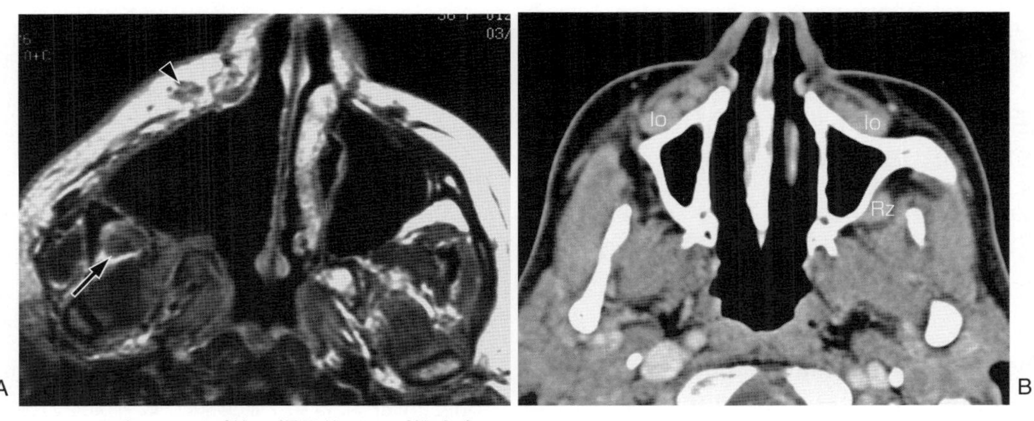

図 14　眼窩下リンパ節・頬骨後リンパ節病変
上顎洞癌術後の造影後 T1 強調横断像(A)において右側の頬部皮下，頬間隙内に結節を認め，各々，眼窩下リンパ節(矢頭)，頬骨後リンパ節(矢印)腫大に一致する．悪性リンパ腫の造影 CT(B)において，両側の眼窩下リンパ節(Io)，左側の頬骨後リンパ節(Rz)領域の腫瘤を認める．

b. 中オトガイ下リンパ節(middle group)

これはさらに以下の 2 つに分かれる．

1) 外側(lateral node)

顎二腹筋前腹上で，下顎骨と舌骨の両付着部のほぼ中央レベルに位置し，常に 1〜2 個のリンパ節を認める．

2) 内側(medial node)

オトガイ下三角中央部正中付近に位置するリンパ節であるが，しばしば欠損する．

c. 後オトガイ下リンパ節(posterior group)

オトガイ下三角内後方の舌骨付近に位置するリンパ節であるが，しばしば欠損する．

オトガイ下リンパ節の輸入リンパ管領域としては下口唇，顎，頬部とともに口腔底前方，舌尖部が含まれる．輸出リンパ管は直接，あるいは他のオトガイ下リンパ節と交通ののちに一部は顎下リンパ節へ，一部は内深頸リンパ節へと流入する．口腔癌の頸部リンパ節転移の臨床上，オトガイ下

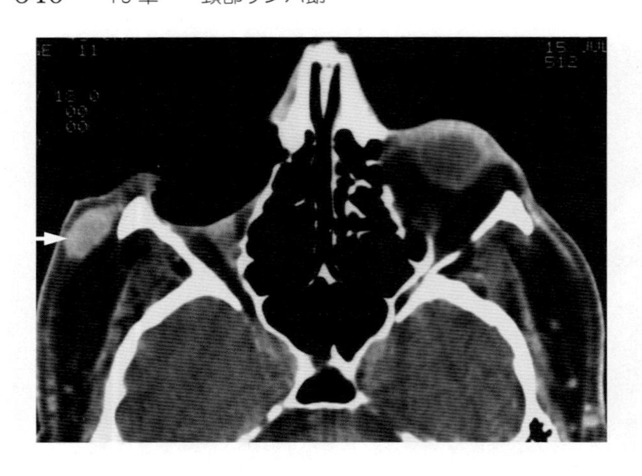

図 15　頬骨リンパ節．CT
右眼窩内容摘出術後．右頬骨前頭突起の外後方に結節を認め頬骨リンパ節転移(矢印)に一致する．

リンパ節からの輸出リンパ管が舌骨を越えて，中内深頸リンパ節に直接流入する経路をとること，対側の顎下リンパ節，内深頸リンパ節との直接の交通をもつことは，口腔癌が，対側あるいは下部レベルのリンパ節転移をきたす危険性を示し，このような症例の病理機転を説明する点において極めて重要である．

7 舌あるいは舌下リンパ節(lingual/sublingual node)(図 16)

舌のリンパ経路上に位置する小さなリンパ節であるが，しばしば欠損する．解剖学的位置関係から以下の２つを区別する．

a. 外側舌下リンパ節(lateral node)

舌動・静脈に沿って，舌下間隙内のオトガイ舌筋外側表面上に位置する．

b. 内側舌下リンパ節(medial/intralingual node)

舌正中，左右オトガイ舌筋の間に位置する．

舌下リンパ節の輸入リンパ管領域は舌で輸出リンパ管は舌根方向へ向かう．

8 咽頭後リンパ節(retropharyngeal node)

咽頭後間隙内に位置する同リンパ節は解剖学的位置関係から以下の２つを区別する．

a. 外側咽頭後リンパ節(lateral retropharyngeal node)(図 17)

いわゆる Rouvière リンパ節．咽頭後壁側方近傍で，前方の頬咽頭筋膜と後方の椎前筋膜で挟まれる咽頭後間隙内の外側に位置する．通常，環椎外側塊前方のレベルに相当する．上咽頭レベルの CT，MRI 横断像で，内頸動脈と頸長筋の間で，前方に認める．これらの解剖学的位置関係はほぼ一定している．新生児では左右 1〜2 個ずつ，ほぼ常に認める．加齢とともに退縮するが，成人でも全欠損はまれである．頭頸部悪性腫瘍の臨床上，多くの症例で画像診断でのみ同定されることが重要である．従来，TNM 診断では所属リンパ節とはされていたものの，その扱いに曖昧さを残していたが，AJCC (American Joint Committee on Cancer)では第７版以降，最も関連の強い上咽頭癌において，(6 cm 以下の場合)片側性，両側性を問わず，N1 に区分されることが明記された[6,7]．

輸入リンパ管領域は主に上・中咽頭，鼻副鼻腔，硬・軟口蓋，中耳を含む．輸出リンパ管は斜め外側下方に向かい，頸動脈鞘後方で交感神経上頸部神経節，迷走神経，内頸静脈などと交差したあと，内頸静脈の頭蓋外上縁と総頸動脈分岐部の間のレベルで内頸静脈リンパ鎖の外側リンパ節に注ぐ．

b. 内側咽頭後リンパ節(medial retropharyngeal node)(図 18，19)

咽頭後間隙内で，外側咽頭後リンパ節よりも正

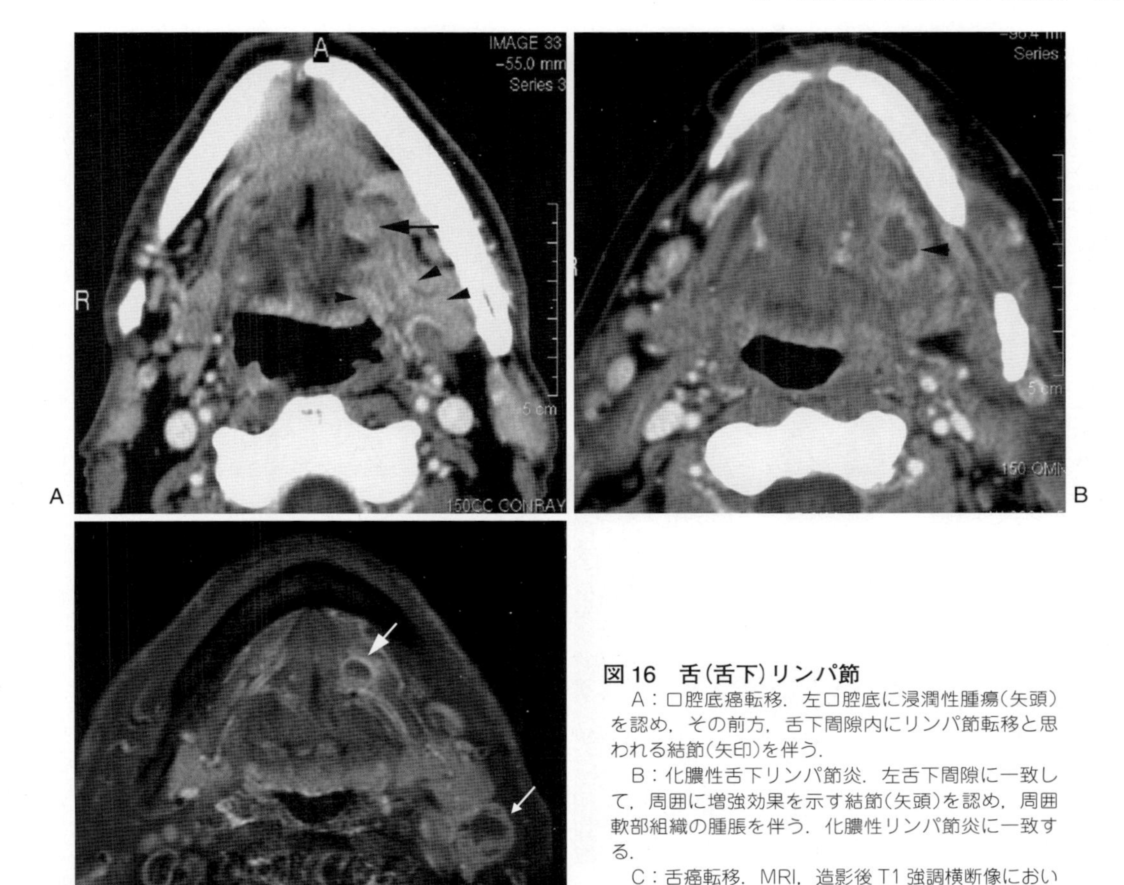

図16　舌（舌下）リンパ節

A：口腔底癌転移．左口腔底に浸潤性腫瘍（矢頭）を認め，その前方，舌下間隙内にリンパ節転移と思われる結節（矢印）を伴う．

B：化膿性舌下リンパ節炎．左舌下間隙に一致して，周囲に増強効果を示す結節（矢頭）を認め，周囲軟部組織の腫脹を伴う．化膿性リンパ節炎に一致する．

C：舌癌転移．MRI，造影後T1強調横断像において，左外側口腔底前方で，左舌下間隙に内部造影不良域を伴う結節（大矢印）を認め，舌（舌下）リンパ節転移を示す．左レベル2にも頸部転移（小矢印）あり．

中寄り，頭蓋底から左右舌骨大角を結ぶ線上との間のレベル（通常，頭蓋底直下あるいは軸椎体部と歯突起接合部レベル）で咽頭後壁の背側に位置する．発現頻度は5分の1程度である．

同リンパ節は外側咽頭後リンパ節に向かうリンパ経路に介在するか，咽頭，さらには甲状腺からもリンパを受ける．

9 前頸または頸部正中リンパ節（anterior cervical node）（図3C）

舌骨下頸部前面で，上下を舌骨と胸骨・鎖骨上縁，左右を頸動脈に挟まれる範囲に含まれるリンパ節を指し，以下の2つに区分される．

a. 前頸静脈リンパ鎖（anterior jugular chain）

同リンパ鎖上のリンパ節は舌骨下頸部前面で深頸筋膜浅葉と中葉（気管前筋膜）および舌骨下筋との間にみられるが，その存在は比較的まれである．

この経路は舌骨下頸部前面の皮膚・筋肉，喉頭，甲状腺などのリンパを受け，前頸静脈に沿い下行，内頸静脈リンパ鎖と横頸リンパ鎖に注ぐ．胸骨舌骨筋の前面にある垂直経路と胸鎖乳突筋近傍に向かう横行経路がある．最下端ではまれに胸骨上リンパ節を認める．

b. 傍臓側リンパ節（juxta-visceral/anterior deep cervical node）

解剖学的位置関係から以下の4つに区分され

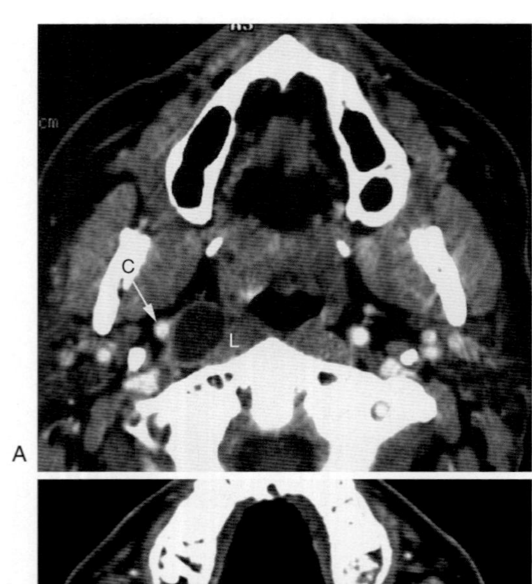

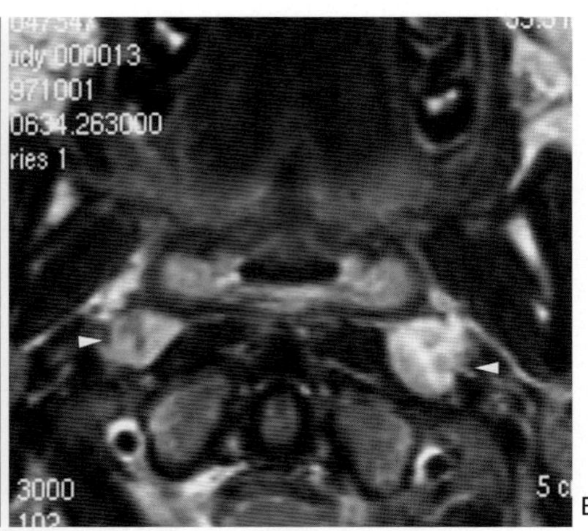

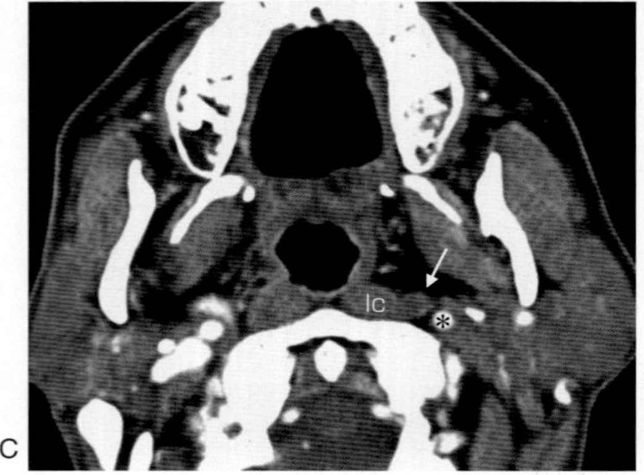

図17　外側咽頭後リンパ節3例
A：造影CT．右内頸動脈(C)と頸長筋(L)との間で，その前面，外側咽頭後リンパ節の解剖学的位置に一致して内部低濃度を含む結節を認める．化膿性リンパ節炎に一致する．
B：T2強調像．両側外側咽頭後リンパ節(矢頭)の軽度腫大を認める．
C：造影CT．左側の内頸動脈(＊)と頸長筋(lc)との間に，内部に淡い低濃度を含む結節(矢印)を認める．扁桃癌のRouvièreリンパ節転移に一致する．

る．

1）喉頭前(prelaryngeal)(図20)

喉頭前リンパ節はさらに以下の3つのリンパ凝塊に分かれる．

i）甲状軟骨間(interthyroid aggregation)：甲状舌骨膜上，甲状舌骨筋外側縁，あるいは顎二腹筋舌骨付着部下方に位置する小さなリンパ節をさす．喉頭蓋，披裂喉頭蓋ひだ，梨状窩のリンパを受ける．

ii）甲状軟骨(thyroid aggregation)：左右甲状舌骨筋の間，甲状軟骨中央部前面に極めてまれに存在するリンパ節．

iii）輪状甲状軟骨間あるいは輪状軟骨(intercricothyroid/cricoid aggregation)(図21)：いわゆるDelphian node(Delphiリンパ節)．左右輪状甲状筋の間，輪状甲状膜前面あるいはそのやや下方，輪状軟骨前弓前面に位置するリンパ節で，約半数にみられる．声門下喉頭，甲状腺(主に峡部)のリンパを経由する．

2）甲状腺前(prethyroid/preglandular)

甲状腺，特に峡部前面に比較的よくみられるリンパ節で，1から数個が存在する．主に甲状腺，声門下喉頭からのリンパを受けて，内頸静脈リンパ鎖に交通する．

3）気管前(pretracheal)(図22)

甲状腺と左無名静脈との間のレベルで気管前面を中心にして，ほぼ常に認めるリンパ節．実際には次に述べる気管外側で反回神経に沿う反回神経リンパ鎖(気管傍リンパ節が含まれる)の前方のリンパ節までを含み，これらは気管の外側やや前方寄りに位置する．輸入・輸出リンパ管のほとんどは気管前筋膜に包まれる．気管前リンパ節どうしは小さなリンパ管で交通し，これらは横方向に配置し，甲状腺から下行してくるリンパの大部分と

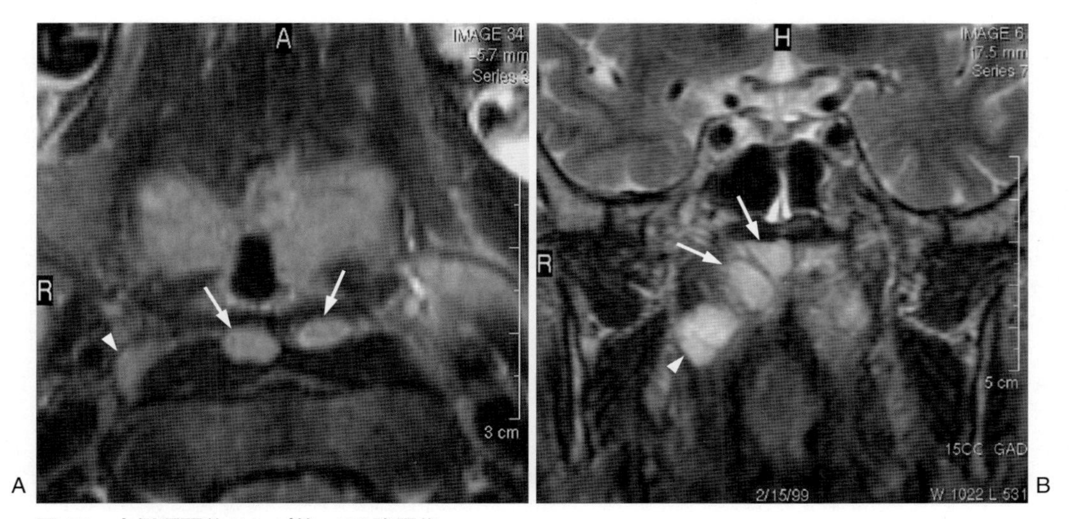

図 18　内側咽頭後リンパ節．T2 強調像
横断像(A)および冠状断像(B)で頸長筋前面に高信号を示す結節(矢印)を認める．外側咽頭後リンパ節(矢頭)も同時に描出されている．

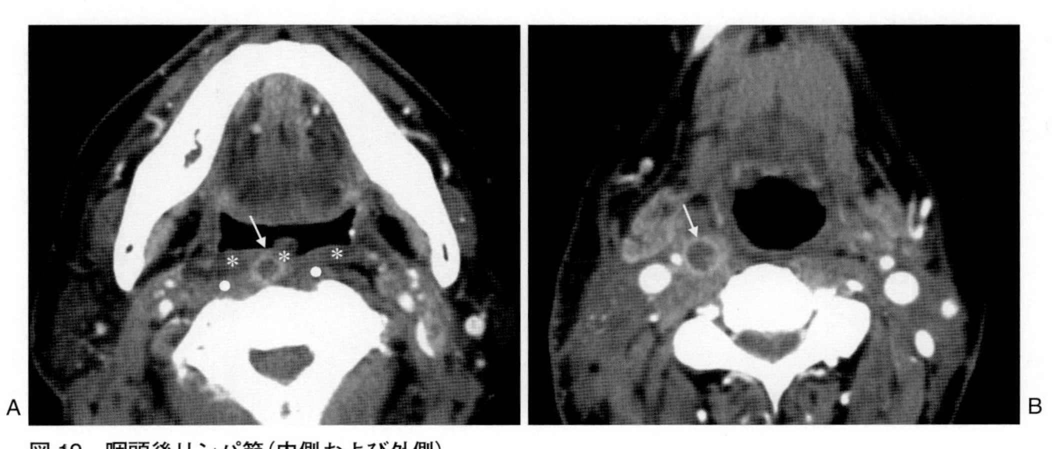

図 19　咽頭後リンパ節(内側および外側)
下咽頭癌に対する咽喉食摘術後例．術後 6 ヵ月での中咽頭レベル(A)造影 CT 横断像．咽頭後部右傍正中で咽頭収縮筋(＊)と頸長筋(○)との間に，内部低濃度を含み辺縁増強効果を伴う結節(矢印)を認める．病変の形状，局在から内側咽頭後リンパ節転移に一致する．やや尾側レベル(B)では，外側咽頭後リンパ節転移(矢印)も認められる．

喉頭前リンパ節，甲状腺前リンパ節からの輸出リンパを受ける．ここを経由したリンパは反回神経リンパ鎖，左側では直接，胸管へ，右側では右リンパ管，内頸静脈リンパ鎖を介して上縦隔リンパ節へ向かう．

4）気管傍あるいは気管外側(laterotracheal)，反回神経リンパ鎖(recurrent chain)(図 22～24)

反回神経に沿う反回神経リンパ鎖には頸部の気管外側リンパ節のみが含まれ，4～10 個のリンパ節が存在する．反回神経リンパ鎖のリンパ流は解剖学的理由から頸部では下行性，胸部では上行性である．甲状腺葉，声門下喉頭の外側部，気管，食道，さらに気管前リンパ節からの輸出リンパの大部分を受ける．

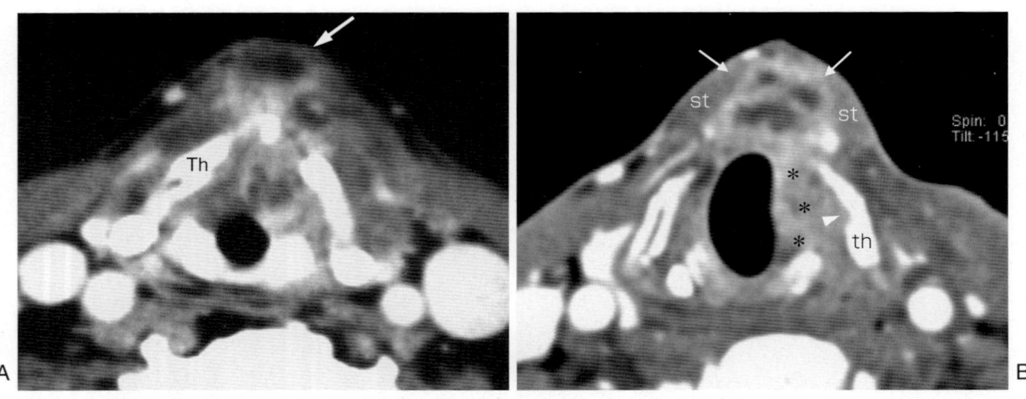

図20　喉頭前リンパ節(レベルⅥ)，造影CT

喉頭癌転移例(A)．喉頭の浸潤性腫瘍は甲状軟骨(Th)の破壊を伴い，前方への喉頭外進展を示す．甲状軟骨正中前方に内部やや低濃度の結節(矢印)を認め，喉頭前リンパ節転移に一致する．別症例の喉頭癌転移例(B)．左側で声門下進展を示す腫瘍(＊)を認める．隣接する甲状軟骨左側板(th)内板の侵食性変化(矢頭)を伴う．前方正中において，輪状甲状膜より前方で左右舌骨下筋(st)の間に内部不均一な腫瘤(矢印)を認め，喉頭前リンパ節(レベルⅥ)転移を示す．

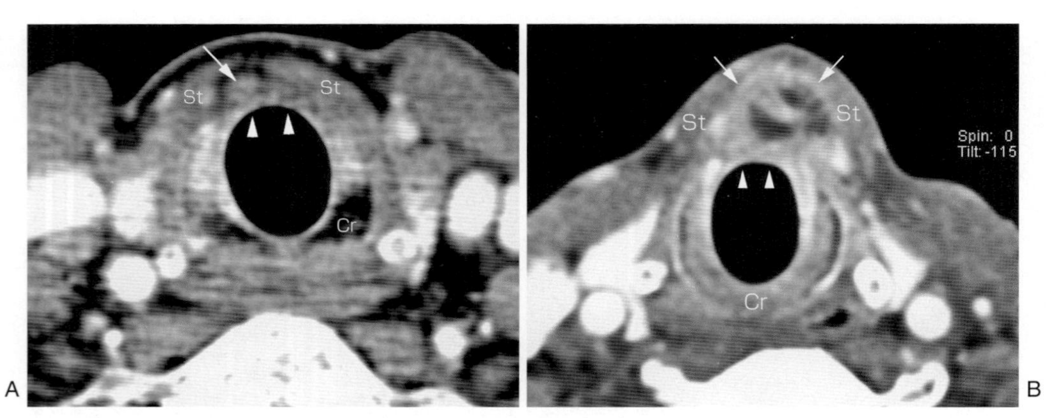

図21　Delphian node(レベルⅥ)2例

輪状軟骨(Cr)レベルの造影CTにおいて，輪状甲状膜(矢頭)前面に隣接して，結節(矢印)を認める．St：舌骨下筋

10 側頸リンパ節(lateral cervical node)(図3)

解剖学的位置関係から以下2つを区別する．

a. 浅側頸リンパ節(superficial lateral cervical node)，外頸静脈リンパ鎖(external jugular chain)(図3A，4A，25，26)

外頸静脈リンパ鎖に認める数個のリンパ節を指すが，主に上部の耳下腺下部レベルに多い．筋膜下耳下腺下リンパ節から外頸静脈に沿って下行，胸鎖乳突筋後縁で内頸静脈リンパ鎖，一部は横頸リンパ鎖へ注ぐ．腫瘍性の場合，通常の頭頸部癌(口腔や咽喉頭の扁平上皮癌)からの転移は比較的まれであり，主に耳下腺癌，あるいは頭皮・顔面の皮膚悪性腫瘍からの転移，悪性リンパ腫リンパ節病変などが侵す．

b. 深側頸リンパ節(deep lateral cervical node)(図3C・D)

以下の3つのリンパ鎖からなり，これらは三角形をなす．

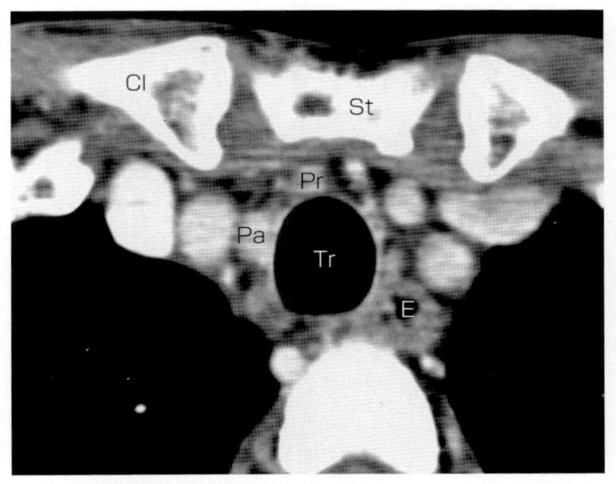

図 22 気管前リンパ節(レベルⅥ)
胸郭入口部レベル造影CTで，気管(Tr)前方に気管前リンパ節(Pr)，側方に気管傍リンパ節(Pa)を認める．Cl：鎖骨胸骨端，E：食道，St：胸骨柄

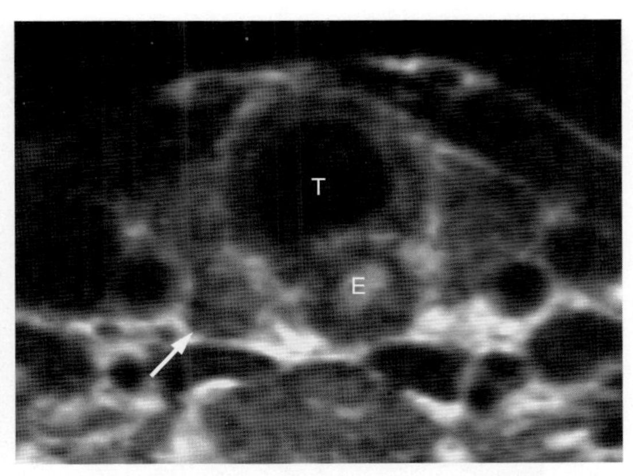

図 23 反回神経リンパ節(レベルⅥ)．T2強調横断像
気管右後方，右気管食道溝内に中等度信号強度を示す結節(矢印)を認める．T：気管，E：食道

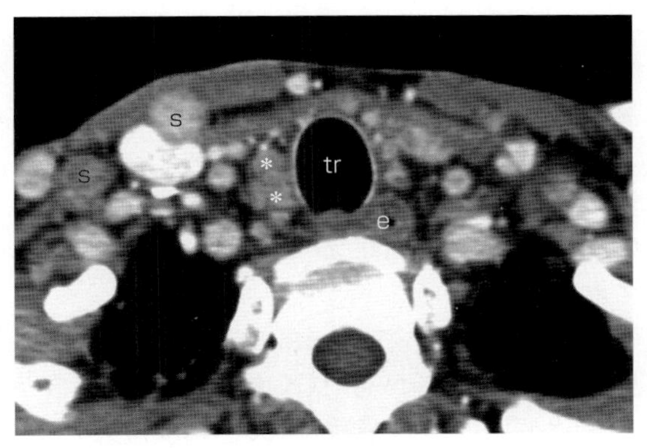

図 24 気管傍リンパ節(レベルⅥ)
胸郭入口部レベルでの造影CT．右気管傍領域に集簇性に数個の結節(*)を認め，気管傍リンパ節(レベルⅥ)病変を示す．右側に鎖骨上リンパ節病変(s)を認める．e：食道，tr：気管

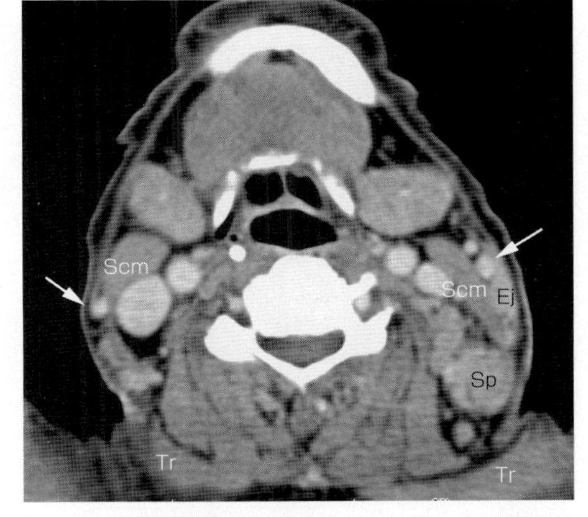

図 25 浅側頸部(外頸静脈)リンパ節・副神経リンパ節(レベルⅤ)
悪性リンパ腫の造影CT．左側において，胸鎖乳突筋(Scm)表面に接し，外頸静脈(矢印)に沿ったリンパ節腫瘤(Ej)の形成あり．さらに胸鎖乳突筋後縁と僧帽筋(Tr)前縁との間で形成される後頸三角深部に副神経リンパ節(Sp)病変を認める．

1) 内頸静脈リンパ鎖 (internal jugular chain), 内深頸リンパ節 (internal jugular node)

内頸静脈に沿い，傍頸部リンパ輪(図3D)からほぼ垂直に下行する主経路で，舌骨上頸部のリンパのほとんどが直接，あるいは他のリンパ節領域を経由して同経路を通過，舌骨下頸部でも各リンパ節領域からのリンパの多くを直接，間接的に受ける．同経路上端は副神経リンパ鎖上端と，下端は横頸リンパ鎖内側端に接合する．この経路に位置する内深頸リンパ節は内頸静脈との相対的位置関係から以下の2つに区別される．

i) 外側(lateral)：顎二腹筋後腹レベルから肩甲舌骨筋が内頸静脈と交差するレベルとの間で，内頸静脈の外側に沿うリンパ節を指す．ときにこれより尾側レベルでも認められる．内深頸リンパ節の外側群が受けたリンパは各々が輸入・輸出リンパ管で交通しているが，最終的には頸静脈リンパ幹を形成して右側は右リンパ管，左側は胸管へ注ぐ「内頸静脈リンパ経路」を形成する．

ii) 前方(anterior)：これはさらに以下の上・

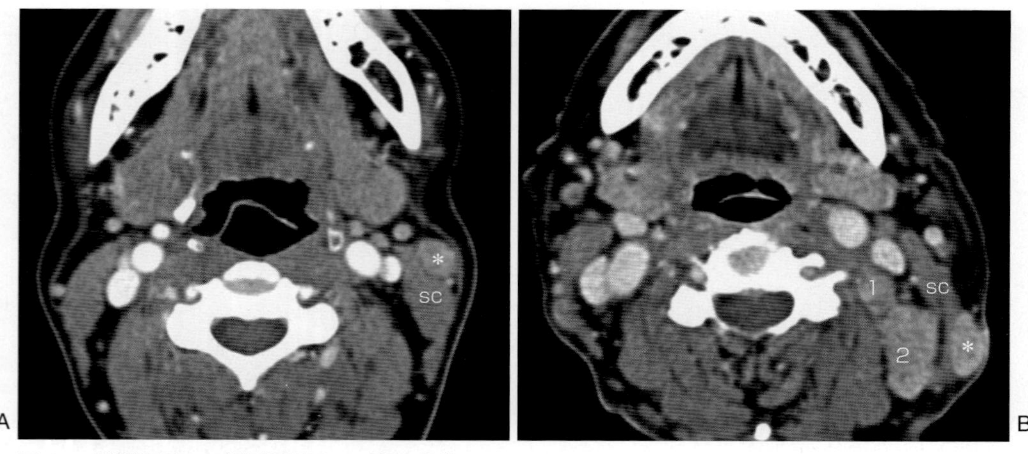

図26　浅側頸リンパ節(悪性リンパ腫2例)
中咽頭レベルでの2例の造影CT(A，B)．いずれも左側で胸鎖乳突筋(sc)表層に接する皮下に結節(＊)を認め，浅側頸リンパ節病変に一致する．Bでは同側の上内深頸リンパ節(1)，副神経リンパ節(2)病変も認められる．

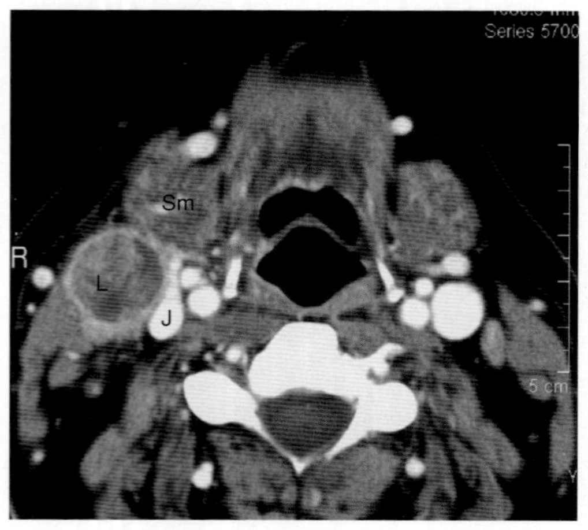

図27　上内深頸リンパ節(レベルⅡ)．造影CT
扁桃部扁平上皮癌例．右顎下腺(Sm)後方，内頸静脈(J)外側に接して，類円形の腫瘤を認め，上内深頸リンパ節の腫大に一致する(L)．辺縁はやや不鮮明であり，早期の被膜外進展を疑う．

中・下の3つを区別する．

①上内深頸リンパ節(superior group)(図26B, 27)：顎二腹筋後腹(横断画像上，同定可能)と甲状・舌・顔面静脈幹(横断画像上，ほぼ舌骨レベルに相当)の間のレベルで内頸静脈前面に位置するリンパ節で，成人では1〜5個認められる．最も頭側に位置するリンパ節は通常，この中で最も大きく顎二腹筋下リンパ節(Küttner主リンパ節)と呼ばれる．ときに顎二腹筋後腹よりも頭側レベルにリンパ節(傍咽頭リンパ節，咽頭周囲リンパ節，あるいは接合部リンパ節)(図28，29)を認めるが，通常の頸部郭清術の切除範囲上縁が顎二腹筋後腹レベルであることから，頭頸部悪性腫瘍の術前画像診断での同リンパ節への転移指摘が極めて重要である．

②中内深頸リンパ節(middle group)(図30)：甲状・舌・顔面静脈幹(横断画像上，ほぼ舌骨レベル)と肩甲舌骨筋(横断画像上，ほぼ輪状軟骨下縁レベルに相当)との間のレベルで内頸静脈前面に位置するリンパ節．肩甲舌骨筋レベル直上のリンパ節は肩甲舌骨筋上リンパ節と呼ばれる．うちひとつはしばしば，中甲状腺静脈近傍にみられる．

③下内深頸リンパ節(inferior group)(図31)：肩甲舌骨筋レベル以下，頸静脈リンパ鎖下端までの間に位置するリンパ節．

内頸静脈リンパ鎖の輸入リンパ領域は直接，あるいは間接的に舌骨上頸部のすべてと舌骨下頸部の一部(喉頭前リンパ節，気管前リンパ節)を含む．輸出リンパ管は内頸静脈リンパ経路を通過する．上内深頸リンパ節は他の上内深頸リンパ節との連絡はあるが，中内深頸リンパ節との交通はまれである．

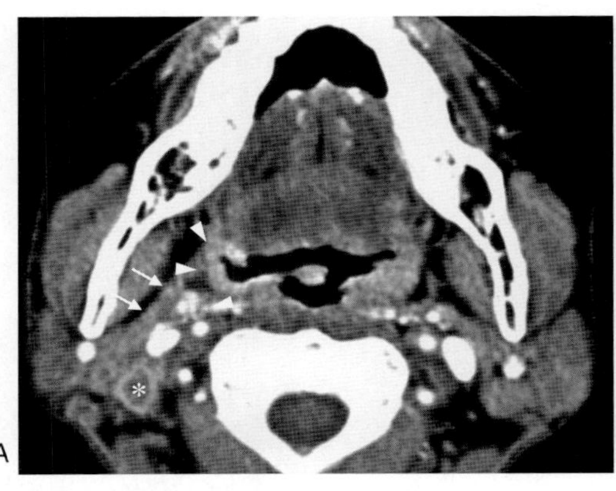

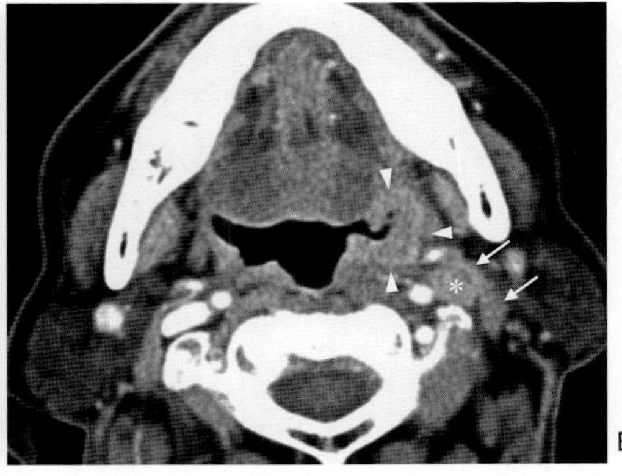

図28 傍咽頭リンパ節
扁桃癌の傍咽頭リンパ節転移2例(A, B)の造影CT. いずれも顎二腹筋後腹(矢印)の描出されるレベルで, その深部にリンパ節病変(＊)を認める. 矢頭：同側口蓋扁桃の原発病変

c. 副神経リンパ鎖(spinal accessory chain), 副神経リンパ節(spinal accessory/posterior triangle node)(図3C, 25, 26B, 31, 32)

傍頸部リンパ輪(図3D)から副神経に沿い, 胸鎖乳突筋上縁から僧帽筋深部(後頸間隙内, 後頸三角部)外側下方に向かって斜めに下行する経路で4〜10個程度のリンパ節を含む. 後頸リンパ節とも呼ばれる僧帽筋深部の経路上のリンパ節は僧帽下リンパ節とも呼ばれる. 同リンパ鎖上端は内頸静脈リンパ鎖上端, 下端は横頸リンパ鎖外側端に接合している. 後者の接合部では頸部僧帽下リンパ凝塊を形成する. 副神経リンパ鎖は頸静脈リンパ鎖が舌骨上頸部のリンパを下行させるのを一部補助する働きをもつ.

輸入リンパ管領域としては後頭リンパ節, 乳突部リンパ節, 肩甲上リンパ節などからの輸出リンパ管とともに頭頂・後頭部, 項部・肩の皮膚を含む. 同リンパ鎖のリンパの主流(副神経リンパ経路)は上方から下方に, 各副神経リンパ節を経由しながら横頸リンパ鎖外側端に至るが, その中間からも内側下方に向かいより内側の横頸リンパ鎖に至る交通もみられる.

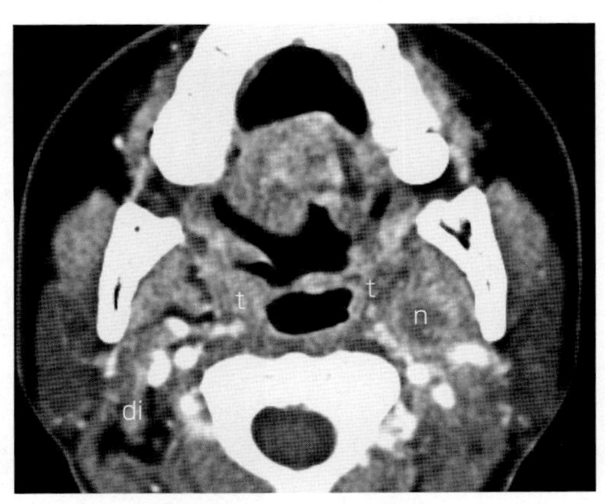

図29 傍咽頭リンパ節・咽頭周囲リンパ節
中咽頭レベルの造影CTにおいて, 顎二腹筋後腹(di)レベルで扁桃(t)側方に類円形腫瘤(n)を認め, 傍咽頭リンパ節病変を示す.

d. 横頸リンパ鎖(transverse cervical chain), 鎖骨上リンパ節(supraclavicular/scalene node)(図24, 33)

横頸血管に沿ったリンパ経路で外側端は副神経リンパ鎖下端, 内側端は頸静脈リンパ鎖下端と接合し, 両リンパ経路を横に結び三角形の底辺を形成する(図3D). ここに含まれる鎖骨上リンパ節は鎖骨下動脈の前面に位置し, 最も内側のものはTroiserリンパ節と呼ばれる. 同リンパ鎖による横頸リンパ経路はその外側端では副神経リンパ経路主流からのリンパと途中からのリンパの交通を受け, さらに頸部前側面, 前胸部の皮膚からのリ

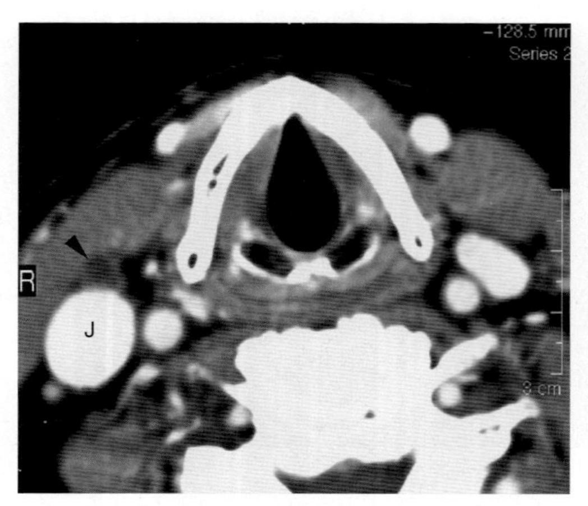

図30 中内深頸リンパ節(レベルⅢ). 造影CT
右内頸静脈(J)前方に内部に不規則に低濃度領域が混在した結節(矢頭)を認め, 中内深頸リンパ節への転移に一致する.

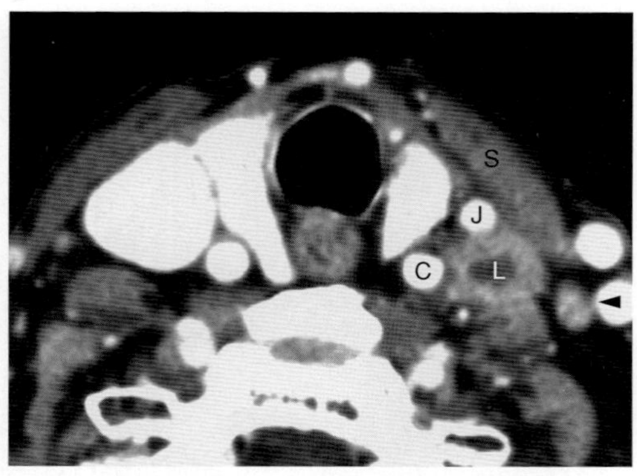

図31 下内深頸リンパ節(レベルⅣ). 造影CT
甲状腺および気管レベルの横断像で内頸静脈(J), 総頸動脈(C)の外側に接して, 内部に低濃度領域を含んだリンパ節(L)を認め, 下内深頸リンパ節に一致する. その後外側で胸鎖乳突筋(S)後縁よりも後方にリンパ節を認め, 副神経リンパ節への転移(矢頭)に一致する.

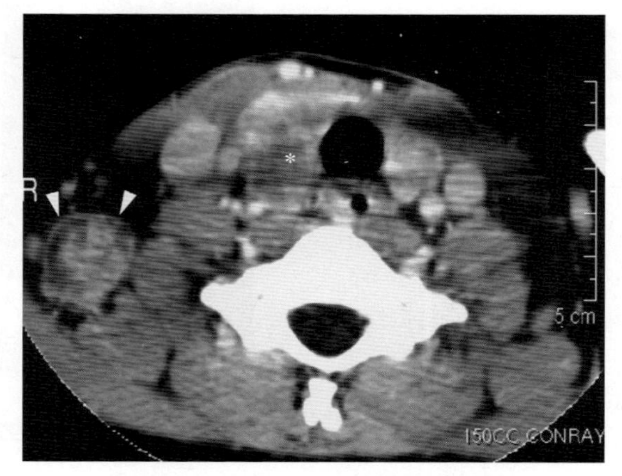

図32 副神経リンパ節(レベルⅤ). 造影CT
甲状腺癌転移. 右後頸三角に内部不均一な腫瘤(矢頭)を認め, 副神経リンパ節転移に一致する. 腫大した甲状腺右葉に内部不均一な腫瘤(＊)を認め, 原発病変を示す.

ンパが流入し, これらを頸静脈・鎖骨静脈接合部へと送る(右側は右リンパ管あるいは頸静脈リンパ幹, 左側は胸管へ注ぐ).

 C 「レベル」システム[8, 9]

(図34, 35, 表2 : p650)

古典的には頭頸部悪性腫瘍の転移リンパ節の部位, 分類は解剖学的記述にその理学的所見を照らして記載されていた. 1981年, 臨床面からShahらにより, 難解な解剖名でなく, より単純な「レベル」という用語への変換が提唱された. その後, コンピュータ断層画像の進歩によって, 理学的所見では不正確であった解剖学的指標と頸部リンパ節をCT, MRIなどの画像上で直接的かつ客観的, そして再現性をもって確認, 評価することが可能になった. これに伴い, 臨床において最も広く用いられていたAJCC (American Joint Com-

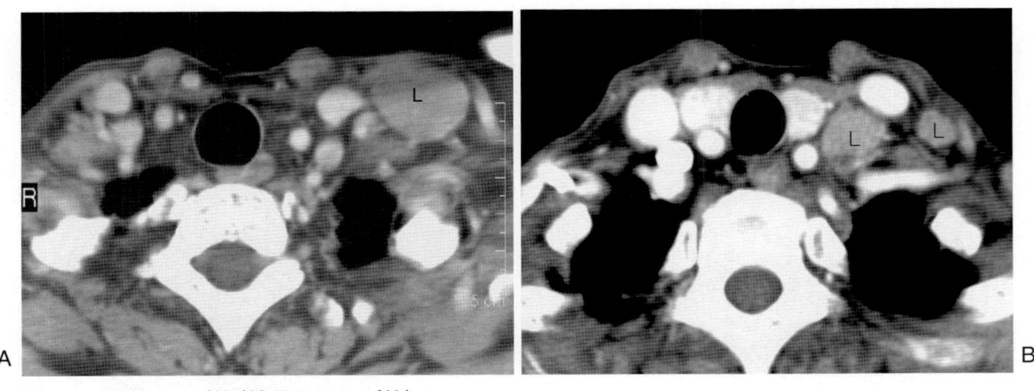

図 33　横頸リンパ節(鎖骨上リンパ節)
卵巣悪性腫瘍(A)，胃癌(B)の造影 CT．左鎖骨上窩にリンパ節(L)腫大を認め，Virchow 転移を示す．

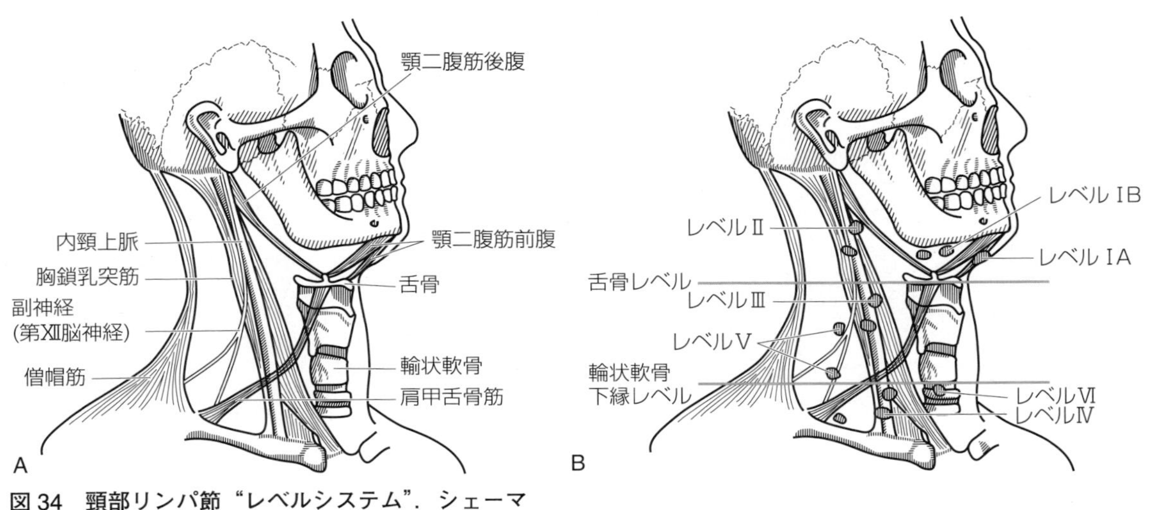

図 34　頸部リンパ節“レベルシステム”．シェーマ
A：“レベルシステム”の解剖学的指標．
B：“レベルシステム”による頸部リンパ節分類．

mittee on Cancer）と American Academy of Otolaryngology-Head and Neck Surgery の分類をもとに，Som らが「レベル」システムを臨床医，画像診断医にとって実用性の高い，画像診断をもとにした頸部リンパ節分類として紹介した．これにより，後述する頸部郭清術において根治的頸部郭清術からさまざまな選択的頸部郭清術での郭清範囲を画像所見をもとに設定することが可能となった．

当然，「レベル」システムは Rouvière 分類と“同じ対象”である頸部リンパ節を扱ったものであり，依然，多くの臨床医は Rouvière による解剖名称を併用している．このため，本項では「レベル」システムで各「レベル」のリンパ節を区別する画像上の解剖学的指標，Rouvière の分類でいずれのリンパ節に相当するかを中心にして以下に解説する．ただし，咽頭後リンパ節，顔面リンパ節，浅側頸リンパ節，後頭リンパ節，乳突部リンパ節，舌下リンパ節などの，臨床上しばしば重要な意味をもつが，標準的な頸部郭清術での郭清対象に含まれないリンパ節を「レベル」システムが扱っていないことを忘れてはならない．これらのリンパ節への転移は，ときに病期診断，治療計画や予後に強く影響する．また，臨床上重要な内深頸リンパ節を Rouvière 分類では外側，前方の 2 つに分け，さらに後者を頭尾側方向のレベルご

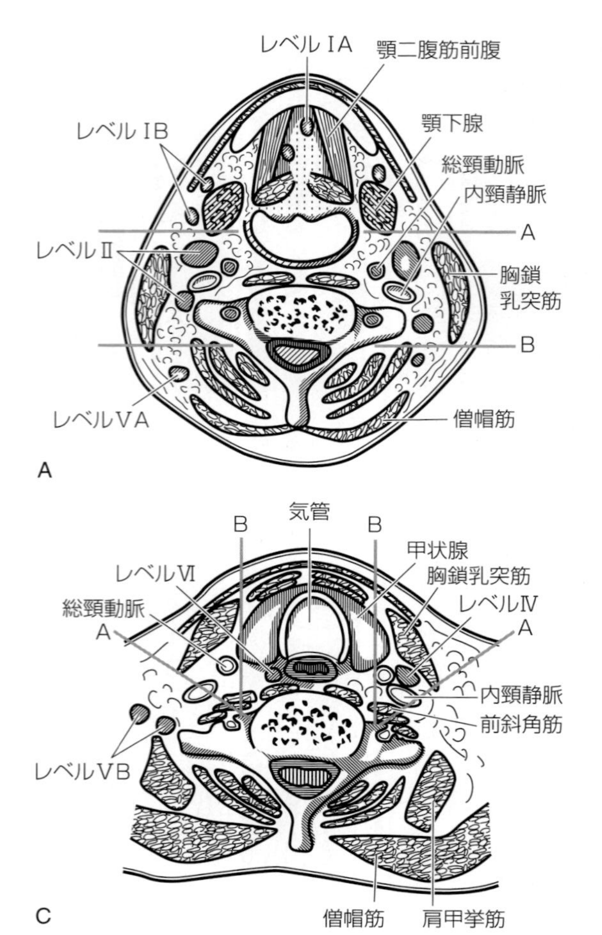

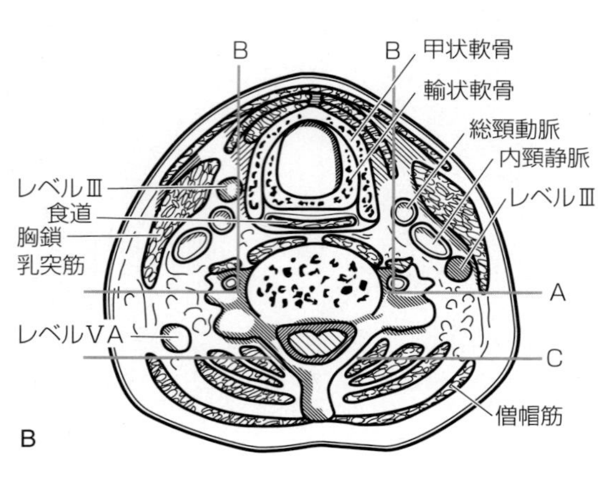

図35　頸部各横断CTでの“レベルシステム”．シェーマ

A：中咽頭レベル（レベルⅡの高さ）．左右顎下腺後縁に沿った線（A），胸鎖乳突筋後縁を結ぶ線（B）．

B：甲状軟骨レベル（レベルⅢの高さ）．左右胸鎖乳突筋後縁線（A），内・総頸動脈内側縁を通る線（B），左右僧帽筋前縁を結ぶ線（C）．

C：甲状腺レベル（レベルⅣの高さ）．前斜角筋外側縁と胸鎖乳突筋後縁を結ぶ線（A），総頸動脈内側縁を通る線（B）．

表2　頸部リンパ節解剖（レベルシステムとRouvière分類の対比）

「レベル」システムによる分類	Rouvière分類
Ⅰ	
ⅠA	オトガイ下リンパ節
ⅠB	顎下リンパ節
Ⅱ	
ⅡA	上内深頸リンパ節
ⅡB	最上部レベルの副神経リンパ節
Ⅲ	中内深頸リンパ節
Ⅳ	下内深頸リンパ節
Ⅴ	
ⅤA	上部レベルの副神経リンパ節
ⅤB	下部レベルの副神経リンパ節
Ⅵ	臓側リンパ節
Ⅶ	上縦隔リンパ節

Rouvière分類で扱い，「レベル」システムに含まれないリンパ節は省略されている．

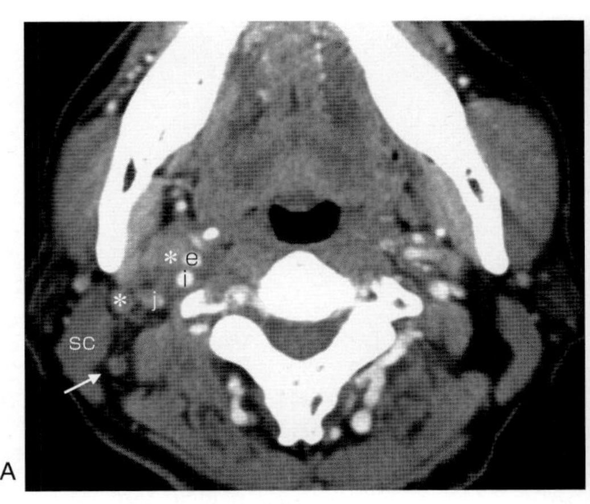

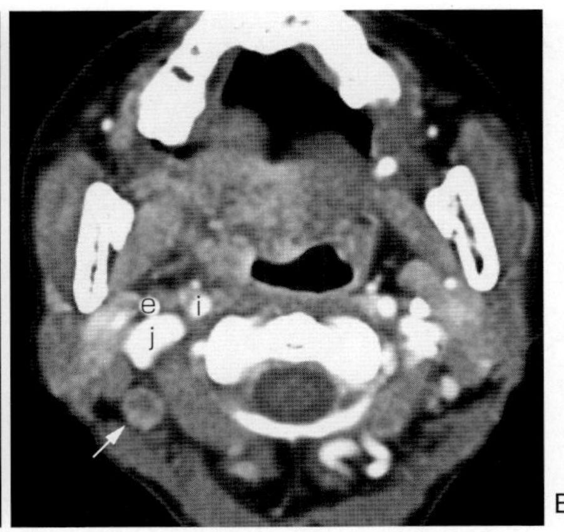

図 36　レベルⅡB 2 例

中咽頭レベルの造影 CT（A）において，右側の内頸静脈（j）の前方および側方にレベルⅡA（＊）リンパ節を認める．胸鎖乳突筋（sc）深部に内頸静脈と離れた後方に結節（矢印）を認め，レベルⅡB リンパ節に一致する．e：外頸動脈，i：内頸動脈．別症例の中咽頭レベル造影 CT（B）で，右内頸静脈（j）後方で内頸静脈と接することなく結節（矢印）を認め，レベル IIB 病変に相当する（ただし，後述のレベル VA 病変との明瞭な区別は困難）．e：外頸動脈，i：内頸動脈

とに上・中・下と分けているのに対して，「レベル」システムでは全体を上・中・下に区別する．

a.「レベルⅠ」（図 34，35A）

顎舌骨筋より下，舌骨より上，顎下腺後縁よりも前方に位置するリンパ節すべてを含む．以下 2 つを区別する．

①ⅠA：上記範囲内で，左右の顎二腹筋前腹内側縁の間（オトガイ下三角）にあるリンパ節（オトガイ下リンパ節に相当）．

②ⅠB：上記範囲内で，左右の顎二腹筋前腹内側縁より外側，後方にあるリンパ節（顎下リンパ節に相当）．

b.「レベルⅡ」（図 34，35A）

頭蓋底，頸静脈窩下縁と舌骨体部下縁の間のレベルで，顎下腺後縁と胸鎖乳突筋後縁との間に位置するリンパ節．ただし，頭蓋底から 2 cm 以内のレベルでは内頸静脈前・側・後方に位置するもののみを含み，内側にあるものは咽頭後リンパ節とする．これより尾側レベルでは内頸静脈の前後，内外に位置するものすべてを含む．以下 2 つを区別する．

①ⅡA：上記条件をみたし，内頸静脈の前，内側，外側にあるか，内頸静脈に接して後方にあるリンパ節（上内深頸リンパ節に相当）．

②ⅡB（図 36）：上記条件をみたし，内頸静脈との間に脂肪層を挟んで（離れて）後方にあるリンパ節（最上部レベルの副神経リンパ節に相当）．

c.「レベルⅢ」（図 34，35B，37）

舌骨体部下縁と輪状軟骨下縁の間のレベルで，胸鎖乳突筋後縁よりも前方で，内・総頸動脈内側縁よりも外側に位置するリンパ節（中内深頸リンパ節に相当）．

レベルⅢリンパ節病変は周囲脂肪組織が乏しく，しばしば隣接する胸鎖乳突筋などと等濃度を呈することから，慎重に評価しなければ容易に見落とす危険性がある（図 38）．

d.「レベルⅣ」（図 31，34，35C）

輪状軟骨下縁と両鎖骨の間のレベルで，胸鎖乳突筋後縁と前斜角筋後外側縁を結ぶ線よりも前内側，総頸動脈内側縁よりも外側に位置するリンパ節（下内深頸リンパ節に相当）．

e.「レベルⅤ」（図 34，35，37，39）

頭蓋底，胸鎖乳突筋付着部後縁から両鎖骨の間のレベルで左右僧帽筋前縁を結ぶ線の前方で，頭蓋底と輪状軟骨下縁の間のレベルでは左右胸鎖乳

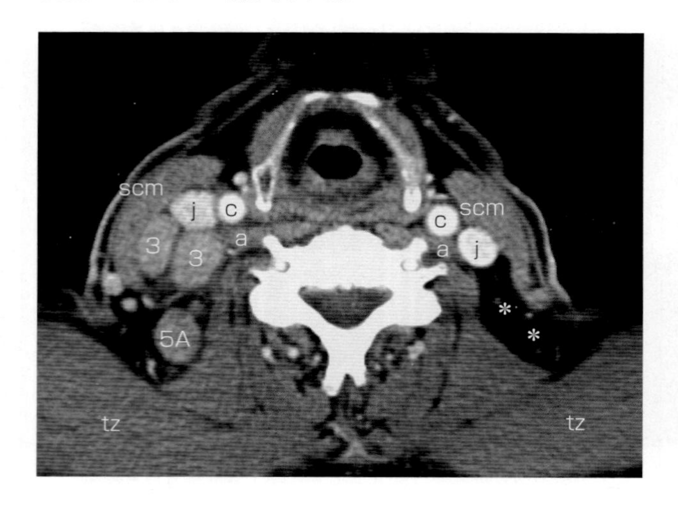

図 37　レベル III，VA
甲状軟骨レベル造影CTにおいて，右側で前斜角筋(a)外側端と胸鎖乳突筋(scm)後縁より前方で，頸動脈(c)内側より外側に数個のリンパ節(3)を認め，レベルIVに相当する．さらに胸鎖乳突筋後縁より後方で僧帽筋(tz)前縁より前方の後頸間隙(対側で＊で示す)の脂肪内にレベルVA(5A)リンパ節を認める．a：前斜角筋

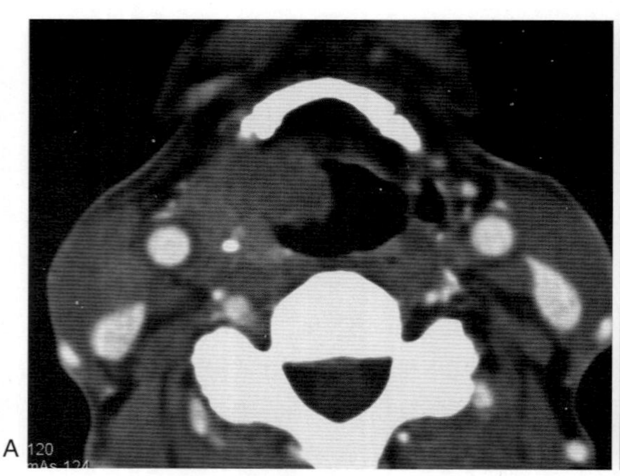

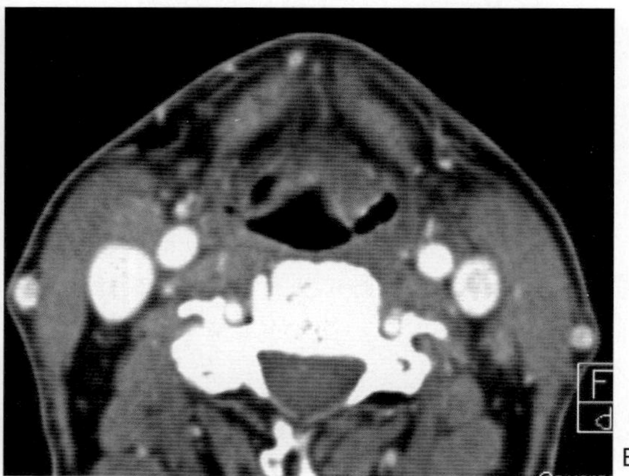

図 38　レベルⅢリンパ節転移(アノテーションなし)
2例の舌骨下頸部レベルでの造影CT(A，B)．アノテーションありは次ページ．

突筋後縁を結ぶ線の後方，輪状軟骨下縁と両鎖骨の間のレベルでは胸鎖乳突筋後縁と前斜角筋後外側縁を結ぶ線の後側方で僧帽筋前縁より前方に位置するリンパ節．以下2つを区別する．

①VA：上記条件をみたし，頭蓋底と輪状軟骨下縁の間のレベルに位置するリンパ節(上部レベルの副神経リンパ節に相当)．

②VB：上記条件をみたし，輪状軟骨下縁と鎖骨の間のレベルに位置するリンパ節(下部レベルの副神経リンパ節に相当)．

f.「レベルⅥ」(図 34，35C，40)

舌骨体部下縁と胸骨柄上縁の間のレベルで左右内・総頸動脈の内側縁の間に位置するリンパ節(喉頭前リンパ節，気管前・傍リンパ節などの臓側リンパ節に相当)．

声門下進展，梨状窩尖部，輪状後部，頸部食道を侵す癌で転移の可能性が高く(下咽頭癌の約26％，喉頭癌の約14％)，レベルVIリンパ節転移では縦隔進展，遠隔転移，気切孔再発のリスクが高いとされる[10,11]．

g.「レベルⅦ」

胸骨柄上縁から無名静脈の間のレベルで，左右総頸動脈内側縁の間に位置するリンパ節(上縦隔リンパ節に相当)．

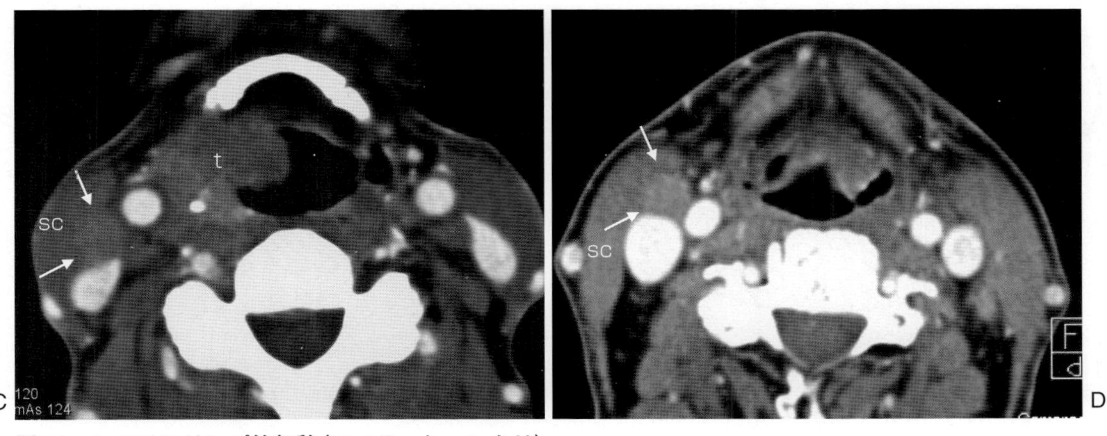

図 38 レベルⅢリンパ節転移(アノテーションあり)
2 例の舌骨下頸部レベルでの造影 CT(C は A，D は B と同じ画像)．2 例ともに右胸鎖乳突筋(sc)深部にレベルⅢ転移(矢印)を認める．周囲脂肪層に乏しく，同定には慎重な評価を要する．C では右梨状窩に原発病変(t)を認める．

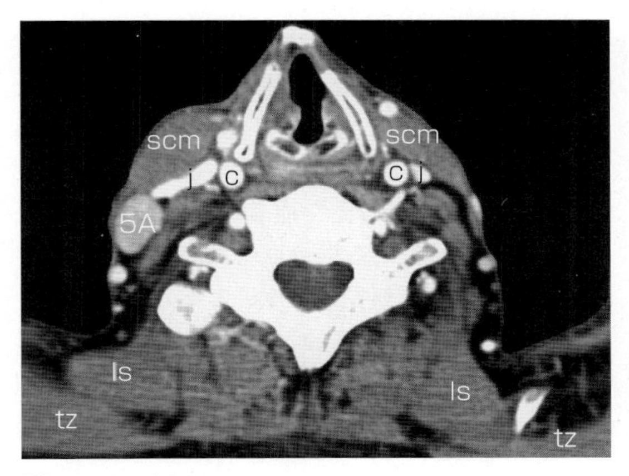

図 39 レベル VA
甲状軟骨レベルの造影 CT．右側頸部で胸鎖乳突筋(scm)後縁より後方，僧帽筋(tz)前縁より前方で，頸動脈(c)より外側に増強効果を示す結節(5A)を認め，レベル VA リンパ節に一致する．j：内頸静脈，ls：肩甲挙筋

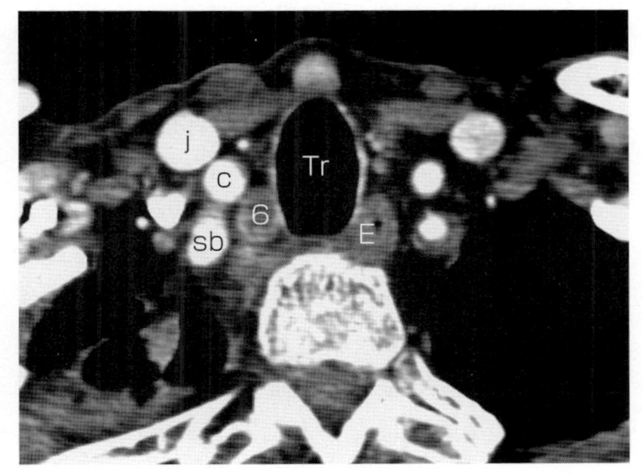

図 40 レベル VI
胸郭入口部レベルの造影 CT において，気管(Tr)右側方で，頸動脈(c)の内側に結節(6)を認め，レベル VI リンパ節に相当する．右反回神経の走行経路にほぼ一致する．右肺尖に陳旧性変化あり．E：食道，j：内頸静脈，sb：鎖骨下動脈

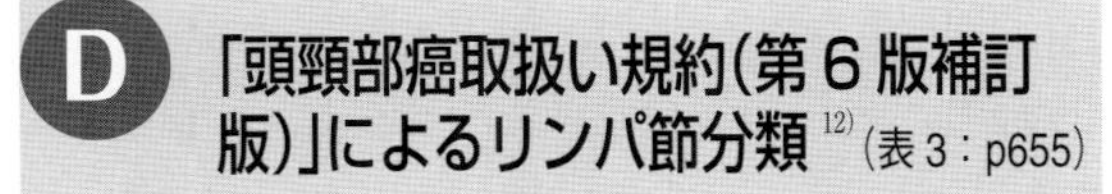

D 「頭頸部癌取扱い規約(第 6 版補訂版)」によるリンパ節分類[12] (表 3：p655)

日本頭頸部癌学会の編集による「頭頸部癌取扱い規約(第 6 版補訂版)」における頸部リンパ節分類では解剖名による呼称をとるが，英語と日本語とが併記されている．なお，本項での「Rouvièreによるリンパ節分類」解説中でのリンパ節名の和訳は，努めて「頭頸部癌取扱い規約」の中で相当するリンパ節の和名をあてた．併記されている英語名をみる範囲では，一部異なる箇所も認められるが，ほぼ Rouvière 分類に一致する．詳細は実際の記述を参照いただきたい．

頸部リンパ節を大きくオトガイ下リンパ節，顎下リンパ節，前頸部リンパ節，側頸リンパ節に分けている．

「頭頸部癌取扱い規約」第 2 版では，前頸部リンパ節は頸部正中リンパ節(midline cervical nodes)とされていたが[13]，第 3 版以降は Rouvière のリンパ節分類の記述と同様，前頸部リンパ節(anterior cervical nodes)と変更された[9]．なお，側頸リンパ節に含まれる内深頸リンパ節は「レベル」システム同様，上・中・下のみ区別さ

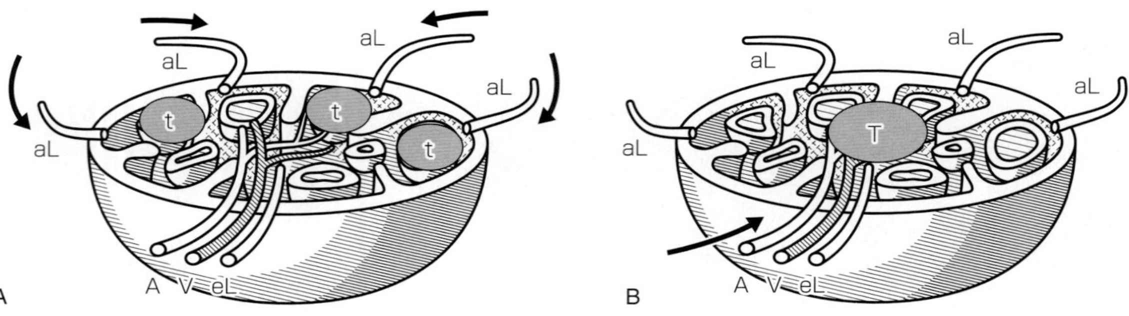

図 41　リンパ節への転移様式
直接浸潤は原発病変から連続性にリンパ節被膜からの浸潤を生じる．リンパ行性転移(A)では被膜側から腫瘍細胞(塊)がリンパ節に到達し，まず辺縁洞に病巣(t)を形成する．これに対して血行性転移(B)では腫瘍細胞(塊)はリンパ門を通過する動脈を通じてリンパ節に到達し，まず髄洞あるいは濾胞部分に病巣(T)を形成する．A：動脈，aL：輸入リンパ管，eL：輸出リンパ管，V：静脈

れる(Rouvière 分類では前，外側の区別あり)．

頭頸部悪性腫瘍を扱う臨床医との間での実際の情報交換では，これらいずれの分類，名称も用いられるため，画像診断医が各リンパ節分類の小さな違いにあまり慎重になる必要はない．ただし，画像診断報告書に記述する場合は比較的まれな名称は避け，より広く用いられる名称，そして臨床上，必要な範囲で特異性の高い名称を用いるのが好ましい．例としては顎下リンパ節の腫大を記述する場合，腺前，血管前，血管後，腺後の亜分類まで特定する必要はないが(頸部郭清する場合，これらの亜分類のうちで特定のリンパ節のみを残したり，郭清したりすることはないためである．ただし，リンパ節生検を除く)，「レベル」システムで“レベルⅠ”とのみ記載した場合はオトガイ下リンパ節との区別ができないため，“レベルⅠB”と特定する必要がある．

E　撮像プロトコール

頸部リンパ節転移の画像評価では，造影 CT での診断が基本となる．造影 CT と MRI の診断能は，頸部リンパ節転移の評価においてほぼ同等とされるが，医療経済，検査効率の観点からも CT が選択されるべきであり，多列検出器 CT の出現によって短時間に高い空間分解能を保ったまま，頸部全体の広い範囲での撮影が可能となったことより診断能も基本的には CT が優れる．

頸部リンパ節評価を対象とした CT 検査では，その撮像範囲は Rouvière リンパ節を含めるために，頭蓋底レベルより下方は胸郭入口部まで(声門下進展を伴う喉頭癌，甲状腺癌，頸部食道癌などでは状況により，上縦隔を含める)とする．通常，再構成スライス厚，間隔ともに 3 mm に設定する．リンパ節病変を血管構造と区別するため，また，血管壁あるいは血管内浸潤の有無を評価するため，造影剤投与が原則である．

MRI は，N 診断を目的として頸部全体を撮影する場合，スライス間隔が広がることから，詳細な評価は困難な場合が多い．ただし，ある特定の頸部病変の切除可否の判断において，(造影 CT での情報に加えて)頸動脈，椎前筋などへの浸潤の有無・程度の評価には有用な場合もあり，適応が考慮される．

F　頸部リンパ節転移

1　病理機転

癌細胞播種の病理機転の大部分はいまだ解明されていないが，腫瘍細胞の原発巣からの離解，腫瘍基質の変化，リンパ管・血管の基底膜への浸透，リンパ流・血流による移動，細胞定着先器官，腫瘍細胞塊自身の成長因子，局所血行などのさまざまな因子が関与している．腫瘍のリンパ節転移(図 41)は理論的には直接浸潤，リンパ行性，血行性の 3 つがあるが，実際にはリンパ行性転移

表 3 頸部リンパ節解剖(「頭頸部癌取扱い規約」による分類と Rouvière 分類の対比)

「頭頸部癌取扱い規約」上の分類		Rouvière 分類	
日本語名	英語名	本書での和訳	英語名
オトガイ下リンパ節	submental N	オトガイ下リンパ節	submental N
顎下リンパ節	submandibular N	顎下リンパ節	submaxillary N
腺前リンパ節	preglandular N	腺前リンパ節	preglandular N
血管前リンパ節	prevascular N	血管前リンパ節	prevascular N
血管後リンパ節	retrovascular N	血管後リンパ節	retrovascular N
腺後リンパ節	retroglandular N	腺後リンパ節	retroglandular N
前頸部リンパ節	anterior cervical N	前頸リンパ節	anterior cervical N
前頸静脈リンパ節	anterior jugular N	前頸静脈リンパ節	anterior jugular N
その他		傍臓側リンパ節	
喉頭前	prelaryngeal	喉頭前	juxtavisceral N
甲状腺前	prethyroid	甲状腺前	prelaryngeal
気管前	pretracheal	気管前	prethyroid
気管傍	paratracheal	気管外側	pretracheal
咽頭周囲	parapharyngeal		laterotracheal
側頸リンパ節	lateral cervical N	側頸リンパ節	lateral cervical node
浅頸リンパ節	superficial lateral cervical N	浅側頸リンパ節	superficial lateral cervical N
深頸リンパ節	deep lateral cervical N	深側頸リンパ節	deep lateral cervical N
副神経リンパ節	spinal accessory	副神経リンパ節	spinal accessory
鎖骨上窩リンパ節	supraclavicular	鎖骨上リンパ節	transverse cervical
内深頸リンパ節	IJ	(または横頸)	
上内深頸	superior IJ	内深頸リンパ節	IJ
中内深頸	mid IJ	外側	lateral IJ
下内深頸	inferior IJ	前方	anterior IJ
		(上・中・下)	(superior, middle, inferior)
その他			
耳下腺リンパ節	parotid N	耳下腺リンパ節	parotid N
耳介前リンパ節	preauricular parotid	筋膜上または表在性	suprafascial/superficial
耳介下リンパ節	infra-auricular parotid	筋膜下腺外	subfascial-extraglandular
耳下腺内リンパ節	intraglandular parotid	耳介前	preauricular
		耳介下	infraauricular
		耳下腺内	deep-intraglandular

N：node, IJ：internal jugular
注：「頭頸部癌取扱い規約」にあるリンパ節に対応する Rouvière 分類の記述のみを含む.
(日本頭頸部癌学会(編)：頭頸部癌取扱い規約(第 6 版補訂版), 金原出版, 東京, p4-5, 2019 より許諾を得て改変し転載)
(Rouviére H : Anatomy of the Human Lymphatic System, Tobias MJ (trans), Edwards Brothers, Ann Arbor, p5-28, 1938)

が大部分である. 癌細胞のリンパ行性転移の病理機序は, 古典的には腫瘍がリンパ管に直接浸潤したのちにリンパ管に沿って進展する, あるいは単独の腫瘍細胞または腫瘍細胞塊がリンパ流により原発巣から離れた箇所に運ばれることによるとされる[14]. 腫瘍辺縁では腫瘍細胞が単独, あるいはいくつかの細胞の塊として移動することを示す報告もみられる. なお, 頭頸部癌でしばしば問題となる神経周囲進展の一部は神経周囲リンパ管への直接浸潤によるとされる.

頭頸部癌では腫瘍内・腫瘍周囲のリンパ管密度は低い傾向にあるが, リンパ管密度とリンパ節転移の危険性は相関を示すとされる[15, 16]. Hinojar-Gutierrez らによる頭頸部癌 120 例の検討では, 腫瘍内リンパ管の存在により, 病変の部位, 大きさ, 組織分化度にかかわらず, 頸部リンパ節転移のリスクは 3.2 倍になるとしている[17].

現在のリンパ行性転移に関する知識の大半は転移リンパ節の病理学的研究をもとにする. リンパ組織は腫瘍に対する免疫反応により腫瘍発育において重要な影響を与える. ときに腫瘍を完全に破壊したり, 一時的に発育を停止させたりする例も

表 4-1　頭頸部扁平上皮癌(上咽頭癌，EBV 陽性原発不明癌，HPV/p16 陽性中咽頭癌を除く)の N 分類

NX	頸部リンパ節の評価不可能	
N0	頸部リンパ節転移なし	
N1	患側の単独リンパ節転移，最大径 3 cm 以下で節外進展なし	
N2	N2a	患側の単独リンパ節転移，3 cm より大きく 6 cm 未満で節外進展なし
	N2b	患側の複数リンパ節転移，いずれも 6 cm 未満で節外進展なし
	N2c	両側あるいは対側リンパ節転移，いずれも 6 cm 未満で節外進展なし
N3	N3a	単独リンパ節転移，6 cm より大きく節外進展なし
	N3b	臨床的に明らかな節外進展を伴う頸部リンパ節転移，部位・数は問わない

(正中リンパ節は患側の扱いとなる)

表 4-2　上咽頭癌(および EBV 陽性原発不明癌)の N 分類

NX	頸部リンパ節の評価不能
N0	頸部リンパ節転移なし
N1	患側頸部リンパ節転移(単独あるいは複数)，ただし 6 cm 以下で輪状軟骨下縁より頭側レベル，および・あるいは 6 cm 以下の患側あるいは両側の咽頭後リンパ節転移
N2	両側頸部リンパ節転移，ただし 6 cm 以下で輪状軟骨下縁より頭側レベル
N3	6 cm を超える，および・あるいは輪状軟骨下縁より尾側の片側・両側頸部リンパ節転移

表 4-3　HPV/p16 陽性中咽頭癌(および HPV/p19 陽性原発不明癌)の N 分類

NX	頸部リンパ節病変の評価不能
N0	頸部リンパ節病変なし
N1	患側の孤立性，あるいは複数リンパ節転移で，いずれも 6 cm 以下
N2	対側あるいは両側頸部リンパ節転移で，いずれも 6 cm 以下
N3	6 cm を超える頸部リンパ節転移(孤立性あるいは複数)あり

(表 4-1～4-3 については日本頭頸部癌学会(編)：頭頸部癌取扱い規約(第 6 版補訂版)，金原出版，東京，2019 および Amin MB, Edge SB, Brookland RK et al (eds)：AJCC Cancer Staging Manual (8th ed), Springer, New York, 2017 を参考に作成)

みられる．リンパ節腫大に対する病理学的検査ではその変化が腫瘍性か反応性か，(原発巣が明らかでない例では)腫瘍性である場合，原発性か転移性か，転移性である場合，原発巣はどこかを判断する必要がある．輸入リンパ管を介してリンパ節内に到達した腫瘍細胞はまず辺縁洞(被膜下洞)(図 1，41)に定着，ここから髄洞へ進展，洞壁を破壊して髄質，皮質へと浸潤，腫瘍細胞がリンパ節を置換，最終的にはリンパ節被膜を破綻し節外進展により頸部軟部組織への浸潤をきたす．病理検査でリンパ節転移陽性の場合は明らかに腫瘍細胞がそのリンパ節に到達，発育したことを示すが，陰性例は腫瘍細胞がリンパ節に到達していない，到達したが定着しなかったか破壊された，あるいは誤診(sampling error)である場合を含む．転移リンパ節内の腫瘍細胞は原則として原発巣のそれに類似するが，分化度が異なることもしばしばで，腫瘍細胞に対する二次性変化も加わり，診断を困難にしている．

2 臨床的意義

頭頸部悪性腫瘍の大部分を占める扁平上皮癌の診断時，頸部リンパ節転移は最も重要な予後因子であり，非治癒の多くが所属リンパ節再発として認められる．原発巣の部位にかかわらず，診断時における同側，あるいは対側への孤立性リンパ節転移の存在はそれぞれ頸部リンパ節転移陰性例と比較して 5 年生存率を約 50％減少(半減)する[18]．左右各 1 個ずつのリンパ節転移では 5 年生存率は約 25％となる．さらにリンパ節病変の節外進展

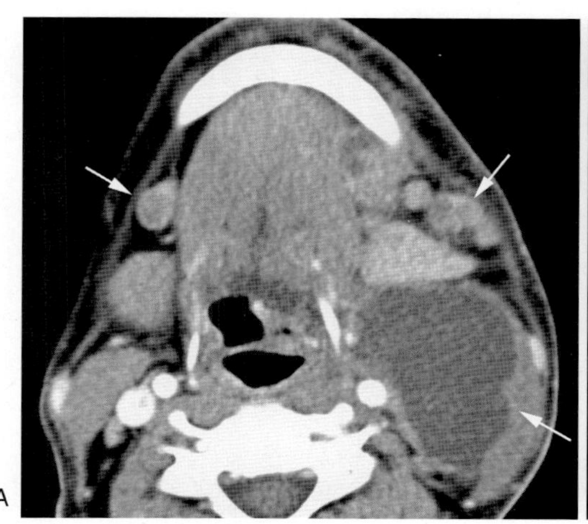

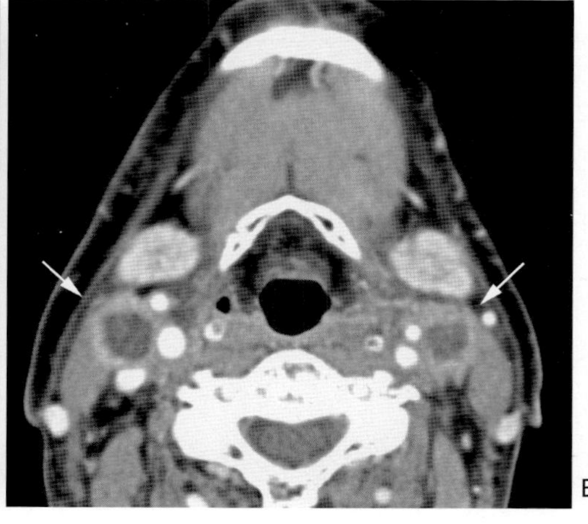

図 42　両側頸部転移(N2c)2 例

造影 CT．舌根癌症例(A)では両側レベル IB，左レベルⅡ，梨状窩内側壁原発の下咽頭癌(B)では両側レベルⅡ/Ⅲ境界部にリンパ節転移(矢印)を認める．正中にかかる舌根癌，内側壁を侵す梨状窩癌では対側(両側)頸部転移の危険性が高いことが知られている．

は局所非治癒を示唆する最も重要な所見のひとつであるのみならず，生存率を約 50％減少(半減)させる．

頸部リンパ節転移は通常，(化学)放射線療法，外科的切除のいずれか，あるいは両者，進行病変では化学療法を組み合わせるのが一般的である．治療の時期や選択は頸部リンパ節転移の病変の大きさ，数，分布と原発巣病期によるが，実際は各施設の設備，臨床医の経験，考えにも大きく影響される．外科的治療では手術の可否のみならず術式の選択も問題となる．頭頸部悪性腫瘍を扱う臨床医にとって頸部リンパ節転移の治療は依然，挑戦を必要とする領域である．

「頭頸部癌取扱い規約 第6版補訂版[10]」，「AJCC 第8版[7]」での N 診断(表 4)が用いられるが，いずれも改訂において，“明らかな節外進展”が重要な評価項目として組み入れられた(後述)(表 4-1)．また，EBV 陽性の原発不明癌には上咽頭癌と同様の N 分類(表 4-2)，HPV/p16 陽性の中咽頭癌および原発不明癌には独自の N 分類(表 4-3)が適用されることとなった点が重要である．理学的所見と画像診断(ただし，触診が最低条件)をもって分類を決定するとし，原発病変のリンパ節への直接浸潤はリンパ節転移として扱うことを定めている．また，所属リンパ節(甲状腺癌を除く頭頸部癌の所属リンパ節は頸部リンパ節)以外へのリンパ節転移は遠隔転移(M)として扱われる．

a. 原発部位と頸部リンパ節転移の系統的分布について

解剖の項で既述のとおり，頸部軟部組織とそのリンパが特異的に流入するリンパ節領域(レベル)とが対応しており，そこからの輸出リンパ経路も解剖学的にほぼ一定している．これは頭頸部扁平上皮癌で原発部位に対応した頸部リンパ節領域に最初のリンパ節転移をきたしたのち，輸出リンパ経路に従って系統的に頸部リンパ節転移が拡がることの理論的根拠となっている．

各原発部位とこれらに対応した転移頻度の高いリンパ節領域(または「レベル」)，対側，両側リンパ節転移(N2c)頻度が高い原発部位(図 42)，診断時のリンパ節転移頻度の多寡の傾向などを理解することは，画像診断上，頸部リンパ節転移の評価あるいは次に述べる原発不明癌の原発部位推定において極めて重要である(表 5，6：p658)．

舌，舌根癌では正常のリンパ路の交通からレベルⅠへの転移を認めることなしに対側頸部，あるいはレベルⅡあるいは頸部下部のリンパ節を侵すことがあり注意を要する．口腔癌では病変と同側

表5　頭頸部扁平上皮癌原発部位とこれに対応するリンパ節転移の分布

原発部位	転移頻度の高いリンパ節領域	両側リンパ節転移頻度	診断時転移リンパ節陽性頻度
上咽頭	Ⅱ，Ⅲ，Ⅳ，Ⅴ，RPN	高い(33%)	85〜90%
中咽頭			
扁桃	(Ⅰ)，Ⅱ，Ⅲ，Ⅳ，(Ⅴ)，RPN	やや高い(15%)	60〜75%
舌根	Ⅱ，Ⅲ，Ⅳ，(Ⅴ)，RPN(10%)	やや高い(20%)	50〜80%
口腔			
舌	Ⅰ，Ⅱ，Ⅲ	やや高い(12%)	35〜60%
口腔底	Ⅰ，Ⅱ	8%	30〜60%
臼後三角	Ⅰ，Ⅱ，Ⅲ	9%	40〜55%
下咽頭	Ⅱ，Ⅲ，Ⅳ，Ⅴ	10%	55〜70%
喉頭			
声門上	Ⅱ，Ⅲ，Ⅳ	高い(25%)	30〜55%
声門	臨床上なし	極めて低い	極めて低い
鼻副鼻腔			
前方	Ⅰ，Ⅱ，耳下腺リンパ節，顔面リンパ節	やや低い	やや低い
後方	Ⅱ，RPN	病変部位による	やや低い

咽頭後リンパ節(RPN)，耳下腺リンパ節，顔面リンパ節以外のリンパ節は「レベル」表示.

表6　各頸部リンパ節と高頻度に転移をきたす頭頸部癌原発部位

頸部リンパ節	頻度の高い代表的原発部位
レベルⅠA(オトガイ下)	舌尖，前口腔底，口腔前方の頬粘膜と歯肉，顔面皮膚，鼻副鼻腔前方
レベルⅠB(顎下)	舌，口腔底，頬粘膜，歯肉，顎下腺，頬部
レベルⅡ(上内深頸)	咽頭，口腔，耳下腺，声門上喉頭
レベルⅢ(中内深頸)	咽頭，声門上喉頭，舌，舌根
レベルⅣ(下内深頸)	喉頭，甲状腺，頸部食道
レベルⅤ(副神経)	咽頭，頭皮，甲状腺
レベルⅥ(前頸)	喉頭，甲状腺
咽頭後リンパ節	上・中咽頭，鼻副鼻腔後方
耳下腺リンパ節	耳下腺，頭皮，顔面
鎖骨上リンパ節	腹部，骨盤(子宮，卵巣)，肺，乳房，食道

のリンパ節転移のレベルが最も重要な予後因子となる[19]．画像でのみ正確に評価可能な咽頭後リンパ節転移の指摘は不可欠で，特に上・中咽頭，鼻副鼻腔後方の原発病変で重要である．臨床的に明らかな原発巣と予測される頸部リンパ節転移の分布が合わない場合は潜在性の二次癌の存在も考慮する必要がある．甲状軟骨切痕レベルよりも尾側のリンパ節転移では遠隔転移の危険性が増し，予後生存率は低下する．扁平上皮癌の頸部リンパ節転移が系統的分布を示すのが典型的なのに対して，甲状腺癌ではすべての領域に転移をきたしうるとされる(実際はある程度の系統的分布を示すが，咽頭後リンパ節，縦隔リンパ節転移にも十分に注意する必要がある)．

また，リンパ節生検，外科的治療，放射線療法を含むあらゆる治療はリンパ経路を修飾し，治療後症例では予測されない部位への転移をきたしうることを忘れてはならない．これは化学療法も例外ではなく，ときに治療後のリンパ節病変が線維化を生じることでリンパ経路の閉塞が生じるためである．

3 原発不明癌(unknown primary cancer)

原発不明癌の厳密な定義としては理学的検査，画像検査の両方をもってしても原発巣が明らかでない頸部リンパ節転移例のみを示し，理学的検査単独で原発巣を指摘できない場合に用いられる

occult cancer（潜伏癌・潜在癌）とは異なるが，広義にはこれを含む．頭頸部原発不明癌は比較的まれであり，頭頸部癌全体の2〜5％とされる[20]．また，画像診断などの適切な検索を行ったとしても，頸部転移病変症例の2〜3％で原発病変の特定は困難である（逆に，正しい病歴聴取と理学的所見により90％以上の症例で原発病変は同定可能）[21]．occult cancerに対して必要な検索を行ったとしても約50％で原発部位は不明のまま（primary unknown cancer）である[22]．これは原発病変が自然退縮や局所免疫などで破壊されたか[23]，理学的所見の確認が困難か，画像診断などで同定困難な大きさ（subclinical disease）にとどまっているか[24]等のいずれかと考えられる．

抗菌薬治療に反応しない無痛性頸部腫瘤としてみられるのが一般的（94％）であり，疼痛（9％），体重減少（7％）などは比較的まれである[25, 26]．

扁平上皮癌が約75〜90％と最も多く，腺癌，未分化癌，その他の悪性腫瘍（甲状腺癌，神経内分泌癌など）がこれに続く[27, 28]．本項では主に扁平上皮癌を対象とする．頭頸部原発不明癌は「AJCC第7版」[6]では区分されていなかったが，「AJCC第8版」[7]，「頭頸部癌取扱い規約第6版補訂版」[10]への改訂により，HPV/p16陽性例，EBV陽性例，その他（あるいはHPV/p16，EBV不明）の3つが区分された．これにより原発不明癌のN診断については，HPV/p16陽性例ではHPV/p16陽性中咽頭癌のN分類（**表4-3**：p656），EBV陽性例では上咽頭癌のN分類（**表4-2**：p656），その他については通常の頭頸部扁平上皮癌のN分類（**表4-1**：p656）に従う（T因子は“T0”の表記となる）．

従来は喫煙，飲酒歴を有する中高年の男性に多くみられたが[27]，近年はHPV陽性例の増加に伴い，より若年者，女性の症例も増えてきた．

診断では原発病変の検索，頸部リンパ節病変の評価のいずれもが重要である．原発病変の検索として，触診・視診などの理学的所見とともに，内視鏡，CT，MRIを中心とする画像診断が重要な役割を担う．生検は画像所見を修飾し偽陽性の原因となることから，画像診断を生検に先立って行う必要がある．通常の造影CT，MRIでの原発病変の同定は9.3〜23％とされる[29]．FDG-PETはPETのみ造影CTのみ，あるいはCTとMRIの組み合わせよりやや同定率は高く[29]，CT，MRIで同定されない例の30％で原発病変指摘が可能とされる[30]．さらに11％で指摘されていなかった遠隔転移，15％で指摘されていなかった頸部リンパ節転移が同定されると報告されている[31]．ただし，一般的にPET-CTの適応はCT，MRIで原発病変が同定されない場合とされる[32]．また，PET陰性例であっても内視鏡検査は必須である[33]．頸部リンパ節病変に対しては，組織型（扁平上皮癌）とともにHPV/p16あるいはEBV陽性の確認を目的とした穿刺吸引細胞診（充実部の確認などで超音波ガイド下の施行で診断率向上あり），N診断のためにCT（あるいはMRI）により病的リンパ節の数，大きさ，形状，分布などの評価がある．嚢胞性リンパ節に対する穿刺吸引細胞診の悪性所見同定率は80％とされる[26]．針生検（core needle biopsy）や開放生検は腫瘍播種，再発・転移のリスクを高める[34]ことになり，回避すべきである．（以前行われていた）上咽頭や梨状窩など下咽頭の非直視下生検（blind biopsy）はもはや行われない[20, 35]．NCCNのガイドライン[36]では扁桃摘出術の側（患側のみ，両側），舌扁桃摘出の適応については言及されていない．扁桃摘出術には議論があるが生検よりも優れ，原発病変同定率を約30％向上する[20]とされ，対側扁桃摘出術で（大きな後遺症なく）15〜25％で原発病変が指摘可能との報告[37]がある．

原発不明癌の実際の原発部位としては頻度の高いものから口蓋扁桃（**図43**），舌根（**図44**），上咽頭（**図45**），梨状窩（**図46**），その他（甲状腺，食道，鎖骨下）である．特に扁桃，舌根が多く中咽頭が74％[38]と大部分を占めるが，HPV陽性中咽頭癌の増加に伴いこの傾向はさらに顕著になってくると想定される．口蓋扁桃や舌根では，理学的所見，画像診断のいずれにおいても小病変の同定は困難であり，原発病変が顕在化する前に頸部転移をきたすことも理由のひとつと考えられている[32]．また，上咽頭癌もリンパ節（N）因子は原発巣（T）の腫瘍容積と相関しない点が重要である．実際に原発不明癌の原発部位特定を目的とする画像診断では既述の原発部位とリンパ節転移の分布様式との対応（**表5，6**）を考慮するとともに画像

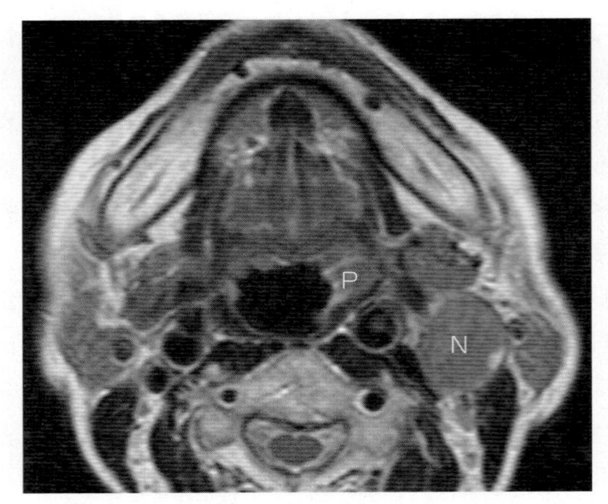

図43　原発不明癌として施行されたMRIで確認された扁桃癌

MRI T2強調像．左レベルⅡに境界明瞭で，辺縁平滑な頸部転移病変(N)を認める．同側の口蓋扁桃に限局性の腫瘤(P)を認め，原発病変に一致する．

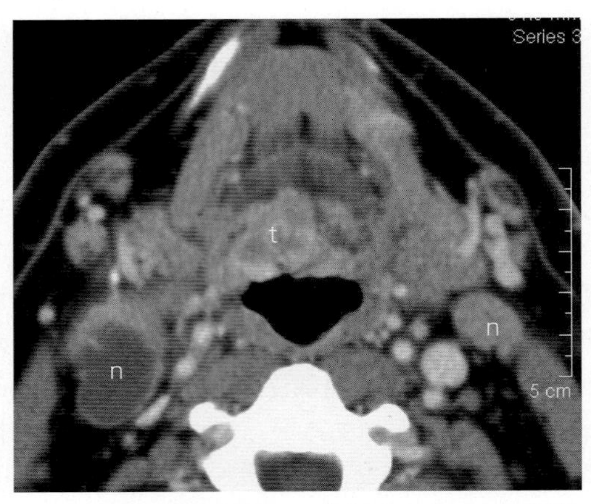

図44　原発不明癌として施行されたCTで指摘された舌根癌

舌根レベルでの造影CT．両側レベルⅡにリンパ節転移(n)を認める．右側では内部に造影不良域として囊胞部を含む．舌根右側には内方性発育を主体とし，組織層破綻を伴う(本書，4章「口腔」での舌根の項を参照されたい)浸潤性腫瘤(t)を認める．咽頭腔への膨隆，咽頭腔の変形はみられない．

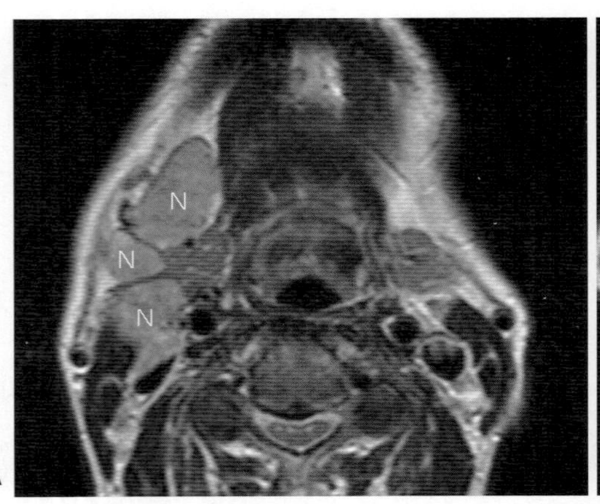

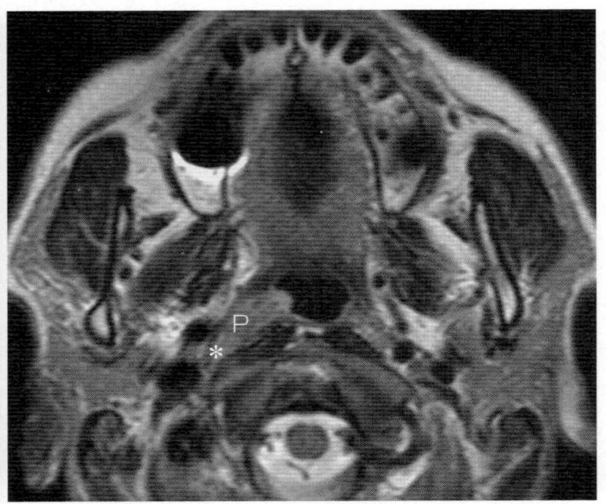

図45　原発不明癌として施行されたMRIで確認された上咽頭癌

MRI T2強調像．中咽頭レベル(A)において，右レベルⅠBおよびⅡに複数のリンパ節腫瘤(N)を認める．上咽頭レベル(B)では，右Rosenmüller窩を中心とした浸潤性腫瘤(P)を認める．同側のRouvièreリンパ節転移(＊)を伴う．

所見を対比しながら行われなければならない．これは特に複数のリンパ節領域を侵している例で有効である．

5年生存率は全体として40～60％程度であるが，HPV陽性例はHPV陰性例と比較して，リンパ節転移の範囲にかかわらず生存率の改善があり，特に5年生存率はHPV陽性により22.4％向上と長期予後は良好である[39]．その他，重要な予後因子としてN因子，頸部病変の制御，節外進展，非扁平上皮癌の組織型があげられる[33, 40]．また，頸部リンパ節病変(全体)の容積(30 cm^3以上)，リンパ節転移陽性率(0.14以上)は予後不良因子とされる[41]．

原発不明癌の治療は依然として議論があり，完全にコンセンサスの得られた治療方針はない．一般に年齢，病理組織，頸部リンパ節病変の範囲，他治療への反応などが考慮されるが，頸部リンパ節転移の様式により手術，放射線治療，化学放射線療法のいずれか，あるいは組み合わせが選択肢となる[40]．通常，N1病変に対しては頸部郭清術が推奨されるが，節外進展を伴わないN2/N3病変，病理学的に節外進展が判明した症例に対しては術後放射線治療が必要となる[20, 42]．NCCNガイドライン[36]では頸部リンパ節病変に対しては70 Gy（対側頸部や病変のみられないリンパ節領域に対しては50 Gy），原発病変のリスクのある領域に対しては60〜66 Gyの照射が推奨されている．また節外進展陽性例では化学放射線療法が選択される[20]．放射線治療単独の場合と比較して化学放射線治療は死亡のリスクを5分の1にすることが可能である[39]．

経過観察は通常の頭頸部癌と同様であり，最初の1年間は1〜3ヵ月ごと，2年目は2〜6ヵ月ごと，3年目は4〜8ヵ月ごとの評価が一般的である．PET-CTは陰性的中率が高く[43]，理学的所見，病歴，通常のCTやMRIでは判断困難な場合に適応となる．

4 頸部郭清術（表7）

頸部リンパ節転移の外科的切除に関する記述は19世紀中頃よりみられ[44]，20世紀初頭にCrileにより最初の根治的頸部郭清術（radical neck dissection）が報告された[45]．その後，合併切除の対象となる組織，特に副神経に関する議論は続いたが，次第に根治的頸部郭清術は頭頸部悪性腫瘍の頸部リンパ節転移に対する有効な術式として認識されるようになる．これは転移の危険のあるリンパ節を周囲軟部組織（副神経，内頸静脈，胸鎖乳突筋）とともに一塊として切除するという，乳癌に対して確立されたHalsteadの概念に基づく[46]．しかし，一方で機能的，形態的損失の大きさも無視できない．特にリンパ節転移のリスクの低い表在性低容積病変や声門癌などで診断時N0であるような例では根治的頸部郭清術の施行は正当化されない．

非定型頸部郭清術は機能温存の概念の延長として考えられたもので，1967年，Boccaにより根治的頸部郭清術と治癒率に有意な差がなかったと報告された[47]．最近では頸部リンパ節転移の危険性の比較的高い原発病変をもつN0症例における選択的頸部郭清術として，あるいは早期の頸部リンパ節転移を対象とする術式として，機能的，形態的損失の少ない非定型頸部郭清術が広く受け入れられている．根治的頸部郭清術も進行した頸部リンパ節転移病変，あるいは頸部再発例を対象として依然重要である．これらの術式は腫瘍の組織，原発部位，以前の治療歴などを考慮して選択され，切除標本の病理組織学的検索の結果によりさらなる追加治療の要否が決定される．

以前は術式名の用語について多少の混乱がみられた．根治的頸部郭清術と異なるいかなる術式も「非定型頸部郭清術（modified neck dissection）」と呼ばれた．現在は副神経，内頸静脈，胸鎖乳突筋のうち1つ以上を温存する場合を「非定型根治的頸部郭清術（modified radical neck dissection）」，転移の危険性の高いリンパ節領域のみを郭清する場合を「選択的頸部郭清術（selective neck dissection）」としている．各術式につき以下に解説する．

a. 根治的頸部郭清術（radical neck dissection）（図47B，48）

複数のリンパ節領域（特にレベルⅤを含む場合）への転移，大きなリンパ節転移，融合を示す複数の転移リンパ節，あるいは無計画なリンパ節生検後などが主な対象となる．皮膚への転移，遠隔転移の存在は禁忌となる．郭清範囲は片側のレベルⅠ，Ⅱ，Ⅲ，Ⅳ，Ⅴで副神経，内頸静脈，胸鎖乳突筋の切除を含む（表7：p663）．

根治的頸部郭清術は広頸筋下層（subplatysmal layer）で筋皮弁を分離挙上したのち，顎下部，上方，後方，下方，内側の分離を，通常この順番で行う．顎下部分離では顔面神経下顎縁枝を温存し，下顎角前下方1 cmのところで顎下腺を覆う深頸筋膜浅葉を切開，顎二腹筋前腹，顎舌骨筋から顎下腺，顎下リンパ節を含む脂肪線維性組織を分離する．顎下腺管，舌神経，顔面動静脈は切断結紮，舌下神経は温存する．上方分離では耳下腺尾部を切除，胸鎖乳突筋を起始部で切断する．通常の手技では郭清範囲の上限は顎二腹筋後腹レベ

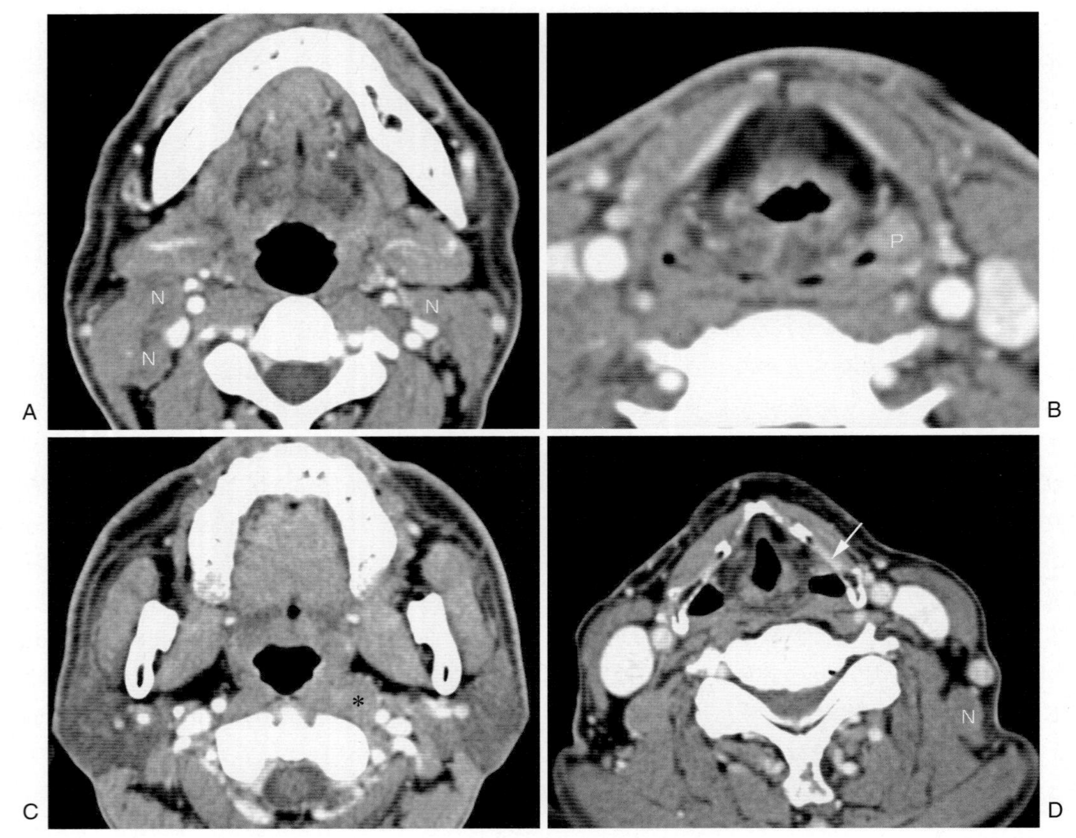

図46　原発不明癌として施行されたCTで確認された梨状窩癌2例

中咽頭レベルの造影CT(A)において，両側レベルⅡに複数の頸部転移(N)を認める．下咽頭レベル(B)で，左梨状窩に限局した腫瘤(P)を認め，原発病変に一致する．なお，上咽頭レベル(C)では，臨床的に潜在性であった左Rouvièreリンパ節転移(＊)が同定された．

別症例(D)．左側頸部腫瘤として造影CT施行．左レベルⅤのリンパ節腫瘤(N)とともに，同側の梨状窩前壁に低容積病変(矢印)を認めた．

ルである．これより頭側に位置する傍咽頭リンパ節への転移(図28，49，50)では，顎二腹筋後腹を含める拡大手技を必要とするため画像上での指摘が重要である．後方分離は後下方に向かい，僧帽筋前縁に沿って行われるが，可能であれば肩甲挙筋への神経枝温存が重要である．下方分離では鎖骨直上で胸鎖乳突筋，外頸静脈，肩甲舌骨筋を切断，腕神経叢，横隔神経，前斜角筋と分離する．最後に前方分離では横隔神経に気を配りながら組織を前方に前・中斜角筋，腕神経叢から挙上，分離，内頸静脈を上下で結紮切除する．

その他の手技上の要点としてはリンパ漏を避けるための内頸静脈下端周囲組織の慎重な分離，神経腫の発生を防ぐための頸部神経叢皮膚枝の結紮，頸動脈背側の盲目的分離の危険性を避けることなどがあげられる．

b. 非定型根治的頸部郭清術(modified radical neck dissection)，機能的頸部郭清術(functional neck dissection)(図47C)

非定型根治的頸部郭清術は本来，片側のレベルⅠ，Ⅱ，Ⅲ，Ⅳ，Ⅴ，内頸静脈，胸鎖乳突筋の切除，副神経温存を示していたが，最近は片側のレベルⅠ，Ⅱ，Ⅲ，Ⅳ，Ⅴの郭清と副神経，内頸静脈，胸鎖乳突筋のうち，1つ以上を温存する術式を指す(表7)．主にN0，場合によりN1の症例が対象となる．Lingemanらは根治的頸部郭清術との比較において治癒率に有意な差はないと報告

表7　頸部郭清術各術式におけるリンパ節領域郭清範囲および合併切除される周囲組織

術式	リンパ節領域郭清範囲	合併切除の対象
根治的頸部郭清術	レベルⅠ，Ⅱ，Ⅲ，Ⅳ，Ⅴ	副神経（第Ⅺ脳神経） 胸鎖乳突筋 内頸静脈
非定型根治的頸部郭清術	レベルⅠ，Ⅱ，Ⅲ，Ⅳ，Ⅴ	上記のうち少なくともひとつを温存 （以前は副神経のみ温存）
機能的頸部郭清術	レベルⅠ，Ⅱ，Ⅲ，Ⅳ，Ⅴ	上記のすべてを温存
舌骨上頸部郭清術	レベルⅠ	上記のすべてを温存*
肩甲舌骨筋上頸部郭清術	レベルⅠ，Ⅱ，Ⅲ	上記のすべてを温存*
外側頸部郭清術	レベルⅡ，Ⅲ，Ⅳ	上記のすべてを温存*
後外側頸部郭清術	レベルⅡ，Ⅲ，Ⅳ，Ⅴおよび耳介後部リンパ節，後頭下リンパ節	上記のすべてを温存*
前頸間隙郭清術	レベルⅥ	上記のすべてを温存*

*：原則として温存されるが，病変の進展によっては合併切除もある．

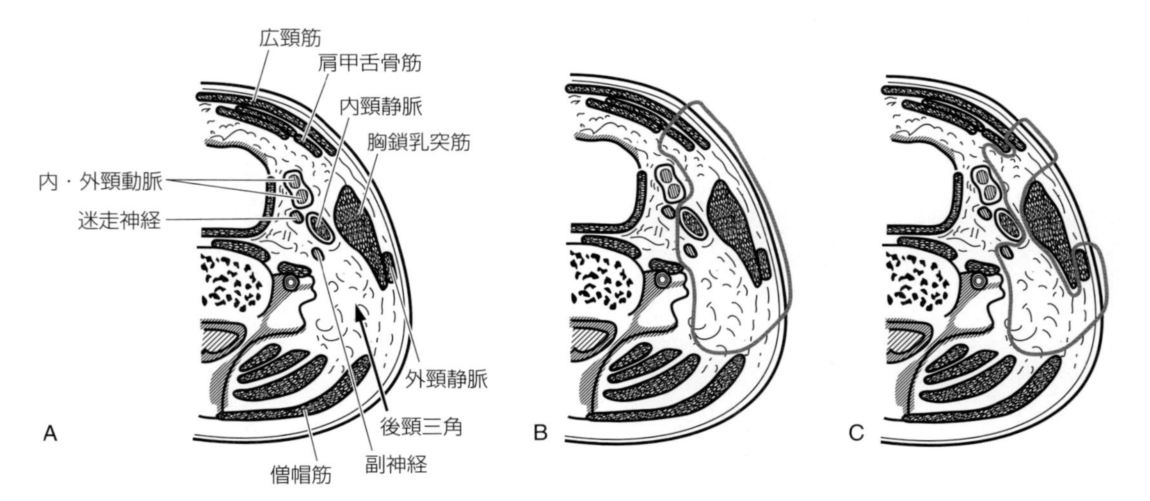

図47　頸部郭清術．シェーマ
A：解剖学的指標．
B：根治的頸部郭清術切除範囲（灰色の囲み部分）．
C：機能的頸部郭清術切除範囲（灰色の囲み部分）．

している[48]．

レベルⅠ～Ⅴすべてを郭清する根治的頸部郭清術，非定型根治的頸部郭清術に対して，術後の機能障害，後遺症の軽減を目的とし，転移の危険性の高い頸部レベルのみを切除対象とする選択的頸部郭清術が区分される．後述の肩甲舌骨筋上頸部郭清術，外側頸部郭清術などが含まれる．

機能的頸部郭清術は非定型根治的頸部郭清術の一亜型で，片側のレベルⅠ，Ⅱ，Ⅲ，Ⅳ，Ⅴの郭清とともに，内頸静脈，胸鎖乳突筋，副神経の3つすべての温存を意味する（表7）．選択的頸部郭清術として施行されるか，あるいは固定のない小さなリンパ節転移を対象とし，特にレベルⅣ，Ⅴへの転移を含む例に有用である．リンパ節，リンパ管およびこれを囲む組織は頸筋膜によって囲まれているという概念に基づく．

c．舌骨上頸部郭清術（suprahyoid neck dissection）

オトガイ下部，顎下部のレベルⅠを郭清範囲とする選択的頸部郭清術（表7）．顎下腺腫瘍，転移の危険性を無視できない下顎骨原発病変，前口腔

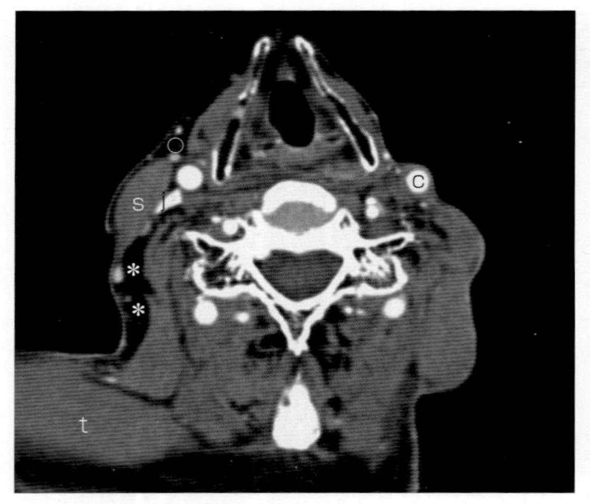

図48　根治的頸部郭清術
舌骨下頸部レベルの造影CT．左側では頸動脈(c)は残存するが，健側で同定される胸鎖乳突筋(s)，内頸静脈(j)とともに頸動脈三角(○)や後頸三角(＊)の脂肪組織は切除されている．僧帽筋(対側でtで示す)は副神経切除に伴い高度の萎縮を示す．

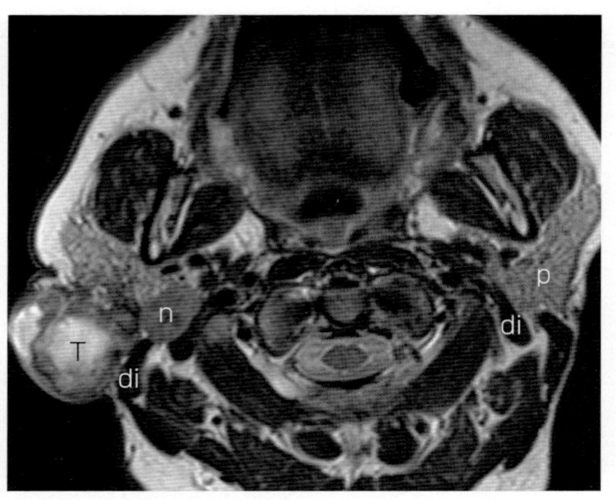

図49　傍咽頭リンパ節転移
耳下腺レベルMRIのT2強調像において，右耳下腺浅葉に辺縁不整な腫瘤(T)を認める．その深部に近接して類円形結節(n)を認める．顎二腹筋後腹(di)レベルにみられ，傍咽頭リンパ節転移に相当する．p：左耳下腺

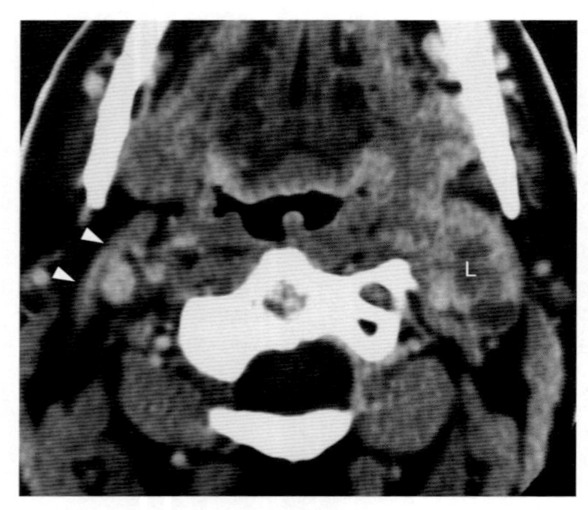

図50　傍咽頭リンパ節転移
造影CTにおいて，顎二腹筋後腹(右側で矢頭で示す)レベルで左側に，内部低濃度を含む腫大リンパ節(L)を認める．

底の早期扁平上皮癌や唾液腺腫瘍などが対象となる．口唇癌の病期診断としても有効で，もし術中組織診断で転移陽性であれば後述の肩甲舌骨筋上頸部郭清術に移行する必要がある．

既述のとおり，舌癌ではレベルⅠへの転移なしに同側，対側のレベルⅡ，Ⅲへの転移をきたしうることから，舌癌の病期診断として同術式を用いてはならない．

d．肩甲舌骨筋上頸部郭清術(supra-omohyoid neck dissection)(図51)

レベルⅠ，Ⅱ，Ⅲを郭清範囲とする選択的頸部郭清術(表7：p663)．口腔癌(舌，口腔底，歯槽突起，臼後三角，頬粘膜，前口蓋弓)でT2〜4N0，TXN1(ただし，固定のない3cm以下のリンパ節でレベルⅠあるいはⅡの場合)などが対象となり，舌尖部あるは前口腔底の癌では両側郭清を考慮する必要がある．同術式は「口腔癌のレベルⅣ，Ⅴへの転移はまれである」という既述の原発部位と頸部リンパ節転移の分布様式の概念をもとにする(表5：p658)．レベルⅡリンパ節転移の術中所見により内頸静脈切除が必要な例があるが，通常，この場合も根治的頸部郭清術，非定型根治的頸部郭清術への移行は必要としない．

N0例では病理学的N診断(pN)の意義も大きい．切除標本の病理学的検索の結果により術後照射など追加治療の要否を決定する．同術式後の再発率は転移陰性であった場合5%，1つのリンパ節のみ陽性で節外進展のない場合10%，複数リンパ節で陽性あるいは節外進展陽性であった場合24%と報告されている．また，複数リンパ節陽性あるいは節外進展陽性例では術後照射により再発率は15%まで下げることが可能である[49]．

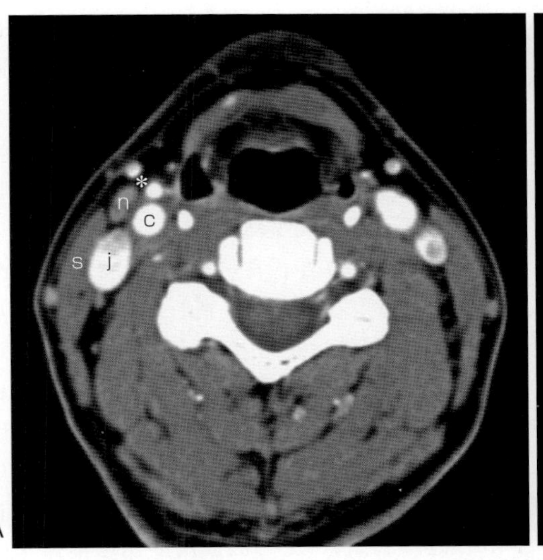

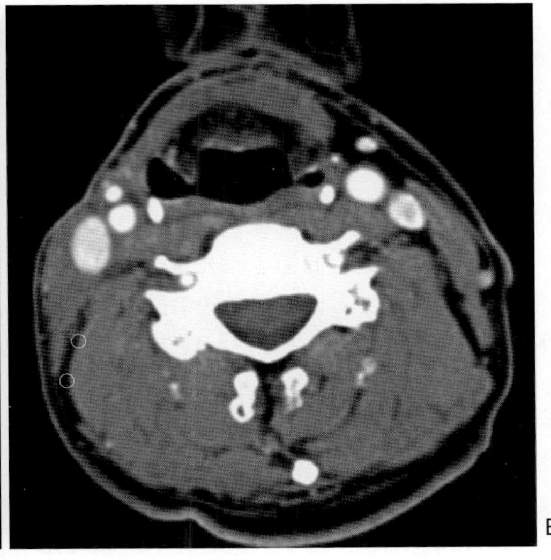

図 51 選択的頸部郭清術(肩甲舌骨筋上頸部郭清術)
舌骨下頸部レベルでの術前(A)および術後(B)造影 CT. 術後(B)において，胸鎖乳突筋(A で s で示す)，内頸静脈(A で j で示す)は温存されており，術前(A)において認められる頸動脈鞘周囲，頸動脈三角の脂肪組織(＊)，レベルⅢリンパ節(n)は切除されている．一方でレベルⅤは郭清範囲に含まれないことから，胸鎖乳突筋深部の後頸三角の脂肪組織(B で○で示す)は後方部で残存している．c：頸動脈

e. 外側頸部郭清術(lateral neck dissection)

レベルⅡ，Ⅲ，Ⅳを郭清範囲とする選択的頸部郭清術(表 7：p663)．主に喉頭癌(その他に下咽頭癌，頸部食道癌)N0 例を対象とし，潜在性リンパ節転移の切除を目的とする．同術式は「喉頭癌のレベルⅠ(5%)，Ⅴ(2%)への転移はまれである」という既述の原発部位と頸部リンパ節転移の分布様式の概念をもとにする(表 5：p658)．

f. 後外側頸部郭清術(posterolateral neck dissection)

レベルⅡ，Ⅲ，Ⅳ，Ⅴおよび耳介後部リンパ節，後頭下リンパ節を郭清範囲とする選択的頸部郭清術(表 7)．主に後頭部頭皮，頸部後側面の皮膚癌(扁平上皮癌，Merkel 細胞癌など)を対象とする．副神経の温存に注意する．

g. 前頸間隙郭清術(anterior compartment neck dissection)

レベルⅥを郭清範囲とする選択的郭清術(表 7)で，切除の境界は上方が舌骨，下方が胸骨切痕，両側は頸動脈内側縁である．主に喉頭癌(その他に下咽頭癌，頸部食道癌)，甲状腺癌を対象とするが，通常，外側頸部郭清術と組み合わされる．喉頭癌，下咽頭癌，頸部食道癌の約 20% で気管前リンパ節への潜在性転移を認めるとされ，気切孔再発につながる．

症例により甲状腺組織の一部あるいは全部が切除される．一般的には片側に限局した声門癌・声門上癌，下咽頭癌では片側の前頸部間隙郭清術，声門下前部進展のある喉頭癌，あるいは頸部食道癌では両側郭清が考慮される．

5 頸部リンパ節転移の画像診断(扁平上皮癌)

頭頸部扁平上皮癌の頸部リンパ節転移に対する CT，MRI あるいは超音波検査による画像診断の進歩は著しい．しかし，多くの研究，報告が重ねられてきた今現在も頸部リンパ節転移に対する正確な画像診断基準の確立には至っていない．顕微鏡的転移の画像での指摘はほぼ不可能である．さらに，分子レベルの研究によると頭頸部扁平上皮癌症例で通常の光学的顕微鏡検査では転移陰性と診断されたリンパ節の 21% が分子分析で転移陽性と診断されたと報告している[50]．当然，このレベルでの転移を画像でとらえるのは不可能であることを画像診断医は認識する必要がある．これらの微細な転移病変は外科的治療のみが施行される例では問題となるかもしれないが，放射線治療あるいは化学放射線療法では十分に制御可能であることを考慮すると，適切な治療選択を行えば臨床上の衝撃度は数字ほどではないことも事実である．一般に診断時N0と判断された症例(cN0)の15％が組織学的に，あるいはその後の臨床経過から転移陽性として現れる．ただ，後者に関しては，もし原発部位がコントロールされていなければ，その後の転移の可能性が含まれる．

理学的所見では通常，1.5 cm以上のリンパ節は転移を示唆，3 cm以上のリンパ節は節外進展を疑い，リンパ節固定に関する偽陰性，偽陽性率は合わせて18〜20％程度とされている．理学的所見のみよりも画像診断を組み合わせることで正診率が高くなることは認識されており，理学的所見のみでN0と判断された症例の7.5〜19％が画像上でリンパ節転移陽性と診断される(図52，53)．

頸部リンパ節転移の評価は一般にMRIよりもCTが優れる[51]．CT，MRIにおける現行の診断基準に関してはSomによるreview articleにほぼ総括されている[18]．これをもとに，その他の文献的考察を加えて代表的な画像診断基準につき，以下に解説する(表8)．

a. 大きさ

頸部リンパ節転移の大きさによる診断基準は一見，論理的かつ客観的で，最も広く受け入れられている診断基準である．しかし，まったく問題なく転移陽性と判断されるに十分な大きさのリンパ節(通常，1.5〜2 cm以上)，陰性と判断されるに十分な小ささのリンパ節(通常，1 cm未満)を除くと，大体0.5〜1.5 cmの範囲での境界域の大きさを示すリンパ節の診断(実際の臨床上，画像診断にはこのようなリンパ節に対する判断が求められている)では大きさの診断基準だけでは極めて不正確であることを画像診断医は認識しておく必要がある(図52〜54)．

一般的に適用されるのは横断画像での最大径が上内深頸リンパ節(レベルⅡ)，顎下リンパ節(レベルⅠB)で15 mm，その他のリンパ節で10 mm以上を転移陽性とするもので，正診率は約80％である．横断画像での最小横径による診断基準のほうがやや正確とされ，上内深頸リンパ節(レベルⅡ)で11〜12 mm，その他のリンパ節で10 mm以上を転移陽性と診断する[52,53]．咽頭後リンパ節は5 ± 1 mmが正常(18歳以下では7 mm)で，8 mmを超えると異常と判断される．レベルⅥでは10 mm以下は正常としている．なお，Xuらによる，医学生，耳鼻科レジデント，耳鼻科専門医と3群に分けた，リンパ節触診における臨床経験の関与に関する検討では，2 cmを超えるリンパ節は経験の有無に関係なく全員が触知可能であり，経験のある(実際の臨床で頭頸部癌症例を扱う)耳鼻科専門医は1 cmを超えるリンパ節は触知可能であったとしている[54]．咽頭後リンパ節，レベルⅥなどの触知困難な領域を除き，1 cmという大きさでの診断基準に過度に依存した画像評価の臨床的貢献度は極めて限定的となる．後述のその他様々な診断基準との総合的判断が強く要求される．なお，最大横断径1 cmをカットオフ値とした場合の感度は88％，特異度は39％，1.5 cmとした場合の感度は56％，特異度は84％である[51]．

b. 形　状

正常または反応性リンパ節は楕円形，扁平，あるいは豆状を呈するのに対して，転移リンパ節は球形，断層画像上は類円形を示す傾向にある．ただし，咽頭後リンパ節およびオトガイ下リンパ節(レベルIA)は正常でも横断像において類円形を示す．超音波検査で縦横比を検討した報告もみられる．大きさの診断基準に形状を考慮したとしても診断の感度向上は軽度である．

リンパ門(図2)の脂肪増生(fatty hilar metamorphosis，fatty hilum)の同定も重要であり，一般に脂肪濃度の陥凹としてリンパ門構造が確認されれば転移陰性(図55)，リンパ門構造が同定されなければ転移陽性を示すとされる[55,56]．ただし，リンパ節転移の初期の病巣形成が辺縁洞を中心に生じることから，リンパ門の破壊はリンパ節内病巣のある程度の増大を条件としており，リ

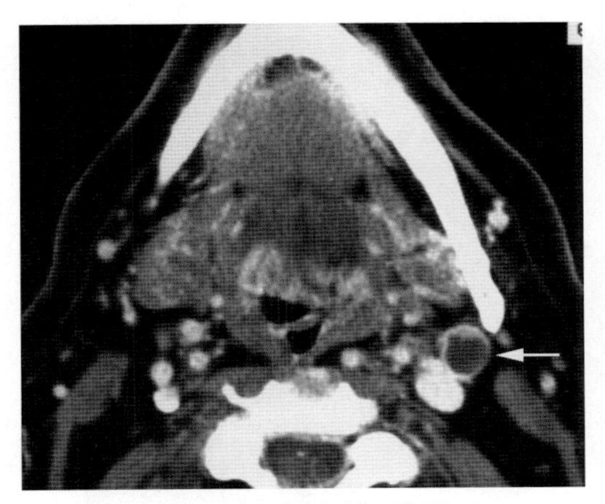

図 52　レベルⅡリンパ節転移．造影 CT
理学的所見では N0 と判定されたが，造影 CT では左レベルⅡにリンパ節転移（矢印）を認める．大きさの基準では腫大ありとは判定されないが，内部に低濃度（局所欠損）を伴い明らかに転移陽性である．

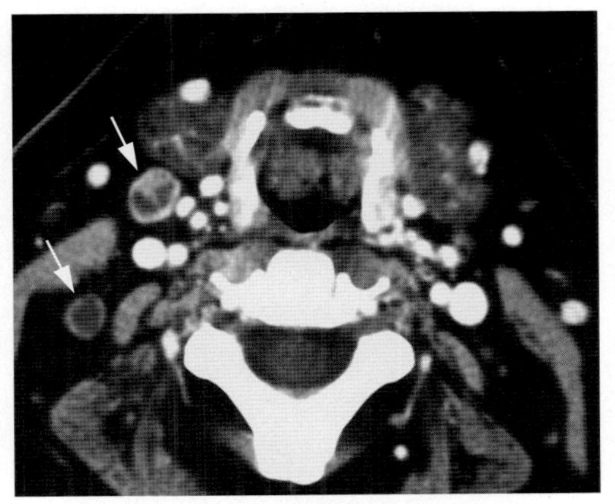

図 53　扁桃癌リンパ節転移．造影 CT
理学的所見では N0．その後施行された造影 CT で右レベルⅡ・Ⅲ境界レベルに内部に低濃度（局所欠損）を伴うリンパ節（矢印）を認め，転移に一致する．

表 8　頸部リンパ節転移の画像所見

診断基準	概要
サイズ：	
最大径（横断像上）	上内深頸リンパ節（レベルⅡ），顎下リンパ節（レベルⅠB）は 15 mm 以上で陽性 その他は 10 mm 以上で陽性
最小径（横断像上）	上内深頸リンパ節（レベルⅡ）は 11 mm 以上で陽性 その他は 10 mm 以上で陽性
咽頭後リンパ節	8 mm 以上で陽性（正常：5 ± 1 mm）
レベルⅥ	（正常：10 mm）
形状	球形は転移陽性（正常は楕円形，扁平，あるいは豆状），ただし咽頭後リンパ節，オトガイ下リンパ節を除く リンパ門消失（リンパ門が保たれている場合，正常）
局所欠損（中心壊死）	最も特異性の高い所見（3 mm 以上で画像上確認可能）
節外進展	予後不良を示唆（局所再発の危険性× 10）
融合	原発部位リンパ流出経路に位置する 3 個以上のリンパ節融合は転移の可能性が高いことを示唆する
非対称性	対側同レベルと比較して最大径が 2 倍以上であれば，転移の可能性が高いことを示唆する
分化度	低から中分化：内部が比較的均一 中から高分化：内部が不均一

ンパ門残存が必ずしも転移を否定するものではない（図 56）ことは十分に認識する必要がある（リンパ門確認により安易に転移陰性を判断すべきではない）．また，部分容積アーチファクトなどから脂肪濃度（信号）が明瞭ではない場合は後述の局所欠損との区別が問題となりうる．

c. 局所欠損（focal defect），中心壊死（central necrosis）

最も特異度の高い（95～100％）画像所見で，造影下でのリンパ節内の局所的低濃度領域を示す[57]．特にサイズによる診断基準を満たさない小さな転移リンパ節を指摘するうえで重要である（図 52～54）．

リンパ節内の低濃度に対して“中心壊死”の用

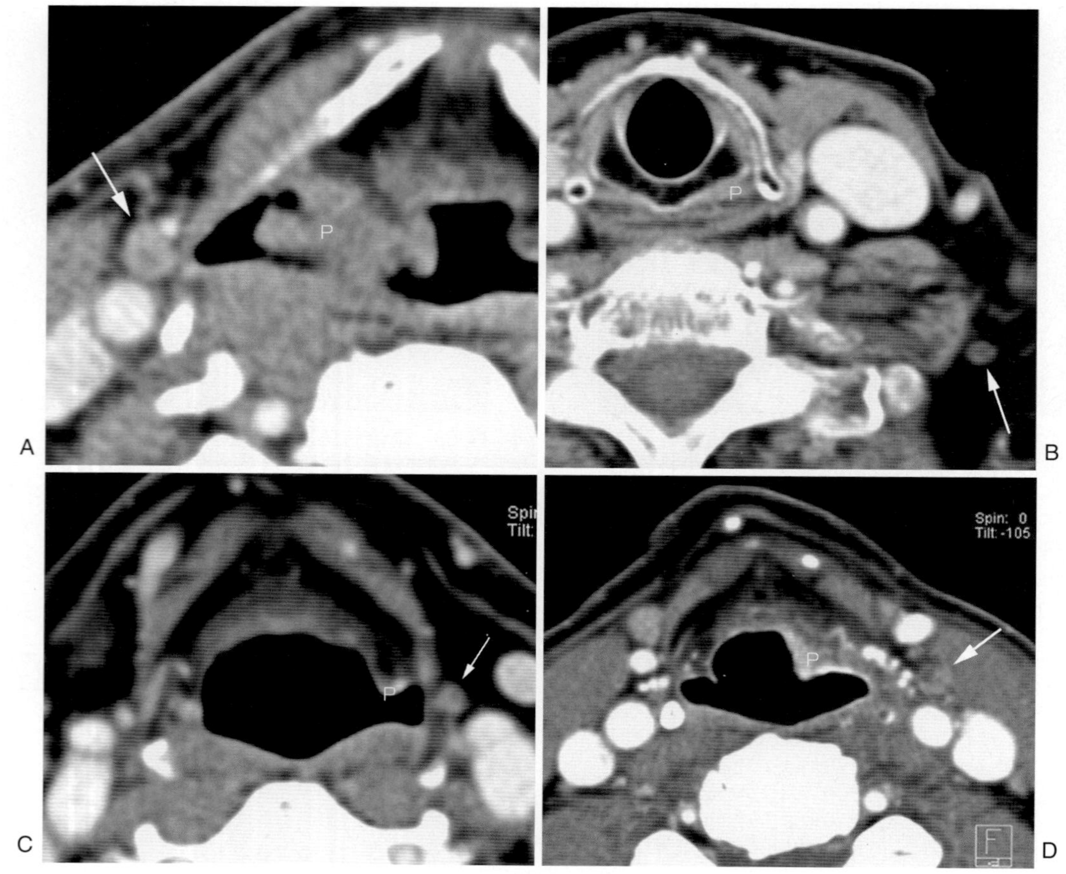

図54　局所欠損により診断された正常大の頸部リンパ節転移
造影CT(A，B，C，D)．いずれのリンパ節(矢印)も正常大であるが，内部に低濃度として局所欠損を含む．
P：原発病変

語がしばしば用いられるが，実際は壊死の他，リンパ節実質を一部置換した腫瘍細胞(図57)，あるいはその両方である場合を含む．また，先に述べたがリンパ節内への腫瘍の転移が辺縁洞から生じることなどを考えると“中心壊死”の用語よりも“局所欠損”が適切である．

画像評価に関しては，3 mm以下の局所欠損は造影CT，MRIあるいは超音波検査のいずれにおいても指摘困難である[58]．一般に同定には造影CTが最も優れ，3 mmより大きな局所欠損で感度は74～100％，特異度は91～96％とされる(図54)[52, 59]．局所欠損の出現はリンパ節の大きさと相関し，1 cm未満の転移リンパ節の10～33％，1.5 cmを超える病変の56～63％で認められる[53, 60, 61]．実際には，被膜内部がほぼ完全な液体濃度を呈し，嚢胞様を示すもの(図52，53)，その被膜がほぼ均一に厚く認められるもの(図58)，液体濃度を示す領域が偏在性に認められるもの(図59～61)，内部全体が不均一な増強効果を呈し，明らかな壊死・液体濃度を示さないもの(図62，63)など，多彩な画像所見を含む．ただし，腫瘍細胞(あるいは細胞塊)が，まずリンパ節の辺縁洞に到達することを考慮すると，軽度腫大を示すリンパ節の被膜下に偏在する低濃度領域(図64)が転移初期の典型的画像所見と考えられる．MRIにおいて局所欠損は，T1強調像では低信号強度，T2強調像では高信号強度を呈し，造影後T1強調像では造影不良領域として同定される(図61，65)．なお，完全な嚢胞性(ほぼ均一で2 mm以下の薄壁)を呈するリンパ節転移(図66)は

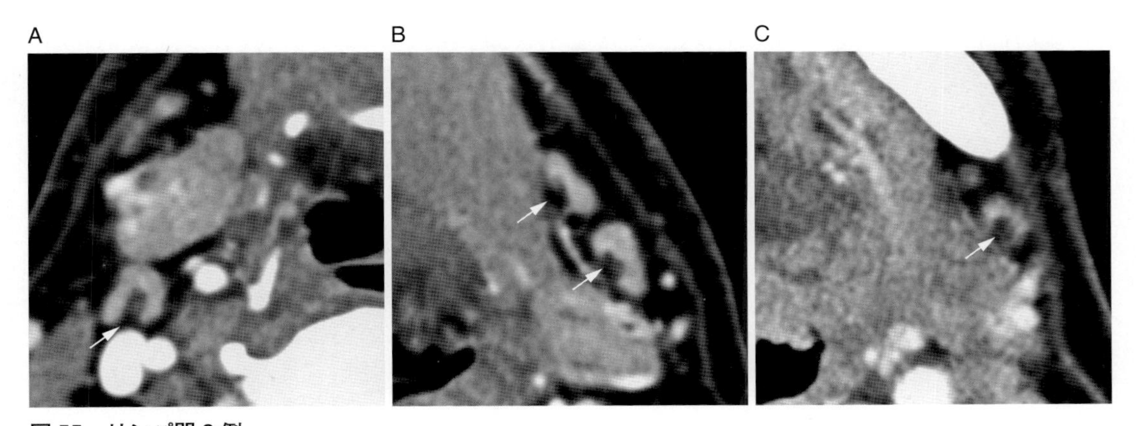

図 55　リンパ門 3 例

造影 CT(A, B, C)において，辺縁平滑，境界明瞭な正常大リンパ節を認め，いずれも脂肪濃度の陥凹としてリンパ門(矢印)が同定され，反応性リンパ節であることが示唆される．

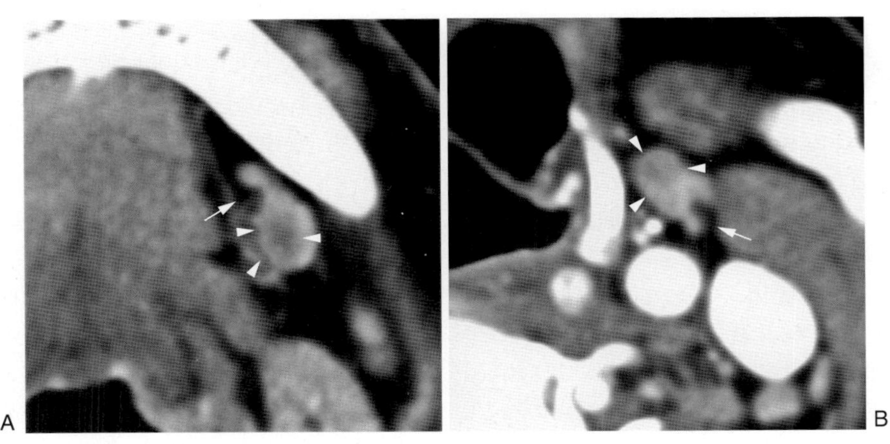

図 56　リンパ門の保たれた転移リンパ節 2 例

造影 CT(A, B)において，いずれも辺縁平滑，境界明瞭な正常から正常上限大リンパ節でリンパ門(矢印)も同定可能であるが，偏在性に淡い低吸収領域(矢頭)として転移病巣が確認される．

HPV 陽性中咽頭癌に特徴的である．

治療前画像でのリンパ節内壊死による低吸収・低信号は予後不良因子となる[62, 63]．正確な病態生理学的要因は不明であるが，低酸素による放射線治療への反応性低下，化学療法の薬物到達に関連する血行の途絶などが推定される．Randall らによる口腔癌 40 例の術前造影 CT での検討において，局所欠損(中心壊死)は，予後因子として重要な(後述の)節外進展と強い関連性を示し，局所欠損を伴う例では局所欠損を伴わない例と比較して，節外進展の発現は 12 倍強であったとしている[64]．また，局所欠損の CT 所見を認めない場合，90％強の高い信頼度で節外進展を除外できるとしている[64]．

画像上の鑑別疾患としては化膿性リンパ節炎(図 8A)，甲状腺乳頭・濾胞癌の嚢胞様転移，脂肪濃度の正常リンパ門，感染性嚢胞(鰓裂嚢胞，正中頸嚢胞など)があげられる．また，リンパ門の脂肪増生(fatty hilar metamorphosis, fatty hilum)(図 55, 64D)は完全な脂肪濃度として確認されれば容易に区別されるが，ときに部分容積アーチファクトにより局所欠損に類似する場合(図 67)があり，注意を要する．

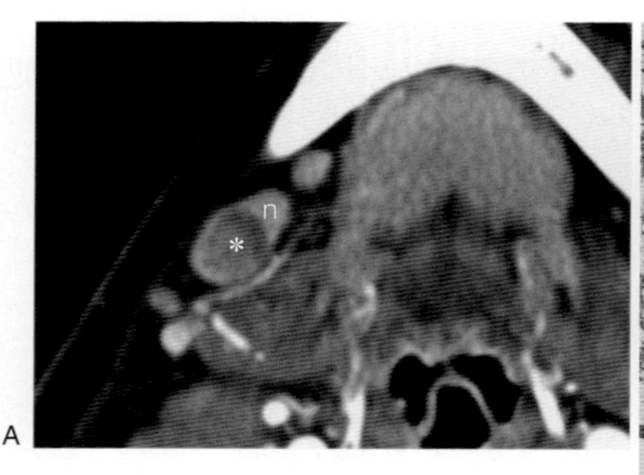

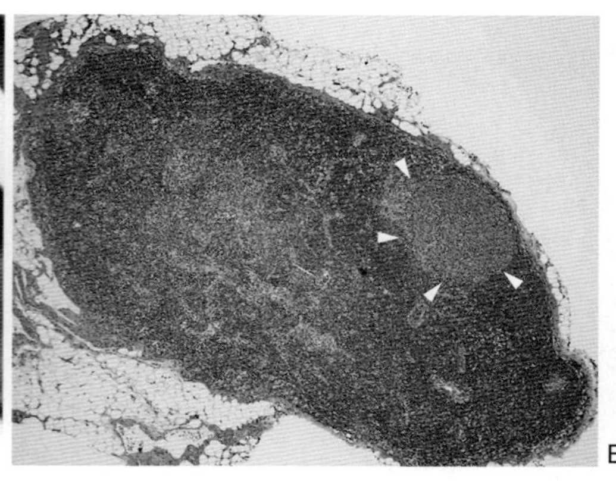

図57　リンパ節内転移病巣

造影CT(A)において，軽度腫大を示す右レベルIリンパ節(n)内に限局性低濃度領域(*)を認める．淡く不均等な増強効果を示すことから(壊死ではなく)リンパ節内に形成された腫瘍細胞塊に相当すると考えられる．別症例の転移リンパ節のHE染色(モノクロ)による組織切片(弱拡大像)(B)．リンパ節被膜直下で辺縁洞に相当する領域に偏在性に形成された腫瘍細胞塊(矢頭)を認める．

d. 節外進展・被膜外進展(extranodal extension；その他として extranodal spread, extracapsular spread/rupture 等)

節外進展(図68)は腫瘍の侵襲性の高さとともに免疫能低下からリンパ節被膜内に腫瘍をとどめることができなくなったことを示し，40年以上にわたり重要な予後因子として認識されてきた[65]．節外進展がN診断に取り入れられたことは，「AJCC第8版」[1]，「頭頸部癌取扱い規約第6版補訂版」[10]の改訂での最も大きな変更点のひとつであり，明らかな節外進展をN3bに区分した(除：上咽頭癌，HPV陽性中咽頭癌，HPVあるいはEBV陽性原発不明癌)．なお病理学的N診断(pN)では，節外進展の範囲がリンパ節被膜から2mm以下の顕微鏡的節外進展(ENEmi)と2mmを超える肉眼的節外進展(ENEma)を区別し，いずれも節外進展陽性に区分される[7]．これは客観性・再現性が高い基準のように思えるが，実際には節外進展の有無に関する判断は病理医間で一致しないこともしばしばである[66]．

節外進展は生存率，再発における最も重要な予後不良因子であり，頸部リンパ節再発のリスクは3倍，局所再発(図69)のリスクは2倍，遠隔転移のリスクは2〜3倍となり，生存率も低下する[67〜70]．節外進展の存在により，5年生存率は口腔癌で約70%から40%[64]，喉頭癌・下咽頭癌で26%から15%[71]へと低下し，複数の節外進展を示す舌癌症例での平均生存期間は1年未満とされる[68]．後療法を追加したとしても予後不良である[67]．さらに節外進展は対側頸部リンパ節再発[72]，あるいはまれな頸部リンパ節領域での再発[73]に対しても独立したリスク因子となる．なお，病理での顕微鏡的節外進展，肉眼的節外進展のいずれもが長期生存率を低下させるが[74]，節外進展の有無とともに転移リンパ節の数を組み合わせることにより，さらに確定的な死亡リスクの推定につながる[65]．HPV陽性中咽頭癌のN分類には節外進展は含まれていないが，HPV陽性癌においても節外進展は予後不良因子とされ[65, 75](現行のN診断にはかかわらないが)画像評価対象に含めるのが望ましい．

画像所見はリンパ節の輪郭の不整，境界の不明瞭化と被膜の不整な増強効果あるいは周囲組織への浸潤として認められる(図68)．

ただし，「AJCC第8版」[7]では「N3bとする節外進展の判断には厳格な基準を用いる必要がある．現在の画像による節外進展に対する診断能には明らかな限界があり，節外進展を示唆するとされる画像所見のみでは臨床的な節外進展の診断には不十分である．明確な理学的所見とともに確固たる画像診断的根拠の支持により診断されるべきである．」としている．このため，画像診断医は

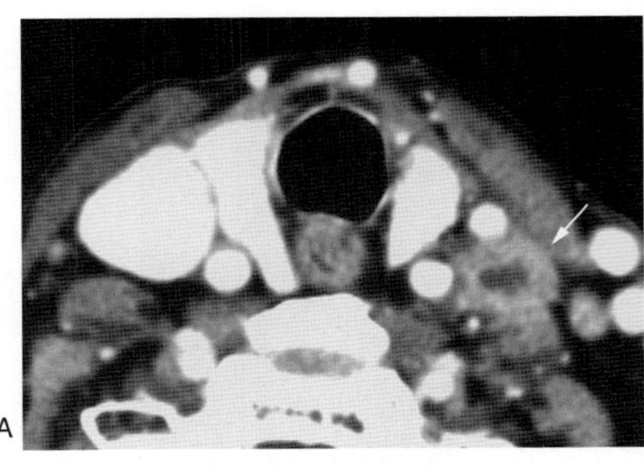

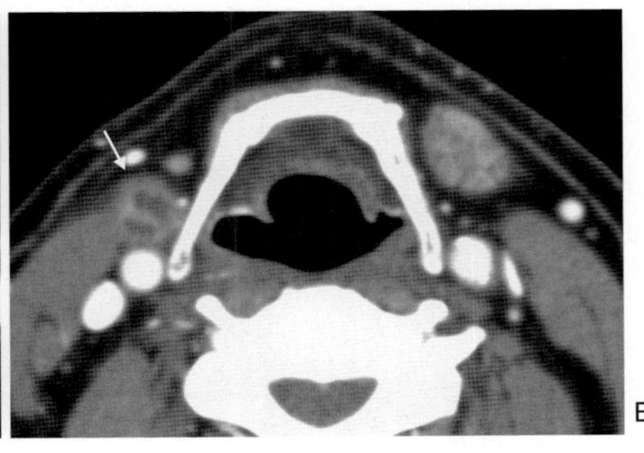

図 58　局所欠損を伴う頸部転移 2 例
甲状腺レベルでの造影 CT（A）において，左レベル Ⅲ に頸部転移（矢印）を認める．中心部の液体濃度領域を認め，その周囲の壁は比較的厚く，ほぼ均一に認められる．別症例の舌骨レベルの造影 CT（B）で，右レベル Ⅱ（から Ⅲ 境界部）に頸部転移（矢印）あり．A と同様に内部の淡い低濃度領域を比較的厚く，均一な壁が囲む．

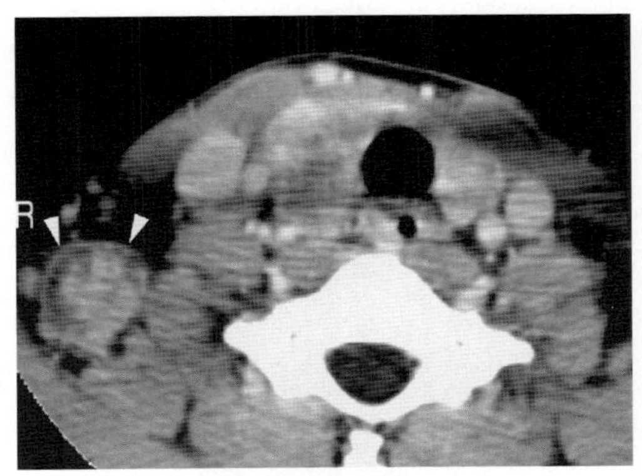

図 59　局所欠損を伴う頸部転移
造影 CT．右レベル V に頸部転移（矢頭）を認める．外側面に沿って偏在性に液体濃度域を含む．

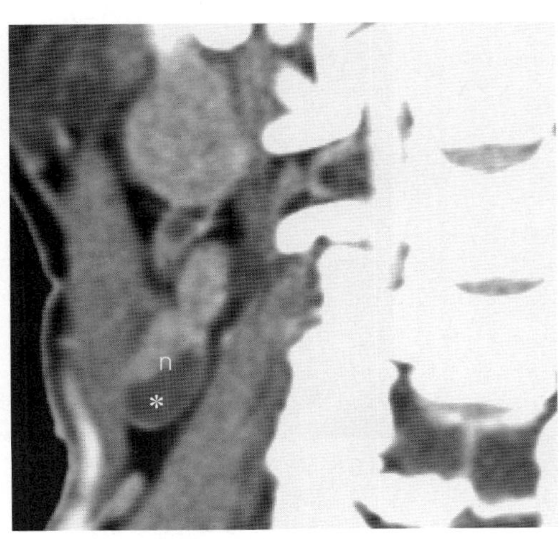

図 60　局所欠損（液体濃度）
造影 CT 冠状断像において右レベル III 領域に腫大リンパ節（n）を認め，尾側に偏在性に境界の比較的明瞭な液体濃度領域（*）を含む．

節外進展の画像所見の臨床的意義について十分に理解したうえで評価することが求められる．節外進展の画像所見の認識は，転移リンパ節の存在診断において重要であるが，同時に正確な N 診断，予後推定，さらに後述のように切除可否の判断も求められる．既述の節外進展を示唆する画像所見はリンパ節転移陽性を示唆するが，N3b に区分するには単に軽度の辺縁不整や限局した周囲脂肪層不明瞭化のみではなく周囲への高度浸潤性所見が必要であり，（理学的所見としての浸潤が十分に想定されるだけの）高い信頼性をもって周囲構造（頸動静脈，深頸筋膜深葉，胸鎖乳突筋，甲状腺など）への浸潤が確認されれば，画像所見のみで N3b を診断しても許容されると考えられる（図 68C・D，70）．なお，画像診断モダリティとしては，従来から CT がより高い信頼性を示すとされていたが[59]．最近の報告では，節外進展に対する正診率，感度，特異度は各々，CT が 73%，65%，93%，MRI が 80%，78%，86% と，ほぼ同等とされる[76]．検査効率，医療経済面からも，一般には造影 CT での評価が適切と考えられる．CT での節外進展の診断は，感度は低いが特異度は高く，陰性・陽性的中率も各々 82.6%，87.3% と治療方針の決定には有用な値を示す[77]．また，CT の診断率は，病理学的節外進展の程度が高度

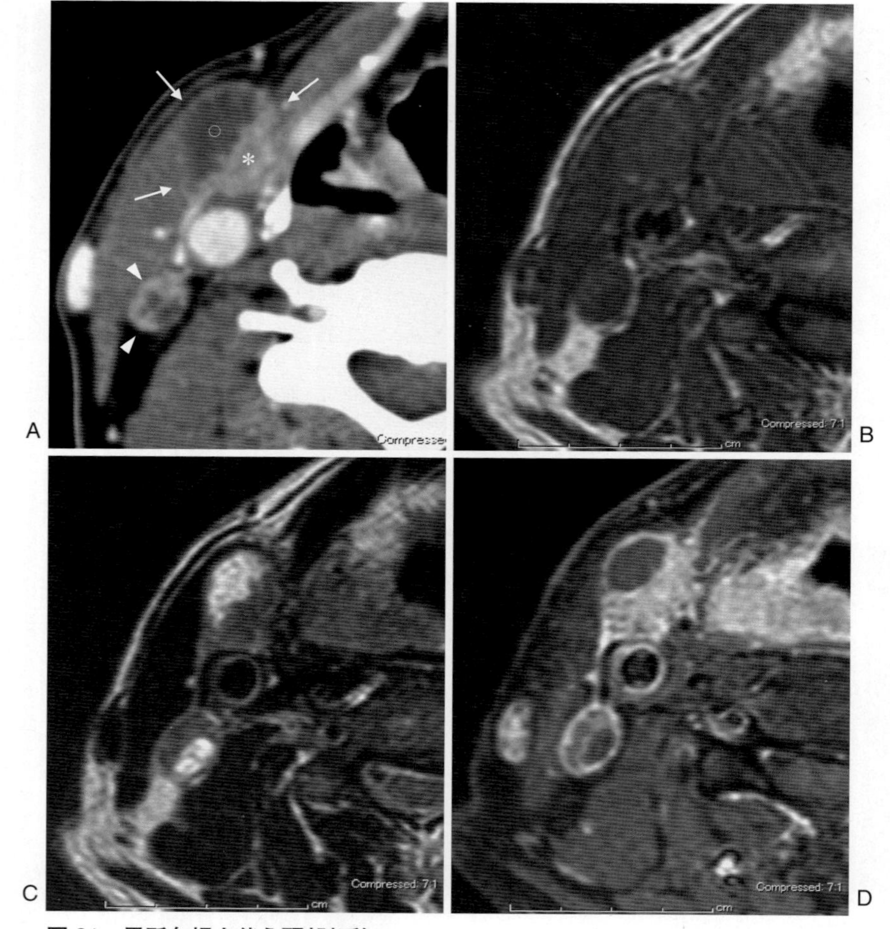

図61　局所欠損を伴う頸部転移

A：造影CT．右レベルⅢに2つの頸部転移を認める．頸動脈前方の病変(矢印)は軽度腫大を示すリンパ節の外側寄りに偏在性の造影不良域(○)を認め，内側寄りは充実性増強効果(＊)を示している．後方の病変(矢頭)は，リンパ節自体は正常大で，辺縁平滑，境界明瞭な楕円形と形状も正常であるが，内部にやや偏在性に被膜下に並ぶように低濃度領域を含む．

B：同例同一レベルでのMRI，T1強調像．頸部転移病変は2つとも骨格筋と類似の低信号強度を呈する．

C：T2強調像．CT(A)での造影不良域，低濃度領域は高信号を呈し，充実性増強効果を呈していた部分は中等度からやや高信号強度を示している．

D：造影後T1強調脂肪抑制画像．CT(A)と同様，2つの病変には各々，内部に造影不良域を認める．

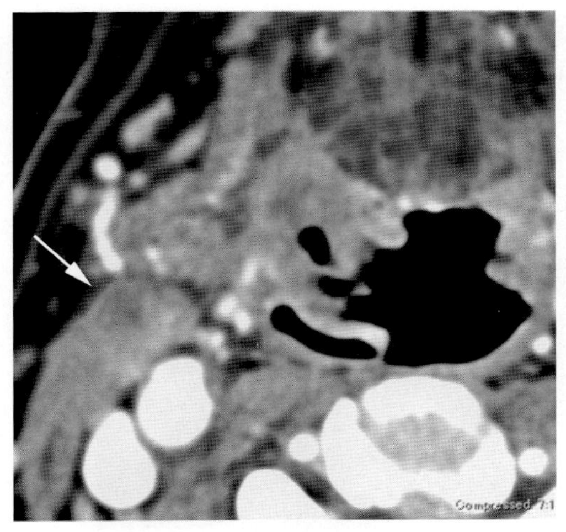

図 62 局所欠損を伴う頸部転移
造影 CT．右レベルⅡに頸部転移（矢印）を認める．内部は不均一な増強効果を示すが，明らかな液体濃度は呈さない．

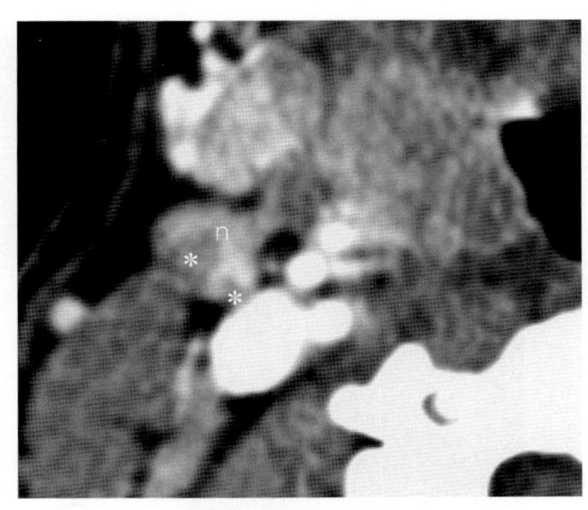

図 63 局所欠損（非液体濃度）
造影 CT．右レベルⅡに辺縁平滑，境界明瞭で正常大の楕円形リンパ節（n）を認める．内部には偏在性に低吸収領域（＊）を認める．同部は周囲のリンパ節実質に対して低吸収を示すが，淡い増強効果を呈しており液体濃度ではない．

なほど高い[77]．MRI では非造影 T1 強調像が最も優れ（正診率 78〜90％），造影後 T1 強調脂肪抑制画像の追加による診断率の向上はないと報告されている[59]．“局所欠損”の項で既述のとおり，局所欠損・中心壊死の CT 所見を認めた場合は節外進展の可能性が高く，逆に認められない場合は可能性が低いとされ[64]，中心壊死の画像所見が病理学的節外進展の最も重要な予測因子であると報告されている[78]．画像所見としての節外進展も独立した予後不良因子であり，生存率，遠隔制御率の有意な低下を伴う[79, 80]．癒合リンパ節（matted nodes）の画像所見も節外進展を示唆するが，同時に T 因子，喫煙，HPV などにかかわらず予後不良であることを示す[81]．

実際には 1 cm 以下の転移リンパ節の 23％，2〜3 cm の転移リンパ節の 53％，3 cm 以上の転移リンパ節の 74％で節外進展を認める．顕微鏡的節外進展を含めると全体として 3 cm 以下のリンパ節の 60％で節外進展陽性である[82, 83]．頸部リンパ節転移病変が 3 個以上で，節外進展の頻度は有意に高いとされる[84]．

いったん節外進展をきたすと，胸鎖乳突筋，顎二腹筋，内頸静脈などへの浸潤は頸部郭清術においてこれらの合併切除を必要とし，また，頸動脈（図 68D，71），下位脳神経，深頸筋膜深葉（椎前筋膜）（図 68B・C，70B）へと浸潤すれば治癒切除はほぼ不可能で予後は極めて不良である．

e. 集簇（grouping）

原発部位のリンパ流出経路に一致した領域に接する 3 個以上の境界不明瞭なリンパ節（最大径が 8〜15 mm あるいは最小径が 8〜11 mm）が集簇している場合（図 72），転移の可能性が高い[85]．

f. 非対称性・分布

評価すべきリンパ節が大きさによる診断基準で境界領域の場合，対側同レベルのリンパ節をコントロールとして，患側リンパ節の最大横断径が 2 倍以上である場合は転移の可能性が高い．

g. 分化度

一般的に低から中分化扁平上皮癌の転移リンパ節（図 68D）は内部が比較的均一で，悪性リンパ腫リンパ節病変と類似するが，中から高分化扁平上皮癌では内部は不均一で局所欠損を含むことが多い傾向にある（図 68B・C）．原発不明癌の頸部転移例でリンパ節内部が比較的均一であれば扁桃など Waldeyer 輪領域原発の頻度が高い．

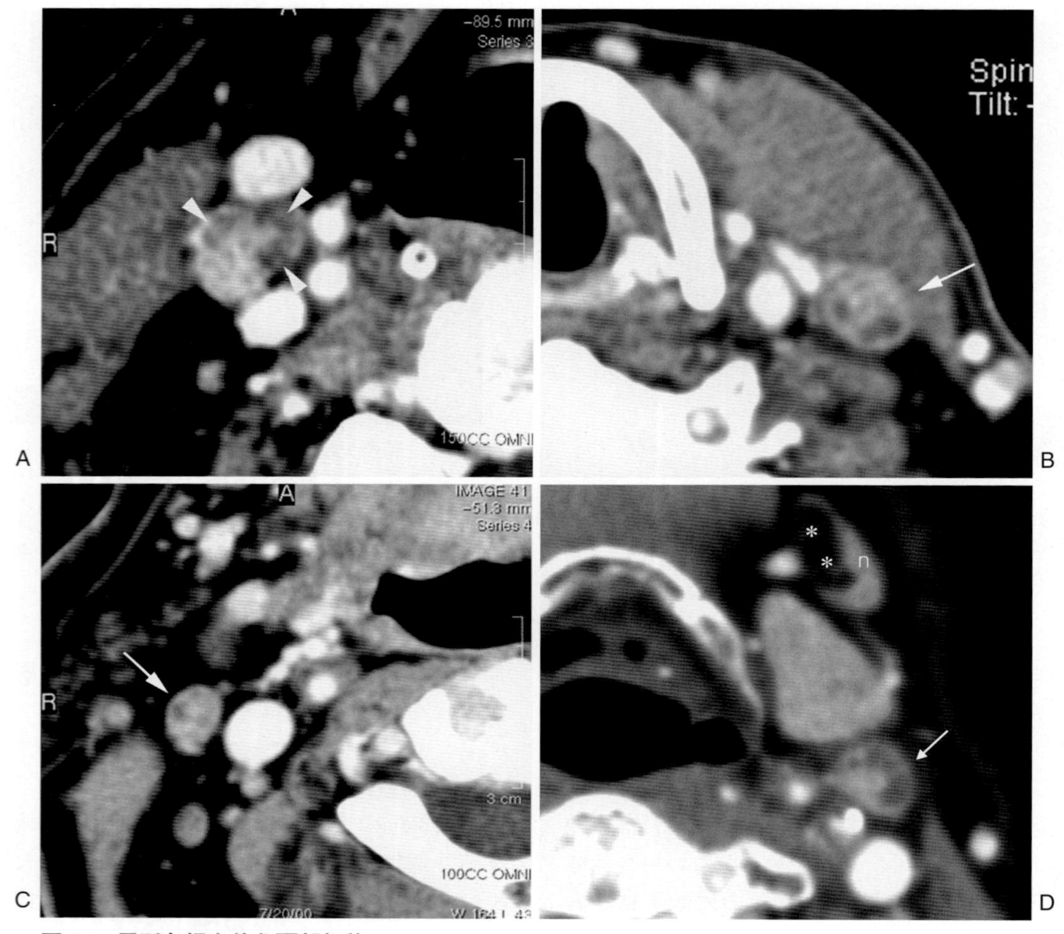

図64　局所欠損を伴う頸部転移

造影CT(A)において，軽度腫大を示すリンパ節の被膜直下に偏在する低濃度領域(矢頭)を認める．別症例(B, C, D)の頸部転移病変(矢印)も同様．Dでは，明瞭な脂肪濃度(＊)としてのリンパ門を含む右レベルⅠBリンパ節(n)を認める．

6 頸部リンパ節転移画像診断と治療計画の統合および治療後評価

適切な治療選択において，正確なN診断と頸部病変の切除可否の判断が重要であるが，ここで再び確認すべきは，頸部リンパ節転移に対する現行の画像診断基準は，正診率，感度，特異度などにおいて決して十分とはいえないことである(図73)．特に，対側リンパ節転移(N2c)の診断などは臨床上での衝撃度を考慮すると，単にそのリンパ節が「大きさが何mmだから転移陰性あるいは陽性」などと安易に判断されるべきではない．実際の画像診断は各診断基準を組み合わせる，あるいは既述の「原発部位に対応した系統的リンパ節転移様式」や原発病変の部位，状態(深達度，大きさやT因子)を考慮しながら判断する必要があり，画像診断医の経験や理解も重要な要素となることを強調したい．なお，臨床的なN0症例において想定される頸部リンパ節転移の可能性が20％を超える場合には予防的頸部郭清術の適応とすべきという，1994年にWeissらに提唱された指標[86]は現在も広く受け入れられている．ただ，頸部リンパ節転移の予後への影響の大きさ，過去20年でのより保守的な術式選択に伴うrisk-benefit ratioの変化などもあり，15％に引き下げるべきとの考えもある[87]．

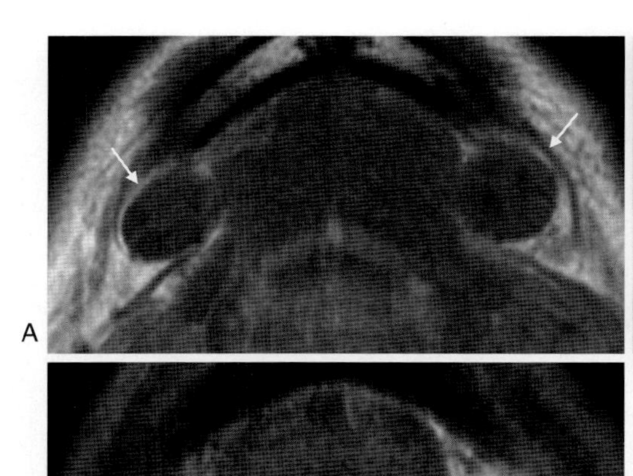

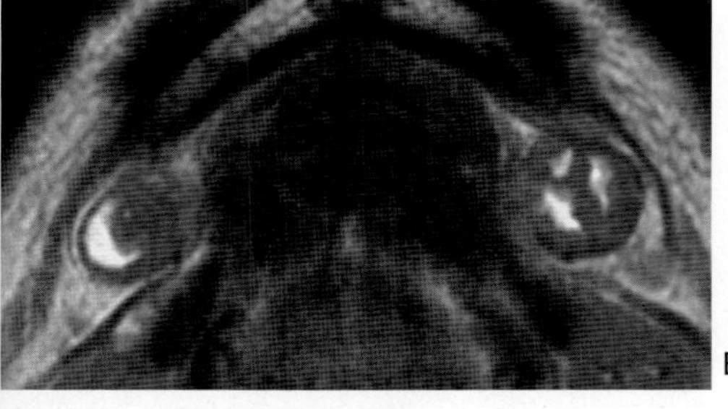

図 65　局所欠損 MRI 所見

顎下部レベルの MRI，T1 強調像(A)で，両側レベル IB に軽度腫大を示すリンパ節(矢印)を認める．辺縁平滑，境界明瞭で，やや類円形の形状を呈し，内部は骨格筋とほぼ等信号であるが，内部にさらに淡い低信号域の混在を認める．T2 強調像(B)では，T1 強調像での病変内部の淡い低信号領域に一致した著明な高信号域を認め，その他の部位は中等度からやや高信号強度を示す．造影後 T1 強調脂肪抑制画像(c)で，T2 強調像での高信号域は造影不良域としてみられ，壊死，嚢胞部を反映する．その他は充実性増強効果を示している．

治療前画像診断での頸部リンパ節の評価は可能な限り正確なリンパ節(N)診断に基づく治療法選択，予後推定を目的とする．転移リンパ節の画像診断はリンパ節の大きさ，形状，辺縁，内部性状等の診断基準(既述)により行われ，N 分類(表 4：p656)は転移リンパ節の有無，大きさ，節外進展の有無，分布(局在)によりなされる．触診のみの診断は不正確であり，触診で N0 とされる症例の少なくとも 30％で潜在的な頸部リンパ節転移を示す[88]．CT，MRI の転移リンパ節の診断能はほぼ同等[89]あるいは CT がやや優れ，造影 CT が標準的モダリティとして選択される．MRI の拡散強調像・ADCmap が有用で[90, 91]，最小 0.9 cm のリンパ節で転移指摘が可能であったとされる一方で，感度，特異度ともに低く実臨床での有用性は低いとの報告[92]もある．すでに述べたが，節外進展の画像評価はリンパ節転移の存在診断，正確な N 診断(「AJCC 第 8 版」[7]で N 分類の評価項目として新たに追加)に重要であり，さらに重要な予後因子としての意義がある．節外進展例(図 68)での切除可否(周囲構造への浸潤の有無)の判断では，造影 CT 所見を基本として(N 診断を目的とした頸部全体の評価ではなく)当該リンパ節病変領域に絞ったプロトコルによる MRI の追加がしばしば有用である．これらの周囲構造には，

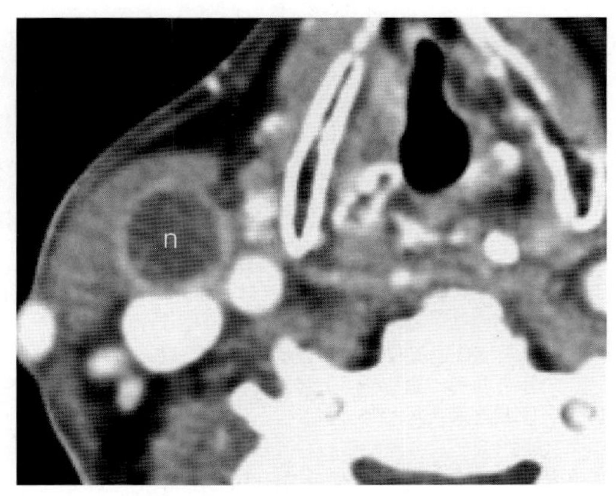

図 66　嚢胞性リンパ節転移

喉頭レベル造影 CT において，右レベル III 領域に均一で薄壁の単房性嚢胞性腫瘤(n)を認める．内部は均一な液体の吸収値を示している．

頸動脈，内頸静脈，胸鎖乳突筋，下位脳神経，顎二腹筋，深頸筋膜深葉(neck floor)などが含まれる．深頸筋膜深葉を越える腫瘍浸潤は治癒切除不可，頸動脈浸潤も予後不良を示す．片側の頸動脈浸潤では，まれに術前血管造影により対側からの血流を確認することで頸動脈切除の可否を決定する場合もあるが，頸動脈浸潤(図 68C・D，図 71)は基本的には切除不能を示す．ときに放射線治療および / あるいは化学療法に伴う頸部転移病変の退縮により，切除の可能性が望める場合も

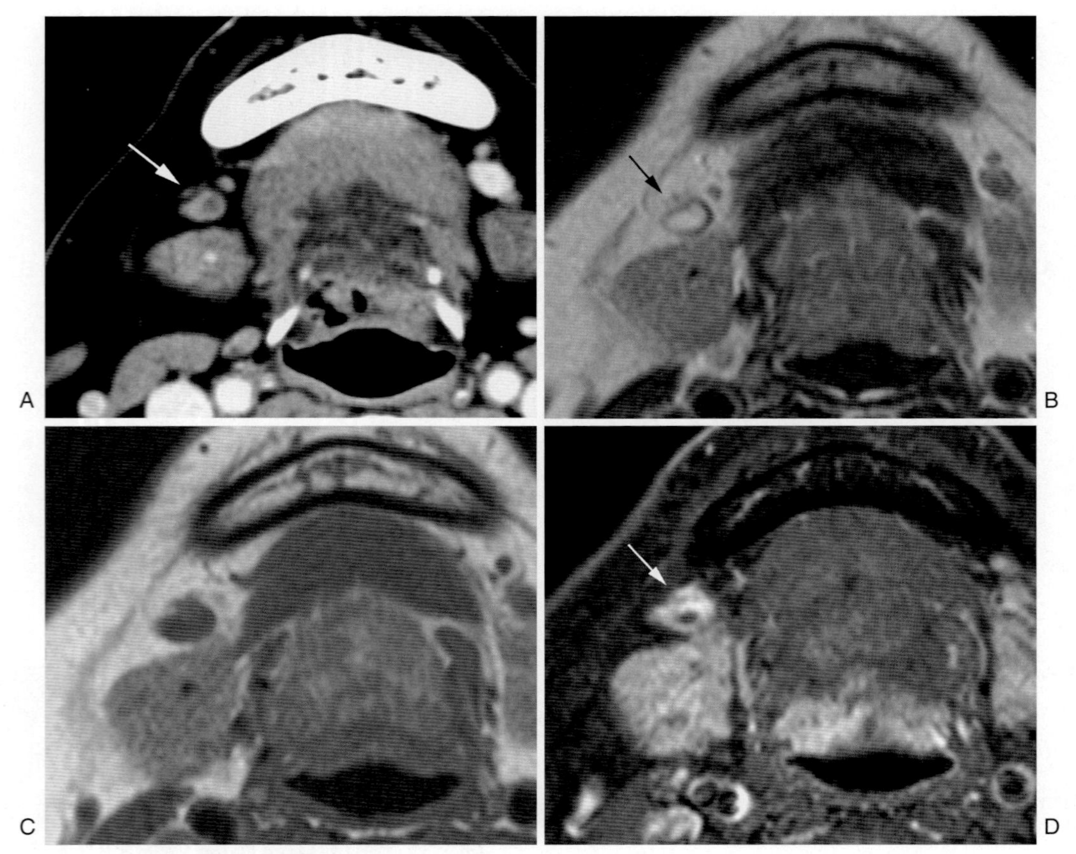

図67　局所欠損を伴う頸部転移
造影CT(A)において，右レベルIBに内部に低濃度領域を含む，正常大リンパ節(矢印)を認める．内部低濃度は脂肪濃度ではないが，リンパ門の部分容積アーチファクトの否定は困難である．MRI T2強調像(B)でリンパ節(矢印)内部は高信号強度を示すが，これでも両者の区別は困難．T1強調像(C)でのみ，内部が脂肪成分でないことが示される．造影後T1強調脂肪抑制画像(D)でも，内部は造影不良を呈するが，脂肪抑制画像でもあり両者の区別は困難と考えられる．

ある．CT，MRIの画像評価としては，腫瘍と頸動脈との最大接触角度で判断される場合が多く，最大接触角度が270°を超えると切除不能とされるのが一般的である(図71，74)[93]．CT上，最大接触角度180°以下であれば，頸動脈の合併切除ではなくsharp dissectionが可能な場合が多いとされるが，同診断基準での頸動脈浸潤の正診率は理学的所見と同程度ともされる[94]．なお頸動脈分岐内への腫瘍浸潤(図75)も切除不能を示唆する．CTでは，頸動脈に対する圧排・変形，頸動脈と腫瘍との間の組織層消失の所見が最も高い正診率を示すが[95]．一般にCTは頸動脈浸潤を過大評価する傾向にある[96]，恐らくこれは腫瘍自体による組織層消失に加えて，頸動脈鞘のリンパ浮腫に伴う頸動脈周囲の組織層消失との区別なく，両者を合わせて接触角度を判断するためと考えられる．ときにMRIのT2強調像では高いコントラスト分解能により，腫瘍を示す中等度の信号強度と浮腫による高信号強度が区別され，接触角度のより正確な判断が可能な場合(図76)もある．CT，MRIそれぞれの画像所見(図77)で総合的に判断することが望ましい．血管腔内への腫瘍進展が最も特異度の高い画像所見であるが，極めてまれな所見であり感度は低い[97]．また，MRIの造影後T1強調脂肪抑制画像では頸動脈浸潤に関して過大評価になり(図78)，T2強調像，(造影前)T1強調像の所見を考慮すべきである．一方，深頸筋膜深葉(椎前筋膜)への固定に関しては，CT

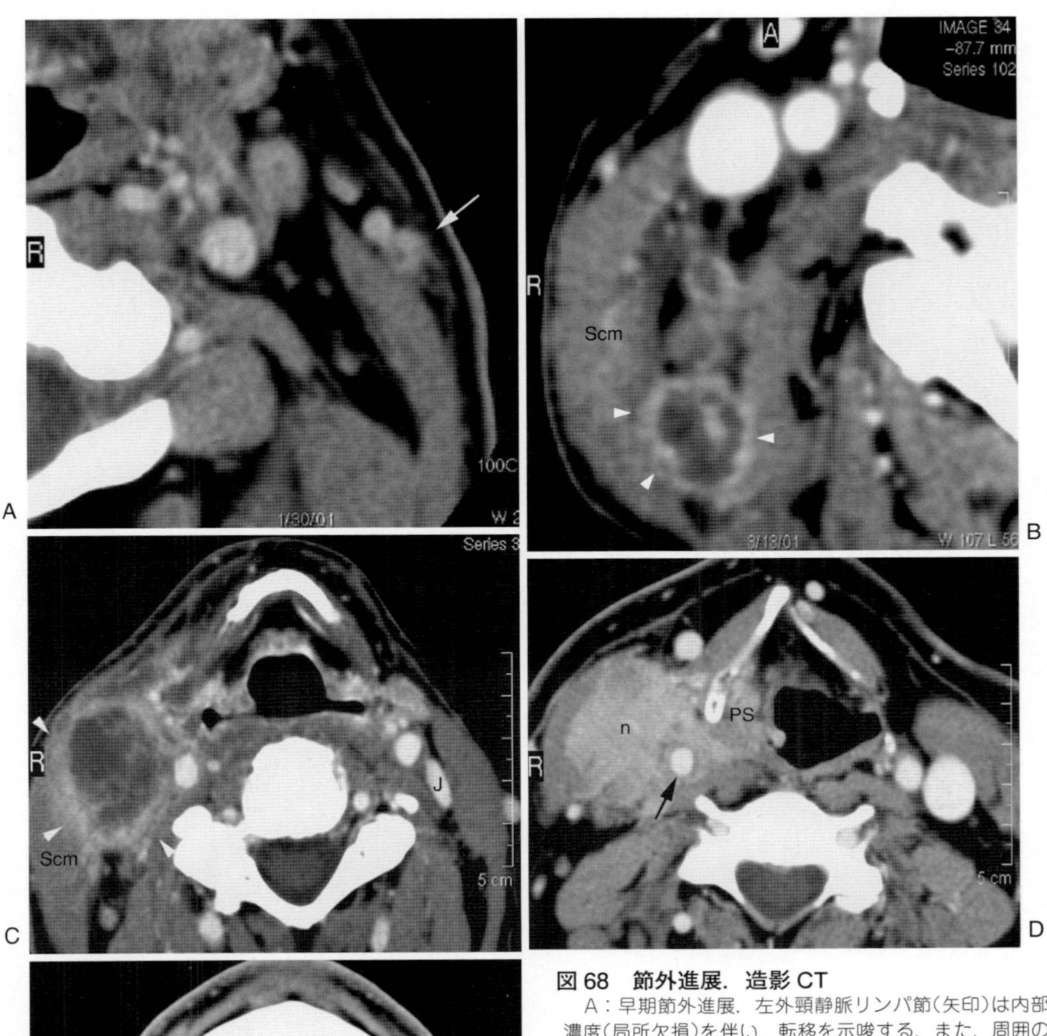

A　B　C　D　E

図 68　節外進展．造影 CT

A：早期節外進展．左外頸静脈リンパ節(矢印)は内部に低濃度(局所欠損)を伴い，転移を示唆する．また，周囲の組織層の不明瞭化を認め，節外進展を反映している．

B：早期節外進展．左後頸三角内には内部に低濃度を伴う複数のリンパ節を認め，その一部で辺縁は鋸歯状を呈し(矢頭)，節外進展を示す．外側は胸鎖乳突筋(Scm)，内側は椎前筋膜(深頸筋膜深葉)との癒着が疑われる．

C：節外進展．右レベルⅢに腫大したリンパ節(矢頭)を認め，内部には不整形の低濃度領域が含まれる．その輪郭は不鮮明で，節外進展を示唆する．外側では胸鎖乳突筋(Scm)，内側は椎前筋膜(深頸筋膜深葉)を越えた浸潤がみられる．内頸静脈(左側で“J”で示す)は圧排あるいは浸潤を受けている．

D：節外進展．右梨状窩に浸潤性腫瘍(PS)を認め，梨状窩癌に一致する．これと連続して，右レベルⅢ領域に腫大したリンパ節(n)を認める．著しい節外進展により内頸動脈(矢印)は取り囲まれる．

E：節外進展．右レベルⅠBに頸部転移(N)を認め，隣接脂肪の混濁(矢頭)を伴い，節外進展が疑われる．隣接する広頸筋(＊)への浸潤の可能性あり．

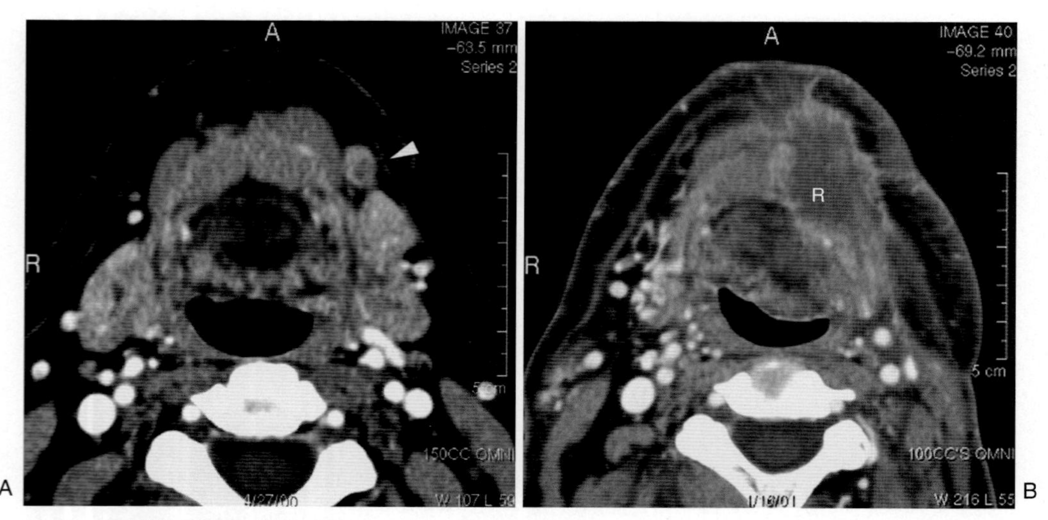

図 69　早期節外進展．造影 CT

A：左レベルⅠB（顎下リンパ節）領域に内部に低濃度を含んだリンパ節を認め，転移に一致する．その外側では接する組織層の不整な肥厚（矢頭）を認め，早期節外進展を示唆する．

B：頸部郭清術 10 ヵ月後．図 A で転移リンパ節を認めた部位に浸潤性腫瘍を認め，頸部リンパ節再発（R）を示す．皮下組織の網状変化，皮膚の肥厚など皮膚リンパ組織への浸潤およびこれに伴うリンパ浮腫を反映している．

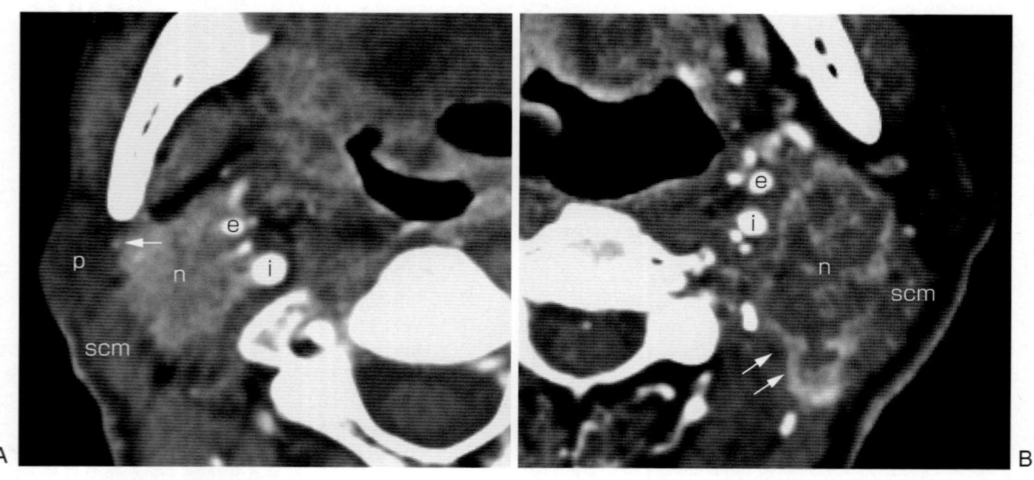

図 70　高度節外進展 2 例

中咽頭レベル造影 CT（A）において，右レベルⅡの転移リンパ節（n）を認める．浸潤性辺縁を示し，節外進展を示唆する．内側深部では外頸動脈（e）を囲み，外側では耳下腺尾部（p）に浸潤（矢印）を示す．i：内頸動脈，scm：胸鎖乳突筋．別症例の中咽頭レベル造影 CT（B）．左レベルⅡの転移リンパ節（n）を認める．境界は不明瞭で不整な辺縁・被膜の増強効果を呈する．深部で深頸筋膜深葉との固定（矢印），外側で胸鎖乳突筋（scm）内側面への浸潤が示唆される．e：外頸動脈，i：内頸動脈．2 例ともに，N3b 相当と判断するのに十分と考えられる周囲構造への明らかな浸潤所見を示している．

よりも造影後脂肪抑制 T1 強調像でより明瞭に描出される場合がある（図 78，79）．なお，治療中，治療後ではリンパ節周囲の組織層はしばしば不明瞭化し，節外進展の正確な画像評価は困難であり，術前評価が重要である．

術前画像での予後推定において，既述のとおり（画像での）節外進展の画像所見は予後不良[79, 80]とされる．その他として頸動脈浸潤の画像所見は

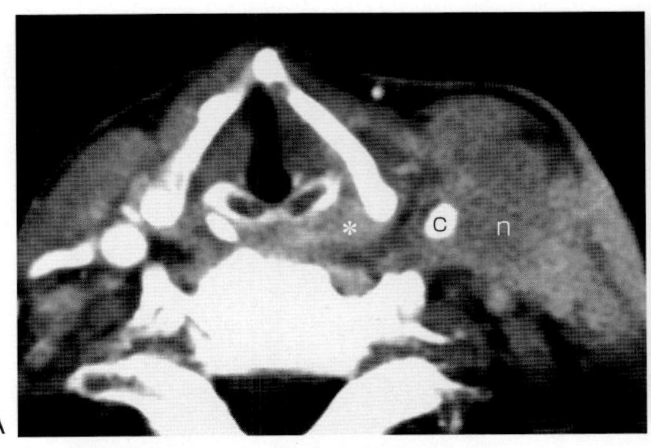

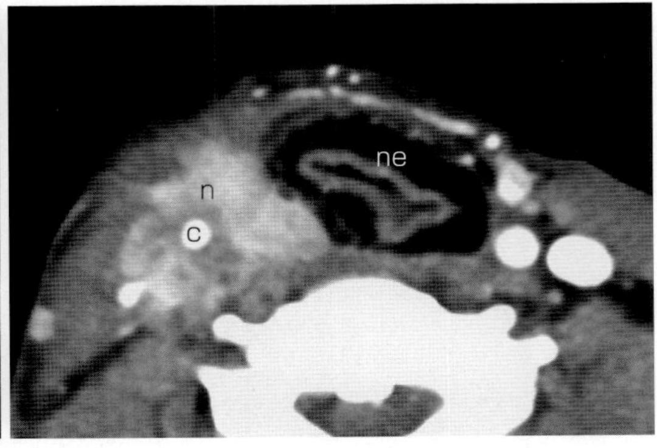

図 71 節外進展による頸動脈浸潤 2 例
下咽頭レベル造影 CT (A)において左レベル III に浸潤性辺縁を示す腫瘤(n)を認め，高度節外進展を伴うリンパ節転移に一致する．左総頸動脈(c)を取り囲み，頸動脈浸潤を示す．左梨状陥凹に原発病変(＊)を認める．咽喉食摘後の別症例の造影 CT(B)で右レベル III の頸部リンパ節再発(n)を認める．右総頸動脈(c)を完全に囲み，頸動脈浸潤を示す．ne：再建咽頭

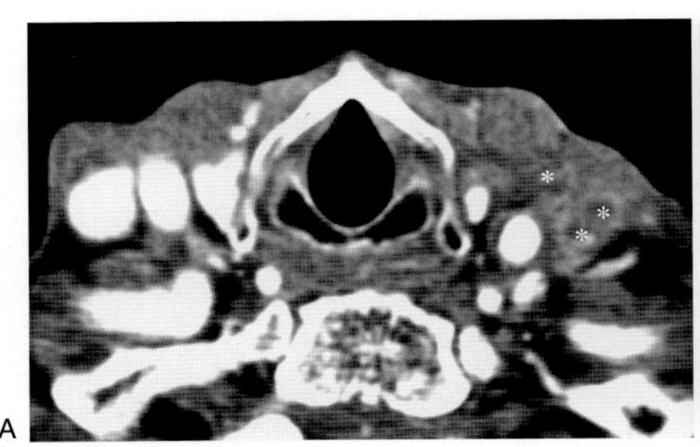

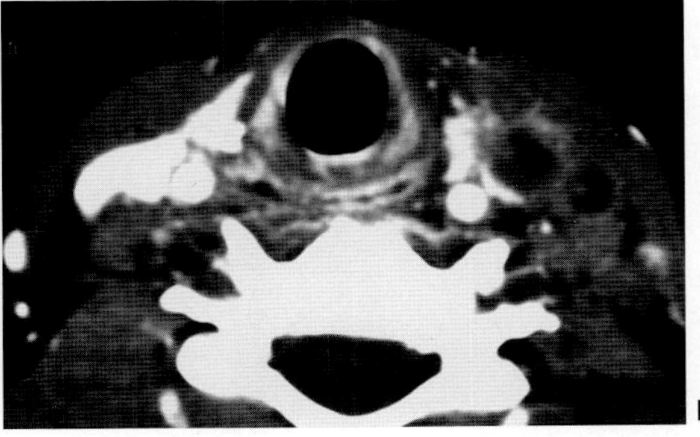

図 72 集簇
造影 CT (A)において，左レベルⅢに集簇性にリンパ節(＊)を認める．各々は融合傾向を示す．別症例(B)でも左レベルⅢ領域に同様の所見を認める．

頸部病変の制御可否にかかわらず予後不良を示唆し[98)]，頸部リンパ節病変の高体積(6.86 cm^3 以上)[99)]，HPV 陽性中咽頭癌症例での充実性リンパ節病変[100)]なども治療による制御率を下げ予後不良を示唆するとされる．最近は治療前拡散強調像の IVIM (intravoxel incoherent motion) 解析が頸部リンパ節転移病変の治療反応性推定に有用との報告もある[101)]．

導入化学療法や放射線治療・化学放射線治療後の画像診断では頸部リンパ節病変の治療に対する反応，残存・再発をみることが目的となる．放射線治療での頸部リンパ節病変の縮小は，一般には治療開始後 2 週間はごく軽度であり，治療後半に加速，同時化学療法(化学放射線治療)によってさらに大きな縮小率が得られるとされる[102)]．縮小は治療終了後最大 6 ヵ月に及び，放射線治療中の縮小率は最終的な頸部制御との関わりは小さいともされる[102)]．また，HPV 陽性例では HPV 陰性例と比較して，初期に顕著な退縮を示すが最終的な制御に至るまでには逆に遷延する傾向にあり，比較的早い退縮を示すが消失しない頸部病変を有する HPV 陽性例では(頸部郭清術の要否判断に関しては)さらなる画像での経過観察も選択肢となる[103)]．放射線治療後の頸部病変の残存は必ずしも将来の頸部非制御(再発)を示すものではない[104)]．Marklund らによる頸部病変陽性(N positive)の扁桃癌の検討において，放射線治療後 CR 例ではその後の頸部郭清術での病理学的検

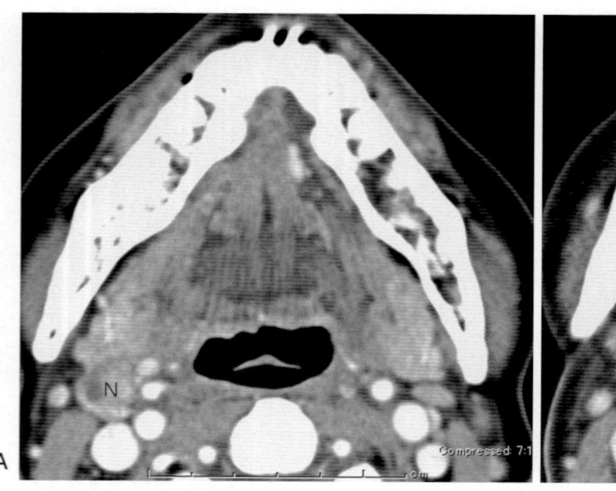

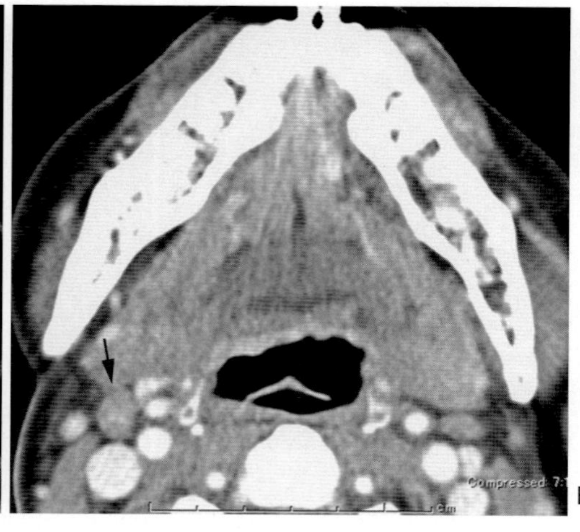

図73　頸部再発例

舌癌術後4.5ヵ月後の造影CT(A)において，右レベルⅡに頸部再発病変(N)を認める．術前CT(B)のretrospective reviewでは，リンパ節(矢印)は通常よりもわずかに丸い形状(最小横断径は正常範囲内)を示すが，辺縁は平滑で鮮明，内部に明らかな不均一性は認められず，転移陽性との判断は困難と思われる．

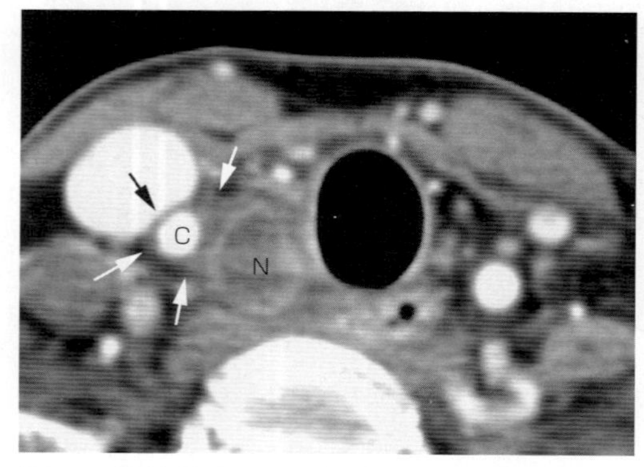

図74　節外進展による頸動脈浸潤を伴う頸部転移

造影CTにおいて，右レベルⅥに頸部転移(N)病変を認める．リンパ節は被膜様増強効果のさらに外の組織層は不明瞭であり，節外進展を示す．同所見は右総頸動脈(C)周囲360°に及んでいる(矢印)．

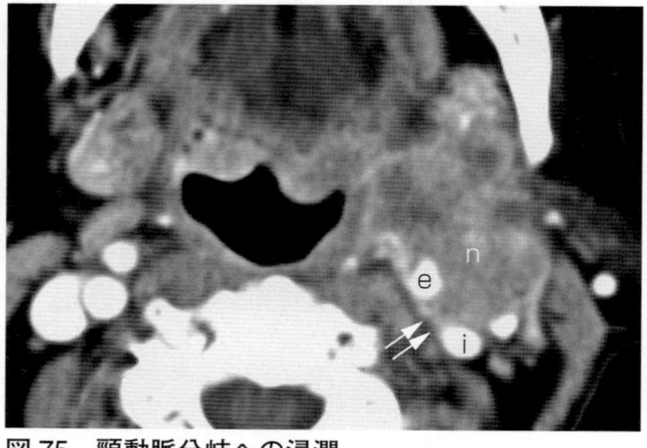

図75　頸動脈分岐への浸潤

中咽頭レベル造影CTにおいて，左レベルⅡに高度節外進展を示すリンパ節転移(n)を認める．内側深部において，内頸動脈(i)，外頸動脈(e)の頸動脈分岐部への浸潤(矢印)を示す．

索で残存腫瘍細胞の陽性率が2%であったのに対して，CRが得られなかった例での陽性率は60%であり，これらの比率はHPV陽性例でも同様であったとしている[105]．また，局所欠損・中心壊死を伴う頸部病変は，分化度の高い傾向にあること，壊死による低酸素状態による放射線に対する感度の低下などを理由として，充実性病変としてみられる頸部リンパ節転移よりも制御が困難な傾向にあるとされる(図80)．

導入化学療法後に化学放射線療法を施行する症例では，導入化学療法に対する反応が最終的な制御率に大きく影響を与える．このため，導入化学療法で反応が良好な例は化学放射線治療，反応が不良の例は手術と，導入化学療法に対する反応でその後の治療選択(chemoselection)が判断される場合もある．導入化学療法後にCRあるいはPRが得られた例は，SD (stable disease)であった症例と比較して予後は良好である[106]．Stensonら

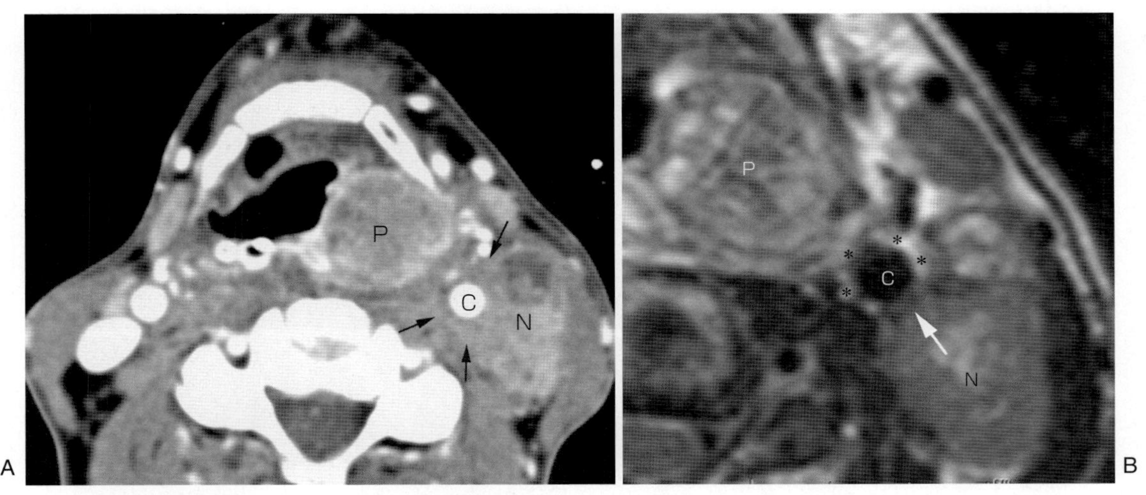

図 76 頸動脈周囲に接する節外進展を伴う頸部転移
造影 CT(A)で，左梨状窩に原発病変(P)を認める．左レベルⅢの頸部転移病変(N)は節外進展を伴い，左総頸動脈(C)を取り囲む(最大接触角度は 360°)ように認められる．しかし，MRI T2 強調像(B)では，頸動脈(C)周囲には頸動脈鞘の浮腫を示すと思われる高信号強度(＊)が囲んでおり，頸部転移病変(N)との接触(矢印)は 90° 程度に限られている．P：原発病変

による 73 例の検討では，導入化学療法後で CR が得られた全例で病理学的に陰性であったとしている[107]．その一方，その後の化学放射線療法で CR が得られた例の約 8%が病理学的陽性(残存病変あり)であったが，画像上で良好な反応を示した例ではその確率が低かったとしている[107]．これは化学放射線療法で CR が得られた例の 10% 前後で再発(図 81)を示すとされる一般的な認識と合致する．また，Stenson らの検討では，正確な治療後画像評価の重要性が強調されている[107]．放射線治療，化学放射線治療後の頸部病変の評価は，単に RECIST に準じた大きさの変化だけではなく，内部性状(図 80，82)や増強効果の増減などを合わせて判断(後述)する必要がある．

歴史的に少なくとも治療前に 3 cm 以上の頸部リンパ節転移を認めた場合，計画的頸部郭清術により頸部病変の制御率が向上すると考えられていたが[108]，1990 年代以降いくつかの施設から放射線治療後臨床的に CR に至った例では頸部残存病変の確率が低いことが示された[109]．以降，化学放射線療法の出現によりさらに CR に至る例が増えたこともあり，放射線・化学放射線治療後 CR 例に対する計画的頸部郭清術の要否については議論が続いてきた．画像上，リンパ節病変が完全に消失(radiological CR)したとしても，これをもってして頸部郭清術の必要なしの根拠としてよいかどうかは依然論争があり，実際は臨床医の経験と判断によるところも大きい．頸部郭清術はさまざまな非定型術式が報告されているものの，決して侵襲性が低いとはいえない．このため，病変の完全に消失した例では経過観察，再発時の早期救済手術(watchful waiting policy)をとるのが望ましいとする意見もある．しかし，一方で比較的早期に頸部局所再発を発見し救援手術が行われたとしても，放射線治療に引き続いて頸部郭清(planned neck dissection)が行われた例と比較すると治療成績が悪いことから，特に N2〜3 症例では放射線治療の反応にかかわらず，頸部郭清術を施行したほうがよいとの考えもある[110]．

Ojiri らは放射線治療終了後 6 週間の時点での頸部郭清術前 CT において，リンパ節の最大横断径が 15 mm 以下で，有意な局所欠損や節外進展を示さない場合，その後の頸部郭清術の病理が転移陽性を示す確率は極めて低く，3.4%(29 側頸部中 1 側)と報告している[111]．大きさとして正常大まで縮小したとしても内部低濃度が残存する場合，約 50%の確率で残存腫瘍があるとされる(図 80，83，84)[111]．Yeung らは，頸部リンパ節病変

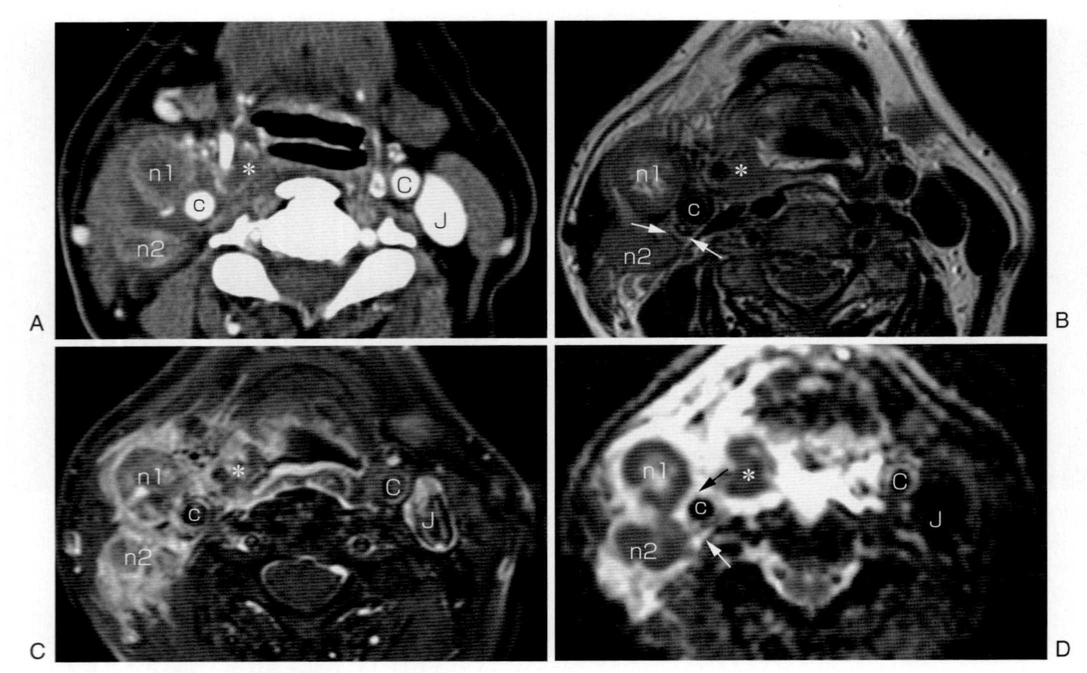

図77　転移リンパ節と頸動脈との接触

咽喉後壁癌の造影CT(A). 中咽頭下部レベルの咽頭後壁右側から右側壁下部にかけて浸潤性腫瘤(*)を認め, 原発病変を示す. 右レベルIIに2つの頸部リンパ節転移(n1, n2)を認める. 右総頸動脈(c)周囲脂肪層は全周性に不明瞭に認められる. 左総頸動脈(C)周囲の脂肪層は保たれている. 同症例MRIのT2強調像でn1のリンパ節転移と右総頸動脈(c)との間で組織層は消失しているが, n2リンパ節転移と総頸動脈との間には線状高信号が介在してみられる. *：原発病変, C：左内頸動脈, J：左内頸静脈. 造影後T1強調脂肪抑制画像(C)では頸部リンパ節転移(n1, n2), 右総頸動脈(c)周囲を囲むように広範な増強効果を認める. *：原発病変, C：左内頸動脈, J：左内頸静脈. ADC map(D)で原発病変(*), 右レベルIIリンパ節転移(n1, n2)は拡散低下により低信号領域としてみられる. いずれの頸部病変(n1, n2)も右総頸動脈(c)との間には高信号の組織層が明瞭に保たれている. C：左内頸動脈, J：左内頸静脈. 以上のことから, 造影CT, 造影後T1強調脂肪抑制画像ではn1, n2ともに頸動脈浸潤の可能性あり, T2強調像ではn1は頸動脈浸潤の可能性あり, n2は浸潤なし, ADC mapではn1, n2ともに頸動脈浸潤なし, とそれぞれ不一致した状態を示しており, 総合的な判断が求められる. 一般にCT, 造影後T1強調脂肪抑制画像は過大評価となる傾向にある. T2強調像でn1の頸動脈との最大接触角度は90度未満であり, ADC mapとともに最大接触角度からは積極的に頸動脈浸潤を支持するものではない(ただし, 実際にはn1の癒着や限局性浸潤の否定は困難であり, 理学的所見も含めた判断が望ましい).

を伴う頭頸部扁平上皮癌274例の放射線治療後CTの検討において, リンパ節が1.5 cm未満かつ内部の異常(局所欠損や石灰化)を認めないことをradiological CRと定義した場合の陰性的中率は95％以上であったと報告している[109]. また, Grevenらは頸部リンパ節病変陽性のstage III/IV頭頸部扁平上皮癌103例の放射線・化学放射線治療後CTの検討において, radiological CRが得られ頸部郭清術を施行しなかった例の頸部制御率は97％と高かったとしており[112], いずれの報告もradiological CR例への頸部郭清術による有意な予後改善はないとしている. 一方, BrizelらはN2-3例に対しては化学放射線治療後にradiological CRが得られたとしても頸部郭清術の追加で生存率改善があることを示唆している[113].

化学放射線治療後の頸部郭清術要否の判断には, 治療終了後6〜8週でのCTにおける頸部リンパ節残存病変の大きさとともに縮小率も有用な指標とされ, Clavelらの検討ではリンパ節病変最大径の80％以上の縮小率が最も重要な指標であったとしている[114]. 腫瘍性リンパ節では治療により高い容積減少率(91 ± 4％)が想定されるが, これと比較して正常(または反応性)リンパ節

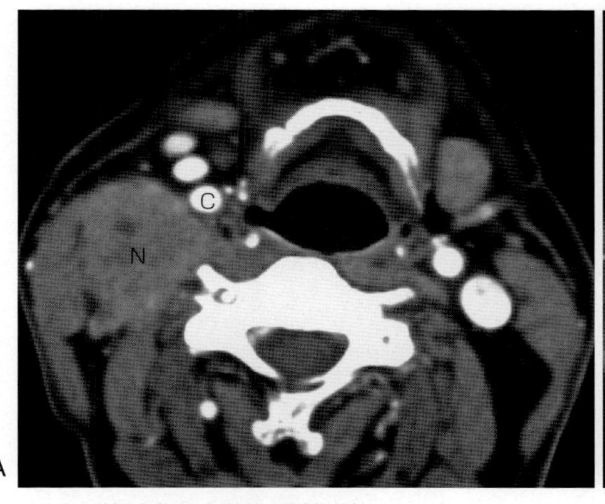

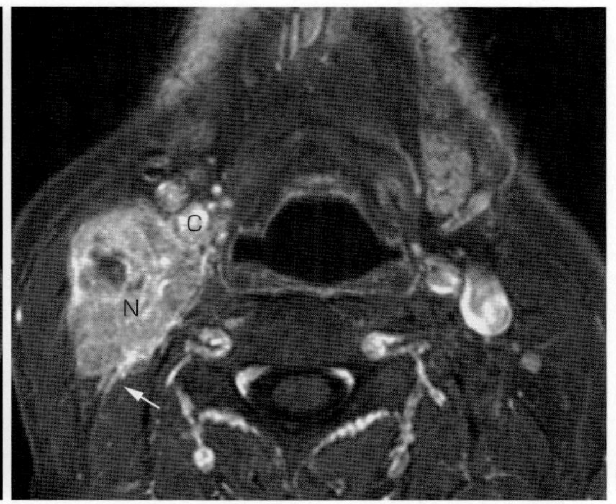

図 78 節外進展を伴う頸部転移

造影 CT(A)において，右レベルⅢに辺縁不整な頸部転移(N)を認めるが，頸動脈(C)浸潤の所見は認められない．同症例の MRI，造影後 T1 強調脂肪抑制画像(B)では，リンパ節腫瘤(N)と頸動脈(C)との関わりは CT(A)よりも密接にみられる．一方，椎前筋膜に沿った増強効果(矢印)を認め，椎前筋膜への固定の疑いあり．

では容積減少は軽度(55 ± 21％)であり一定していない[115]．治療前画像診断のみでは判断困難であったリンパ節が照射後術前画像診断との比較で容積減少率を確認することにより，結果として転移陽性の判断が可能となる場合もある．

なお，PET-CT による頸部リンパ節病変に対する治療後評価では感度 44％，特異度 96％，陽性的中率 67％，陰性的中率 90％を示し，高い陰性的中率の有用性が報告されている[116]．また MRI の拡散強調像が治療後残存・再発病変と治療後変化との区別に有用[117]で高い陰性的中率を示す[118]とされ，頸部再発の疑い例では高い特異度を示す超音波ガイド下穿刺吸引細胞診を推奨する報告[89]もあり，治療後評価には必要に応じてマルチモダリティでのアプローチを検討すべきである．

治療後経過観察を目的とした画像診断の計画は原発部位，頸部病変の状態を考慮して決定される．いずれにしても治療による二次性変化もあり，常に臨床情報とともに以前の画像所見と対比しながら評価することが重要である．術後予測される変化としては出血，浮腫などの術直後の変化とともに，脱神経による筋肉の変化(図 48)などの治療後長期に経時的変化を示すものもあることや感染による修飾の可能性も考慮する必要がある．これらによる正常解剖の修飾，非対称性はしばしば頸部再発病変の誤診の原因ともなるので注意を要する．そのためにも代表的な頸部郭清術における切除範囲および術後画像に対する理解が必要である．

7 甲状腺癌(乳頭癌)のリンパ節転移

甲状腺(原発の)癌は内分泌腫瘍として最も多く，人体の悪性腫瘍の約 1％，頭頸部悪性腫瘍の約 33％を占める[119]．4 つの代表的組織型があり，乳頭癌，濾胞癌を低悪性度群，髄様癌，未分化癌を高悪性度群として，大きく 2 つに区分する．予後は乳頭癌が 10 年生存率 90％以上と最も良好で，未分化癌が最も悪い．

甲状腺乳頭癌は甲状腺癌の 70〜85％と最も多く[120, 121]，20〜40 歳代の比較的若年者に多い．女性にやや多いが(男：女 = 3〜4：1)，男性の死亡率が高い[122, 123]．初診時に 30〜90％で頸部リンパ節転移陽性であり[121, 124, 125]，最大 20％の例が頸部リンパ節腫瘤(転移)で初発する[126]．AJCC では，(咽喉頭癌と異なる)甲状腺癌独自の N 分類(表 9：p687)が与えられている[7]．所属リンパ節は局在により中央区域(central compartment)リンパ節と外側区域(lateral compartment)リンパ節に区分されるが，「AJCC 第 7 版」[6]から「AJCC

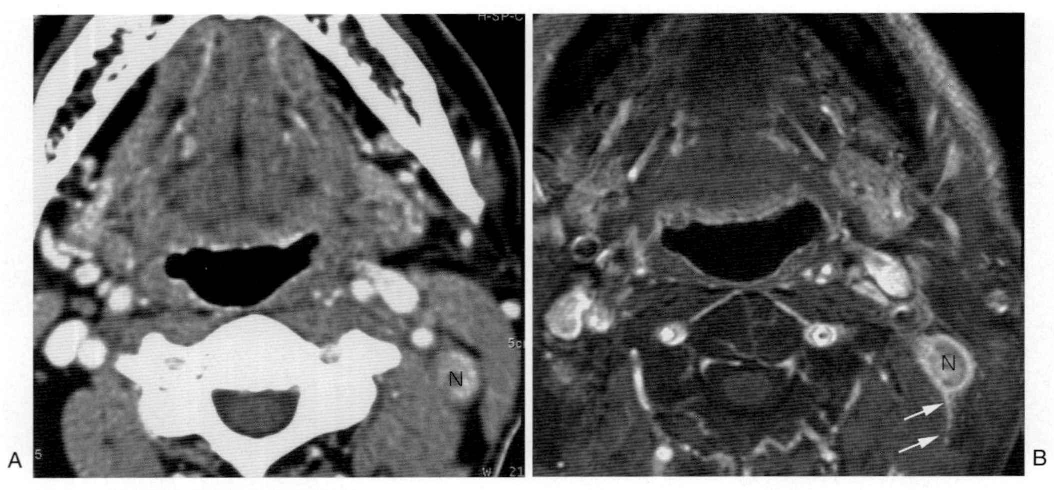

図 79　節外進展を伴う頸部転移

造影 CT（A）で左レベルⅡに頸部転移（N）を認める．境界はやや不明瞭で節外進展を反映する．同症例の MRI，造影後 T1 強調脂肪抑制画像（B）で，リンパ節（N）は被膜様増強効果を示し，節外進展の所見を示す．深部で隣接する椎前筋膜に沿った増強効果（矢印）を認め，椎前筋膜への固定の可能性を示す．

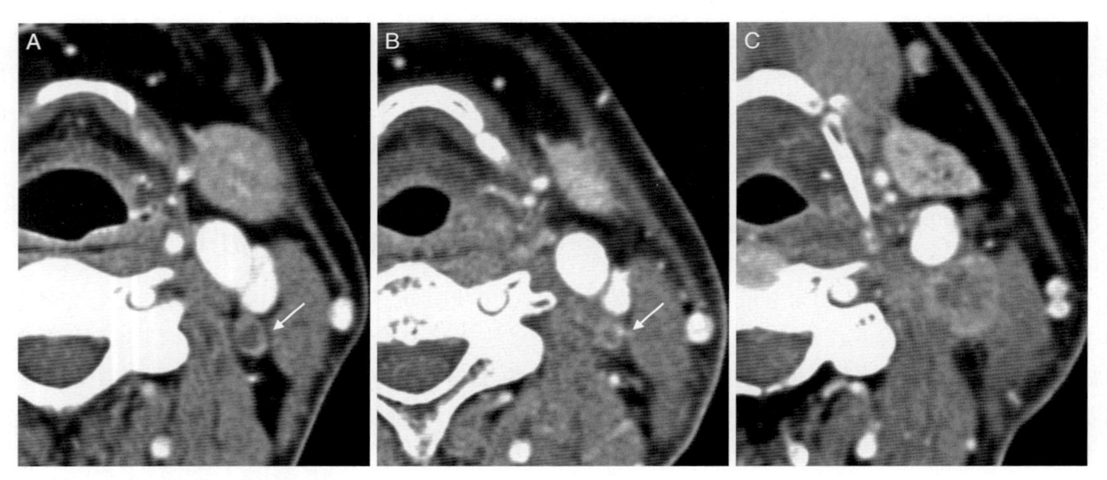

図 80　放射線治療後の頸部再発

治療前 CT（A）において，左レベルⅢに内部低濃度（局所欠損）を伴う正常上限大の頸部転移病変（矢印）を認める．放射線治療終了後 3 ヵ月の CT（B）で病変は縮小を示し，有意な腫大としてのリンパ節病変としては残存しないが，内部の淡い低濃度領域は継続性に認められる．治療終了後 5 ヵ月の CT（C）で明らかな増大を認め，頸部再発に一致する．

第 8 版」[7]への改訂において，レベル VII リンパ節（上縦隔リンパ節）が N1b の外側区域リンパ節から N1a の中央区域リンパ節の区分に変更された．このため，中央区域リンパ節はレベル VI（気管前，気管傍，喉頭前 /Delphine リンパ節），レベル VII，外側区域リンパ節はレベル II，III，IV および V（内深頸リンパ節および副神経リンパ節）に相当する．リンパ節転移のリスク因子としては，性別（男性），年齢（45 歳以下），腫瘍の大きさ（1〜2 cm 以上），甲状腺被膜外進展，超音波検査での micro-calcification の所見などがあげられる[119, 127]．原発病変の甲状腺内の局在とリンパ節転移の関係（後述）については議論があり，定まっていない．WHO 分類[128]では 1 cm 未満の病変を微小癌（PTMC：Papillary thyroid microcarcinoma）と定義しているが，しばしば甲状腺被膜外進

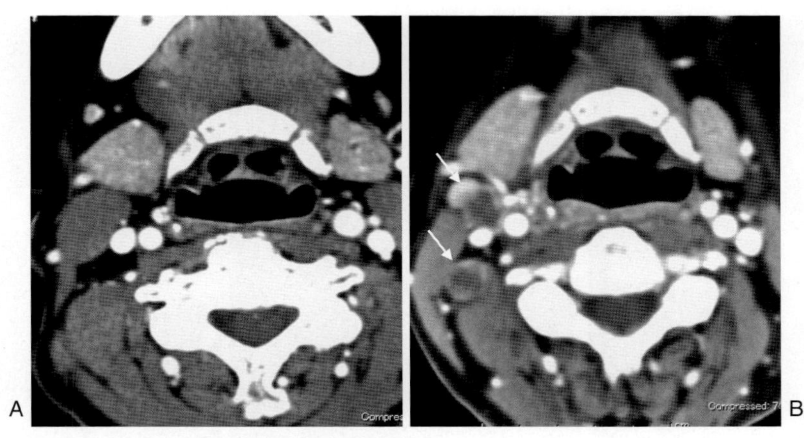

図 81 化学放射線治療後の頸部再発

化学放射線治療終了後 5 ヵ月での造影 CT(A)において，明らかな頸部病変の残存・再発を認めない．治療終了後 9 ヵ月の CT(B)で右レベルⅡ，Ⅲ境界領域に局所欠損を含む頸部再発(矢印)の出現を認める．

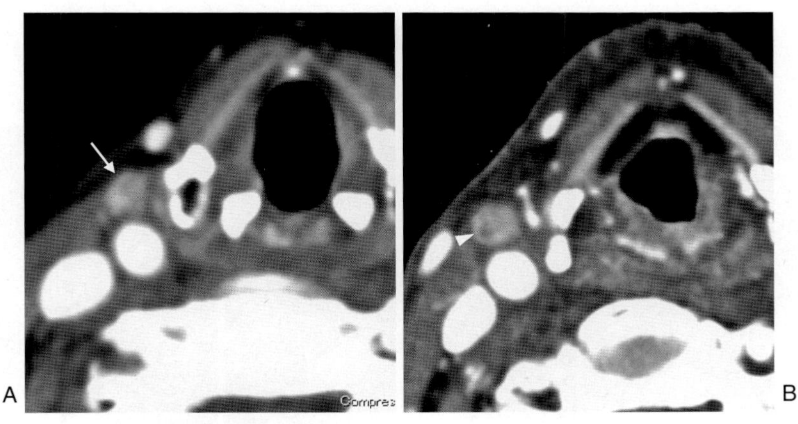

図 82 化学放射線治療後の頸部再発

化学放射線治療終了後 3 ヵ月での造影 CT(A)で，右レベルⅢリンパ節(矢印)は辺縁平滑な楕円形で正常上限大で認められる．治療終了後 6 ヵ月の CT(B)でリンパ節は有意な増大は示さないが内部に偏在性の淡い低濃度領域(矢頭)の出現あり．頸部再発を示唆する．

展や頸部リンパ節転移など，侵襲性のある臨床像を呈し，24.1〜64.1%で中央区域リンパ節転移，3.7〜44.5%で外側区域リンパ節転移を伴い，これは通常の乳頭癌とほぼ同等である[129]．頸部リンパ節転移の臨床的意義に関しても以前より多少の議論があり，低リスク例では生存率への影響がほとんどない[130]ともされていたが，最近は局所再発率と遠隔転移生存率に関与する予後不良因子(特に 45 歳以上の症例)として報告[131, 132]されており，通常，治療選択やリンパ節郭清範囲は臨床上，画像上のリンパ節病変の有無，局在・分布により判断される(後述)[133]．

40 歳以上の症例では，初回手術時の頸部リンパ節転移陽性例での再発率は，転移陰性例と比較して約 5 倍であり[134]，所属リンパ節に最も多い[135]．なお，最も重要な予後因子は甲状腺被膜外浸潤であり，甲状腺被膜内にとどまる場合の死亡率が 2.5%未満[136]であるのに対して，被膜外浸潤陽性の場合は 38%に上昇する[122]．

臨床上，画像上，頸部リンパ節転移陽性例は頸部郭清術の適応となるが，頸部郭清術の適応，範囲の判断は，甲状腺乳頭癌の外科的治療において

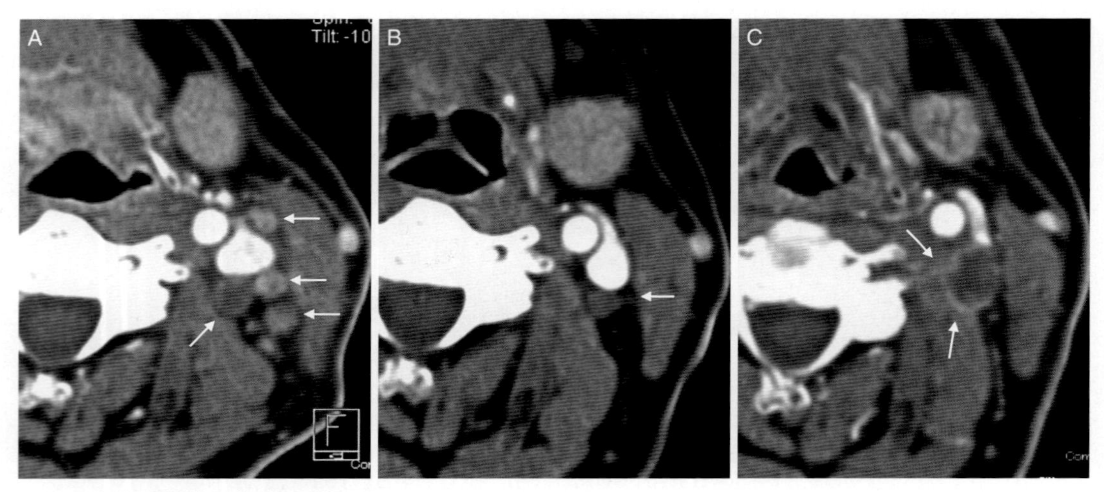

図 83　化学放射線治療後の頸部再発

治療前の造影 CT（A）において，左レベルⅡに内部に淡い低濃度領域を含む複数の頸部リンパ節転移（矢印）を認める．いずれも有意な腫大は示さない．治療終了後 3 ヵ月の CT（B）でいずれの病変も縮小，内部低濃度の正常大リンパ節（矢印）を除き，ほぼ消失している．治療終了後 6 ヵ月の CT（C）で増大がみられ，頸部再発に一致する．節外浸潤による椎前筋膜への浸潤（矢印）を伴い，切除困難と判断される．

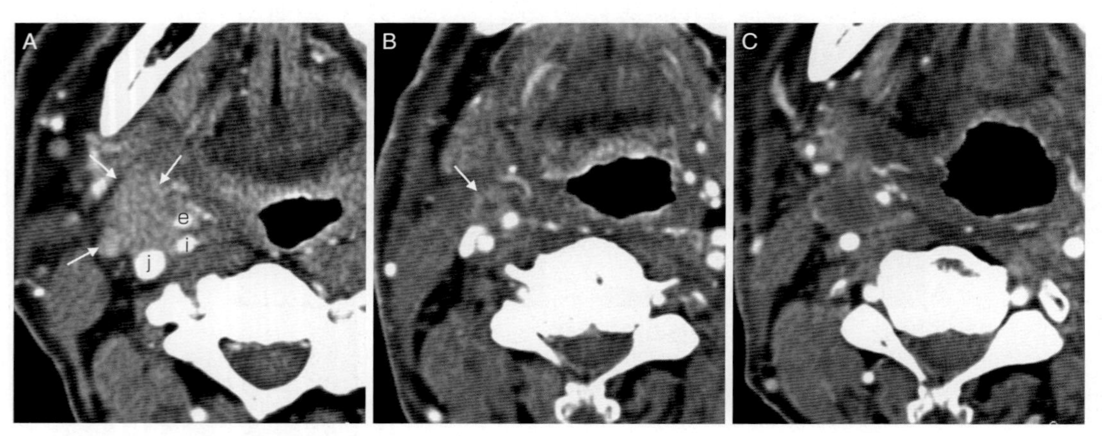

図 84　化学放射線治療後の頸部再発

治療前の造影 CT（A）において，右レベルⅡに高度節外浸潤を伴う頸部転移（矢印）を認め，内（i）・外頸動脈（e），内頸静脈（j）への浸潤が疑われる．治療終了後 3 ヵ月の CT（B）で病変（矢印）は正常上限大まで縮小を示すが，辺縁は依然としてやや不鮮明で，内部低濃度領域（造影不良域）の出現あり．治療終了後 5 ヵ月の CT（C）で病変は増大，頸部再発を示す．内部はやや不均等な低濃度を示す．

最も議論の多い問題のひとつである．2015 年，改訂された ATA（American Thyroid Association）ガイドライン[137]では進行した原発病変（T3 あるいは T4），あるいは臨床的に外側区域リンパ節転移陽性（cN1b）の症例に対しては中央区域リンパ節の予防的郭清（central compartment neck dissection）を推奨している．なお，外側区域リンパ節の郭清（lateral compartment neck dissection）は術後合併症（反回神経麻痺，低カルシウム血症，血腫，乳び漏等）の可能性も考慮して要否を判断する必要がある．甲状腺癌の頸部郭清術後の恒久的な副甲状腺機能低下は 3～4％，一時的な声帯麻痺は 3～6％程度と報告されている[138]．

通常，甲状腺乳頭癌のリンパ節転移は中央区域リンパ節に生じ，次に外側区域リンパ節と系統的に進展するが，しばしばスキップ転移（後述）を生

表 9　甲状腺癌の N 分類

NX	所属リンパ節の評価不可	
N0	所属リンパ節転移なし	
	N0a	1 つ以上の良性リンパ節が細胞学的，病理学的に証明
	N0b	画像診断上，臨床上，リンパ節病変なし
N1	所属リンパ節転移あり	
	N1a	片側あるいは両側性のレベル VI あるいは VII（中央区域リンパ節：気管前，気管傍，喉頭前 /Delphine，あるいは上縦隔リンパ節）転移あり
	N1b	片側，両側あるいは対側の外側区域リンパ節（レベル I，II，III，IV あるいは V），あるいは咽頭後リンパ節転移あり

（Amin MB, Edge SB, Brookland RK et al（eds）：AJCC Cancer Staging Manual（8th ed）Springer, New York, 2017）

じる[119]．したがって，最も頻度が高いのはレベルⅥ（気管傍，気管前，喉頭傍，喉頭前リンパ節）（図 85，86）で，続けてレベルⅢ，Ⅳ，Ⅱ，鎖骨上リンパ節を侵す．1 cm を超える甲状腺癌の 3 分の 2 にレベル VI リンパ節転移があるが，顕在化するのは半分に過ぎない[139]．レベルⅦ（上縦隔リンパ節）転移もしばしばであるが，レベルⅡB，Ⅴ，特にレベルⅠB はまれである[6]．レベルⅡ，ⅢあるいはⅣリンパ節転移はレベルⅤリンパ節転移の危険因子となる[140]．ただし，リンパ節転移の系統的転移による病変分布の規則性は，咽喉頭の扁平上皮癌ほどは強くなく，6.8～27.8 %で[141, 142]，中央区域リンパ節病変なしに外側区域リンパ節へのスキップ転移を示し，外側区域リンパ節転移の 5～10%がスキップ転移であり[139]，甲状腺上極側 3 分の 1 の原発病変に多いとされる[119]．これは甲状腺両葉上極側のリンパ管は上甲状腺動静脈に沿って内深頸リンパ節（レベル III）に注ぐためと考えられる．なお甲状腺上極側 3 分の 1 の病変は中心区域リンパ節転移の頻度はやや低いが外側区域リンパ節転移の頻度は高く，上頸部への転移を示す傾向にあり，峡部や下極側 3 分の 1 の病変は頸部下部への転移を示す傾向にあるとされる[143, 144]．咽頭後リンパ節（図 87）や胸骨上間隙（space of Burns）内のリンパ節転移（図 88）を示す場合もある．胸骨上間隙リンパ節転移はレベル IV 転移陽性，甲状腺下極寄り病変，舌骨下筋浸潤例で特に慎重に評価すべきで，レベル VI 転移との関連はないとされる[145]．頸部から上縦隔全般を慎重に評価する必要がある．対側・両側性転移の頻度も高く，患側の気管傍リンパ節転移の発現と有意な相関を示す[138, 146]．また，外側区域リンパ節転移も通常は患側に生じるが，両葉に及ぶ，あるいは（対側への）甲状腺内転移を伴う進行性の原発病変では両側（対側）の外側区域リンパ節転移もみられ，そのリスク因子として性別（男性），腫瘍の大きさ（2 cm 以上），原発病変の両側進展，甲状腺被膜外進展，中央区域リンパ節転移陽性，中央区域リンパ節転移の数（4 個以上），Delphine リンパ節転移陽性，侵襲性の高い組織亜型等が報告されている[119, 143, 147]．対側の外側区域リンパ節転移（図 89）の見逃しは播種性の遠隔転移[147]，生存率低下[148]につながる．

画像による正確で信頼性の高いリンパ節転移の評価は外科医の治療選択・範囲の決定に極めて重要である．甲状腺乳頭癌の頸部リンパ節転移の術前画像評価に関して，従来より超音波検査が推奨されてきたが，超音波検査は術者依存性が高く，咽頭後リンパ節や上縦隔リンパ節などの評価困難なリンパ節もある．このため ATA のガイドライン[137]では，浸潤性の原発病変，多発あるいは大きなリンパ節転移陽性例など，臨床的な進行病変に対しては CT での評価を追加することが推奨されており，ルーチンとしての CT 検索も一般的に行われている．以前は造影 CT でのヨード造影剤使用はヨード治療によるヨード取り込みを数ヵ月にわたり障害しヨード治療開始を遅延させるとされ，治療前評価としては避けられる傾向にあった[149]．しかし最近の報告により，多くの場合 4～8 週程度で消失し，体内ヨードがヨード治療による治療効果を本質的に決定するということもなく，造影 CT 施行で必ずしもヨード治療開始を遅

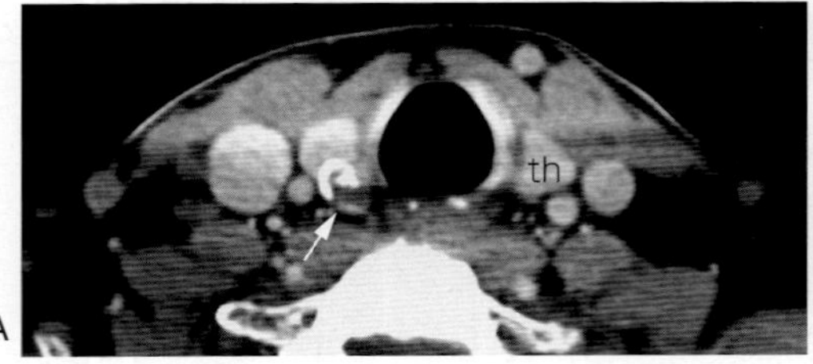

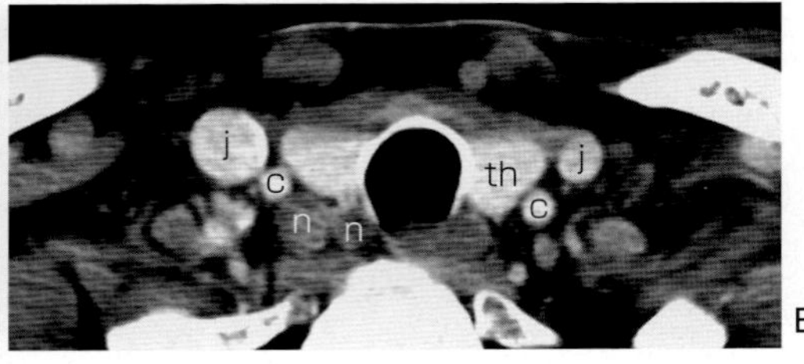

図 85　甲状腺癌のレベル VI リンパ節転移
甲状腺レベル造影 CT（A）において，甲状腺（th）右葉に一部辺縁の石灰化を伴う結節（矢印）あり．尾側レベル（B）で右側の 2 つのレベル VII（気管傍リンパ節）病変（n）あり．転移が疑われる．c：総頸動脈，j：内頸静脈

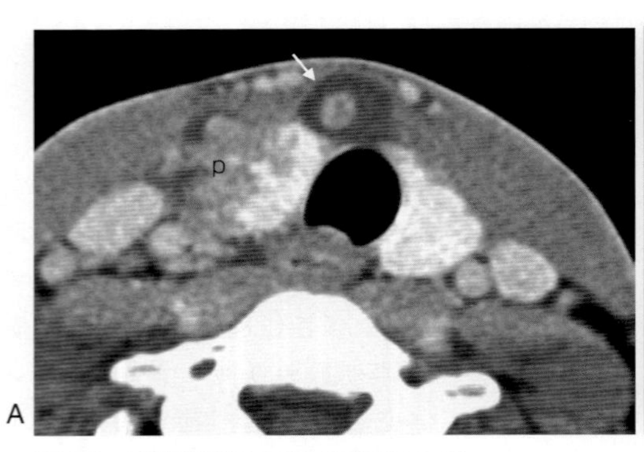

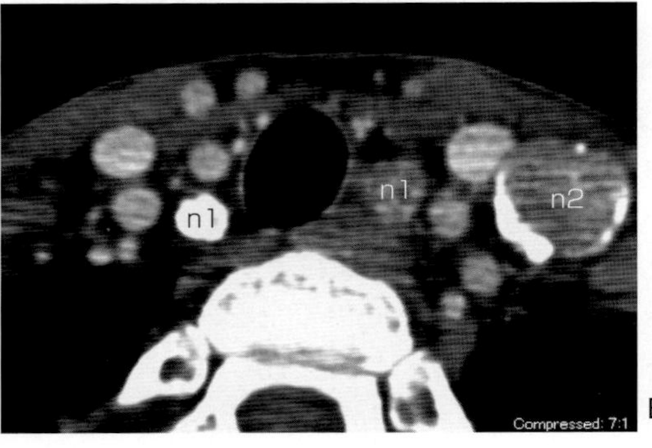

図 86　甲状腺癌レベルVI転移 2 例
甲状腺レベルの造影 CT（A）で甲状腺右葉に被膜外進展を伴う浸潤性腫瘤（p）を認め，原発病変を示す．気管前方に嚢胞部と充実部の混在する結節（矢印）を認め，気管前リンパ節転移に一致する．別症例の胸郭入口部レベルの造影 CT（B）において，両側レベルVIリンパ節病変（n1）を認める．右側は高度石灰化を示し，左は中等度増強効果を伴う充実性結節として認められる．さらに辺縁に石灰化を伴う左鎖骨上リンパ節転移（n2）を認める．

らせる必要がないということが示された[149, 150]．甲状腺癌のリンパ節転移の診断に対する超音波検査の感度は 63％，特異度は 93％[151]，CT の感度は 55〜62％，特異度は 87％[149, 150]と超音波検査，CT はほぼ同等とされる．MRI は高い感度（95％），低い特異度 51％[152]を示すとされる一方で逆の結果（感度は低く 33〜56％，特異度は高く 90〜93％）の報告[153]もあり評価が定まっておらず，甲状腺癌リンパ節転移評価での標準的モダリティとはいえない．なお，CT の感度は（3 mm 以下の）薄いスライスの方が（3 mm を超える）厚いスライスの画像よりも高く[150]，適切な撮像プロトコールの設定も重要である．超音波と CT を組み合わせた場合，それぞれ単独の所見での診断よりも感度はやや高くなるが，特異度はやや下がる傾向にある[135]．また，CT，超音波検査，両者の組み合わせの間で診断能に有意な差はないとの報告もある[154]．RFA（radiofrequency ablation）ガイドラインでは RFA 治療前および治療後の効果判定に CT と超音波ガイド下の治療を推奨している[155]．超音波検査，CT において，中心区域リンパ節転移に対する大きさの診断基準を 5 mm とした場合の感度は約 40％に過ぎず，超音波検査は大きさの基準のみでは不十分である[133]．内部の微小石灰化，不均一エコーを合わせて評価した場合，特異度は 93％となるが感度は依然として低い（47％）[133]．転移リンパ節の半数以上が 3 mm 以下とされるが[156]，予後や再発率に影響を与えるのは臨床的に顕在化した頸部リンパ節病変であり（顕微鏡的微小転移の影響は乏しい）[157]，顕在化するのは症例の 10％未満との報告もある[158]．超音波検査でレベル II，III，IV 転移の所見が陰性の場合，同部の頸部郭清術の回避が支持される[139]．CT は超音波検査で解剖学的に評価困難な

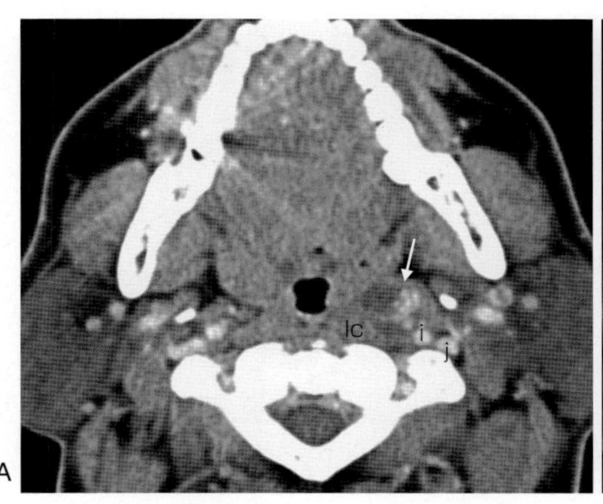

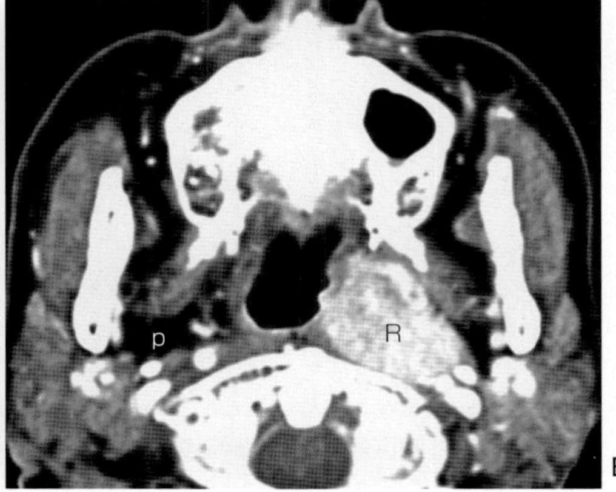

図 87　甲状腺癌 Rouvière リンパ節転移 2 例
上咽頭レベルの造影 CT（A）において，左側の内頸動脈（i）と頸長筋（lc）との間で前方，Rouvière リンパ節の局在に一致して結節（矢印）を認める．嚢胞を示唆する造影不良域と中等度の増強効果を示す充実部が混在しており，甲状腺癌の転移が示唆される．j：内頸静脈．別症例の造影 CT（B）で，Rouvière リンパ節の領域を中心として高度の増強効果を示す腫瘤（R）を認め，前方の傍咽頭間隙（対側で p で示す）を後方から圧排する．

咽頭後リンパ節や上縦隔リンパ節転移の同定のみならず，リンパ節転移の節外進展，さらに原発病変の喉頭，気管，食道など周囲構造への浸潤など，治療計画に大きな影響を与える病変進展の評価において有用性が高い[137]．原発病変が 1 cm より大きい場合には CT の追加評価により感度が向上するとされる[159]．本書では主に，CT（および MRI）所見に関して以下に解説する．

甲状腺乳頭癌のリンパ節転移の CT・MRI 所見（表 10：p690）は，石灰化，嚢胞形成・壊死性変化，高濃度・高信号強度，高度から中等度あるいは不均等な実質増強効果など，多彩である[160, 161]．しばしば認められる石灰化（図 90，91）は，治療前の扁平上皮癌の転移リンパ節，悪性リンパ腫リンパ節病変ではまれであり鑑別に有用な所見となる．陳旧性結核性リンパ節炎は鑑別疾患に含まれるが，後述の嚢胞形成など，その他の所見との組み合わせにより鑑別が問題となる例は少ない．頭頸部扁平上皮癌の頸部リンパ節転移の CT では造影 CT のみで評価するのが標準的であるが，甲状腺癌の場合は石灰化の指摘が重要なことから非造影 CT の有用性が高い（図 92）．淡い石灰化の場合や，後述のように実質部増強効果が高度の場合，造影 CT のみでは石灰化の有無の正確な判断が困難となる（図 89，90，93）．最も特徴的な嚢胞所見（図 86A，87A，94）に関しては，乳頭癌転移リンパ節全体の 75％に認められ，25～40％が完全な嚢胞性病変を示す[126, 162]．レベル II の孤立性病変が顎下三角領域での単房性嚢胞性腫瘤として現れた場合，石灰化や充実部，壁の不整が認められなければ第 2 鰓裂嚢胞（側頸嚢胞）と誤認される危険性があり，診断のピットフォールとなる[163]．同様に HPV 陽性中咽頭癌（扁桃，舌根）の嚢胞性頸部リンパ節転移も重要な鑑別に挙げられるが，既述のとおり石灰化はみられない．

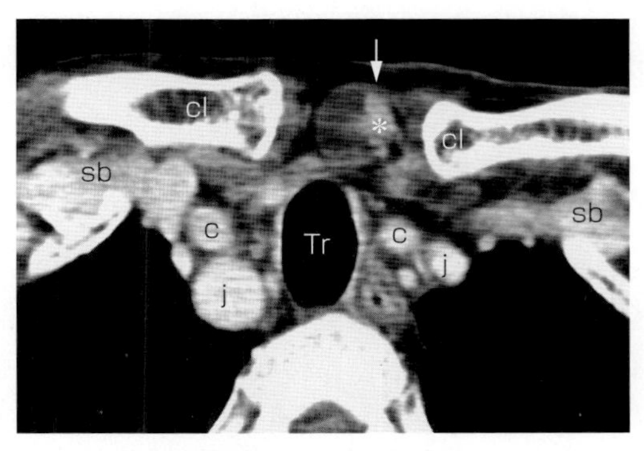

図 88　胸骨上間隙内のリンパ節転移
胸郭入口レベル造影 CT において，気管（Tr）前方，左右鎖骨（cl）胸骨端の間で左寄りに結節（矢印）を認める．病変内に偏在した充実部分（＊）を伴う嚢胞性を呈し，甲状腺癌リンパ節転移に合致する．c：総頸動脈，j：内頸静脈，sb：鎖骨下静脈．

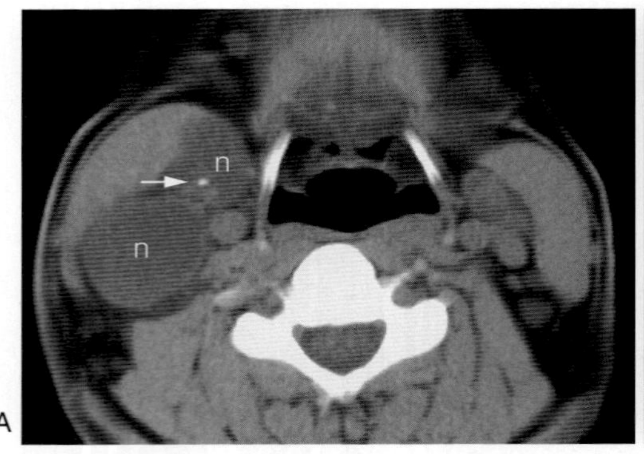

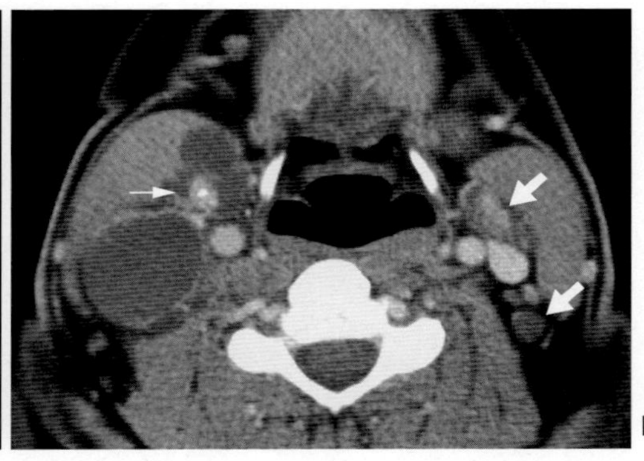

図 89　両側外側区域リンパ節転移
舌骨レベルの非造影 CT(A)において，右レベルII領域に 2 つの腫大リンパ節(n)を認める．骨格筋より低濃度であり囊胞性を示唆する．また，点状石灰化(矢印)を伴い，甲状腺癌リンパ節転移を示唆する．対側レベルIIにも数個のリンパ節を認めるが，有意な腫大ではなく臨床的に触知せず，患側である右側の片側性リンパ節転移が疑われていた．造影 CT(B)で右側レベルIIリンパ節転移の石灰化部位には壁在結節としての充実部(小矢印)を認める．左レベルIIリンパ節(大矢印)は一部は囊胞性，あるいは偏在性の増強効果を伴い，(有意な腫大はなくても)CT により対側頸部リンパ節転移の診断が可能である．

表 10　甲状腺乳頭癌リンパ節転移の画像所見

石灰化
囊胞形成・壊死
高濃度(CT)・高信号強度(T1 強調像)
中等度から高度の増強効果，不均等な増強効果

囊胞内容が CT で高濃度，MRI の T1 強調像で高信号強度を示す場合，高濃度の thyroglobulin を反映していると考えられる[156]．Som らは T1・T2 強調像ともに高信号強度を呈する，薄壁の囊胞性リンパ節は甲状腺癌の転移を示唆するとしている[160]．充実性リンパ節病変(図 90)，あるいは囊胞を伴う病変の充実部分(図 87A，94)は，CT では軟部濃度，中等度から高度の増強効果(図 87B，90B，95)を呈し，MRI では T1 強調像は低信号強度を呈するが，T2 強調像は骨格筋より低信号(34%)，等信号(45%)，高信号(21%)と様々な信号強度を示す[122]．造影 CT ではしばしば血管性病変と同等の強い増強効果を示し，有意な腫大を示さなくても同所見のみをもって転移陽性が判断される場合(図 96)もある．このような高度の増強効果は扁平上皮癌ではまれである．既述のとおり，甲状腺乳頭癌の頸部リンパ節転移では多彩な画像所見から総合的に判断する必要がある．また，頸部下部から胸郭入口部レベルの病変が評価対象となることから，CT，MRI のいずれにおいてもアーチファクトに伴う画質劣化の問題(図 97)に注意しなければならない．なお，術後について超音波検査は解剖学的な歪み，術後線維化などからしばしば評価が困難であり，基線検査との比較による経時的評価の点からも CT が有用となる．既述のとおり，頸部リンパ節転移は再発のリスクとなるが，頸部リンパ節再発が多く，リンパ節転移の節外進展は外側区域リンパ節再発のリスクとなると報告されている[164]．対側頸部リンパ節再発は生存率を低下させるが両側の根治的頸部郭清術で生存率は改善する[143]．繰り返す再発では脱分化を生じ，より致死的な経過に至る可能性があり注意を要する[165]．

G　悪性リンパ腫リンパ節病変

悪性リンパ腫は成人の全悪性腫瘍の 5〜6%，小児悪性腫瘍の 10%を占め[166]，頭頸部悪性腫瘍では扁平上皮癌に次いで 2 番目に多い．扁平上皮癌と比較すると発症年齢は低く，喫煙・飲酒歴などの関連はない．

病理組織学的に Hodgkin 病と非 Hodgkin リンパ腫(B 細胞性，T 細胞性)に分けられ，非 Hodgkin リンパ腫は侵襲性の高いびまん性大細胞型 B 細胞性リンパ腫，比較的おとなしい濾胞

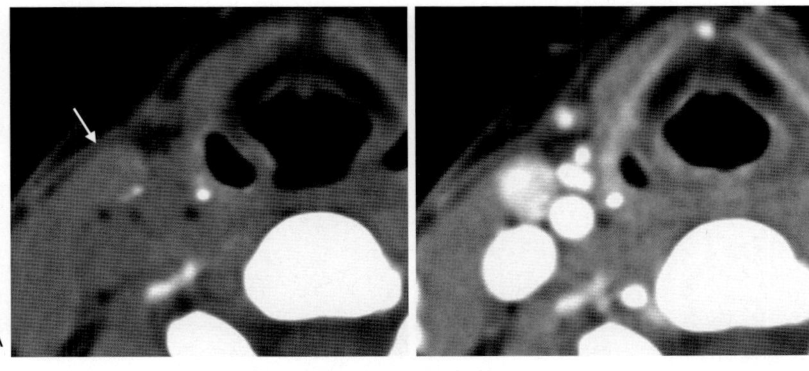

図 90 淡い石灰化を伴う甲状腺癌リンパ節転移
舌骨下頸部レベルでの造影前(A)および造影後(B)CT．A において，偏在性に淡い石灰化を伴う，正常上限大の右レベルⅢリンパ節(矢印)を認める．造影後(B)では実質は強い増強効果を呈し，石灰化の有無の判断は困難である．

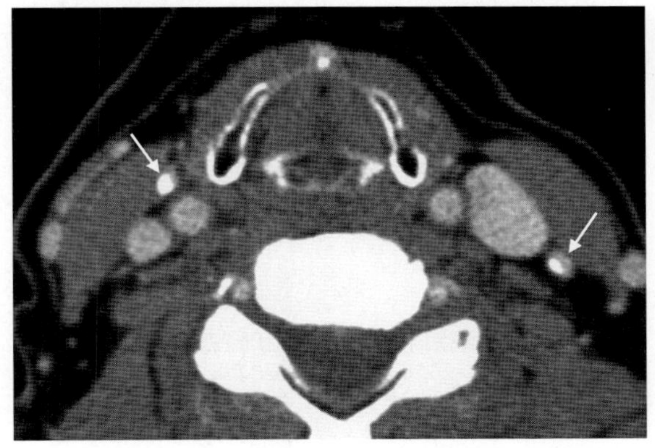

図 91 石灰化を伴う正常大の甲状腺癌リンパ節転移
甲状軟骨レベルでの造影 CT．両側レベルⅢに腫大を伴わない石灰化リンパ節(矢印)を認める．

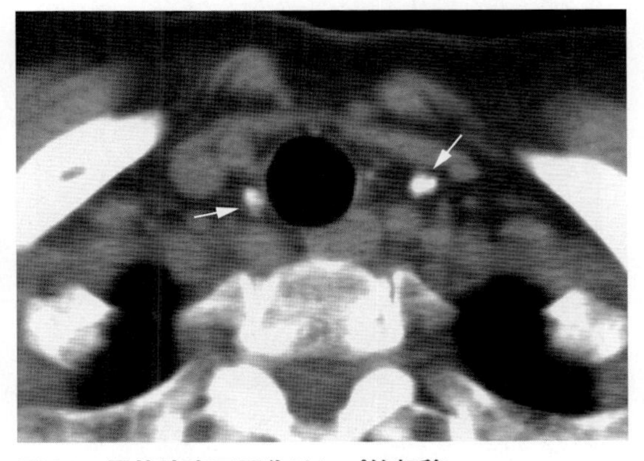

図 92 甲状腺癌石灰化リンパ節転移
胸郭入口レベル非造影 CT において，左右気管傍領域に小さな石灰化結節(矢印)を認め，甲状腺癌リンパ節転移が示唆される．陳旧性(結核性)リンパ節炎や悪性リンパ腫リンパ節病変の治療後などが鑑別となる．

性リンパ腫が多く，その他不均一な様々な組織型(WHO 分類に関しては，6 章「中咽頭」に提示)を含む．質的診断の確定，組織型の決定には病理学的検索が必要となるが，病期診断，治療効果判定，再発病変の診断において画像診断の役割は大きい．

病変の局在から，リンパ節病変と節外病変の 2 つに分けられる．Waldeyer 輪病変は節外リンパ組織病変であり，その他の節外病変(狭義)と分けて論じられる場合(あるいは，リンパ節病変と Waldeyer 輪病変をリンパ組織病変，その他をリンパ節外病変あるいは狭義の節外病変とする)も多かったが，最近の Lugano 分類[167]では Waldeyer 輪病変をリンパ節病変として扱っている．Waldeyer 輪病変に関しては，本書の 6 章「中咽頭」，節外病変に関しては，2 章「眼窩」，3 章「鼻副鼻腔」，13 章「唾液腺」など，各章の記述を参照されたい．本項はリンパ節病変を解説する．

Hodgkin 病と非 Hodgkin リンパ腫のいずれも，頭頸部病変は頸部リンパ節病変が最も多い[168]．典型的には複数の頸部リンパ節の無痛性腫大を示す．多くが両側性(図 98)で，頸部外のリンパ節病変を伴う．Hodgkin 病では縦隔リンパ節病変，非 Hodgkin リンパ腫では腹部リンパ節病変の合併が多いとされる．臨床上，頭頸部癌

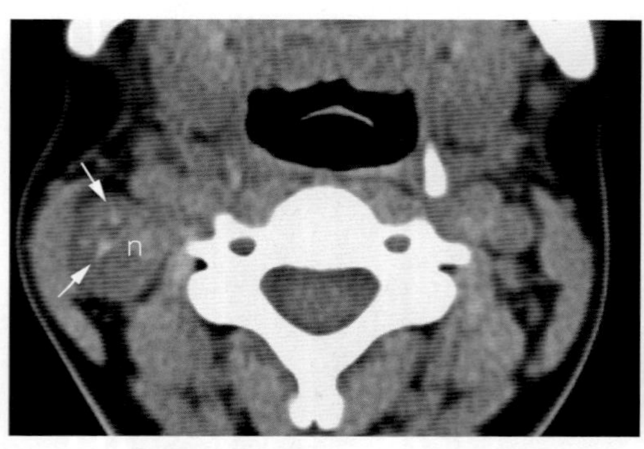

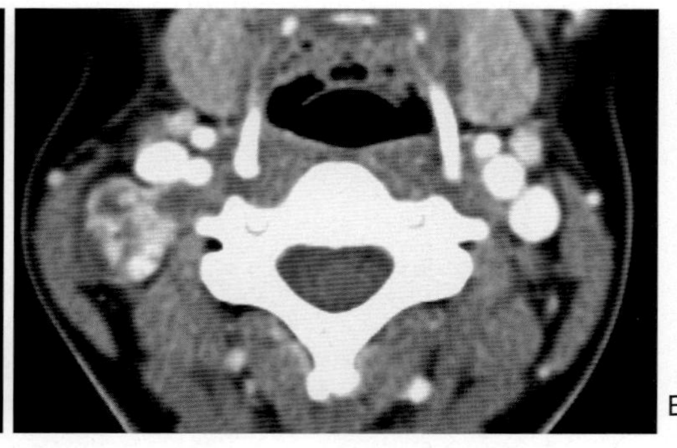

図 93　甲状腺癌石灰化リンパ節転移
非造影CT(A)において，右レベルⅡに腫大リンパ節(n)を認め，内部には点状の淡い石灰化(矢印)を伴う．造影CT(B)で転移リンパ節は不均一な増強効果を示し，石灰化有無の判断は困難である．

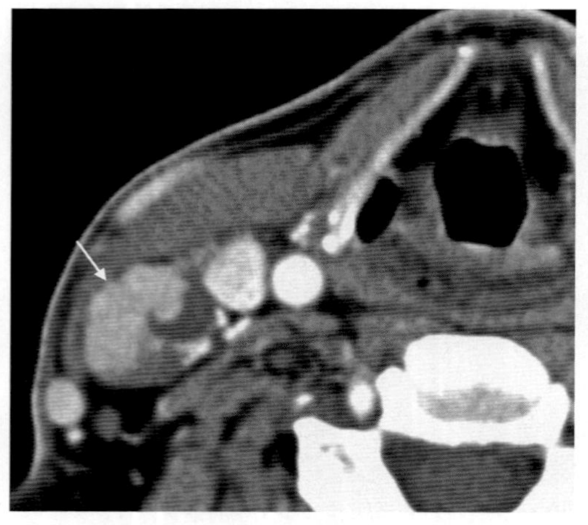

図 94　嚢胞部と充実部の混在する甲状腺癌リンパ節転移
甲状軟骨レベルでの造影CTで，右レベルⅢに造影不良域としての嚢胞部と中等度増強効果を示す充実部の混在した腫瘤(矢印)を認める．

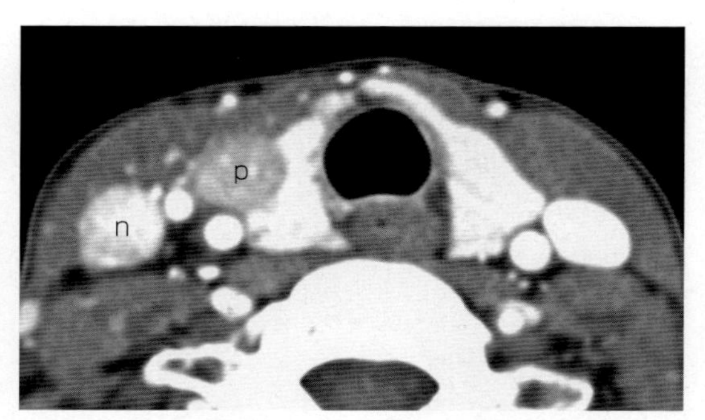

図 95　高度増強効果を示す甲状腺癌リンパ節転移
甲状腺レベルの造影CT．甲状腺右葉に充実性増強効果を示す腫瘤(p)を認め，原発病変に一致する．右レベルⅣに血管に類似する高度増強効果を示す結節(n)を認める．

のリンパ節転移との鑑別が重要であるが，喫煙・飲酒歴の欠如，全身症状(発熱や体重減少，全身倦怠感など)，リンパ節病変の分布・局在の差，節外病変の存在などが参考となる．また，Hodgkin病の4分の1(24％)，非Hodgkinリンパ腫の3分の1(33％)では，孤立性の頸部リンパ節病変(1つの頸部リンパ節病変のみ)として現れ[168]，他の頸部腫瘤との鑑別が困難な例もある．悪性リンパ腫の診断(他疾患との鑑別)が容易でない場合は，診断遅延や多数回の生検，侵襲性の高い手技を要する生検，不必要な切除・摘出などに結びつく危険性も考慮される．

画像診断では，基本的には全身が評価対象となることからCTが最初に選択される場合が多い．MRIは限定した領域の評価，PETは全身検索，病変活動性評価において有用性が高い．画像上は反応性リンパ節腫大・リンパ節炎，リンパ節転移との鑑別が重要となるが，単なる形態的相違のみではなく，年齢，既述の頭頸部癌リスク因子，症状の有無などを含む臨床情報と合わせた総合的判断が必要となる．

CT所見として，複数，しばしば両側性に内部均一で壊死傾向に乏しい頸部リンパ節腫大を認めるのが典型的である(図98〜100)．増強効果は

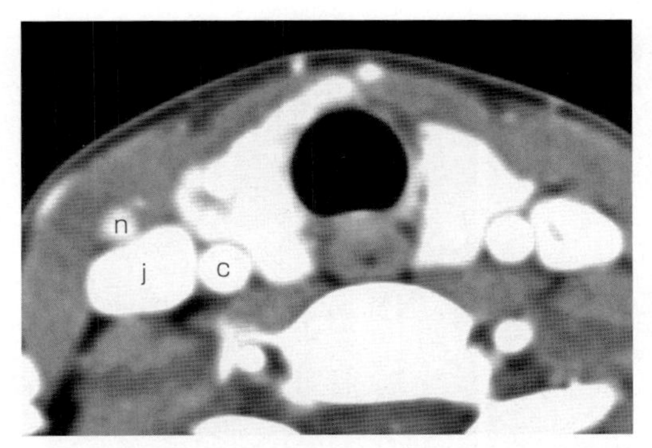

図 96 高度増強効果を示す，正常大の甲状腺癌リンパ節転移

甲状腺レベルの造影 CT．右レベルⅣに，隣接する頸動脈(c)，頸静脈(j)と同等の高度増強効果を示す小さな結節(n)を認める．有意な腫大は示さないが，増強効果から乳頭癌リンパ節転移が強く支持される．

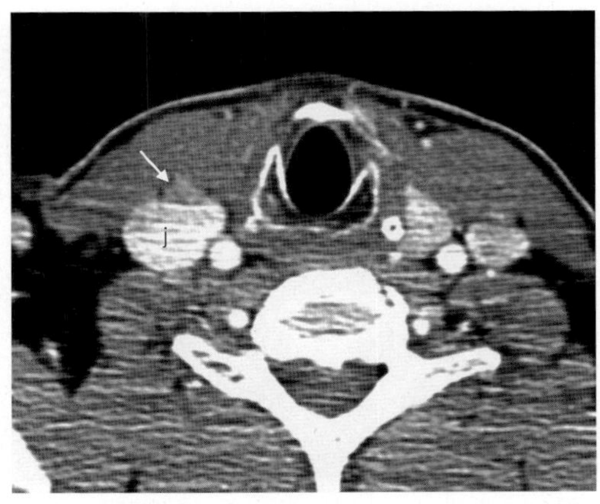

図 97 頸部下部 CT でのアーチファクトによる画質劣化

頸部下部レベルの造影 CT．肩との重なりに伴うアーチファクトにより右レベルⅢリンパ節転移(矢印)の指摘はやや困難である．j：右内頸静脈

様々である(図 99，100)．深頸リンパ節，特に内深頸リンパ節(頸静脈鎖)領域に最も多くみられ[169]，片側性(図 101)では口腔癌や咽喉頭癌のリンパ節転移の分布と類似するが，浅側頸リンパ節，耳下腺リンパ節，顔面リンパ節など，通常の頭頸部癌の転移ではまれな領域(図 102)のリンパ節病変を認めることも多い．Harnsberger らは，頭頸部癌のリンパ節転移でしばしば認められる中心壊死，節外浸潤の所見は，治療前の悪性リンパ腫リンパ節病変では頻度が低いと報告している[170]．したがって，内部均一で境界明瞭，節外進展の所見に乏しい両側性の頸部リンパ節腫大で，(頭頸部癌としては)非典型的なリンパ還流領域の病変を伴う場合は悪性リンパ腫が示唆される[170, 171]．しかし，低から高悪性度の様々な組織型を含む悪性リンパ腫の画像所見は多彩であり，非典型的とされる壊死，内部不均一性，不明瞭な辺縁を呈する例も少なくない[172, 173]．不明瞭な辺縁(図 103，104)あるいは個々の結節の形態をなさない癒合性浸潤性腫瘤(図 105)として示される節外進展の所見に関して，悪性リンパ腫リンパ節病変での病的意義は明らかではないが，より高度浸潤性腫瘍を示すと考えられる[172]．Choi らの末梢 T 細胞性リンパ腫 27 例の CT 所見の検討で，リンパ節病変の 70％は境界不明瞭であったとしている[172]．非典型的とされる悪性リンパ腫リン

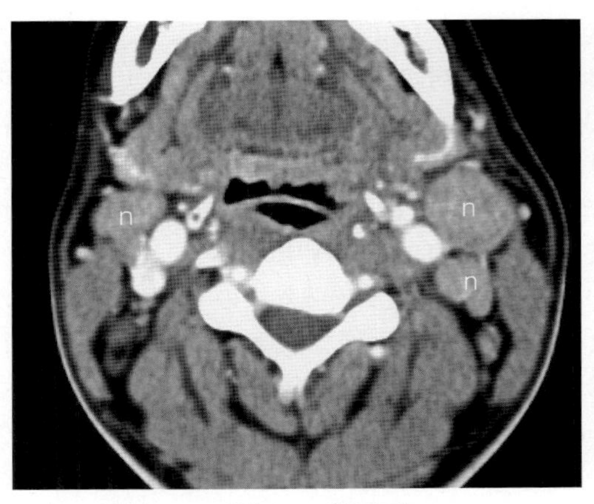

図 98 悪性リンパ腫リンパ節病変

中咽頭レベル造影 CT において，両側レベルⅡ領域に複数の著明なリンパ節を認め，一部は有意な腫大(n)を示す．いずれも辺縁平滑，境界明瞭で内部は均一にみられる．

パ節病変での壊死所見は実際にはまれではなく，多数のリンパ節病変の一部(図 103，104，106)，あるいはときには大部分が内部低濃度を示す例も少なくない．リンパ節内の低濃度領域は内部壊死，腫瘍細胞によるリンパ節実質の置換を示す[174]．被膜様の辺縁増強効果を残し，内部全体が造影不良域で嚢胞性腫瘤(図 104)として認められる場合は HPV 陽性中咽頭癌の頸部転移，側頸嚢胞，化膿性・結核性リンパ節炎，造影不良域が偏在性，限局性の場合(図 107)は扁平上皮癌や甲

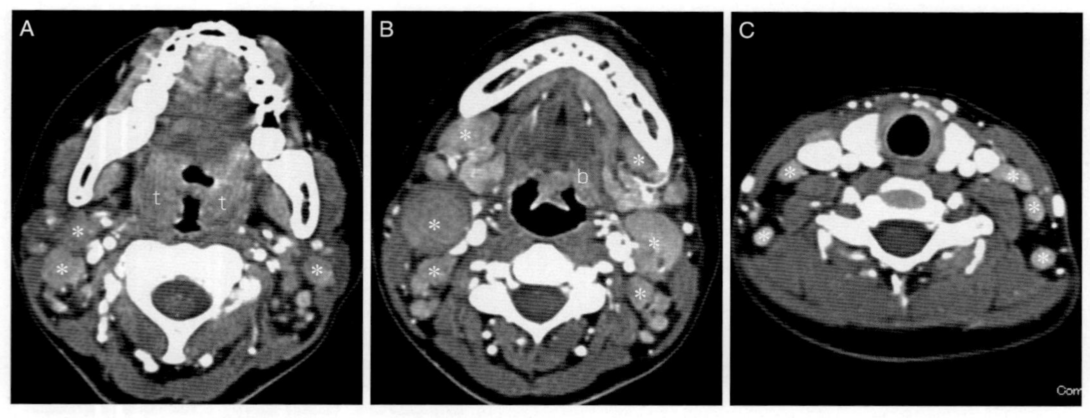

図99　悪性リンパ腫両側性リンパ節病変(典型的所見)

造影CTの扁桃レベル(A)，舌根レベル(B)，甲状腺レベル(C)において，両側ほぼ対称性に，多数のリンパ節を認め，多くは有意な腫大(＊)を示す．いずれも辺縁平滑，境界概ね明瞭で内部はほぼ均一に認められ，比較的著明な充実性増強効果を示す．リンパ節病変の両側性分布，内部性状などは悪性リンパ腫リンパ節病変に合致する．両側口蓋扁桃(t)，舌扁桃左側(b)の肥厚がみられ，Waldeyer輪病変が示唆される．

状腺癌のリンパ節転移が鑑別診断となる．Leeらは Hodgkin病の5%，非Hodgkinリンパ腫の13%で内部壊死を認めたとしている[169]．内部性状は，高悪性度組織型で不均一，低悪性度組織型で均一な傾向にあり[175～177]，既述の(比較的悪性度の高い)末梢T細胞性リンパ腫の検討では41%が壊死，70%が実質増強効果の不均一性を示したとしている[172]．画像での壊死所見は，より進行した病期，予後の指標(International Prognostic Index：IPI)，LDH高値と有意な相関を示し，予後不良因子のひとつと考えられる[173]．リンパ節梗塞は病理学的には13,000生検に1つのリンパ節とまれであるが[178]，悪性リンパ腫で最も頻度が高く[179]，病理学的に壊死性リンパ節を認めた場合は悪性リンパ腫の発生を考慮して最低でも2年間は短期での経過観察と繰り返す生検の施行が望まれる[180]．リンパ節は血流とリンパ流の二重循環をとることから，血管閉塞のみで必ずしも壊死・梗塞を生じず[181]，リンパ流の閉塞，サイトカインやEBVの関与も疑われている[182]．また，内部低濃度を伴わず，ほぼ均一な充実性増強効果を示すリンパ節であっても，辺縁の被膜様増強効果(peripheral rim-enhancement)(図107B，108，109)は正常リンパ節，反応性リンパ節では認められず病的である．また治療前病変の石灰化はまれである．MRI所見(図109，110)もCTと同様，辺縁平滑，境界明瞭で内部均一なリンパ節腫大が典型的で，T1強調像では骨格筋とほぼ等信号強度，T2強調像では中等度からやや高信号強度を呈し，均一で中等度の増強効果，拡散強調像での著明な高信号，ADC値低下を示す．壊死部はT2強調像で高信号領域，造影後T1強調像で造影不良域(図107B)としてみられ，T1強調像では比較的低信号を示し，ADC mapで化膿性リンパ節炎ほどは低信号ではないとされる[183]．ADC値が悪性リンパ腫リンパ節病変と(上咽頭以外の)頭頸部癌リンパ節転移との鑑別に有用との報告もある[184]．最終的には生検による病理学的検索が必要となるが，画像診断ではリンパ節病変の進展範囲の正確な把握，リンパ節内部性状，節外病変の有無・進展，生検対象の可能性のある病変などに関して，臨床医への情報提供が求められる．

悪性リンパ腫の治療後効果判定においても画像診断の果たす役割は大きい．現行の治療効果判定基準[185]は，1999年にInternational Workshop (International Working Group：IWG)から出された統一した判定基準[186]を基にして，FDG-PET，免疫組織化学的検査，フローサイトメトリーによる判定を追加，2007年に改訂されたものである(6章「中咽頭」表10参照)．1999年のリンパ節病変に対する判定基準ではCTを標準的モダリティとし，基本的にはCTにおけるリンパ

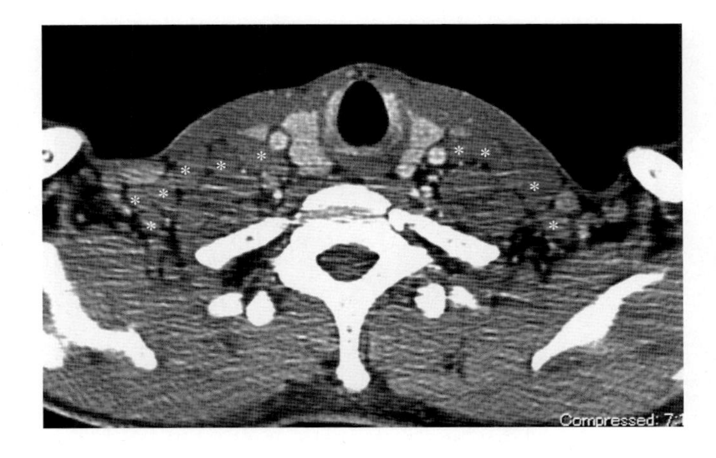

図 100　悪性リンパ腫両側性リンパ節病変（典型的所見）
頸部下部レベルでの造影 CT において，両側ほぼ対称性に多数のレベルⅣ，鎖骨上リンパ節病変（＊）を認める．いずれも辺縁平滑，境界明瞭で内部は均一である．増強効果は図 99 と比較して軽度である．

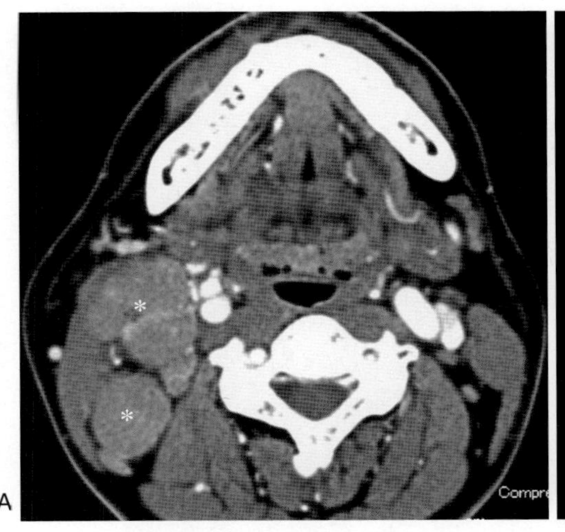

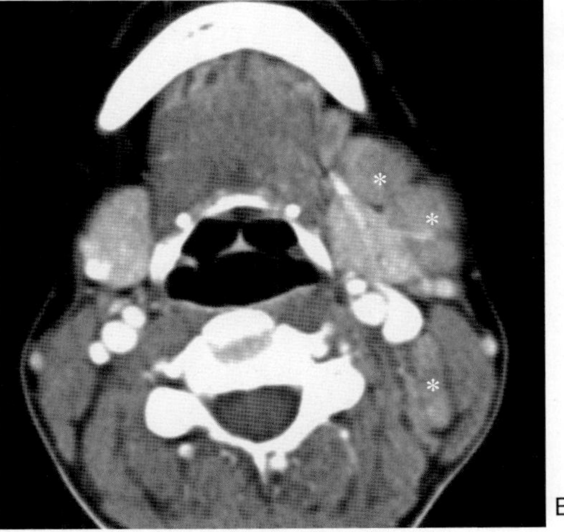

図 101　悪性リンパ腫片側性リンパ節病変 2 例
中咽頭レベルの造影 CT（A）において右レベルⅡ，別症例の造影 CT（B）で左レベル IB，Ⅱに辺縁平滑，境界明瞭で内部均一な腫大リンパ節（＊）を認める．

節病変の縮小により規定されている．頭頸部癌の転移リンパ節の判定では最大横断径よりも最小横断径がより正確とされているが，悪性リンパ腫の治療効果判定では（最小横断径よりも）最大横断径での判定がより正確とされる[186]．CR は全リンパ節病変が正常大（治療前に最大横断径 1.5 cm を超えるリンパ節は 1.5 cm 以下）となることを条件としている．さらに，治療前に 1.1～1.5 cm のリンパ節は 1 cm 以下となる，あるいは全リンパ節病変の最大横断径の総和（sum of the products of the greatest diameter：SPD）が治療前との比較で 75％以上減少することを条件としている[186]．1.5 cm を超えるリンパ節腫瘤が残存するが，SPD が 75％を超える場合は CRu（CR/uncomfirmed）とする．治療後残存腫瘤が必ずしも活動性のある残存病変を示すものではなく，リンパ節病変も形態的判断基準のみでは，腫瘍が治療により消失したとしても，線維化，壊死，炎症などによりしばしば治療後もリンパ節腫大が継続して認められる点[187]が問題となる．これに対して，2007 年の改訂[185]では機能画像である PET 所見が判定に大きく関与することとなる．病変の完全な消失の他，治療前 PET 陽性病変ではいかなる腫瘤の残存があったとしても治療後 PET 陰性により CR と判

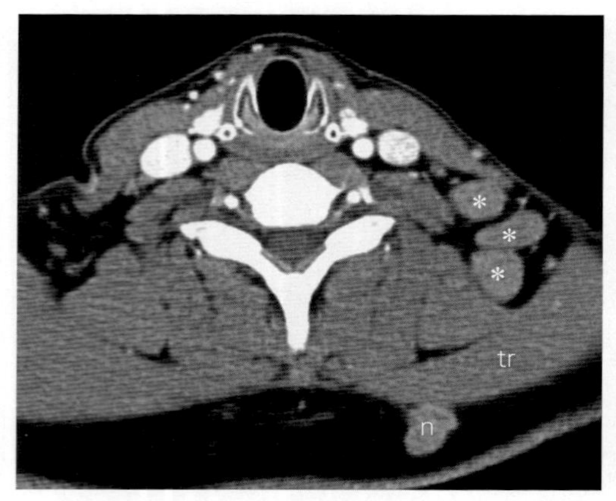

図 102　悪性リンパ腫の後頸部皮下リンパ節病変

頸部下部レベルの造影 CT で，左レベルⅤに複数の腫大リンパ節（*）を認める．いずれも内部均一で悪性リンパ腫リンパ節病変に合致する．左僧帽筋（tr）表層に接する後頸部の皮下にやや不整形の軟部濃度結節（n）を認める．やや低位であるが，後頸リンパ節病変と思われる．

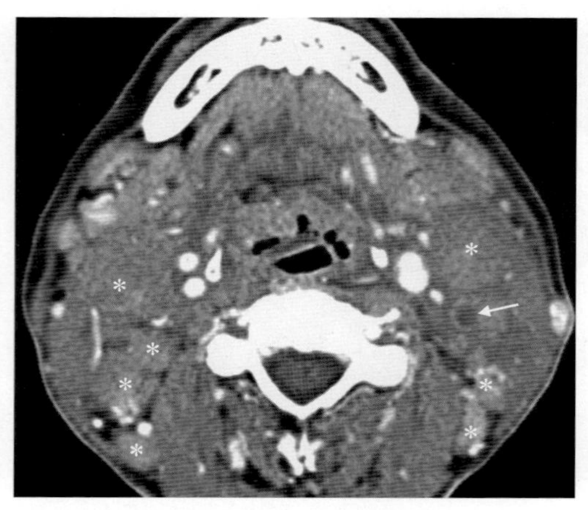

図 103　悪性リンパ腫リンパ節病変

舌根レベルの造影 CT．両側レベルⅡおよびⅤに多数のリンパ節病変あり．左レベルⅡには正常上限大で内部低濃度を示す病変（矢印）あり．その他の病変（*）は，増強効果の程度に多少の差はみられるが，ほぼ均一な充実性増強効果を呈している．図 99〜102 と異なり，境界は不明瞭で，一部で個々の病変の分離は困難である．

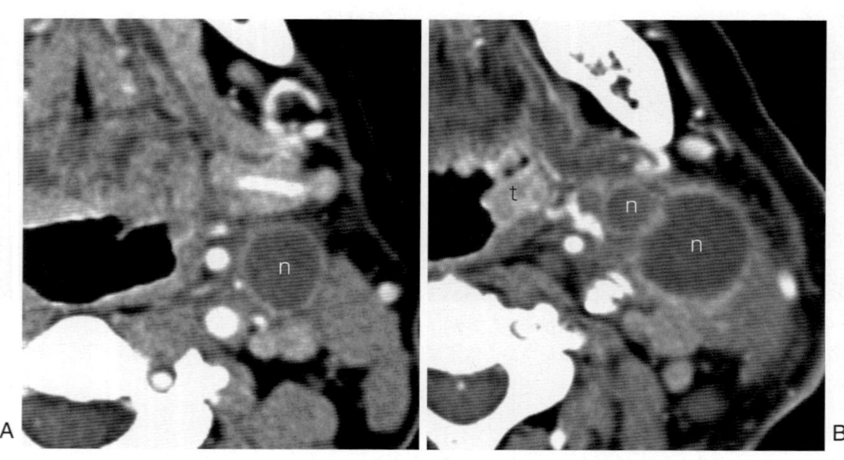

図 104　嚢胞性腫瘤として認められる悪性リンパ腫リンパ節病変 2 例

中咽頭レベルの造影 CT（A，B）において，左レベルⅡに辺縁の被膜様増強効果を伴い，内部は造影不良域として嚢胞様を呈する類円形腫瘤（n）を認める．辺縁平滑ではあるが，周囲脂肪組織との境界は不明瞭に認められる．A では病変は孤立性であり，感染を伴った第 2 鰓裂嚢胞の所見にも矛盾ない．B では左口蓋扁桃に Waldeyer 輪病変（t）を認める．

定される．治療前 PET 陰性例あるいは PET 所見不明例では，1999 年基準と同様にして CT 上の大きさによる判定基準が用いられる．治療前に最大横断径 1.5 cm を超えるリンパ節は 1.5 cm 以下となる，あるいは治療前に最大横断径 1.1〜1.5 cm，最小横断径 1 cm を超えるリンパ節は最小横断径 1 cm 以下に縮小した場合を CR とした．

また，リンパ節病変の CR 後再発，PR あるいは SD（stable disease）後の PD（progressive disease）の判定は主に大きさの変化による．最大横断径 1.5 cm を超える，いかなるリンパ節も異常（再発・PD），最大横断径 1.1〜1.5 cm のリンパ節では最小横断径が 1 cm を超えると異常と判断される．最大横断径 1cm 以下は病的とはされない．

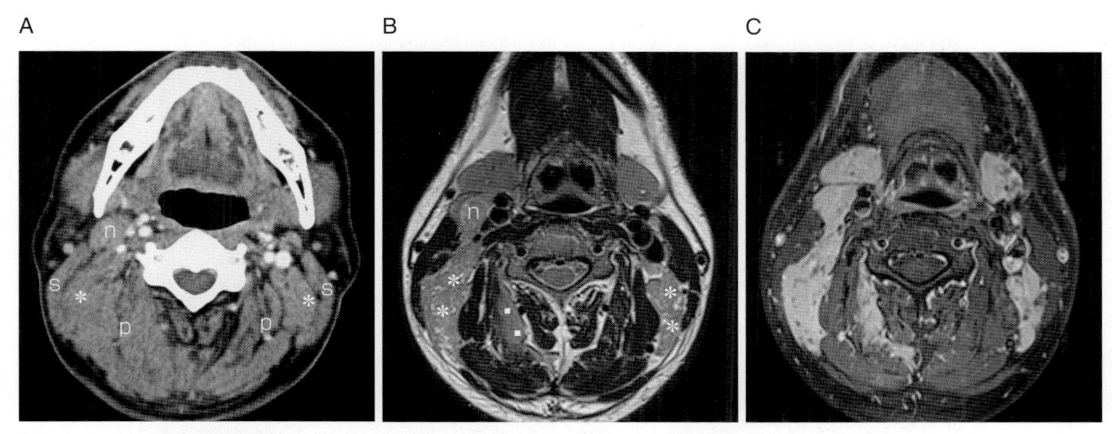

図 105　癒合性浸潤性腫瘤として認められる悪性リンパ腫リンパ節病変
中咽頭レベル造影 CT(A)において，右レベル II に軽度腫大リンパ節(n)を認める．また，両側のレベル II から後方のレベル VA 領域で，胸鎖乳突筋(s)深部に境界不明瞭な軟部濃度病変(＊)を認め，通常は脂肪濃度を呈する後頸間隙を占拠する．また，傍椎体筋(p)の筋間脂肪層は右側で不明瞭であり，同部にも浸潤性病変が疑われる．いずれも骨格筋と等濃度であり，病変の輪郭の同定は困難．MRI の T2 強調横断像(B)両側レベル II〜VA 領域のリンパ節病変(＊)，右側の傍椎体内の節外病変(▪)ともに中等度からやや高信号を呈しており，低信号を示す骨格筋とは明瞭に区別される．右レベル II の腫大リンパ節(n)も同様の内部性状を示す．造影後 T1 強調脂肪抑制画像(C)でいずれの病変も中等度の充実性増強効果を呈している．

FDG 集積に関しては他のモダリティで病変が確認された場合のみ再発とする(偽陽性所見を回避するため)．SPD の少なくとも 50%，あるいは最小横断径 1 cm を超えるリンパ節病変の最大横断径の少なくとも 50%を超える増大も異常とされる[185]．

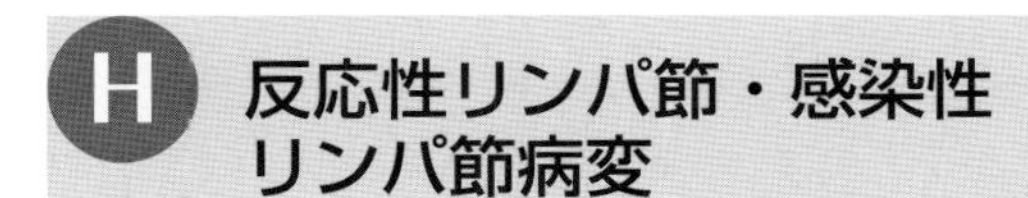

H 反応性リンパ節・感染性リンパ節病変

1 反応性リンパ節

可逆性の良性リンパ節腫大であり，(細菌やウイルスなどによる)感染の刺激に対するフィルターとして主に機能するリンパ節の反応性変化として認められる(この場合の“腫大”は本章「リンパ節転移」で記載した病的腫大とは異なり，画像診断基準として示した数値によって判断されるものではない)．組織学的には，濾胞の増加・増大，洞の増大および組織球での充満，リンパ細胞，少数の免疫芽細胞，貪食細胞によるびまん性の置換を示すか，あるいはこれらの混在として認められる．

頭頸部領域で反応性リンパ節を認める頻度は高く，特に小児・若年者ではある程度までは生理的範囲内と考えられる．これらのリンパ節は比較的小さく，波動や圧痛なども伴わないのが通常である．炎症細胞の浸潤を認めればリンパ節炎(後述)への移行を示すが，初期には画像のみでの両者の鑑別は困難である．CT 上，通常は両側性の辺縁

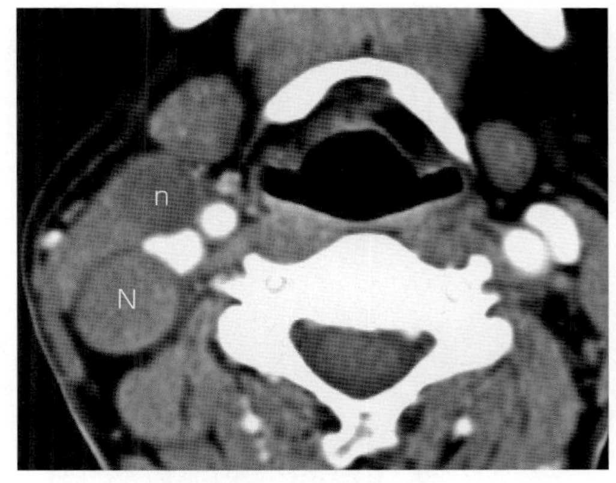

図 106　嚢胞様所見を呈する悪性リンパ腫リンパ節病変
舌骨レベル造影 CT．右レベル II/III 境界領域に 2 つのリンパ節腫瘤を認め，1 つ(N)は，内部が均一な骨格筋とほぼ等濃度を示す辺縁平滑，境界明瞭な類円形病変であり，悪性リンパ腫リンパ節病変として典型的所見であるが，もう 1 つ(n)は骨格筋よりはやや低い内部濃度の類円形結節であり，嚢胞様を呈している．

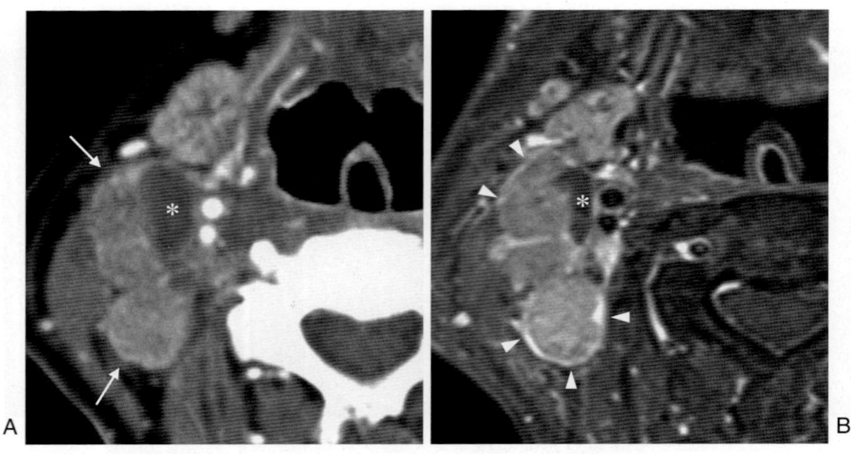

図107　偏在性造影不良域を伴う悪性リンパ腫リンパ節病変

舌根レベルの造影CT(A)で2つの右レベルⅡ病変(矢印)を集簇性に認め，腹側の病変は内側に偏在性の造影不良域(＊)を伴う．同症例でのMRI，造影後T1強調脂肪抑制画像(B)で病変は被膜様増強効果(矢頭)とともに内部の充実性増強効果を示す．CT(A)と同様，偏在性の造影不良域(＊)を伴う．

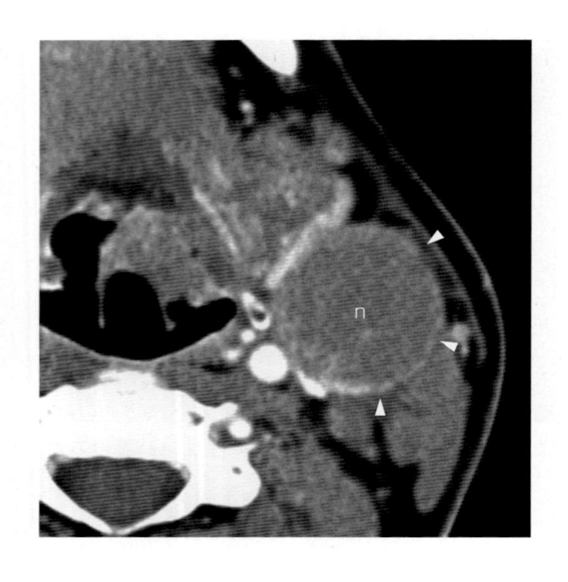

図108　辺縁の被膜様増強効果を示す悪性リンパ腫リンパ節病変

造影CTにおいて，左レベルⅡリンパ節病変(n)を認める．病変は内部均一な充実性増強効果を示す類円形を呈し，辺縁に薄い被膜様増強効果(矢頭)を伴う．

平滑，境界明瞭，内部均一な楕円形のリンパ節として認められ，口蓋扁桃，上咽頭アデノイドなどの肥厚をしばしば伴う(図111)．頸部リンパ節腫大の精査を目的とする場合もあるが，ときに偶発的所見として認められる．扁桃炎，歯性感染，下顎骨髄炎，唾液腺炎など，病因となる所見の確認(図112)も治療要否の判断や治療方針の決定には重要である．臨床上，画像診断上，さらに病理学上も，悪性リンパ腫リンパ節病変との区別が最も問題となる[188]．CT，MRI上，辺縁平滑，境界明瞭，内部均一な扁平あるいは楕円形のリンパ節として認められ，大きさはしばしば正常上限大から軽度腫大を呈する(図112)．

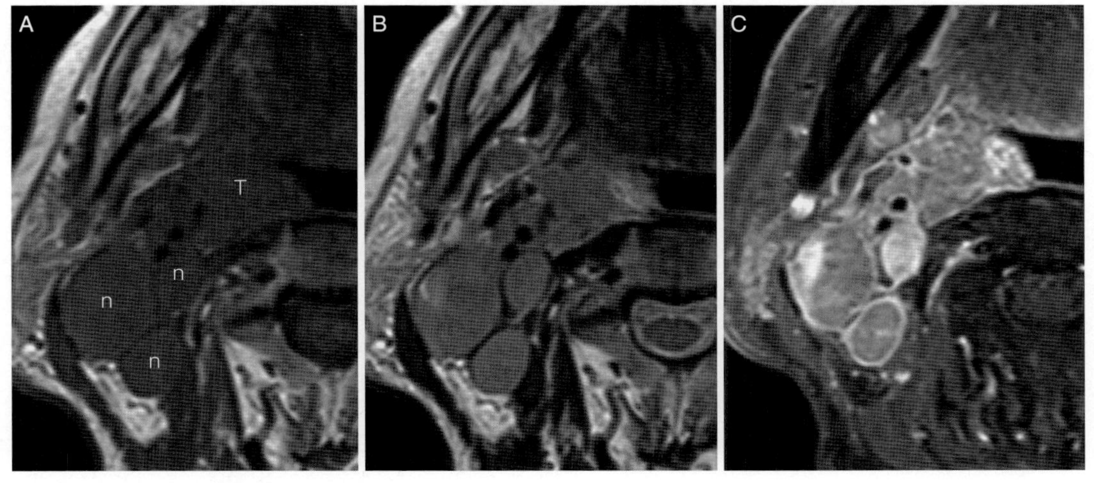

図 109　悪性リンパ腫リンパ節病変
中咽頭レベルの MRI，T1 強調横断像(A)で右レベルⅡに複数のリンパ節病変(n)あり．いずれも辺縁平滑，境界明瞭な楕円形を呈し，内部は骨格筋とほぼ等信号強度からわずかに高信号強度を呈する．右口蓋扁桃に Waldeyer 輪病変(T)を認める．T2 強調像(B)では病変は均一な高信号病変として認められ，造影後 T1 強調脂肪抑制画像(C)ではほぼ均一な充実性増強効果を示し，一部は辺縁に被膜様増強効果を伴う．

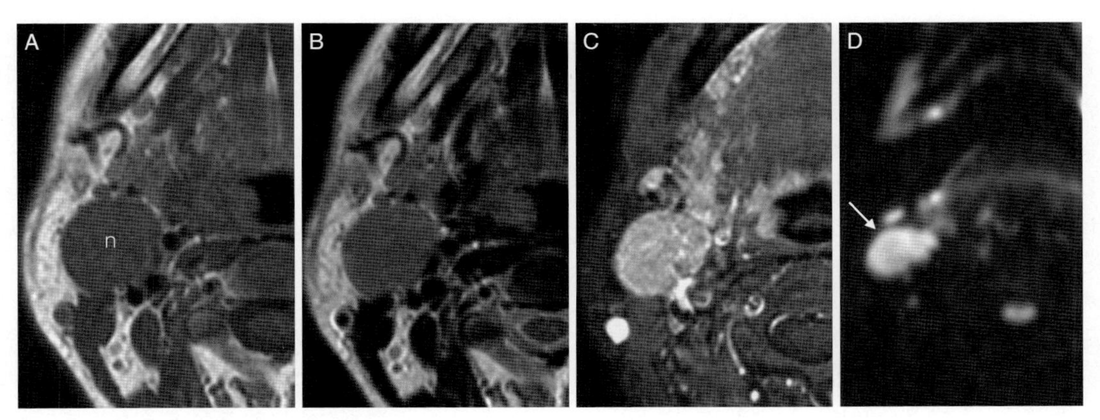

図 110　悪性リンパ腫リンパ節病変
中咽頭レベルの MRI，T1 強調横断像(A)で右レベルⅡに骨格筋とほぼ等信号強度の境界明瞭な類円形病変(n)を認める．T2 強調像(B)で均一な高信号強度，造影後 T1 強調脂肪抑制画像でほぼ均一な充実性増強効果を示す．図 109 とは異なり，辺縁の被膜様増強効果は明らかでない．拡散強調像(D)で著明な高信号域(矢印)として認められる．

2 リンパ節炎・(急性)化膿性リンパ節炎(lymphadenitis・suppurative lymphadenitis)

感染門戸からのリンパ流，感染リンパ節(リンパ節炎を生じた隣接するリンパ節)からのリンパ流，あるいは全身性感染(主にウイルス感染)における血流により，病原体がリンパ節に到達すると，局所でのサイトカイン分泌に起因する炎症細胞浸潤，血管拡張，浮腫によりリンパ節炎を生じる．理学的所見として圧痛や(程度や部位によっては)発赤，腫脹を伴う．

化膿性リンパ節炎の大部分が細菌性であり，その約 80％が黄色ブドウ球菌と化膿レンサ球菌による[189]．細菌性化膿性リンパ節炎の多くが 1〜4 歳の小児に生じ[190]，小児の頸部リンパ節病変の半数以上が細菌感染による[191]．黄色ブドウ球菌感染は新生児の急性片側性リンパ節炎として，化

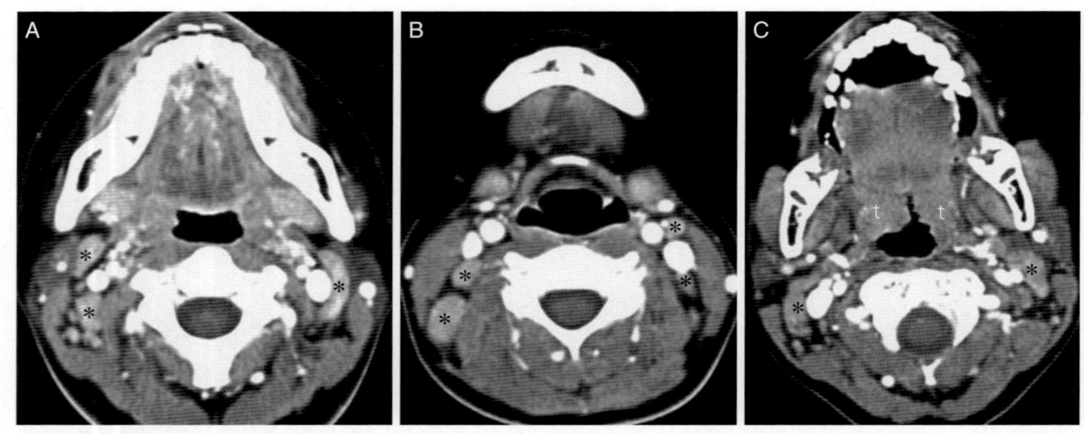

図111　頸部反応性リンパ節2例
中咽頭レベル(A)および下咽頭レベル(B)の造影CTにおいて，両側レベルⅡ・Ⅲ領域に複数の著明なリンパ節(＊)を認める．いずれも辺縁平滑，境界明瞭で楕円形から扁平な形状を示す．内部はほぼ均一で中等度の増強効果を示す．別症例の中咽頭レベル造影CT(C)で両側レベルⅡに扁平なリンパ節腫大(＊)を認める．増強効果はA，Bよりも軽度である．境界は明瞭で周囲脂肪の混濁はみられない．両側口蓋扁桃(t)の肥厚を伴う．

膿レンサ球菌感染は3歳以上の小児の急性両側性リンパ節炎としてみられるのが通常である[190]．

ウイルス感染では過形成を主体とし，壊死・化膿性変化に乏しく，臨床像(圧痛も比較的軽度)，画像所見(図113)ともに既述の反応性リンパ節とほぼ同様である．ときにCT上，リンパ節自体は反応性リンパ節と完全に類似していたとしても(炎症性浮腫による)周囲脂肪の混濁(図114)が診断を示唆する場合がある．疾患によっては肝脾腫など，頸部外所見が診断の参考となる場合もある．

病変部位として多い順に，レベルIB(顎下リンパ節)(図115，116)，レベルII(上内深頸リンパ節)，レベルIA(オトガイ下リンパ節)，後頭リンパ節，レベルIV(頸部下部リンパ節)を侵す[190]．また，Rouvièreリンパ節病変(図115)は被膜破綻により咽後膿瘍形成に至るという点で重要である．

細菌感染では早期診断による抗菌薬投与が望まれるが，進行するとリンパ節内に化膿性変化(リンパ節内膿瘍)を生じ急性化膿性リンパ節炎に至る．さらにリンパ節被膜が破綻すると(リンパ節外)頸部膿瘍を形成する．咽頭後リンパ節の化膿性リンパ節炎のリンパ節被膜破綻により形成される咽後膿瘍が典型例である(本書，4章「上咽頭」を参照されたい)．

(化膿性リンパ節炎に至っていない)リンパ節炎は造影CTにおいてリンパ節の腫大，リンパ門の不明瞭化，増強効果亢進などとして認められるが，所見特異性は低く，反応性リンパ節との区別は困難な場合も多い(臨床的には圧痛の有無や強さなどの理学的所見が参考になる)．化膿性リンパ節炎では上記リンパ節内に初期は不明瞭(図117，118)，進行により明瞭な造影不良域(図115，116，119)が確認されることにより診断される．造影不良による低吸収領域は類円形(図115)から不整形(図116)を呈するものまで様々で，前者の場合は単房性嚢胞性所見を呈することから，レベルIIリンパ節病変ではときに第2鰓裂嚢胞が鑑別となりうる．リンパ節炎，化膿性リンパ節炎において，(化膿巣がリンパ節内にとどまっていたとしても)隣接するリンパ節周囲軟部組織に蜂窩織炎，炎症性浮腫を伴うことも多く，CTでは周囲脂肪混濁，リンパ節の境界不明瞭化や筋膜の肥厚(図114，120)などとして認められる．これらの所見を伴う場合，(原則として境界鮮明な)反応性リンパ節との鑑別が可能である．CT上，節外進展を伴う壊死性リンパ節転移，結核性リンパ節炎(後述)が化膿性リンパ節炎の所見と類似するが，いずれも化膿性リンパ節炎と比し

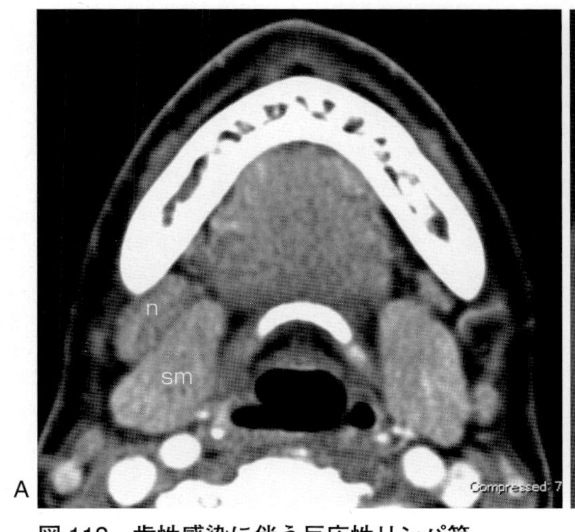

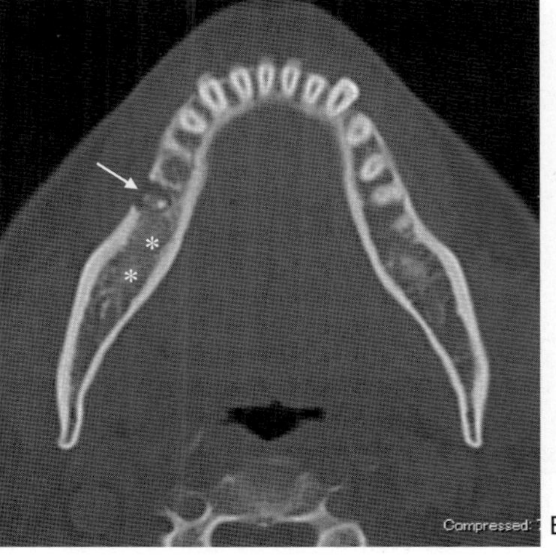

図 112　歯性感染に伴う反応性リンパ節
顎下部腫瘤の精査目的で施行された造影 CT(A)において，右顎下リンパ節(n)は内部均一で辺縁平滑，境界明瞭で扁平な結節所見として認められる．sm：顎下腺．同例の下顎骨レベル CT 骨条件表示(B)．右下顎第 1 大臼歯の歯根周囲の骨吸収を認め，根尖病巣を示す．頬粘膜側皮質の途絶(矢印)を伴う．また，これに隣接して，下顎骨右体後部に淡い硬化性変化(＊)がみられ，随伴する下顎骨骨髄炎を反映する．

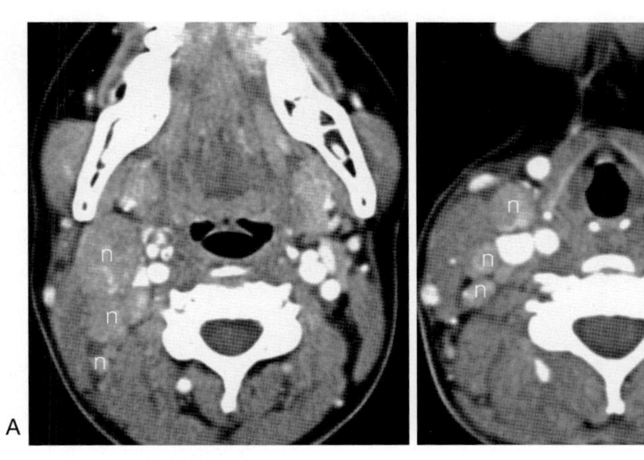

図 113　伝染性単核症
中咽頭レベル(A)および下咽頭レベル(B)の造影 CT において，右側のレベルⅡ・Ⅲに複数の著明なリンパ節(n)を認め，一部は有意な腫大を示す．いずれも辺縁平滑な楕円形で内部は均一に中等度の充実性増強効果を示している．画像所見としては反応性リンパ節(図 111，112)とまったく同様で，悪性リンパ腫にも類似する．

て圧痛などの局所理学的所見に乏しく，周囲脂肪の混濁の程度も軽い傾向にある．MRI での壊死部の ADC 値は転移リンパ節よりも低く，強い拡散制限を示す傾向にあるとされる[190]．

化膿性リンパ節炎は基本的には経静脈性抗菌薬投与による内科的治療の対象となるが，化膿性変化(リンパ節内低濃度・造影不良域)が 2 cm を超えると内科的治療に加えて穿刺吸引，切開排膿などの外科的介入が必要となる場合も多いとされ(図 121，122)[192]，内科的治療に対する反応をみて判断される．リンパ節被膜が破綻して，頸部膿瘍が形成された場合は切開排膿が原則となる．これら治療方針決定に必要な状況の把握において CT は重要な役割を果たす．さらに炎症の程度に

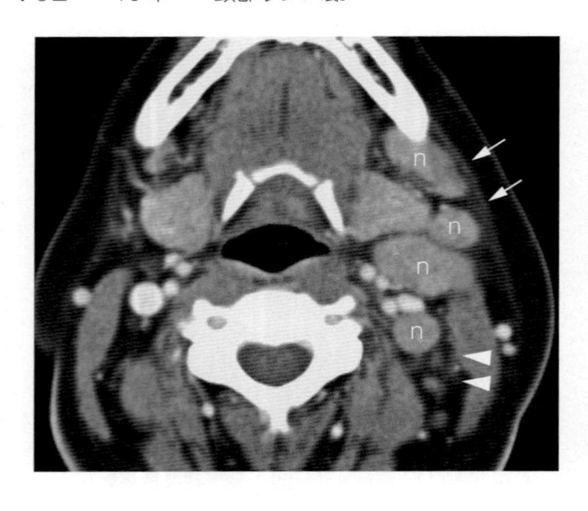

図 114　リンパ節炎
舌骨レベル造影 CT において，左レベル I，II 領域に複数のリンパ節を認め，一部(n)は正常上限大から軽度腫大を示す．個々のリンパ節はいずれも辺縁平滑，内部均一であり，反応性リンパ節(図 111，図 112)に類似するが，境界はやや不明瞭であり，隣接する顎下三角(矢印)の皮下脂肪の混濁，浅頸筋膜の軽度肥厚を認めるとともに，後方の後頸間隙(矢頭)にも集簇性に複数のリンパ節とともに軽度の脂肪混濁がみられる．これら炎症性浮腫を示唆する所見から(単なる反応性リンパ節ではなく)リンパ節炎と考えられる．

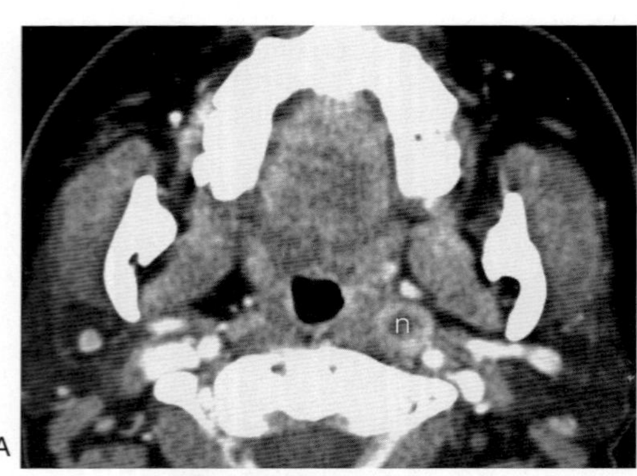

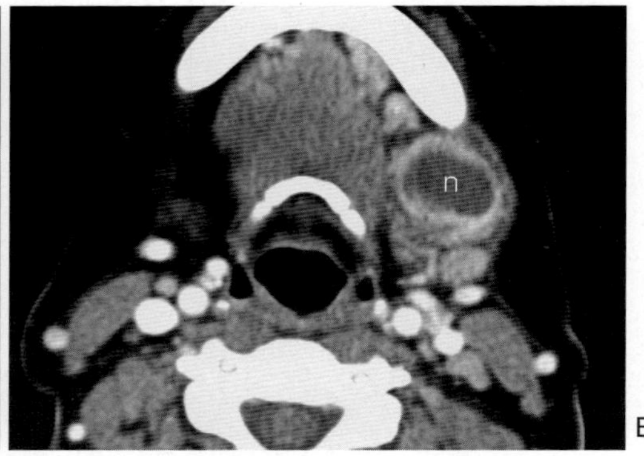

図 115　化膿性リンパ節炎
上咽頭レベル造影 CT (A)において腫大した左 Rouvière リンパ節(n)は辺縁増強効果とともに内部に低吸収領域を認める．顎下部レベル(B)で左顎下リンパ節(n)も同様に辺縁増強効果と内部の低吸収を示す．いずれも化膿性リンパ節炎の所見に合致する．

より血栓性静脈炎，有意な気道狭窄の有無などの評価も求められる．

3 猫ひっかき病(cat-scratch disease)

Bartonella henselae を主要な病原体とする良性感染性疾患であり，疼痛を伴うリンパ節腫大をきたす．60～70%が 5～21 歳と若年者に好発する[193]．また，本邦では(飼育や世話などで猫との接触機会の多い)女性に多い傾向にある．猫に引っかかれることにより皮膚から埋入するとされ，90%で猫との接触歴，75%で猫の掻傷や咬傷の病歴がある(10%で接触歴不明)．猫との接触から約 1～3 週後に，(引っかかれた場合はその近位部での)リンパ節炎を生じる[194]．腕や顔，足などを引っかかれる場合が多いため，肘部，腋窩，頸部(主に顎下・オトガイ部)の他，鼠径部などのリンパ節病変の頻度が高い[195]．全身症状は軽度な例が多いが，主に悪寒，食思不振，頭痛，疼痛，咽頭痛，嘔気などを訴える[196]．まれに脳炎，肉芽腫性肝炎などを生じる[196, 197]．44～85%が 1 つのリンパ節病変として，24%が 1 領域での複数リンパ節病変として現れる[198, 199]．組織像としては肉芽腫性リンパ節炎の形態をとり，細網細胞過形成，肉芽形成，動脈壁肥厚および壊死部癒合により多発する微小膿瘍形成を認める．

診断には病歴聴取が重要であるが，血清テストが高い感度と特異度を示し有用である．画像診断として炎症性病態の経過から CT が選択される場

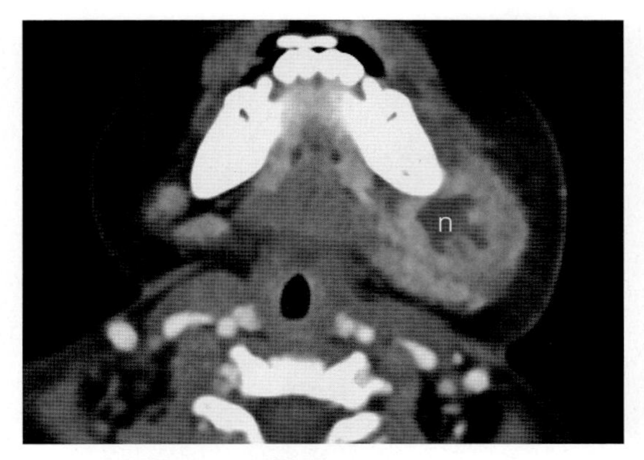

図 116　化膿性リンパ節炎
顎下部レベル造影 CT で腫大した左顎下リンパ節(n)内に不整形の低吸収領域を認める.

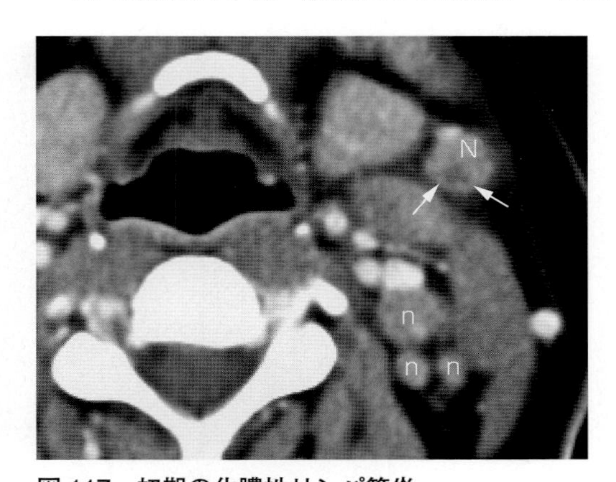

図 117　初期の化膿性リンパ節炎
顎下腺レベル造影 CT において，左レベル IB に周囲脂肪混濁を示すリンパ節(N)を認め，リンパ節炎に一致する．内部に境界不明瞭な淡い低吸収(矢印)を伴い，早期の化膿巣を示唆する．左レベル II に数個のリンパ節(n)を集簇性に認める．これらに化膿性リンパ節炎の所見はみられない．

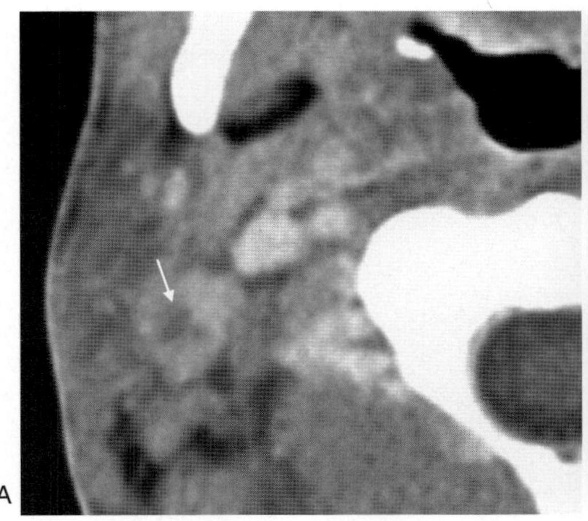

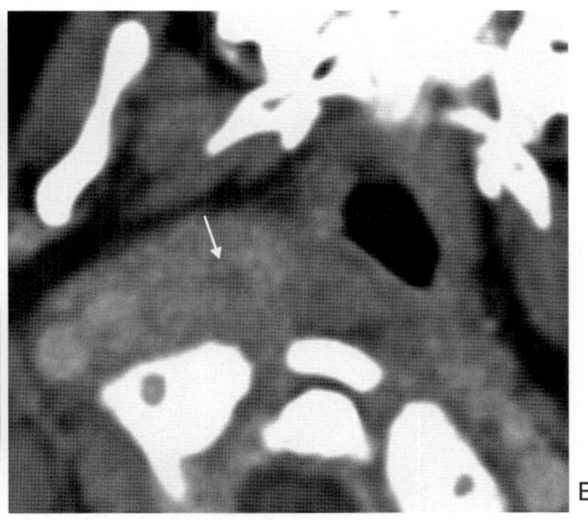

図 118　初期の化膿性リンパ節炎 2 例
造影 CT(A，B)において，A はレベル II リンパ節，B は咽頭後リンパ節の腫大を認め，内部に境界不明瞭で不整形の淡い低濃度領域(矢印)を伴う．

合が多い．頭頸部では典型的には顎下部，オトガイ下部のリンパ節の腫大，内部低濃度とともに(リンパ還流領域を中心とする)周囲軟部組織の比較的広範な浮腫を示す[200]．内部低濃度は不整形から三日月形で被膜下に沿って偏在性を示すのが比較的特徴的と思われる(図 123)．MRI 所見も同様で，T1 強調像では骨格筋と類似した信号強度を示す境界不明瞭な腫瘤，T2 強調像ではリンパ節および周囲軟部組織変化とも高信号強度を呈し，造影剤投与により辺縁増強効果と内部の造影不良域を認める[194, 195]．リンパ節内容吸引は，症例によって診断的，治療的に行われる．

治療要否に関しては多少の議論があり，通常は無治療により 2〜4 ヵ月の経過で自然消退する．抗菌薬投与は無効で，必要があれば消炎鎮痛薬，局所麻酔薬投与による保存的治療が行われる．発症様式，初期の経過，局所の理学的所見，画像所見ともに通常の化膿性リンパ節炎と臨床像が類似

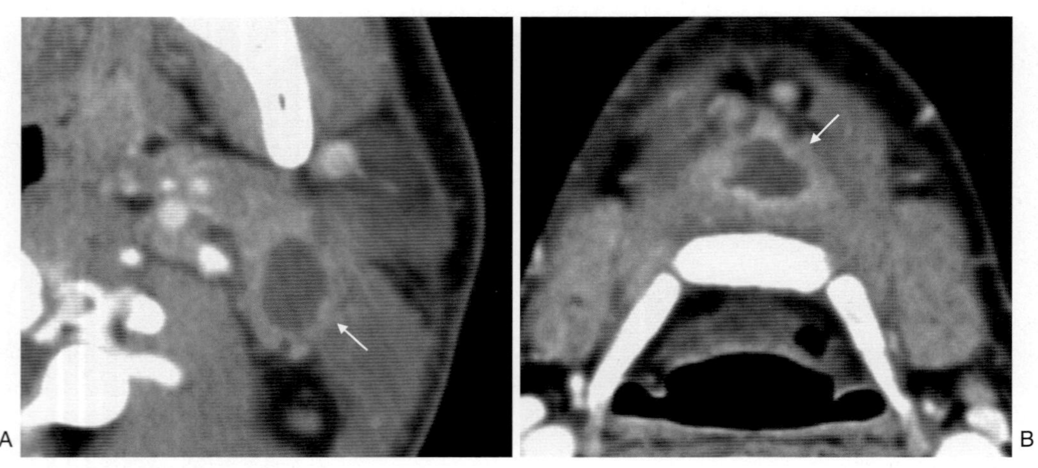

図119　化膿性リンパ節炎2例

造影CT(A，B)において，AはレベルⅡ，BはレベルⅠAに，図118とは異なり，辺縁の被膜様増強効果，内部の造影不良域により，全体として嚢胞様を呈する病変(矢印)を認める．

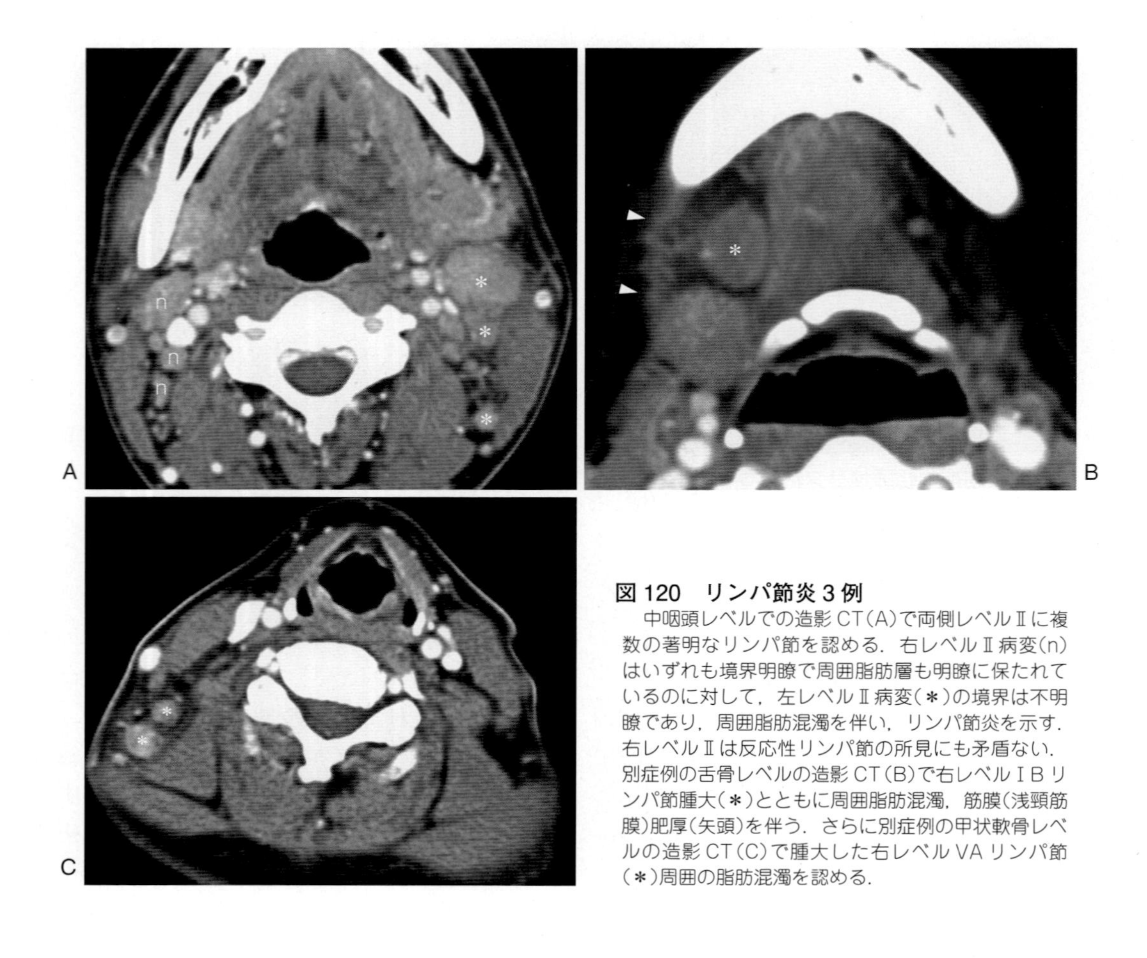

図120　リンパ節炎3例

中咽頭レベルでの造影CT(A)で両側レベルⅡに複数の著明なリンパ節を認める．右レベルⅡ病変(n)はいずれも境界明瞭で周囲脂肪層も明瞭に保たれているのに対して，左レベルⅡ病変(＊)の境界は不明瞭であり，周囲脂肪混濁を伴い，リンパ節炎を示す．右レベルⅡは反応性リンパ節の所見にも矛盾ない．別症例の舌骨レベルの造影CT(B)で右レベルⅠBリンパ節腫大(＊)とともに周囲脂肪混濁，筋膜(浅頸筋膜)肥厚(矢頭)を伴う．さらに別症例の甲状軟骨レベルの造影CT(C)で腫大した右レベルⅤAリンパ節(＊)周囲の脂肪混濁を認める．

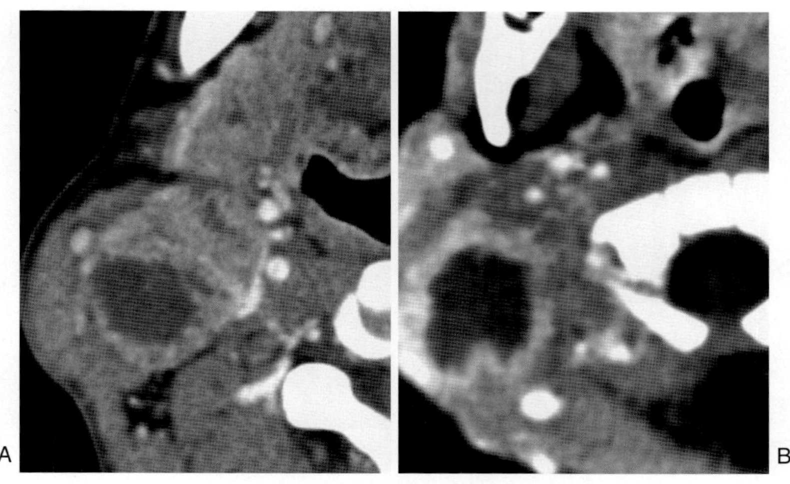

図 121　2 cm 以上の造影不良域を有する化膿性リンパ節炎 2 例

造影 CT（A，B）において，いずれも右レベルⅡに 2 cm を超える造影不良域を有する化膿性リンパ節炎の所見を認める．

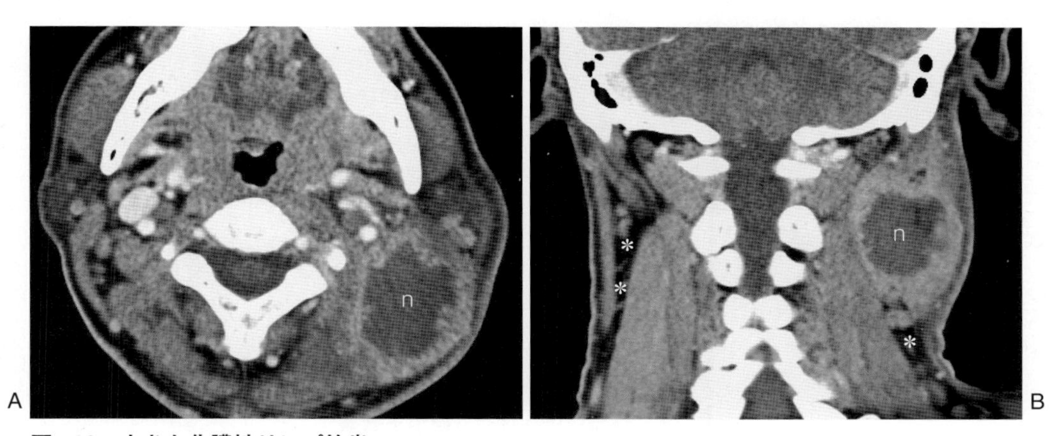

図 122　大きな化膿性リンパ節炎

中咽頭レベル造影 CT（A）において，左レベルⅡから VA 領域に及ぶ，増強効果を呈する不整で厚い辺縁に囲まれた造影不良域を主体とする病変（n）を認める．周囲組織層不明瞭化を伴い，病変の局在，性状，周囲所見などからも化膿性リンパ節炎に一致する．同冠状断像（B）で，病変は後頸間隙（＊）脂肪内で左上部に限局してみられる．通常，リンパ節被膜を破綻させ膿瘍が形成されると（筋膜などの障壁のない）組織間隙内では限局することなく，早期より組織間隙全体に進展するのとは異なり，大きな病変ではあるが依然として（深頸部膿瘍ではなく）化膿性リンパ節炎にとどまっていることを示している．

することから，抗菌薬投与に対する反応不良により診断が示唆される例もある．

4 結核性リンパ節炎（tuberculous lymphadenitis）（表 11：p706）

全世界で約 2 億人が結核に感染しているとされるが[201]，2003 年あたりをピークとして緩徐な減少傾向にある[202]．しかし，本邦では依然として年間 2 万人を超える新規患者登録があり，人口 10 万人当たり 16 人と他の先進諸国（平均 10 人以下）と比較して罹患頻度は高く[202]，中等度の拡散速度を示している．結核菌（*Mycobacterium tuberculosis*）感染経路の大部分が経気道性である．高齢者，大都市に多い傾向にあるが[203]，比較的若年者にもみられる．

結核は全身を侵し，肺外病変（肺外結核）が全体の 22〜30％を占め[204, 205]，そのうち頸部結核性リンパ節炎（以前は“scrofula”と呼ばれていた）は

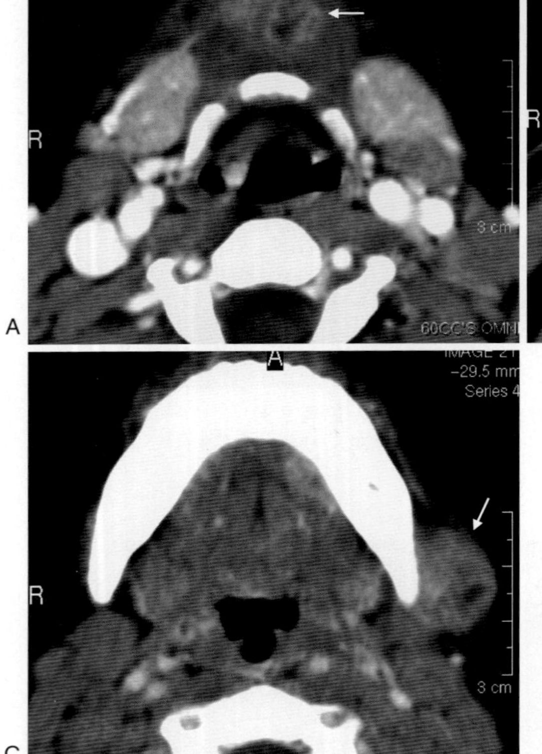

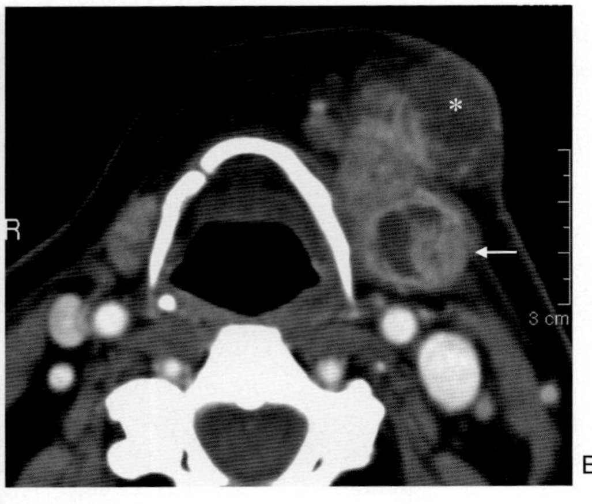

図 123　猫ひっかき病 3 例
舌骨から舌骨上頸部レベルでの造影 CT(A, B, C). A はオトガイ下, B, C は顎下部に腫大リンパ節(矢印)を認め, いずれも不整形から三日月形の偏在性低濃度を含む. A, B では隣接して内部均一な腫大リンパ節, 周囲軟部組織の腫脹, 脂肪混濁を認め, B では隣接する皮下に膿瘍所見(＊)を伴う.

表 11　頸部結核性リンパ節炎の概要

臨床的事項		緩徐に増大 疼痛に乏しい ときに波動を蝕知 肺結核の合併は 1/3〜1/2 程度	
分布		レベルⅤ(副神経リンパ節) レベルⅡ・Ⅲ・Ⅳ(内深頸リンパ節) ＊頸部下部病変で肺結核合併率が高い傾向あり	
画像所見	急性期	内部均一なリンパ節腫大	反応性リンパ節・リンパ節炎や悪性リンパ腫などに類似
	亜急性期	内部低濃度・造影不良域を伴うリンパ節	化膿性リンパ節炎, 局所欠損を含む頸部リンパ節転移, 甲状腺癌のリンパ節転移などに類似
	慢性期	石灰化	炎症後リンパ節, 治療後の転移・悪性リンパ腫病変, 甲状腺癌のリンパ節転移などに類似

20～39％[206, 207]と胸膜炎に次いで2番目に多く，結核の頭頸部病変のなかで最多(95％)[208]，かつ結核性リンパ節病変のなかでも最多(約70％)である[209]．その他として鼠径，腋窩，腸間膜および縦隔リンパ節などを侵す．頸部結核性リンパ節炎例は新規登録結核患者の3～4％に相当し，女性にやや多い．単独病変あるいは全身性病変の部分症として認められる[204, 205]．肺結核の合併(図124)は3分の1から2分の1であり，合併のない例の方が多い．なお，頭頸部領域のその他の肺外結核として喉頭，中耳，副鼻腔，唾液腺，甲状腺，口腔，咽頭などを侵す[210, 211]．HIV感染の広がりに伴い，粟粒型，播種型，およびリンパ節炎を含む肺外結核の割合が増加したとされるが[212]，本邦での結核患者のHIV陽性率は1％未満と他の先進国と比較して極めて低い[202]．

臨床的には緩徐に増大する，疼痛に乏しいリンパ節腫大で腺塊を形成する[203]．内部に波動を触れる軟化リンパ節の腺塊で，頭頸部他部位の炎症(咽頭炎など)，悪性腫瘍のリンパ節転移が否定的で，(通常の化膿性リンパ節炎と異なり)抗菌薬への反応が不良な場合に本病態が考慮される．レベルⅤ(後頸リンパ節)(図125，126)およびレベルⅡ・Ⅲ・Ⅳの頸静脈鎖(図124A，127)に多い[209]．しばしば両側性(図128，129)に認められる．頸部下部病変で肺結核の合併率が高い傾向にある[209]．肺病変の確認(図124，128，129)は診断を支持するとともに，病変の範囲の把握においても重要である．

診断は，病理組織学的検査，画像検査，ツベルクリン反応，塗抹検査，分離培養，PCRなどから総合的に判断される[203]．培養が最終診断に重要であるが，結果を得るのに2～4週間を要するため，リンパ節の穿刺吸引内容に対するPCRテストが有用である．ただし，穿刺吸引の感度は24～67％と幅があるため[210]，穿刺吸引で診断困難な場合はリンパ節摘出による組織診が考慮される[213]．臨床上，画像上も他の病態に類似する場合が多く，本病態を常に疑うことが重要である．

結核性リンパ節炎は病態の進行に従って病理学的に4つの段階を経る(表11)[214]．これらは画像所見にも反映される．第1段階ではリンパ過形成で乾酪壊死は伴わないか，微小な壊死にとどまる．CT・MRIでは内部均一なリンパ節腫大(図127，128)として認められるのみであり，反応性リンパ節，リンパ節炎，悪性リンパ腫リンパ節病変などと類似する．第2段階としてリンパ節内の乾酪壊死を生じ，CTでは内部の低濃度・造影不良域を伴う不均一性(図124A，125，127B，129)，MRIではT2強調像での高信号域，造影後T1強調像での造影不良域を含むリンパ節(図130)として認められる．化膿性リンパ節炎，局所欠損を含む頸部リンパ節転移，甲状腺乳頭癌のリンパ節転移に類似する．局所での強い疼痛を伴う化膿性リンパ節炎とは臨床的に鑑別可能な場合が多い．第3段階としてリンパ節被膜の破綻，さらに第4段階では壊死組織の節外進展により膿瘍を形成する．第3段階は転移リンパ節の節外進展に類似，第4段階の膿瘍は辺縁増強効果を伴う液体濃度・造影不良域として認められる(図131)．放置あるいは不適切な治療では，被覆する皮膚の破綻により内容の自然排泄，皮膚瘻を生じる場合もある(図131)．画像所見はリンパ節内部での肉芽形成の程度，乾酪壊死の範囲，リンパ節被膜破綻，リンパ節周囲への浸潤などを反映している[215]．被膜破綻についてはCTではリンパ節周囲脂肪の混濁，MRIでは造影後T1強調脂肪抑制画像でのリンパ節周囲増強効果として認められる[215]．

臨床的には急性期，亜急性期，慢性期に分けられ，急性期(既述の第1段階に相当)では増強効果のある内部均一なリンパ節腫大(図127A)を示し，亜急性期(既述の第2段階に相当)では内部乾酪壊死による低濃度・造影不良域を認める．内部低濃度・造影不良域は部分的，限局性所見(図127B)から次第に拡大，辺縁での炎症性肉芽組織(類上皮細胞層)によるリング状増強効果を伴う嚢胞様結節(図124A，125，126)を形成する．治療後・慢性期ではリンパ節は縮小，線維化，石灰化(図132)を認める[206]．内部低濃度・造影不良域を伴うリンパ節(第2段階，亜急性期)の所見を示す場合が最も多く[209]，特徴的とされるが，充実性の非特異的リンパ節腫大(第1段階・急性期)(図127A)を示す例も少なくないということを忘

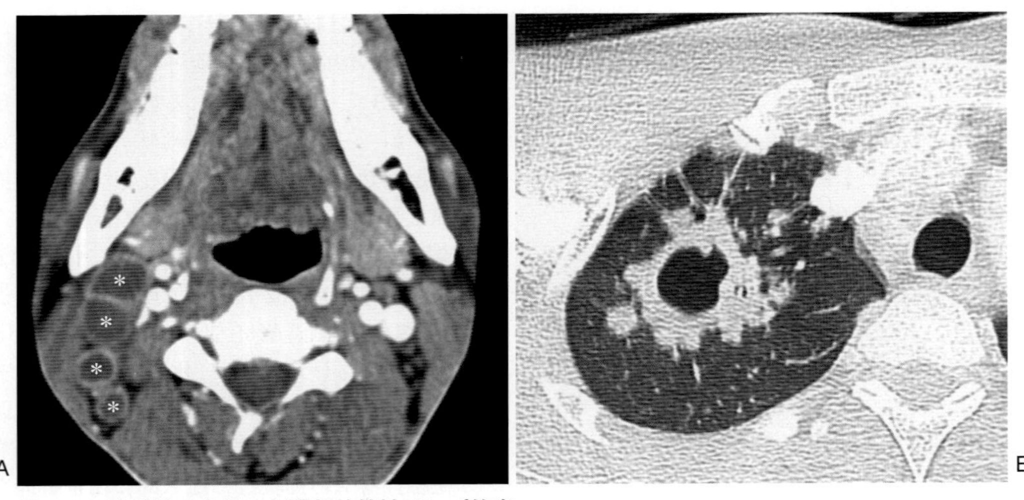

図 124　肺結核を合併した頸部結核性リンパ節炎
中咽頭レベルの造影 CT(A)において，右レベルⅡに複数の嚢胞性リンパ節病変(＊)を認める．頸部 CT の尾側レベル(B)で撮像範囲に含まれていた右肺尖に空洞性病変を認め，肺結核を示唆する．

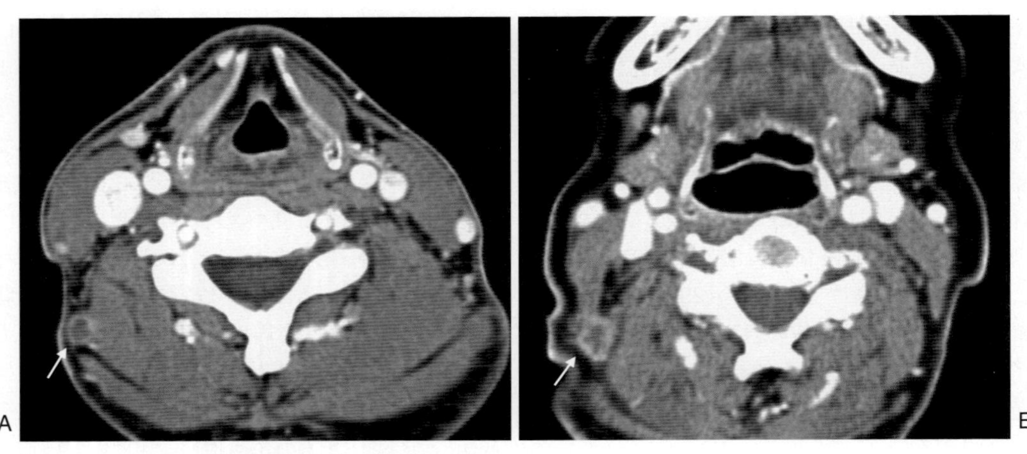

図 125　レベルⅤ結核性頸部リンパ節炎 2 例
造影 CT(A，B)において，右レベルⅤA に嚢胞性結節(矢印)を認める．

れてはならない．化膿性リンパ節と比較すると周囲脂肪混濁の所見に乏しい傾向にある．また，内部低濃度の嚢胞様でやや緊満感に欠けるリンパ節病変(図 126，133)をみた場合は結核性が示唆される．

治療は通常の結核の治療に準じて抗結核薬投与が中心となる[205]．ときにリンパ節の増大や新たなリンパ節の出現を認めるが，多くは一時的であり内科的治療で非制御であるとの安易な判断は避けなければならない．薬剤治療後にはリンパ節は消失するか線維化組織として残存し，ときに異栄養性石灰化を含む[215]．経皮的排膿は難治性瘻孔形成の原因ともなり，適応は慎重に判断されるべきである．外科的治療は 1990 年代前半までは末梢リンパ節結核に対して推奨される治療法であったが，その後 WHO により薬剤治療が推奨され適応は限定的となった[210]．しかし近年は薬剤耐性菌の感染例が増加し，管理を複雑にしており[216]，結核性頸部リンパ節炎の薬剤抵抗性症例に対して頸部郭清術が依然として有効な治療法と

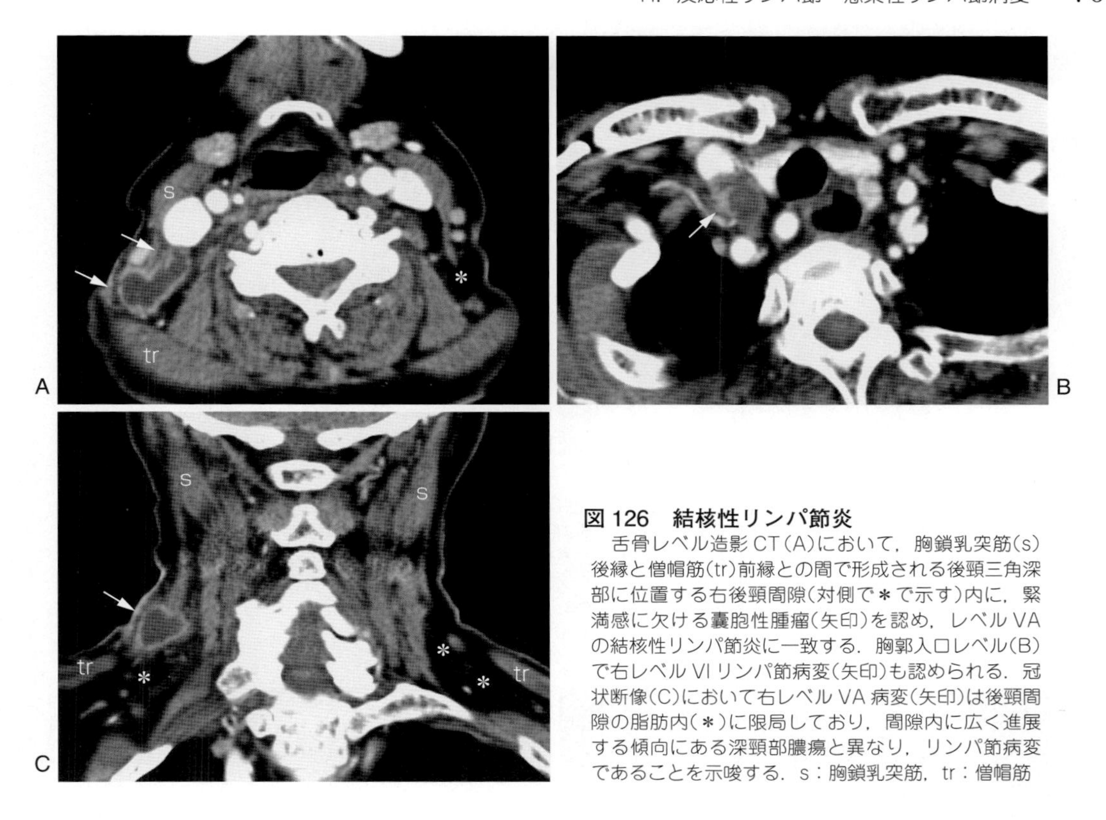

図 126　結核性リンパ節炎
舌骨レベル造影 CT（A）において，胸鎖乳突筋（s）後縁と僧帽筋（tr）前縁との間で形成される後頸三角深部に位置する右後頸間隙（対側で＊で示す）内に，緊満感に欠ける嚢胞性腫瘤（矢印）を認め，レベル VA の結核性リンパ節炎に一致する．胸郭入口レベル（B）で右レベル VI リンパ節病変（矢印）も認められる．冠状断像（C）において右レベル VA 病変（矢印）は後頸間隙の脂肪内（＊）に限局しており，間隙内に広く進展する傾向にある深頸部膿瘍と異なり，リンパ節病変であることを示唆する．s：胸鎖乳突筋，tr：僧帽筋

なる場合がある[210]．

5 その他の頸部リンパ節病変

頸部リンパ節腫大は，既述の腫瘍性（転移，悪性リンパ腫リンパ節病変），感染性の他，炎症性，肉芽腫性，自己免疫性などの様々な要因によるが，木村氏病（図 134，135），菊池病（図 136），サルコイドーシス（図 137），IgG4 関連疾患（図 138，139），川崎病など，比較的まれで多彩な病態を含む．これらの病態では，いずれのリンパ節病変も画像所見として辺縁平滑，境界明瞭な楕円形あるいは扁平な形状で，内部均一で壊死傾向に乏しく，軽度から中等度の増強効果を示すのが一般的であり，反応性リンパ節・リンパ節炎，あるいは悪性リンパ腫リンパ節病変の所見と類似する．リンパ節以外の病変の有無や分布，これらの画像所見に加えて，病歴，理学的所見，血液生化学所見などを参考にした総合的判断が望まれる．以下に代表的病態の概要につき解説する．

a. 木村氏病（Kimura disease）（図 134，135）

まれな特発性の慢性リンパ増殖性疾患であり，アジア，特に中国と本邦の若年（主に 10～30 歳代）男性（男女比は約 3：1）に多い[217, 218]．病因は不明であるが，しばしば IgE 高値を示すことから自己免疫・アレルギー性反応によると推定される．頭頸部，主に唾液腺領域の無痛性腫脹としてみられ，42～100％でリンパ節腫大を伴う．臨床像は悪性腫瘍およびリンパ節転移に類似するため注意を要する．良性経過として自然退縮する場合もあるが，数年にわたり緩徐な進行を示すのが典型的である．悪性転化はない．リンパ節病変は内部均一な増強効果を示す[219]．診断は主に病理学的になされるが，リンパ節病変ではリンパ節構造は保たれ，胚中心の増生，好酸球浸潤（特に好酸球性微小壊死），毛細血管後細静脈の増加の他，硬化，胚中心と傍皮質での巨核細胞増多などを認める[220]．穿刺吸引細胞診では診断困難な場合が多い．唾液腺領域の病変の詳細に関しては，13 章「唾液腺」を参照されたい．治療選択としてス

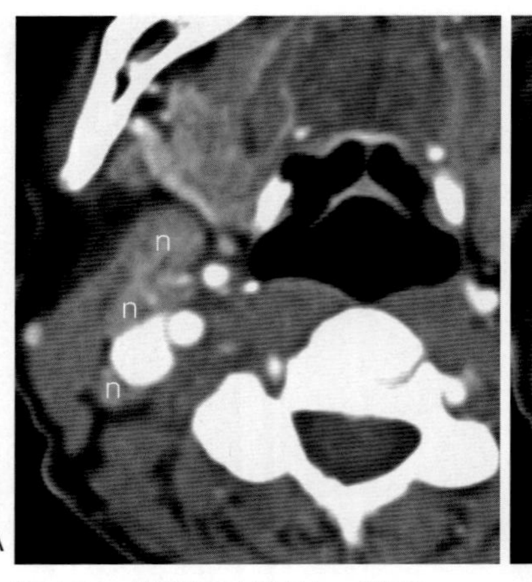

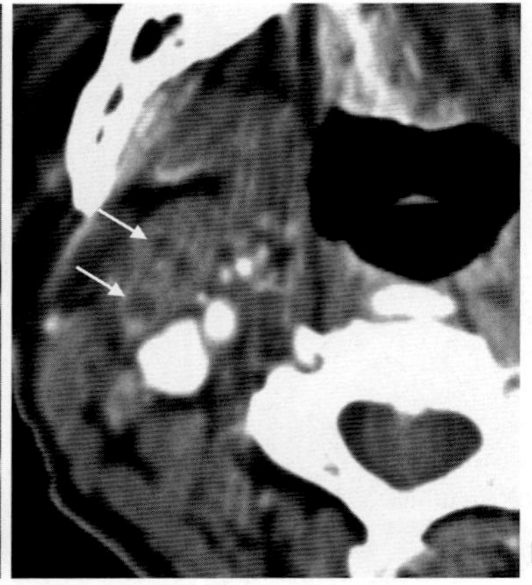

A　B

図 127　頸部結核性リンパ節炎

舌骨レベルの造影 CT（A）において，右レベルⅡに複数のリンパ節（n）を認め，一部は正常上限大から軽度腫大を示す．内部はほぼ均一な充実性増強効果を示す．CT 所見としては反応性リンパ節・リンパ節炎，悪性リンパ腫リンパ節病変などに類似する．約 1 cm 頭側レベル（B）で右レベルⅡリンパ節病変内には散在性に限局性の低濃度領域（矢印）を認め，早期の乾酪壊死を反映する．

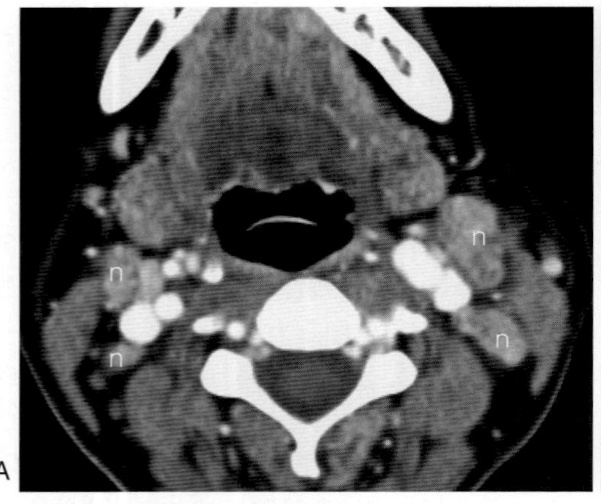

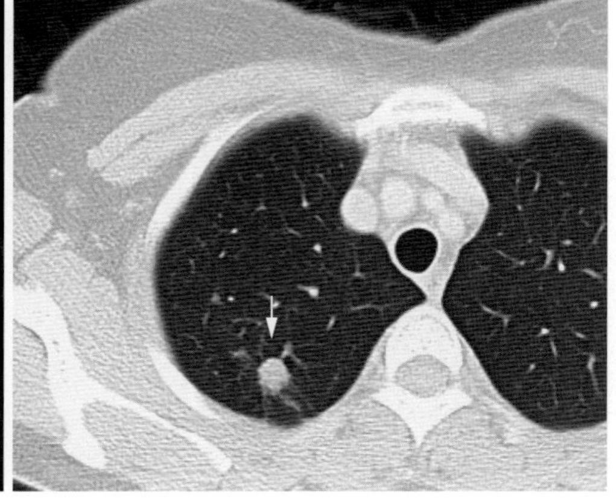

A　B

図 128　結核性リンパ節炎

中咽頭レベル造影 CT（A）において両側レベルⅡに複数のリンパ節（n）を認め，一部は軽度腫大を示す．いずれも内部は均一な充実性で淡い増強効果を呈する．肺尖レベルの胸部 CT 肺野条件（B）で右肺尖の結節性病巣（矢印）を認める．

テロイドやときに放射線治療や整容的目的での手術などが含まれる．予後は発症時期，病変の大きさ，境界，単発あるいは多発，血清 IgE 値と好酸球数に影響を受けるとされる[217]．

b. 菊池病（Kikuchi disease，Kikuchi-Fujimoto disease，組織球性壊死性リンパ節炎）（図 136）

1972 年に菊池により最初に報告[221]された比較的まれな亜急性壊死性リンパ節病変であり，数週間から数ヵ月での自然軽快による良性経過をとる．病因は不明であるが，感染と自己免疫性の 2 つが主な病因として論じられる．東洋人に多く，欧米ではまれとされる．30～40 歳以下の若年者に多いが，どの年齢にも生じる[222, 223]．多くの報告で女性に多いとされるが[222]，アジアからのいくつかの報告では性差なしとされている[223]．

発症様式は様々で，圧痛性あるいは無痛性の頸

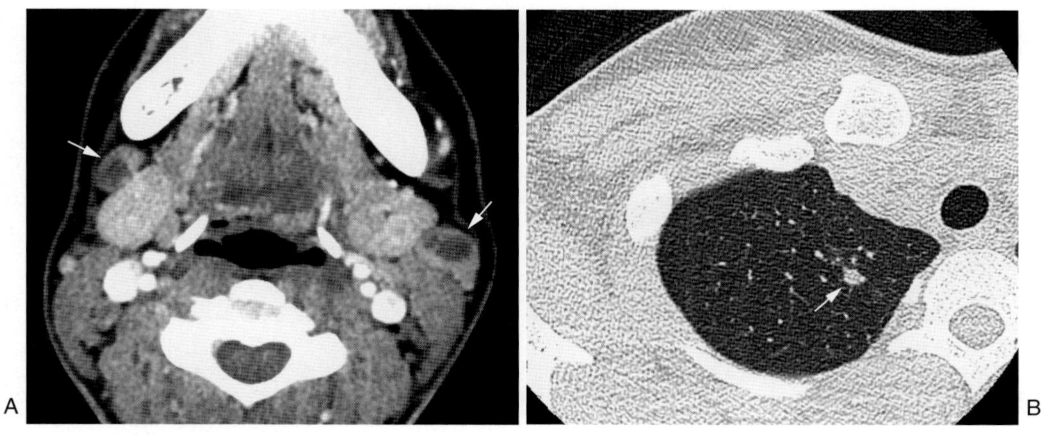

図 129　結核性リンパ節炎

中咽頭レベル造影 CT（A）において，内部に限局性低濃度領域を伴う両側レベル IB リンパ節腫大（矢印）を認め，肺尖レベル（B）で右肺尖の結節病変（矢印）あり．

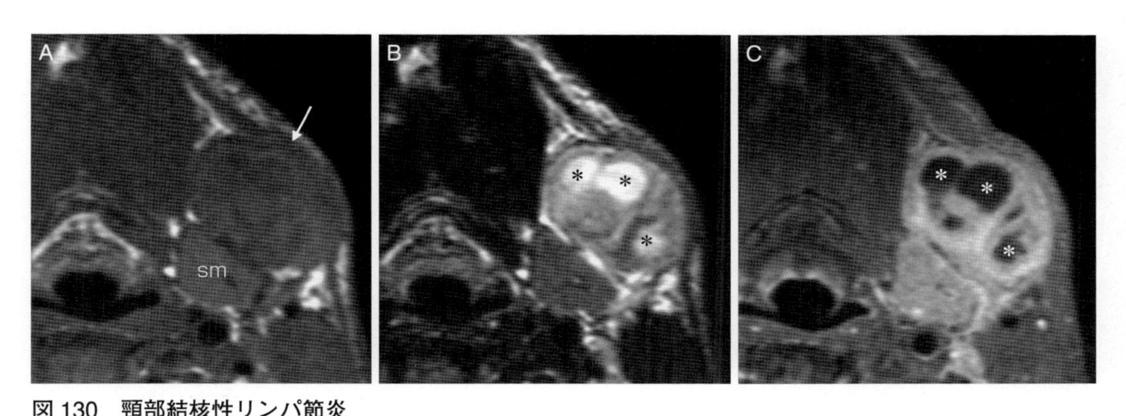

図 130　頸部結核性リンパ節炎

顎下部レベルの MRI，T1 強調像（A）で顎下腺（sm）表層に隣接して，骨格筋とほぼ等信号強度の腫瘤（矢印）を認め，レベル IB リンパ節病変に相当する．T2 強調像（B）では全体として高信号を呈し，その内部に散在性に著明な高信号を示す領域（＊）を認める．造影後 T1 強調脂肪抑制画像（C）で，T2 強調像（B）での著明な高信号域に一致した造影不良域（＊）がみられ，壊死部を反映する．所見は化膿性リンパ節炎に類似する．

部リンパ節腫大，軽度の発熱を主とするが，体重減少，嘔気・嘔吐，夜間発汗，関節痛，肝脾腫などもみられる例がある[224]．血液生化学検査所見は多くが正常を示し，白血球数も正常値が多いが，25.5〜58.3％で白血球低下（特に顆粒球）を認める[225]．診断は症状，理学的所見とともにリンパ節生検による．他疾患の除外が重要であり，白血球数（正常あるいは低下）は参考となる．組織学的にはリンパ節皮質，傍皮質での凝固壊死を伴うリンパ球・細網細胞様大細胞の浸潤を示し，炎症細胞浸潤はみられない．壊死性変化の多くは顕微鏡的であるが，肉眼的壊死もまれではない[222]．

病理学的には増殖期，壊死期，黄色肉芽腫形成期の 3 つの様式に分けられるが[223]，壊死期が最も多く，半数以上を占める[226]．

リンパ節病変の 80％以上が頸部のリンパ節腫大として発症する．20％が両側性を示す[222]．内深頸リンパ節領域，後頸リンパ節，特にレベル Ⅱ，Ⅴに多い[222, 225]．ときに腋窩，鎖骨上リンパ節を侵すが，全身性リンパ節病変を示すことは比較的まれ（1〜22％）である[223]．

診断は主に組織形態学的に行われるが，弱拡大での観察が重要だが免疫組織化学染色がときに有用（特に生検組織が十分でない場合）で同疾患の組

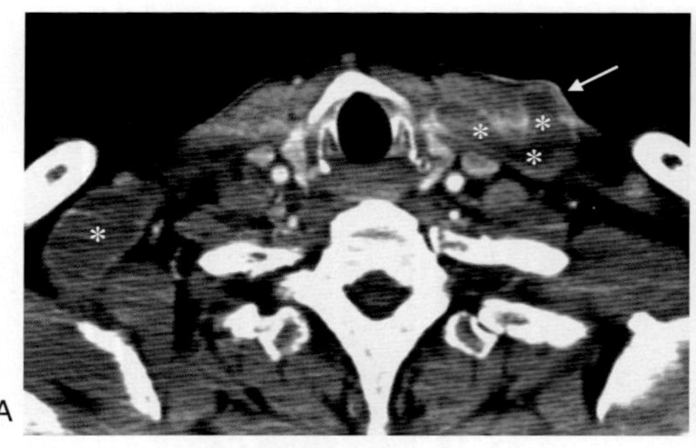

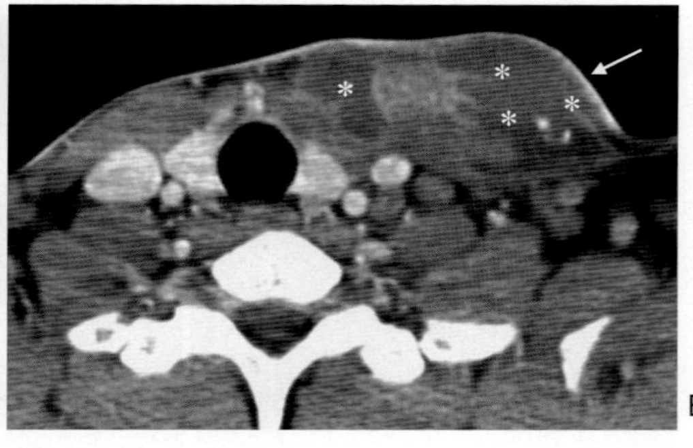

図131　結核性頸部膿瘍2例
頸部下部レベルでの造影CT(A)で，両側の鎖骨上窩に辺縁被膜様の増強効果を伴う液体濃度領域(＊)を認める．少なくとも左側病変は形状から(リンパ節被膜を越えた)膿瘍形成が示唆され，左頸部前面皮膚直下に達する(矢印)．別症例の頸部下部レベルの造影CT(B)において，左頸部下部から鎖骨上窩にかけて不整形の腫瘤を認め，一部は辺縁の被膜様増強効果に囲まれる液体濃度領域(＊)を示す．比較的広範囲に皮膚直下から皮膚に及んでおり，皮膚破綻による自然排泄，皮膚瘻形成の危険性が考慮される．

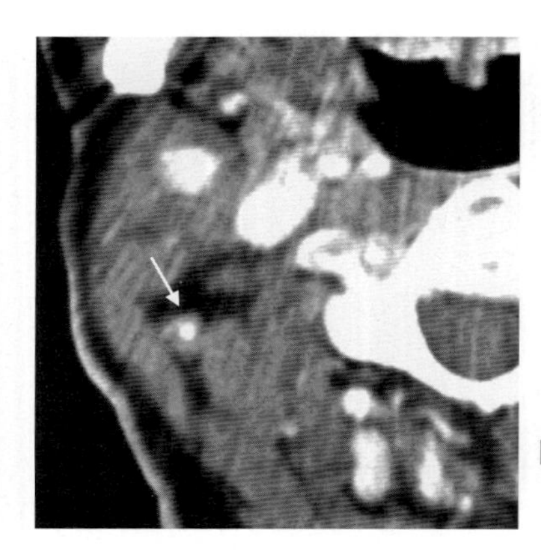

図132　頸部結核性リンパ節炎慢性期(石灰化)
中咽頭レベルの造影CT．右レベルⅡ領域に石灰化を伴う正常大リンパ節(矢印)を認める．周囲脂肪混濁などはみられない．甲状腺癌のリンパ節転移(図91)に類似する．

織球はmyeloperoxidase陽性を示す[223]．画像所見としては，多発する内部均一なリンパ節病変が典型的とされ[227, 228]，反応性リンパ節・リンパ節炎，悪性リンパ腫リンパ節病変に類似する．ただし，悪性リンパ腫リンパ節病変よりも小さい傾向にあり，3〜3.5 cmを超えないとされる[222, 229]．リンパ節辺縁は平滑ではあるが不明瞭で[230]，90％でリンパ節周囲の脂肪混濁(perinodal infiltration)を伴うとされる[226]．内部の均一性は組織学的な壊死の多くが顕微鏡的であるためであるが，Kwonらは96例の検討で，約16％が肉眼的壊死の所見を認めたと報告している[222]．リンパ節内壊死部は(通常の転移リンパ節や結核性リンパ節炎などと異なり)MRIのT2強調像では低信号を示す場合がある[224]．

通常，無治療において1ヵ月から1年弱の経過で自然軽快する[222, 224]．再発率は3〜4％と低い[223]．このため症状緩和を目的とする治療を必要に応じて行うのみであり本疾患に特定の治療法はない．正しい診断により余計な治療，医療的侵襲を加えないことが重要である．

c. サルコイドーシス(sarcoidosis)(図137)

若年から中年成人に好発するが，どの年齢にも生じる．発生には地域差，人種差があり，北欧で最も多く(10万人当たり5〜40人)，米国では黒人(10万人当たり35.5人)は白人(10万人当たり10.9)の約3倍とされる[231]．いずれの年齢，いずれの地域であっても女性にやや多い[232]．多臓器での肉芽腫性疾患で病因は不明であるが，同定さ

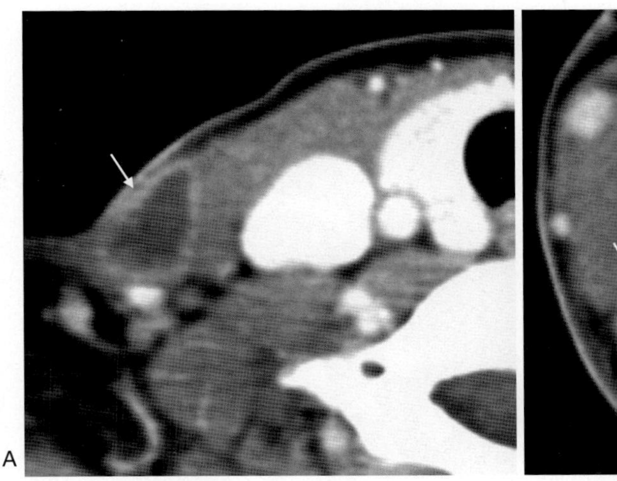

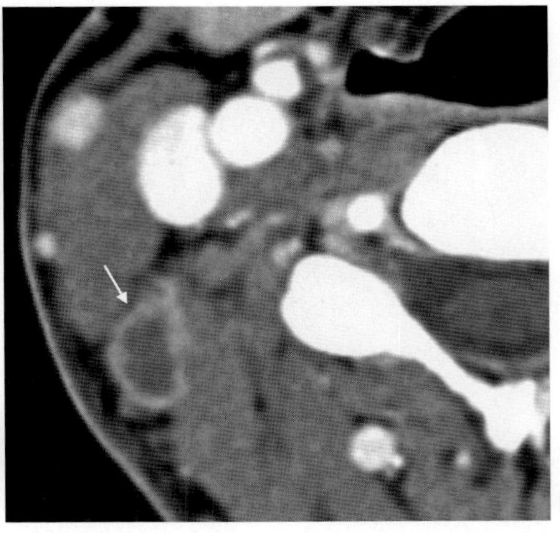

図 133　頸部結核性リンパ節炎 2 例
造影 CT（A，B）において，A では右レベルⅤA，B では右レベルⅢからⅤ境界部において，やや緊満感に欠ける囊胞性病変を認める（矢印）.

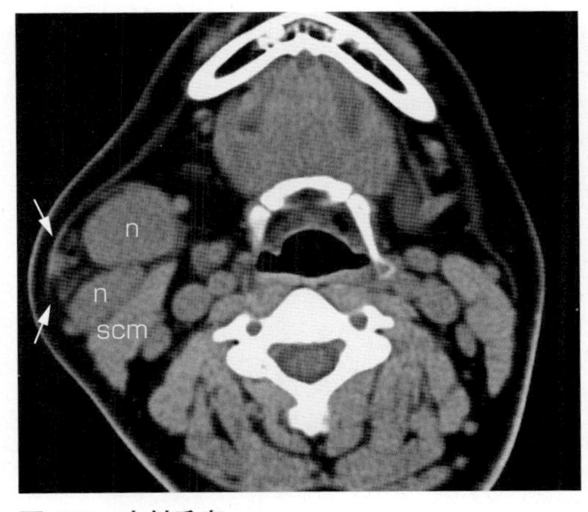

図 134　木村氏病
舌骨レベル非造影 CT において，右耳下腺尾部領域に浅頸筋膜から深部脂肪層に浸潤性病変（矢印）を認める．近接して浅側頸リンパ節の辺縁平滑，境界明瞭，内部均一な腫大（n）を認める．scm：胸鎖乳突筋

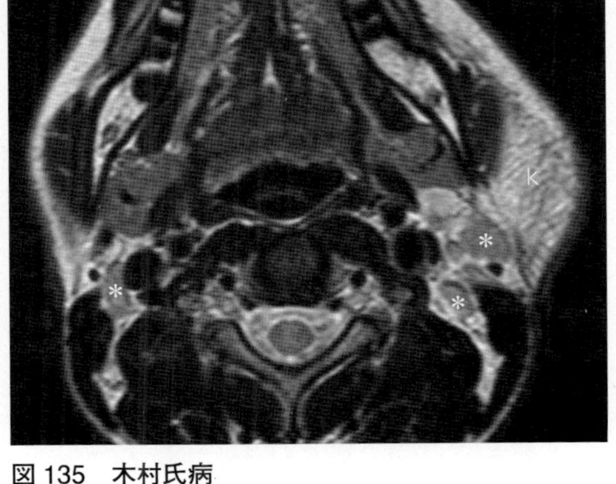

図 135　木村氏病
耳下腺尾部レベルの MRI，T2 強調横断像．左耳下腺尾部領域に境界不明瞭な高信号腫瘤（k）による腫脹を認める．両側レベルⅡに複数の著明なリンパ節（＊）を認め，一部は正常上限大から軽度腫大を示す．内部は均一に認められる．

れていない環境因子，微生物感染などを契機とする免疫不全によると考えられている[231]．肺・縦隔病変が最も多いが，いずれの臓器（リンパ節病変の他，呼吸器，眼窩，皮膚が多く，その他として心臓，肝臓，腎，中枢神経，骨，唾液腺など）も侵し，ときに頭頸部病変を生じる[233]．

サルコイドーシス頭頸部病変では頸部リンパ節病変が最も多いが[234]，全頸部リンパ節腫大の 1.7％に過ぎない[235, 236]．サルコイドーシスの 50％は無症状で，末梢リンパ節病変での発症はまれである[237]．肺門・縦隔リンパ節病変等の典型的病変のない，頸部リンパ節のみの孤立性病変では診断は容易ではない例も少なくない[238]．画像上は内部均一な多発リンパ節病変としてみられ，

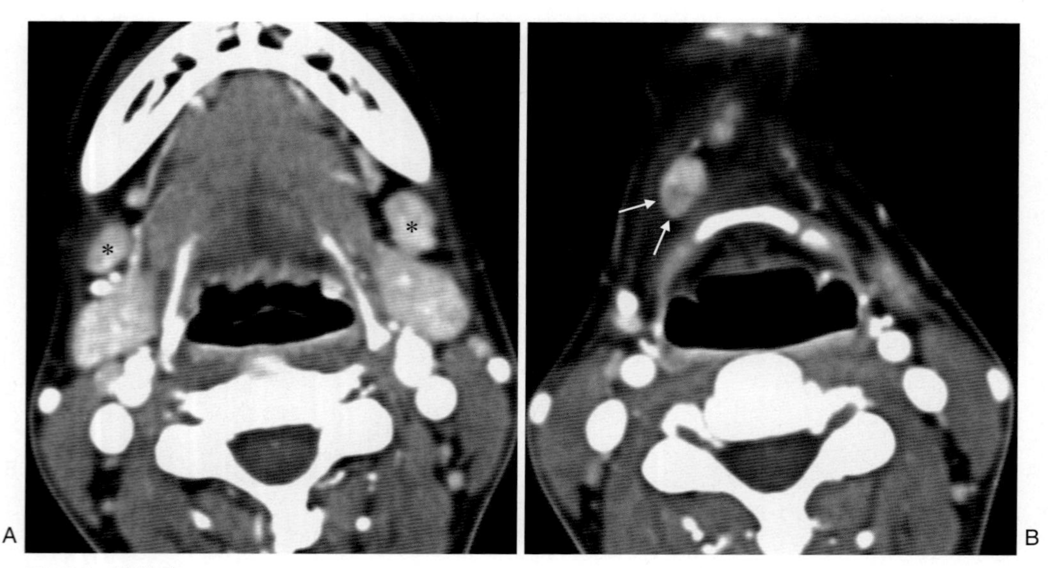

図 136　菊池病
　顎下部レベルでの造影 CT(A)において，両側に著明な顎下リンパ節(＊)を認め，左側は軽度腫大を示す．境界は明瞭で，内部はほぼ均一な増強効果を呈する．1 cm 尾側レベル(B)で軽度腫大を示すオトガイ下リンパ節を認める．リンパ節周囲脂肪は混濁を示し，内部に淡い低濃度領域(矢印)を含む．

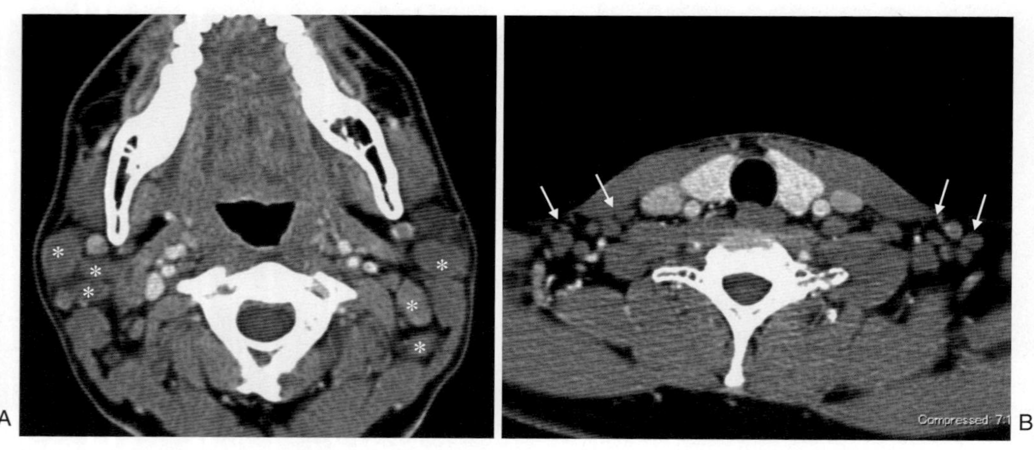

図 137　サルコイドーシス頸部リンパ節病変
　中咽頭レベルの造影 CT(A)で両側耳下腺尾部，レベルⅡに複数のリンパ節病変(＊)あり．いずれも辺縁平滑，境界は概ね明瞭で内部は均一に認められ，悪性リンパ腫リンパ節病変に類似する．甲状腺レベル(B)で両側レベルⅣからⅤにかけて多数のリンパ節(矢印)あり．一部は正常上限大で，有意な腫大は示さないが，類円形の形状，正常より明らかな集簇性を示すことなどから病的と判断される．

悪性リンパ腫リンパ節病変に類似する．咽喉頭癌の転移ではまれな耳下腺リンパ節，浅側頸リンパ節などの表在リンパ節病変，涙腺病変などリンパ節以外の病変の存在は本疾患の可能性を示すが，やはり悪性リンパ腫との鑑別は困難な場合が多い．

　診断は臨床所見，画像診断とともに組織学的検索での非壊死性類上皮細胞性肉芽腫所見の確認による．頸部リンパ節病変では，より頻度の高い他病変の除外も重要である．血液生化学所見としては赤沈亢進，ACE 上昇，高ガンマグロブリン血症，高カルシウム血症などを示す．

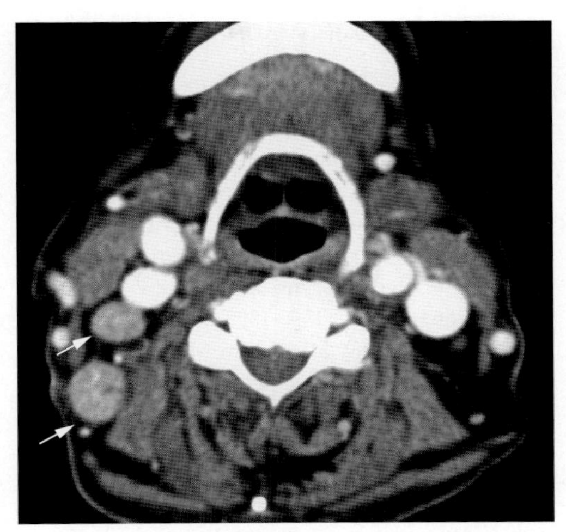

図 138　IgG4 関連疾患による頸部リンパ節病変
中咽頭レベル造影 CT において，右レベル II および VA の腫大リンパ節(矢印)を認める．いずれも辺縁平滑，境界明瞭で内部均一に認められ，悪性リンパ腫リンパ節病変と類似する．

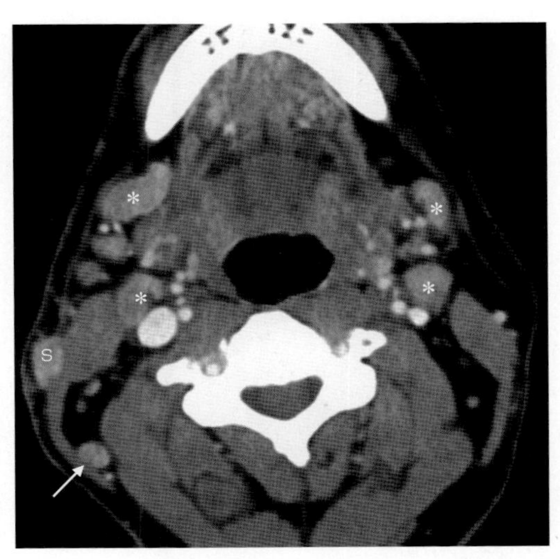

図 139　IgG4 関連疾患による頸部リンパ節病変
中咽頭レベルの造影 CT．両側のレベル I B，II A に軽度腫大を示すリンパ節(＊)を認める．右側では，通常の頭頸部癌での転移はまれな浅側頸リンパ節(s)，レベル II B リンパ節(矢印)を認める．いずれも内部は均一に認められ，悪性リンパ腫リンパ節病変に類似する．

多くは自然軽快の良性経過をとるが，10〜20%の例が慢性進行性で 1〜5%の死亡率を示す[239]．治療は主にステロイド投与であるが，治療開始の決定は個々の症例ごとに症状の有無・程度，その他の要素を総合的に考慮して判断される．

d. 川崎病(Kawasaki disease, mucocutaneous lymph node syndrome)(図 140)

乳児から小児の急性全身性血管炎(主に中から小血管)で，遷延する発熱(最低 5 日間)，結膜炎，口唇・口腔の紅斑，咽頭炎，四肢遠位の紅斑，発疹および頸部リンパ節病変を示す[240]．病因は不明．本邦の発症が多い(頻度は欧米と比較して約 10 倍)[241]．やや女児に多い(男女比 1.5〜1.8：1)[242]．6ヵ月から 5 歳の間が多く，5 歳以上は 15%と少ない[243]．1 歳未満あるいは 5 歳以上では不完全型も多く，注意を要する．

頸部リンパ節病変は本邦の症例の 50〜75%で認められ，診断基準では 1.5 cm 以上を有意な腫大としている[244]．9〜23%の例で発熱と頸部リンパ節病変が初発時の主な所見であり，臨床的に細菌性リンパ節炎と誤診され抗菌薬治療が行われることもしばしばである[245]．膿瘍形成のない頸部リンパ節炎で広域スペクトラム抗菌薬に非反応性の場合，診断が考慮される．April らの検討では頸部リンパ節病変を伴う例はやや年齢が高く，血液生化学検査での炎症マーカーも高値を示す傾向にあったとしている[246]．川崎病ではリンパ節生検は通常行われないが，組織学的には炎症細胞浸潤と限局性壊死所見を示す[247]．レベル II(特に IIA)および咽頭後リンパ節病変が多い[245]．

頸部リンパ節病変の画像所見としては片側性あるいは両側性の多発リンパ節腫大で概ね内部均一で，ときに内部低濃度を含む場合もある[248]．川崎病でのリンパ節壊死は隣接小血管の線維性塞栓によるもので，25〜43%で認められるとされる[245]．リンパ節所見自体は非特異的であるが，頭頸部所見として比較的有名な咽頭後間隙の浮腫性肥厚の有無とともに咽頭後リンパ節病変の存在が診断を示唆する場合がある[249]．CT 上，咽頭後間隙浮腫は 33〜100%で認められ，他の組織間隙より広範な傾向にある[245]．一方，咽頭後リンパ節病変は 89%で認められる[249]．

治療は免疫ガンマグロブリンの静脈投与であるが，同治療により冠動脈瘤形成のリスクを 15〜25%から 4%まで減少させられる[250, 251]．

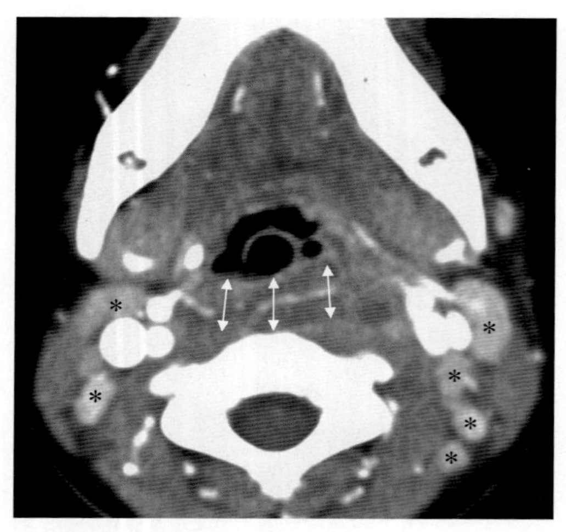

図140　川崎病
造影CTにおいて，両側レベルⅡ，左レベルⅤA領域に複数の著明なリンパ節（*）を認め，一部は軽度腫大を示す．いずれも内部均一な類円形から楕円形を示す．咽頭後間隙の浮腫性肥厚（両向き矢印）を伴う．

以上，本章では頸部リンパ節病変の画像診断および頸部郭清術などの臨床につき解説した．

■参考文献

1）Schuller DE：Management of cervical metastasis in head and neck cancer, No. 82200. American Academy of Otolaryngology-Head and Neck Surgery Foundation, Washington DC, 1982
2）Rouvière H：Lymphatic system of the head and neck. Anatomy of the Human Lymphatic System, Tobias MJ (trans), Edwards Brothers, Ann Arbor, p5–28, 1938
3）DiNarddo LJ：Lymphatics of the submandibular space：An anatomic, clinical, and pathologic study with applications to floor-of-mouth carcinoma. Laryngoscop **108**：206–214, 1998
4）Clemente D (ed)：Gray's Anatomy of the Human Body, Lea & Febiger, Philadelphia, p886, 1985
5）Tart RP, Mukherji SK, Avino AJ et al：Facial lymph nodes：Normal and abnormal CT appearance. Radiology **188**：695–700, 1993
6）Edge SB, Byrd DR, Carducci MA et al (eds)：Head and Neck. AJCC Cancer Staging Manual (7th ed), Springer, New York, p39–126, 2009
7）Amin MB, Edge SB, Brookland RK et al (eds)：AJCC Cancer Staging Manual (8th ed), Springer, New York, 2017
8）Som PM, Curtin HD, Mancuso AA：An Imaging-based classification for the cervical nodes designed as an adjunct to recent clinically based nodal classification. Arch Otolaryngol Head Neck Surg **125**：388–396, 1999
9）Som PM, Curtin HD, Mancuso AA：Imaging-based nodal classification for evaluation of neck metastatic adenopathy. Am J Roentgenol **174**：837–844, 2000
10）Timon CV, Toner M, Conlon BJ：Paratracheal lymph node involvement in advanced cancer of the larynx, hypopharynx, and cervical esophagus. Laryngoscope **113**：1595-1599, 2003
11）Amatsu M, Nohri M, Kinishi M. Significance of retropharyngeal node dissection at radical surgery for carcinoma of the hypopharynx and cervical esophagus. Laryngoscope **111**：1099-1103, 2001
12）日本頭頸部癌学会（編）：頭頸部癌取扱い規約（第6版補訂版），金原出版，東京，2019
13）日本頭頸部腫瘍学会（編）：臨床・病理　頭頸部癌取扱い規約（第2版），金原出版，東京，1991
14）Weiss L：The pathophysiology of metastasis within the lymphatic system. Lymphatic System Metastasis, Weiss L, Gilbert HA, Ballon SC (eds), G K Hall Medical Publischers, Boston, 1980
15）Franchi A, Gallo O, Massi D et al：Tumor lymphangiogenesis in head and neck squamous cell carcinoma. Cancer **101**：973–978, 2004
16）Frech S, Hormann K, Riedel F et al：Lymphatic vessel density in correlation to lymph node metastasis in head and neck squamous cell carcinoma. Anticancer Res **29**：1675–1679, 2009
17）Hinojar-Gutierrez A, Fernandez-Contreras ME, Aivarez-Carrillo S et al：Role of intratumoral lymphatic vessels in the lymph node dissemination of laryngopharyngeal squamous cell carcinoma. Head Neck **32**：757–762, 2010
18）Som PM：Detection of metastasis in cervical lymph nodes：CT and MR criteria and differential diagnosis. Am J Roentgenol **158**：961–69, 1992
19）Kowalski LP, Bagietto R, Lara JRL et al：Prognostic significance of the disribution of neck node metastasis from oral carcinoma. Head Neck **22**：207–214, 2000
20）Eskander A, Ghanem T, Agrawal A：AHNS Series: Do you know your guideline? Guideline recommendations for head and neck cancer of unknown primary site. Head Neck **40**：614-621, 2018
21）Million RR, Cassisi NJ, Mancuso AA：The unknown primary. Million RR, Cassisi NJ (eds), Management of Head and Neck Cancer：A Multidisciplinary Approach, JB Lippincott, Philadelphia, p311–320, 1994
22）Hosni A, Dixon P, Rishi A et al：Radiotherapy characteristics and outcomes for head and neck carcinoma of unknown primary vs T1 base-of-tongue carcinoma. JAMA Otolaryngol Head Neck

Surg **142**：1208-1215, 2016

23) Challis GB, Stam HJ：The spontaneous regression of cancer. A review of cases from 1900 to 1987. Acta Oncol **29**：545-550, 1990

24) van de Wouw AJ, Jansen RL, Speel EJ et al：The unknown biology of the unknown primary tumour: a literature review. Ann Oncol **14**：191-196, 2003

25) Grau C, Johansen LV, Jakobsen J et al：Cervical lymph node metastases from unknown primary tumours. Results from a national survey by the Danish Society for Head and Neck Oncology. Radiother Oncol **55**：121-129, 2000

26) Arosio AD, Pignataro L, Gaini RM et al：Neck lymph node metastases from unknown primary. Cancer Treat Rev **53**：1-9, 2017

27) Issing WJ, Taleban B, Tauber S：Diagnosis and management of carcinoma of uknown primary in the head and neck. Eur Arch Otorhinolaryngol **260**：436-443, 2003

28) Kennel T, Garel R, Costes V et al：Head and neck carcinoma of unknown primary. Eur Ann Otorhinolaryngol Head Neck Dis **136**：185-192, 2019

29) Rassy E, Nicolai P, Pavlidis N：Comprehensive management of HPV-related squamous cell carcinoma of the head and neck of unknown primary. Head Neck **41**：3700-3711, 2019

30) Facey K, Bradbury I, Laking G et al：Overview of the clinical effectiveness of positron emission tomography imaging in selected cancers. Health Technol Assess **11**：iii-iv, xi-267, 2007

31) Rusthoven KE, Koshy M, Paulino AC：The role of fluorodeoxy-glucose positron emission tomography in cervical lymph node metastases from an unknown primary tumor. Cancer **101**：2641-2649, 2004

32) Cianchetti M, Mancuso AA, Amdur RJ et al：Diagnostic evaluation of squamous cell carcinoma metastatic to cervical lymph nodes from an unknown head and neck primary site. Laryngoscope **119**：2348-2354, 2009

33) Miller FR, Karnad AB, Eng T et al：Management of the unknown primary carcinoma：long-term follow-up on a negative PET scan and negative panendoscopy. Head Neck **30**：28-34, 2008

34) McGuirt WF, McCabe BF：Significance of node biopsy before definitive treatment of cervical metastatic carcinoma. Laryngoscope **88**：594-597, 1978

35) Tanzler ED, Amdur RJ, Morris CG et al：Challenging the need for random directed biopsies of the nasopharynx, pyriform sinus, and contralateral tonsil in the workup of unknown primary squamous cell carcinoma of the head and neck. Head Neck **38**：578-581, 2016

36) National Comprehensive Cancer Network. NCCN Clinical Practice Guidelines in Oncology：Head and Neck Cancers. 2016；V1.2016.http://www.nccn.org/professionals/physician_glsf_guidelines.asp. Accepted August 1, 2017.

37) Koch WM, Bhatti N, Williams MF et al：Oncologic rationale for bilateral tonsillectomy in head and neck squamous cell carcinoma of unknown primary source. Otolaryngol Head Neck Surg **124**：331-333, 2001

38) Waltonen JD, Ozer E, Hall NC et al：Metastatic carcinoma of the neck of unknown primary origin: evolution and efficacy of the modern workup. Arch Otolaryngol Head Neck Surg **135**：1024-1029, 2009

39) Cheraghlou S, Torabi SJ, Husain ZA et al：HPV status in unknown primary head and neck cancer: Prognosis and treatment outcomes. Laryngoscope **129**：684-691, 2019

40) Wang Y, He SS, Bao YB et al：Cervical lymph node carcinoma metastasis from unknown primary site：a retrospective analysis of 154 patients. Cancer Med **7**：1852-1859, 2018

41) Park GC, Jung JH, Roh JL et al：Prognostic value of metastatic nodal volume and lymph node ratio in patients with cervical lymph node metastases from an unknown primary tumor. Oncology **86**：170-176, 2014

42) Patel RS, Clark J, Wyten R et al：Squamous cell carcinoma from an unknown head and neck primary site. A selective treatment approach. Arch Otolaryngol Head Neck Surg **133**：1282-1287, 2007

43) Yoo J, Henderson S, Walker-Dilks C：Evidence-based guideline recommendations on the use of positron emission tomography imaging in head and neck cancer. Clin Oncol（R Coll Radiol）**25**：e33-e66, 2013

44) Warren JM：Surgical Observations with Cases and Operations, Ticknor and Fields, Boston, 1867

45) Crile G：Excision of cancer of the head and neck. JAMA **47**：1780-1786, 1906

46) Callender DL, Weber RS：Elective nodified neck dissection for treatmen of the clinically negative（N0）neck. Head and Neck Cancer Basic and Clinical Aspects, Hong WK, Weber RS（eds）, Kluwer Academic Publischers, Massachusetts, p221-241, 1995

47) Bocca E, Pignataro O：A conservation technique in radical neck dissection. Ann Otol Rhinol Laryngol **76**：975-988, 1967

48) Lingeman RE, Hlemus C, Stephens R et al：Neck dissection：Radical or conservative. Ann Otol **86**：737-744, 1977

49）Medna JE, Byers RM：Supraomohyoid neck dissection：Rationale, indications and surgical technique. Head Neck **11**：111–122, 1989
50）Brennan JA, Mao L, Hruban RH et al：Molecular assessment of histopathological staging in squamous cell carcinoma of the head and neck. N Engl J Med **332**：429–435, 1995
51）Curtin HD, Ishwaran H, Mancuso AA et al：Comparison of CT and MR imaging in staging of neck metastasis. Radiology **207**：123–130, 1998
52）van den Brekel MW, Stel HV, Castelijns JA et al：Cervical lymph node metastasis：assessment of radiologic criteria. Radiology **177**：379–384, 1990
53）Sumi M, Ohki M, Nakamura T：Comparison of sonography and CT for differentiating benign from malignant cervical lymph nodes in patients with squamous cell carcinoma of the head and neck. Am J Roentgenol **176**：1019–1024, 2001
54）Xu JJ, Campbell G, Alsaffar H et al：Lymphadenopathy：defining a palpable lymph node. Head Neck **37**：177-181, 2015
55）Rubaltelli L, Proto E, Salmaso R et al：Sonography of abnormal lymph nodes in vitro: correlation of sonographic and histologic findings. AJR Am J Roentgenol **155**：1241-1244, 1990
56）Cassallo PI, wernecke K, Roos N et al：Differentiation of benign from malignant superficial lymphadenopathy：the role of high-resolution US. Radiology **183**：215-220, 1992
57）Kaji AV, Mohuchy T, Swartz JD：Imaging of cervical lymphadenopathy. Semin Ultrasound CT MR **18**：220-249, 1997
58）King AD, Tse GMK, Ahuja AT et al : Necrosis in metastatic neck nodes：diagnostic accuracy of CT, MR imaging and US. Radiology **230**：720–726, 2004
59）Yousem DM, Som PM, Hackney DB et al：Central nodal necrosis and extracapsular neoplastic spread in cervical lymph nodes：MR imaging versus CT. Radiology **182**：753–759, 1992
60）Don DM, Anzai Y, Lufkin B et al：Evaluation of cervical lymph node metastasis in squamous cell carcinoma of the head and neck. Laryngoscope **105**：669–674, 1995
61）Friedman M, Roberts M, Kirshernbarum GL et al：Nodal size of metastatic squamous cell carcinoma of the neck. Laryngoscope **103**：854–856, 1993
62）Baik SH, Seo JW, Kim JH et al：Prognostic value of cervival nodal necrosis observed in preoperative CT and MRI of patients with tongue squamous cell carcinoma and cervical node metastases: A retrospective study. Am J Roentogenol **213**：437-443, 2019
63）Lan M, Huang Y, Chen CY et al：Prognostic value of cervical nodal necrosis in nasopharyngeal carcinoma：analysis of 1800 patients with positive cervical nodal metastasis at MR imaging. Radiology **276**：536-544, 2015
64）Randall DR, Lysack JT, Hudon ME et al：Diagnostic utility of central node necrosis in predicting extracapsular spread among oral cavity squamous cell carcinoma. Head Neck **37**：92–96, 2015
65）Bauer E, Mazul A, Chernock R et al：Extranodal extension is a strong prognosticator in HPV-positive oropharyngeal squamous cell carcinoma. Laryngoscope **130**：939-945, 2020
66）van den Brekel MWM, Lodder WL, Stel HV et al：Observer variation in the histopathologic assessment of extranodal tumor spread in lymph node metastases in the neck. Head Neck **34**：840-845, 2011
67）Myers JN, Greenberg JS, Mo V et al：Extracapsular spread：A significant predictor of treatment failure in patients with squamous cell carcinoma of the tongue. Cancer **92**：3030–3036, 2001
68）Greenberg JS, Fowler R, Gomez J et al：A critical prognosticator in oral tongue cancer. Cancer **97**：1464–1470, 2003
69）Shaw RJ, Lowe D, Woolgar JA et al：Extracapsular spread in oral squamous cell carcinoma. Head Neck **32**：714-722, 2010
70）Snyderman NL, Johnson JT, Schramm VL Jr et al：Extracapsular spread of carcinoma in cervical lymph nodes. Cancer **56**：1597-1599, 1985
71）Bennett S, Futrell J, Roth J et al：Prognostic significance of histologic host response in cancer of the larynx and hypopharynx. Cancer **28**：1255–1265, 1971
72）Liao CT, Huang SF, Chen IH et al：Risk stratification of patients with oral cavity squamous cell carcinoma and contralateral neck recurrence following radical surgery. Ann Surg Oncol **16**：159-170, 2009
73）Liao CT, Lin CY, Fan KH et al：Outcome analyses of unusual site neck recurrence in oral cavity cancer. Ann Surg Oncol **20**：257-266, 2013
74）Dedivitis RA, Denardin OV, Castro MA et al：Risk factors for distant metastasis in head and neck cancer. Rev Col Bras Cir **36**：478-481, 2009
75）An Y, Park HS, Kelly JR et al：The prognostic value of extranodal extension in human papillomavirus-associated oropharyngeal squamous cell carcinoma. Cancer **123**：2762-2772, 2017
76）King AD, Tse GMK, Yuen EHY et al：Comparison of CT and MR imaging for detection of extranodal neoplastic spread in metastatic neck nodes. Eur J Radiol **52**：264–270, 2004
77）Prabhu RS, Magliocca KR, Hanasoge S et al：Ac-

curacy of computed tomography for predicting pathologic nodal extracapsular extension in patients with head-and-neck cancer undergoing initial surgical resection. Int J Radiat Oncol Biol Phys **88**：122–129, 2014
78) Aiken AH, Poliashenko S, Beitler JJ et al：Accuracy of preoperative imaging in detecting nodal extracapsular spread in oral cavity squamous cell carcinoma. Am J Neuroradiol **36**：1776-1781, 2015
79) Kann bH, Buckstein M, Carpenter TJ et al：Radiographic extracapsular extension and treatment outcomes in locally advanced oropharyngeal carcinoma. Head Neck **36**：1689–1694, 2014
80) Almulla A, Noel CW, Lu L et al：Radiologic-pathologic correlation of extranodal extension in patients with squamous cell carcinoma of the oral cavity：Implications for future editions of the TNM classification. Int j Radiation Oncol Biol Phys **102**：698-708, 2018
81) Spector ME, Gallangher KK, Light E et al：Matted nodes：poor prognostic marker in oropharyngeal squamous cell carcinoma independent of HPV and EGFR status. Head Neck **34**：1727-1733, 2012
82) Bataskis JG：Squamous cell carcinoma of the oral cavity and the oroharynx. Tumor of the Head and Neck：Clinical and Pathological Considerations (2nd ed), Williams & Wilkins, Baltimore, p144–176, 1979
83) Snow GB, Annyas AA, Van Slooten EA et al：Prognostic factors of neck node metastasis. Clin Otolaryngol 7：185–192, 1982
84) Imre K, Pinar E, Oncel S et al：Predictors of extracapsular spread in lymph node metastasis. Eur Arch Otorhinolaryngol **265**：337–339, 2008
85) Wippold FJ II：Head and neck imaging：the role of CT and MRI. J Magn Reson Imaging **25**：453–465, 2007
86) Weiss MH, Harrison LB, Isaacs RS：Use of decision analysis in planning a management strategy for the stage N0 neck. Arch Otolaryngol Head Neck Surg **120**：699-702, 1994
87) Abu-Ghanem S, Yehuda M, Carmel NN et al：Elective neck dissection vs observation in early-stage squamous cell carcinoma of the oral tongue with no clinically apparent lymph node metastasis in the neck. A Systematic review and meta-analysis. JAMA Otolaryngol Head Neck Surg **142**：857-865, 2016
88) van den Brekel MW, Castelijns JA, Stel HV et al：Modern imaging techniques and ultrasound-guided aspiration cytology for the assessment of neck node metastases: a prospective comparative study. Eur Arch Otorhinolaryngol **250**：11-17, 1993
89) Liao LJ, Lo WC, Hsu WL et al：Detection of cervical lymph node metastasis in head and neck cancer patients with clinically N0 neck-a meta-analysis comparing different imaging modalities. BMC Cancer **12**：236, 2012
90) Suh CH, Choi YJ, Baek JH et al：The diagnostic value of diffusion-weighted imaging in differentiating metastatic lymph nodes of head and neck squamous cell carcinoma：A systematic review and meta-analysis. Am J Neuroradiol **39**：1889-1895, 2018
91) Abdel Razek AA, Soliman NY, Elkhamary S et al：Role of diffusion-weighted MR imaging in cervical lymphadenopathy. Eur Radiol **16**：1468-1477, 2006
92) Wendl CM, Muller S, Eiglsperger J et al：Diffusion-weighted imaging in oral squamous cell carcinoma using 3 Tesula MRI：Is there a chance for preoperative discrimination between benign and malignant lymph nodes in daily clinical routine? Acta Radiol **57**：939-946, 2016
93) Yousem DM, Hatabu H, Hurst RW et al：Carotid artery invasion by head and neck masses：prediction with MR imaging. Radiology **195**：715–720, 1995
94) Yoo GH, Hocwald E, Korkmaz H et al：Assessment of carotid artery invasion in patients with head and neck cancer. Laryngoscope **110**：386–390, 2000
95) Yu Q, Wang P, Shi H et al：Carotid artery and jugular vein invasion of oral-maxillofacial and neck malignant tumors：diagnostic value of computed tomography. Oral Surg Oral Med Oral Pathol Oral Radiol Endod **96**：368–372, 2003
96) Nix PA, Coatesworth AP：Carotid artery invasion by squamous cell carcinoma of the upper aerodigestive tract：the predictive value of CT imaging. Int J Clin Pract **57**：628–630, 2003
97) Yousem DM, Gad K, Tfano RP：Resectability issues with head and neck cancer. Am J Neuroradiol **27**：2024–2036, 2006
98) Teymoortash A, Rassow S, Bohne F et al：Clinical impact of radiographic carotid artery involvement in neck metastases from head and neck cancer. Int J Oral Maxillofac Surg **45**：422-426, 2016
99) Safi AF, Kauke M, Jung H et al：Does volumetric measurement of cervical lymph nodes serve as an imaging biomarker for locoregional recurrence of oral squamous cell carcinoma? J Craniomaxillofac Surg **46**：1013-1018, 2018
100) Rath TJ, Narayanan S, Hughers MA et al：Solid lymph nodes as an imaging biomarker for risk stratification in human papillomavirus-related oropharyngeal squamous cell carcinoma. Am J Neuroradiol **38**：1405-1410, 2017
101) Marzi S, Piludu F, Sanguineti G et al：The predic-

tion of treatment response of cervical nodes using intravoxel incoherent motion diffusion-weighted imaging. Eur J Radiol **92**：93-102, 2017
102) Michra S, Hammond A, Read N et al：Can radiological changes in lymph node volume during treatment predict success of radiation therapy in patients with locally advanced head and neck squamous cell carcinoma? J Med imaging Radiat Oncol **57**：603-609, 2013
103) Huang SH, O'sullivan B, Xu W et al：Temporal nodal regression and regional control after primary radiation therapy for N2-N3 head-and-neck cancer stratified by HPV status. Int J Radiat Oncol Biol Phys **87**：1078-1085, 2013
104) MacHam SA, Adelstein DJ, Rybicki LA et al：Who merits a neck dissection after definitive chemoradiotherapy for N2-N3 squamous cell head and neck cancer? Head Neck **25**：791-798, 2003
105) Marklund L, Lundberg B, Hammarstedt-Nordenvall L：Management of the neck in node-positive tonsillar carcinoma. Acta Otolaryngol **134**：1094-1100, 2014
106) Hanai N, Ozawa T, Hirakawa H et al：The nodal response to chemoselection predicts the risk of recurrence following definitive chemoradiotherapy for pharyngeal cancer. Acta Otolaryngol **134**：865-871, 2014
107) Stenson K, Huo D, Blair E et al：Planned post-chemoradiation neck dissection: significance of radiation dose. Laryngoscope **116**：33-36, 2006
108) Amdur RJ, Parsons JT, Mendenhall WM et al：Postoperative irradiation for squamous cell carcinoma of the head and neck：an analysis of treatment results and complications. Int J Radiat Oncol Biol Phys **16**：25-36, 1989
109) Yeung AR, Liauw SL, Amdur RJ et al：Lymph node-positive head and neck cancer treated with definitive radiotherapy. Cancer **112**：1076-1082, 2008
110) Mabanta SR, Mendenhall WM, Stringer SP et al：Salvage treatment for neck recurrence after irradiation alone for head and neck squamous cell carcinoma with clinically positive neck nodes. Head Neck **21**：591-594, 1999
111) Ojiri H, Mendenhall WM, Stringer SP et al：Post-RT results as a predictive model for the necessity of planned post = RT neck dissection in patients with cervical metastatic disease from squamous cell carcinoma. Int J Radiation Oncology Biol Phys **52**：420-428, 2002
112) Greven KM, Williams III DW, Browne JD et al：Radiographic complete response on post treatment CT imaging eliminates the need for adjuvant neck dissection after treatment for node positive head and neck cancer. Am J Clin Oncol **31**：169-172, 2008
113) Brizel DM, Prosnitz RG, Hunter S et al：Necessity for adjuvant neck dissection in setting of concurrent chemoradiation for advanced head-and-neck cancer. Int J Radiat Oncol Biol Phys **58**：1418-1423, 2004
114) Clavel S, Charron MP, Belair M et al：The role of computed tomography in the management of the neck after chemoradiotherapy in patients with head-and-neck cancer. Int J Radiat Oncol Biol Phys **83**：567-573, 2012
115) Labadie RF, Yarbrough WG, Weissler MC et al：Nodal volume reduction afer concurrent chemo-and radiotherapy：Correlation between initial CT and histopathologic findings. Am J Neuroradiol **21**：310-314, 2000
116) Ghosh-Laskar S, Mummudi N, Rangarajan V et al：Prognostic value of response assessment fluirodeoxyglucose positron emission tomography-computed tomography scan in radically treated squamous cell carcinoma of head and neck：Long-term results of prospective study. J Cancer Res Ther **15**：596-603, 2019
117) Payne KF, Hag J, Brown J et al：The role of diffusion-weighted magnetic resonance imaging in the diagnosis, lymph node staging and assessment of treatment response of head and neck cancer. Int J Oral Maxillofac Surg **44**：1-7, 2015
118) Mundada P, Varoquaux AD, Lenoir V et al：Utility of MRI with morphologic and diffusion weighted imaging in the detection of post-treatment nodal disease in head and neck squamous cell carcinoma. Aur J Radiol **101**：162-169, 2018
119) Liu C, Xiao C, Chen J et al：Risk factor analysis for predicting cervical lymph node metastasis in papillary thyroid carcinoma: a study of 966 patients. BMC Cancer **19**：622, 2019
120) Mazzaferri EL：Treatment of carcinoma of follicular epithelium. The Thyroid (6th ed), Braverman LE, Utiger RD (eds), Lippincott, Philadelphia, p1329-1348, 1991
121) Lundgren CI, Hall P, Dickman PW et al：Clinically significant prognostic factors for differentiated thyroid carcinoma: a population-based, nested case-control study. Cancer **106**：524-531, 2006
122) Takashima S, Sone S, Takayama F et al：Papillary thyroid carcinoma：MR diagnosis of lymph node metastasis. AJNR Am J Neuroradiol **19**：509-513, 1998
123) Kaplan SL, Mandel SJ, Muller R et al：The role of MR imaging in detecting nodal disease in thyroidectomy patients with rising thyroglobulin levels. AJNR Am J Neuroradiol **30**：608-612, 2009

124) Shaha AR, Shah JP, Loree TR：Patterns of nodal and distant metastasis based on histologic varieties in differentiated carcinoma of the thyroid. Am J Surg **172**：692–694, 1996
125) Mazzaferri EL, Jhiang SM：Long-term impact of initial surgical and medical therapy on papillary and follicular thyroid cancer. Am J Med **97**：418–428, 1994
126) Wunderbaldinger P, Harisinghani MG, Hahn PF et al：Cystic lymph node metastases in papillary thyroid carcinoma. AJR Am J Roentgenol **178**：693–697, 2002
127) Mirallie E, Sagan C, Hamy A et al：Predictive factors for node involvement in papillary thyroid carcinoma. Univariate and multivariate analyses. Eur J Cancer **35**：420-423, 1999
128) Loyd RV, Osamura RY, Gloppel G et al (eds)：World Health Organization classification of tumours of Endocrine organs, IARC Press International, Lyon, 2017
129) Zheng X, Peng C, Gao M et al：Risk factors for cervical lymph node metastasis in papillary thyroid microcalcification: a stuy of 1,587 patients. Cancer Biol Med doi: 10.20892/j.issn.2095-3941.2018.0125, 2019
130) Cady B, Rossi R：An expanded view of risk-group definition in differentiated thyroid carcinoma. Surgery **104**：947–953, 1988
131) Zaydfudim V, Feurer ID, Griffin MR et al：The impact of lymph node involvement on survival in patients with papillary and follicular thyroid carcinoma. Surgery **144**：1070–1077, 2008
132) Mazzaferri EL, Doherty GM, Steward DL：The pros and cons of prophylactic central compartment lymph node dissection for papillary thyroid carcinoma. Thyroid **19**：683–689, 2009
133) Choi YJ, Yun JS, Kook SH et al：Clinical and imaging assessment of cervical lymph node metastasis in papillary thyroid carcinomas. World J Surg **34**：1494-1499, 2010
134) Mazzaferri EL, Young RL：Papillary thyroid carcinoma：a 10-year follow-up report of the impact of therapy in 576 patients. Am J Med **70**：511–518, 1981
135) Lee DW, Ji YB, Sung ES et al：Roles of ultrasonography and computed tomography in the surgical management of cervical lymph node metastases in papillary thyroid carcinoma. EJSO **39**：191–196, 2013
136) Greenfield LD, Luk KH：Thyroid. Principles and Practice of Radiation Oncology (2nd ed), Perez CA, Brady LW (eds), Lippincott, Philadelphia, p1356–1380, 1992
137) Haugen BR, Alexander EK, Bible KC et al：2015 American Thyroid Association Management Guidelines for adult patients with thyroid nodules and differentiated thyroid cancer：The American Thyroid Association Guidelines task force on thyroid nodules and differentiated thyroid cancer. Thyroid **26**：1-133, 2016
138) Koo BS, Choi EC, Yoon YH et al：Predictive factors for ipsilateral or contralateral central lymph node metastasis in unilateral papillary thyroid carcinoma. Ann Surg **249**：840–844, 2009
139) Sakorafas GH, Koureas A, Mpampali I et al：Patterns of lymph node metastasis in differentiated thyroid cancer; clinical implications with particular emphasis on the emerging role of compartment-oriented lymph node dissection. Oncol rest Treat **42**：143-147, 2019
140) Kupferman ME, Weinstock YE, Santillan AA et al：Predictors of level V metastasis in well-differentiated thyroid cancer. Head Neck **30**：1469–1474, 2008
141) Lee YS, Shin SC Lim YS, Lee JC et al：Tumor location-dependent skip lateral cervical node metastasis in papillary thyroid cancer. Head Neck **36**：887-891, 2014
142) Park JH, Lee YS, Kim BW et al：Skip lateral neck node metastases in papillary thyroid carcinoma. World J Surg **36**：743-747, 2012
143) Zhang L, Wei WJ, Ji QH et al：Risk factors for neck nodal metastasis in papillary thyroid microcarcinoma：a study of 1066 patients. J Clin Endocrinol Metab **97**：1250-1257, 2012
144) Qubain SW, Nakano S, Baba M et al：Distribution of lymph node micrometastasis in pN0 well-differentiated thyroid carcinoma. Surgery **131**：249-256, 2012
145) Yu ST, Ge JN, Sun BH et al：Lymph node metastasis in suprasternal space in pathological node-positive papillary thyroid carcinoma. Eur J Surg Oncol **45**：2086-2089, 2019
146) Eun YG, Lee YC, Kwon KH：Predictive factors of contralateral paratracheal lymph node metastasis in papillary thyroid cancer：prospective multicenter study. Otorhinolaryngol Head Neck Surg **150**：210–215, 2014
147) Kim SY, Kim SM, Chang H et al：Lateral neck metastases in the ipsilateral and contralateral compartments of papillary thyroid carcinoma located in one lobe. ANZ J Surg. Doi：10.1111/ans.15458, 2019
148) Lee YS, Lim YS, Lee JC et al：Clinical implications of bilateral lateral cervical lymph node metastasis in papillary thyroid cancer：a risk factor for lung metastasis. Ann Surg Oncol **18**：3486-3492, 2011
149) Suh CH, Baek JH, Choi YJ et al：Performance of

CT in the preoperative diagnosis of cervical lymph node metastasis in patients with papillary thyroid cancer：A systematic review and meta-analysis. Am J Neuroradiol **38**：154-161, 2017
150）Cho SJ, Suh CH, Baek JH et al：Diagnostic performance of CT in detection of metastatic cervical lymph nodes in patients with thyroid cancer：a systematic review and meta-analysis. Eur Radiol **29**：4635-4647, 2019
151）Wu LM, Gu HY, Qu XH et al：The accuracy of ultrasonography in the preoperative diagnosis of cervical lymph node metastasis in patients with papillary thyroid carcinoma: a meta-analysis. Eur J Radiol **81**：1798-1805, 2012
152）Gross ND, Weissman JL, Talbot JM et al：MRI detection of cervical metastasis from differentiated thyroid carcinoma. Laryngoscope **111**：1905-1909, 2001
153）Chen Q, Raghavan P, Mukherjee S et al：Accuracy of MRI for the diagnosis of metastatic cervical lymphadenopathy in patients with thyroid cancer. Radiol Med **120**：959-966, 2015
154）Choi JS, Kim J, Kwak JY et al：Preoperative staging of papillary thyroid carcinoma：comparison of ultrasound imaging and CT. AJR Am J Roentgenol **193**：871-878, 2009
155）Baek JH, Kim YS, Sung JY et al：Locoregional control of metastatic well-differentiated thyroid cancer by ultrasound-guided radiofrequency ablation. AJR Am J Roentgenol **197**：W331-W336, 2011
156）Noguchi S, Noguchi A, Murakami N：Papillary carcinoma of the thyroid, I：developing pattern of metastasis. Cancer **26**：1053-1060, 1970
157）Seller M, Beenken S, Blankenship A et al：Prognostic significance of cervical lymph node metastases in differentiated thyroid cancer. Am J Surg **164**：578-581, 1992
158）Haywood J, Clark OH, Dunphy JE：Significance of lymph node metastasis in differentiated thyroid cancer. Am J Surg **136**：107-112, 1978
159）Yang SY, Shin JH, Hahn SY et al：Comparison of ultrasonography and CT for preoperative nodal assessment of patients with papillary thyroid cancer; diagnostic performance according to primary tumor size. Acta Radiologica 61：21-27, 2020
160）Som PM, Brandwein M, Lidov M et al：The varied presentations of papillary thyroid carcinoma cervical nodal disease：CT and MR findings. AJNR Am J Neuroradiol **15**：1123-1128, 1994
161）Kim E, Park JS, Son KR et al：Preoperative diagnosis of cervical metastatic lymph nodes in papillary thyroid carcinoma：comparison of ultrasound computed tomography, and combined ultrasound with computed tomography. Thyroid **18**：411-418, 2008
162）Carcangiu ML, Zampi G, Pupi A et al：Papillary carcinoma of the thyroid：a clinicopathologic study of 241 cases treated at the University of Florence, Italy. Cancer **55**：805-828, 1985
163）Ahuja A, Ng CF, King W et al：Solitary cystic nodal metastasis from occulut papillary carcinoma of the thyroid mimicking a branchial cleft cyst：a potential pitfall. Clin Radiol **53**：61-63, 1998
164）Lim YC, Liu L, Chang JW et al：Lateral lymph node recurrence after total thyroidectomy and central neck dissection in patients with papillary thyroid cancer without clinical evidence of lateral neck metastasis. Oral Oncol **62**：109-113, 2016
165）Ito Y, Miyauchi A：Lateral lymph node dissection guided by preoperative and intraoperative findings in differentiated thyroid carcinoma. World J Surg **32**：729-739, 2008
166）Jemal A, Siegel R, Ward E et al：Cancer statistics, 2007. CA Cancer J Clin **57**：43-66, 2007
167）Cheson BD, Fisher RI, Barrington SF et al：Recommendations for initial evaluation, staging, and response assessment of Hoodgkin and Non-Hodgkin lymphoma: The Lugano classification. J Clin Oncol **32**：3059-3067, 2014
168）Urquhart A, Berg R：Hodgkin's and non-Hodgkin's lymphoma of the head and neck. Laryngoscope **111**：1565-1569, 2001
169）Lee YY, Van Tassel P, Nauert C et al：Lymphomas of the head and neck：CT findings at initial presentation. AJR Am J Roentgenol **149**：575-581, 1987
170）Harnsberger HR, Bragg DG, Osborn AG et al：Non-Hodgkin's lymphoma of the head and neck：CT evaluation of nodal and extranodal sites. AJR Am J Roentgenol **149**：785-791, 1987
171）Weber AL, Rahemtullah A, Ferry JA：Hodgkin and non-Hodgkin lymphoma of the head and neck：clinical, pathologic, and imaging evaluation. Neuroimaging Clin N Am **13**：371-392, 2003
172）Choi JW, Kim SS, Kim EY et al：Peripheral T-cell lymphoma in the Neck：CT findings of lymph node involvement. AJNR Am J Neuroradiol **27**：1079-1082, 2006
173）Saito A, Takashima S, Takayama F et al：Spontaneous extensive necrosis in non-Hodgkin lymphoma：prevalence and clinical significance. J Comput Assist Tomogr **25**：482-486, 2001
174）Som PM：Lymph nodes of the neck. Radiology **165**：593-600, 1987
175）Rehn S, Sperber GO, Nyman R et al：Quantification of inhomogeneities in malignancy grading of non-Hodgkin lymphoma with MR imaging. Acta Radiol **34**：3-9, 1993

176) Rodriguez M, Rehn SM, Nyman RS etl al：CT in malignancy grading and prognostic prediction of non-Hodgkin lymphoma. Acta Radiol **40**：191-197, 1999
177) Rehn SM, Nyman RS, Glimelius BL et al：Non-Hodgkin lymphoma：predicting prognostic grade with MR imaging. Radiology **176**：249-253, 1990
178) Maurer R, Schmid U, Davies JD et al：Lymph-node infarction and malignant lymphoma：a multicenter survey of European, English and American cases. Histopathology **10**：571-588, 1986
179) Cleary KR, Osborne BM, Butler JJ：Lymph node infarction foreshadowing malignant lymphoma. Am J Surg Pathol **6**：435-442, 1982
180) Punia RS, Dhingra N, Chopra R et al：Lymph node infarction and its association with lymphoma：a short series and literature review. N Z Med J **122**：40-44, 2009
181) Tilak SP, Howard JM：The influence of the dual circulation on the viability of lymph nodes following interruption of the blood or lymphatic supply. Surg Gynecol Obstet **8**：349-352, 1964
182) Mori E, Enomoto Y, Nakamine H et al：Lymph node infarction in classical Hodgkin's lymphoma. J Clin Exp Hematopathol **52**：35-39, 2012
183) You SH, Kim B, Yang KS et al：Cervical necrotic lymphadenopathy: a diagnostic tree analysis model based on CT and clinical findings. Eur Radiol **29**：5635-5645, 2019
184) Vidiri A, Minosse S, Piludu F et al：Cervical lymphadenopathy: can the histogram analysis of apparent diffusion coefficient help to differentiate between lymphoma and squamous cell carcinoma in patients with unknown clinical primary tumor? La Radiologia Med **124**：19-26, 2019
185) Cheson BD, Pfistner B, Juweid ME et al：Revised response criteria for malignant lymphoma. J Clin Oncol **25**：579-586, 2007
186) Cheson BD, Horning SJ, Coiffier B et al：Report of an international workshop to standardize response criteria for non-Hodgkin's lymphomas. J Clin Oncol **17**：1244-1253, 1999
187) Lewis E, Bernardino ME, Salvador PG et al：Post-therapy CT-detected mass in lymphoma patients：Is it viable tissue? J Comput Assist Tomogr **6**：792-795, 1982
188) Tzankov A, Dirnhofer S：A Pattern-based approach to reactive lymphadenopathies. Semin Diagn Pathol **35**：4-19, 2018
189) Fraser IP：Suppurative lymphadenitis. Current Infectious Disease Reports **11**：383-388, 2009
190) Hato H, Kanematsu M, Kato Z et al：Necrotic cervical nodes：Usefulness of diffusion-weighted MR imaging in the differentiation of suppurative lymphadenitis from malignancy. Eur J Radiol **82**：e28-e35, 2013
191) Niedzielska G, Kotowski M, Niedzielski A et al：Cervical lymphadenopathy in children-Incidence and diagnostic management. Int J Pediatr Otorhinolaryngol **71**：51-56, 2007
192) Shefelbine SE, Mancuso AA, Gajewski BJ et al：Pediatric retropharyngeal lymphadenitis：differentiation from retropharyngeal abscess and treatment implications. Otolaryngol Head Neck Surg **136**：182-188, 2007
193) Margileth AM：Cat scratch disease. Cecil Textbook of Medicine (18th ed), Wyngaarden JB, Smith LH (eds), Saunders, Philadelphia, p1679-1681, 1988
194) Dong PR, Seeger LL, Lawrence Y et al：Uncomplicated cat-scratch disease：findings at CT, MR imaging, and radiography. Radiology **195**：837-839, 1995
195) Carithers HA：Cat-scratch disease: an overview based on a study of 1,200 patients. Am J Dis Child **139**：1124-1133, 1985
196) Roberge RJ：Cat-scratch disease. Emerg Med Clin North Am **9**：327-333, 1991
197) Lewis DW, Tucker SH：Central nervous system involvement of cat-scratch disease. Pediatrics **77**：714-721, 1986
198) Margileth AM：Dermatologic manifestations and update of cat-scratch disease. Pediatr Dermatol **5**：1-9, 1988
199) Margileth AM：Cat scratch disease：non-bacterial regional lymphadenitis；the study of 145 patients and a review of the literature. Pediatrics **42**：803-818, 1968
200) Wang CW, Chang WC, Chao TK et al：Computed tomography and magnetic resonance imaging of cat-scratch disease：a report of two cases. Clin Imaging **33**：318-321, 2009
201) Lonnorth K, Raviglione M：Global epidemiology of tuberculosis：prospects for control. Semin Respir Crit Care Med **29**：481, 2008
202) World Health Organization. Global Tuberculosis Report, 2014
203) 永野広海，吉福孝介，黒野祐一：結核性頸部リンパ節炎の3症例．耳展 **50**：222-229, 2007
204) Philbert RF, Kim AK, Chung DP：Cervical tuberculosis (Scrofula)：a case report. J Oral Maxillofac Surg **62**：94-97, 2004
205) Bayazit YA, Bayazit N, Namiduru M：Mycobacterial cervical lymphadenitis. ORL J Otorhinolaryngol Relat Spec **66**：275-280, 2004
206) 岩井　大：頸部リンパ節腫脹(結核性リンパ節炎)．耳喉頭頸 **77**：551-555, 2005
207) 峯田周幸：新興・再興感染症―頸部リンパ節結核．日耳鼻 **107**：670-673, 2004

208）Patel AB, Hinni ML：Tuberculous retropharyngeal abscess presenting with symptoms of obstructive sleep apnea. Eur Arch Otorhinolaryngol **270**：371-374, 2013
209）Moon WK, Han MH, Chang KH et al：CT and MR imaging of head and neck tuberculosis. Radiographics **17**：391–402, 1997
210）Omura S, Nakaya M, Mori A et al：A clinical review of 38 cases of cervical tuberculous lymphadenitis in Japan - The role of neck dissection. Auris Nasus Larynx **43**：672-676, 2016
211）Bozan N, Sakin YF, Parlak M et al：Suppurative cervical tuberculous lymphadenitis mimicking a metastatic neck mass. J Craniofac Surg **27**：e565-e567, 2016
212）Hill AR, Premkumar S, Brustein S et al：Disseminated tuberculosis in the acquired immunodeficiency syndrome era. Am Rev Repir Dis **144**：1164-1170, 1991
213）Fontanilla JM, Barnes A, von Reyn CF：Current diagnosis and management of peripheral tuberculous lymphadenitis. Clin Infect Dis **53**：555-562, 2011
214）Lee Y, Parks KS, Chung SY：Cervical tuberculous lymphadenitis：CT findings. J Comput Assist Tomogr **18**：370–375, 1994
215）De Backer AI, Mortele KJ, van den Heuvel E et al：Tuberculous adenitis: comparison of CT and MRI findings histopathological features. Eur Radiol **17**：1111-1117, 2007
216）Zignol M, van Gemert W, Falzon D et al：Surveillance of anti-tuberculosis drug resistance in the world: an updated analysis, 2007-2010. Bull World Health Organ **90**：111-119D, 2012
217）Wang X, Ma Y, Wang Z：Kimura's disease. Kimura's disease. J Craniofac Surg **30**：e415-e418, 2019
218）Park SW, Kim HJ, Lee JH et al：Kimura disease：CT and MR imaging findings. AJNR Am J Neuroradiol **33**：784–788, 2012
219）Takahasi S, Ueda J, Furukawa T et al：Kimura disease：CT and MR findings. AJNR Am J Neuroradiol **17**：382–385, 1996
220）Kuo TT, Shih LY, Chan HL：Kimura's disease. Involvement of regional lymph nodes and distinction from angiolymphoid hyperplasia with eosinophilia. Am J Surg Pathol **12**：843-854, 1988
221）Kikuchi M：Lymphadenitis showing focal reticulum cell hyperplasia with nuclear debris and phagocytosis. Nippon Ketsueki Gakkai Zasshi **35**：379–380, 1972
222）Kwon SY, Kim TK, Kim YS et al：CT findings in Kikuchi disease：analysis of 96 cases. AJNR Am J Neuroradiol **25**：1099–1102, 2004
223）Perry AM, Choi SM：Kikuchi-Fujimoto Disease. Arch Pathol Lab Med **142**：1341-1346, 2018
224）Na DG, Chung TS, Byun HS et al：Kikuchi disease：CT and MR findings. AJNR Am J Neuroradiol **18**：1729–1732, 1997
225）Lin HC, Su CY, Huang CC et al：Kikuchi's disease：a review and analysis of 61 cases. Otolaryngol Head Neck Surg **128**：650–653, 2003
226）Shim EJ, Lee KM, Kim EJ et al：CT pattern analysis of necrotizing and nonnecrotizing lymph nodes in Kikuchi disease. Plos One **12**：e0181169. Doi: 10.1371/journal.pone.0181169, 2017
227）Fulcher AS：Case report：cervical lymphadenopathy due to Kikuchi Fujimoto disease：US and CT appearance. J Comput Assist Tomogr **17**：131–133, 1993
228）Kim TA, Lupetin AR, Grahamu C：CT appearance of Kikuchi Fujimoto disease. Clin Imag **19**：1–3, 1995
229）Lo WC, Chang WC, Lin YC et al：Ultrasonographic differentiation between Kikuchi's disease and lymphoma in patients with cervical lymphadenopathy. EJR Eur J Rradiol **81**：1817–1820, 2012
230）Lee S, Yoo JH, Lee SW：Kikuchi disease：differentiation from tuberculous lymphadenitis based on patterns of nodal necrosis on CT. Am J Neuroradiol **33**：135-140, 2012
231）Welter SM, DeLuca-Johnson J, Thompson K：Histologic Review of sarcoidosis in a neck lymph node. Head Neck Pathol **12**：255-258, 2018
232）Iannuzzi M, Rybicki B, Teirstein A：Sarcoidosis. N Engl J Med **357**：2153-2165, 2007
233）Miglets AW, Viall JH, Kataria YP：Sarcoidosis of the head and neck. Laryngoscope **87**：2038–2048, 1977
234）Chen HC, Kang BH, Lai CT et al：Sarcoidal granuloma in cervical lymph nodes. J Chin Med Assoc **68**：339–342, 2005
235）Dash GI, Kimmelman CP：Head and neck manifestations of sarcoidosis. Laryngoscope **98**：50–53, 1988
236）Chumakov FI, Khmeleva RI：Head and neck lymph node lesions. Vestn Otorhinolaryngol **6**：27–29, 2002
237）Handa R, Aggarwal P, Wali JP et al：Sarcoidosis presenting with peripheral lymphadenopathy. Sarcoidosis Vasc Diffuse Lung Dis **15**：192, 1998
238）Kwon YS, Jung HI, Kim HJ et al：Isolated cervical lymph node sarcoidosis resenting in an asymptomatic neck mass：a case report. Tuber Respir Dis **75**：116–119, 2013
239）Rizzato G, Montremurro L：The clinical spectrum of the sarcoid peripheral lymph node. Sarcoidosis Vasc Diffuse Lung Dis **17**：71–80, 2000
240）Kawasaki T：Acute febrile mucocutaneous syn-

drome with lymphoid involvement with specific desquamation of the fingers and toes in children. Arerugi **16**：178–222, 1967

241）Taubert KA, Rowley AH, Shulman ST：Seven-year national survey of Kawasaki disease and acute rheumatic fever. Pediatr Infect Dis J **13**：704–708, 1994

242）Kawasaki T, Kosaki F, Okawa S et al：A new infantile acute febrile mucocutaneous lymph node syndrome（MLNS）prevailing in Japan. Pediatrics **54**：271-276, 1974

243）Burns JC, Kushner HI, Bastian JF et al：Kawasaki disease: a brief history. Pediatrics **106**：e27, 2000

244）Kao HT, Huang YC, Lin TY：Kawasaki disease presenting as cervical lymphadenitis or deep neck infection. Otolaryngol Head Neck Surg **124**：468–470, 2001

245）Maki H, Maki Y, Shimamura Y et al：Differentiation of Kawasaki disease from other causes of fever and cervical lymphadenopathy: a diagnostic scoring system using contrast-enhanced CT. Am J Roentgenol **212**：665-671, 2019

246）April MM, Burns JC, Neuburger JW et al：Kawasaki disease and cervical lymphadenopathy. Arch Otolaryngol Head Neck Surg **115**：512–514, 1989

247）Giesker DW, Pastuszak WT, Forouhar FA et al：Lymph node biopsy for early diagnosis in Kawasaki disease. Am J Surg Pathol **6**：493–501, 1982

248）Kato H, Kanematsu M, Kato Z et al：Computed tomographic findings of Kawasaki disease with cervical lymphadenopathy. J Comput Assist Tomogr **36**：138–142, 2012

249）Katsumura N, Aoki J, Tashiro M et al：Characteristics of cervical computed tomography fidings in Kawasaki disease：a single-center experience. J Comput Assist Tomogr **37**：681–685, 2013

250）McCrindle BW, Rowley AH, Newburger JW et al：Diagnosis, treatment, and long-term management of Kawasaki disease：a scientific statement for health professionals from the American heart association. Circulation **135**：e927-e999, 2017

251）Masson WH, Takahashi M：Kawasaki syndrome. Clin Infect Dis **28**：169–187, 1999

11 頸部嚢胞性腫瘤

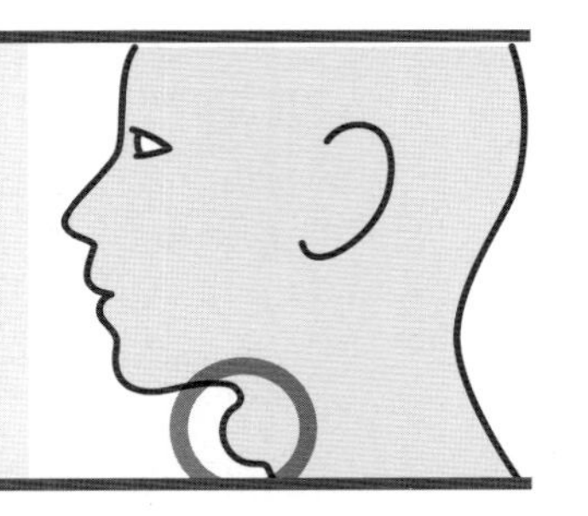

A 臨床的事項

頸部充実性腫瘤の画像診断の解析は通常,「リンパ節性」か「非リンパ節性」かの判断より始めるのが論理的であるが,嚢胞性腫瘤に関しては「先天性」と「後天性」を分けることから始まる.「先天性」病変は,通常小児・若年者の疾患で,発生学の論理に従った局在に,波動を伴う腫瘤として現れる.多くは不変あるいは緩徐な増大を示す.これらの病変の評価には発生学の理解が必要である.

頸部嚢胞性腫瘤は臨床情報として与えられる場合もあれば,偶発的所見として認める場合も少なくない.後者の場合,追加検査・経過観察の要否,治療の要否などの判断には臨床的知識を要する.また,臨床情報としての"嚢胞性"の中には,画像上は充実性(出血性,高蛋白濃度の内容液を含む嚢胞は軟部組織の濃度や信号強度を呈する場合がある)にみえる,あるいは実際に充実性の腫瘤(脂肪腫はしばしばその柔らかさから嚢胞性腫瘤様の理学所見を呈する)も含まれることを画像診断医は認識する必要がある(**表1**).

頭頸部画像診断の"嚢胞性"という用語の定義自体は多少の曖昧さを残す.このため,画像診断報告書で"嚢胞性"という記述のみでは曖昧な場合,個々の病変をより正確に表現する必要がある.一般的に頸部嚢胞性腫瘤の記述(**表2**:p728)は形状,大きさの他,壁の性状(薄いか厚いか,均一か不均一か,増強効果の有無),境界(明瞭か不明瞭か,限局性か浸潤性か),単房性か多房性か(多房性では隔壁の性状),嚢胞腔の濃度・信号強度(液体,気体,液面形成の有無,出血を示唆する所見の有無,増強効果の有無,多房性では各嚢胞腔での差),充実性部分や石灰化の有無,発

表1 頸部嚢胞性腫瘤の鑑別診断

分類	代表的疾患名
先天性頸部嚢胞性腫瘤	甲状舌管嚢胞(正中頸嚢胞) 鰓裂嚢胞(含,側頸嚢胞) 嚢胞性リンパ管腫 皮様嚢腫 Tornwaldt 嚢胞
リンパ節性嚢胞性腫瘤	化膿性リンパ節炎 嚢胞性リンパ節転移 脂肪濃度の正常リンパ門
炎症性(非リンパ節性) 嚢胞性腫瘤	頸部膿瘍 ガマ腫 貯留嚢胞
臓側間隙(非炎症性) 嚢胞性腫瘤	Zenker 憩室 喉頭瘤,咽頭瘤
血管性嚢胞性腫瘤	動脈瘤 静脈塞栓(血栓性静脈炎)
その他	実質臓器(唾液腺,甲状腺,副甲状腺など)の嚢胞,嚢胞性腫瘍,脂肪腫など

表2　頸部嚢胞性腫瘤の画像診断での主な評価項目

大きさ	
形状	類円形，分葉状(リンパ管腫など)，管状，不整形(膿瘍など)
壁の性状	厚さ(薄いか厚いか) 均一性(均一か不均一か) 増強効果
境界	明瞭 不明瞭(感染合併など)
隔壁の有無	単房性 多房性
嚢胞腔の濃度・信号強度	通常の液体の濃度・信号強度 空気や脂肪濃度の有無 高タンパク内容，出血性内容による濃度・信号強度の変化 液面形成
局在・進展様式	先天性病変の発生学的論理に従った局在・典型的部位 頸部リンパ節領域に沿った局在(リンパ節病変：嚢胞性転移，化膿性リンパ節炎など) 概ね頸筋膜解剖に従った進展(膿瘍) 頸筋膜解剖に従わない進展(リンパ管腫)
その他	充実性部分(リンパ節転移，鰓性癌合併など)の有無 石灰化(甲状腺癌リンパ節転移，結核性リンパ節炎，リンパ管腫・血管リンパ管奇形での静脈石など)の有無 (膿瘍の原因として)異物(魚骨)，唾石，歯性感染所見などの有無

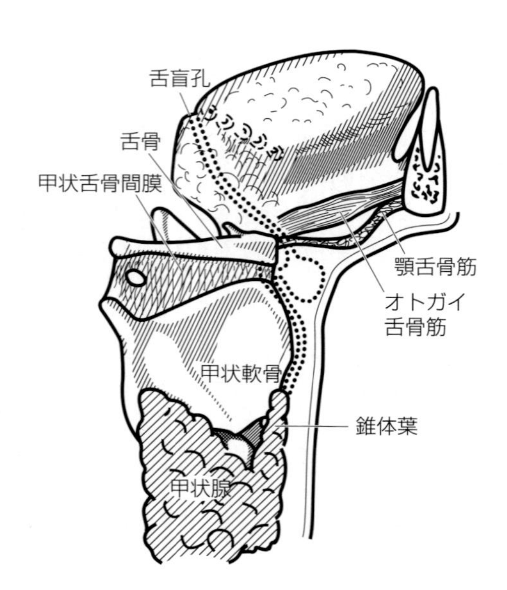

図1　甲状舌管嚢胞発生部位のシェーマ
甲状舌管の経路を示す(点線)．この経路上いずれの部位にも生じうる．

生部位と進展範囲・様式［どの組織間隙か，あるいは筋膜解剖と進展様式との関係(筋膜で区分される組織間隙の解剖に従うか，筋膜解剖と関係ない多間隙進展を示すか)，先天性病変を特異的に支持する解剖構造との関係］，瘻孔の有無，(他の)発生異常の有無，原因となるような病態の有無などを含める必要がある．

以下，頸部の実質臓器以外の嚢胞性腫瘤および画像上嚢胞性腫瘤と類似する病変の画像診断，臨床および必要とされる範囲の発生学を解説する．

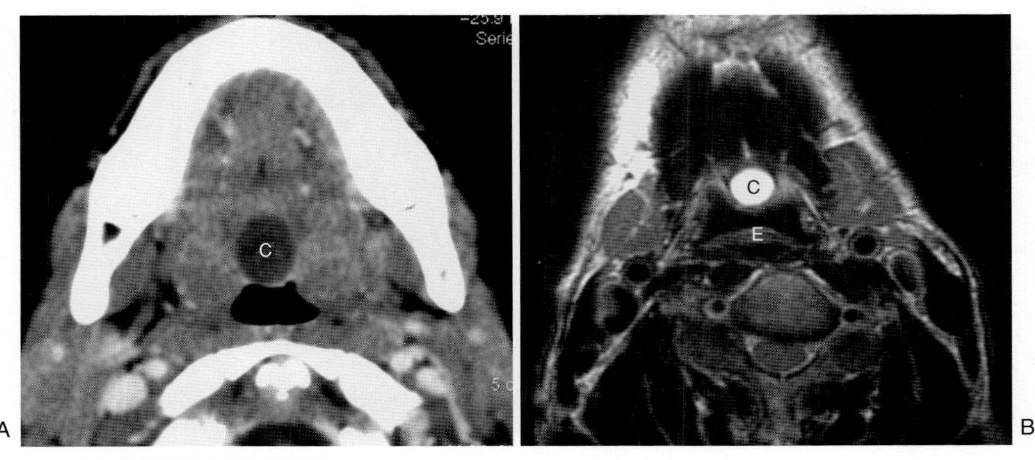

図2　甲状舌管囊胞（舌骨上型）

A：口腔レベル造影 CT．舌可動部と舌根との境界レベル，ほぼ正中，舌盲孔領域に一致して単房性囊胞性腫瘤（C）あり．

B：別症例の舌根レベル T2 強調横断像．舌根部ほぼ正中，舌盲孔レベル粘膜下に単房性囊胞性腫瘤（C）を認める．E：喉頭蓋

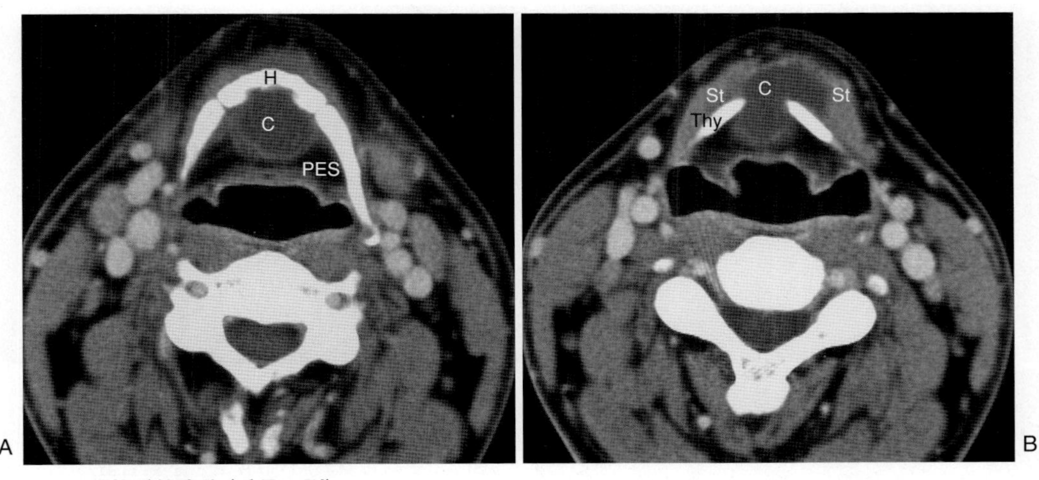

図3　甲状舌管囊胞（舌骨下型）

A：舌骨レベル造影 CT．舌骨体部（H）後方に隣接して声門上喉頭の喉頭蓋前間隙（PES）に囊胞性腫瘤（C）を認める．

B：図 A よりもやや尾側レベル．囊胞性腫瘤（C）は甲状舌骨膜を介して，頸部前面ほぼ正中に膨隆する．舌骨下筋（St）深部に位置する．Thy：甲状軟骨側板上縁

B　先天性頸部囊胞性腫瘤

1　甲状舌管囊胞（正中頸囊胞，thyroglossal duct cyst）

先天性頸部病変のうち 70％と最も高頻度で，頸部腫瘤として良性リンパ節腫大に次いで多い．人口の約 7％に生じると推定されている[1]．若年者に多く，50％が 20 歳まで，70％が 30 歳までにみつかる．性差はない．胎生 3 週に舌根部の憩室（成人では舌盲孔となる；舌の前方 3 分の 2 と後方 3 分の 1 との接合部の正中）から発生する甲状腺原基が舌，口腔底の筋を貫き，第 3 および第 4 鰓囊と融合して舌骨，喉頭の前方を下行，最終的な甲状腺の位置に至るとき，その経路に甲状舌管が残される（図 1）．通常は胎生 8〜10 週で退縮するが，約 5％で甲状舌管内に甲状腺組織の遺残を認め，この上皮細胞分泌機能の退縮不全により囊

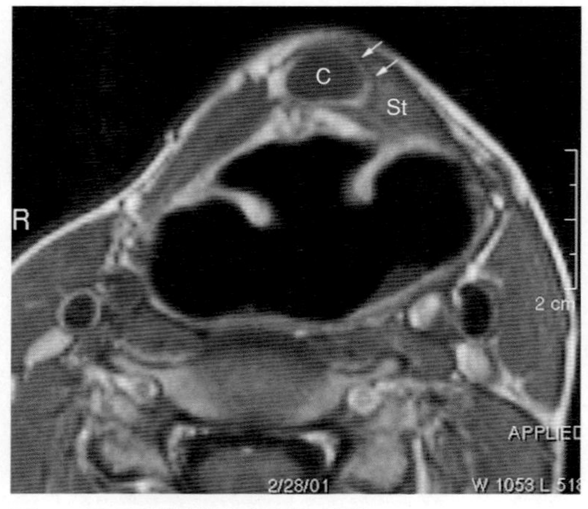

図 4　甲状舌管囊胞（舌骨下型）
甲状舌骨膜レベル MRI，造影後 T1 強調横断像において壁の軽度増強効果を示す単房性囊胞性腫瘤（C）が頸部前面，ほぼ正中に位置する．舌骨下筋（St）の深部に入り込むように（矢印）認められる．

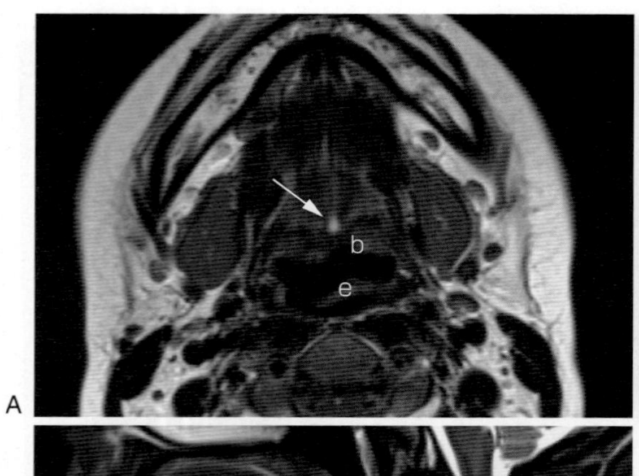

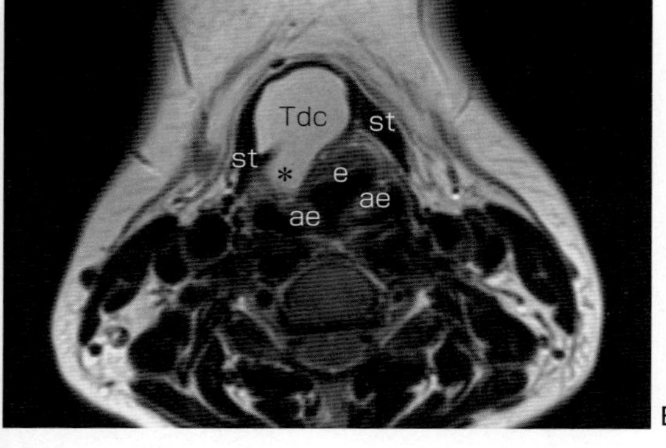

図 5　甲状舌管囊胞（舌骨上・下混合型）
舌根レベルの MRI T2 強調横断像（A）において，舌根（b）正中粘膜下に小囊胞所見（矢印）を認める．e：舌骨上喉頭蓋．舌骨下レベル（B）では前頸部の正中から右傍正中において，舌骨下筋（st）深部に単房性囊胞性腫瘤（Tdc）を認める．後方で甲状舌骨膜を越えて喉頭蓋前間隙に膨隆（*）を示す．ae：披裂喉頭蓋ひだ，e：舌骨下喉頭蓋．STIR 正中矢状断像（C）において，舌根（b）粘膜下の小囊胞（矢印），舌骨下前頸部の囊胞性腫瘤（Tdc）を認める．矢頭：舌骨体部，e：舌骨上喉頭蓋，tr：気管，u：口蓋垂

胞を生じたものである．なお，この下行が不完全であった場合は異所性甲状腺として認められる．組織学的に囊胞壁は扁平上皮から重層線毛円柱上皮までが認められ，ときに唾液腺あるいは甲状腺組織を含む[2,3]．甲状舌管の経路（図 1）上，いずれの部位にも生じうるが，舌骨上レベルが 20%（舌内は 1～2%）（図 2），舌骨レベルが 15%，舌骨下レベルの甲状舌骨膜上（図 3，4）が 65% である[4]．舌骨上から舌骨下に連続する病変（図 5）を示すこともあり，実臨床でも舌骨から舌骨下頸部

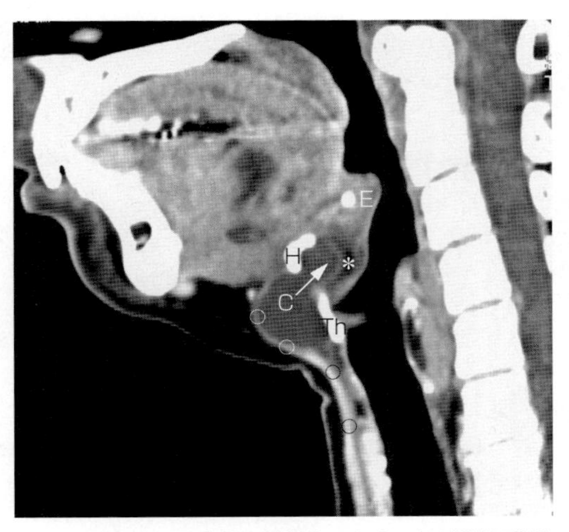

図6　舌骨から舌骨下頸部にまたがる甲状舌管囊胞

造影CT矢状断再構成画像で，舌骨(H)から舌骨下頸部前面で，舌骨下筋(○)深部に囊胞性腫瘤(C)を認め，後方では甲状舌骨膜を介して，喉頭蓋前間隙(＊)へ進入(矢印)する．E：喉頭蓋，Th：甲状軟骨

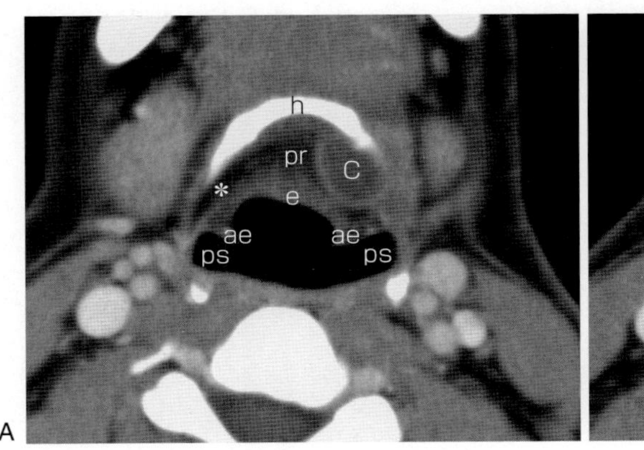

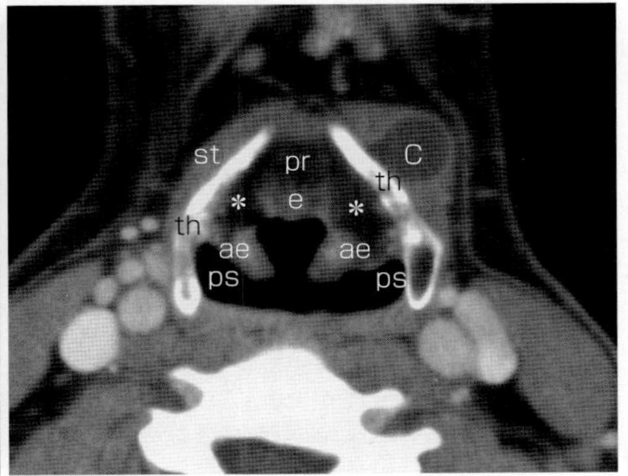

図7　傍正中に位置する甲状舌管囊胞

舌骨レベルの造影CT(A)において，喉頭蓋前間隙(pr)左側から左傍声帯間隙(対側で＊で示す)を占拠する囊胞性腫瘤(C)を認める．ae：披裂喉頭蓋ひだ，e：喉頭蓋軟骨，h：舌骨体部，ps：梨状窩．甲状軟骨レベル(B)で左舌骨下筋(対側でstで示す)深部に囊胞性腫瘤(C)を認める．＊：傍声帯間隙，ae：披裂喉頭蓋ひだ，e：喉頭蓋軟骨，h：舌骨体部，pr：喉頭蓋前間隙，ps：梨状窩

レベルに連続する病変が多く，しばしば甲状舌骨膜レベルで後方の喉頭蓋前間隙への膨隆を伴う(図3，6，7)．舌骨上病変は正中に位置するのが典型的であるが，舌骨下病変はしばしば偏在して傍正中にみられる(図7〜9)．全体として正中病変が75%，傍正中病変が25%である[5]．しばしば増大，縮小の変動があり，約3分の1で(反復性)感染の既往を示す，あるいは活動性感染性囊胞として現れるとされる[6]．嚥下動作時あるいは舌を突き出す際，舌骨とともに動くのが特徴的とされる．

Waddellらは臨床的に甲状舌管囊胞とされたうち46%のみが病理学的に甲状舌管囊胞と診断されたと報告[7]しており，質的診断の確定に術前画像が重要[8]であり，画像診断(表3：p733)には質的診断の確定(他の類似疾患の否定)，進展範囲の

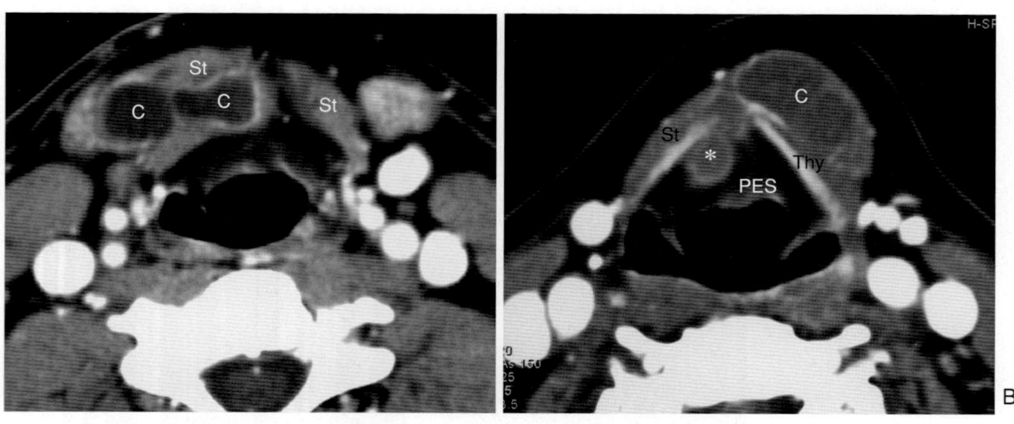

図 8　傍正中に位置する甲状舌管囊胞

A：甲状舌骨膜レベル造影 CT．舌骨下筋(St)深部，右傍正中に多房性囊胞性腫瘤(C)を認める．

B：別症例の甲状軟骨側板上縁レベル造影 CT．左甲状軟骨側板(Thy)表面に接して，舌骨下筋(対側で St で示す)深部に囊胞性腫瘤(C)を認める．同病変は甲状切痕を介して，声門上喉頭の喉頭蓋前間隙(PES)に連続(＊)する．

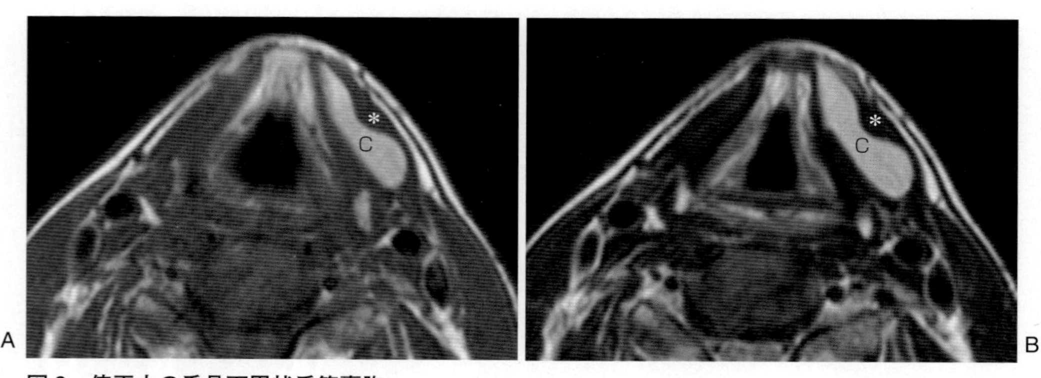

図 9　傍正中の舌骨下甲状舌管囊胞

MRI T1 強調像(A)，T2 強調像(B)において，左舌骨下筋(＊)深部に囊胞性腫瘤(C)を認める．T1 強調像(A)では，内部は高信号強度を呈し，高蛋白内容を反映する．

把握，気道への影響などの評価が望まれる．小児では超音波検査が用いられることも多い．典型的には 1.5～3 cm 大の境界鮮明な壁の薄い囊胞性腫瘤として認められ，ときに隔壁をもち多房性を呈する(図 8，10)．CT 上，典型的には内部は均一な低吸収を示す(94％)[9]．オトガイ下リンパ節病変(図 11)は理学的所見でしばしば同病変と区別困難であり，同病変と誤認して検査が行われる場合も少なくない．舌骨下傍正中病変では舌骨体部正中に向かう瘻孔様経路が確認されれば診断可能である．MRI T2 強調像がこの描出に最も優れる．T1 強調像では内容液の性状により高信号を示す場合がある(図 9A，10B)．CT でも比較的高い濃度を示す場合(図 12)もあり，軟部濃度腫瘤が鑑別となりうる．60％の症例で感染による所見の修飾を認めるが，これには壁の肥厚と増強効果(被膜の軽度増強効果は正常)，周囲組織層の消失，脂肪の混濁などが含まれる(図 13)．また，舌骨下レベル病変は舌骨下筋群(infrahyoid strap muscle)深部の局在が画像での質的診断において最も重要である(図 3～10)．画像上，最も誤診しやすいのは(脂肪成濃度・信号の明らかでない)皮様囊腫であるが，既述のとおり甲状舌管囊胞は舌を突き出すことで動くのに対して，皮様囊腫は関

表 3　甲状舌管嚢胞の画像所見

舌骨上型	舌根正中粘膜下 単房性嚢胞性腫瘤
舌骨・舌骨下型	多くは舌骨体部に隣接 正中あるいは，しばしば傍正中 舌骨下筋深部 後方でときに甲状舌骨膜・上甲状切痕を介して喉頭蓋前間隙に膨隆 単房性あるいは，しばしば多房性

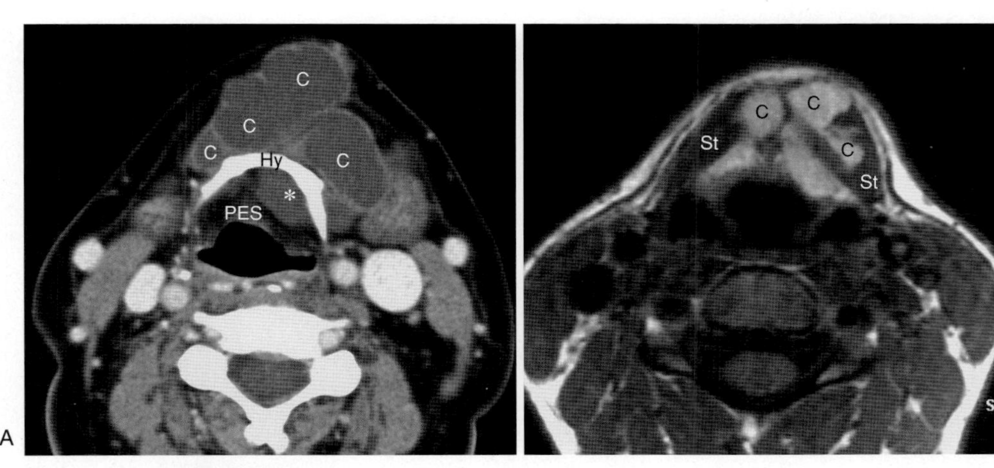

図 10　多房性甲状舌管嚢胞

舌骨レベル造影 CT（A）において頸部前面に多房性嚢胞性腫瘤（C）を認め，舌骨体部（Hy）背側において声門上喉頭の喉頭蓋前間隙（PES）内にも進展（＊）あり．

別症例の舌骨下頸部レベル MRI T1 強調横断像（B）において舌骨下筋（St）深部に内容が高信号を示す多房性嚢胞性腫瘤（C）を認める．

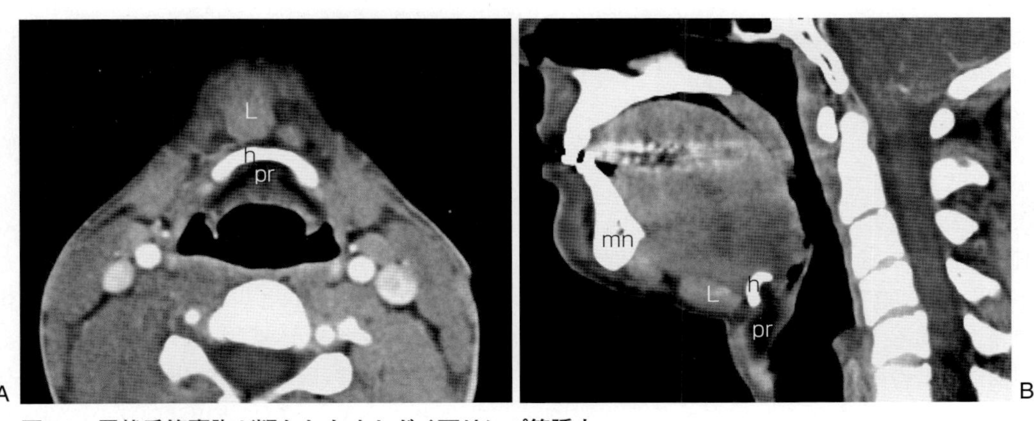

図 11　甲状舌管嚢胞が疑われたオトガイ下リンパ節腫大

舌骨レベル造影 CT（A）において，舌骨前方に隣接して軟部濃度結節（L）を認める．横断像のみでは高タンパク内容により軟部腫瘤に類似の内部濃度を呈する甲状舌管嚢胞の否定は困難．h：舌骨，pr：喉頭蓋前間隙．矢状断像（B）で軟部濃度結節（L）は舌骨下前頸部ではなくオトガイ下三角に位置しており，（甲状舌管嚢胞ではなく）オトガイ下リンパ節腫大を示唆する．h：舌骨，mn：下顎骨，pr：喉頭蓋前間隙

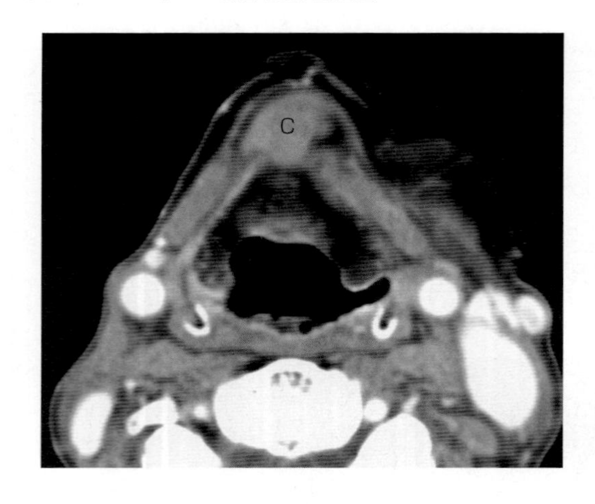

図12　甲状舌管嚢胞
造影CT横断像．舌骨下頸部前面に，（軟部濃度に類似する）やや高い内部濃度を示す病変(C)を認める．

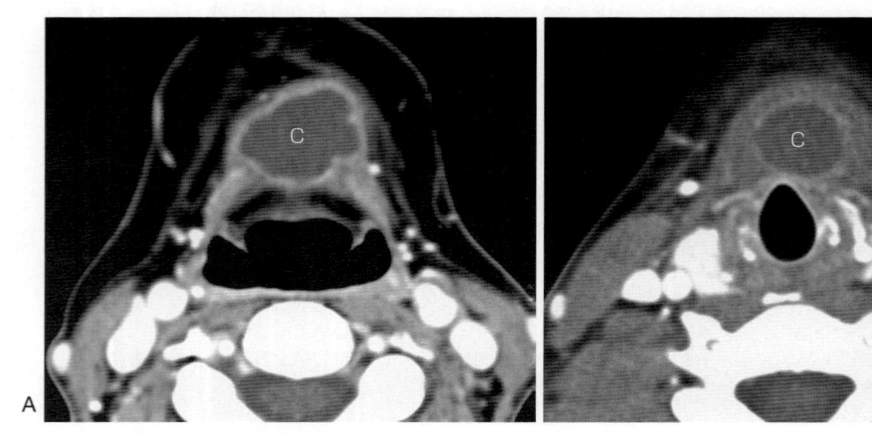

図13　感染を伴う甲状舌管嚢胞2例
造影CT横断像(A, B)．舌骨下甲状舌管嚢胞(C)を認め，いずれの病変も壁の肥厚・増強効果を伴う．境界もやや不明瞭であり，隣接脂肪は炎症性浮腫による混濁を示す．

連した動きを示さないことで理学的に区別可能な場合が多い[6]．内部に充実部分をみた場合，異所性甲状腺組織か腫瘍の合併を疑うが，悪性腫瘍の合併(図14)は1%前後とまれで，その中では乳頭癌が最も多く(80%)，その他，濾胞癌，扁平上皮癌の報告がある．臨床的には嚢胞壁の充実性腫瘤，周囲構造との固定，急速な増大，頸部リンパ節腫瘤触知などで癌合併が示唆される[10]．実際は切除標本の中で偶発的に発見される場合が多く，術前に疑われる例は少ない．悪性腫瘍合併は女性に多いとされる．平均発症年齢は女性で40歳，男性で38歳と，通常の甲状腺癌よりやや若い[10]．画像診断では充実性腫瘤の他，微小石灰化，リンパ節転移の存在が癌合併を示唆する[10]．穿刺細胞診の感度は56～62%と低く，嚢胞内容液により希釈されるためと考えられる[11]．頸部リンパ節転移の頻度は7～75%と検討による差が大きいが，これは予防的頸部郭清術に対する考えが一定していないことによる[10]．また甲状腺全摘の同時施行例では25～60%が甲状腺癌およびリンパ節転移(臨床的に甲状舌管嚢胞の癌合併例とされた病変は実際には甲状腺癌の嚢胞性リンパ節転移であった)と報告されている[12,13]．

有症状，あるいは繰り返す感染，腫瘍合併の疑い，診断未確定，整容的問題などの場合が治療対象となる．切開，排膿，部分切除では高頻度(38%)に再発を認め，再発を防ぐためには嚢胞壁のみならず，全経路に至る甲状舌管組織とともに

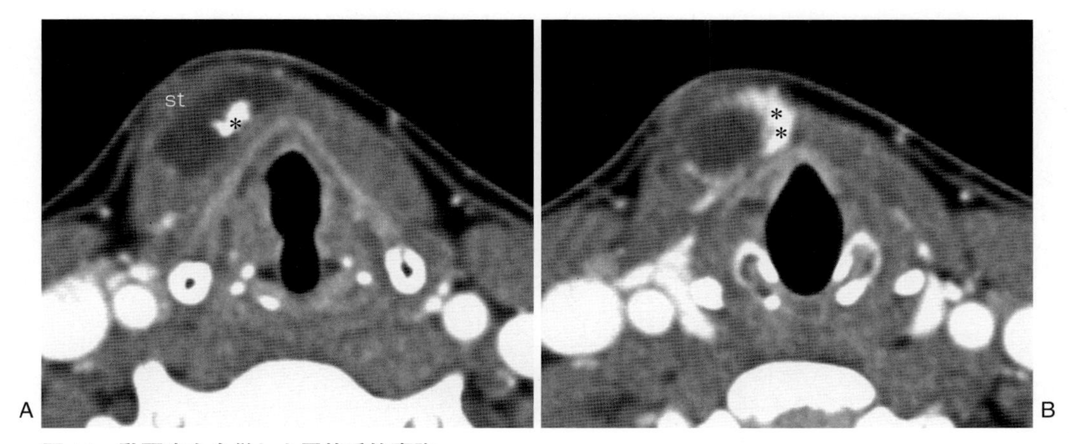

図 14　乳頭癌を合併した甲状舌管嚢胞

甲状軟骨レベルの造影 CT（A）で前頸部，右傍正中で舌骨下筋（st）に嚢胞性腫瘤を認め，壁に石灰化（＊）あり．やや尾側，輪状甲状膜レベル（B）で嚢胞には偏在性に増強効果を伴う充実部（＊）を認める．

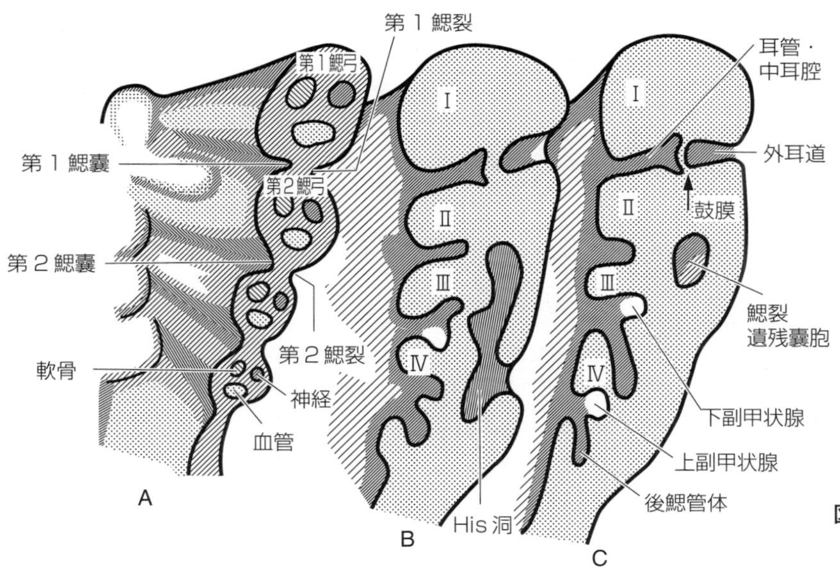

図 15　鰓弓の発生

A：胎生 4～5 週，B：胎生 6 週，C：その後．

舌骨体部の一部，舌盲孔周囲の一部の筋組織を一塊に切除する（Sistrunk の手術；1920 年 W.E. Sistrunk[14]により紹介された）のが原則である．Sistrunk 術の術後再発率は 1～5％である[6]．術後感染と再発が相関するとの報告もある[6]．このため周術期の適切な抗菌薬使用，丁寧な止血，術後ドレナージ等が重要である．一方，術前感染や手術の既往も瘢痕形成による切除困難さ，若年者はより保存的アプローチがとられる傾向にあることから，いずれも再発リスクとなるとの報告がある[10]．ただし，術前抗菌薬投与によるリスク軽減の効果は小さいと思われる．感染急性期，出血傾向，あるいは嚢胞に唯一の機能性甲状腺組織を含んでいる場合などは原則禁忌となる．血腫，出血，感染などの術後合併症により 2.6％で再手術を要するが，重篤な術後合併症はまれである[15]．最近では神経損傷，再発や整容的観点から，より低侵襲の硬化療法の報告もみられる[16,17]．

表4 鰓裂，鰓嚢の発生

鰓弓レベル	鰓裂(外胚葉)	鰓嚢(中胚葉)
第1	外耳道 耳介	耳管 中耳腔
第2	(消失)遺残により側頸嚢胞を生じる	口蓋扁桃
第3	(消失)	下副甲状腺 胸腺
第4	(消失)	上副甲状腺
第5	(消失)	(消失)
第6	(消失)	最終鰓体 カルシトニンC細胞

表5 各鰓弓由来の構造

鰓弓	骨・軟骨	筋肉	靱帯	神経
第1(下顎)	[Meckel 軟骨] ツチ骨(大部分) キヌタ骨(一部)	咀嚼筋 鼓膜張筋 口蓋帆張筋 顎二腹筋前腹 顎舌骨筋	蝶形下顎靱帯 前ツチ骨靱帯	三叉神経(V)
第2(舌骨)	[Reichert 軟骨] アブミ骨(底部を除く) ツチ骨柄 キヌタ骨長脚 茎状突起 舌骨(小角，体部の一部)	アブミ骨筋 茎突舌骨筋 顎二腹筋後腹 顔面表情筋	茎突舌骨靱帯	顔面神経(Ⅶ)
第3	舌骨(大角，体部)	茎突咽頭筋		舌咽神経(Ⅸ)
第4	甲状軟骨 喉頭蓋	咽頭収縮筋		上喉頭神経 (迷走神経；X)
第5	(消退)	(消退)	(消退)	(消退)
第6	披裂軟骨 輪状軟骨 楔状軟骨			反回神経 (迷走神経；X)

2 鰓裂嚢胞(branchial cleft cyst)

頭頸部を構成する耳，舌，咽頭，喉頭，口蓋，甲状腺，副甲状腺，さらには気管，気管支，肺，胸腺などの発生のもとともなる鰓弓(神経堤細胞由来)と間葉組織(外側中胚葉由来)は胎生4週末には容易に確認されるようになるが，鰓弓・鰓器官についての最初の記述は1827年von Baerによる[18]．鰓弓は移動してきた神経堤細胞と咽頭内胚葉により6つの各大動脈弓の周囲に形成されるが，第5鰓弓は消失する．結果，5対(第1，2，3，4，6)の鰓弓をもとにして既述の構造が発生する(図15)．隣接する各鰓弓とは外表面(外胚葉に覆われる)の“鰓裂(branchial cleft)”，内腔面(内胚葉に覆われる)の“鰓嚢(咽頭嚢)[branchial pouch(pharyngeal pouch)]”と呼ばれる両面からの切れ込みにより区分される(表4)．各鰓弓からそれぞれ固有の解剖構造が発生する(表5)．

鰓器官(鰓弓，鰓裂および鰓嚢の総称)の発生異常は先天性頸部腫瘤の約17〜30％で，発生に性差はみられない[19]．各鰓弓に由来する器官の異常とともに鰓裂，鰓嚢の発生異常，退縮障害に伴う異常を含む．結果，嚢胞，洞，瘻孔のみでなく，側頭骨奇形，頭蓋顔面奇形から全身疾患まで

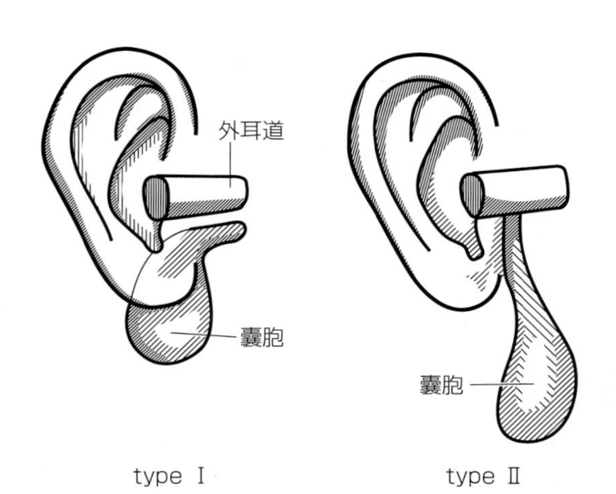

図 16　第 1 鰓裂囊胞の Work 分類シェーマ
(Work WP：Laryngoscope **82**：1581-1593, 1972)

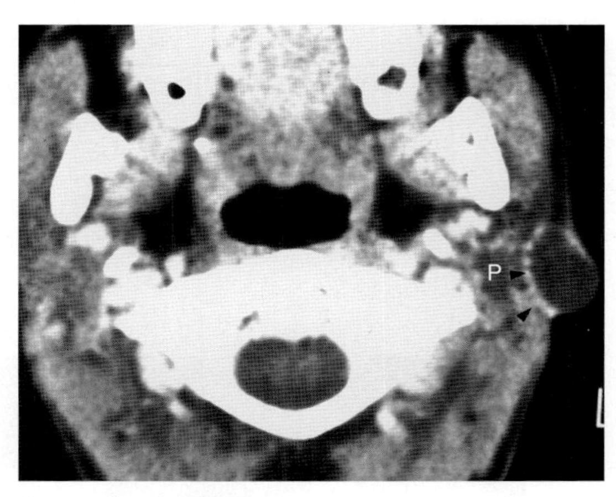

図 17　第 1 鰓裂囊胞
耳下腺レベル造影 CT において左耳下腺(P)浅葉表層に単房性囊胞性腫瘤(矢頭)を認める.

も含む幅広い異常を呈する. ただし, 第 1 鰓器官, 第 2 鰓器官以外の発生異常は極めてまれである. このうち, 本章の記述対象となる囊胞(cyst；内腔, 外表面との交通なし)や洞(sinus；外表面あるいは内腔いずれかとのみ交通あり), 瘻孔(fistula；内腔, 外表面の間の異常交通)は, 鰓裂, 鰓囊の発生, 退縮のさまざまな程度の障害から生じる. banchial fistula の用語は 1864 年 Heusinger[20] により初めて用いられ, 側頸囊胞が鰓器官発生に関連することは 1912 年に Wenglowski[21] が初めて推察した. 通常, 片側性であり, 両側性は 2〜3％程度でしばしば家族性である. 洞の場合, 通常, 外表面と交通し, 咽頭腔との交通をみるのはまれである. 第 1 鰓弓と第 2 鰓弓を分けるのは第 1 鰓裂, 第 1 鰓囊である. すなわち, 第 1 鰓裂囊胞は第 1 鰓弓に由来する解剖学的構造の尾側に位置する. このように各鰓裂囊胞は多少の幅をもつものの, 予測される解剖学的部位に生じることを理解することが画像診断上重要である. さらに臨床分類も外科的治療を考慮する際に必要となる. 以下に各鰓裂囊胞につき, 解説する.

a. 第 1 鰓裂囊胞

第 1 鰓弓(表 5)の間質に由来する Meckel 軟骨は胎生 41〜45 日に現れ, その背側端から耳小骨の一部(ツチ骨, キヌタ骨)を形成, 中間部は退縮して周囲の軟骨膜から前ツチ骨靱帯, 蝶形下顎靱帯を形成, 腹側端は対側と融合して下顎骨原基を形成する. 第 1 鰓弓由来の筋肉には咀嚼筋, 鼓膜張筋, 口蓋帆張筋, 顎二腹筋前腹, 顎舌骨筋が含まれ, 三叉神経に支配される. 第 1 鰓裂の背側部から外耳道が形成される. 腹側部は退縮するが, 退縮不全は第 1 鰓裂囊胞 Arnot Ⅱ型(後述)のもととなる. 第 1 鰓囊より耳管, 中耳腔が生じるが, その最外側部は薄層の間質を介して第 1 鰓裂最内側部と接し, 鼓膜を形成する(図 15). 結果として, 鼓膜の形成には内・中・外胚葉のすべてが関与することとなる.

第 1 鰓器官の発生異常は, 鰓器官発生異常全体の 5〜8％と比較的まれで, 古典的鰓裂囊胞, 側頭骨異常, 頭蓋顔面異常などが含まれる.

第 1 鰓裂囊胞は外耳道, 中耳, 上咽頭に沿ったどの部位にも生じうる. 左右優位性はなく, 中年女性に多い. 臨床症状は, 頸部, 耳下腺, 耳領域の 3 つに大きく分けられ, 頸部では顎下部近傍の瘻孔からの分泌(感染により膿性), 耳下腺部では耳下腺下極あるいは乳突部の囊胞性腫瘤(しばしば感染による増大, 膿瘍化により顕在化), 耳領域では粘液性あるいは膿性の耳漏として認められる[22]. 中耳炎を伴わない反復性・慢性耳漏では同病態が示唆される[23]. 1971 年に Arnot[24], 1972 年に Work[25] により(図 16), それぞれ別々に 2 つの亜型(Ⅰ型, Ⅱ型)への分類が提唱された. これらの分類は CT, MRI 以前のもので, 画

表6　第1鰓裂囊胞のOlsen分類

囊胞	外耳道や頸部との交通のない腔	通常，CN7より表在性
洞	外耳道あるいは頸部に開口する盲端で終わる腔	通常，CN7より表在性
瘻孔	連続する管状構造で外耳道，頸部の両者に開口	通常，CN7より深在性

（Olsen KD, Maragos NE, Weiland LH : Laryngoscope **90** : 423–436, 1980）

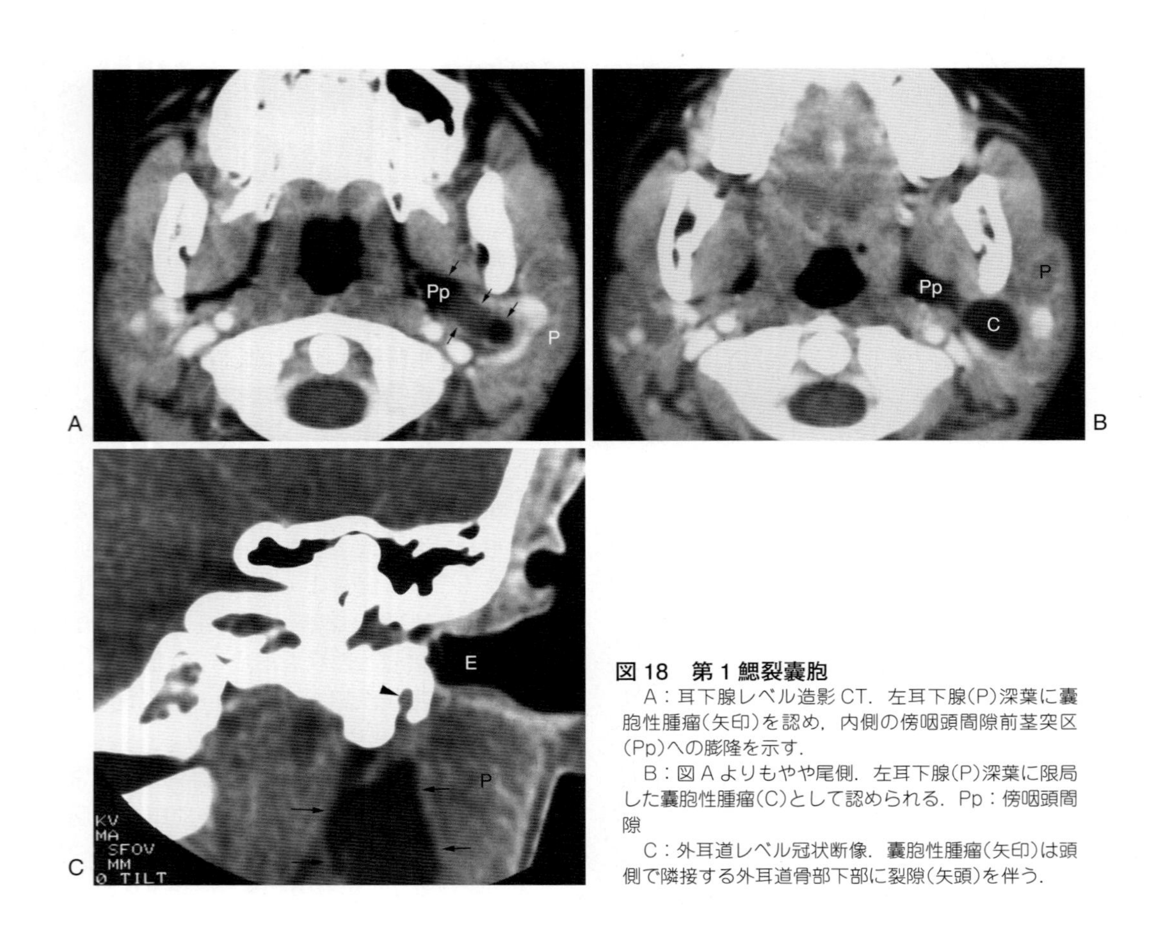

図18　第1鰓裂囊胞

A：耳下腺レベル造影CT．左耳下腺(P)深葉に囊胞性腫瘤(矢印)を認め，内側の傍咽頭間隙前茎突区(Pp)への膨隆を示す．

B：図Aよりもやや尾側．左耳下腺(P)深葉に限局した囊胞性腫瘤(C)として認められる．Pp：傍咽頭間隙

C：外耳道レベル冠状断像．囊胞性腫瘤(矢印)は頭側で隣接する外耳道骨部下部に裂隙(矢頭)を伴う．

像診断にはArnot分類がより適用しやすいが，臨床ではWork分類がより広く受け入れられている[26]．Arnot Ⅰ型は取り残された鰓裂上皮細胞から扁平上皮に覆われる囊胞，洞を耳下腺内に形成し，若年成人に多くみられ，Ⅱ型は第1鰓裂腹側部の退縮障害により，前頸三角に囊胞または洞を形成，ときに外耳道との交通をもつ．Work Ⅰ型は外胚葉由来の外耳道軟骨部の重複囊胞として耳介前下方に位置するもので，顔面神経の上方から外耳道と平行に走行し，内側は中耳腔の骨壁レベルで盲端として終わる．繰り返す感染により，切開排膿が必要となる．Ⅱ型は中，外胚葉に由来し外耳道，耳朶の重複囊胞として下顎角部にみられ（瘻孔，洞の例では下顎角部あるいは外耳に開口），上方進展は顔面神経の内側あるいは外側を通過して外耳道の軟骨部，骨部接合部に至る．耳下腺に密接に関連した症例はⅡ型に分類されることが多い．これらの分類は病変の理解には有用であるが，実際の病変すべてをこれらの亜分類にあてはめることはできず，厳格な分類というよりも

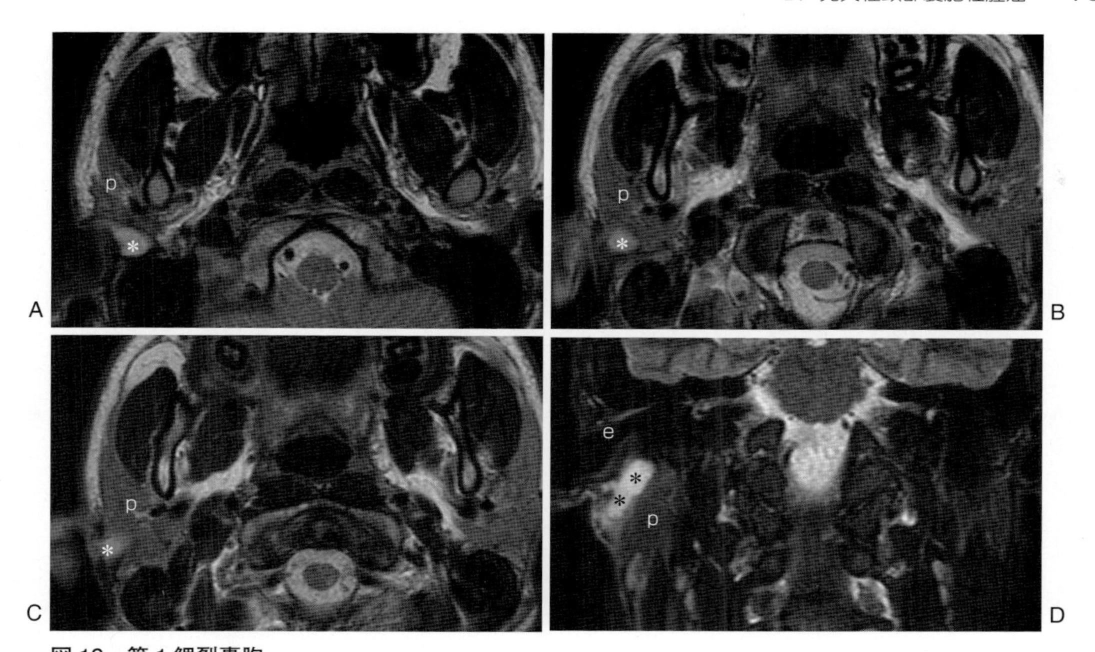

図 19　第 1 鰓裂囊胞

MRI の T2 強調横断像の外耳道直下レベル(A)において，単房性囊胞性腫瘤(＊)を認め，その尾側(B)への病変(＊)の連続性を認め，さらに尾側(C)でやや表在性病変(＊)として皮膚直下に達する．p：右耳下腺．STIR 冠状断像(D)で右外耳道(e)下壁から外側下方の皮膚直下に向かう，やや管状の囊胞性腫瘤(＊)を認める．p：右耳下腺

含まれる病変の幅を示すものとして受け止める必要がある．Aronsohn らは症例の 36％が Work 分類では分類不能であったとしている[27]．また，1980 年に Olsen らは囊胞，洞，瘻孔の 3 つに分ける，より単純な分類(**表 6**)を提唱している[28]．

診断は(最終的な確定には病理学的検索が必要となるが)，病歴，症状，理学的所見とともに画像診断による総合的判断がなされる．早期診断は，再発につながる不適切な排膿や部分的な摘出などを回避する意味において重要である[29, 30]．さらにこれらの不適切な手技により線維化，瘢痕化を生じ，いずれ必要となる適切な手術施行時の顔面神経同定や分離を困難にする危険性がある[31]．また，25％で生じる二次感染を回避するためにも早期診断が必要となる[32]．

CT は質的診断，他疾患との鑑別とともに病変の局在，進展範囲の把握においても有用であり[32]，特に外耳道，鼓室との関係の評価に優れる[33]．MRI は耳下腺内病変の性状評価，周囲軟部組織との位置関係による進展範囲・様式の把握に有用である[33]．ただし，いずれも顔面神経との相対的位置関係の確定的判断は困難であり，病変の形態，進展範囲の確認から，Olsen の分類(**表 6**)などとの対比により推定するにとどまる．顔面神経同定は手術成功の最も重要な要素のひとつであるが，術中所見として初めて可能な場合も多く，術中電気刺激による顔面神経モニタリングが有用である[31]．画像上は耳下腺表層(**図 17**)，内部あるいは深部(**図 18〜21**)に位置する囊胞性腫瘤としてみられ，外耳道軟骨部・骨部接合部への進展(**図 18C**)や下顎角部への瘻孔を認めれば信頼度より高く診断可能である．ただし，非特異的囊胞性腫瘤の所見を示す例も多く，この場合は他の囊胞性病変との鑑別は困難である．感染合併により壁の不整な肥厚，増強効果を示す．治療は外科的切除が基本となるが，瘻孔全経路を含む切除が必要で，画像診断による進展範囲の評価は重要である．さらに，外科的切除が考慮される側頭骨奇形を伴う症例では，しばしばみられる顔面神経の位置異常(乳突部が通常よりも前方を下行)の確

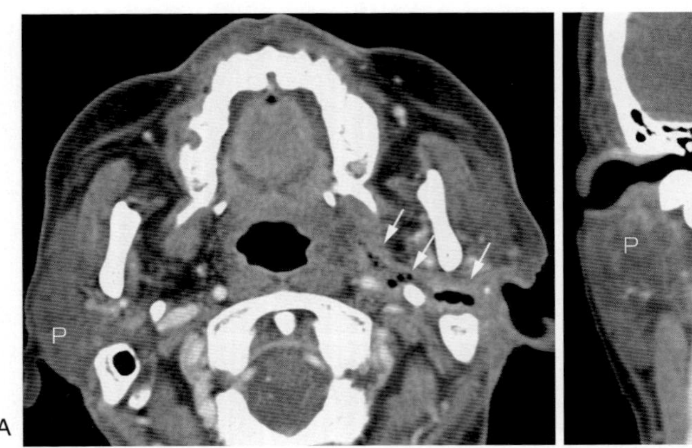

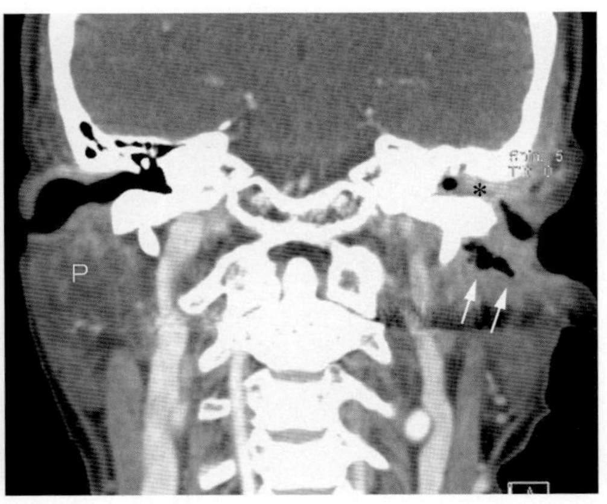

A　B

図 20　第 1 鰓裂嚢胞（洞）

造影 CT 横断像（A）において，左耳下腺（対側で P で示す）領域から深部の傍咽頭間隙に連続する瘻孔様病変（矢印）を認める．水平方向での進展様式は図 18 例と類似する．冠状断再構成画像（B）で，病変（矢印）は外耳道骨部下面に隣接し，外耳道内に炎症性軟部濃度肥厚（＊）を認める．

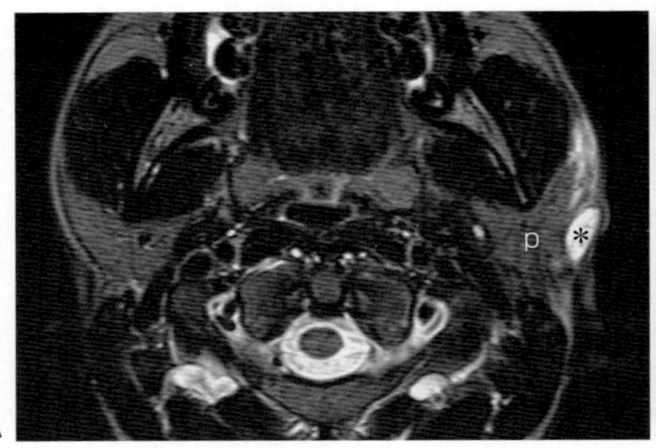

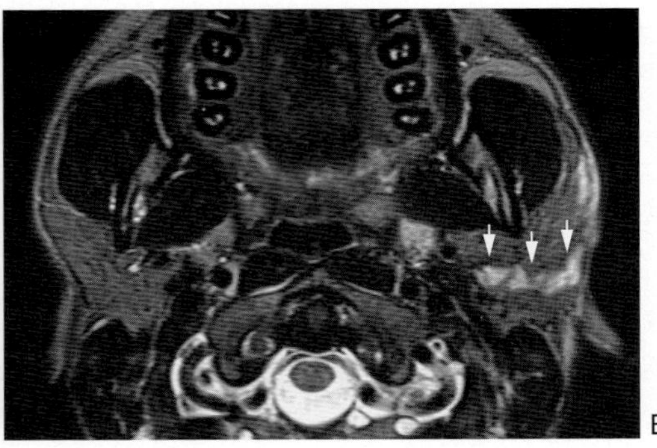

A　B

図 21　第 1 鰓裂嚢胞

耳下腺レベル MRI T2 強調横断像（A）において左耳下腺（p）浅葉に接する皮下に嚢胞性腫瘤（＊）を認め，やや頭側レベル（B）で深部の耳下腺内への連続性（矢印）を示す．

認が極めて重要となる．

b. 第 2 鰓裂嚢胞（側頸嚢胞）

第 2 鰓器官（表 5：p736）の間質に由来する Reichert 軟骨は胎生 45～48 日に現れ，その背側端から（底部を除く）アブミ骨，ツチ骨柄，キヌタ骨長脚，その腹側から茎状突起を形成，中間部は退縮して軟骨膜から茎突下顎靱帯，腹側端は対側と融合して舌骨小角と体上部を形成する．第 2 鰓弓由来の筋肉には顔面表情筋，アブミ骨筋，顎二腹筋後腹，茎突舌骨筋が含まれ，顔面神経に支配される．

鰓器官発生異常の中で第 2 鰓器官由来が 95％を占め，最も多い．頸洞（His 洞）（図 15）の退縮異常を原因とし，第 1 鰓器官と比較して発生の概念も理解しやすい．通常，発症は 10～40 歳で，10 歳以下が多い．性差はない．病型としては嚢胞として現れるものが 4 分の 3 以上と最も多く[5]，典型的には下顎角部に波動を伴う無痛性嚢胞性腫瘤として認める．症例により増大，縮小を示す[34]．上気道感染により急激な増大を示す場合，感染により有痛性となる場合もある[35]．通常，リンパ組織を含む重層扁平上皮，まれに呼吸上皮に覆われる．扁桃から舌骨レベルに至る第 2 鰓器官の経路のいかなる部位にも生じうるが，最も多いのは側頸部上部である．瘻孔，洞では，そ

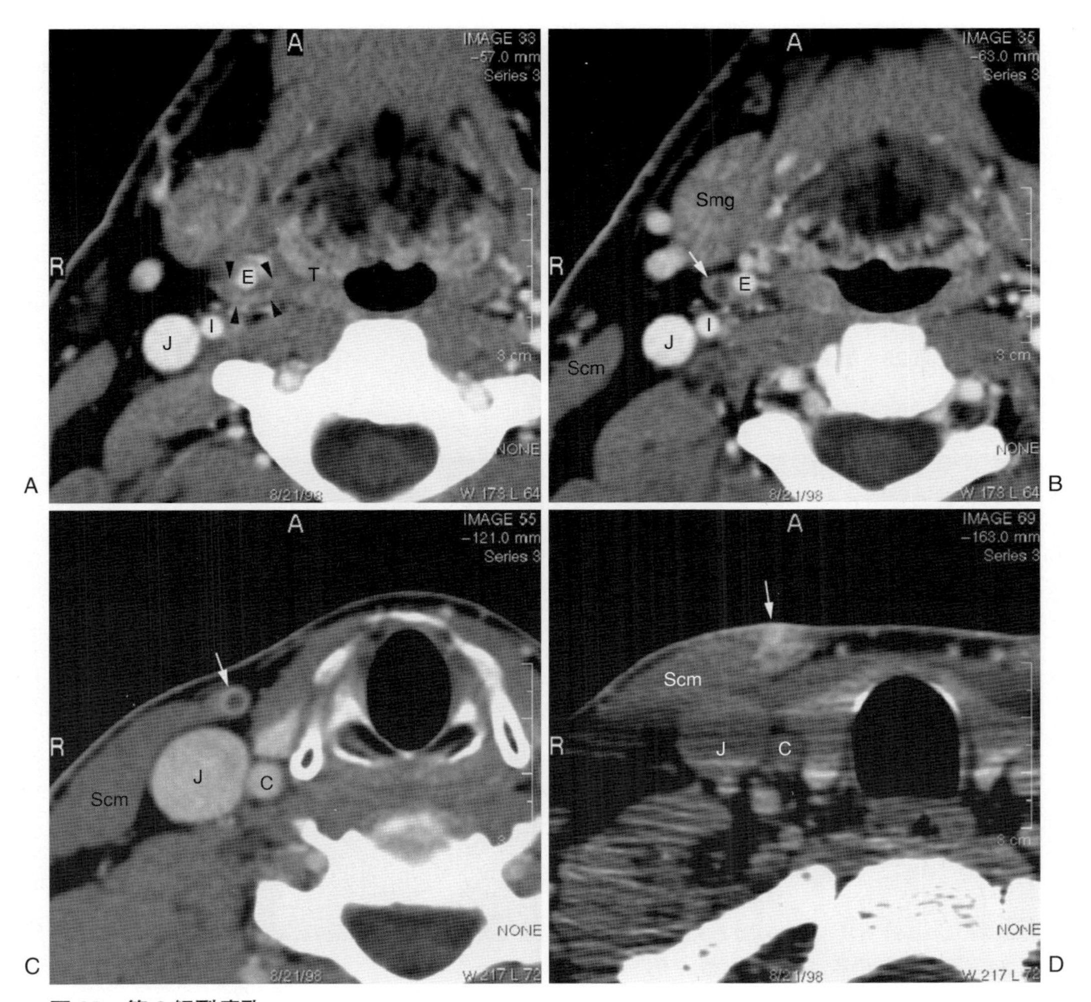

図 22　第 2 鰓裂瘻孔

A：口蓋扁桃レベル造影 CT．右扁桃窩（T）から外側，外頸動脈（E）と内頸動脈（I）との間に連続する索状構造（矢頭）あり．J：内頸静脈

B：尾側レベル造影 CT．図 A の索状構造（矢印）は頸動脈鞘外側に隣接して認められ，内部には瘻孔であることを示す液体濃度を含む．E：外頸動脈，I：内頸動脈，J：内頸静脈，Smg：顎下腺，Scm：胸鎖乳突筋

C：舌骨下頸部レベル造影 CT．瘻孔（矢印）は胸鎖乳突筋（Scm）前縁に位置する．C：総頸動脈，J：内頸静脈

D：尾側，甲状腺レベル造影 CT．瘻孔（矢印）は胸鎖乳突筋（Scm）前縁の皮膚に開口している．C：総頸動脈，J：内頸静脈

の開口は内腔側が扁桃窩，外表面が前頸部，胸鎖乳突筋前縁で鎖骨直上に認められる（図 22）．

Bailey は外科医の立場から第 2 鰓裂囊胞を発生部位により 4 型に分類している[36]（図 23）．Ⅰ型は最も表層性で，胸鎖乳突筋前縁に沿った病変，Ⅱ型は最も多くみられるもので，胸鎖乳突筋前縁に沿い頸動脈鞘の側方，顎下腺の後方に位置する病変（図 24，25），Ⅲ型は内・外頸動脈の間を咽頭側壁に向かう内方進展のある病変，Ⅳ型は咽頭粘膜間隙内で，頸動脈間隙内側に位置する円柱上皮に覆われる病変（図 26，27）を表す．

組織学的に囊胞壁は重層扁平上皮（90％）が覆うことが多いが，ときに呼吸器系の円柱上皮（10％）の場合もある[35]．囊胞壁の粘膜下には活動性胚中心を有する，リンパ節構造を示さないリンパ組織が存在することからリンパ上皮囊胞（lymphoepithelial cyst）とも称される．

画像上は典型的には単房性囊胞性腫瘤として認

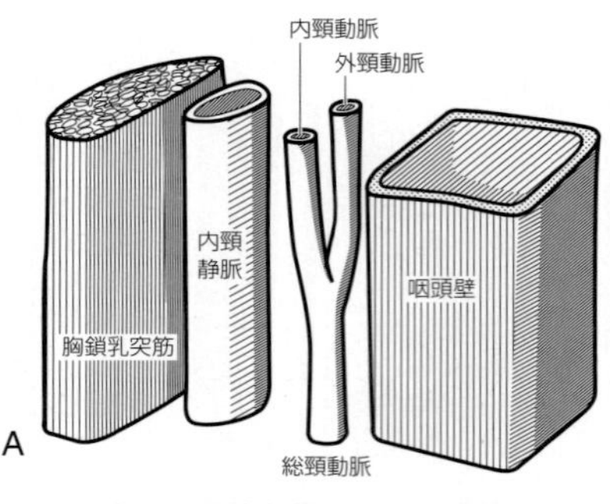

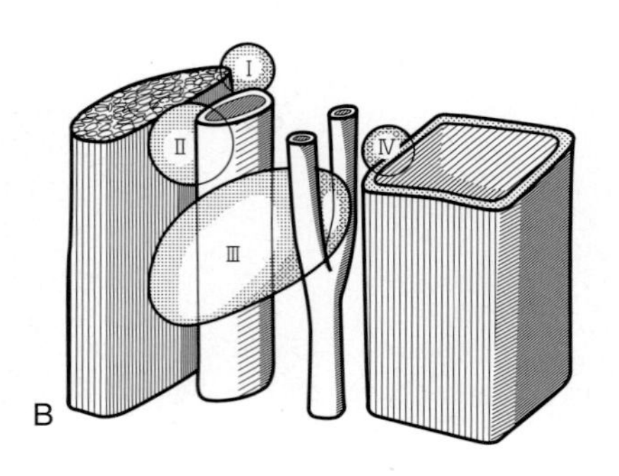

図 23　第 2 鰓裂嚢胞 Bailey 分類
A：指標となる解剖構造.
B：Bailey 分類による 4 型.

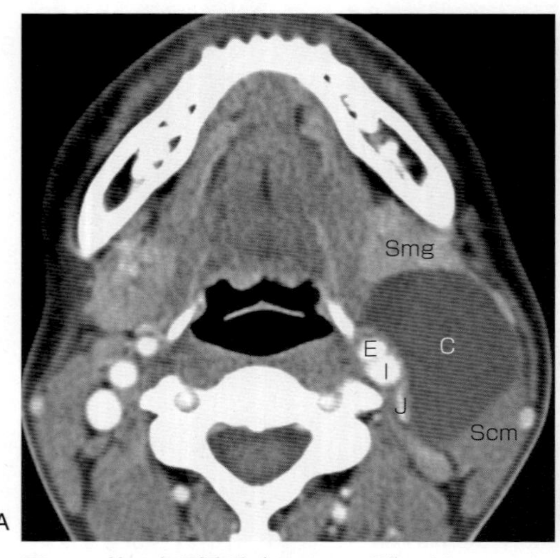

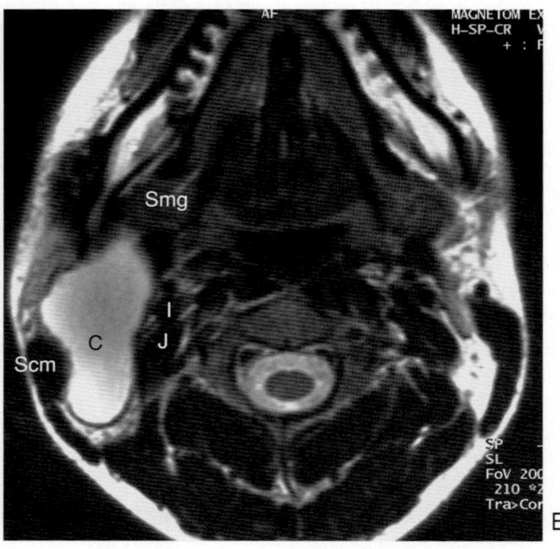

図 24　第 2 鰓裂嚢胞(Bailey Ⅱ型)2 例
造影 CT(A), 別症例の MRI T2 強調横断像(B). いずれも顎下腺(Smg)後方, 胸鎖乳突筋(Scm)深部, 頸動脈鞘側方に隣接して, 単房性嚢胞性腫瘤(C)を認める. I：内頸動脈, E：外頸動脈, J：内頸静脈

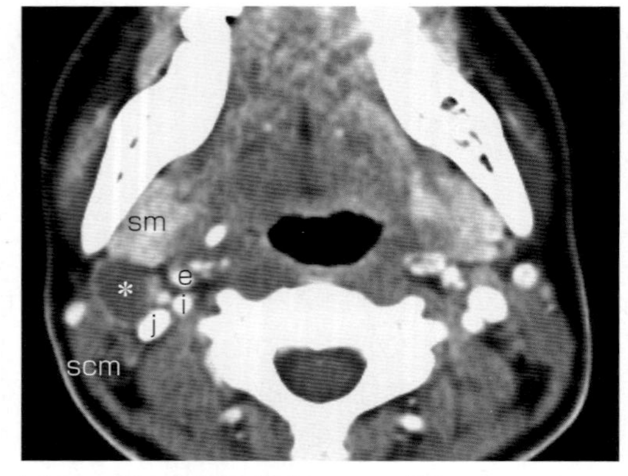

図 25　第 2 鰓裂嚢胞(Bailey II 型)
中咽頭レベル造影 CT. 右側の顎下腺(sm)後方, 胸鎖乳突筋(scm)前縁の深部で頸動脈鞘外側に, 単房性嚢胞性病変(＊)を認める. Bailey II 型の第 2 鰓裂嚢胞に一致するが,(たとえ原発病変が明らかでなかったとしても)レベル II の嚢胞性リンパ節転移(後述：図 31)の否定は困難である.

め, 壁は軽度増強効果を示す. 以前の感染により壁の肥厚, 造影効果の亢進(図 28)を示し, まれに隔壁を伴う多房性腫瘤の様相を呈する(図 29). 症状とともに周囲の脂肪混濁などは活動性炎症を示唆する(図 28B). また, 内容液の性状によりCTでは充実性腫瘤様濃度, MRI T1 強調像で高信号強度, T2 強調像で低信号強度を示す場合がある(図 30). 最も多いⅡ型は横断像上, 顎下腺の後方, 胸鎖乳突筋前内側, 頸動脈鞘の側方に位置する嚢胞性腫瘤として描出される(図 24, 28, 30). HPV 陽性中咽頭癌, 甲状腺癌などによる嚢胞性転移性リンパ節(レベルⅡ)腫大(図 31)との鑑別がしばしば問題となる. 側頸嚢胞の臨床診断

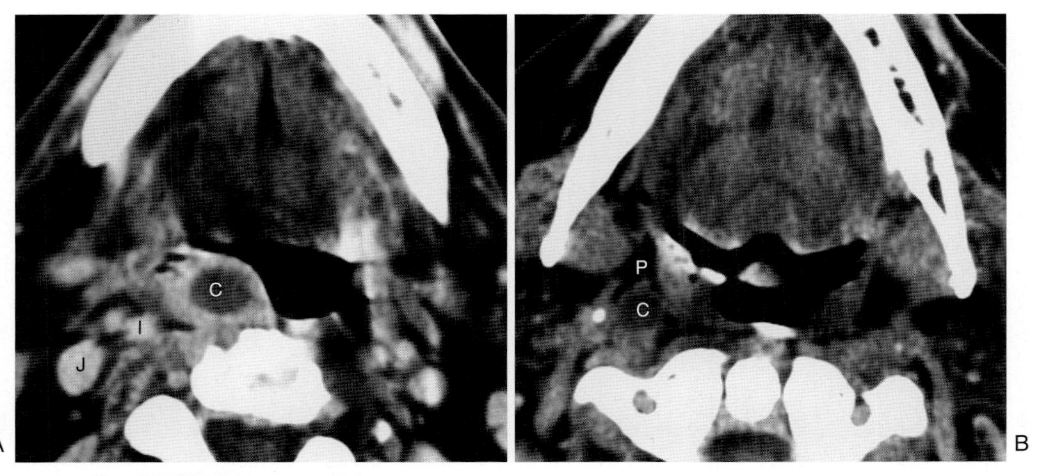

図 26　第 2 鰓裂囊胞（Bailey Ⅳ型）

A：中咽頭レベル造影 CT．咽頭右側壁から後壁に隣接して，単房性囊胞性腫瘤（C）を認める．I：内頸動脈，J：内頸静脈

B：別症例の中咽頭レベル CT．咽頭右側壁に隣接して単房性囊胞性腫瘤（C）あり．P：傍咽頭間隙前茎突区

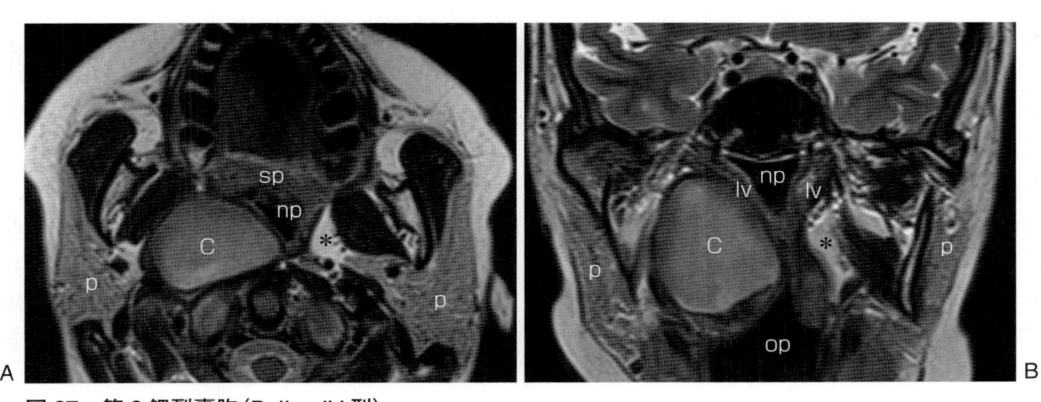

図 27　第 2 鰓裂囊胞（Bailey Ⅳ 型）

軟口蓋レベル MRI T2 強調横断像（A）および冠状断像（B）．咽頭右側壁に隣接して右傍咽頭間隙（対側で＊で示す）に単房性囊胞性腫瘤（C）を認め，咽頭右側壁を壁外性に圧排，偏位している．lv：口蓋帆挙筋，np：上咽頭，op：中咽頭，p：耳下腺，sp：軟口蓋．

例のうち 9.2〜14.4％は術後病理で悪性であることが判明し，最も多いのは扁平上皮癌（HPV 陽性中咽頭癌），甲状腺乳頭癌からの囊胞性リンパ節転移とされる[35]．“くちばし様所見（beak sign）”が内・外頸動脈の間に向かうのを確認すればⅢ型の診断が可能である．咽頭壁に近接して認められるⅣ型はまれであるが，ときに傍咽頭間隙の囊胞性腫瘤として認められる．多くは咽頭後間隙に近接した，傍咽頭間隙内側（深部）を中心とする（図 26，32，33）[37]．多くは無痛性腫瘤としてみられるが，ときに嚥下困難，嚥下痛，下位脳神経症状などを訴える[38]．囊胞変性を伴う下位脳神経由来の神経原性腫瘍，小唾液腺腫瘍などとの鑑別，病変の正確な局在・進展範囲の把握，重要な周囲構造との相対的位置関係の把握において，MRI が有用とされる[39,40]．

癌の合併（鰓性癌）は 0.3％と極めてまれで[41]，その診断（囊胞性リンパ節転移などの除外）には，耳珠前方から鎖骨まで，①胸鎖乳突筋前縁に沿った線上に位置する，②組織学的検索で囊胞壁に良

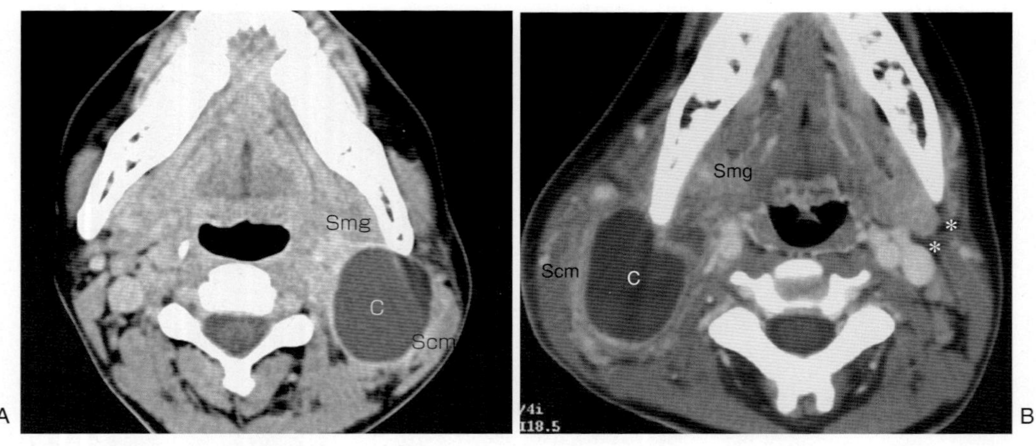

図28　感染性第2鰓裂嚢胞(Bailey Ⅱ型)
A：顎下部レベル造影CT．顎下腺(Smg)後方，胸鎖乳突筋(Scm)前方に隣接して単房性嚢胞性腫瘤(C)あり．嚢胞壁はやや厚く，増強効果を示す．
B：別症例，ほぼ同様のレベル造影CT．図Aと同様の位置に単房性嚢胞性腫瘤(C)あり．やはり，嚢胞壁はやや厚く，増強効果を示す．隣接する脂肪(対側で＊で示す)の混濁がみられ，活動性炎症を示唆する．

性上皮から扁平上皮癌への移行を認める，③5年以上にわたり他部位病変の顕在化なく生存していること，という3つの条件を満たす必要がある．ただし，Khafifらはより実践的に，1）画像，内視鏡，(必要に応じて)生検などを含む精査で原発病変を認めず，2)組織学的にリンパ節の構造を伴わず，部分的に正常な扁平上皮，重層円柱上皮から癌への移行の確認，との2つの診断基準を提唱した[42]．画像上，嚢胞壁の不整な肥厚，壁在結節・充実性成分が鰓性癌を示唆する．良性の第2鰓裂嚢胞であっても偏在性の平滑な壁肥厚を示す場合(図34)も多いが，厚さは4 mmを超えず，範囲は半周以下にとどまるとされる[35]．これは感染による壁肥厚(図28)が全周性を示すのとは異なる．組織学的にはリンパ組織に相当することから，濃度・信号はリンパ節に類似する．

治療は外科的切除であるが，切除の際，大耳介神経，顔面神経下顎縁枝と頸動・静脈を損傷しないように注意が必要である．経路の長い病変の切除における皮膚切開は上下2ヵ所の平行する切開線をとる．垂直の切開線は瘢痕形成が審美的問題となり，回避すべきである．

c. 第3，第4鰓裂嚢胞・梨状窩瘻孔

1972年，SandbornとShaferは梨状窩瘻孔が発生学的に鰓器官，特に第3あるいは第4鰓嚢に由来することを報告[43]，1973年にTuckerとSkolnickはバリウムでの咽頭造影により瘻孔を証明[44]，1979年にTakaiらは梨状窩瘻孔に起因する急性化膿性甲状腺炎の7例を報告[45]，1997年にKubotaらは新生児，小児で梨状窩瘻孔が化膿性甲状腺炎の原因になりうることを最初に確認した[46]．第3および第4鰓器官発生異常はまれであり，鰓器官発生異常全体の3〜10％に過ぎない[47]．

第3鰓器官(表5：p736)からは舌骨大角，体下部，筋肉としては茎突咽頭筋，咽頭収縮筋が生じ，舌咽神経(CN9)が支配する．第3鰓嚢背側部からは下副甲状腺，腹側部からは胸腺が由来する．これらの構造は胎生7週までに退縮する胸腺咽頭管(thymopharyngeal duct)を介した咽頭腔との交通を残しながら下行する(図15)．

第4鰓器官(表5)からは甲状軟骨，喉頭蓋軟骨，筋肉としては咽頭収縮筋が生じ，迷走神経(CN10)の枝である反回神経に支配される．

第3鰓器官の発生異常は全体の1％以下と極めてまれで[48]，瘻孔，嚢胞，全身性疾患に区別される．第3鰓裂瘻孔は発生学の理論上，第3鰓器官構造の深部，第4鰓器官構造の表層を通過する．瘻孔の外表面開口は第2鰓裂瘻孔の場合と同

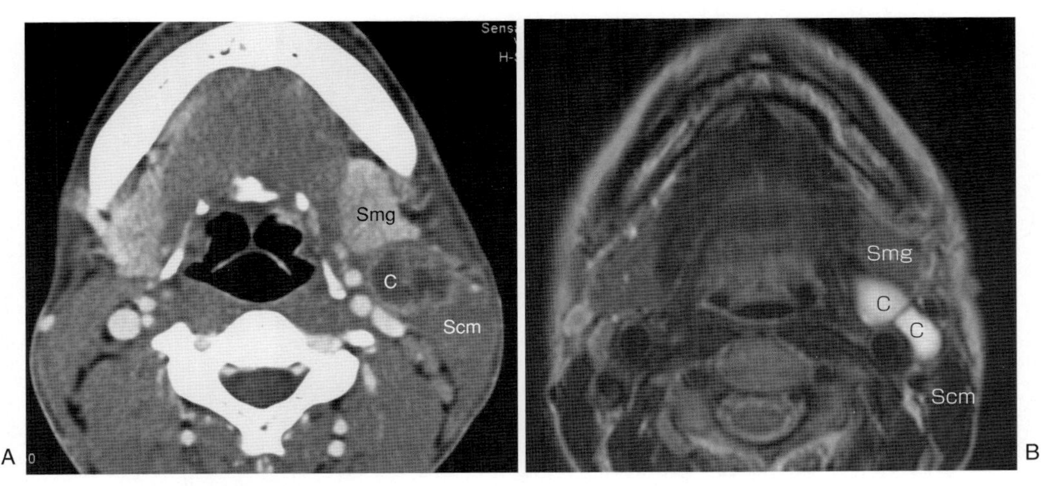

図 29　多房性第 2 鰓裂囊胞 2 例

顎下部レベル造影 CT（A），別症例の MRI T2 強調像（B）．左顎下腺（Smg）後方，胸鎖乳突筋（Scm）前内側に隣接して，内部に隔壁を伴う囊胞性腫瘤（C）を認める．図 A では，囊胞壁・隔壁は肥厚と増強効果を示し，感染合併を示唆する．

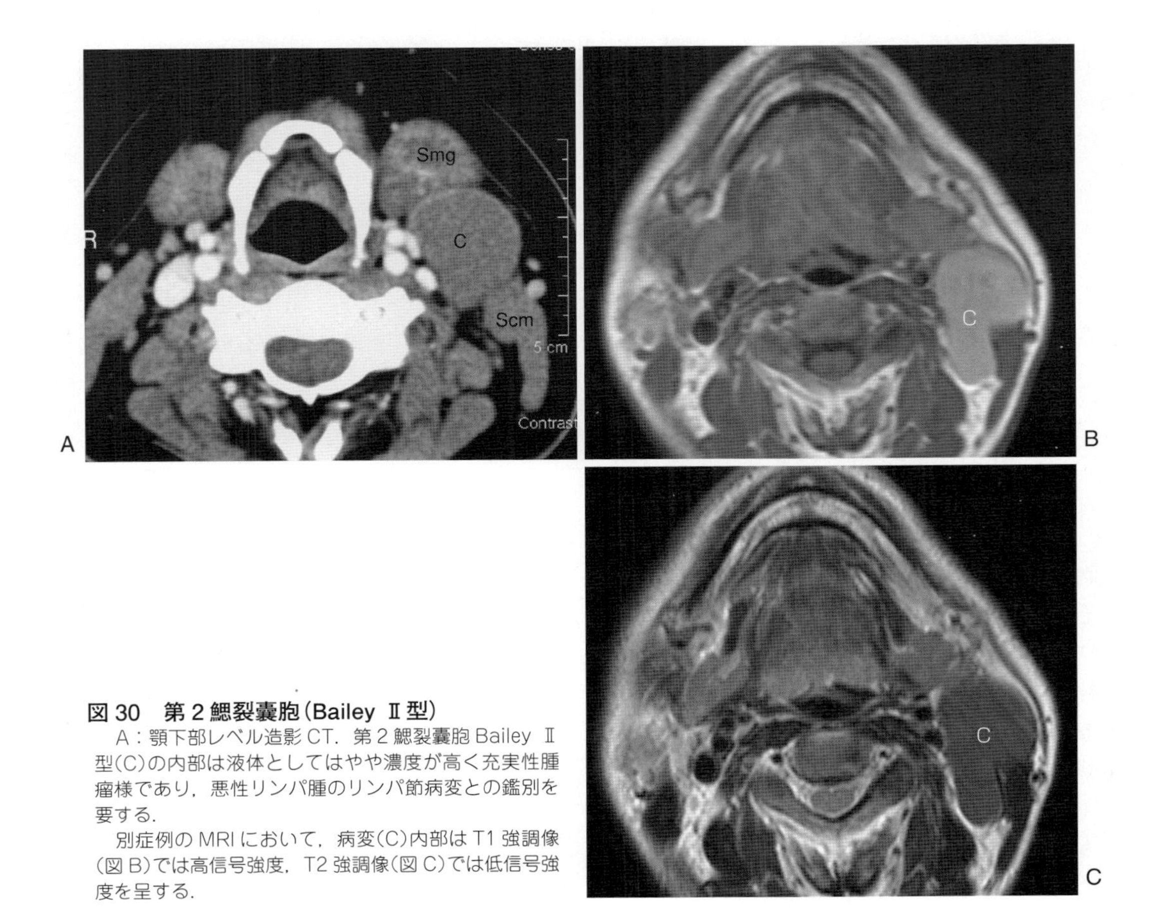

図 30　第 2 鰓裂囊胞（Bailey Ⅱ型）

A：顎下部レベル造影 CT．第 2 鰓裂囊胞 Bailey Ⅱ型（C）の内部は液体としてはやや濃度が高く充実性腫瘤様であり，悪性リンパ腫のリンパ節病変との鑑別を要する．

別症例の MRI において，病変（C）内部は T1 強調像（図 B）では高信号強度，T2 強調像（図 C）では低信号強度を呈する．

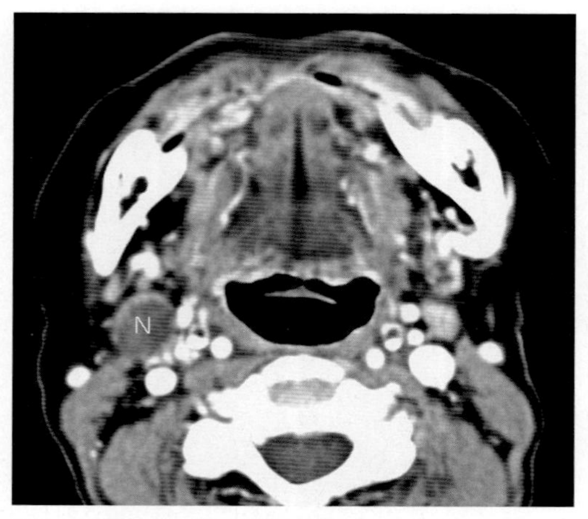

図 31　囊胞性リンパ節転移

造影 CT において，右レベルⅡ領域に扁平上皮癌の囊胞性リンパ節転移(N)を認める．Bailey Ⅱ型の第 2 鰓裂囊胞と局在，所見ともに類似する．

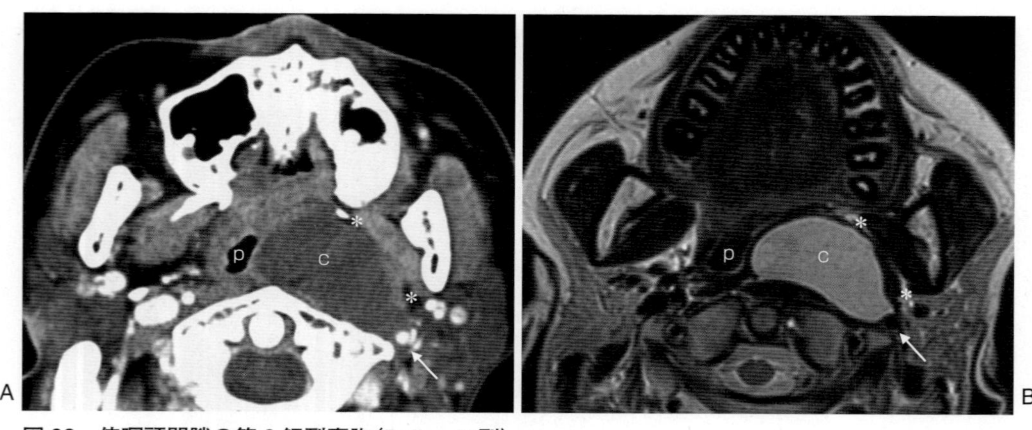

図 32　傍咽頭間隙の第 2 鰓裂囊胞(Bailey Ⅳ型)

上咽頭レベルの造影 CT(A)および MRI，T2 強調横断像(B)において，左傍咽頭間隙を中心として囊胞性腫瘤(c)を認め，上咽頭腔(p)を左側壁より圧排・変形する．病変は内頸動脈(矢印)の内側で，傍咽頭間隙前茎突区の脂肪(＊)を前外側に圧排することから，頸動脈鞘(傍咽頭間隙後茎突区)由来を示唆する．これら周囲構造との関係は CT(A)よりも T2 強調像(B)でより明瞭に描出されている．

様，胸鎖乳突筋(下 3 分の 1 レベルの)前縁にみられ，その後広頸筋を貫通し甲状腺内(ほとんどが左葉)を通過し，頸動脈鞘後方，迷走神経の前方，舌下神経の側方を上行，下顎角レベルで舌咽神経の下方を通過，内側に向かい甲状舌骨膜を貫通して梨状窩(上喉頭神経喉頭内枝の上前方．同神経は第 4 鰓弓を支配する神経であり，発生学の理論的にも第 3 鰓裂囊胞はこれより頭側に開口する)に至る．第 3 鰓裂瘻孔の形成は左側に多い(9：1)．片側(多くは左側)頸部腫脹，疼痛，発赤，嚥下困難，呼吸苦等の症状とともに(しばしば反復性の)急性化膿性甲状腺炎(主に左葉)，甲状腺周囲の蜂窩織炎・膿瘍，ときに咽後膿瘍などを呈する[49]．第 3 鰓裂囊胞は上方の舌咽神経と下方の舌下神経との間のレベルで胸鎖乳突筋の後方，頸動脈後方の後頸三角に位置する囊胞性腫瘤として現れ，部位の類似性から後述の囊胞性リンパ管腫との鑑別が問題となることがある(第 3 鰓裂囊胞

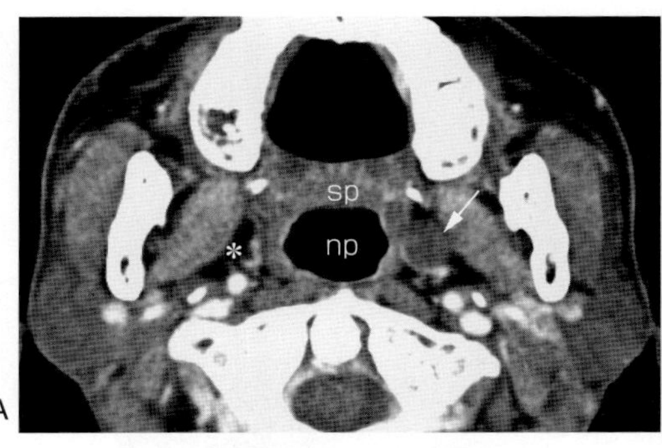

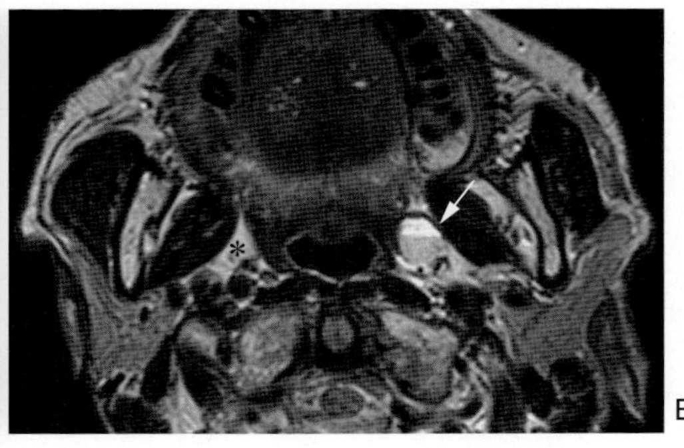

図 33　第 2 鰓裂囊胞（Bailey IV 型）

軟口蓋レベル造影 CT（A）において，上咽頭（np）左側壁に隣接して，左傍咽頭間隙（対側で＊で示す）内に辺縁平滑，類円形の低吸収腫瘤（矢印）を認め，囊胞性病変が示唆される．sp：軟口蓋．MRI T2 強調横断像（B）では左傍咽頭間隙（対側で＊で示す）に位置する病変内部に液面形成（矢印）を認め，単房性囊胞性病変であることが確認される．液面形成は囊胞内出血が疑われる．

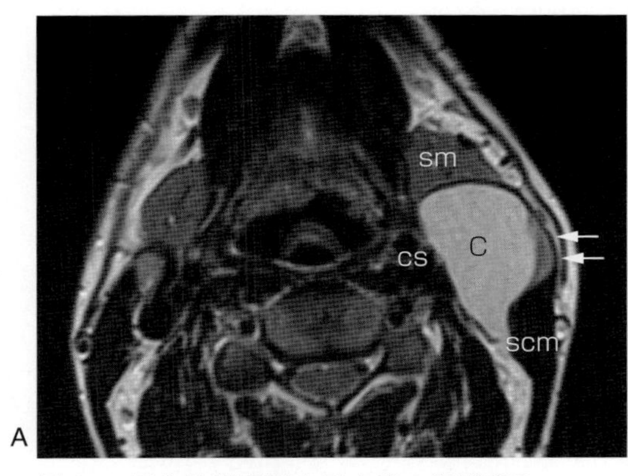

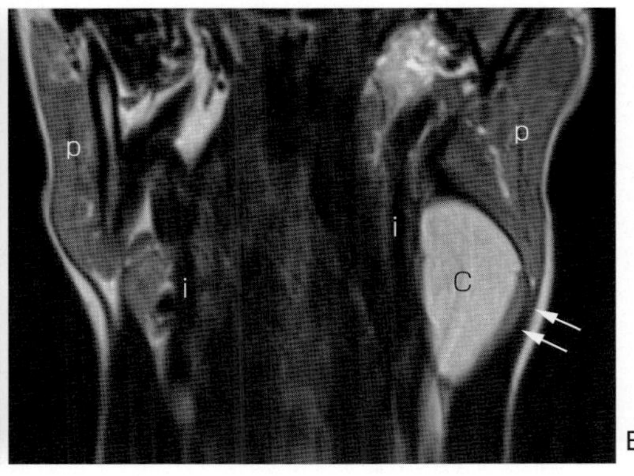

図 34　偏在性壁肥厚を示す第 2 鰓裂囊胞

顎下腺レベルの MRI T_2 強調横断像（A）および冠状断像（B）で，左側頸部に単房性囊胞性病変（C）を認め，外側部で部分的壁肥厚あり（矢印）．CS：頸動脈鞘，i：内頸動脈，p：耳下腺，scm：胸鎖乳突筋，sm：顎下腺

はまれではあるが，後頸三角の先天性病変の中では囊胞性リンパ管腫に次いで多い）．この解剖的位置関係は発生学上の理論とも一致する．単房性囊胞性腫瘤で，非感染例では壁の増強効果は乏しい．第 3，第 4 鰓囊から副甲状腺，胸腺が由来することから，これらの発生異常には DiGeorge 症候群，CHARGE 症候群などの全身性疾患が含まれる．詳細は本章の範囲を超えるため，他の成書を参照されたい．

第 4 鰓器官の発生異常は複雑であり，まれである．繰り返す甲状腺膿瘍，頸部下部の膿瘍により疑い，梨状窩瘻孔として現れる（図 35〜37）．CT において甲状腺左葉周囲の左前頸部軟部組織の不均等な増強効果を伴う腫脹・腫瘤としてみられ，内部に液体濃度の造影不良域として膿瘍腔が認められる（図 35A，36A，37B）．半数の例で甲状腺実質の炎症性変化を伴う（図 37B）[22]．第 4 鰓裂瘻孔は（第 3 鰓裂瘻孔と同様に）胸鎖乳突筋下部前縁より始まり広頸筋を貫通，頸動脈鞘に沿って上行，上喉頭神経深部，反回神経と舌下神経の表層を通過後，尾側の胸部に向かい（反回神経と同様に）右側は右鎖骨下動脈，左側は大動脈弓をまわり，気管食道溝を上行，甲状腺背側を通過して輪状甲状関節近傍から下咽頭収縮筋を貫通して（上喉頭神経喉頭内枝の尾側に相当する）梨状窩尖部に達する（図 35，36）[47]．その経路の長さのため（第 3 鰓裂瘻孔と同様に）左側に多く（83〜97％）[47]，また，瘻孔よりも洞として現れること

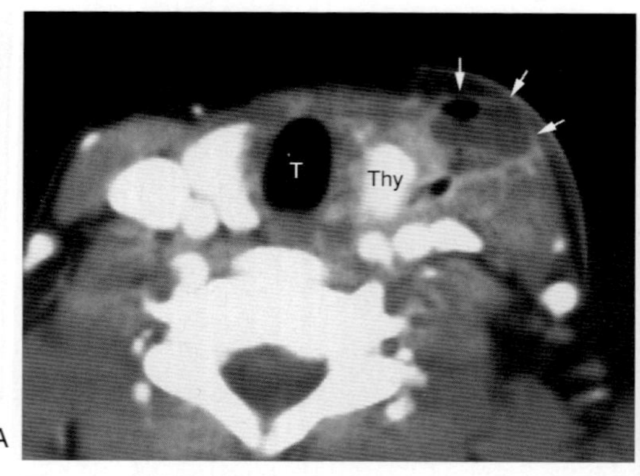

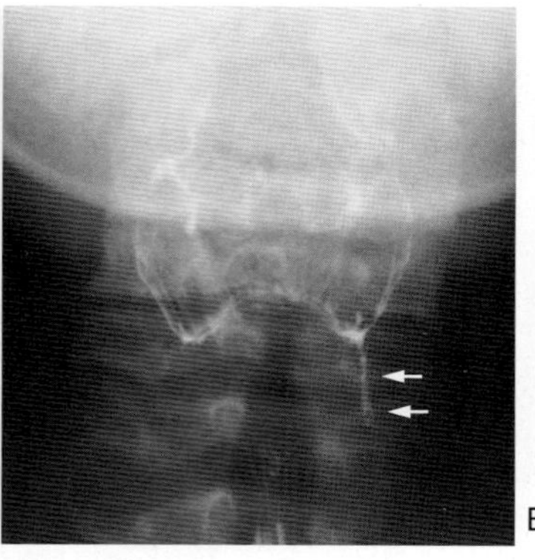

図 35　梨状窩瘻孔（12 歳女児．繰り返す左頸部の腫脹，疼痛）

A：甲状腺レベル造影 CT．甲状腺左葉（Thy）前面に接して膿瘍形成と思われる内部に液体と空気濃度の混在する腫瘤（矢印）を認める．隣接する皮膚の肥厚，皮下脂肪の混濁がみられ，炎症性浮腫を反映する．T：気管

B：下咽頭造影．左梨状窩尖部より尾側に連続する瘻孔（矢印）が描出されている．

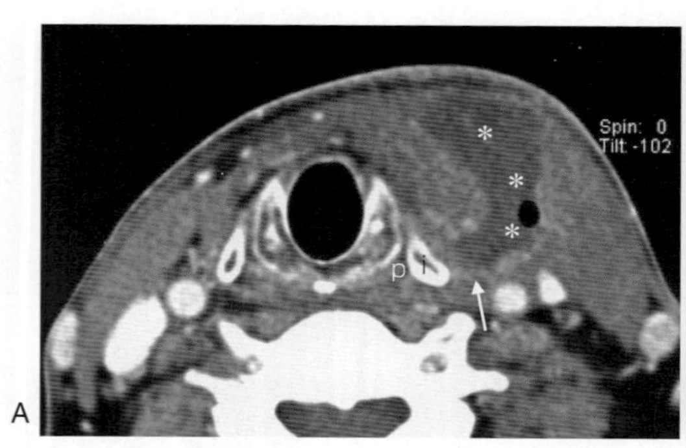

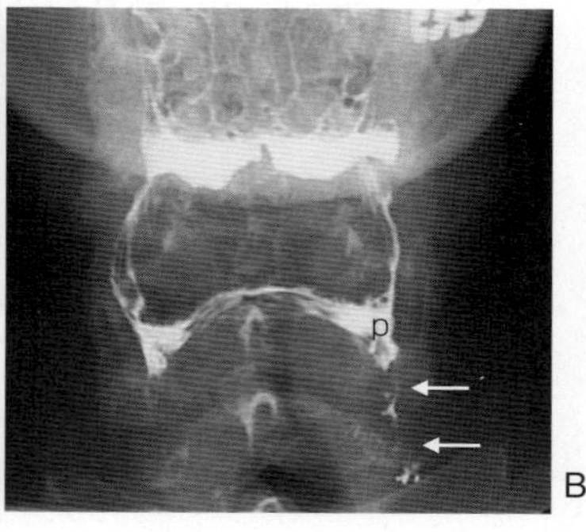

図 36　梨状窩瘻孔

輪状軟骨レベルの造影 CT 横断像（A）．左前頸部軟部組織の高度腫脹あり．偏在性空気を伴った液体濃度領域（*）を認め，深部で左梨状窩尖部（p）に近接する甲状軟骨左下角（i）方向への進展（矢印）を示す．下咽頭造影正面像（B）で左梨状窩尖部（p）から尾側に連続する瘻孔（矢印：皮膚まで開口していない場合も慣例として"梨状窩瘻孔"の病名が用いられる場合が多い）を認める．

のほうが多く，完全な瘻孔の報告例はない．第 4 鰓裂囊胞の発生は極めてまれで，梨状窩に接して喉頭内に生じた囊胞では喉頭瘤（後述）との鑑別を要する．臨床上はまれな気管支原性囊胞なども鑑別疾患となる[50]．第 3 鰓裂囊胞との鑑別もしばしば困難で，梨状窩開口部と上喉頭神経喉頭内枝との関係を評価する必要がある．

存在診断は病歴，理学的所見とともに，内視鏡所見による梨状窩での瘻孔・洞の開口部の確認[48]によるが，全身麻酔を要することからルーチンには推奨されない．また，内視鏡で瘻孔入口が確認されないことで瘻孔・囊胞は否定されない．瘻孔・洞の進展範囲・経路，周囲軟部組織，甲状腺などの周囲構造の炎症の把握，他病変との鑑別などに関して，造影 CT は有用である．後述の咽頭造影直後に施行することにより瘻孔検出率の向上が期待される一方，高濃度の造影剤の存在によるアーチファクトが問題になる場合もあり，施行時期を考慮する必要がある．また，咽頭造影（図 35B，36B）での瘻孔描出は，存在診断とともに開口部同定と瘻孔経路の把握に有用であるが，所見が描出されず同病態を疑い検査が繰り返される場合や Valsalva 手技が必要となる例も少なくない．通常は急性炎症後 4～6 週で施行されるが，それより早期では炎症性浮腫による瘻孔閉鎖のため検出されない可能性が高い[51]．

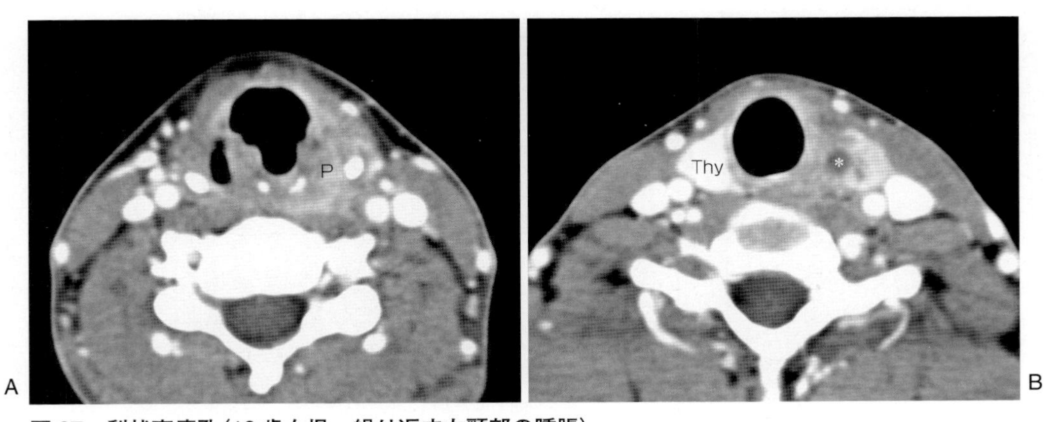

図 37　梨状窩瘻孔(10 歳女児．繰り返す左頸部の腫脹)
A：梨状窩レベル造影 CT．左梨状窩(P)の軟部組織腫脹，増強効果の亢進を認める．
B：甲状腺レベル造影 CT．甲状腺左葉の濃度は不均一に低下し，内部に液体濃度領域(＊)が認められる．膿瘍形成を示唆する．Thy：甲状腺右葉

なお，第 3 と第 4 鰓裂瘻孔の鑑別は(梨状窩での瘻孔開口部が確認できなければ)理学的所見が画像診断のみでは困難な場合が多く，術中所見として第 3 鰓裂瘻孔は上喉頭神経，反回神経いずれに対しても表在を通過するのに対して第 4 鰓裂瘻孔は反回神経より表在であるが上喉頭神経より深部を通過することにより区別される[47]．

治療として，切開，排膿のみでは再発を繰り返すことから従来より瘻孔全経路の切除が行われてきた[22]．化膿性甲状腺炎では緊急対応として切開，排膿が施行されることもあるが，これにより瘻孔切除がより困難になることもしばしばであり，術前の抗菌薬投与が有用とされる[51]．しかし，反復性の膿瘍形成，繰り返す切開・排膿などによる高度瘢痕化は切除を困難にし，術後合併症のリスクを高めることとなる[52]．最近では非炎症期の病変に対して，内視鏡下に瘻孔開口部に対するトリククロール酢酸による化学的焼灼，電気焼灼，あるいはフィブリンによる閉鎖が，より侵襲性が低く，反復して行え，開放手術と同等の再発率で医療コストを低く行える治療法として報告されている[49, 52]．Derk らによる内視鏡治療に関するシステマティックレビューでは，1 回目の治療の成功率は 66.7〜100％，2 回目の治療では 77.8〜100％としている[53]．現在は内視鏡治療が第一選択とされ，開放手術は内視鏡治療での難治例が適応となる[54]．また，8 歳以下の小児例には主に内視鏡治療を行い，開放手術は 9 歳以上が対象となる[55]．開放手術では片側甲状腺切除により再発率が減少するとされるが[55]，その要否には議論があり，反回神経同定を目的とした場合を除いて施行しないのが通常である[56, 57]．開放手術での術後合併症としては一過性喉頭麻痺，唾液瘻，感染などがあり，8 歳未満の頻度が高く，再発は数年後に生じる場合もありその多くは化膿性甲状腺炎の炎症活動期での不適切な切除が要因となる[49]．このため長期の経過観察が望まれる．

3 囊胞性リンパ管腫・血管リンパ管奇形[cystic lymphangioma(hygroma)/vasculolymphatic malformation]

1992 年に設立された ISSVA (The International Society for the Study of Vascular Anomalies)による分類(http://www.issva.org/)，これを基にした本邦での「血管腫・血管奇形・リンパ管奇形診療ガイドライン 2017」の分類では，vascular anomaly を大きく“血管性腫瘍(vascular tumor)”と“血管奇形(vascular malformation)”の 2 つに区分している．

血管性腫瘍の代表としては，乳児血管腫(infantile hemangioma)があげられ，女児に多く，生後 1 年以内で急速な増大を示すが，5〜7 歳までに数年をかけて自然消退の経過をとること

表7　リンパ管腫の組織学的分類

リンパ管腫の分類	主な発生部位	特徴
囊胞性リンパ管腫	頸部75% 後頸三角 腋窩20% 縦隔5%	最も大きいリンパ腔からなる 最も多い組織型 感染，出血により急速に増大 transspatial extent 造影(－)
海綿状リンパ管腫	頬 口唇 舌	中間の大きさのリンパ腔からなる
毛細管性リンパ管腫 (単純性リンパ管腫)	皮膚	最も小さいリンパ腔からなる
血管リンパ管奇形 (リンパ管血管腫)		血管腫とリンパ管腫両方の要素を含む 血管腫要素のみ造影(＋)

から，機能障害を示す例を除き，整容目的以外で治療対象とはならない．一方，血管奇形は単純性として「毛細血管奇形(従来の単純性血管腫)，リンパ管奇形(従来のリンパ管腫)，静脈奇形(従来の海綿状血管腫など)，動静脈奇形，動静脈瘻」，混合性として(単純性としてあげた)複数病型の組み合わせ，等に分けられるが，緩徐に増大し(既述の乳児血管腫と異なり)自然退縮はみられない．血管奇形では毛細血管・静脈，リンパ管奇形を主体とする低流速型(slow-flow type)と動脈奇形を主体とする高流速型(fast-flow type)が分けられる．依然として臨床では血管性腫瘍，血管奇形の双方に血管腫の呼称が与えられることもあるが，前者は腫瘍性，後者は非腫瘍性であり治療計画のうえでも明確な区別が求められる．本項では血管奇形について解説する．なお，リンパ管奇形に対するリンパ管腫の名称も依然として広く用いられている．

血管奇形の14～65%が頭頸部に発生，口腔と鼻腔に最も多い[58]．リンパ管腫はリンパ管発生時に静脈との正常な交通が障害された先天異常で，2,000～4,000出生に1人の頻度で認められる[59]．リンパ組織の発生するいかなる部位にも生じる．50～60%が生下時よりみられ，80～90%と大部分の症例が2歳以下である．この年齢分布はリンパ組織の発達時期に一致する．ただし，10%程度は成人まで発見されない．性差なく，癌合併の報告はない．

組織学上，海綿状，毛細管性(単純性)，囊胞性の3型に血管リンパ管奇形を加えた4型に分類(表7)，あるいは微小囊胞性(microcystic：従来のlymphangioma)，大囊胞性(macrocystic：従来のcystic hygroma)に分類される．実際は1つの腫瘤の中にこれらが混在する例(混合型)が多く，最も優位な組織型で表す．発生部位の解剖学的位置が組織型の特定に重要で，頸部，腋窩，縦隔など，リンパ管腫の発育を抑える要素の小さい粗な結合織内では囊胞性リンパ管腫[60]，頬，口唇，舌など，発育を多少抑えると思われる少し密な結合織内では海綿状リンパ管腫，さらに密な結合織である皮膚組織では毛細管性リンパ管腫を生じる．

以下に各リンパ管腫につき解説するが，画像診断医がある程度の頻度で接する機会があるのは主に囊胞性リンパ管腫，血管リンパ管奇形である．

a. 囊胞性リンパ管腫(cystic lymphangioma)

数mmから10cmと拡張した大きな囊胞様リンパ腔からなり，静脈とリンパ囊との交通障害が原因と考えられる．頭頸部発生が75%と最も多く，腋窩が20%，縦隔は5%で，頸部からの縦隔進展は3～10%でみられる．これらは頸静脈リンパ囊，腋窩リンパ囊，内胸リンパ囊などの原始リンパ囊の解剖学的分布に一致する．頭頸部においては，小児例では後頸三角に次いで口腔，まれな成人例では顎下間隙，耳下腺間隙，舌下間隙などにも生じる．成人発生の孤立性囊胞性リンパ管腫はときに外傷性(医原性を含む)の例を含む．波動

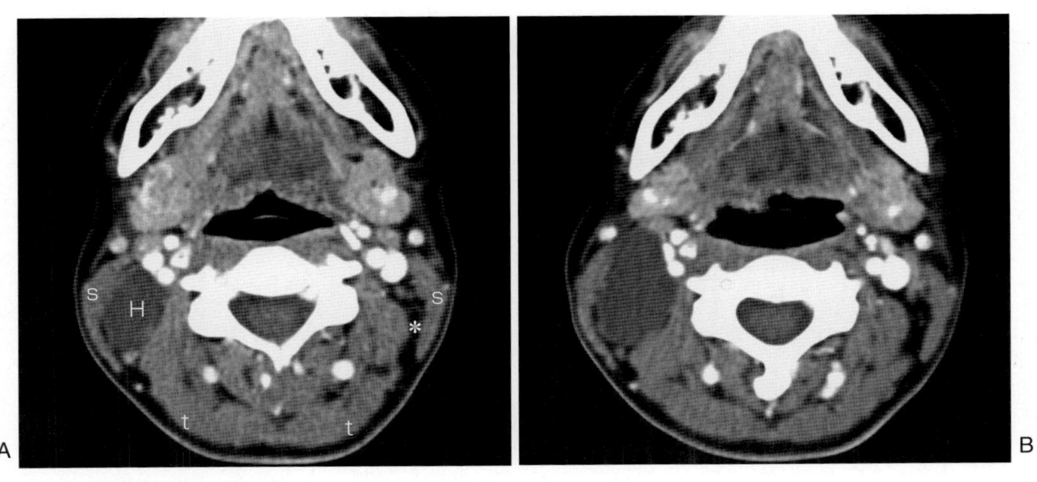

図 38　嚢胞性リンパ管腫

舌根レベル造影 CT(A)において，胸鎖乳突筋(s)と僧帽筋(t)との間で形成される後頸三角の深部に位置する右後頸間隙の(対側で＊で示す脂肪濃度の領域)に嚢胞性腫瘤(H)を認める．半年後の経過観察(B)で嚢胞性腫瘤は増大を示している．

を伴う無痛性腫瘤として認められる．通常は緩徐な発育(図 38)を示すが，感染(病変自体の感染のみならず，ウイルス感染によるリンパ管腫の嚢胞壁リンパ濾胞に対する刺激によっても)，特発性または外傷性出血などにより急速な増大を示す場合がある．縦隔進展例ではまれに乳び胸，乳び心嚢をみる．

画像上は後頸三角を中心とした単房性あるいは多房性嚢胞性腫瘤として認められ，内容は水と類似した濃度，信号強度を示す(図 38〜42)．その進展は組織間隙，頸筋膜解剖に従わない(transspatial extent)浸潤性(図 41)であり，筋肉，血管(図 42)などの正常解剖構造内，または間に入り込むように，あるいは取り囲むように存在することが特徴である．感染歴のない病変では嚢胞壁，隔壁は薄く，CT では明瞭に確認できない例も多い(図 41)．より高いコントラスト分解能を有する MRI が輪郭，内部性状の描出に優れる．病変内出血を伴う例では嚢胞腔内に液面形成を認める場合がある(図 43，44)．純粋な嚢胞性リンパ管腫の非感染例では嚢胞壁，嚢胞腔ともに増強効果はみられないが，感染例(図 45)では肥厚した嚢胞壁，隔壁が，血管腫(実際は後述の血管リンパ管奇形)要素を含む例(リンパ管血管腫)では嚢胞腔の一部が造影される．

治療は外科的切除であるが，治療方針決定において画像診断は重要な役割を果たす[61]．その進展様式から限局性病変以外では完全切除は困難である．その他として硬化療法，レーザー治療などが施行される．適応は機能障害(気道閉塞，嚥下障害，摂食障害，運動障害，発声障害など)，審美的問題により判断される．画像診断では病変の進展範囲とともに頸動脈，迷走神経など周囲の重要な構造との関係を評価する必要がある．多房性(3 房性以上)病変，5 cm 以上の大きな病変では単独の治療法のみでは再発率が高く[58]，舌骨上病変，舌骨下の微小嚢胞性病変は，舌骨下や後頸間隙の大嚢胞性病変と比較して治療が困難な傾向にあるとの報告[61]がある．

b. 海綿状リンパ管腫(cavernous lymphangioma)

嚢胞性リンパ管腫よりもやや小さな中等度に拡張したリンパ腔からなり，終末リンパ管を形成するリンパ芽から生じる．皮下，粘膜下病変であり，口腔底，舌，頬，唾液腺などを侵す．境界は不明瞭で正常解剖に入り込むように進展する．

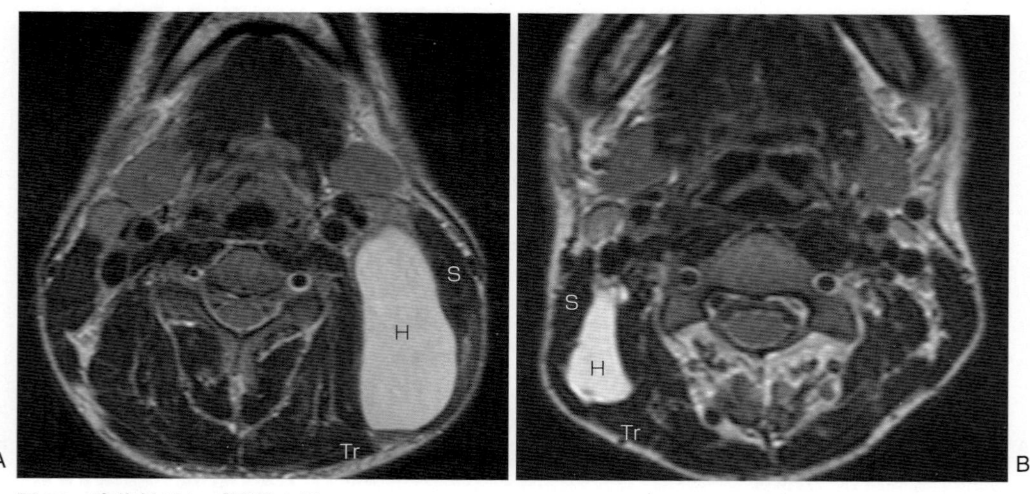

図39　嚢胞性リンパ管腫2例
2症例のMRI T2強調横断像(A，B)において，後頸三角深部(後頸間隙内)に嚢胞性腫瘤(H)を認める．S：胸鎖乳突筋，Tr：僧帽筋

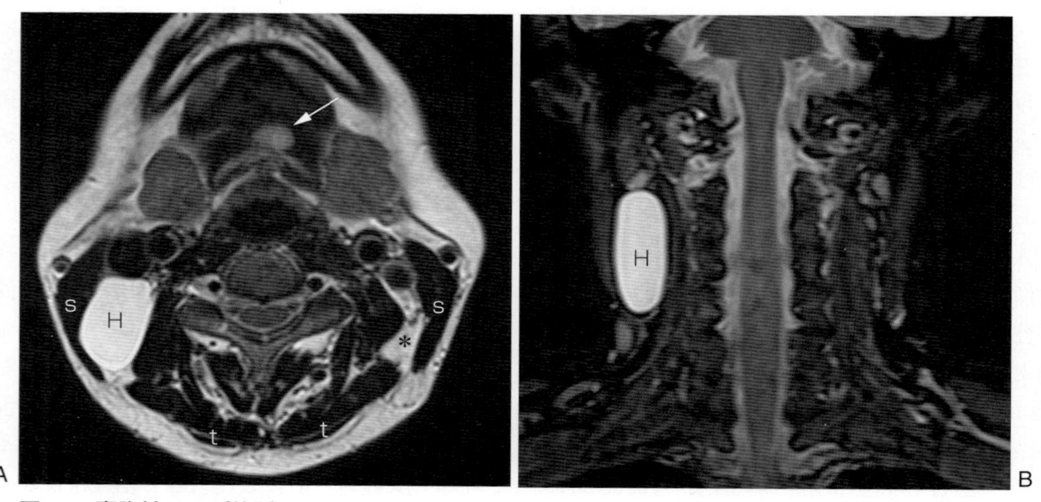

図40　嚢胞性リンパ管腫
舌骨レベルMRI T2強調横断像(A)．胸鎖乳突筋(s)と僧帽筋(t)との間(後頸三角)で，その深部に位置する右後頸間隙(対側で＊で示す)に単房性嚢胞性腫瘤(H)を認める．偶発的に甲状舌管嚢胞(矢印)を認める．STIR冠状断像(B)でも同様に側頸部の単房性嚢胞性病変が描出されている．

c.　毛細管性(単純性)リンパ管腫[capillary lymphangioma (simple lymphangioma, lymphangioma simplex)]

海綿状リンパ管腫と比較し，さらに小さなリンパ腔からなり，病変全体もより小さい．頻度も嚢胞性，海綿状リンパ管腫と比較すると低い．真皮，上皮病変として認める．

d.　血管リンパ管奇形［vasculolymphatic malformation (venolymphatic malformation)］

リンパ管血管腫(lymphangiohemangioma)が代表である．静脈との交通をもちながら生じたリンパ芽の発生異常に起因する．造影前CTおよびMRIでは浸潤性発育を示す多房性嚢胞性腫瘤として認められ，造影剤投与により部分的あるいは広範な増強効果を示す(図46，47)．単純CTで

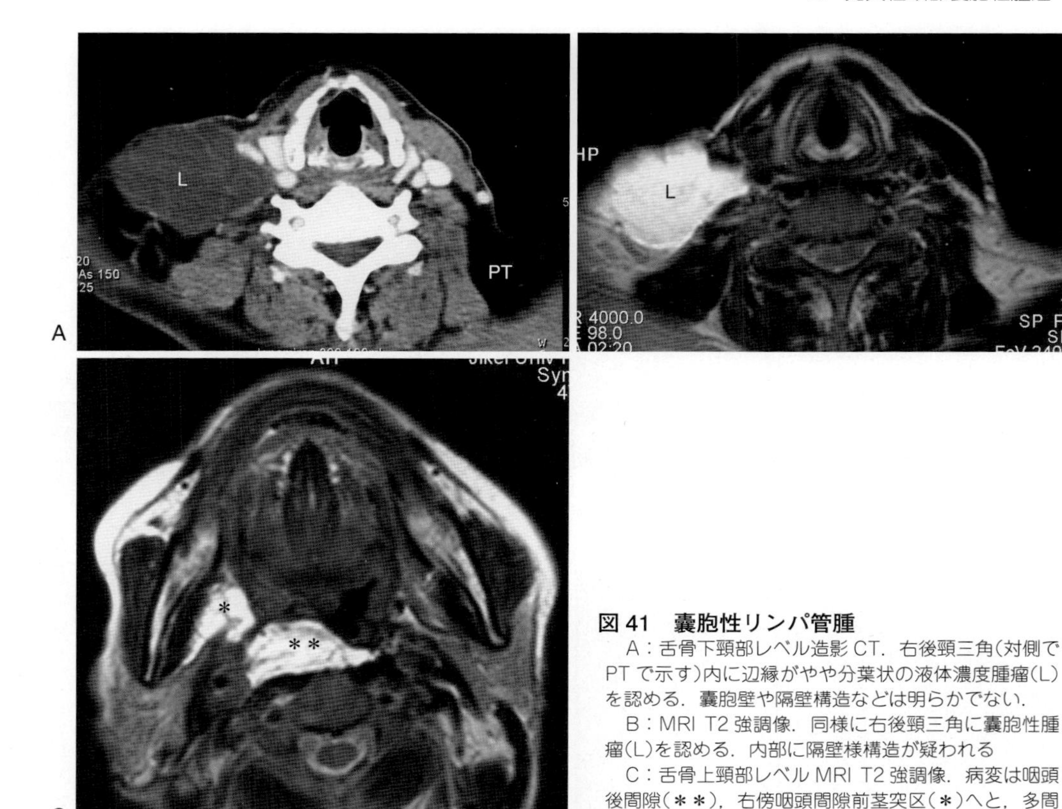

図 41　囊胞性リンパ管腫

A：舌骨下頸部レベル造影 CT．右後頸三角（対側で PT で示す）内に辺縁がやや分葉状の液体濃度腫瘤（L）を認める．囊胞壁や隔壁構造などは明らかでない．

B：MRI T2 強調像．同様に右後頸三角に囊胞性腫瘤（L）を認める．内部に隔壁様構造が疑われる

C：舌骨上頸部レベル MRI T2 強調像．病変は咽頭後間隙（＊＊），右傍咽頭間隙前茎突区（＊）へと，多間隙に及ぶ進展を示す．

はときに静脈石を認める（図 47）．

4 皮様囊腫（dermoid cyst）

皮様囊腫全体の約 7％が頭頸部で，その 80％以上が眼窩部（頭頸部の中で眼窩外側が最も多い）（図 48，49），鼻副鼻腔，口腔（口腔底が眼窩外側に次いで多く，全体の 1.6％，頭頸部病変の 11.5％）にみられる[5, 62]．眼窩病変に関しては 2 章「眼窩」，口腔底病変に関しては 5 章「口腔」も参照されたい．単純に扁平上皮のみからなる類上皮腫，これに皮脂腺，毛囊などの皮膚付属器を伴う（狭義の）皮様囊腫，さらに 3 胚葉すべての要素を含む奇形腫に分類されるが，臨床上，この区別はしばしばあいまいで，これらすべてを総称して皮様囊腫と呼ばれる場合が多い．発生要因にはいくつかの説があるが，第 1 あるいは第 2 鰓弓の発生過程での外胚葉組織の迷入の他，外傷性迷入，甲状舌管囊胞の 1 亜型などが推定されている[63]．類上皮腫は 3 歳以下が多く，皮様囊腫のほとんどが 10～20 歳代の若年者である．性差はない．いずれも扁平上皮による壁をもつことからチーズ様ケラチン様内容物を含む．甲状舌管囊胞のような舌骨との癒着はない．

画像上は数 mm から 12 cm 程度までの境界鮮明な単房性囊胞性腫瘤として認められ，皮様囊腫内部にはしばしば脂肪濃度，あるいは“袋に入ったはじき石（sac of marble）”と表現される小結節の集簇を認めることにより診断される（図 50，51）．これらの特異的所見が欠如する場合（図 52）も多い．通常，壁は増強効果を示す．

眼窩病変は眼窩外側上部を中心として，前頭頬骨縫合に関連して生じる場合が多い．局在から臨床的に疑われる場合も少なくない．口腔では口腔底（表 8：p758）に認められる場合が多い．通常，類上皮腫は側方，皮様囊腫は正中に生じる場合が多いが，皮様囊腫もまれに側方（多くが顎下部）に発生する（図 53）[64]．切除対象例では画像上で顎舌骨筋との関係を評価する必要がある．典型的に

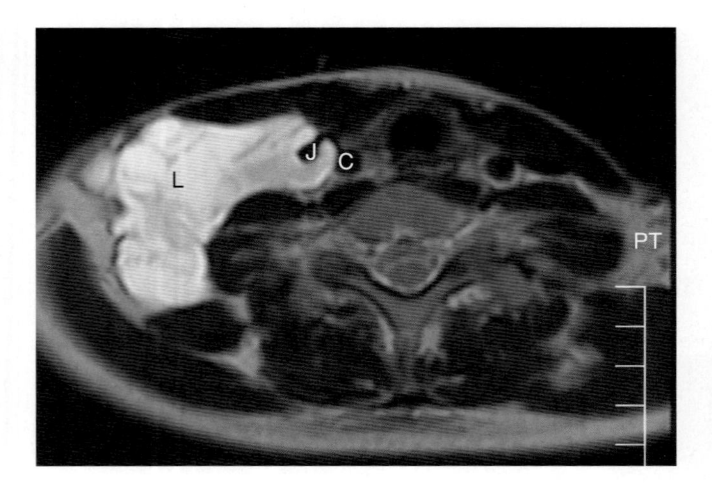

図 42　嚢胞性リンパ管腫
舌骨下頸部レベル MRI T2 強調横断像において右後頸三角(対側で PT で示す)に多房性嚢胞性腫瘤(L)を認め，内側では頸動脈鞘に進展，内頸静脈(J)を取り囲んでいる．C：総頸動脈

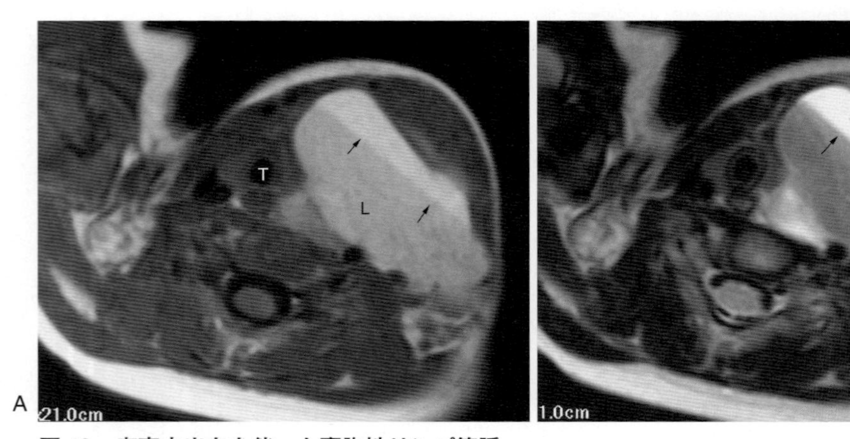

図 43　病変内出血を伴った嚢胞性リンパ管腫
A：舌骨下頸部 MRI T1 強調横断像．左後頸三角を中心とした多房性嚢胞性腫瘤(L)を認め，内容は一部で液面形成(矢印)を伴い高信号強度を示している．気管(T)は対側への偏位を示すが，気道狭窄はみられない．
B：T2 強調像．同様に液面形成(矢印)が認められる．

は病変が顎舌骨筋の上(舌下型)の場合(図 50, 52)は経口的切除，下(オトガイ下型，顎下型)の場合は外方(頸部側)から切除する．この評価には冠状断，矢状断像が有用である．まれに顎舌骨筋上下に砂時計型(亜鈴型)にまたがる舌下型・オトガイ下型の混合型病変(図 54)を認める．顎舌骨筋頭側に位置する舌下型病変では舌を頭側に圧排し，顎舌骨筋より尾側のオトガイ下型では二重顎の外観を呈するのが典型で，妊娠により増大を示す[65]．舌下型病変であっても 6 cm を超えると(経口的ではなく)外方アプローチによる切除が適切な場合もある[66]．最近では内視鏡を含む医療器具の進歩に伴い，オトガイ下型病変でも合併症なく経口的切除が可能との報告もある[62]．悪性転化はまれで，一般には外科的切除により再発率は低く，良好に制御される[67]．

5 Tornwaldt 嚢胞

脊索の発生に伴う上咽頭正中の良性嚢胞性病変で，脊索が斜台に向かい上方に入り込む際，癒着により脊索とともに牽引された上咽頭粘膜から嚢胞を生じたもので，1885 年に Gustavus L. Tornwaldt が最初に記載した[68]．剖検例の 4％で認め，性差はない．頭部ルーチン MRI では約

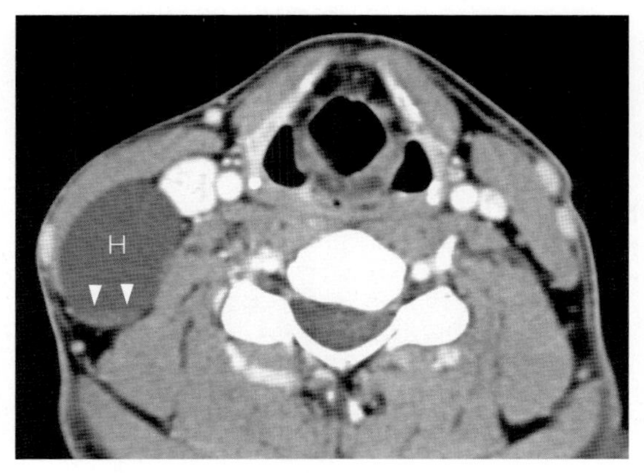

図 44　囊胞性リンパ管腫
造影 CT 横断像において，右後頸間隙内に囊胞性腫瘤(H)を認め，内部に fluid-fluid level(矢頭)を伴う．囊胞内出血あるいは感染後などの debris によると思われる．

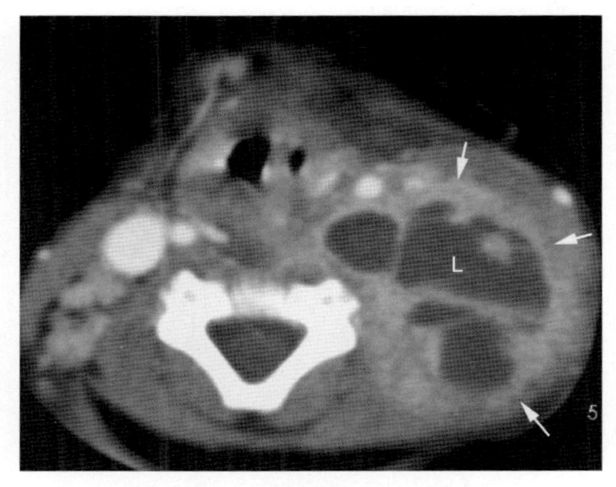

図 45　感染を伴った囊胞性リンパ管腫
舌骨下頸部レベル造影 CT において左後頸三角を中心として，囊胞壁(矢印)，隔壁の肥厚と増強効果を伴う多房性囊胞性腫瘤(L)を認める．

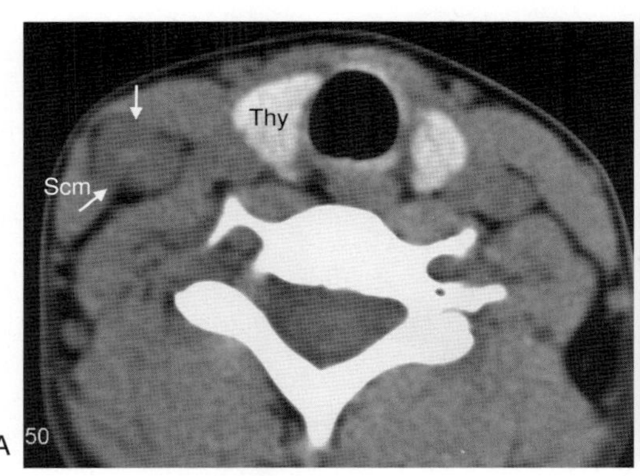

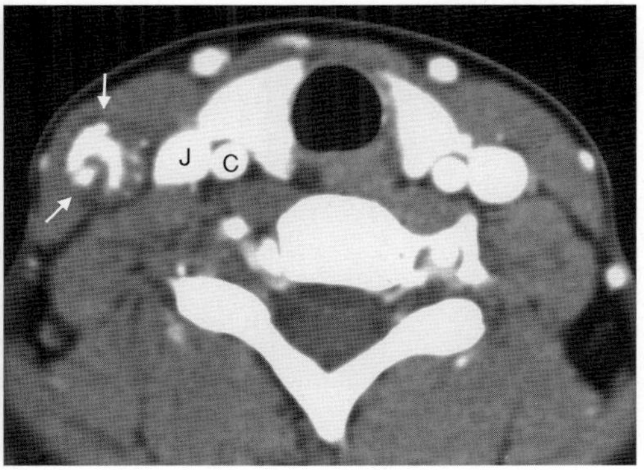

図 46　血管リンパ管奇形
A：甲状腺レベル単純 CT．右胸鎖乳突筋(Scm)の深部に分葉状輪郭を示す軟部濃度より低濃度の腫瘤(矢印)を認める．Thy：甲状腺
B：造影 CT．腫瘤(矢印)内の一部は隣接する総頸動脈(C)，内頸静脈(J)とほぼ同等の増強効果を示している．

1.9％に認める[69]．10～20 歳代に好発する[70]．先天性ともされる一方，小児には認められず 60 歳以降の発生は少ないことから，後天性病変で加齢により退縮するとの考えもある[71]．囊胞壁は円柱上皮に覆われる．通常は無症状の偶発的病変であるが，感染合併により後頭部痛，膿性鼻漏，嚥下痛，口臭，耳管閉塞による耳所見などの症状を示す．

画像上，上咽頭正中後方で，上咽頭収縮筋の上方，両頸長筋の間に位置する境界鮮明な単房性囊胞性腫瘤として認め，上咽頭後壁と明確な接触を有する(図 55)[71]．内容液はしばしば高タンパク濃度であり，その性状によりさまざまな CT 値，MRI での信号強度を示す(図 56)．非感染例では増強効果はないが，感染により壁の増強効果がみられる．鑑別疾患としては貯留囊胞(図 57，58)，小唾液腺由来の腫瘍などがあがる．粘膜下貯留囊胞は大きさにかかわらず無症状である[72]．

通常，放置されるが，有症状例の治療としては経口的切開排膿，開放術などで十分であり，繰り返す慢性感染例でのみ囊胞摘出が考慮される．

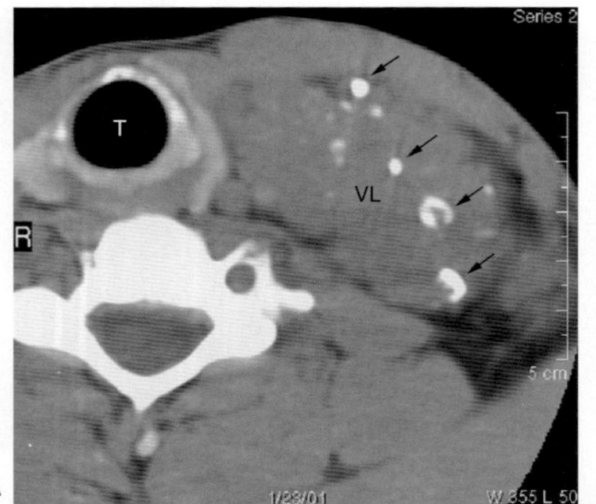

図 47　血管リンパ管奇形(海綿型：cavernous type)

A：舌骨下頸部レベル単純 CT．左後頸三角を中心に不整形腫瘤(VL)を認め，内部には複数の静脈石と思われる石灰化(矢印)がみられる．

B：ほぼ同レベル MRI T2 強調横断像．腫瘤(VL)は胸鎖乳突筋(Scm)深部に不整形の高信号強度を主体とした病変として描出されている．

C：造影後 T1 強調像．病変(矢印)は不均一な増強効果を示している．T：気管

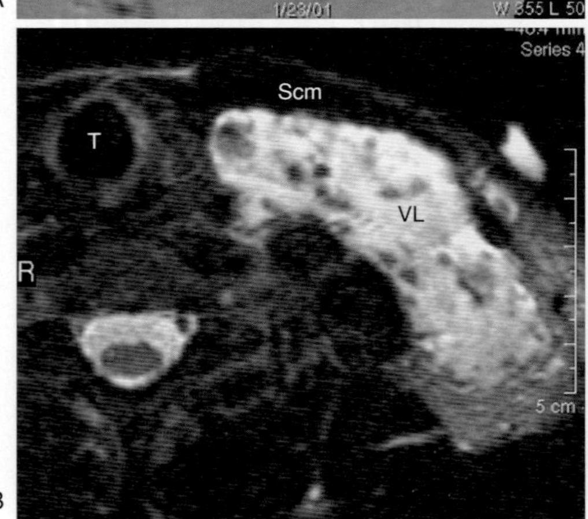

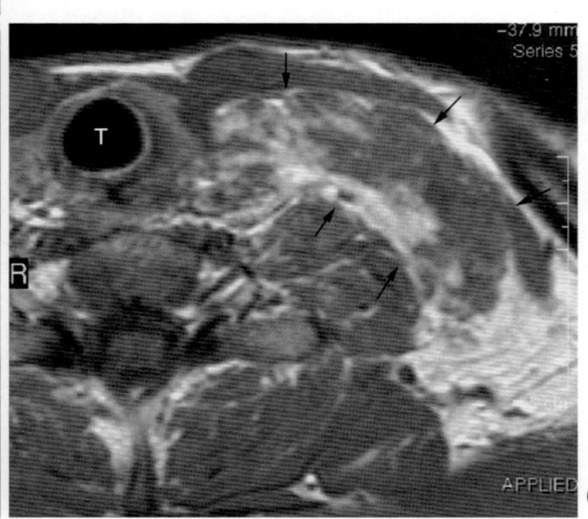

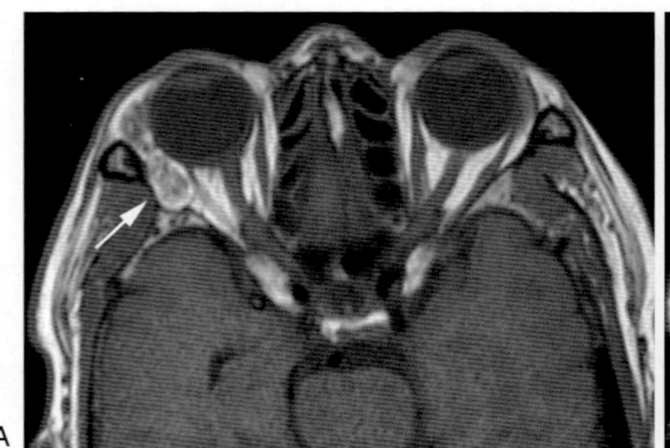

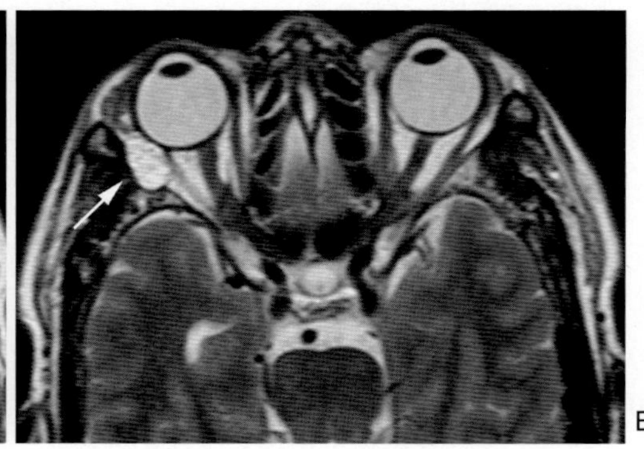

図 48　眼窩皮様嚢腫

MRI T1 強調像(A)，T2 強調像(B)で，右眼窩外側に腫瘤(矢印)を認める．内部はやや不均等な高信号強度を呈し，隣接する眼窩外側壁に圧排性侵食性変化を示す．

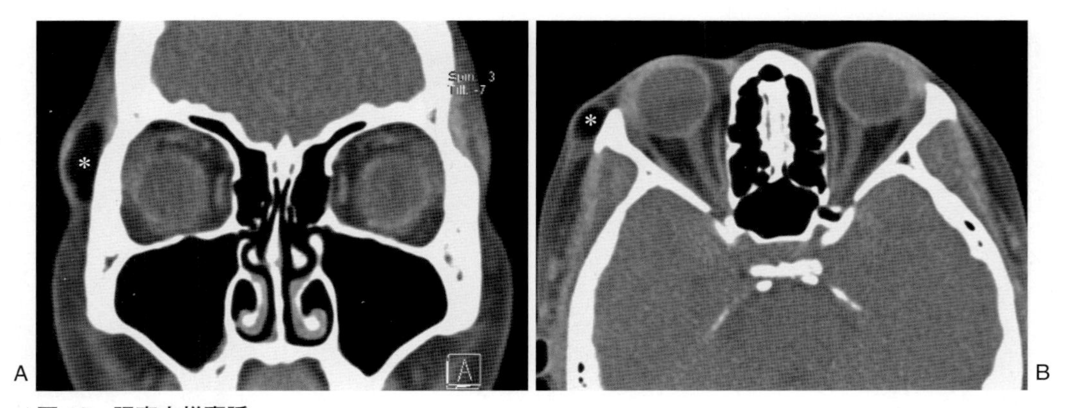

図 49　眼窩皮様嚢腫
CT 冠状断像(A)および横断像(B)．右眼窩外側で，眼窩縁に隣接して脂肪濃度の楕円形腫瘤(＊)を認める．

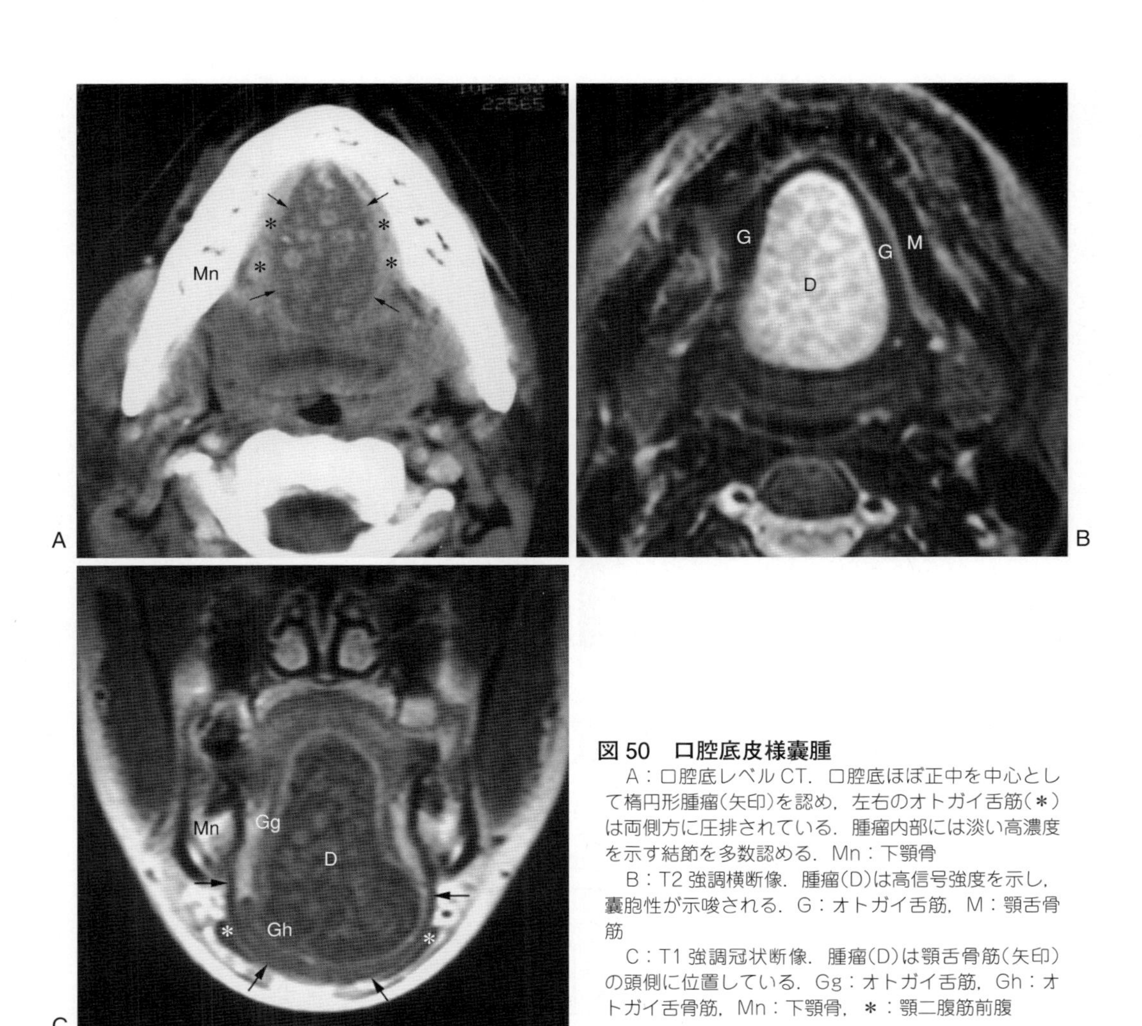

図 50　口腔底皮様嚢腫
A：口腔底レベル CT．口腔底ほぼ正中を中心として楕円形腫瘤(矢印)を認め，左右のオトガイ舌筋(＊)は両側方に圧排されている．腫瘤内部には淡い高濃度を示す結節を多数認める．Mn：下顎骨
B：T2 強調横断像．腫瘤(D)は高信号強度を示し，嚢胞性が示唆される．G：オトガイ舌筋，M：顎舌骨筋
C：T1 強調冠状断像．腫瘤(D)は顎舌骨筋(矢印)の頭側に位置している．Gg：オトガイ舌筋，Gh：オトガイ舌骨筋，Mn：下顎骨，＊：顎二腹筋前腹

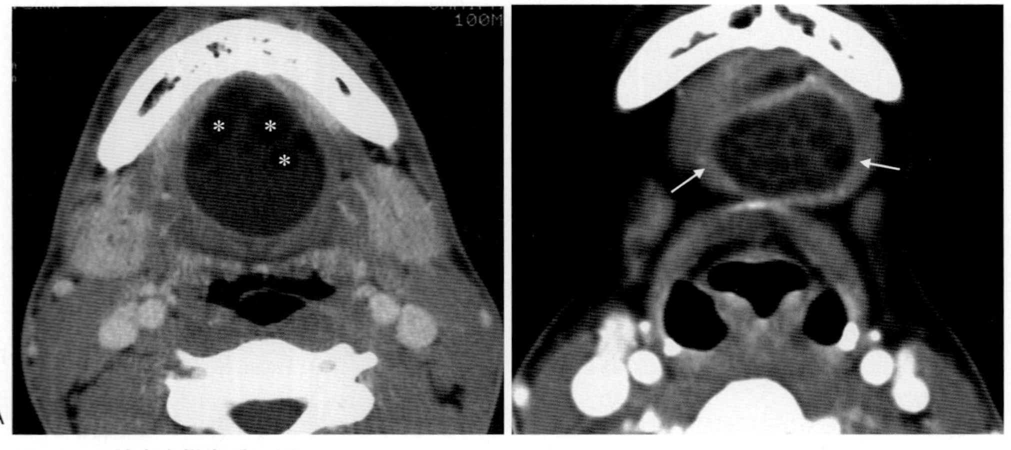

図 51　口腔底皮様嚢腫 2 例

口腔底レベル CT（A）において口腔底正中を中心に嚢胞性腫瘤を認め，内部に類円形の脂肪濃度結節（＊）を複数含む．別症例のオトガイ下部レベル造影 CT（B）で，A と同様に内部に多数の脂肪濃度の結節を含む単房性嚢胞性腫瘤（矢印）を認める．

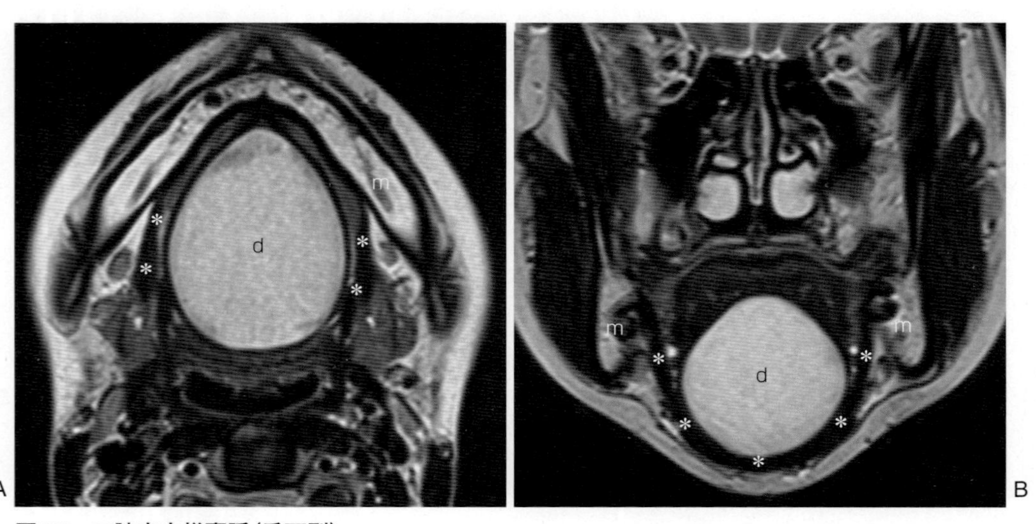

図 52　口腔底皮様嚢腫（舌下型）

口腔レベルの MRI，T2 強調横断像（A）および冠状断像（B）．口腔底正中に単房性嚢胞性腫瘤（d）を認める．内部はやや不均一であるが図 50，51 のような結節様所見は明らかでない．顎舌骨筋（＊）頭側に位置する病変の局在は冠状断像（B）でより明瞭に描出されている．m：下顎骨

表 8　口腔底皮様嚢腫：顎舌骨筋との関係による外科的アプローチの選択

舌下型	顎舌骨筋の頭側	経口的アプローチによる摘出
オトガイ下型	顎舌骨筋の尾側	経頸部・外方アプローチによる摘出（最近は経口的切除が行われる場合あり）

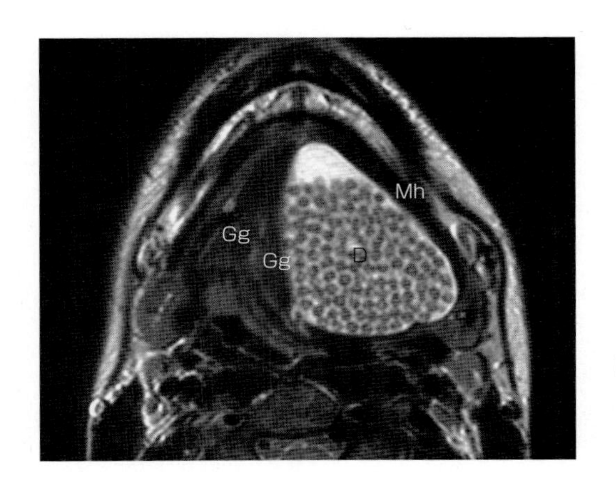

図 53 非正中発生の皮様嚢腫

口腔底レベルの MRI T2 強調横断像．左側のオトガイ舌筋（左右の同筋を Gg で示す）と顎舌骨筋（Mh）との間に，内部に多数の粒状構造を含む嚢胞性腫瘤（D）を認める．

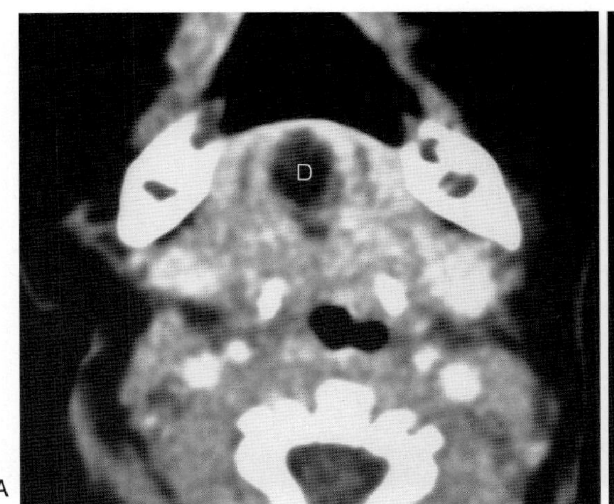

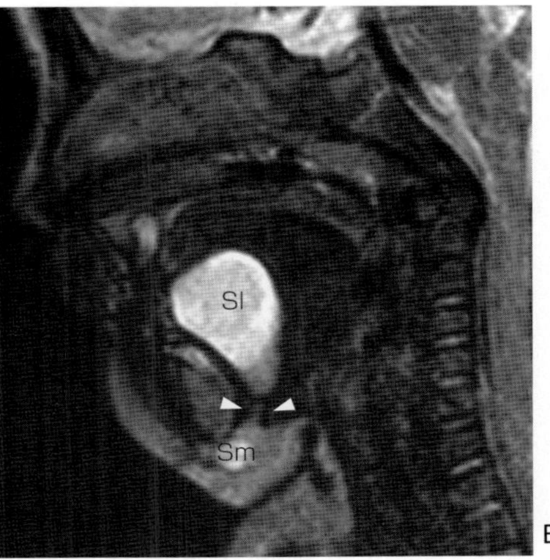

図 54 舌下型・オトガイ下型の混合型の口腔底皮様嚢腫

造影 CT 横断像（A）で，口腔底正中に脂肪濃度の腫瘤（D）を認め，皮様嚢腫に一致する．MRI T2 強調脂肪抑制矢状断像（B）．病変は，舌下型成分（Sl）を主体とするが，尾側において顎舌骨筋欠損部（矢頭）を介して連続するオトガイ下部型成分（Sm）を伴い，全体として砂時計様（亜鈴様）形状を呈する．

C リンパ節性嚢胞性腫瘤

リンパ節病変においては炎症性，転移性リンパ節ともに画像上，嚢胞性病変を呈する場合がある．また，正常反応性リンパ節での退行性変化としてみられるリンパ門内の脂肪沈着がしばしば嚢胞様所見と類似する．詳細は 10 章「頸部リンパ節」を参照されたい．本項では以下に概要を記述する．

1 化膿性リンパ節炎

感染性リンパ節は CT 上，病期に従って初期は腫大と造影効果の亢進などとして認めるが，リンパ節実質が次第に液化しだすと中心部低濃度を認めるようになり，完全に化膿性リンパ節炎として膿を含むようになると中心部はさらに濃度が低下，嚢胞様所見を呈するようになる（図 59）．膿性物質がリンパ節内に限局している間は理論上，リンパ節の血行が保たれていることから経静脈性抗菌薬投与による治癒が期待できるが，いったんリンパ節被膜が破綻して膿瘍を形成すると外科的排膿が必要となる．すなわち，化膿性リンパ節炎の画像診所見はリンパ節の解剖学的部位に一致して認める嚢胞性腫瘤であるが，診断とともにリン

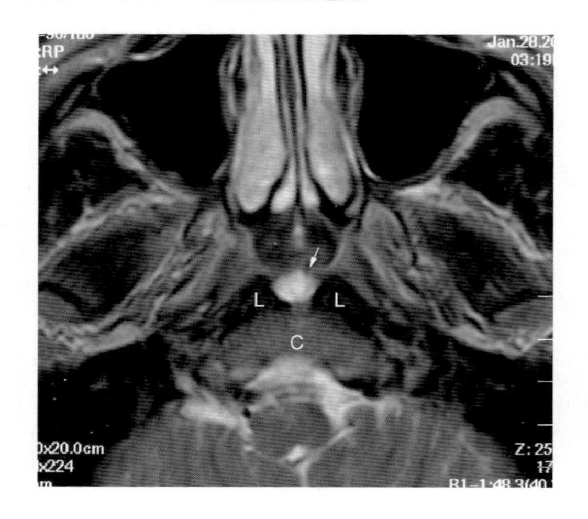

図 55　Tornwaldt 嚢胞

上咽頭レベル MRI T2 強調横断像において上咽頭後壁ほぼ正中で，両側頸長筋(L)の間に高信号を示す類円形腫瘤(矢印)を認める．C：斜台

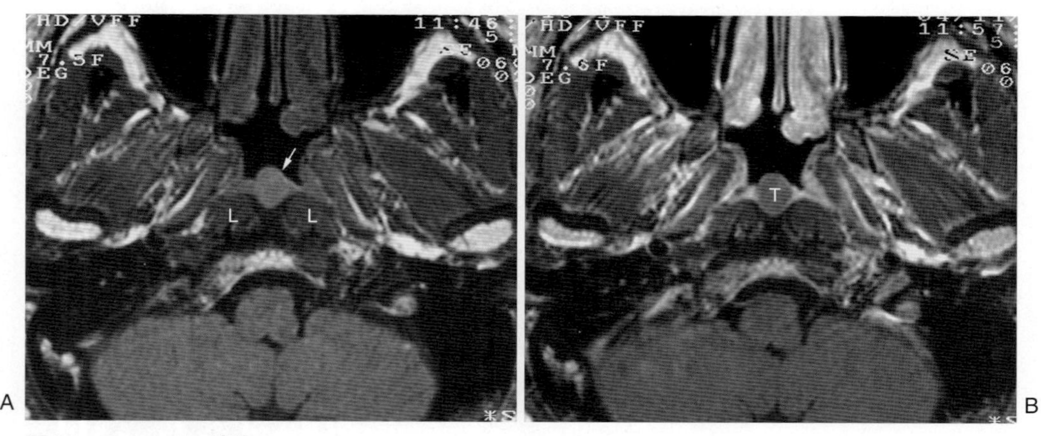

図 56　Tornwaldt 嚢胞

A：上咽頭レベル MRI T1 強調横断像．上咽頭後壁正中で，両側頸長筋(L)の間に骨格筋と比較してやや高信号強度を示す類円形腫瘤(矢印)を認める．

B：造影後 T1 強調像．腫瘤(T)は内部，壁(辺縁)ともに明らかな増強効果なし．

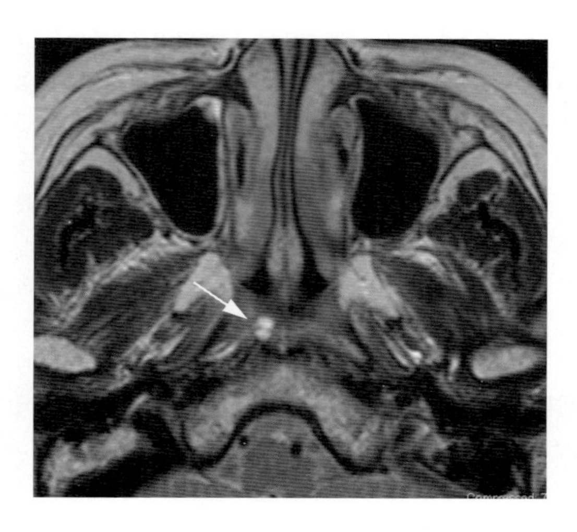

図 57　上咽頭貯留嚢胞

MRI T2 強調横断像で，上咽頭後壁の(正中に位置する Tornwaldt 嚢胞と異なり)右傍正中に 2 房性嚢胞性病変(矢印)を認める．

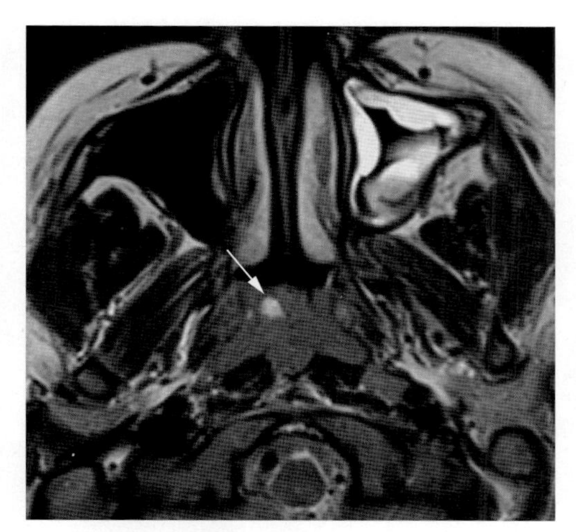

図 58　上咽頭粘膜下貯留嚢胞
上咽頭レベルの MRI T2 強調横断像で上咽頭アデノイド内の右傍正中に小さな嚢胞所見(矢印)あり.

パ節外の膿瘍形成の有無を確認することが治療計画において重要である.

画像所見のみでは後述の嚢胞性転移リンパ節との区別が困難な場合もある. 化膿性リンパ節炎で二次性変化としてしばしば認める周囲脂肪組織の混濁と転移リンパ節の節外進展では, 一般的には前者の変化のほうがより広範囲な傾向があるが類似する. このため, 病歴, 炎症を示唆する理学的所見などの臨床情報が重要である. 猫による顔面の擦過傷の既往と嚢胞部分, 瘻孔部を含んだレベルⅠリンパ節の腫大では猫ひっかき病が疑われる(図 60). 化膿性リンパ節炎と類似した画像所見を示すが, 感染を示唆する理学的所見を欠く例では, 転移性リンパ節(図 31)がより疑われる. 結核性リンパ節炎も画像所見と対比して症状に乏しい例もあり, 注意を要する(図 61). 胸部病変の有無, レベルⅤリンパ節病変の有無などが診断に重要な情報となる場合もある.

2 嚢胞性リンパ節転移

頭頸部悪性腫瘍の大部分を占める扁平上皮癌のうち, 高～中分化癌では転移リンパ節内部にしばしば嚢胞部分を含む. また, 古典的には側頸部に嚢胞性腫瘤(特にレベルⅡ領域)をみた場合, 扁桃癌の頸部転移病変が疑われた(現在の HPV 陽性中咽頭癌の嚢胞性リンパ節転移に相当すると考えられる). これは中心壊死あるいは局所欠損とも呼ばれ, 転移リンパ節を示唆する最も信頼度の高い所見として重要である(図 31, 62).

甲状腺の乳頭癌, 濾胞癌のリンパ節転移の画像所見は比較的特異的であり, 通常の扁平上皮癌の転移リンパ節と比較してより強い増強効果を示す充実性病変, あるいは特徴的な嚢胞性腫瘤として現れ, ときに石灰化や(嚢胞病変では)充実性成分の混在を認める(図 63). 原発病変よりも先に転移リンパ節を認め, 特徴的画像所見から甲状腺癌が疑われることもしばしばである. 甲状腺癌のリンパ節転移は扁平上皮癌と比較すると系統的転移様式に従わない傾向があり, 注意を要する. ただし, 実際には乳頭癌, 濾胞癌の頸部リンパ節転移の予後因子としての重要性は低い.

3 脂肪濃度の正常リンパ門(hilar fatty metamorphosis)

退行性変化, 慢性炎症, 肥満などを原因としてリンパ門への脂肪沈着を示す. 画像上, リンパ節内の偏在性の脂肪濃度・信号強度領域として認められるのが通常であるが, 部分容積効果によって明らかな脂肪として確認できない場合は転移リンパ節の中心壊死, 局所欠損との鑑別が問題となる場合があり注意を要する[73]. また, 同変化とともに実質が著しい萎縮により菲薄化している場合

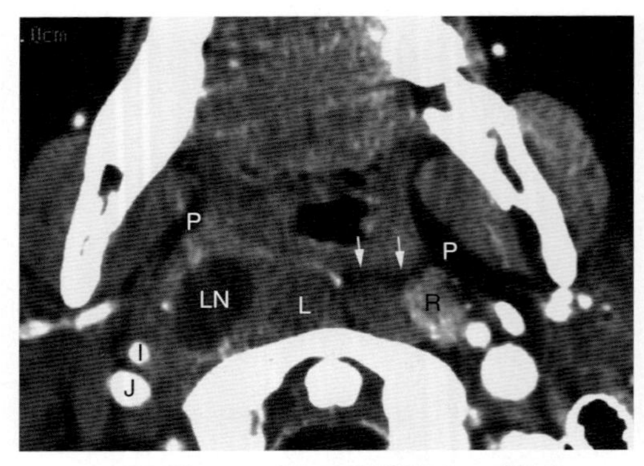

図 59　咽頭後リンパ節の化膿性リンパ節炎

上咽頭レベル造影 CT において右頸長筋(L)と内頸動脈(I)との間で，その前方に隣接して囊胞性腫瘤(LN)を認め，解剖学的部位と画像所見から咽頭後リンパ節(Rouvière リンパ節)の化膿性リンパ節炎に一致する．前方の傍咽頭間隙前茎突区(P)の脂肪は圧排されるが，保たれている．対側の咽頭後リンパ節(R)も反応性腫大を示す．咽頭後間隙の脂肪層(矢印)はやや肥厚し，混濁がみられ炎症性浮腫を反映している．

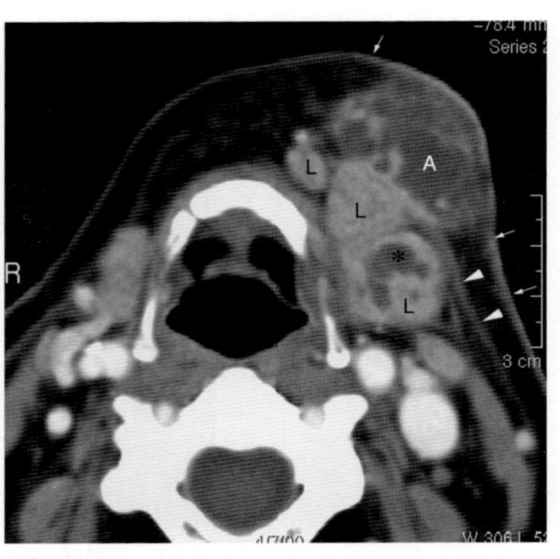

図 60　猫ひっかき病による化膿性リンパ節炎

舌骨レベル造影 CT において左レベルⅠ領域に複数のリンパ節腫大(L)を認め，一部のリンパ節内は三日月型の液体濃度領域(*)を含み，化膿性リンパ節炎に一致する．隣接する皮下組織には膿瘍形成(A)を認め，皮膚(矢印)，広頸筋(矢頭)の肥厚を伴う．

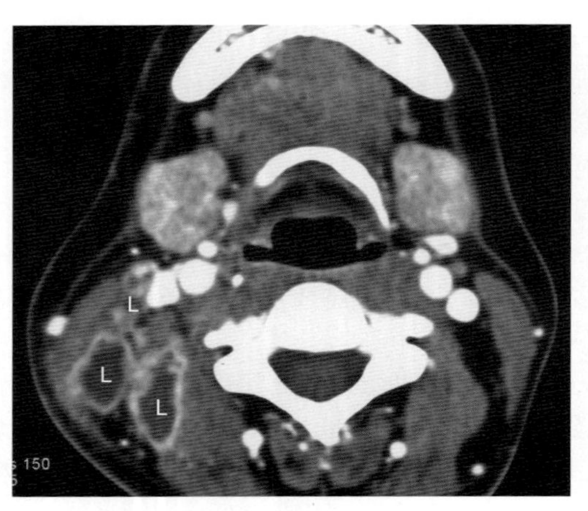

図 61　結核性リンパ節炎

舌骨レベル造影 CT において右レベルⅡおよびⅤA 領域に壁がやや厚く，増強効果を示す，やや不整形の囊胞性腫瘤(L)を認める．軽度癒合傾向を示す．

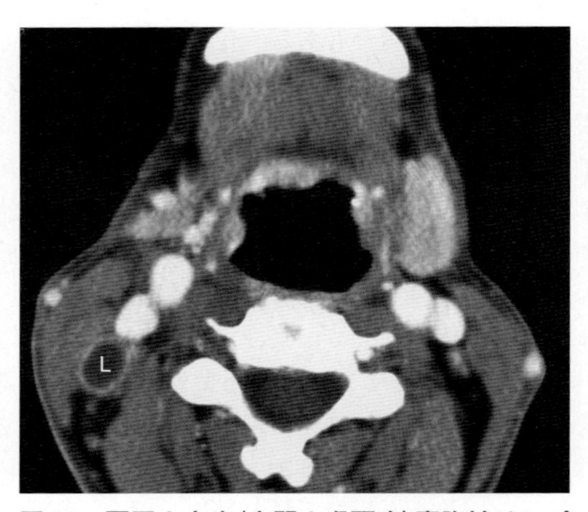

図 62　扁平上皮癌(声門上喉頭癌)囊胞性リンパ節転移

中咽頭レベル造影 CT において右レベルⅡ領域に囊胞性腫瘤(L)を認める．

は MRI T2 強調像では全体として囊胞様に認められるので注意を要する．

D　非リンパ節性炎症性囊胞性腫瘤

頸部の非リンパ節性炎症性囊胞性腫瘤として膿性物質を内容とする膿瘍と炎症による開口部閉塞をもとに生じる貯留囊胞(ガマ腫も含まれる)があ

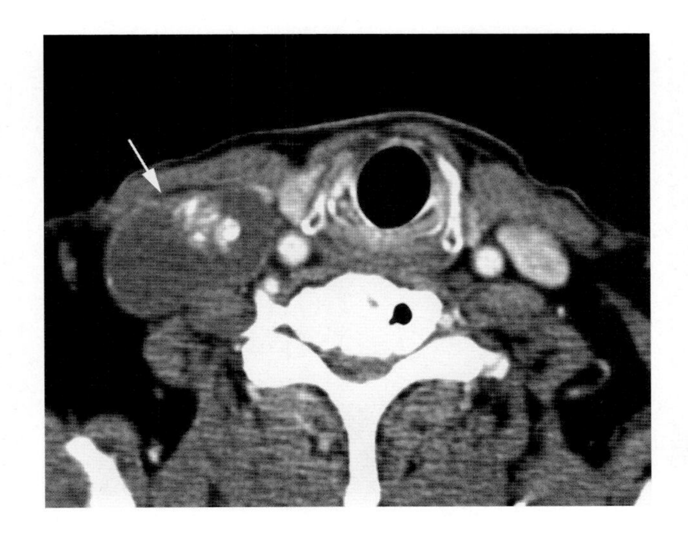

図63　甲状腺乳頭癌の頸部リンパ節転移
造影CTにおいて，右レベルⅢ領域に嚢胞成分と，石灰化を伴う充実成分の混在する腫瘤（矢印）を認める．

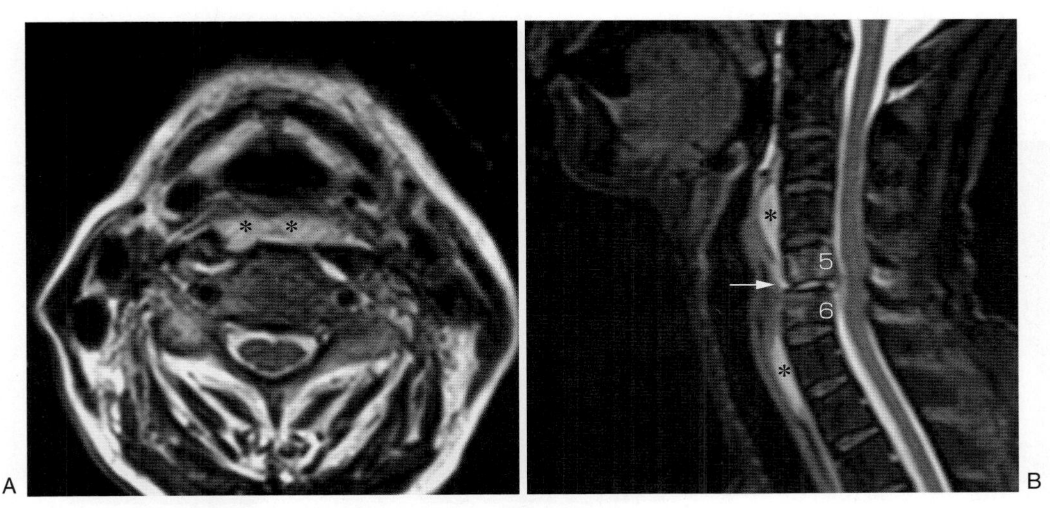

図64　化膿性脊椎椎間板炎の波及による椎前間隙膿瘍形成
頸部T2強調横断像（A）において椎前部に高信号を示す組織肥厚（＊）を認める．STIRの正中矢状断像（B）でC5/6椎間板（矢印）の信号上昇およびC5（5）の後方すべりによる配列不整，C5およびC6（6）椎体の髄内信号上昇がみられ，化膿性脊椎椎間板炎を示す．C3〜Th1レベルで椎体前面に沿って形成された膿瘍（＊）が高信号腫瘤として認められる．

り，後者の内容液は必ずしも膿性ではない．

1 頸部膿瘍

画像診断上，円形，類円形を呈することが嚢胞としての一般的条件のひとつと考えると，頸部膿瘍は頸筋膜解剖に従って進展，全体としての形状はしばしば不整に過ぎる．しかし，著名な頭頸部画像診断の教科書のひとつでもあるHarnsbergerのHandbook[74]内，同名タイトル章の解説に含まれるため，本書もこれに従う．

原因は上気道感染に続発，歯原性，医原性，外傷性などが主で，椎間板炎や脊椎炎からの波及（図64），血栓性静脈炎，敗血症に伴う血行性，腫瘍の二次感染，縦隔炎からの上行性波及などに起因する例もある．症状，画像所見はいずれも侵される組織間隙に依存する．代表的なものとしては，咽頭炎に続発する咽後膿瘍（図65，66），扁桃膿瘍・扁桃周囲膿瘍（図67）などがあげられる

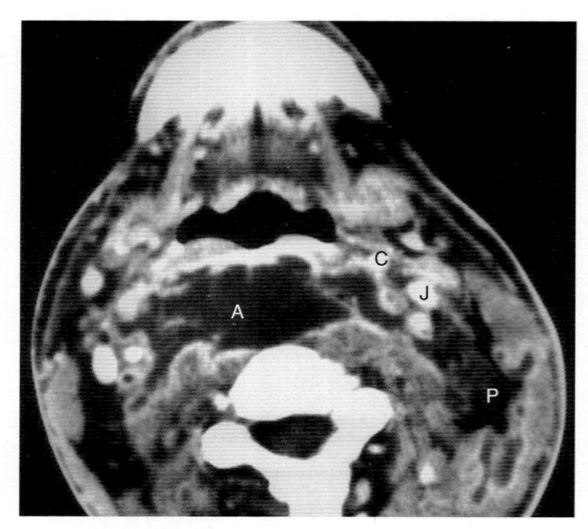

図 65　咽後膿瘍

中咽頭レベル造影 CT において咽頭後間隙に一致して辺縁に増強効果を伴う嚢胞性腫瘤(A)を認め，咽後膿瘍に一致する．左側では頸動脈鞘(C：総頸動脈，J：内頸静脈)後方から後頸三角(P)に進展を示す．

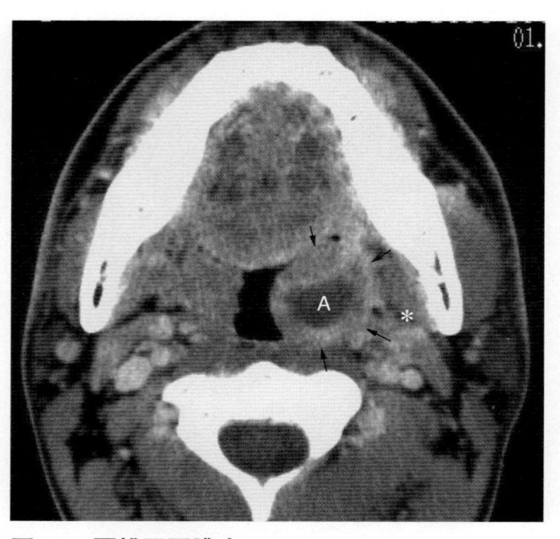

図 67　扁桃周囲膿瘍

中咽頭レベル造影 CT において腫脹した左口蓋扁桃(矢印)内に液体濃度領域(A)を認め，扁桃(周囲)膿瘍に一致する．外側の傍咽頭間隙前茎突区の脂肪(＊)は保たれている．

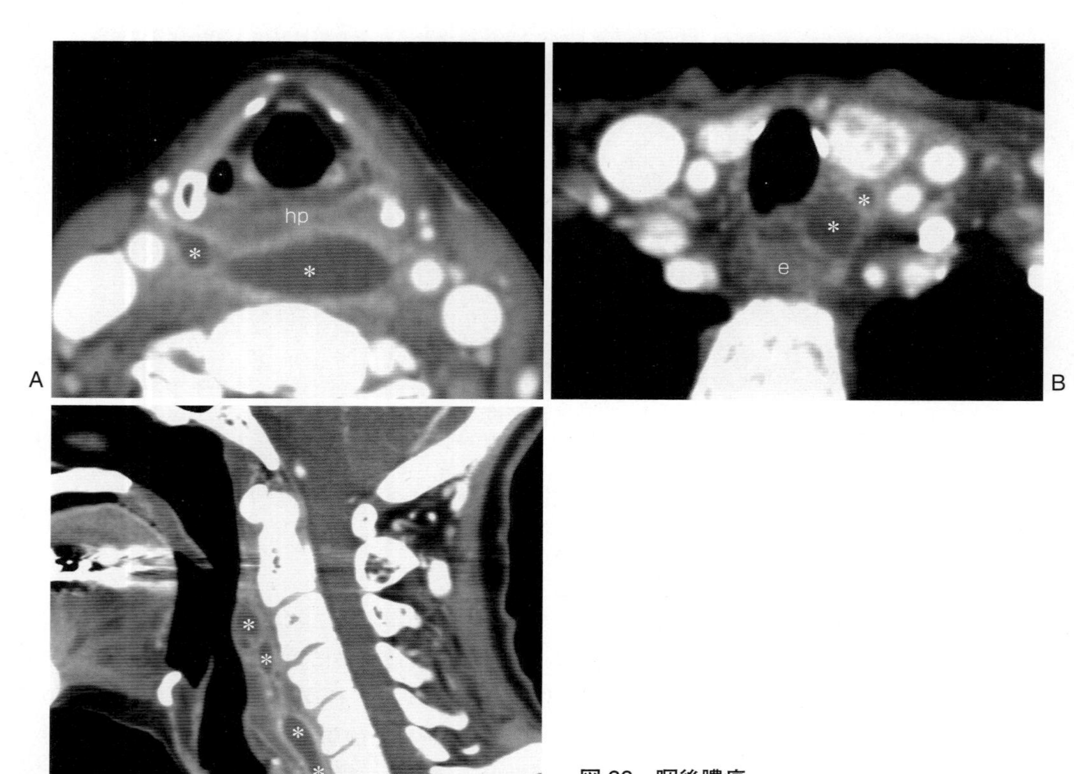

図 66　咽後膿瘍

下咽頭レベルの造影 CT 横断像(A)において，下咽頭(hp)背側，咽頭後間隙に一致した分布を示す液体濃度領域(＊)を認め，辺縁増強効果を伴う．胸郭入口部レベル(B)で病変(＊)の同レベルへの進展あり．e：食道．正中矢状断像(C)で咽後膿瘍(＊)の頭尾側方向の進展様式が明瞭に描出されている．

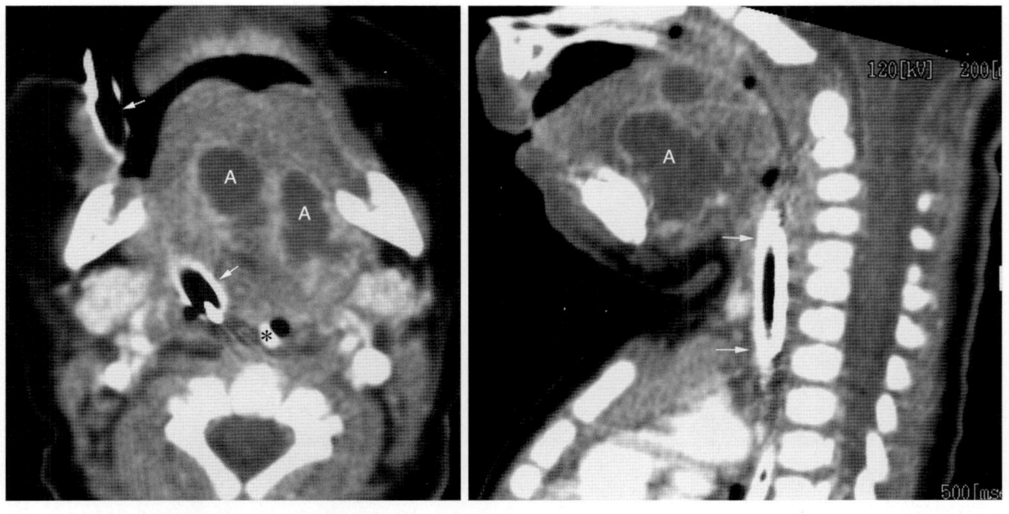

図 68　口腔底膿瘍（先天性心疾患を有する小児例）
A：口腔レベル造影 CT 横断像．腫脹した舌および口腔底に壁の増強効果を伴う多房性囊胞性腫瘤（A）を認め，膿瘍形成に一致する．
B：再構成矢状断像．膿瘍の形成（A）が明瞭に描出されている．
矢印：気管内挿管チューブ，＊：経鼻胃管

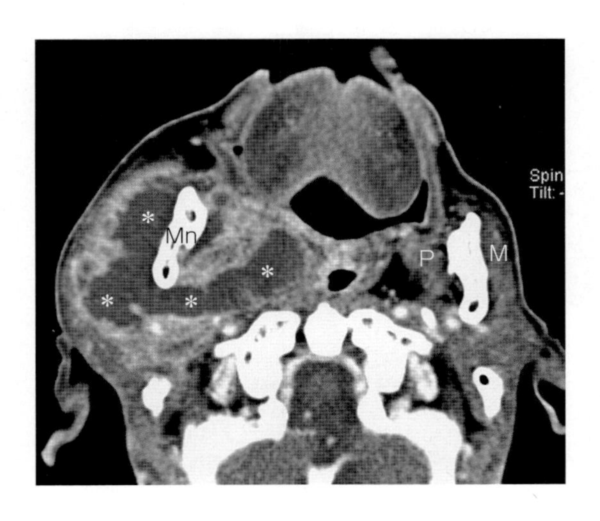

図 69　咀嚼筋間隙膿瘍
造影 CT．下顎骨右上行枝（Mn）を囲むように，辺縁増強効果を伴う，右咀嚼筋間隙を占拠する不整形液体濃度領域（＊）を認める．
M：咬筋，P：翼突筋

が，顎下間隙，口腔底（図 68），咀嚼筋間隙の膿瘍（図 69，70）では歯原性の可能性が考慮される．

扁桃膿瘍は扁桃被膜内，扁桃周囲膿瘍は扁桃被膜と頬咽頭筋膜（深頸筋膜中葉）との間の潜在腔である扁桃周囲腔の膿瘍を指す（図 67）．後者も依然，頬咽頭筋膜の気道側，すなわち，咽頭粘膜間隙内にとどまる（扁桃膿瘍・扁桃周囲膿瘍は一般に深頸部膿瘍には区分しない）．頬咽頭筋膜を越えて外側へ進展すると（深頸部腫瘍である）傍咽頭間隙膿瘍を形成する．なお，頭頸部重症感染症として有名な“Ludwig's angina”に関しては多少用語が誤って用いられる傾向がある．本症は口腔底の蜂窩織炎であり，膿瘍ではない．臨床上は縦隔進展から狭心症様胸痛を示す場合があること，気道閉塞症状の軽減を目的として早期の筋膜減張切開を必要とすることなどが重要である．

CT 上，膿瘍は増強効果のない液体濃度の膿瘍腔とこれを囲む増強効果を示す壁（被膜）を有する腫瘤として認められるのが典型的であり，通常，筋膜解剖に従った進展様式をとる（図 65，66，

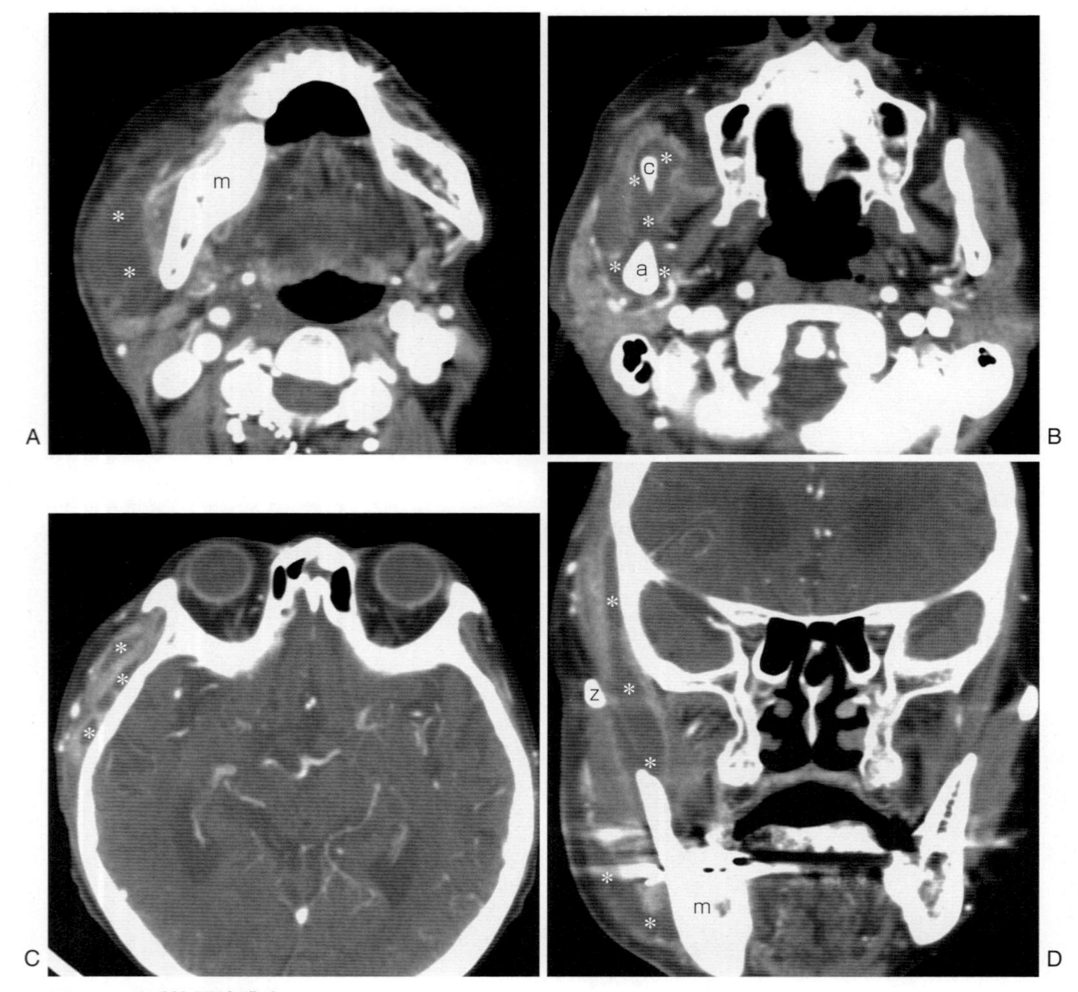

図 70　咀嚼筋間隙膿瘍

下顎レベルの造影 CT 横断像(A)で下顎骨(m)右体部から下顎角にかけて硬化を示し，骨髄炎の所見を反映する．これに接して液体濃度領域(＊)がみられ，歯性感染に起因した下顎骨骨髄炎の骨外波及に伴う膿瘍形成に一致する．頭側レベル(B)で，膿瘍(＊)は下顎骨の筋突起(c)，関節突起(a)周囲を取り囲むように認められる．さらに頭側レベル(C)で，右側頭窩への膿瘍(＊)進展を認める．冠状断像(D)で咀嚼筋間隙の頬骨弓(z)深部を介した頭尾側方向の連続性(頬骨上・下咀嚼筋間隙)に従った膿瘍(＊)進展を認める．m：硬化を示す下顎骨右体部から下顎角

70)[75]．ただし，未熟な膿瘍では被膜形成による辺縁増強効果が明らかでなく，膿瘍成熟化に伴い明らかとなる(図 71)．これに対して蜂窩織炎は軟部組織の腫脹，脂肪組織の混濁として認められるが，膿瘍腔がないことで区別される．ただし，膿瘍周囲はほぼ常に蜂窩織炎の所見を伴う．有意な気道狭窄の有無，舌骨下頸部から縦隔への進展，頸静脈の血栓性静脈炎の有無の確認も臨床上重要な要素である．

深頸部膿瘍の治療としては侵された個々の組織間隙に対して切開，排膿管を置くのが原則で，画像所見による進展範囲の把握(侵された組織間隙の特定)は必要不可欠である．組織間隙の解剖については 1 章「頭頸部組織間隙・筋膜および頸三角の解剖」を参照されたい．また，既述の扁桃周囲膿瘍および舌・口腔底膿瘍に対しては，(やや保存的に)穿刺吸引による制御を試み，制御困難な場合に切開排膿の適応を考慮するのが通常であ

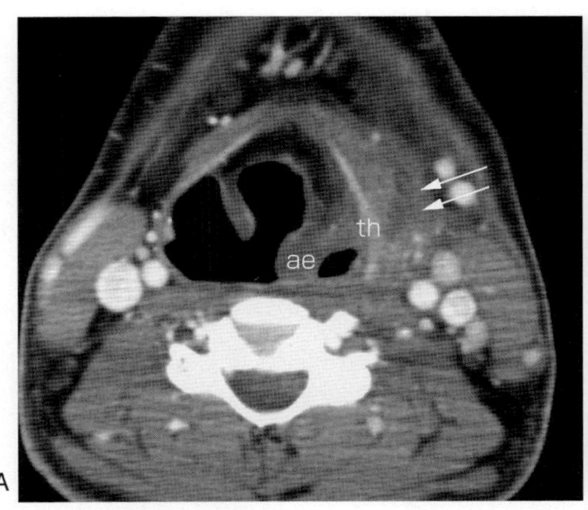

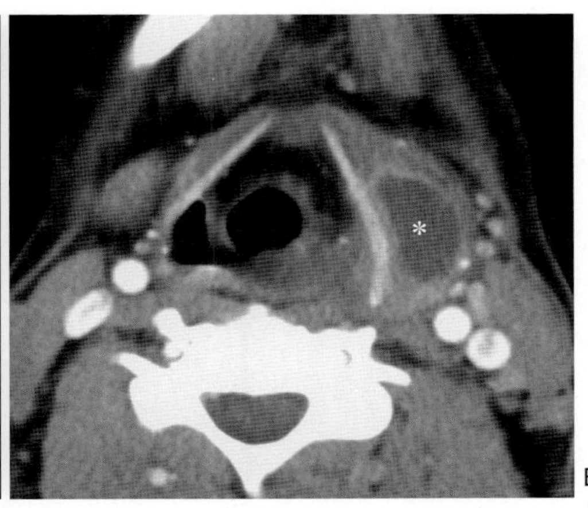

図 71 膿瘍成熟化
舌骨下頸部の造影 CT(A)において甲状軟骨左側板(th)外側に沿った高度の炎症性軟部組織腫脹を認める．内部にごく淡い低吸収領域(矢印)がみられ，未熟な膿瘍形成の可能性が考慮される．2 日後の造影 CT(B)では辺縁の増強効果(被膜形成)を伴う液体濃度腫瘤(＊)を認め，成熟した膿瘍腔の形成が明確に描出されている．

る．実際に膿瘍形成があるのか，蜂窩織炎のみであるのかの鑑別は，後者は一般的には抗菌薬治療の対象となることから，外科的治療の要否を決める意味で重要である．また，膿瘍発生の原因(歯原性感染や異物，化膿性脊椎椎間板炎など)の特定も重要であり，深頸部膿瘍では常にこれらを考慮しながら読影する必要がある．

2 ガマ腫(ranula)

舌下腺管あるいは舌下間隙内の小唾液腺管の閉塞をもとにして生じる貯留嚢胞のひとつ．炎症性の他に外傷性，医原性などの場合も多い．通常は口腔底あるいは顎下部の無痛性腫瘤として現れる．ポリネシアや東南アジアで多いなど多少の地域性がある[76]．性差は女性に多いとされる[77]．嚢胞内容は黄色透明で極めて粘稠な場合が多く，アミラーゼ値は一定しない[78]．

臨床的，組織学的に単純性，潜入性の 2 つに分類される．単純性ガマ腫(simple ranula)は舌下腺が位置する舌下間隙内に限局する，上皮細胞に裏打ちされた真性嚢胞である．一方，潜入性ガマ腫［diving ranula (plunging ranula)］は単純性ガマ腫が壁(舌下腺被膜)の破綻とともに舌下間隙を越えて形成された仮性嚢胞で，その壁は上皮細胞をもたず，結合織あるいは肉芽組織による．ほぼ常に顎下間隙進展を認める(このため顎下型とも称される)．全ガマ腫の約 10％に相当し[78]，10～20 歳代に多いとされる[79]．多くは顎舌骨筋後縁を介した舌下間隙後方からの顎下間隙への進展を示し，この場合は画像診断として(顎下間隙の嚢胞性病変で舌下間隙への連続性による) “tail sign” を呈することが多いが，ときに顎舌骨筋の正常変異としての自然欠損部を介して舌下間隙外(多くは顎下間隙)への進展(図 72，73)を示す場合もある．

画像上，単純性ガマ腫は舌下間隙に限局する単房性嚢胞性腫瘤として認められる(図 74，75)．舌下間隙は横断像上，オトガイ舌筋と顎舌骨筋との間に相当し，冠状断では顎舌骨筋の頭側にとどまる位置関係が明瞭に描出される．潜入性ガマ腫では，通常，顎下間隙を中心とした嚢胞性腫瘤(図 72)として認められるが，舌下間隙へのくちばし様連続性(tail sign)が確認できれば診断を示唆する(図 76，77)．ときにオトガイ舌筋，オトガイ舌骨筋などの間を介して正中を越えて対側(図 78)，あるいは顎下間隙から連続する傍咽頭間隙(図 77，79)への頭側進展をきたす．これは MRI T2 強調像で明瞭に描出される．鑑別疾患としては嚢胞性リンパ管腫，類上皮腫，小唾液腺あるいは舌下腺由来の嚢胞性唾液腺腫瘍などがあげられる．

外科的治療は単純性ガマ腫では経口的開放術が

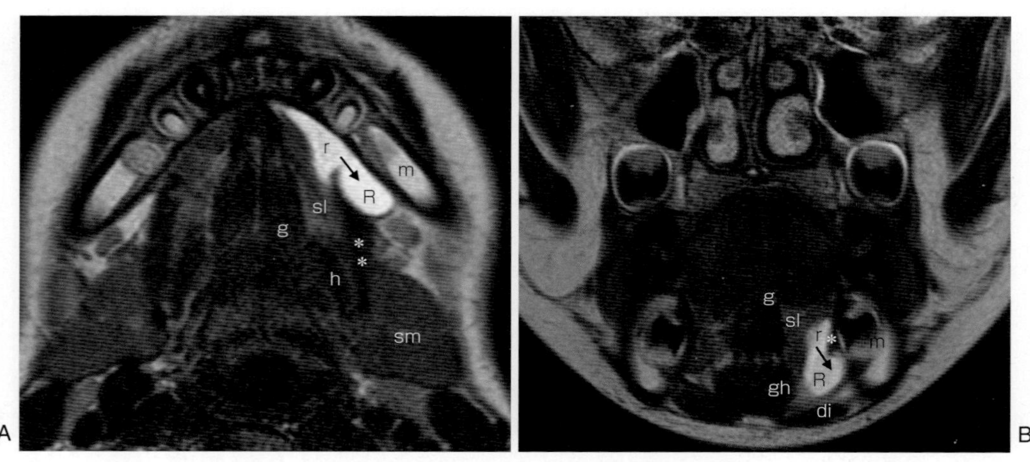

図 72　潜入性ガマ腫(顎舌骨筋の自然欠損部を介した顎下間隙への進展)

口腔底レベルの MRI，T2 強調横断像(A)において，左側のオトガイ舌筋(g)と顎舌骨筋(＊)との間の舌下間隙前方に液体信号の病変(r)を認め，顎舌骨筋前縁の欠損部を介して顎下間隙への進展(矢印)，顎下間隙の囊胞性腫瘤(R)を形成している．h：舌骨舌筋，m：下顎骨，sm：顎下腺，sl：舌下腺．同冠状断像(B)でも同様に顎舌骨筋(＊)内側上部の舌下間隙の囊胞性腫瘤(r)は同筋欠損部を介して，顎下間隙の囊胞性腫瘤(R)と連続(矢印)する．di：顎二腹筋前腹，g：オトガイ舌筋，gh：オトガイ舌骨筋，m：下顎骨，sl：舌下腺

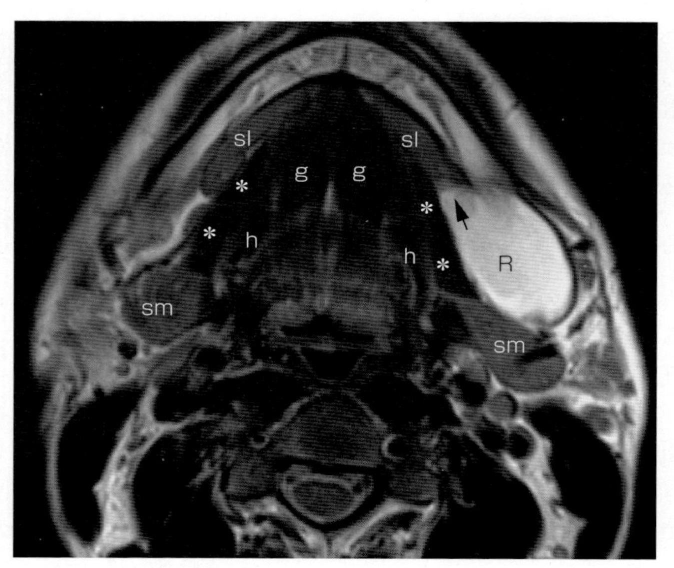

図 73　潜入性ガマ腫

口腔底レベル MRI T2 強調横断像で両側舌下腺(sl)後方部分は顎舌骨筋(＊)より外側下方に位置しており，(舌下間隙ではなく)顎舌骨筋欠損部を介して顎下間隙への部分的脱出(ヘルニア)を生じていることを示す．左側では舌下腺後方に接して(矢印)，やはり顎下間隙に囊胞性腫瘤(R)を認め，(通常の顎舌骨筋後縁ではなく，既述の顎舌骨筋の欠損部を介して進展した潜入性ガマ腫が考慮される．囊胞性リンパ管腫，皮様囊腫などは鑑別となりうる)．顎下腺(sm)，h：舌骨舌筋，g：オトガイ舌筋

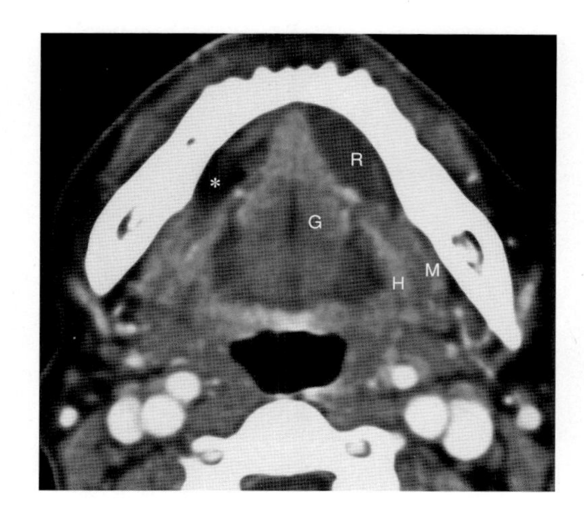

図 74　単純性ガマ腫
　口腔底レベル造影 CT において左舌下間隙(対側で＊で示す．同例は Sjögren 症候群が基礎にあり，舌下腺は萎縮し，同間隙は脂肪浸潤に置換されている)に限局した単房性嚢胞性腫瘤(R)を認め，単純性ガマ腫に一致する．G：オトガイ舌筋，H：舌骨舌筋，M：顎舌骨筋

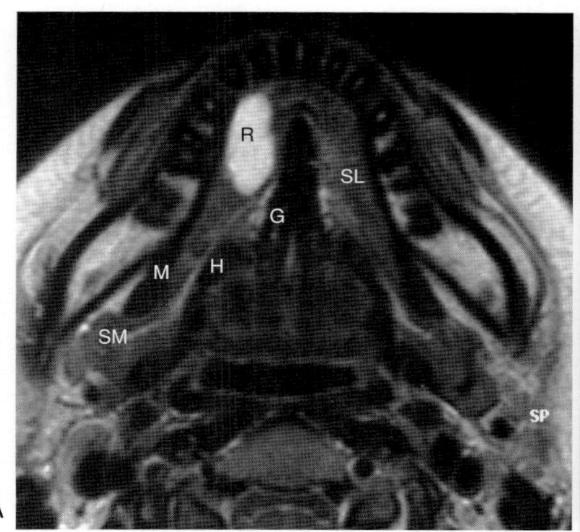

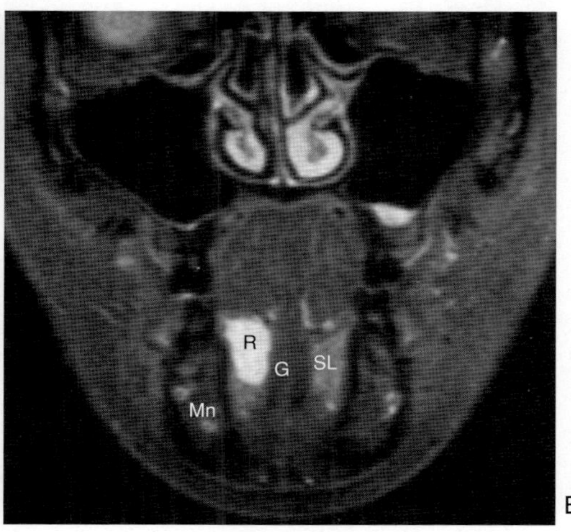

図 75　単純性ガマ腫
　A：口腔底レベル MRI T2 強調横断像．右舌下間隙内，舌下腺(対側で SL で示す)内に単房性嚢胞性腫瘤(R)を認める．G：オトガイ舌筋，H：舌骨舌筋，M：顎舌骨筋，SM：顎下腺
　B：STIR 冠状断像．右舌下腺(対側で SL で示す)に限局する嚢胞性腫瘤(R)が明瞭に描出されている．G：オトガイ舌筋，Mn：下顎骨

行われる．潜入性ガマ腫では以前は外方から経頸的嚢胞全摘術が行われていたが，現在は経口的開放術および同側舌下腺全摘術で十分と考えられており[76, 80, 81]，これにより顎下部などの深部に進展した嚢胞部は自然に消退する．さらに最近では(特に小児例では)OK-432 嚢胞内注入による化学的炎症での病変縮小が選択肢となっている[79, 80]．外科的アプローチ法のまったく異なる以前ほどではないが，治療の異なる両者の区別は依然として臨床上重要である．

3 他の貯留嚢胞

　貯留嚢胞は小唾液腺の分布する部位すべて，すなわち口腔，咽頭(図 80)，喉頭，鼻副鼻腔などあらゆる部位に生じうる．既述のガマ腫も舌下腺，あるいは小唾液腺の貯留嚢胞のひとつである．好発部位では発生部位により喉頭蓋谷嚢胞(図 81)，披裂嚢胞(図 82)などと区別して呼ばれる場合もある．通常は腺管の炎症性閉塞による．

　画像上は粘膜直下，極めて表層性に単房性嚢胞

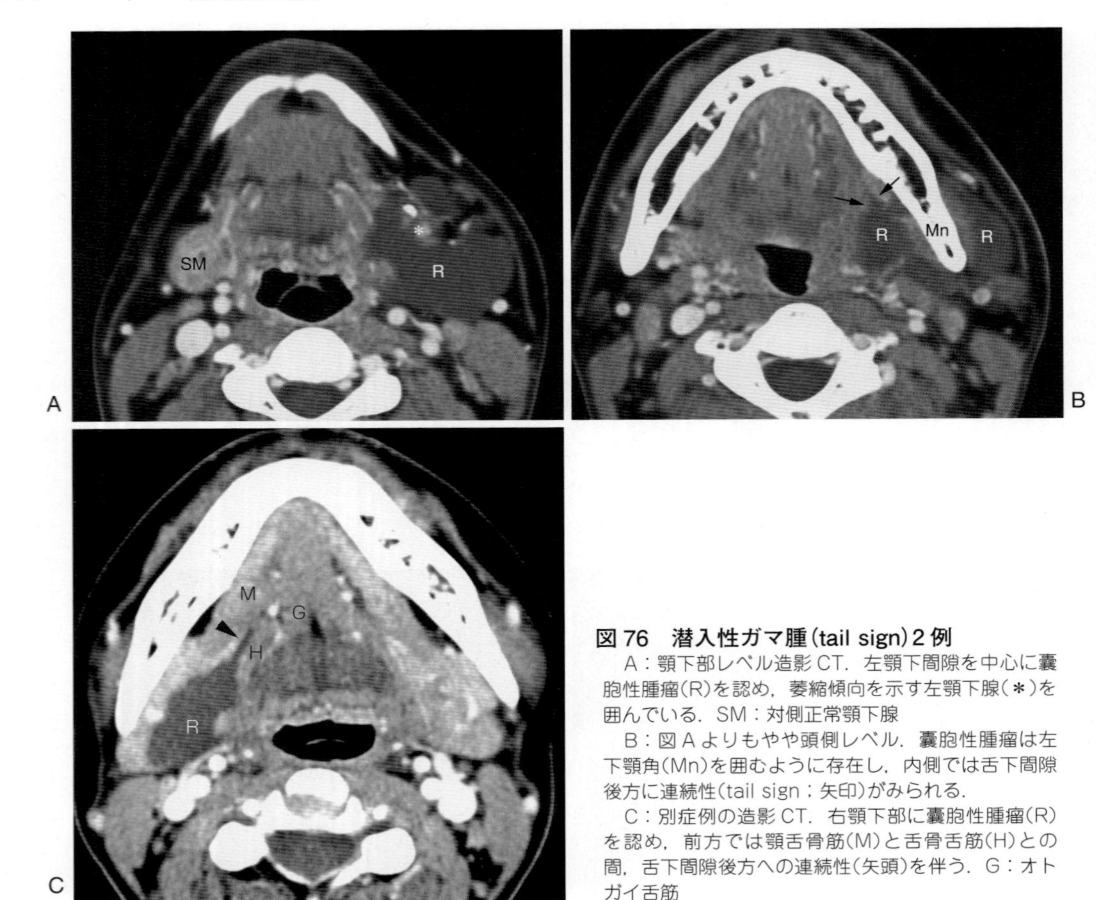

図 76 潜入性ガマ腫(tail sign) 2例

A：顎下部レベル造影CT．左顎下間隙を中心に嚢胞性腫瘤(R)を認め，萎縮傾向を示す左顎下腺(*)を囲んでいる．SM：対側正常顎下腺

B：図Aよりもやや頭側レベル．嚢胞性腫瘤は左下顎角(Mn)を囲むように存在し，内側では舌下間隙後方に連続性(tail sign；矢印)がみられる．

C：別症例の造影CT．右顎下部に嚢胞性腫瘤(R)を認め，前方では顎舌骨筋(M)と舌骨舌筋(H)との間，舌下間隙後方への連続性(矢頭)を伴う．G：オトガイ舌筋

性腫瘤として認め，典型的には内部は液体濃度・信号強度を示す．症状は病変の局在，大きさによる．

E 臓側間隙(非炎症性)嚢胞性腫瘤

本項では頸筋膜解剖でいうところの臓側間隙内で，実質臓器以外に由来する非炎症性嚢胞性腫瘤を解説する．ここでも“嚢胞性”の定義を広くとり，実際は嚢胞ではなく憩室(または憩室様突出)であるが断層画像所見として嚢胞様所見を呈する病変を含み，以下にZenker憩室，喉頭瘤・咽頭瘤を扱う．

1 Zenker憩室

Zenker憩室は下咽頭輪状後部後壁の構造的に脆弱部位であるKillian間隙(下咽頭収縮筋の一部である，甲状咽頭筋の斜線維と輪状咽頭筋上縁との間で，1908年Killianにより記述[82])を介した圧出性機転により形成される憩室である．1769年Ludulowが生前嚥下困難を訴えていた屍体解剖時に同部を介した咽頭壁膨隆を初めて記述し[83]，1877年von Zenkerとvon Ziemsenが咽頭内圧によると唱えた[84]．嚥下時の輪状咽頭筋の不完全な弛緩により下咽頭内腔圧の上昇に起因する．輪状咽頭筋は同部の筋肉の緊張の程度に最も大きく関わっている[85]．両側で輪状軟骨側面に付着するが咽頭縫線など後方の正中構造との付着はみられず，筋性構造として食道入口部を取り囲むように位置する．一方，甲状咽頭筋は両側で

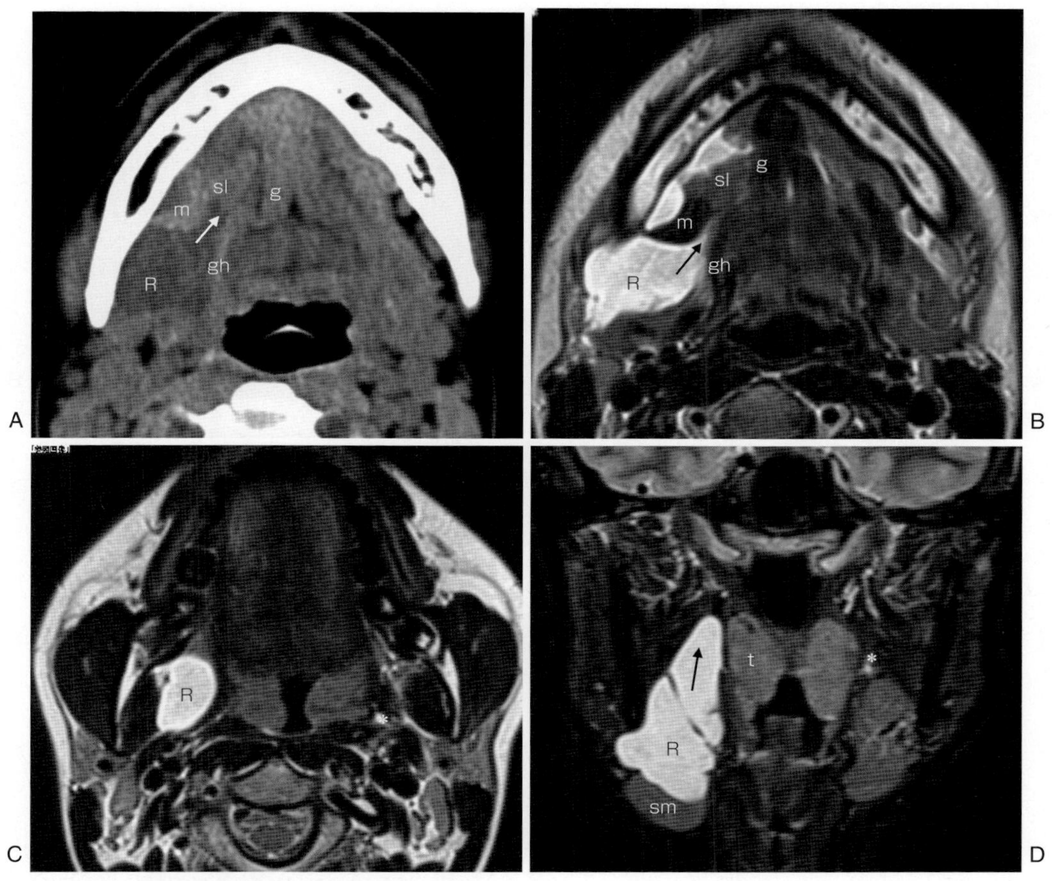

図 77　傍咽頭間隙進展を示す潜入性ガマ腫
口腔底レベルの CT(A)および MRI，T2 強調横断像(B)において，右顎下間隙に嚢胞性腫瘤(R)を認め，前方で顎舌骨筋(m)とオトガイ舌筋(g)との間に形成される舌下間隙後方への連続性(tail sign：矢印)を伴う．gh：舌骨舌筋，sl：舌下腺．頭側レベルの T2 強調横断像(C)で嚢胞性病変(R)の傍咽頭間隙(対側で＊で示す)への進展を認める．STIR 冠状断像(D)において，嚢胞性腫瘤(R)の右顎下間隙から頭側に連続する傍咽頭間隙(対側で＊で示す)への進展(矢印)が明瞭に描出されている．sm：顎下腺，t：口蓋扁桃

甲状軟骨側板の斜線の間を通過して後方で咽頭縫線に付着する．咽頭縫線は頭蓋底から下方に進展し，咽頭収縮筋が付着する．

60～70 歳代の高齢者に多く，40 歳未満の若年者にはまれである[83]．組織学的には粘膜と粘膜下組織のみの脱出であり，筋層は存在しない(このため，より正確には偽憩室である)．同部で輪状咽頭筋は 50％を超える線維脂肪組織への置換と筋線維の変性を示し，括約筋としての弾性を失っている[86]．左側発生(約 90％)が多い．原因は明らかでないが，Killian 間隙の筋層の厚さが有意に左側で薄いことによる[86]，左頸動脈と頸部食道との間の潜在腔による陥凹[87]等が原因として推察されている．

最も多い症状は嚥下困難と逆流で，しばしば左側頸部腫瘤(Boyce sign)や口臭などを認める．欧米と比較して本邦の頻度はやや少ない．

バリウム検査により確診が得られるが，CT では下咽頭から頸部食道背側，あるいは左後側方に位置する嚢胞性腫瘤として認められる(図 83, 84)．憩室であるため内腔はさまざまな様相を呈し，その一部あるいは全部が空気に占められる，あるいは食物残渣か粘液を含み，ときに液面形成を伴う．

治療としては経頸部の開放手術による憩室切除術が基本となるが，最近は内視鏡下手術(endo-

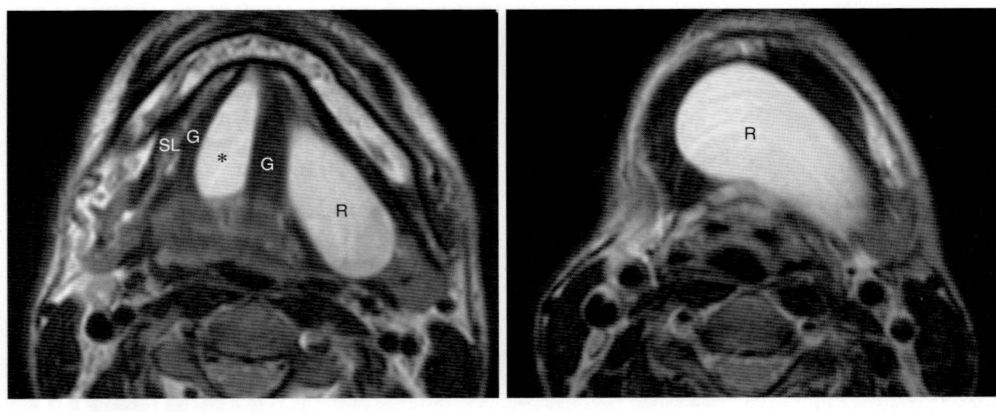

図 78　対側進展を示すガマ腫

A：口腔底レベル MRI T2 強調横断像．左舌下間隙に囊胞性腫瘤(R)を認めるとともに両側オトガイ舌筋(G)の間に入り込む囊胞性腫瘤(＊)が認められる．SL：対側正常舌下腺

B：図 A よりもやや尾側レベル．上記囊胞性腫瘤(R)の連続性が確認される．

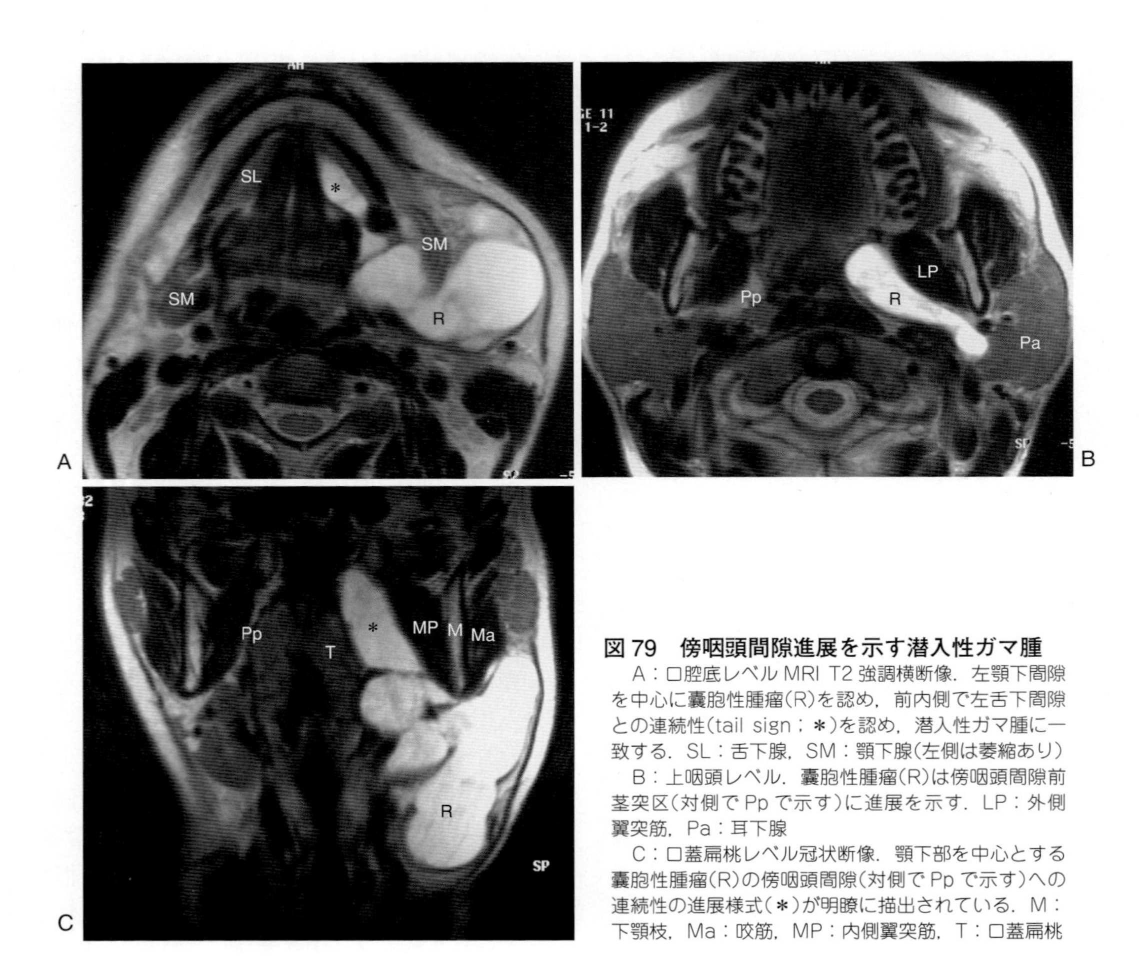

図 79　傍咽頭間隙進展を示す潜入性ガマ腫

A：口腔底レベル MRI T2 強調横断像．左顎下間隙を中心に囊胞性腫瘤(R)を認め，前内側で左舌下間隙との連続性(tail sign：＊)を認め，潜入性ガマ腫に一致する．SL：舌下腺，SM：顎下腺(左側は萎縮あり)

B：上咽頭レベル．囊胞性腫瘤(R)は傍咽頭間隙前茎突区(対側で Pp で示す)に進展を示す．LP：外側翼突筋，Pa：耳下腺

C：口蓋扁桃レベル冠状断像．顎下部を中心とする囊胞性腫瘤(R)の傍咽頭間隙(対側で Pp で示す)への連続性の進展様式(＊)が明瞭に描出されている．M：下顎枝，Ma：咬筋，MP：内側翼突筋，T：口蓋扁桃

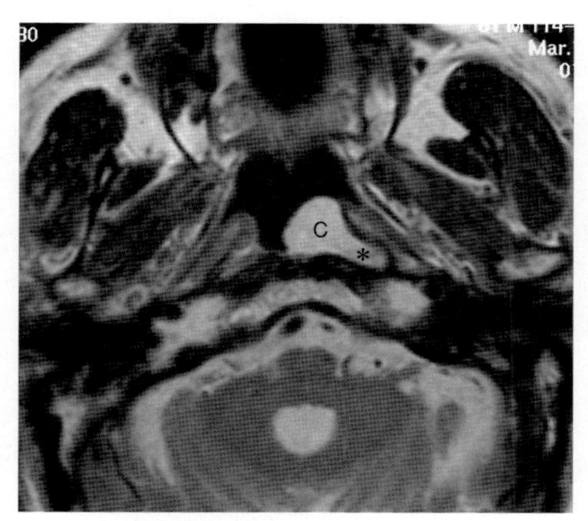

図 80 上咽頭貯留嚢胞
上咽頭レベル MRI T2 強調横断像において上咽頭左側を中心に嚢胞性腫瘤(C)を認め，左 Rosenmüller 窩(＊)を占拠している.

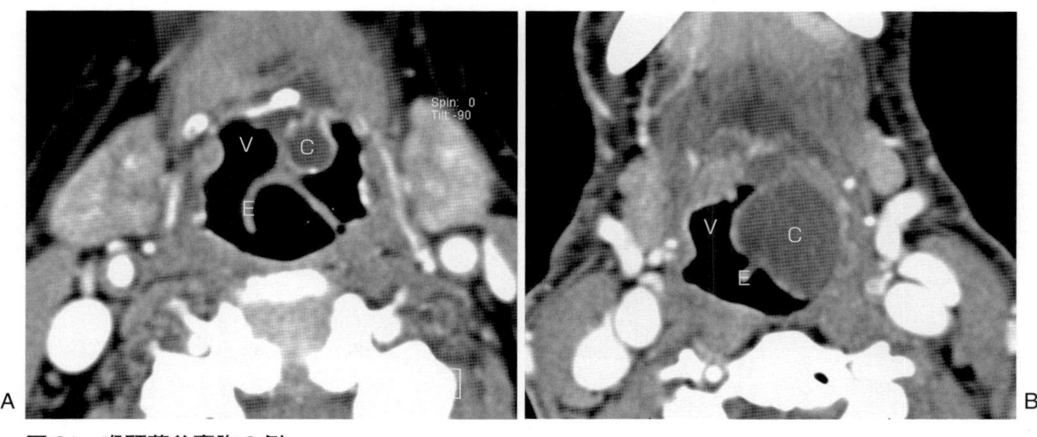

図 81 喉頭蓋谷嚢胞 2 例
造影 CT(A，B)において，左喉頭蓋谷(対側で V で示す)に単房性嚢胞性病変(C)を認める．E：喉頭蓋

scopic laser diverticulectomy，endoscopic stapler-assisted diverticulectomy)の有用性も示されている[88].

2 咽頭瘤(pharyngocele)

下咽頭梨状窩外側壁膜様部の甲状舌骨膜を介した外方突出により形成される憩室様突出(図 85〜87)で，外側咽頭憩室(lateral pharyngeal diverticulum)とも称する．1886 年 Wheeler により最初に記述された[89]．先天性と後天性に分けられ，先天性は鰓裂嚢胞と考えられている．一方，後天性は加齢による筋肉の弾性低下，咽頭内圧の上昇が原因とされ，40〜50 歳代の中高年男性(男女比は 3〜8：1)で強度の咳嗽や吹奏楽演奏などと関連して生じることが多い[90]．咽頭側壁において，上・中咽頭収縮筋との間，あるいは中・下咽頭収縮筋との間が構造的脆弱部位であり，前者では扁桃下極領域，後者では梨状窩基部での憩室様突出として咽頭瘤が生じる．Valsalva 手技でより顕著になるが，術中安静時は咽頭瘤の膨隆はなく部位特定はしばしば困難である[91].

無症候性で偶発的所見としてみられる場合もあ

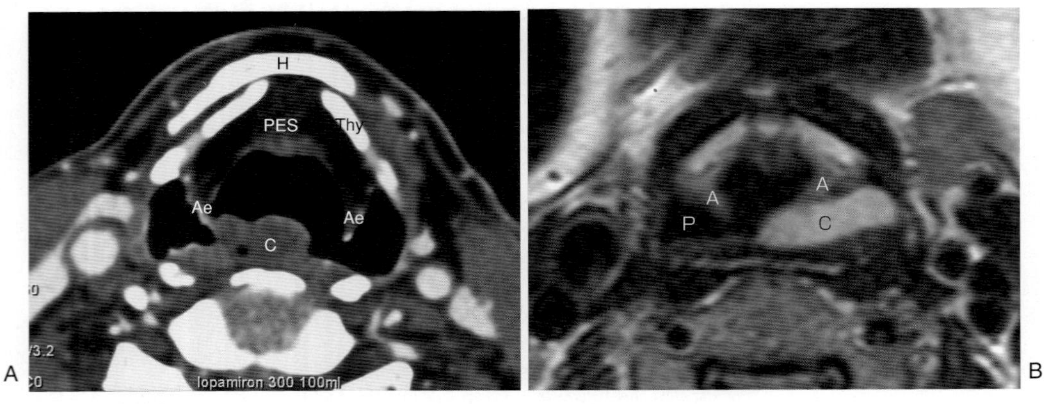

図82　披裂嚢胞2例
舌骨レベル造影CT(A)において披裂部に一致して嚢胞性腫瘤(C)を認める．Ae：披裂喉頭蓋ひだ，H：舌骨体部，PES：喉頭蓋前間隙，Thy：甲状軟骨側板上縁
別症例(B)のMRI T2強調像で左披裂喉頭蓋ひだ(A)に接して，隣接する梨状窩(右側でPで示す)を占拠する嚢胞性病変(C)を認める．

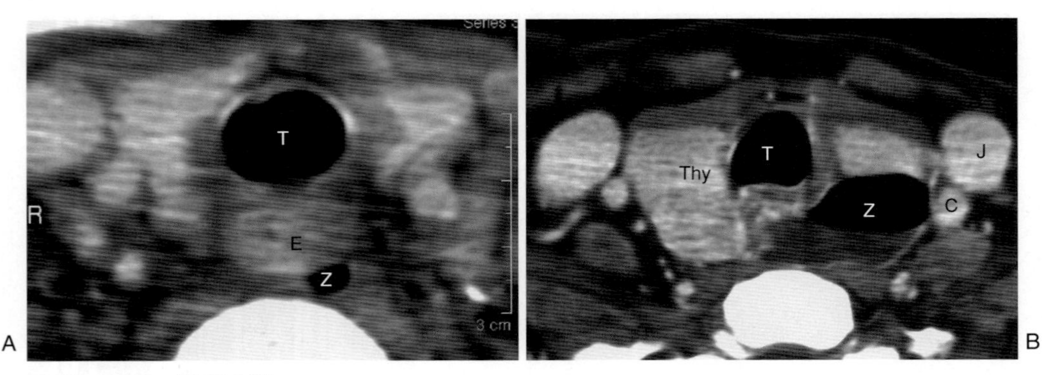

図83　Zenker憩室2例
A：甲状腺レベル造影CT．食道(E)左後方に空気濃度領域(Z)を認める．T：気管
B：別症例．図Aの症例よりもより大きな憩室(Z)を認め，内部には液面形成を伴う．C：総頸動脈，J：内頸静脈，Thy：甲状腺

るが，症状は咽頭瘤自体の大きさ，開口部の大きさ，感染併発の有無などにより様々で，嚥下困難のほか，頸部痛，異物感，嚥下痛，未消化物の逆流，誤嚥，発声困難，嗄声，耳痛，Valsalva手技で発現する圧迫可能な頸部腫瘤などを認める．

診断はValsalva手技，内視鏡に加えて，バリウムによる咽頭造影によるが，CTやMRIでは偶発的所見としても認められる．症状の有無や程度により治療要否，治療選択(外科的あるいは保存的)が判断される．外科的治療では従来は外方アプローチによる開放手術が行われてきた，最近では内視鏡的な粘膜切除と縫縮が切開瘢痕のない低侵襲治療として有用性が報告されている[90]．

3 喉頭瘤(laryngocele)

喉頭室が嚢状拡張を示し仮声帯の傍声帯間隙に進展したものであり，先天性要因，喉頭内圧上昇，(喉頭室近位部の)機械的閉塞が主な発生理論とされる．通常は炎症後の変化，あるいは機能性閉塞(ガラス職人，吹奏楽奏者，COPDや慢性咳嗽など喉頭内圧が高い状態)によるが，臨床上最も重要なのは閉塞原因の6%が腫瘍性であるということである．すなわち，画像診断医はたとえ偶発的病変としてであっても喉頭瘤をみた場合，喉

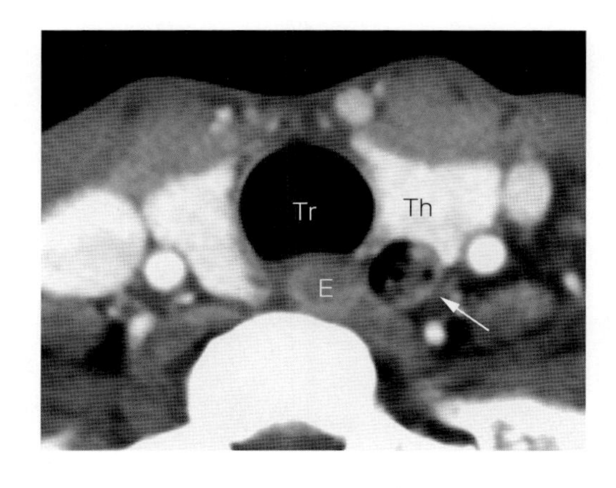

図 84　Zenker 憩室
甲状腺レベル造影 CT において，頸部食道（E）右側に接する，右傍食道領域に類円形腫瘤（矢印）を認め，内部に泡沫様内容を含む．病変の局在，内部性状などから Zenker 憩室に一致する．Th：甲状腺左葉，Tr：気管

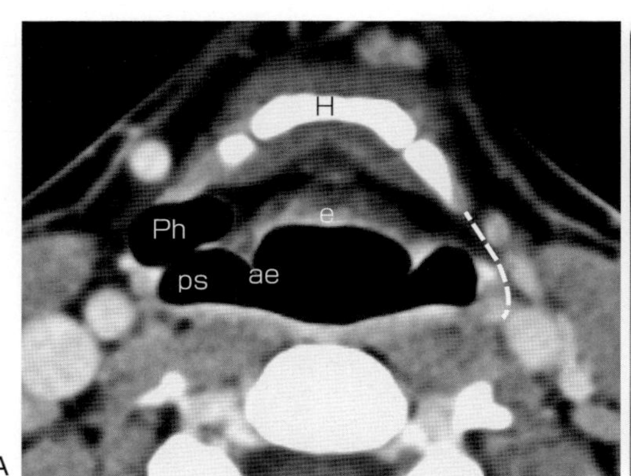

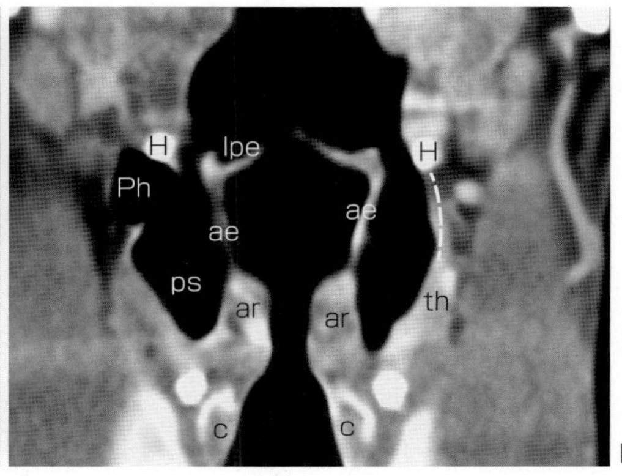

図 85　咽頭瘤
舌骨レベル造影 CT（A）において，右梨状窩上部（ps）の外側壁膜様部を介して甲状舌骨膜（対側で破線の部位に相当する）を越えて側方に膨隆する空気濃度腫瘤（Ph）を認め，咽頭瘤に一致する．ae：披裂喉頭蓋ひだ，e：喉頭蓋軟骨，H：舌骨体部．冠状断像（B）．梨状窩（ps）上部の側方で，舌骨大角（H）と甲状軟骨側板（th）との間の甲状舌骨膜（対側で破線の部位に相当）を越えて側方に膨隆する咽頭瘤（Ph）を認める．ae：披裂喉頭蓋ひだ，ar：披裂軟骨，c：輪状軟骨，lpe：外側咽頭喉頭蓋ひだ．

頭室の閉塞性病変の有無を確認する必要がある（図 88，89）．ただし，画像所見として閉塞性腫瘍を指摘できないことは病変の存在を否定することにはならず，必ず内視鏡でも確認する必要があることを認識しておかなければならない．

発生頻度は年間 10 万人当たり 0.4 人とまれで[92]，40〜50 歳代の男性に多く（男女比は 1.25〜5：1），87％が片側性である[93]．なお厳密には“喉頭瘤”の用語は，症候性かつ触知可能，喉頭鏡で可視可能，あるいは甲状軟骨上縁より頭側への進展を認めた空気に満たされた病変のみに対して用いられる[94]．喉頭瘤頸部が閉塞して瘤内が粘液に満たされれば喉頭粘液瘤（laryngomucocele），感染を生じれば喉頭膿瘤（laryngopyocele）となり，喉頭膿瘤は全体の 8％とされるが[95, 96]，広義にはこれらすべてを粘液瘤としている．

無症状の場合も多いが，嗄声，喘鳴，頸部腫瘤，頸部痛などを示す．症状は病変の大きさ，局在などによる．喉頭瘤は局在・進展範囲より，内喉頭瘤（internal laryngocele）と混合型喉頭瘤（combined laryngocele あるいは mixed laryngocele）の 2 つに分類される．内喉頭瘤は喉頭内に限局した病変で，傍声帯間隙内に拡張した喉頭室が嚢胞性腫瘤を形成した病変を示す．混合型喉頭瘤は，傍声帯間隙から甲状舌骨膜を介して，（喉

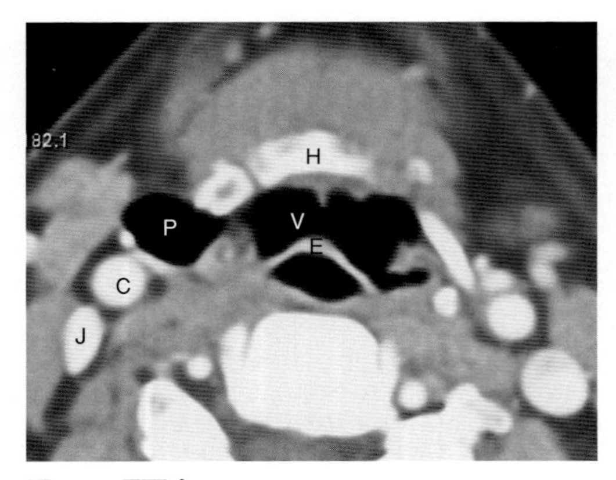

図86　咽頭瘤
舌骨レベル造影CTにおいて咽頭右側壁より甲状舌骨膜を介して側方に膨隆する憩室様突出(P)あり．C：総頸動脈，E：喉頭蓋，J：総頸静脈，H：舌骨体部，V：喉頭蓋谷

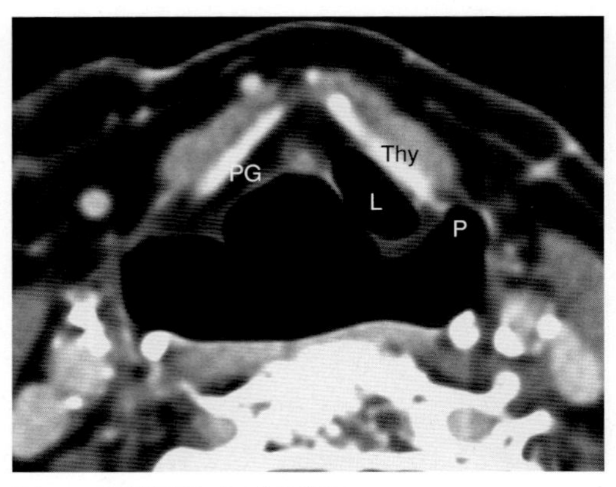

図87　咽頭瘤および喉頭瘤
声門上喉頭レベル造影CTにおいて咽頭左側壁は甲状舌骨膜を介して側方に膨隆し，咽頭瘤(P)を形成．また，左傍声帯間隙(対側でPGで示す)に空気濃度腫瘤(L)を認め，喉頭瘤に一致する．

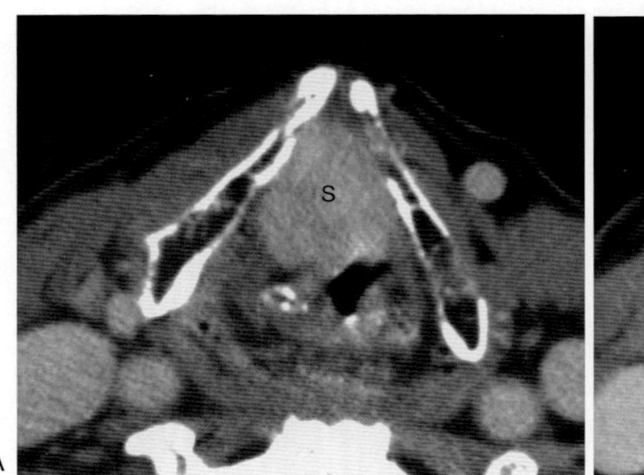

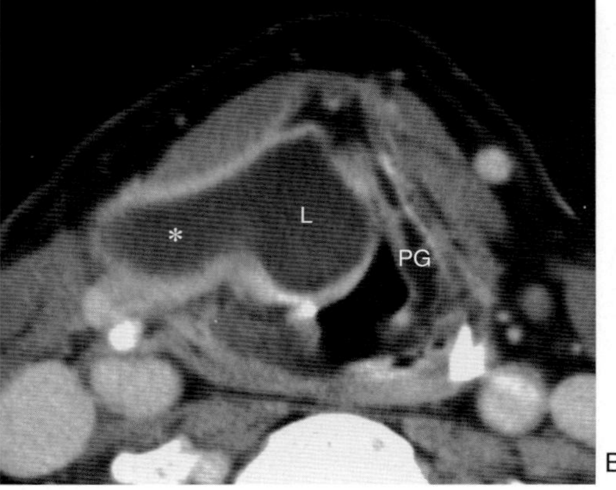

図88　喉頭肉腫に続発した混合型喉頭瘤
A：ほぼ喉頭室レベル造影CT．右傍声帯間隙から喉頭蓋前間隙を中心として増強効果を示す充実性腫瘍(S)を認める．
B：頭側レベル．右傍声帯間隙(対側でPGで示す)を中心として囊胞性腫瘤(L)を認め，外側は甲状舌骨膜を介して喉頭外に膨隆(＊)している．喉頭瘤は辺縁の増強効果を示し，感染を伴う喉頭膿瘤であることを示唆する．

頭外)側頸部軟部組織に進展した病変を示す．以前は喉頭外病変について外喉頭瘤(external laryngocele)とも称されていたが，喉頭外病変は必然的に喉頭内病変を伴うことから，混合型喉頭瘤に統一され外喉頭瘤は分類から外された．

CT上，内喉頭瘤は声門上喉頭レベルで傍声帯間隙に類円形の囊胞性腫瘤として認められる(図90)．混合型喉頭瘤では傍声帯間隙から甲状舌骨膜を介して喉頭外にまたがる亜鈴様形態をとることが多い(図88)．内腔は両者ともに，空気のみ(図87)，液体のみ(図88〜90)，あるいは両方を有し液面形成を示す場合がある．感染を伴う喉頭膿瘤(図88，91)のみならず，内容液の濃度・信号強度はその性状によりさまざまである．

治療としては従来から外方アプローチによる外科的治療がとられてきた．この20年での喉頭微細手術(microlaryngoscopic surgery)と CO_2 レーザーの導入以降は内視鏡下治療がとられる場合も多くなったが，依然として定まっていない[93]．外方アプローチでは術野が広くとれ適切な切除に

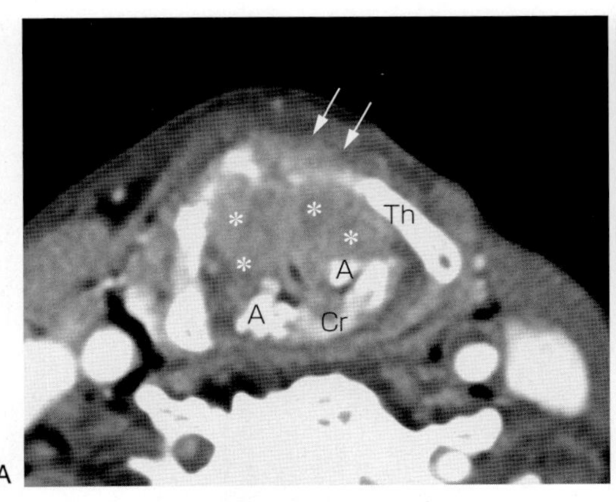

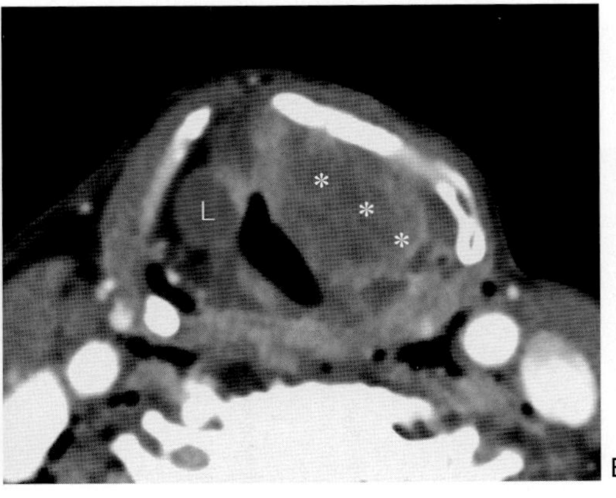

図 89　声門癌による二次性喉頭瘤

声門レベル造影 CT(A)において両側声帯を広範に侵す浸潤性腫瘤(＊)を認め，両側で傍声帯間隙進展，さらに甲状軟骨の全層性浸潤(矢印)を伴う．T4a の声門癌に相当する．A：披裂軟骨，Cr：輪状軟骨，Th：甲状軟骨．頭側の仮声帯レベル(B)で，左側は仮声帯への腫瘍の経声門進展による腫瘤形成(＊)を認める一方で，右側では仮声帯粘膜下に単房性囊胞性腫瘤(L)を認め，喉頭室の閉塞により二次性に形成された内喉頭瘤に相当する．

より再発率も低いが，皮膚瘢痕，長い手術時間，長い入院期間，高い医療経費などが問題となる[97]．一方で内視鏡下治療は速く正確で外方アプローチによる手術に代わる有効な治療法で，合併症は少なく，発声リハビリテーションもより早期に進めることが可能である．多くは内喉頭瘤に対して行われるが，混合型に対する報告もある[98]．限定した視野の展開による不完全切除が危惧されるが，現状として明らかな再発例の報告はない．非腫瘍性でも有症状例は外科的治療の対象となるが，術後気道維持の目的から小病変であっても，しばしば気管切開が必要となる．

F　血管性囊胞性腫瘤

血管性囊胞性腫瘤としては動脈瘤とともに，画像上囊胞様所見を示しうる静脈塞栓を扱う．

1　動脈瘤

動脈瘤は病理学上，真性，仮性，解離性に分類されるが，臨床上，囊胞性腫瘤として扱われるのは真性，仮性動脈瘤である．内腔血栓化の程度によるものの，いずれも理学所見として拍動性を示すことが特徴的である．

真性動脈瘤は動脈の壁構造を保ったまま拡張したもので，動脈硬化性変化をもとにすることが多い．頭蓋外の頸動脈真性動脈瘤は比較的まれで末梢動脈瘤全体の 1％未満であり，脳動脈瘤(頭蓋内動脈瘤)症例の 2％に認められる[99]．推定される正常頸動脈径の 150％以上の拡大と定義されている．無症候性で偶発的所見としてみられる場合が多いが，その他に脳虚血性発作，拍動性腫瘤，脳神経障害などの症状を生じる．

CT 横断像上，動脈瘤は円形，類円形の腫瘤として認められ，その内腔は他の正常血管と同等の増強効果を呈し，頭尾側で頸動脈との連続性を示すことで診断される(図 92)．血栓化が著しい例でも正常頸動脈を認めないこと，予測される頸動脈の解剖学的部位に一致すること，頭尾側方向の連続性などから診断は可能である．巨大な動脈瘤では希釈効果により予測されるほどの増強効果を示さない場合もあり注意を要する．また，MRI では血行動態，血栓化，血栓の経時的変化などにより動脈瘤内の信号強度はさまざまで，その解釈は複雑である(図 93)．MR アンギオグラフィが全容の把握に有用な場合がある．画像診断には，治療計画の面でも頭尾側方向の進展範囲，主要な枝との関係の評価が望まれる．臨床上，咽頭粘膜下腫瘤としてみられる場合もあり，画像による確認のない安易な生検は致死的出血のリスクもあり回避すべきである．

仮性動脈瘤の実体は血管壁構造の破綻により異

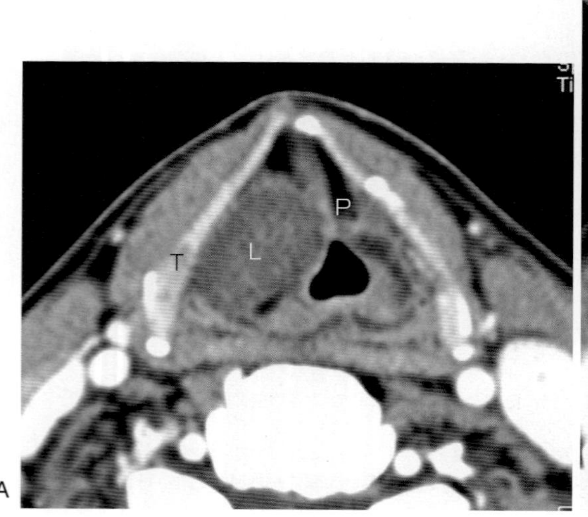

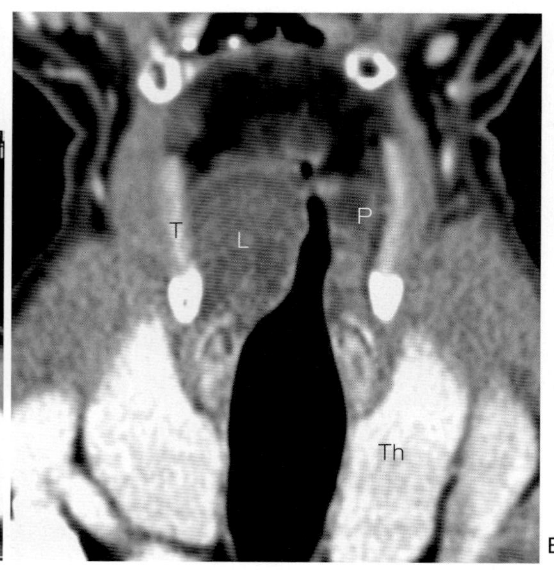

図 90　内喉頭瘤

声門上喉頭レベルの造影 CT 横断像(A)において，拡大した右傍声帯間隙(左側で P で示す)内に囊胞性腫瘤(L)を認める．T：甲状軟骨．冠状断再構成画像(B)でも，病変(L)の傍声帯間隙(左側で P で示す)内の局在が明瞭に描出されている．T：甲状軟骨，Th：甲状腺

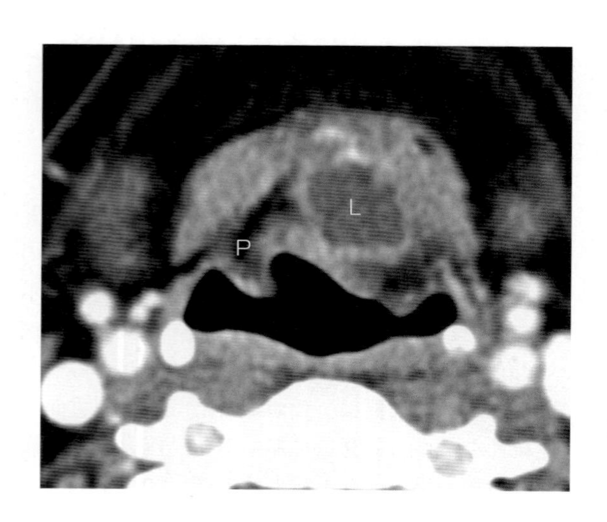

図 91　喉頭膿瘤

造影 CT において，左傍声帯間隙(右側で P で示す)内に辺縁増強効果を示す囊胞性病変(L)を認める．

常交通した血管外腔であり，取り囲むのは本来の血管壁ではなく周囲の結合織などである．外傷性，腫瘍性，感染性などの原因による．画像所見としては真性動脈瘤と比較して形状不整を示すが，その他は類似する(図 94，95)．

治療としては内科的，外科的，血管内治療が選択される．頭蓋外頸動脈瘤の自然経過は依然として明らかでないが，破裂リスクは動脈瘤の大きさに密接に関連すると考えられる．ただし破裂の頻度は極めて低く，主に血栓・塞栓症状に対する治療に注力する[100]．

2 静脈塞栓(血栓性静脈炎)

頸静脈の血栓性静脈炎は中心静脈カテーテル留置や腫瘍，薬物中毒，感染性，外傷性(術後性を含む)，うっ血性心不全などの要因による[101, 102]．

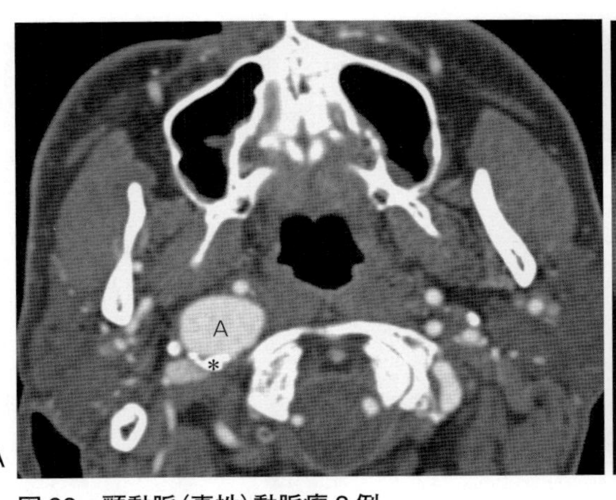

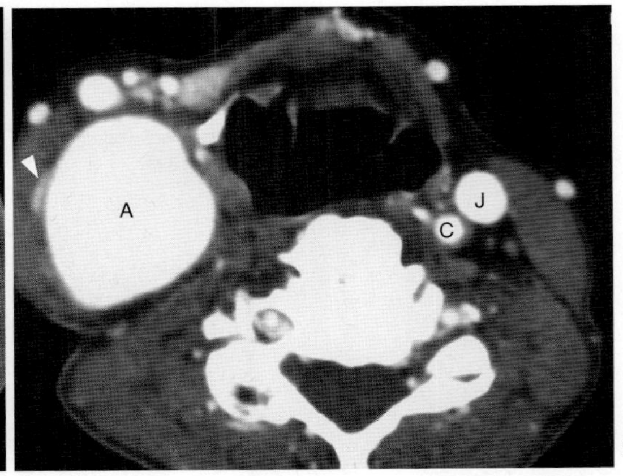

図 92　頸動脈（真性）動脈瘤 2 例
上咽頭レベルの造影 CT（A）において，右内頸動脈の部位に一致して，辺縁の石灰化（＊）を伴い，他の血管と同等の増強効果を示す腫瘤（A）を認め，頸動脈瘤に一致する．
別症例の舌骨下頸部レベル造影 CT（B）において右側頸部に境界鮮明な類円形腫瘤（A）を認め，内部は血管（C：左総頸動脈，J：左内頸静脈）と同等の均一な強い増強効果を示している．右総頸動脈の動脈瘤に一致する．右内頸静脈は側方に圧排されている（矢頭）．

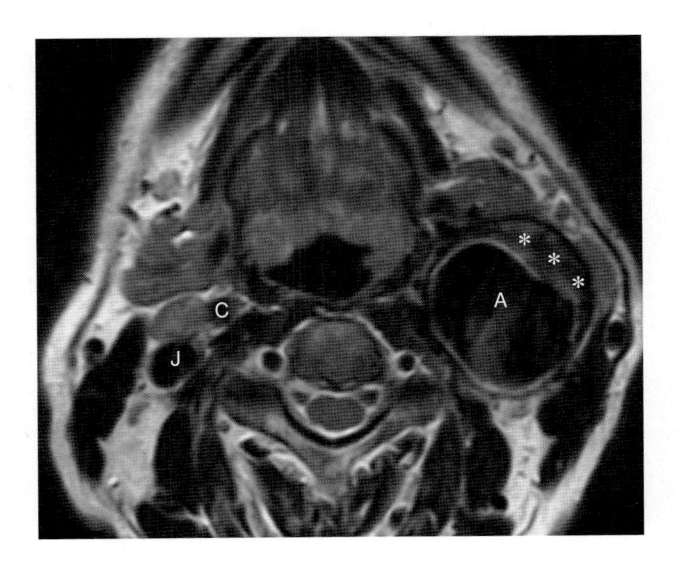

図 93　頸動脈（真性）動脈瘤
中咽頭レベル MRI T2 強調横断像において左顎下部，総頸動脈（対側で C で示す）の部位に一致して類円形腫瘤（A）を認め，動脈瘤に一致する．外側前方を中心に偏在性の血栓（＊）を認め，非血栓部は flow void による無信号を示す．J：右内頸静脈

経時的変化から急性期と慢性期を区別する．臨床的には前者は圧痛を示すが，後者では無症候性であることがほとんどである．

急性血栓性静脈炎では，症状，理学的・血液生化学所見として発熱，白血球増多，頸部痛，頸部腫脹・索状腫瘤などを示す．

1936 年 Andre Lemierre は，中咽頭の急性炎症（扁桃炎，扁桃周囲嚢胞など）から深部で隣接する内頸静脈に血栓性静脈炎を生じ，菌血症として他臓器感染を起こす Lemierre 症候群（図 96）について最初の記述を行い，当時の死亡率を 90％と報告している[103]．1940～1950 年代以降は抗菌薬使用の広がりにより発生頻度は急速に低下し，現在は極めてまれ（年間 100 万人当たり 0.8～1.5 人）で多くの臨床医にとって馴染みのない疾患になったことから“忘れられた疾患（forgotten disease）”とも称される[104]．現在は致死率も 4～18％にまで低下した[105]．若年健康者に多く，14～24 歳（平

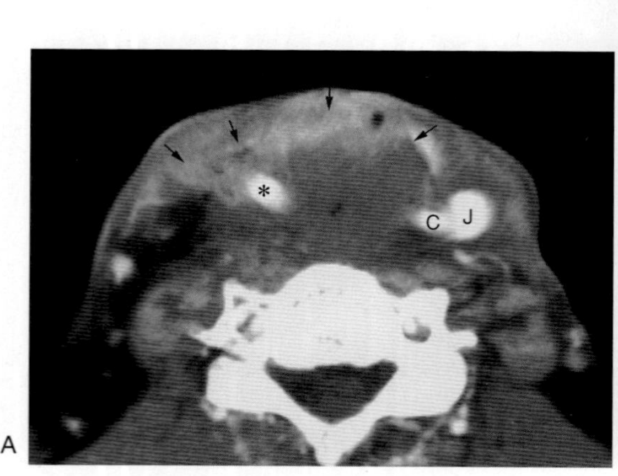

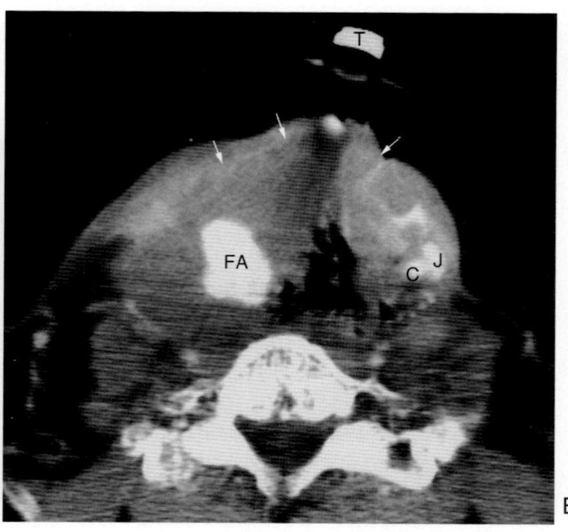

図 94　下咽頭癌再発による仮性動脈瘤
下咽頭癌により喉頭全摘咽頭部分切除後.
A：造影 CT．右総頸動脈（＊）は再発腫瘍（矢印）に囲まれている．C：左総頸動脈，J：左内頸静脈
B：その尾側レベル．右総頸動脈は不整形を呈して拡張しており（FA），仮性動脈瘤に一致する．矢印：再発腫瘍，C：左総頸動脈，J：左内頸静脈，T：気管切開部からの挿入カニューレ

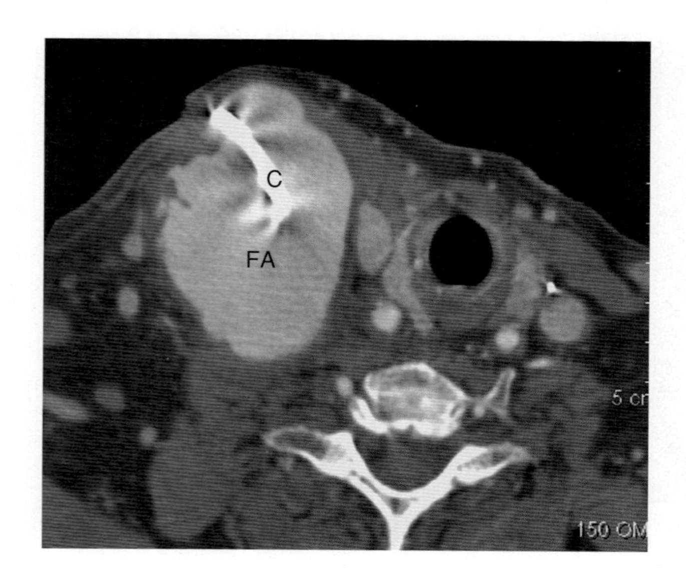

図 95　カテーテル挿入により生じた仮性動脈瘤
舌骨下頸部レベル造影 CT において右側頸部に血管と同等の強い増強効果を示す不整形腫瘤（FA）を認め，腫瘤内にカテーテル（C）の一部を認める.

均 20～22 歳）に最も多く，咽頭炎発症から通常は 1～3 週，特に 1 週間以内の発症が多い[104, 106]．菌血症性肺塞栓の合併が多く，最大で 97％とされ，呼吸苦，胸痛，重篤な肺炎を生じる[107]．その他としては脳（30％），関節（22％）などに感染巣を生じる[104]．頸静脈の血栓性静脈炎患者で 3～5 日以内の症状改善がなく片側頸部腫脹とともに急速に悪化し発熱とともに全身症状を示した場合に本疾患の診断が示唆される[107]．診断には造影 CT が最も有用である[104]．急性期の血栓性静脈炎の CT 所見としては閉塞静脈径の増大，内腔の造影欠損，壁の全周性肥厚と（静脈壁を栄養する vasa vasorum を介した）造影効果，静脈周囲の組織層消失と脂肪の混濁などがあげられる（図 96～99）．内腔造影欠損は 5 cm 以上の範囲にわたり，壁の肥厚・増強効果は 4 mm を超える場合が多い[104]．

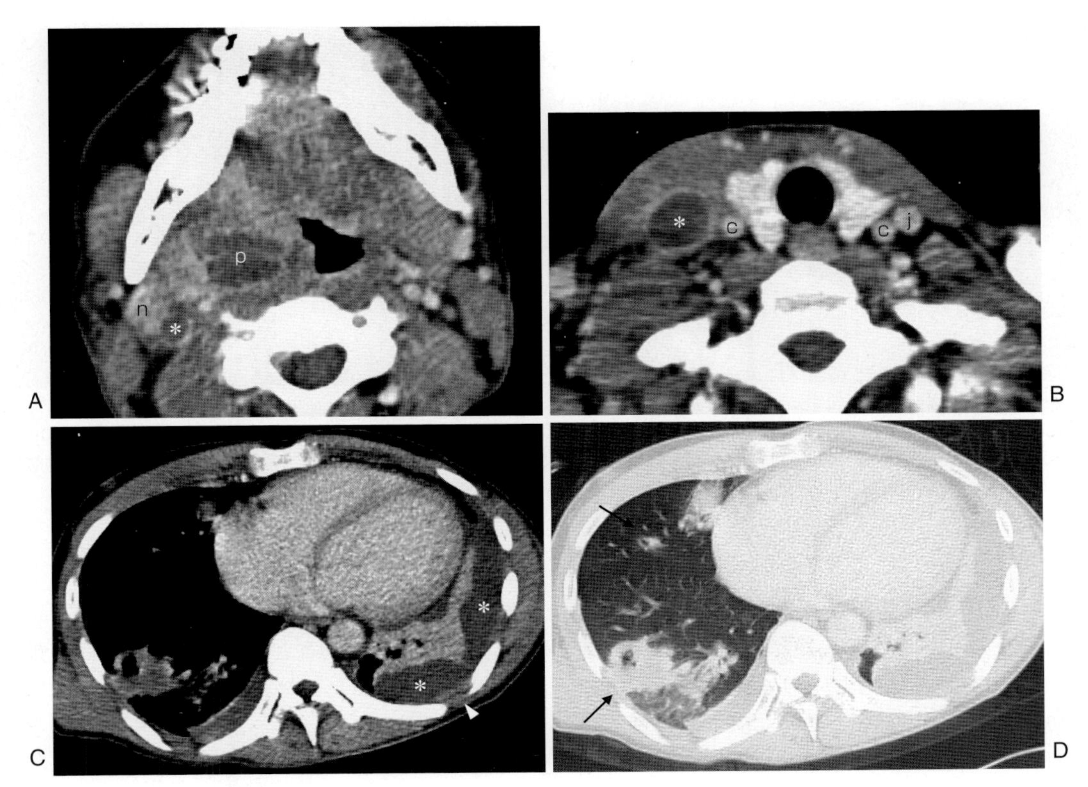

図 96　Lemierre 症候群

中咽頭レベルの造影 CT（A）において，右側の扁桃周囲膿瘍（p）の所見を認める．隣接して辺縁増強効果を呈する囊胞性結節（＊）の所見あり．単一の横断像のみでは合併した化膿性リンパ節炎との区別は困難であるが，頭尾側方向の連続性から血栓性静脈炎の診断が可能である．右上内深頸リンパ節（n）の軽度腫大がみられ，反応性リンパ節・リンパ節炎を示す．甲状腺レベル（B）でも A と同様に右内頸静脈の部位に一致した囊胞性所見（＊）を認める．c：総頸動脈，j：左内頸静脈．胸部 CT の縦隔条件（C）および肺野条件（D）で右肺中葉および下葉に空洞性結節・腫瘤（D；矢印）を認め，これらに近接した consolidation あり．両側で胸水を認め，左側では胸膜肥厚（C；矢頭）を伴い被包化（C；＊）を示し，胸膜炎を示唆する．

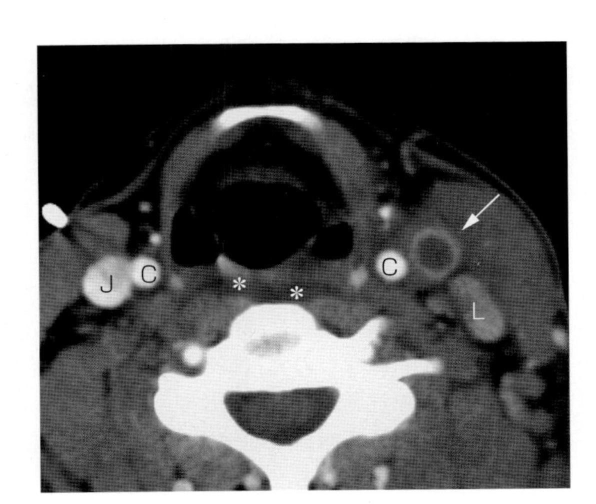

図 97　血栓性静脈炎

舌骨下頸部レベル造影 CT．左内頸静脈（対側で J で示す）の部位に一致して増強効果を示す比較的均一で厚い壁を有する類円形低吸収病変（矢印）を認め，周囲脂肪混濁あり．急性期の血栓性静脈炎に相当する．咽頭後間隙の浮腫（＊）も伴う．C：総頸動脈，L：左レベル III リンパ節の反応性腫大．

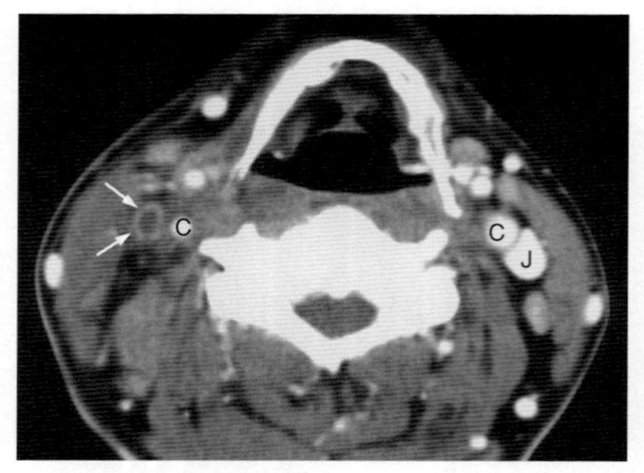

図98　血栓性静脈炎
舌骨レベル造影CTにおいて右内頸静脈(矢印)内部の増強効果は欠損し，壁の増強効果，周囲脂肪層の混濁を伴う．C：総頸動脈，J：左内頸静脈

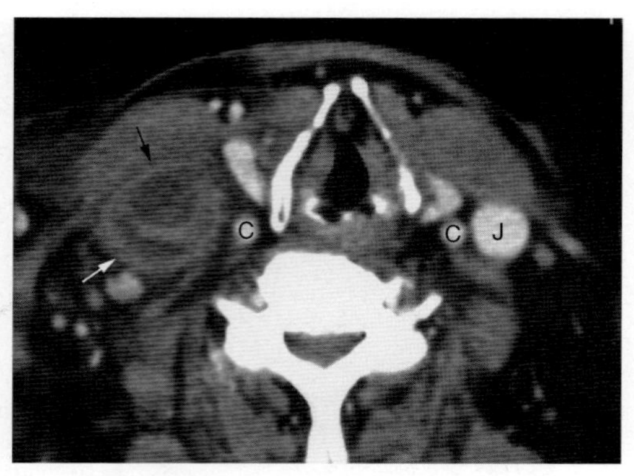

図99　血栓性静脈炎
甲状軟骨レベル造影CTにおいて右内頸静脈(矢印)内部の増強効果の欠損，静脈横断径の増大，周囲脂肪層の混濁を認める．C：総頸動脈，J：左内頸静脈

CT横断像上，造影される壁と造影効果の欠如する内腔の組み合わせから囊胞様所見を呈する(図96B，97〜99)．頭尾側方向の連続性より，比較的容易に診断可能である．ときに炎症を合併する血栓内にガスを認める(図100)．

内頸静脈の左右非対称性は正常であり(右側還流優位が90%)，頭尾側の連続するスライスでその状態を確認することが必要である．ただし，撮影肢位により胸郭入口部での鎖骨下静脈，頸静脈などの機械的閉塞や撮像のタイミングによる造影様式の変異(逆行性造影や造影の不均一性，動脈相撮影による静脈の造影効果欠如など)も考慮する必要がある．腫瘍栓の場合はその組織の血管化，腫瘍内血行動態に依存した増強効果を示すが，本来予想される静脈の増強効果に及ばないのが通常である．

急性期に認められる静脈径増大，壁の増強効果，静脈周囲の変化は経時的に軽減していき，慢性期ではほぼ消失する．したがって，慢性期血栓性静脈炎のCT所見としては内腔の造影効果の欠如が主である．側副血行の発達が目立つ症例もあるが，造影剤の2 mL/secを超える急速静脈内投与では通常認めない筋内静脈などの造影は正常でもありうることを認識しておく必要がある．

MRIでは，動脈瘤の場合と同様，血行動態あるいは血栓の経時的変化(亜急性期の血栓はT1強調像で高信号を示す)などにより血管内腔の信号強度の解釈は複雑であり，注意を要する．非常に緩徐な血流と閉塞との鑑別はしばしば困難である．

治療方針として，中心静脈カテーテルなどの要因(感染巣)がある場合はそれを除去し，膿瘍の切開排膿，適切な抗菌薬投与，および抗凝固薬療法の適応検討があげられる[108]．抗菌薬投与，抗凝固療法が第一選択となるが，抗凝固療法の適応については依然として議論がある[109]．内科的治療で改善のない場合は外科的治療の適応が考慮される[110]．適切な治療期間については定まっていないが，多くの場合は最低でも2〜4週間の経静脈的抗菌薬投与のあとにさらに2〜4週間の経口的抗菌薬投与が必要となる[111]．経過観察では，1〜3ヵ月間隔の造影CTにより塞栓の状態，感染性塞栓の発生，治療継続の要否などを再評価する[110]．

G　その他

その他の頭頸部囊胞性腫瘤としては唾液腺，甲状腺，副甲状腺などの実質臓器に由来する囊胞，一部の神経原性腫瘍などの囊胞性腫瘍，あるいは臨床上，囊胞性腫瘤様の理学的所見を呈しうる脂肪腫などがあげられる．

実質臓器の囊胞，囊胞性腫瘍，非腫瘍性囊胞性病変などに関しては各実質臓器の章における解説

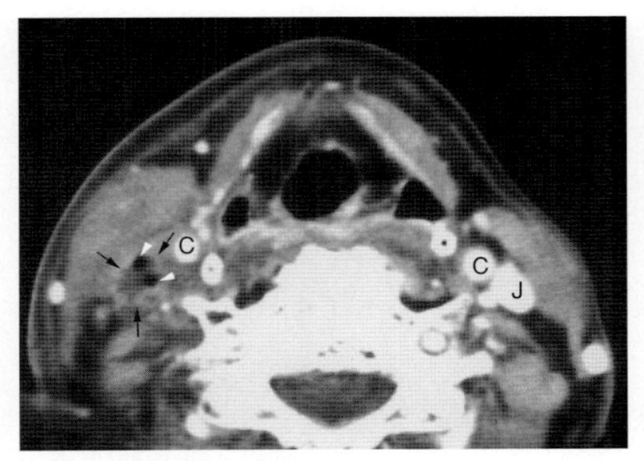

図 100　血栓性静脈炎
舌骨下頸部レベル造影 CT において右内頸静脈(矢印)内部の増強効果の欠損，壁の淡い増強効果を認め，急性血栓性静脈炎に一致する．血栓内の一部には空気濃度(矢頭)が認められる．C：総頸動脈，J：左内頸静脈

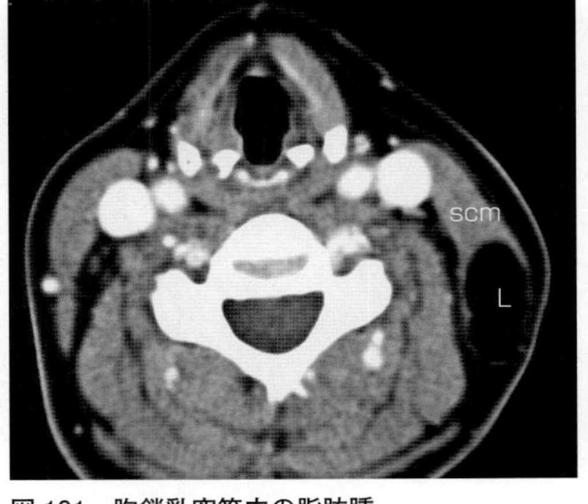

図 101　胸鎖乳突筋内の脂肪腫
舌骨下頸部レベル造影 CT において左胸鎖乳突筋(scm)後方を占拠する脂肪濃度腫瘤(L)を認め，筋内の脂肪腫を示す．

や成書を参照していただきたい．

1 脂肪腫

脂肪腫は成熟した脂肪細胞からなり，薄い被膜をもつ．間葉系腫瘍として最も多く，良性脂肪腫の約 80％が通常型に分類される[112]．発生部位と外科的考慮から皮下，筋膜間，筋肉内(図 101)に分類される．頭頸部発生は全体の 13〜15％で，あらゆる部位に生じうるが，後頸部で項部正中の皮下に最も多く[113]，深部では後頸三角(図 102, 103)に比較的多い．男性にやや多く，幅広い年齢にみられ 30〜40 歳代に最も多い[114]．緩徐な増大を示す無痛性腫瘤として現れるのが典型で，無症状あるいは偶発的所見としてみられる場合が多いが[112]，ときに著明な増大，筋肉に浸潤し，症候性となり外科的切除の対象となりうる[115]．頸部では大きさや局在により疼痛，嚥下困難，嗄声などを生じる．まれに悪性転化をきたす[116]．

CT，MRI の診断的有用性は高く，脂肪腫との質的診断，局在(皮下脂肪に限局，筋内あるいは筋間への浸潤の有無・程度，周囲構造との相対的位置の把握)の他，肉腫や特殊な組織型を支持する非脂肪濃度・信号の同定などが主な評価項目となる．CT，MRI ともに完全に脂肪濃度・信号強度に一致する腫瘤として認められ(図 101〜105)，薄い被膜を確認することが多い．大部分で境界(被膜が確認できた場合)は鮮明であるが，まれに組織学的に良性脂肪腫であっても浸潤性輪郭を呈する．画像で腫瘤として確認できれば診断に苦慮することはないが，明らかに脂肪以外の濃度・信号領域を含む場合は腫瘍内出血や，まれではあるが(境界が明瞭であっても)脂肪肉腫，あるいは粘液脂肪腫など特殊な組織型(図 106)，部位によっては脂肪を含みうる腫瘍(皮様嚢腫，奇形種など)を考慮する必要がある．また，完全な脂肪濃度あるいは信号を呈していても，高分化型脂肪肉腫の完全な否定は困難である．

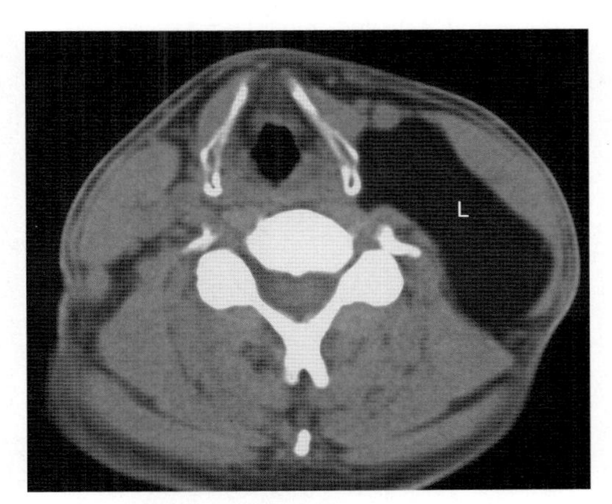

図 102　後頸三角部脂肪腫
舌骨下頸部レベル単純 CT において左後頸三角に脂肪濃度腫瘤(L)を認める．

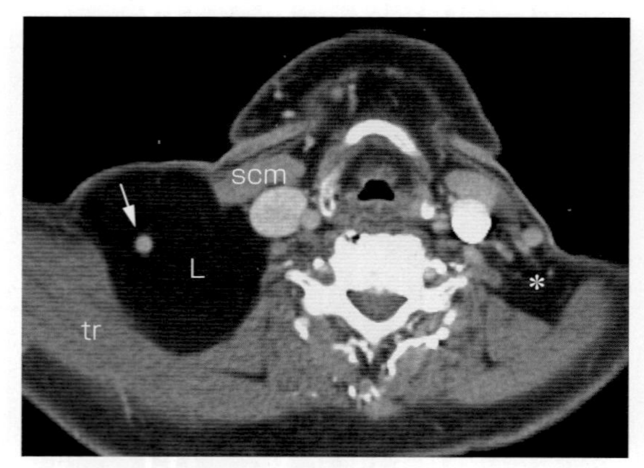

図103　後頸間隙の脂肪腫
　頸部下部の造影CTにおいて右胸鎖乳突筋(scm)と僧帽筋(tr)との間の後頸三角深部に位置する後頸間隙(対側で＊で示す)にほぼ完全な脂肪濃度腫瘤(L)を認め，脂肪腫に一致する．右外頸静脈(矢印)は病変内に埋没してみられ開存性は保たれている．

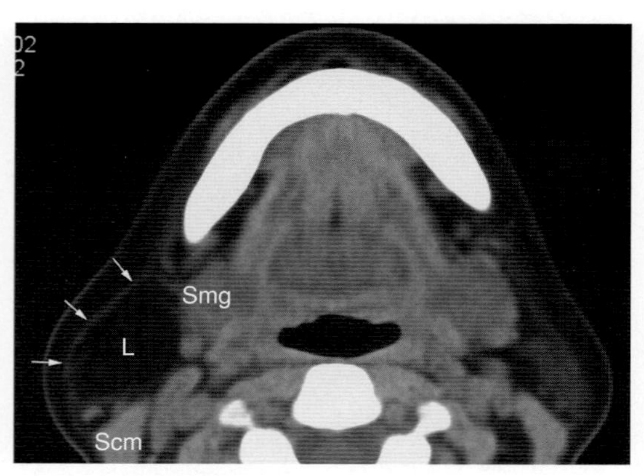

図104　顎下部脂肪腫
　顎下部レベル単純CTにおいて右顎下部に脂肪濃度腫瘤(L)を認め，隣接する浅頸筋膜(矢印)を外側に圧排，伸展している．Scm：胸鎖乳突筋，Smg：顎下腺

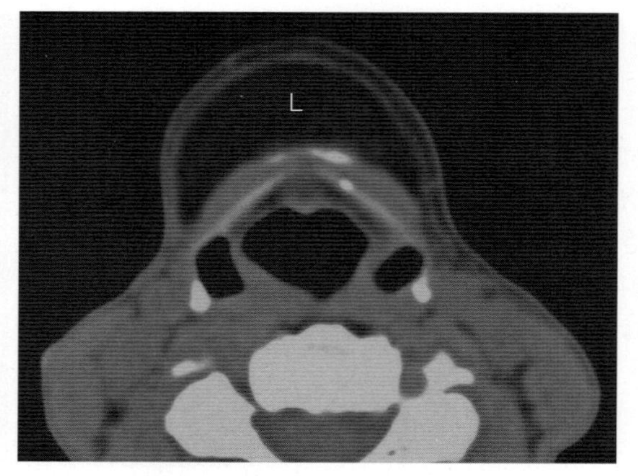

図105　前頸部脂肪腫
　非造影CTにおいて，舌骨下頸部の正中前面の皮下に脂肪濃度腫瘤(L)を認める．理学的所見として，甲状舌管囊胞が疑われていた．

　脂肪腫の診断がつけば美容的問題や有症状以外は通常，放置可能である．治療は外科的切除(あるいは部位によっては脂肪吸引)が行われる．脱分化などを疑う急速な発育を示す場合や脂肪肉腫の可能性を残す場合は画像所見を考慮した切除範囲の設定が重要である．

　以上，頸部囊胞性腫瘍につき解説した．頸部囊胞性腫瘍ではその診断，治療計画，あるいは経過観察の中で画像診断医の果たす役割は極めて重大かつ広範である．画像診断には単に病名診断のみならず，正確な進展範囲，周囲の構造との関連，合併する腫瘍や感染などの有無，その他原因となる病態の評価が望まれる．

■参考文献

1) Mondin V, Ferlito A, Muzzi E et al：Thyroglossal duct cyst：personal experience and literature review. Auris Nasus Larynx **35**：11-25, 2008
2) Shah R, Gow K, Sobol SE：Outcome of thyroglossal duct cyst excision is independent of presenting age or symptomatology. Int J Pediatr Otorhinolar-

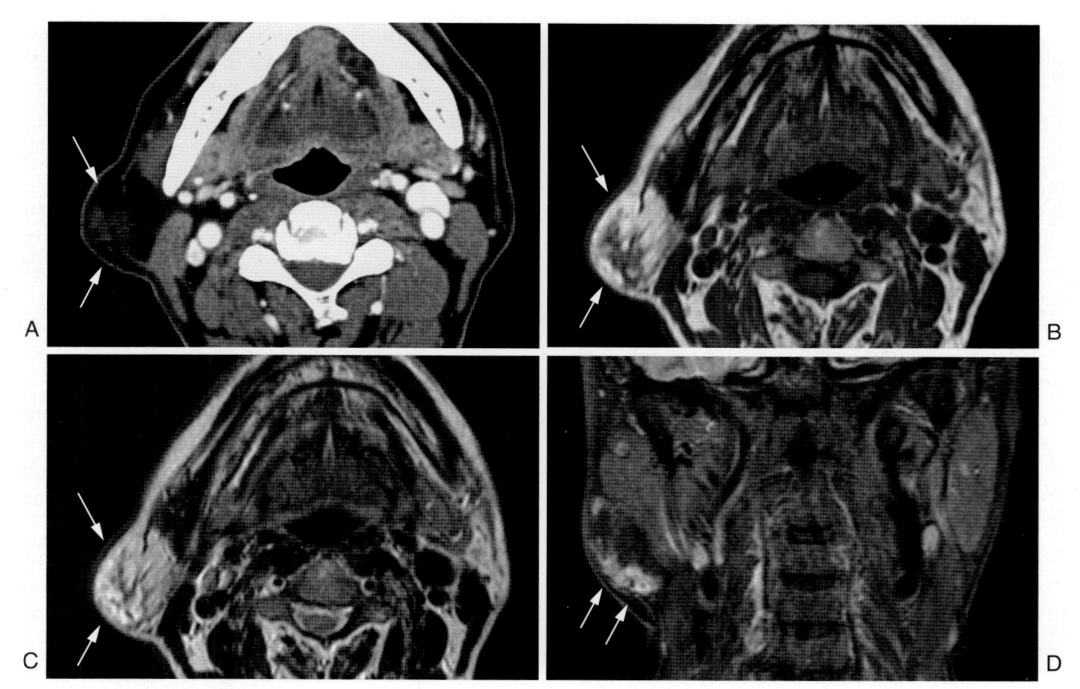

図 106　紡錘細胞脂肪腫

中咽頭レベル造影 CT（A）で右耳下腺尾部領域に脂肪濃度を中心とする腫瘤（矢印）を認め，内部に不整形の淡い軟部濃度を含む．同 MRI T1 強調像（B），T2 強調像（C）でも同様に脂肪による高信号を中心とするが内部に不規則に不整形の低信号領域を認める（矢印）．STIR 冠状断像（D）で CT での軟部濃度，T1 および T2 強調像での非脂肪成分は高信号領域（矢印）として認められる．

yngol **71**：1731–1735, 2007

3) Shvili I, Hadar T, Sadov R et al：Cholesterol granuloma in thyroglossal duct cysts：a clinicopathological study. Eur Arch Otorhinolaryngol **266**：1775–1779, 2009

4) Batsakis JG：Tumors of the Head and Neck：Clinical and Pathological Considerations（2nd ed）, Williams & Wilkins, Baltimore, 1979

5) Koeller KK, Alamo L, Adair CF et al：Congenital cysic masses of the neck：Radiologic-pathologic correlation. Radiographics **19**：121–146, 1999

6) Rohof D, Honings J, Theunisse HJ et al：Recurrence after thyroglossal duct cyst surgery：Results in 207 consecutive cases and review of the literature. Head Neck **37** : 1699–1704, 2015

7) Waddell A, Saleh H, Rovertson N et al：Thyroglossal duct remnants. J Laryngol otol **114**：128-129, 2000

8) Ahuja AT, Wong KT, King AD et al：Imaging for thyroglossal duct cyst: the bare essentials. Clin Radiol **60**：141-148, 2005

9) Lee DH, Jung SH, Yoon TM et al：Preoperative computed tomography of suspected thyroglossal duct cysts in children under 10-years-of-age. Int J Pediat Otorhinolaryngol **77**：45-48, 2013

10) Shemen L, Sherman CH, Yurovitsky A：Imaging characteristics and findings in thyroglossal duct cyst cancer and concurrent thyroid cancer. BMJ Case Rep doi:10.1136/bcr-2016-215059, 2016

11) Bardales RH, Suhrland MJ, Korourian S et al：Cytologic findings in thyroglossal duct carcinoma. Am J Clin Pathol **106**：615-619, 1996

12) Pellegriti G, Lumera G, Malandrino P et al：Thyroid cancer in thyroglossal cut cysts requires a specific approach due to its unpredictable extension. J Clin Endocrinol Metab **98**：458-465, 2013

13) Chrisoulidou W, Iliadow PK, Doumala E et al：Thyroglossal duct cyst carcinoma: is there a need for thyroidectomy? Hormones（Athens）**12**：522-528, 2013

14) Sistrunk WE：The surgical treatment of cysts of the thyroglossal tract. Am Surg **71**：121-122, 1920

15) deMello DE, Lima JA, Liapis H：Medline cervical cysts in children. Thyloglossal anomalies. Arch Otolaryngol Head Neck Surg **113**：418–420, 1987

16) Kim MG, Kim SG, Lee JH et al：The therapeutic effect of OK-432（piciabnil）sclerotherapy for benign neck cysts. Laryngoscope **118**：2177–2181,

2008
17) Ohta N, Fukase S, Suzuki Y et al：Treatments of various otolaryngological cystic diseases by OK-432：its indications and limitations. Laryngoscope **120**：2193–2196, 2010
18) Myer CM：Congenital neck masses. Otolaryngology：Head and Neck Surgery (3rd ed), Paparella MM, Shumrick DA (eds), WB Saunders, Philadelphia, 3 (sec 2, part 7, ch 42)：5, 1973
19) Al-Mahdi AH, Al-Khurri LE, Atto GZ et al：Type II First branchial cleft anomaly. J Craniofac Surg **24**：1832–1835, 2013
20) Heusinger CF：Cervical branchial fistulae of yet unobserved form [In German]. Virchows Arch Pathol Anat Physiol **29**：358-380, 1864
21) Weglowski R：On cervical fistulae and cysts [In German]. Arch Clin Chir **98**：151-208, 1612
22) Nicollas R, Guelfucci B, Roman S et al：Congenital cysts and fistulas of the neck. Int J Pediat Otorhinolaryngol **55**：117–134, 2000
23) Somashekara KG, Sdarshan Babu KG, Lakshmi S et al：Type II first branchial cleft cyst: a case report with review of literature. Indian J Otolaryngol Head Neck Surg **63** (Suppl 1)：75–77, 2011
24) Arnot RS：Defects of the first branchial cleft. S Afr J Surg **9**：93–98, 1971
25) Work WP：Newer conceps of first branchial cleft defects. Laryngoscope **82**：1581–1593, 1972
26) Mukherji SK, Fatterpekar G, Castillo M et al：Imaging of congenital anomalies of the branchial apparatus. Neuroimaging Clin North Am **10**：75–93, 2000
27) Aronsohn RS, Batsakis JG, Rice DH et al：Anomalies of the first branchial cleft. Arch Otolaryngol Head Neck Surg **102**：737–740, 1976
28) Olsen KD, Maragos NE, Weiland LH：First branchial cleft anomalies. Laryngoscope **90**：423–436, 1980
29) Prabhu V, Ingrams D：First branchial arch fistula：diagnostic dilemma and improved surgical management. Am J Otolaryngol **32**：617–619, 2011
30) Jakubiova J, Stanik R, Stanikova A：Malformations of the first branchial cleft：duplication of the external auditory canal. Int J Pediatr Otorhinolaryngol **69**：255–261, 2005
31) Magdy EA, Ashram YA：First branchial cleft anomalies：presentation, variability and safe surgical management. Eur Arch Otorhinolaryngol **270**：1917–1925, 2013
32) Stulner C, Chambers PA, Telfer MR et al：Management of first branchial cleft anomalies：report of two cases. Br J Oral Maxillofac Surg **39**：30–33, 2001
33) Triglia JM, Nicollas R, Ducroz V et al：First branchial cleft anomalies：a study of 39 cases and a review of the literature. Arch Otolaryngol Head Neck Surg **124**：291–295, 1998
34) Muller S, Aiken A, Magliocca K et al：Second branchial cleft cyst. Head Neck Pathol **9**：379-383, 2015
35) Kawaguchi M, Kato H, Aoki M et al：CT and MR imaging findings of infection-free and benign second branchal cleft cyst. Radiol Med **124**：199-205, 2019
36) Bailey H：Branchial Cysts and Other Essays on Surgical Subjects in the Facio-cervical Region, Lewis, London, 1929
37) Ahn JY, Kang SY, Lee CH et al：parapharyngeal branchial cleft cyst extending to the skull base: a lateral transzygomatic transtemporal approach to the parapharyngeal space. Neurosurg Rev **28**：73–76, 2005
38) Dallan I, Seccia V, Bruschini L et al：Parapharyngeal cyst：considerations on embryology, clinical evaluation, and surgical management. J Craniofac Surg **19**：1487–1490, 2008
39) Gupta M, Gupta M：A rare parapharyngeal space branchial cleft cyst. BMJ Case Rep doi：10. 1136/bcr-2013-008952, 2013
40) Chabot M, Fradet G, Theriault R et al：The excision of branchial parapharyngeal cysts by transbuccal or cervical approach. J Otolaryngol **25**：108–112, 1996
41) Batsakis JG：Metastatic neoplasms to and from the head and neck. Tumors of the Head and Neck：Clinical and Pathological Considerations (2nd ed), Willimans & Wilkins, Baltimore, p244–245, 1979
42) Khafif RA, Prichep R, Minkowitz S：Primary branchiogenic carcinoma. Head Neck **11**：153–163, 1989
43) Sandborn WD, Shafer AD：A branchial cleft cyst of fourth pouch origin. J Pediatr Surg **7**：82, 1972
44) Tucker H, Skolnick M：Fourth branchial cleft (pharyngeal pouch) remnant. Trans Am Acad Ophthalmol Otol **77**：368-371, 1973
45) Takai S, Miyauchi A, Matsuzaka F et al：Internal fistula as a rout of infection in acute suppurative thyroiditis. Lancet **1**：751-752, 1979
46) Kubota M, Suita S, Kamimura T et al：Surgical strategy for the treatment of pyriform sinus fistula. J Pediatr Surg **32**：34-37, 1997
47) Pereira KD, Losh GG, Oliver D et al：Management of anomalies of the third and fourth branchial pouches. Int J Pediatr Otorhinolaryngol **68**：43-50, 2004
48) Edmonds JL, Girod DA, Woodroof JM et al：Third branchial cleft anomalies：Avoiding recurrences. Arch Otolaryngol Head Neck Surg **123**：438–441,

1997
49) Yolmo D, Madana J, Kalaiarasi R et al：J Laryngol Otol **126**：737-742, 2012
50) Shugar MA, Healy GB：The fourth branchial cleft anomaly. Head Neck Surg **3**：72-75, 1980
51) Seki N, Himi T：Retrospective review of 13 cases of pyriform sinus fistula. Am J Otolaryngol **28**：55-58, 2007
52) Ishinaga H, Kobayashi M, Qtsu K et al：Eur Arch Otorhinolaryngol **274**：3927-3931, 2017
53) Derks LS, Veenstra HJ, Oomen KP et al：Surgery versus endoscopic cauterization in patients with third or fourth branchial pouch sinuses：a systematic review. Laryngoscope **126**：212-217, 2016
54) Chen EY, Inglis AF, Ou H et al：Endoscopic electrocauterization of pyriform fossa sinus tracts as definitive treatment. Int J Pediatr Otorhinolaryngol **73**：1151-1156, 2009
55) Nicoucar K, Giger R, Pope Jr HG et al：Management of congenital fourth branchial arch anomalies: a review and analysis of published cases. J Pediatr Surg **44**：1432-1439, 2009
56) Nicollas R, Ducroz V, Garabedian EN et al：Fourth branchial pouch anomalies. Int J Pediatr Otorhinolaryngol **44**：5-10, 1998
57) Tovi F, Gatot A, Bar-Ziv J et al：Recurrent suppurative thyroiditis due to fourth branchial pouch sinus. Int J Pediatr Otorhinolaryngol **9**：89-96, 1985
58) Kobayashi K, Nakao K, Kishisita S et al：Vascular malformations of the head and neck. Auris Nasus Larynx **40**：89-92, 2013
59) Kennedy TL, Whitaker M, Pellitteri P et al：Cystic hygroma/lymphangioma：a rational approach to management. Laryngoscope **111**：1929-1937, 2001
60) Bill AA, Sumner DS：A unified concept of lymphangioma and cystic hygroma. Surg Gynecol Obstet **120**：79-86, 1965
61) Perkins JA, Manning SC, Tempero RM et al：Lymphatic malformations：review of current treatment. Otolaryngol Head Neck Surg **142**：795-803, 2010
62) Kim JP, Leee DK, Moon JH et al：Transoral dermoid cyst excision: a multicenter prospective observational study. Otolaryngol Head Neck Surg **159**：981-986, 2018
63) De Ponte FS, Brunelli A, Marchetti E et al：Sublingual epidermoid cyst. J Craniofacial Surg **13**：308-310, 2002
64) Gorur K, Talas DU, Ozcan C：An unusual presentation of neck dermoid cyst. Eur Arch Otorhinolaryngol **262**：353-355, 2005
65) Mesolella M, Cantone E, Galli V et al：Challenging management of a giant sublingual dermoid cyst rapidly enlarged throughout pregmancy and influence of hormonal factors. Surgical Science **4**：216-218, 2013
66) Ohta N, Watanabe T, Ito T et al：A case of sublingual dermoid cyst：extending the limits of the oral approach. Case Repe Otolaryngol 2012：634949, 2012
67) Gol IH, Kiyici H, Yildirim E et al：Congenital sublingual teratoid cyst：a case report and literature review. J Pediat Surg **40**：e9-e12, 2005
68) Weissman JL : Thornwaldt cysts. Am J Otolaryngol **13**：381-385, 1992
69) Ikushima I, Korogi Y, Makita O et al：MR imaging of Tornwaldt's cysts. Am J Roentgenol **172**：1663-1665, 1999
70) Moody MW, Chi DM, Mason JC et al：Tornwaldt's cyst: incidence and a case report. Ear Nose Throat J **86**：45-52, 2007
71) Sekiya K, Watanabe M, Nadgir RN et al：Nasopharyngeal cystic lesions: Tornwaldt and mucous retention cysts of the nasopharynx: Findings on MR imaging. J Comput Assist Tomogr **38**：9-13, 2014
72) Ben Salem D, Duvillard C, Assous D et al：Imaging of nasopharyngeal cysts and bursae. Eur Radiol **16**：2249-2258, 2006
73) Elson M, Rothman M, Ord RA：False-positive computed omography scan mimicking metastasis due to fatty hilum in a cervical lymph node. J Oral Maxillofac Surg **52**：1334-1336, 1994
74) Harnsberger HR：Cystic masses of the head and neck：Rare lesions with characteristic radiologic features. Handbook of Head and Neck Imaging (2nd ed), Mosby-Year Book, St Louis, p199-223, 1995
75) Ojiri H, Tada S, Ujita M et al：Infrahyoid spread of deep neck abscess：Anatomical consideration. Eur Radiol **8**：955-959, 1998
76) Lomas J, Chandran D, Whitfield BCS：Surgical management of plunging ranulas: a 10-year case series in South East Queensland. ANZ J Surg **88**：1043-1046, 2018
77) 篠原正徳，左坐春喜，友寄喜樹：顎下型ガマ腫(Plunging ranula)の臨床的，組織学的検索．日口外誌 **30**：222-230, 1984
78) 足立忠文，山崎勝己，久保田健稔ほか：OK-432局所注入療法により緩徐な治癒経過をたどった顎下型ガマ腫の1例．近畿大医誌 **34**：143-147, 2009
79) Batsakis JG, McClatchey KD：Cervical ranulas. Ann Otol Rhinol. Laryngol **97**：561-562, 1988
80) Zhi K, Gao L, Ren W：What is new in management of pediatric ranula? Curr Opin Otolaryngol Head Neck Surg **22**：525-529, 2014
81) Chen JX, Zenga J, Emerick K et al：Sublingual gland excision for the surgical management of

plunging ranula. Am J Otolaryngol **39**：497-500, 2018
82) Prisman E, Genden E：Zenker diverticulum. Otolaryngol Clin North Am **46**：1101-1111, 2013
83) Siddiq M：Pharyngeal pouch（Zenker's diverticulum）. Postgrad Med J **77**：506-511, 2001
84) Nguyen H, Urquhart A：Zenker's diverticulum. Laryngoscope **107**：1436-1440, 1997
85) Ferreira L, Simmons D, Baron T：Zenker's diverticula: pathophysiology, clinical presentation, and flexible endoscopic management. Dis Esophagus **21**：1-8, 2008
86) Fitchat NA, Maharaj S, Kwete MO：Why do Zenker's diverticulae occur more often on the left than the right side? J Laryngol Otol **133**：515-519, 2019
87) Westrin K, Ergun S, Carlsoo B：Zenker's diverticulum-a historical review and trends in therapy. Acta Otolaryngol **116**：351-360, 1996
88) Howell RJ, Giliberto JP, Harman J et al：Open versus endoscopic surgery of Zenker's diverticula: A systematic review and meta-analysis. Dysphagia **34**：930-938, 2019
89) Porcaro-Salles JM, Arantes Soares JM, Sousa AA et al：Lateral pharyngeal diverticulum：a report of 3 cases. Ear Nose Throat J **90**：489-492, 2011
90) Yilmaz T, Cabbarzade C, Suslu N et al：Novel endoscopic treatment of pharyngocele: endoscopic suture pharyngoplasty. Head Neck **36**：E78-E80, 2014
91) Saxby C, Coyle P, Rajaguru K et al：How we do it: the intra-operative identification of pharyngocele. Eur Arch Otorhinolaryngol **274**：2965-2967, 2017
92) Stell PM, Maran AGD：Laryngocele J Laryngol Otol **89**：915-924, 1975
93) Zelenik K, Stanikova L, Smatanova K et al：The treatment of laryngoceles: What is the progress over the last two decades? Biomed Res Int 2014：819453. Doi: 10. 1155/2014/819453, 2014
94) Holinger LD, Barnes DR, Smid LJ et al：Laryngocele and saccular cysts. Ann Otol Rhinol Laryngol **87**：675-685, 1978
95) Helmberger RC, Croker BP, Mancuso AA：Leiomyosarcoma of the larynx presenting as a laryngopyocele. Am J Neuroradiol **17**：1112-1114, 1996
96) Thawley SE, Bone RC：Laryngopyocele. Laryngoscope **83**：362-368, 1973
97) Thome R, Thome DC, De La Cortina RAC：Lateral thyrotomy approach on the paraglottic space for laryngocele resection. Laryngoscope **110**：447-450, 2000
98) Devesa PM, Ghufoor K, Lloyd S et al：Endoscopic CO_2 laser management of laryngocele. Laryngoscope **112**：1426-1430, 2002
99) Pouriere VEC, van Laarhoven CJHCM, Vergouwen MDI et al：Prevalence of extracranial carotid artery aneurysms in patients with an intracranial aneurysm. PLoS One **12**：e0187479. Doi: 10.1371/journal.pone.0187479. eCollection 2017, 2017
100) Welleweerd JC, den Ruijter HM, Nelissen BGL et al：Management of extracranial carotid artery aneurysm. Eur J Vasc Endovasc Surg **50**：141-147, 2015
101) Fishman EK, Pakter RL, Gayler BW et al：Jugular venous thrombosis：Diagnosis by computed tomography. J Comput Assist Tomogr **8**：963-968, 1984
102) Braun IF, Hoffman JC, Malko JA et al：Jugular venous thrombosis：MR imaging. Radiology **157**：357-360, 1985
103) Lemierre A：On certain septicaemias due to anaerobic organisms. Lancet **1**：701-703, 1936
104) Kim BY, Yoon DY, Kim HC et al：Thrombophlebitis of the internal jugular vein（Lemierre syndrome）: clinical and CT findings. Acta Radiologica **54**：622-627, 2013
105) Golpe R, Marin B, Alonso M：Lemierre's syndrome（necrobacillosis）. Postgrad Med J **75**：141-144, 1999
106) Vargiami EG, Zafeiriou DI：Eponum: The Lmierre syndrome. Eur J Pediatr **169**：411-414, 2010
107) Alperstein A, Fertig RM, Feldman M et al：Septic thrombophlebitis of the internal jugular vein, a case of Lemierre's syndrome. Intractable Rare Dis Res **6**：137-140, 2017
108) Kobayashi Y, Takayanagi N, Sugita Y：A case of Lemierre's syndrome with septic pulmonary embolisms. Kansenshogaku Zasshi **88**：695-699, 2014
109) Rebelo J, Nayan S, Choong K et al：To anticoagulated? Controversy in the management of thrombotic complications of head and neck infections. Int J Pediatr Otorhinolaryngol **88**：129-135, 2016
110) Wong AP, Duggins ML, Neil T：Internal jugular vein septic thrombophlebitis（Lemierre syndrome）as a complication of pharyngitis. J Am Board Fam Med **28**：425-430, 2015
111) Armstrong AW, Spooner K, Sanders JW：Lemierre's syndrome. Curr Infect Dis Rep **2**：168-173, 2000
112) Rico F, Hoang D, Lung J et al：Subseternocleidomastoid muscle neck lipoma: an isolated case report. Case Rep Surg doi：10. 1155/2019/4936357. eCollection 2019, 2019
113) Som PM, Scherl MP, Rao VM et al：Rare presentations of ordinary lipomas of the head and neck：a review. Am J Neuroradiol **7**：657-664, 1986
114) Paparo F, Massarelli M, Giuliani G：A rare case of parotid gland lipoma arising from the deep lobe of

the parotid gland. Ann Maxillofac Surg **6**：308-310, 2016

115) Temelkova I, Wollina U, Di Nardo V et al：Open Access Maced J Med Sci **6**：1875-1877, 2018

116) Cassani P, Marchetti M, Dallan I et al：Liposarcoma of the cervico-nuchal region. Otolaryngol Head Neck Surg **133**：1-3, 2005

12 側頭骨

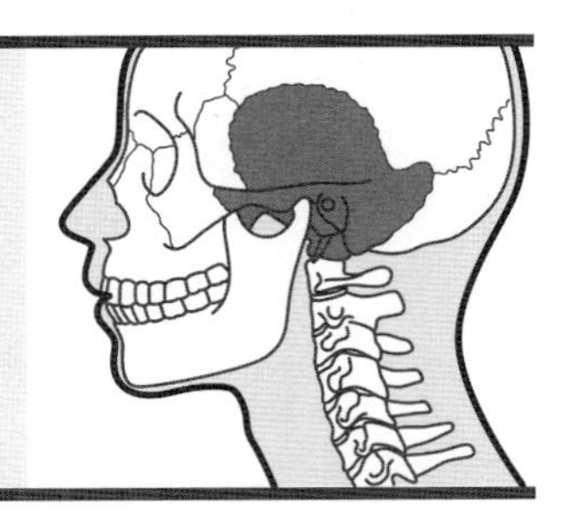

A 臨床解剖

1 側頭骨(図 1)

側頭骨は中頭蓋底外側後部に位置し，前頭骨，頭頂骨，蝶形骨，後頭骨，頬骨の5つの骨と関節する．側頭骨は鱗状部(扁平部)，乳突部，錐体部(岩様部)，鼓室部の4つの亜部位に区分される．

a. 鱗状部(扁平部)(squamous part)

鱗状部は前頭骨，頭頂骨および蝶形骨大翼と関節する．外側面は中頭蓋窩外側を区分し，内側面には中硬膜動脈溝がみられる．下部では内側に進展，天蓋部において錐体骨上面と接合，錐体扁平裂を形成する．

鱗状部は外耳道後上部を形成し，顎関節窩後方において鼓室部と鼓室扁平裂において接合する．頬骨弓を形成する頬骨突起基部が外耳孔周囲より前方に起こり，その後下方において鱗状部および錐体部から乳様突起が突出する．

b. 乳突部(mastoid part)

乳突部の前上方は鱗状部，後下方は錐体部により形成される．外耳道の後上壁を成し，同部に suprameatal spine of Henle を認める．外耳道後壁中央部で鼓室乳突裂において鼓室部と接合する．乳突洞の含気に関しては後述する．

c. 錐体部(岩様部)(petrous part)

概ね4面を有するピラミッド型を呈し，内部に迷路を含み，内頸動脈，第Ⅶ・第Ⅷ脳神経が通過する．

1) 外側底部

鼓室内側を区分し，蝸牛基底回転，外側半規管の膨隆，前庭内側壁，岬角(promontory)を含む．

2) 上前面(大脳面)

中頭蓋窩の一部を構成，外側では鱗状部，前方では蝶形骨大翼後縁と接する．蝶形骨大翼と錐体部前縁との間に耳管，鼓膜帆張筋を通す管を容れる．錐体骨尖部と蝶形骨体部との間に破裂孔を形成する．中央部には上半規管による膨隆である弓状隆起を認め，鼓室天蓋部はその外側に位置する．

3) 後面(小脳面)

後上面は後頭蓋窩外側前面を形成，その上縁に上錐体静脈洞を通す溝を認める．ほぼ中央部に内耳道(後述)を含み，後方で後頭骨と接する．

4) 下面

錐体骨底部と尖部のほぼ中央部下面に頸動脈管開口部が位置する．内頸動脈とともに随伴する静脈叢，交感神経を容れる．頸動脈管は鼓室前壁に沿って上行(垂直部)したのち，錐体骨尖部方向に水平に走行(水平部)，破裂孔に至る．頸動脈管開口部後方において錐体骨下面と後頭骨の間で，各々の頸静脈切痕が合わさり頸静脈孔が形成される(図 2)．頸静脈孔はさらに内部を区切る頸静脈靱帯により，内頸静脈を含む外側部と下錐体静脈洞，第Ⅸ～Ⅺ脳神経を含む内側部，もしくは内頸静脈，第Ⅹ・第Ⅺ脳神経を含む血管部と下錐体静脈洞，第Ⅺ脳神経を含む神経部とに2分される．頸静脈孔の後外側より下方に向かう茎状突起内側には顔面神経が頭蓋外に出る茎乳突孔(図 1C)が認められる．

d. 鼓室部(tympanic part)

外耳道前壁，下壁および後壁の一部を形成す

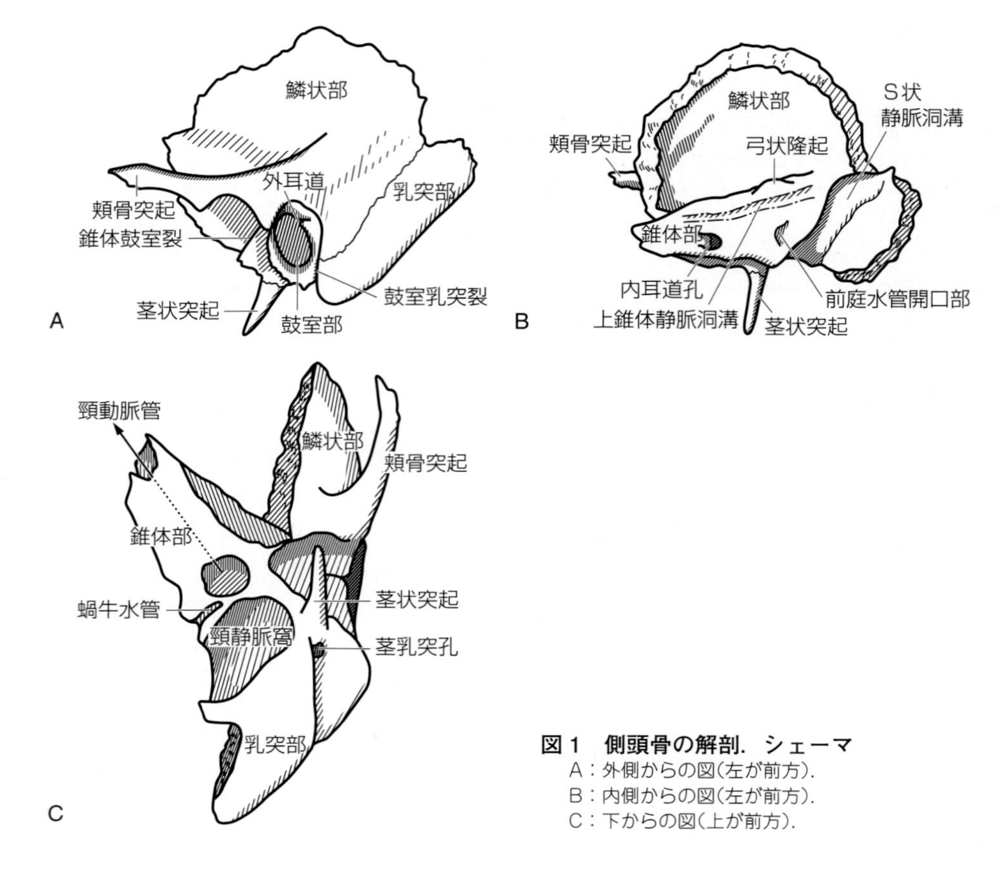

図1　側頭骨の解剖．シェーマ
A：外側からの図(左が前方)．
B：内側からの図(左が前方)．
C：下からの図(上が前方)．

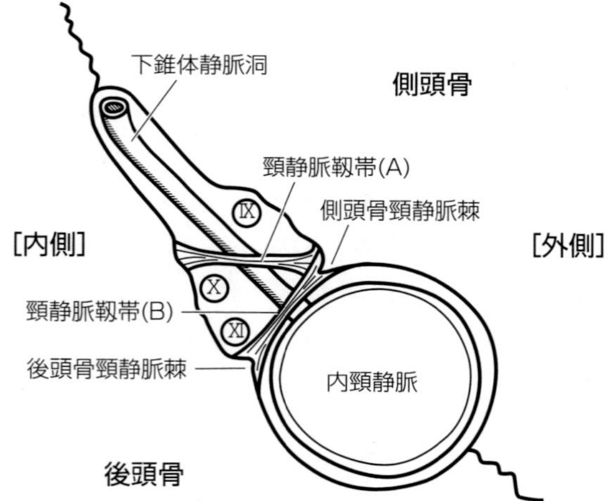

図2　頸静脈孔の解剖．シェーマ
頸静脈靱帯(A)により内側の神経部(第Ⅸ脳神経，下錐体静脈洞を含む)と外側の血管部(内頸静脈，第Ⅹ，Ⅺ脳神経を含む)，頸静脈靱帯(B)により内側部(下錐体静脈洞，第Ⅸ，Ⅹ，Ⅺ脳神経を含む)と外側部(内頸静脈を含む)に区分される．

る．前方は鼓室扁平裂により鱗状部，内側は錐体鼓室裂により錐体部，後方は鼓室乳突裂により乳突部と区別される．内側部は鼓膜輪(tympanic annulus)を容れる鼓室溝(tympanic sulcus)を形成する．

2 外　耳

外耳は耳介と外耳道よりなる．

a. 耳　介

弾性線維軟骨の骨格とこれを覆う軟骨膜，皮膚よりなる．耳郭(helix)の前切痕下部に耳珠(tragus)と呼ばれる軟骨の隆起があり，耳下腺手術における耳下腺内顔面神経主幹部同定時の解剖学的視標(cartilaginous pointer)となる．

b. 外耳道

外耳道は耳介軟骨部から鼓膜に至る約 25 mm 程度の(成人では) S 字状の管状構造で，やや前下方に向かう．外側の軟骨部と内側の骨部よりなるが，骨部が全体の 2 分の 1 よりやや長い．軟骨部は後上方では一部不完全で，前壁には fissure of Santorini と呼ばれる 2 つの裂隙がある．骨部前・下壁および後壁下部は側頭骨鼓室部，上壁と後壁上部は鱗状部が構成する．

上壁の内側端は鼓室蓋(scutum あるいは lateral attic wall)と呼ばれる薄い骨壁により深部の上鼓室と区分される．外耳道前方は顎関節窩後縁と接し，隔てる骨壁はときに欠損(foramen of Huschke：後述)する．また顎関節窩後面の膨らみにより外耳道前壁には内腔への膨隆が形成される[1]．鼓室形成術の約 19％で外耳道前壁形成術(anterior canal plasty)が必要となるが，その合併症として顎関節露出(9％)，顎関節穿孔(3％)，感音難聴(1％)等のリスクがある[1, 2]．前外側から下方は耳下腺，上壁は中頭蓋窩，後壁は乳突蜂巣と顔面神経管乳突部に隣接する．下壁はときに著明な頸静脈球が骨壁なく露出する場合がある．

3 鼓　膜

鼓膜は外耳道と鼓室を区分する，頭尾側径約 9～10 mm，前後径約 8～9 mm の楕円形の薄い膜様構造で，内・中・外の 3 胚葉の関与により形成される．約 0.1 mm の厚さで，外側から内側に向かって，正常では外胚葉由来の皮膚，中胚葉由来の間質・結合組織，内胚葉由来の鼓室から連続する粘膜面の 3 層よりなる．成人では上から下，後方から前方にかけて内側に傾斜して認められる．新生児ではより垂直方向に位置するが，側頭骨鼓室部の発育に従って傾斜を示すようになる．鼓膜の中央部にはツチ骨柄先端付着による隆起として臍部がみられる．また，鼓膜は弛緩部と緊張部に 2 分される(後述)．

a. 弛緩部

ツチ骨外側突起の付着による隆起(ツチ骨隆起)から前下方に向かう前ツチ骨ひだ，後下方に向かう後ツチ骨ひだより上部を指し，真珠腫の好発部位となる．Shrapnell' s membrane とも呼ばれる．

b. 緊張部

弛緩部以外の鼓膜の大部分を示す．

4 中耳(鼓室)

鼓室は外側の鼓膜と内側の骨迷路との間に位置し，第 1 鰓嚢より(耳管とともに)発生する．前後径および上下径約 15 mm，横径約 2～6 mm の不整形の裂隙で容積は約 1.5 mL (正常な成人)とされる．内部に伝音器官，顔面神経鼓室部および神経・血管を容れる．外耳道上壁レベルより頭側の上鼓室(epitympanum)，上・下壁の間の高さに相当する中鼓室(mesotympanum)，下壁レベルよりも尾側の下鼓室(hypotympanum)に区分される．また，鼓室の前方(厳密な境界はないが，外耳道前壁とツチ骨頭部前縁を結ぶ線より前方)を前鼓室(protympanum：Schwabart が最初に提唱)[3]，鼓室後方部分を後鼓室(retrotympanum)と称する．前鼓室は耳管骨部・耳管鼓室口領域に相当し，内側には平均 1.5 mm の厚さの薄い骨壁を介して頸動脈管垂直部が隣接する[4]．

a. 鼓室壁(図 3)

鼓室の各壁につき，以下に概説する．

1) 上壁(鼓室天蓋部)

中頭蓋窩と上鼓室を区分するが，屍体解剖では 20～30％で骨欠損を認め[5, 6]，その頻度は加齢により増加する(1 歳当たり 4.1％)とされる[7]．ただし，CT では薄い骨壁は明瞭に同定されず，CT 上の視覚上の骨欠損の頻度はより高いと推定される[8]．後述の上半規管欠損症候群と高い相関があることが報告されている[7, 8]．鼓室天蓋の骨欠損には先天性と後天性があり，先天性は耳包天蓋突起の発生不全で顔面神経膝神経節近傍に多く，後天性はくも膜顆粒の形成不全が病因と考えられている[6]．

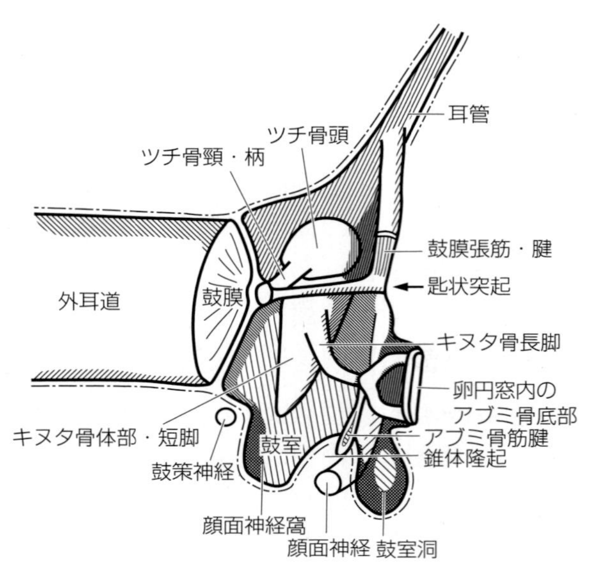

図3　鼓室．シェーマ
卵円窓レベルでの鼓室の横断面を下方より眺めた図．

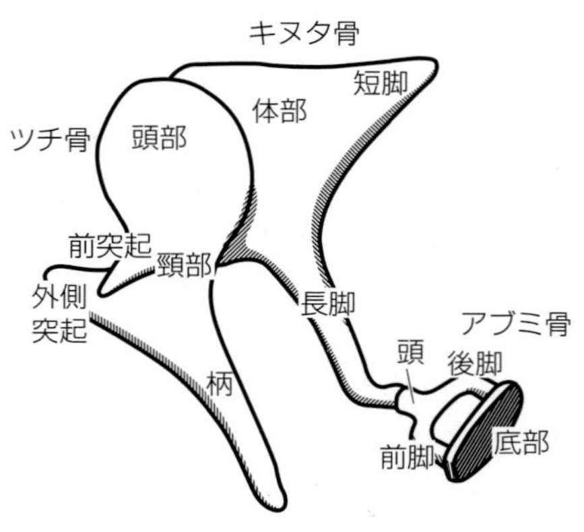

図4　耳小骨．シェーマ

2）下壁（頸静脈壁）

不整形の狭い領域で頸静脈球を覆う骨壁よりなるが，これもときに欠損する．高位頸静脈球ではしばしば鼓室下壁後方から鼓室側への膨隆を示す．頸静脈球の発達の程度により骨壁の厚さ，乳突蜂巣の進展などが異なる．

3）前壁（頸動脈壁）

部分的に頸動脈管の薄い骨壁を含む．その頭側には鼓膜張筋半管，その直下にこれに沿って耳管鼓室口が位置する．

4）後壁（乳突洞壁）

上鼓室レベルでは乳突洞口（aditus ad antrum）として開口しているが，手術による顔面神経損傷が最も高頻度に起こるのは乳突洞口底部においてである．鼓室レベル後壁はいくつかの重要な構造を含む．鼓室後方の陥凹はアブミ骨筋を通じる錐体隆起（pyramidal eminence）によりその外側の顔面神経窩（facial recess）と内側の鼓室洞（sinus tympani）に区分される．錐体隆起外側で顔面神経乳突部から分岐した鼓索神経が鼓室内に入る孔（iter chordae tympani posterior）が認められる．また，錐体隆起直上には後キヌタ骨靱帯の付着するキヌタ骨窩（incudal fossa）が位置する．

5）内側壁（迷路壁）

鼓室と内耳を隔てる．内側壁には蝸牛基底回転による膨隆として岬角（promontory）を認める．岬角から錐体隆起に進展するponticulus，その尾側で岬角から後下方に進展するsubiculumの2つの骨稜がみられるが，これらによりponticulusより頭側の卵円窓（oval window，前庭窓），両者の間で顔面神経内側にみられる鼓室洞，subiculumより尾側の正円窓（round window，蝸牛窓）といった鼓室内側壁後方の3つの小陥凹が区分される．卵円窓はアブミ骨底部および，これを囲む輪状靱帯に閉じられる．正円窓は岬角の後下方に位置するが，線維性粘膜の膜状構造（secondary tympanic membrane）に閉じられる．鼓室洞は鼓室内側壁と後壁の移行部に位置し，その発達はさまざまである．乳突洞，顔面神経窩からのアプローチによる中耳手術の場合，鼓室洞など後壁の陥凹の観察は困難であり，術前画像診断における同領域の病変有無の評価は極めて重要となる．鼓室洞の開放が必要な場合には外耳道からの前方アプローチが必要となる．鼓室内側壁の後上方には外側半規管による膨隆（prominence of the lateral semicirucular canal）が認められるが，顔面神経鼓室部は岬角後縁から卵円窓の上縁，外側半規管による膨隆の直下に平行して走行する．鼓室内側壁前上方には鼓膜張筋半管の後端から出た鼓膜張筋腱がツチ骨頸部に付着するために内側に向かう匙状突起（processus cochleariformis）が認められる．

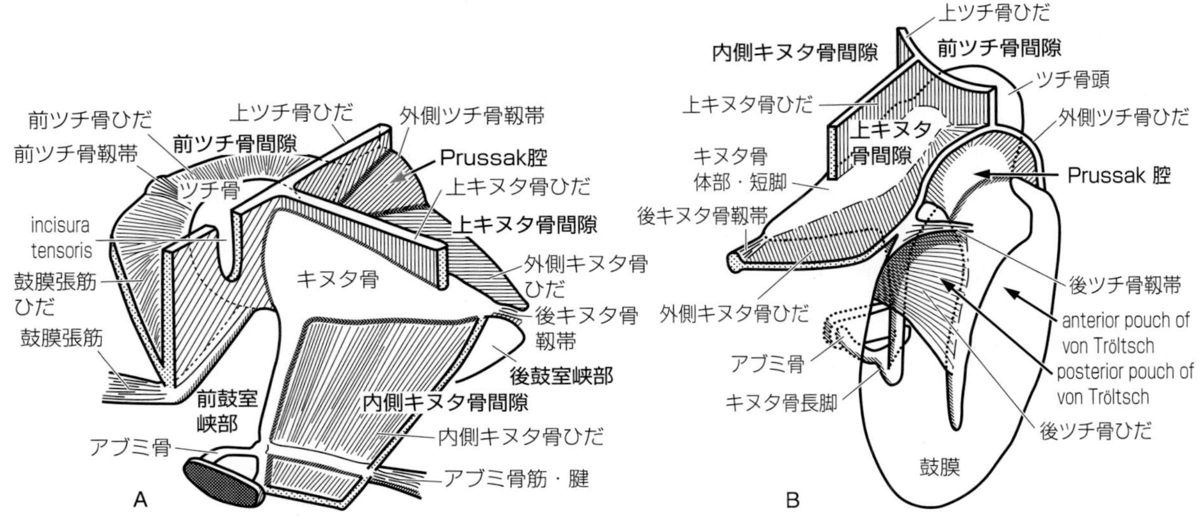

図5 鼓室の靱帯，粘膜ひだ，コンパートメントの解剖．シェーマ
A：鼓室を後方やや上内側から眺めた図．
B：鼓室を後方やや上外側から眺めた図．

6）外側壁

外耳道とを区分するが，中鼓室レベルでは鼓膜に閉じられる．上鼓室レベルでは鼓室蓋(scutum：ラテン語で“shield”の意味)と呼ばれる骨壁により外耳道骨部上壁内側端，乳突洞天蓋部と区分される．鼓室蓋は弛緩部型真珠腫において最も早期より骨侵食を示す点において臨床上重要である．鼓室蓋深部でキヌタ骨短脚外側縁は最大0.2 mmと近接しており，経外耳道および耳内アプローチでの中耳手術ではしばしば鼓室蓋切除が必要となるが，乱雑な鼓室蓋除去ではキヌタ骨との接触を原因として間接的な内耳障害による感音難聴を生じうる[1]．医原性耳小骨外傷ではキヌタ骨脱臼が最も多いとされる[9]．

b. 耳小骨(図4)

鼓膜から卵円窓を継ぐ骨連鎖で，音圧の伝達機構として働く．耳小骨連鎖は音のエネルギー伝達の90％以上を担っており，伝音難聴の55％で耳小骨離断あるいは固定を認めるが[10]，耳小骨障害ではキヌタ骨の障害が最も多い[11]．外側から内側に向かってツチ骨(malleus)，キヌタ骨(incus)，アブミ骨(stapes)の3つよりなる．発生学的には第1鰓弓のMeckel軟骨よりツチ骨頭，キヌタ骨体部・短脚，第2鰓弓のReichert軟骨よりキヌタ骨長脚，アブミ骨上部構造が形成される．由来の異なる両者の境界は鼓索神経の走行の高さに一致する．各耳小骨につき，順に解説するが，臨床的に最も重要なのはアブミ骨である．

1）ツチ骨（malleus）

頭部(head)と頸部(neck)，頸部から出る柄(handle，manubrium)，外側突起，前突起の3つの突起からなる．頭部は上鼓室内にあり，後方でキヌタ骨と関節(キヌタ・ツチ関節)，柄は鼓膜に付着する．ツチ骨の全長は平均8.0 mm(6.4〜9.4 mm)，ツチ骨柄の長さは平均4.6 mm(3.1〜5.8 mm)で，ツチ骨の重さは平均24.6 mgである[12]．匙状突起から外側に向かう鼓膜張筋(三叉神経第3枝支配)腱は頸部と柄の移行部に付着する．ツチ骨は前ツチ骨靱帯(前突起から鼓室扁平裂)，上ツチ骨靱帯(頭部から上鼓室天蓋)，外側ツチ骨靱帯(外側突起から鼓膜切痕)の3つの靱帯により支持される(図5)．

2）キヌタ骨（incus）

前方のツチ骨頭と関節する体部(body)，体部より後方に向かう短脚(short process)，下方に(ツチ骨柄とほぼ平行に)向かう長脚(long process)，さらに長脚下端から内側に向かう豆状突起(lenticular process)よりなる．豆状突起はアブミ骨頭部と関節する(キヌタ・アブミ関節)．長脚の長さは平均 6.7 mm（6.0〜7.6 mm），短脚の長さは平均 5.0 mm（3.8〜6.8 mm）で，キヌタ骨の重さは平均 27.4 mg（18.4〜38.7 mg）である[12]．キヌタ骨窩内にある短脚を固定する後靱帯，体部と上鼓室天蓋を結ぶ上靱帯に支持される．短脚は横断 CT 上，乳突洞口を指す．

3）アブミ骨（stapes）

ツチ骨豆状突起と関節する小円柱状の頭部（head），前・後脚（anterior/posterior crus），底部（footplate，base）よりなる．アブミ骨の高さは平均 3.3 mm（2〜5.5 mm），前・後脚の幅は平均 2.5 mm，アブミ骨底部の長さは平均 2.9 mm（1.8〜3.9 mm），幅は平均 1.4 mm（1.1〜1.7 mm），厚さは（前脚側，後脚側ともに）0.4 mm で，アブミ骨の重さは平均 3.0 mg（1.6〜5.5 mg）である[12]．底部はこれを囲む輪状靱帯とともに卵円窓を閉じることで，音圧の伝播によるアブミ骨底部の可動性を保つ．大きな音では正常の可動性が制御され外リンパの動きが抑えられることで内耳が保護される．これは錐体隆起からアブミ骨頭部後面に付着するアブミ骨筋の収縮による．アブミ骨筋は第Ⅶ脳神経（顔面神経）の支配を受ける．

4）耳小骨間関節

3つの耳小骨の連鎖の間にはキヌタ・ツチ関節（incudomalleolar joint），キヌタ・アブミ関節（incudostapedial joint）の2つの関節が形成されるが，これらはいずれも関節包を有する滑膜関節である．耳小骨連鎖に2つの関節があることで，アブミ骨はアブミ骨筋，ツチ骨は鼓膜張筋と独立した筋肉の制御を受けることが可能となっている[13]．

c．鼓室内コンパートメント

耳小骨と鼓室壁を繋ぐ靱帯，さらにこれらの間を埋める粘膜ひだが鼓室をいくつかの compartment に区分している（図5）．真珠腫が，同解剖にほぼ従って進展する点，耳小骨への血管がこれらの靱帯や粘膜ひだを通って到達している点が臨床上重要である．同解剖の理解が真珠腫の術前画像評価に求められる．以下，これらにつき解説するが，和名があまり認知されていない解剖名は英語名を用いる．

1）発生学

鼓室は胎生第3〜6週の間に第1鰓嚢に由来する内皮細胞に覆われた4つの嚢（saccus）より形成されるが，これらがお互い接する部分が鼓室内に粘膜ひだ，靱帯として残る[14]．上鼓室は主に saccus medius（ときに saccus anticus も関与する）より形成される．saccus medius はさらに3つの小さな saccule に分かれるが，真珠腫の好発部位である Prussak 腔，ツチ骨頭とキヌタ骨体部外側に位置する上キヌタ骨間隙（superior incudal space）は medial saccule，上鼓室の前区画（anterior compartment）は anterior saccule から生じる．posterior saccule はキヌタ骨長脚内側を通過して乳突蜂巣の錐体部の含気を形成する．saccus anticus は通常，中鼓室の前方部分を形成し，これは上方を鼓膜張筋とこれに伴う粘膜ひだに境界されるが，saccus medius の発達が遅い場合，上鼓室レベルまで突出する．saccus superior はツチ骨柄とキヌタ骨長脚の間に発育，キヌタ骨体部の下に下キヌタ骨間隙（inferior incudal space）を形成する．saccus posticus は鼓室後方，下鼓室，顔面神経陥凹，鼓室洞，正円窓および卵円窓のほとんどを形成する．

2）鼓室内各コンパートメント（図5）

上鼓室と中鼓室との間は前・後鼓室峡部（isthmus tympani anticus/posticus）といった2つの小さな交通を認める以外，耳小骨と靱帯（前ツチ骨靱帯，後キヌタ骨靱帯）や粘膜ひだ[外側キヌタ骨ひだ（lateral incudal fold），内側キヌタ骨ひだ（medial incudal fold），前ツチ骨ひだ（anterior malleolar fold），鼓膜張筋ひだ（tensor tympani fold）]によって形成される鼓室隔膜（tympanic diaphragm，attic floor）によりほぼ完全に区分されている．鼓室隔膜の存在により上鼓室真珠腫（弛緩部型真珠腫）は上鼓室にとどまる傾向にある．前鼓室峡部は鼓膜張筋腱とアブミ骨との間に位置する．一方，後鼓室峡部は外側はキヌタ骨短脚と後キヌタ骨靱帯，内側をアブミ骨上部構造とアブミ骨筋腱，前方をキヌタ骨短脚から長脚に張る内側キヌタ骨ひだ，後方を鼓室後壁と錐体隆起に囲まれる．これらの靱帯，粘膜ひだは高分解能 CT で同定可能な場合が多い[15]．

3）上鼓室(epitympanum)

上鼓室は上ツチ骨ひだによりやや小さな前区画［前ツチ骨間隙(anterior malleolar space)］とやや大きな後区画とに分けられる．後区画はさらに上キヌタ骨ひだにより内側/上キヌタ骨間隙(medial/superior incudal space)に分けられる．前ツチ骨間隙と内側キヌタ骨間隙は incisura tensoris という小切痕を介した交通がある．前ツチ骨間隙底部は前ツチ骨靱帯と鼓膜張筋半管との間に張る鼓膜張筋ひだが形成する．上キヌタ骨間隙後方は後キヌタ骨靱帯まで進展，底部は外側ツチ骨ひだと外側キヌタ骨ひだにより形成される．

鼓膜弛緩部(Shrapnell's membrane)からの真珠腫の発生部位として重要な Prussak 腔は外側を鼓膜弛緩部，内側をツチ骨頸部，底部をツチ骨外側突起およびこれに付着する粘膜ひだ，上方をツチ骨の頭部・頸部接合部から Rivinus 切痕に向かって放射状に張る外側ツチ骨ひだにより区分される．Prussak 腔の開口部は，通常，外側キヌタ骨ひだと外側ツチ骨ひだとの間に位置する．

4）中鼓室(mesotympanum)

一方，中鼓室も粘膜ひだにより下キヌタ骨間隙(inferior incudal space)，anterior pouch of von Tröltsch，posterior pouch of von Tröltsch の 3 つのコンパートメントに区分される．下キヌタ骨間隙は上方を外側キヌタ骨ひだ，外側をツチ骨頸部から鼓膜溝(tympanic sulcus)後上縁に張る後ツチ骨ひだ，内側を内側キヌタ骨ひだ，前方をキヌタ骨長脚とツチ骨柄上 3 分の 2 に張る耳小骨間ひだ(interossicular fold)により区分される．anterior pouch of von Tröltsch はツチ骨頸部から鼓膜溝の前上縁に張る前ツチ骨ひだとツチ骨柄より前方の鼓膜の間，posterior pouch of von Tröltsch は後ツチ骨ひだとツチ骨柄よりも後方の鼓膜の間に形成される．

d. 乳突洞・錐体部の含気

側頭骨の含気(air cell tract)は胎児期後期より始まり，幼児期，小児期にかけて発達していく．その程度，範囲はさまざまであり，ときに個体内における左右差も著しく，これらの理解は病変の診断，術前評価などにおいても重要である．側頭骨の含気は乳突洞，錐体部，その他の 3 つに分けられる．以下に，乳突洞，錐体部の含気につき解説する．

1）乳突洞の含気(mastoid pneumatization)

生下時には mastoid antrum (a large central air cell)が存在する．saccus medius 由来の乳突洞前外側部と saccus superior 由来の乳突洞後内側とは Körner's septum(petrosquamosal lamina)により分けられる．乳突洞の含気のほとんどは mastoid antrum に由来する．乳突洞の含気は以下に分かれる．

i）乳突洞前庭(mastoid antrum)：鼓室と乳突洞口(aditus ad antrum)を介してつながる(図 6A)．

ii）傍前庭蜂巣(periantral cell)：乳突洞前庭に近接して囲むようにあり，乳突部の前上部を占める．

iii）中心蜂巣(central cell)：乳突洞前庭から乳突洞尖部に向かい進展しており，乳突部の中央部に位置している(図 6A)．

iv）洞硬膜蜂巣(sinodural cell)：乳突部の後上方を占め，前上方を中頭蓋底，後下方を S 状静脈洞骨壁に境される(図 6B)．

v）静脈洞周囲蜂巣(perisinus cell)：S 状静脈洞に近接しての内，外，後方に位置する(図 6B)．

vi）天蓋蜂巣(tegmental cell)：天蓋部に接し，乳突部の上部に位置する(図 6B，C)．

vii）顔面神経周囲蜂巣(perifacial cell)：顔面神経管乳突部と近接してみられ，キヌタ骨窩に換気される(図 6D)．

viii）乳突尖部蜂巣(mastoid tip cell)：乳突尖部を占め，digastric ridge により内・外側に分けられる(図 6B)．

2）錐体部の含気(petrous pneumatization)(図 7)

Allam は錐体骨を，蝸牛軸に垂直な平面により前内側の錐体骨尖部(petrous apex region)と後外側の迷路周囲部(perilabyrinthine region)とに区分している．後者はさらに上迷路部(supralabyrinthine area)と下迷路部(infralabyrinthine area)に分かれる．錐体部の含気は鼓室，乳突洞，耳管の含気のさまざまな進展からなる．しばしば左右非対称性(図 8)であり，CT，MRI では病変との誤認の原因となりうる．中耳腔から錐体骨尖部に

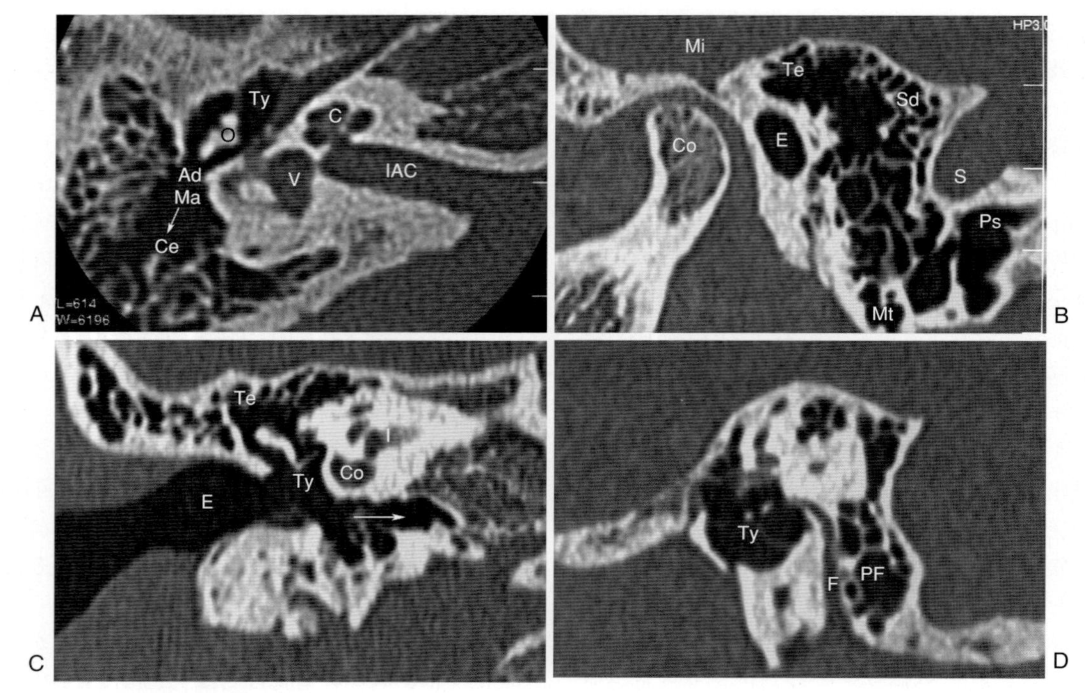

図6　乳突洞の含気

A：内耳道レベル右側頭骨CT横断像．Ad：乳突洞口，C：蝸牛，Ce：中心蜂巣，IAC：内耳道，O：耳小骨，Ma：乳突洞前庭，Ty：鼓室

B：外耳道レベル側頭骨CT矢状断像．Co：下顎骨関節頭，E：外耳道，Mi：中頭蓋窩，Mt：乳突尖部蜂巣，Ps：静脈洞周囲蜂巣，S：S状静脈洞，Sd：洞硬膜蜂巣，Te：天蓋蜂巣

C：鼓室レベル右側頭骨CT冠状断．Co：蝸牛，E：外耳道骨部，I：内耳道底部，Te：天蓋蜂巣，Ty：鼓室，矢印：後下経路(錐体部の含気)

D：顔面神経乳突部レベル側頭骨CT矢状断像．F：顔面神経乳突部，PF：顔面神経周囲蜂巣，Ty：鼓室

至る含気経路は迷路の上下で上経路(superior route)(図9A・B)と下経路(inferior route)に分かれ，さらに後者は蝸牛の前後で前下経路(anteroinferior route)と後下経路(posteroinferior route)(図6C)に分けられる．

i) **上経路**：錐体骨内，迷路よりも上のレベルにみられる上迷路周囲蜂巣路(superior perilabyrinthine cell tract)は上迷路前蜂巣路(superior prelabyrinthine cell tract)(図9A・B)，経迷路蜂巣路[translabyrinthine cell tract，弓状下蜂巣路(subarcuate cell tract)](図9A)，錐体稜蜂巣路(cell tract of the petrosal crest)，上迷路後蜂巣路[superior retrolabyrinthine cell tract (posterior cell tract of Lindsay)](図9B)などの経路を介して迷路部を通過し，内耳道上部でこれらが合流した後に蝸牛，内耳道上方の尖部錐体骨稜において開口する．

ii) **前下経路**(図7，9C・D)：鼓室前下方から蝸牛前方を前内側に向かう蝸牛前蜂巣路(precochlear cell tract)，下迷路前蜂巣路(inferior prelabyrinthine cell tract)，頸動脈蝸牛間蜂巣路(intercaroticocochlear tract)によるもので，蝸牛前方，頸動脈管上方，錐体骨前壁の後下方で錐体骨尖部に開口する．なお，これらの蜂巣路の鼓室進展はperitubal cell(耳管周囲の含気)，pericarotid cell(頸動脈管周囲の含気)としても知られている．

iii) **後下経路**(図6C，7，9D)：迷路下方，頸動脈管後方に位置する迷路下蜂巣路(sublabyrinthine cell tract)によるもので，蝸牛と頸動脈管後方，内耳道下方，頸静脈球(あるいは錐体骨下面)上方で錐体骨尖部に開口する．

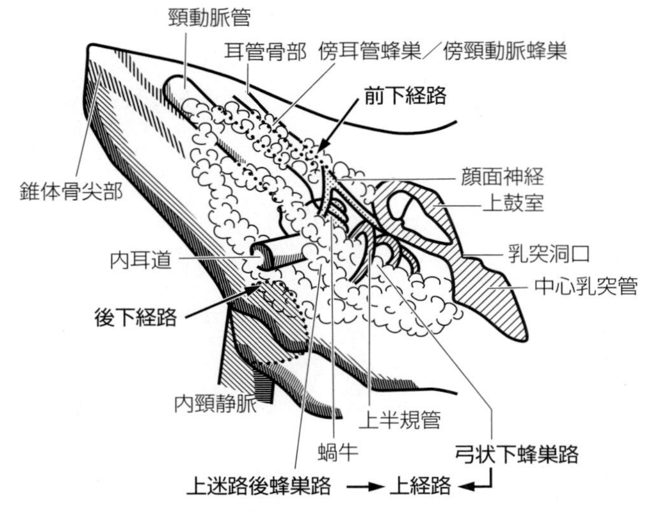

図7 錐体部の含気．シェーマ

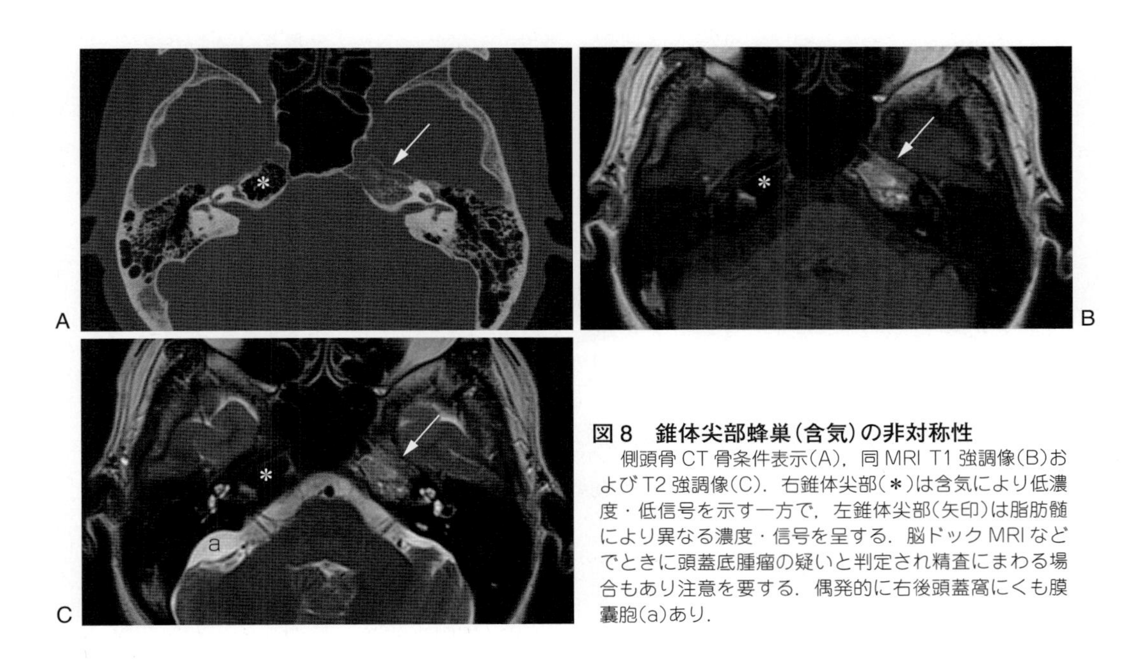

図8 錐体尖部蜂巣(含気)の非対称性

側頭骨CT骨条件表示(A)，同MRI T1強調像(B)および T2強調像(C)．右錐体尖部(＊)は含気により低濃度・低信号を示す一方で，左錐体尖部(矢印)は脂肪髄により異なる濃度・信号を呈する．脳ドックMRIなどでときに頭蓋底腫瘍の疑いと判定され精査にまわる場合もあり注意を要する．偶発的に右後頭蓋窩にくも膜嚢胞(a)あり．

5 内 耳(図10)

内耳は側頭骨錐体部内で迷路骨包(otic capsule)に囲まれる迷路よりなる．迷路は骨迷路(bony labyrinth)と膜迷路(membranous labyrinth)に区分される．骨迷路は内リンパ(endolymph)に満たされる膜迷路を容れ，骨迷路と膜迷路の間を外リンパ(perilymph)が満たす．

a. 骨迷路

前庭(vestibule)，半規管(semicircular canal)，蝸牛(cochlea)から形成される．骨迷路は細胞外液に類似した組成をもつ外リンパに満たされ，その内部に膜迷路を容れる．

1) 前 庭 (vestibule)

鼓室内側壁と内耳道底の間に位置する約4 mm大の類円形領域．膜迷路の卵形嚢(utricle)の前方部を容れる卵嚢陥凹(elliptical recess)，卵嚢陥凹

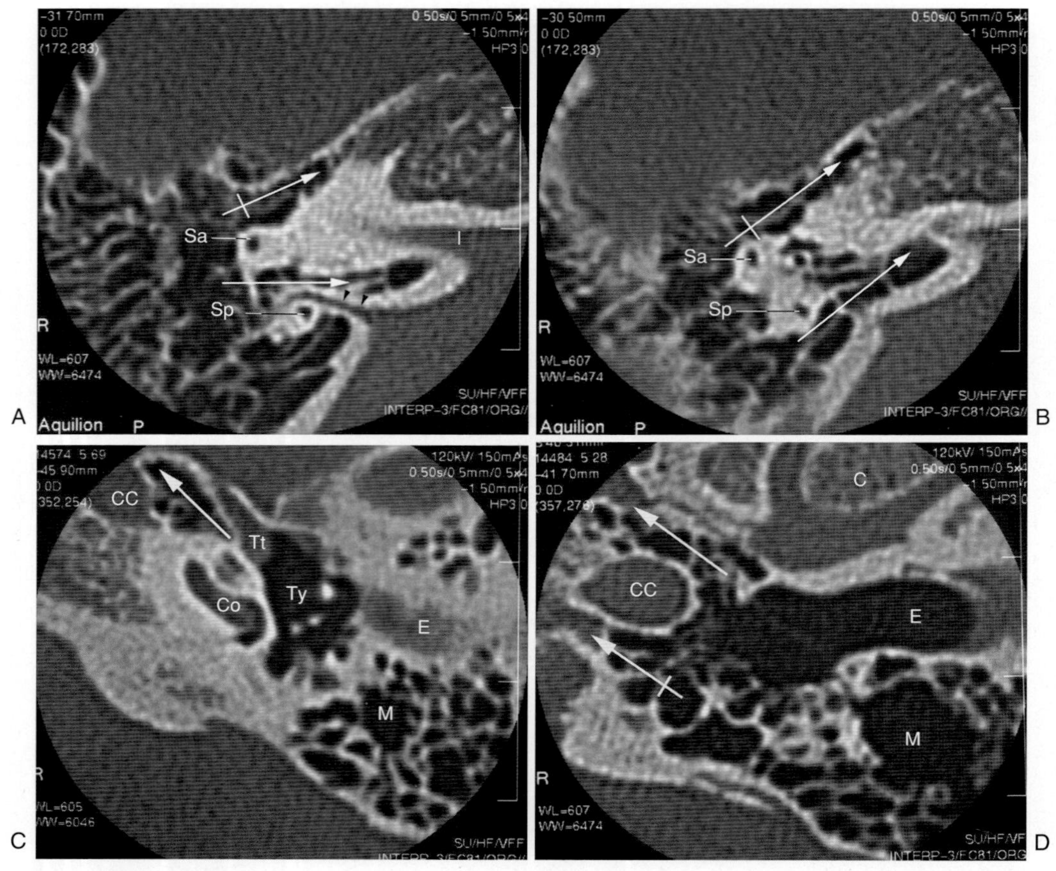

図9 錐体部の含気

A：内耳道上縁レベル右側頭骨CT横断像．I：内耳道，Sa：上半規管前脚，Sp：上半規管後脚，矢頭：弓状下動脈を通す管，矢印：弓状下蜂巣路，十字矢印：上迷路前蜂巣路

B：Aよりも1.2 mm頭側レベルCT横断像．Sa：上半規管前脚，Sp：上半規管後脚，矢印：上迷路後蜂巣路，十字矢印：上迷路前蜂巣路

C：蝸牛レベル左側頭骨CT横断像．CC：頸動脈管，Co：蝸牛，E：外耳道上縁，M：乳突洞蜂巣，Tt：鼓膜張筋，Ty：鼓室，矢印：前下経路

D：外耳道レベル左側頭骨CT横断像．C：下顎骨関節頭，CC：頸動脈管，E：外耳道，M：乳突洞，矢印：前下経路，十字矢印：後下経路

よりやや前下方で膜迷路の球形嚢(saccule)を容れる球形陥凹(spherical recess)よりなり，外側には卵円窓を認める．

2) (骨性)半規管 (semicircular canal)

前庭から連続する上半規管，外側半規管，後半規管が各々に対して直行する平面上に位置する．上半規管後脚と後半規管前脚は融合し，単脚をなす．

i) **上半規管**：錐体骨長軸にほぼ直行する平面上に位置し，頭側では錐体骨上前壁に弓状隆起(図1B)を形成する．

ii) **外側半規管**：外側において，上鼓室から乳突洞口内側壁に隆起を形成する．水平面と約30°の傾斜をもつ平面上に位置する．

iii) **後半規管**：錐体骨後面に平行な平面上に位置する．骨表面における明らかな解剖学的指標はみられない．

3) 蝸　牛 (cochlea) (図10，11)

2.5から2.75回転を有する円錐状骨性ラセン構造でその軸(modiolus)は前外側やや上方に向かい，比較的広い基底部と尖状の尖端部，頂(cupula)をもつ．前庭の前内側，内耳道底外側

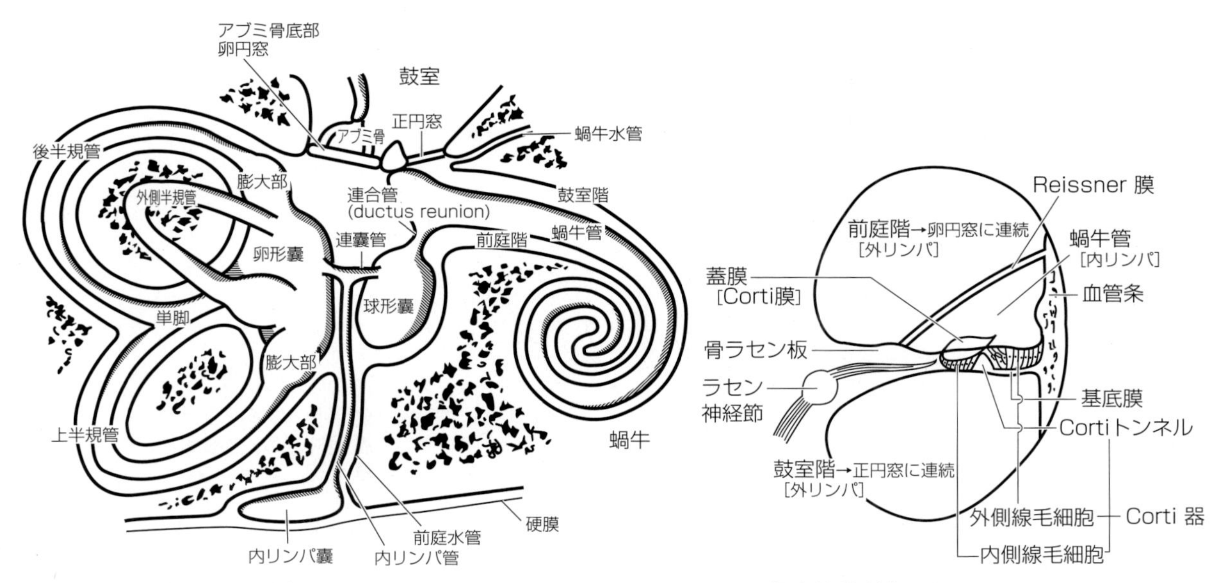

図 10　内耳(骨・膜迷路). シェーマ

図 11　蝸牛管横断像. シェーマ

に位置する. 基底回転の一部は鼓室側に膨隆して岬角(既述)を形成する. 蝸牛の中心に神経, 血管を通じる蝸牛軸があり, その外側面から蝸牛内に向けて骨ラセン板(osseous spiral lamina)が突出, 蝸牛管を上方の前庭階(scala vestibuli)と下方の鼓室階(scala tympani)に部分的に区分している. 前庭階のみが前庭と交通しており, 前庭階は頂において鼓室階との交通も有する. 鼓室階は正円窓で盲端として終わる.

4) 骨迷路の交通

骨迷路には下記のような外部とのいくつかの交通がみられる.

i) 卵円窓：前庭外側に位置し, アブミ骨底部および輪状靱帯に閉ざされる.

ii) 正円窓：蝸牛管の鼓室階の盲端で, 二次鼓膜で閉ざされる.

iii) 前庭水管(vestibular aqueduct)：前庭から錐体骨後面の内耳孔外側で後頭蓋窩と連続する管状構造で, 内リンパ管(endolymphatic duct)と随伴する静脈を通す.

iv) 蝸牛水管(cochlear aqueduct)：蝸牛基底回転の正円窓近傍の鼓室階より頸静脈孔と頸動脈管との間で錐体骨下面に連続する. ヒトでは非開存性で, 結合織に占められる.

v) fissula ante fenestram/fossula post fenestram：卵円窓に関連する小さな裂隙. fissula ante fenestram は前庭外側壁を完全に横断するように認められるが, 耳硬化症の好発部位として臨床上重要である.

表 1　骨迷路と膜迷路の対応

骨迷路	膜迷路
前庭	前庭部(卵形嚢, 球形嚢)
(骨性)半規管	(膜性)半規管
(骨性)蝸牛	蝸牛管

b. 膜迷路(図 10)

上皮に覆われ結合織に囲まれた嚢状構造, 管状構造の連続からなる, 外との交通のない閉ざされた内リンパに満たされた器官で, 骨迷路内にある. 聴覚, 平衡感覚のレセプターを含む. 内リンパは細胞内液に類似した組成を示す. 骨迷路の各亜部位に対応して, 膜迷路構造が存在する(表 1).

1) 前庭部

卵形嚢と球形嚢が主な構成となる. 骨迷路前庭内の後方に位置する卵形嚢は, その前縁で卵形嚢管により内リンパ管と球形嚢に交通する. 球形嚢は卵形嚢の前内側に位置し, その後縁で球形嚢管により内リンパ管と卵形嚢［相互の交通から両管

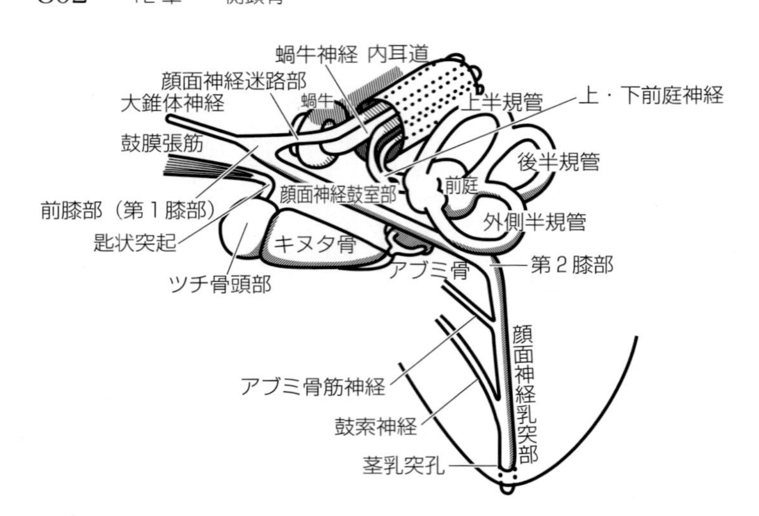

図 12　側頭骨（内耳道および顔面神経管）内顔面神経走行．シェーマ

を連嚢管（utriculosaccular duct）と称する］，前方では連合管（ductus reunions，Henseni 管）により蝸牛管に交通する．

2）（膜性）半規管

骨性半規管と類似する．上半規管前脚，外側半規管前脚，後半規管後脚の基部にはレセプターを容れる膨大部（ampulla）が形成される．

3）蝸牛管（図 11）

骨性蝸牛内にあり，基底部において連合管により球形嚢と交通をもつ．内リンパを容れる蝸牛管は横断面において前庭膜（vestibular membrane：Reissner's membrane）が天蓋部を形成し，外リンパに満たされる前庭階と区分する．底部は Corti 器とこれを載せる基底膜（basilar membrane）により形成され鼓室階と区分される．外側壁を形成する血管条（stria vascularis）が内リンパを産生すると考えられている．鼓室階と前庭階は蝸牛尖部において蝸牛殻孔（helicotrema）を介した交通がある．前庭階は卵円窓，鼓室階は正円窓からさらに蝸牛水管を介してくも膜下腔に連続する．

4）内リンパ管

内リンパ管は卵形嚢管と球形嚢管の結合部から骨迷路の前庭水管を通過，錐体骨後面の硬膜下腔に内リンパ嚢（endolymphatic sac）として膨大部を形成し盲端として終わる．

5）内耳のレセプター

前庭部にある聴櫛（crista，平衡稜），聴神経斑（macula），蝸牛部にある Corti 器（organ of Corti）により形成される．

i）**聴櫛**：膜性半規管の膨大部に位置し，神経上皮線毛細胞を含む肥厚上皮からなる．

ii）**聴神経斑**：卵形嚢，球形嚢内にみられる同様の組織で，耳石を含む耳石膜（otolithic membrane）と呼ばれるゼラチン様被膜に覆われた神経上皮線毛細胞からなる．

iii）**Corti 器**：蝸牛管内の基底膜上にある同様の器官．2 つの Corti 杆（rods of Corti）により形成される Corti トンネル（tunnel of Corti）により内側，外側に分けられる．

6 内耳道（internal auditory canal）（図 12，13）

小脳橋角槽に隣接した錐体骨後面から身体の矢状断面にほぼ直行する角度で外側に向かう管状構造で，前壁は三叉神経槽（Meckel 腔）後方の錐体骨尖部に連続する．内耳道径の 2 mm 以上の左右非対称性は有意な場合が多く，慎重な評価が望まれる．

内耳道底部は横稜［transverse crest，鎌状稜（falciform crest）］により上下，垂直稜（vertical crest）により前後の計 4 つに区分される．上部を前後に区分する垂直稜は Bill's bar と呼ばれる．各々，前上部には顔面神経（第Ⅶ脳神経），前下部には蝸牛神経（第Ⅷ脳神経），後上・下部にはそれぞれ上・下前庭神経（第Ⅷ脳神経）が通過する．

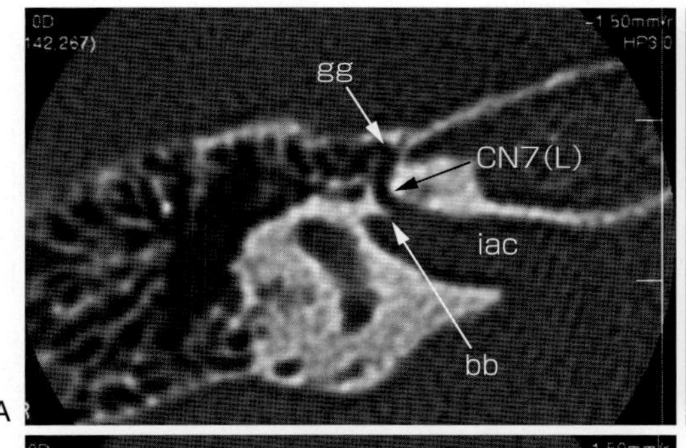

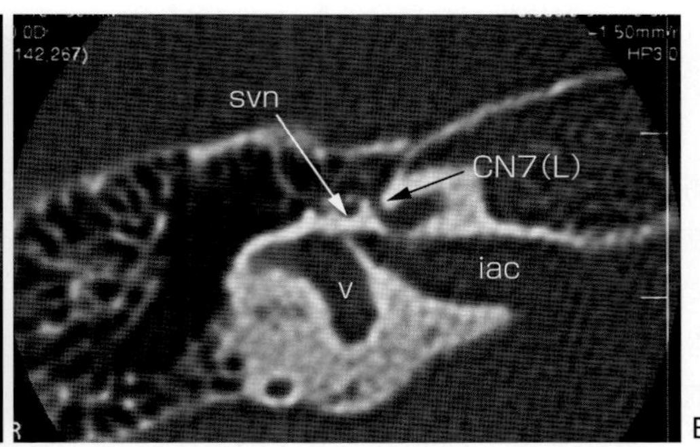

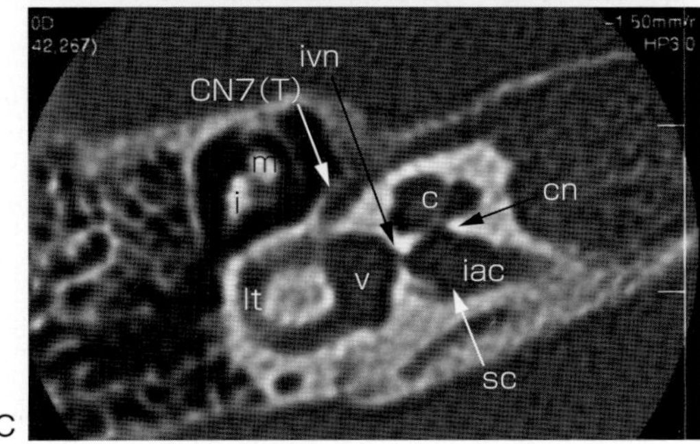

図 13　内耳道レベル CT（右側頭骨）
内耳道上部レベルから下部レベルに向けて順に A，B，C．b：Bill’ s bar，c：蝸牛，cn：蝸牛神経管，CN7（L）：顔面神経管迷路部，CN7（T）：顔面神経管鼓室部，gg：膝神経節（前膝部），i：キヌタ骨体部，iac：内耳道，ivn：下前庭神経（を通す孔），lt：外側半規管，m：ツチ骨頭部，sc：単孔（後膨大部神経を通す），svn：上前庭神経（を通す孔），v：前庭

1）顔面神経
内耳道底前上部から顔面神経管迷路部として前外側，前膝部に向かう（後述）．

2）蝸牛神経
内耳道底前下部のラセン路小孔（spiral foraminous tract）から蝸牛軸，骨ラセン板を介して Corti 器と連続する．

3）上前庭神経
内耳道底後上部の上前庭神経管を介して卵形囊および上・外側半規管（聴櫛）に通じる．

4）下前庭神経
内耳道底後下部の単孔（singular foramen）を介して球形囊，後半規管（聴櫛）に連続する．

後頭蓋窩高分解能 MRI 像においてしばしば内耳道内に進展する前下小脳動脈の血管ループを認めるが，通常は同所見の臨床的意義は小さい．

7　顔面神経（第Ⅶ脳神経）

側頭骨，耳下腺領域の臨床において顔面神経と病変との関わりを評価することは極めて重要である．本項では側頭骨内のみならず側頭骨外顔面神経の解剖も合わせて解説する．

顔面神経温存は頭頸部領域の外科手術（主に側頭骨手術，耳下腺手術）において最も重要な要素のひとつである．したがって，術前画像診断上，病変と顔面神経との相対的位置関係の評価，顔面神経走行の正常変異の有無を確認することが必要である．高分解能画像において，小脳橋角槽から側頭骨内（内耳道から顔面神経管）における顔面神経の走行は直接同定可能である．しかしながら，実際に手術を行う耳鼻科医は術中，直接的に顔面神経を同定するよりも，より確認の容易な解剖学的指標をもとにして顔面神経を同定する場合も多い．また，側頭骨外，特に耳下腺内の顔面神経同定の高分解能画像に関しては文献的報告が散見されるものの，困難な場合が多い．耳下腺手術での顔面神経同定に関しても，いくつかの重要な外科的解剖学的指標がある．これらは画像診断上，病変と顔面神経との相対的関係の評価にも非常に有用で，画像診断医が耳鼻科医に対して，より有用な情報を提供するためにも，これらを理解しておく必要がある．術前画像診断の意義を考えると，場合によっては病変の質的診断よりも顔面神経との関係は重要な情報となりうる．

以下に顔面神経の走行に関して，側頭骨内・外に分けて，耳鼻科医が実際に術中に用いる外科的解剖学的指標とともに記述する．

a. 側頭骨内の走行（顔面神経管）（図12，13）

延髄頭側縁から出た顔面神経は下小脳脚内側を通って，第Ⅷ脳神経（蝸牛神経，上・下前庭神経）とともに内耳道を通過，内耳道底に達する．内耳道底前上4分の1から顔面神経管迷路部が始まり（既述），外側前方に向かう．ここで第1膝部（膝神経節，前膝部）を形成し，急角度にて鼓室内側壁に沿って後方に向かう顔面神経管鼓室部に移行する．第1膝部では涙腺の分泌に関連する大錐体神経（greater superficial petrosal nerve）が前方に向かう．後方では第2膝部を介して乳突部（下行部）として下行，茎乳突孔から頭蓋外に出る．乳突部では近位から順にアブミ骨筋神経（アブミ骨筋反射に関連）と舌の前3分の2の味覚を司る知覚枝である鼓索神経（chorda tympani nerve）が分岐し，前方に向かう．

1）第1膝部（膝神経節，前膝部）

【外科的解剖学的指標】

①蝸牛と前庭の間で，上半規管の前外側に同定される．蝸牛基底回転上部で岬角の上内側に相当する．

②匙状突起（図3，12）：耳管とともに走行してきた鼓膜張筋が，鼓室内側壁において筋・腱移行部で匙状突起を形成，鼓室内側壁に対してほぼ直角に外側に向かってツチ骨頸部に付着する．顔面神経第1膝部はこの匙状突起先端部の内側に位置している．

【臨床的重要事項】

正常例の数％で中頭蓋窩との骨壁（第1膝部の天蓋部）に欠損が認められ，中頭蓋窩アプローチ（middle cranial fossa approach）のときに重要となる．

2）鼓室部

【外科的解剖学的指標】

①外側半規管：側頭骨手術において顔面神経同定のために最も重要な解剖学的指標となる．外側半規管はほとんどの側頭骨手術中において，外耳道の上壁と後壁接合部で乳突洞口内側壁に白色の骨隆起として確認でき，顔面神経鼓室部遠位部から第2膝部はこの下面に同定される[16]．この両者の関係は恒常的である．

②卵円窓：卵円窓レベルでその上部を走行する．

③キヌタ骨：鼓室内側壁に沿って，前後に走行する鼓室部の走行はキヌタ骨長軸に沿って，その内側に一致する．キヌタ骨が侵食あるいは摘出後により同定不可能な場合，側頭骨手術の際，誤って第1膝部や顔面神経迷路部に入らないように注意を要する．

（もし，術中に顔面神経鼓室部を確認したなら，これは卵円窓，アブミ骨の同定にとって有用な解剖学的指標ともなる）

【臨床的重要事項】

正常でも顔面神経鼓室部を覆う骨壁はしばしば欠損を示すが，これは鼓室内手術時に重要である．

3）第2膝部（後膝部）・乳突部

【外科的解剖学的指標】

①digastric ridge：乳様突起尖部の内側下面に溝としてみられるdigastric grooveには顎二腹筋後腹が付着する．逆に，乳突洞内部からみると，これは骨稜を形成しdigastric ridgeと呼ばれる．通常，含気の比較的発達した乳突洞尖部ではその内側に確認され，顔面神経乳突部の下方外側面を示す．顔面神経乳突部の走行は，外側半規管からdigastric ridgeの間に外耳道後面に沿って引いた線にほぼ一致する．乳突洞の発達不良例ではdigastric ridgeの同定が困難な場合がある．

②後半規管：顔面神経第2膝部は後半規管のすぐ前方に位置する．また，後半規管はretrofacial air cells（後述）の上縁に相当する．

③retrofacial air cells：顔面神経乳突部の内側，後半規管の下方に位置する．顔面神経乳突部の内側を同定するのに有用である．

b. 側頭骨外の走行（図14）

茎乳突孔から出た顔面神経は前下方に約10 mmほど走行したあと，耳下腺後内側縁でその被膜を貫通して耳下腺内に入る[17]．耳下腺内において，顔面神経主幹部（pes anserinus・main trunk of CN7）は上（temporofacial branch）・下（cervicofacial branch）の2つに分かれ，さらに上から順に，前頭側頭枝（frontotemporal branch），

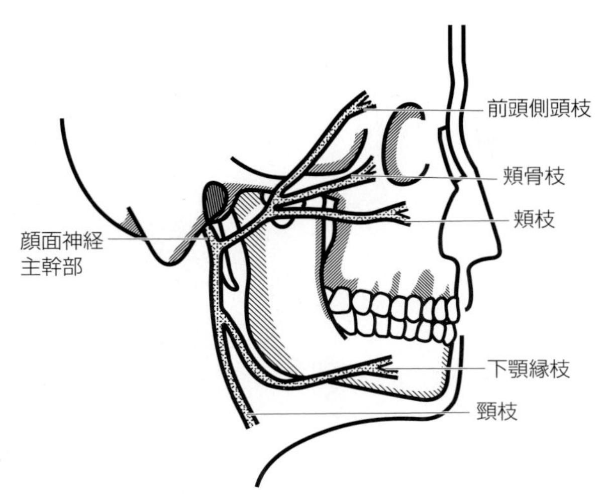

図 14 側頭骨外顔面神経走行．シェーマ

頬骨枝(zygomatic branch)，頬枝(buccal branch)，下顎縁枝(marginal mandibular branch)，頸枝(cervical branch)の 5 つに分かれ，耳下腺を出たあと，SMAS (superficial musculo-aponeurotic system)に沿って走行，顔面表情筋，広頸筋，頬筋，顎二腹筋後腹，茎突舌骨筋などに到達し，これらの運動を支配する．

【外科的解剖学的指標】

耳朶(じだ・みみたぶ)は，顔面神経を扱う手術の皮膚切開の指標として常に重要である[16]．耳朶前切開は耳下腺摘出術や側頭下窩アプローチの手術，耳朶後切開は乳突洞アプローチによる側頭骨手術で主に用いられる．また，頸部郭清時，乳突洞尖部から下顎角を結ぶ線よりも下であれば顔面神経を傷つけることなく耳下腺尾部を切断できるとされている．

顔面神経の同定は通常，主幹部を同定してから末梢に追うことが多いが，状況により耳下腺外における末梢枝を同定してから中枢側に追っていく場合もある．また，ときに乳突洞削開術により側頭骨内で顔面神経同定後，遠位側に向かって側頭骨外顔面神経を確認することもある．以下に顔面神経主幹部および末梢枝の同定における解剖学的外科的指標につき，解説する．

1) 顔面神経主幹部(pes anserinus)(図 15)

①tragal cartilaginous“pointer”：外耳道孔外側縁の耳珠軟骨前内側縁を指し，顔面神経主幹部はこの“pointer”の 10 mm 下方，10 mm 内側に位置する．これは画像診断上最も有用な顔面神経主幹部同定の基準となる．

②茎状突起：茎乳突孔から出た顔面神経は茎状突起基部でその外側に位置する．ただし，CT，MRI 画像上では茎乳突孔直下の脂肪濃度・信号強度の確認が重要で，通常はその中に点状の顔面神経が確認可能である．

③乳突突起：乳様突起前方で皮膚から 15 mm の深さに位置する．

④vascular plane：浅側頭静脈，下顎後静脈，前顔面静脈の外側に位置する．

2) 前頭側頭枝

耳珠の 5 mm 下から眉毛外側縁の 15 mm 上を結ぶ線とほぼ一致した走行を示す．同解剖は皺形成術や側頭下窩アプローチ手術時に重要である．

3) 頬枝(図 16)

頬骨弓と平行にその 10 mm 下，通常は耳下腺管と近接してその下面に沿って走行する．耳朶前方約 55〜60 mm 前方で頬間隙(buccal space)内に位置する．

4) 下顎縁枝

耳下腺から出た下顎縁枝は，下顎角近傍で耳朶から約 40〜45 mm の距離，あるいは下顎角下方 10 mm のレベルで広頸筋深部に位置する．後顔面静脈が耳下腺内から外に出てくる部分で，その外側に位置する．

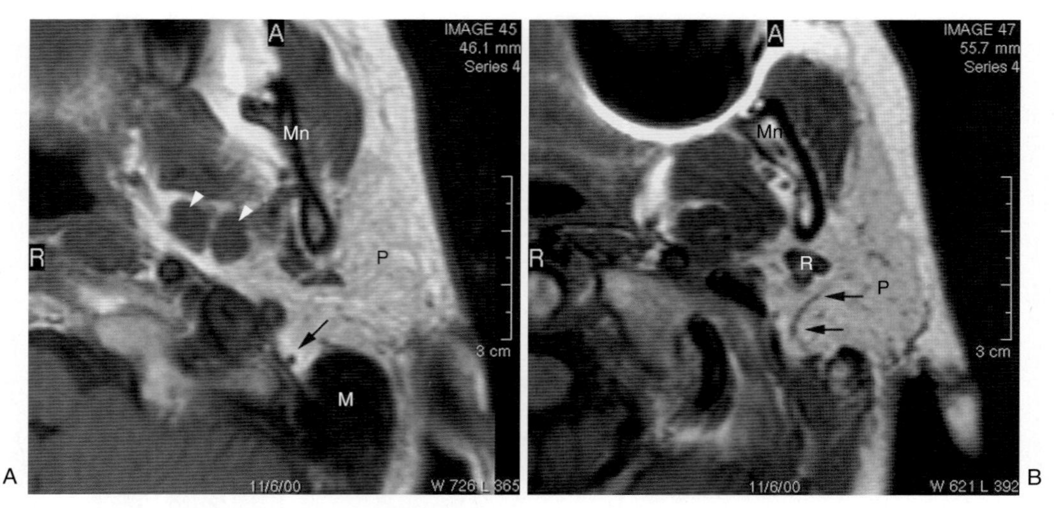

図15　側頭骨外顔面神経 MRI T1強調横断像

A：茎乳突孔直下レベル．高信号を示す茎乳突孔直下の脂肪層の中に点状構造として顔面神経(矢印)を認める．左耳下腺深葉に分葉状を呈する多形腺腫(矢頭)あり．

B：図Aより10 mm尾側レベル．耳下腺後方の被膜を貫き耳下腺内を走行する顔面神経主幹部(矢印)を認める．

M：乳突洞尖部，Mn：下顎枝，P：耳下腺，R：下顎後静脈

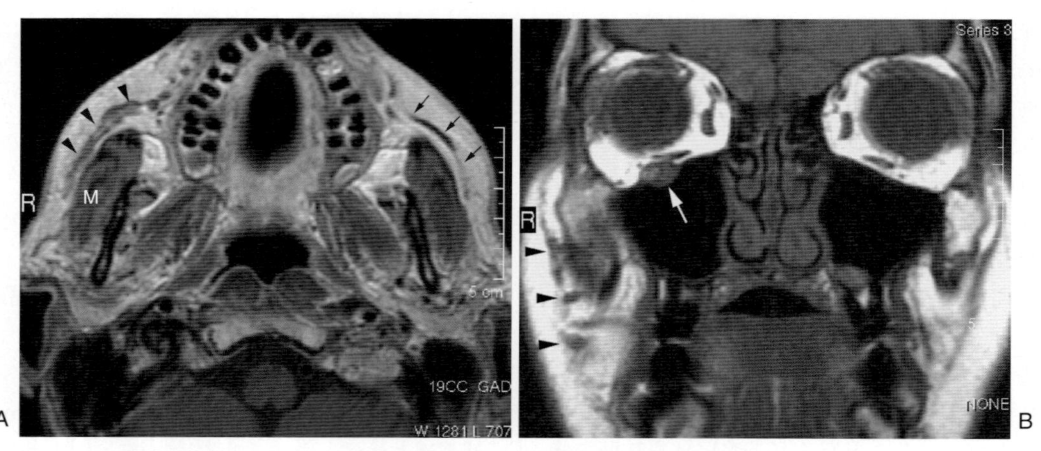

図16　顔面神経頬枝に沿った神経周囲進展を示す頬部皮膚癌症例 MRI

A：ガドリニウムDTPA造影後T1強調横断像．右顔面神経頬枝の走行に一致して表情筋とこれを結ぶSMAS(対側で矢印で示す)の不整な肥厚(矢頭)を認め，顔面神経頬枝に沿った神経周囲進展を示す．M：咬筋

B：T1強調冠状断像．同様にSMASに一致した多結節性肥厚(矢頭)を認める．これと同時に右眼窩下神経(V2)の肥厚(矢印)もみられ，これに沿った神経周囲進展もあることを示す．

8 耳管(auditory canal，eustachian tube)(図17)

鼓室前壁にある耳管鼓室口と上咽頭側壁にある耳管咽頭口を繋ぐ管状構造で，“eustachian tube”の名称は1562年にイタリアの解剖学者Bartholomeus Eustachius (1520～1574) が“Epistola de auditus organis”に記述したことによる[18]．成人では3～4 cmの長さで全体としてS字状をなし，鼓室口から咽頭口にかけて下内側前方に向かう．耳管鼓室口は咽頭口に対して約2.5 cm頭側レベルにある．

外側上部約3分の2を占める骨部と内側下部約3分の1を占める軟骨部より形成される．両者の

接合部レベルで最も径は小さく，耳管峡部と呼ばれる．骨部は頸動脈管の外側，頸静脈窩の頭側に隣接し，鼓膜帆張筋半管内を通過する鼓膜帆張筋と伴走する．軟骨部の断面は頭側から後方にかけては軟骨(軟骨板)，後方から尾側にかけては線維結合織(Ostmann 脂肪体)により形成される．耳管咽頭口は上咽頭側壁で下鼻甲介後縁背側に位置しており，頭側から後方にかけて耳管隆起と呼ばれる隆起が咽頭口を部分的に囲む(4 章「上咽頭」図 1 参照)．また，上咽頭粘膜を裏打ちする強靱な咽頭頭底筋膜を口蓋帆挙筋とともに Morgagni 洞において貫通する．

耳管は鼓室内圧の調整を担っており，耳管機能不全は中耳炎，真珠腫などの病的状態の原因となる．耳管に関わる重要な筋肉として口蓋帆張筋，口蓋帆挙筋，上咽頭収縮筋，耳管咽頭筋，鼓膜帆張筋があげられるが，口蓋帆張筋，鼓膜帆張筋は三叉神経支配，その他の筋は第Ⅸ～Ⅺ脳神経支配を受ける．安静時には耳管は閉鎖しており，口蓋帆張筋の運動あるいは Valsalva 手技などにより開通する．

B 耳痛(関連痛)

耳痛(otalgia)は耳自体が原因となる直接痛(primary otalgia)と耳に分布する神経枝と同一神経の支配を受ける他部位病変に起因する関連痛(secondary otalgia)に分けられる．耳痛の画像診断では耳に明らかな原因を特定できない場合，関連痛をきたしうる他部位の評価が必要となり，これには解剖学的知識が求められる．歯を原因(V3 の関連痛：後述)とするものが約 50％と最も多い．また(舌咽，迷走神経の関連痛としての耳痛の原因となりうる)咽喉頭癌が最も重要であるが，疼痛の程度は必ずしも病態の重篤性と相関しない(多くの頭頸部癌で疼痛は比較的軽度)．したがって，耳痛の画像診断では，他の症状，理学的所見，喫煙・飲酒など頭頸部癌の危険因子の有無などを考慮した診断モダリティの選択，撮像範囲やプロトコルの設定が必要となる．原因となりうる神経枝および病変部位につき，以下に解説する．

1) 三叉神経耳介側頭枝(auriculotemporal branch)

三叉神経第 3 枝(V3)のひとつで，耳介部，側頭部の頭皮などの知覚を司る．耳下腺内で顔面神経との交通をもち，外側翼突筋の外側部後面から下顎骨頭部後面を回り込むように走行する．同神経を介した関連痛としての耳痛の原因として鼻副鼻腔，側頭部頭皮，上咽頭，舌，顎関節および歯牙，唾液腺などの病変の可能性が考慮される．

2) 舌咽神経 Jacobson's branch および迷走神経 Arnold's branch

Jacobson's branch は舌咽神経の枝で頸静脈孔から下鼓室小管(inferior tympanic canaliculus)を介して鼓室に到達．Arnold's branch は迷走神経の枝で頸静脈孔から乳突小管(mastoid canaliculus)を介して耳に到達する．

これらの神経を介した関連痛としての耳痛の原因として中咽頭(扁桃，舌根)，下咽頭(梨状窩)，舌などの病変が考慮される．その神経枝の分布により，迷走神経の関連痛は舌咽神経の関連痛よりも，やや外側優位とされる．

C 撮像プロトコール

側頭骨の画像診断の中心は高分解能 CT である．空気，微細な骨構造，これらを囲む厚い緻密な骨がそれぞれ隣接しており，良好な画像における適切な画像表示による評価が必要となる．スライス厚 1 mm での OM line あるいは硬口蓋に平行な横断像およびこれに直行する冠状断再構成像が基準となる．なるべくウインドウ幅を拡げた骨関数表示が望まれる．冠状断像は鼓室天蓋，乳突洞天蓋，鼓室蓋(scutum)，Prussak 腔，顔面神経管鼓室部，卵円窓，正円窓などの評価に有用である．

MRI は腫瘍性病変と二次性炎症部との分離，拡散強調像での真珠腫の同定，炎症性病変の頭蓋内合併症，錐体骨尖部病変としての類皮囊腫とコレステロール肉芽腫との鑑別，内耳・内耳道病変，顔面神経炎，顔面痙攣の画像評価などにおいて有用である．造影前・後 T1 強調像，高分解能 T2 強調像，CISS および拡散強調像などが撮像される．MRI も横断像，冠状断像が基本となる．

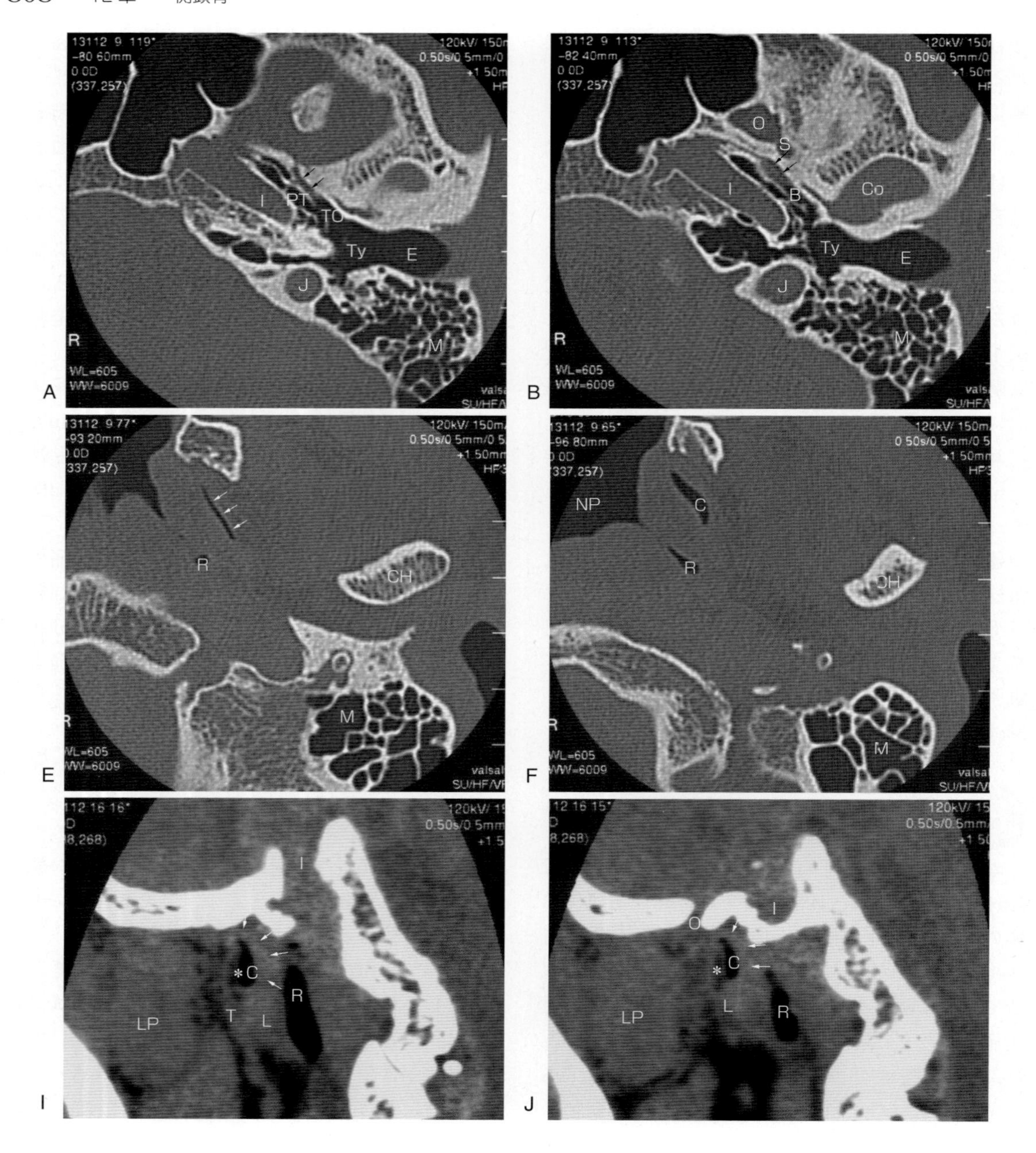
A
I
PT
TO
Ty
E
J
M
B
O
S
Co
E
R
CH
M
F
NP
C
I
LP
T
L
J

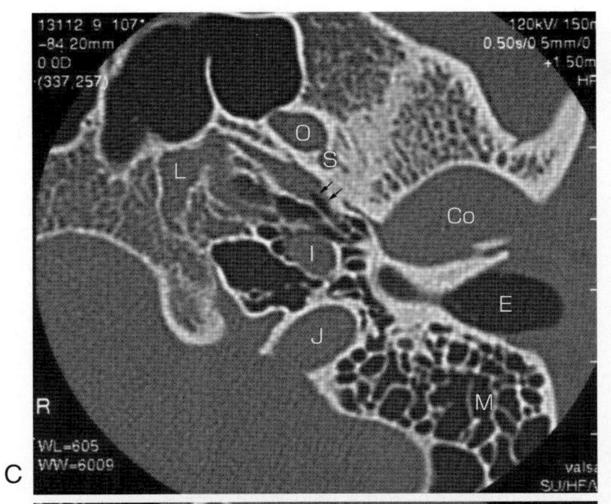

C

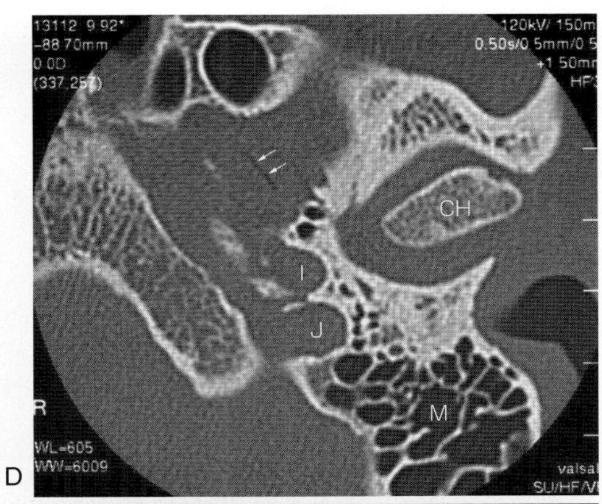

D

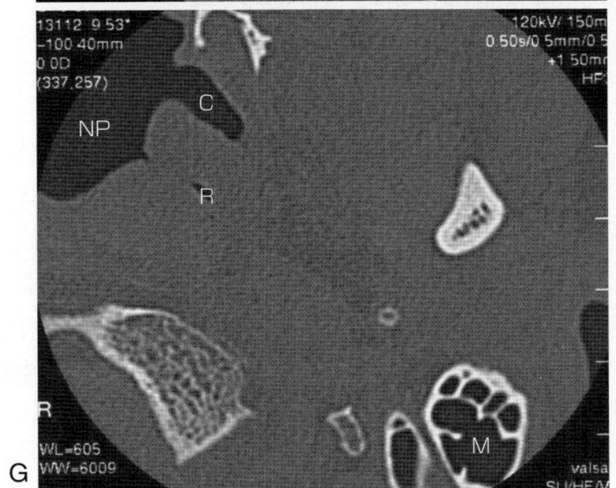

G

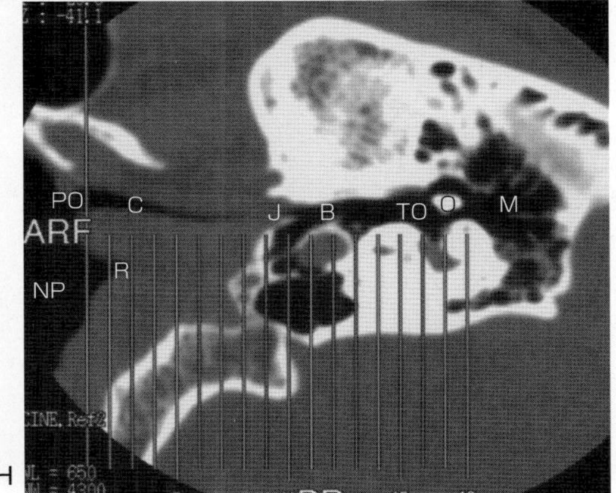

H

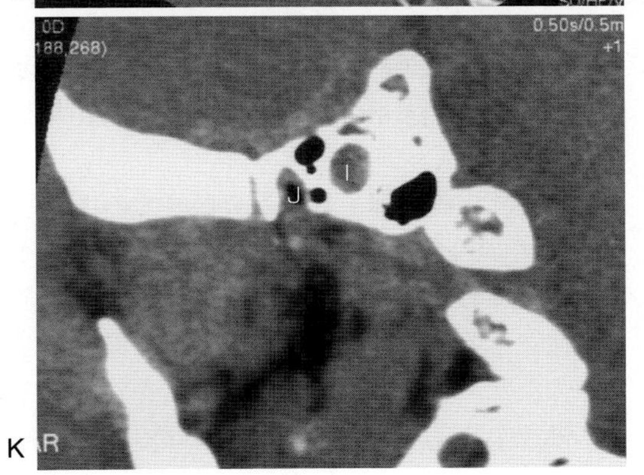

K

図 17　Valsalva 手技下で開存する左耳管の CT 像

頭側の耳管鼓室口レベル(A)から尾側の咽頭口レベル(G)に至る CT 横断像．

B：耳管骨部，C：耳管軟骨部，CH：顎関節頭，Co：顎関節窩，E：外耳道，I：内頸動脈，J：頸静脈球，L：破裂孔，M：乳突洞，NP：上咽頭，O：卵円孔，PT：耳管周囲蜂巣，R：Rosenmüller 窩，S：棘孔，TO：耳管鼓室口，Ty：鼓室，矢印：図 A・B では鼓膜張筋，図 C・D・E では耳管峡部から軟骨部．

2 方向において耳管走行の長軸に合わせた画像(H)．B：耳管骨部，C：耳管軟骨部，J：耳管接合部，M：乳突洞，PO：耳管咽頭口，O：耳小骨，R：Rosenmüller 窩，TO：耳管鼓室口．H に直行する断面(耳管の走行に垂直な斜冠状断)を再構成した．

耳管咽頭口よりわずかに外側レベル(図 I)，卵円孔レベル(図 J)，接合部レベル(図 K)の斜冠状断における再構成画像．

C：耳管軟骨部の内腔，I：内頸動脈，J：耳管峡部，L：口蓋帆挙筋，LP：外側翼突筋，O：卵円孔，R：Rosenmüller 窩，T：口蓋帆張筋，矢印：内側軟骨板，＊：Ostmann 脂肪体

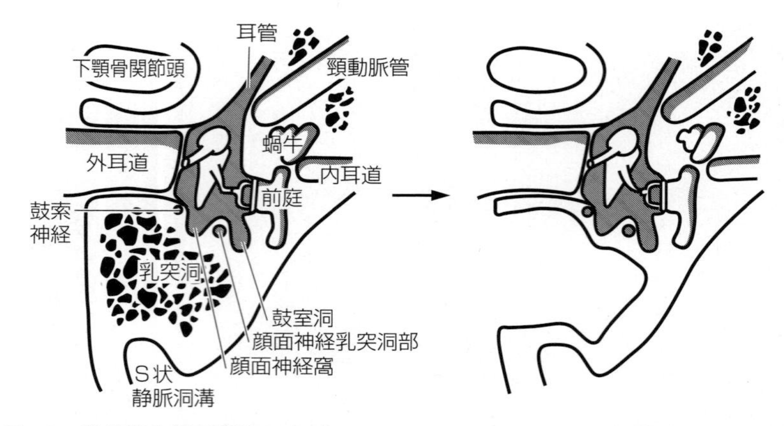

図18 単純乳突洞削開術およびcanal wall-up masoidectomy術式．シェーマ

D 側頭骨手術

内科的制御の困難な中耳，乳突洞病変は外科的治療の適応となりうるが，その第1の目的は病変切除による治癒，第2には可能な限りの機能温存，再建である．病変の大きさ，進展範囲，機能障害の程度，患者の背景因子などを考慮して術式は決定される．以下に側頭骨領域の代表的術式を解説する．

1 乳突洞削開術(mastoidectomy)

a. 単純乳突洞削開術(simple mastoidectomy)(図18)

外耳道骨部骨壁を温存して乳突洞を開放，すべての蜂巣を除去する術式．“単純”という名称は単純に乳突洞のみの開放を施行することを表しているが，決して術式が単純であるということではない．後述の顔面神経窩アプローチとの組み合わせにより中耳への進入が可能である．

中耳手術の準備段階として行われる場合が多いが，その他に急性乳様突起炎，慢性中耳炎，真珠腫，顔面神経外傷，髄液耳漏なども対象となる．

耳介後部の皮膚切開(3歳以下の場合，乳突洞の発達が十分でないため，皮膚切開線はより後方にとる)に続き，側頭筋膜を切開する．骨切除においては乳突洞天蓋，S状静脈洞，顔面神経の同定が非常に重要で，これらの骨の薄壁を残す．蜂巣の除去に従い，その内側前方には後半規管が同定される．Körner隔壁を越えると含気腔が拡大し，乳突洞前庭に入るが，前庭内側壁に外側半規管による骨性隆起が認められる．乳突洞口拡大により上鼓室後方のキヌタ骨短脚が確認可能となる．重要な顔面神経の同定にはいくつかの解剖学的指標がある．鼓室部はキヌタ骨内側，後膝部は外側半規管の下方，乳突部はdigastric ridgeレベルで前方に位置する．

b. 顔面神経窩アプローチ[facial recess approach (posterior tympanotomy)](図19，20)

単純乳突洞削開術と組み合わせての中耳後方へのアプローチとして用いられるが，視野は比較的限られており，病変摘出が不十分になる場合もあり注意を要する．ただし，含気の回復や人工内耳挿入など，特異的目的に対しては有効である．

慢性中耳炎，真珠腫などにおける外耳道骨壁温存術による鼓室への視野展開，顔面神経後膝部の外傷・腫瘍，人工内耳挿入時の正円窓の観察などが適応となる．

まず，単純乳突洞削開術を施行．顔面神経乳突部とキヌタ骨の部位を十分に同定，キヌタ・アブミ骨関節の状態を把握してから手技を開始する必要がある．顔面神経窩アプローチでは顔面神経乳突部を後内側，鼓索神経を前外側，キヌタ骨窩の骨稜を上部の境界とする三角形で顔面神経窩を開窓する．鼓索神経は顔面神経乳突部下約3分の1

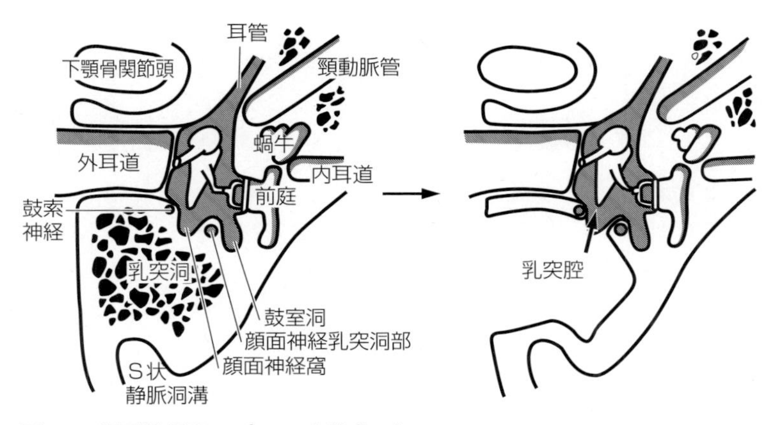

図 19　顔面神経窩アプローチ術式．シェーマ

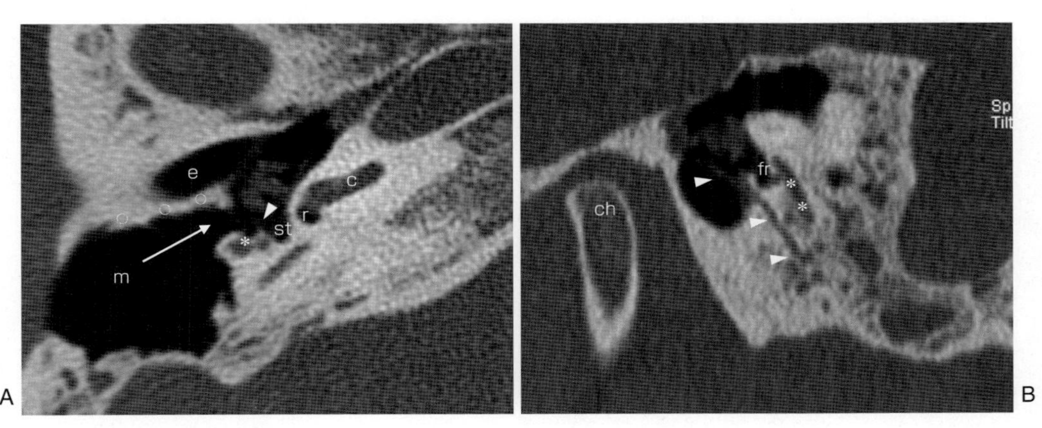

図 20　顔面神経窩アプローチ

右側頭骨 CT 横断像(A)．乳突洞削開術後変化を認める．乳突腔(m)と外耳道骨部(e)との間の骨壁(○)は保たれており，canal wall-up mastoidectomy 後であることを示す．深部で顔面神経窩が開放(矢印)されている．矢頭：錐体隆起(pyramidal eminence)，＊：顔面神経管下行部，c：蝸牛，r：正円窓，st：鼓室洞．同矢状断象(B)において，後方を顔面神経管下行部(＊)，前下方を鼓索神経小管(矢頭：鼓索神経小管および鼓索神経)に囲まれる顔面神経窩(fr)での開放を示す．ch：顎関節頭

で約 20° の角度で前上方に向かう(図 12，20B)．キヌタ骨窩の骨稜は外側キヌタ骨ひだの付着を温存する目的として残すが，キヌタ骨を摘出する場合は骨稜温存の必要はない．さらに拡大顔面神経窩アプローチとして鼓索神経を切除し，下鼓室の視野を展開する場合もある．

c．鼓室乳突洞削開術(tympanomastoidectomy)

乳突洞のみでなく鼓室にも直接アプローチする場合を指す．外耳道骨壁温存の有無により，以下の 2 つが分類される．

1) closed-cavity tympanomastoidectomy(canal wall-up)：外耳道後壁保存型（図 18，21，22）

外耳道後壁を温存し，鼓室と乳突洞に対して別々にアプローチする術式．病変切除が可能で，安全な手技にとって乳突洞の発達が十分である場合，可能な限り同アプローチを用いる．再度，強調するが手術の第 1 の目的は病変切除による治癒であり，外耳道骨壁温存ではない．必要に応じて後述の術式を用いる．

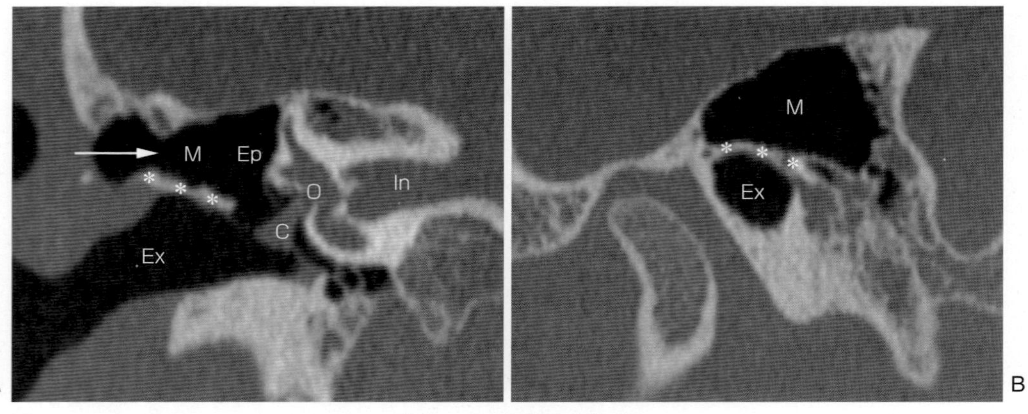

図21　canal wall-up mastoidectomy 後（IVc型鼓室形成術後）
右側頭骨冠状断CT（A）．外耳道骨壁（＊）を温存したまま，外方より乳突部を開放（矢印）している．乳突腔（M）は深部で上鼓室（Ep）に連続する．C：コルメラ，Ex：外耳道，In：内耳道，O：卵円窓．矢状断像（B）で外耳道（Ex）と乳突腔（M）は外耳道骨壁（＊）により区分されている．

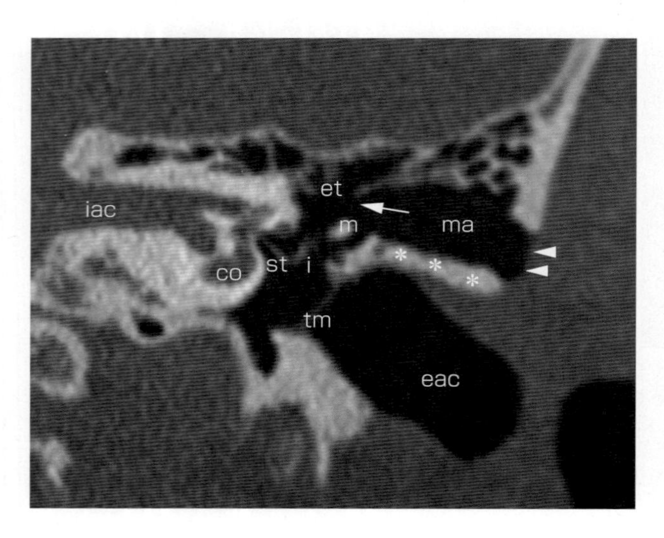

図22　canal wall-up mastoidectomy 後
左側頭骨CT冠状断像．外耳道（eac）上壁（＊）の骨壁は温存して，外側皮質の欠損部（矢頭）から連続する乳突腔（ma）を認め，深部では上鼓室（et）に到達（矢印）する．co：蝸牛，i：キヌタ骨長脚，iac：内耳道，m：ツチ骨頭部，st：アブミ骨上部構造，tm：鼓膜

2）open-cavity tympanomastoidectomy（canal wall-down）：外耳道後壁削除型（図23〜25）

外耳道骨壁を切除する術式．Bondy手技，非定型根治的乳突洞削開術（modified radical mastoidectomy），根治的乳突洞削開術（radical mastoidectomy）などが含まれる．Bondy手技は鼓室に入らないのに対して，非定型根治的乳突洞削開術は鼓室内にも入るため，後述の鼓室形成術が可能となる．非定型根治的乳突洞削開術では単純乳突洞削開術後，顔面神経窩を開放して鼓室に入る．根治的乳突洞削開術では非定型根治的乳突洞削開術に加えて，鼓室粘膜除去，アブミ骨以外の耳小骨切除，耳管の充塡・閉鎖が施行される．聴力低下は著しい．

2 鼓室形成術（tympanoplasty）/ 耳小骨再建術（ossiculoplasty）

中耳手術後の伝音系再建術で大きく以下の4型に分類される．耳小骨再建術の成功の基準としては骨導閾値（ABG：air-bone gap）20dB以下が最

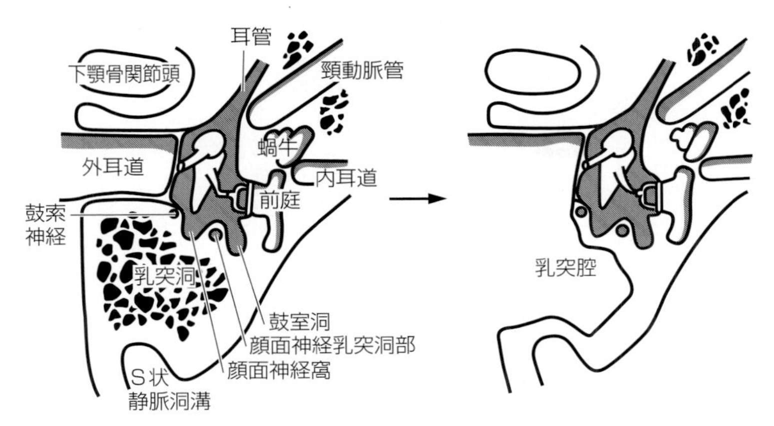

図 23　canal wall-down mastoidectomy 術式．シェーマ

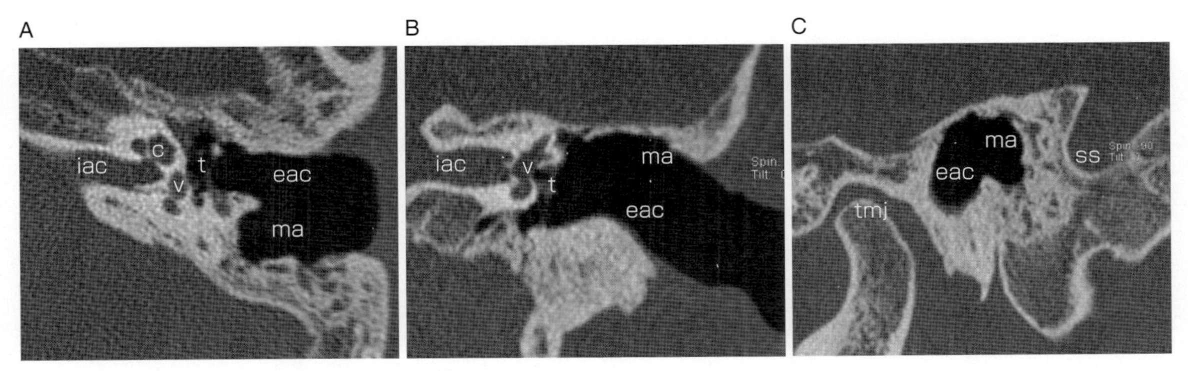

図 24　canal wall-down mastoidectomy 後

左側頭骨 CT 骨条件横断像(A)，冠状断像(B)，矢状断像(C)．乳突腔(ma)は外耳道(eac)との間に介在する骨壁はなく，外耳道上～後壁上部欠損部を介して連続しひとつの腔を形成している．c：蝸牛，iac：内耳道，t：鼓室，tmj：顎関節，ss：S 状静脈洞溝，v：前庭

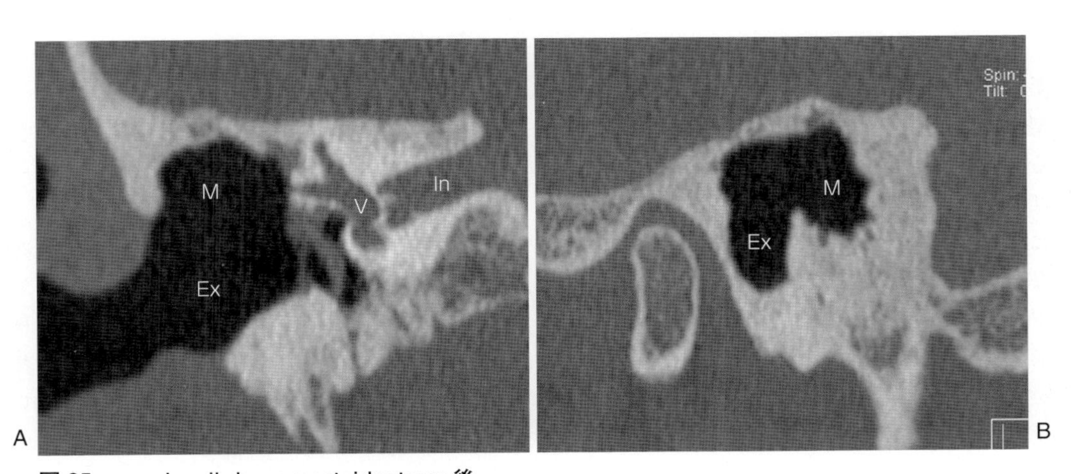

図 25　canal wall-down mastoidectomy 後

右側頭骨冠状断 CT(A)．乳突洞の開放により形成された乳突腔(M)は外耳道(Ex)と連続性に空洞を形成している．In：内耳道，V：前庭．矢状断像(B)で外耳道(Ex)と乳突腔(M)は連続した空洞を形成している．

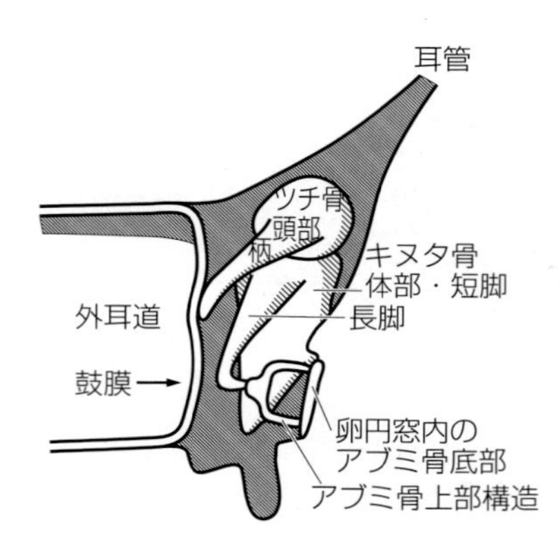

図 26　Ⅰ型鼓室形成術術式．シェーマ
生理的に正常な伝音系．

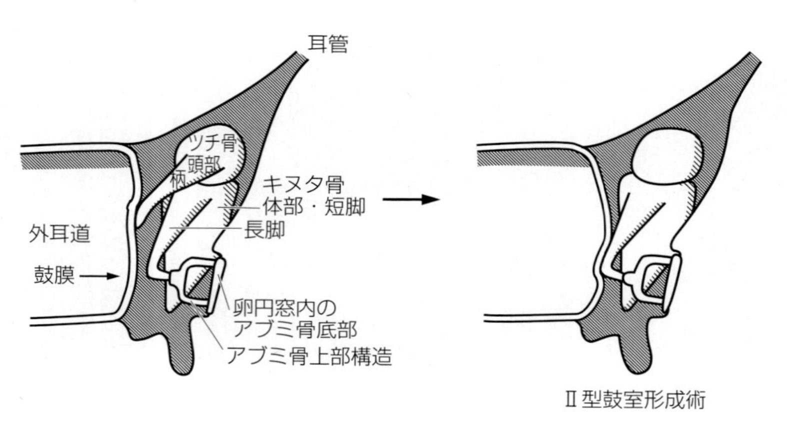

図 27　Ⅱ型鼓室形成術術式．シェーマ

も広く受け入れられている[12]．アブミ骨上部構造を温存できるか否か，すなわち鼓室形成術Ⅲ型かⅣ型かによって，術後の聴力温存は大きく影響されることから，術前の画像診断においてアブミ骨上部構造を評価することが非常に重要となる．実際にはツチ骨柄の残存が術後聴力において最も重要な要素とされるが，ツチ骨柄が真珠腫などにより侵食性変化を受けるのは比較的まれである．鼓室形成術での伝音難聴の改善には，その他に健常な鼓膜が存在する（あるいは再建されている）か，正常な粘膜に囲まれているか，鼓室が十分に含気化されたスペースとして保たれているかが重要である[19]．

1）Ⅰ型鼓室形成術（図 26）

3 つの耳小骨，いずれもが正常な形態を残し，生理的伝音機構が温存される．

2）Ⅱ型鼓室形成術（図 27）

アブミ骨，キヌタ・アブミ骨関節は正常な形態を残し，再建鼓膜をキヌタ骨上に形成する．

3）Ⅲ型鼓室形成術

アブミ骨上部構造を温存．以下の亜分類あり．

i）Ⅲo 型鼓室形成術（図 28，29）：アブミ骨上部構造（頭部）に直接，再建鼓膜を形成．耳科学会用語委員会の 2000 年案では単に III 型と表記されていたが，2010 年案では（後述の IIIc，IIIi を含めた III 型の）総称と区別するため，Wullstein 原法で処理された本法については“IIIo（original Wullstein's classification）”と表記することとなった．

ii）Ⅲc 型鼓室形成術（図 30〜33）：アブミ骨上

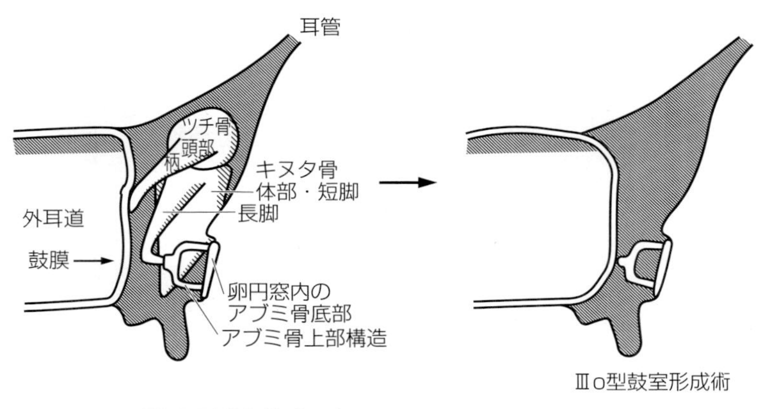

図 28　Ⅲo 型鼓室形成術術式．シェーマ

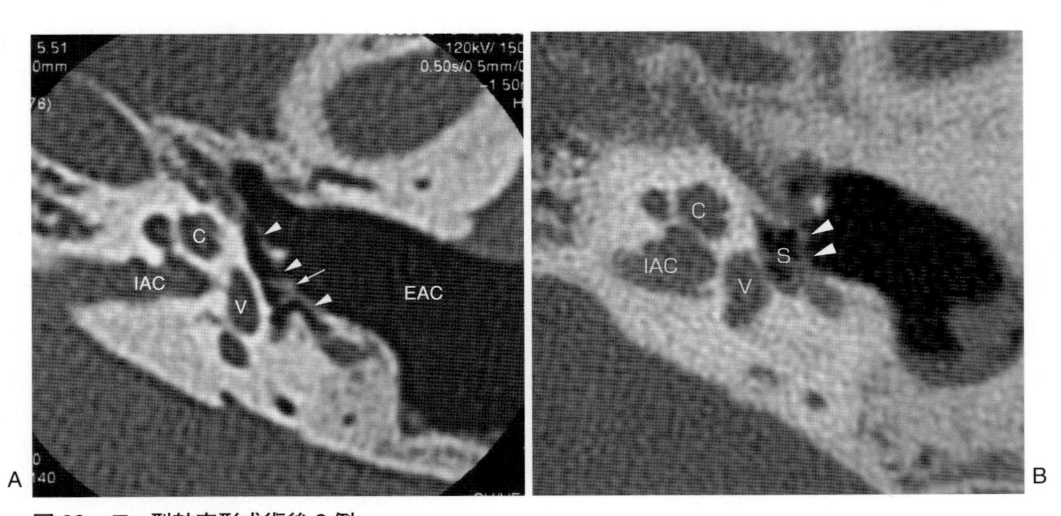

図 29　Ⅲo 型鼓室形成術後 2 例

左側頭骨横断 CT(A)において，アブミ骨上部構造を正常に認め，アブミ骨頭部(矢印)は鼓膜(矢頭)に直接接触している．C：蝸牛，IAC：内耳道，EAC：外耳道(乳突洞削開術後)，V：前庭．別症例の左側頭骨 CT(B)．アブミ骨上部構造(S)は正常に残存し，その頭部は鼓膜(矢頭)と接する．C：蝸牛，IAC：内耳道，V：前庭

部構造と再建鼓膜との間にコルメラ(columella)が介在．

iii) Ⅲi 型鼓室形成術(図 34，35)：アブミ骨とツチ骨，アブミ骨とキヌタ骨との間にコルメラを挿入(interposition)．

iv) Ⅲr 型鼓室形成術：アブミ骨・ツチ骨の間にキヌタ骨を再設置(reposition)したもの．

4) Ⅳ型鼓室形成術

アブミ骨底部上に伝音系を再建(アブミ骨上部構造は残存しない)．以下の亜分類あり．Ⅲ型と比較して聴力温存は不良．

i) Ⅳo 型鼓室形成術(図 36)：アブミ骨底部に直接，再建鼓膜を形成．耳科学会用語委員会の 2000 年案では単にⅣ型と表記されていたが，2010 年案では(後述のⅣc，Ⅳi を含めたⅣ型の)総称と区別するため，Wullstein 原法で処理された本法については“Ⅳo (original Wullstein's classification)”と表記することとなった．

ii) Ⅳc 型鼓室形成術(図 21，37〜41)：アブミ骨底部と再建鼓膜の間にコルメラが介在．

iii) Ⅳi 型鼓室形成術：アブミ骨底部とツチ骨(図 42〜44)，アブミ骨底部とキヌタ骨との間に

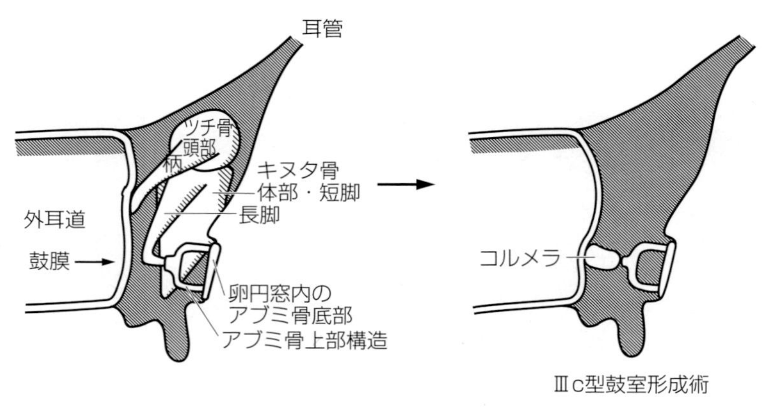

図 30　Ⅲc 鼓室形成術型術式．シェーマ

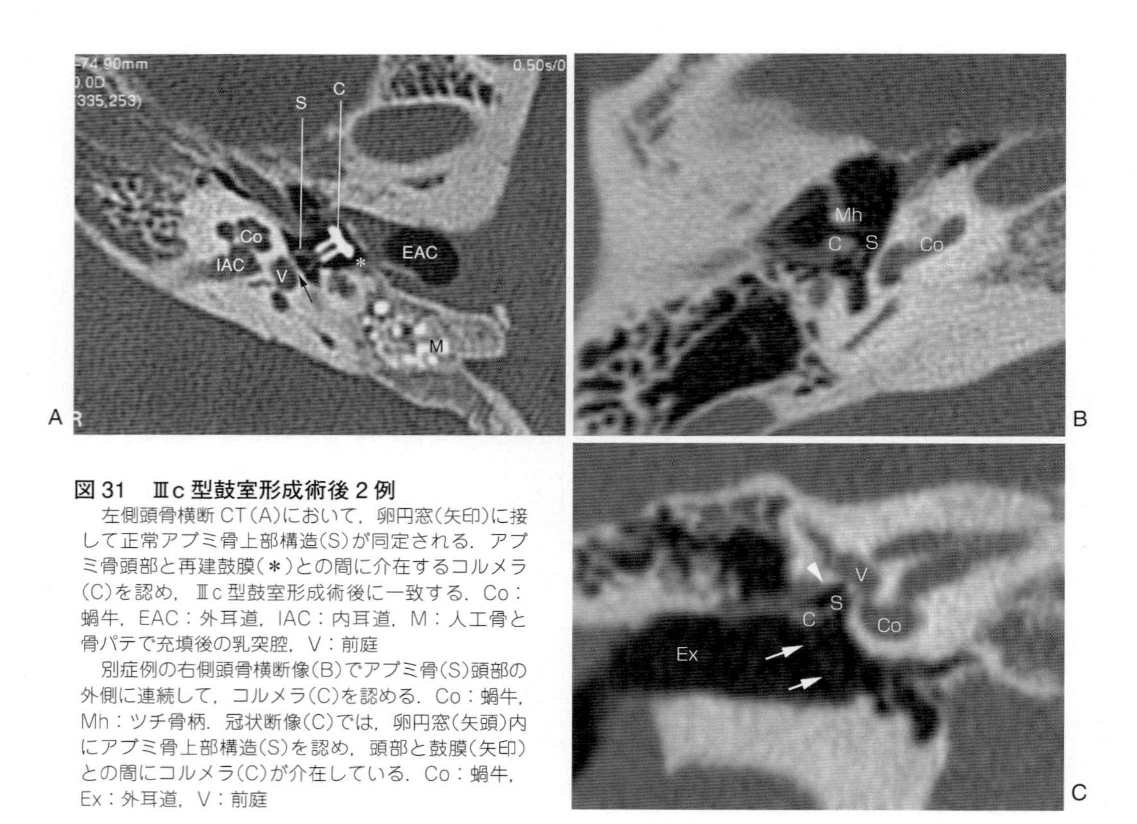

図 31　Ⅲc 型鼓室形成術後 2 例

左側頭骨横断 CT（A）において，卵円窓（矢印）に接して正常アブミ骨上部構造（S）が同定される．アブミ骨頭部と再建鼓膜（＊）との間に介在するコルメラ（C）を認め，Ⅲc 型鼓室形成術後に一致する．Co：蝸牛，EAC：外耳道，IAC：内耳道，M：人工骨と骨パテで充填後の乳突腔，V：前庭

別症例の右側頭骨横断像（B）でアブミ骨（S）頭部の外側に連続して，コルメラ（C）を認める．Co：蝸牛，Mh：ツチ骨柄．冠状断像（C）では，卵円窓（矢頭）内にアブミ骨上部構造（S）を認め，頭部と鼓膜（矢印）との間にコルメラ（C）が介在している．Co：蝸牛，Ex：外耳道，V：前庭

コルメラを挿入（interposition）．

PORP ／ TORP

鼓膜から内耳への音波の伝搬に必要となる耳小骨連鎖の機能的再建で用いられる人工プロテーゼは，PORP（partial ossicular replacement prosthesis）と TORP（total ossicular replacement prosthesis）に大別される．PORP（図 31A，45）は鼓室形成術 IIIc あるいは IIIi において（アブミ骨を除く）ツチ骨，キヌタ骨を置き換える一方，TORP（図 39A・B，40A・B・C，46）は鼓室形成術 IVc あるいは IVi において全耳小骨連鎖（アブミ骨，ツ

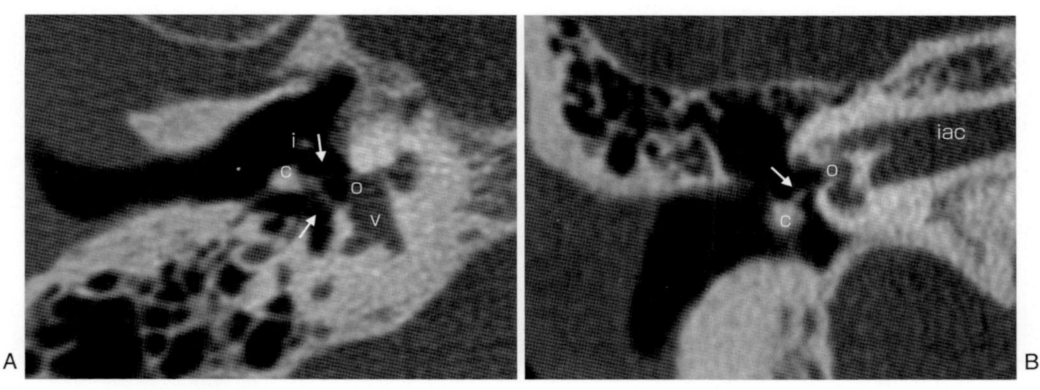

図 32　Ⅲc 鼓室形成術後
右側頭骨 CT 横断像(A)および冠状断像(B)．図 31 と同様，正常に残存するアブミ骨(矢印)頭部から鼓膜との間に介在する高濃度構造(c)としてコルメラを認める．i：ツチ骨柄，iac：内耳道，o：卵円窓，v：前庭

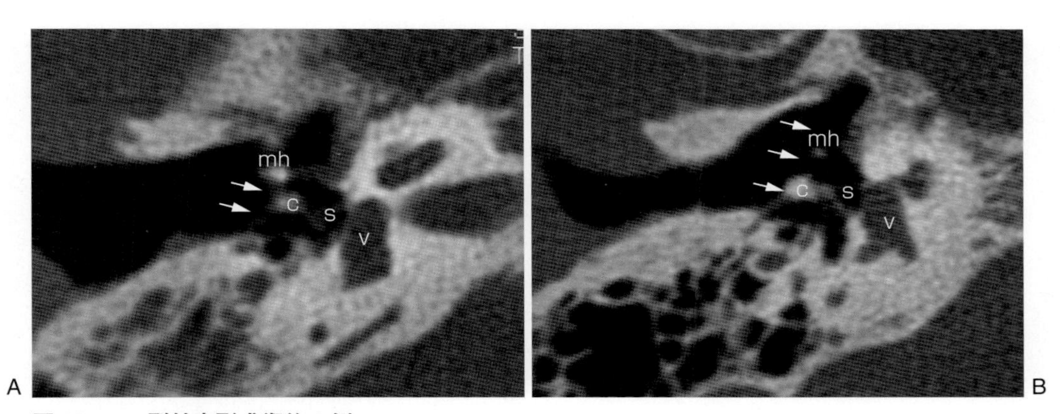

図 33　IIIc 型鼓室形成術後 2 例
2 症例の右側頭骨 CT 横断像(A および B)．2 例ともにまったく同様の所見として，卵円窓内にアブミ骨上部構造(s)を認め，アブミ骨頭部と鼓膜(矢印の位置)との間にコルメラ(c)が置かれており，IIIc 型鼓室形成術後に相当する．mh：ツチ骨柄，v：前庭

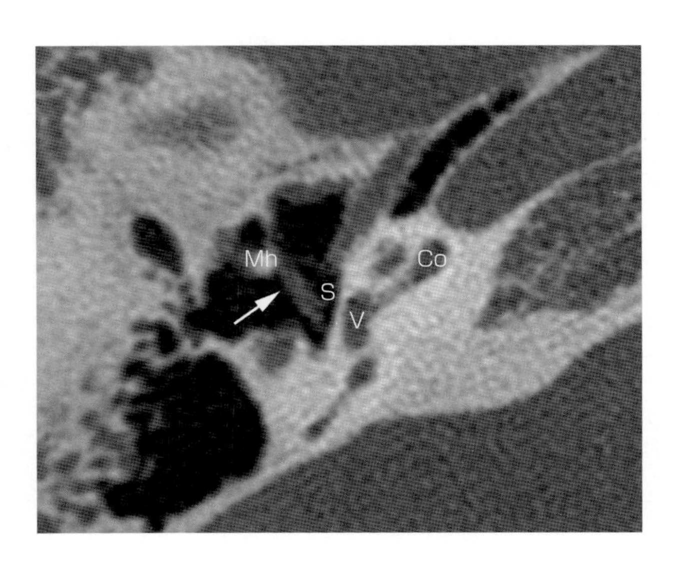

図 34　Ⅲi 型鼓室形成術後
右側頭骨横断 CT において，アブミ骨(S)頭部とツチ骨柄(Mh)との間にコルメラ(矢印)が介在している．V：前庭，Co：蝸牛

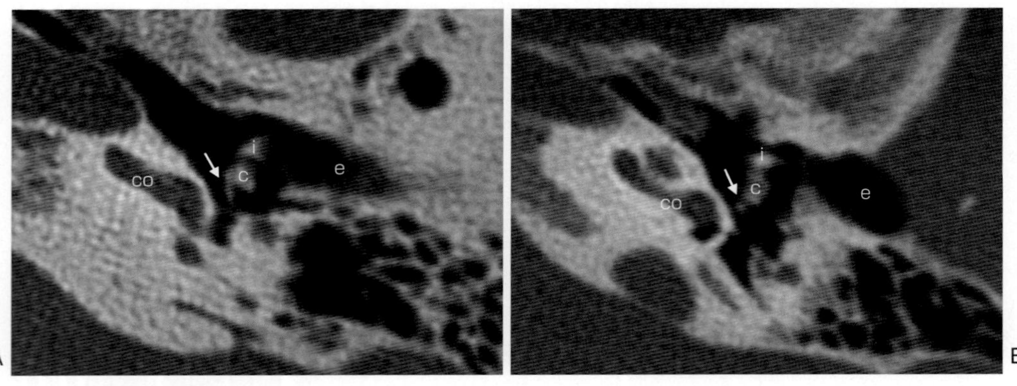

図35 Ⅲi 鼓室形成術後2例

術後左側頭骨2例のCT横断像骨条件表示(A，B)．2例ともにアブミ骨頭部(矢印)とツチ骨柄(i)との間に介在するコルメラ(c)を認める．co：蝸牛，e：外耳道

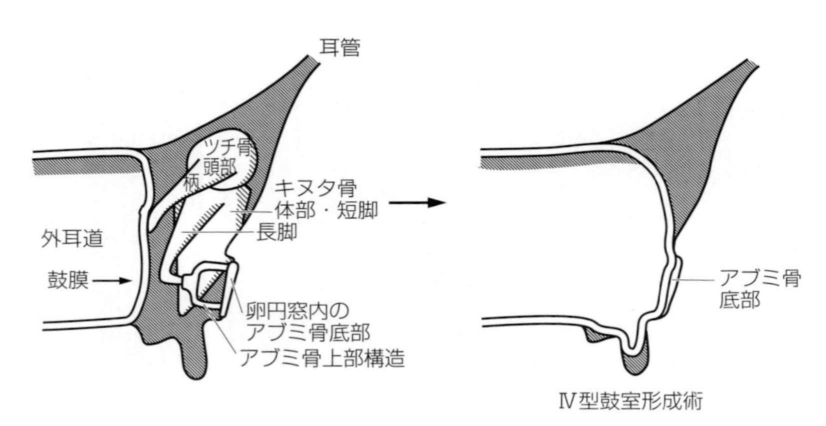

図36 Ⅳo 型鼓室形成術術式．シェーマ

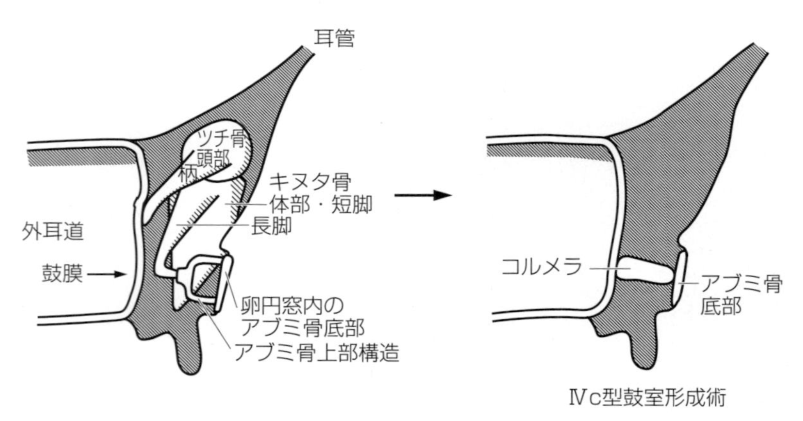

図37 Ⅳc 型鼓室形成術術式．シェーマ

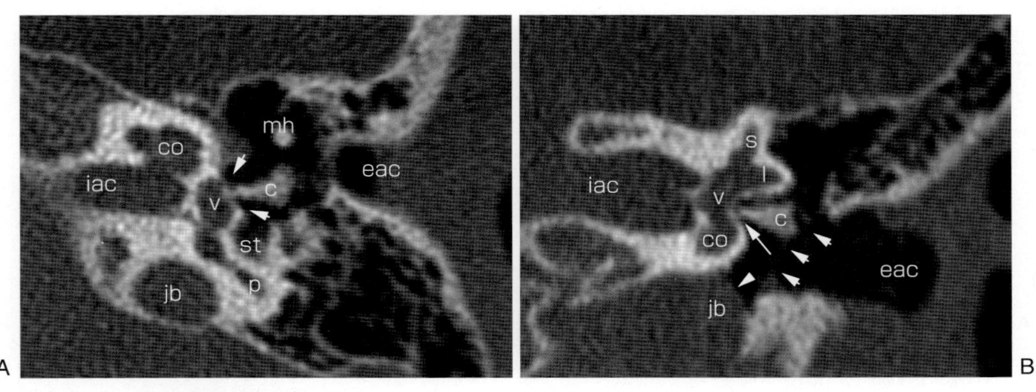

図 38　IVc 型鼓室形成術後

左側頭骨 CT 横断像(A)において，卵円窓(矢印)外側に直接連続する骨濃度構造(c)を認め，キヌタ骨より形成されたコルメラに相当する．co：蝸牛，eac：外耳道，iac：内耳道，jb：頸静脈球，p：後半規管，st：鼓室洞，v：前庭．同冠状断像(B)で卵円窓(大矢印)から鼓膜(小矢印)の間に直接連続するコルメラ(c)を認め，IVc 型鼓室形成術後に相当する．頸静脈球(jb)は骨壁欠損とともに鼓室下部に軽度の膨隆(矢頭)を示す．co：蝸牛基底回転，eac：外耳道，iac：内耳道，l：外側半規管，s：上半規管，v：前庭

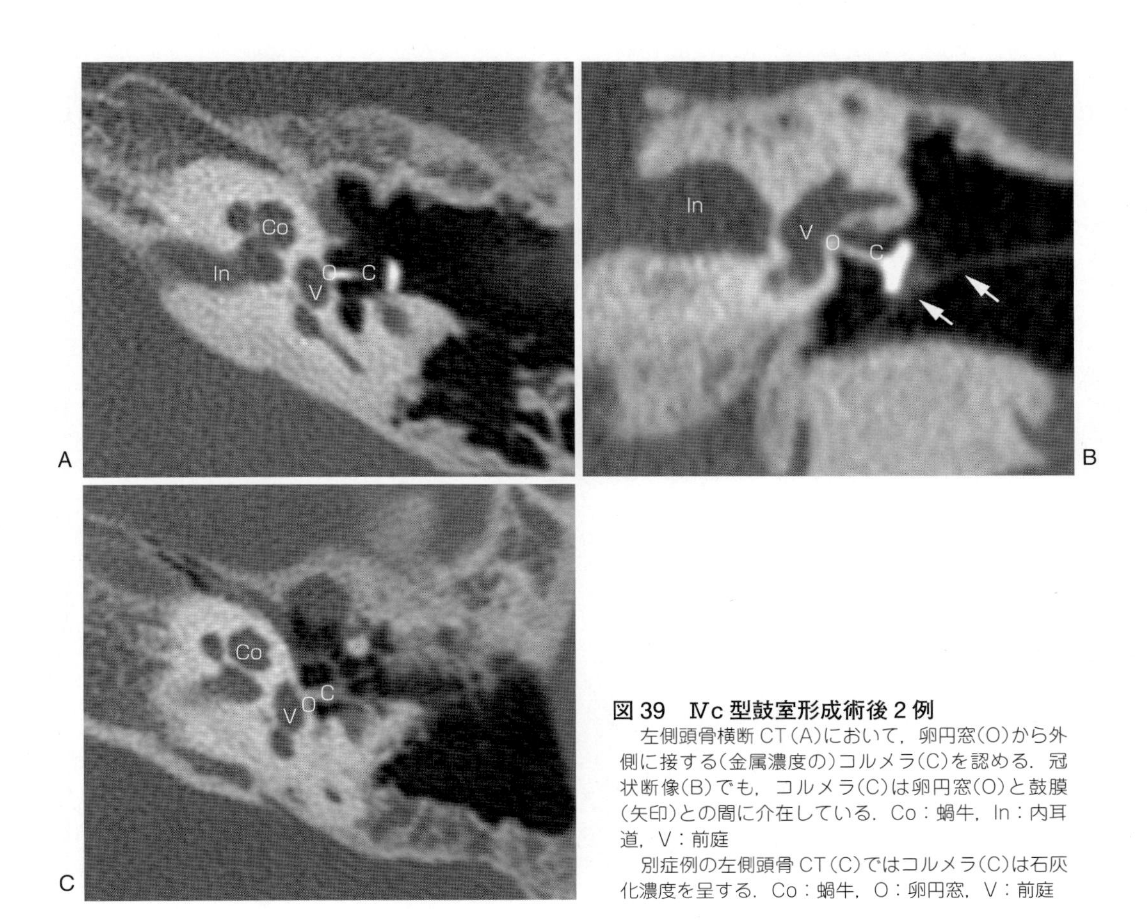

図 39　Ⅳc 型鼓室形成術後 2 例

左側頭骨横断 CT(A)において，卵円窓(O)から外側に接する(金属濃度の)コルメラ(C)を認める．冠状断像(B)でも，コルメラ(C)は卵円窓(O)と鼓膜(矢印)との間に介在している．Co：蝸牛，In：内耳道，V：前庭

別症例の左側頭骨 CT(C)ではコルメラ(C)は石灰化濃度を呈する．Co：蝸牛，O：卵円窓，V：前庭

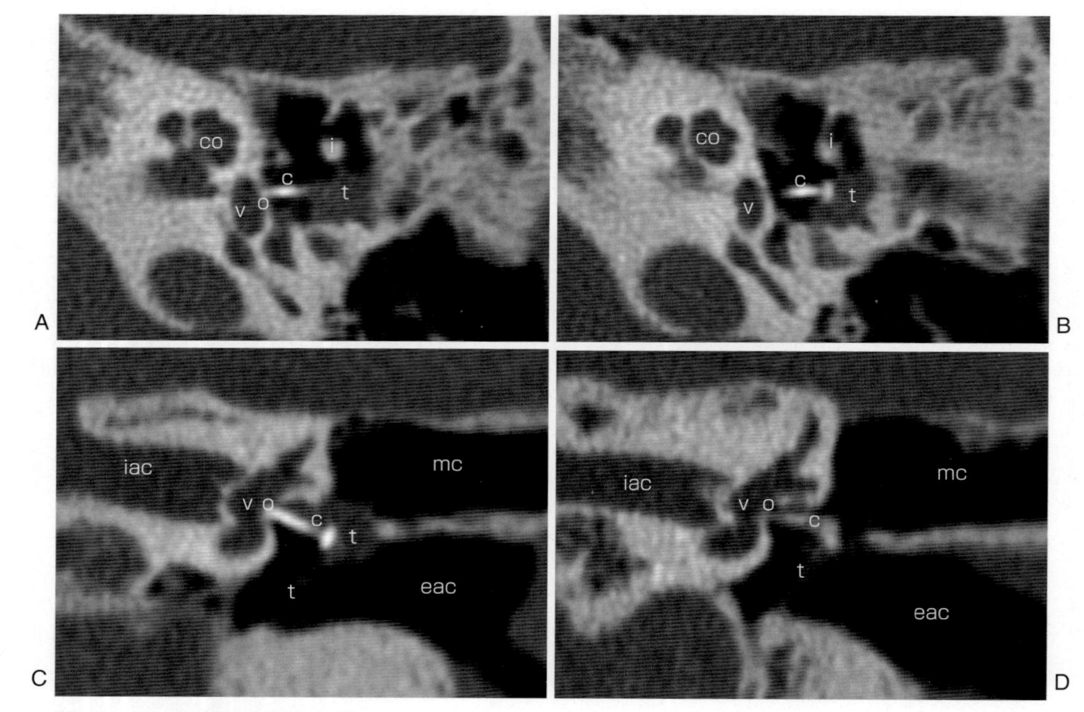

図 40　Ⅳc 鼓室形成術後 2 例

左側頭骨 CT 横断像骨条件表示の卵円窓レベル(A)および，その尾側レベル(B)，同冠状断像(C)において，卵円窓(o)から一部で限局性肥厚を示す鼓膜(t)の間に介在するコルメラ(c)を認める．co：蝸牛，eac：外耳道，i：ツチ骨，iac：内耳道，mc：canal wall-up mastoidectomy 後の乳突腔，v：前庭

別症例の左側頭骨 CT 冠状断像(D)で，図 40C とまったく同様に，卵円窓(o)と鼓膜(t)の間に介在するコルメラ(c)を認める．eac：外耳道，iac：内耳道，mc：canal wall-up mastoidectomy 後の乳突腔，v：前庭

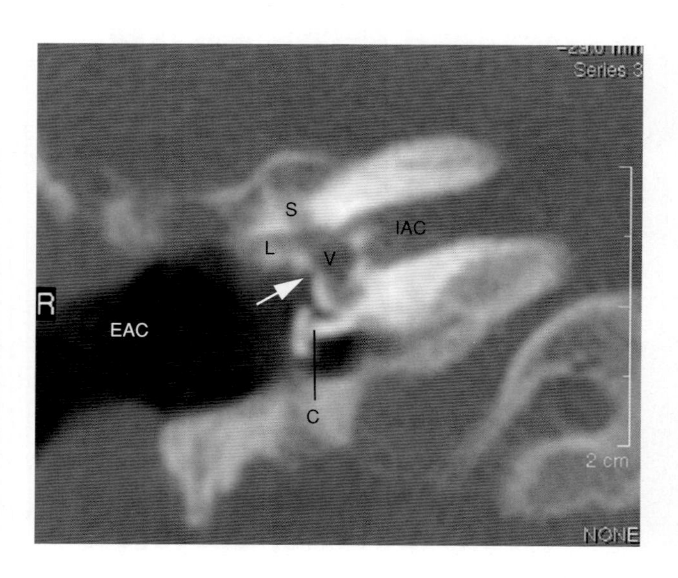

図 41　Ⅳc 型鼓室形成術後コルメラ脱臼例．右側頭骨冠状断 CT

卵円窓(矢印)から下方に脱臼，偏位したコルメラ(C)を中鼓室下方に認める．EAC：外耳道，IAC：内耳道，L：外側半規管，S：上半規管，V：前庭

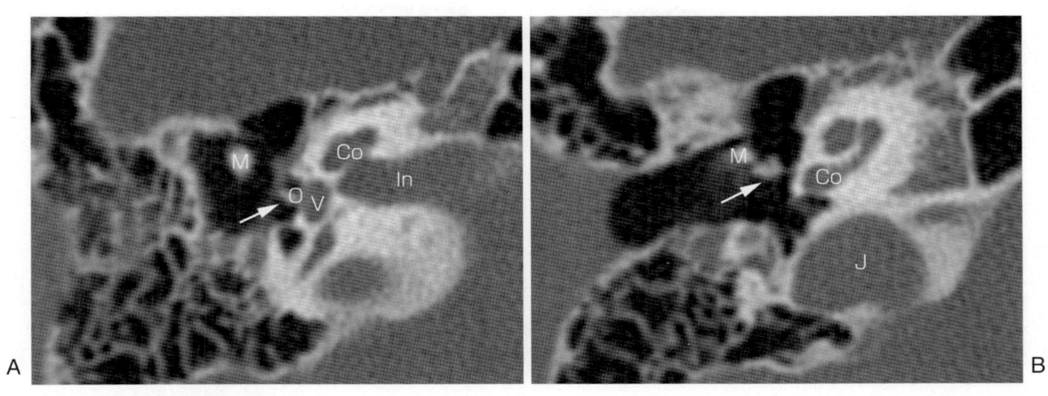

図42　Ⅳi 型鼓室形成術後

右側頭骨横断 CT．卵円窓レベル(A)において，卵円窓(O)より外側に向かうコルメラ(矢印)を認める．Co：蝸牛，In：内耳道，M：ツチ骨頭，V：前庭．その尾側レベル(B)で，コルメラ(矢印)外側端はツチ骨柄(M)に到達する．Co：蝸牛，J：頸静脈窩

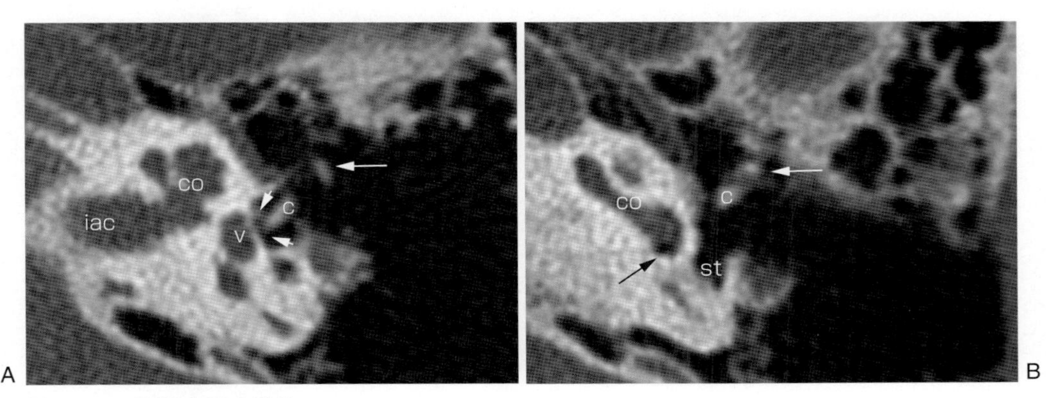

図43　Ⅳi 型鼓室形成術後

卵円窓レベルの左側頭骨 CT 横断像(A)において，卵円窓(小矢印)から外側に連続する高濃度構造(c)としてコルメラを認め，ツチ骨柄(大矢印)の方向に向かう．co：蝸牛基底回転，iac：内耳道，v：前庭．やや尾側の正円窓レベル(B)でコルメラ(c)の外側端はツチ骨柄(白矢印)に連続する．黒矢印：正円窓，co：蝸牛基底回転，st：鼓室洞

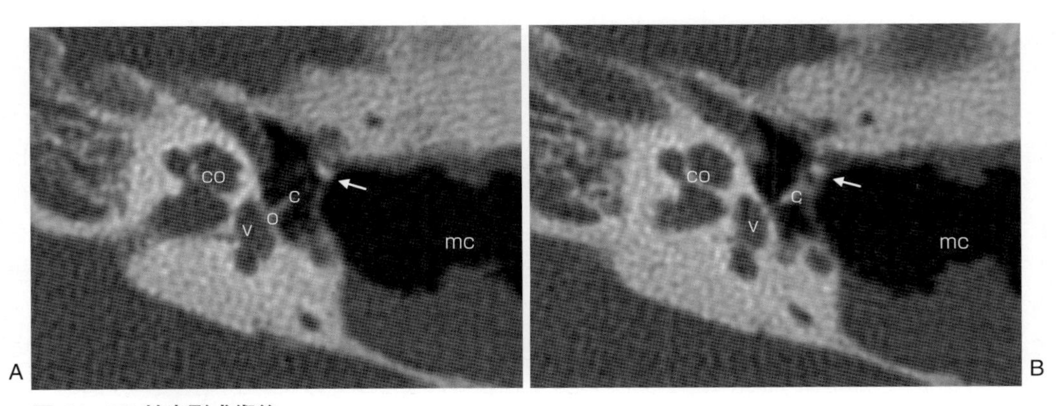

図44　Ⅳi 鼓室形成術後

左側頭骨 CT 横断像骨条件表示の卵円窓レベル(A)および，その尾側レベル(B)において，卵円窓(o)とツチ骨柄(矢印)との間にコルメラ(c)が介在している．co：蝸牛，mc：乳突腔，v：前庭

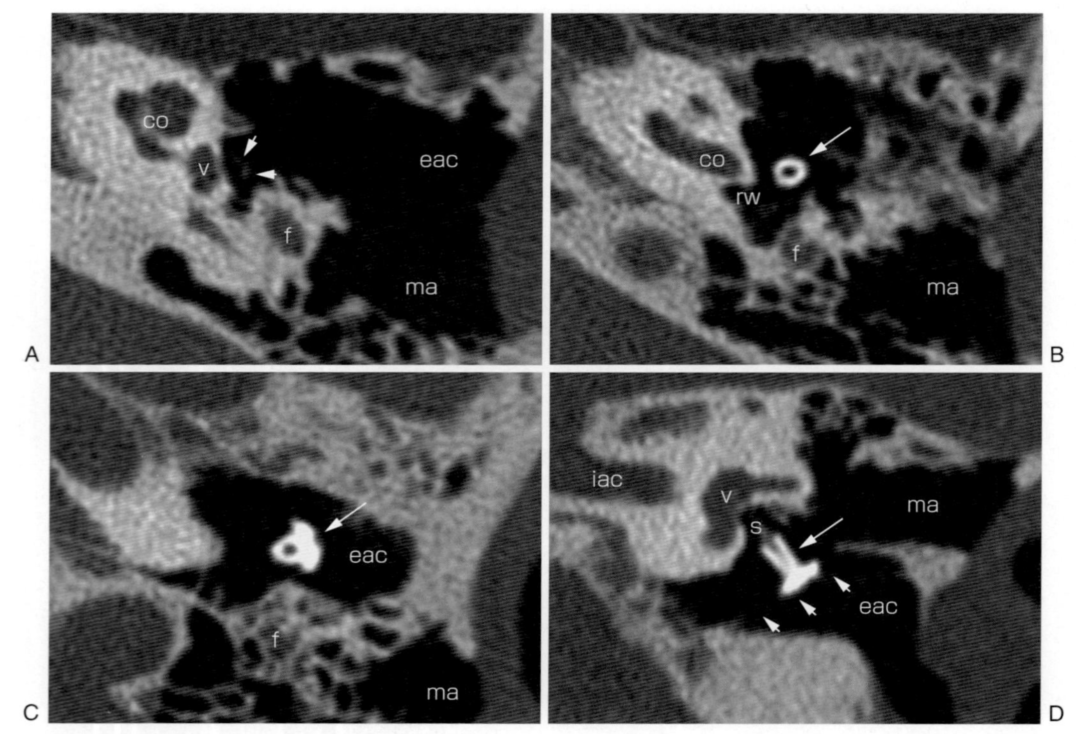

図45　PORPによるIIIc鼓室形成術後
卵円窓レベル左側頭骨CT横断像(A)において，卵円窓内に正常に残存するアブミ骨上部構造(矢印)を認める．正円窓レベル(B)でアブミ骨頭部から外側に連続(画像なし)するコルメラに相当する高濃度構造(矢印)を認める．さらに尾側レベル(C)において高濃度構造(矢印)外側端は鼓膜に到達しており，PORPでのコルメラによるIIIc型鼓室形成術後に相当する．冠状断像(D)ではアブミ骨上部構造(s)およびPORPによるコルメラ(大矢印)により，卵円窓から鼓膜(小矢印の位置)まで連続した伝音系が再建されている．co：蝸牛，eac：外耳道，f：顔面神経管(後膝部から下行部)，ma：乳突腔，rw：正円窓，v：前庭

チ骨，キヌタ骨)を置き換えるものであり，慢性中耳炎や真珠腫性中耳炎などの中耳手術で用いられる．耳小骨再建の最初の試みは1950年代に行われた[20]．その後は多くの人工素材とともに自家組織，同種移植等での試行錯誤があり，70年代後半から80年代にかけて臨床的応用上の工夫が報告され[21, 22]，1982年にはCrabtreeが良好な術後聴力改善(PORTで75〜80%，TOPRで65〜70%で骨導閾値20dB以内)を報告している[23]．PORP，TORPともに術後聴力改善は耳小骨，特にアブミ骨上部構造の状態に依存する[24]．これは正常なアブミ骨がプロテーゼ設置の安定性に関わるためである．術後6ヵ月と5年後での骨導閾値20dB以下は，それぞれPORPでは73.9%と58.3%，TORPでは53.8%と39.7%[25]と，PORPがTORPとの比較で聴力改善，長期の安定性でより優れるとされるが，段階手術，真珠腫例では有意な差はみられない[24]．TORPではアブミ骨底部との安定性が悪く，蝸牛岬角や顔面神経管下行部との接触の傾向がある[24]．

3 人工内耳(cochlear implant)(図47，48)

人工内耳は音の機械的エネルギーを電気信号に変換する電気機械であり，重度の感音難聴に対して1970，1980年代に開発された[26]．電極を内耳に挿入することで内耳有毛細胞における変換器の役割をもたせることを目的とする．

両側性感音難聴のある小児あるいは成人で，補聴器による聴覚の補助が困難な例が適応となる．成人では通常は片側のみに施行され，両側の施行(図49)は小児例の一部，成人で(盲目等)その他

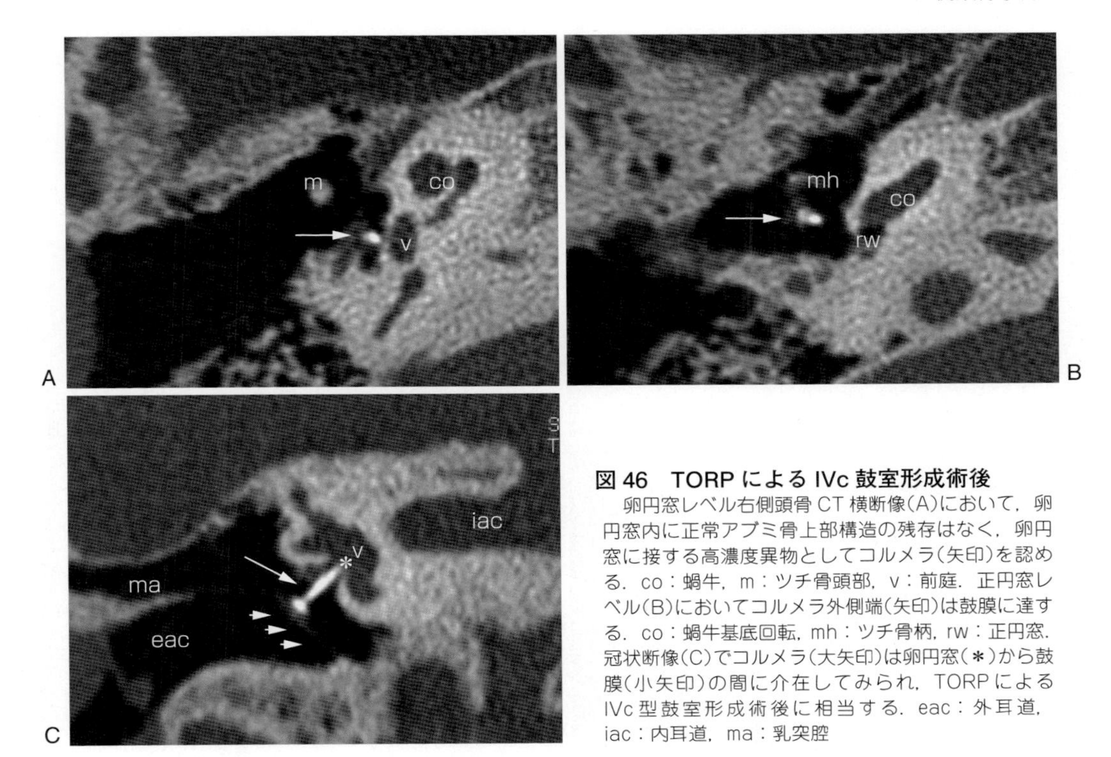

図 46　TORP による IVc 鼓室形成術後
卵円窓レベル右側頭骨 CT 横断像(A)において，卵円窓内に正常アブミ骨上部構造の残存はなく，卵円窓に接する高濃度異物としてコルメラ(矢印)を認める．co：蝸牛，m：ツチ骨頭部，v：前庭．正円窓レベル(B)においてコルメラ外側端(矢印)は鼓膜に達する．co：蝸牛基底回転，mh：ツチ骨柄，rw：正円窓．冠状断像(C)でコルメラ(大矢印)は卵円窓(＊)から鼓膜(小矢印)の間に介在してみられ，TORP による IVc 型鼓室形成術後に相当する．eac：外耳道，iac：内耳道，ma：乳突腔

の障害を伴うなどの例に限られる[26]．蝸牛機能が存在することが条件であり，骨化性迷路炎(labyrinthitis ossificans)，蝸牛低形成，内耳道狭窄(蝸牛神経欠損の可能性あり)，慢性・反復性中耳炎，広範な耳硬化症などでは適応を外れる場合も多く，その決定には慎重を要する．術前検査としての画像診断は非常に重要である[27]．モダリティ選択や撮像プロトコールには多少の議論があるが，MRI では蝸牛内腔の開存性(骨化性迷路炎で骨化以前の線維化のみの例では CT で指摘困難な場合あり)，蝸牛神経自体の同定，その他，内耳道から小脳橋角部，第 VIII 脳神経核の位置する橋の病変評価，CT で(骨迷路としての)前庭，(電極挿入経路となる)乳突蜂巣の発達，含気，鼓室の発達，含気(特に顔面神経窩から正円窓周囲)，中耳活動性病変の有無，蝸牛神経管の狭窄(1.4〜1.7 mm 未満)の有無，顔面神経管の走行，内耳道狭窄(正常径：2〜8 mm)の有無などの評価に有用であり，実際には術前に CT，MRI ともに用いることが望ましい[26, 28〜30]．なお，人工内耳の適応が考慮される小児例では最大 35％で蝸牛，前庭の形態的異常がみられ[31]，小児感音難聴例の最大 20％で解剖学的異常による手術計画への影響があるとされる[29]．McCray らは 170 例の検討において，18％が MRI で蝸牛神経の無形成・低形成を認め，これらの 82％が内耳道狭窄，76％が別の蝸牛形態異常を示したと報告している[32]．

単純乳突洞削開後に顔面神経窩を開放する．開放された顔面神経窩を介してアブミ骨の下約 2 mm に正円窓を同定後，正円窓の近傍，その前下方において蝸牛切開術(cochleotomy)施行．同部から蝸牛管鼓室階に向けて人工内耳の電極線を挿入する．

4 側頭骨手術における重要な正常変異

側頭骨手術において外科的リスクとなりうる正常変異がいくつかあり，代表的なものを以下に示す．画像診断においてこれらの存在を示すことは術前情報として重要である．

1) 高位頸静脈球(high jugular bulb)(図 50，51)

通常よりも頭側に進展した頸静脈球を示す．い

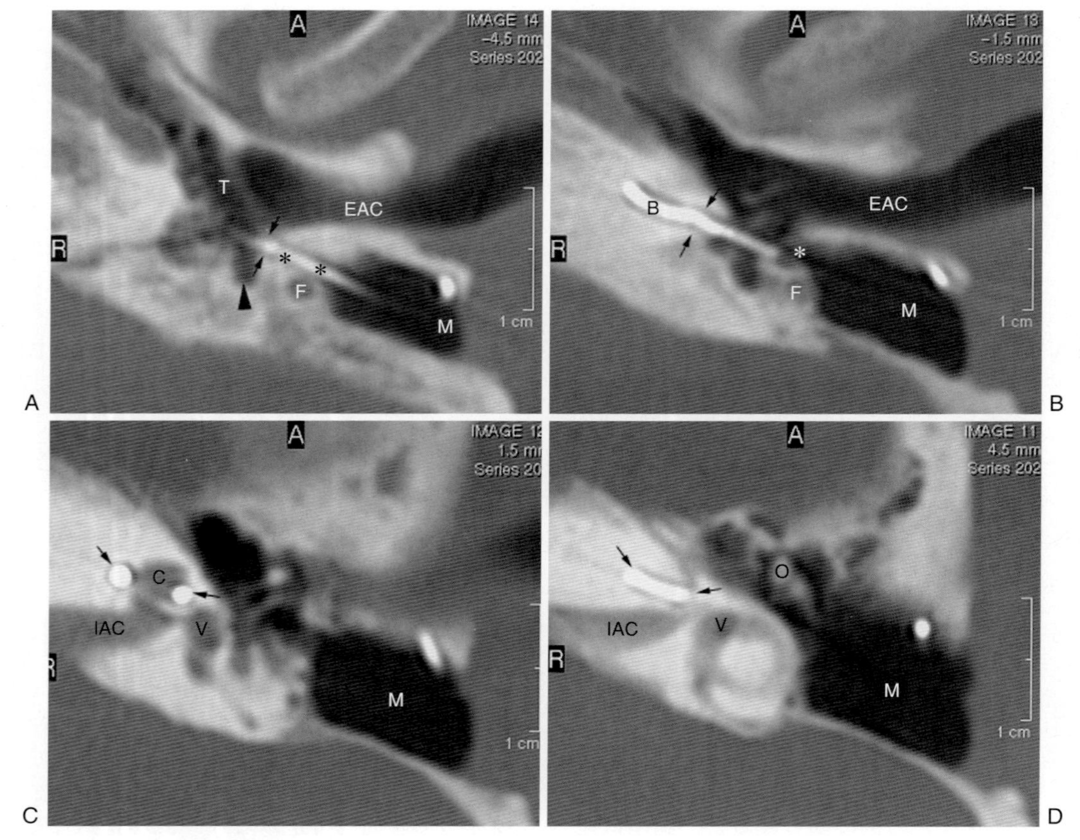

図 47　人工内耳挿入後

尾側から頭側に向かって順に A，B，C，D で示す．

A：中鼓室下部レベル．単純乳突洞切除術後の乳突洞（M）から開放された顔面神経窩（矢印）を介して鼓室（T）内に挿入する電極線（*）を認める．矢頭：鼓室洞，EAC：外耳道，F：顔面神経乳突部

B：中鼓室ほぼ中央レベル．顔面神経窩（*）アプローチにて鼓室内に進展した電極線は正円窓（矢印）部より蝸牛基底回転（B）に向かって挿入されている．EAC：外耳道，F：顔面神経乳突部，M：乳突洞

C，D：内耳道レベル．蝸牛（C）内に挿入された電極線（矢印）が確認される．IAC：内耳道，M：乳突洞，O：耳小骨，V：前庭

くつかの定義がなされているが，一般的には外耳道下壁あるいは正円窓よりも頭側レベルに至るものを指す．鼓膜切開や乳突洞手術では内頸静脈損傷による出血の外科的危険因子となる．鼓室との間の骨壁欠損（dehiscent jugular bulb）を伴い中鼓室に到達，あるいは鼓膜輪の後縁あるいは下縁から 1 mm 以下に近接するような“ハイリスク（図 52）”の高位頸静脈球の発生頻度は 2％とされる[33]．発現頻度としては，高位頸静脈球を正円窓下縁レベルよりも頭側とした場合は 24％[34]，蝸牛基底回転よりも頭側との定義とした場合は 20％[35]，鼓膜輪下端よりも頭側とした場合は 9.5％[36]とされる．また，骨壁欠損を伴う高位頸静脈球の発現頻度は 1〜7％である[34]．

大部分が無症状であるが，ときに耳小骨連鎖や鼓膜への接触，正円窓の閉塞などによる伝音難聴，拍動性耳鳴の原因となる[37]．側頭骨 CT において，頸静脈球と前庭水管の間に介在する骨は 11.5％で欠損（図 53）し，欠損例の 39.1％で眩暈，47.8％で難聴を示すとの報告[38]もある．頸静脈球の拍動が内リンパ水管を介して内リンパ嚢に影響を与えると推察され，前庭水管拡張症や上半規管裂隙症候群に類似した機序が考慮される．このため，緩徐な進行性難聴の可能性も危惧される．ただし，小児例では難聴との相関はないとの報告[39]もある．いずれにしても中耳手術や人工内

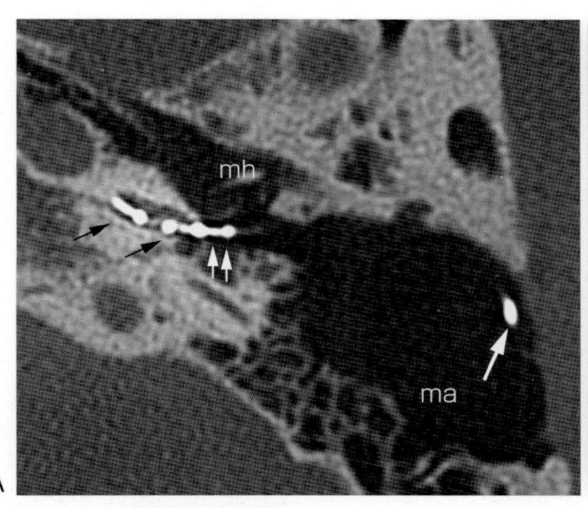

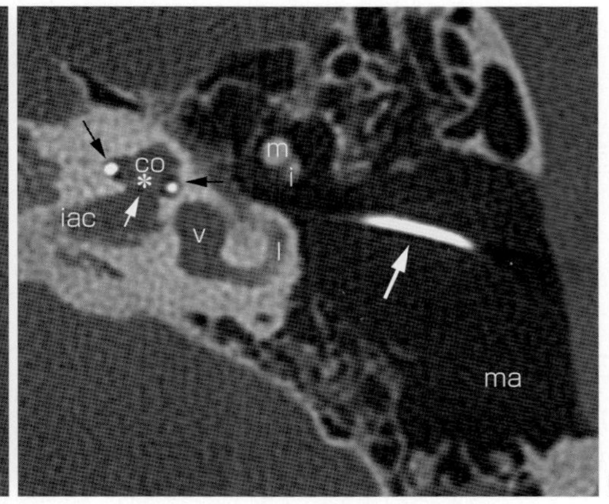

図 48　人工内耳挿入後

正円窓レベル右側頭骨 CT 横断像(A)．正円窓窩(白小矢印)から正円窓を介して蝸牛基底回転(黒矢印)内に進入する電極を認める．白大矢印：乳突腔内を通過する電極の一部，ma：乳突腔，mh：ツチ骨柄．上鼓室レベル(B)で蝸牛(co)第 2 回転内への電極(黒矢印)の進入を認める．内耳道(iac)底部から蝸牛軸(＊)に連続する蝸牛神経管(白小矢印)の狭窄はみられない．白大矢印：乳突腔内を通過する電極の一部，m：ツチ骨頭部，ma：乳突腔，i：キヌタ骨体部，l：外側半規管，v：前庭

耳挿入(図 54)等での外科的リスクになりうることから術前 CT での指摘が重要である．

2) 深い S 状静脈洞溝(deep sigmoid sinus sulcus)(図 55)

S 状静脈洞を容れる S 状静脈洞溝は乳突洞後外側に位置するが，その発達はさまざまである[40]．深い S 状静脈洞溝は乳突洞手術において S 状静脈洞損傷による出血の外科的リスクとなる．

3) 天蓋低位(low-positioned tegmen)(図 56, 57)・欠損(図 58, 59)

乳突洞天蓋から鼓室天蓋部の形態は乳突洞・蜂巣における天蓋蜂巣(図 6C)の発達の程度，範囲により大きく影響を受ける．天蓋は中頭蓋窩底部と乳突洞，鼓室を区分するが，天蓋蜂巣の低発達により天蓋部骨壁の菲薄化(ときに欠損)(図 58, 59)や天蓋の低位(図 56, 57)などをきたす．これらは側頭骨手術において頭蓋内合併症の外科的リスクとなる．鼓室天蓋の骨欠損は屍体解剖の 20～30％で認められ[5,6]，その頻度は加齢での増加が知られている[6]．CT では薄い骨壁は明瞭に同定されず，CT 上の視覚上の骨欠損の頻度は実際より高いと推定される[8]．後述の上半規管欠損症候群と高い相関があることが報告されている[7,8]．鼓室天蓋の骨欠損には先天性と後天性があり，先天性は耳包天蓋突起の発生不全で顔面神経膝神経節近傍に多く，後天性はくも膜顆粒の形成不全が病因と考えられている．鼓室天蓋の広範な骨欠損および低位では硬膜と耳小骨との直接の接触をきたし，伝音難聴の原因となりうる(図 59)．

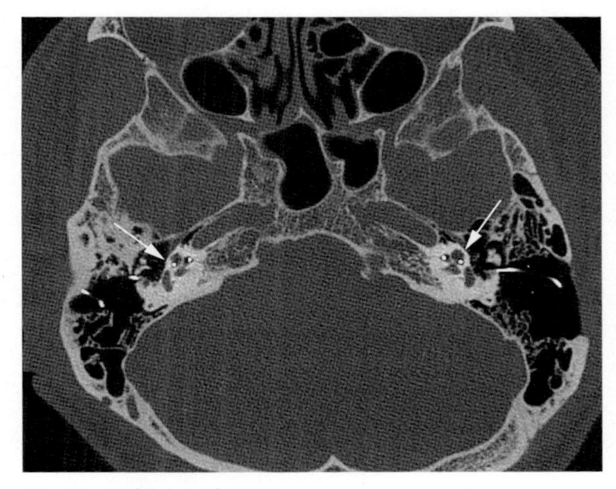

図 49　両側人工内耳例

側頭骨 CT 横断像において，両側蝸牛内に電極挿入(矢印)を認める．

4) 導出静脈(emissary foramen)(図 55B, 60)

頭蓋内からの導出静脈がときに鼓室天蓋や乳突洞部を貫通するように走行し，中耳・乳突洞手術において導出静脈損傷による出血の外科的リスクとなる[41]．Sir Frederick Treves (1853-1923)は「もし導出静脈がなければ頭皮の損傷や疾患の半数は

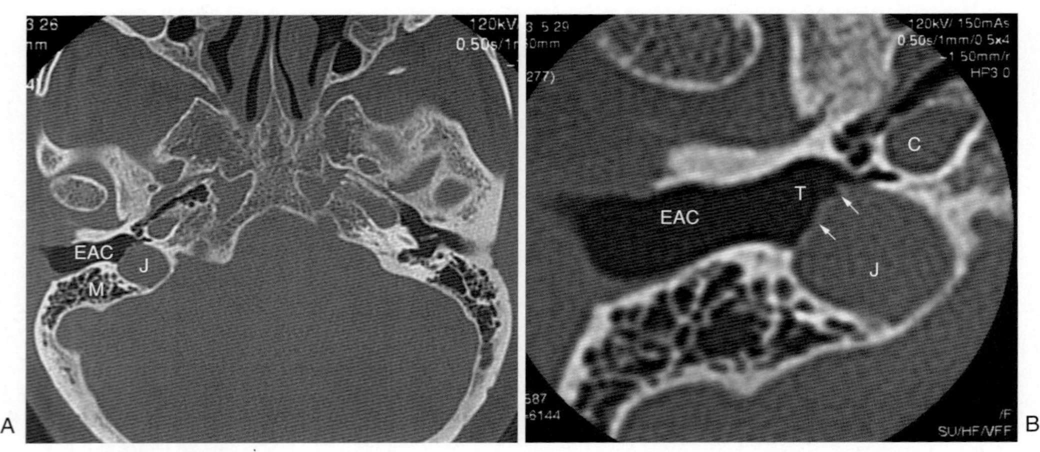

図 50　高位頸静脈球

A：側頭骨 CT 横断像.

B：右側頭骨 CT 再構成画像横断像．右頸静脈球(J)は通常よりも高位に位置し(対側と比較)，鼓室(T)後内側より膨隆(矢印)を示す．ときに頸静脈球を覆う骨壁は欠損を示す．C：頸動脈管，EAC：外耳道，M：乳突洞

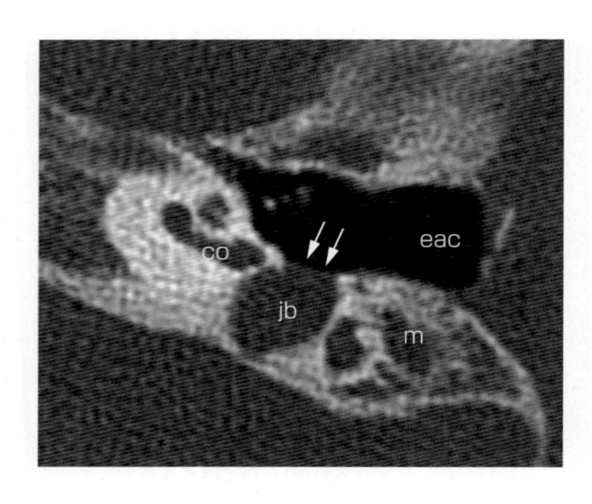

図 51　高位頸静脈球

蝸牛岬角レベル左側頭骨 CT 横断像において，通常よりも高位に位置する頸静脈球(jb)を認め，介在する骨壁なく鼓室に接する(矢印)．本例は乳突部(m)での蜂巣発達は不良であり，中耳手術で術中視野がとりにくいことが想定される．co：蝸牛，eac：外耳道

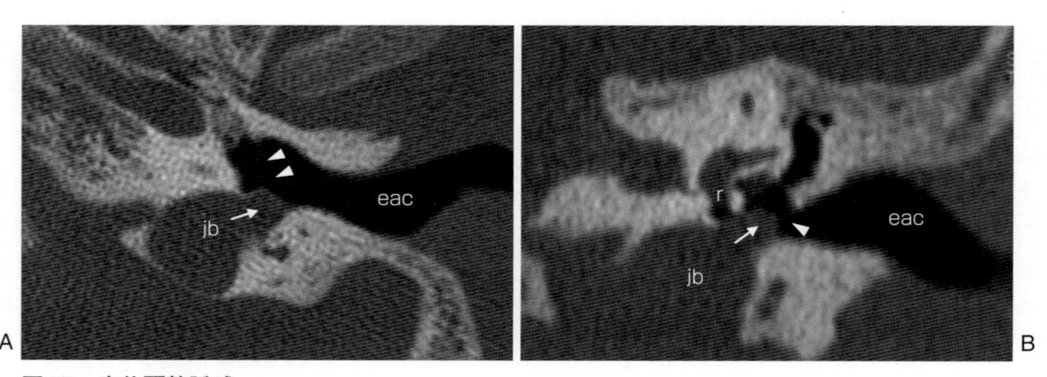

図 52　高位頸静脈球

左側頭骨 CT 横断像(A)および冠状断像(B)．高位頸静脈球(jb)を認め，外側上部で骨欠損を介して鼓室に膨隆(矢印)，鼓膜(肥厚はなく同定は困難であるが，矢頭で示す)に近接，冠状断像(B)で正円窓(r)レベルへの到達を示す．eac：外耳道

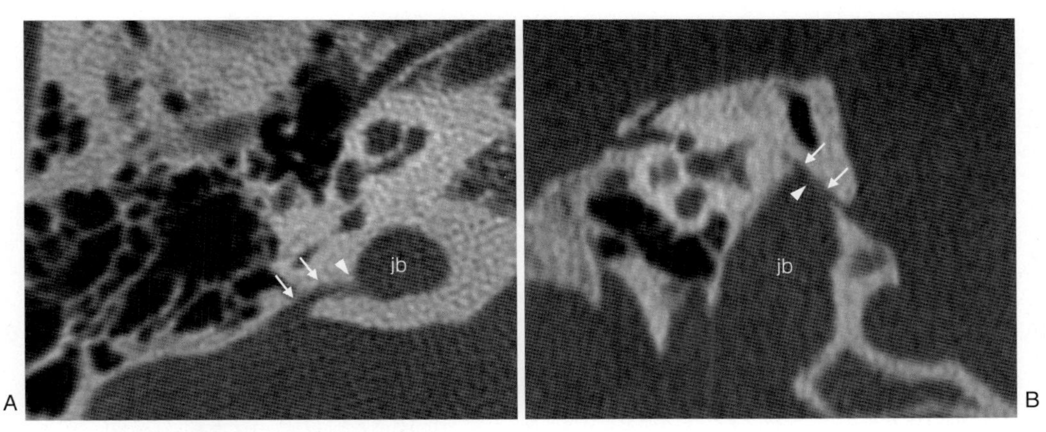

図 53　高位頸静脈球と前庭水管との接触

右側頭骨 CT 横断像(A)および矢状断像(B)．高位頸静脈球(jb)と前庭水管(矢印)は接触(矢頭)，介在する骨は同定されない．

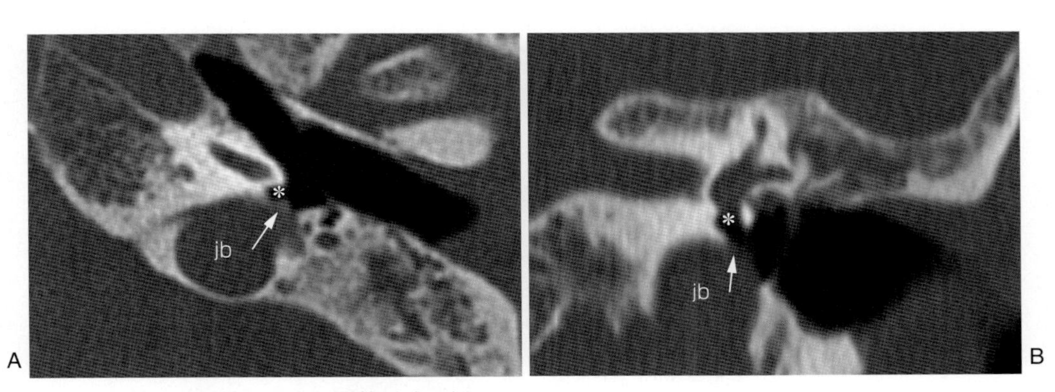

図 54　正円窓に近接する高位頸静脈球 2 例

左側頭骨 CT 横断像(A)において高位頸静脈球(jb)を認め，外側前方で限局しに膨隆(矢印)，正円窓窩(＊)を狭小化している．別症例の左側頭骨 CT 冠状断像(B)でも高位頸静脈球(jb)を認め，骨壁なく正円窓窩(＊)入口に近接する．人工内耳では正円窓窩を通過して電極を蝸牛に挿入するため，正円窓窩に近接あるいは膨隆する高位頸静脈球は外科的リスクと考えられる．

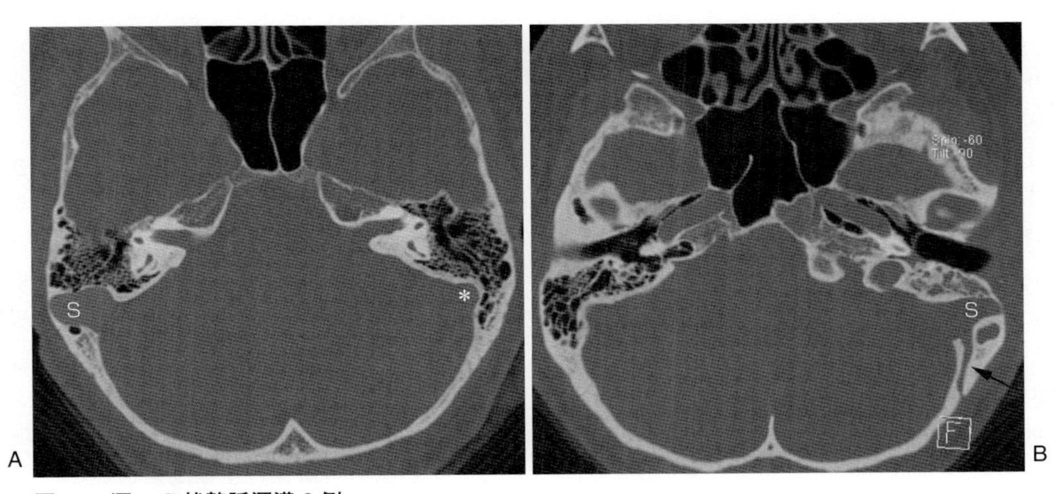

図 55　深い S 状静脈洞溝 2 例

CT 横断像(A)において，右 S 状静脈洞溝(S)は，対側(＊)と比較して深く，乳突部の外側骨皮質直下に達する．別症例(B)では，同様に深い左 S 状静脈洞溝(S)とともに，これに合流する乳突部導出静脈(矢印)を認める．

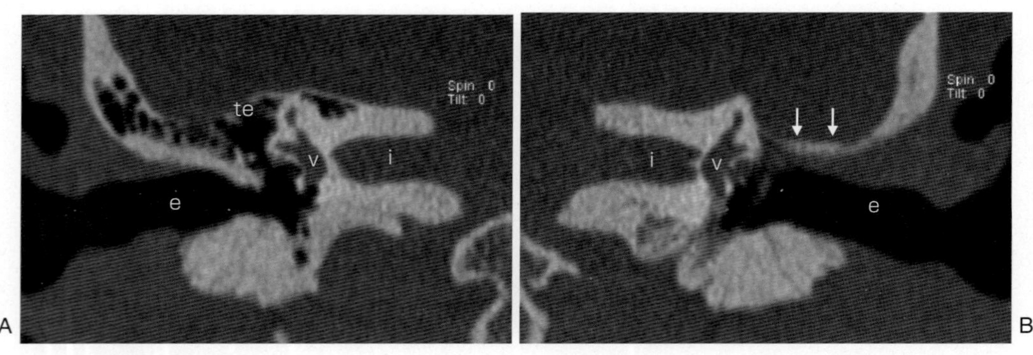

図56　天蓋の低位

右側(A)および左側(B)の側頭骨CT冠状断像．右側(A)では鼓室天蓋と中頭蓋窩底部との間に発達した天蓋蜂巣(te)が介在しているが，左側(B)では同部の蜂巣発達はみられず，中頭蓋窩底部は対側(A)と比較して低位にみられる．e：外耳道，i：内耳道，v：前庭

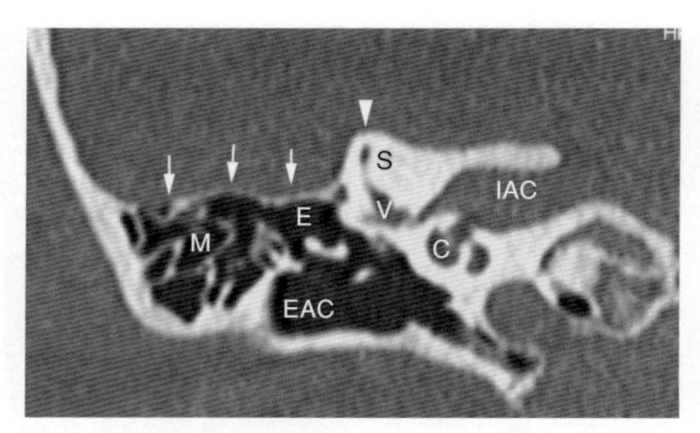

図57　天蓋の低位

右側頭骨CT冠状断像．上鼓室(E)から乳突洞(M)の天蓋(矢印)は通常よりも低位に認められる．C：蝸牛，EAC：外耳道，IAC：内耳道，S：上半規管，V：前庭，矢頭：弓状隆起

重篤なものではなくなるだろう」と述べている[42]．導出静脈は動脈とは独立して頭蓋内と頭蓋外の静脈の間を交通する静脈であり，独立した静脈あるいは静脈叢(頭蓋底のみ)の形態をとり，一部は板間静脈と交通する[43]．鼓室天蓋部を走行する錐体鱗静脈洞(petrosquamous sinus)(図60)は胎生期のprootic sinusとS状静脈洞またはpostglenoid foramenを介して下顎後静脈を交通する導出静脈であり，錐体鱗縫合を走行するが，成人の20〜30％で認められるとされる[44]．2つの流出路があり，ひとつは前下方で後耳介孔(retroauricular foramen)を介して下顎静脈，もうひとつは前内側で卵円孔を介して翼突静脈叢に向かう[44]．左側，女性に多く，通常の径は1mm未満であるが，最大で4mmになる[44,45]．乳突部を通過する乳突導出静脈(mastoid emissary vein)(図55B)は乳突孔を介して頭蓋内と頭蓋外の繋ぐ弁のない静脈交通路で，S状静脈洞から後頭下静脈叢，さらに椎体静脈叢に流出する[46]．発現頻度は屍体の検討で72〜98％，画像では89.5％で，右側に多いとされる[47]．既述のとおり，中耳あるいは頭蓋底手術での術中出血の原因となりうる．通常はbone waxで制御可能であるがbone waxの静脈洞内への迷入のリスクが報告されている[48]．多くは無症状であるが，静脈性の拍動性雑音やthrill触知[49]，耳鳴[50]を示すことがあり，さらに中耳手術後の乳突腔感染では逆行性のS状静脈洞の血栓性塞栓，菌血症の原因になりうるとされる[51,52]．

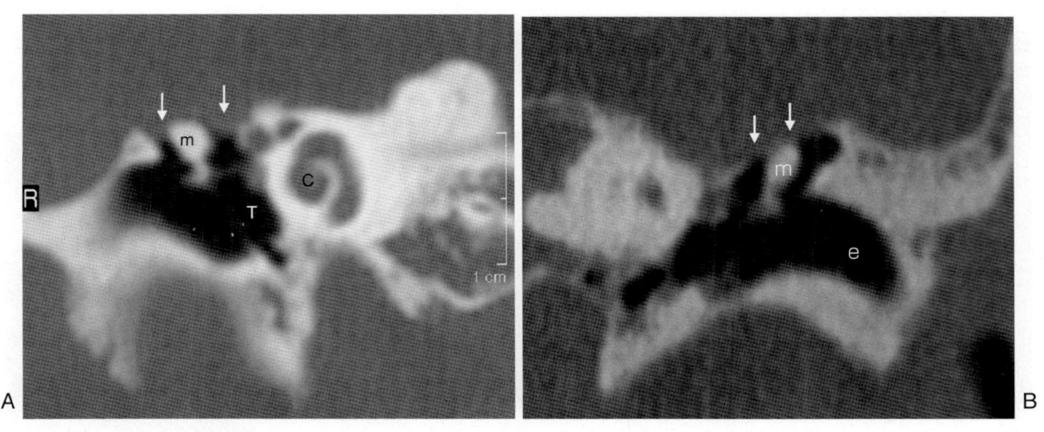

図 58　鼓室天蓋の骨欠損 2 例

右側頭骨 CT 冠状断像(A)で，鼓室(T)の天蓋は骨欠損(矢印)を示し，中頭蓋窩底部の硬膜は直接，ツチ骨頭部(m)と接触する．c：蝸牛．別症例の左側頭骨 CT 冠状断像(B)においても，A と同様に鼓室天蓋の骨欠損とともに，中頭蓋窩底部硬膜のツチ骨頭部(m)との接触を認める．e：外耳道

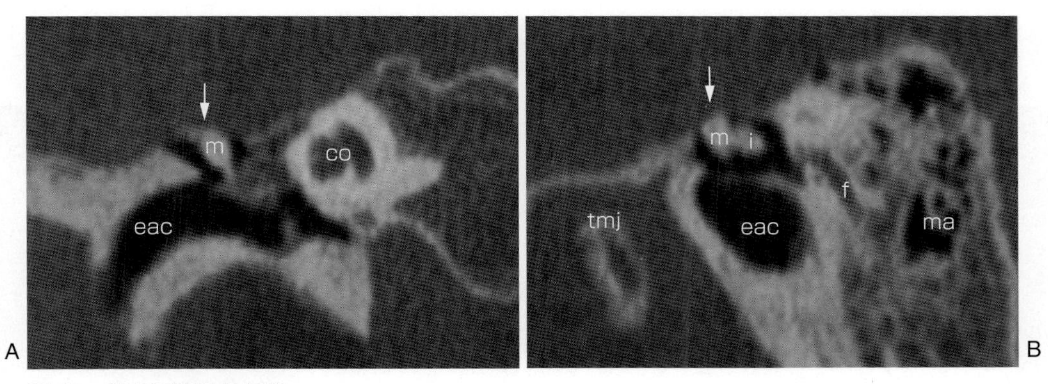

図 59　鼓室天蓋の骨欠損

右側頭骨 CT 横断像(A)および矢状断像(B)において，鼓室天蓋の骨欠損を認め，頭側の中頭蓋窩底部の硬膜はツチ骨頭部と直接接するように認められる(矢印)．co：蝸牛，eac：外耳道，f：顔面神経管，m：ツチ骨，ma：乳突蜂巣，tmj：顎関節

5) foramen of Huschke, foramen tympanicum

tympanic ring は胎生期に前後部の膨隆・融合により上下に 2 分され，上部は tympanic annulus (鼓膜輪)として残存，鼓膜が張る．これに対して，下部(foramen of Huschke あるいは foramen tympanicum)は 5 歳頃までに閉鎖するのが通常であるが，ときに正常変異として閉鎖不全を示す．dry skull での発現頻度は約 7〜21.2％程度である(図 61)[53, 54]．高分解能 CT では，外耳道骨部深部の前下壁，顎関節窩との間の限局性骨壁欠損として認められ(図 62)，発現頻度は 4.6〜8.8％とされる[53, 55]．横断径としては 2〜3 mm 程度が通常で，5 mm を超えると病的(骨侵食性変化)の可能性が考慮される．左右対称性の場合が多い．側頭骨 CT において無症候性の偶発的所見としてみられる場合が最も多いが，臨床的には顎関節軟部組織の外耳道への脱出(図 63，64)，顎関節の関節鏡検査(特に内視鏡径 3 mm 未満の場合)での合併症(鼓膜穿孔，ツチ骨脱臼，顔面神経鼓室部損傷，迷路穿破，感染，唾液腺瘻孔形成など)の危険因子，耳下腺病変の外耳道進展経路の要因などとして重要とされる．顎関節内容の外耳道への脱出(ヘルニア)は約 4 分の 1 の例で認めるとされるが，foramen of Huscke による骨欠損の

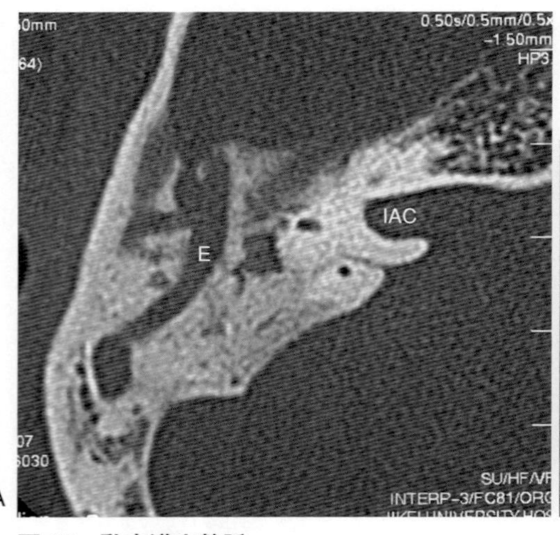

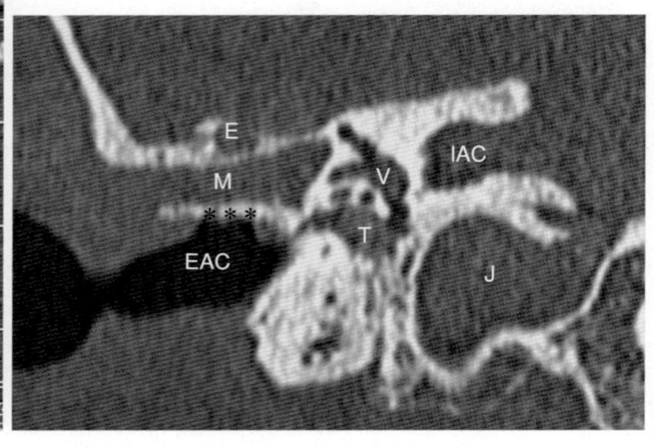

図 60　乳突導出静脈

A：内耳道レベル右側頭骨 CT 横断像．乳突洞天蓋部を前後に走行する管状構造(E)を認める．

B：冠状断像．canal wall-up mastoidectomy 後変化がみられ，乳突腔(M)内には軟部濃度を認める．その天蓋部にわずかな骨壁を介して隣接する管状構造の断面(E)が描出されている．同構造の存在を知らずに手術に及べば，内部を走行する導出静脈の損傷をきたす危険性が示されている．IAC：内耳道，EAC：外耳道，J：頸静脈球，V：前庭，T：鼓室(軟部濃度を含む)，＊：温存された外耳道骨壁

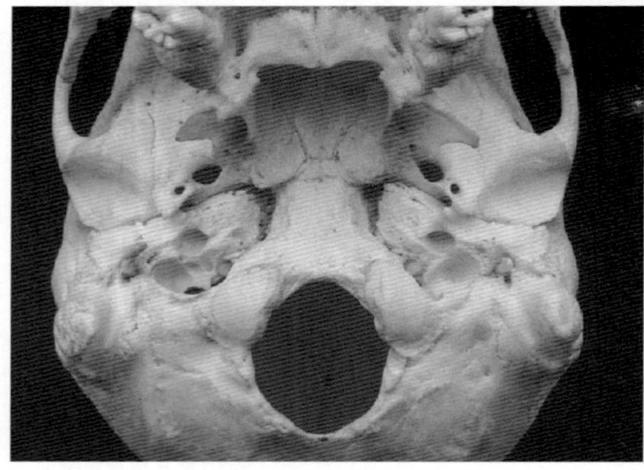

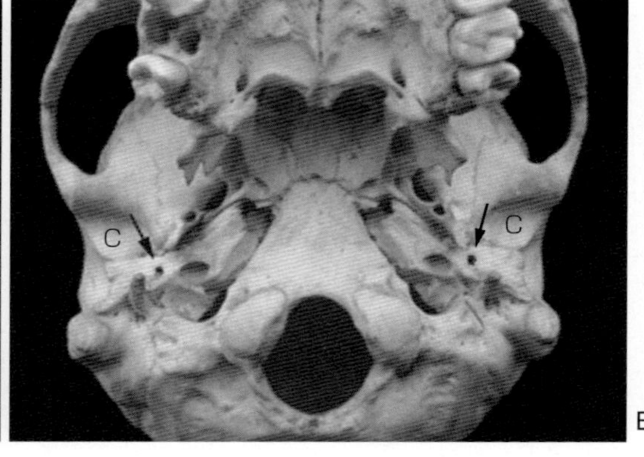

図 61　頭蓋底

頭蓋底を尾側より眺めた図(A)．別の dry skull(B)では側頭骨錐体部下面で，顎関節窩(C)後方に近接して骨欠損部(矢印)を認め，foramen of Huschke に相当する．C：顎関節窩

大きさに依存する．CT 上は，外耳道軟部濃度病変をみた場合に，真珠腫(あるいは腫瘍)による骨侵食性変化との区別が問題となる(図 65)．

6）cochlear cleft

蝸牛と匙状突起との間で，(耳硬化症の好発部位である fissula ante fenestram と一致する)卵円窓前縁の耳嚢内に限局性の小さな骨透過所見(図 66)として認められる．胎生 15～21 週に 14 の骨化中心より形成される耳嚢は 3 つの層を有し，その中間層の裂隙が疑われているが，確定していない[56]．小児の側頭骨 CT での発現頻度は 34％で，両側性は 26％とされ，左右差は認められない[56]．年長児では発現頻度が低い傾向にある．CT 上は，窓型の耳硬化症病変(後述)との区別が重要であり，両者ともに卵円窓前縁に骨透過所見として認められるが，cochlear cleft(図 66)では辺縁に正常な皮質骨が残存するのに対して，耳硬化症の病変(図 67)は辺縁まで侵し，境界は cochlear cleft

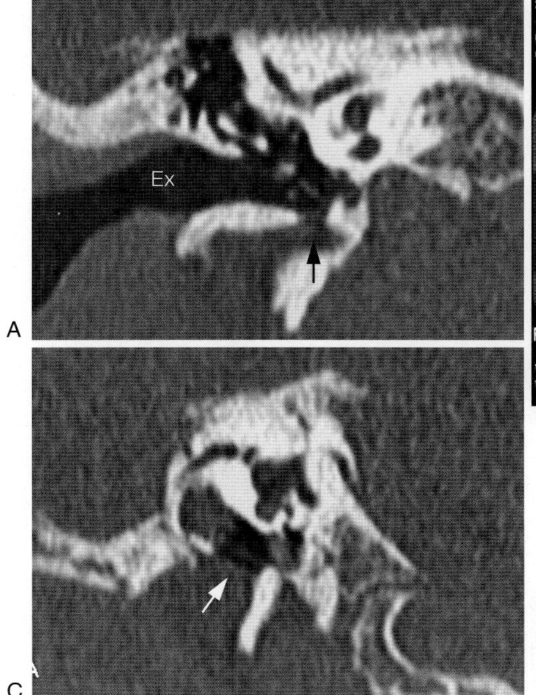

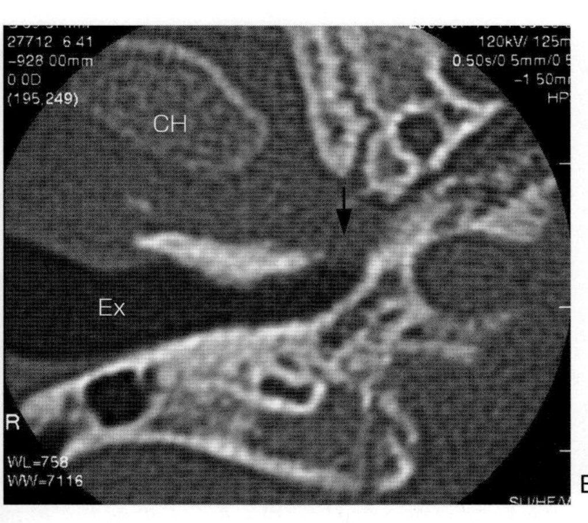

図 62　foramen of Huschke

正常右側頭骨 CT 冠状断像(A)，横断像(B)，矢状断像(C)．外耳道(Ex)骨部深部の前下壁で顎関節窩との間の骨壁欠損(矢印)を認め，foramen of Huschke に一致する．CH：下顎骨関節頭

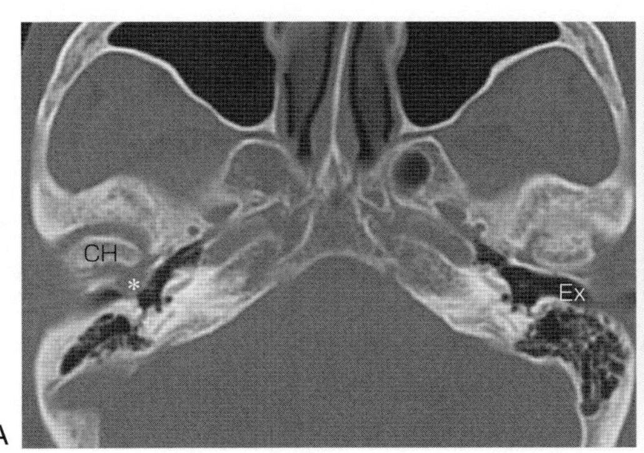

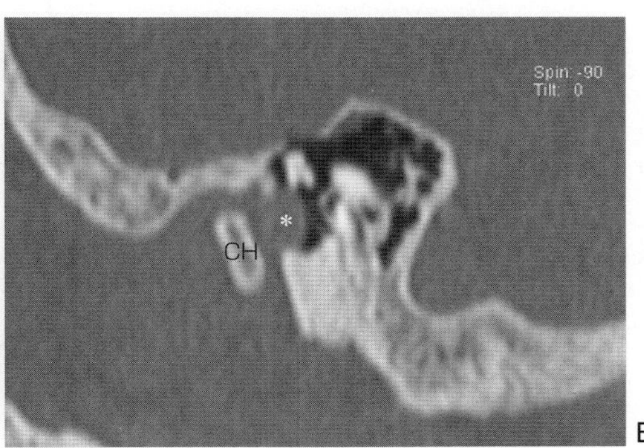

図 63　foramen of Huschke を介した顎関節軟部組織のヘルニア

頭蓋底レベル CT 横断像(A)，矢状断像(B)において，外耳道(左側で Ex で示す)骨部に向かって，顎関節窩から突出する軟部濃度(＊)を認める．CH：下顎骨関節頭

よりもやや不明瞭な傾向がある．

E 病　態

1 先天奇形

側頭骨の先天奇形は側頭骨単独あるいは全身奇形症候群の部分症として生じる．側頭骨先天奇形の理解には発生学の知識が必要となるが，以下に側頭骨発生学に続き，各亜部位における代表的側頭骨先天奇形につき解説する．

a. 側頭骨発生学

側頭骨は各亜部位によりそれぞれ異なる発生学的起源を有している．11 章「頸部囊胞性腫瘤」の図 15，表 4 とともに鰓器官発生の記述も合わ

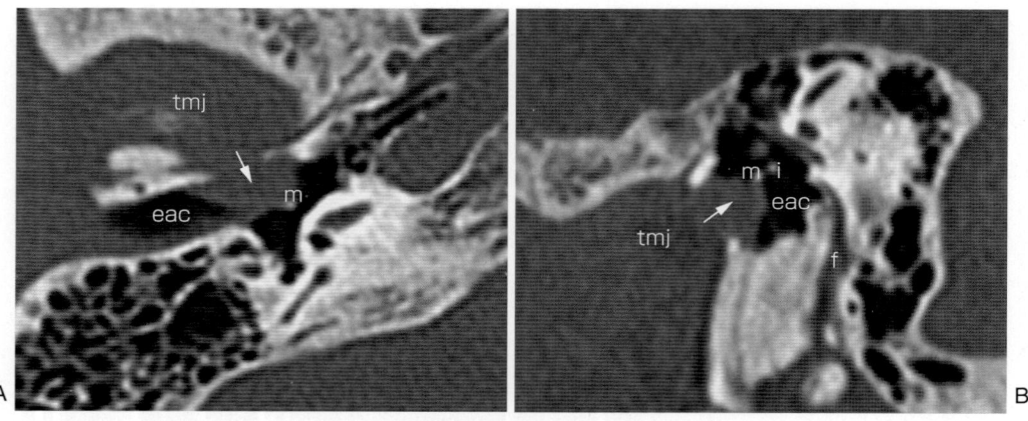

図 64　foramen of Huschke を介した顎関節軟部組織のヘルニア
右側頭骨 CT 横断像(A)および矢状断像(B)．外耳道骨部深部で前壁の骨欠損を介して顎関節(tmj)から外耳道(eac)側に膨隆する軟部濃度(矢印)を認める．骨欠損の局在は foramen of Huschke に合致しており，同孔を介した顎関節内容の脱出を示す．f：顔面神経乳突部，i：キヌタ骨長脚，m：ツチ骨柄．

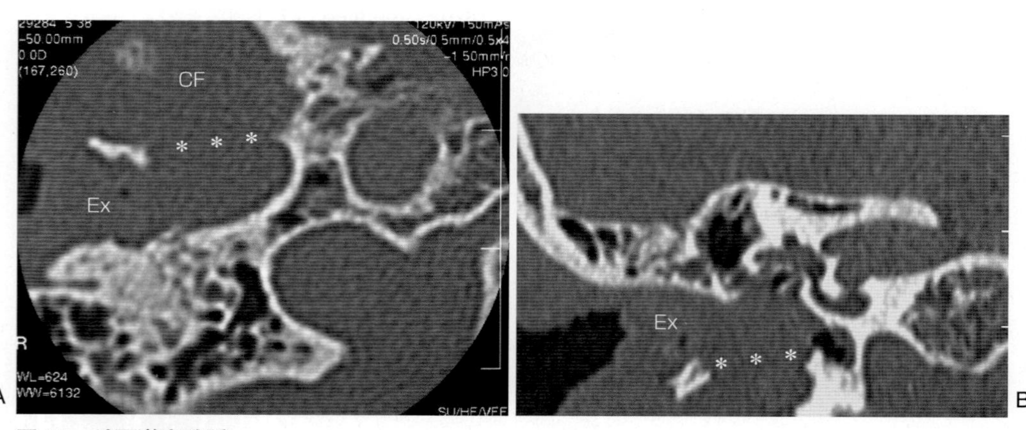

図 65　外耳道真珠腫
右側頭骨 CT 横断像(A)，冠状断像(B)において，外耳道(Ex)を充満する軟部濃度病変を認め，前下壁では顎関節窩(CF)との間の骨壁欠損(＊)あり．部位としては foramen of Huschke に矛盾ないが，1 cm 以上の範囲であり病的な骨侵食性変化を示す．

せて参照されたい．

1）外　耳

第 1 鰓器官に由来するが，耳介などは第 1 鰓弓，外耳道は第 1 鰓裂より発生する．胎生 4 週に第 1 鰓裂の最深部(外胚葉)は第 1 鰓嚢と鼓膜輪レベルで内外から接触することで形成される鼓膜の外層に相当する．

2）耳管および鼓室（図 68）

第 1 鰓嚢の一部とされる耳管鼓室窩(tubotympanic recess)より形成されるが，その最外側部(内胚葉)は鼓膜の内層を形成する．胎生期後半には成人とほぼ同程度の大きさの鼓室が形成される．

3）鼓　膜

既述の(第 1 鰓裂の)外胚葉由来の外層，(第 1 鰓嚢の)内胚葉由来の内層との間に中胚葉由来の中間層を挟んでいる．すなわち，鼓膜の形成には 3 胚葉いずれもが関与する．

4）耳小骨（図 69）

耳小骨の発生は胎生 4 週に始まり，大体，胎生 6〜7 週頃に同定可能となるが，発生学的由来にはやや不明確な部分もある．一般的にはツチ骨頭部，キヌタ骨体部・短脚は第 1 鰓弓の Meckel 軟

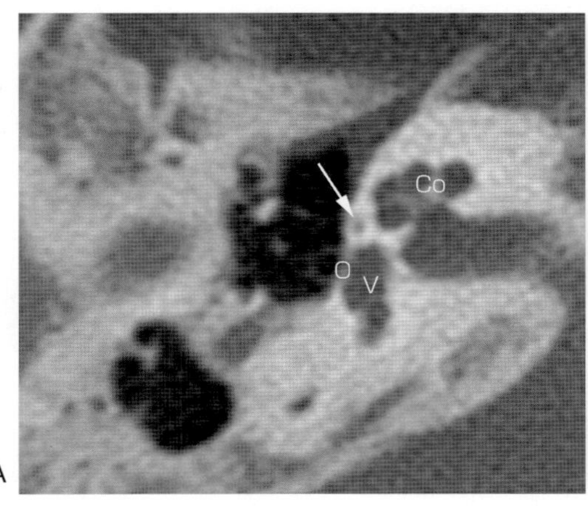

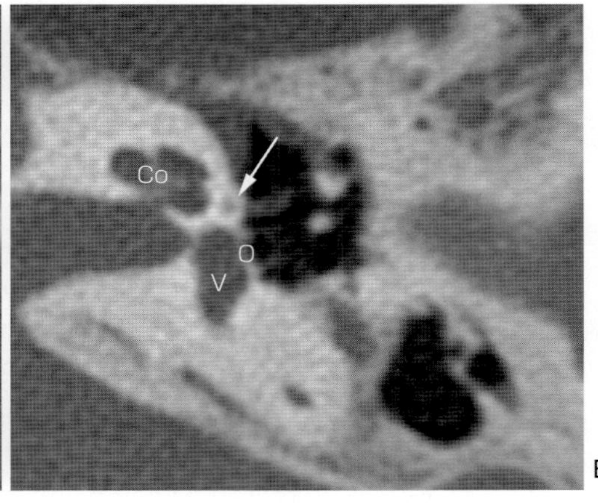

図 66　cochlear cleft
同一例の側頭骨 CT，右側横断像(A)，左側横断像(B)．卵円窓(O)前方に限局性の小さな骨透過所見(矢印)を認める．辺縁は正常骨皮質に囲まれる．Co：蝸牛，V：前庭

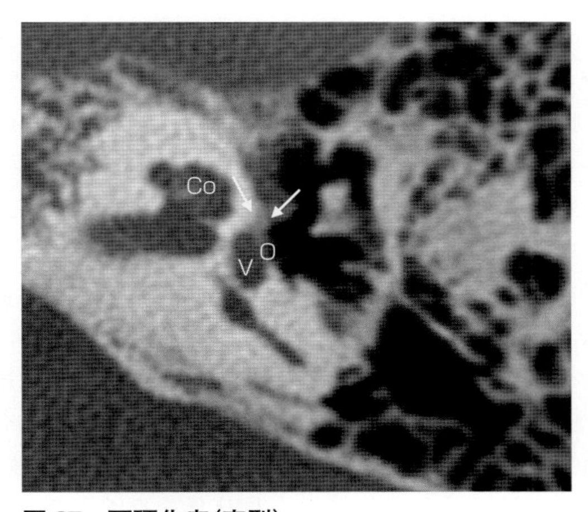

図 67　耳硬化症(窓型)
左側頭骨 CT において，(図 66 と同様に)卵円窓(O)前縁の fissula ante fenestram に一致して，やや境界不明瞭な限局性骨透過所見(矢印)を認める．病変は(図 66 と異なり)辺縁まで到達し，皮質骨には囲まれない．Co：蝸牛，V：前庭

骨，ツチ骨柄，キヌタ骨長脚，アブミ骨上部構造は第 2 鰓弓の Reichert 軟骨，アブミ骨底部は耳嚢(otic capsule)より形成されると考えられている．鼓索神経(顔面神経)は第 2 鰓弓の神経であり，その神経より尾側は同じ鰓弓から形成されるとされており，上記の説はこれに従った考えである．ただし，ツチ骨，キヌタ骨は Meckel 軟骨，アブミ骨は Reichert 軟骨由来とする考えもある．11 章「頸部嚢胞性腫瘤」の鰓裂嚢胞の項も参照いただきたい．

5）乳突洞

出生後，耳管鼓室窩より形成される鼓室の上鼓室から連続性に乳突洞前庭，蜂巣の順に発達，形成される．

6）内　耳

神経外胚葉に由来する耳胞(otic vesicle)より生じる．耳胞壁由来の神経堤細胞より前庭，蝸牛神経節が形成される．胎生 3 週で蝸牛の形成が始まり，6 週の終わりで 1 から 1.5 回転，7 週の終わりから 9〜11 週で 2 から 2.5 あるいは 2.75 回転に

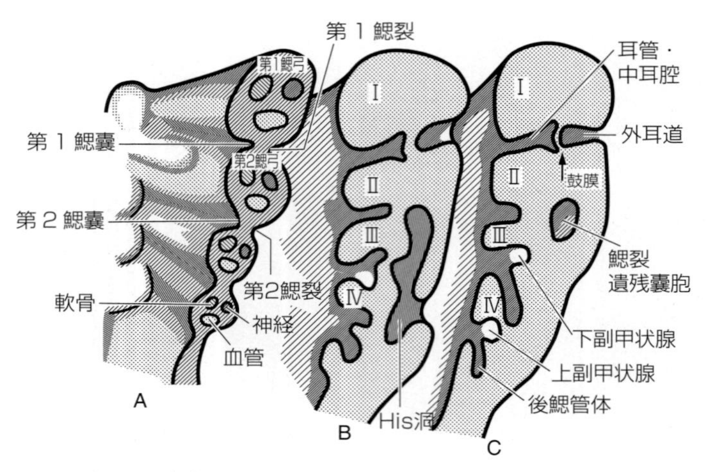

図68　鰓弓発生学
A：胎生4～5週，B：胎生6週，C：その後

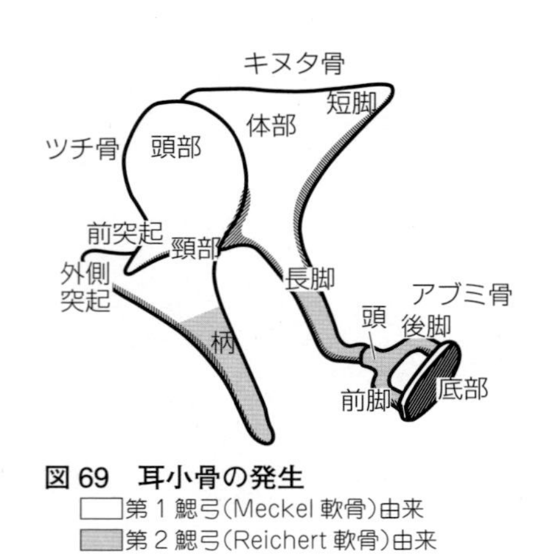

図69　耳小骨の発生
□第1鰓弓（Meckel軟骨）由来
■第2鰓弓（Reichert軟骨）由来

至ると同時にラセン神経節からの神経線維が蝸牛の神経上皮に進入，有毛細胞の分化が始まる[57]．胎生12週，最初は内有毛細胞，続いて外有毛細胞で上行性シナプスが形成される．したがって蝸牛自体と蝸牛神経は（12週以降はともに発生するが）発生を開始する時期が異なることが，ときに正常に発達した蝸牛で蝸牛神経の欠損・低形成を認めることの発生学理由となる[26]．半規管は7～8週で耳嚢（otocyst）の卵形嚢部分から発生を始める．耳胞周囲の中胚葉は硬化により骨包（otic capsule）となるが，胎生中期までにはほぼ骨に覆われる．内耳も胎生中期までにはほぼ成人の大きさに至るが，前庭水管および内リンパ嚢は出生後も発達が継続する．なお，耳包は人体で最も緻密な骨とされる．

既述の発生学的理由から，同じ第1鰓弓の関与する外耳と耳小骨は合併奇形が高頻度に認められるのに対して，発生起源の異なる内耳の奇形と外耳，耳小骨奇形との合併は比較的まれである．

b. 外耳道狭窄・閉鎖（external auditory canal stenosis/atresia）

第1鰓裂より発生する外耳道の発達障害による．その程度は外耳道の軽度狭窄（図70）から完全閉塞（図71～74）までさまざまである．発生頻度は約10,000～20,000出生に1の頻度で[58]，やや男性，右側に多く，両側性が29％とされる[59]．大部分が孤発性であるが，症候群（Treacher Collins症候群，Klippel-Feil症候群，Goldenhar症候群，Mobius症候群，CHARGE症候群，Pierre Robin症候群，その他染色体異常など）との関連による発症もある[57, 60]．症候群例では伝音難聴の術後聴力は回復不良の傾向にある[57]．

臨床的には手術所見をもとにしたSchuknecht分類（**表2**：p838）が用いられ，外耳道，耳介や耳小骨，鼓膜，顔面神経走行経路，鼓室の含気・発達の程度により4型に分けられる[57]．同分類は臨床像を反映しており，聴力の状態とよく相関する[61]．外耳道閉鎖の場合は膜様閉鎖と骨性閉鎖に分けられる．同じ第1鰓弓に関連するという発生学的理由より高頻度に耳介奇形（小耳症）（図74，75），耳小骨奇形（図71，72，76），鼓室低形成（図71～73，77），顎関節および下顎骨低形成などを伴う．CTはこれらの形態的変化の概要の把握において重要な役割を果たす（**表3**：p839）．CT所見でのJahrsdoerfer grading system（**表4**：p839）[62, 63]は手術適応の判断において最も広く受け入れられている診断基準となっている．外耳道狭窄・閉鎖に合併する耳小骨奇形は，同じ第1鰓器官（Meckel軟骨）に由来するツチ骨頭部，キヌタ骨体部の奇形が多く，ツチ骨とキヌタ骨の骨性融合（図71, 76B, 78）やツチ骨と骨性閉鎖板，あるいは（狭小化した）鼓膜輪や鼓室壁との融合

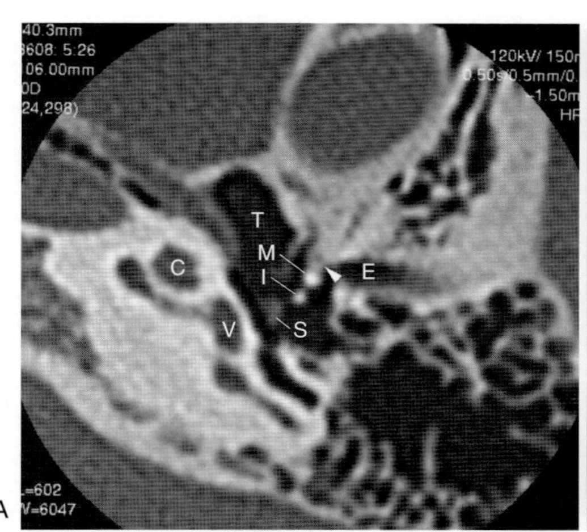

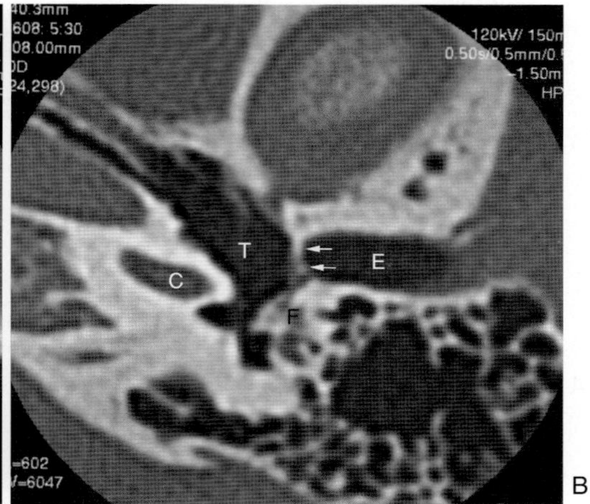

図 70　外耳道狭窄(左側)

A：前庭レベル左側頭骨横断 CT．鼓室(T)の発達は不良で，ツチ骨柄(M)は鼓膜輪前縁と骨性融合(矢頭)を示す．

B：図 A よりも数 mm 尾側レベル．外耳道(E)は軽度狭窄を示し，骨性閉鎖板(矢印)により部分的閉鎖がみられる．顔面神経乳突部(F)は通常よりもやや前方を走行する．C：蝸牛，I：キヌタ骨長脚，S：アブミ骨上部構造，V：前庭

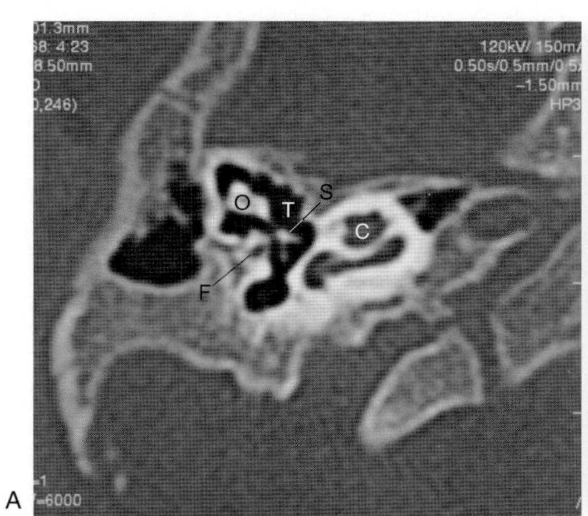

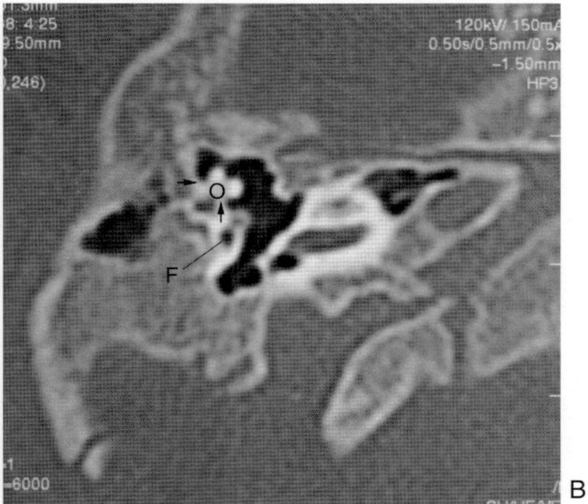

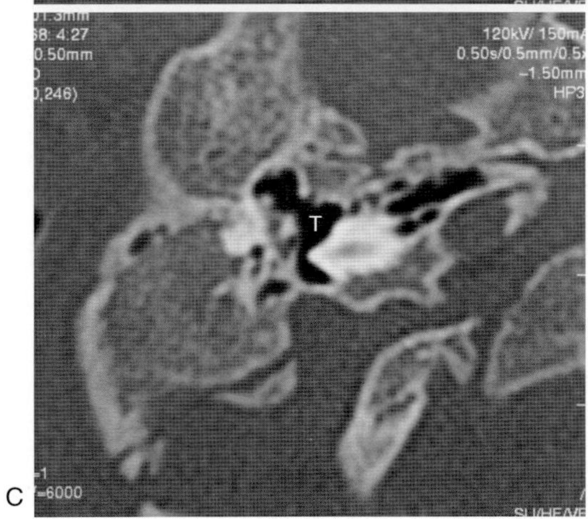

図 71　外耳道閉鎖(右側)

右側頭骨横断 CT，頭側より尾側に向かって A，B，C．

A：鼓室(T)は著しい低形成を示す．アブミ骨上部構造(S)はほぼ正常の形態を示すが，ツチ骨，キヌタ骨は一塊(O)となり，不整な形状を示す．顔面神経乳突部(F)は通常よりも前方外側に位置する．C：蝸牛

B：一塊となった耳小骨(O)は上鼓室外側壁から骨性閉鎖板に相当する部位との間で骨性融合(矢印)を示す．

C：本来，外耳道の描出されるレベルであるが，外耳道の形成は認められない．T：鼓室

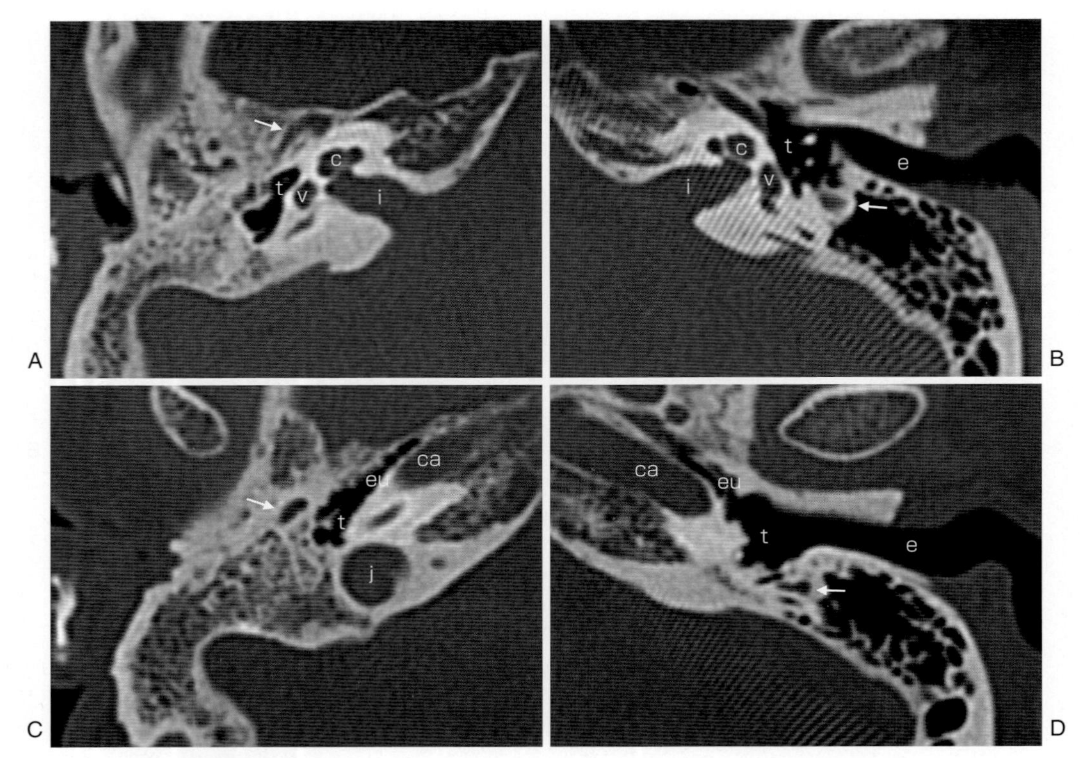

図72　外耳道閉鎖（右側）

内耳道レベルの側頭骨CT横断像（A：右側，B：左側）．左側（B）で同定される外耳道（e）は右側（A）で形成がみられず，外耳道閉鎖に一致する．鼓室（t）の発達も右側（A）で著しく不良で正常な耳小骨を認めないが，含気は保たれており真珠腫を示唆する軟部濃度所見はみられない．c：蝸牛，i：内耳道，v：前庭，矢印：顔面神経管（右側は鼓室部，左側は後膝部）

やや尾側の耳管骨部レベルのCT（C：右側，D：左側）．左側（D）と比較して，右側（C）では，鼓室（t）の発達は著しく不良であり，顔面神経管下行部（矢印）は前方に位置する．ca：頸動脈管水平部，eu：耳管骨部，j：頸静脈球

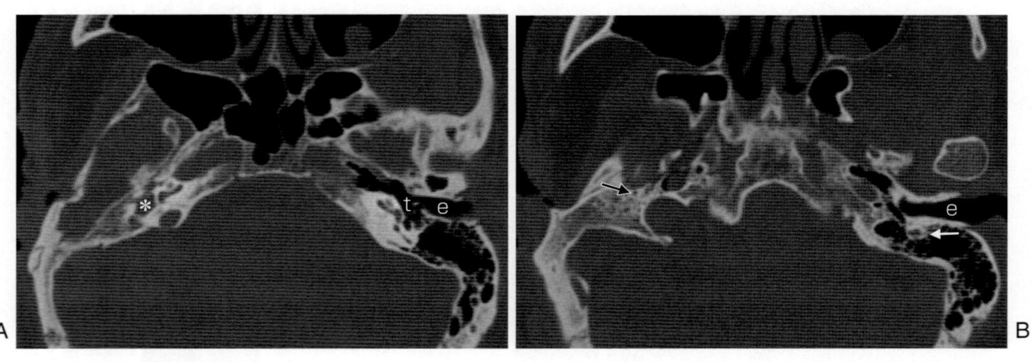

図73　外耳道閉鎖（右側）

側頭骨レベルのCT横断像（A）．左側で同定される外耳道（e）の形成は右側で欠如している．右鼓室（＊）は左鼓室（t）と比較して発達は不良で，内部は軟部濃度で占拠されており真珠腫の可能性が考慮される．耳小骨の形成はみられない．やや尾側レベル（B）で右顔面神経下行部（黒矢印）は左側（白矢印）よりも前方を下行する．e：外耳道

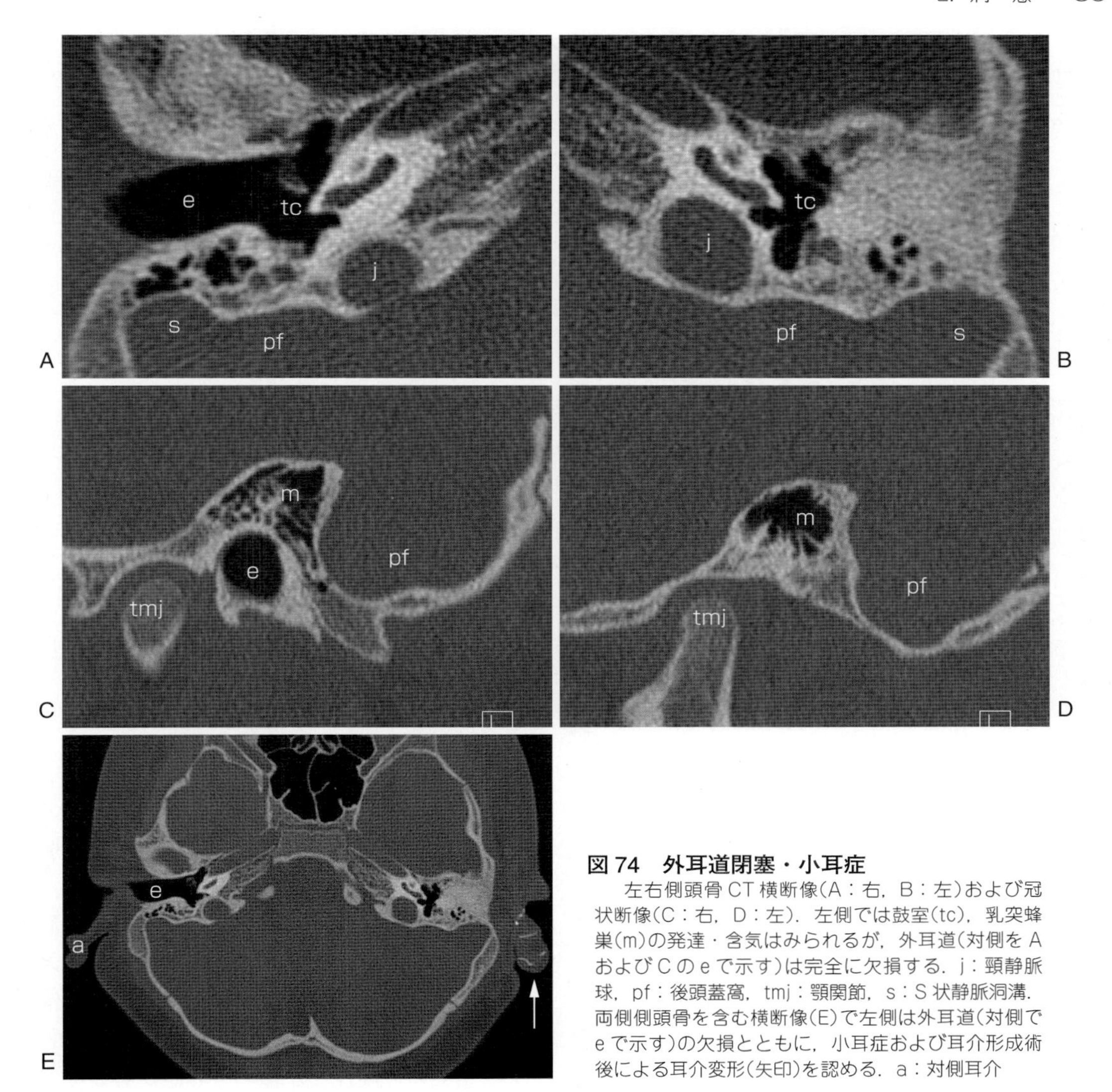

図 74　外耳道閉塞・小耳症

左右側頭骨 CT 横断像(A：右，B：左)および冠状断像(C：右，D：左)．左側では鼓室(tc)，乳突蜂巣(m)の発達・含気はみられるが，外耳道(対側を A および C の e で示す)は完全に欠損する．j：頸静脈球，pf：後頭蓋窩，tmj：顎関節，s：S 状静脈洞溝．両側側頭骨を含む横断像(E)で左側は外耳道(対側で e で示す)の欠損とともに，小耳症および耳介形成術後による耳介変形(矢印)を認める．a：対側耳介

(図 70，71，76，78)が代表的である．耳介奇形が著しい場合は中耳奇形も重度である場合が多い[64]．また，第 1 鰓弓由来構造の低形成では，これに伴って顔面神経の走行異常が生じる場合がある．主に下行部(乳突部)が通常よりも前外側を走行する(図 70〜73，77)[65]．安易な外耳道形成術では同部において顔面神経損傷をきたす危険があり(図 75)，術前画像診断において顔面神経の走行を確認することは非常に重要である．また，真珠腫の合併にも注意しなければならない．外耳道狭窄では狭小化した外耳道の存在から外耳道真珠腫発生の危険性が高い(一方で外耳道閉鎖例での危険性は低い)[66]．Cole らは 12 歳以上で 2 mm 以下の外耳道狭窄例では 91％に真珠腫を生じたと報告している[67]．耳漏例でリスクがより高いとされるが[68]，これは高分解能 CT 上，骨侵食を伴う軟部濃度病変の有無を評価することにより判断される．

現在の外科的治療の選択としては外耳道形成と，本邦では 2013 年より認可された埋め込み型骨導補聴器(bone-anchored hearing aid：BAHA)(図 79)があげられ，治療選択は聴力検査，画像検査等をもとに行われる．外耳道形成術の目的は，補助具なしで生活可能な聴力の獲得(伝音難

表 2　Schuknecht 分類

type		形態的変化	備考
A	(meatal) atresia	外耳道軟骨部の狭窄・閉鎖	・放置により角化物堆積による真珠腫形成あり ・最終的には外耳道形成術が必要となる
		・狭窄が強度で，深部の角化堆積物の自然排出は困難	
B	(partial) atresia	外耳道軟骨部および骨部の部分閉鎖(狭窄)とときに蛇行	・伝音難聴は軽度から重度まで様々
		・鼓膜は部分的に確認されるが，しばしば通常より小さく部分的に骨性閉鎖による置換あり ・ツチ骨柄はしばしば短く屈曲し，ツチ骨と鼓膜輪あるいは上鼓室壁との固着あり ・アブミ骨，内耳の窓は正常	
C	(total) atresia	外耳道の完全閉鎖，鼓室の発達・含気は良好	
		・外耳道は浅い窪みあるいは完全欠損，鼓膜は多くで欠損 ・部分的あるいは完全な骨性閉鎖板 ・ツチ骨柄は通常欠損，あるいは岬角に向かい屈曲変形 ・ツチ骨頭部は閉鎖板と線維性固着 ・ツチ骨頭部とキヌタ骨体部は通常癒合 ・顔面神経は通常より前方を下行，ときに卵円窓にかかる	
D	(hypopneumatic total) atresia	外耳道の完全閉鎖，鼓室の発達・含気は不良	・症候群発生の症例に多い ・聴力改善の手術成功率は低い
		・type C のすべての変形に加えて鼓室の含気・発達の不良を示す ・しばしば顔面神経の走行異常，骨迷路の異常あり	

(Schuknecht HF：Laryngoscope **99**：908-917, 1989)

聴の改善)，感染のない開存した外耳道の形成にあるが，側頭骨の低形成，様々な合併奇形や変形(鼓室低形成，顔面神経走行異常，耳小骨変形・骨性癒合，鼓室天蓋低位など)により耳鼻科医にとっては最も困難な手技のひとつとされる[69]．手術適応の判断には既述の Jahrsdoerfer grading system (表 4)の診断基準が用いられ，CT ではこれらの項目に即した画像評価(表 3，4)が求められる．点数が高いほど術後聴力は良好であり[70]，一般に 6 点以上が手術適応と判断される[62, 63]．既述のとおり，術後聴力の改善には鼓室の発達，外耳道径，耳小骨の状態，卵円窓の発達や手術年齢(13 歳未満で良好)などが影響を与えるが，術後聴力は時間経過とともに低下する傾向にあり[60, 69, 71]，約 3 分の 1 が再手術となる[70]．再手術の主な要因は，外耳道の再狭窄，鼓膜の浅在化，耳小骨の再固定，持続(あるいは悪化する)伝音難聴，感染である[69, 71]．(術前 CT での)外耳道真珠腫の存在は術後聴力の長期予後を不良にする最も重要な要素とされる[66]．また，通常はアブミ骨上部構造に対して前側方に位置するツチ骨・キヌタ骨複合が，アブミ骨側方に隣接している場合にも術中のキヌタ・アブミ関節の評価，アブミ骨領域の確認が困難となり，術後聴力の長期予後に影響するとされる．

埋め込み型骨導補聴器(BAHA)は外耳道形成術に代わる危険性の低い治療選択として受け入れられている．聴力結果は外耳道形成術よりも優れるとの報告もあるが[60]，審美的問題，日常的なケア，感染の危険性などにつき考慮が必要である．両側性外耳道狭窄では 5～7 歳頃に外科的修復の対象となりうるが，Yeakley らはその条件として以下の 2 つをあげている[63]．①蝸牛機能が存在する，②画像診断上，骨迷路，前庭水管，内耳道が正常．成人例では外耳道の後上方 5～7 cm に置くことが推奨されているが，術前の骨の厚さ(3 mm 以上が必要)の評価には CT が有用である[72, 73]．なお，本邦では日本耳科学会の適応基準が 18 歳以上とされていたが，海外の多くの国では年齢制限はなく小児を含む全患者が適応となっていることから，ワーキンググループの検討と提言を受けて，同学会としても年齢既定は撤廃された．

表 3　外耳道狭窄・閉鎖での主な画像評価項目

狭窄・閉鎖の状態	狭窄：範囲 閉鎖：範囲(鼓膜輪レベルのみか，完全閉鎖か)，骨性か膜性か 外耳道真珠腫合併の有無
耳小骨奇形の有無 (Meckel 軟骨由来部)	ツチ骨頭部，キヌタ骨体部・短脚の形成不全 耳小骨と骨性閉鎖板との骨性癒合(固定)の有無
鼓室の状態	鼓室全体の発達の程度(特に前後径減少)：術後聴力改善の結果に影響 卵円窓窩の発達の程度：鼓室形成時の成績に関与 真珠腫合併の有無
顔面神経走行異常	(上記の)鼓室前後径減少に伴い，顔面神経乳突部(下行部)が通常よりも前方を下行
第 1 鰓弓由来の他構造の形態	耳介(小耳症など) 顎関節 下顎骨

表 4　Jahrsdoerfer grading system(外耳道狭窄・閉鎖の CT 所見による診断基準)

正常アブミ骨の存在	2
卵円窓の開存	1
鼓室腔の十分な発達	1
ツチ骨・キヌタ骨複合の良好な形成	1
乳突蜂巣の良好な発達・含気	1
キヌタ骨・アブミ骨の連鎖	1
正円窓が確認可能・開存	1
正常外耳道	1
顔面神経の正常な走行	1
合計点	10 点

合計点 6 点未満…手術適応外
合計点 6 点以上…手術適応
(Jahrsdoerfer RA, Yeakley JW, Hall JW et al：Otolaryngol Head Neck Surg **93**：292-298, 1985)
(Yeakley JW, Jahrsdoerfer RA：J Comput Assist Tomogr **20**：724-731, 1996)

c. 耳小骨奇形(ossicular anomaly)

第 1，第 2 鰓弓に由来する耳小骨(図 69)は，その形成異常により耳小骨奇形を生じる．本邦では発生学の論理に基づく，船坂らによる分類(表 5：p843)が主に用いられる[74]．これらの中でⅡ群が最も少ない(Ⅰ群，Ⅲ群のいずれが最も多いかは報告により異なる)[75]．以下にその代表的なものを示す．これらは各々単独あるいは合併奇形として現れ，さまざまな程度の伝音難聴の原因となる．

側頭骨高分解能 CT は耳小骨奇形に関して詳細な形態的評価が可能であり，治療の適否・治療法選択の判断において重要な役割を担う．ただし，アブミ骨底部の固着(船坂らの分類によるⅢ群)のみ評価が困難とされる[76]．

1) ツチ骨と外耳道骨性閉鎖板(atretic plate)(図 71)・鼓室壁（図 76D)・鼓膜輪(図 70, 78)との癒合

外耳道骨性閉鎖の場合，骨性閉鎖板とツチ骨頭部はしばしば骨性癒合を示す．船坂らの分類のⅡ群に相当する[74]．第 1 鰓器官発生の異常として現れる．

2) ツチ骨とキヌタ骨の癒合(incorportion)(図 71，76B，77A，78)

ツチ骨，キヌタ骨関節の骨性融合および両耳小骨の奇形．船坂らの分類のⅡ群に相当する[74]．第 1 鰓器官発生の異常として現れる．

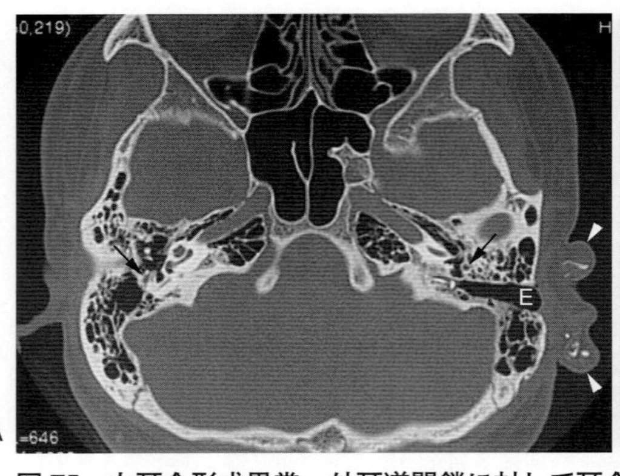

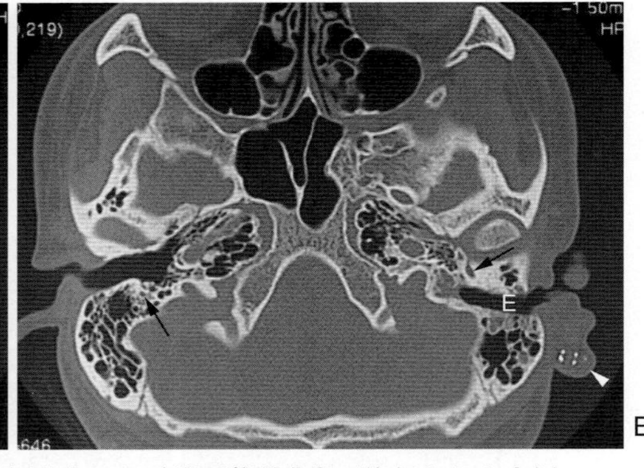

図75 左耳介形成異常，外耳道閉鎖に対して耳介形成および外耳道形成術が施行された症例

A：頸動脈管水平部レベル側頭骨横断CT．左耳介変形に対して他院での耳介形成術後(矢頭)．外科的に形成された外耳道(E)を認める．左側では顔面神経管乳突部(左右ともに矢印で示す)は健側よりも前方を下行，再建外耳道よりも前方に位置している．

B：図Aよりもやや尾側レベル．顔面神経管乳突部(左右ともに矢印で示す)は左側では健側よりも前方で，再建外耳道(E)よりも前方を下行している．術前に顔面神経の走行異常に気付かずに外耳道形成術に及んでいれば顔面神経損傷の危険性があったと思われる．

3) アブミ骨上部構造・キヌタ骨長脚欠損(図80〜83)

キヌタ骨長脚・アブミ骨上部構造はともに第2鰓弓のReichert軟骨に由来するとの考えがあり，その発生異常によりこれらの構造の欠損が生じ，耳小骨連鎖が途絶しているもの．ときに置換する線維性構造による連続性を認める場合あり．船坂らの分類のⅠ群に相当する[74]．第1鰓器官に由来する外耳道奇形との合併の頻度は低い．

4) ツチ骨骨性固着(malleus fixation)

ツチ骨と鼓室壁が骨性連続性を示すもので，特にツチ骨柄と鼓室後壁を継ぐ骨性棒状構造を認めるものをmalleus barと称する[77〜79]．船坂らの分類のⅡ群に相当する[74]．

5) アブミ骨底部固着

船坂らの分類のⅢ群に相当する[74]．輪状靱帯の部分的あるいは全欠損を伴うアブミ骨底部肥厚としてみられるが[80]，耳胞からの輪状靱帯の分離不全，あるいは輪状靱帯の骨化が原因として推察される[81]．臨床的な鑑別となる若年性耳硬化症は6歳より年長の場合が多く，6歳以下では本病態がより考慮される．また，アブミ骨底部固着では術後の聴力改善でAB gapが10 dB以下となるのは44％程度と，耳硬化症と比較してやや不良な傾向にある[82]．既述のとおり，一般にCTでの評価は困難である[76]．

両側性(伝音)難聴では，これらの奇形は再建手術の適応となりうる．手術時期としては2歳頃に施行，言語習得を助ける．その際，重要なのは以下の点である．①外耳道閉鎖を伴う場合，その程度および性状(膜性か骨性か)，②鼓室の発達が十分か，③アブミ骨上部構造の発達の有無，④卵円窓の形成の状態，⑤顔面神経走行異常の有無．術前の画像診断においてこれらの情報を臨床医に提供することは重要であり，手術適応，術式決定に大きく影響する．

d. 内耳奇形(inner ear anomaly)

耳胞の発生異常により生じる．障害発生時期を考慮した内耳奇形の形態的分類としては，1987年にJacklerらが提唱した分類(**表6**：p847)[83]を基にSennarogluらにより2002年に提唱され(**図84，85，表7**：p849)[84]，2010年に改訂された分類(**表8**：p849)[85,86]が主に用いられる．

先天性の感音難聴において約80％は膜迷路の異常(画像所見としての異常なし)，約20％が内耳奇形(画像所見としての異常あり)とされる[87]．CT，MRIは内耳奇形の有無，程度の把握，形態的分類，人工内耳の適応の判断，電極選択，さら

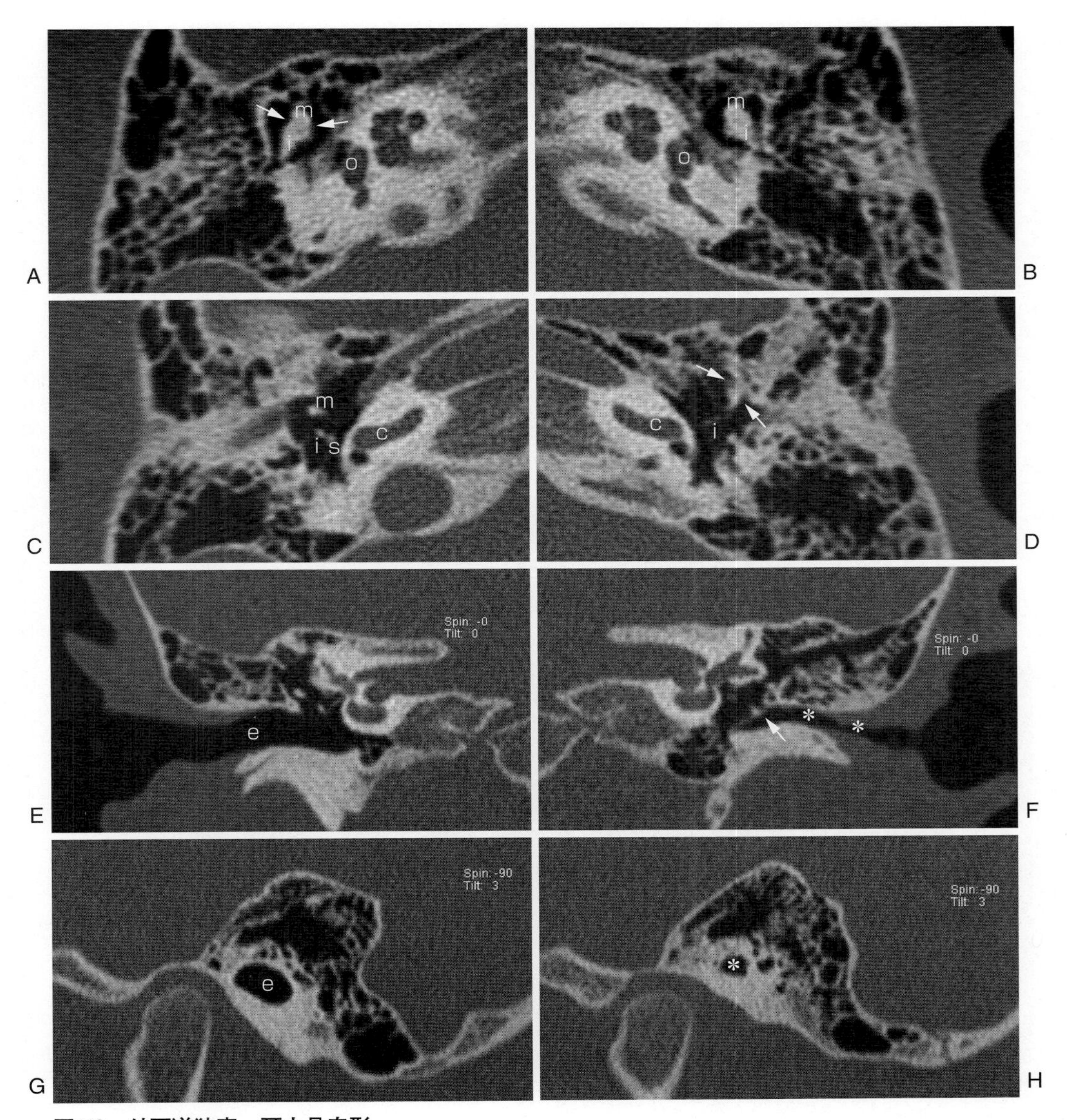

図 76　外耳道狭窄・耳小骨奇形

卵円窓レベルの左右側頭骨 CT 横断像(A：右，B：左)において，両側ともにツチ骨頭部(m)，キヌタ骨体部から短脚(i)の形成を認めるが，右側(A)では薄い線状低濃度で確認可能なキヌタ・ツチ関節(矢印)が左側(B)では同定されず，癒合し一体化していると思われる．卵円窓(o)に接して(正常に発達した)アブミ骨上部構造の前・後脚が同定可能．蝸牛岬角レベル横断像(C：右，D：左)で右側ではツチ骨柄(m)および，キヌタ骨長脚・豆状突起(i)からアブミ骨頭部(s)のキヌタ・アブミ関節の正常解剖が確認されるのに対して，左側では変形したツチ骨柄は上鼓室側壁と骨性に癒合(矢印)を示す．キヌタ骨長脚下端(i)は同定可能(キヌタ骨長脚・豆状突起，アブミ骨上部構造の発達は正常)．c：蝸牛基底回転．左右側頭骨 CT 冠状断像(E：右，F：左)および矢状断像(G：右，H：左)において，健側外耳道(e)に対して左外耳道(＊)は全体として狭小化を示す．鼓膜輪レベルでは部分的に薄い骨性閉鎖版(矢印)を認める．

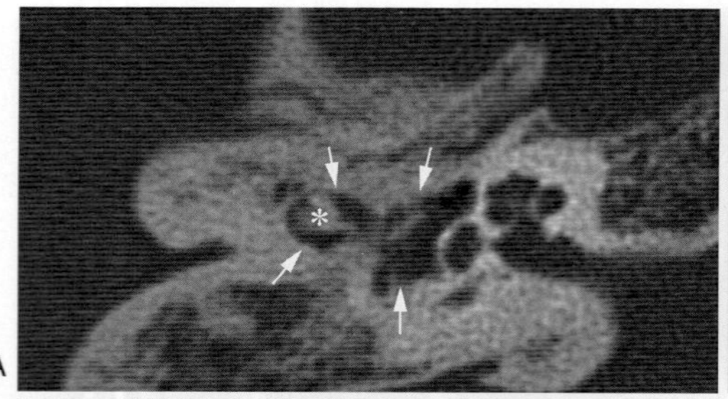

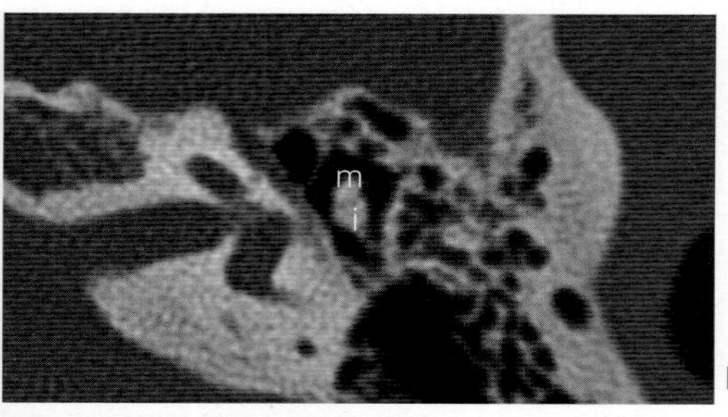

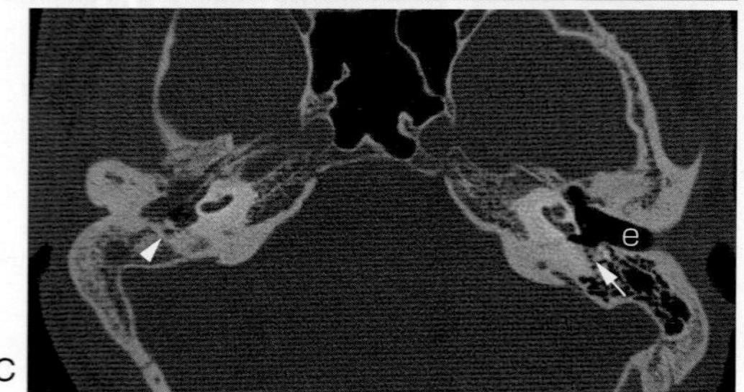

図 77　外耳道閉鎖・鼓室低形成
内耳道レベルの側頭骨 CT 横断像(A：右，B：左)．左側(B)で鼓室の発達，含気は正常で，内部に正常の形態を示すツチ骨頭部(m)，キヌタ骨体部から短脚(i)を認める．一方，右側(A)では鼓室(矢印)は前後径が有意に減少，狭小化し低発達を示す．明瞭に分離されない耳小骨(*)を含み，鼓室内部は軟部濃度で占拠される(真珠腫併発の可能性あり)．両側側頭骨 CT 横断像(C)で右外耳道(対側で e で示す)の欠損あり．顔面神経下行部は左側(矢印)に対して，右側(矢頭)では前方に位置している．

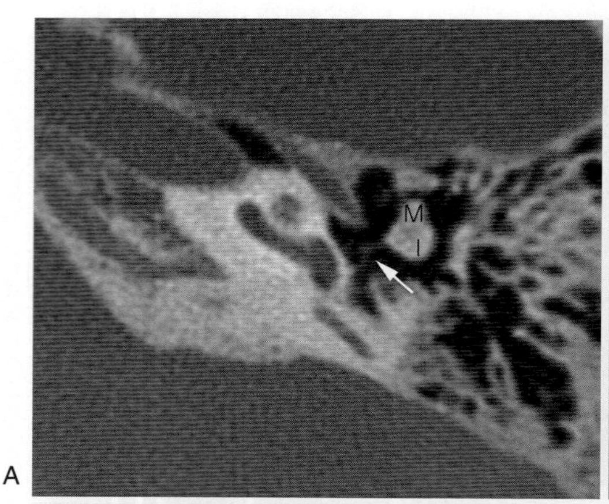

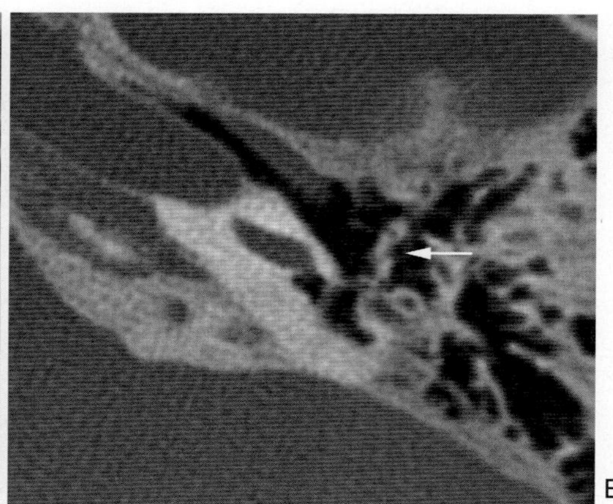

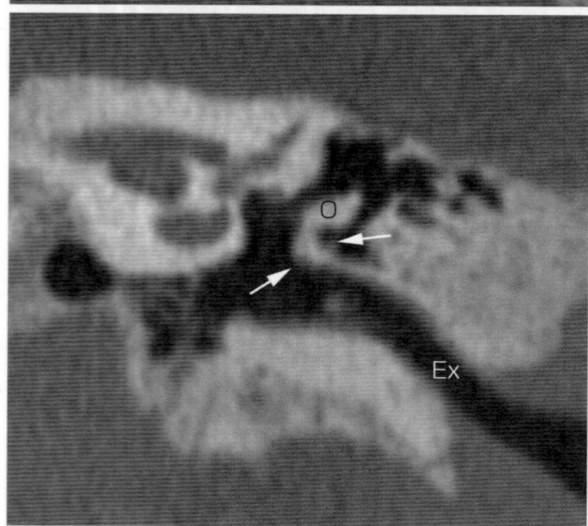

図 78　耳小骨奇形(船坂らの分類Ⅱ群)
上鼓室レベル，左側頭骨 CT 横断像(A)において，ツチ骨頭部(M)とキヌタ骨体部(I)は融合を示す．矢印：キヌタ骨長脚・豆状突起およびアブミ骨上部構造．すぐ尾側レベル(B)で，一塊となったツチ骨とキヌタ骨(矢印)は(外耳道狭窄を示す)鼓膜輪上縁に移行を示す．冠状断像(C)でも，奇形により変形を示す耳小骨塊(O)は，外耳道狭窄を示す鼓膜輪上縁との骨性融合(矢印)あり．Ex：狭窄を示す外耳道骨部

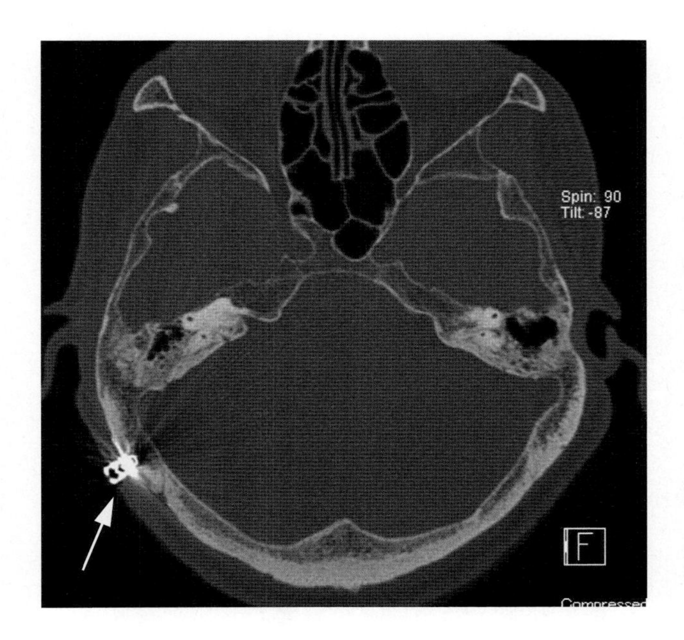

図 79　BAHA (bone-anchored hearing aid) 埋め込み後

側頭骨レベル CT 横断像骨条件表示において，右側頭骨鱗状部後方で外板から板間層に達する金属異物（矢印）として BAHA を認める.

表 5　船坂らによる耳小骨奇形の分類

I 群	第 2 鰓弓由来部	胎生 5〜7 週の障害	ツチ骨柄 キヌタ骨長脚 アブミ骨上部構造
II 群	第 1 鰓弓由来部	胎生 7〜8 週の障害	ツチ骨頭 キヌタ骨体部
III 群	耳胞由来細胞群	アブミ骨底板と輪状靱帯に分化する過程の障害	アブミ骨底板固着 （卵円窓欠損を含む）

（船坂宗太郎，牛島達次郎，矢野　純：日耳鼻 **82**：476-481, 1979）

に（髄液漏などの）合併症リスクの推定などにおいて重要な役割を担う（表 9：p851）．以下に代表的な内耳奇形を示す．内耳の低形成は CT 上，骨化性迷路炎（後述）が鑑別となりうるが，骨化性迷路炎では，内耳が一度は正常に発達していることから鼓室内側壁で蝸牛岬角や外側半規管による膨隆を正常に認めるのに対して，内耳低形成ではこれらによる鼓室内側壁の膨隆に乏しい傾向にある[88]．

1）迷路完全無形成（complete labyrinthine aplasia: CLA）別名：Michel 奇形

蝸牛，前庭，半規管，前庭水管，蝸牛水管の完全な欠損．内耳道は顔面神経のみで側頭骨には顔面神経管（迷路部・鼓室部・乳突部）が同定される．重度の感音難聴で（内耳形成がないため）人工内耳は適応外であり，ABI（聴性脳幹インプラント：auditory brain stem implant）の適応となる[86]．通常，耳小骨の発達は正常である．錐体骨，耳包の状態により以下の 3 つに区分される．

i ）錐体骨の低形成あるいは無形成あり（CLA with hypoplastic or aplastic petrous bone）

錐体骨の低形成，無形成を伴うことから，中耳は後頭蓋窩に隣接するように認められる．

ii ）耳包なし（CLA without otic capsule）

錐体骨は正常であるが耳包が低形成あるいは無形成．

iii ）耳包あり（CLA with otic capsule）

錐体骨，耳包ともに正常．迷路完全無形成のなかで本病態のみで顔面神経管迷路部が正常の位置にみられる（顔面神経管が正常な位置をとるために耳包の発達が必須であることを示している）．

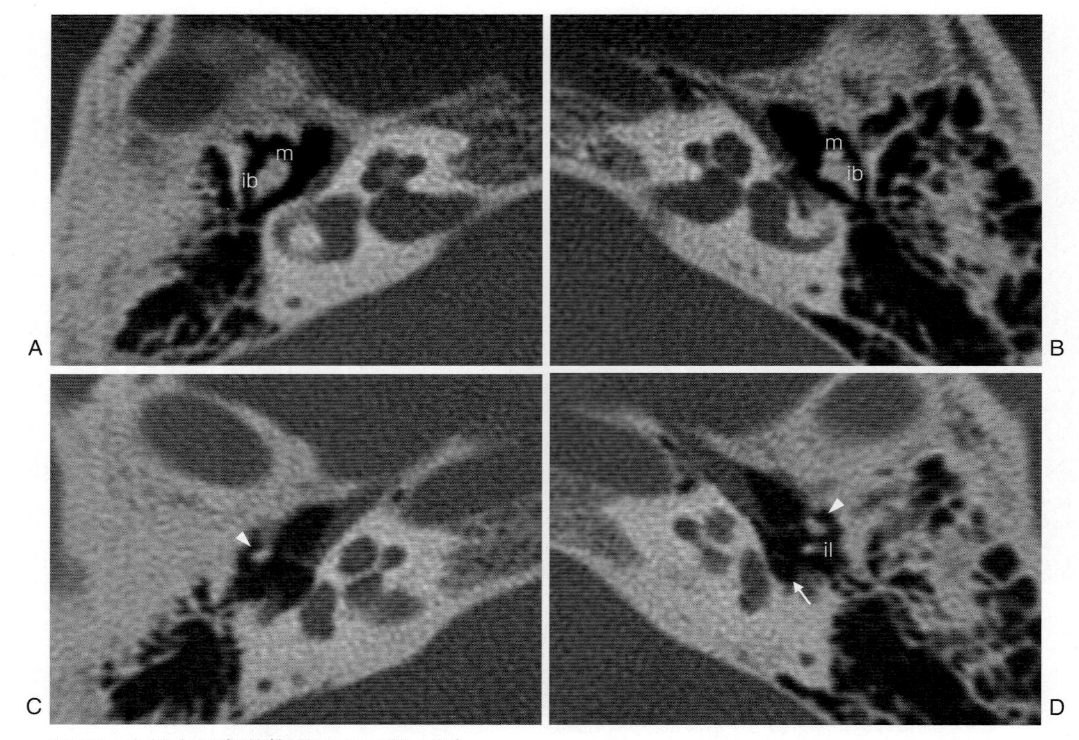

図 80　右耳小骨奇形(船坂らの分類Ⅰ群)

上鼓室レベルの両側側頭骨 CT 横断像(A：右側，B：左側)．両側ともに，ツチ骨頭部(m)，キヌタ骨体部(ib)・短脚は正常に描出されている．やや尾側レベルの CT(C：右側，D：左側)．健側である左側(D)ではツチ骨柄(矢頭)後方にキヌタ骨長脚(il)，その内側にアブミ骨上部構造(矢印)を認めるのに対して，右側(C)ではツチ骨柄(矢頭)のみが同定され，キヌタ骨長脚，アブミ骨上部構造は確認されない．

2) 共通腔奇形(common chamber malformation)(図 85B)

耳胞が蝸牛と前庭に分化する前の時期(胎生 4 週)の障害により生じる．CT 上，本来の前庭，蝸牛領域に球形，卵形などの形状を示す嚢胞構造を認める．内耳道は同嚢胞構造に対してほぼ中央部に進入するように認められる．重度の感音難聴を呈し人工内耳の適応となるが，人工内耳で十分な聴力が得られない場合は ABI(聴性脳幹インプラント：auditory brain stem implant)の適応が考慮される[86]．

3) 蝸牛の形成異常 (cochlear malformation)

蝸牛と前庭は明確に分離されている．蝸牛の形成不全は胎生 3～7 週の発生障害(表 7：p849)により，その段階に応じた形態的異常を示すため，聴力の状態も正常聴力から軽度，中等度あるいは重度難聴と幅広い．聴力障害の程度により治療選択が異なり，軽度の場合は補聴器のみで可である．しばしば純粋な伝音難聴のこともありアブミ骨手術が有用とされる．混合難聴ではアブミ骨手術と補聴器，重度の難聴では人工内耳，(蝸牛神経欠損では) ABI の適応が考慮される．蝸牛低形成では人工内耳術中の指標となる蝸牛岬角，正円窓の同定が困難な場合ある．また，CH-II (後述)では内耳道底と蝸牛との交通による gusher や電極の内耳道への誤挿入のリスクがあり，注意を要する．

蝸牛の発達の画像評価では，蝸牛の有無(前庭との分離)，蝸牛の大きさ，蝸牛軸(図 86)の形成，回転数(正常は 2.5～2.75 回転)が重要な要素となる．CT 上での蝸牛の計測に関しては多くの報告があるが，年齢，左右による差はなく，蝸牛の高さ(4.35 mm 未満)が感音難聴と強い相関を示すとされる[89]．これらにより蝸牛無形成，蝸牛低形成，不完全分離(incomplete partition)の 3 つに区分される．

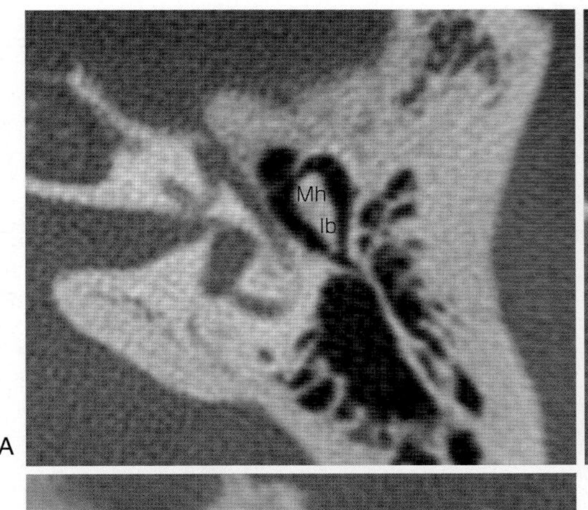

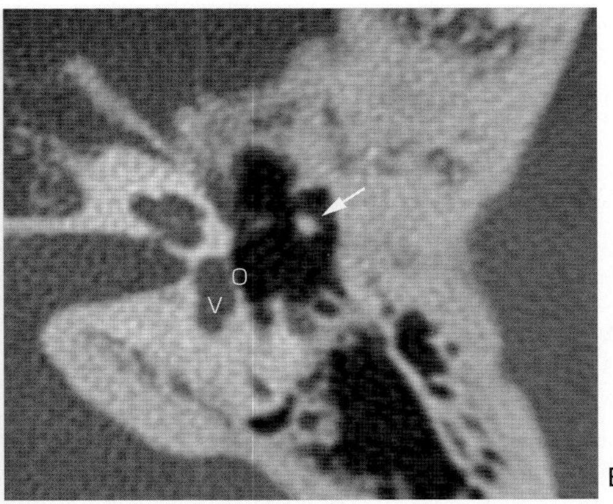

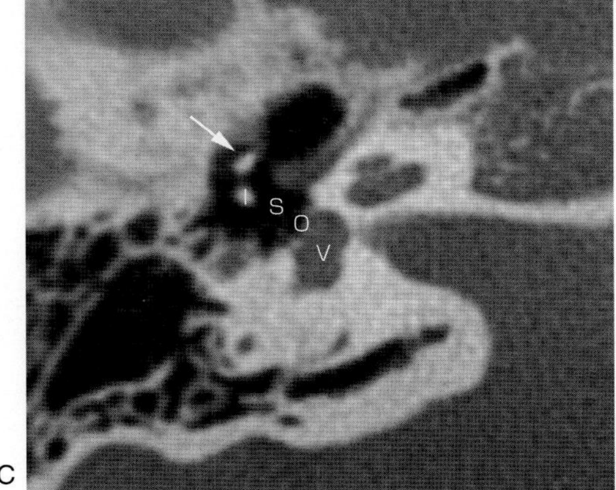

図 81　耳小骨奇形(船坂らの分類 I 群)

上鼓室レベル，左側頭骨 CT 横断像(A)において，ツチ骨頭部(Mh)，キヌタ骨体部(Ib)・短脚を正常に認める．

卵円窓(O)レベル(B)では，ツチ骨柄(矢印)は正常に描出されるが，キヌタ骨長脚・豆状突起，アブミ骨上部構造は同定されない．V：前庭

健側である右側(C)ではツチ骨柄(矢印)とともに，ツチ骨長脚(I)，さらに卵円窓(O)に隣接して，アブミ骨上部構造(S)を認める．V：前庭

ⅰ) 蝸牛無形成(cochlear aplasia)(図 85A, 87)

蝸牛の完全な欠損．前庭，半規管は通常の位置(内耳道底の外側後方)に認められるが，しばしば変形を示す．蝸牛欠損に伴い顔面神経管迷路部は通常より前方に偏位し，本来の蝸牛の領域に位置する．

ⅱ) 蝸牛低形成(cochlear hypoplasia：CH)

前庭と蝸牛との明瞭な分離がある．蝸牛の輪郭は通常よりも小さい．その程度により以下の 4 つを区分する．

・CH-I(bud-like cochlea)：芽状蝸牛

小さな芽状あるいは類円形を示す形成不全の蝸牛で内耳道外側から連続する．

・CH-II(cystic hypoplastic cochlea)：蝸牛嚢胞性低形成(図 85C, 88)

蝸牛の径はやや小さく，蝸牛軸，階間中隔等の内部構造は欠損する．内耳道底での蝸牛との交通により gusher や電極の内耳道への誤挿入，あるいは反復性髄膜炎を生じうる．ときに前庭水管拡大，前庭拡張を伴う．

・CH-III(cochlea with less than 2 turns)：2 回転未満の蝸牛

蝸牛の回転数が 2 未満で軸は短い．蝸牛軸，階間中隔等の内部構造は保たれ，全体の輪郭も正常蝸牛に近い．

・CH-IV(cochlea with hypoplastic middle and apical turns)：蝸牛第 2 回転・頂回転低形成(図 89)

蝸牛の基底回転は正常だが，第 2 回転，頂回転は重度の低形成を示す．顔面神経管迷路部は蝸牛前方に位置する．

ⅲ) 不完全分離(incomplete partition：IP)

蝸牛の発達異常に含まれ，内耳奇形の約 41％を占めるとされる[86]．前庭と蝸牛とは明確に分離される．蝸牛軸と階間中隔の欠損の状態により

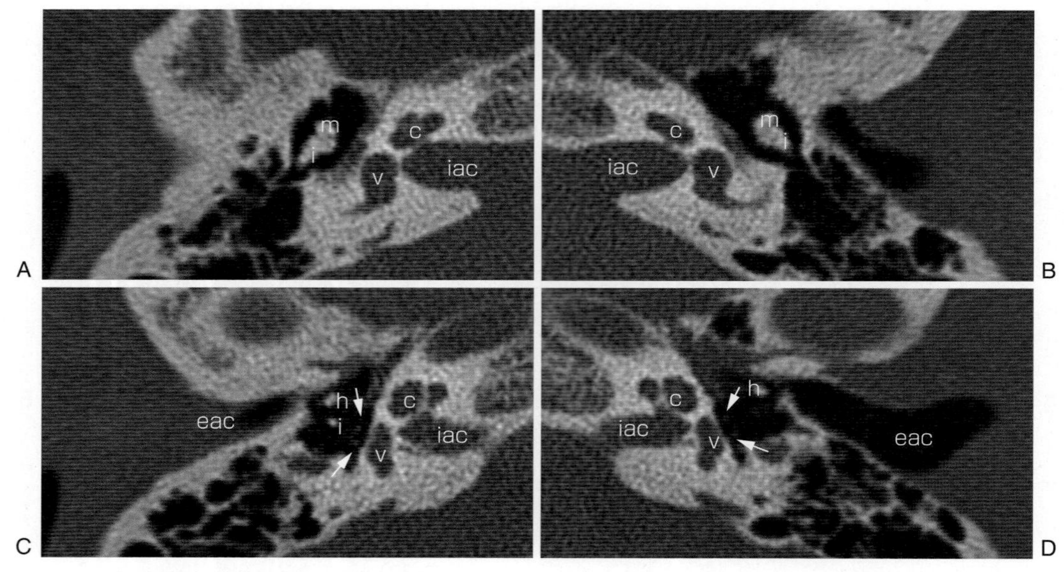

図82　耳小骨奇形(船坂らの分類Ⅰ群)

上鼓室レベルの左右側頭骨CT横断像(A：右，B：左)において，両側ともに含気，発達の良好な上鼓室内に正常な形態を示すツチ骨頭部(m)，キヌタ骨体部から短脚(i)，正常のキヌタ・ツチ関節が描出されている．その尾側の卵円窓レベル(C：右，D：左)において，右側(C)ではツチ骨柄(h)とキヌタ骨長脚(i)が前後に配列する小さな骨構造として認められ，内側で卵円窓窩にアブミ骨上部構造(前・後脚を矢印で示す)が描出されている．一方で左側(D)ではツチ骨柄(h)，アブミ骨上部構造(前・後脚を矢印で示す)は対側と同様に正常に描出されているが，キヌタ骨長脚は欠損している．c：蝸牛，eac：外耳道，iac：内耳道，v：前庭

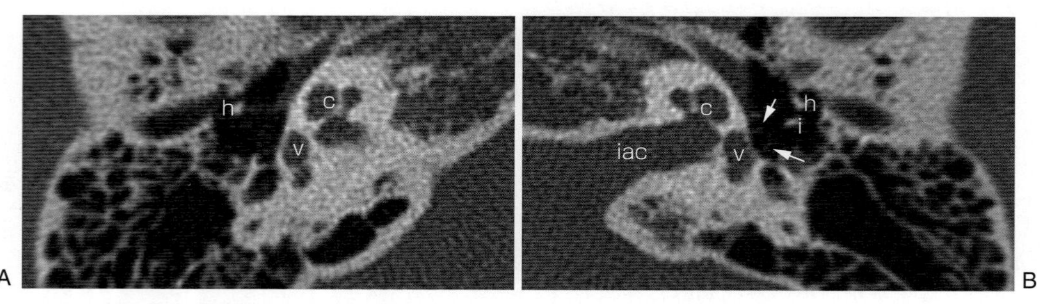

図83　耳小骨奇形(船坂らの分類Ⅰ群)

卵円窓レベルの左右側頭骨CT横断像(A：右，B：左)．左側(B)では前後に配列する小さな点状骨構造としてツチ骨柄(前方：h)，キヌタ骨長脚(後方：i)，内側のアブミ骨上部構造(前・後脚を矢印で示す)が正常に描出される一方，右側(A)ではツチ骨柄(h)は保たれるが，キヌタ骨長脚，アブミ骨上部構造は欠損している．c：蝸牛，iac：内耳道，v：前庭

以下の3つを区分する．

・IP-I：不完全分離Ⅰ型(図85D)

蝸牛前庭嚢胞奇形“cystic cochleovestibular malformation”とも称される．蝸牛は内耳道底部前方の通常の位置にみられ，蝸牛軸，階間中隔は完全に欠損する．蝸牛全体の大きさは正常に近い．前庭水管拡張はまれである．内耳道底欠損，アブミ骨底部欠損により反復性髄膜炎，髄液漏を生じる場合がある(CH-IIよりは頻度は低い)．重度の感音難聴で，ほぼ全例が人工内耳の適応となる．蝸牛がほぼ正常の大きさであることから約25mmの直線状電極が推奨される．

・IP-II：不完全分離Ⅱ型(図90，91)

基底回転はほぼ正常に保たれるが，頂部側の蝸牛軸と階間中隔が欠損することで，頂回転，第2回転が癒合し卵円形の嚢胞様を呈する(図92，

表 6　Jackler らによる内耳奇形の分類

I 膜迷路に限局した奇形	A. 膜迷路完全形成不全(Siebenmann-Bing 奇形)	
	B. 膜迷路限局性形成不全	1. 蝸牛・囊形成不全(Scheibe 奇形)
		2. 蝸牛基底回転形成不全(Alexander 奇形)
II 骨迷路・膜迷路の奇形	A. 迷路無形成(Michel 奇形)	
	B. 蝸牛の奇形	1. 蝸牛無形成
		2. 蝸牛低形成〔胎生 6 週〕
		3. incomplete partition(Mondini 奇形)〔胎生 7 週〕
		4. 共通腔〔胎生 4 週〕
	C. 迷路の奇形	1. 半規管形成不全
		2. 半規管無形成
	D. 水管の奇形	1. 前庭水管拡大
		2. 蝸牛水管拡大
	E. 内耳道の奇形	1. 内耳道狭窄
		2. 内耳道拡大

〔　〕内は障害発生時期
(Jackler RK, Luxford WM, House WF：Laryngoscope **97** (supple 40)：2-14, 1987)

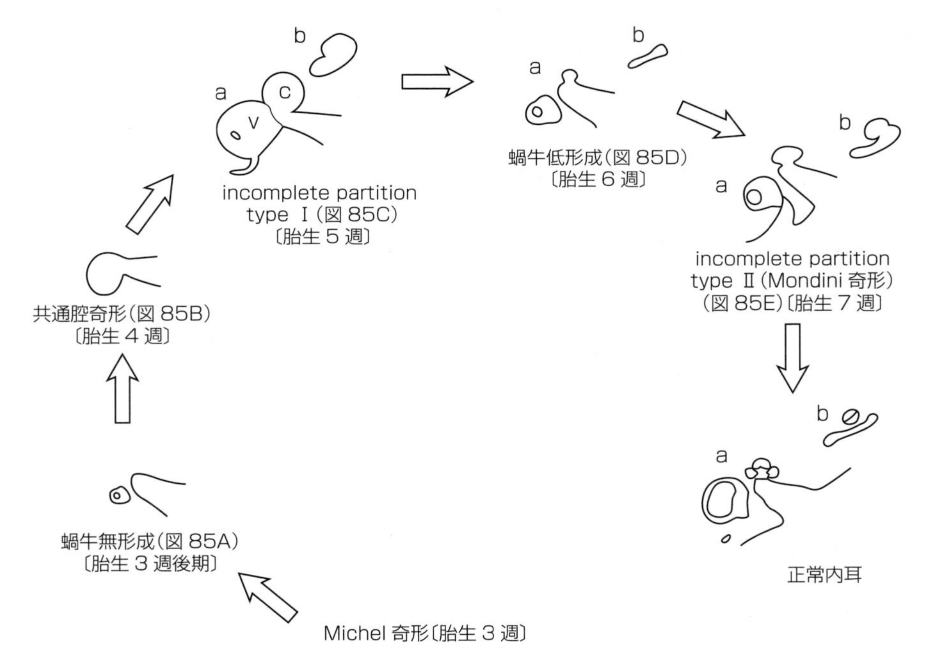

図 84　Sennaroglu らによる内耳奇形の分類

a：内耳道レベルの横断面，b：正円窓レベルの横断面，c：蝸牛，v：前庭．カッコ内は障害の発生時期を示す．

(Sennaroglu L, Saatci I：Laryngoscope **112**：2230-2241, 2002)

93)[86, 90]．Carlo Mondini が最初に記載したことから，古典的には同所見とともに前庭の軽度拡張，前庭水管拡張を三徴として“Mondini 奇形”と称する(実際にはより幅広く用いられている)(図 94〜96)．従来，蝸牛回転数の減少(1.5 回転以下)もいわれていたが，回転数減少の定義は蝸牛低形成(CH)に対してのみ用いられるべきである．聴力は正常から重度難聴まで幅広い．若年者

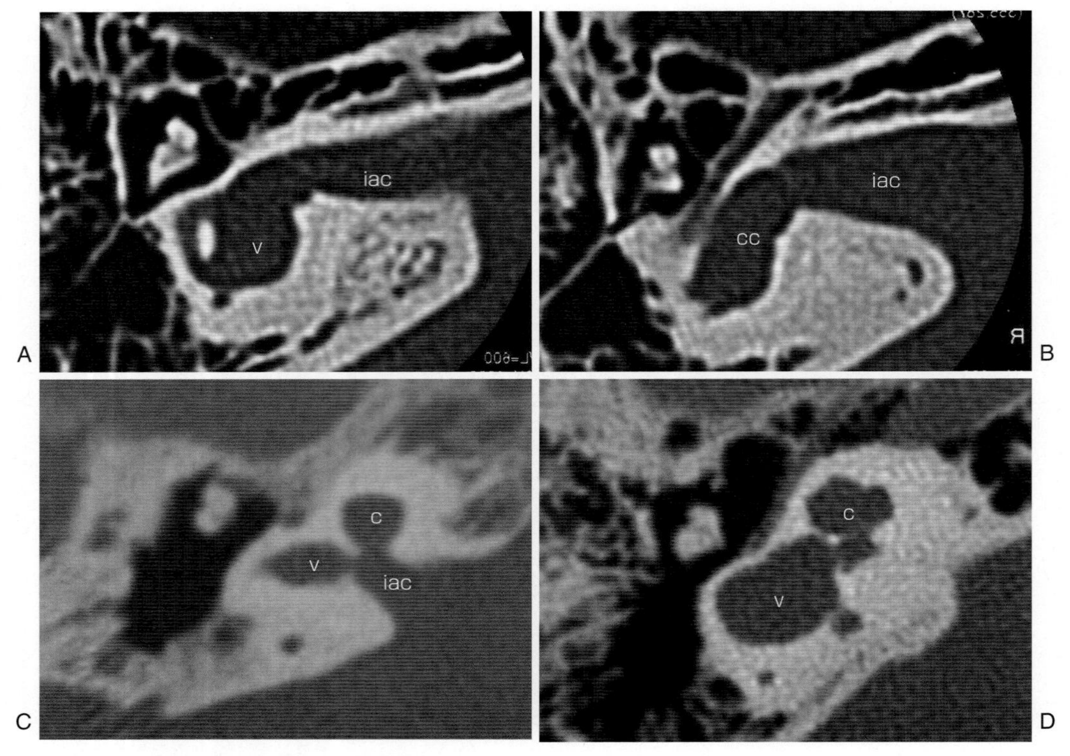

図 85　内耳奇形（右側頭骨 CT 横断像）

A：蝸牛無形成・前庭拡大あり（3b：CADV（cochlear aplasia with a dilated vestibule））
蝸牛の形成なし．前庭（v）は拡張を示すが，内耳道（iac）の後方の通常の位置にみられる．
B：共通腔奇形（4）
内耳道（iac）外側に連続するように単一の嚢胞腔（cc）を認める．
C：蝸牛低形成（5b：CH-II）
蝸牛（c）と前庭（v）は明瞭に分離している．蝸牛は通常より小さく，蝸牛軸や階間中隔などの内部構造はみられない．内耳道底の低形成により内耳道（iac）と蝸牛は交通するようにみられ，gusher のリスクを示す．
D：不完全分離（6a：incomplete partition-I）
蝸牛（c）と前庭（v）は明瞭に分離している．蝸牛はほぼ正常の大きさであるが，蝸牛軸や階間中隔などの内部構造はみられない．
（＊括弧内の数字は表 8 の分類に対応）

では正常聴力で補聴器も不要の場合もあるが，通常は進行性でときに突然発症の感音難聴を示す．進行に伴い補聴器使用から最終的には人工内耳の適応となる．蝸牛軸欠損により人工内耳手術に伴う gusher を生じ注意を要する．ただし，IP-I と比較して内耳道底の形成は保たれており，髄液聾のリスクは低い（36.8％ vs. 63.6％）とされ，人工内耳術後の結果も良好な傾向にある[89]．

・IP-III：不完全分離 III 型（図 97）

階間中隔はあるが蝸牛軸は完全に欠損する．1971 年 Nance1 らにより最初に記載[91]，Phelps らにより CT 所見が最初に報告[92]された X-linked deffness としてみられ，内耳奇形の約 2％に相当する[86]．髄膜炎はまれである．ときに内耳道は拡張を示す．混合難聴あるいは重度の感音難聴を呈するが，伝音難聴部分は耳包の薄さによると考えられる．

蝸牛軸の画像評価：蝸牛軸欠損（あるいは低形成）は蝸牛低形成（CH-II），不完全分離（IP-I/II/III），前庭水管拡大症（後述）では高頻度に合併し[43]，その評価には CT，MRI ともに有用である（図 86，90，91，95，98〜101）．また，蝸牛軸欠損（あるいは低形成）は前庭水管拡大（後述）に高

表 7　Sennaroglu らによる内耳奇形の分類(改定前)

蝸牛の奇形	1. Michel 奇形(Michel deformity)〔胎生 3 週〕	蝸牛および前庭の完全欠損
	2. 蝸牛無形成(cochlear aplasia)〔胎生 3 週後期〕	蝸牛の完全欠損
	3. 共通腔奇形(common cavity)〔胎生 4 週〕	蝸牛，前庭の分離不能な嚢胞腔を形成
	4. 蝸牛低形成(cochlear hypoplasia)〔胎生 6 週〕	蝸牛，前庭の分離可能 蝸牛，前庭ともに通常より小さい
	5. incomplete partition type Ⅰ(IP-Ⅰ)：cystic cochleovestibular malformation〔胎生 5 週〕	蝸牛の軸欠損により嚢胞様 嚢胞様に拡大した前庭を伴う
	6. incomplete partition type Ⅱ(IP-Ⅱ)：Mondini 奇形(classic Mondini deformity)〔胎生 7 週〕	蝸牛は 1.5 回転(第 2 回転・頂回転は嚢胞様で分離不能) 前庭拡大，前庭水管拡大を伴う
前庭の奇形	Michel 奇形，共通腔奇形，前庭欠損・低形成，前庭拡大を含む	
半規管の奇形	半規管の欠損，低形成，拡大	
内耳道の奇形	内耳道の狭窄，拡大	
前庭水管・蝸牛水管の奇形	前庭水管の拡大 蝸牛水管の拡大	

〔　〕内は障害発生時期
(Sennaroglu L, Saatci I：Laryngoscope **112**：2230-2241, 2002)

表 8　Sennaroglu らによる内耳奇形の分類(改定後)(p850，851 へつづく)

グループ	病型・サブグループ	聴力検査	治療選択
1. 迷路完全無形成(complete labyrinthine aplasia: CLA・Michel 奇形)	・迷路(蝸牛，前庭，半規管，前庭水管，蝸牛水管)の完全欠損 ・ときに錐体骨低形成 ・内耳道(CN7 のみ)，顔面神経管は同定 ・耳小骨は正常発達	完全な聾あるいは重度の感音難聴(低周波)	人工内耳の適応外 ABI の適応
	a. 錐体骨低形成・無形成あり (CLA with hypoplastic/aplastic petrous bone) b. 耳包なし (CLA without otic capsule) c. 耳包あり (CLA with otic capsule)		
2. 原始耳胞(rudimentary otocyst)	・不完全な小さな耳胞(類円形)；数ミリ大 ・内耳道の欠損 ・Michel 奇形と共通腔奇形との中間に属する	完全な聾あるいは重度の感音難聴(低周波)	人工内耳の適応外 ABI の適応
3. 蝸牛無形成(cochlear aplasia: CA)	・蝸牛の欠損 ・顔面神経迷路部は通常より前方に偏位，正常蝸牛の部位を占拠する ・前庭，半規管は正常位置	完全な聾あるいは重度の感音難聴	人工内耳の適応外(人工内耳の適応となる共通腔と区別が重要) ABI の適応
	a. 正常迷路(CA with normal labyrinth) b. 前庭拡張(CA with a dilated vestibule: CADV)		

表8　Sennaroglu らによる内耳奇形の分類(改定後)(つづき)

4. 共通腔(common cavity)	・蝸牛と前庭に相当する単一，類円形の囊胞腔を形成 ・ときに半規管(あるいはその瘢痕)あり ・内耳道は腔中央に進入(CADV では内耳道後方に拡大した前庭と半規管が位置することで鑑別)	重度の感音難聴	人工内耳の適応(transmastoid labyrinthotomy によりストレートの電極使用) 電極挿入の長さ推定が重要：2πr(r は共通腔の径)で算出 人工内耳で十分な効果が得られない場合は対側に対して ABI の適応 蝸牛前庭神経欠損あるいは内耳道欠損の場合は ABI が唯一の選択
5. 蝸牛低形成(cochlear hypoplasia：CH)	・前庭と蝸牛との明瞭な分離あり ・蝸牛全体の大きさは通常より小さい	正常聴力から重度難聴まで幅広い 感音難聴，混合難聴，伝音難聴のいずれもありうる	聴力障害の程度により対応が異なる 軽度の場合は補聴器のみで可 混合難聴ではアブミ骨手術の有用性あり 重度難聴では人工内耳の適応，聴力回復が十分でない場合や蝸牛神経欠損では ABI の適応 蝸牛低形成では人工内耳術中の指標となる蝸牛岬角，正円窓の同定が困難な場合あり CH-II は内耳道底と蝸牛との交通による gusher や電極の内耳道への誤挿入のリスクあり
	a. CH-I(bud-like cochlea) 小さな芽状あるいは類円形で内耳道から連続 b. CH-II(cystic hypoplastic cochlea) 径はやや小さく，軸，階間中隔等の内部構造は欠損，ときに前庭水管拡大，前庭拡張あり c. CH-III(cochlea with less than 2 turns) 回転数2未満で軸が短い，蝸牛軸，階間中隔等の内部構造，全体の輪郭は正常に近い d. CH-IV(cochlea with hypoplastic middle and apical turns) 基底回転は正常だが，第2回転，頂回転の重度低形成，顔面神経管迷路部は蝸牛前方に位置		
6. 不完全分離(incomplete partition：IP)	・蝸牛の発達異常に含まれる(内耳奇形の約41%) ・前庭と蝸牛との明瞭な分離あり		
	a. IP type I(IP-I) ・蝸牛は通常の位置，蝸牛全体の大きさは正常に近い ・蝸牛軸，階間中隔は欠損 ・ときにアブミ骨底部欠損により術前から反復性髄膜炎を示す	多くは重度感音難聴	ほぼ常に人工内耳の適応(蝸牛の大きさは正常であり，25mm のストレート電極が推奨される) gusher 例では蝸牛電極挿入部での CSF 漏洩防止が最も重要
	b. IP type II(IP-II) ・頂部側の蝸牛軸と階間中隔の欠損⇒第2回転と頂回転が癒合して囊胞様を呈する ・“Mondini 奇形”の用語は古典的には同所見とともに前庭拡張，前庭水管拡張の triad がそろった場合に用いられる(実際はより幅広く用いられている)	正常聴力から重度難聴まで幅広い 通常は進行性で突然発症の感音難聴を示す場合あり	正常から軽度の場合，進行に伴い補聴器使用 通常は進行性で最終的には人工内耳の適応となる 蝸牛軸欠損によりときに人工内耳術に伴う gusher あり
	c. IP type III(IP-III) ・階間中隔はあるが蝸牛軸は完全欠損(内耳奇形の約2%) ・髄膜炎はまれ ・X-linked deffness として記載 ・ときに拡張した内耳道	混合難聴あるいは重度の感音難聴(伝音難聴部分は耳包の薄さによる)	アブミ骨手術で gusher のリスクあり 重度難聴は人工内耳の適応
7. 前庭水管拡大(enlarged vesticular aqueduct：EVA)	・古典的には前庭水管の中間点で 1.5mm 以上(横断像) ・蝸牛，前庭，半規管は正常(IP-II との違い)	IP-II に類似	IP-II に類似

表 8　Sennaroglu らによる内耳奇形の分類(改定後)(つづき)

8. 蝸牛神経管異常(cochlear aperture abnormalities)	・cochlear aperture は cochlear nerve canal, cochlear fossette と同義 ・蝸牛中央レベルで蝸牛神経管径が 1.4 mm 未満 ・蝸牛神経管無形成の場合, 典型的には蝸牛神経は欠損 ・ときに内耳道狭窄(中間点の幅が 2.5 mm 未満)を伴う；内耳道狭窄では MRI で蝸牛神経の確認が必要	多くは重度感音難聴	補聴器のみでは十分でなく, 通常は人工内耳の適応となる

ABI(聴性脳幹インプラント：auditory brain stem implant)
(Sennaroglu L : Cochlear Impnats Int **11**: 4-41, 2010)
(Sennaroglu L, Bajin MD : Balkan Med J **34**: 397-411, 2017)

表 9　内耳・内耳道奇形における主な画像評価項目

蝸牛・前庭の分離可否	
蝸牛	軸形成
	回転数：2.5 回転以上が正常, Mondini 奇形では 1.5 回転
	基底回転の形成
	蝸牛神経孔(内耳底)狭窄の有無：1.5 mm 以下
	蝸牛神経の同定：MRI(true-FISP/CISS)
前庭・外側半規管の拡大	
前庭水管拡大	1.5 mm 以上
内耳道	欠損 狭窄：頭尾側径 1〜2 mm 以下 拡大

頻度に合併し[93], その評価には CT, MRI ともに有用である(図 94, 95, 98, 101)[93, 94].

4) 蝸牛神経無形成・低形成, 蝸牛神経管異常(cochlear nerve hypoplasia/aplasia・cochlear aperture abnormalities)

蝸牛神経の無形成, 低形成は 1997 年に Casselman らにより MRI 所見として最初に記載された[97]. 蝸牛神経無形成は蝸牛神経の欠損, 低形成は内耳道内におけるその他の神経(顔面神経, 上・下前庭神経)よりも細いことで定義される(図 102, 103). 蝸牛神経形成不全は先天性感音難聴例の最大で 18%に相当する[32]. 蝸牛神経の無形成や低形成は必ずしも人工内耳の禁忌とはされないが, 結果は様々であり効果が限定的となる可能性を考慮する必要がある[95, 96]. 蝸牛神経欠損・低形成は内耳道狭窄, 内耳奇形を伴う場合と伴わない場合がある.

MRI, 高分解能 T2 強調像は顔面神経(CN7), 内耳神経(CN8)の脳槽部から内耳道内の描出が可能であり, 人工内耳の適応判断において MRI での蝸牛神経の低形成・無形成の評価は必要不可欠である(図 102, 103)[97, 98]. 健常者の MRI 上, 蝸牛神経は顔面神経とほぼ同等の径(太さ)を示すが(図 102)[99], 聴覚障害者では神経径は小さく, 神経の径がラセン神経節細胞数を反映することから人工内耳の結果に関連する[100]. 内耳道狭窄例では(コントラストの差により神経の輪郭を描出する周囲の脳脊髄液が乏しいことから)蝸牛神経の評価は困難であるが[97], 内耳道狭窄自体が蝸牛神経低形成・欠損を強く示唆する[98, 101]. 内耳奇形では, (CT 所見としての)蝸牛無形成は(MRI 所見での)蝸牛神経低形成・無形成との強い関連性を示す一方で, 前庭水管拡大症, incomplete partition type Ⅱ(Mondini 奇形)では

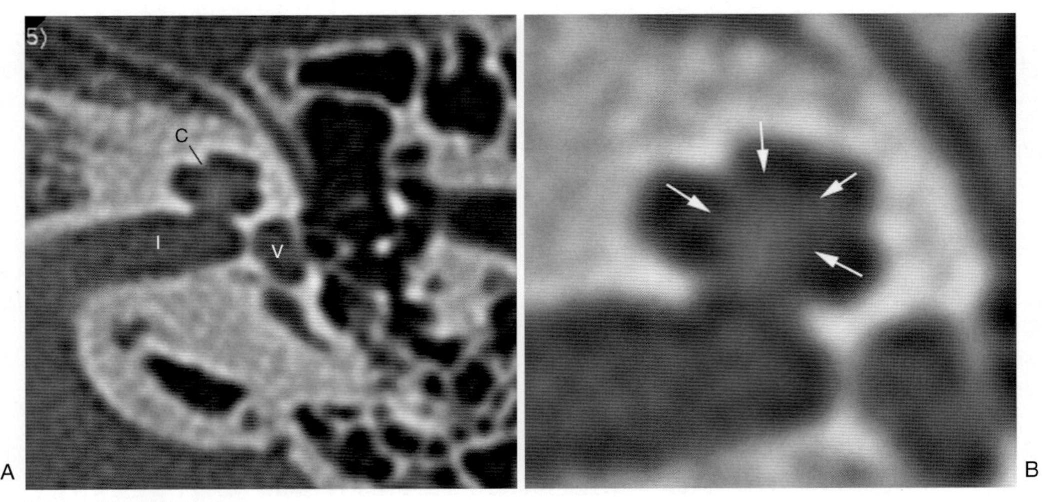

図 86　蝸牛軸正常 CT

A：正常左側頭骨 CT．蝸牛(C)内には蝸牛軸を示す淡い高濃度が確認できる．
B：蝸牛部の拡大．蝸牛軸を矢印で示す．I：内耳道，V：前庭

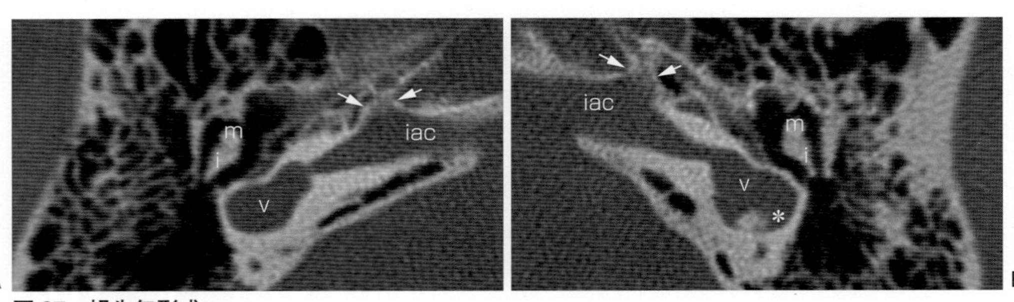

図 87　蝸牛無形成

同一症例の両側側頭骨 CT 横断像(A：右，B：左)．両側ともに内耳道(iac)外側端の後側方に連続するように変形した前庭(v)を認めるが，本来その前方に位置する蝸牛は完全に欠損している．左側(B)では前庭から変形した外側半規管(＊)の分離が可能である．両側ともに正常に発達・含気した鼓室内に正常の形態を示す耳小骨(m：ツチ骨頭部，i：キヌタ骨体部・短脚)を認める．矢印：内耳道底から連続する顔面神経管迷路部

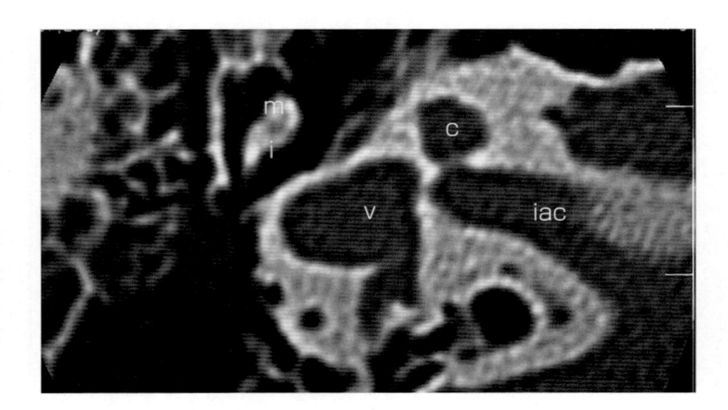

図 88　蝸牛低形成(CH-II)

右側頭骨 CT 横断像において，内耳(iac)底部の前方に通常よりも小さい蝸牛(c)を認める．蝸牛軸や階間中隔の形成は確認されない．同後方には拡大して外側半規管と癒合，嚢胞様を呈する前庭(v)がみられる．正常に発達・含気した鼓室内に正常の形態を示す耳小骨(m：ツチ骨頭部，i：キヌタ骨体部・短脚)を認める．

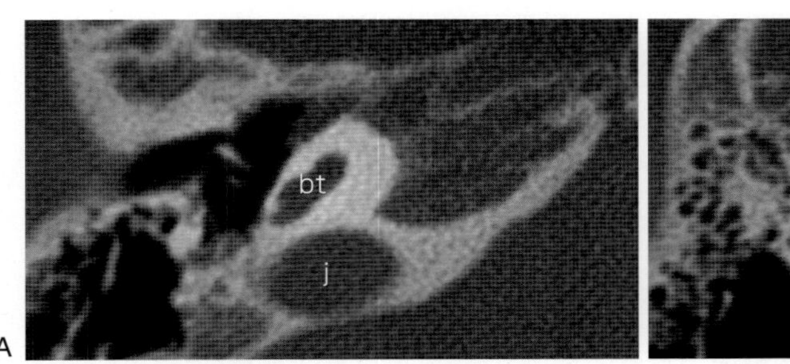

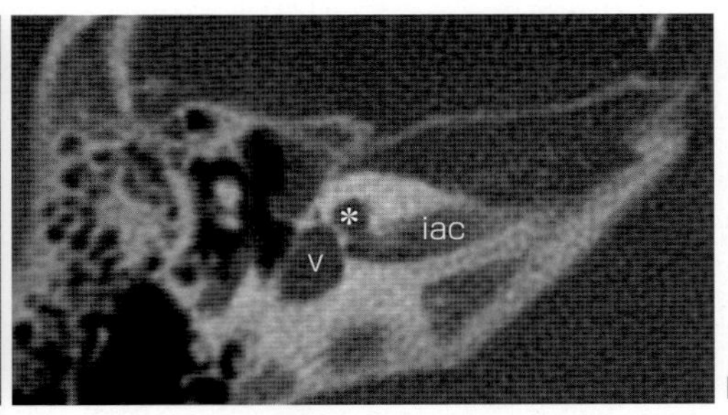

図 89　蝸牛低形成(CH-IV)

中鼓室レベルの右側頭骨 CT 横断像(A)において，正常に形成された蝸牛基底回転(bt)を認める．上鼓室レベルで正常な第 2 回転，頂回転はみられず，高度低形成により小さな嚢胞様所見(＊)を呈するのみである．鼓室の発達，含気は正常で耳小骨の形態的異常も認められない．iac：内耳道，j：頸静脈球，v：前庭．

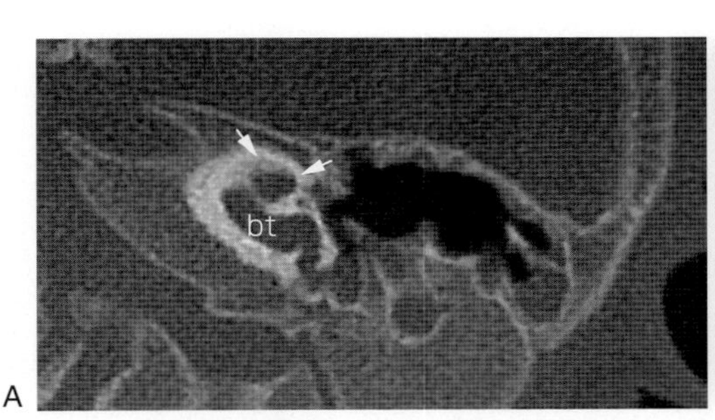

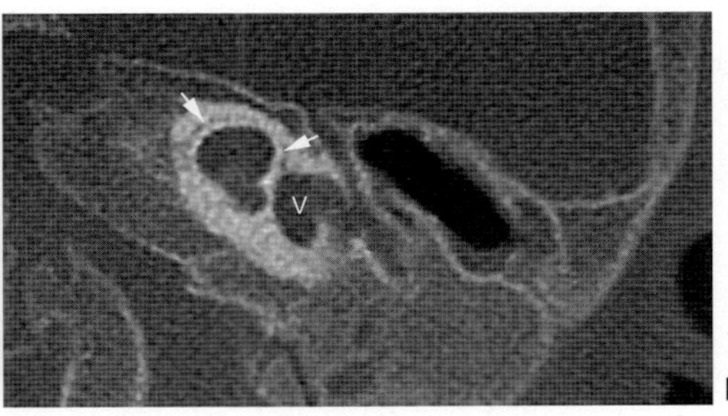

図 90　不完全分離(IP-II)生後 7 ヵ月

左側頭骨 CT 横断像(A：蝸牛基底回転レベル，B：前庭レベル)において蝸牛基底回転(bt)および前庭(v)はほぼ正常の発達を示す．第 2 回転から頂回転の分離は乏しく内部構造(蝸牛軸や階間中隔など)は欠損し，類円形の嚢胞様(矢印)を呈する．前庭水管拡大は認められない．

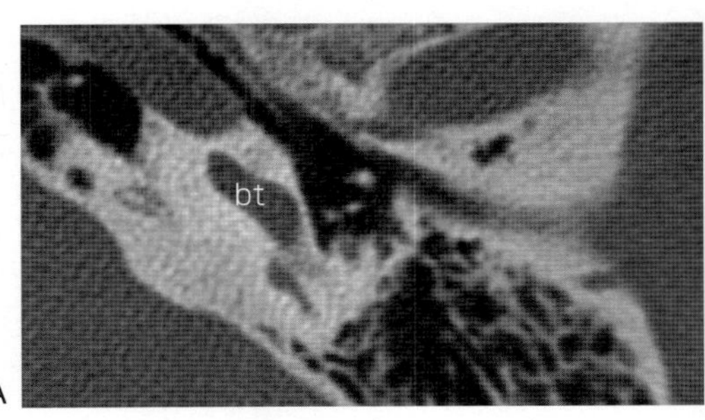

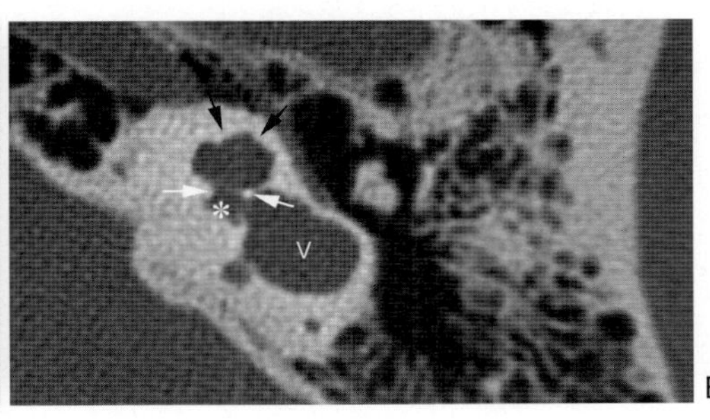

図 91　不完全分離(IP-II)

蝸牛基底回転レベルの左側頭骨 CT 横断像(A)において，基底回転(bt)は正常の形態を示す．前庭レベル(B)では第 2 回転から頂回転の分離は乏しく内部構造(蝸牛軸や階間中隔など)は欠損し，類円形の嚢胞様(黒矢印)を呈する．IP-II に一致する．蝸牛軸の欠損に伴い，内耳道底部(＊)と蝸牛は広く交通(白矢印)しており，gusher のリスクを示唆する．前庭(v)は拡張した外側半規管と癒合を示す．前庭水管拡大は認められない．

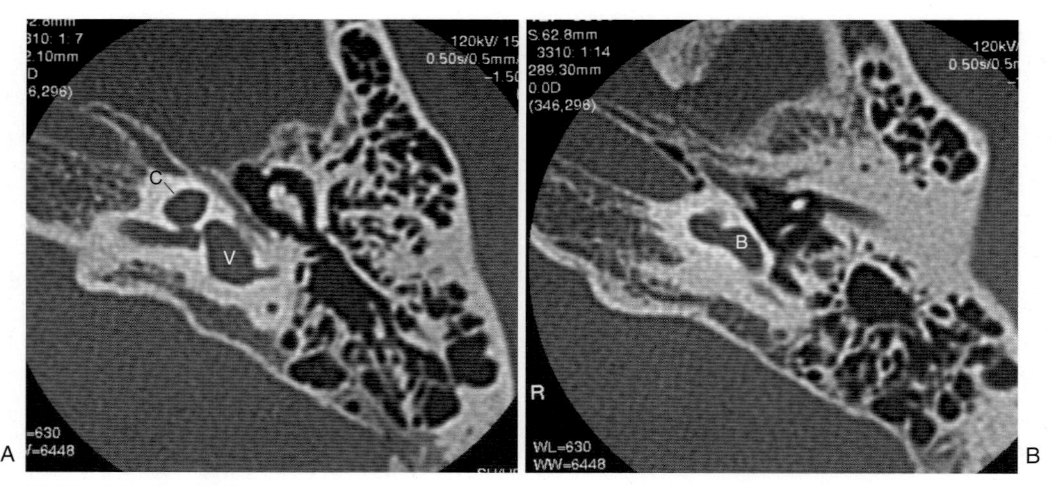

図 92　Mondini 奇形

A：上鼓室レベル横断 CT．蝸牛第 2 回転，頂回転は卵円形の腔(C)を形成しており，蝸牛軸の形成も確認できない．前庭(V)の拡大が認められる．

B：数 mm 尾側．比較的正常の形態を保つ蝸牛基底回転(B)が描出されている．

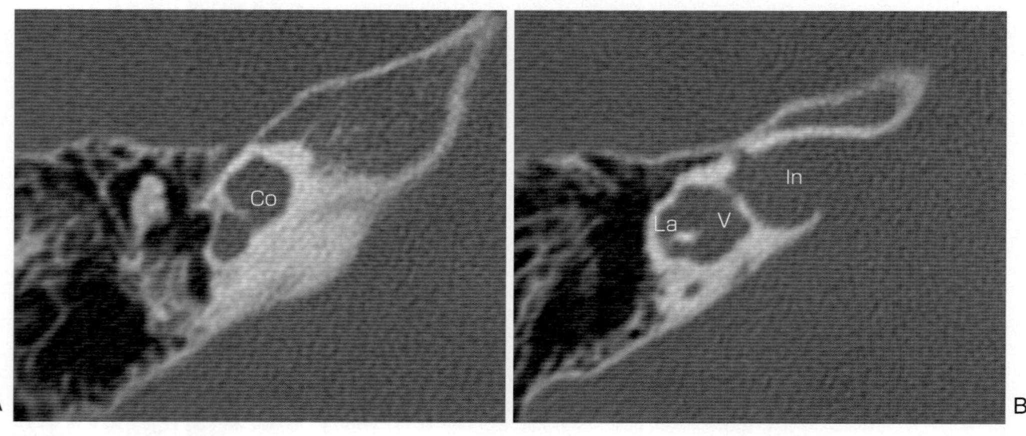

図 93　Mondini 奇形

蝸牛レベルの右側頭骨 CT 横断像で，蝸牛(Co)は基底回転の大きさは保たれるが，第 2 回転，頂回転の区分は不明瞭である．内耳道(In)レベル(B)において，前庭(V)と外側半規管(La)は軽度拡大傾向とともに変形を示し，いずれも内耳奇形を反映する．

関連は小さいとされる[101]．

また，内耳道底部の(蝸牛神経が蝸牛軸に進入する)蝸牛神経管(cochlear nerve canal)(図 13)は多くの名称(例：spinal foraminous tract，cochlear aperture，cochlear fossette)を有するが，先天性感音難聴例で蝸牛神経管は狭い傾向にあり，蝸牛神経管が狭い例ではしばしば蝸牛神経低形成・無形成を伴うとされる[102]．Papsin は内耳道あるいは蝸牛神経管狭窄例で人工内耳の結果が不良であることを報告している[31]．高分解能 CT の診断基準として横断像で 1.4 mm 以下とするのが一般的(図 104〜106)[103]であり，狭窄の程度が感音難聴の重症度と関連するとされている[102]．高分解能 CT 上，蝸牛神経管が完全な骨性閉鎖を示す場合(図 105，106)は蝸牛神経無形成と考えられる[86]．Clemmens らは高分解能 CT での蝸牛神経管狭窄の所見は MRI での蝸牛神経形成不全の所見との相関が高く，小児感音難聴例の評価として

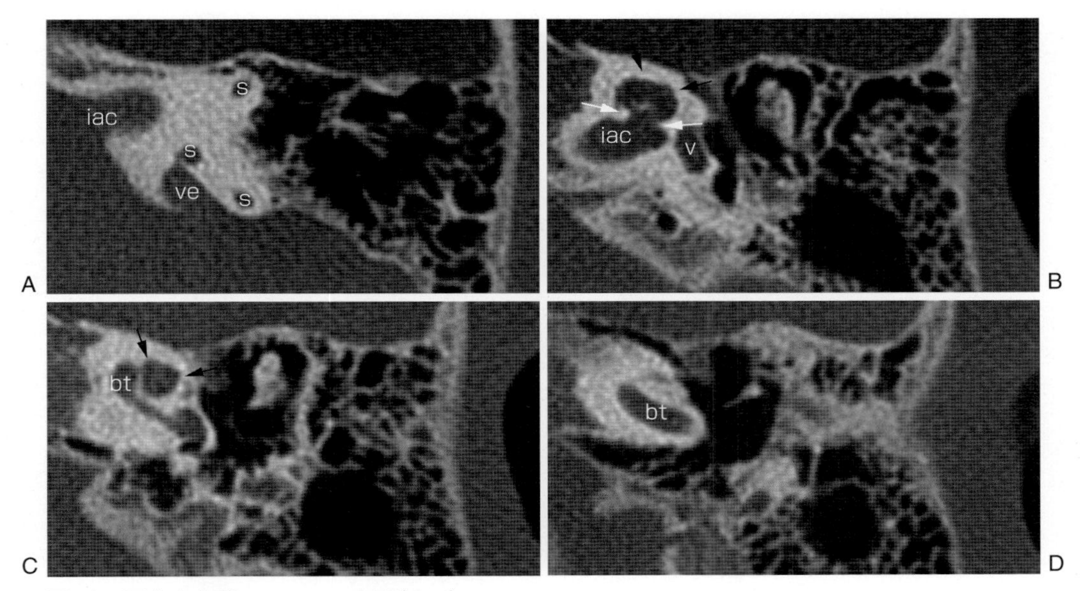

図 94　不完全分離・Mondini 奇形（IP-II）

鼓室天蓋から上鼓室レベルの左側頭骨 CT 横断像，頭側から順に A～D．蝸牛基底回転（bt）は正常な形態を示すのに対して，第 2 回転から頂回転の分離は乏しく（黒矢印），IP-II に相当する．錐体骨後面から前方に向かう拡大した前庭水管（ve）を認め，上記とともに Mondini 奇形に相当する．蝸牛軸の形成も不良であり，内耳道底部と蝸牛との間に広い交通（白矢印）がみられ，gusher のリスクを示唆する．s：半規管，v：前庭

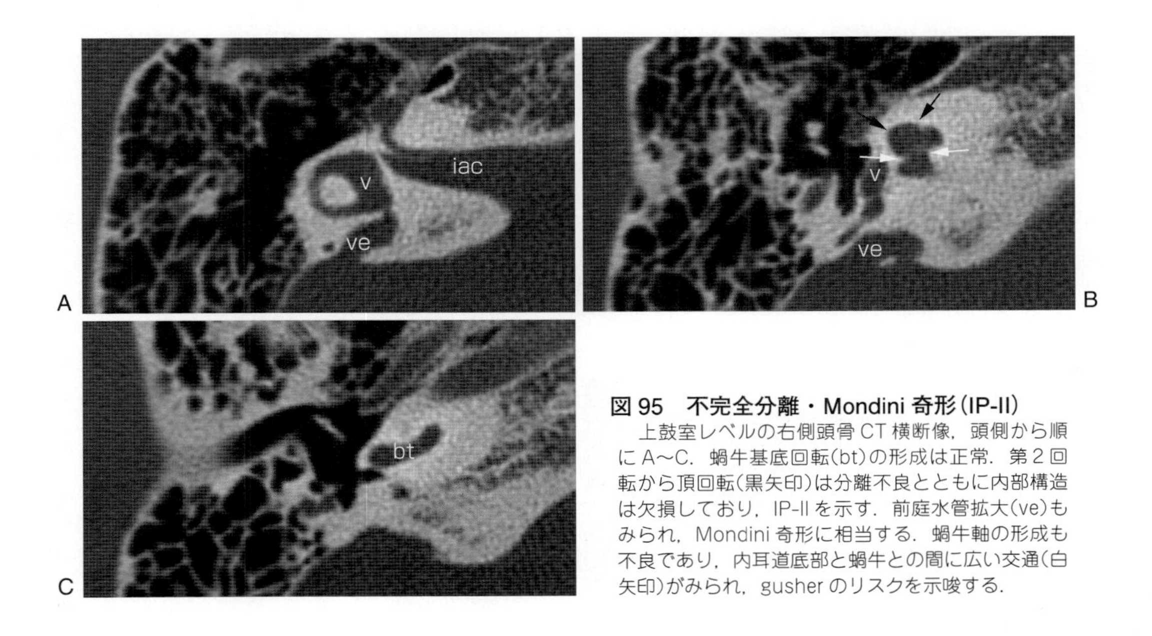

図 95　不完全分離・Mondini 奇形（IP-II）

上鼓室レベルの右側頭骨 CT 横断像，頭側から順に A～C．蝸牛基底回転（bt）の形成は正常．第 2 回転から頂回転（黒矢印）は分離不良とともに内部構造は欠損しており，IP-II を示す．前庭水管拡大（ve）もみられ，Mondini 奇形に相当する．蝸牛軸の形成も不良であり，内耳道底部と蝸牛との間に広い交通（白矢印）がみられ，gusher のリスクを示唆する．

CT が有用であるとしている[104]．ただし，蝸牛神経管狭窄は片側性の先天性感音難聴例の 60％程度[103, 105]であり，残る約 3 分の 1 では正常であることを認識しておく必要がある．小児感音難聴では片側例の方が両側例と比較して蝸牛神経管狭窄の割合が高い[106]．また，小児の片側性蝸牛神経管狭窄例では，健常者と比較して患側のみでなく健側の蝸牛，前庭機能も異常を示すとされる[107]．

通常は重度の感音難聴を示し，補聴器では不十

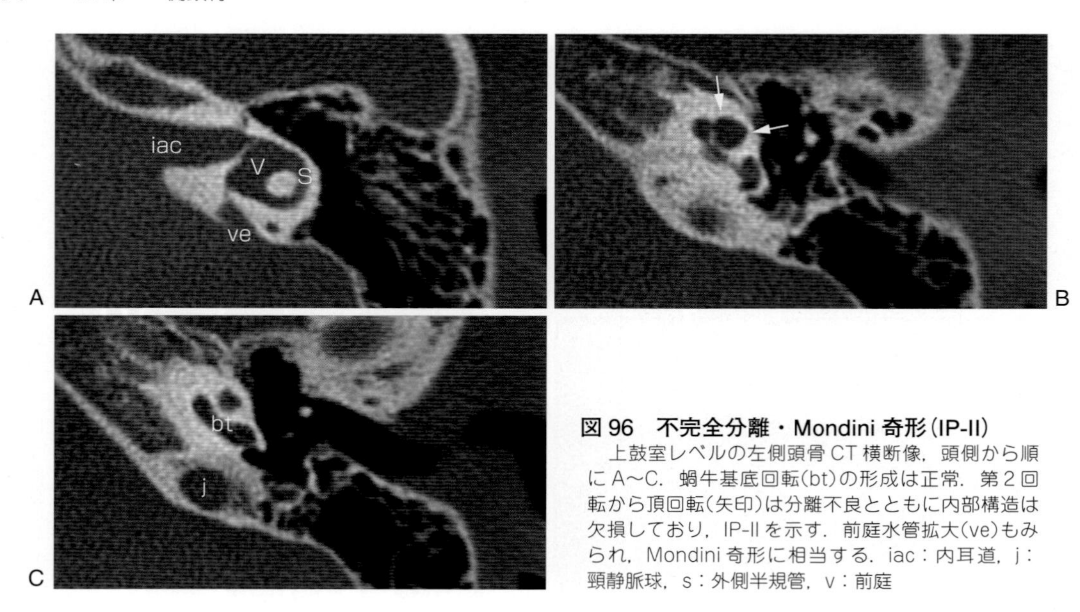

図96 不完全分離・Mondini奇形(IP-II)

上鼓室レベルの左側頭骨CT横断像. 頭側から順にA〜C. 蝸牛基底回転(bt)の形成は正常. 第2回転から頂回転(矢印)は分離不良とともに内部構造は欠損しており, IP-IIを示す. 前庭水管拡大(ve)もみられ, Mondini奇形に相当する. iac：内耳道, j：頸静脈球, s：外側半規管, v：前庭

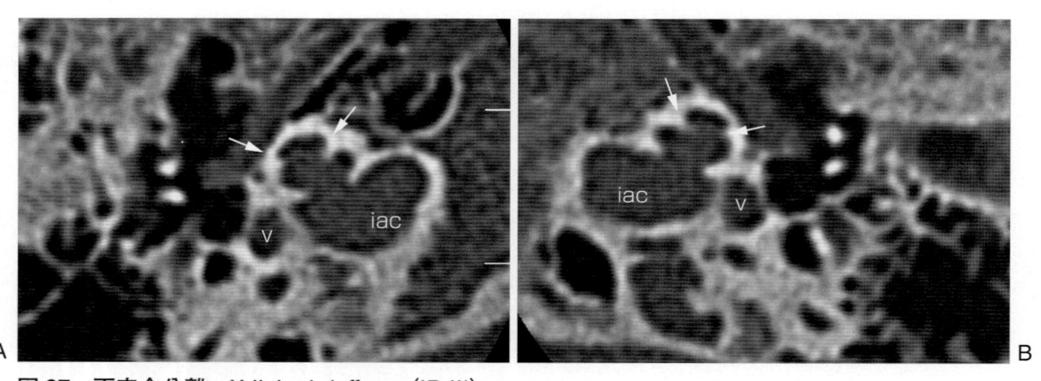

図97 不完全分離・X-linked deffness(IP-III)

両側側頭骨CT横断像(A：右, B：左). 両側ともに蝸牛(矢印)において階間中隔はみられるが, 蝸牛軸は完全欠損を示す. 内耳道(iac)は対称性に拡張傾向あり. v：前庭

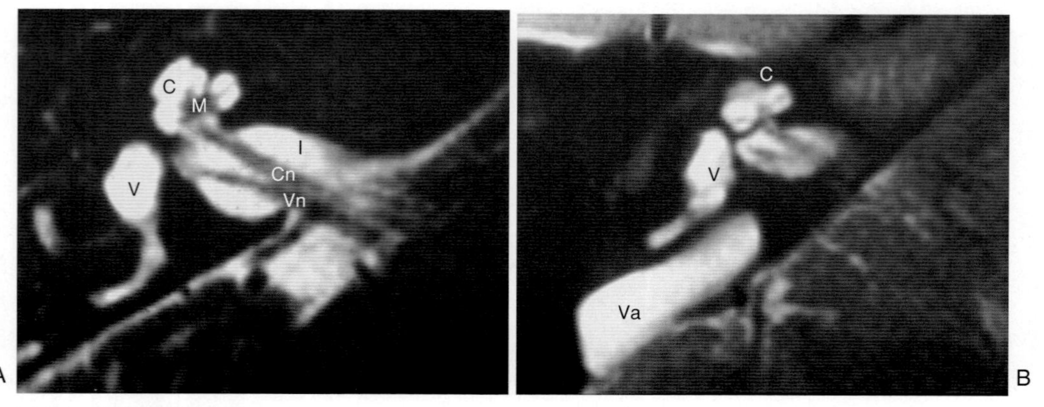

図98 蝸牛軸低形成

A：正常右側頭骨MRI, CISS横断像. 内・外リンパの高信号で満たされる蝸牛(C)の中心に低信号構造として蝸牛軸(M)が確認できる. Cn：蝸牛神経, I：内耳道, V：前庭, Vn：前庭神経

B：蝸牛軸欠損例. 蝸牛軸低形成を示す. 前庭水管拡大(Va)を伴っている.

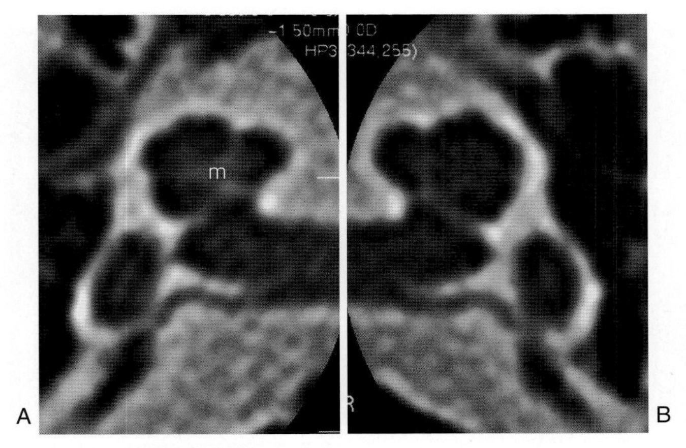

図 99　左蝸牛軸欠損

右側頭骨 CT（A）では蝸牛の中心に淡い高濃度として認められる蝸牛軸（m）は左側（B）では同定されない．

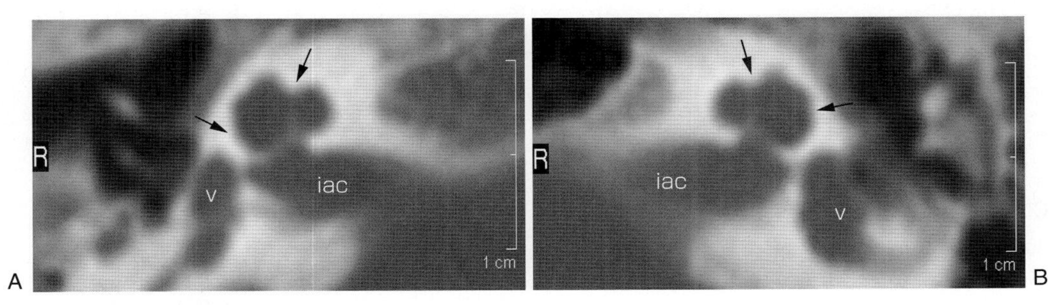

図 100　蝸牛軸欠損

両側側頭骨 CT 横断像（A：右，B：左）．両側ともに蝸牛（矢印）の軸形成は不良．iac：内耳道，v：前庭

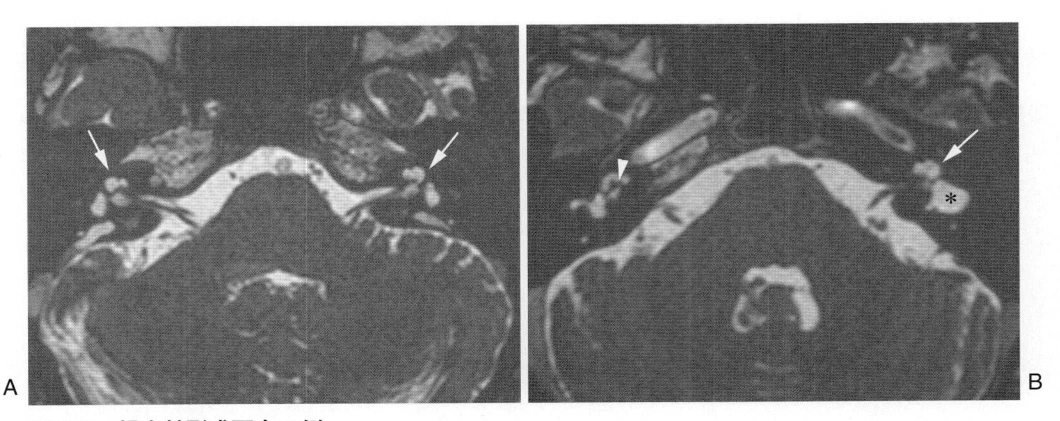

図 101　蝸牛軸形成不全 2 例

後頭蓋窩レベル MRI，true-FISP（A）において，両側蝸牛（矢印）の軸形成不全あり（図 98 参照）．別症例（B）において，左側では前庭と外側半規管は拡大・融合（＊）を示す．左蝸牛（矢印）では，健側で確認可能な蝸牛軸（矢頭）の描出は不良であり，低形成を示す．

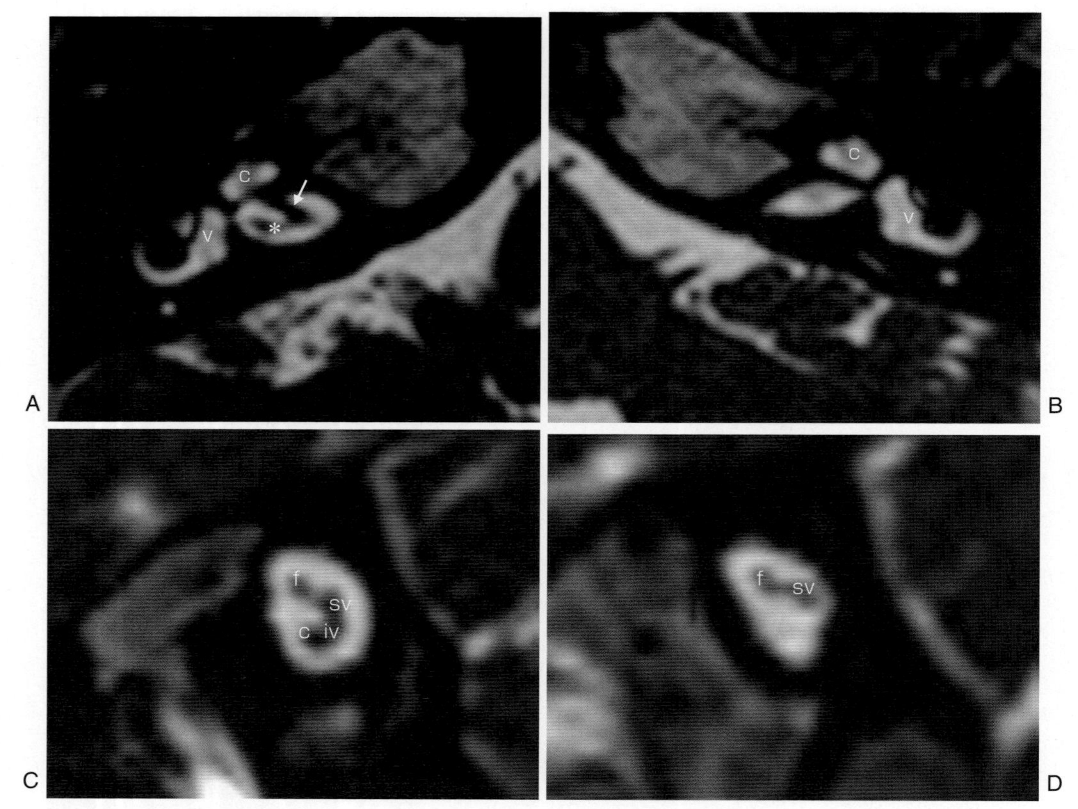

図 102　蝸牛神経欠損(左側)

側頭骨 MRI，高分解能 T2 強調横断像(A：右側，B：左側)．右側(A)で蝸牛神経(矢印)，下前庭神経(＊)が内耳道内に描出されている．左側(B)では内耳道の狭窄がみられ，蝸牛神経・前庭神経は同定されない．c：蝸牛，v：前庭

右内耳道の矢状断像(C)で顔面神経(f)，蝸牛神経(c)，上前庭神経(sv)，下前庭神経(iv)の 4 本の神経が確認されるが，左内耳道(C)では顔面神経(f)，上前庭神経(sv)のみであり，蝸牛神経(c)，下前庭神経(iv)は同定されない．

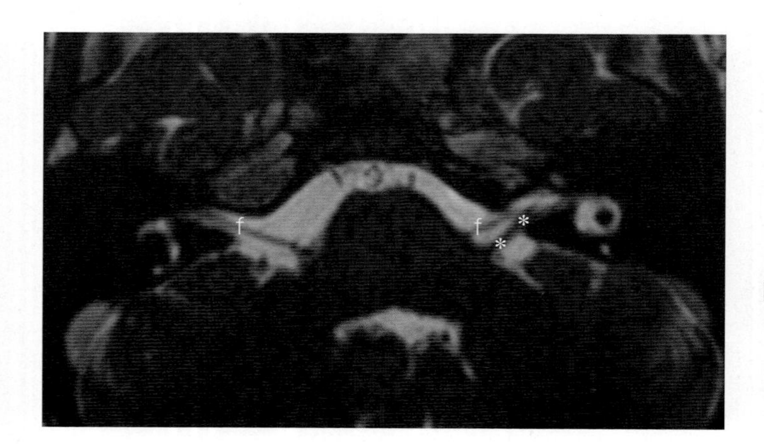

図 103　蝸牛神経欠損(右側)

後頭蓋窩 MRI，内耳道レベルでの高分解能 T2 強調横断像．左側では橋の外側から出て小脳胸郭部から内耳道内に進入する顔面神経(f)，聴神経(＊)の 2 本が描出されるが，右側では顔面神経(f)の 1 本のみが同定される．

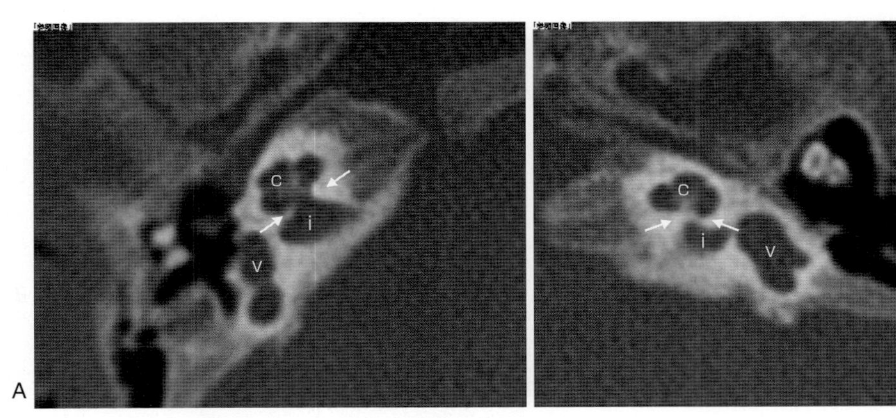

図 104　蝸牛神経管狭窄（左片側の感音難聴例）

両側の側頭骨 CT 横断像（A：右側，B：左側）．内耳道底部（i）から蝸牛（c）に連続する蝸牛神経管（矢印）は，右側（A）と比較して（感音難聴を呈する）左側（B）で狭窄を示す．前庭（v）も左側（B）で形成不全を示す．

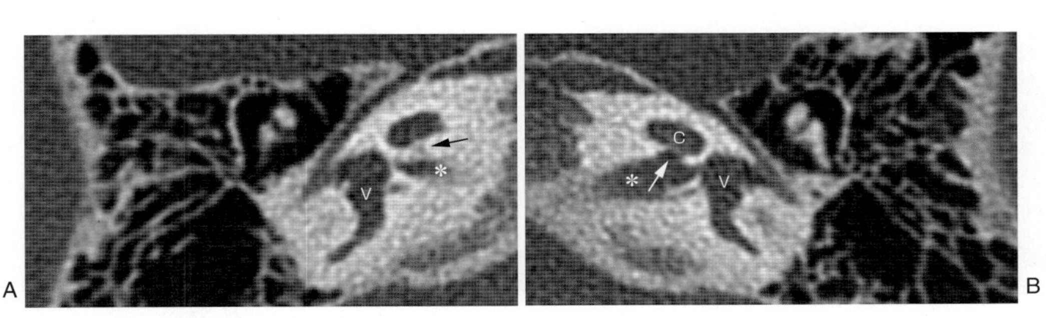

図 105　蝸牛神経管狭窄〔右側〕

両側側頭骨 CT 横断像（A：右，B：左）．内耳道（*）底部と蝸牛（c）との間の蝸牛神経管は健側（白矢印）と比較して右側（黒矢印）は高度の狭小化し，瘢痕様に認められるのみである．v：前庭．鼓室の発達，含気，耳小骨形成は正常にみられる．

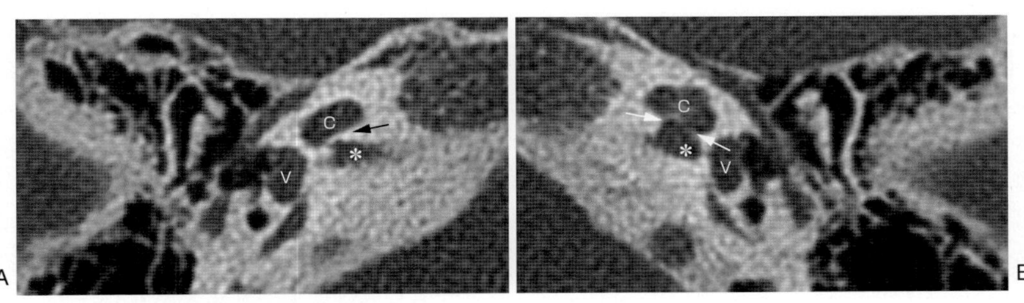

図 106　蝸牛神経管骨性閉鎖〔右側〕

両側側頭骨 CT 横断像（A：右，B：左）．内耳道（*）底部と蝸牛（c）との間で，健側では同定可能な蝸牛神経管（白矢印）は完全な骨性閉鎖（黒矢印）により連続性は確認されない．鼓室の発達，含気，耳小骨形成は正常にみられる．v：前庭

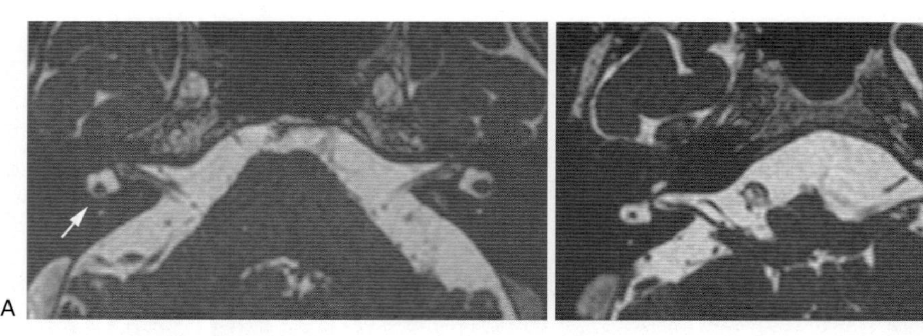

図107　外側半規管拡大
側頭骨レベルのMRI，true-FISP横断像(A)において，右側では前庭と外側半規管は軽度の拡大・変形を示す(矢印)．別症例(B)では，所見はより高度であり，左側の前庭と外側半規管は拡大・融合を示す(矢印)．

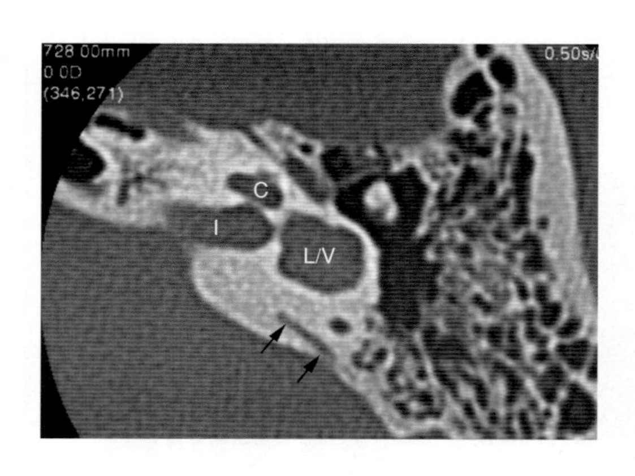

図108　外側半規管拡大
拡大した外側半規管と前庭(L/V)は一塊となり，腔を形成している．前庭水管(矢印)の拡大は認められない．C：蝸牛，I：内耳道

分な場合が多い．両側性では補聴器の使用が必要であり，十分な聴力が得られない場合は人工内耳の適応となる．さらに人工内耳でも十分でなければABIが必要となる場合もある．蝸牛神経管の完全閉鎖例はABIが第一選択となる．

5) 外側半規管拡張(lateral semicircular canal dysplasia)

3つの半規管のうち，発達時期の関係より外側半規管が最も障害を受けやすい．正常半規管径はほぼ常に0.8～1.0 mmであるが，発生障害では拡張を示し，ときに拡大した前庭と融合する(lateral semicircular canal-vestibule dysplasia：LCVD)(図88，91，101B，107B，108)．軽度の拡張(図93，107A，109)では感音難聴は軽度な場合も多く，他の目的で撮像されたCTやMRIにおいて偶発的に発見される例もある[108]．まれに後半規管に限局した形成不全を示す場合あり(図110)．

6) 前庭水管拡大症(large vestibular aqueduct syndrome：LVAS)

錐体骨後面硬膜下にある内リンパ嚢から前庭に連続する内リンパ水管を容れる骨の解剖が前庭水管であり，1779年にナポリの解剖学者Domenico Cotugnoが最初に記載している[109]．形態的には内リンパ管(前庭水管の膜迷路解剖)は一定の形状，大きさを示すが内リンパ嚢は表面で最大17倍までの個体差を示すとされる[110]．一方，前庭水管拡大に関しては1971年にCarlo Mondiniが不完全分離(IP-II；いわゆるMondini奇形)と関連する側頭骨解剖で初めて記載した[111]．画像上最も多い内耳奇形で小児感音難聴の13～15％を占めるが[108, 112, 113]，現在では染色体異常による所見として広く認識されている．なおSennarogluの分類(表8：p849)にある「前庭水管拡大」はValbassori基準(後述；中間点での径が1.5 mm以上)をもとにするが，蝸牛，前庭は正常と規定されている[86]．既述のとおり，蝸牛低形成(CH-

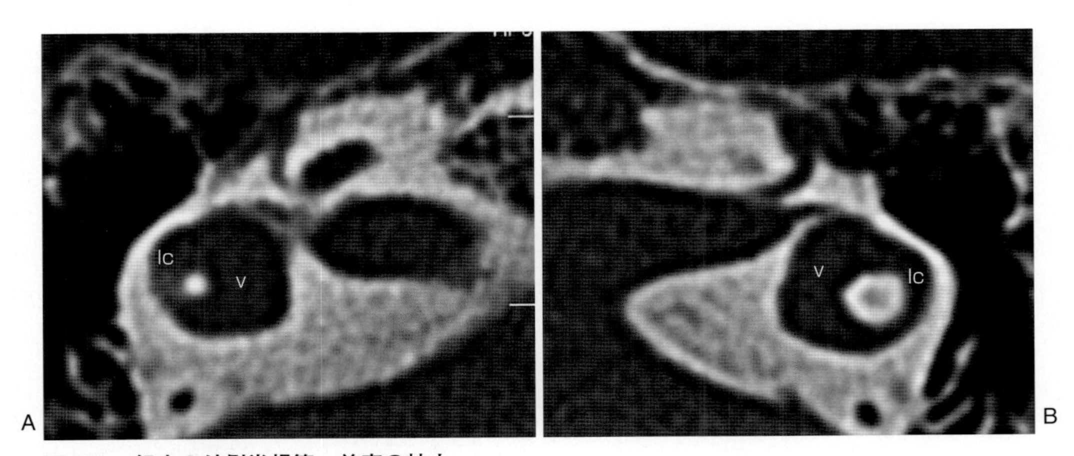

図 109　軽度の外側半規管・前庭の拡大
両側の側頭骨 CT 横断像(A：右側，B：左側)．右側(A)では，左側(B)と比較して，外側半規管(lc)，前庭(v)は軽度拡大を示す．

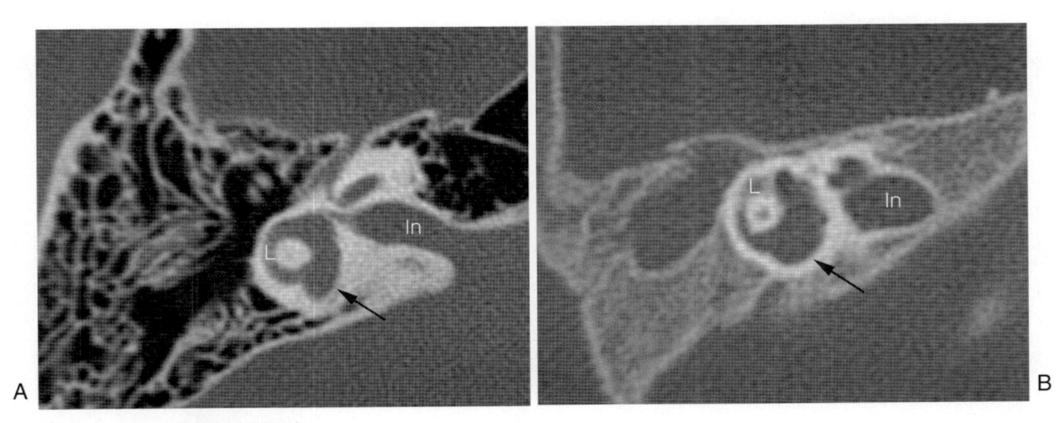

図 110　後半規管形成不全
2 例の右側頭骨横断 CT(A，B)において，後半規管は憩室様(矢印)を呈し，形成不全を示す．In：内耳道，L：外側半規管

II)，Mondini 奇形(IP-II)では前庭水管拡大がみられることから，同分類での「前庭水管拡大」はあくまで単独奇形に対して狭義に定義されたものであり，「前庭水管拡大(症)」はより幅広く臨床的に適用される用語として理解される．

前庭水管の拡張・拡大の有無に関しては高分解能 CT 骨条件表示で正確な評価が可能であり，従来から小児感音難聴例に対する標準的な画像診断モダリティとされてきた(図 111，112)[114]．一方，MRI の高分解能 T2 強調像も内リンパ管のリンパ液の存在により信頼性の高い前庭水管拡大の描出・診断(図 98，113)が可能とされる．CT は検査効率，医療経済性に優れるが，小児の放射線に対する感度は最大で成人の 10 倍であり，放射線誘発性の二次癌発生リスクが考慮される[115]．CT と MRI のモダリティ選択は，年齢，得られる患者協力の程度，併存する他病態，小児麻酔科の体制などの施設環境などを考慮して最終的には患者ごとに判断されるべきである[116, 117]．なお，前庭水管は骨迷路の解剖であることから MRI 追加による診断能向上はみられない．前庭水管径に関してはいくつかの診断基準が示されているが，内リンパ嚢に隣接する部位において前庭水管径は 1.5 mm を超えない[114, 118]．また，正常前庭水管

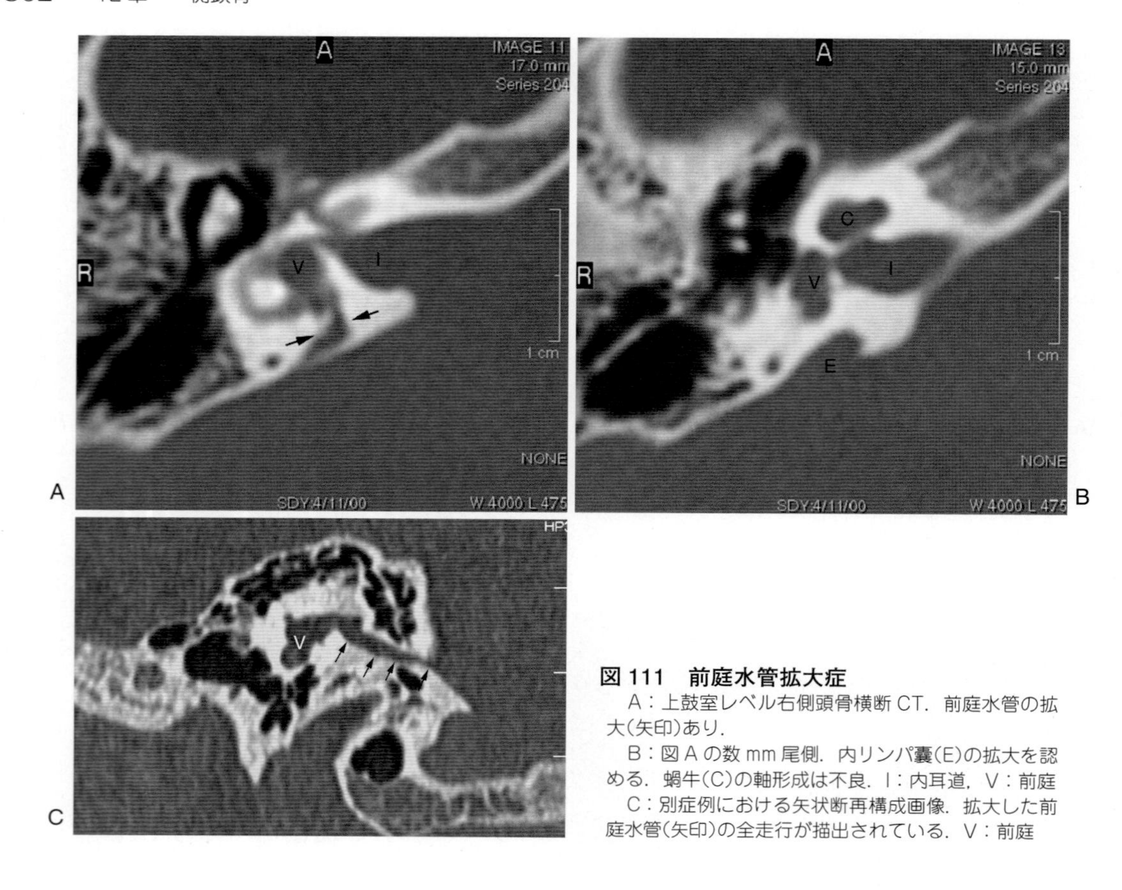

図 111　前庭水管拡大症

A：上鼓室レベル右側頭骨横断 CT．前庭水管の拡大(矢印)あり．

B：図 A の数 mm 尾側．内リンパ嚢(E)の拡大を認める．蝸牛(C)の軸形成は不良．I：内耳道，V：前庭

C：別症例における矢状断再構成画像．拡大した前庭水管(矢印)の全走行が描出されている．V：前庭

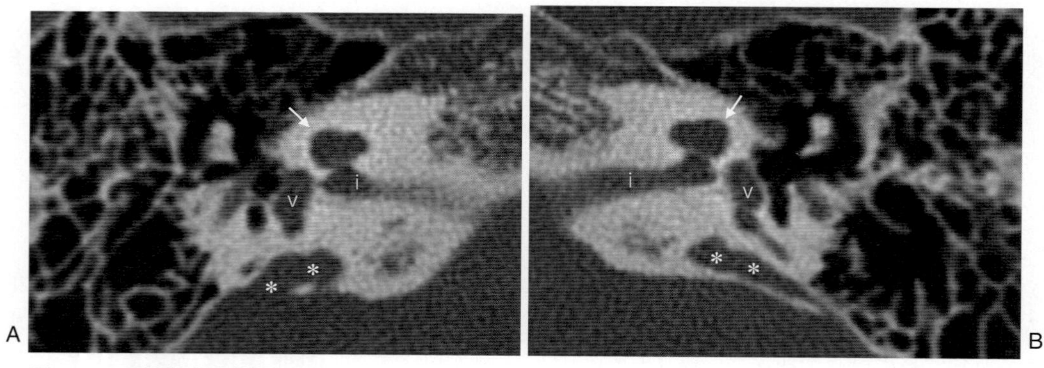

図 112　両側前庭水管拡大症

両側の側頭骨 CT 横断像(A：右側，B：左側)．両側で錐体骨後面から前庭(v)に向かい拡大した前庭水管(＊)を認める．両側蝸牛(矢印)の軸形成は不良．i：内耳道

径は通常，半規管径を超えないとされる[119]．一般には前庭水管の中間点で 1.5 mm とする Valvassori 基準[118]あるいは，最近提唱された中間点で 0.9 mm あるいは開口部で 1.9 mm とする Cincinnati 基準[120]による．Cincinnati 基準は Valvassori 基準と比較して感度が高く，有用性が高いとの報告がある[121, 122]．近接する(後)半規管径は 0.8～1 mm であり，半規管径との比較で判断するのが実践的である．女性にやや多く(男女比は 1：1.1～1.4)，3 分の 2(本邦では 91.1％)が

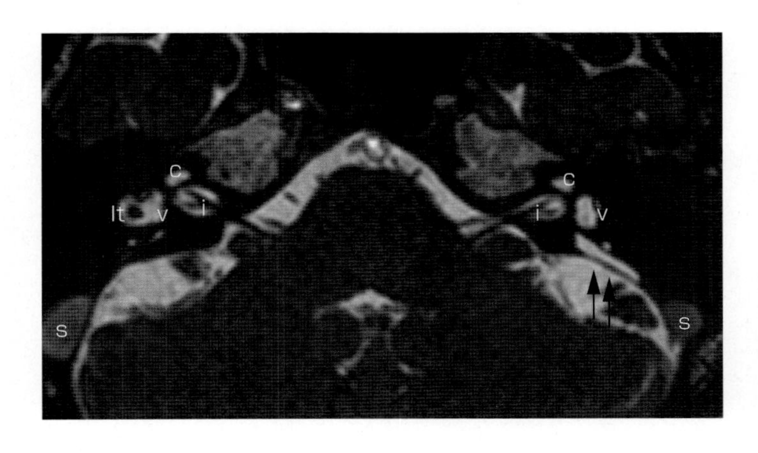

図 113　前庭水管拡大
内耳道レベル高分解能 T2 強調横断像．左錐体骨後面に沿って拡張した内リンパ嚢から内リンパ管の(リンパ液による)高信号(矢印)を認め，前庭水管拡大症に一致する．c：蝸牛，i：内耳道，lt：外側半規管，s：S 状静脈洞，v：前庭

両側性(図 112)で，60％で他の内耳奇形(蝸牛軸形成不全など)を合併(図 98，112)する[93, 118, 123]．前庭水管拡大で他の内耳奇形がある例とない例との間で前庭水管拡大の形態に有意な差はみられない[124]．

初発症状は感音難聴が最も多く約 90％で，めまい・前庭症状がこれに次ぐ(約 9％)[123]．幼少期より完全な聾を示すものから成人まで比較的安定した聴力を維持するものまで幅広いが，約 90％が小児期に初発，多くは聴力変動を伴いながら緩徐に進行する非可逆性の感音難聴(ただし，一部は混合難聴)を呈する．約半数(48.4％)が 10dB を超える差で非対称性の難聴を示すとされる[123]．どの時点で難聴を生じるかの予測は困難であるが，頭部外傷(の他，Valsalva 手技，上気道感染，高熱，音響外傷など)により進行が加速する[125]．(ラグビー，アメリカンフットボールなど)接触のあるスポーツ，スキューバダイビングや Valsalva 手技，ウエイトリフティングなどは回避するのが望ましい．頭部外傷(3.0～25.9％)，圧外傷・Valsalva 手技(6.3～16.6％)，上気道感染(3.7～25％)等が突発性難聴を誘発するとされるが，本邦での検討では頭部外傷が 5.3％，上気道感染が 5.0％と従来報告ほどの頻度ではないとしている[123]．また，年齢(10 歳以上)，頭部外傷の既往，Pendred 症候群は変動性難聴，めまい・前庭症状のリスク因子とされる[123]．

内リンパ嚢，内リンパ水管の機能は十分には明らかにされていないが，聴覚，前庭覚の脳への伝達に必要な内リンパ液の量やイオン組成の維持に機能していると考えられている．前庭水管拡大症ではこれらの機能が障害され，内リンパ液の組成の維持が困難となり，頭部外傷などによる脳圧の変動，脳脊髄液の波動が内耳に伝播，内耳障害を誘発するとされる．

前庭水管，内リンパ嚢の拡大の程度と感音難聴の重症度との相関については議論もあるが，Antonelli らは CT 所見に対して grading を行っており，より高い grade(より高度の前庭水管拡大)はオーディオグラムにおいてより高度の難聴を示すと報告している[126]．Sepncer は meta-analysis において前庭水管径と感音難聴が直線的相関を示すと報告している[127]．なお，Meniere 病患者では前庭水管が小さいことが報告されている[127]．

重度難聴の患者では内科的治療や補聴器での聴力改善はなく人工内耳の適応となる[128]．通常，顔面神経窩アプローチがとられる．顔面神経管の前方偏位は顔面神経窩に対する視野確保の困難性，蝸牛への電極との抵触・圧排，顔面神経の(術中)医原性損傷の原因となるために術前 CT での確認が必要であるが[129]，前庭水管拡大症と健常者との間で顔面神経管の局在に有意な差はない[124]．

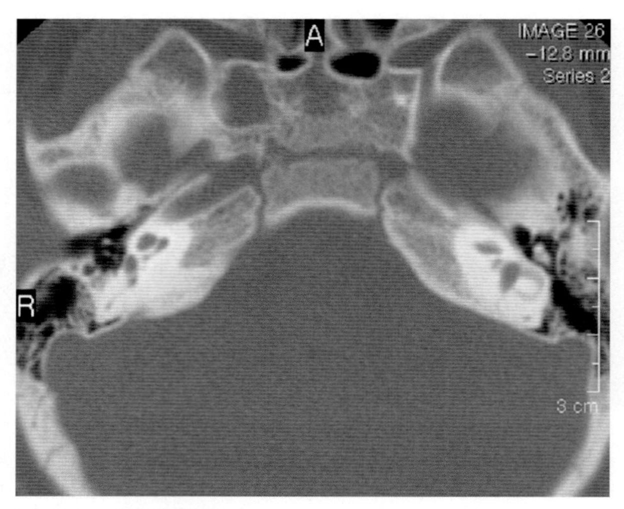

図 114　内耳道閉鎖
両側ともに内耳道の形成を認めない.

e. 内耳道閉鎖・狭窄(internal auditory canal stenosis/atresia)

内耳道閉鎖(図 114)・狭窄(図 115)は片側性あるいは両側性としてまれに認められるが，先天性感音難聴の約 12%で内耳道狭窄を示すとされる[83, 130]．内耳道狭窄は後述の重複内耳道との合併の報告も多い．内耳道(図 12，13)の発生は前庭・蝸牛神経線維を覆う中胚葉が軟骨，さらに骨化することにより形成されるため，蝸牛・前庭神経の発達が深く関与する．内耳道狭窄・閉鎖と蝸牛・前庭神経の欠損との相関が報告されており，人工内耳の適応決定では重要な因子となる[98, 131]．

高分解能 CT において，正常内耳道径は 2〜8 mm，平均 4 mm であり，2 mm 以下の場合を内耳道狭窄とし，通常は高度の感音難聴を伴う[132, 133]．他の内耳奇形，心奇形，多発嚢胞腎，骨格奇形，消化管閉鎖などの他の奇形との合併の頻度も高い．顔面神経管は走行変異を示し，注意を要する[134]．

f. 重複内耳道(duplicated internal auditory canal)

2つの狭小化した内耳道を有するまれな奇形で，蝸牛神経の低形成・無形成を伴う場合が多い．通常は片側性．重複する内耳道は上下に位置し，通常，上は顔面神経，上前庭神経，下は(含まれるとすれば)蝸牛神経，下前庭神経を容れる(図 115，116)．顔面神経の機能は保たれている．内耳奇形合併例も認められる．高分解能 CT で正確な診断が可能であるが[135]，蝸牛神経，前庭神経の有無に関しては MRI の評価が必要となる．蝸牛神経機能の有無は人工内耳の適応決定において，重要な要素である．

g. 血管走行異常

側頭骨では内頸動・静脈の走行異常を認める．内頸動脈の発生異常では胎児動脈の遺残がみられる場合が多い．これらは拍動性耳鳴や異常血管と耳小骨連鎖との接触による伝音難聴の原因となりうる．これらの血管走行異常を腫瘍などと誤認して生検に及ぶと非常に危険であり，画像診断医が臨床医にその危険性を知らせることは重要である．以下にその代表を示す．

1）内頸動脈走行異常(aberrant carotid artery)

頭蓋外・内移行部における内頸動脈の形成異常により，上行咽頭動脈の枝である“下鼓室動脈(inferior tympanic artery)”と胎児動脈である舌骨動脈の遺残として錐体部頸動脈水平部から出る“頸動脈鼓室動脈(caroticotympanic artery)”が吻合して内頸動脈欠損部を置換することにより生じる走行変異である[136, 137]．現在は第 1 および第 2 鰓弓の発生異常のひとつとして広く受け入れら

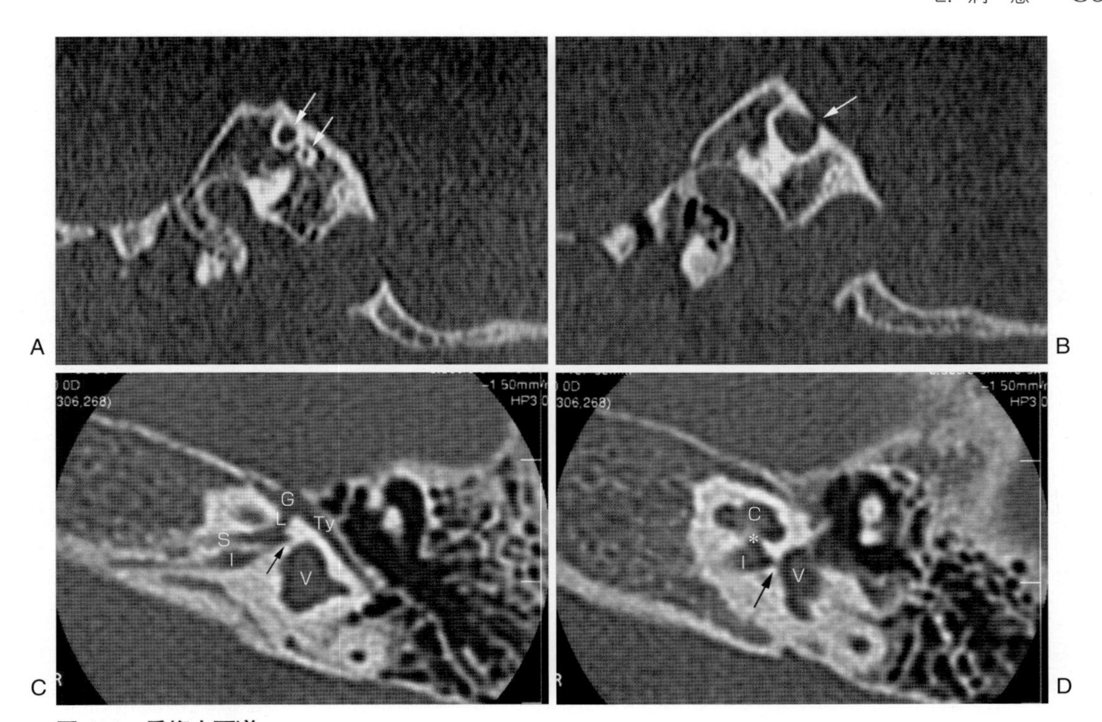

図 115　重複内耳道

左側頭骨矢状断 CT（A）において，上下斜めに配置する，小さな 2 つの内耳道（矢印）を認める．健側（B）の正常内耳道（矢印）．左錐体骨横断 CT（C）で，頭側の内耳道（S）から，前方では顔面神経管（L：迷路部，G：膝神経節，Ty：鼓室部），後方では上前庭神経が通過する小管（矢印）が連続する．前庭（V）は拡大傾向を示す．I：尾側の内耳道．わずかに尾側レベル（D）において，尾側の内耳道（I）の前方では蝸牛（C）に向かう蝸牛神経の通過する spiral foraminous tract（＊），後方では下前庭神経の通過する小管（矢印）が連続する．V：前庭

れている[138]．正常であれば内頸動脈は茎状突起の内側，頸静脈孔の前方で錐体骨下面から頸動脈管に入り，垂直部として頭側に向かう．同部は鼓室に近接して走行し通常は 0.5 mm の薄い骨壁で囲まれるが，小児で不規則な骨壁欠損を示したり高齢者で骨吸収に伴う欠損を示す場合がある[138]．走行異常では，側頭骨内において通常よりも外側に位置し，鼓室内側前方より鼓室内に膨隆するように走行する（図 117，118）．蝸牛後外側で鼓室内に入り，岬角に沿って前内側に向かって走行，頸動脈管水平部に移行する．無症候性の場合もあるが，拍動性耳鳴，耳小骨（通常はツチ骨柄）との接触による伝音難聴の他，耳痛などを訴える[139, 140]．鼓膜所見として，拍動性，赤色調の retrotympanic mass を前下部に認め，傍神経節腫瘍（glomus tympanicum type あるいは glomus jugulotympanicum type），コレステリン肉芽，血管腫・血管奇形，耳硬化症などが鑑別となりうる[136, 141]．診断には CT（CTA：CT angiography）の有用性が高く第一選択となる[137, 142]．非造影 CT でも診断可能であるが，他病変との鑑別などを考慮し確定診断に至るためには造影 CT が必要になる場合も少なくない．通常の内頸動脈（管）垂直部の欠損，下鼓室小管の拡大，下鼓室を走行する骨壁に覆われない内頸動脈の存在により診断される[143]．Lapayowker らは，CT 冠状断像において内頸動脈の側方進展の正常範囲として "vestibular line（前庭の最外側部に対する垂直の接線）" を設定し，これよりもさらに外側に進展するものを内頸動脈走行異常とする基準として示している[144]．走行異常を示す内頸動脈の骨壁欠損も CT 冠状断像で確認するが，傍神経節腫瘍では同骨壁が保たれる傾向にある[145]．一度，内頸動脈走行異常が診断されると外科的介入は回避する必要があり，特に鼓膜チューブ挿入や中耳手術では大出血や仮性動脈瘤形成のリスクがある[138]．

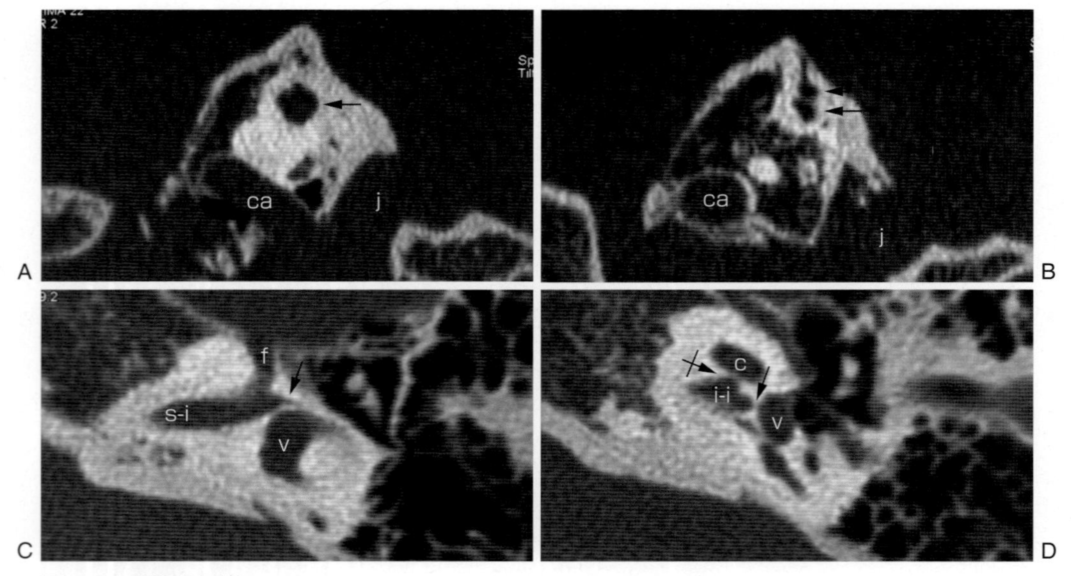

図116　重複内耳道
両側側頭骨CT矢状断像(A：右，B：左)．右側(A)では内耳道(矢印)が類円形の構造として同定されるのに対して，左側(B)では上下に配列する2つの小さな内耳道(矢印)を認める．頭側の内耳道レベル横断像(C)において，頭側内耳道(s-i)の外側端(底部)からは前方に向かう顔面神経迷路部(f)，後方に向かう上前庭神経を通す管(矢印)が分岐している．v：前庭．尾側の内耳道レベル(D)．尾側の内耳道(i-i)の外側端(底部)からは前方は蝸牛神経管(十字矢印)，後方は下前庭神経を通す管(矢印)がみられる．c：蝸牛，v：前庭

2）遺残アブミ骨動脈(persistent stapedial artery)

アブミ骨動脈は胎児発達早期に内頸動脈と外頸動脈を交通して胎児の頭蓋血流で重要な働きをもつ．胎生10週には退行するとされるが[146]，まれに正常変異として残存(遺残アブミ骨動脈)する．頸動脈管垂直部において内頸動脈から分岐し，前下方より鼓室に入る．岬角外側に沿って走行，後上方に向かいアブミ骨閉鎖孔(アブミ骨前脚・後脚の間)を通過する．匙状突起後方において顔面神経管鼓室部に入り，前上鼓室内側壁に沿って前方に走行．膝神経節領域に到達する直前，本来の棘孔の後外側の位置において中頭蓋窩の硬膜外腔に入り，中硬膜動脈と蝶形骨枝に分岐する[147]．発現頻度は外科的検索において0.02～0.03％，側頭骨の検索において0.5％とされ，内頸動脈走行異常よりも頻度は高い[148～150]．CT所見としては顔面神経管鼓室部前方部分の拡大と棘孔の低形成あるいは欠損を示す(図119)[151, 152]．顔面神経の神経管内の分岐破格が鑑別となる．遺残アブミ骨動脈では病因は明らかでないがアブミ骨固着を示す場合が多く(92％)[147]，アブミ骨の可動性低下による伝音難聴を示すことから，臨床的には耳硬化症に類似する[147]．また拍動性耳鳴を訴える場合もある[80]．

遺残アブミ骨動脈に対する中耳手術については議論があり，術中および術後合併症として大出血，顔面神経，側頭葉や脳幹の梗塞による顔面麻痺，片麻痺あるいは聴覚・前庭障害などが想定される[146, 147]．ただし，報告例での術中出血は制御可能であり，遺残アブミ骨動脈切断や結紮，アブミ骨手術後の神経学的後遺症はみられなかったとされる[147]．

3）高位頸静脈球

側頭骨手術における外科的危険因子となりうる正常変異として本章内で既述(図50～52)．

2 外耳疾患

a. 壊死性外耳道炎(necrotizing otitis externa)・頭蓋底骨髄炎(skull base osteomyelitis)

古典的には糖尿病や免疫不全状態にある高齢者に認められる，緑膿菌による外耳道感染症で

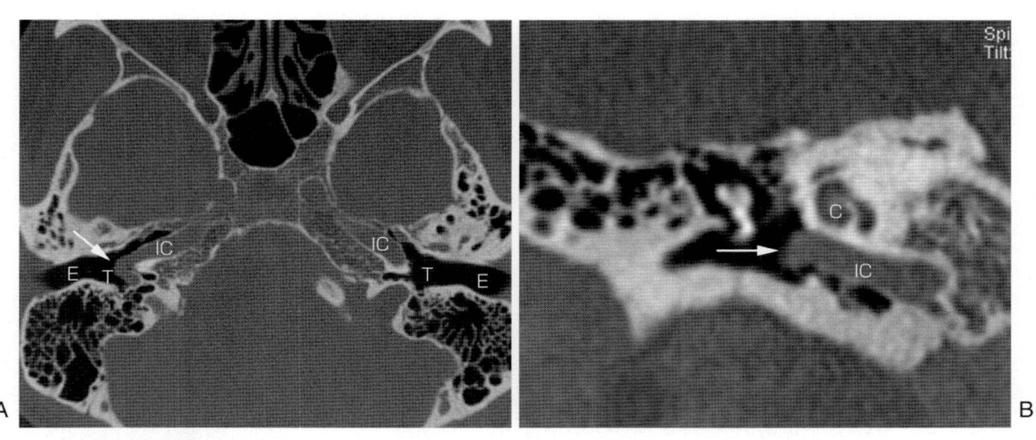

図 117　内頸動脈走行異常

側頭骨レベル横断 CT（A）において，錐体骨長軸に沿って走行する頸動脈水平部（IC）を認める．右側では，健側よりも外側まで伸展し，鼓室（T）内側壁に沿った走行（矢印）を示す．E：外耳道．右側頭骨冠状断 CT（B）でも，頸動脈管水平部（IC）の外側伸展による鼓室内側壁への膨隆（矢印）が描出されている．

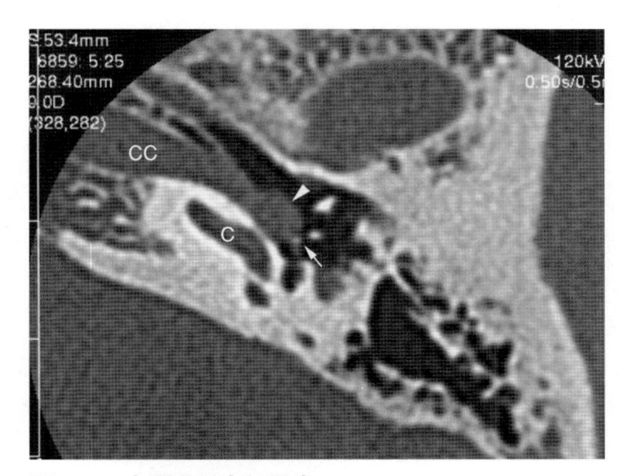

図 118　内頸動脈走行異常

左側頭骨 CT 横断像．岬角外側に軟部濃度腫瘤（矢頭）を認め，前内側において頸動脈管水平部（CC）に連続する．内頸動脈走行異常に一致する．鼓室内に膨隆した内頸動脈はアブミ骨頭部（矢印）と接触する．同症例は伝音難聴を訴えていた．C：蝸牛

90％の症例で糖尿病があるとされる[154]．古典的には致死率は約 50％であったが，抗菌薬（後述）により 0〜15％と著明に減少した[155, 156]．小児例は死亡率が低いにもかかわらず発症時は（成人例と比較して）より重症感があり，入院患者には非高齢者が多いともされる[156]．基礎病態として糖尿病の他，後天性免疫不全症候群・HIV 感染，悪性腫瘍，化学療法，ステロイド使用，栄養不良，外耳道局所の外傷等があげられる[156〜159]．やや男性に多い[160]．1959 年に Meltzer と Kelemen が最初に報告[161]，1968 年，1974 年にかけて Chandler が最初の包括的記述[162, 163]を行った．有効な抗菌薬の使用以前は致死率の高さから“悪性外耳道炎（malignant otitis externa）”の用語も用いられたが，より病態生理学的な用語として“壊死性外耳道炎”，さらに包括的に“頭蓋底骨髄炎”の呼称が適用されるようになった[154]．壊死性外耳道炎に続発した頭蓋底骨髄炎は 1959 年に

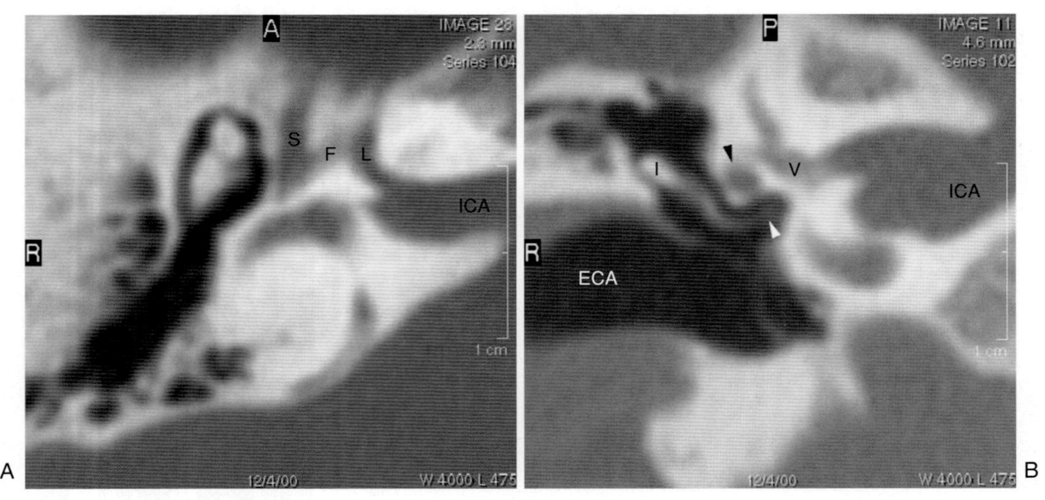

図 119　遺残アブミ骨動脈

A：上鼓室レベル右側頭骨横断 CT．顔面神経鼓室部(F)に沿って前方に向かう管状構造(S)あり．ICA：内耳道，L：顔面神経迷路部

B：卵円窓レベル冠状断 CT．卵円窓上縁を走行する顔面神経鼓室部(黒矢頭)の拡大を認め，遺残アブミ骨動脈の所見に一致する(あるいは顔面神経の分岐破格)．白矢頭：卵円窓内アブミ骨上部構造，ECA：外耳道，I：キヌタ骨，ICA：内耳道，V：前庭

最初に報告されている[164]．Lesserらは頭蓋底骨髄炎を以下の3病型に分けている[165]；(1) 壊死性外耳道炎の進展による頭蓋底骨髄炎，(2) 壊死性外耳道炎消退後に生じた頭蓋底骨髄炎，(3) (壊死性外耳道炎とは関連なく)頭蓋底骨髄炎として初発．このうち(1)が最も多いのに対して，壊死性外耳道炎との関連が明らかでない(3)は(側頭骨ではなく)蝶形骨や後頭骨を中心とし診断困難とされている[159]．1990年代以降はHIVなど免疫不全例での真菌感染(*Aspergillus fumigatus*)[166〜168]や非緑膿菌感染[169, 170]の報告もみられる．最も多いとされる緑膿菌は，水中に常在するグラム陰性桿菌で外耳道の常在菌ではなく，外傷や耳洗浄などを契機としてエンドトキシン，コラゲナーゼ，エラスターゼの産生による軟部組織の凝固壊死から始まる[171, 172]．近年は耐性菌の出現が問題となっている．緑膿菌以外の起炎菌としては黄色ブドウ球菌が次に多く，その他でクレブシエラ(*Klebsiella* sp)，表皮ブドウ球菌などが報告されており[158]，真菌性では初期の細菌培養が陰性で進行してからようやく陽性となることもあり注意を要する[173, 174]．真菌性は細菌性の壊死性外耳道炎に対する長期抗菌薬投与の不完全治療に伴う日和見感染として発症する場合もあるが，(細菌性と比較して)より高い浸潤性を示す傾向にある[175]．炎症波及の浸潤性の高さは組織の微小循環不全に関連するとされる[172]．症状として(抗菌薬の点耳薬投与，クリーニングなど通常の外耳道炎に対する治療に反応せず)理学的所見とつりあわない(主に夜間に増悪する)強度の耳痛，化膿性耳漏の持続を訴えることが最も多く，通常は鼓膜や聴力は正常である[157]．しばしば脳神経麻痺(顔面神経が最も多く，その他主に下位脳神経，まれに三叉神経や外転神経)を伴う．下位脳神経障害では嚥下困難などを生じうる．耳内所見では外耳道の浮腫，骨部・軟骨部接合部近傍の(骨炎による)肉芽組織やポリープ形成を認める[157]．症状発現から入院までの期間は平均約6週間で，同期間は予後と関連するとされる[155]．血液生化学所見として赤沈亢進が重要で，CRPとともに治療に対する反応性の指標ともなる[172, 176]．発熱，白血球上昇はみられない場合も多く，特に免疫不全のない例では炎症の理学的所見(発熱，疼痛，腫脹)，血液生化学所見(白血球増多，赤沈亢進)の異常に乏しく診断(特に脳神経症状などを伴う例では，悪性腫瘍との鑑別)が困難な場合があ

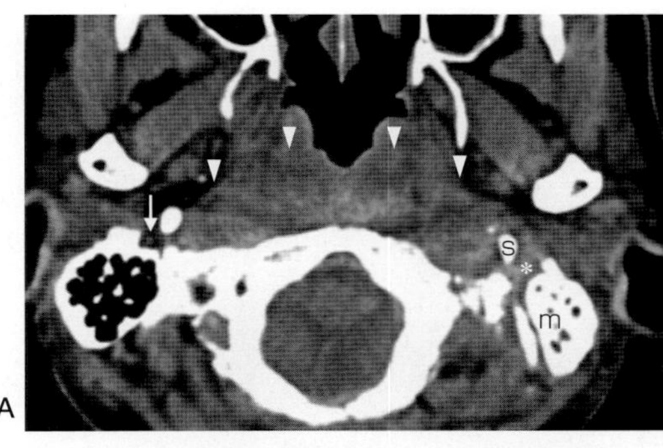

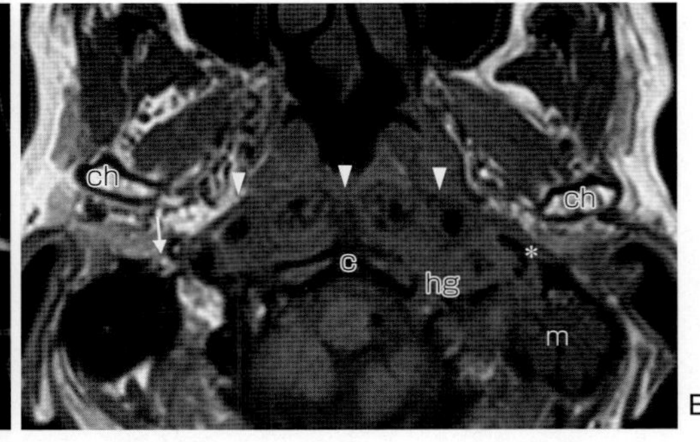

図 120　壊死性外耳道炎（左側）・頭蓋底骨髄炎

上咽頭レベルの CT 横断像（A）において，左側の茎状突起（s）と乳様突起（m）の間で茎乳突孔直下の脂肪層は浸潤性軟部濃度（*）で置換されている．右側では同部脂肪層内に（茎乳突孔から出た直後の）顔面神経主幹部（矢印）が同定される．また，咽頭後部の頭蓋底下軟部組織のびまん性腫脹，組織層消失（矢頭）を伴う．同例同レベルの T1 強調横断像（B）でも，左茎乳突孔直下脂肪層の浸潤性病変での置換（*），咽頭後部の頭蓋底下軟部組織の腫脹，浸潤性病変（矢頭）を認める．右側では CT（A）と同様に高信号を示す茎乳突孔直下の脂肪層内に顔面神経主幹部（矢印）が点状構造として同定可能である．左乳突蜂巣（m）の炎症性変化とともに，左舌下神経管（hg）周囲から斜台（c）の正常脂肪髄による高信号〔両側の顎関節頭（ch）では保たれている〕は浸潤性病変の低信号で置換されている．

る[157, 159]．

主に骨部と軟骨部の接合部レベルの外耳道下壁から始まり，外耳道表皮を穿通すると炎症は深部の軟骨や骨に及ぶ．早期の適切な治療で制御されない場合，4〜7 週（あるいはそれ以上）の経過で様々な進展経路により炎症が拡大し頭蓋底骨髄炎に至る．代表的な進展様式として以下があげられる[177, 178]．（1）前方進展；顎関節領域から咀嚼筋間隙・側頭下窩，（2）内側進展；患側の錐体尖部，上咽頭側壁および・あるいは斜台前方軟部組織，（3）対側進展；斜台体部，対側の錐体尖部，上咽頭側壁および斜台前方軟部組織，（4）後方進展；乳突部，（5）頭蓋内進展；後述．細菌感染は骨侵食を生じ，筋膜や静脈叢・洞に沿って組織浸潤を生じる．鼓膜は早期には正常な場合も多く[172]，進行期になって鼓室へ波及する．また，内耳周囲の耳包も炎症波及に対する強い障壁となりうる[179]．脊椎，傍椎体領域への波及は比較的まれとされる[178]．頭蓋内では髄膜炎，脳炎，膿瘍，静脈洞血栓などを生じる．耳下腺などの側頭骨下軟部組織，（顔面神経の通過する）茎乳突孔（図 120）や（下位脳神経の通過する）頸静脈孔（図 121）への炎症波及は Santorini 裂隙を介して生じるとされる．顔面神経や下位脳神経障害もしばしば認められ，多少の議論はあるがこれらの脳神経症状は予後不良因子とされる[180〜182]．また，単独の進展経路よりも複数の進展経路をとる例で予後は不良とされる[183]．その他の予後因子として免疫状態や起炎菌（Aspergillus では高い致死率を示す），頭蓋内進展，複数脳神経の症状，両側性病変，顎関節，上咽頭軟部組織，側頭下窩への進展などがあげられる[179, 184]．さらに年齢が重要であり，高齢者で生存率が低く（70 歳以下とそれを超える例の 5 年生存率はそれぞれ 75％ vs 44％），合併症も多い[156, 157, 184]．

特異的な診断基準はなく，臨床所見，画像所見，血液生化学所見（赤沈亢進）などから総合的に判断される．悪性腫瘍の否定は困難な場合が多く，しばしば生検を要する．

画像診断では，質的診断（可能な範囲での他疾患の除外を含む），進展範囲の把握，合併症の評価が重要である．CT，MRI が診断や経過観察において相補的に重要な役割を果たす．画像所見としては外耳道軟部組織腫脹，骨侵食，側頭骨下軟部組織腫脹・組織層消失などを示す．第一選択となる場合の多い CT（図 122）では，骨の早期侵食や脱灰（図 123）の他，外耳道軟部組織肥厚，鼓室・乳突蜂巣病変，脂肪層消失の評価に優れるが，骨変化は必ずしも早期より認められるわけではなく，比較的進行してからの所見であ

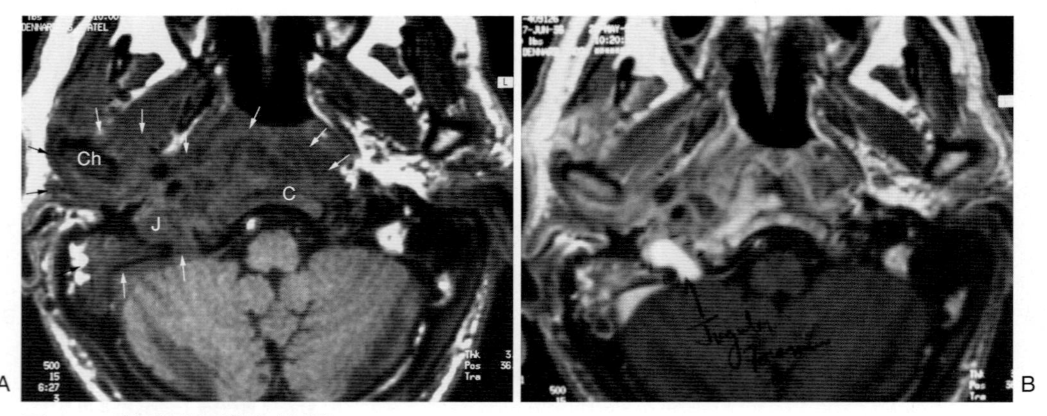

図 121　壊死性外耳道炎（右側）

A：上咽頭レベル MRI T1 強調横断像．頭蓋底下軟部組織に広範な炎症の波及（矢印）を認める．斜台（C），下顎骨右関節頭（Ch）の正常脂肪髄の高信号は消失しており，骨髄炎を反映している．頸静脈孔（J）周囲に及んでいる．

B：ガドリニウム DTPA 静注後，T1 強調横断像．炎症波及領域を中心に不均一な増強効果が認められる．

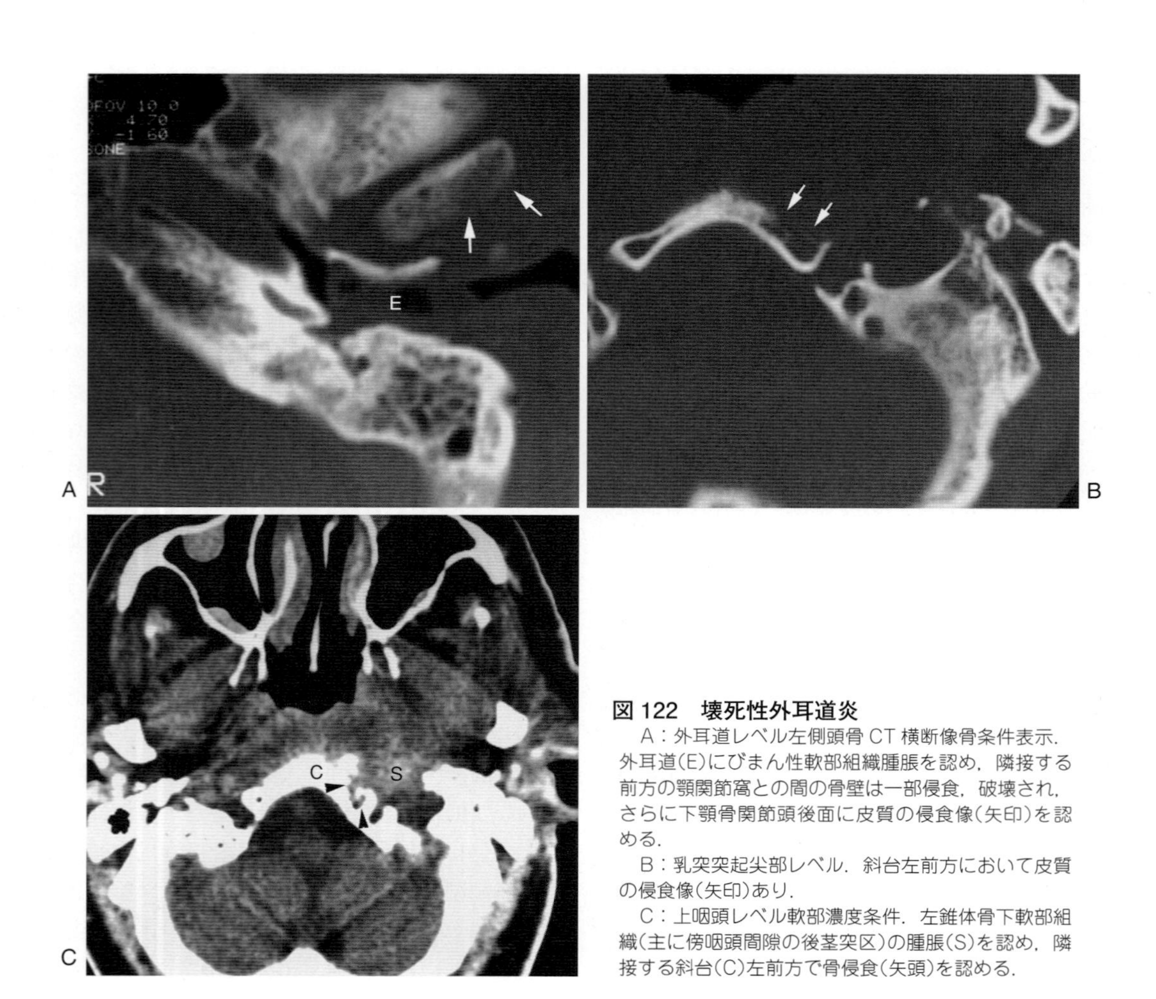

図 122　壊死性外耳道炎

A：外耳道レベル左側頭骨 CT 横断像骨条件表示．外耳道（E）にびまん性軟部組織腫脹を認め，隣接する前方の顎関節窩との間の骨壁は一部侵食，破壊され，さらに下顎骨関節頭後面に皮質の侵食像（矢印）を認める．

B：乳突突起尖部レベル．斜台左前方において皮質の侵食像（矢印）あり．

C：上咽頭レベル軟部濃度条件．左錐体骨下軟部組織（主に傍咽頭間隙の後茎突区）の腫脹（S）を認め，隣接する斜台（C）左前方で骨侵食（矢頭）を認める．

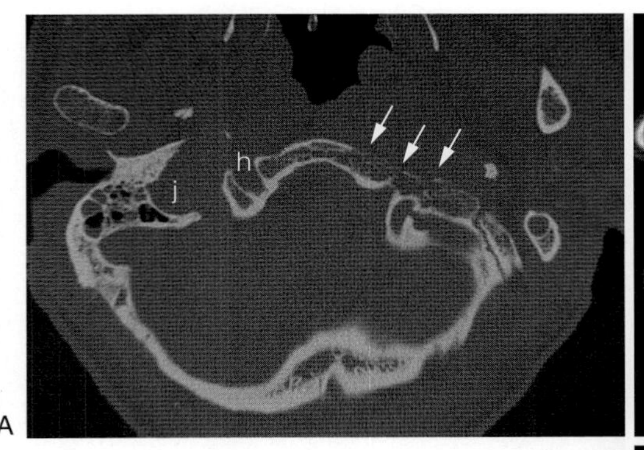

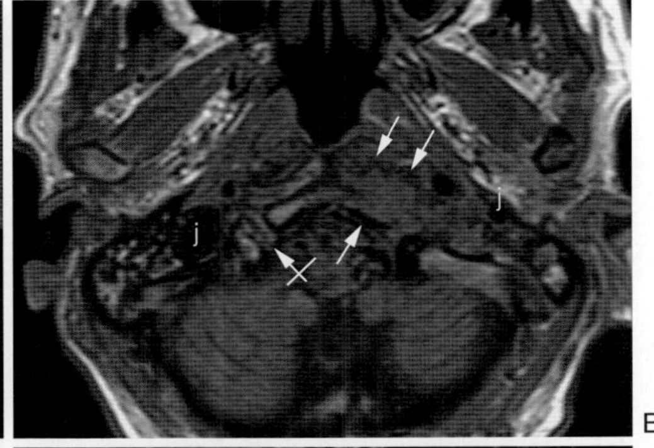

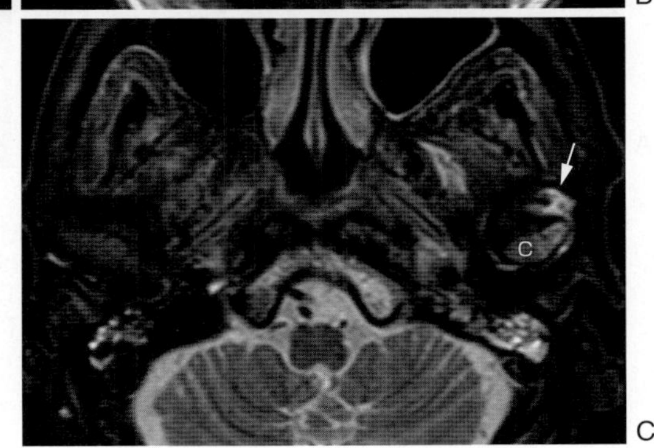

図 123　頭蓋底骨髄炎（左舌下神経麻痺あり）
頭蓋底レベル CT 骨条件（A）において左舌下神経管（対側で h で示す）から頸静脈孔（対側で j で示す）領域を含む頭蓋底の脱灰および皮質骨の不規則な途絶（矢印）あり．MRI T1 強調横断像（B）で斜台左側では脂肪髄による高信号が消失し，斜台前方軟部組織への浸潤性変化・腫脹を認める（矢印）．十字矢印：右舌下神経管，j：内頸静脈．STIR（C）で下顎骨左関節頭（c）は外側中心に骨髄信号上昇がみられ，顎関節前方軟部組織にも高信号を示す組織腫脹（矢印）あり．顎関節への炎症波及を反映する．

る[157, 158]．血管浸潤性での広がりを示す真菌性の場合さらに晩期の所見となりうる[185]．皮質が保たれていることが，隣接する軟部組織への骨外性炎症波及を否定することにはならない[159]．斜台とともに頭蓋底の孔（頸静脈孔，茎乳突孔，破裂孔など）での不整や脱灰の確認が重要である．一方で，側頭骨下軟部組織への炎症波及あるいは頭蓋底骨髄炎の進展範囲（図 120，121，123，124），頭蓋内合併症（髄膜炎など）（図 125）などの評価は MRI が優れる[172]．頭蓋底について，T1 強調像では正常脂肪髄による高信号を置換する低信号病変，T2 強調像（および STIR・T2 強調脂肪抑制画像）での高信号，造影後 T1 強調脂肪抑制画像では増強効果を示す[151]．斜台の評価については T1 強調矢状断像が最も有用性が高い[159]．頭蓋内進展では隣接部の髄膜肥厚と増強効果，さらなる進展で脳実質の異常信号や増強効果（脳炎の所見）を呈する．斜台とともに斜台前方に隣接する軟部組織の異常を示す．頭蓋底病変および隣接軟部組織の異常から，腫瘍（主に上咽頭癌，悪性リンパ腫，転移）が臨床上，画像上での鑑別となるが，腫瘍はより局所破壊性の軟部組織腫瘤所見を示すのが通常であるのに対して頭蓋底骨髄炎ではよりびまん性の浸潤性変化を呈し構造の著しい破壊に乏しい傾向にある[159, 186]．また，悪性腫瘍，頭蓋底骨髄炎ともに拡散強調像では高信号を示すが，ADC 値は悪性腫瘍では低く拡散低下を反映する一方，頭蓋底骨髄炎は有意差をもって高い ADC 値をとる（ADC map で高信号に描出される）[157, 187]．例外として真菌性膿瘍では低い ADC 値を示す可能性があり，注意が必要である[188, 189]．周囲軟部組織の所見としては，下顎骨関節頭後面に接する脂肪層（retrocondylar fat）（図 126）[178, 183]，茎乳突孔周囲の脂肪層（図 120，127）[160]，乳様突起周囲脂肪層（図 127）の消失や増強効果が重要である．骨侵食や周囲脂肪層消失が認められる以前の CT，MRI での診断は困難であり，偽陰性となりうる．CT で骨侵食性所見として認識可能となるには 30％以上の骨脱灰が必要とされる[190]．進行により頭蓋底骨髄炎に至れば頭蓋底のより広範な骨破壊を示す．CT，MRI は治療効果判定および経過観察においても重要な

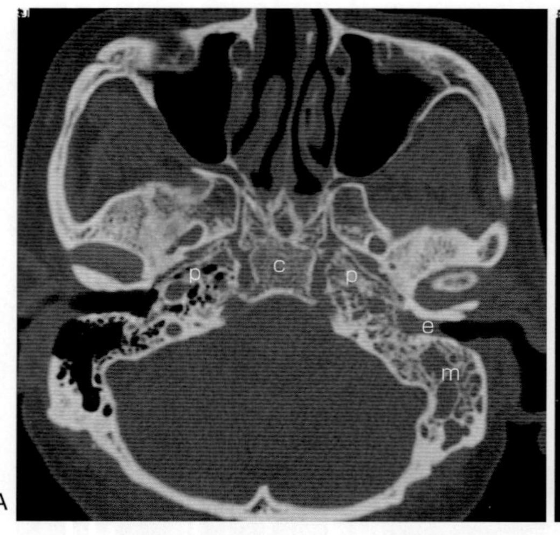

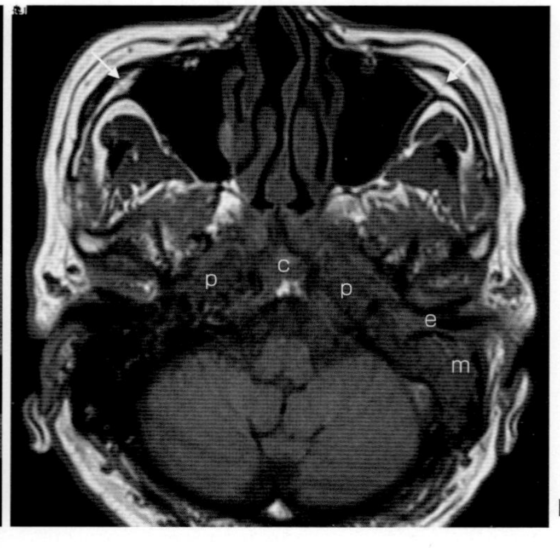

図 124　壊死性外耳道炎（左側）・頭蓋底骨髄炎

頭蓋底レベルの CT 横断像骨条件表示（A）において，左外耳道（e）の軟部組織肥厚とともに同側の乳突蜂巣（m），錐体尖部蜂巣（p）にも広範に炎症性軟部濃度を認める．斜台（c），対側錐体尖部（P）への炎症波及は確認されず，片側にとどまる病変が示唆される．しかし，同例の MRI，T1 強調横断像（B）において，両側錐体尖部（p），斜台（c）に広範な髄内信号異常（両側頬骨体部の正常脂肪髄を矢印で示す）を認め，対側に及ぶ頭蓋底骨髄炎を呈する．e：軟部組織腫脹を示す左外耳道，m：炎症を示す左乳突蜂巣

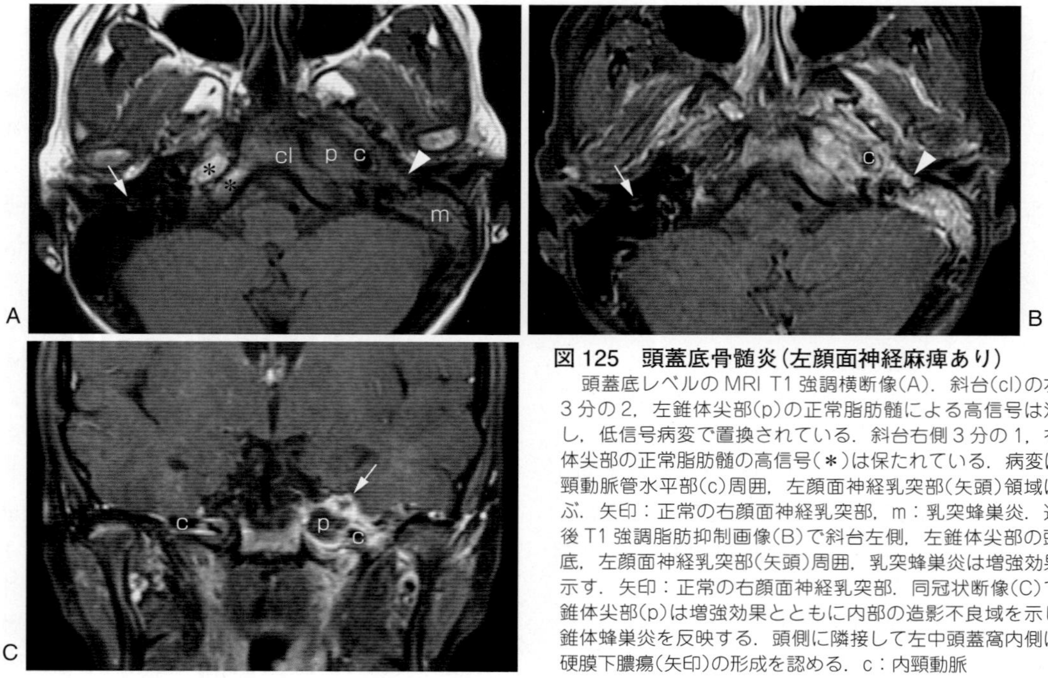

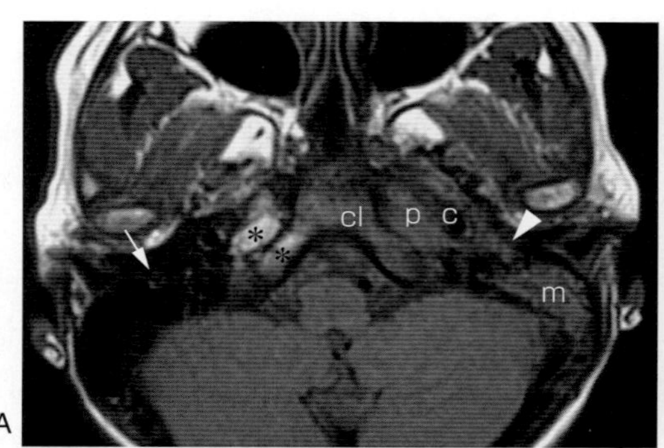

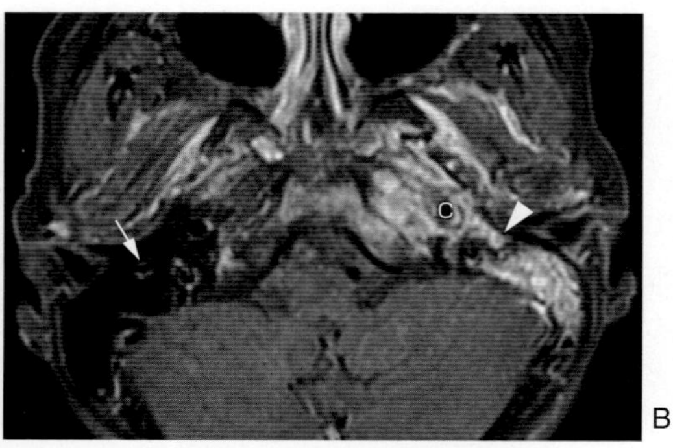

図 125　頭蓋底骨髄炎（左顔面神経麻痺あり）

頭蓋底レベルの MRI T1 強調横断像（A）．斜台（cl）の左側 3 分の 2，左錐体尖部（p）の正常脂肪髄による高信号は消失し，低信号病変で置換されている．斜台右側 3 分の 1，右錐体尖部の正常脂肪髄の高信号（＊）は保たれている．病変は左頸動脈管水平部（c）周囲，左顔面神経乳突部（矢頭）領域に及ぶ．矢印：正常の右顔面神経乳突部，m：乳突蜂巣炎．造影後 T1 強調脂肪抑制画像（B）で斜台左側，左錐体尖部の頭蓋底，左顔面神経乳突部（矢頭）周囲，乳突蜂巣炎は増強効果を示す．矢印：正常の右顔面神経乳突部．同冠状断像（C）で左錐体尖部（p）は増強効果とともに内部の造影不良域を示し，錐体蜂巣炎を反映する．頭側に隣接して左中頭蓋窩内側には硬膜下膿瘍（矢印）の形成を認める．c：内頸動脈

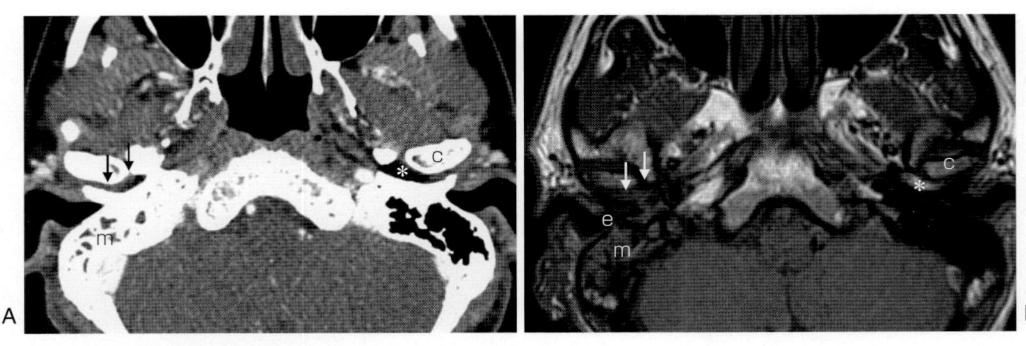

図 126　壊死性外耳道炎（右側）

顎関節レベルの CT 横断像（A）および MRI，T1 強調横断像（B）．左側では関節頭（c）後面に沿った脂肪層（＊）は CT（A）で低濃度，T1 強調像（B）で高信号として同定されるが，同脂肪層は右側で消失（矢印）している．e：深部で軟部組織腫脹を示す右外耳道，m：炎症を示す右乳突蜂巣

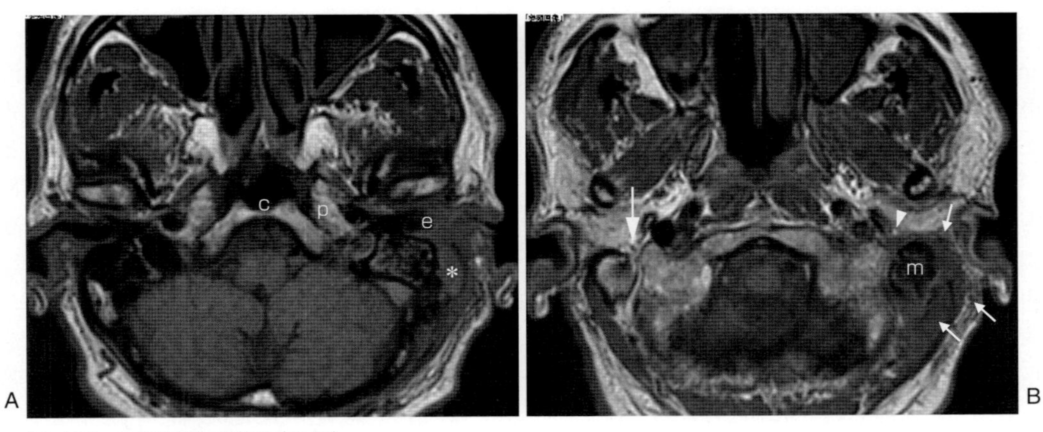

図 127　壊死性外耳道炎（左側）

外耳道レベルの MRI，T1 強調像（A）では外耳道（e）の軟部組織腫脹とともに耳介後部軟部組織の肥厚（＊）を認める．錐体尖部（p），斜台（c）の正常脂肪髄による高信号は保たれている．尾側の乳様突起レベル（B）で軟部組織の炎症性浸潤性変化（小矢印）は乳様突起（m）を囲み，深部では茎乳突孔直下の脂肪層（矢頭）に及ぶ．大矢印：右側の茎乳突孔直下脂肪層および内部の顔面神経主幹部

情報を提供する．最初に外耳道軟部組織腫脹が軽減するが，CT での骨侵食性変化は残存，もしくは 1 年程度の経過で緩徐な改善あるいは骨硬化（remineralization）を示す．CT での異常所見は治療後最大 2 年間にわたり残存することなどから治療効果判定での有用性は低いとされる[191]．ただし，骨外所見の軟部組織腫脹軽減や組織層不明瞭化の改善などの評価は十分に可能である．MRI の頭蓋底の髄内信号異常は症状消退に伴い 1 年程度の経過で改善するが，側頭骨下軟部組織変化は通常 6〜12 ヵ月は残存し，1 年後でも継続性に認められる場合（図 128）がある[176]．核医学検査で，Technetium-99 シンチグラフィ（骨シンチ）は感度が高く，骨芽細胞活動性の 10％の上昇をとらえることが可能であり[192]，CT や MRI よりも早期に（骨侵食所見の出現よりも早く）陽性を示し比較的安価で有用性も高いが，所見特異性は低く，軟部組織進展の骨外性炎症波及の適切な評価も困難とされる[193]．また，感染軽減後も骨修復機転に伴い集積が数ヵ月から数年にわたり遷延するため，治療効果判定には適さない．Gallium-67 シンチグラフィも活動性骨髄炎では集積を示すが，Technetium-99 シンチグラフィと異なり，感染の軽減により集積は消失する[194]．このため

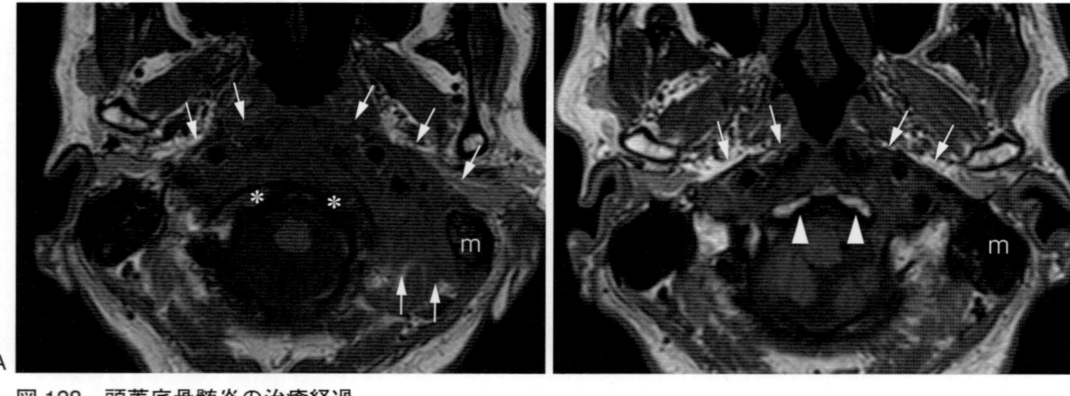

図128　頭蓋底骨髄炎の治癒経過
頭蓋底レベルMRI T1強調横断像(A)において斜台下端(＊)の骨髄信号は低く，正常脂肪髄の高信号は失われている．斜台前方を含む深部軟部組織に広範な炎症性浸潤性組織肥厚(矢印)を認める．左乳様突起炎(m)を伴う．抗菌薬治療後約10ヵ月(B)で斜台脂肪髄の高信号(矢頭)はほぼ完全な回復を示す．一方で斜台前方軟部組織肥厚(矢印)は軽減するが比較的広範に残存している．左乳突蜂巣(m)の含気は回復を示す．

(Technetium-99とは異なり)治療効果判定にしばしば用いられるが，比較的高価であること，時間がかかること，内部被ばく等が短所として挙げられる[157, 195]．また，FDG-PETは代謝の上昇した組織内での好中球の活動性を反映することから炎症消退から大きく遅れることなく集積低下を示し，治療効果の評価，経過観察に適している[157]．頭蓋底骨髄炎は重篤な疾患であり，少なくとも最初1年間は，CT，MRI，核医学検査による画像診断での定期的な経過観察が求められる．検査計画は症状残存，新たな症状出現，血液生化学検査の結果などにもよるが，炎症が消失するまでは6週間ごとの画像検査が推奨される[196]．

治療は古典的には外科的デブリメントが行われていたが，1990年代になりシプロフロキサシン使用開始により入院例が著明に減少[197]，現在は外科的治療対象となることはほとんどなく内科的治療に抵抗性の症例のみである[198]．広域抗菌薬であるセファロスポリンとシプロフロキサシンの組み合わせによる長期全身投与が高い治癒率を示す[199]．まずは外来患者としてシプロフロキサシン経口投与，治療反応性不良の場合は入院して抗菌薬の経静脈的投与が行われる[156]．培養陰性の頭蓋底骨髄炎はしばしば臨床で遭遇するが，これもセファロスポリンの経静脈的投与，シプロフロキサシンの経口投与の組み合わせで予後良好とされる[200]．真菌性の場合，局所および全身性の抗菌薬・抗真菌薬の投与が選択されるが，難治例では6週から数ヵ月と長期の抗真菌薬・抗菌薬の経静脈的・経口的継続投与による加療が必要となる場合もある[174]．免疫能回復も重要な要素となる[182]．高酸素療法の併用の有効性に関する報告も認められるが，エビデンスには乏しく評価は定まっていない[181, 201]．治療中止に関してコンセンサスの得られた基準はないが，症状の早期かつ著明な改善がみられたとしてもその後6～8週にわたる治療継続，長期の経過観察が望まれる[172, 177]．(恐らくは不完全な治療により)約10%で再発するとされる[177]．

b. 外耳道外骨腫(surfer's ear：exostosis)

冷水による慢性的刺激に対する反応による骨膜反応と骨芽細胞の賦活化の結果として生じる外耳道骨部の骨性隆起で，腫瘍性病変ではない[202～204]．冷たい海水での水泳やサーフィンに伴う場合が最も多く，大部分は男性．左右差はない．発現頻度，重症度はその期間と相関しており，5～7年を超えると発症し，発現頻度は約12%/年，重症度は約10%/年の頻度で増加するとされる[205～207]．冷水での水泳を始めた年齢は発症にあまり影響しない[207]．Umedaらは本邦のプロサーファー51名の検討において，80%が所見陽性，37%が50%強の外耳道狭窄を示したと報告している[207]．大部分は無症状であるが，その

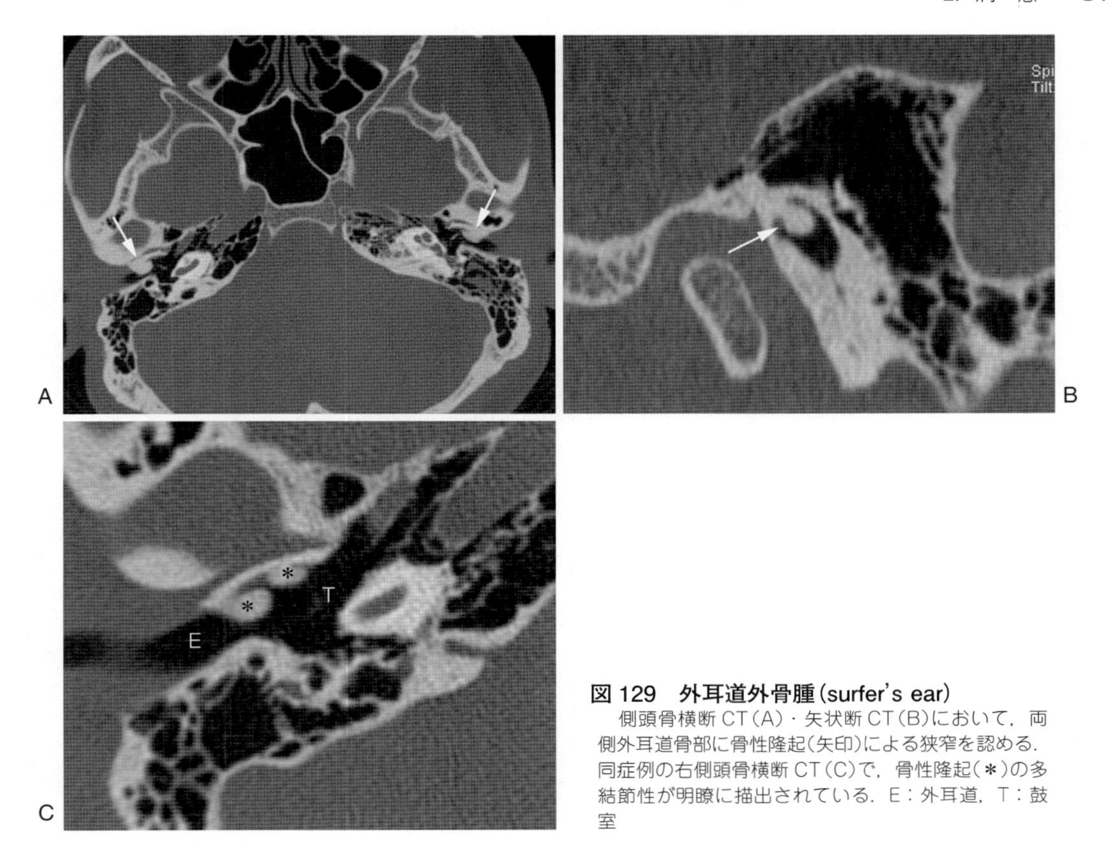

図 129　外耳道外骨腫（surfer's ear）
側頭骨横断 CT（A）・矢状断 CT（B）において，両側外耳道骨部に骨性隆起（矢印）による狭窄を認める．同症例の右側頭骨横断 CT（C）で，骨性隆起（*）の多結節性が明瞭に描出されている．E：外耳道，T：鼓室

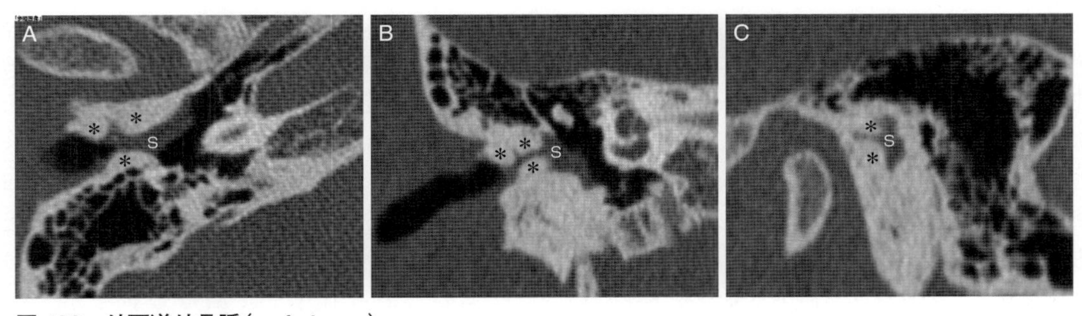

図 130　外耳道外骨腫（surfer's ear）
右側頭骨 CT 骨条件表示の横断像（A），冠状断像（B），矢状断像（C）において，外耳道骨部は比較的広基性の多結節様骨性隆起（*）による狭窄を示す．外耳道内に軟部組織肥厚（s）を認め，随伴する外耳道炎あるいは外耳道真珠腫が示唆される．

程度により伝音難聴，耳痛，耳鳴などを生じる．

CT 上，外耳道壁に多結節性の広基性骨性隆起とこれによる外耳道狭窄を認める（図 129，130）．鼓膜輪に近い外耳道骨部深部で，前方では鼓室扁平裂，後方では鼓室乳突裂など縫合線周囲から生じることが多いとされる．

無症状であれば経過観察で十分であるが，狭窄が 80％を超えると反復性外耳道炎や伝音難聴をきたす場合が多い．軽症例は耳栓使用による治療から始める [202]．内科的治療による外耳道炎の消退に伴い，伝音難聴も軽減する傾向にあるが，内科的治療抵抗性の場合は経外耳道的外骨腫切除術の対象となる [208]．

表10　外耳道真珠腫の分類

特発性		危険因子 ・微小血管障害（喫煙，糖尿病） ・微小外傷（綿棒使用） ・第1鰓裂遺残
二次性	狭窄後	外耳道狭窄，外骨腫，骨腫，線維性骨異形成，Paget病
	術後	鼓室形成術後，耳小骨形成術後，乳突洞削開術後
	外傷後	肉眼的外傷後（瘢痕上皮の遺残）
	閉塞後	異物肉芽，疣贅
	炎症後	真菌，麻疹など，様々な要因による炎症後
	放射線性	放射線治療後の血管内膜炎，放射線骨壊死
	腫瘍縮小後	Langerhans細胞組織球症の化学療法による退縮後

（Dubach P, Hausler R：Otol Neurotol **29**：941-948, 2008）

c. 外耳道真珠腫

外耳道真珠腫は，進行により骨膜炎，骨侵食性変化を伴う外耳道での角化堆積物の集積であり，1850年にToynbeeにより最初に報告された[209]．耳鼻咽喉科患者全体の0.1～0.5％と比較的まれな病態で，中耳真珠腫の約60分の1の頻度とされる[210, 211]．正確な病因は不明[212～214]．特発性（自然発生），あるいは術後・外傷後などに生じる二次性に大きく分かれる（表10）[215]．特発性では高齢者が多く，剝離角化上皮を内から外に向かって排泄する生理的機能の低下によると考えられる[216]．ただし，比較的若年者にも認められ，外耳道上皮の加齢性退行性変化のみが要因とはいえず[217]，角化堆積上皮による外耳道の細胞増生の誘発[218]，下壁側での剝離上皮の排泄機能の低下などの説がある．また，低酸素の場合，外耳道の皮膚が過剰な血管新生を生じ外耳道真珠腫の原因となるとされる[219]．喫煙などによる微小血管障害，綿棒などでの反復する微小外傷の関与も考慮されている[215]．二次性では外耳道狭窄・閉塞が発症に関わるが[220]，先天性外耳道狭窄・閉鎖の約20％に外耳道真珠腫を合併し，女性に多い[221]．外耳道骨腫でも真珠腫は主な合併症のひとつとされ[222]，その他，外骨腫（図130），線維性骨異形成，Paget病などで考慮される．術後性，外傷後では治癒過程や外傷時の扁平上皮迷入が原因とされる[216]．術後性外耳道真珠腫の3分の1が無症候性で合併症により初めて顕在化し，外傷後真珠腫では外傷から6ヵ月～4年程度の潜伏期を有するとされる[207]．また，上咽頭癌例では分割線量200 cGy以上の照射で数年後に外耳道真珠腫（放射線性）を生じると報告されている[223]．

外耳道真珠腫の病期診断には，病理所見，臨床病型によるNaimらの分類（表11）が用いられる[224]．同病期分類は治療選択に関わる点において重要である．

症状として片側性の耳の慢性鈍痛，耳漏，まれに難聴を伴う．伝音難聴の頻度は低いが，剝離角化上皮による外耳道閉塞が原因となる[214]．

診断は病歴，身体所見，CT所見によるが，炎症性，感染性あるいは腫瘍性病変との鑑別が困難な場合も多い．外耳道真珠腫はしばしば（理学的所見からの）臨床的な推測の範囲を越えた進展（図131）を示すことから[225]，外耳道真珠腫が疑われる場合，CTでの進展範囲の評価は病期診断，治療選択において必須である[217, 224]．Shinらは，〔Naimらの分類[224]のように病理結果を必要としない〕CT所見による病期分類（表12：p878）を以下のとおり提唱し，治療選択を示している[226]；病期Iは外耳道に限局（図132），病期IIは内側で鼓膜，鼓室に進展（図133），病期IIIは外耳道骨壁欠損（図134）から乳突蜂巣進展（図135～137），病期IVは側頭骨外進展（図138）に相当する．CT上，外耳道の骨侵食性変化あるいは壁内骨片を伴う外耳道内軟部濃度病変として認められる（図139）[214, 217]．通常の腫瘍とは異なり，軟部濃度内部や辺縁に不規則な含気の混在を認める場合がある（図134，137，138）．骨侵食性変化は（中耳真珠腫と同様に）辺縁整の場合（図138B）もあれば，骨壊死や骨膜炎に続発して，不

表 11　外耳道真珠腫の病期診断および治療選択

Stage	組織所見その他	治療選択
Ⅰ	外耳道上皮の過形成，充血 真珠腫初期の上皮細胞死サイクルの加速	経外耳道的な保存的治療 ・クリーニング ・サリチル酸・コルチゾンによる局所治療
Ⅱ	過増殖した上皮の限局性炎症および隣接部の骨膜炎・骨破壊なし・角化堆積物の集積・臨床的に耳痛，(重複感染で)耳漏	外科的治療(耳内，あるいは耳介後部切開による経外耳道アプローチ) ・病変部摘出 ・欠損部の組織充填 ・(必要に応じて)外耳道形成術
ⅡA	上皮表面は正常で骨露出なし	
ⅡB	上皮欠損による骨露出	
Ⅲ	骨破壊と腐骨形成(無菌性骨壊死)・骨に到達する上皮欠損および陥凹・角化堆積物の集積・(重複感染で)耳漏	外科的治療(耳介後部切開による経外耳道アプローチ) ・病変部摘出 ・欠損部の組織充填 ・外耳道形成術
Ⅳ	周囲構造の破壊・(病変により)耳漏，難聴，顔面神経麻痺，S 状静脈洞血栓，頭蓋内膿瘍形成	外科的治療(耳介後部切開，canal wall-down mastoidectomy など) ・根治的手術による感染・破壊性組織の摘出) ・皮弁による欠損部の被覆
	Subclass M：乳突洞 Subclass S：頭蓋底，S 状静脈洞 Subclass J：顎関節 Subclass F：顔面神経	

(Naim R, Linthicum Jr F, Shen T et al：Laryngoscope **115**：455-460, 2005)

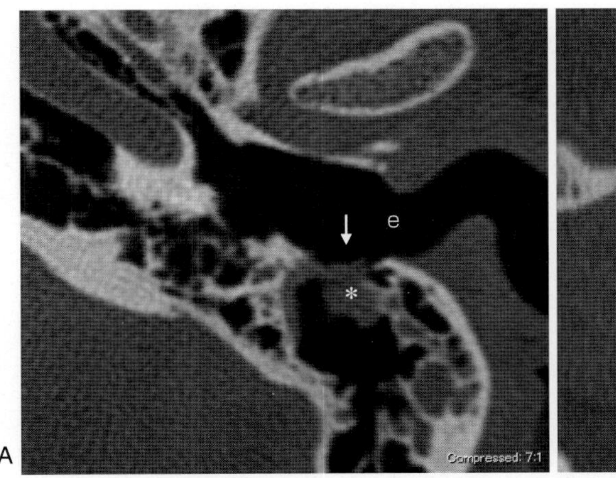

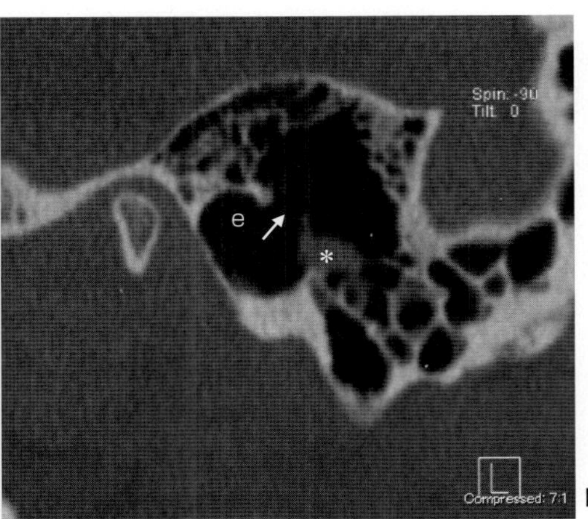

図 131　外耳道真珠腫(Naim らの分類 stage Ⅳ subclass M)

左側頭骨 CT 骨条件横断像(A)および矢状断像(B)．外耳道(e)内の軟部濃度は乏しいが，後壁で骨欠損(矢印)を認め，後方に隣接する乳突蜂巣に進展，限局性の軟部濃度(＊)を認める．

整な辺縁を示す場合(図 140)もある[213, 217]．特発性では外耳道骨部の下壁・後壁優位に侵食性変化を示す傾向にある(図 131，136，138，139，141，142)．下壁以外では二次性の可能性も考慮される[215]．外耳道内軟部濃度は限局性(図 143)，あるいはびまん性肥厚(図 144)を示すが，ときに外耳道内の軟部濃度が乏しくても，骨侵食性変化とともに周囲組織進展部での軟部濃度(図 131)，あるいは不整な外耳道拡大所見(図 145，146)を呈する．早期診断には限局性の骨侵食性変化(図 142)の同定が重要である．外科的治療が考慮される場合，鼓室への進展，顔面神経管の状態，天

表 12　CT 所見による外耳道真珠腫の病期診断

病期	CT 所見	治療選択	頻度（%）
I	外耳道の限局	局所ケアあるいは外耳道形成術	48
II	外耳道から鼓膜，鼓室進展あり	外耳道形成術 ＋ 鼓室形成術	10
III	外耳道骨壁欠損および乳突蜂巣進展あり	外耳道形成術 ＋ 乳突洞削開術 ± 鼓室形成術 ± 外耳道壁再建	34
IV	側頭骨を越えた進展あり	進展部位により様々なアプローチによる真珠腫摘出	7

（Shin S-H, Shim JH, Lee H-K：Clin Exp Otorhinolaryngol **3**：24-26, 2010）

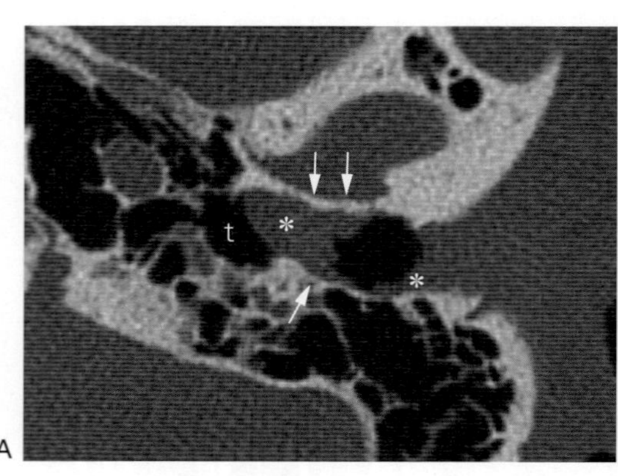

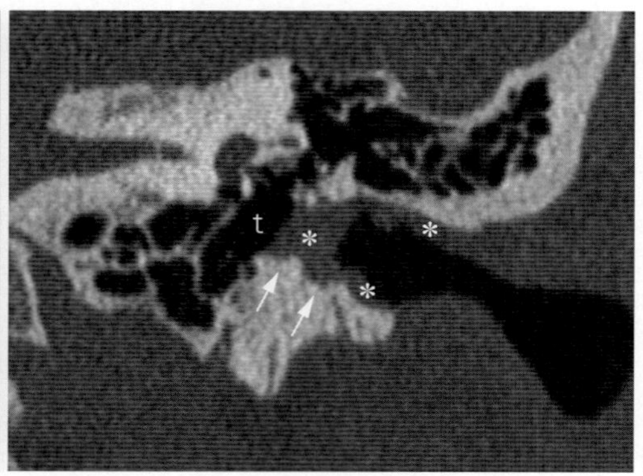

図 132　外耳道真珠腫（Shin らの分類 病期 I）
左側頭骨 CT 横断像（A）および冠状断像（B）．外耳道では深部優位の軟部組織病変（＊）を認め，外耳道骨部の壁は不規則な侵食（矢印）を示す．深部は鼓膜にとどまり鼓室（t）への進展はみられない．

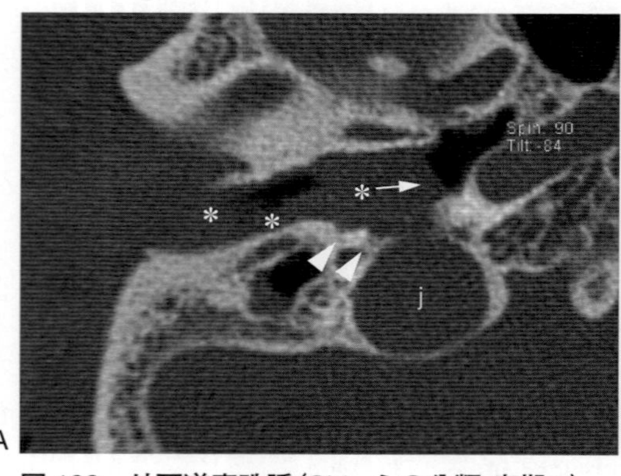

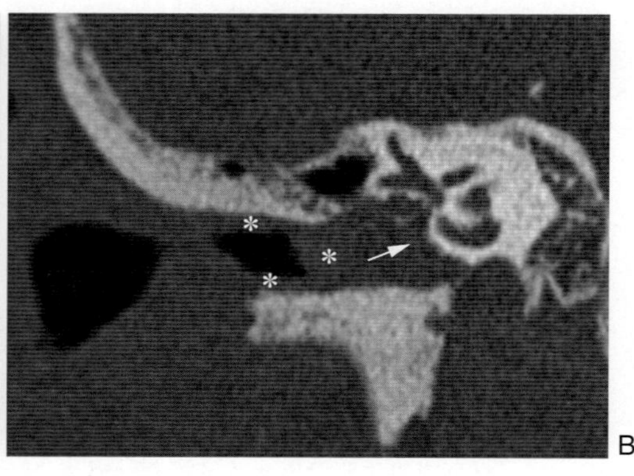

図 133　外耳道真珠腫（Shin らの分類 病期 II）
右側頭骨 CT 横断像（A）および冠状断像（B）．外耳道内に軟部濃度病変（＊）を認め，外耳道骨部の骨壁に侵食所見あり（矢頭）．内側深部では鼓膜を越えて鼓室進展（矢印）を認める．j：頸静脈球

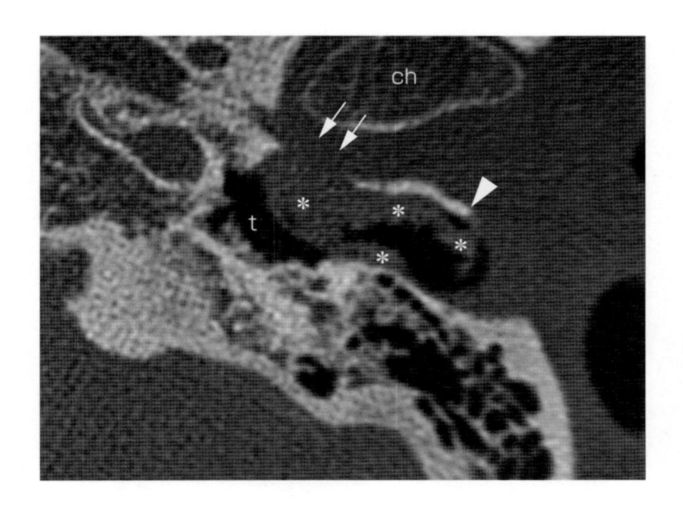

図 134　外耳道真珠腫(Shin らの分類 病期 III)
左側頭骨 CT 横断像において外耳道には不規則な軟部濃度肥厚(＊)を認め，壁に沿った一部に空気濃度(矢頭)を認める．骨部深部の前壁で顎関節との間に骨壁欠損(矢印)を伴う．鼓室(t)の含気は保たれている．ch：下顎骨関節頭

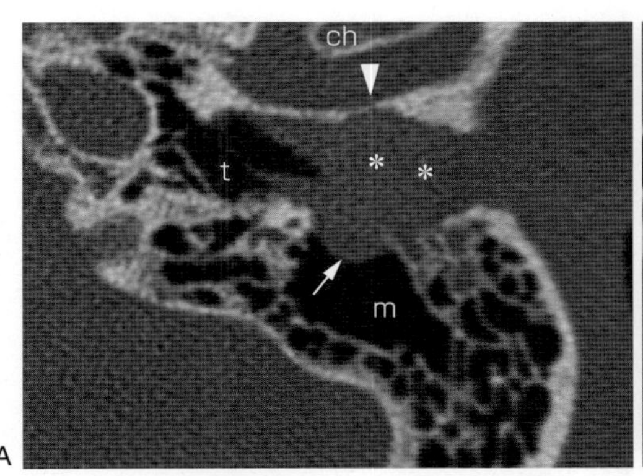

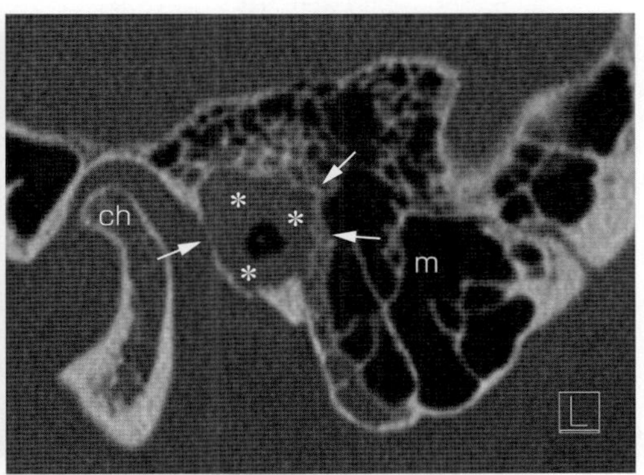

図 135　外耳道真珠腫(Shin らの分類 病期 III)
左側頭骨 CT 横断像(A)において外耳道に軟部濃度病変を認め，後壁の欠損部から乳突洞(m)への進展(矢印)あり．前壁である顎関節との間の骨壁も侵食による菲薄化(矢頭)あり．ch：下顎骨関節頭，t：含気の保たれた鼓室．矢状断像(B)で外耳道の壁に沿った全周性軟部濃度肥厚(＊)を認め，骨部の骨壁に不規則な骨侵食(矢印)を認める．ch：下顎骨関節頭，m：乳突蜂巣．

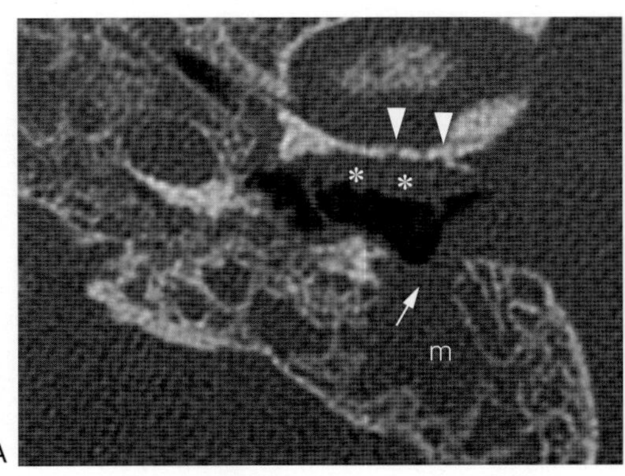

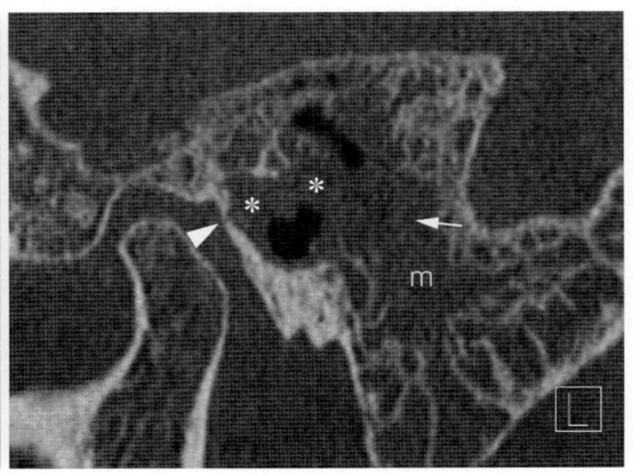

図 136　外耳道真珠腫(Shin らの分類 病期 III)
左側頭骨 CT 横断像(A)および矢状断像(B)．外耳道のびまん性軟部濃度肥厚(＊)を認め，後壁の欠損(大矢印)を介して乳突洞(m)への進展が疑われる．前壁でも不規則な骨侵食(矢頭)により顎関節窩との間の骨壁の部分的菲薄化を示す．

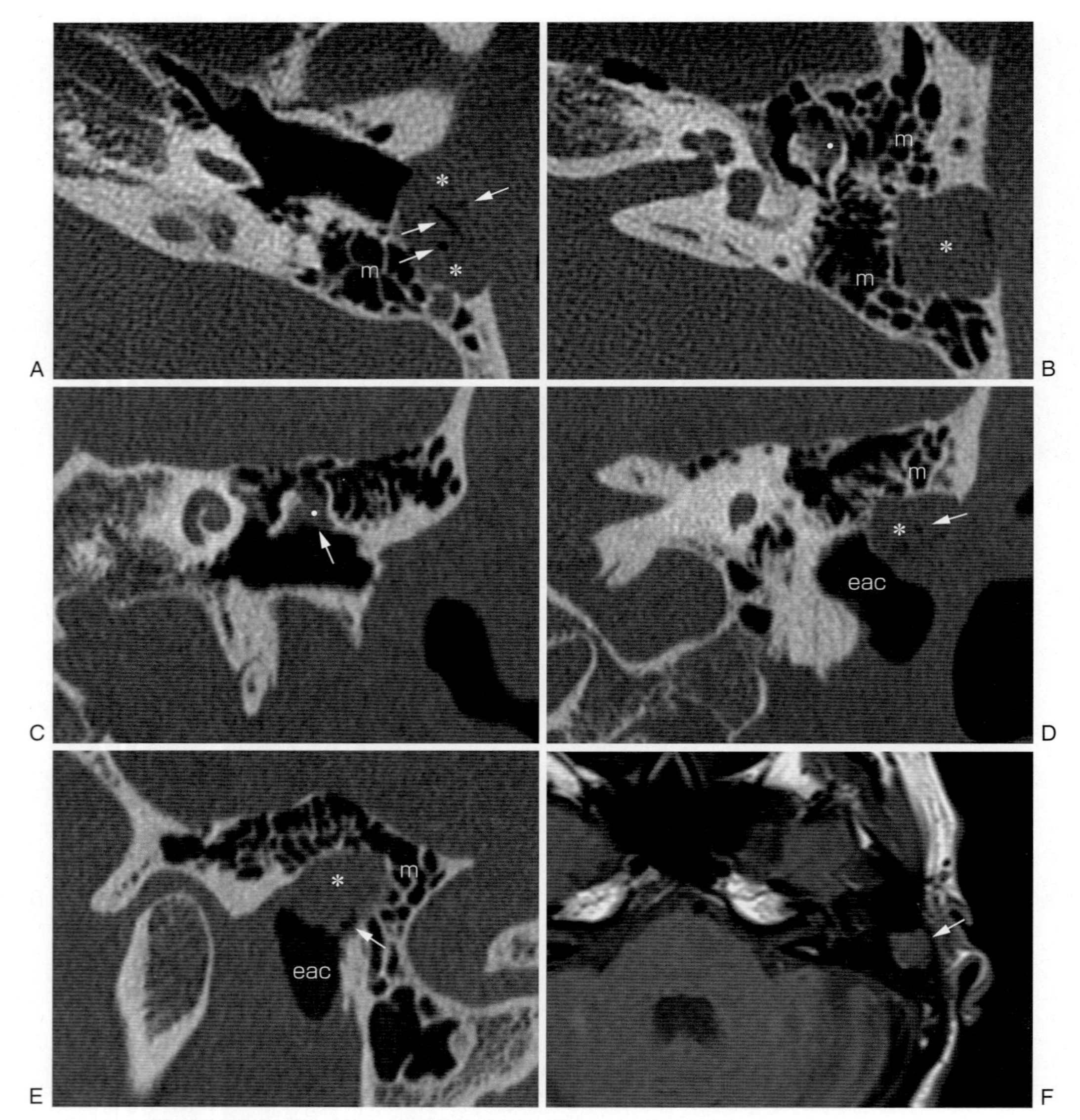

図 137　外耳道真珠腫(Shin らの分類 病期 III)(p881 へつづく)

外耳道レベル左側頭骨 CT 横断像(A)において外耳道骨部外側に周囲骨壁の侵食を伴う軟部濃度病変(＊)を認め，内部に不規則な含気(矢印)あり．外耳道真珠腫に一致する．後方では乳突蜂巣(m)に進展を伴う．上鼓室レベル(B)で上鼓室内の耳小骨外側に軟部濃度(•)を認め，耳小骨に軽度侵食を示す．弛緩部型の中耳真珠腫に一致する．外耳道真珠腫(＊)との連続性はみられない．鼓室レベルの冠状断像(C)で Prussak 腔を含む上鼓室の耳小骨外側に軟部濃度(•)を認め，scutum 鈍化(矢印)を伴い，弛緩部型真珠腫に一致する．やや後方レベルの冠状断像(D)および矢状断像(E)において，外耳道上壁から骨侵食を伴い乳突蜂巣(m)に進展する軟部濃度病変(＊)を認め，内部あるいは辺縁にわずかな含気(矢印)あり．MRI の T1 強調横断像(F)で外耳道病変は骨格筋，脳実質に類似の低信号，T2 強調像(G)では著明な高信号，拡散強調像(H)では著明な高信号を呈し，真珠腫に合致する．

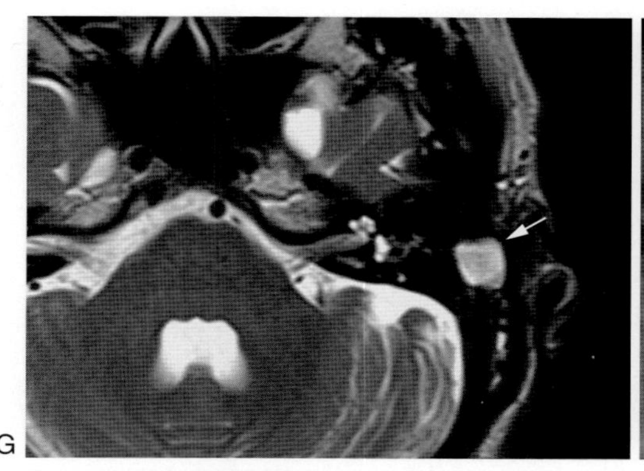

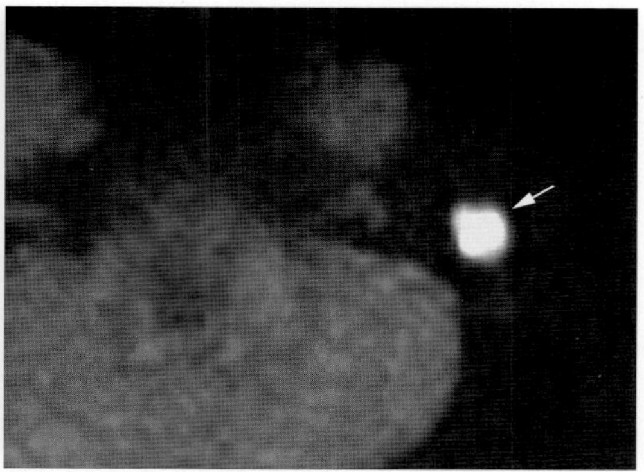

図 137　外耳道真珠腫(Shin らの分類 病期 III)(つづき)

蓋部，乳突洞・蜂巣の状態は重要な因子となる．通常，鼓膜は正常である．Toynbee が外耳道真珠腫を最初に記述[209]して以来，閉塞性角化症(keratosis obturans)と混同されてきたが，1980 年 Piepergerdes らが異なる病態として区別を示した[214]．閉塞性角化症は剝離したケラチンによる大きな耳垢栓より生じるのに対して，外耳道真珠腫は外耳道壁の骨膜炎を生じた部位への扁平上皮の進入による．ただし，依然として両者の鑑別は重要である．閉塞性角化症は典型的には真珠腫より年齢がやや低く，両側性の耳痛と伝音難聴を訴え，CT 所見として両側外耳道内を占拠する軟部濃度(耳垢栓)とともに(真珠腫での不規則な骨侵食性変化とは異なり)平滑な外耳道拡大を示す[227]．耳漏はまれで，気管支拡張，副鼻腔炎との関連があるとされる[217]．なお，骨侵食性変化を示す病態の鑑別となる悪性腫瘍に関して全例で病理的検索による否定が望ましい[224]．

外耳道真珠腫の治療(**表 11**：p877)は進展範囲が明らかで乳突洞への広範な進展なく，慢性的疼痛のない場合は定期的なクリーニング，剝離上皮と腐骨除去による保存的内科的治療も可能である(**図 147**)[214]．保存的治療での制御が困難な場合は耳介後部からのアプローチにより適切なデブリドメント，外耳道形成と外耳道欠損部に対する split-thickness skin graft による被覆が必要となる[225]．さらに乳突洞への進展が認められる場合には非定型根治的乳突洞削開術の適応となる[214]．外科的切除範囲は骨壊死，骨侵食の程度と範囲，外科医の判断により決められるが[226]，外科的治療の適応が考慮される外耳道真珠腫は骨侵食像を示す点において閉塞性角化症と異なる．閉塞性角化症は内科的治療のみで制御可能なことより，両者の鑑別は臨床上重要である[214]．

d. 外耳道癌

外耳道癌は頭頸部癌全体の 0.2％未満とまれで，発生頻度は年間 100 万人に 1〜6 人程度とされる[228〜230]．中年から高齢者に多い．性差に関しては，明らかでない．組織型は扁平上皮癌と基底細胞癌が大部分で，扁平上皮癌が約 90％を占める[231]．基底細胞癌は外耳道入口部周囲，軟骨部より生じる．他に悪性黒色腫，耳垢腺由来の腺癌などが生じる[232]．慢性炎症が危険因子とされるが[232]，重要なのは(上咽頭癌などに対する)放射線治療の既往である[233]．早期病変は無症状であるが，進行に従って耳出血，耳痛，慢性耳漏(最も多い)，顔面神経麻痺などを訴える．初期には外耳道炎として治療される場合が多く，しばしば診断は遅延する[234]．早期診断は重要な予後因子とされる．実際に腫瘍への感染合併が多く，治療抵抗性の外耳道炎，耳痛では悪性腫瘍の可能性を常に考慮すべきである．耳鏡所見と釣り合わない耳痛では腫瘍，特に腺様嚢胞癌(**図 148**)が疑われる[235]．なお，初発時に約 20％が顔面神経麻痺を示す[231, 236]．

基底細胞癌は比較的早期より軟骨膜に癒着，進行により軟骨への浸潤，破壊を生じる．これに対

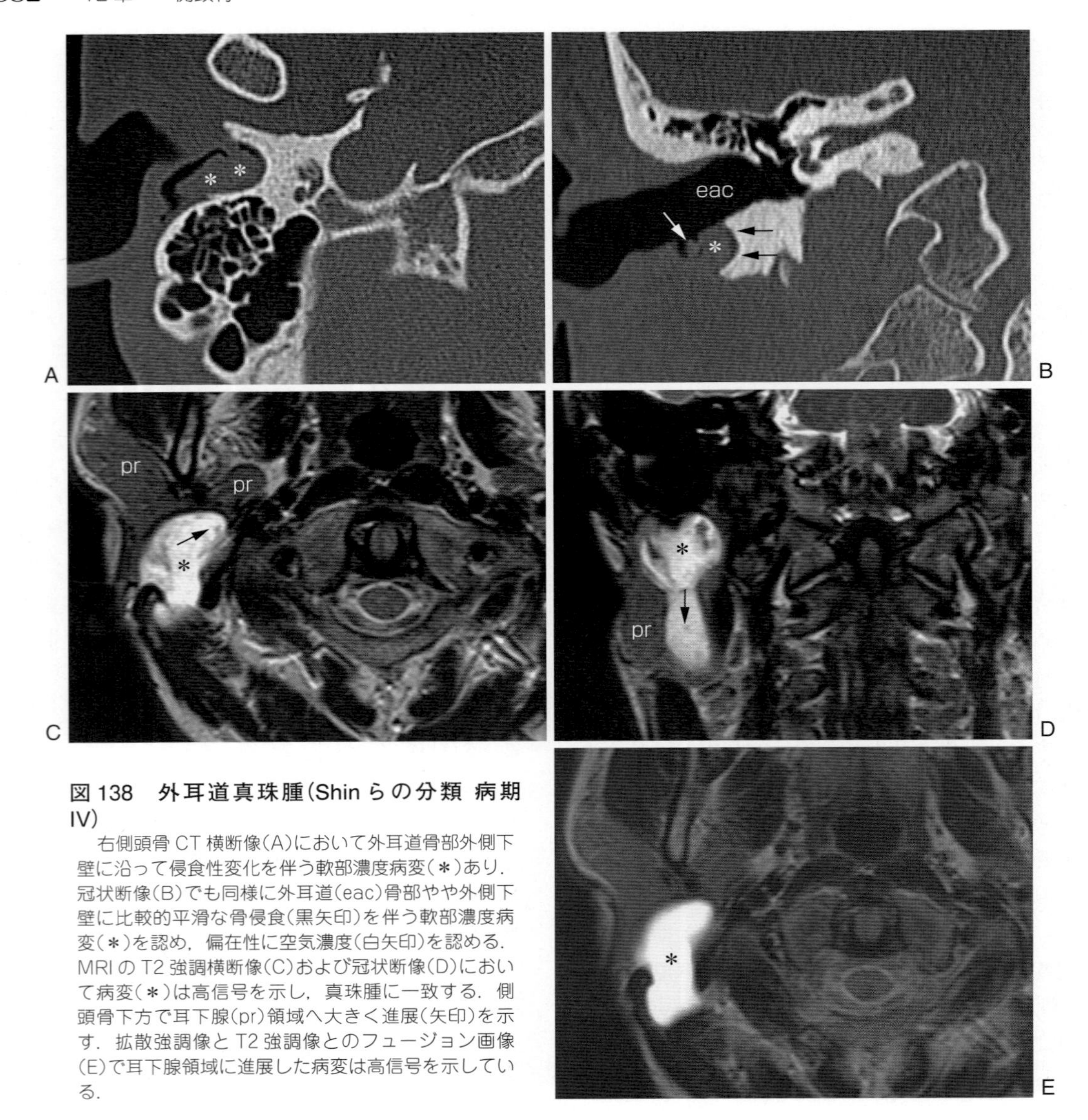

図138　外耳道真珠腫(Shinらの分類 病期IV)

右側頭骨CT横断像(A)において外耳道骨部外側下壁に沿って侵食性変化を伴う軟部濃度病変(＊)あり．冠状断像(B)でも同様に外耳道(eac)骨部やや外側下壁に比較的平滑な骨侵食(黒矢印)を伴う軟部濃度病変(＊)を認め，偏在性に空気濃度(白矢印)を認める．MRIのT2強調横断像(C)および冠状断像(D)において病変(＊)は高信号を示し，真珠腫に一致する．側頭骨下方で耳下腺(pr)領域へ大きく進展(矢印)を示す．拡散強調像とT2強調像とのフュージョン画像(E)で耳下腺領域に進展した病変は高信号を示している．

して扁平上皮癌は外耳道を充満するように発育してから軟骨，骨に浸潤していく傾向がある[232]．扁平上皮癌は他の組織型よりも予後不良である[234]．

予後因子としてはTNM因子(後述)，リンパ節転移，顔面神経麻痺，切除断端の病理，骨侵食，中耳進展，側頭骨外進展(耳下腺や頸部軟部組織)などがあげられるが[236, 237]，最も重要なのは診断時の頸部リンパ節転移と顔面神経麻痺で，リンパ節転移陽性率は10～20％程度であることから[234, 238]，選択的頸部郭清術の適応が考慮される．耳介前リンパ節(腺内耳下腺リンパ節)，耳介下リンパ節(浅側頸リンパ節・外頸静脈リンパ節)，耳介後リンパ節への転移が最も多く，上内深頸リンパ節(レベルII)(図149)，顎下リンパ節(レベルIB)がこれに次ぐ[239]．また耳介，乳突部進展例では後頸リンパ節(レベルV)，側頭骨深部への進展では咽頭後リンパ節への転移のリスクがあり，これらの評価も重要である．早期に診断され適切な治療が選択されれば予後良好であり，5年生存率はT1でほぼ100％，T2で約80％，stage IおよびIIでは80～100％，stage IIIおよび

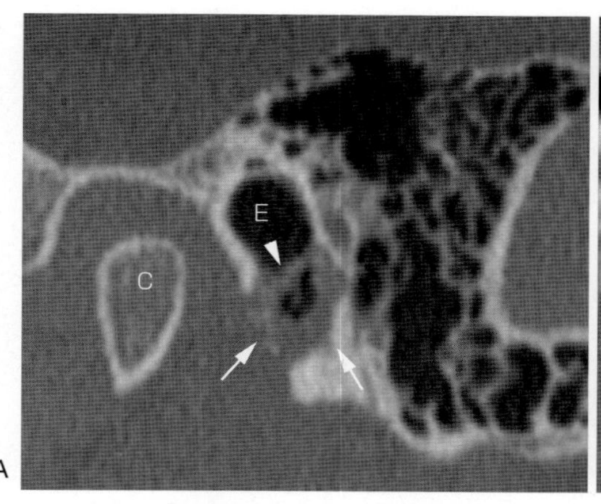

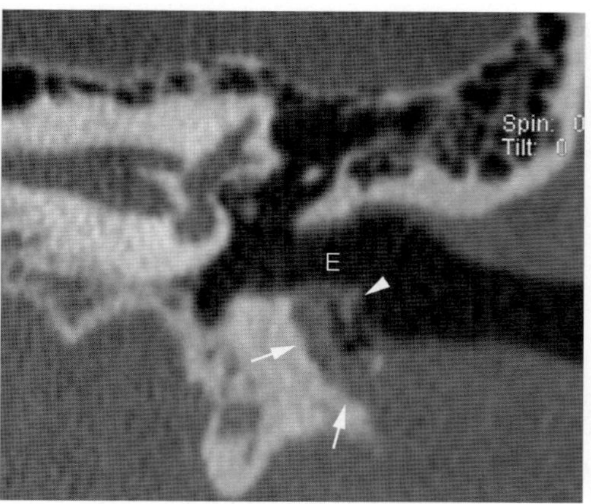

図 139　外耳道真珠腫（Naim らの分類 stage Ⅲ）

右側頭骨矢状断 CT（A）および矢状断 CT（B）において，外耳道骨部（E）下壁側優位に軟部濃度肥厚を認め，骨壁への侵食性変化を伴う（矢印）．軟部濃度内に（本来の外耳道下壁と思われる部位に一致して）分節状の骨濃度所見（壁内骨片）を認める（矢頭）．C：下顎骨関節頭

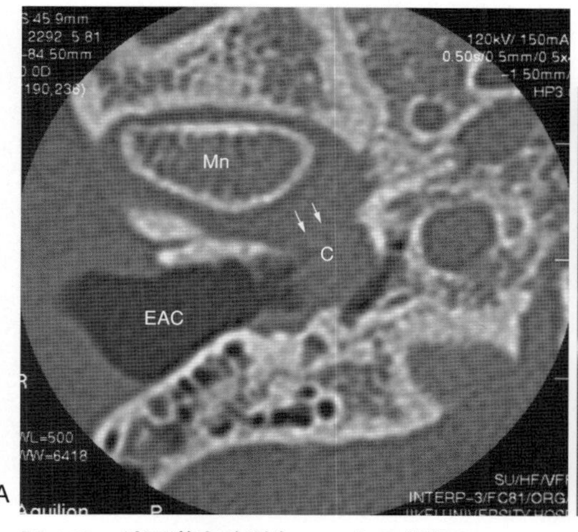

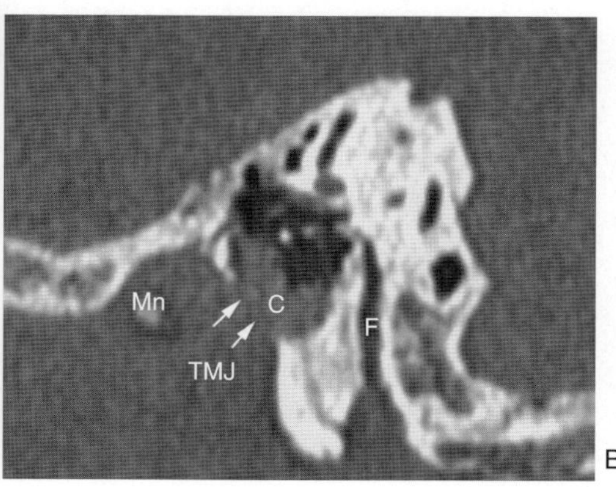

図 140　外耳道真珠腫（Naim らの分類 stage Ⅳ subclass J）

A：外耳道レベル右側頭骨横断 CT．外耳道骨部深部に不整形の軟部濃度病変（C）を認め，前方に隣接する顎関節窩との間の骨壁に侵食性変化（矢印）を伴う．

B：矢状断像．病変（C）は外耳道骨部下壁から前壁に沿って認められる．顎関節（TMJ）窩との間の骨壁に侵食性変化（矢印）あり．EAC：外耳道，F：顔面神経管乳突部，Mn：下顎骨関節頭

IV では 20〜50％と不良で，全体としては 40〜70％程度とされる[234, 236, 240]．主な死因は，所属リンパ節再発や遠隔転移よりも局所再発とされる[241, 242]．なお，局所再発，遠隔転移の頻度は各々 37％，16％で[234]，遠隔転移としては肝，脳，肺，骨および皮膚などが報告されている[243]．

治療計画，器官・生命予後の推定，患者への説明と同意においても，慎重かつ正確な治療前評価が必須であり，画像評価は重要な役割を担う．外耳道扁平上皮癌の病期診断として Pittsburgh 分類（**表 13**：p887）が最も広く受け入れられている．1990 年 Arriaga らにより提唱されたオリジナル分類[83]，2000 年 Moody らによる改訂分類[230]があるが，両者の違いは顔面神経麻痺の扱い（オリジナル分類では T3，改訂では T4）のみである．Moody らは改訂分類での T 因子と 2 年生存率と

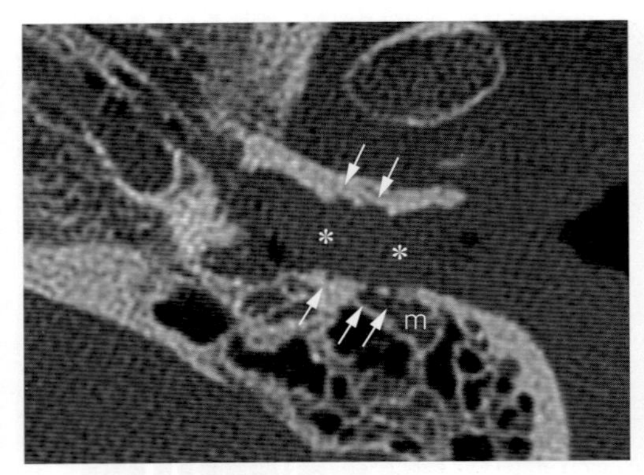

図 141　外耳道真珠腫
左側頭骨 CT 横断像において外耳道内のびまん性軟部濃度肥厚（*）を認め，外耳道骨部骨壁には不規則な骨侵食（矢印）を認める．後壁では一部で乳突蜂巣（m）との間の骨壁欠損を伴う．

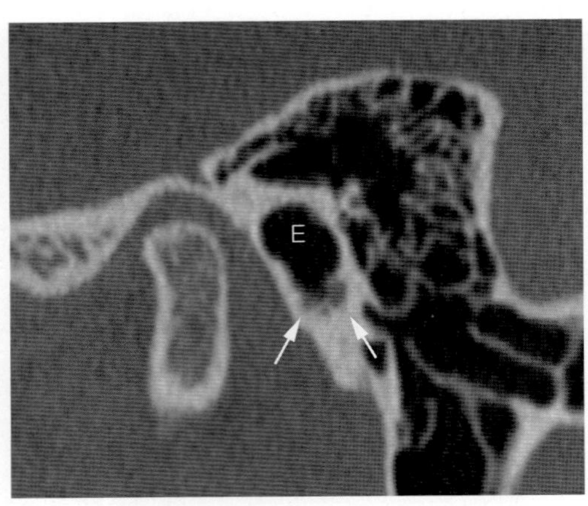

図 142　外耳道真珠腫（Naim らの分類 stage Ⅲ）
側頭骨矢状断 CT において，外耳道骨部（E）下壁側に軽度の限局性軟部濃度肥厚を認め，微細な骨侵食性変化（矢印）を伴う．同骨所見は横断像では同定困難であった．

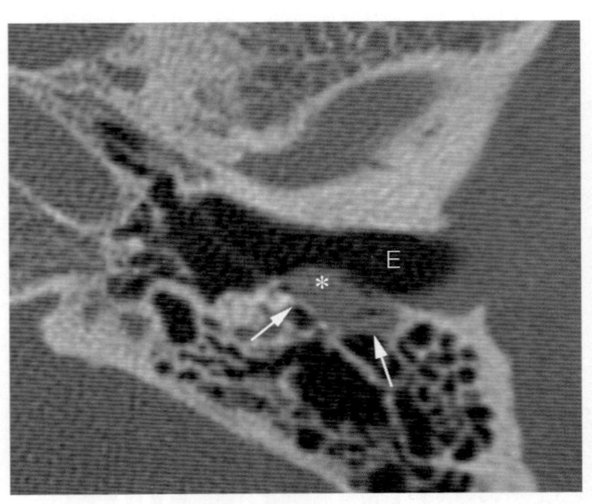

図 143　外耳道真珠腫（Naim らの分類 stage Ⅲ subclass M）
左側頭骨横断 CT で，外耳道骨部（E）後壁に限局性軟部濃度（*）病変を認め，隣接部の骨侵食性変化（矢印）を伴い，乳突蜂巣に及ぶ．

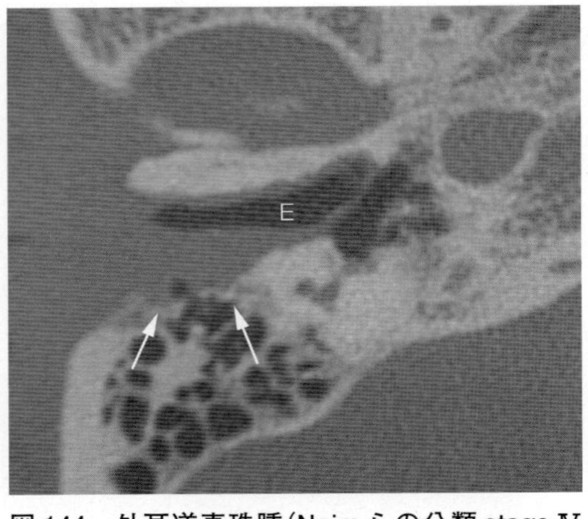

図 144　外耳道真珠腫（Naim らの分類 stage Ⅳ subclass M）
右側頭骨横断 CT で，外耳道骨部（E）には壁に沿ったびまん性軟部濃度肥厚を認め，後壁側では骨侵食性変化（矢印）を伴い，乳突蜂巣に及ぶ．

の相関，T3 以上の病変での後療法としての放射線治療での生存率改善に関して報告している[230]．一方，AJCC 第 8 版[244]による頭頸部皮膚癌（cutaneous squamous cell carcinoma of the head and neck）TNM 分類（表 14：p887）の適用対象は外耳を含み，外耳は耳介と外耳道から成ることから，理論的には外耳道癌にも適用可能である．ただし，同分類は耳介の皮膚癌に対して広く用いられる一方，外耳道癌は解剖学的な特異性，複雑さから予後は不良で，外耳道癌に対して用いる適否は明らかでない[245]．Morita らも外耳道癌の治療選択，予後推定において Pittsburgh 分類が優れるとしている[245]．

外耳道癌の進展様式（表 15：p888）としては，前方では顎関節（図 150，151），後方では乳突洞・蜂巣（図 151，152）から後頭蓋窩，外側では外耳（耳介）から側頭部軟部組織（図 152），内側では鼓室，内耳，頸動脈管・頸静脈孔（図 153，

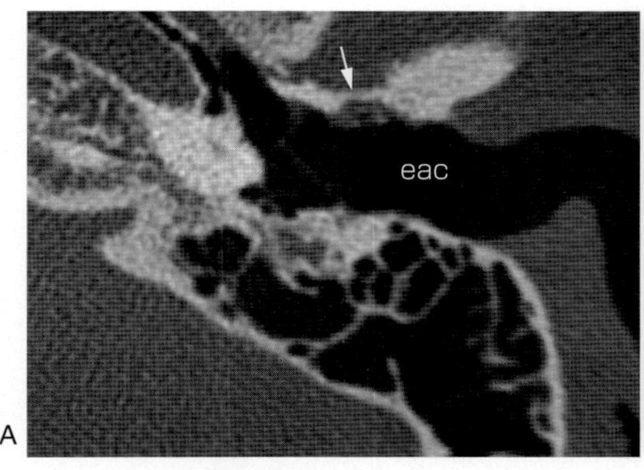

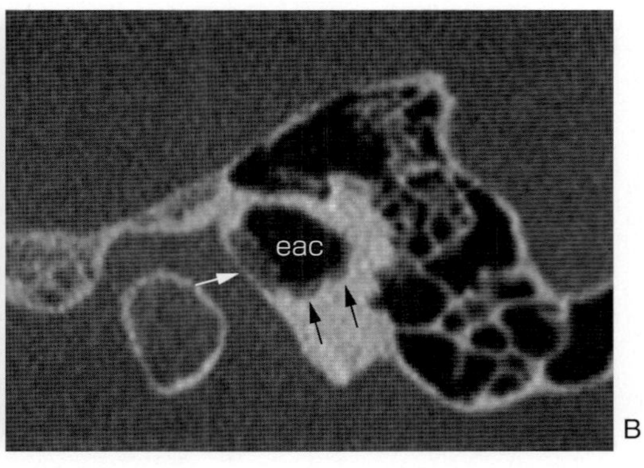

図 145　外耳道真珠腫

左側頭骨 CT 横断像(A)および矢状断像(B)で，外耳道骨部の前壁に限局性，偏在性の扁平な軟部濃度肥厚(白矢印)を認め，内部にわずかな含気あり．同部の骨侵食所見を伴い，外耳道真珠腫を示唆する．矢状断像(B)で軟部濃度肥厚の目立たない下壁側にも骨侵食の所見(黒矢印)がみられる．

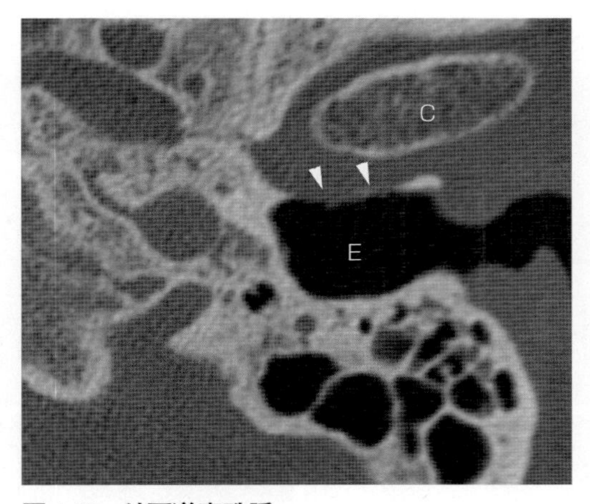

図 146　外耳道真珠腫

左側頭骨横断 CT において，外耳道骨部(E)は辺縁やや不整なびまん性拡大を示す．軟部濃度肥厚は認められないが，前壁側で顎関節窩との間で骨壁侵食性変化(矢頭)を伴い，外耳道は拡大を示す．

C：下顎骨関節頭

154)，錐体尖部(図 155，156)，頭側では中頭蓋窩(図 152，154～156)，尾側では外耳道下壁の fissure of Santorini と呼ばれる裂隙を介して耳下腺(図 150，154，155，157)から傍咽頭間隙，側頭下窩(図 152，154)への進展を示す．また，内側進展により顔面神経，三叉神経への浸潤から神経周囲進展(図 152)をきたしうる．鼓膜は約半数で保たれる．耳下腺，顎関節浸潤は臨床的な同定は困難な例も多く，画像評価が重要である[246]．

画像診断では CT，MRI が相補的に中心的役割を果たす．Arriaga らは術前画像診断として，病変進展範囲を正確に描出する高分解能 CT の術式選択に対する有用性，MRI の軟部組織への浸潤範囲の特定における有用性について報告している[247]．CT では骨破壊を伴う軟部濃度病変として認められ，顔面神経管の骨壁の評価にも有用である．骨破壊の程度は既述の外耳道真珠腫よりも高度かつ不整な傾向を示すが(図 151～153，154)，骨破壊の乏しい早期病変(図 158)や限局性骨破壊のみを示す例(図 159)では区別が困難な場合もある．頭蓋内進展(図 152，155，156)，軟部組織進展の評価に対しては MRI が有用である．病期

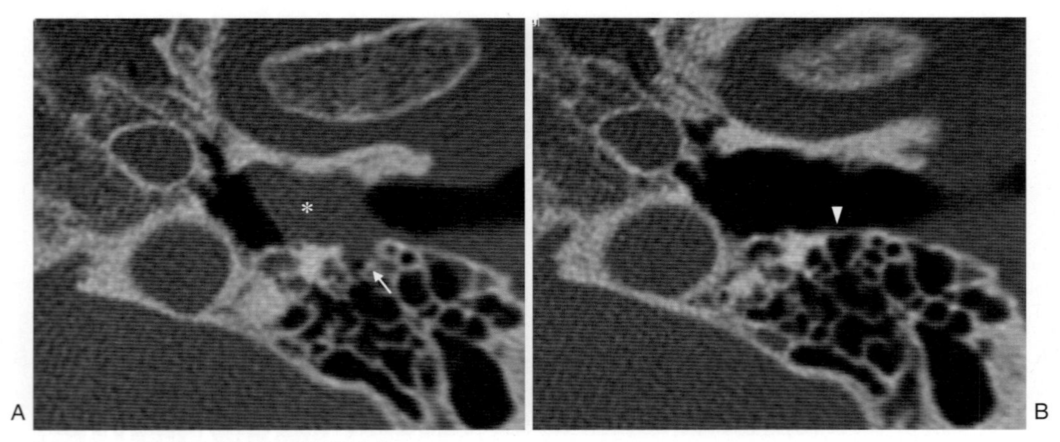

図 147　外耳道真珠腫保存的治療後

右側頭骨 CT 横断像(A)において，外耳道骨部内を占拠する軟部濃度(＊)を認め，後壁に限局性骨侵食性変化(矢印)を伴う．同例の保存的治療後 2 年後の CT(B)において，外耳道の軟部濃度は消失し，侵食性変化を示していた外耳道後壁の骨の再生(矢頭)を認める．

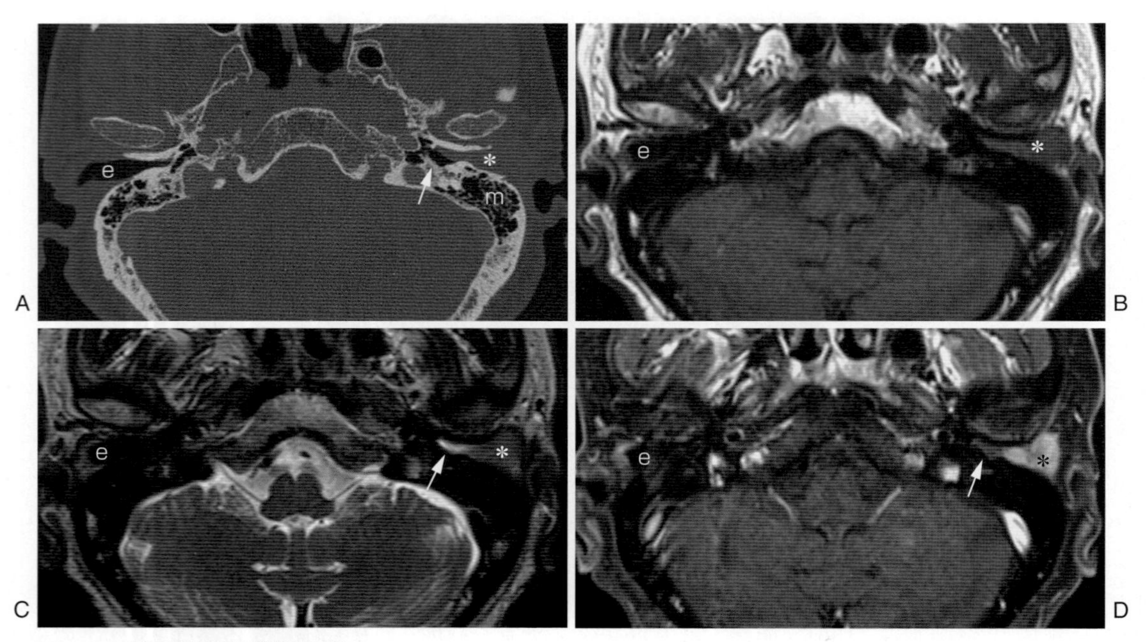

図 148　外耳道癌(腺様嚢胞癌)

側頭骨 CT 横断像(A)において左外耳道内に軟部濃度病変(＊)を認める．深部は鼓膜により明確に区分され鼓室の含気(矢印)は正常に保たれている．また骨侵食による乳突蜂巣(m)などへの進展もみられず，外耳道内に限局している．MRI T1 強調像(B)で病変(＊)は骨格筋に類似の低信号を呈する．T2 強調像(C)で病変(＊)は中等度の信号を呈するが，外耳道最深部では著明な高信号(矢印)を示す．造影後 T1 強調脂肪抑制画像で病変(＊)は充実性増強効果を呈するのに対して，外耳道最深部は造影不良域(矢印)としてみられる．充実性腫瘤として認められる外耳道腫瘍(＊)およびこれに併発した外耳道最深部での真珠腫(C，D での矢印)に相当する．e：正常の右外耳道

診断において，CT のみで 90%の例は正確な局所進展範囲の評価が可能であり，10%は耳下腺進展，頭蓋内進展，側頭下窩進展などについて MRI でなければ評価困難とされる[236]．FDG-PET/CT は必ずしもルーチンには施行されないが，外耳道癌の多くで集積を示し，小さなリンパ節転移や遠隔転移などの描出に有用である[239, 248]．病変の進展範囲は重要な予後因子(表 13)であり，これを正

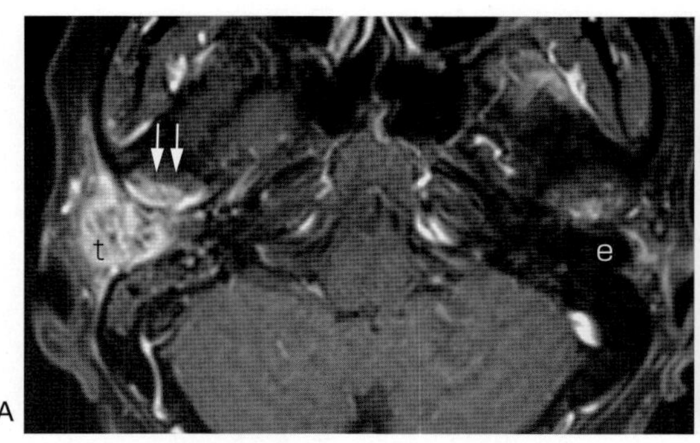

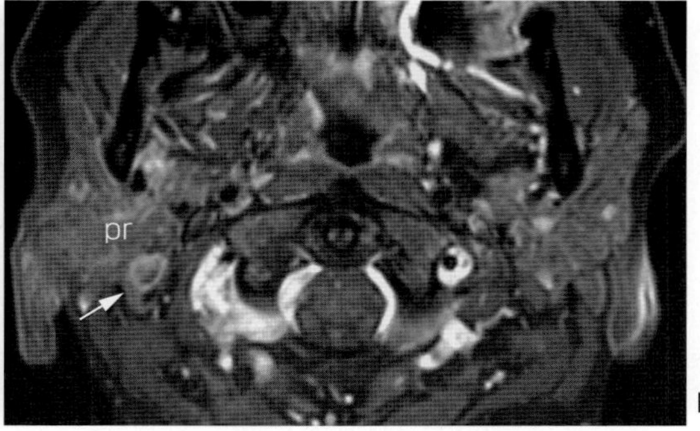

図 149　外耳道癌レベル IIB リンパ節転移

側頭骨レベル MRI 造影後 T1 強調脂肪抑制画像(A)において，右外耳道領域(対側で e で示す)に不均一な増強効果を示す腫瘤(t)を認め，外耳道癌に一致する．前方が顎関節窩への進展(矢印)あり．耳下腺レベル(B)において右耳下腺(pr)の深部に隣接して内部造影不良域(focal defect)を伴う軽度腫大を示す右レベル IIB リンパ節(矢印)を認め，リンパ節転移に合致する．

表 13　外耳道癌の病期分類

Stage	オリジナル Pittsburgh 分類	改訂 Pittsburgh 分類
T1	外耳道に限局し，骨侵食あるいは軟部組織進展なし	外耳道に限局し，骨侵食あるいは軟部組織進展なし
T2	外耳道骨壁に限局した(全層性ではない)骨侵食，あるいは 0.5 cm 未満の軟部組織進展	外耳道骨壁に限局した(全層性ではない)骨侵食，あるいは 0.5 cm 未満の軟部組織進展
T3	外耳道骨壁の全層性浸潤および 0.5 cm 未満の軟部組織進展，あるいは中耳および・あるいは乳突洞進展 あるいは顔面神経麻痺	外耳道骨壁の全層性浸潤および 0.5 cm 未満の軟部組織進展，あるいは中耳および・あるいは乳突洞進展
T4	蝸牛，錐体尖部，中耳内側壁，頸動脈管，頸静脈孔，硬膜への進展，あるいは(顎関節や茎状突起などへの)0.5 cm を超える軟部組織進展	蝸牛，錐体尖部，中耳内側壁，頸動脈管，頸静脈孔，硬膜への進展，あるいは(顎関節や茎状突起などへの)0.5 cm を超える軟部組織進展 あるいは顔面神経麻痺

(Arriaga M, Curtin H, Takahashi H et al：Ann Otol Rhinol Laryngol **99**：714–721, 1990)
(Moody SA, Hirsch BE, Myers EN：Am J Otol **21**：582–588, 2000)

しく評価することが治療選択，術式決定などにおいて重要である[249]．また，隣接する内頸動脈，S 状静脈洞，横静脈洞との関係や状態の評価も重要な因子となる．

現状として広く受け入れられている外耳道扁平上皮癌に対する治療法選択の基準はないが，手術が基本となる．腫瘍の大きさ，局在により，T1/2 病変に対しては外耳道の sleeve excision，外側側頭骨切除術(lateral temporal bone resection)により一塊として切除(*en bloc* surgery)(図 160，161)，T3/4 病変に対しては側頭骨亜全摘術あるいは全摘術が推奨される[250]．T1/2 病変の *en bloc* 切除による治癒率は 100％に近いが[251]，放射線治療単独でも比較的良好な成績が報告されている[252]．病変を一塊として切除し(*en bloc* surgery)，術後照射を組み合わせるのが一般的である[253]．ただし，放射線治療による後療法については依然議論がある[236]．側頭骨亜全摘術・全摘術の周術期死亡率は最大で 18.7％ともされており[254]，T3/4 病変に対しては侵襲のより低い手術が選択されることもしばしばで，後・中頭蓋窩進展，内頸動脈浸潤では手術は禁忌となる[234]．切除例の 3 分の 1 以上(37.5％)で不完全切除となる[236]．切除断端陰性例においては，術

表 14　頭頸部皮膚扁平上皮癌の TNM 分類（AJCC 第 8 版）

T	TX		原発病変の評価不能
	Tis		Carcinoma *in situ*（上皮内癌）
	T1		腫瘍径 2 cm 未満
	T2		腫瘍径 2 cm 以上，4 cm 未満
	T3		腫瘍径 4 cm 以上あるいは軽微な骨侵食，神経周囲進展もしくは深部浸潤*
	T4	T4a	明らかな骨皮質，骨髄進展あり
		T4b	頭蓋底浸潤および・あるいは頭蓋底の孔への進展
N			他の頭頸部癌（上咽頭癌，HPV 陽性中咽頭癌，甲状腺癌を除く）の N，M 分類と同様
M			

深部浸潤：皮下脂肪を越えるか（隣接する正常表皮の顆粒層から腫瘍最深部まで）6 mm を超える進展
（Amin MB, Edge SB, Creene FL et al（eds）：AJCC cancer staging manual,（8th eds）, Springer, New York, 2017）

表 15　外耳道癌の進展様式・画像評価項目

前方進展	顎関節
後方進展	乳突洞・蜂巣 後頭蓋窩 CN7 乳突部
外側進展	外耳 側頭部軟部組織
内側進展	鼓室 内耳 頸動脈管・頸静脈孔 錐体尖部 V3
頭側進展	中頭蓋窩
尾側進展	耳下腺 傍咽頭間隙 側頭下窩
神経周囲進展	CN7，V3

後放射線治療により生存率は改善が望まれるが，切除断端陽性例では明らかな改善はみられない．耳下腺摘出術，頸部郭清術の適応については確立されていないが，T3/4 病変に対して[251]，外耳道の前・下壁浸潤を示す例[255]で耳下腺摘出術を推奨する報告がある．なお，Pemberton らは根治的放射線治療例の 5％で骨壊死，2％で軟部組織壊死を生じ，壊死の発現は放射線治療終了後平均 4.6 年と報告している[256]．放射線治療による聴力障害は蝸牛の線量が重要な因子となり，高周波領域の聴力障害を起こすのが一般的であるが，言語周波数（500～4,000Hz）の障害は放射線治療終了後 1 年以上たって進行する[240]．

経過観察において，増大傾向のある軟部濃度腫瘤，進行性骨破壊・侵食性変化（図 162，163）は局所再発を示唆する．

3 中耳・乳突洞疾患

a. 滲出性中耳炎（otitis media with effusion/serous otitis）

1976 年 Mawson は滲出性中耳炎を“急性感染の徴候を伴わない鼓室内液体貯留”と定義したが[257]，これは鼓膜穿孔のない中耳炎の慢性型に相当する[258]．炎症や解剖学的・機械的因子など，さまざまな要因による耳管機能不全に伴い，鼓室内圧の減少，鼓室換気不良が生じる．滲出性中耳

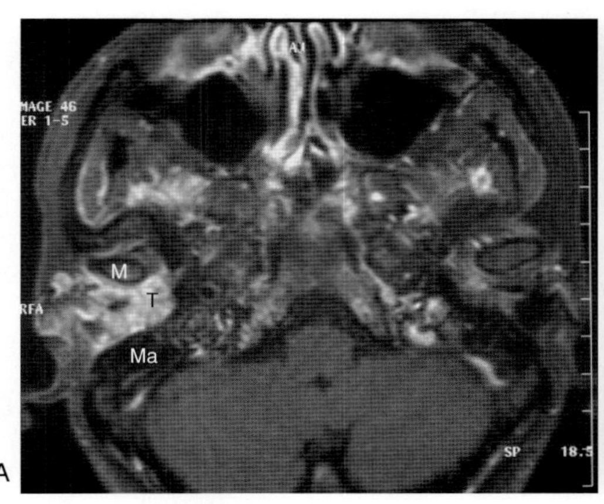

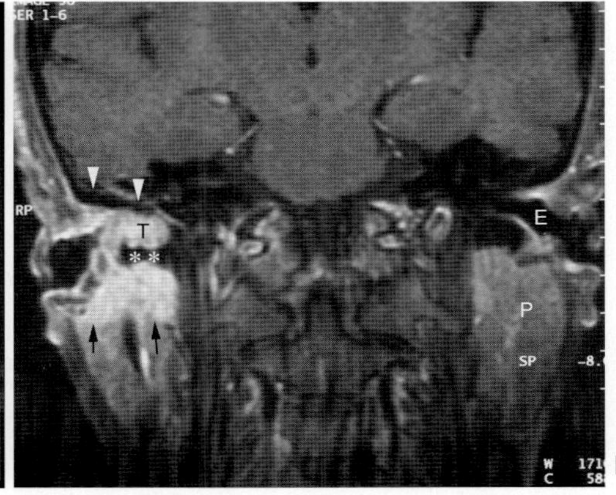

図 150　外耳道癌

A：造影 MRI T1 強調横断像．右外耳道を充満する増強効果を示す腫瘍(T)を認め，外耳道癌に一致する．前方では顎関節窩に進展し，下顎骨関節頭(M)を取り囲んでいる．Ma：乳突洞

B：同冠状断像．外耳道の腫瘍(T)は下方で外耳道骨部下壁(＊)外側縁および軟骨部の破壊を伴い隣接する耳下腺(対側で P で示す)実質に浸潤(矢印)を示す．中頭蓋窩との間の骨壁は保たれている(矢頭)．E：左外耳道

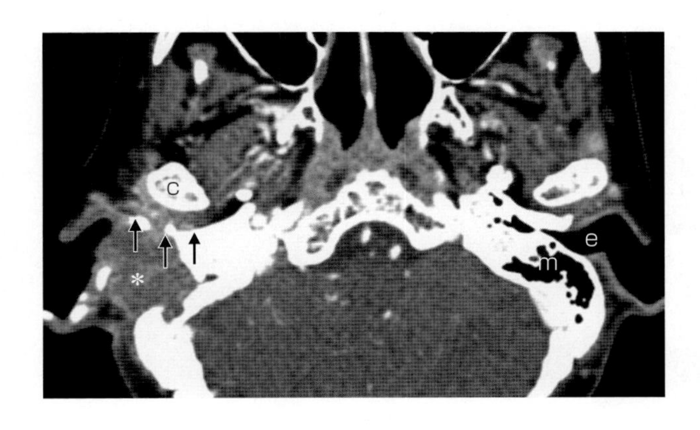

図 151　外耳道癌

造影 CT 横断像において，右外耳道(対側で e で示す)から乳突蜂巣(対側で m で示す)領域を中心とする破壊性軟部濃度腫瘤(＊)を認め，前方では顎関節窩後方への浸潤(矢印)を示す．c：下顎骨関節頭

炎は，この鼓室内陰圧により血管床から鼓室内や細胞間腔に液体が漏出した状態を示す．液体貯留は初期は漿液性であり，慢性的経過により粘稠度は高くなるが化膿性ではない．鼓室内陰圧は鼓膜陥凹や鼓膜充血などの原因ともなる．この状態が最低でも 3 ヵ月は継続し[258]，これは急性中耳炎後の 90％で 2 ヵ月以内に液体が消失するのとは異なる[259]．しばしば無症候性で容易に見落とされるが，難聴から小児の言語発達，行動発達に影響を与えうる．耳小骨への影響から伝音難聴をきたす．通常，急性中耳炎と異なり耳痛は訴えない．

50％が 1 歳未満，60％が 2 歳未満[260]，90％は 2～5 歳以下の小児(最も多いのは 6～24 ヵ月)に生じるが[261]，その 60％以上は急性中耳炎に続発する．男児にやや多い[262]．残り 10％は高齢者で，耳管機能低下や上咽頭腫瘍による耳管閉塞が要因とされる．

発生因子としては頭蓋顔面奇形・側頭骨発生異常やアデノイド過形成，上咽頭腫瘍，アデノイド摘出手術後瘢痕性癒着などによる耳管咽頭口閉鎖，胃食道逆流，アレルギー，副鼻腔炎などが含まれる．小児ではアデノイド過形成が最も重要な要因で，鼻咽頭炎が最も頻度の高い契機となる．

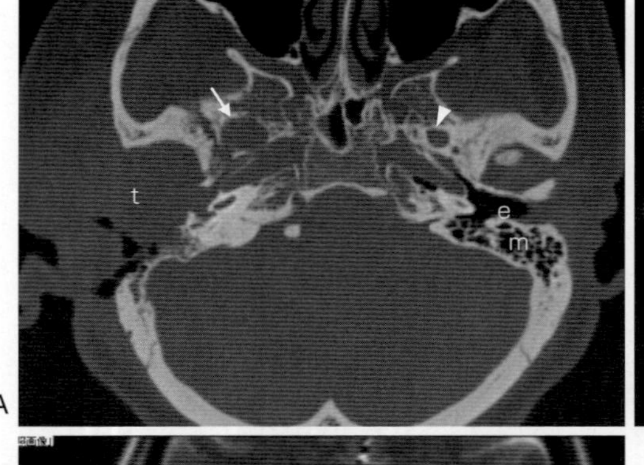

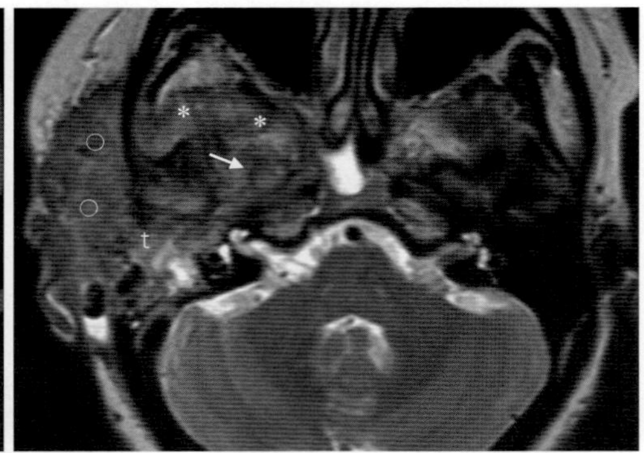

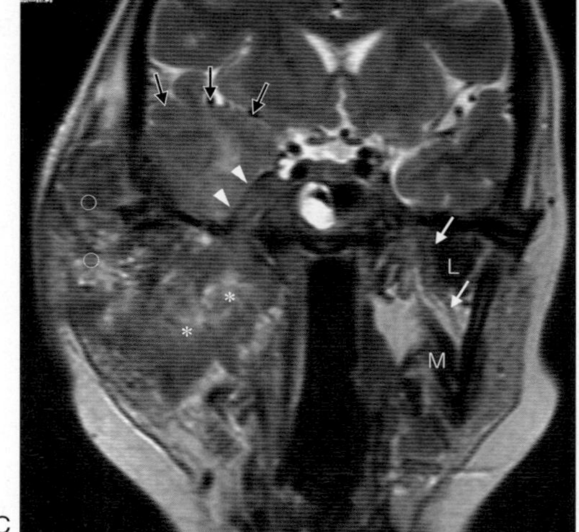

図152　外耳道癌

CT横断像骨条件表示(A)において，右側の外耳道(対側でeで示す)を中心とする浸潤性破壊性軟部濃度病変(t)を認め，後方では乳突蜂巣(対側でmで示す)に進展する．同側の卵円孔(矢印)は対側(矢頭)と比較して拡大を示す．同例のMRI，T2強調横断像(B)で外耳道領域の腫瘍(t)は側方で側頭部軟部組織(○)，内側前方では側頭下窩(＊)への進展を示す．矢印：拡大した卵円孔および内部を通過する腫大したV3．同冠状断像(C)で腫瘍は側方で側頭部軟部組織(○)，内側下方で側頭下窩(＊)への進展を示す．頭側では中頭蓋窩に進展，右側頭葉には腫瘍浸潤および周囲浮腫による腫脹と信号変化(黒矢印)を認める．対側において内側(M)・外側(L)翼突筋の間に確認可能なV3(白矢印)に沿った神経周囲進展は拡大した卵円孔からMeckel腔(半月神経節領域)(矢頭)に及んでいる．

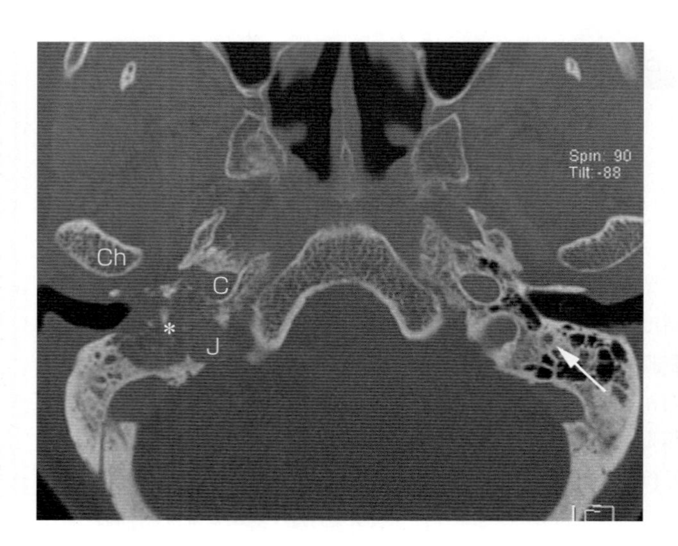

図153　外耳道癌

側頭骨レベル横断CTで，右外耳道骨部深部を中心とした，浸潤性破壊性腫瘍(＊)を認める．骨破壊は内側では頸動脈管(C)，頸静脈窩(J)の骨壁，後方では乳突洞領域，前方では顎関節窩との間の骨壁に及ぶ．顔面神経管下行部(対側で矢印で示す)は腫瘍浸潤を受ける．Ch：下顎骨関節頭

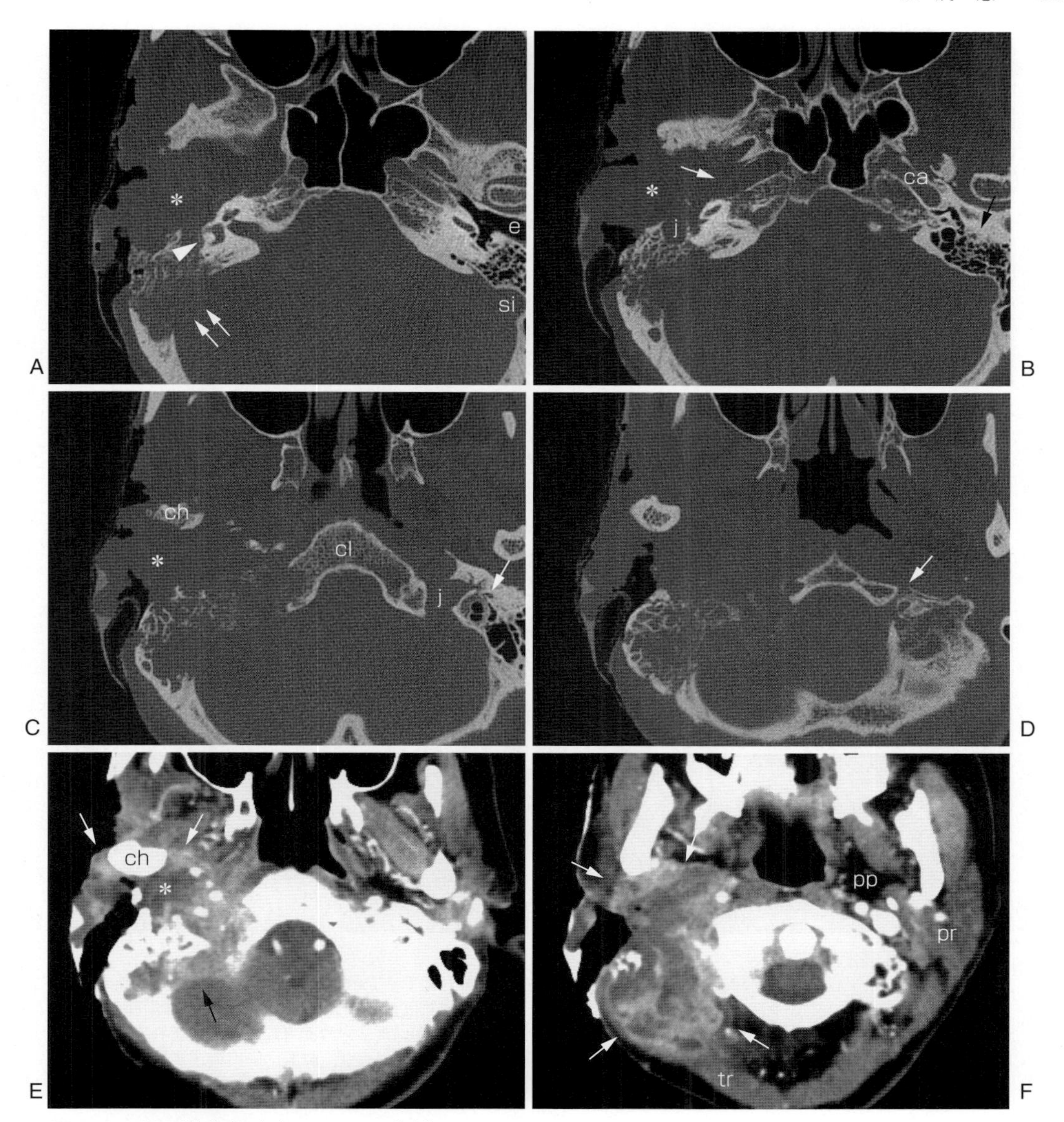

図 154　外耳道癌（T4）（p892 につづく）

側頭骨 CT 骨条件横断像の内耳道レベル（A）において，右外耳道（対側で e で示す）領域を中心とする骨破壊性病変（＊）を認め，外耳道癌に一致する．内側では内耳周囲の骨包を破壊し，外側半規管の骨壁は部分的欠損（矢頭）を示す．後方では S 状静脈洞溝（si）周囲を含む後頭蓋窩前壁の骨破壊（矢印）もみられる．やや尾側の正円窓レベル（B）で病変（＊）により頸動脈管水平部（対側で ca で示す）の外側部の骨破壊（白矢印）あり．後方で頸静脈孔（j），顔面神経管下行部（対側で黒矢印で示す）領域への進展あり．さらに尾側の顎関節レベル（C）で病変（＊）の骨破壊は前方の下顎骨関節頭（ch），内側で頸静脈孔（対側で j で示す）周囲，斜台（cl）右外側部に及ぶ．顔面神経下行部（対側で矢印で示す）領域も浸潤範囲に含まれる．舌下神経管レベル（D）で病変は舌下神経管（対側で矢印で示す）領域に及ぶ．外耳道レベルの造影 CT（E）で腫瘍（＊）は壊死を伴う高度浸潤性破壊性腫瘤としてみられ，前方の顎関節周囲（白矢印），後方の後頭蓋窩前下部（黒矢印）への浸潤を示す．尾側レベル（F）において腫瘍（矢印）は下方で耳下腺（対側で pr で示す），深部で傍咽頭間隙（対側で pp で示す），耳後部下方で僧帽筋（tr）外側端への浸潤を示す．

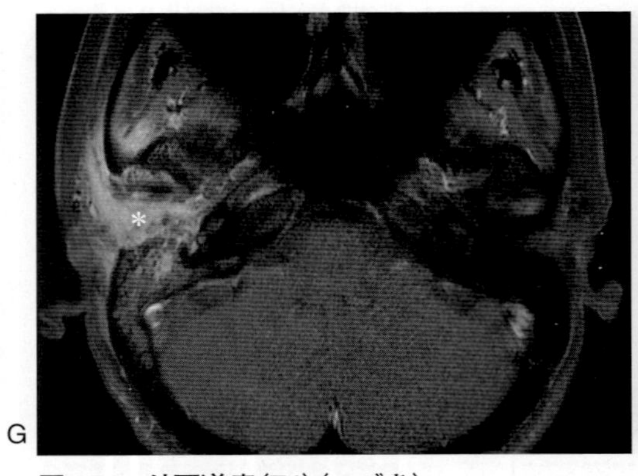

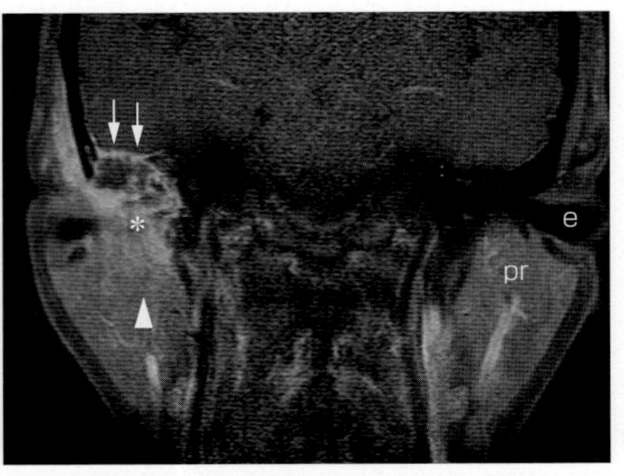

図 154　外耳道癌（T4）（つづき）
MRI 造影後 T1 強調横断像（G）および冠状断像（H）で右外耳道腫瘍（＊）はやや不均等な増強効果を示す．頭側で右中頭蓋窩（小矢印）に進展，同部髄膜の肥厚と増強効果がみられる．尾側では耳下腺（対側で pr で示す）への進展（矢頭）を示す．e：左外耳道

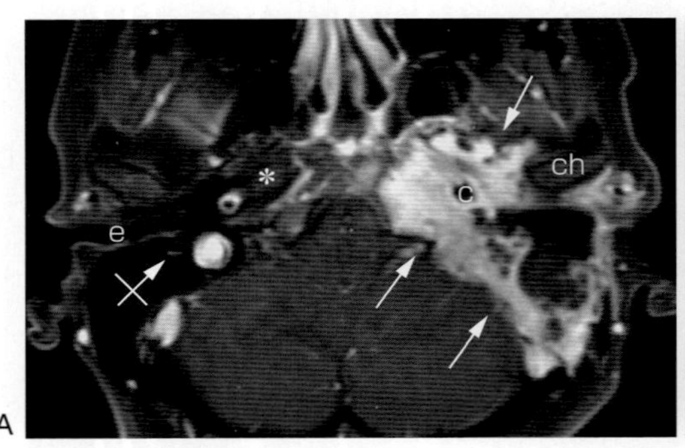

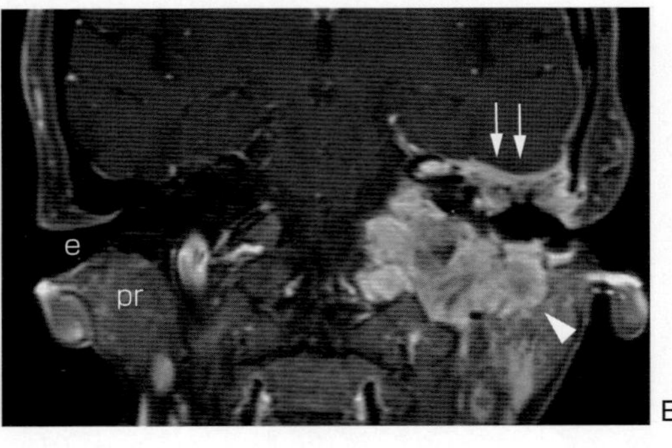

図 155　外耳道癌（T4）
側頭骨領域 MRI 造影後 T1 強調脂肪抑制横断像（A）で左外耳道（対側で e で示す）領域を中心に壊死を伴う浸潤性腫瘤（矢印）を認める．内側深部では錐体尖部への進展あり．＊：脂肪抑制により低信号を示す対側錐体尖部の骨髄．前方では下顎骨関節頭（ch）周囲に進展あり．顔面神経（対側で十字矢印）は病変浸潤範囲に完全に含まれている．冠状断像（B）では頭側で左中頭蓋窩（矢印）に進展，左側頭葉下面に広範に接するが，軟膜，脳実質浸潤の所見はみられない．また，尾側で耳下腺（対側で pr で示す）への浸潤（矢頭）を示す．e：右外耳道

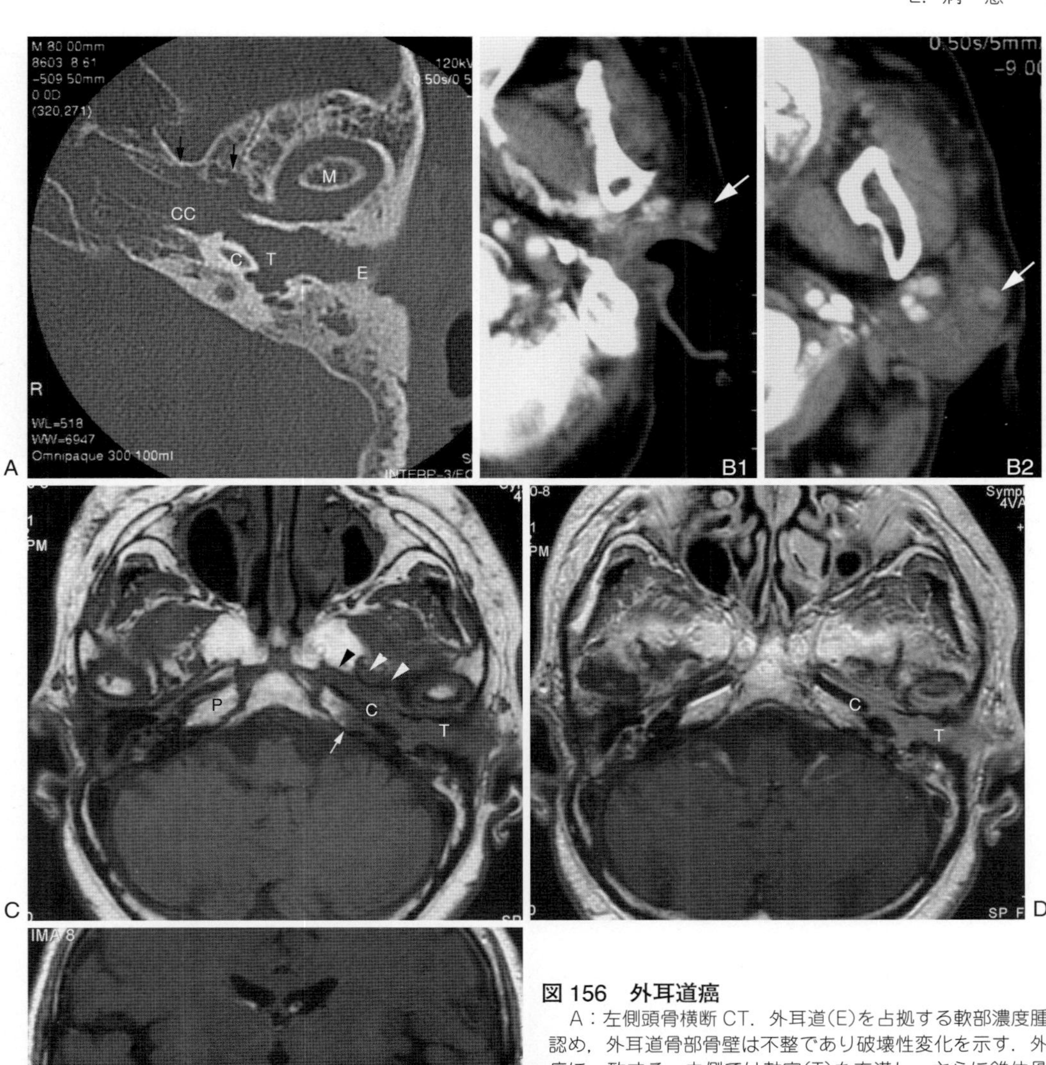

図 156　外耳道癌

A：左側頭骨横断 CT．外耳道(E)を占拠する軟部濃度腫瘍を認め，外耳道骨部骨壁は不整であり破壊性変化を示す．外耳道癌に一致する．内側では鼓室(T)を充満し，さらに錐体骨尖部方向に進展，骨破壊を示す(矢印)．頸動脈管水平部(CC)外側縁の骨壁は消失している．C：蝸牛，M：下顎骨関節頭

B：外耳道レベル(B1)および耳下腺レベル(B2)，造影 CT 軟部濃度条件．各々，耳介前リンパ節，耳下腺内リンパ節腫大を認める(矢印)．

C：外耳道レベル MRI T1 強調横断像．左外耳道内を占拠し，内側は鼓室から錐体骨尖部に進展する(矢頭)，骨格筋とほぼ等信号強度を示す浸潤性腫瘍(T)を認める．錐体骨尖部(対側で P で示す)の正常骨髄を示す高信号強度は腫瘍の浸潤により一部失われている(矢印)．また，頸動脈管水平部に相当する内頸動脈(C)周囲にも及んでいる．

D：同レベルにおけるガドリニウム DTPA による造影後，T1 強調横断像．腫瘍(T)はほぼ均一な充実性増強効果を示している．造影前 T1 強調像(C)で認められた錐体骨尖部の骨髄内浸潤の所見は不明瞭になっている．C：内頸動脈(頸動脈水平部)

E：同冠状断像．腫瘍(T)は鼓室天蓋部を破壊して，中頭蓋窩底部の硬膜下への浸潤(矢印)を示している．

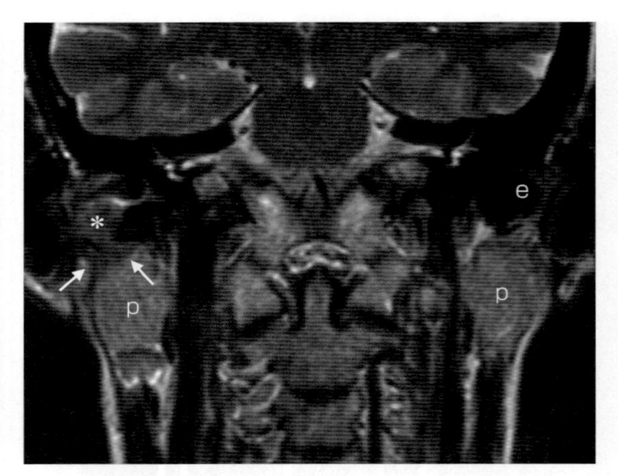

図157　外耳道癌

T2強調冠状断像で右外耳道（対側でeで示す）に中等度からやや高信号を示す腫瘤（＊）を認め，尾側で耳下腺（p）上部への浸潤（矢印）を認める．

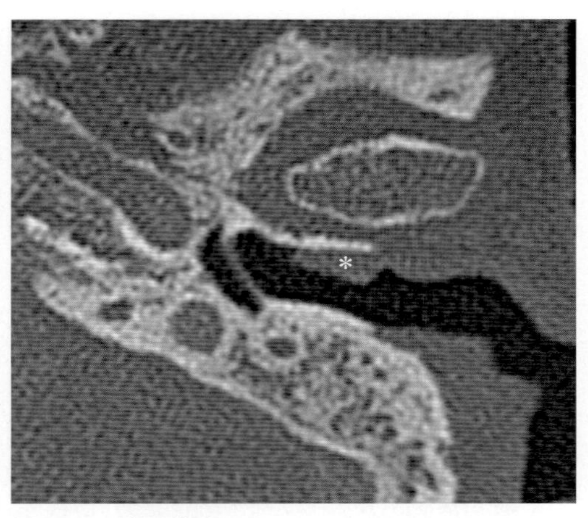

図158　外耳道癌

左側頭骨横断CTにおいて，外耳道骨部前壁に扁平な軟部濃度病変（＊）を認める．隣接部の骨侵食性変化は認められない．

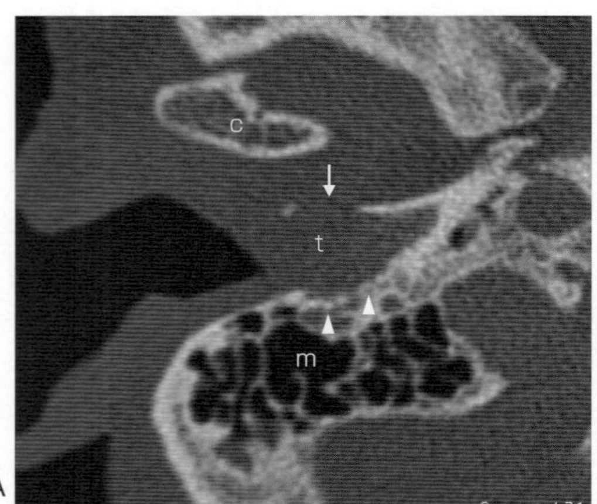

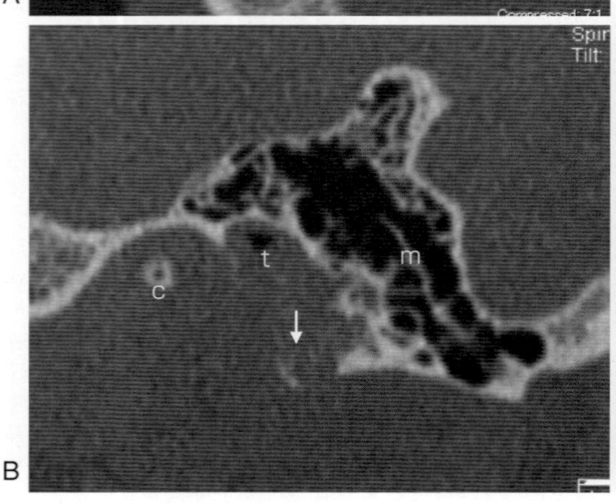

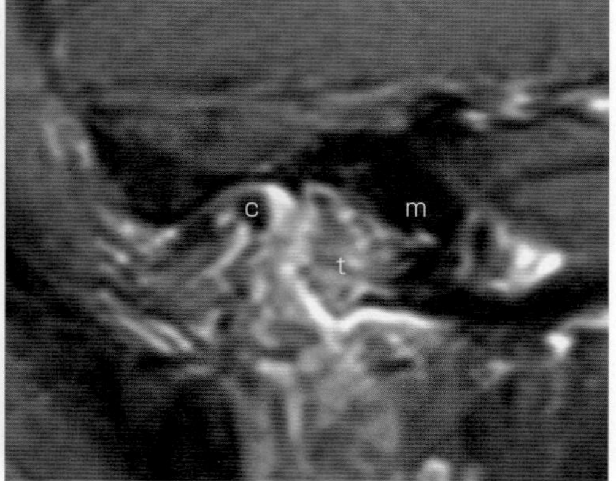

図159　外耳道癌

右側頭骨CT横断像（A）において外耳道に軟部濃度病変（t）を認め，前壁（矢印），後壁（矢頭）の限局性侵食を認める．c：下顎骨関節頭．矢状断（B）で外耳道軟部濃度病変（t）は下壁側優位の侵食性変化（矢印）を示しており，CT上は外耳道真珠腫に類似する．c：下顎骨関節頭，m：乳突蜂巣．同例のMRI，Bとほぼ同レベルでの造影後T1強調矢状断像（C）で腫瘤（t）は充実性増強効果を示しており，（増強効果を示さない）真珠腫とは異なる．c：下顎骨関節頭，m：乳突蜂巣

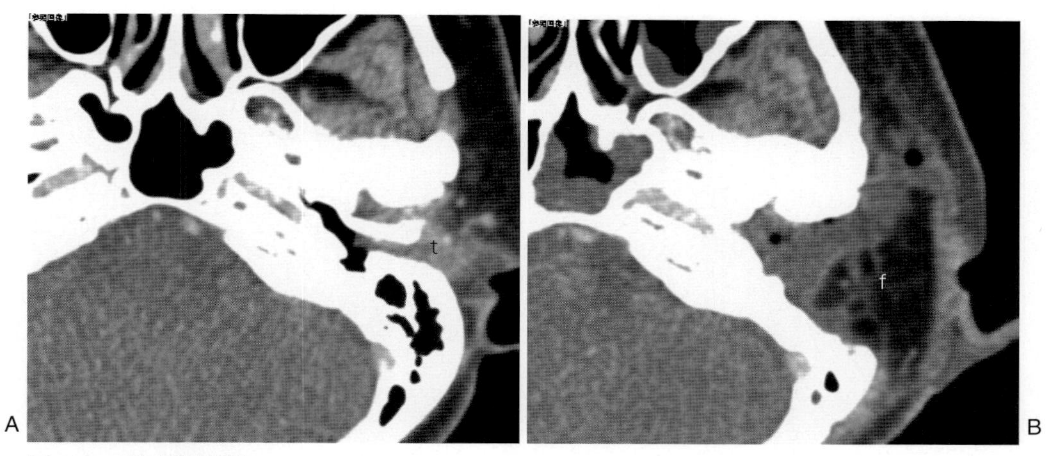

図 160　外耳道癌術後

側頭骨レベルの造影 CT 横断像(A)で左外耳道に淡い増強効果のある軟部濃度腫瘤(t)を認め，外耳道癌に一致する．術後 CT(B)で腫瘍とともに外耳道から乳突部，内側は鼓室壁の一部まで切除され，術後欠損部に主に脂肪濃度を呈する皮弁(f)が置かれている．

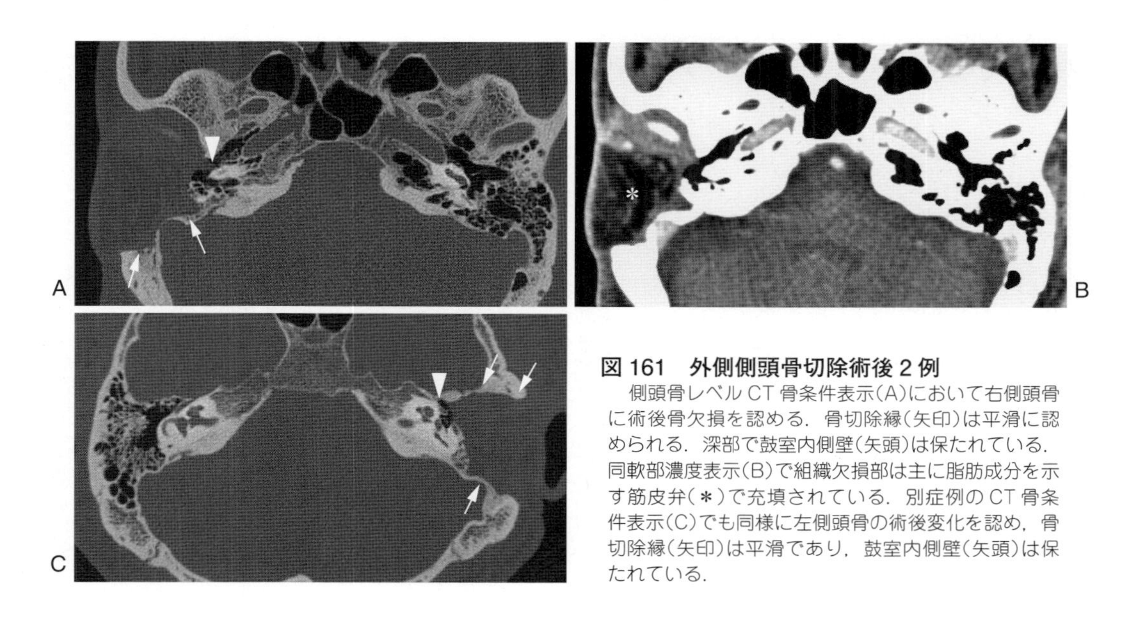

図 161　外側側頭骨切除術後 2 例

側頭骨レベル CT 骨条件表示(A)において右側頭骨に術後骨欠損を認める．骨切除縁(矢印)は平滑に認められる．深部で鼓室内側壁(矢頭)は保たれている．同軟部濃度表示(B)で組織欠損部は主に脂肪成分を示す筋皮弁(＊)で充填されている．別症例の CT 骨条件表示(C)でも同様に左側頭骨の術後変化を認め，骨切除縁(矢印)は平滑であり，鼓室内側壁(矢頭)は保たれている．

小児で難聴，発達遅延(特に言語発達)，学校での行動異常，睡眠障害などで診断が疑われるが，しばしば(本人ではなく)両親・家族の訴えとなる．多くの場合診断は比較的容易であり，気密式耳鏡検査(pneumatic otoscopy)で鼓室内液体貯留を認め，3 ヵ月後に同様の耳鏡所見が継続していることにより診断が確定する[263]．B 型のティンパノグラムが診断を示唆するが[258]，小児例の約 50%が 20dB 以上，20%が 35dB 以上，5～10%が 50dB 以上の聴力障害を訴え，50dB 以上の場合は内耳障害の併発が考慮される[264]．診断には必ずしも画像診断を必要としないが，病変の程度の客観的評価，上咽頭腫瘤や側頭骨奇形などの基礎的要因の評価などを目的として施行される．CT において，鼓室，乳突洞の含気腔は広範に(液体貯留および，一部粘膜肥厚に相当する)軟部濃度に置換されるが，耳小骨，乳突洞蜂巣壁を含めて，骨侵食性変化はみられない．通常は乳突洞・蜂巣の発達は良好である(図 164)．

多くが自然軽快するが[265]，鼓膜チューブ留置

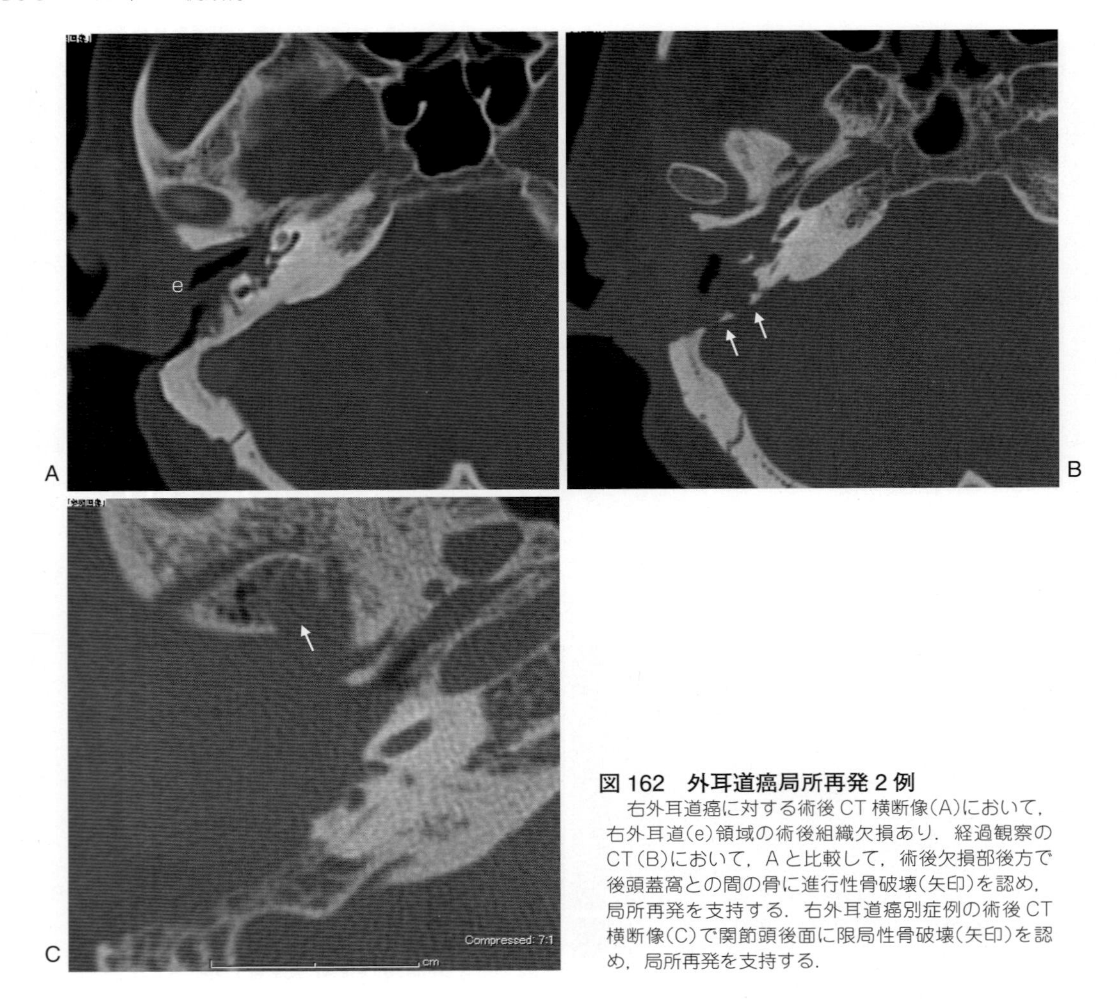

図 162　外耳道癌局所再発 2 例
右外耳道癌に対する術後 CT 横断像(A)において，右外耳道(e)領域の術後組織欠損あり．経過観察の CT(B)において，A と比較して，術後欠損部後方で後頭蓋窩との間の骨に進行性骨破壊(矢印)を認め，局所再発を支持する．右外耳道癌別症例の術後 CT 横断像(C)で関節頭後面に限局性骨破壊(矢印)を認め，局所再発を支持する．

が国際的に認知された唯一の治療法であり，オージオメトリーで 25～40dB の聴力障害が対象となる[266]．鼓膜チューブの留置は鼓室の換気，鼓膜内外の圧バランスの均衡を助け，聴力を回復し，滲出性中耳炎の再発や真珠腫発生を防ぐ[258, 267]．古典的には抗菌薬も投与されてきたが，長期の効果は証明されておらず現行のガイドラインでは推奨されていない．アデノイド切除は鼓膜チューブ留置との組み合わせにおいて効果が期待される場合があるが，米国のガイドラインでは基本的には 4 歳を超えた例を対象としている[268]．

b. コレステリン肉芽腫(cholesterol granuloma)

コレステリン肉芽腫は厚い線維性被膜に覆われ，異物巨細胞と慢性炎症に囲まれたコレステリン結晶を含む，概ね円形・類円形の膨隆性嚢胞性腫瘤で[269]，しばしば感染を伴う．上皮に囲まれる真性嚢胞ではなく仮性嚢胞で[270]，青色から茶色の色調から“チョコレート嚢胞(chocolate cyst)”とも称される．嚢胞内容は粘稠度の高い褐色を呈する．身体の様々な部位での報告があるが，側頭骨領域では錐体尖部病変と中耳・乳突部病変の 2 つに(ほぼ明確に)分けられる[269]．錐体尖部病変は 1975 年 Gracek[271]，中耳・乳突洞病変は 1894 年 Manasse[272]により最初の記述がなされている．側頭骨コレステリン肉芽腫としては中耳・乳突部病変の頻度が高いが，錐体尖部コレステリン肉芽腫は錐体尖部良性病変の約 40％(100 万人に約 0.6 人で，同部の真珠腫・類上皮腫，くも膜嚢胞の約 10 倍の頻度)と錐体尖部病変として

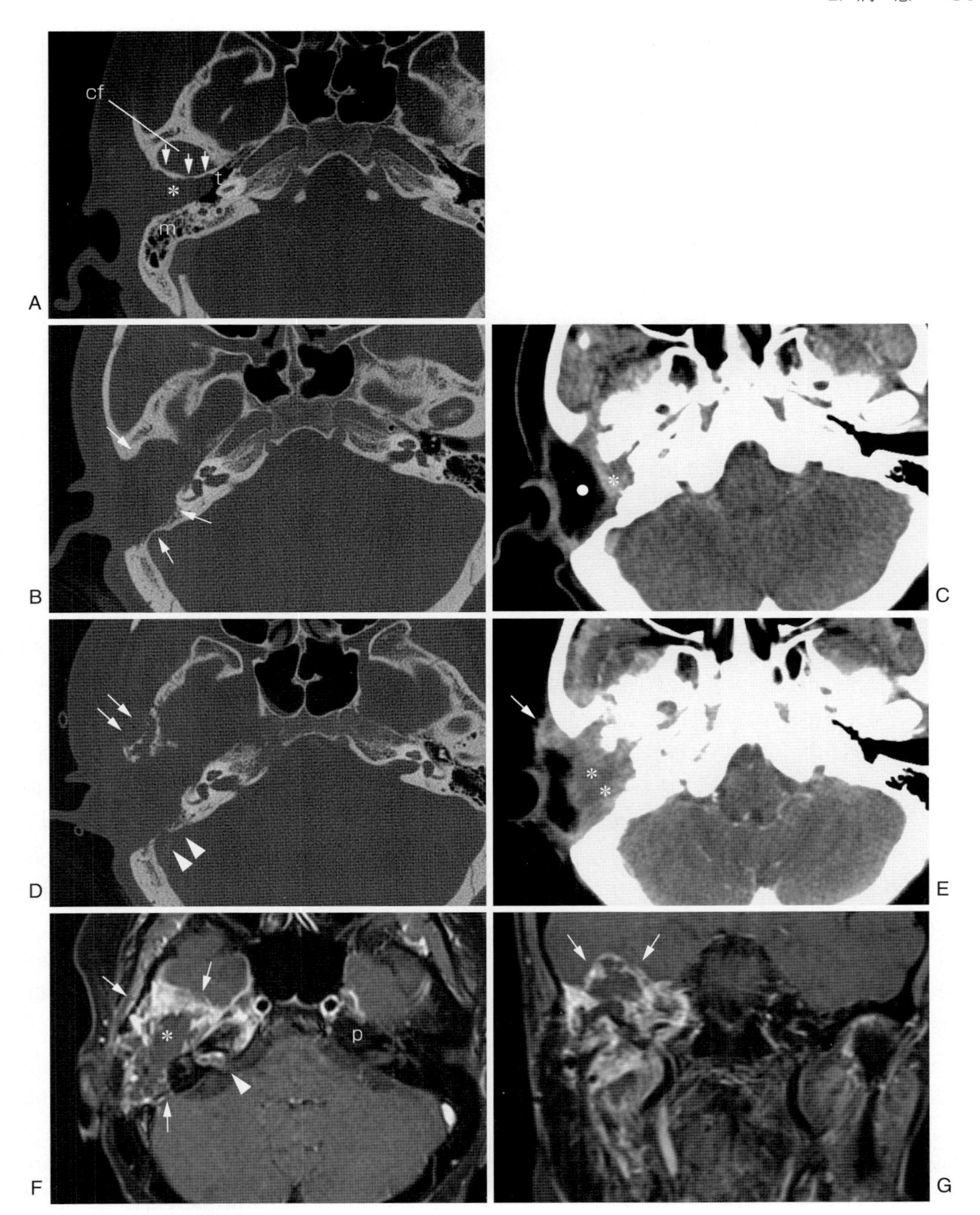

図 163　外耳道癌局所再発

術前側頭骨 CT(A)において右外耳道内を占拠する軟部濃度腫瘤(＊)を認める．深部で鼓室(t)の含気は保たれている．前壁側で骨侵食による多少の輪郭不整(矢印)を認めるが，前方の顎関節窩(cf)，後方の乳突蜂巣(m)への明らかな進展なし．外側側頭骨切除の術後 3 ヵ月の CT 骨条件(B)で骨切除縁(矢印)の輪郭は平滑で鮮明に認められる．同軟部濃度条件で組織欠損部に充填した筋皮弁は主に脂肪濃度(•)を示し，深部の一部で軟部濃度(＊)を呈する．術後 8 ヵ月の CT 骨条件(D)では，3 ヵ月後(B)と比較して骨切除縁は前方(矢印)，後方(矢頭)ともに不規則な脱灰による不整を示し，同軟部濃度条件(E)では側頭骨頬骨突起基部周囲に 3 ヵ月前(C)ではみられなかった軟部濃度腫瘤(矢印)が出現するとともに，深部に限局していた軟部濃度領域(＊)も明らかな増大を示し，局所再発を強く支持する．ほぼ同時期の MRI 造影後 T1 強調脂肪抑制横断像(F)において壊死性変化(＊)を伴う浸潤性腫瘤(矢印)を認め，局所再発を示す．深部では錐体尖部(対側で p で示す)，内耳道(矢頭)への進展を示す．同冠状断像(G)では頭側の中頭蓋窩への進展(矢印)が描出されている．

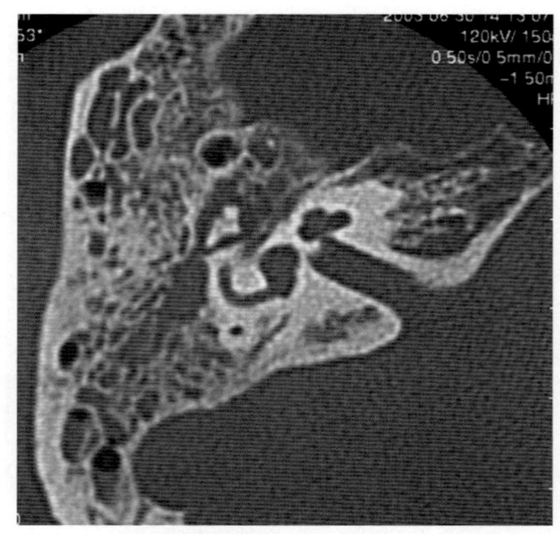

図164　滲出性中耳炎
右側頭骨横断CTにおいて，比較的良好な発達を示す鼓室および乳突洞には広範に軟部濃度を認める．耳小骨や蜂巣壁などに骨侵食性変化を認めない．

は最も多く[270, 273]，一般に中耳・乳突部病変より高侵襲性とされる．中耳・乳突部病変は比較的おとなしく，滲出性中耳炎や(後述の)真珠腫，鼓室硬化症など様々な慢性中耳疾患に伴って，あるいは続発してみられる，あるいは術後に続発(canal wall-down mastoidectomy後に認められる，いわゆる“blue domed cyst”)する[269]．慢性中耳炎の既往については鼓膜穿孔のない症例の12%，鼓膜穿孔のある例の21%でコレステリン肉芽腫を生じるとされるが[274]，慢性中耳疾患の既往なく発生する場合[275]もある．

発症に関して出血が不可欠な要素として広く受け入れられており，基本的には癒着などにより隣接する含気腔との交通を絶たれた部位に生じるが，古典的な“閉塞 - 真空仮説(obstructive-vacuum hypothesis)”と新しく出された“露出骨髄仮説(exposed marrow hypothesis)”の2つの主な仮説がある[276]．“閉塞 - 真空仮説”では，粘膜の浮腫性肥厚等に起因する閉鎖腔のガスが吸収されることで真空状態となり，生じた出血での血球の嫌気性破綻によるコレステロールや血液の代謝物への異物反応を起こす．これに伴い，無菌性炎症が嚢胞形成と骨侵食を生じるというものである[276]．一方，“露出骨髄仮説”は蜂巣の過発達が明らかな皮質骨を介さず，骨髄腔と蜂巣との境界(bone marrow - air cell interface)を形成し，骨髄血管から直接蜂巣腔に出血を生じ，排出路で凝固し停滞した血液が無菌性破綻を生じるというものである[276]．

中耳・乳突部病変では耳閉感，緩徐に進行する伝音難聴を訴え，鼓膜は暗青色を呈する．通常は片側性である．錐体尖部病変では多くが長期に無症候性であるが，大きさ，進展により，(第VIII脳神経症状である)感音難聴，めまい，平衡感覚障害が最も多く，その他に耳鳴，慢性頭痛，他の脳神経症状(三叉神経，顔面神経，外転神経など)を生じる[273, 276]．有症候例の多くは複数の症状を訴えるが非特異的なものが多い[273]．

最終的な診断は病理によるがこれは術後であり，治療前診断は今日ではCT，MRIの画像診断により行われる．CTは周囲骨変化の詳細，手術アプローチを決定するための外科的指標との相対的位置関係の把握，MRIは質的診断，正確な局在の評価が可能であり，治療方針の決定にはいずれもが必要となる[269]．質的診断には繰り返す出血を反映するMRIのT1強調像における高信号強度が最も重要である(図165～168)．T2強調像での信号強度はさまざまで，FLAIRでは高信号，拡散強調像では(鑑別すべき類上皮腫・真珠腫が高信号を示すのに対して)低信号を呈する場合が

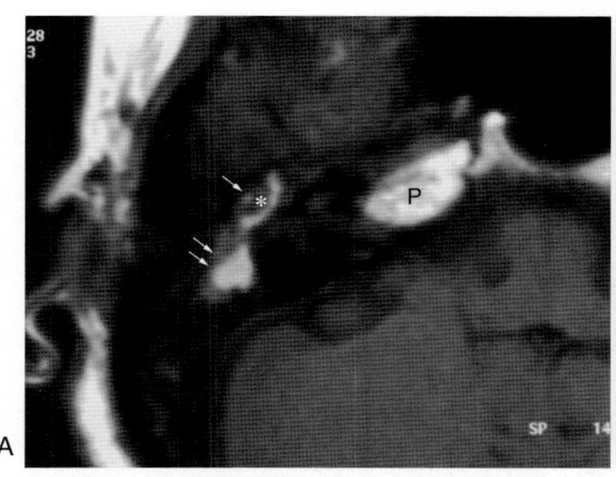

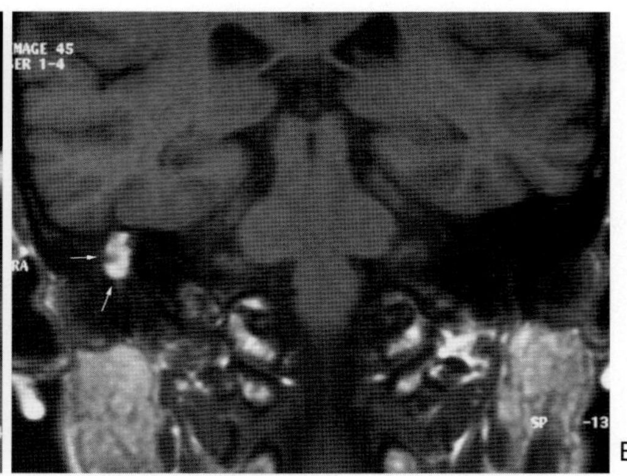

図 165　中耳・乳突部コレステリン肉芽腫

A：右側頭骨 MRI T1 強調横断像．鼓室(矢印)および乳突洞中心蜂巣(二重矢印)にかけて高信号病変を認め，コレステリン肉芽腫に一致する．内部に耳小骨(*)が低信号構造として認められる．P：錐体尖部正常脂肪髄による高信号

B：同冠状断像．同様に，乳突洞中心蜂巣部に一致して高信号(矢印)を認める．上縁は中頭蓋窩底部に接する．

多い(図 169，170)[269]．錐体尖部コレステリン肉芽腫では，内部の蜂巣構造の消失を伴い，CT で軟部濃度，T1 強調像で高信号強度を呈する膨張性嚢胞性腫瘤として認められる(図 166〜168，171)．基本的には錐体尖部が蜂巣による含気腔を有する場合(健常者の約 3 分の 1)に生じるが，膨張性変化が軽微な場合は T1 強調像では正常骨髄腔に類似(図 171B)することから注意を要する．また，CT で蜂巣の軟部濃度での置換，T1 強調像で高信号強度を示したとしても，膨張性変化に乏しい場合や内部の微細な蜂巣壁が保たれている場合は高タンパク内容の液体貯留(entrapped fluid)(図 172)を示すと考えられ，手術適応に関して慎重な判断が求められる．CT では錐体骨尖部の膨張性病変は骨改変に伴い薄い骨壁に囲まれるが，ときに吸収によりこの骨壁が途絶，硬膜が嚢胞壁をなし，その硬膜のみを介して頭蓋内と隣接する場合がある(図 166，167B)．この状況において外科的治療での頭蓋内合併症の頻度が高くなることから，術前 CT 上，嚢胞の骨壁欠損の可能性を指摘することは重要である．硬膜との接触はときに側頭頭頂部痛，後頭部痛などの原因ともなる．また，頸動脈管骨壁との関係の評価も重要である(図 166，167，171)．コレステリン肉芽腫と同様に錐体骨尖部の膨張性腫瘤として認められる類上皮腫(epidermoid cyst)は，T1 強調像で内部が低信号を示すことにより鑑別可能である(図 168)．外科的治療が必要となる場合，コレステリン肉芽腫は基本的には開放のみ，類上皮腫は嚢胞壁切除を要する点において，両者の鑑別は重要である．中耳・乳突部コレステリン肉芽腫(図 169，170)は錐体尖部病変(図 166，167)と比較して骨侵食性変化に乏しい傾向にあるとされるが，Iannella らによる中耳・乳突部病変 14 例の検討[269]では，天蓋の骨欠損は 4 例(約 29%)，S 状静脈洞溝の骨壁欠損は 1 例(約 7%)であったとしており，Pfister らも内耳周囲の骨包の侵食(半規管の骨欠損)を報告している[277]．既述のとおり，同部の病変は術後に続発する場合(図 173，174)も多く，骨侵食・骨壁欠損の評価は慎重になされるべきであり，術式に対する理解も求められる．また，中耳のコレステリン肉芽腫は耳鏡所見として傍神経節腫，内頸動脈走行異常と類似する場合があり，画像所見による鑑別が臨床上重要である．Pfister らは比較的アグレッシブであった非典型的な乳突部病変の自験例がいずれも頸動脈，S 状静脈洞，硬膜外静脈，乳突尖部蜂巣での大きな骨髄腔などと接していたことから，“露出骨髄仮説”での出血に対する主な供給源の役割が大きいと推察している[277]．典型的な中耳・乳突部病変は骨に囲まれ血液供給源に乏しく，恐らくは慢性炎症による肉芽組織や手術により露出した

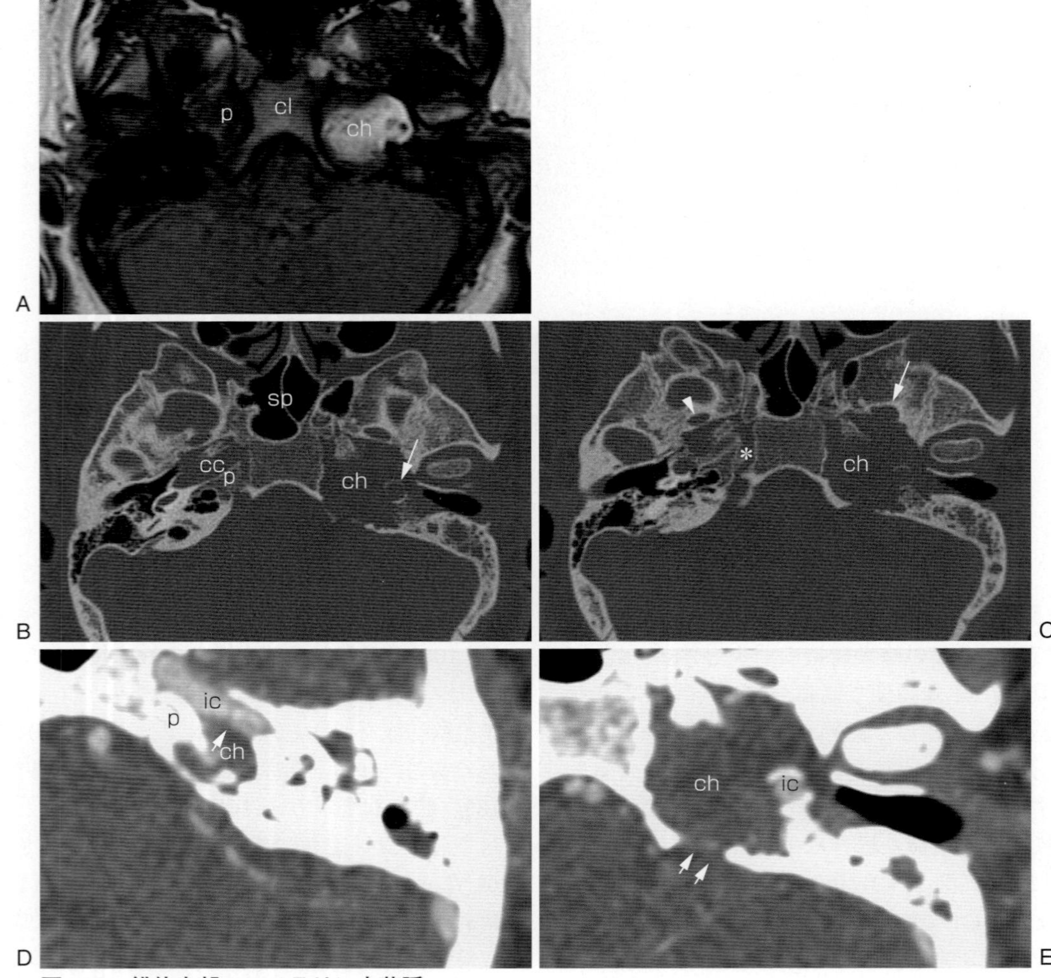

図 166　錐体尖部コレステリン肉芽腫

側頭骨レベル MRI T1 強調横断像（A）において左錐体尖部（対側で p で示す）領域を中心として膨隆性の高信号腫瘤（ch）を認め，錐体尖部コレステリン肉芽腫に一致する．内側は斜台（cl）左側面に隣接する．CT 骨条件表示（B）において左錐体尖部（対側で p で示す）の膨隆性腫瘤（ch）は頸動脈管垂直部（矢印）から水平部（対側で cc で示す）領域に及び，介在する骨壁は欠損を示す．sp：蝶形骨洞．わずかに尾側レベル（C）で病変は内側で破裂孔（対側で＊で示す），前方では卵円孔（矢印）に隣接，破裂孔側方，および卵円孔後面の骨壁欠損あり．矢頭：正常の右卵円孔．左側頭骨造影 CT（D）で増強効果の乏しいコレステリン肉芽腫（ch）は頸動脈管水平部後面に隣接し，介在する骨壁の欠損（矢印）あり．ic：増強効果を示す左内頸動脈，p：錐体尖部．やや尾側レベルで病変（ch）はより膨隆性を呈し，後方で後頭蓋窩前壁との間の骨壁欠損（矢印）あり．側方で頸動脈管垂直部の内頸動脈（ic）を囲む．

小さな骨髄ポケットや拡張した粘膜血管などが原因と考えられる[269, 277]．

多くの症例は症候的にも画像上でもほぼ変化なく経過することから，しばしば経過観察もとられるが，症状（主に聴力や脳神経症状）の有無や程度，増大の有無や速度，病変の局在や周囲重要構造との相対的関係から治療要否を判断する．中耳・乳突部病変の治療は保存的に鼓膜チューブでの換気による経過観察で改善をみない場合，外科的開放が原則で乳突洞削開術（症例により乳突洞充填術施行）が行われる．一般に術後の聴力予後は良好であるが[278]，鼓膜が膨隆している例は鼓膜陥凹を示す例と比較して聴力予後がやや悪い傾向にある[279]．錐体尖部病変の開放は古典的には経側頭骨および中頭蓋窩アプローチによるが，含気不良な側頭骨では困難な場合もあり，内耳神

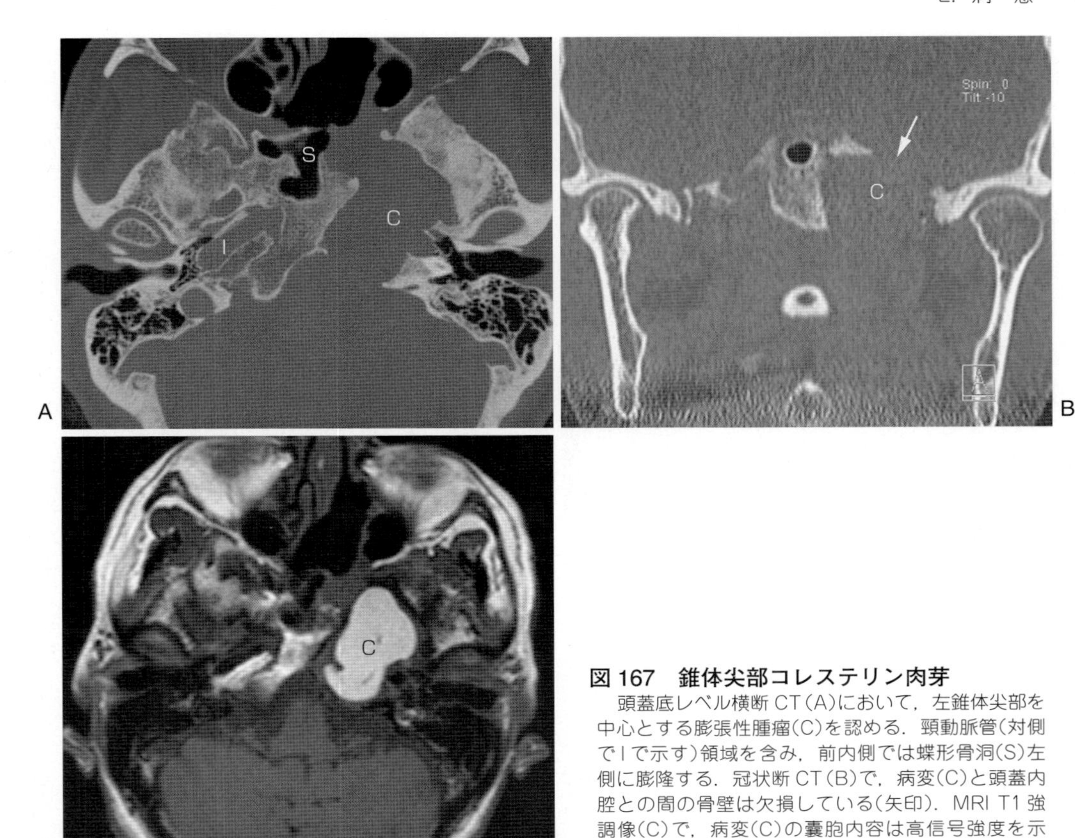

図 167　錐体尖部コレステリン肉芽

頭蓋底レベル横断 CT（A）において，左錐体尖部を中心とする膨張性腫瘤（C）を認める．頸動脈管（対側で I で示す）領域を含み，前内側では蝶形骨洞（S）左側に膨隆する．冠状断 CT（B）で，病変（C）と頭蓋内腔との間の骨壁は欠損している（矢印）．MRI T1 強調像（C）で，病変（C）の嚢胞内容は高信号強度を示す．

経，顔面神経の障害の可能性も十分に考慮した手術適応の判断が必要となる．重度の聴力障害の錐体尖部病変に対しては下迷路性アプローチがとられ，聴力が保たれている場合は経中頭蓋窩アプローチ，経乳突部アプローチあるいは下迷路性，S 状静脈洞後アプローチなどが選択される[273]．大きな病変による圧排など，因果関係の明らかな脳神経症状などは術後改善が期待される一方で，頭痛やめまいなどの（頻度としては高いが，因果関係が明らかでない）主観的な症状に対する外科的治療の効果はあまり期待されないとされる[280]．術後の症状改善率は 45.5～100％と報告に幅があり，術後の平均聴力レベルは 202～48dB とされる[270]．術後合併症の発現の報告も幅が大きく 11.8～81.8％で，顔面神経麻痺の発現は 2.9～25％，聴力温存術式後の重度聴力障害は 2.9～25％，髄液漏は 4～18％で髄膜炎の原因ともなるとしている[280, 281]．一部の選択した症例において，CT 画像をガイドにした内視鏡による経鼻・経蝶形骨洞アプローチでの開放術（図 171，175）が有用な術式となる．経中頭蓋窩アプローチと比較して自然な開放経路が形成されること，内耳神経，顔面神経の機能障害の可能性が低いことが利点となる[282]．主に病変内側が蝶形骨洞に接し，洞内への膨隆を示す例が対象となる[283]．

c．急性・慢性中耳炎および合併症

急性中耳炎と慢性中耳炎は異なる病態であることを理解する必要がある．

「急性中耳炎」は鼓室の急性感染症であり，炎症所見・症状の急性発症とともに鼓室内の液体貯留としてみられる[284]．20 歳以下，特に乳幼児・小児の疾患であり[285]，来院する小児急性疾患として最も多く，小児の 50～85％が 3 歳までに少なくとも一度は罹患するが，2 歳を超えると年齢に従い発症リスクは下がる[286]．急性中耳炎例の

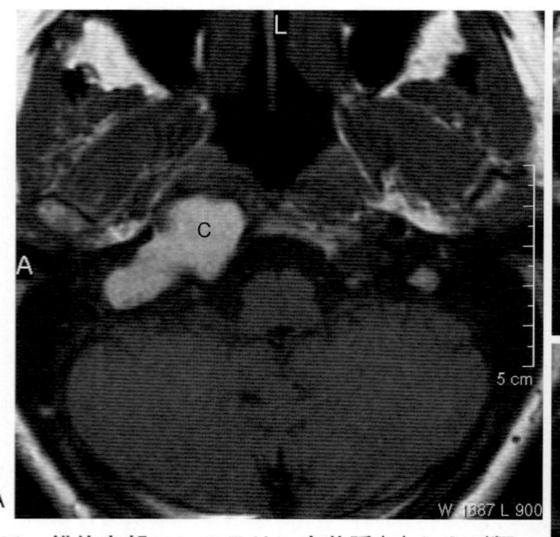

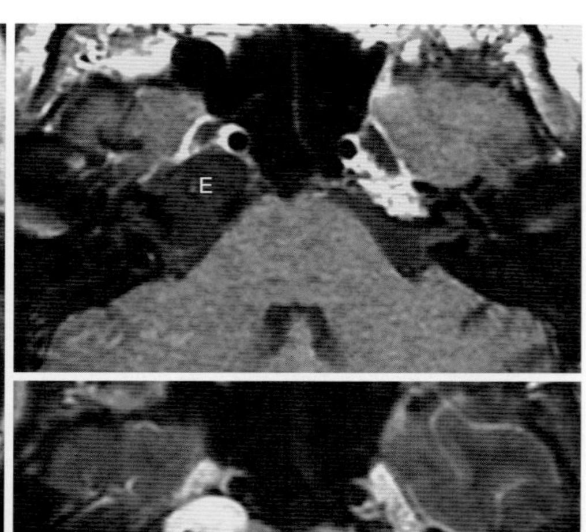

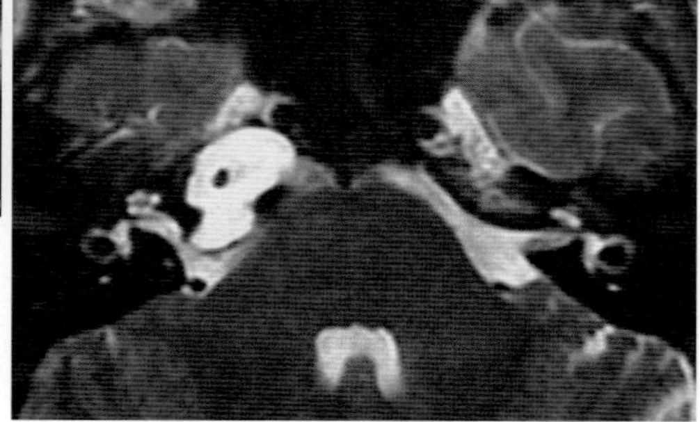

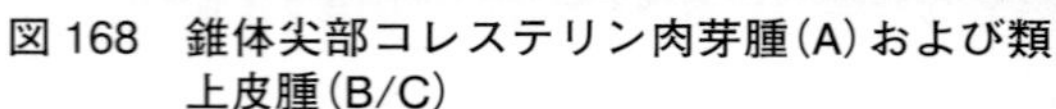

図 168　錐体尖部コレステリン肉芽腫(A)および類上皮腫(B/C)

A：MRI T1 強調横断像．右錐体尖部を中心に膨張性変化を示す，内部高信号強度の腫瘤(C)を認め，コレステリン肉芽腫に一致する．

B：MRI，造影後 T1 強調横断像．右錐体尖部に膨張性変化を示す囊胞性腫瘤(E)を認め，内部は(A とは異なり)脳脊髄液とほぼ等信号強度を示す．明らかな増強効果を伴わない．類上皮腫に一致する．

C：図 B と同一症例，T2 強調横断像．腫瘤内部は脳脊髄液よりもやや高信号を示す．

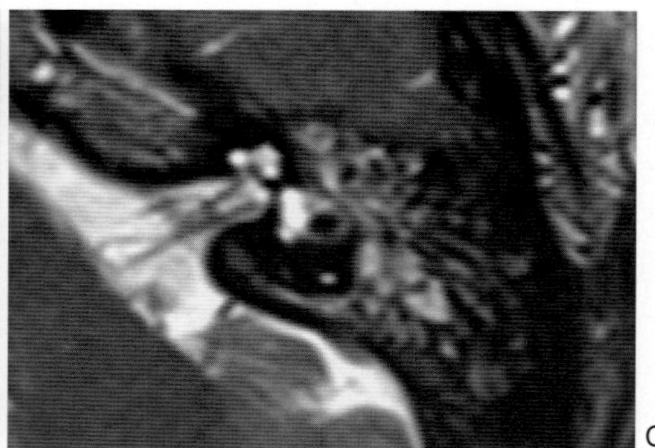

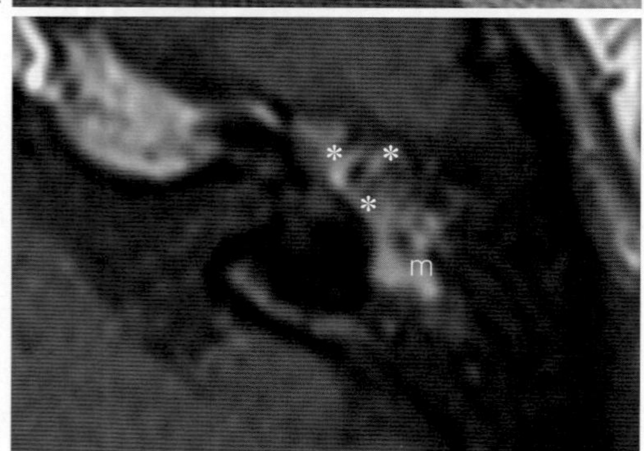

図 169　中耳・乳突部コレステリン肉芽腫

左側頭骨 CT(A)において正常な発達を示す上鼓室(＊)および乳突洞(m)の含気腔は軟部濃度病変で置換されている．末梢の乳突蜂巣(矢印)にも軟部濃度を認める．c：蝸牛，iac：内耳道，v：前庭．ほぼ同レベルの MRI T1 強調横断像(B)で CT での軟部濃度に一致した高信号(＊：上鼓室，m：乳突洞)を認め，コレステリン肉芽腫を示す．末梢蜂巣は低信号を示す．T2 強調像(C)では上鼓室，乳突洞とともに末梢蜂巣は高信号を呈しており，コレステリン肉芽腫と非特異的炎症所見との区別は困難である．

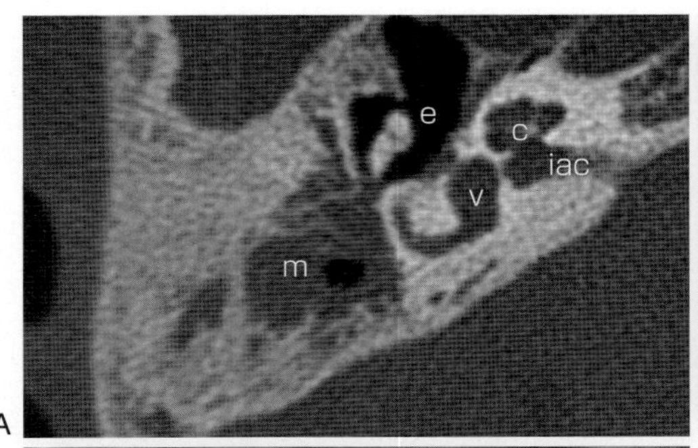

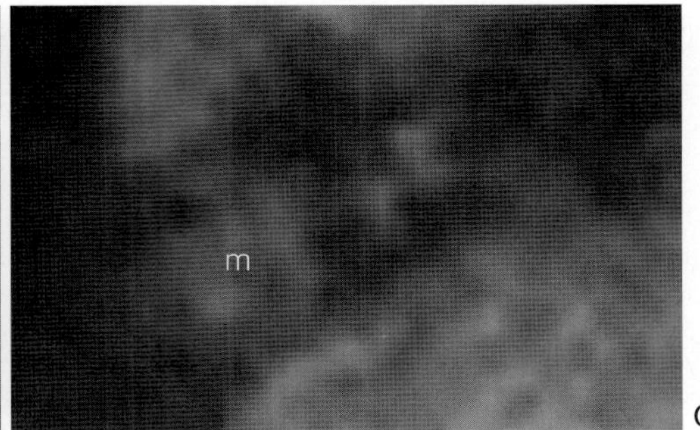

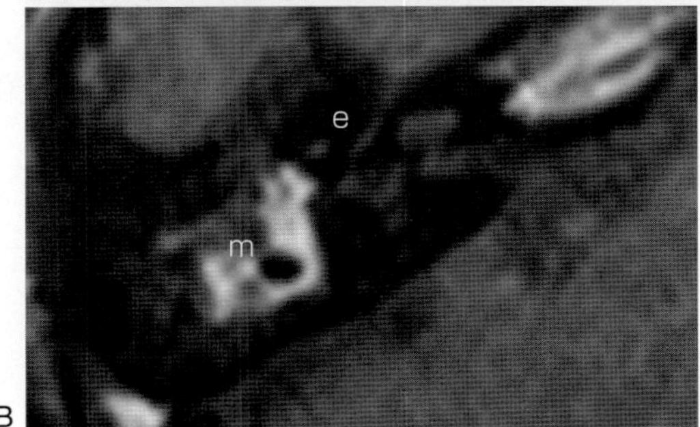

図 170　中耳・乳突部コレステリン肉芽腫
　右側頭骨 CT(A)において乳突洞(m)に軟部濃度病変を認める．上鼓室(e)の含気は良好に保たれている．c：蝸牛，iac：内耳道，v：前庭．ほぼ同レベルの MRI T1 強調横断像(B)で CT での乳突洞の軟部濃度に一致した高信号(m)を認め，コレステリン肉芽腫を示す．e：含気によりほぼ無信号を示す上鼓室．拡散強調像(C)で乳突洞コレステリン肉芽腫(m)は(後述の真珠腫のような)高信号は示していない．

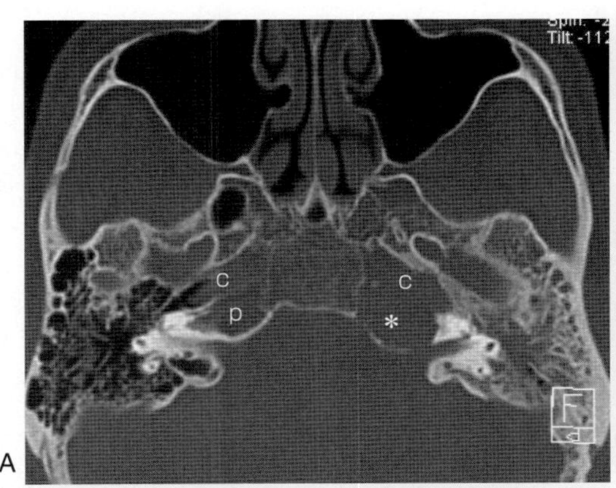

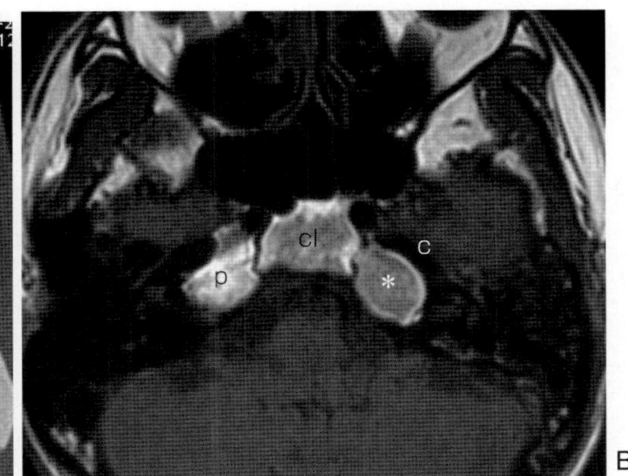

図 171　錐体尖部コレステリン肉芽腫
　側頭骨レベル CT 横断像(A)において，左錐体尖部(対側で p で示す)を中心とする膨隆性軟部濃度病変(＊)を認め，前方に接する頸動脈管水平部(c)後壁の侵食性欠損を伴う．CT のみではコレステリン肉芽腫とともに類上皮腫も鑑別となる．同例の MRI，T1 強調横断像(B)で病変(＊)は高信号強度を呈し(類上皮腫ではなく)コレステリン肉芽腫を示唆する．T1 強調像のみでは，対側錐体尖部(p)や斜台(cl)の正常脂肪髄の高信号に類似し，注意を要する．内頸動脈(c)を後方より圧排する．術後 CT(C)．同病変(＊)は対側から経鼻的アプローチ(矢印)による開放術が施行された．

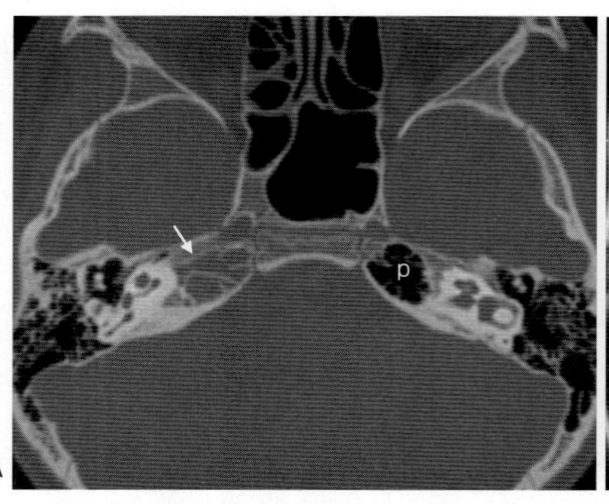

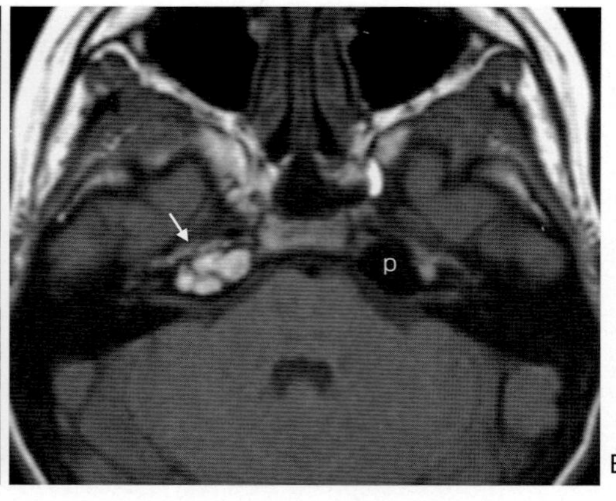

図 172　錐体尖部蜂巣の entrapped fliud

側頭骨レベルの CT 横断像(A)で右錐体尖部蜂巣(良好な含気腔として認められる対側錐体尖部蜂巣を p で示す)は軟部濃度(矢印)で置換されるが，膨張性変化は確認されず，内部には微細な蜂巣壁が確認される．同例の MRI，T1 強調横断像(B)で同部は高信号強度(矢印)を示すが，膨張性変化はみられず，保たれた蜂巣壁により多房性所見を呈する．p：含気した対側錐体尖部蜂巣

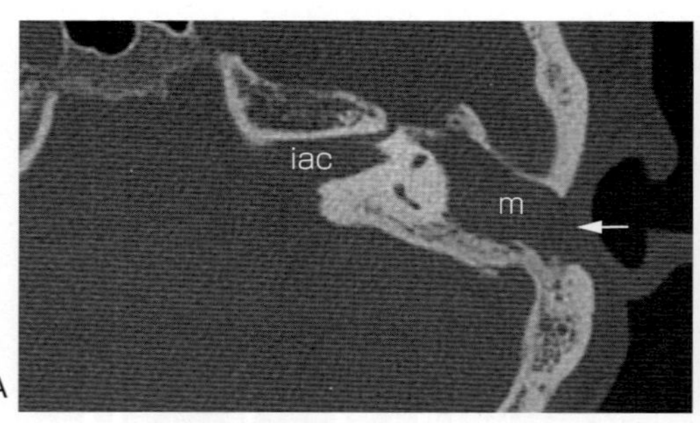

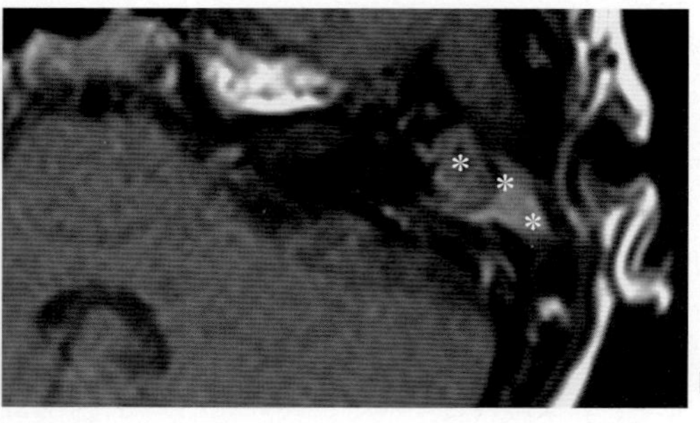

図 173　術後発生の中耳・乳突部コレステリン肉芽腫

側頭骨レベル CT 骨条件(A)において左側で canal wall-up mastoidectomy 後の外側皮質欠損(矢印)を認め，乳突腔(m)は軟部濃度で占拠されている．iac：内耳道．ほぼ同レベルの MRI T1 強調横断像(B)で乳突腔軟部濃度に相当する高信号領域(＊)を認め，コレステリン肉芽腫に一致する．

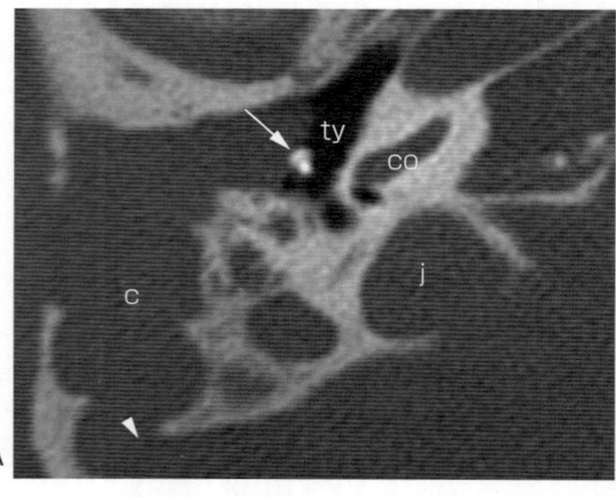

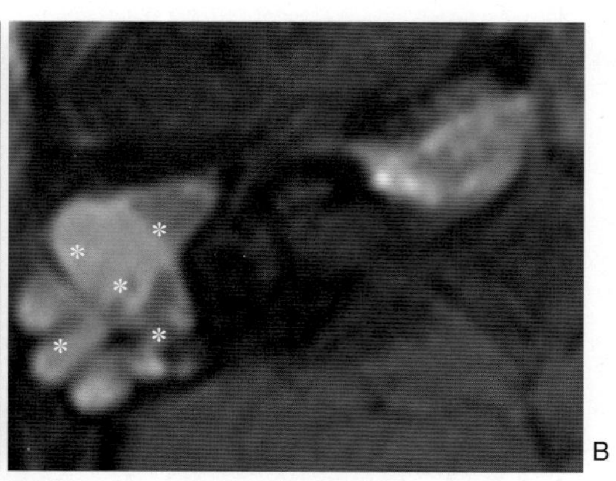

図 174　術後発生の中耳・乳突部コレステリン肉芽腫

右側頭骨 CT(A)．canal wall-up mastoidectomy および IVc 型鼓室形成術後．含気の保たれた鼓室(ty)内に高吸収異物としてコルメラ(矢印)を認める．乳突腔領域には多分葉状辺縁を呈する軟部濃度(c)病変を認め，後方では S 状静脈洞溝との間で骨壁欠損(矢頭)を伴う．co：蝸牛，j：頸静脈球．ほぼ同レベルの MRI T1 強調横断像(B)で CT での軟部濃度は高信号(＊)を呈し，コレステリン肉芽腫に一致する．

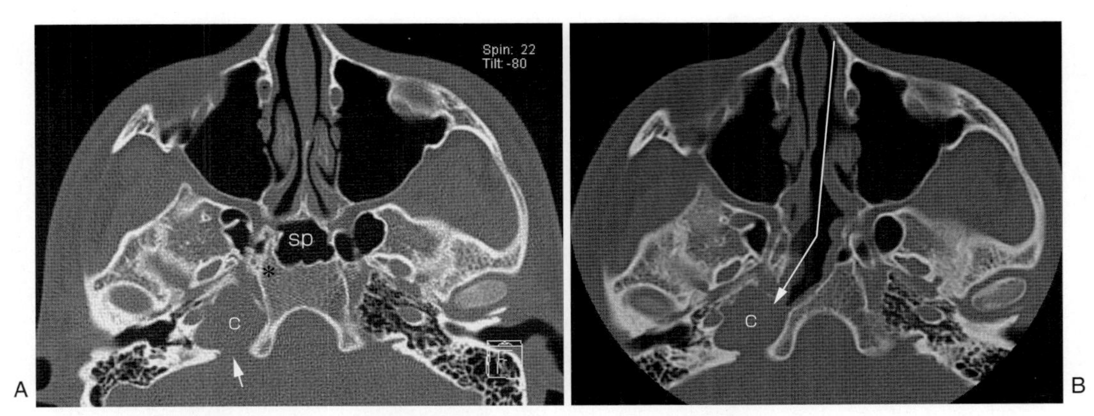

図 175　錐体尖部コレステリン肉芽腫の経鼻的アプローチによる開放術

術前側頭骨レベル CT(A)において右錐体尖部に囊胞性腫瘤(c)を認め，後方で後頭蓋窩との間で骨壁欠損(矢印)あり．前内側の蝶形骨洞(sp)との間には比較的厚い骨壁(＊)が介在している．ナビゲーションシステム下での経鼻的アプローチによる開放術後 CT(B)で経鼻・経蝶形骨洞アプローチ(矢印)による病変(c；依然として含気は乏しいがコレステリン肉芽腫残存ではないことは術後 MRI で確認されている)への到達のための術後骨欠損を認める．

70%強が1歳未満，90%強が2歳までに最初の罹患を経験する[287]．症状として耳痛，耳漏，難聴(通常は伝音性)，不機嫌，食思不振，ときに嘔吐や倦怠を訴える[286]．診断は通常これらの症状に加えて，鼓膜所見で中等度から高度の鼓膜膨隆によりなされる(臨床上，鑑別すべき漿液性中耳炎では鼓膜は中間位からやや陥凹を示すことで鑑別可能である)．性差はないか，やや男児に多いとされ[288]，冬と春初旬に多い．約70%が細菌感染，約30%がウイルス感染による．少なくとも70%は鼓室内膿性液体の培養で細菌が同定される[287]，肺炎レンサ球菌，インフルエンザ菌，モラクセラ・カタラーリスが最も多い[284]．通常は単独の病原菌感染によるが，10%以下で複数菌を検出する[285]．長期の耳管機能不全・機能性閉塞に伴い鼓室が陰圧となることで，上咽頭の分泌液の吸い込みが起こり，上咽頭，鼻副鼻腔から耳管を介した感染を生じる．まれに血行性感染の結果として生じる．

急性中耳炎での理学的，病理学的所見，炎症性滲出液の性状などは，病態の生物学的特性や予後の推定において信頼性は低く，臨床分類は簡易的に重症度に応じて軽症と重症に分けられる[285]．

大部分の症例は画像診断の必要はない．抗菌薬投与なしに60%の小児が24時間以内，80%が3日以内に症状は自然消退する[284]．このため(主に耐性菌増加を懸念して)数日の経過観察("wait and see" approach)がとられる場合もあるが，鼓膜の発赤，膨隆を伴う急性中耳炎の初発時には，炎症の遷延による耳管機能不全の増悪を防ぐ目的において抗菌薬投与が必要である[289]．また，2歳未満の症例にも抗菌薬投与は不可欠であり，70%が細菌感染であること，この年代では耳管は径が小さくより水平に走行するため，鼓室のクリアランス，換気，保護に障害を生じやすいこと，2歳未満では少なくとも50%で再発，6ヵ月後には約35%が漿液性中耳炎として残存することなどが理由である[289]．抗菌薬投与で2〜7日症状が早く軽減するとされ，(マクロライドやセファロスポリンよりも)アモキシシリンの有効性が高い[284, 289]．抗菌薬の長期投与は(1週間以内の)短期での治療成績を改善させるが，長期治療成績の向上はみられないともされる．臨床的には，ときに認められる重篤な合併症が重要であり，急性乳様突起炎，髄膜炎，骨膜下膿瘍，S状静脈洞血栓症が多く[290]，一般に外科的介入が必要となる．抗菌薬を投与しなければ，10,000児当たり1〜2児が急性乳様突起炎を生じるとされる[284]．合併症が疑われる全例において画像評価が必要である．CTの急性中耳乳様突起炎の合併症診断における感度(97%)，陽性的中率(94%)はともに高い[291]．半年に3回以上繰り返す，あるいは1年

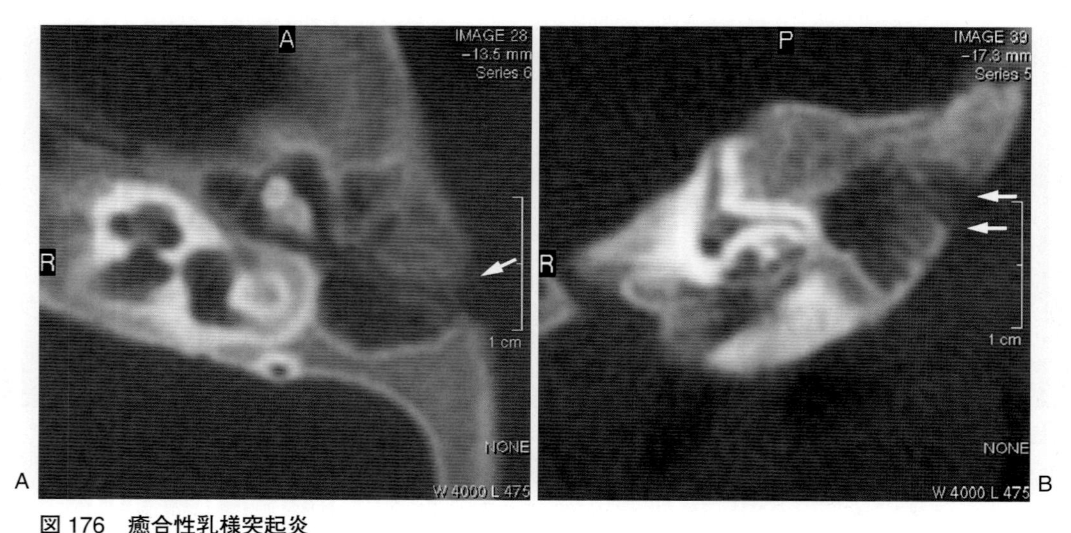

図 176　癒合性乳様突起炎
A：左側頭骨横断 CT．鼓室，乳突洞の含気腔は軟部濃度で置換され，乳突洞部外側皮質骨の一部で骨侵食性変化あり(矢印)．B：同冠状断 CT．同様に乳突洞部外側皮質骨の侵食性変化(矢印)を認める．

で4回発症し半年以内の既往がある小児では鼓膜チューブ留置の適応が考慮される[292]．

「慢性中耳炎」は一般的に3ヵ月を超える経過をとる場合をいう．耳漏と難聴が基本的な症状であり，耳鏡所見と画像診断により診断される．高分解能CTでの評価が望まれる．通常，複数細菌の混合感染である．単純性と真珠腫性に区分され，単純性では耳小骨の形状は保たれる．これに対して真珠腫性慢性中耳炎ではほぼ常に耳小骨炎が存在し，その経過の中で耳小骨(特にキヌタ骨長脚に多い)の侵食性変化を示す．

1) 癒合性乳様突起炎 (coalescent mastoiditis)・孤立腔形成乳様突起炎

側頭骨乳突部の化膿性炎症である急性乳様突起炎は，急性中耳炎の合併症として最も多く，2歳前後に最も好発する[293]．同定される病原体は肺炎レンサ球菌が最も多い．症状では発熱と耳後部の腫脹が多い．鼓膜は発赤，膨隆を示すが，(穿孔はみられず)通常は保たれる[294]．抗菌薬使用により急性中耳炎の合併症としての急性乳様突起炎は20%から0.004%と著明な減少[295]を示したにもかかわらず，最近は増加傾向にある[295]．遷延したり複雑な経過をとる場合，画像評価が必要となり，重症乳様突起炎のCTでは骨壁の侵食・破壊を認める．乳突部での化膿性変化が局所のアシドーシスをきたし，骨の脱灰と虚血，蜂巣壁融解を生じる[296]．CTの急性乳様突起炎診断に対する感度は高く，蜂巣壁(air cell septa)，乳突洞外側骨皮質(lateral cortical wall)(図176〜180)，S状静脈洞との間の骨壁(sigmoid sinus plate)(図177，178)の骨侵食像により診断される．S状静脈洞との間の骨壁の侵食像が感度，特異度ともに最も高いとされる[297]．外側骨皮質の破綻では側頭部，耳介後部から乳突部の骨膜下膿瘍(図179，180)，S状静脈洞との骨壁破綻では後述の静脈洞の血栓性静脈炎(図181，182)，S状静脈洞周囲の硬膜下膿瘍(perisinus abscess)(図182)形成，その他，髄膜炎，硬膜下膿瘍，脳炎・脳膿瘍などの頭蓋内合併症を生じる可能性がある．急性乳様突起炎の頭蓋内進展には，骨侵食，血栓性静脈炎，静脈周囲炎，あるいは(神経や血管の通過する孔などを介した)自然な解剖学的経路の4つの主な経路があるが，S状静脈洞溝あるいはTrautman三角の骨侵食が多いことから局在は後頭蓋窩に最も多く，中頭蓋窩がこれに次ぐ[298]．菌血症，水頭症，頭蓋内圧亢進，けいれん，脳神経症状などを呈し，多くが緊急性の高い外科的治療対象となる．頭蓋内合併症の評価にはMRIが優れるが，臨床では多くで造影CTも施行される．硬膜下膿瘍を認める例の約半数で血栓性静脈

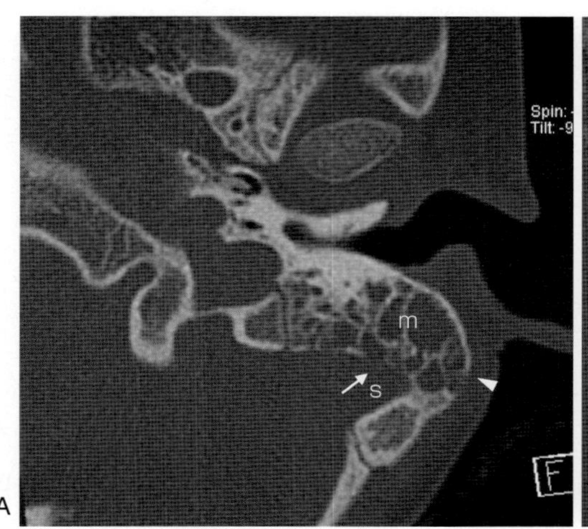

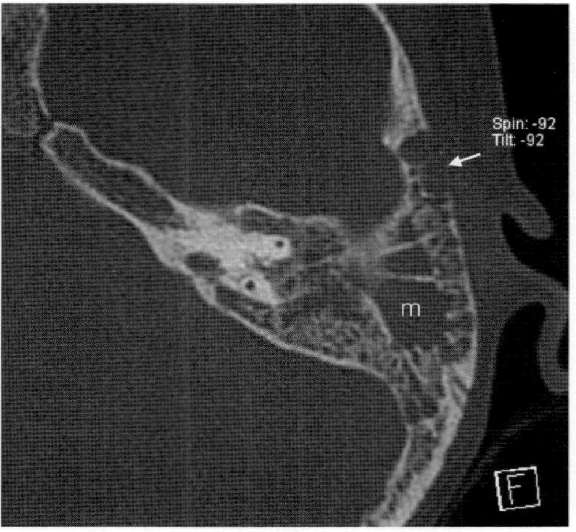

図 177　癒合性乳様突起炎

外耳道レベルの左側頭骨 CT 横断像(A)で乳突蜂巣(m)の含気腔は炎症性軟部濃度で置換され，後方で隣接する S 状静脈洞(s)溝(矢印)および外側皮質(矢頭)の骨壁の侵食性欠損を認める．頭側レベル(B)でも乳突洞・蜂巣(m)は炎症性軟部濃度を容れ，外側皮質の侵食性欠損(矢印)を認める．

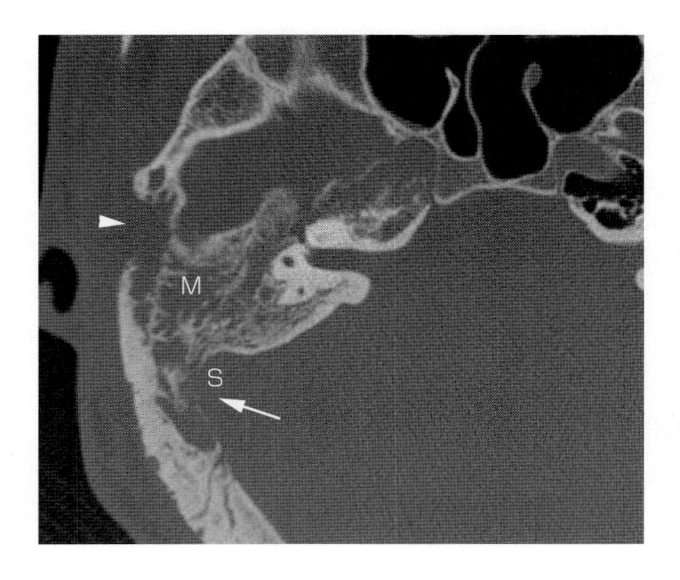

図 178　癒合性乳様突起炎

右側頭骨横断 CT において，乳突洞・蜂巣の含気腔を置換する軟部濃度(M)を認め，側方では外側骨皮質(矢頭)，後方では S 状静脈洞(S)溝(矢印)の骨壁侵食性欠損を認める．

炎を生じている[298]．S 状静脈洞周囲への頭蓋内炎症波及では，増強効果のある S 状静脈洞周囲を増強効果の乏しい軟部濃度領域が取り囲むように認められ，“halo” サイン(図 182)を呈する[299]．Horowitz らは halo を形態的に 4 つに区分(class I：正常，class II：平滑な halo，class III：4 mm 以下の結節様の halo，class IV：4 mm を超える明らかな結節様 halo)しており，class III および IV の高リスク群では硬膜下膿瘍に対する感度は 100%，陽性的中率は 78%であったのに対して，class II では術中に膿瘍腔は確認されず，薄く均一な halo は必ずしも膿瘍とはいえず，髄膜の反応性肥厚に相当すると推察している[299]．このため厚く結節様の “halo” サインを呈する場合は速やかに外科的介入(乳突洞削開術および S 状静脈洞骨壁掘削)，薄く平滑な “halo” サイン

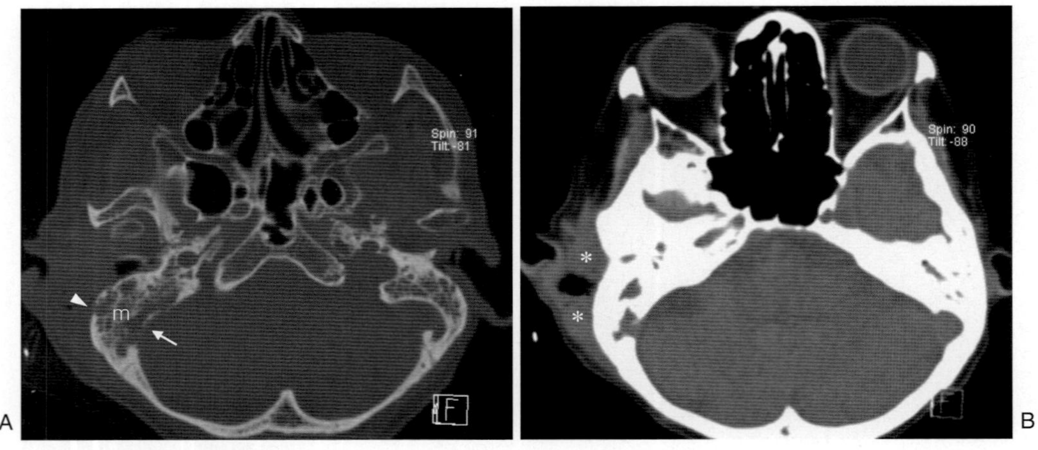

図 179　癒合性乳様突起炎
側頭骨レベルの CT 横断像骨条件表示(A)において，右乳突蜂巣(m)は炎症性軟部濃度を含み，外側皮質(矢頭)，S 状静脈洞溝骨壁(矢印)に侵食性欠損あり．同軟部濃度表示(B)で隣接する右乳突部，耳介周囲の側頭部に軟部組織腫脹(＊)を認め，骨膜下膿瘍が示唆される．

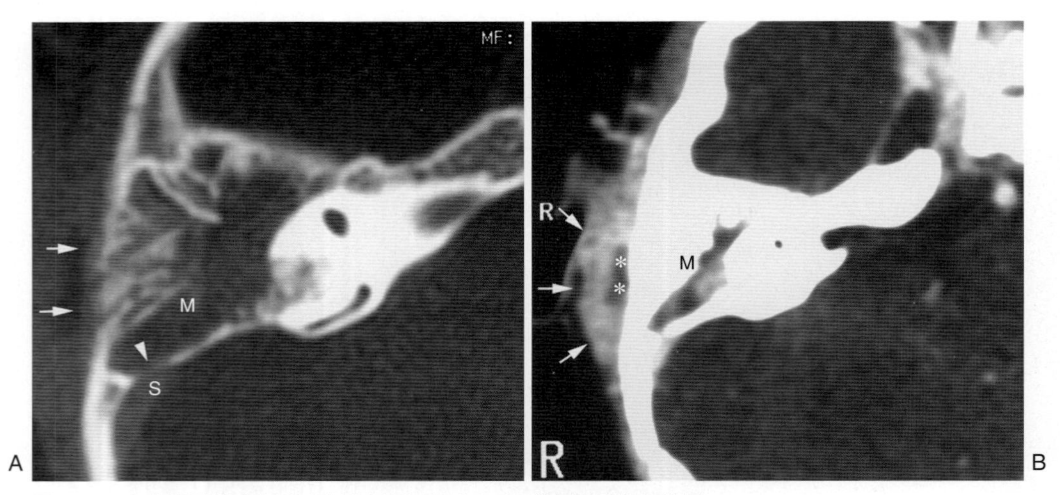

図 180　癒合性乳様突起炎(外側皮質骨侵食および骨膜下膿瘍形成)
A：右側頭骨横断 CT，骨条件表示．上鼓室から乳突洞(M)の含気腔は広範に軟部濃度で置換されており，外側皮質骨(矢印)および S 状静脈洞(S)との間の骨壁(矢頭)の侵食性変化を認める．
B：同造影 CT，軟部条件表示．外側皮質に沿って，隣接する軟部組織に不整な増強効果を示す領域(矢印)を認め，内部には一部，液体濃度部分(＊)を含む．膿瘍腔を示す．乳突洞(M)にも同様の増強効果が認められる．

のみの場合は内科的治療(抗菌薬の経静脈的投与)あるいは他の合併症とともに単純乳突洞削開術が推奨される[299]．

治療に関する明確なガイドラインはないが，病変の局在や広がりなどにより，抗菌薬投与とともに外科的治療を考慮する．一般的には鼓膜切開，耳介後部膿瘍排膿，乳突洞削開術が施行される[294]．

i) Bezold 膿瘍(Bezold's abscess)：急性乳突洞炎の合併症として 1881 年にドイツの耳鼻科医 Friedrich Bezold が記載した[300]．乳突部(主に尖部領域)蜂巣での皮質の侵食・破綻により，乳様突起に付着する胸鎖乳突筋および，その深部に位置する顎二腹筋後腹付着部近傍から，これらの筋膜解剖に沿って尾側に形成される側頸部膿瘍を指す(図 182)[301, 302]．男性に多く，発熱，頸部腫脹，

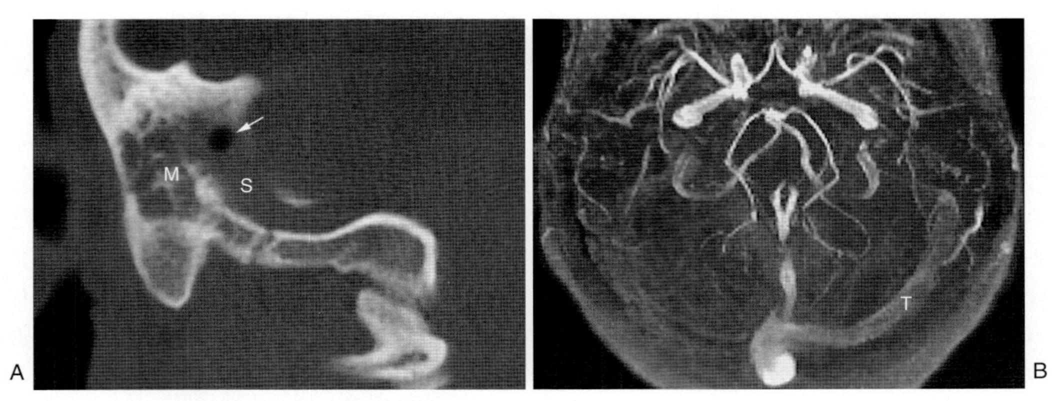

図 181　静脈洞血栓症を伴う急性乳様突起炎

A：右側頭骨冠状断 CT．乳突洞含気腔内には軟部濃度を認める．隣接する S 状静脈洞(S)内には一部空気濃度(矢印)が含まれる．

B：MR venography MIP 像．右横静脈洞(対側で T で示す)の血流は確認できない．

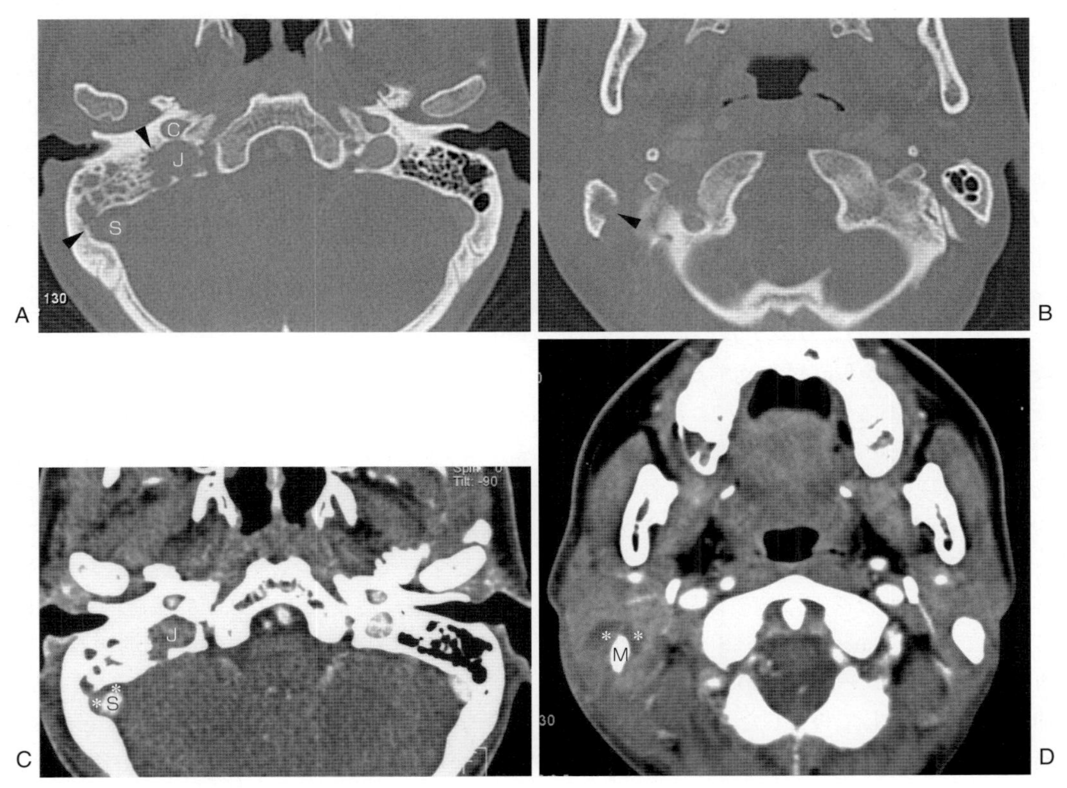

図 182　Bezold 膿瘍

側頭骨レベル CT 骨条件横断像(A)において，右乳様突起炎の所見を認め，頸静脈窩(J)，S 状静脈洞(S)溝の骨壁侵食性変化(矢頭)を伴い，癒合性乳様突起炎を示す．C：頸動脈管垂直部

尾側の乳突尖部レベル(B)で，乳突尖部蜂巣内側で骨皮質途絶(矢頭)を認める．造影後軟部濃度条件(C)において，S 状静脈洞(S)は周囲に perisinus abscess を示す軟部濃度(＊)を伴い，“halo” サインを呈する．頸静脈窩内では内頸静脈(J)は血栓性静脈炎による充盈欠損を示す．乳突尖部レベル(D)で乳様突起尖部(M)周囲を囲む膿瘍(＊：Bezold 膿瘍)が形成されている．

耳漏，頸部可動制限，頸部痛，顔面神経麻痺，頸部リンパ節腫大，難聴などを訴える[302]．理学的所見の取得は困難な場合があり[303]，菌血症を示さない場合もある[304]．抗菌薬使用により著明に減少し，現在はまれな合併症となった．同病態は乳突尖部蜂巣の発達による骨壁菲薄化が条件となることから，乳突蜂巣の発達の未熟な乳幼児期の発症はまれであり，大部分が含気の発達した成人とされる[296]．病変の存在，進展範囲の評価にCT，MRIは有用である[304]．乳様突起炎の有無，乳突尖部での骨壁欠損・侵食の有無，膿瘍腔の有無などが重要である．治療は急性乳様突起炎とともに頸部膿瘍に対しての外科的治療とともに抗菌薬投与が行われる．

ii) Luc膿瘍(Luc's abscess)：急性中耳炎の合併症としてHenri Lucが側頭部骨膜下膿瘍に関して1900年に報告したが，英語での最初の記述は1913年である[305]．中耳腔粘膜を通過した感染が粘膜下に沿って側方に進展，さらに(鼓膜弛緩部が付着する，鼓膜輪上縁の)Rivinus切痕から外耳道の骨膜下を進展し，側頭部で側頭筋深部に形成された膿瘍を指す[306]．側頭骨・頬骨領域(temporo-zygomatic area)から側頭下窩への進展を示しうる[307]．Lucのオリジナルの記述は乳様突起炎を伴わず鼓室から直接波及する比較的まれな頭蓋外合併症であるが，その後(より頻度の高い)急性乳様突起炎からの側頭部進展により形成された側頭部膿瘍(図179，180)もLuc膿瘍として報告されている[308, 309]．これら2つの病型の鑑別は，乳突洞削開術要否(オリジナルでは不要，乳様突起炎併発例では必要な例が多い)の判断において重要である．Lucは本来，耳介後部切開での局所排膿，鼓膜チューブ留置のみで対応可能な比較的良性の病態として報告した．症状は片側性の耳痛と発熱が多く，耳前部から耳下腺領域，顔面の腫脹を呈する[307]．開口障害の頻度は比較的低い(19%)[307]．早期診断は困難な場合も多いが，造影CTが最も有用性が高い．鼓室，乳突洞・蜂巣の状態(含気・炎症性軟部濃度)，これらの骨壁の状態(欠損，侵食)，側頭筋深部の軟部組織腫脹・膿瘍腔の形成などにより診断される．MRIはS状静脈洞血栓症など，頭蓋内合併症に対して有効である．治療は急性乳様突起炎とともに側頭部膿瘍に対しての外科的治療および抗菌薬投与が行われる．

2) 静脈洞血栓症(otogenic dural sinus thrombosis)

急性乳様突起炎の頭蓋内炎症波及による静脈洞の血栓性静脈炎であり，解剖学的位置関係からS状静脈洞病変が最も多い[310]．小児例では男児に多い(男女比は2：1)とされる[310]．急性乳様突起炎が直接，静脈洞壁に接する感染性肉芽，あるいは導出静脈を介して波及し，頭痛，発熱，耳漏，嘔気，頸部痛などを訴える[311]．抗菌薬の出現により1940年代以降は減少した．抗菌薬投与後は症状に乏しい場合もあり注意を要する[312]．致死率は抗菌薬出現前の報告では5～35%程度，現在は10%以下とされるが，依然として重篤な合併症であり，早期診断による早期治療開始が臨床上重要である[313]．まったくの無症候性から敗血症，頭蓋内圧亢進，水頭症(otitis hydrocephalus)をきたす例とさまざまで，頭蓋内亢進を反映して最低で28%が視神経乳頭浮腫，16%が外転神経麻痺を示す[310, 314]．画像診断なしに本病態を早期に診断することは非常に困難であり[315]，MR venographyあるいは造影CTが有用である(図181，182)．造影CTでは静脈洞内の充盈欠損が増強効果を示す硬膜で囲まれ，いわゆる"empty delta sign"を呈する[316]．CTでは，後頭蓋窩の厚い骨に随伴するアーチファクトが問題となる場合もあり，MRIの感度がやや高い[311]．洞内に突出するくも膜顆粒は偽陽性の原因となるため，注意を要する．また，急性乳様突起炎のS状静脈洞溝への炎症波及による(S状静脈洞内腔ではなく)周囲髄膜の肥厚によるhalo，周囲硬膜下に形成された膿瘍であるperisinus abscess(図182)とは異なる．CT上，S状静脈洞溝の骨(sigmoid sinus plate)の侵食性欠損(図177～180，182)を示す例では特に慎重な評価を要する．しばしば頭蓋内圧亢進による脳室狭小化を認める[310]．小児例でのモダリティ選択では被ばくや安静維持等も考慮する必要がある．

治療として古典的にはS状静脈洞内の感染性血栓の除去が行われていたが，現在は乳突洞削開術およびS状静脈洞周囲の炎症除去とともに抗

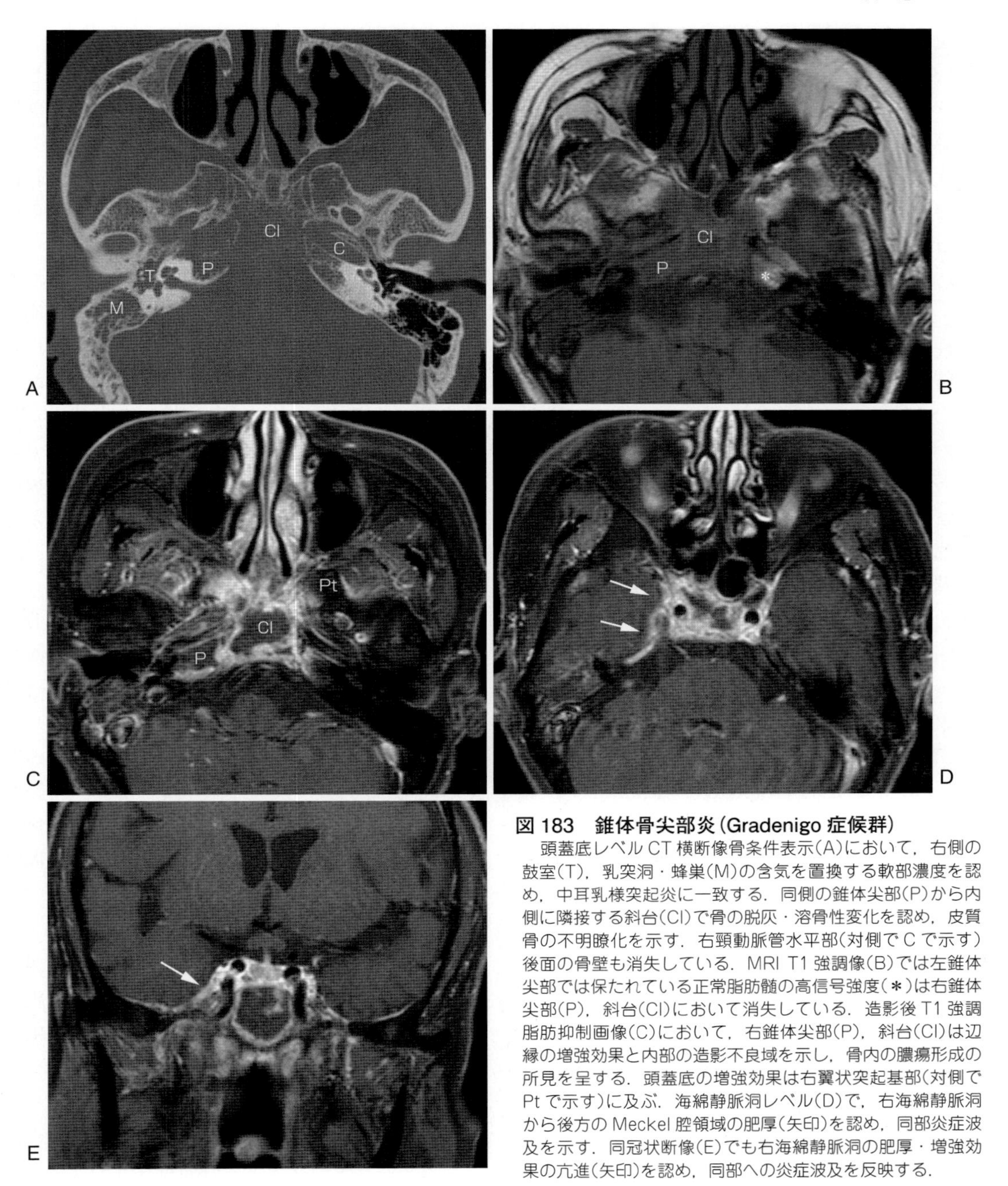

図 183　錐体骨尖部炎（Gradenigo 症候群）

頭蓋底レベル CT 横断像骨条件表示（A）において，右側の鼓室（T），乳突洞・蜂巣（M）の含気を置換する軟部濃度を認め，中耳乳様突起炎に一致する．同側の錐体尖部（P）から内側に隣接する斜台（Cl）で骨の脱灰・溶骨性変化を認め，皮質骨の不明瞭化を示す．右頸動脈管水平部（対側で C で示す）後面の骨壁も消失している．MRI T1 強調像（B）では左錐体尖部では保たれている正常脂肪髄の高信号強度（*）は右錐体尖部（P），斜台（Cl）において消失している．造影後 T1 強調脂肪抑制画像（C）において，右錐体尖部（P），斜台（Cl）は辺縁の増強効果と内部の造影不良域を示し，骨内の膿瘍形成の所見を呈する．頭蓋底の増強効果は右翼状突起基部（対側で Pt で示す）に及ぶ．海綿静脈洞レベル（D）で，右海綿静脈洞から後方の Meckel 腔領域の肥厚（矢印）を認め，同部炎症波及を示す．同冠状断像（E）でも右海綿静脈洞の肥厚・増強効果の亢進（矢印）を認め，同部への炎症波及を反映する．

菌薬投与が標準的であり [310]，抗凝固薬の適切な投与も有用とされる [317, 318]．抗凝固薬投与は成人例での適応はある程度明確であるが小児例では議論があり，要否，使用期間についても個別に判断されるべきである [312]．乳突洞削開術後に一過性の頭蓋内圧亢進の増悪を示す場合もあり，視力や視神経乳頭浮腫などに関する評価が必要である [319]．

3）錐体尖部炎（petrous apicitis/petrositis）

急性中耳炎・乳様突起炎の錐体尖部への波及により生じる．20 世紀初頭までは比較的多く，1937 年 Myerson[320] は中耳炎 300 例に 1 例の頻度と推定したが，抗菌薬が用いられる現在では中耳炎10万例に2例未満の頻度[321]まで減少した．しかし，依然としてまれな致死的合併症として孤発性に認められる[322,323]．

炎症は含気蜂巣に沿って進展すると考えられており理論的には錐体骨尖部が含気腔を含むことが条件となるが，錐体骨尖部の含気を示すのは全体の30％程度で，25％が非対称性とされる（図8）[324]．MRIでは非対称性の錐体骨尖部の含気を腫瘤性病変と誤らないように注意を要する．蜂巣含気腔の炎症とともに同領域の骨髄炎として生じる場合も多い．またPapale[325]，Pietrantoni[326]はリンパ管や血管も進展経路となりうるとしており，あるいは骨自体を介して，必ずしも錐体尖部の含気蜂巣がなくても錐体尖部炎を生じうる；錐体尖部が含気蜂巣を有さない場合は（既述の）頭蓋底骨髄炎の病態として錐体尖部炎を生じる．

1904年にイタリアの耳鼻科医Giuseppe Gradenigo[327]が，急性中耳炎とともに持続性耳漏，三叉神経領域の疼痛（顔面深部の疼痛），外転神経麻痺を3主徴とする“古典的”「Gradenigo症候群」（図183）を報告した．その後，Haymann[328]が尖部炎（apicitis），Profant[329]が錐体部炎（petrositis）の用語を適用した．錐体尖部炎は必ずしもGradenigo症候群の3主徴を伴わないが，これは3主徴が硬膜外への炎症波及によるものであり抗菌薬が速やかに使用される現在は硬膜外への炎症波及を生じる前に治療されるためと推察される[330]．特に外転神経麻痺の発現の頻度が最も低く，診断での信頼性も低いとされる[331]．外転神経症状はGrueber靱帯（petrosphenoidal ligament）に被覆されたDorello管内への炎症進展によると考えられているが，周囲の強固な線維性結合織が外転神経への炎症波及の障壁となっている[322]．

CT，MRIあるいは核医学検査は診断とともに治療効果判定などに必要不可欠であり，側頭骨高分解能CTとMRIは相補的な役割を担う．CTにおいて錐体骨尖部の含気腔内の軟部濃度，骨侵食性変化などにより診断される．MRIでは液体貯留はT2強調像で高信号，造影後T1強調像では造影不良域としてみられ，錐体尖部の骨炎・骨髄炎はT1強調像で正常脂肪髄の高信号の消失，造影後T1強調脂肪抑制画像での増強効果として同定される．また，隣接領域の髄膜炎や海綿静脈洞などの頭蓋内所見の評価にはMRIの造影後T1強調像が有用である（図183）．抗菌薬の先行投与により細菌同定は困難な場合が多く，陽性の培養結果を得るのは約3分の1とされる[322]．

治療選択は個々の症例で判断されるべきであるが，最近は抗菌薬投与による治療成績の著明な改善もあり保存的治療が選択される場合が多い．実際には外科的治療の適応となる場合も少なくなく[323]，侵襲性の高い外科的治療を支持する報告もあるが重篤な合併症が問題となる[332]．Gadreらは44例の検討において77％で内科的治療のみが選択され，ある程度の外科的介入を要したのは23％であったと報告している[322]．

4）迷路炎（labyrinthitis）

鼓室の炎症が卵円窓あるいは正円窓を介して迷路に波及したもの．急性中耳炎よりも慢性中耳炎，特に真珠腫や壊死性慢性中耳炎などに合併する頻度が高い．

画像診断としては造影後T1強調像で膜迷路の増強効果が認められる（図184，185）．化膿性迷路炎では，ときに膜迷路内に線維性，骨性組織の増生を認める場合（骨化性迷路炎）がある．同病態に関しては内耳疾患として後述する．

5）鼓室硬化症（tympanosclerosis）

病理学的には，鼓室，ときに乳突部での組織修復の過程において現れる膠原線維組織の粘膜固有層（lamina propria）への沈着，これにより生じる限局性あるいはびまん性の硝子変性，カルシウムとリン酸の沈着を示す[333]．非可逆性である．病因は明らかでないが，免疫細胞やいくつかの伝達物質が中耳炎の状態下で時間依存性の反応により貪食細胞から破骨細胞への分化を生じることによると推察されている[334]．1734年Cassebohmが鼓室の石灰化沈着を初めて記述，1873年von Trotschが鼓室硬化症の用語を初めて用い[335]，1956年にZollnerが耳硬化症と異なる病態との疾患概念を確立した[336]．慢性中耳炎例での鼓室硬化症の発現頻度は3～43％[337]，真珠腫と鼓室硬化症の併存率は4～30％（図186）[338]とされる．無

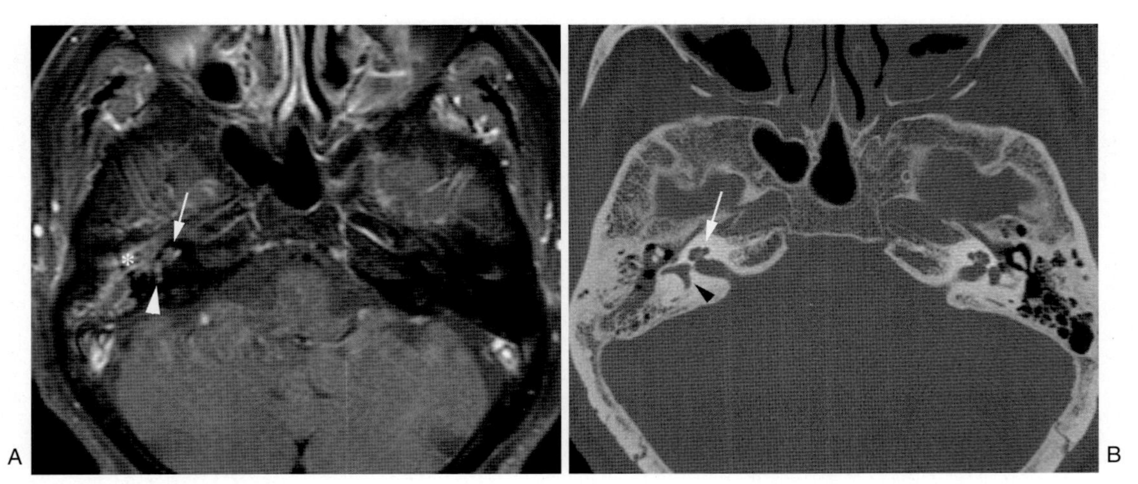

図 184　迷路炎

側頭骨 MRI，造影後 T1 強調脂肪抑制画像(A)において，右側中耳・乳突洞領域(＊)の炎症による増強効果とともに隣接する蝸牛(矢印)，前庭(矢頭)にも異常増強効果が認められ，合併する迷路炎を反映する．CT(B)では蝸牛(矢印)，前庭(矢頭)の異常は同定困難である．

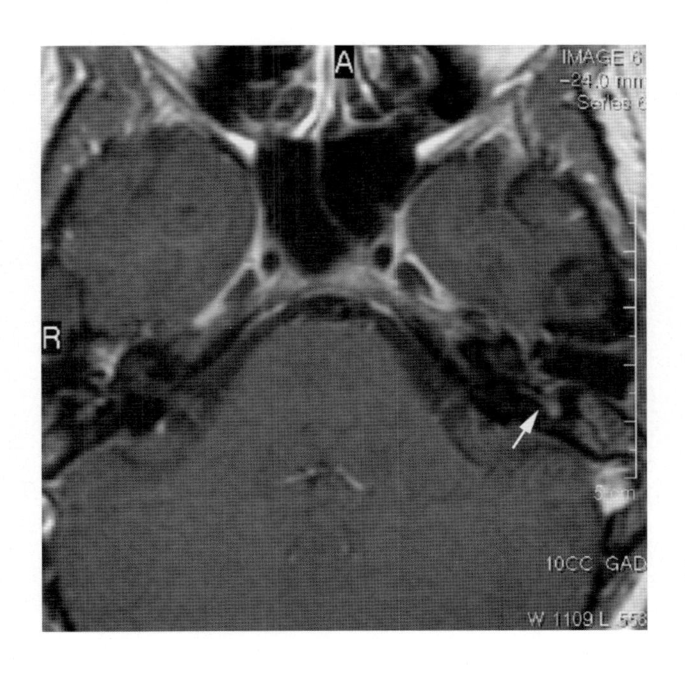

図 185　迷路炎

造影 MRI T1 強調横断像において左後半規管(矢印)に淡い増強効果を認め，迷路炎に一致する．

症状から高度難聴まで聴力障害(主に伝音難聴)の程度は様々であるが，初期は耳小骨連鎖への圧排により高周波の障害から始まり，耳小骨固着に伴い徐々に低周波にも広がり[338]，最終的には蝸牛への影響により感音難聴の要素も加わる[339]．Yabe らの邦人 59 例の検討では女性に多く(男性：女性＝1：1.8)，(症状を訴える側と)対側において 54％で鼓室硬化症所見を認めたとしている[340]．中耳腔では上鼓室(図 186，187)，耳小骨周囲(図 188，189)，岬角隣接部位，卵円窓領域，鼓膜(図 190)では中間層に頻度が高い[324]．局在はツチ骨柄周囲(図 191)が最も多く(79.8％)，ツチ骨固着の原因として鼓室硬化症が最も多い[335]．鼓室硬化症の約半数で複数領域(図 188A，192)を侵すとされる[341]．アブミ骨固着(図 193)の有無が術後聴力結果に最も重要な要素であり，アブミ骨の可動性が保たれている例で聴力結果は有意に良好である[337]．臨床上，病変の拡がりによる

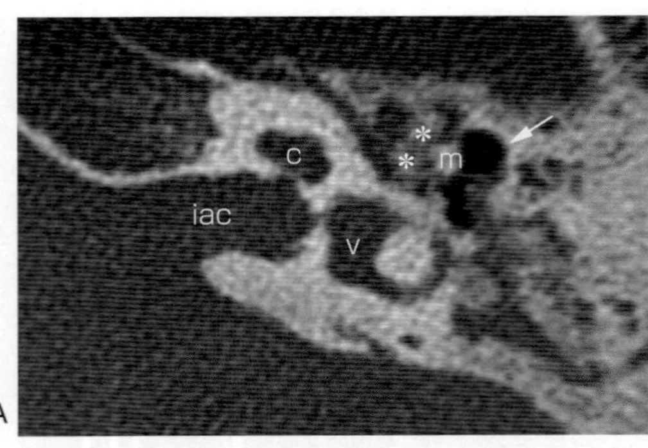

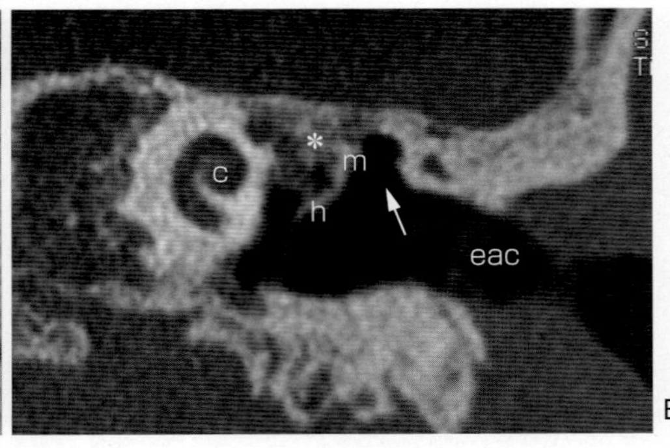

図 186　鼓室硬化症と弛緩部型真珠腫の合併

上鼓室レベルの左側頭骨 CT 横断像(A)において上鼓室前方，ツチ骨頭部(m)前方を囲むように淡い石灰化濃度(＊)を認め，鼓室硬化症を示す．一方，正常では同定されるキヌタ骨体部は描出されておらず，上鼓室の外側への拡大(矢印)あり．c：蝸牛，iac：内耳道，v：前庭

冠状断像(B)でも上鼓室の石灰化(＊)とともに scutum 鈍化(矢印)を認め，弛緩部型真珠腫との合併を示す(後述)．なお，Prussak 腔を含み上鼓室の耳小骨外側には含気が保たれており，恐らくは真珠腫内容が外耳道側に自然排出された状態(autoatticotomy：後述)と思われる．c：蝸牛，eac：外耳道

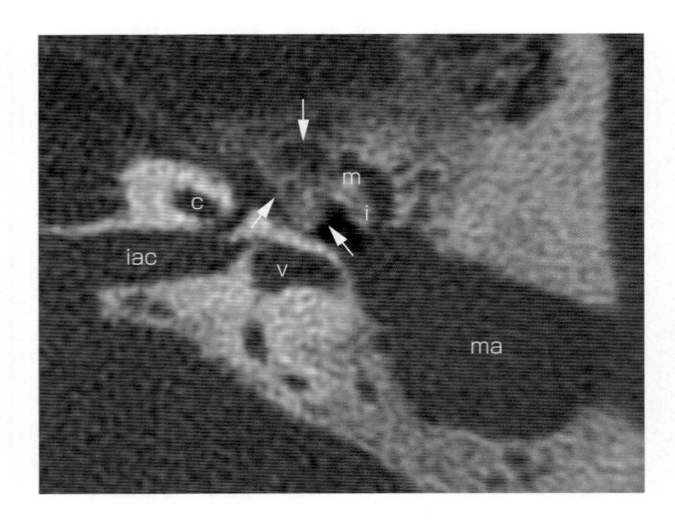

図 187　鼓室硬化症

上鼓室レベルの左側頭骨 CT 横断像において，上鼓室前方でツチ骨頭部(m)に接して石灰化病変(矢印)を認め，鼓室硬化症に合致する．canal wall-up mastoidectomy 後の乳突腔(ma)は非特異的炎症性軟部濃度で占拠されている．c：蝸牛，i：キヌタ骨体部，iac：内耳道，v：前庭

Wielinga-Kerr 分類(表 16：p918)[341]が用いられ，アブミ骨固着の頻度は約 37％とされる[342]．鼓膜病変のみの group 1 はアブミ骨固着のある group3 および 4 と比較して術後結果は有意に良好で，アブミ骨固着例では術後聴力の有意な改善はみられなかったと報告されている[338]．病変が鼓膜に限局している場合は，鼓膜硬化症(myringosclerosis)(図 190，194)と称される．血清カルシウムレベル[343]，鼓室貯留液体の性状(漿液性あるいは粘液性)，術中の鼓室内出血の有無と鼓室硬化症の発現との相関は証明されていないが，中耳炎，耳漏の既往と相関するとされる[333]．

画像評価においては，CT での鼓室内(あるいは鼓膜に沿った)石灰化濃度により診断されるが，石灰化の濃度はさまざまで，含気に囲まれる場合(図 188)と炎症性軟部濃度に囲まれる場合(図 189)があり，軟部濃度内の淡い石灰化(図 191A，195，196)を慎重に評価しなければならない．ま

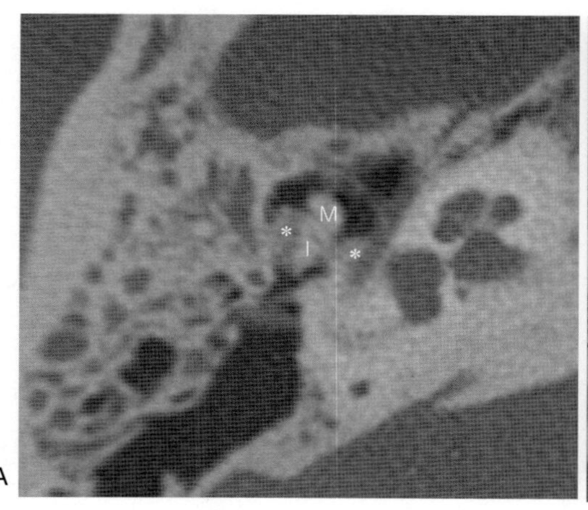

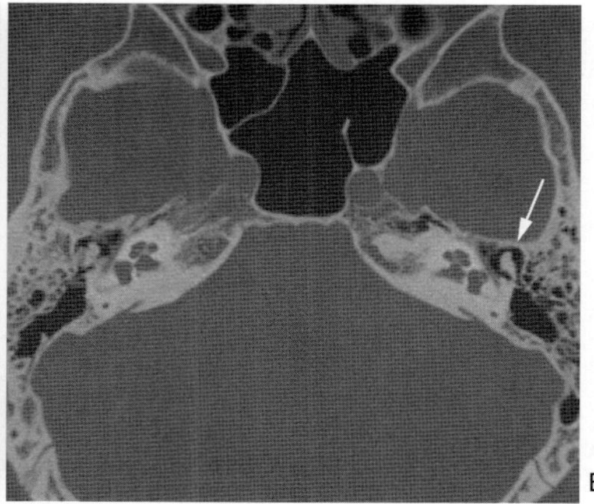

図 188　鼓室硬化症
左側頭骨横断 CT(A)において，上鼓室内で耳小骨周囲に異常石灰化濃度領域(＊)を認め，耳小骨と上鼓室内側・外側壁との間での骨性融合を示す．I：ツチ骨(体部・短脚)，M：ツチ骨(頭部)
同レベルでの両側側頭骨横断 CT(B)で，正常な左上鼓室(矢印)が描出されている．

た，鼓室内の靱帯(図 197)や耳小骨(図 193, 198)の肥厚のみを示す場合もある．耳小骨の評価は健側との比較が判断に有用である．カルシウム沈着病変の濃度と局在が聴力障害の程度を決定し[335]，進展範囲は外科的治療成績に強く関連することから，CT での進展範囲の把握は極めて重要である．理由は明らかでないが，鼓膜チューブ挿入により発生の危険性が 3.5 倍に上がるとされる[344]．

一度聴力が障害されると補聴器使用あるいは手術しか選択肢はなくなる．1960 年には House が鼓室硬化症に対する手術を最初に記述したが[345]，依然として外科的治療の適応，術式などに関しては議論も多い．術後結果は鼓室硬化症の罹病期間および範囲が影響し[346]，比較的良好な結果から十分でない結果まで様々な報告がある[346, 347]．既述のとおり，アブミ骨固着例で最も術後結果は不良とされる[348]．

6） 真珠腫

本章内において，後述する．

7） コレステリン肉芽

既述のごとく，線維性結合織に縁取られた特殊な肉芽組織のひとつであり，コレステリン結晶に対する出血性異物反応による(図 165〜175)．

8） 感音難聴（sensorineural hearing loss）

慢性中耳炎は感音難聴との関連が議論されており，フリーラジカル，細菌毒素など炎症性化学伝達物質の正円窓を介した内耳への進入，蝸牛基底回転の有毛細胞の障害に起因すると考えられている[349]．Yoshida らの報告では 40 歳代で高周波の聴力障害から始まり，50 歳代で低周波への進行がみられ，蝸牛障害部位の基底回転から頂回転への経時的進行を支持している[350]．Yang らによる片側慢性中耳炎の 231 成人例の検討で 22％が感音難聴を示している[349]．また，Sakagami らによる片側慢性中耳炎 23 例の検討では，難聴の進行が健側で 0.13 db/ 年であったのに対して，患側では 0.61 db/ 年であったとしている[351]．

危険因子として，慢性中耳炎の罹病期間，年齢，真珠腫合併などの他，CT での正円窓窩の軟部濃度病変，乳突洞・蜂巣の発達不良(小児期からの長期の罹病期間を示唆)などがあげられる[349, 350, 352]．

d. 真珠腫（cholesteatoma）

真珠腫は表皮の迷入による角化重層扁平上皮の被膜内の剝離上皮の堆積により形成され，“skin in the wrong place” と考えられる．“真珠腫(cholesteatoma)”は一世紀を越えて用いられてきた用語であるが，コレステリン(chole-)も脂肪(-stea-)も含まないことから誤った名称とされる[353]．

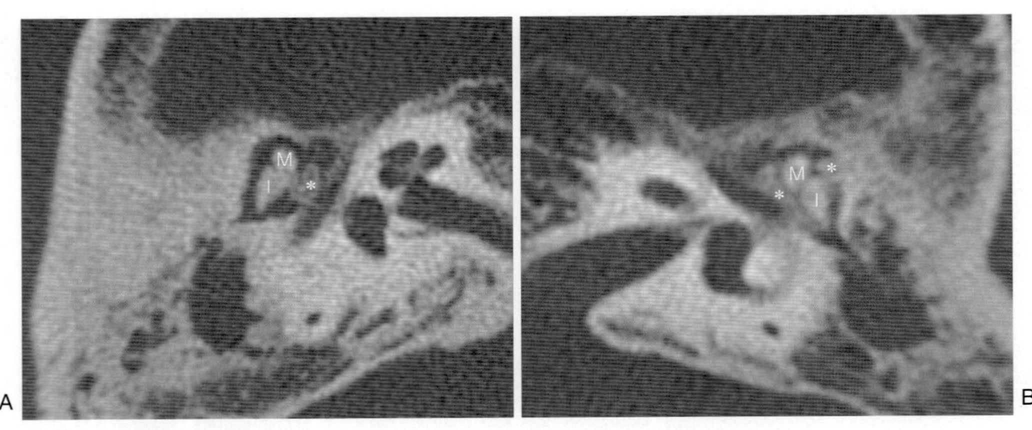

図 189　鼓室硬化症 2 例
　右側頭骨横断 CT（A）．炎症性軟部濃度を含む上鼓室内で耳小骨内側に限局性石灰化濃度（＊）を認める．別症例の左側頭骨横断 CT（B）でも，耳小骨を囲むように炎症性軟部濃度とともに不整形石灰化濃度（＊）を認める．I：ツチ骨（体部・短脚），M：ツチ骨（頭部）

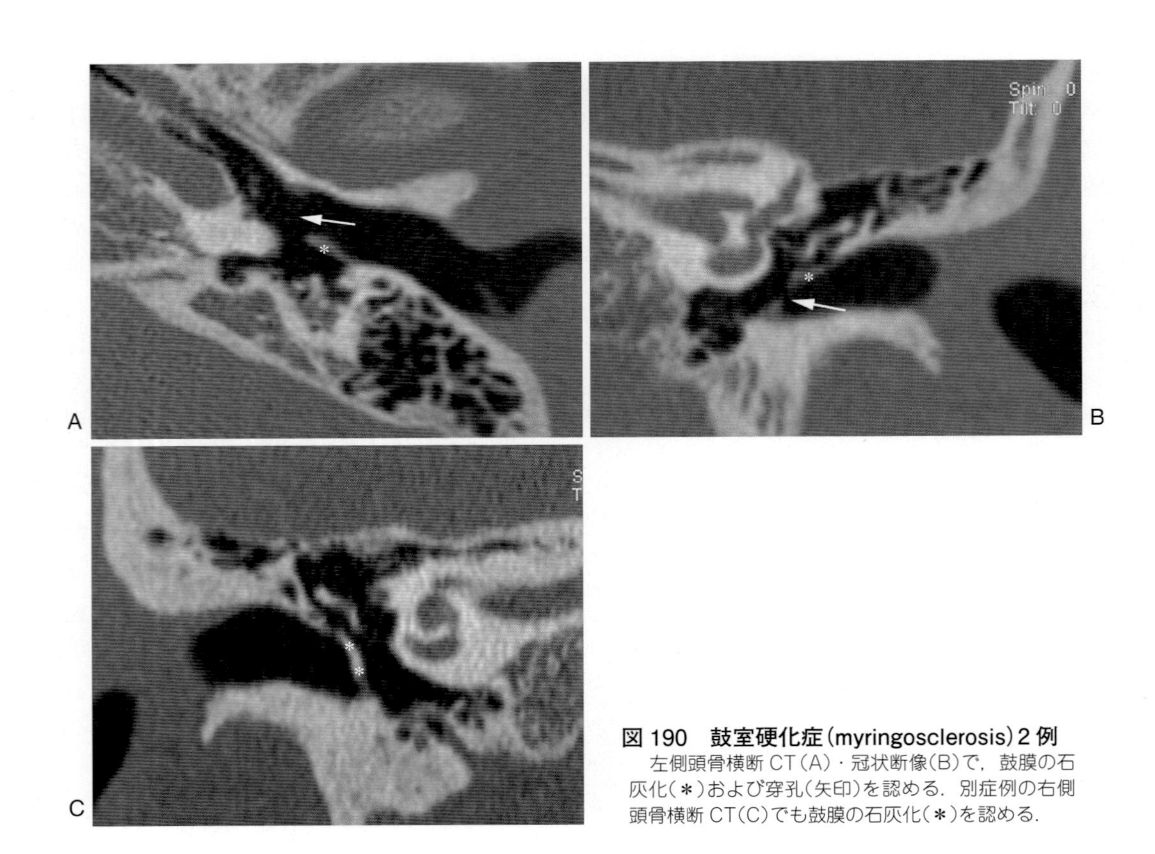

図 190　鼓室硬化症（myringosclerosis）2 例
　左側頭骨横断 CT（A）・冠状断像（B）で，鼓膜の石灰化（＊）および穿孔（矢印）を認める．別症例の右側頭骨横断 CT（C）でも鼓膜の石灰化（＊）を認める．

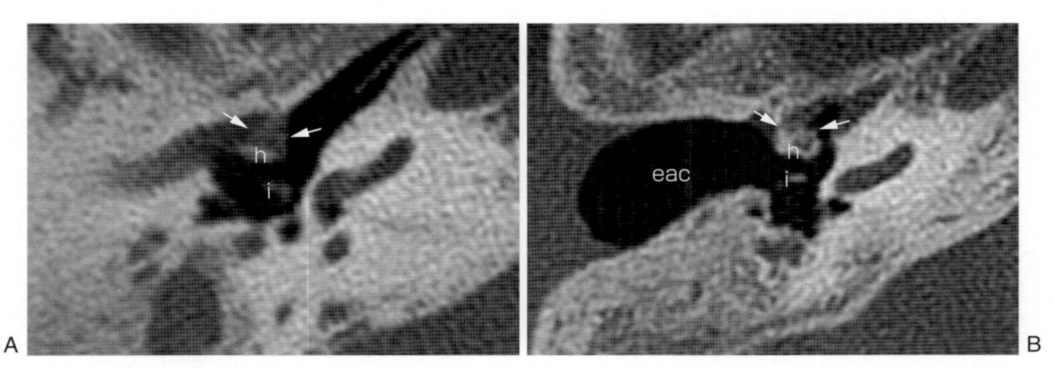

図 191　鼓室硬化症 2 例
　いずれも右側頭骨 CT（A および B）において，ツチ骨柄（i）周囲から前方にかけて限局した石灰化濃度（矢印）を認め，鼓室硬化症に一致する．石灰化の程度は A よりも B でより高度にみられる．eac：外耳道．

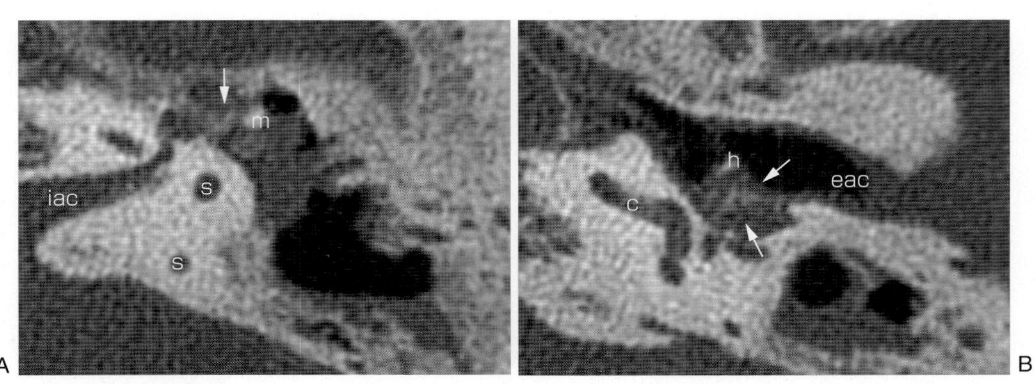

図 192　鼓室硬化症
　上鼓室レベルの左側頭骨 CT（A）において，上鼓室内のツチ骨頭部（m）前方に淡い石灰化濃度（矢印）を認め，鼓室硬化症を示す．iac：内耳道，s：上半規管．中鼓室レベル（B）で鼓室後方の軟部濃度内にも淡い石灰化濃度（矢印）を認める．c：蝸牛，ead：外耳道，h：ツチ骨柄

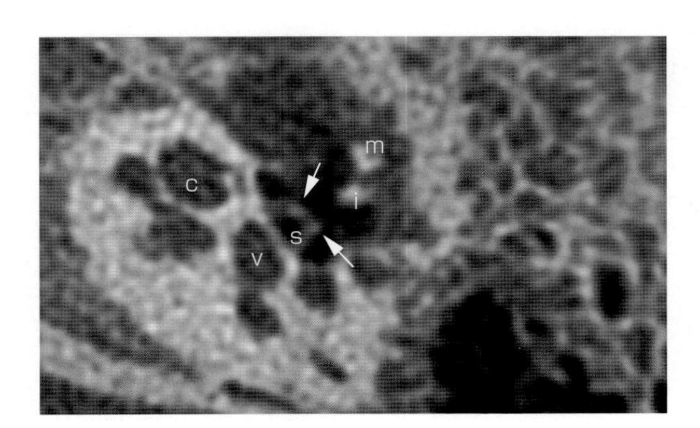

図 193　鼓室硬化症
　左側頭骨 CT においてアブミ骨上部構造（s）には結節様の不規則な肥厚（矢印）を認め，鼓室硬化症による石灰化沈着を疑う．c：蝸牛，i：キヌタ骨長脚，m：ツチ骨頸部，v：前庭

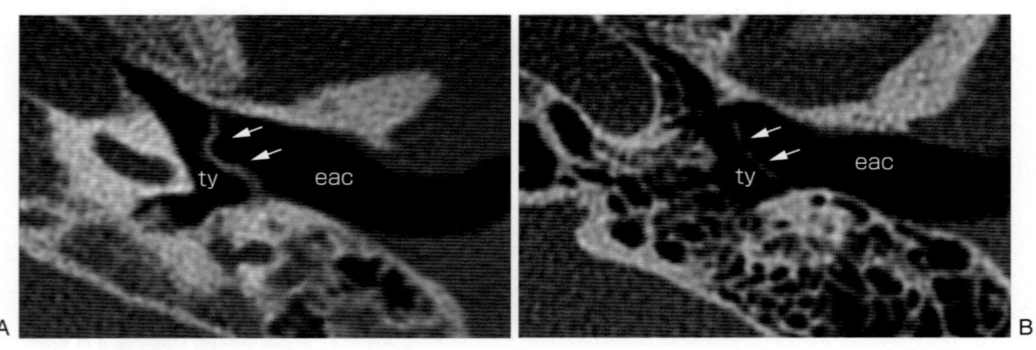

図 194　鼓室硬化症(myringosclerosis) 2 例
2 例の左側頭骨 CT(A および B)．いずれにおいても鼓膜の石灰化(矢印)を認める．eac：外耳道，ty：鼓室

表 16　Wielinga-Kerr 分類　－鼓室硬化症病変の局在による分類－

group	病変の拡がり
1	鼓膜病変のみ(myringosclerosis のみ)
2	ツチ骨・キヌタ骨病変のみ(attic fixation)
3	アブミ骨固着と卵円窓病変のみ(isolated stapes fixation)
4	ツチ骨・キヌタ骨およびアブミ骨固着の両方あり(widespread fixation)

(Wielinga EW, Kerr AG：Clin Otolaryngol Allied Sci **18**：341-349, 1993)

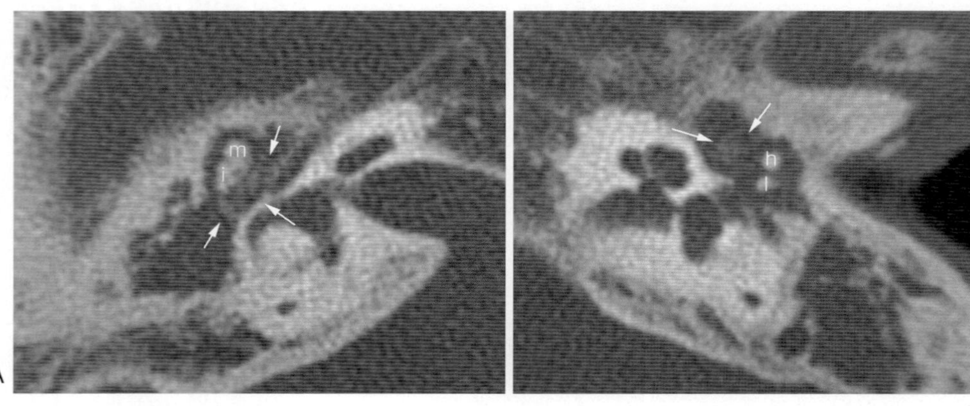

図 195　鼓室硬化症 2 例
左側頭骨横断 CT(A)で，上鼓室内には耳小骨を囲む炎症性軟部濃度を認め，耳小骨内側には淡い石灰化濃度(矢印)を含む．i：ツチ骨(体部・短脚)，m：ツチ骨(頭部)．別症例の右側頭骨横断 CT(B)で軟部濃度内に限局して淡い石灰化濃度(矢印)を認める．h：ツチ骨柄，l：キヌタ骨長脚

先天性真珠腫と後天性真珠腫に区分され，98%が後天性である．

1）先天性真珠腫（congenital cholesteatoma）

発生部位により錐体部病変と中耳病変に分けられる．両者は臨床的に区別されるべき病態である．

i）先天性錐体尖部真珠腫：“類上皮腫(epidermoid)”とも呼ばれ，錐体尖部病変の 4～9%に相当する[354]．約 40%を占めるコレステリン肉芽腫よりも少ない[270, 273]．先天性と後天性があるが同部では先天性が多く，胎生期に迷入した外胚葉に由来するとされる．組織学的には重層扁平上皮に覆われた囊胞で角化堆積物の内容を有する[355]．錐体尖部病変を含む側頭骨錐体部の真珠腫は側頭骨真珠腫全体の 3%未満に相当する[356]．臨床的

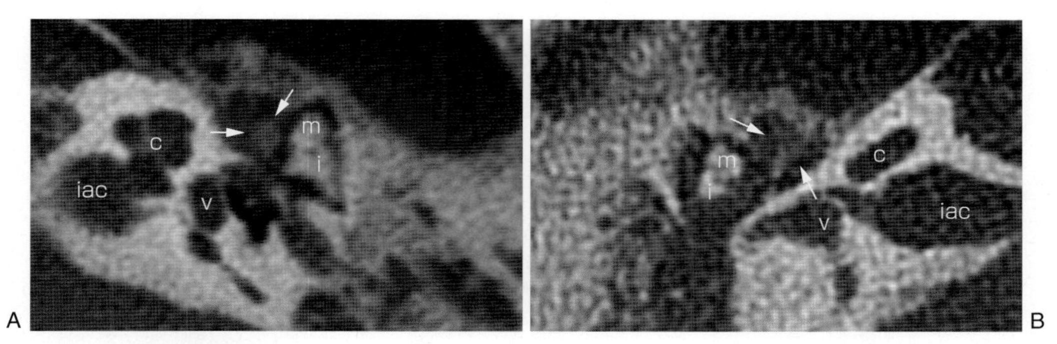

図 196　鼓室硬化症 2 例

左側頭骨 CT（A）および別症例の右側頭骨 CT（B）．いずれも上鼓室前方でツチ骨頭部（m）内側前方に近接して軟部濃度内に淡い石灰化濃度（矢印）を認め，鼓室硬化症を示す．c：蝸牛，i：キヌタ骨体部，iac：内耳道，v：前庭

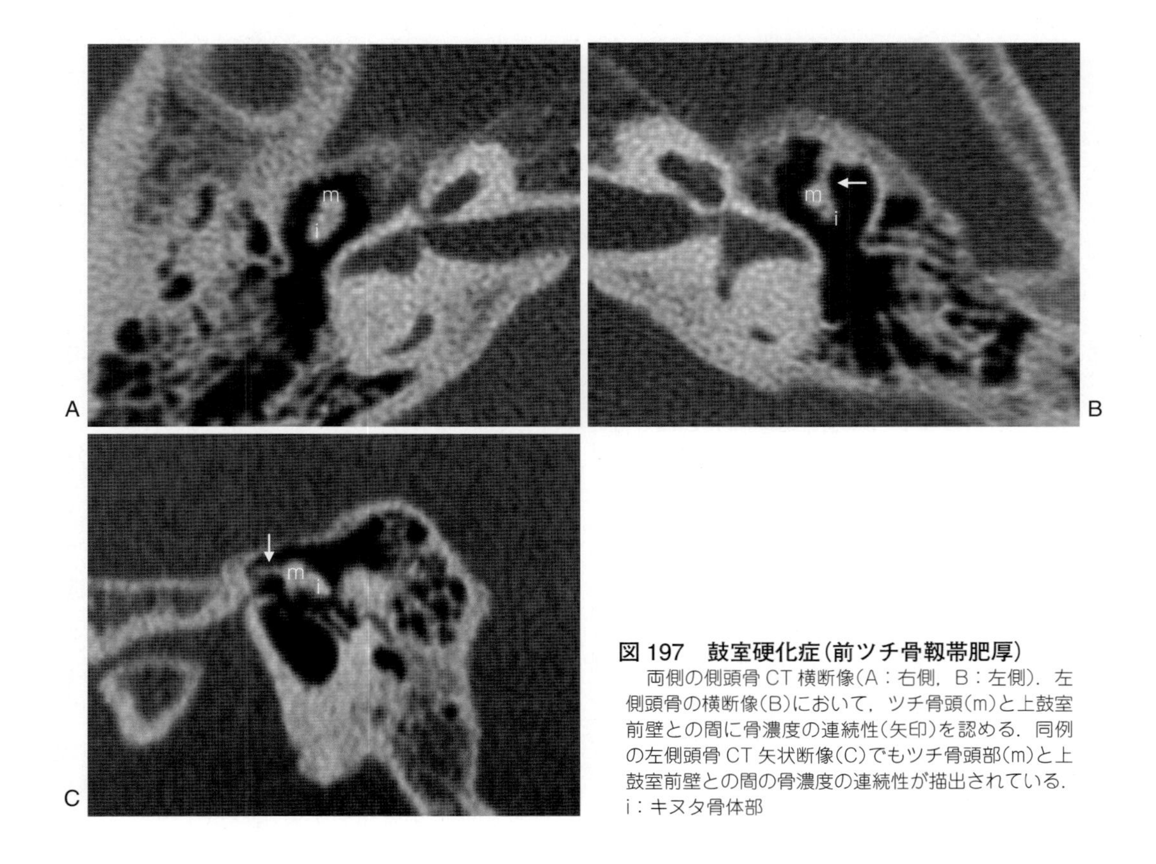

図 197　鼓室硬化症（前ツチ骨靱帯肥厚）

両側の側頭骨 CT 横断像（A：右側，B：左側）．左側頭骨の横断像（B）において，ツチ骨頭（m）と上鼓室前壁との間に骨濃度の連続性（矢印）を認める．同例の左側頭骨 CT 矢状断像（C）でもツチ骨頭部（m）と上鼓室前壁との間の骨濃度の連続性が描出されている．i：キヌタ骨体部

には局在により分類され，1977 年 Fisch が 2 つに分類[357]，1991 年 Bartell が 3 つに分類[358]，1933 年 Sanna らが 5 つに分類—Sanna 分類（**表 17**：p923）[359]し，2008 年には Moffat らが Sanna 分類に 2 つ追加して 7 つに分類—Moffat-Smith 分類（**表 17**）[360]，その後 2011 年に Sanna らが錐体骨を越えた分類を提唱した[361]．錐体部真珠腫としては 5 つの局在を分けた Sanna 分類（**表 17**）が最も受け入れられている．これらの分類はいずれも（後述の）安全な外科的治療選択を目的としている．

症状は，無症状から難聴，顔面神経麻痺，耳漏，めまい，耳鳴，耳痛を訴えるものまで様々である．

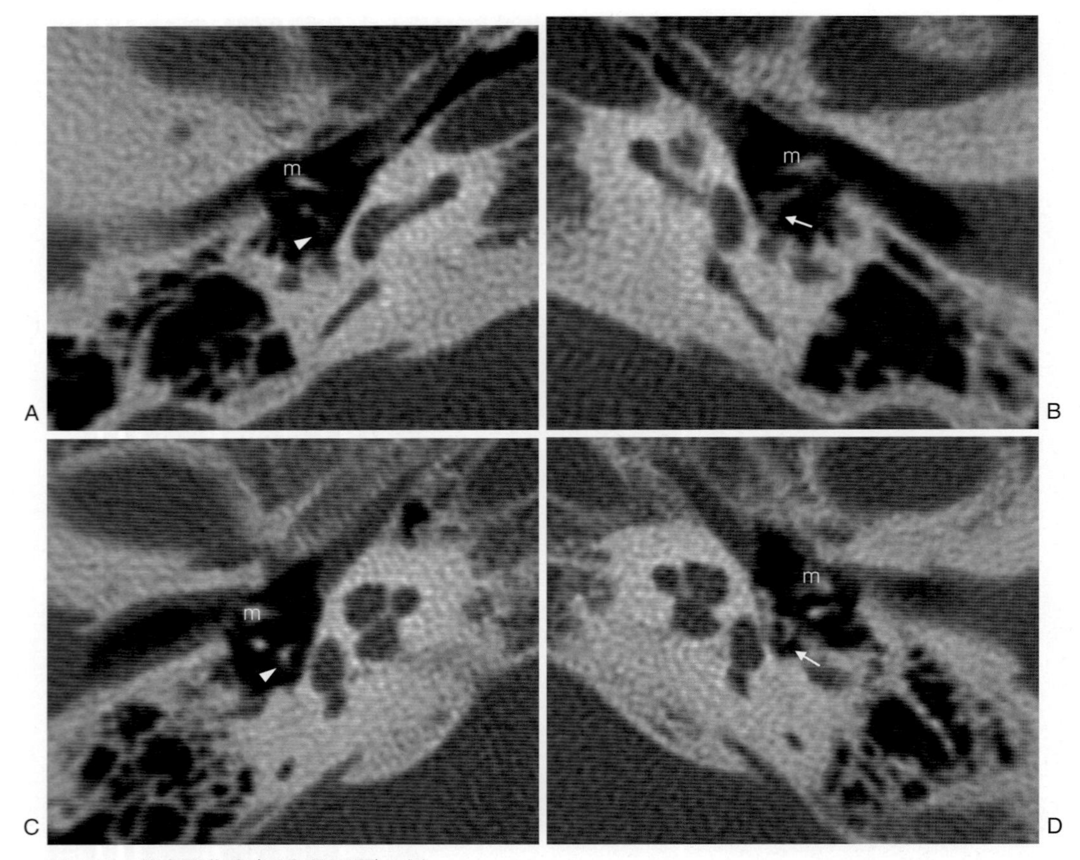

図198　鼓室硬化症(耳小骨肥厚)2例
伝音難聴を訴える2例の両側側頭骨CT横断像(AおよびB，CおよびDが各々の例の右側および左側)．いずれの例においても，左側(B，D)でアブミ骨上部構造(矢印)は対側(矢頭：A，C)と比較して，肥厚を示す．m：ツチ骨柄

診断，局在をもとにした(既述の)臨床分類，治療計画のいずれにおいても画像診断は重要な役割をもつ[354]．CTでは錐体尖部の膨隆性腫瘤としてみられ，周囲の骨には比較的平滑な圧排性侵食を呈する．内部は軟部濃度からやや低い濃度を呈し，増強効果はみられない．CTのみでの(既述の)コレステリン肉芽腫との鑑別はしばしば困難である(図199)．局在の判断とともに，頸動脈管，蝸牛，顔面神経管，硬膜等の周囲の重要構造との間の骨壁の欠損の有無・程度の評価が最も重要となる(図200)．MRIは質的診断および頭蓋内合併症において極めて有用である．T1強調像では中等度から低信号(図168B，199B，200B)を示すことで，高信号を呈するコレステリン肉芽腫(図166，167，168A，171)との鑑別は容易である．両者は外科的手技が異なることから臨床上重要である(コレステリン肉芽腫の項にて既述)．T2強調像では高信号，拡散強調像で“拡散低下”を示し，造影後T1強調像で母膜(matrix)のみが辺縁の薄い増強効果を示す場合もあるが，内部(debris)の増強効果がみられないことは(後述の)中耳真珠腫と同様である(図199)．

外科的治療が基本で，その目的は病変再発のリスクを最小化するとともに機能(聴力，顔面神経)温存を最大限図ることである[362]．ただし，錐体尖部は深部に位置し，周囲の重要構造などからもアプローチ経路の選択は容易ではなく，実際には症例ごとに病変の局在，進展範囲，術前聴力や顔面神経機能などを考慮したうえで個別に評価される．既述の臨床分類(表17：p923)は基本的には

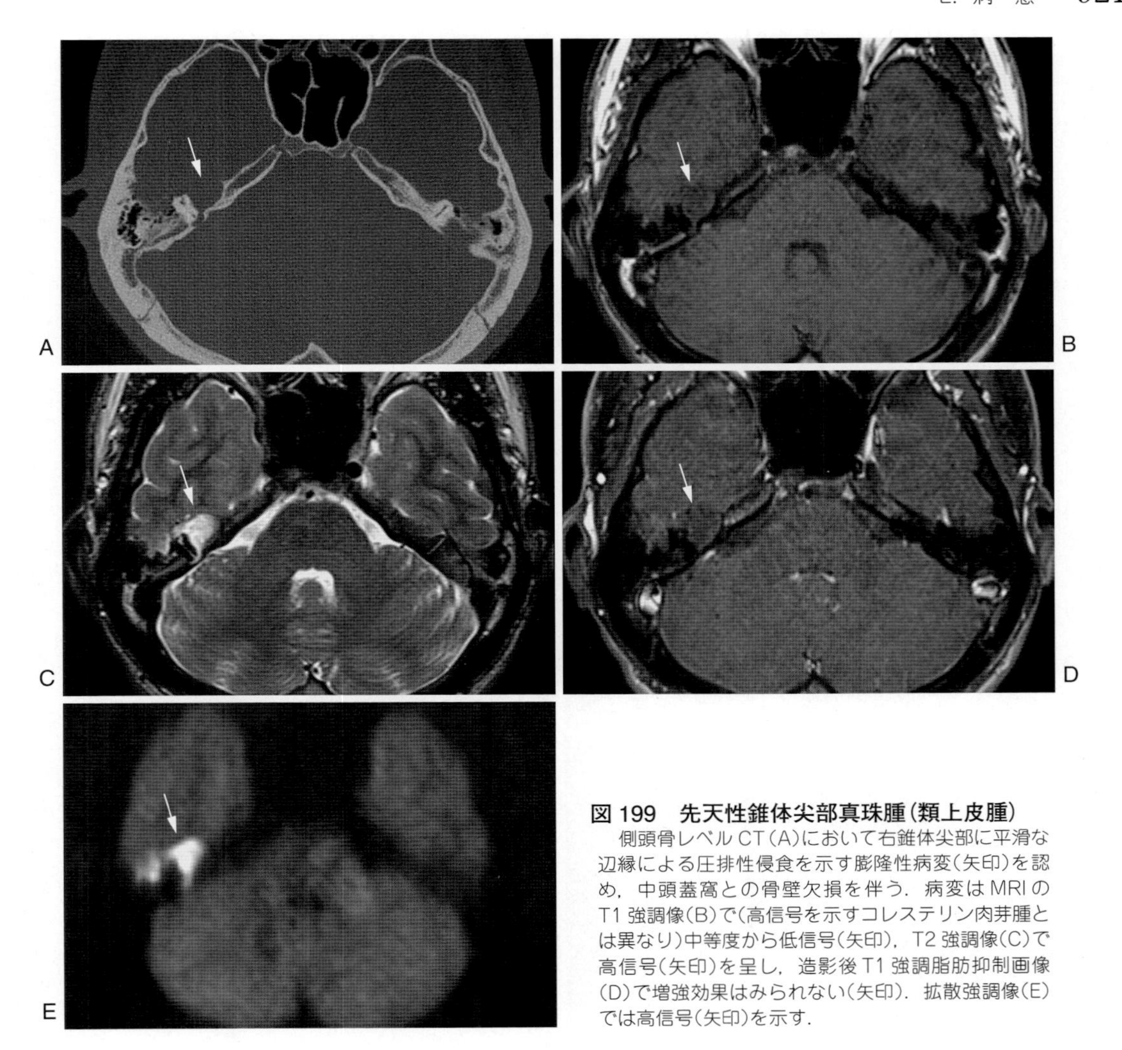

図 199 先天性錐体尖部真珠腫(類上皮腫)
側頭骨レベル CT(A)において右錐体尖部に平滑な辺縁による圧排性侵食を示す膨隆性病変(矢印)を認め，中頭蓋窩との骨壁欠損を伴う．病変は MRI の T1 強調像(B)で(高信号を示すコレステリン肉芽腫とは異なり)中等度から低信号(矢印)，T2 強調像(C)で高信号(矢印)を呈し，造影後 T1 強調脂肪抑制画像(D)で増強効果はみられない(矢印)．拡散強調像(E)では高信号(矢印)を示す．

外科的治療選択を行うためのものである．中頭蓋窩アプローチ，経迷路アプローチ，経耳的アプローチ，側頭下窩アプローチ，迷路上アプローチなど様々な到達経路があり，経迷路あるいは経蝸牛アプローチ(図 200)は視野を広くとれ最も適した進入経路であるが聴力は犠牲となる[363]．蝸牛との瘻孔がなく有効聴力(serviceable hearing)が保たれている例では経乳突部および中頭蓋窩アプローチが推奨されるが，迷路下部 / 錐体尖部あるいは広範型の病変での標準的な経耳的および経蝸牛アプローチでの聴力温存は困難である．一般に術後聴力温存率は 17〜33％と良好とはいえない[363]．Danesi らは錐体部真珠腫 81 例の検討において全例の聴力低下(うち 91％が聾)を報告している[355]．本検討では約 80％で術前に顔面神経障害を認めていたが，その約 80％は術後の House-Brackmann score が改善あるいは不変であったとしている．また髄液漏は比較的まれな術後合併症としている．最近では内視鏡・顕微鏡を用いた手技の有用性も報告[363, 364]されており，錐体尖部への進入経路は主に内頸動脈，頸静脈球，後頭蓋窩により規定される．術後再発の報告は 17〜70％と幅広く[363]，これは根治性と安全な治療選択の要素が影響していると思われる．

ii) **先天性中耳真珠腫**：中耳腔における胎生期の扁平上皮の遺残より生じると考えられている．大部分が小児例(主に 6 ヵ月から 5 歳)で[365]，本邦では診断時の平均年齢は 6 歳であるが，9.1％

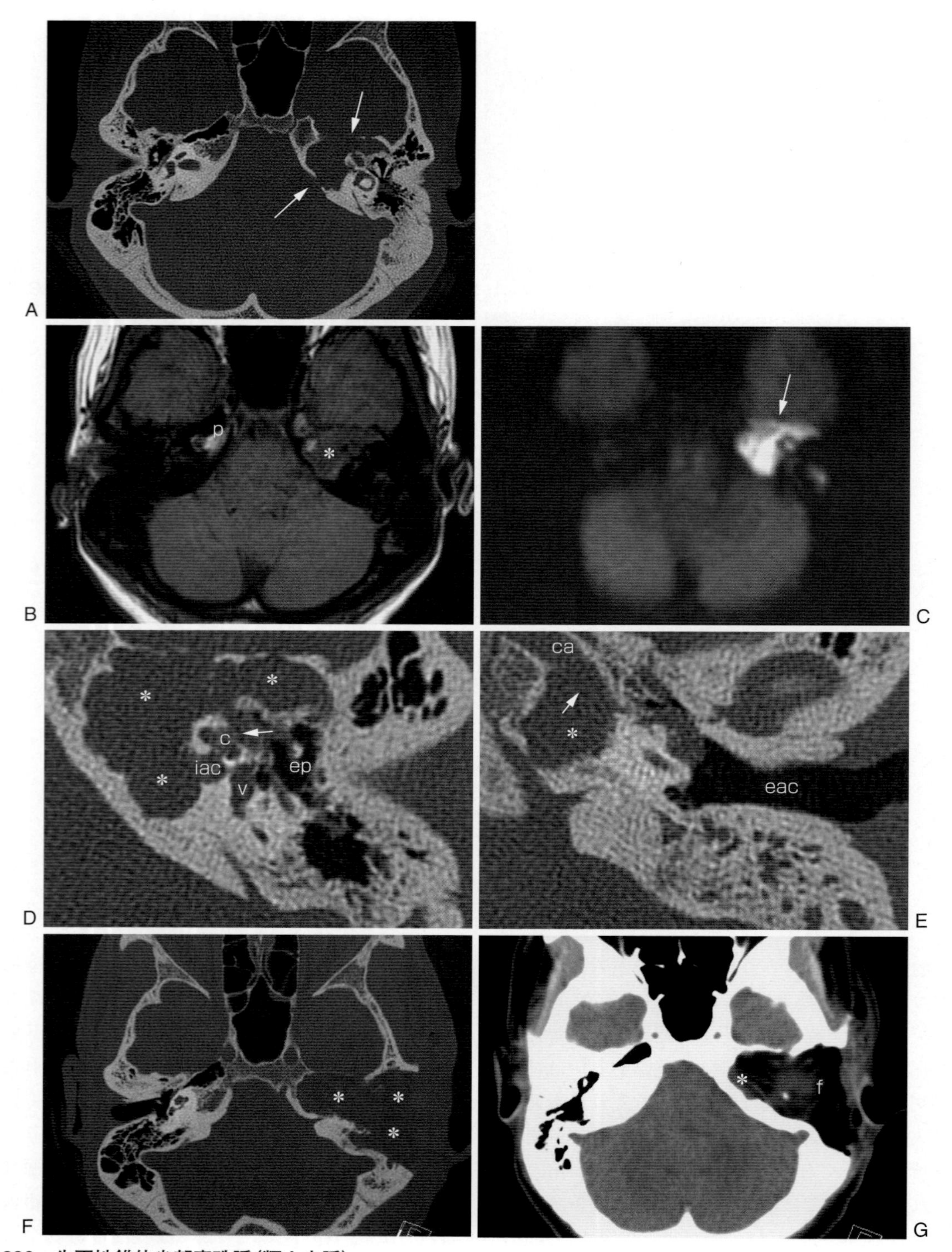

図 200　先天性錐体尖部真珠腫（類上皮腫）

側頭骨レベル CT（A）で左錐体尖部に境界鮮明な骨融解病変（矢印）を認める．MRI の T1 強調像（B）では低信号（＊）を呈する．対側錐体尖部（p）は正常脂肪髄による高信号を示す．拡散強調像（C）で拡散低下がみられ，T1 強調像とともに真珠腫（類上皮腫）に合致する．内耳道レベルの左側頭骨 CT（D）で病変（＊）と蝸牛（c）頂部との間の骨欠損（矢印）あり．また，内耳道（iac）との間でも骨欠損を認める．ep：上鼓室，v：前庭．より尾側レベル（E）で病変下部（＊）と頸動脈管水平部（ca）との間でも骨は欠損を示す．eac：外耳道．経耳的・経迷路アプローチによる術後の CT 骨条件（F）では左側頭骨の錐体骨深部に及ぶ術後骨欠損（＊）を認め，同軟部濃度条件（G）で欠損部を充填する筋皮弁（f）が一部軟部濃度の混在する脂肪濃度を主体とした組織として確認される．辺縁軟部濃度（＊）が残存あるいは再発病変である可能性は否定されないが，MRI 拡散強調像および・あるいは経過観察による経時的変化により判断される．

表 17　錐体尖部真珠腫の Sanna 分類・Moffat-Smith 分類

Sanna 分類〔classI～V〕	Moffat-Smith 分類
I：迷路上部(supralabyrinthine)	Sanna 分類の 5 つの class(左参照)に以下の 2 つを追加
II：迷路下部(infralabyrinthine)	
III：迷路下部 / 錐体尖部(infralabyrinthine-apical)	
IV：広範(massive)	
V：錐体尖部(apical)	
	・迷路上部 / 錐体尖部(supralabyrinthine-apical)
	・迷路部 / 錐体尖部(labyrinthine-apical)

(Sanna M, Zini C, Gamoletti R et al：Skull Base Surg **3**：201-213, 1993)
(Moffat D, Jones S, Smith W：Skull Base **18**：107-115, 2008)

が手術年齢 15 歳以上であり，ときに成人にも認められる[366]．典型的には正常鼓膜から透見される鼓室内の白色調腫瘤として認められ，“(緊張部，弛緩部ともに)鼓膜が正常で，耳漏，鼓膜穿孔，耳手術の既往がないこと”が診断の条件となる[367, 368]．病変進行により二次性の鼓膜穿孔を生じると(後述の)後天性真珠腫との区別が困難な場合も多い．このため，Levenson らは中耳炎の既往は必ずしも除外の条件とはならないとしており[369]，小児で耳漏，伝音難聴，非典型部での鼓膜穿孔を示す例では，(厳密な基準からは診断から外れるが)もともとは先天性真珠腫であった可能性が十分に考慮される[370]．本邦での頻度は，欧米(小児真珠腫例の約 5%)[191]と比較して，約 13%とやや高い[368]．男児(男性)に多く，本邦での性比は 1.8：1 である[366]．鼓室内のいずれの部位にも生じるが，耳小骨内側が最も多く(図 201, 202)多く，CT 所見としても最も特徴的である(後述)．鼓室の前上象限(ASQ：anterior superior quadrant，前上部の 4 分の 1)に多く(図 201, 202)，数%が両側性とされる[371]．ただし，アジアでは欧米と異なり，前上象限よりも後上象限(PSQ：posterior superior quadrant，後上部の 4 分の 1)の，より進行病変が多いとの報告もある[372, 373]．前上象限の早期病変は耳小骨を温存した完全摘出が可能であるが，後上象限への進展あるいは後上象限発生の病変では耳小骨(特にアブミ骨)への影響が大きく耳小骨温存は困難な場合が多い[374, 375]．

先天性真珠腫の病期診断として欧米では Potsic 分類(表 18：p924)が主に用いられる[371]．病変の進展範囲に伴い stage 1～4 が区分され，これらは術後聴力，残存病変と明確な相関を示す[376]．同分類は(欧米で典型的な進展様式とされる)前上象限より発生，進行により後方に進展，耳小骨侵食，さらに上鼓室，乳突洞進展をきたすことを前提とするが，後上象限に多いとされるアジアでも術後再発とは良好な相関を示す[373]．stage 2 は臨床的には比較的まれである．一方，本邦では既述のとおり，鼓室後方の病変も多いことから，日本耳科学会は(Potsic 分類のように進展様式を考慮したものではなく)純粋に局在，進展範囲のみを基にした「JOC (The Japan Otological Society) 分類(表 19：p927)」を提唱することで，病期の理解をより容易にしている[366]．本邦症例の 45.5%が鼓室に限局した stage I (図 203～205)で，乳突洞進展は stage II (図 206)の約半数，stage III の全例，全体の 27.7%で認められたと報告されている[366]．JOC 分類の stage が上昇するに伴い聴力障害はより高度でアブミ骨病変はより重度となる．stage Ib 例(図 204)は stage Ia (図 203)と比較して，アブミ骨はより侵されやすく術前聴力が不良な傾向にあり，耳小骨再建では IVc 型鼓室形成術が選択される傾向にある．stage I の鼓室内に限局した病変は経外耳道的アプローチによる内視鏡手術のよい適応となる．真珠腫は，母膜(matrix)に覆われた嚢胞様を呈する“closed type”(図 207)と，母膜の破綻した“open type”(図 208)に分けられるが，年長例では年少例と比較して，open type 病変，(stage の高い)進行病

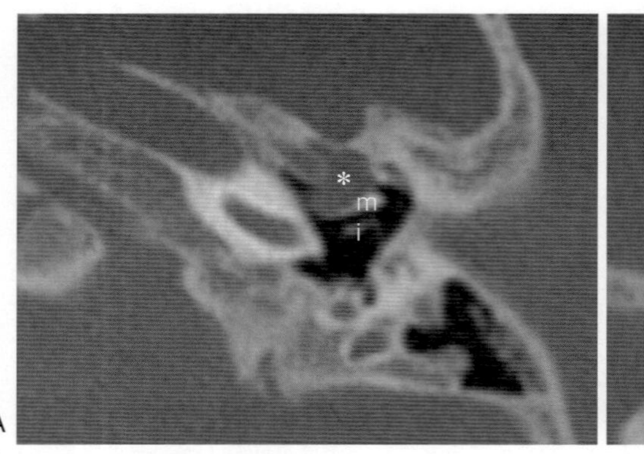

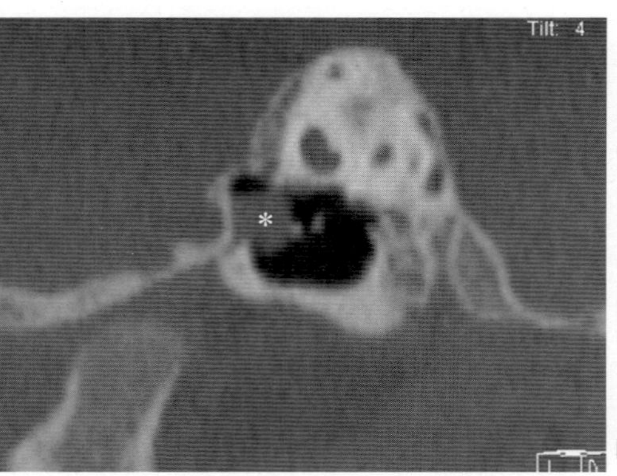

図 201　先天性真珠腫

左側頭骨横断 CT(A)において，耳小骨内側前方に隣接した限局性軟部濃度病変(＊)を認める．m：キヌタ骨長脚，i：ツチ骨柄．矢状断 CT(B)で病変は鼓室前上部に局在している．

表 18　先天性真珠腫の Potsic 分類

stage 1	鼓室 1/4(ひとつの象限：quadrant)に限局
stage 2	鼓室の複数の象限に及ぶ
stage 3	耳小骨進展：耳小骨の侵食あるいは(病変摘出時の)外科的摘出
stage 4	乳突洞進展

(Lim HW, Yoon TH, Kang WS：Am J Otolaryngol Head Neck Med Surg **33**：538-542, 2012)

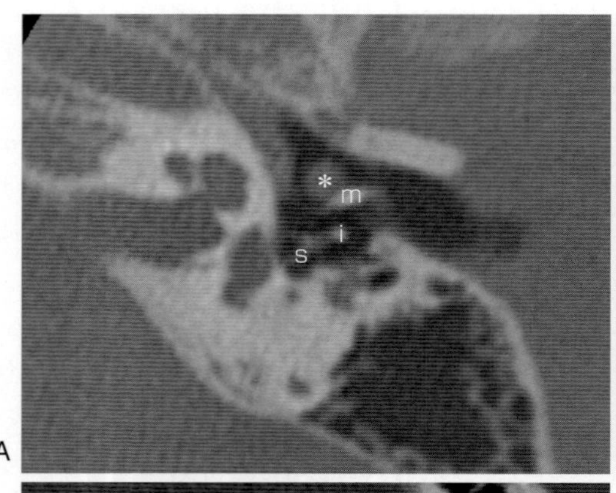

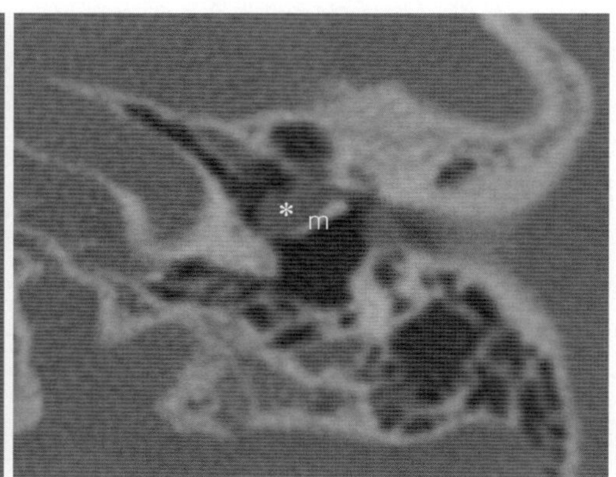

図 202　先天性真珠腫 3 例

3 症例の左側頭骨横断 CT(A，B，C)において，ツチ骨柄(m)の内側前方に隣接する軟部濃度病変(＊)を認める．i：キヌタ骨長脚，s：アブミ骨上部構造

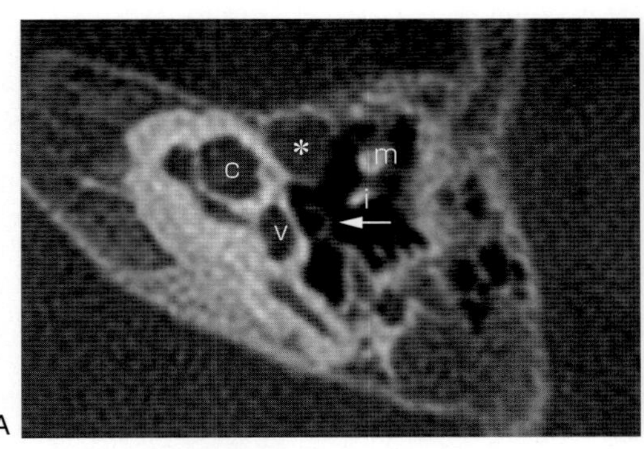

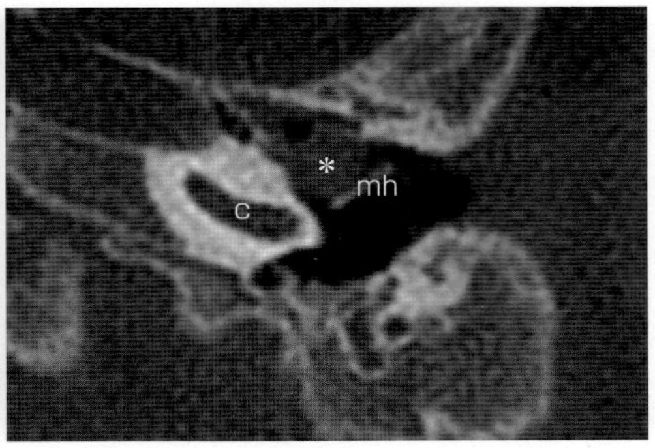

A　B

図 203　先天性真珠腫（JOC 分類 Ia）
上鼓室レベル左側頭骨 CT（A）において鼓室前方に限局性軟部濃度（＊）を認める．隣接する蝸牛（c）との間の骨壁は保たれている．アブミ骨上部構造（矢印）は正常に残存．i：キヌタ骨長脚，m：ツチ骨頸部．中鼓室レベル（B）でも同様に鼓室前方に限局する病変（＊）を認め，ツチ骨柄（mh）前方に隣接する．c：蝸牛

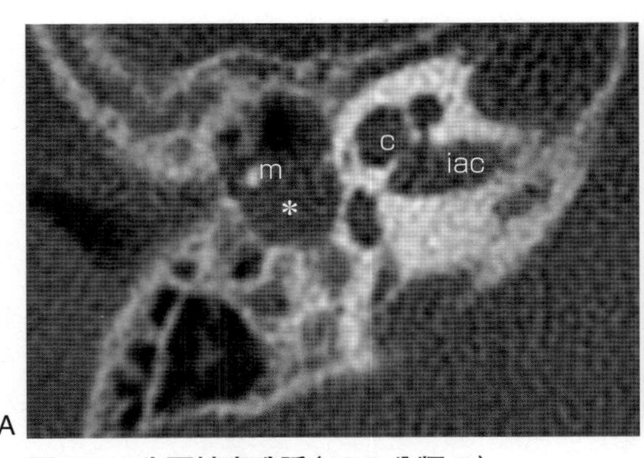

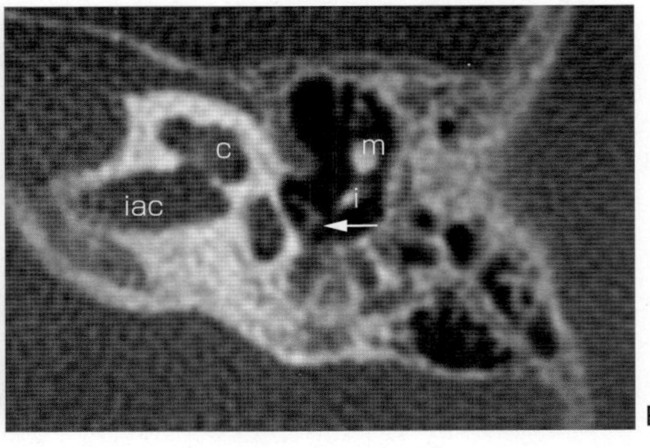

A　B

図 204　先天性真珠腫（JOC 分類 Ib）
両側（A：右側，B：左側）側頭骨 CT 横断像．左側（B）では良好な含気を示す鼓室内に正常の耳小骨（矢印：アブミ骨上部構造，i：キヌタ骨，m：ツチ骨）が描出されている．一方，右側（A）では鼓室後方を中心に軟部濃度病変（＊）を認め，病変前方に接するツチ骨（m）は保たれているが，アブミ骨上部構造，キヌタ骨は消失している．c：蝸牛，iac：内耳道

変の頻度が高く，前上象限病変の頻度が低いとされる[365, 372, 377]．なお，側頭骨の含気の発達は80％で良好であり[372]，しばしば含気不良を示す後天性真珠腫（後述）と異なり，粘膜自体に炎症などの異常所見が乏しいことによると思われる．ただし，前方進展での耳管閉鎖による鼓室の液体貯留がしばしば認められる[378]．局所における骨侵食性などは後述の後天性真珠腫と同様で，しばしば耳小骨侵食（43～63.5％）（図 204，209）[371]，乳突洞進展，鼓膜穿孔を伴う．Kojima らによる 63 例の検討で 63.5％にアブミ骨上部構造の破壊を認めたとしている[372]．完全に無症候性例から，感染を伴い高度骨破壊性病変として現れる例（図 210）までさまざまである[378]．

小児真珠腫の治療目標では病変の全摘出が最も重要であるが，伝音系再建，解剖学的形態の温存がこれに続く．適切な治療選択のため，病変の局在，拡がりによる正確な臨床病期診断に加えて，耳小骨（特にアブミ骨）（図 204），半規管瘻孔（図 206A），顔面神経管骨壁などの状態の術前評価において高分解能 CT は中心的な役割を担う[379, 380]．

CT 上，典型的な前上象限の早期病変（Potsic 分類 stage 1）は，ツチ骨柄内側前方に隣接した限局性軟部濃度病変（図 201～203）として，しばしば類円形を呈する．特徴的な CT 所見と局在から診断可能な例が多い．これに対して，本邦を含むアジアで比較的多いとされる後上象限の病変は鼓室後方から耳小骨内側の軟部濃度病変（図 211，

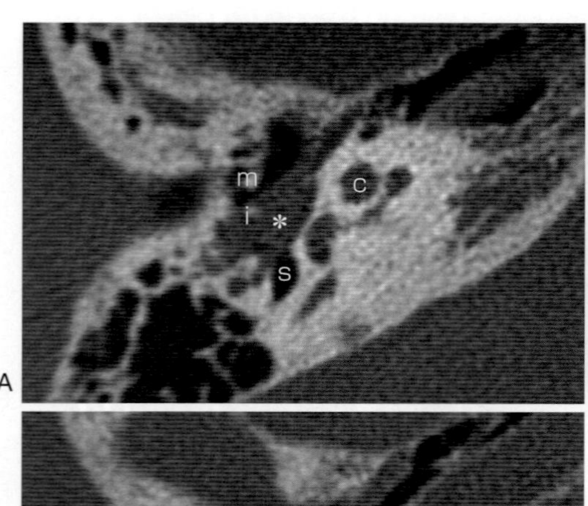

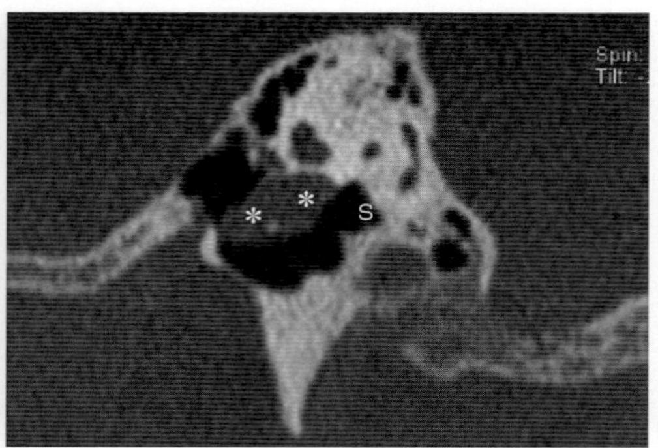

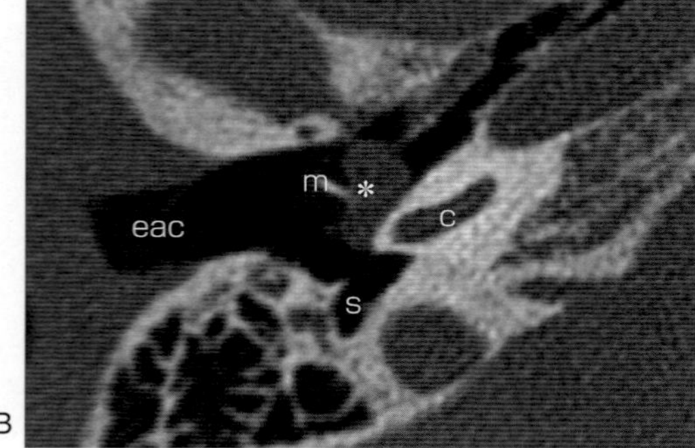

図 205 先天性真珠腫(JOC 分類 Ic)

外耳道上部レベルの右側頭骨 CT 横断像(A)において鼓室後方 3 分の 2 に軟部濃度(＊)を認める．鼓室洞(s)の含気は保たれている．c：蝸牛，i：キヌタ骨，m：ツチ骨．外耳道中部レベル(B)で軟部濃度病変(＊)は鼓室の前方 3 分の 2 を占拠する．c：蝸牛，eac：外耳道，m：ツチ骨柄．矢状断像(C)では病変(＊)が鼓室内での前後にわたる連続性進展が描出されている．s：含気の保たれた鼓室洞

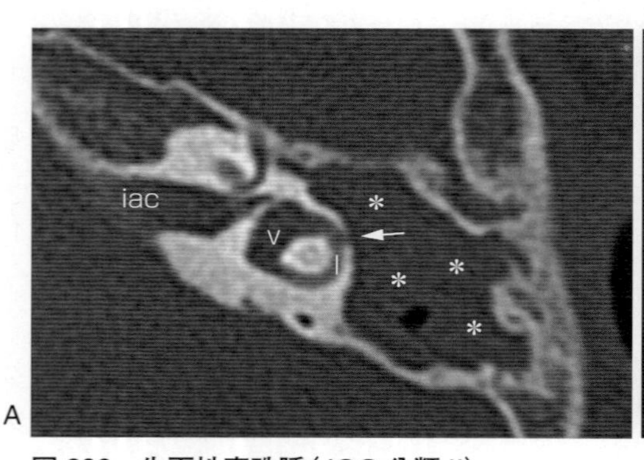

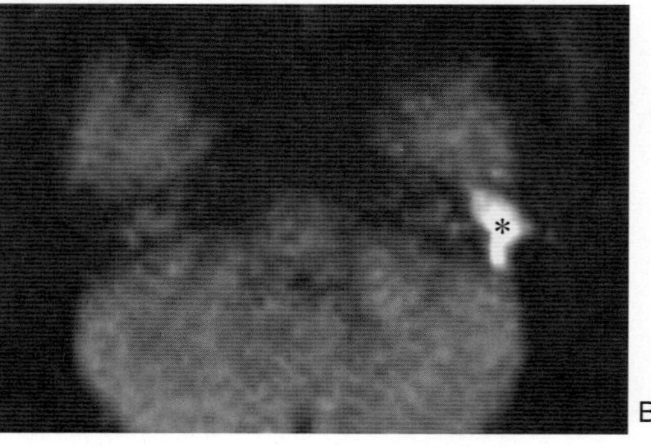

図 206 先天性真珠腫(JOC 分類 II)

左側頭骨 CT(A)において上鼓室から乳突洞領域に軟部濃度(＊)あり．内側で外側半規管(l)との間の骨壁に限局性欠損(矢印)あり．iac：内耳道，v：前庭．MRI 拡散強調像(B)で CT(A)での軟部濃度に一致した高信号(＊)を認め，乳突洞領域についても(二次性変化ではなく)真珠腫自体の進展であることが確認される．

212)として認められ，CT 所見は緊張部型の後天性真珠腫(後述)の分布に類似する．前上象限の病変と比較し，耳小骨侵食性変化(図 209，211，212)を伴う頻度が高い．後方へのさらなる進展で乳突洞に及ぶ．乳突洞が軟部濃度で占拠されている場合，真珠腫自体の乳突洞進展の有無，範囲，二次性閉塞性変化との区別に MRI の拡散強調像が有用であり(図 210)，頭蓋内合併症の有無，程度の把握にも MRI が優れる．

診断遅延は予後を不良とし，早期外科的治療と長期経過観察が必須である[380]．最善の手術アプローチに関するコンセンサスはないが，病変の局在，進展範囲(Potsic 分類，表 18 (p924) および JOC 分類，表 19)，病型(open type か，closed type か)，外科医の経験や考えから判断される[381]．Potsic 分類での高い stage，耳小骨侵食，手術で

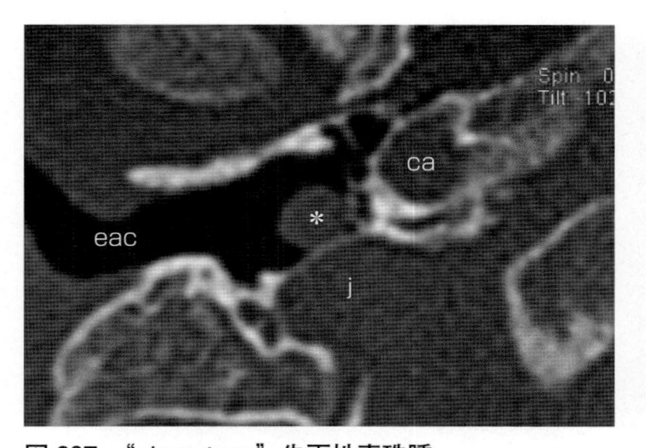

図 207 “close type” 先天性真珠腫
外耳道レベルの右側頭骨 CT．鼓室に限局した辺縁平滑，境界明瞭な類円形軟部濃度（＊）を認める．ca：頸動脈管垂直部，eac：外耳道，j：頸静脈球

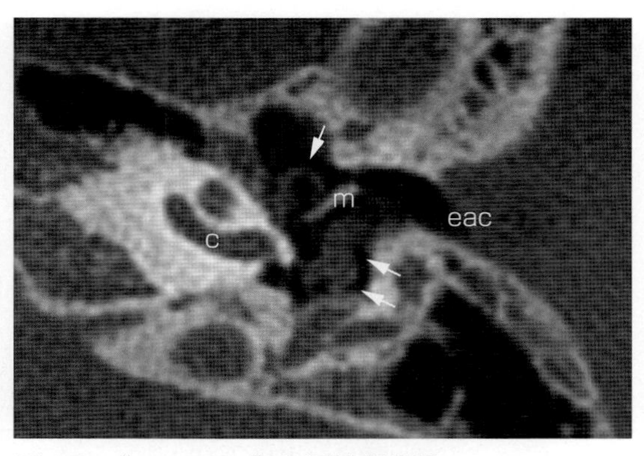

図 208 “open type” 先天性真珠腫
外耳道レベルの左側頭骨 CT．鼓室内にツチ骨柄（m）前後にわたり不整形の軟部濃度所見（矢印）を認め，母膜は破綻し真珠腫内容が鼓室内に広く分布していることを示す．c：蝸牛，eac：外耳道

表 19 先天性真珠腫の JOC 分類

病期	病変の局在・進展	
stage I	鼓室（＊）に限局	
	stage Ia	鼓室の前方 2 分の 1 に限局
	stage Ib	鼓室の後方 2 分の 1 に限局
	stage Ic	鼓室の前方・後方の両方への進展あり
stage II	鼓室を越えた進展（上鼓室，前鼓室，乳突腔など）；2 領域以上に進展	
stage III	側頭骨内合併症（顔面神経麻痺，半規管瘻孔など）および病変あり	
stage IV	頭蓋内合併症あり	

（＊）本分類での「鼓室」は中鼓室と後鼓室に相当し，上鼓室，前鼓室と区別している．
（Morita Y, Tono T, Sakagami M et al：Auris Nasus Larynx **46**：346-352, 2019）

の耳小骨摘出は残存病変との関連が高く，病変の完全摘出には，アブミ骨上部構造，ツチ骨に接する，あるいは侵食を示す病変，キヌタ骨あるいはツチ骨内側の病変，open type の病変では耳小骨摘出が望ましい[382]．先天性真珠腫の 30％強は経外耳道アプローチより摘出可能で，後方 4 分の 1 への進展，3 亜部位以上への進展を示す病変では canal wall-up mastoidectomy による摘出が施行されるが，canal wall-down mastoidectomy が必要となる例は比較的まれとされる[365]．JOC 分類 stage I の鼓室内に限局した病変は経外耳道的アプローチによる内視鏡手術のよい適応となる．小児の真珠腫は解剖学的，生理学的な相違から成人の真珠腫と生物学的特性が異なり，より高い再発率を示すとされる[383, 384]．術後再発（図 213）の評価にも画像診断は有用であり，（特に合併症などを認めない場合は）CT とともに最初の MRI 拡散強調像を術後 1 年から 1 年半の間に施行，その後は術前病期，手術所見，理学的所見，聴力結果などを考慮して最低 5 年間は最低年 1 回の経過観察による評価を行う必要がある[368]．

2）後天性真珠腫（acquired cholesteatoma）

後天性真珠腫の 90 数％は中耳に生じ，本邦では（鼓膜弛緩部である Shrapnell's membrane から生じる）弛緩部型，（鼓膜緊張部から生じる）緊張部型と二次性真珠腫に区分されており，弛緩部型が 73％，緊張部型が 22％，両者の混合型が 5％と報告されている[385]．大部分の後天性真珠腫は，（鼓膜あるいは隣接する外耳道皮膚の）表皮乳頭の増殖と扁平上皮の迷入，あるいは鼓膜の陥凹と扁平上皮の陥入による[386]．鼓膜陥入は耳管機能不全に伴う鼓室内圧の低下，中耳粘膜下の結合織・

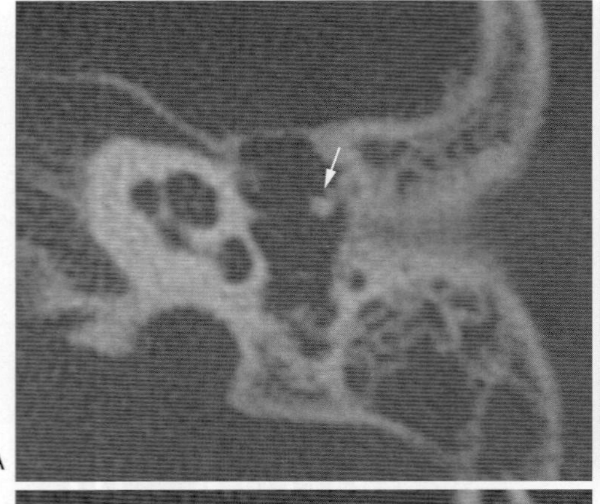

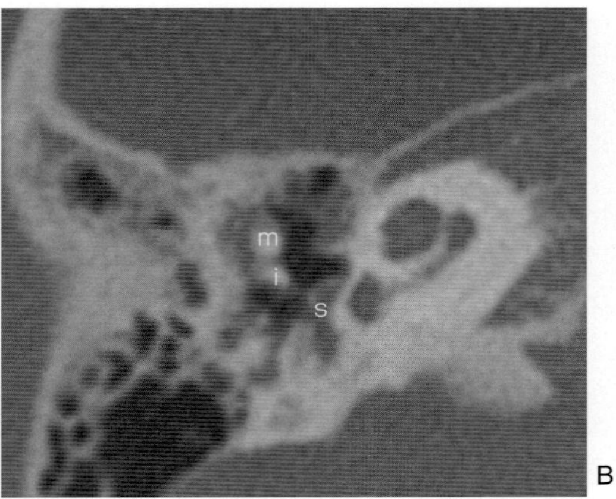

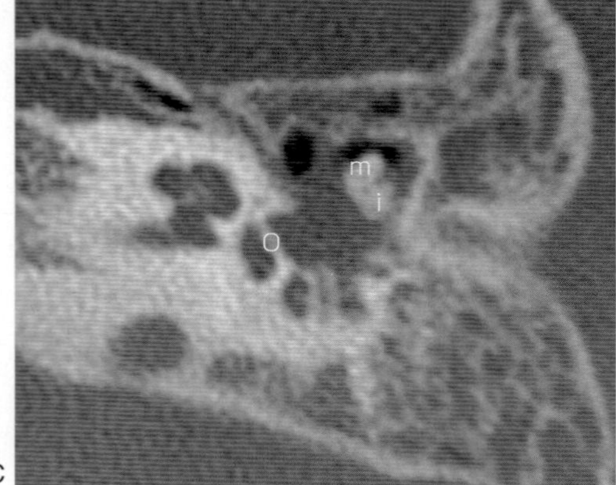

図 209 先天性真珠腫 2 例

左側頭骨 CT(A)において，鼓室内を占拠する軟部濃度病変を認め，健側(B)では確認可能なキヌタ骨長脚(i)，アブミ骨上部構造(s)は同定されず，侵食性変化を反映する．ツチ骨柄(m)は残存している(矢印)．別症例の左側頭骨横断 CT(C)で，同様に鼓室内に軟部濃度を認める．卵円窓(O)に接するアブミ骨上部構造，これに連続するキヌタ骨長脚・豆状突起は同定されず，侵食性変化を示唆する．m：ツチ骨柄，i：キヌタ骨体部

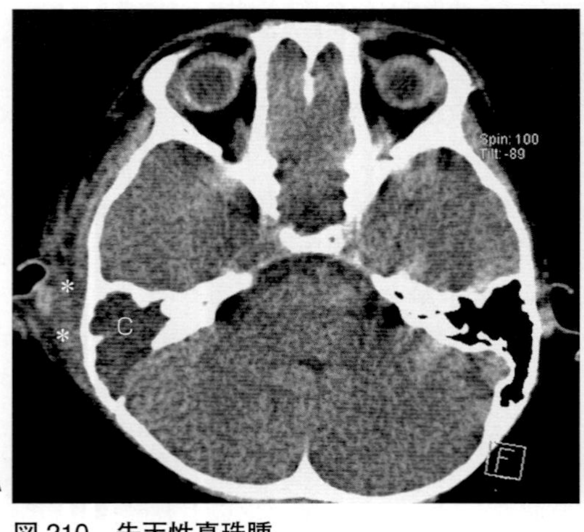

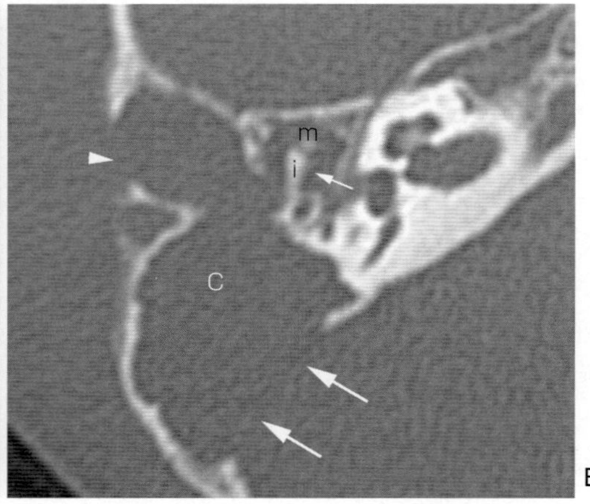

図 210 先天性真珠腫

数日前より右耳介後部の腫脹が出現し，CT 施行．頭部 CT(A)において，乳突部の含気腔を置換するやや低濃度の病変(C)を認め，隣接する耳介後部軟部組織腫脹(＊)を伴う．右側頭骨横断 CT(B)で，鼓室，乳突洞・蜂巣領域に分布する軟部濃度病変(C)を認め，外側骨皮質(矢頭)，S 状静脈洞溝を含む後頭蓋窩前壁(大矢印)に骨壁途絶を伴う．鼓室内においてはキヌタ骨体部(i)内面に沿った侵食性変化(小矢印)を示す．m：ツチ骨頭部

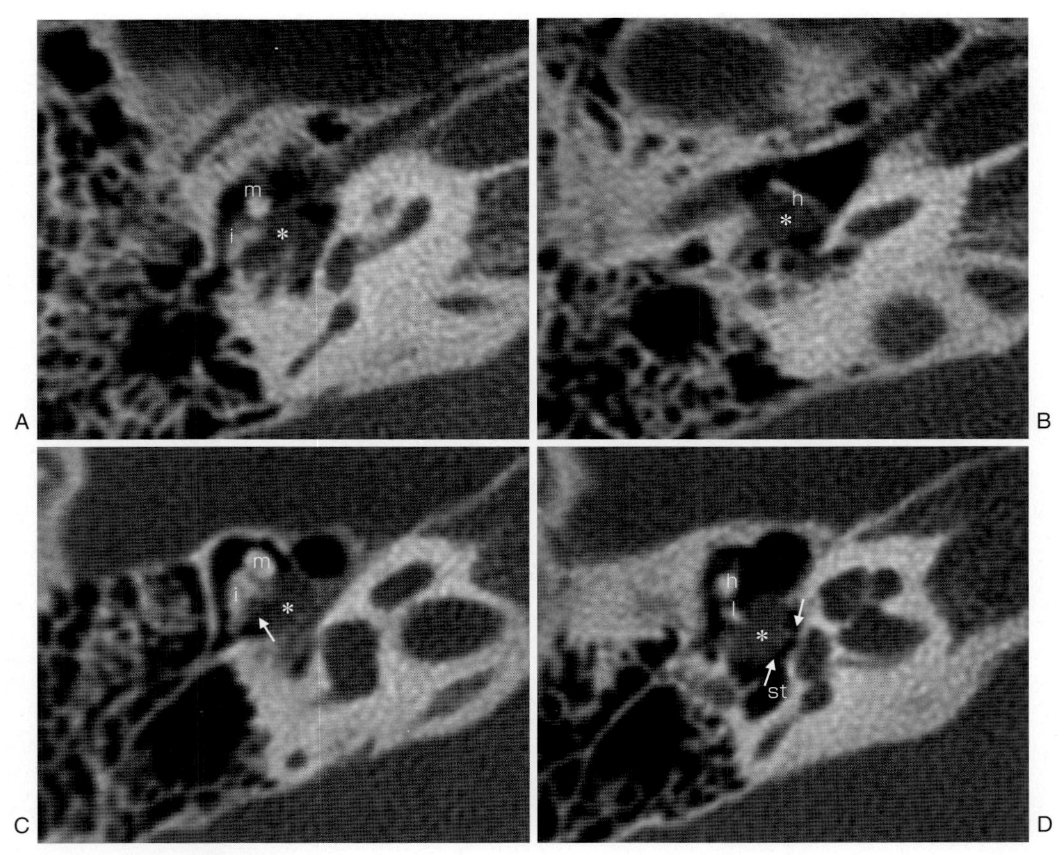

図 211　先天性真珠腫 2 例

上鼓室レベルの右側頭骨 CT 横断像(A)で耳小骨(i：キヌタ骨体部, m：ツチ骨頭部)の内側に軟部濃度病変(＊)を認め, その尾側レベル(B)への軟部濃度病変(＊)の進展および, 本来同レベルで確認可能なキヌタ骨長脚の消失がみられる. h：ツチ骨柄. 別症例の上鼓室レベルの右側頭骨 CT 横断像(C)で, A と同様に耳小骨(i：キヌタ骨体部, m：ツチ骨頭部)の内側に軟部濃度病変(＊)を認める. 病変に隣接するキヌタ骨体部内側面に限局性の骨侵食性変化(矢印)を認める. 尾側レベル(D)への病変(＊)の連続性がみられ, キヌタ骨長脚内側(l), アブミ骨上部構造(矢印：前・後脚)の外側と接する. 緊張部型の後天性真珠腫ではしばしば侵される鼓室洞(st)の含気は保たれている. h：ツチ骨柄

肉芽および側頭骨含気不良に起因する[386]. 初期は“dry (あるいは非活動性)”真珠腫として現れるが, 徐々に重複感染および破骨細胞による骨吸収を示す“moist (あるいは活動性)”真珠腫へと移行していく.

真珠腫は matrix (表皮・母膜) と debris (蓄積内容：内部の角化堆積物) から構成され, 臨床的には弛緩部型病変と緊張部型病変が区別されるのが一般的である. CT 上, 各典型例では病変(鼓室内軟部濃度病変)の分布, 特異的部位での骨侵食性変化の組み合わせから病型が診断可能な例が多いが, 非典型例や進行例では鑑別は困難となる. 各病型に関する術式選択, 術後成績を論じる目的として, 2015 年に耳科学会用語委員会から“中耳真珠腫進展度分類 2015 改訂案”が出された(表 20：p931)[207]. 同 JOC (The Japan Otological Society) 分類は 2008 年に弛緩部型真珠腫に対してまず示され, 2010 年に緊張部型, 2015 年に先天性真珠腫, 二次性真珠腫が追加されたものである. さらに現在は日本耳科学会(JOC)とヨーロッパ耳科学会(EAONO)との協議による合意案も示されている(日本耳科学会 HP；2018 年 2 月). 真珠腫のそれぞれの病型は異なる進展様式, 病因, 病態, 臨床像を示すと考えられているが, JOC 分類では大きく以下 4 つの stage (stage I：1 部位に限局, stage II：2 部位以上に進展, 合併症なし,

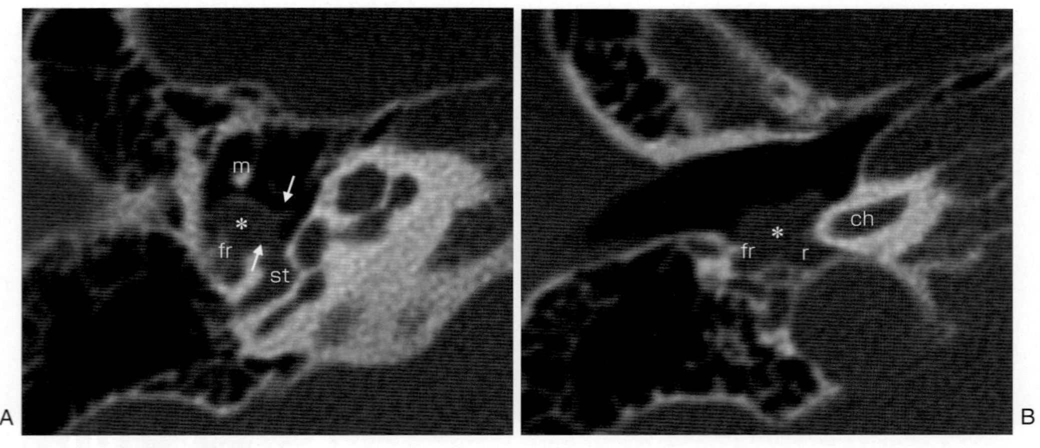

図 212　先天性真珠腫

右側頭骨 CT 横断像(A)で鼓室後壁に沿った軟部濃度病変(＊)を認め，顔面神経窩(fr)，鼓室洞(st)内に進展，アブミ骨上部構造(矢印：前・後脚)後面に接する．正常ではツチ骨柄(m)後方に同定されるキヌタ骨長脚はほぼ消失している．尾側レベル(B)でも病変(＊)は鼓室後壁に沿った分布を示し，正円窓窩(r)への進展を認める．CT 所見のみで緊張部型の後天性真珠腫との区別は困難と思われる．ch：蝸牛基底回転，fr：顔面神経窩

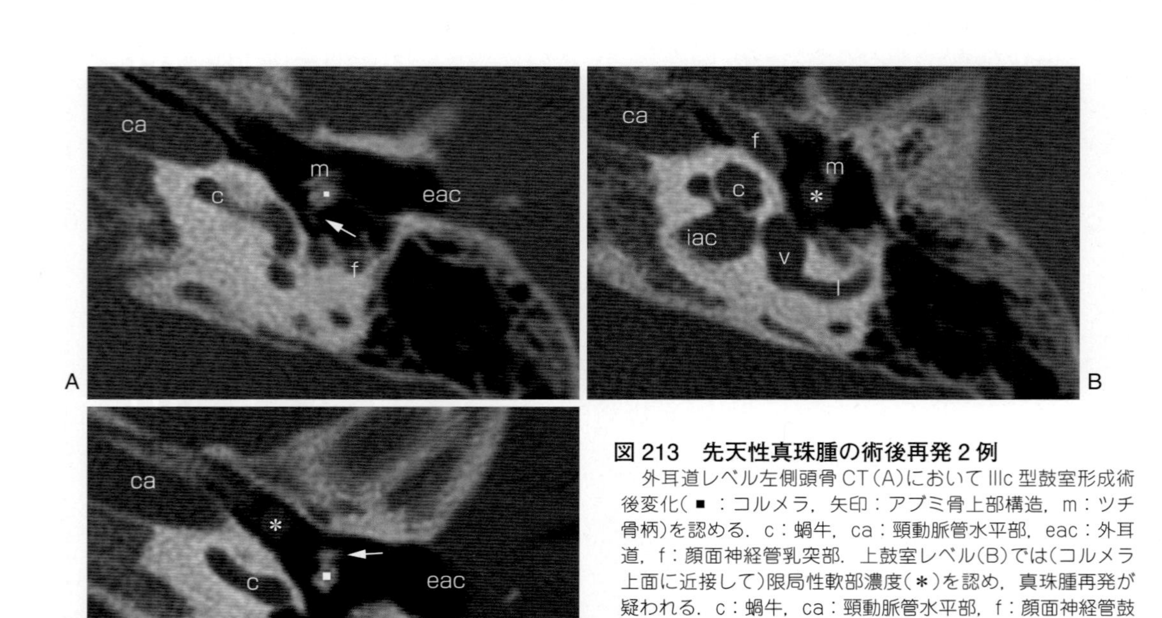

図 213　先天性真珠腫の術後再発 2 例

外耳道レベル左側頭骨 CT(A)においてⅢc 型鼓室形成術後変化(■：コルメラ，矢印：アブミ骨上部構造，m：ツチ骨柄)を認める．c：蝸牛，ca：頸動脈管水平部，eac：外耳道，f：顔面神経管乳突部．上鼓室レベル(B)では(コルメラ上面に近接して)限局性軟部濃度(＊)を認め，真珠腫再発が疑われる．c：蝸牛，ca：頸動脈管水平部，f：顔面神経管鼓室部，iac：内耳道，l：外側半規管，v：前庭．別症例の左側頭骨 CT(C)において，Ⅲc 型鼓室形成術後によるコルメラ(■)を認める．鼓室前方(耳管鼓室口領域)に限局性軟部濃度(＊)を認め，真珠腫再発を示す．矢印：ツチ骨柄，c：蝸牛基底回転，ca：頸動脈管水平部，eac：外耳道，j：頸静脈球

stage III：側頭骨内合併症あり，stage IV：頭蓋内合併症あり)に区分され，いずれの型も stage II が最も多い(弛緩部型で 69%，緊張部型で 39%，両者混合型で 62%)．乳突洞進展は緊張部型よりも弛緩部型でより頻度が高い(弛緩部型の stage II で 90%，stage III で 98%，緊張部型の stage II で 44%，stage III で 69%)．一方，(術後聴力に大きく影響する)臨床的に有意なアブミ骨障害は弛緩部型(16%)よりも緊張部型(59%)での頻度が高い[385]．術後聴力は弛緩部型真珠腫が最もよい傾

表 20　中耳真珠腫進展度分類 2015 改訂案より抜粋(p932 へつづく)

Ⅰ. 真珠腫病態別進展度分類

中耳真珠腫	進展度分類	
	stage	進展範囲
弛緩部型	Ⅰ	真珠腫が上鼓室に限局する 陥凹部の性状により次の状態が区別できる Ⅰa：陥凹部上皮の自浄作用が保たれた状態．臨床的には上鼓室陥凹として取り扱われる Ⅰb：陥凹内に keratin debris が蓄積する状態
	Ⅱ	真珠腫が上鼓室を越えて乳突洞や鼓室，前鼓室に進展する 真珠腫進展範囲の表記には PTAM 区分を付記する(記載例：弛緩部型真珠腫 stage Ⅱ AM など)
	Ⅲ	側頭骨内合併症・随伴病態を伴う 合併症・随伴病態の表記には，stage Ⅲ要件の略語(基本分類を参照)を進展範囲(PTAM 区分)の後に付記する(記載例：弛緩部型真珠腫 stage Ⅲ TAM, LF/CW など)
	Ⅳ	頭蓋内合併症を伴う 基本分類を参照
緊張部型	Ⅰ	真珠腫が鼓室(後～下鼓室・鼓室洞)に限局する 陥凹部の性状により次の状態が区別できる Ⅰa：陥凹部上皮の自浄作用が保たれた状態．臨床的には癒着性中耳炎として取り扱われる Ⅰb：陥凹内に keratin debris が蓄積する状態
	Ⅱ	真珠腫が鼓室を越えて上鼓室や前鼓室，乳突腔に進展する 真珠腫進展範囲の表記には PTAM 区分を付記する(記載例：緊張部型真珠腫 stage Ⅱ PTA など)
	Ⅲ	側頭骨内合併症・随伴病態を伴う 合併症・随伴病態の表記には，stage Ⅲ要件の略語(基本分類を参照)を進展範囲(PTAM 区分)の後に付記する(記載例：緊張部型真珠腫 stage Ⅲ PTAM, CW/AO など)
	Ⅳ	頭蓋内合併症を伴う 基本分類を参照
先天性	Ⅰ	真珠腫が鼓室に限局する 鼓室内真珠腫の占拠部位により以下の状態を区別する Ⅰa：鼓室前半部に限局する Ⅰb：鼓室後半部に限局する Ⅰc：両部位に及ぶ
	Ⅱ	真珠腫が鼓室を越えて上鼓室や前鼓室，乳突腔に進展する 真珠腫進展範囲の表記には PTAM 区分を付記する
	Ⅲ	側頭骨内合併症・随伴病態を伴う 合併症・随伴病態の表記には，stage Ⅲ要件の略語(基本分類を参照)を進展範囲(PTAM 区分)の後に付記する
	Ⅳ	頭蓋内合併症を伴う 基本分類を参照

Ⅱ. 中耳腔の解剖学的区分(PTAM system)

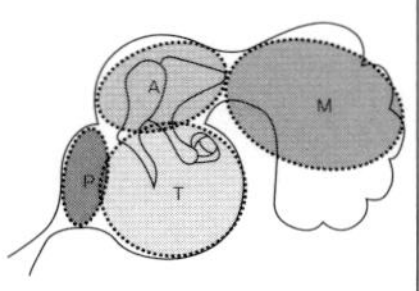

P(protympanum)：前鼓室
T(tympanic cavity)：中・後鼓室
A(attic)：上鼓室*
M(mastoid)：乳突洞・乳突蜂巣**
　*後方境界：キヌタ骨短脚後端または fossa incudis；下方境界：匙状突起・鼓膜張筋腱～顔面神経管；前方境界：匙状突起・鼓膜張筋腱～上鼓室前骨板
**乳突蜂巣の発育程度，含気状態は副分類を用いて併記する

Ⅲ. 副分類

乳突部の蜂巣発育程度(MC0～3)と含気状態	MC0：蜂巣構造がほとんど認めらないもの MC1：蜂巣構造が乳突洞周囲に限局しているもの MC2：乳突蜂巣の発育が良好なもの MC3：蜂巣発育が迷路周囲まで及んでいるもの

表20　つづき

	乳突部の含気状態を加味する場合 術前CTまたは術中所見で乳突洞や乳突蜂巣に含気(aeration)を認める例を区別する場合にはaを付記する(記載例：MC2aなど)
アブミ骨病変の程度(S0〜3)	S0：アブミ骨上部構造(SS)および周辺粘膜が略正常 S1：SS(アーチ構造)は保存されているが，肉芽や真珠腫などの病巣を伴う S2：SS(アーチ構造)は消失しているが，可動性のあるアブミ骨底を認める S3：粘膜病変のために前庭窓窩が閉塞しアブミ骨底が剖出できない状態 *SN：アブミ骨を積極的に確認しなかった例*

(日本耳科学会用語委員会：中耳真珠腫進展度分類2015改訂案．Otol Jpn **25**：845-850, 2015)

向にあり，気導骨導差(air-bone gap) 20dB未満が69%とされ，緊張部型では56%，混合型では45%である[385]．遺残を含む術後再発の頻度は緊張部型(20%)が弛緩部型(12%)よりも高い[385]．より高位のstageで術後聴力は不良で再発率も高くなる．予後因子としては，病型(弛緩部型，緊張部型，混合型)，耳小骨(特にツチ骨柄，アブミ骨上部構造)の状態，病期，鼓室の換気状態(含気あり，液体貯留)，観察期間などがあげられている[385]．また，術式選択も術後聴力，再発における最も重要な要素の1つであり[388]，canal wall-down mastoidectomy例では弛緩部型，緊張部型ともに術後聴力は不良の傾向にある．以下に後天性真珠腫の代表的病型につき，解説する．

i）**弛緩部型真珠腫(上鼓室真珠腫)**(pars flaccida cholesteatoma)：慢性・反復性中耳病変に伴う上記病態に起因して，鼓膜弛緩部(Shrapnell's membrane)が内側のPrussak腔(図5)に向かって陥凹，壁との癒着をきたすことから生じる．本邦での後天性中耳真珠腫の73%を占める[385]既述の中耳真珠腫進展度分類(**表20**：p931)のPTAM区分(PTAM system)では，弛緩部型真珠腫の侵入門戸はA(上鼓室)に相当する．陥凹腔(retraction pocket)内に剝離上皮が堆積することから真珠腫が形成される．真珠腫はmoistとなることにより膨張性を示し発育する．

弛緩部型真珠腫には大きく分けて①後方経路，②下方経路，③前方経路，の3つの進展経路がみられる[14]．

後方経路は最も多くみられるもので，キヌタ骨体部外側の上キヌタ骨間隙(図5)から乳突洞口を介して乳突洞(M)に進展する様式である．下方経路は2番目に多くみられる経路で，posterior pouch of von Tröltsch(図5)から中鼓室後方のアブミ骨上部構造周囲，正円窓，鼓室洞，顔面神経窩領域に進展する様式である．前方経路は比較的少ないが，ツチ骨頭部前方から上鼓室前方および耳管上部陥凹を介して進展する様式で，ときにanterior pouch of von Tröltsch(図5)から下方，中鼓室前方(protympanum)に向かう進展もみられる．

Prussak腔(図5，214)は上鼓室外側壁とツチ骨頸部の間に相当し，CT冠状断像で明瞭に描出される．横断像においてはツチ骨頭部，キヌタ骨体部から短脚の描出されるレベル(アイスクリーム・コーン様を呈するレベル)で，これら耳小骨の外側にある含気腔に相当する．

側頭骨CTにおいて，典型的な弛緩部型真珠腫の早期病変(**表21**)は同部の限局した軟部濃度病変として認められる(**図214**)．真珠腫の増大に従い，上鼓室外側壁(scutum，鼓室蓋)の鈍化・切断(**図214〜216**)，耳小骨の侵食性変化(**図215〜218**)，上鼓室の外側への拡大傾向(**図215，216，219，220**)を示すようになる．

緊張部型真珠腫と比較して，乳突洞進展は多く，アブミ骨障害は少なく，術後聴力は良好で術後再発率も低いとされる[385]．

ii）**緊張部型真珠腫(癒着型中耳炎)**(pars tensa cholesteatoma)：後天性中耳真珠腫の22%[385]で，病変の局所侵襲性は弛緩部型と同様である．臨床的には鼓膜緊張部全体が陥凹する緊張部陥凹型真珠腫(tensa retraction cholesteatoma)と鼓膜緊張部後上方の陥凹腔から生じる鼓室洞真珠腫(sinus cholesteatoma)に区分される[389]．既述の中耳真珠腫進展度分類(**表20**)のPTAM区分では，緊張部型真珠腫の侵入門戸はT(鼓室)に相当

表 21　弛緩部型真珠腫早期病変の CT 所見

・Prussak 腔の軟部濃度・上鼓室レベルで耳小骨外側の軟部濃度
・scutum 鈍化・切断(冠状断で確認)
・上鼓室の外側への拡大傾向(主に横断像で確認)

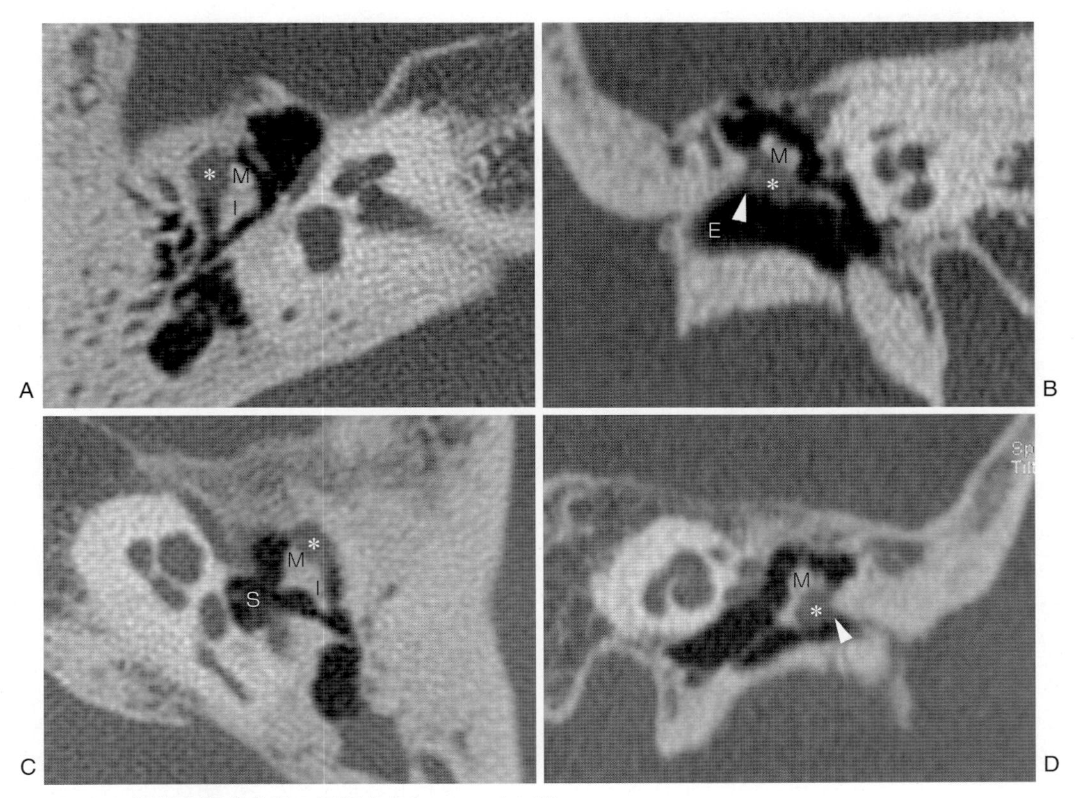

図 214　弛緩部型真珠腫の早期病変(stage Ⅰ)2 例

右側頭骨横断 CT(A)で，上鼓室内において耳小骨外側，Prussak 腔に一致して軟部濃度(＊)を認める．冠状断 CT(B)でもツチ骨頭部外側に軟部濃度(＊)を認め，scutum 鈍化(矢頭)を伴う．

別症例の左側頭骨横断 CT(C)・冠状断 CT(D)でも上記症例と同様，上鼓室内で耳小骨外側の Prussak 腔に限局性軟部濃度病変(＊)を認め，scutum 鈍化(矢頭)を伴う．E：外耳道，I：キヌタ骨，M：ツチ骨，S：アブミ骨上部構造

する．鼓室洞真珠腫は鼓膜緊張部後上方の陥凹腔より生じ，鼓室洞に進展する(図 221)．そのため，耳鏡による観察は困難な場合も多く，CT 横断像による評価が臨床上重要である．鼓室洞真珠腫のほとんどは stage I あるいは II に区分される[385]．

側頭骨 CT において緊張部型真珠腫の典型例(表 22：p937)は弛緩部型と反対に，上鼓室レベルで耳小骨内側の軟部濃度病変(図 222)として認められ，進行により耳小骨内側面に沿った侵食性変化(図 222B，図 223，224)や耳小骨の外側偏位(図 223〜225)を生じる[390]．弛緩部病変と異なり，鼓室蓋(scutum)は通常保たれる(図 223B，224C)．

弛緩部型真珠腫と比較して，アブミ骨障害は多く，乳突洞進展は少なく，術後聴力は不良で術後再発率は高いとされる[385, 391]．

iii) 二次性真珠腫：既述の弛緩部型，緊張部型を一次性真珠腫(primary acquired cholesteatoma)とするのに対して，鼓膜緊張部の穿孔に続発

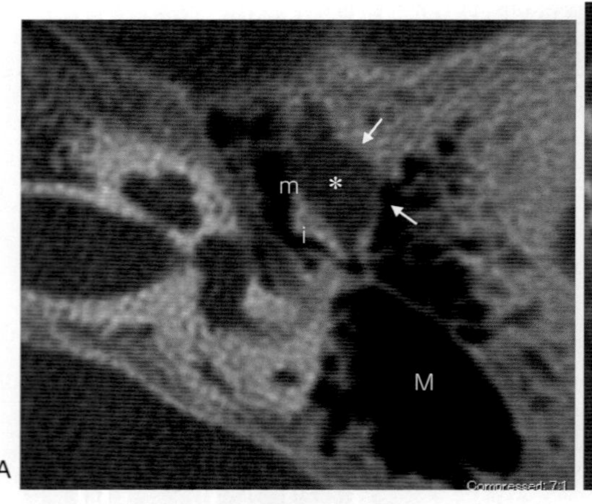

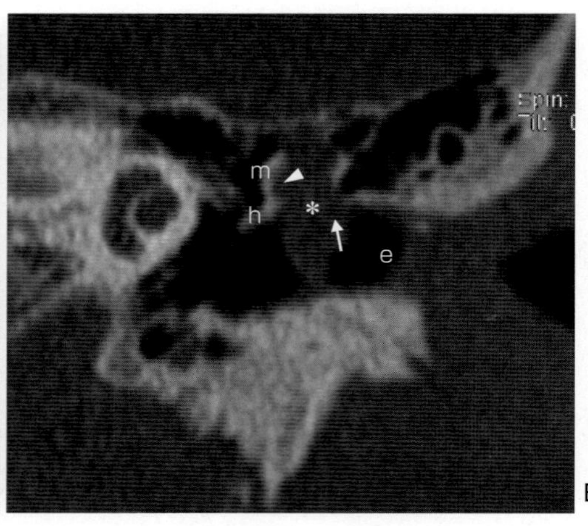

図215　弛緩部型真珠腫の早期病変(stage Ⅰ)

上鼓室レベルの左側頭骨CT横断像(A)において，Prussak腔を含めて耳小骨外側に軟部濃度病変(＊)を認め，(本来，アイスクリーム・コーンの形状を示す)ツチ骨頭部(m)，キヌタ骨体部(i)外側面に沿った骨侵食性変化，外側では上鼓室の外側への拡大傾向(矢印)を示す．後方の乳突洞(M)への進展はみられない．同冠状断像(B)で耳小骨外側の軟部濃度病変(＊)を認め，ツチ骨頭部(m)外側面の侵食性変化(矢頭)，scutum(鼓室蓋)鈍化(矢印)を伴う．e：外耳道，h：ツチ骨柄

する病変を二次性真珠腫(secondary acquired cholesteatoma)と称し，発症頻度は3〜5.6%とまれである[392]．鼓膜上皮が穿孔縁から鼓室に侵入して形成される真珠腫としてShambaugh[393]が提唱し，以後，上皮侵入説，上皮化生説が成因と考えられてきた．ただし，欧米で広く受け入れられた考えではなく，日本耳科学会(JOC)とヨーロッパ耳科学会(EAONO)との協議による合意案(日本耳科学会HP；2018年2月)では「弛緩部型および緊張部型の“retraction pocket cholesteatoma”に対して，二次性真珠腫を“non-retraction pocket cholesteatoma”としたうえで“secondary to chronic tensa perforation (so-called secondary acquired cholesteatoma)”と記載する」とされている．患者年齢が高く，長期にわたる慢性炎症により鼓膜穿孔，石灰化を生じることから，鼓膜石灰化の頻度は61.5〜78.6%と高く，二次性真珠腫を疑う所見のひとつと考えられる[392, 394]．他の特徴(表23：p940)，JOC分類(表24：p940)を示す．

iv) **その他の真珠腫**：ときに外傷や術後に生じる外傷性真珠腫(図226，227)や鼓膜輪より生じる真珠腫(図228)を認める．両者ともに扁平上皮の迷入による．まれにmyringotomy tube(鼓膜チューブ)留置後に鼓膜病変として発生するが，広義の二次性真珠腫に相当する(図229)．

3) 真珠腫のCT診断

真珠腫画像診断の標準的な選択は高分解能CT骨条件表示であり，病変は軟部濃度域として描出される．病変の有無，骨侵食性変化の有無，進展範囲，正常変異の有無などの評価に有用である．Ngらは32例の真珠腫手術例の検討において，顔面神経管，半規管骨壁，耳小骨など，鼓室内の様々な構造に関して，CT所見は手術所見と良好に一致したとしている[395]．以下，CTにおける真珠腫治療前病変の画像診断における評価(表25：p942)の手順と留意点につき，解説する．

i) **鼓室，乳突洞・蜂巣の発達**：慢性中耳炎，真珠腫性中耳炎の例では長期罹患より鼓室，乳突洞・蜂巣の発達はしばしば不良(図230)であり，JOCの中耳真珠腫進展度分類(表20：p931)でも乳突蜂巣の発達が副分類として組み入れられている．CTでは健側との比較で判断するのが実践的である(両側罹患例ではある程度主観的な判断となりうる)．鼓室の著明な低発達は鼓室形成術の難度に影響を与える．乳突洞・蜂巣の発達不良では乳突洞削開術でのアプローチ経路や視野の制限となり，天蓋低位を伴う場合も多く，頭蓋内合併症の危険性にも留意する必要がある．このため，

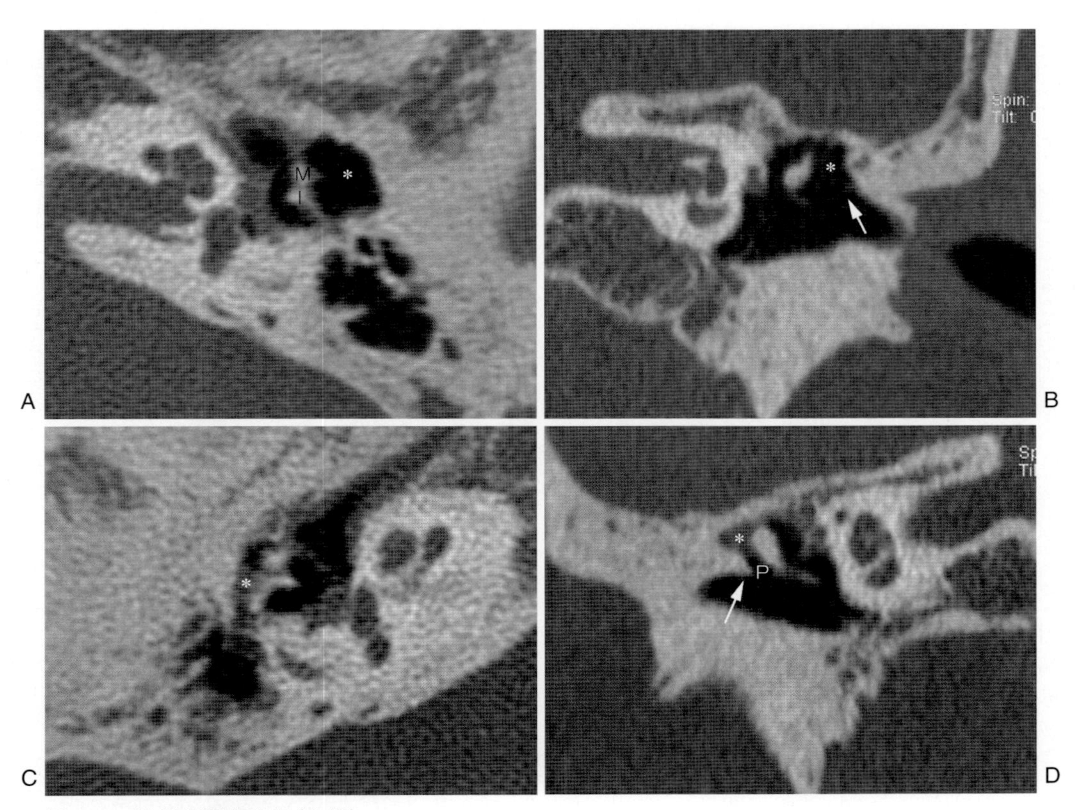

図 216　弛緩部型真珠腫（左側）

左側頭骨横断 CT（A）において，ツチ骨頭部（M）・キヌタ骨体部（I）の外側面に沿った侵食性変化とともに上鼓室の外側への拡大傾向（＊）を認める．冠状断 CT（B）で scutum の断裂（矢印），上鼓室の外側への拡大（＊）を認める．Prussak 腔を含め，明らかな軟部濃度病変は同定されないが，scutum，耳小骨の侵食性変化，上鼓室の外側への拡大傾向などから（auto-atticotomy：debris が外耳道側に排出後の）弛緩部型真珠腫に一致する．

右側頭骨横断 CT（C）・冠状断 CT（D）で，上鼓室内の耳小骨外側にわずかな軟部濃度（＊）を認めるが，Prussak 腔（P）の含気，scutum（矢印）の形状は保たれて，耳小骨によるアイスクリーム・コーン様所見（図 C）も正常に認められており，積極的に真珠腫を示す所見は指摘されない．

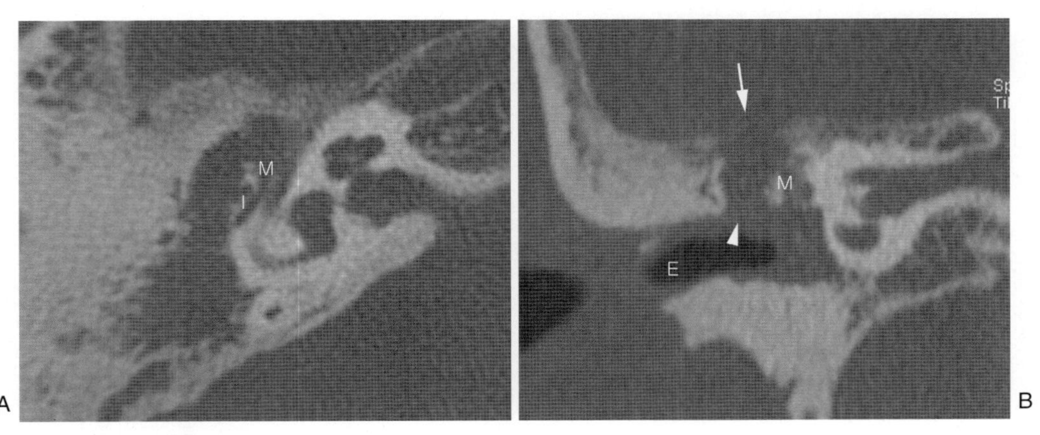

図 217　弛緩部型真珠腫

右側頭骨横断 CT（A）において，本来はアイスクリーム・コーン様に認められる耳小骨（I：キヌタ骨体部・短脚，M：ツチ骨頭部）は外側面優位に不規則な侵食性変化を示す．冠状断 CT（B）で scutum 鈍化（矢頭）鼓室天蓋の骨欠損（矢印）を認める．E：外耳道，M：ツチ骨頭部

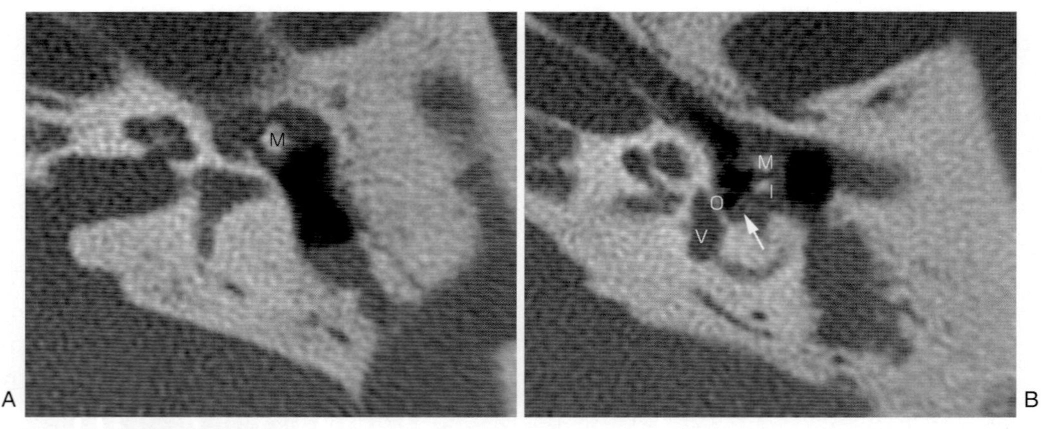

図 218　弛緩部型真珠腫

上鼓室レベルでの左側頭骨横断 CT(A)で，(本来，アイスクリーム・コーン様所見のコーンに相当する)キヌタ骨は消失している．M：ツチ骨頭部．その尾側レベル(B)において，ツチ骨柄(M)，キヌタ骨長脚(I)とともにアブミ骨上部構造(矢印)は正常に保たれる．O：卵円窓，V：前庭

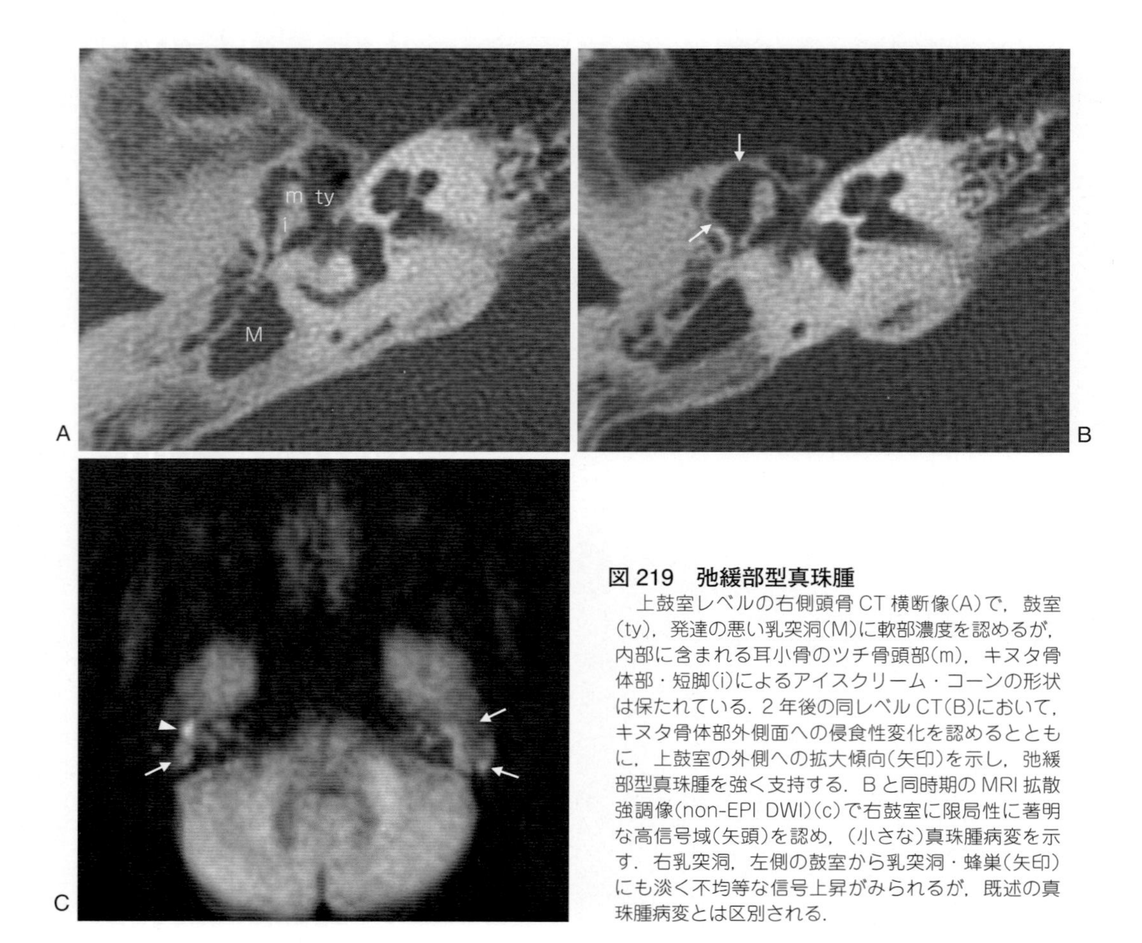

図 219　弛緩部型真珠腫

上鼓室レベルの右側頭骨 CT 横断像(A)で，鼓室(ty)，発達の悪い乳突洞(M)に軟部濃度を認めるが，内部に含まれる耳小骨のツチ骨頭部(m)，キヌタ骨体部・短脚(i)によるアイスクリーム・コーンの形状は保たれている．2 年後の同レベル CT(B)において，キヌタ骨体部外側面への侵食性変化を認めるとともに，上鼓室の外側への拡大傾向(矢印)を示し，弛緩部型真珠腫を強く支持する．B と同時期の MRI 拡散強調像(non-EPI DWI)(c)で右鼓室に限局性に著明な高信号域(矢頭)を認め，(小さな)真珠腫病変を示す．右乳突洞，左側の鼓室から乳突洞・蜂巣(矢印)にも淡く不均等な信号上昇がみられるが，既述の真珠腫病変とは区別される．

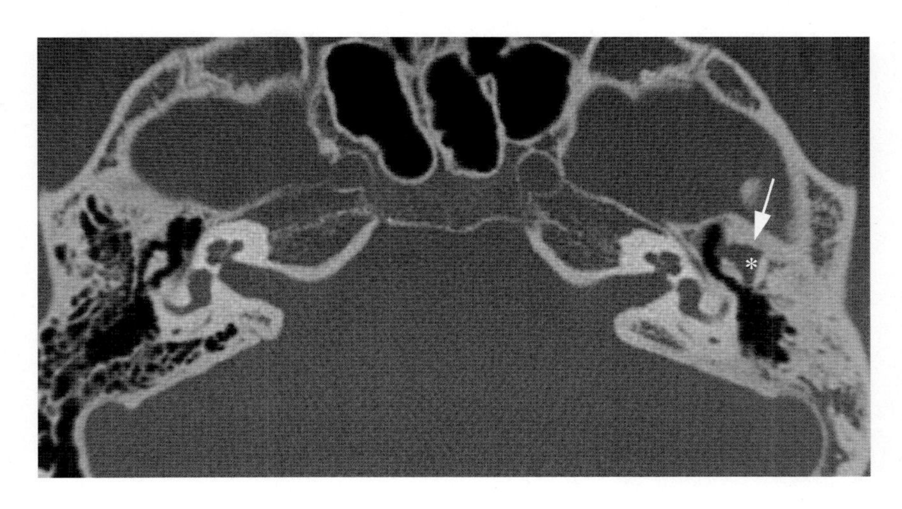

図 220　弛緩部型真珠腫（左側）

側頭骨横断 CT において，左上鼓室内，耳小骨外側に接する軟部濃度病変（＊）を認めるとともに，上鼓室の外側への拡大傾向（矢印）を伴う．右側は正常．

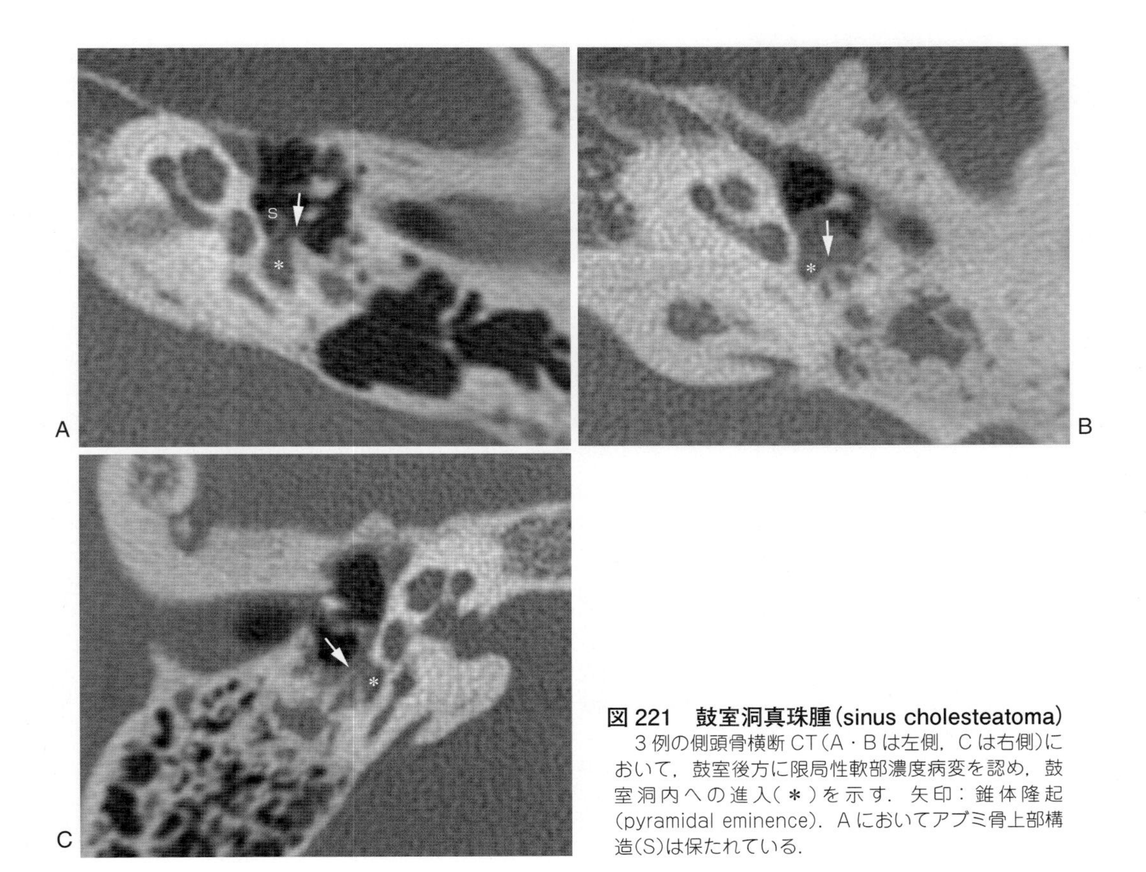

図 221　鼓室洞真珠腫（sinus cholesteatoma）

3 例の側頭骨横断 CT（A・B は左側，C は右側）において，鼓室後方に限局性軟部濃度病変を認め，鼓室洞内への進入（＊）を示す．矢印：錐体隆起（pyramidal eminence）．A においてアブミ骨上部構造（S）は保たれている．

表 22　緊張部型真珠腫早期病変の CT 所見

・上鼓室レベルで耳小骨内側の軟部濃度（耳小骨の外側偏位）
・鼓室後壁（鼓室洞領域など）に沿った軟部濃度
・scutum は保たれる（冠状断で確認）

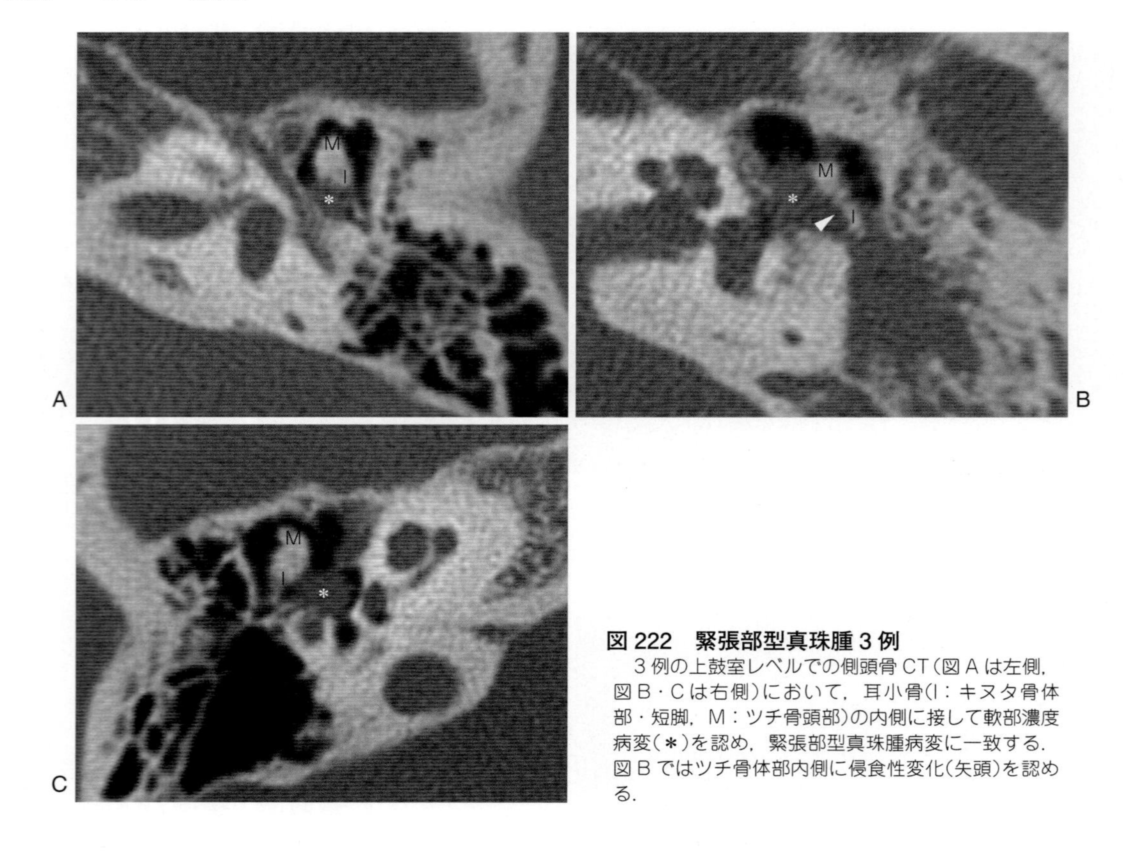

図 222　緊張部型真珠腫 3 例

3 例の上鼓室レベルでの側頭骨 CT（図 A は左側，図 B・C は右側）において，耳小骨（I：キヌタ骨体部・短脚，M：ツチ骨頭部）の内側に接して軟部濃度病変（＊）を認め，緊張部型真珠腫病変に一致する．図 B ではツチ骨体部内側に侵食性変化（矢頭）を認める．

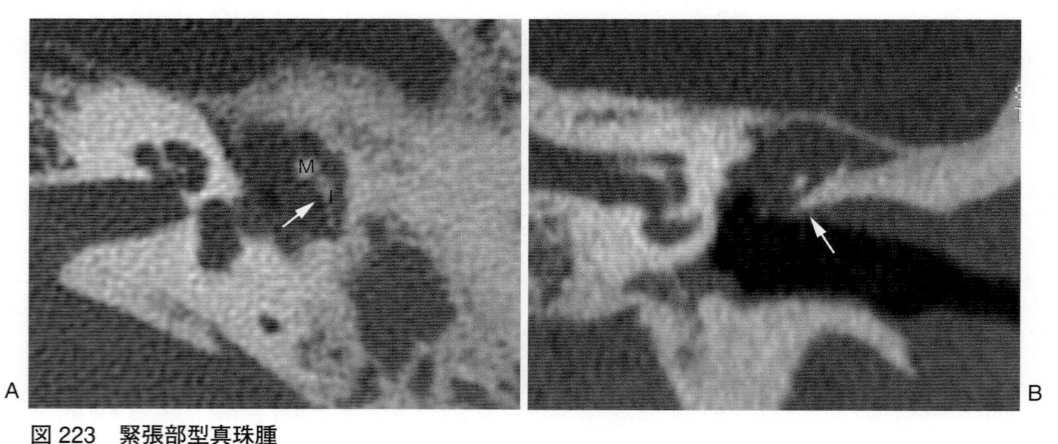

図 223　緊張部型真珠腫

左側頭骨横断 CT（A）において，耳小骨（I：キヌタ骨体部・短脚，M：ツチ骨頭部）は外側への偏位を示し，キヌタ骨体部・短脚の内側面に沿った侵食性変化（矢印）を伴う．冠状断 CT（B）で鼓室蓋（scutum：矢印）は保たれている．

CT での鼓室や乳突洞・蜂巣の発達の程度に関する記載は臨床医に対して術前の有用な情報提供となる．

ii）軟部濃度病変の有無：真珠腫は CT 上，含気腔を置換する軟部濃度病変として認められるが，鼓室内，真珠腫各病型の典型的な部位に一致する軟部濃度病変の有無およびその分布を評価する．ただし，軟部濃度病変が明らかでなくとも，automastoidectomy（後述），あるいは autoatticotomy（後述）（図 216，231）など，外耳道側に

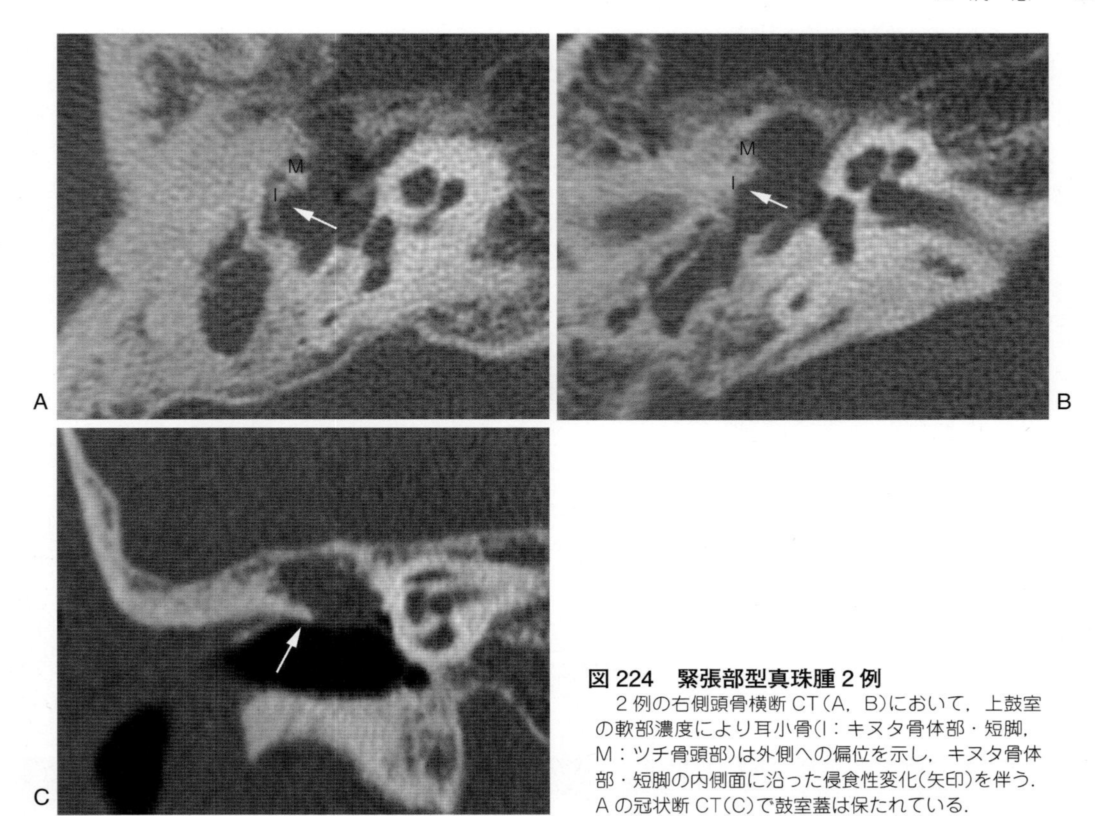

図 224　緊張部型真珠腫 2 例

2 例の右側頭骨横断 CT（A，B）において，上鼓室の軟部濃度により耳小骨（I：キヌタ骨体部・短脚，M：ツチ骨頭部）は外側への偏位を示し，キヌタ骨体部・短脚の内側面に沿った侵食性変化（矢印）を伴う．A の冠状断 CT（C）で鼓室蓋は保たれている．

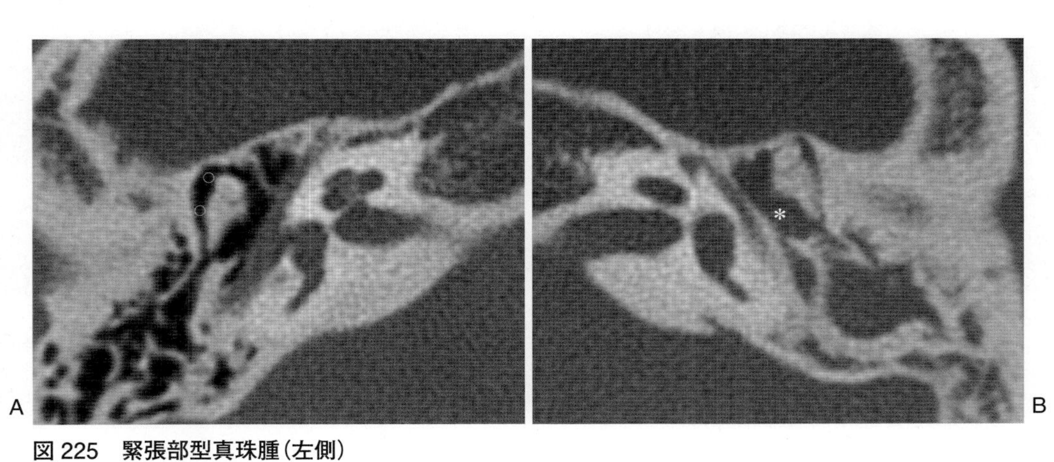

図 225　緊張部型真珠腫（左側）

健側の右側頭骨横断 CT（A）で認められる，耳小骨と上鼓室外側壁との間の含気腔（○）は，患側の左側（B）では真珠腫（＊）による耳小骨の外側偏位の結果，狭小化している．

表23 二次性真珠腫の臨床的特徴

- 患者年齢が高い(平均54.5歳, 41〜62歳)
- 慢性中耳炎の経過が長い
- 大きな鼓膜穿孔あり
- 乳突腔の気胞化が抑制されている
- ツチ骨柄付近から表皮が上鼓室に侵入(debrisあり)
- 表皮進展は浅く, 上鼓室まで
- 耳小骨破壊は軽度(キヌタ-アブミ関節付近が多い)

表24 二次性真珠腫のJOC分類

病期	病変の局在・進展	
stage I	鼓室(*)に限局	
	stage Ia	鼓膜・ツチ骨柄裏面に限局(慢性穿孔性中耳炎との鑑別を要する)
	stage Ib	鼓膜裏面から鼓室壁に進展(緊張部型真珠腫との鑑別を要する)
stage II	鼓室外進展を越えた進展(上鼓室, 前鼓室, 乳突腔など);2領域以上に進展	
stage III	側頭骨内合併症(顔面神経麻痺, 半規管瘻孔など)および病変あり	
stage IV	頭蓋内合併症あり	

(*)本分類での「鼓室」は中鼓室と後鼓室に相当し, 上鼓室, 前鼓室と区別している.
(日本耳科学会用語委員会:中耳真珠腫進展度分類2015改訂案. Otol Jpn **25**: 845-850, 2015)

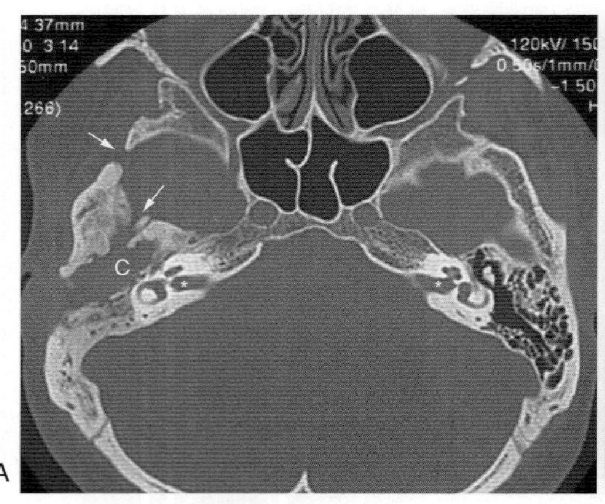

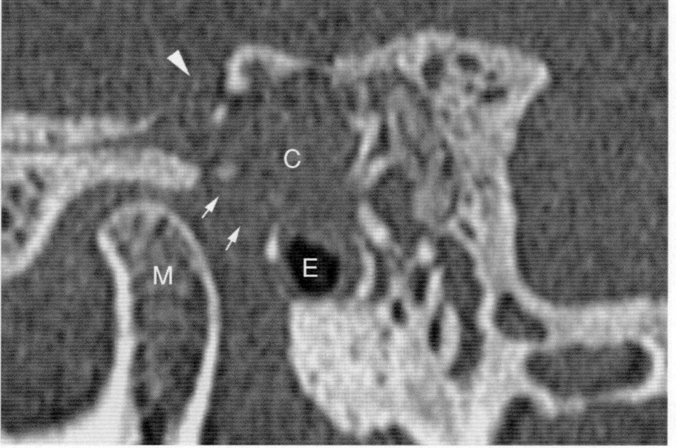

図226 外傷性真珠腫
A:内耳道(*)レベル横断CT. 右蝶形骨大翼および側頭骨に骨折後変化(矢印)あり. 鼓室および乳突洞領域には軟部濃度病変(C)あり.
B:下顎骨右関節頭(M)レベル矢状断CT. 軟部濃度病変(C)に隣接する天蓋部(矢頭), 顎関節窩との間の骨壁(矢印), 外耳道骨部(E)上壁の骨壁に侵食性変化による欠損あり.

debris排出後のmatrix(母膜)のみの真珠腫("mural cholesteatoma"と称する)の可能性も考慮すべきである. また, ときに大きな病変では内部に空気濃度が混在する場合(図232)や多分葉状辺縁を示す場合(図233)がある. 真珠腫のCT評価で標準的な画像表示である骨条件では軟部濃度としてみられるが, 軟部濃度表示では大きな病変は(骨格筋などと比較して)やや低い濃度(図210)を呈する傾向にある[203].

また, 臨床上しばしば真珠腫と鑑別すべき, あるいは併存する鼓室硬化症に関して, 鼓室内の石灰化濃度の有無も併せて評価する必要がある.

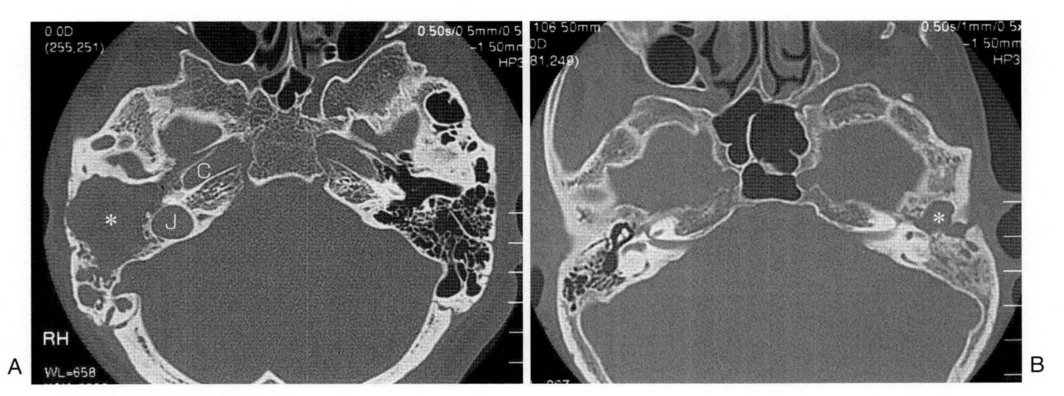

図 227　外傷性真珠腫 2 例
2 症例の側頭骨レベル横断 CT(A，B)において，限局性軟部濃度病変(＊)を認める．辺縁は骨侵食性変化を示す．C：頸動脈管，J：頸静脈窩

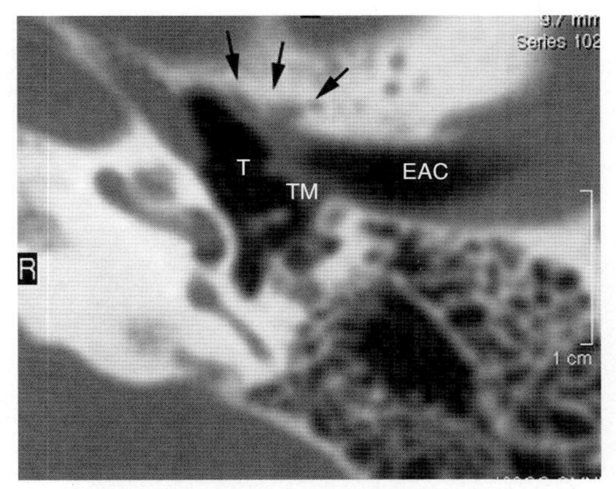

図 228　鼓膜輪から生じた真珠腫
左側頭骨横断 CT において鼓膜(TM)の肥厚を認め，鼓膜輪前方では骨への侵食性変化(矢印)を伴う．EAC：外耳道，T：鼓室

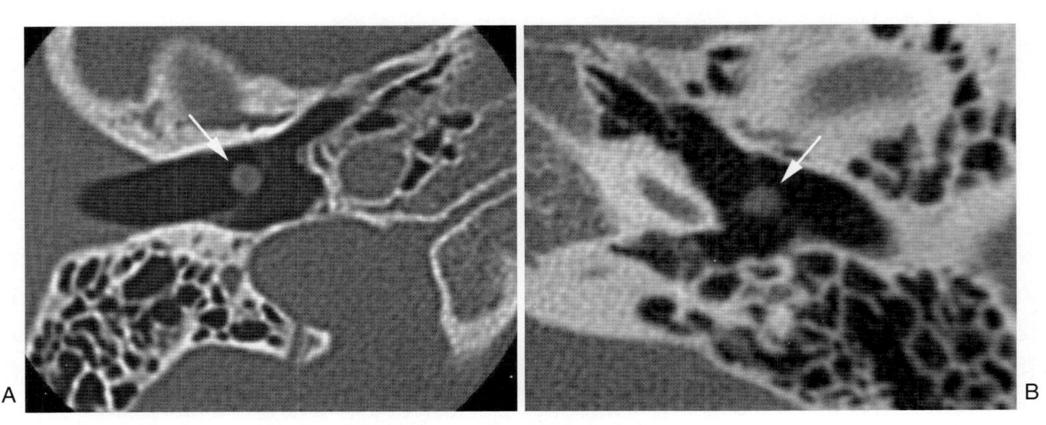

図 229　鼓膜チューブ留置後，鼓膜発生の二次性真珠腫 2 例
2 例の側頭骨横断 CT(A は右側，B は左側)において，鼓膜にチューブ留置部に一致して結節様軟部濃度腫瘤(矢印)を認める．

表25　真珠腫(治療前)におけるCT評価項目

項目	内容
鼓室，乳突洞・蜂巣の発達	慢性中耳炎，真珠腫性中耳炎ではしばしば発達不良
鼓室の軟部濃度の有無 (含気の状態)	鼓室硬化症を示唆する石灰化も併せて評価
骨侵食性変化の有無 (erosive vs. non-erosive)	まずはscutum，耳小骨(特にアブミ骨上部構造)
軟部濃度病変の分布	・Prussak腔の軟部濃度の有無 ・上鼓室レベルで耳小骨の内側(弛緩部型)か外側(緊張部型)か？ ・鼓室洞，卵円窓窩，正円窓窩，耳管鼓室口，顔面神経窩など ・乳突洞の軟部濃度(真珠腫進展 vs. 閉塞性変化のみ) ・錐体尖部への進展の有無
周囲骨壁の状態・合併症	・天蓋：頭蓋内合併症(髄膜炎，硬膜下膿瘍，脳膿瘍) ・半規管：半規管瘻孔(外リンパ瘻) ・顔面神経管：顔面神経麻痺 ・頸動脈管
正常変異，その他	・血管走行異常(高位頸静脈球，異所性内頸動脈，遺残アブミ骨動脈，深いS状静脈洞溝，乳突部導出静脈など) ・天蓋の低位・骨欠損 ・顔面神経鼓室部の卵円窓窩上部からの膨隆・骨壁欠損 ・その他：耳管閉塞をきたす病変(上咽頭癌など)の否定

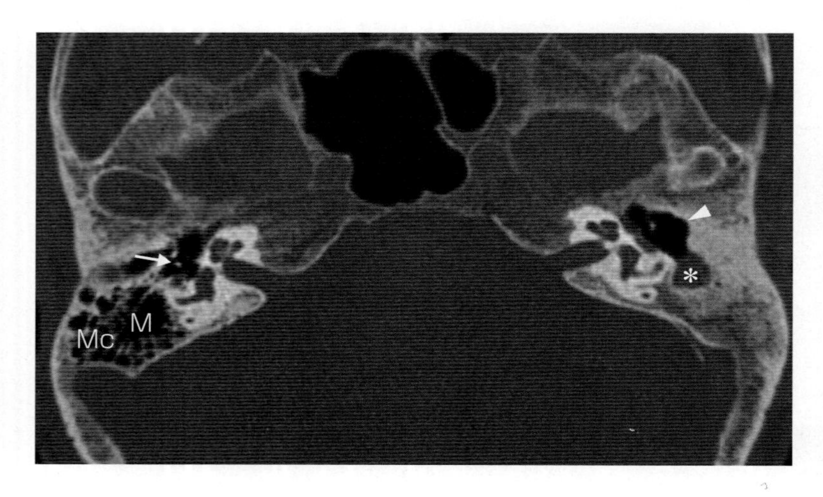

図230　乳突洞の発達不良
側頭骨レベルCT横断像で，軟部濃度を容れる左乳突洞(＊)は対側(M)と比較して発達は乏しく，乳突蜂巣(対側でMcで示す)の発達は欠如する．同部は厚い骨に囲まれる．右鼓室ではツチ骨柄，キヌタ骨長脚は前後に並ぶ2つの小さな骨構造(矢印)として認められるが，左側ではキヌタ骨長脚の消失，上鼓室外側壁の外側への拡大(矢頭)を認め，(恐らくはdebrisの排出された)弛緩部型真珠腫を示唆する．

iii) **骨侵食性変化の有無**：真珠腫では耳小骨，鼓室蓋(scutum)を含めて骨侵食性変化を高頻度に認めるが(図216〜219，223，224，231)，非真珠腫性肉芽腫や活動性の高い炎症でもときに同様の骨侵食性変化を生じうる．CTで両者の鑑別は困難であるが，骨侵食性変化を伴う鼓室軟部濃度病変(erosive middle ear disease)の多くが真珠腫である．真珠腫による骨侵食が機械的圧排のみによるとは考えにくく，圧排性壊死に慢性炎症によるサイトカイン放出と破骨細胞賦活化が加わることによると考えられ[396]，真珠腫例の約80%で部分的あるいは完全な耳小骨侵食を認める[397]．現実的には中耳炎症性病変では，まずは骨侵食性(erosive)か骨非侵食性(non-erosive)かを区別することが臨床的な重要性をもつ．侵食性である場合は耳小骨の状態を評価する．各耳小骨の形状・

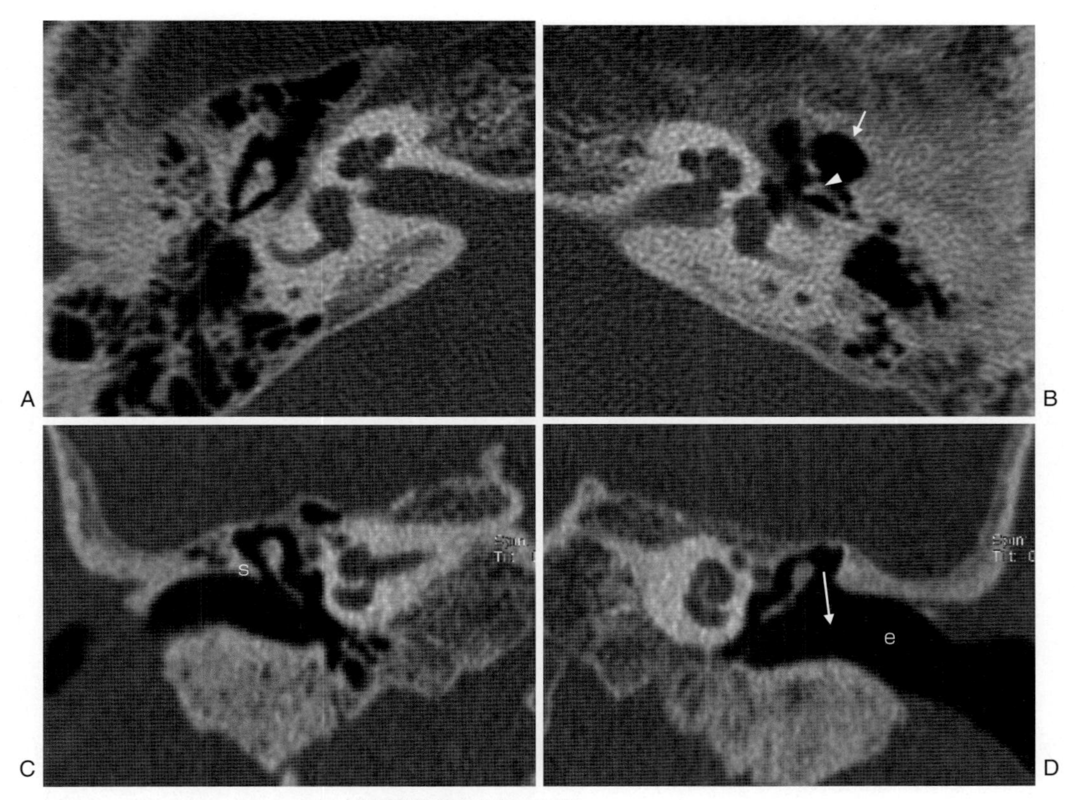

図 231 autoatticotomy を示す弛緩部型真珠腫(左側)

上鼓室レベルの両側側頭骨 CT 横断像(A：右側，B：左側)．右側(A)では鼓室，乳突洞・蜂巣の発達，含気は良好で，耳小骨(アイスクリーム・コーン)の形状も保たれている．これに対して，左側(B)では鼓室，乳突洞，対側より発達の悪い乳突蜂巣の含気は保たれ，異常軟部濃度は認められないが，耳小骨の外側面からの骨侵食性変化(矢頭)，上鼓室外側壁の外側への拡大傾向(矢印)を認める．同冠状断像(C：右側，D：左側)．左側(D)で異常軟部濃度はみられないが，右側(C)で保たれている scutum(s)の断裂が認められ，横断像(B)の所見とともに弛緩部型真珠腫の骨侵食性変化に合致する．真珠腫内容(debris)は外耳道(e)に自然排出(矢印：autoatticotomy)したものと思われる．

位置，耳小骨連鎖(キヌタ・ツチ関節，キヌタ・アブミ関節)を確認するが，弛緩部型に比べて緊張部型病変で頻度はより高い[398]．最も重要なのはアブミ骨上部構造(図 218，221A)で，手術でアブミ骨上部構造を温存できるか(すなわち，Ⅰ～Ⅲ型鼓室形成術による再建が可能か)否か(Ⅳ型鼓室形成術でないと再建不可能か)によって，術後聴力に大きな差が生じるためである．実際には術後聴力に対して最も大きな影響をもつ因子はツチ骨柄の温存であるが，ツチ骨柄は鼓膜所見としてある程度確認可能であり，真珠腫による侵食性変化(図 234)をきたす頻度は比較的低い．最も頻度の高いのはキヌタ骨長脚で，靱帯の支持が乏しく終末動脈からの不安定な血液供給によると考えられる[398]．耳小骨侵食に関する術前 CT 所見と術中所見の一致率は，ツチ骨，キヌタ骨体部および短脚と比較してアブミ骨，キヌタ骨長脚では低い傾向にある[398]．

治療前真珠腫の伝音難聴は耳小骨の状態と密接に関連する．耳小骨侵食，耳小骨離断が重要であるが，ツチ骨の状態(侵食性変化の有無)が最も大きな影響をもつ[207]．侵食性変化が明らかでなくても耳小骨連鎖の病変との接触により，耳小骨の振動，音の伝播は影響(障害)を受けることとなる[399]．

鼓室蓋(scutum)は，弛緩部型真珠腫で早期より侵食性変化(図 214～217，231)が認められるが，緊張部型病変(図 223)や他の病態では進行病

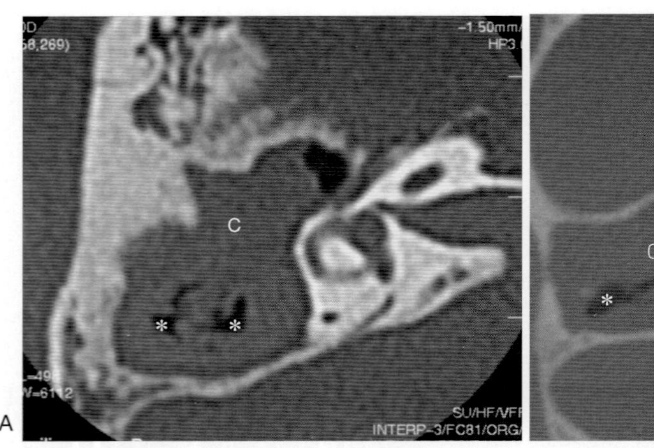

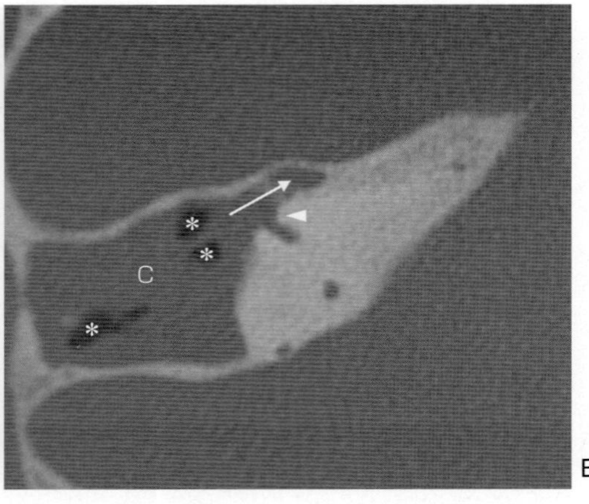

図 232　内部に空気濃度の混在する真珠腫 2 例

2 症例の上鼓室レベル右側頭骨横断 CT（A，B）において上鼓室から連続して後方の乳突洞に進展する軟部濃度病変（C）を認め，真珠腫の進展に一致する．乳突洞部では病変の中心領域に散在性に空気濃度（＊）が混在している．B では内側前方で錐体尖部への進展（矢印）を認め，上半規管との間の骨欠損（矢頭）を示す．

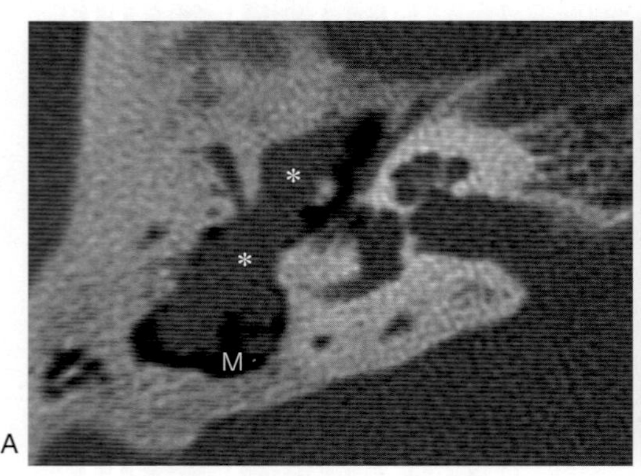

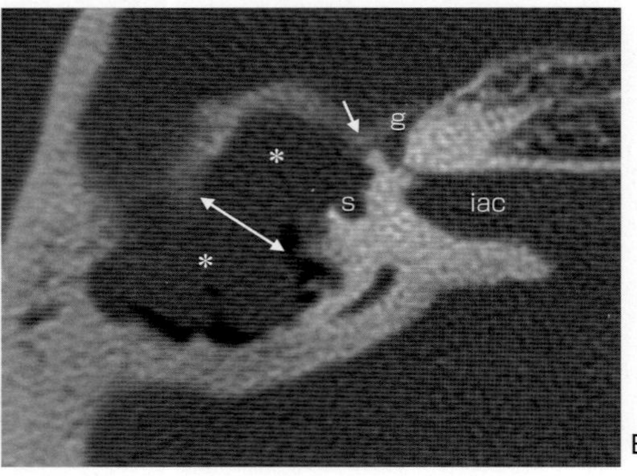

図 233　乳突洞進展を伴う中耳真珠腫

上鼓室レベルの右側頭骨 CT（A）において，鼓室から乳突洞（M）に連続性に多分葉状辺縁を呈する軟部濃度病変（＊）を認め，耳小骨侵食性変化を示す．さらに頭側レベル（B）で乳突洞口（両向き矢印）の開大を示し，乳突洞進展を支持する．上半規管前脚（s）の骨壁は消失している．矢印：顔面神経管鼓室部，g：顔面神経膝神経節，iac：内耳道

変であっても保たれる傾向にある[400]．

iv）病変の分布・進展範囲の評価：次に病変の分布を正確に評価することが病期診断に必要不可欠であり，解剖学的指標を用いて診断報告書の中で記述する必要がある．弛緩部型真珠腫で特徴的とされる Prussak 腔（図 5，214，215），緊張部型真珠腫で特徴的とされる鼓室洞（図 221）や上鼓室での耳小骨内側（図 222）に局在する軟部濃度病変の評価は，病型の特定において重要である．また，特に耳鏡で確認困難なことから病変が残存しやすい鼓室洞（図 221）や顔面神経窩，さらに手術計画に影響を与える錐体骨尖部（図 235〜239），乳突洞（図 232，233，239）などへの病変進展の有無も重要な情報となる．錐体骨尖部への進展では，その経路の特定（迷路より前方か後方，あるいは上方か下方か）が重要である．乳突洞内の軟部濃度は真珠腫自体の進展，二次性閉塞性変化（図 219）のいずれでも生じうる．乳突洞口の開大を伴う場合（図 233B，239）は，（少なくとも近位部に関しては）真珠腫自体の進展を疑うが，開大のない場合，CT での両者の区別は困難である．乳突洞進展（M）の有無，範囲（近位部のみか，遠

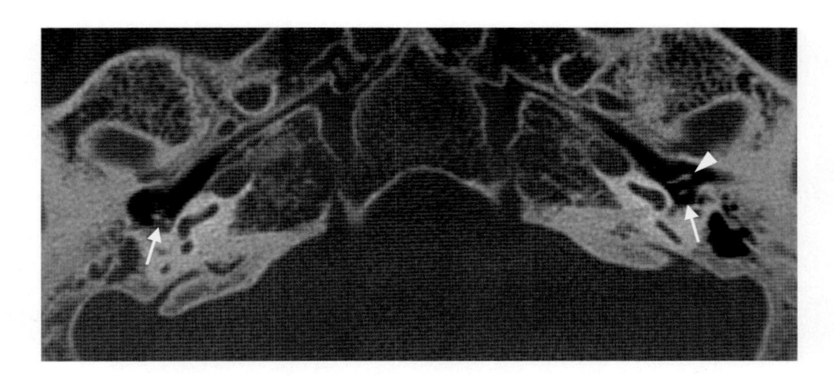

図 234　ツチ骨柄侵食性変化を伴う真珠腫

側頭骨レベル CT 横断像骨条件表示．左側で確認可能なツチ骨柄（矢頭）は右側では同定されない．キヌタ骨長脚下部からアブミ骨上部構造は両側ともに確認（矢印）されるが，右側では周囲にわずかな軟部濃度を認める．

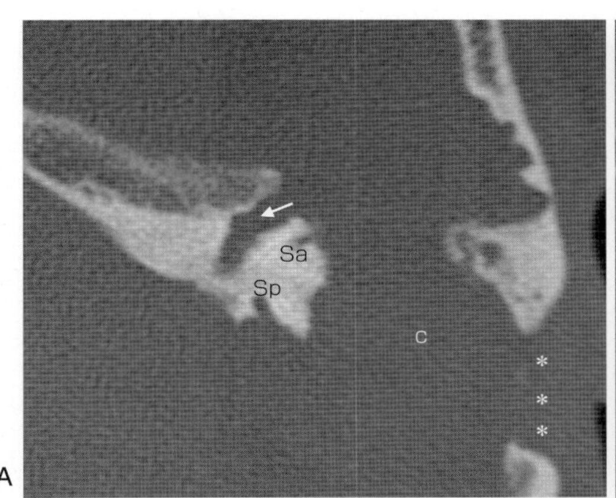

A

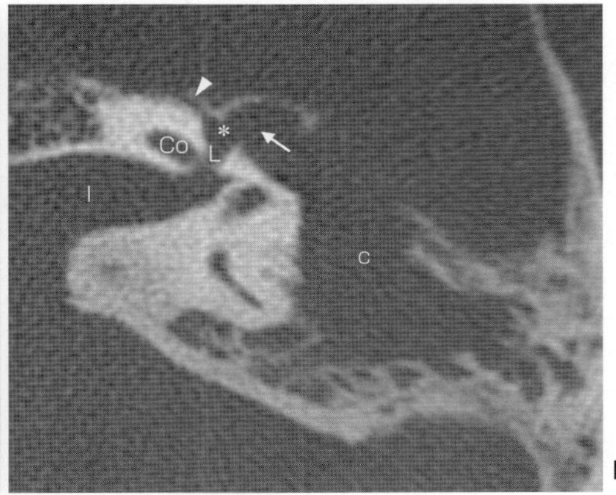

B

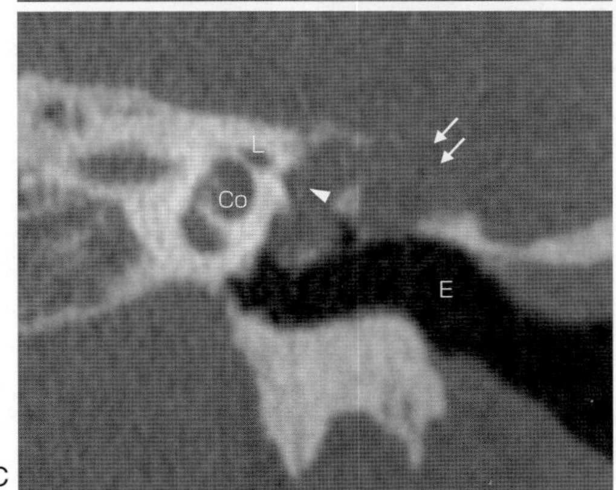

C

図 235　錐体骨尖部進展を示す真珠腫 2 例

左側頭骨横断 CT（A）において，鼓室領域の（再発性）真珠腫（c）は内側で，上迷路前蜂巣路を介して，上半規管（Sa：前脚，Sp：後脚）内側の錐体尖部への進展（矢印）を示す．上半規管との間の骨壁の欠損を伴う．＊：以前の手術による外側骨皮質の欠損．

別症例の左側頭骨横断 CT（B）において，病変（c）は anterior epitympanic recess から上迷路前蜂巣路に向かって進展（矢印），顔面神経の膝神経節（＊）側面に及ぶ．Co：蝸牛，I：内耳道，L：顔面神経管迷路部，矢頭：大錐体神経

図 B と同症例の冠状断像（C）で，隣接する顔面神経管鼓室部側面（矢頭）および鼓室天蓋（矢印）の骨欠損を示す．Co：蝸牛，E：外耳道，L：顔面神経管迷路部

位末梢に及ぶか）の判断が困難な例では MRI 拡散強調像（後述）での評価が有用である（図 219C）．

v）**病変隣接部位における骨侵食性変化および合併症・側頭骨外進展の評価**：続いて病変に隣接する骨壁の侵食性変化・骨欠損の有無を評価する．重要なのは鼓室天蓋（図 217，236，240），乳突洞天蓋，半規管（主に外側半規管）骨壁（図 233B，235A，236B，241，242），顔面神経管骨壁（図 235B・C，236，242A，243），S 状静脈洞骨壁（図 210B，244）などで，まれに蝸牛周囲（図 245）や頸動脈管周囲（図 246）に及び，これらの骨壁の欠損をきたす．評価には骨条件表示の CT が有用であり[401, 402]，必要に応じて冠状断，矢状断を合わせた多方向からの観察を行う．乳突洞進

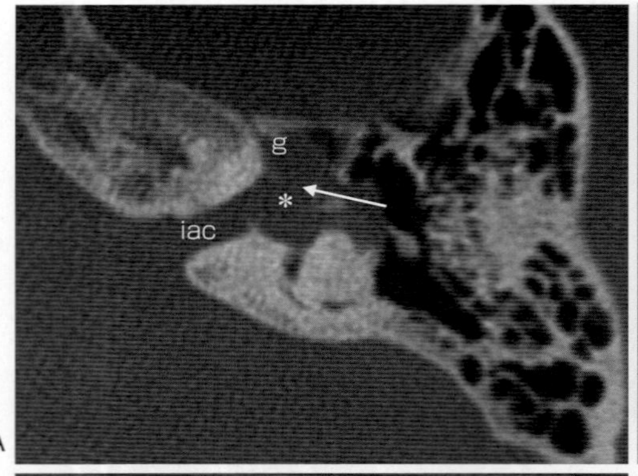

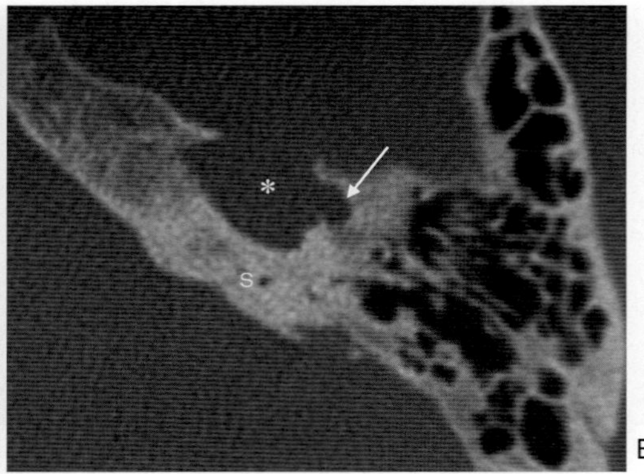

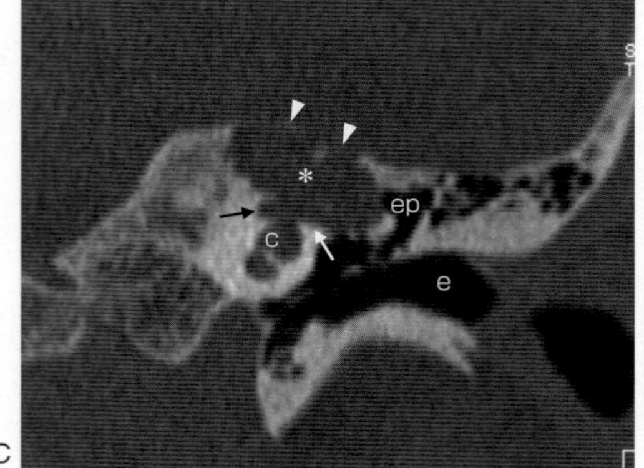

図236　錐体尖部進展を伴う真珠腫

左側頭骨CT横断像(A)でanterior epitympanic recess内側から内側前方(矢印)に進展する軟部濃度病変(＊)を認め，顔面神経膝神経節(g)，内耳道(iac)底部の領域への進展を示す．同例のやや頭側レベル(B)で錐体尖部へ進展した病変(＊)は上半規管前脚(矢印)周囲に及ぶ．s：上半規管後脚．同冠状断像(C)において，上鼓室(ep)内側で骨侵食性変化とともに迷路(c：蝸牛)上部に進展した軟部濃度病変(＊)は，頭側では中頭蓋窩底部(矢頭)，尾側では顔面神経管の迷路部(黒矢印)・鼓室部近位(白矢印)上面との間で骨欠損あり．e：外耳道

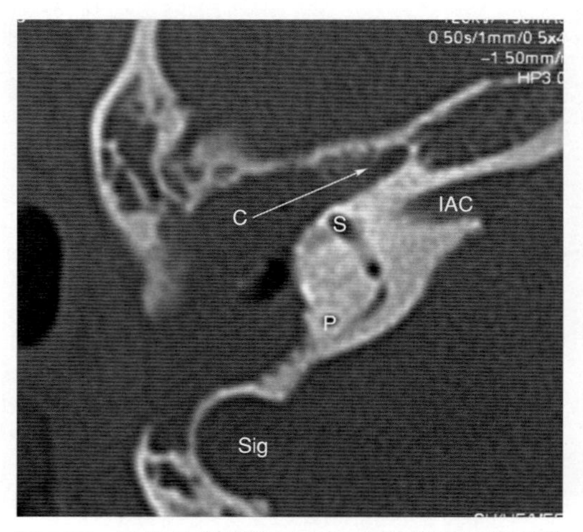

図237　錐体骨尖部進展を示す術後再発性真珠腫

右側頭骨横断CTにおいて，術後の乳突腔，上鼓室領域を占拠する軟部濃度病変(C)は上迷路前蜂巣路を介して錐体骨尖部方向に進展(矢印)している．IAC：内耳道，P：後半規管，S：上半規管，Sig：S状静脈洞

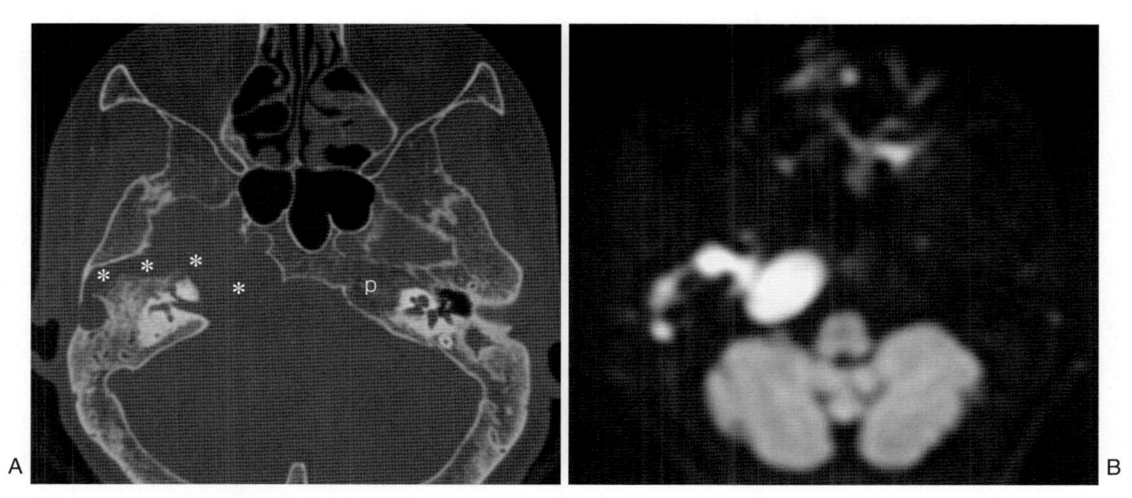

図 238　錐体尖部進展を伴う真珠腫
側頭骨レベルの CT 横断像骨条件表示(A)で，右側頭骨で迷路前方から錐体尖部(対側で p で示す)に及ぶ骨侵食性変化を伴う膨隆性軟部濃度病変(∗)を認める．同レベルの MRI 拡散強調像(B)で病変は著明な高信号領域として認められる．

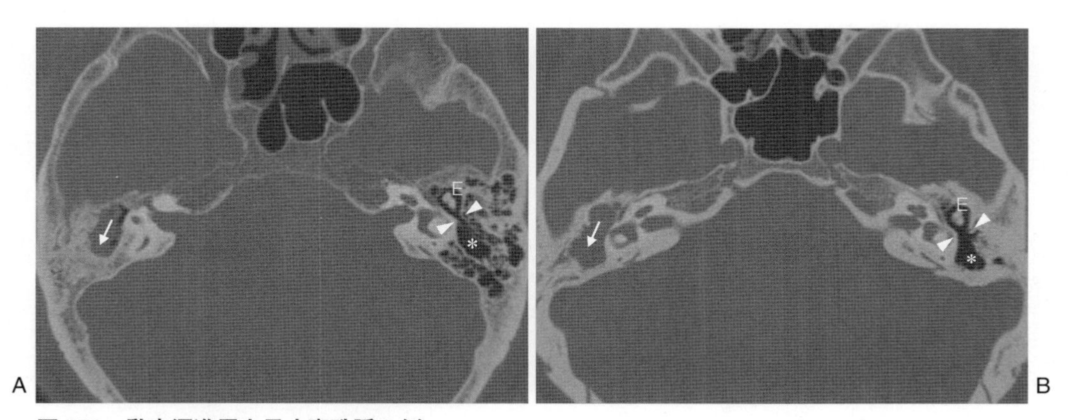

図 239　乳突洞進展を示す真珠腫 2 例
2 例の側頭骨レベル横断 CT(A，B)において，右側の上鼓室(対側で E で示す)から，拡大した乳突洞口(対側で矢頭の間)を介して乳突洞(対側で∗で示す)に連続する(矢印)軟部濃度病変を認める．乳突洞口の開大より，(二次性変化のみではなく)真珠腫自体の乳突洞進展であることが示されている．上鼓室内には，健側で確認可能な耳小骨は同定されず，骨侵食性変化を示す．

展に伴い外耳道骨壁の欠損を生じる場合もある(図 244)．天蓋の骨欠損は頭蓋内合併症の原因となり，炎症の波及に従い，髄膜炎(図 247)，硬膜下膿瘍(図 248，249)，脳炎・脳膿瘍(図 250)，S 状静脈洞血栓(血栓性静脈炎)(図 249)を生じる．半規管骨壁欠損では半規管瘻孔による外リンパ瘻を生じる．外側半規管外側部が最も多い．顔面神経管骨壁の侵食は鼓室部，乳突部に多いが，ときに前上鼓室陥凹から前膝部への進展(図 235，236A，243A)を示す．顔面神経の運動ニューロン障害では患側の閉眼障害，口角下垂，垂涎などを呈するが，顔面神経管の骨壁侵食のある例で無症状の場合も多い．その一方で明らかな半規管瘻孔(骨欠損)がなくても，有害物質の迷路への拡散により眩暈や眼振などの症状を呈する場合もある．

骨侵食性変化による骨壁破綻により真珠腫内容(debris)が外耳道に自然排出される場合があり，特に乳突洞進展病変が外耳道骨部の骨壁破綻により自然排出された場合は，乳突洞削開術後に類似

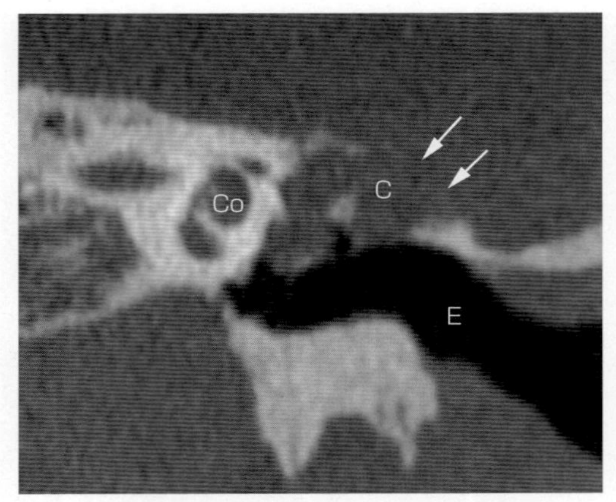

図240　鼓室天蓋の骨欠損を伴う真珠腫
左側頭骨冠状断CT．上鼓室を中心に軟部濃度病変（C）を認め，頭側では鼓室天蓋の骨欠損（矢印）を示す．Co：蝸牛，E：外耳道

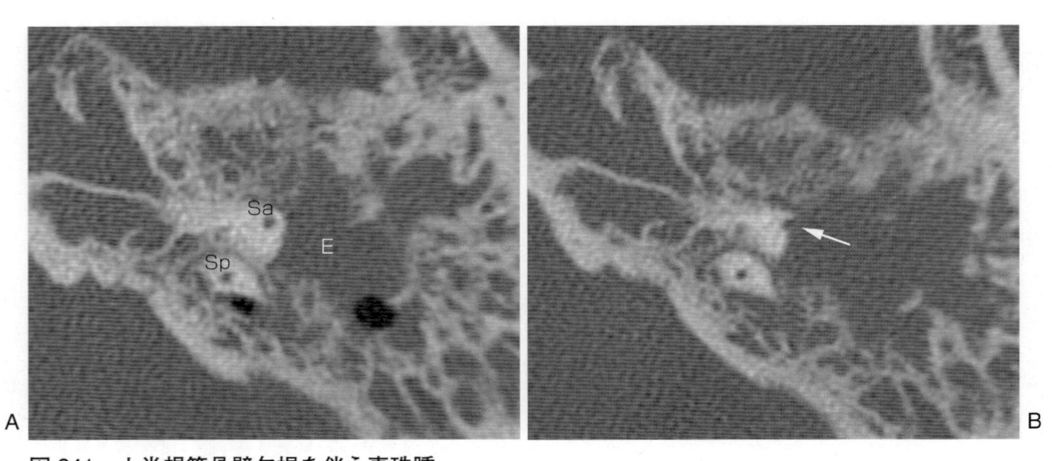

図241　上半規管骨壁欠損を伴う真珠腫
左側頭骨横断CT（A）において，上鼓室（E），周囲の乳突蜂巣内に分布する軟部濃度病変を認める．Sa：上半規管前脚，Sp：上半規管後脚．8ヵ月後（B）には上半規管前脚との間の骨壁欠損（矢印）を認め，骨侵食性病変である真珠腫が示唆される．

することから“automastoidectomy”（図251）と呼ばれる．また，（scutumを含む上鼓室外側壁の欠損による）上鼓室から外耳道への直接の排出は“autoatticotomy”と称される（図216，231，252）[403]．軟部濃度を認めないことから真珠腫としての認識が困難な例もあるが，真珠腫母膜（matrix）は残存しており注意を要する（図253）．

真珠腫が錐体骨深部に進展，前庭や内耳道底に達するとリンパの溢流，いわゆる“gusher ear”を生じるリスクがある（図236A，254）．この場合，髄膜炎などの頭蓋内合併症の危険因子となる．また，広範な進展を示す真珠腫では錐体骨をほぼ置換（図246），頭蓋内あるいは頸部軟部組織への進展（図249，255，256）をきたす場合もあり，進展範囲の正確な把握は治療計画において必要不可欠である．頭蓋内，軟部組織進展は，通常骨条件表示が中心となる側頭骨CTのみでは見落とすリスクがあり注意を要する．

vi）正常変異・先天性病態，随伴所見の評価：最後に術式に影響を与える可能性のある正常変異

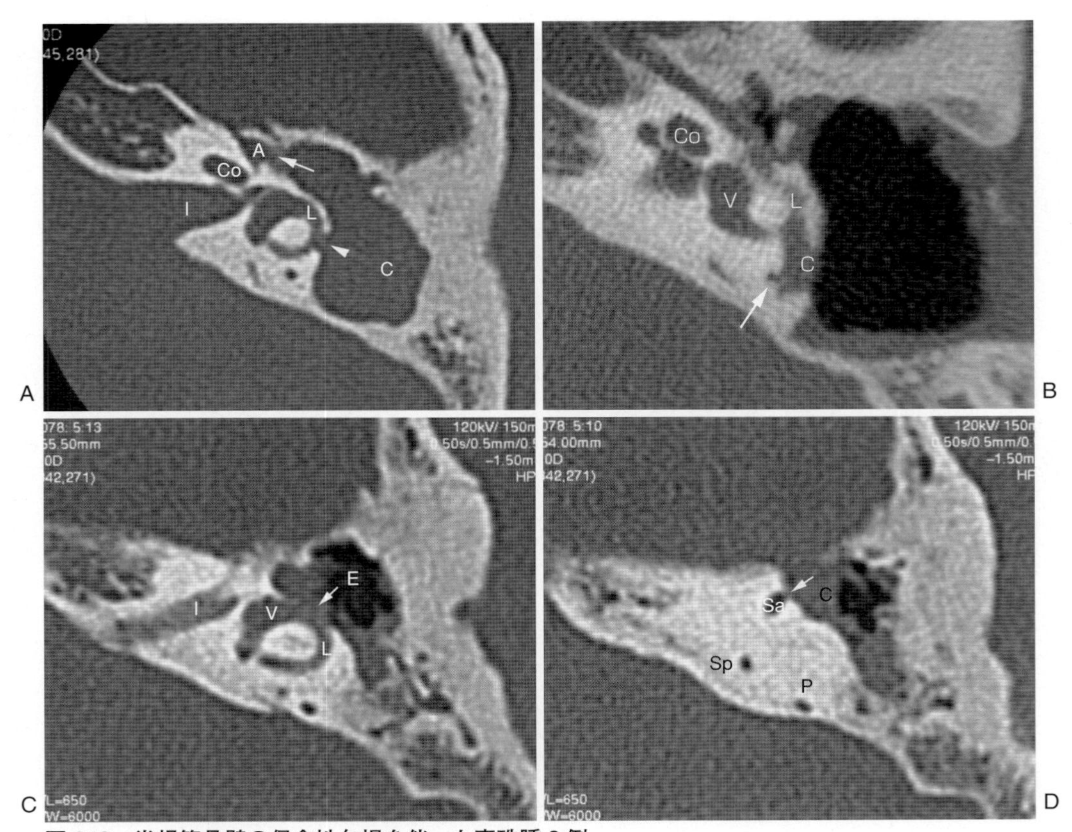

図 242　半規管骨壁の侵食性欠損を伴った真珠腫 3 例

A：1 例目の左側頭骨横断 CT．上鼓室から乳突洞領域を占拠する軟部濃度病変(C)を認め，乳突洞進展を伴う真珠腫に一致する．隣接する外側半規管(L)外側の骨壁に欠損(矢頭)あり．また，前方では前上鼓室陥凹から顔面神経前膝部(A)方向への進展も認められる．Co：蝸牛基底回転，I：内耳道

B：2 例目の左側頭骨横断 CT．canal wall-down mastoidectomy 後．真珠腫再発病変(C)は骨侵食性変化を示し，外側半規管(L)，後半規管(矢印)との間の骨壁欠損を伴う．Co：蝸牛，V：前庭

C：3 例目の左側頭骨前庭(V)レベル横断 CT．上鼓室(E)に不規則に分布する軟部濃度病変を認め，1 例目(A)同様，隣接する外側半規管(L)外側骨壁の侵食性欠損(矢印)あり．I：内耳道

D：3 例目のさらに頭側レベル左側頭骨横断 CT．上鼓室を部分的に占拠する軟部濃度病変(C)を認め，隣接する上半規管前脚(Sa)との間の骨壁は欠損(矢印)を示す．P：後半規管，Sp：上半規管後脚

や先天性病態の有無を確認する．これには異所性内頸動脈(図 117，118)，遺残アブミ骨動脈(図 119)，高位頸静脈球(図 50〜52)，深い S 状静脈洞溝(図 55)，異所性導出静脈(図 60)などの血管走行の変異，天蓋の低位(図 56，57)や骨壁自然欠損(図 58，59)，顔面神経管鼓室部の骨壁自然欠損や卵円窓領域における上部からの膨隆などが含まれる．また，成人の中耳乳突洞炎症性病変では耳管機能不全を生じうる上咽頭病変の可能性を常に考慮する必要がある．

4）真珠腫の MRI 診断

真珠腫の画像評価としての MRI の役割は従来は限定的であったが，拡散強調像(non-EPI DWI)により(CT とは異なる)重要な画像情報提供が可能なモダリティとして，臨床で必要な選択肢のひとつとなった．

真珠腫は通常の T1 強調像では低信号強度，T2 強調像では著明な高信号強度を呈し，造影剤投与後には辺縁の matrix，周囲炎症性変化は増強効果を呈するが，内部の debris は増強効果が欠如し，嚢胞性腫瘤様の所見を呈する(図 255，257，258)．T1 強調像で高信号強度を呈するコレステリン肉芽，通常は充実性増強効果を呈する腫瘍性病変との鑑別，頭蓋内合併症(髄膜炎，硬膜下膿

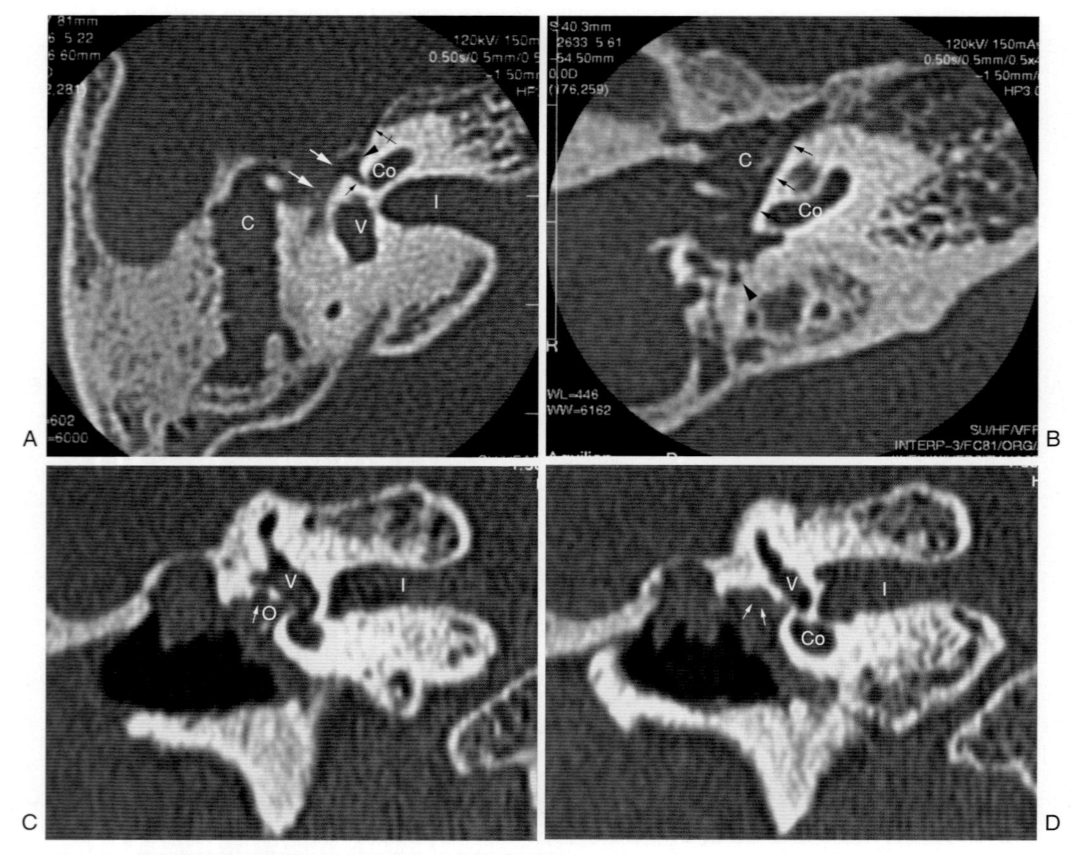

図 243　顔面神経管骨壁の侵食性変化を伴う真珠腫

A：上鼓室レベル右側頭骨横断 CT．上鼓室を占拠する軟部濃度病変(C)を認め，真珠腫に一致する．内側前方において前鼓室陥凹から顔面神経前膝部(矢頭)に向かう進展あり．白矢印：顔面神経鼓室部，黒矢印：顔面神経迷路部，十字矢印：大錐体神経，Co：蝸牛，I：内耳道，V：前庭

B：やや尾側レベル横断 CT．病変(C)は顔面神経鼓室部(矢印)に隣接する．

C：卵円窓レベル冠状断 CT．卵円窓(O)上部に沿って走行する顔面神経鼓室部下壁には骨壁欠損(矢印)を認める．I：内耳道，V：前庭

D：わずかに前方の冠状断 CT．顔面神経鼓室部の骨壁欠損(矢印)はより顕著である．Co：蝸牛，I：内耳道，V：前庭

瘍，脳炎，脳膿瘍)の評価において有用である．術後あるいは非特異的炎症との混在では様々な信号強度，造影様式を示し，真珠腫小病変の評価は困難な例も多い．

拡散強調像(diffusion weighted image：DWI)において真珠腫は著明な高信号強度(図 238，249，257〜259)を呈するが，真珠腫本態である角化堆積物の拡散制限とともに T2 shine-through 効果によると考えられている．ただし，従来の EPI-DWI では含気腔の豊富な側頭骨では磁場不均一性に起因する画質劣化のため必ずしも十分な評価が可能ではなかった．最近は，磁場不均一性に強くより薄いスライス厚での撮像が可能な non-EPI DWI (Siemens 社　の HASTE DWI，BLADE DWI，GE 社の PROPELLER)の使用により，真珠腫術前評価において最小で 2 mm の病変の同定が可能(図 219C，260)で，感度，特異度も 90〜100％と高い[404]．偽陰性には，大きさ(2〜3 mm 未満)，automastoidectomy/autoatticotomy により debris (内容)排出後の matrix (母膜)のみの状態(empty retraction pocket)の他，アーチファクトなどが主な要因となる[405]．また拡散強調像のみでは偽陽性も生じるが，T1 強調像と合わせて判断することで正診率は向上する

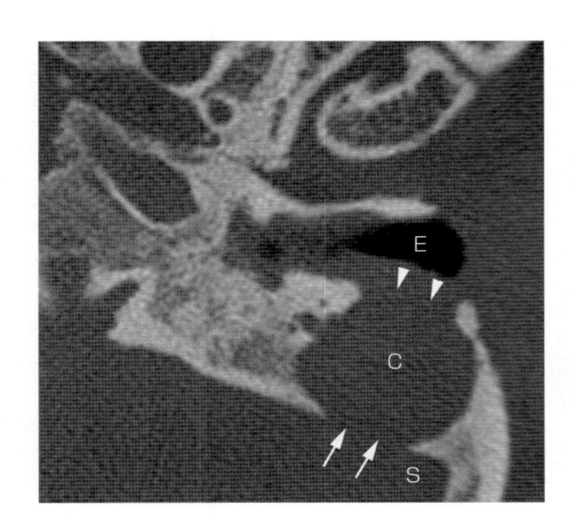

図 244　S 状静脈洞溝，外耳道骨部との間の骨壁欠損を伴う真珠腫

左側頭骨横断 CT．乳突洞領域に進展した真珠腫(C)を認め，前方で外耳道骨部(E)の欠損(矢頭)，後方で S 状静脈洞溝(S)を含む後頭蓋窩との間の骨壁欠損(矢印)を伴う．

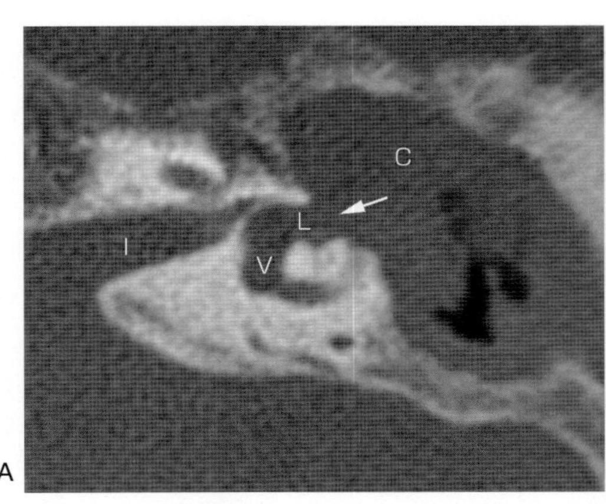

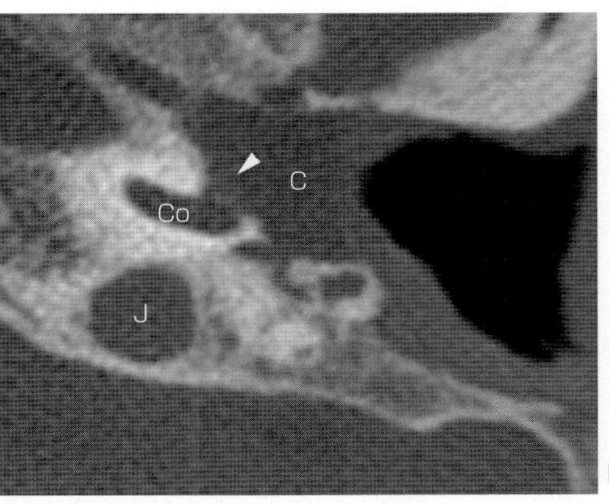

図 245　外側半規管，蝸牛岬角の骨壁欠損を伴う真珠腫

左側頭横断 CT(A)において，鼓室から乳突洞に進展する真珠腫(C)を認め，内側で隣接する外側半規管(L)領域へ進展，骨壁は欠損を示す(矢印)．I：内耳道，V：前庭

その尾側レベル(B)では，蝸牛基底回転(Co)による岬角と真珠腫(C)との間で骨壁欠損(矢頭)を認める．J：頸静脈球

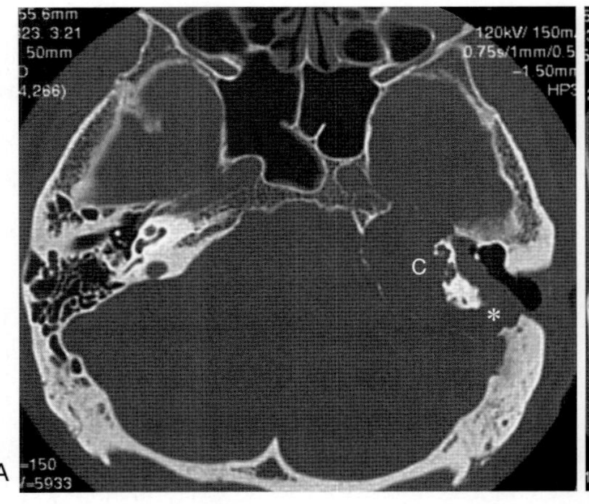

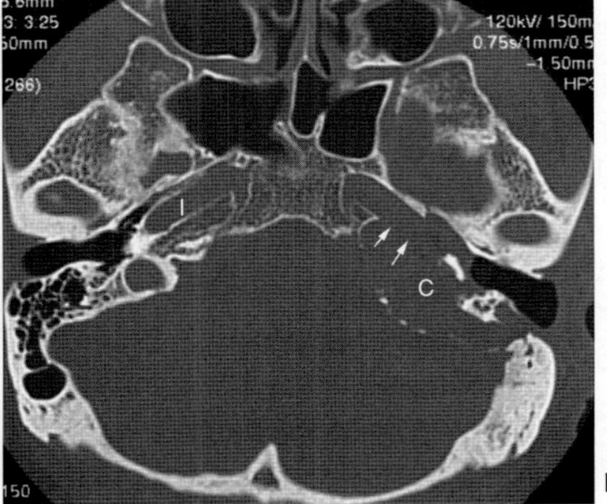

図 246　錐体骨をほぼ置換する広範な進展を示す真珠腫

A：側頭骨レベル横断 CT．左錐体骨をほぼ置換する真珠腫(C)を認め，外耳道骨部後壁の骨壁欠損(＊)を伴う．

B：やや尾側レベル．真珠腫(C)に隣接する頸動脈管水平部(対側で I で示す)後壁の骨壁欠損(矢印)あり．

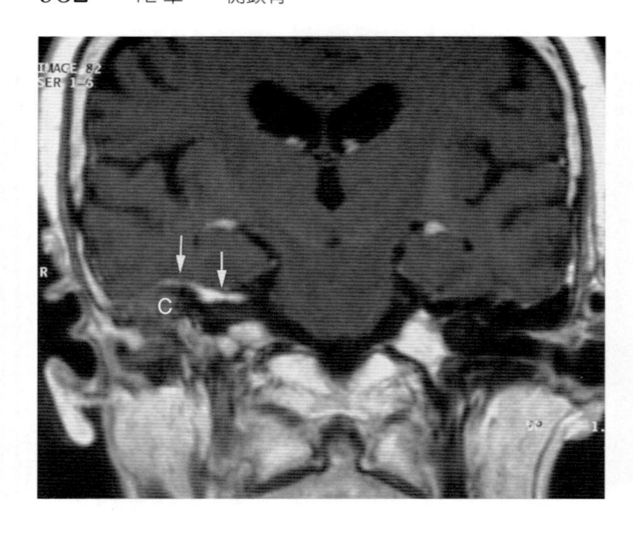

図247　髄膜炎を合併した真珠腫
造影後T1強調冠状断像において右鼓室から乳突洞領域に増強効果のみられない病変(C)を認め，真珠腫に一致する．隣接する中頭蓋窩の硬膜に肥厚と増強効果(矢印)を認め，髄膜炎を示す．

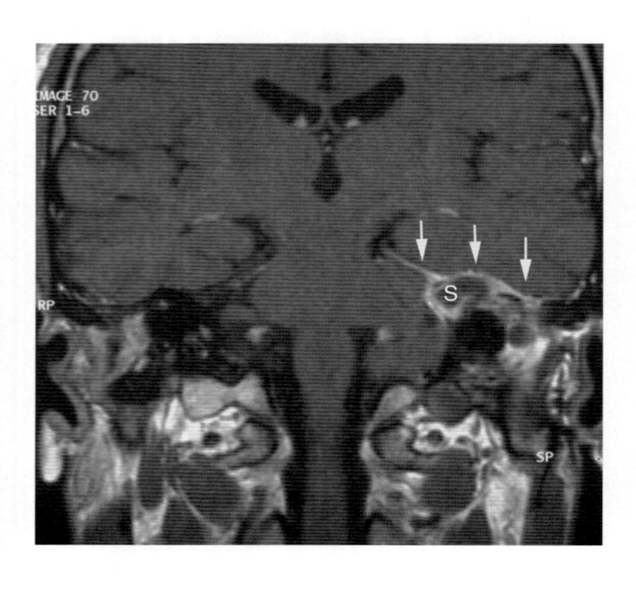

図248　硬膜下膿瘍を合併した真珠腫
造影後T1強調冠状断像において左側頭骨錐体部上面に沿って周囲の髄膜の増強効果(矢印)を伴う液体貯留を認め，硬膜下膿瘍(S)および真珠腫を示す．

(T1強調像において，真珠腫は通常は低信号を示す一方，高タンパク性液体貯留，コレステリン肉芽や線維化などの非真珠腫病変は高信号を呈する)[406]．CTでは区別困難な真珠腫と非真珠腫性軟部組織(瘢痕，肉芽組織，液体貯留，炎症性粘膜肥厚など)との区別が可能であり，CTで判断困難な乳突洞(M)進展の有無・範囲の把握(図219，259，260)，(後述の)術後評価での再発・残存病変の診断[402, 403]において，有用性が高い．

5）術後の画像評価

術後評価(表26：p962)では真珠腫再発・残存病変の診断とともに，予測される聴力回復がない場合や聴力低下を示す例では鼓室，乳突腔の状態，特に再建伝音系の評価が主な目的となる．一般にはCTが標準的モダリティとして選択される．再発・残存病変の存在診断に関しては拡散強調像(non-EPI DWI)の有用性(図260)も高いが，通常はCT施行後に適応が判断される(CT上，軟部濃度がなく含気良好な場合の陰性的中率は高い)．

術後側頭骨CTでは，幼少時などかなり以前の手術や他施設での手術の場合，術式の特定から評価を始める必要がある例も少なくない．代表的術式，術後所見に関しては，本章ですでに解説し

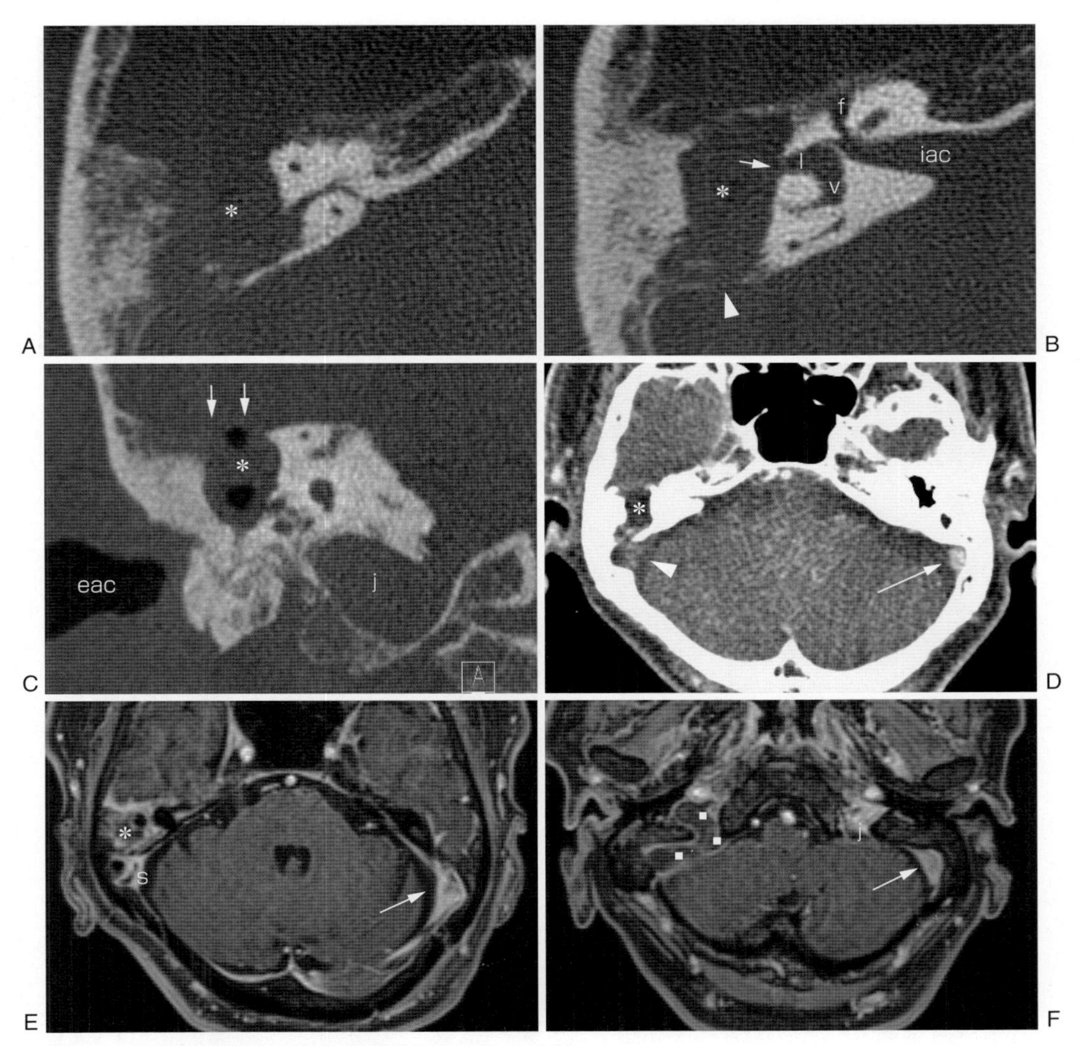

図 249　頭蓋内合併症を伴う真珠腫**(p954 につづく)**

鼓室天蓋レベルの右側頭骨 CT 横断像(A)において鼓室上部から乳突部にかけて骨侵食を伴う軟部濃度病変(＊)を認め，真珠腫を示唆する．内耳道レベル(B)において，病変(＊)の内側深部では外側半規管(l)との間で骨欠損(小矢印)，後方では S 状静脈洞溝の骨壁の侵食による不規則な途絶(矢頭)を示す．f：顔面神経管，iac：内耳道，v：前庭．冠状断像(C)で乳突部を占拠する病変(＊)は内部に含気を伴い，頭側で天蓋(中頭蓋窩底部)の骨欠損(矢印)を示す．eac：外耳道，j：頸静脈球．造影 CT(D)で病変(＊)は増強効果の乏しい低吸収を呈する．隣接する S 状静脈洞内腔は造影欠損(矢頭)を示し，血栓性静脈炎を反映する．矢印：正常の増強効果を示す対側 S 状静脈洞．MRI の造影後 T1 強調脂肪抑制横断像(E)で病変(＊)は辺縁と内部の隔壁様増強効果を示す．右 S 状静脈洞(s)は，内腔増強効果欠損，壁のみの増強効果，圧排による変形を示す．矢印：正常の増強効果を示す対側 S 状静脈洞．さらに尾側レベル(F)で右 S 状静脈洞から頸静脈孔を通過する内頸静脈(■)は連続性に血栓性静脈炎による造影欠損を示す．矢印：正常の増強効果を示す対側 S 状静脈洞．

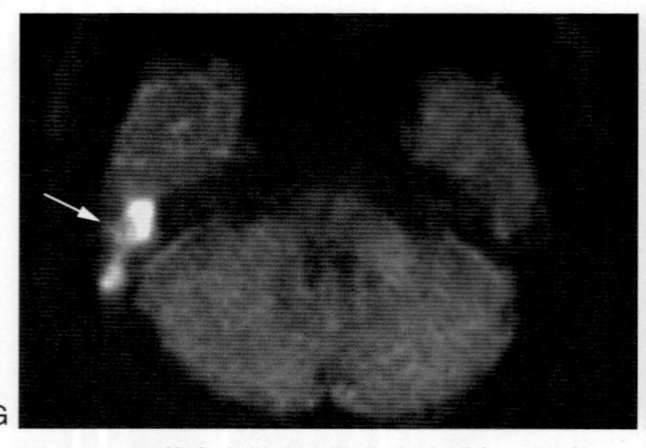

G

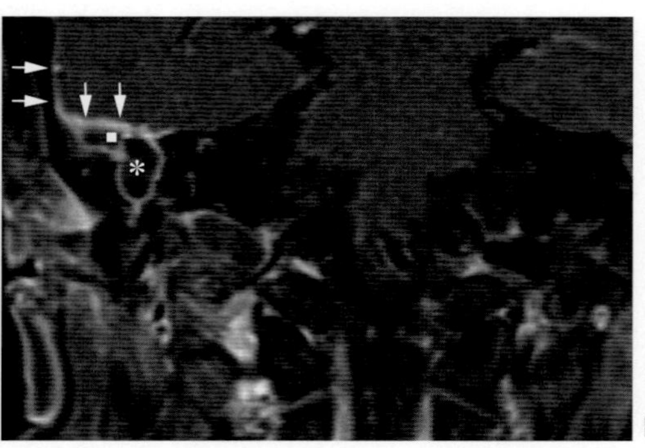

H

図 249　頭蓋内合併症を伴う真珠腫(つづき)

拡散強調像(G)で右鼓室から乳突部にかけて著明な高信号を呈し，真珠腫に合致する．造影後 T1 強調脂肪抑制冠状断(H)で病変(＊)は辺縁のみ増強効果を呈する．頭側では中頭蓋窩底部に硬膜下膿瘍(■)，さらに同部から広がる髄膜肥厚・増強効果(矢印)を認め，髄膜炎に相当する．

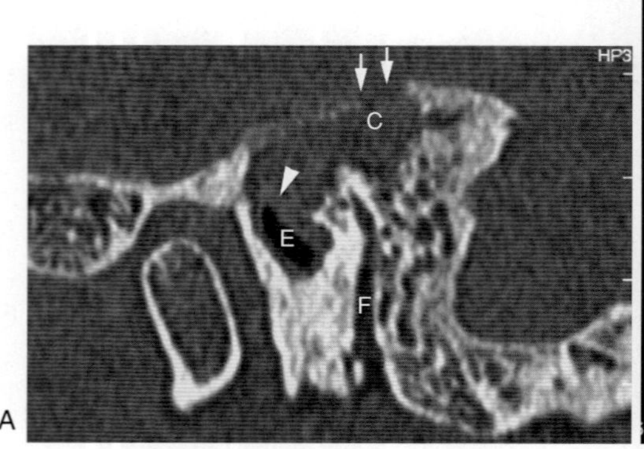

A

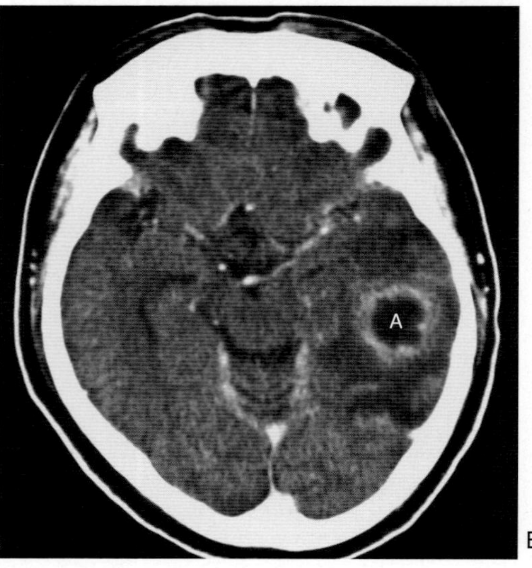

B

図 250　脳膿瘍を合併した真珠腫

A：左側頭骨矢状断 CT．真珠腫(C)に隣接する天蓋(矢印)および外耳道骨部(矢頭)の骨壁欠損あり．

B：頭部造影 CT．左側頭葉に膿瘍形成(A)と周囲の脳浮腫を認める．

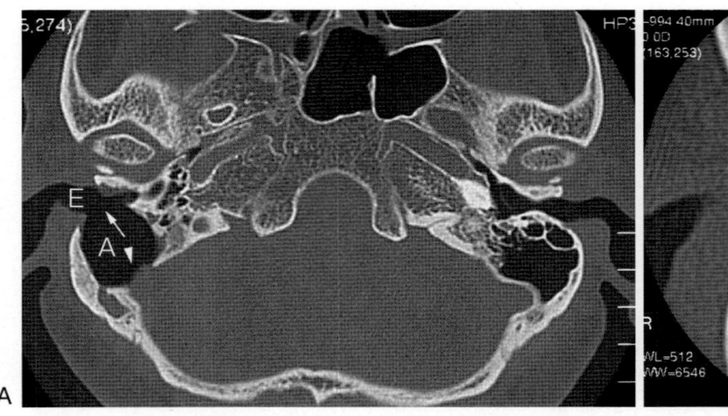

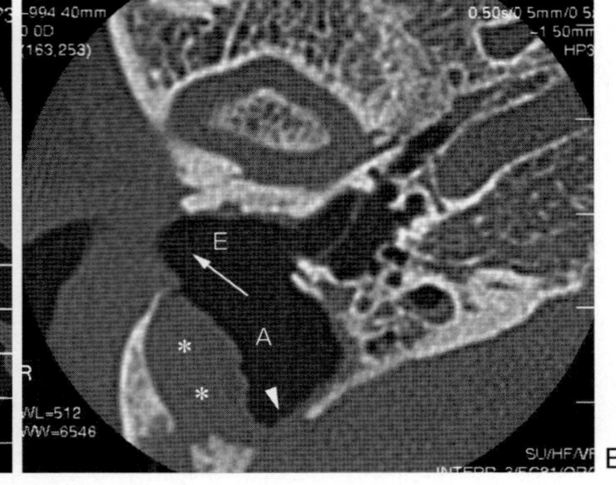

図 251　“automastoidectomy” をきたした真珠腫 2 例

側頭骨レベル横断 CT（A）において，右乳突部に空洞所見（A）を認める．外耳道骨部（E）との間の骨壁は欠損しており，debris が同部を介して外耳道に自然排出（矢印）した後の（乳突洞領域に進展した）真珠腫を示す．後方では S 状静脈洞溝での骨壁欠損（矢頭）を認める．

別症例の右側頭骨 CT（B）で，乳突部に空洞性病変（A）を認め，前方で外耳道骨部（E）との間に交通あり．automastoidectomy により debris が外耳道に自然排出（矢印）後の真珠腫所見に一致する．外側では壁に沿った偏在性軟部濃度（＊）の残存を認め，部分的に残存する debris を示唆する．後方で S 状静脈洞溝での骨壁欠損（矢頭）を伴う．

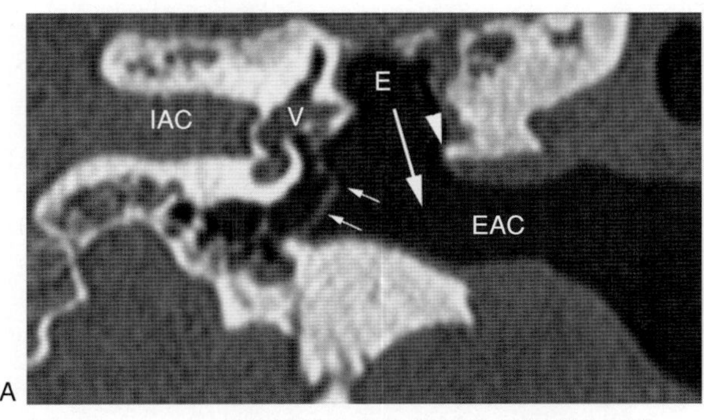

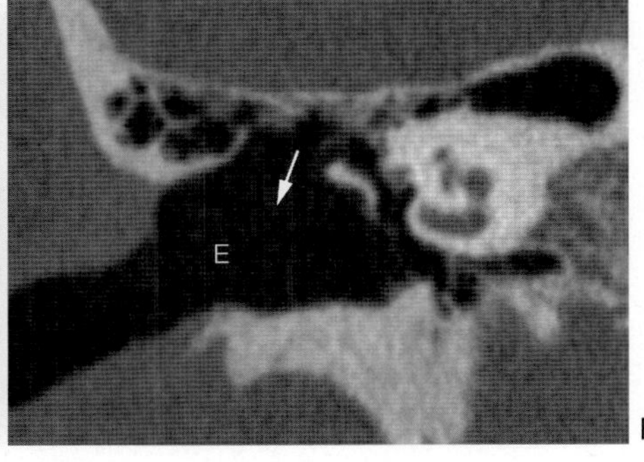

図 252　debris が外耳道に自然排出後の真珠腫 2 例

左側頭骨冠状断 CT（A）において鼓室蓋（矢頭）の断裂がみられ，鼓膜（小矢印）上部は陥凹している．上鼓室（E）には壁に沿って軟部濃度がみられ，弛緩部型真珠腫を示す．ただし，真珠腫内容の大部分は開放された外耳道側に自然排出（大矢印）したと思われる．別症例の右側頭骨冠状断 CT（B）で，上鼓室の外側への拡大，scutum 断裂を認める．骨変化は弛緩部型真珠腫であることを示唆するが，Prussak 腔を含めて明らかな軟部濃度病変は認められず，debris は外耳道側へ排出（矢印）されたものと思われる．E：拡大した外耳道骨部

た．乳突洞削開術後変化の有無，外耳道骨壁の温存・再建の有無，乳突腔充填の有無，アブミ骨上部構造残存の有無など耳小骨の状態，columella の有無や位置などから術式の特定が可能である．なお，術後の臨床情報にもかかわらず，正常な解剖構造を保っている場合は経外耳道アプローチでの I 型鼓室形成術後と判断される．

真珠腫再発・残存病変は，術後 CT で軟部濃度病変として認められる．逆に鼓室，乳突腔に軟部濃度を認めない場合，高い確率での否定が可能である（陰性的中率はほぼ 100％）[407, 408]．外耳道壁を温存した手術（canal wall-up mastoidectomy）の後では，耳鏡での再発・残存病変の評価は困難であり [409]，画像での評価が有用であるが，側頭骨 CT では感度 43％，特異度 42～51％と十分な信頼度とはいえない [398, 410]．canal wall-up mas-

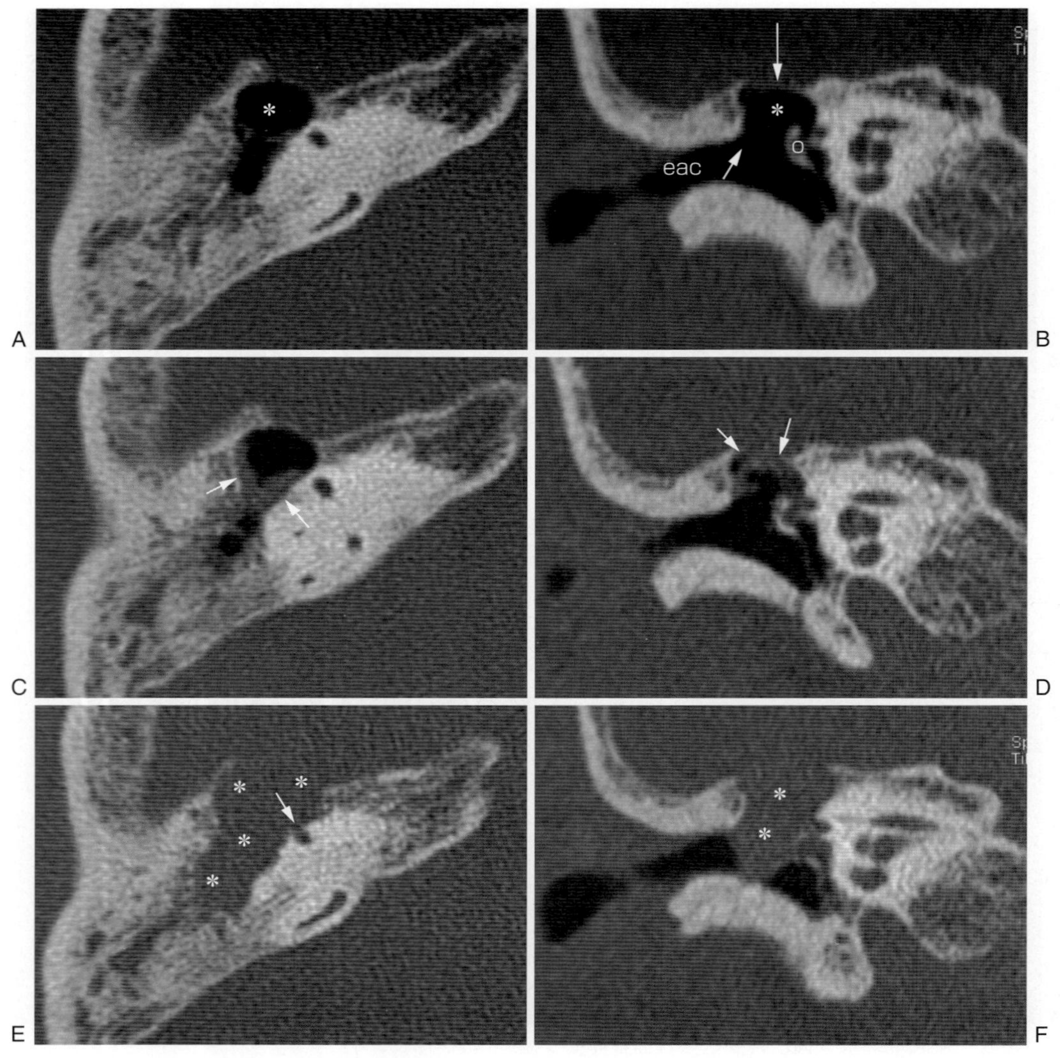

図 253　autoatticotomy 後の真珠腫進展

右側頭骨 CT 横断像(A)および冠状断像(B)において，上鼓室(＊)の含気は保たれるが，scutum 鈍化(小矢印)，耳小骨(o)の内側偏位がみられ，弛緩部型真珠腫の autoatticotomy 後と思われる．鼓室天蓋の骨欠損(大矢印)もみられる．2 年後 CT(C：横断像, D：冠状断像)で上鼓室には壁に沿った軟部濃度(矢印)を認める．11 カ月後 CT(E：横断像，F：冠状断像)では上鼓室は軟部濃度病変(＊)で占拠され，辺縁は膨隆性を示す．上半規管との間の骨は侵食による欠損(矢印)を示す．経過から，一度 debris(内容)のほぼ完全な外耳道排出(autoatticotomy)をきたした弛緩部型真珠腫が，matrix(母膜)残存に伴う角化堆積物により腫瘤を再形成し，さらに膨隆性に周囲の骨侵食を生じたことを示している．

toidectomy 後の最大 30％で残存病変を認めるとされる[411]．なお CT では，経時的評価なしには真珠腫と非真珠腫性軟部濃度(瘢痕，肉芽組織，液体貯留，炎症性粘膜肥厚など)の区別は困難な例も少なくないが，(特に経時的増大を示す)結節様・腫瘤様の軟部濃度(図 261～265)，進行性の骨侵食性変化(図 261，266～270)や耳小骨偏位などが再発・残存病変を示唆する[412]．なお，鼓膜の再陥凹により生じる再発病変と鼓膜とは関連なく認められる残存病変の画像における区別は，臨床的に重要であり，鼓膜と離れて，術前真珠腫病変が及んでいた領域の病変は残存病変と判断されるが，鼓膜に近接した病変では画像所見のみでの両者(再発か残存か)区別は困難である(耳鏡所

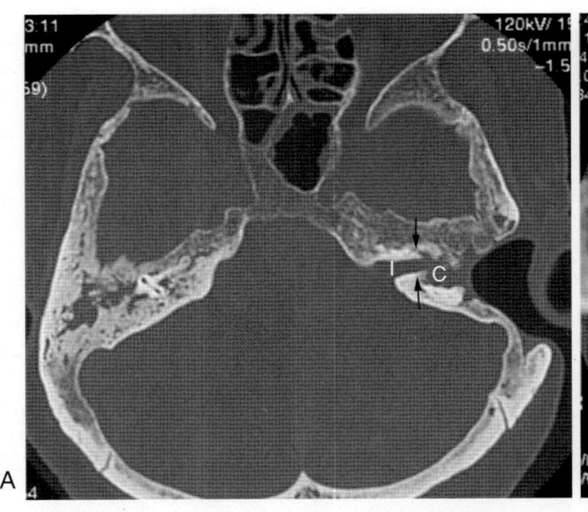

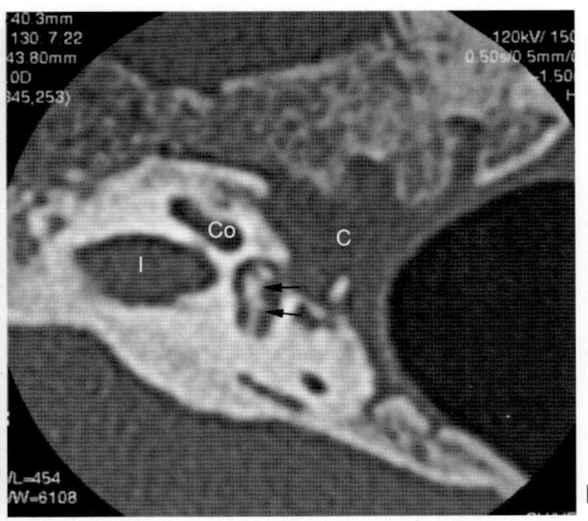

図 254　“gusher ear”を呈した術後再発性真珠腫

A：内耳道レベル，頭部 CT 骨条件表示．左側頭骨に術後性変化あり．鼓室領域を中心として真珠腫の再発性病変(C)を認め，その深部では内耳道(I)底との連続あり(矢印)．臨床的に“gusher ear”リスクを示唆する．

B：わずかに尾側レベル，左側頭骨横断 CT．前庭内に不規則な骨濃度(矢印)を認め，髄膜炎に続発した骨化性迷路炎(後述)を示す．C：真珠腫の再発，Co：蝸牛，I：内耳道

見などと合わせた総合的判断が必要となる)．なお，残存病変の 90％が術前病変の位置に認められ[413]，CT 診断の感度，特異度は 80％強とされる[415]．

CT で再発・残存病変が疑われ，(さらなる経過観察での経時的評価を待つのではなく)早期の判断が望ましい場合，MRI の拡散強調像(non-EPI DWI)の適応が考慮される．T1 強調像では低信号強度，T2 強調像では高信号強度を呈するが，組織充填術後などの術後部は T1・T2 強調像で不均一で多彩な信号強度を呈し，病変の指摘が困難な場合も多い(図 260)．一般に 5 mm 以下の病変の指摘は困難とされる[416]．術前 MRI と同様に真珠腫では non-EPI DWI で高信号強度病変の有無を評価する．最小で 2〜3 mm の小病変(図 260，271)が同定可能とされ[417]，(通常，術後 9〜12 ヵ月で施行される) second look surgery の一部を置き換え，不必要な second look surgery の回避が可能と考えられる[418, 419]．Khemani らは MRI 所見と手術所見の対比で真珠腫残存病変の局在は感度 75〜88％，特異度 94〜100％で良好な一致をみたとしている[420]．また，彼らは大きさの計測では統計学的有意差はなかったが DWI で病変はやや小さく描出される傾向にあると報告している．ただし，non-EPI DWI では 2 mm 未満の病変，自然排出後病変などは偽陰性となることから[416]，陰性所見であったとしても 6〜12 ヵ月後の再評価が望まれる[408]．

4 内耳疾患

a. 迷路炎(内耳炎)(labyrinthitis)

迷路の炎症は感染経路により中耳炎性，髄膜炎性，血行性，病変の分布により限局性，びまん性，内耳周囲，病因により中毒性(薬剤性)，流行性(上気道感染に続発)，ウイルス性，漿液性，化膿性，外傷性(図 272)などに分けられる．平衡障害(眩暈)，感音難聴を訴える．

1) 中毒性，流行性迷路炎

通常，難聴や前庭機能低下を伴わない眩暈を生じるが，自然治癒する．通常は画像診断では異常所見はなく，画像検査の適応もない[421]．

2) ウイルス性迷路炎

ウイルス感染による難聴は，先天性(胎児期感染)あるいは後天性，片側あるいは両側，軽度から重度，完全な聾まで様々であり，先天性ではサイトメガロウイルス感染が 40％以上を占める[422]．一方，後天性では流行性耳下腺炎，麻疹が原因として最も多く，血管条を介した内リンパへの感染波及による．流行性耳下腺炎(mumps)は paramyxovirus に属する 1 本鎖 RNA ウイル

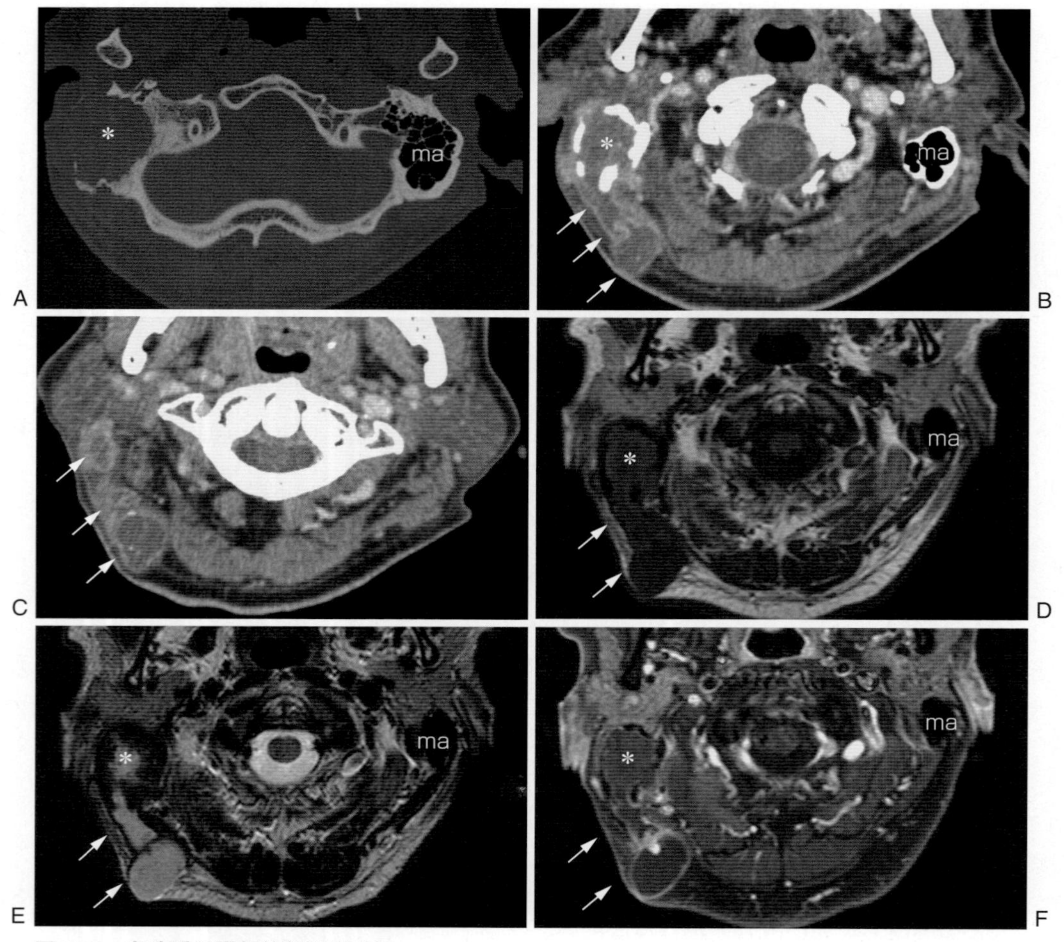

図255　真珠腫の頸部軟部組織進展

側頭骨CT骨条件(A)において右乳突蜂巣(対側でmaで示す)を中心とする膨隆性骨侵食性病変(＊)を認め，真珠腫を示唆する．周囲骨は不規則な途絶を示す．造影CT軟部濃度条件(B)で病変(＊)は後頸部皮下に向けて後方進展(矢印)を示す．ma：正常な含気を示す左乳突蜂巣．尾側レベル(C)でも右耳後部から後頸部皮下への多結節性腫瘤(矢印)としての進展あり．病変(＊)はMRIのT1強調像(D)で低信号，T2強調像(E)で高信号を示し，造影後T1強調脂肪抑制画像(F)で増強効果は認められず，真珠腫に合致する．後頸部皮下への進展(矢印)も明瞭に描出されている．ma：正常な含気と骨により無信号を示す左乳様突起．

スであるmumps virusにより主に小児から若年成人に生じる急性感染で，インフルエンザ様症状とともに両側耳下腺腫脹を呈するのが典型である．しかし，約30％から最大で約半数は耳下腺腫脹を示さず，7～30％は無症状とされる[423, 424]．ときに合併症として感音難聴の他，膵炎，精巣炎，卵巣炎，無菌性髄膜炎，脳炎などを生じるが[425]，後天性感音難聴の発症は流行性耳下腺炎患者全体の0.005～0.3％とされ[426]，多くは片側性でしばしば重度(聾)かつ非可逆性である[423]．既述の症状(インフルエンザ様症状，耳下腺腫脹)発現後4～5日での突然発症の傾向にあるが，症状の発現時あるいは数ヵ月後の発症もみられる．流行性耳下腺炎後感音難聴のリスクは感染の重症度，耳下腺炎の有無とは関連せず，無症候例での発症もありうる[206]．本邦の感音難聴例の多くはワクチン非接種例とされる[425]．性差はなく，30～60歳と成人に多く，小児ではまれである．春から初夏に多い．眩暈は通常，数日から数週で改善するが，体位性眩暈は数ヵ月間継続する．感音難聴を示す例の約半数(45～60％)が眩暈を訴える[423]．感音難聴の回復の程度は眩暈の回復とほ

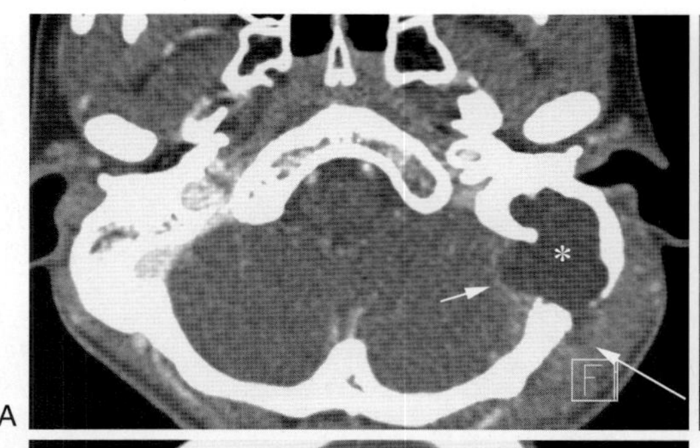

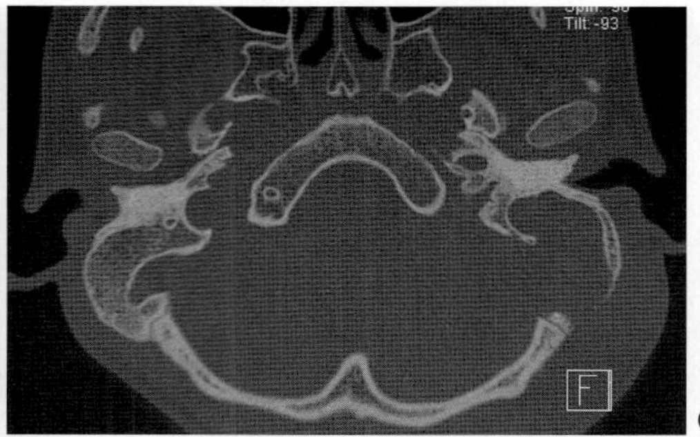

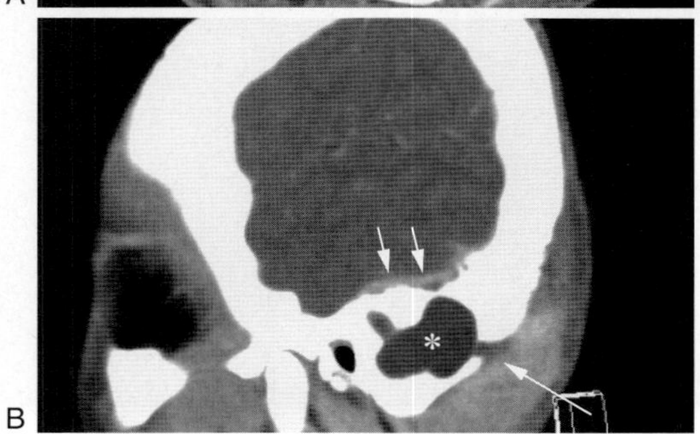

図 256　真珠腫の頭蓋内および頸部軟部組織進展

側頭骨レベル造影 CT（A）において左乳突部を中心に低吸収腫瘤（＊）を認め，深部では後頭蓋窩（小矢印），外側では耳後部皮下（大矢印）への膨隆を示す．同矢状断像（B）で低吸収病変（＊）は後下方で骨欠損を介して後頸部皮下に進展（大矢印）する．中頭蓋窩底部には硬膜下膿瘍（小矢印）の形成がみられる．側頭骨 CT 骨条件表示（C）のみでは，真珠腫を示唆する左乳突部の膨隆性，骨侵食性病変は明瞭であるが，頭蓋内，後頸部皮下への進展の様子は確認されない．

ぼ相関する．

CT では所見は出ない．造影後 MRI では迷路の増強効果（図 273～275）として認められるが，感度は比較的低い．同所見の出現は難聴の程度，難聴発現から撮像までの期間と関連[224]するとされ，眩暈のみを訴える例での迷路増強効果はまれである[427]．また，MRI 所見のみでは後述の化膿性迷路炎や自己免疫性迷路炎などとの区別が困難な場合も多い．

特異的治療法はなく多くが支持療法となり，しばしばステロイドが投与されるが予後は不良であり，中等度から重度感音難聴であれば補聴器，両側重度（聾）例では人工内耳の適応について考慮する．

3）化膿性迷路炎

膜迷路の化膿性炎症であり，内耳機能の恒久的喪失を伴う，より重篤な病態である．化膿性迷路炎自体はあらゆる年齢で認められ，後天性難聴の原因の 3 分の 1 を占める．抗菌薬が使用される現在ではまれである．難聴の他，耳鳴，眩暈などを生じる．細菌性髄膜炎（meningogenic）あるいは鼓室の炎症性病態（otogenic）に続発する 2 病型に大きく分けられる．血行性感染もみられるが，頻度は低い．細菌性髄膜炎による化膿性迷路炎は小児に多く，小児では，髄膜炎に起因する聴覚障害の頻度は 10～20％程度で，小児の後天性聾の原因として最も多いとされる[428～430]．髄膜炎の発症後，早くて 48 時間で感音難聴を生じる[431]．蝸牛水管，あるいは内耳道底を通過する神経・血管に沿って蝸牛軸を介して内耳に炎症波及する場合が多く[432]，前庭水管を介する経路はまれである．しばしば両側性（図 276）を示す．感音難聴の危険因子としては肺炎レンサ球菌感染，痙攣，脳脊髄液所見（タンパク上昇，グルコース減少），入院期間の遷延などがあげられる[433]．小児の肺炎球菌性髄膜炎においてはステロイド投与が骨化性迷路炎（後述）の予防に有効との報告がある[434]．

鼓室の代表的炎症性病態は慢性中耳炎や真珠腫であり，卵円窓（アブミ骨底周囲の輪状靱帯），正円窓あるいは半規管骨壁の骨侵食性欠損を介して炎症が内耳に波及するが（図 277，278），正円窓が最も多いと考えられる[435]．まず蝸牛基底回転を侵すことから高周波領域での感音難聴を呈する[436]．通常は片側性である．

迷路炎は進行により，急性炎症期（acute inflammatory stage），線維化期（fibrous stage），骨化期（ossification stage）と区分（表 27：p971

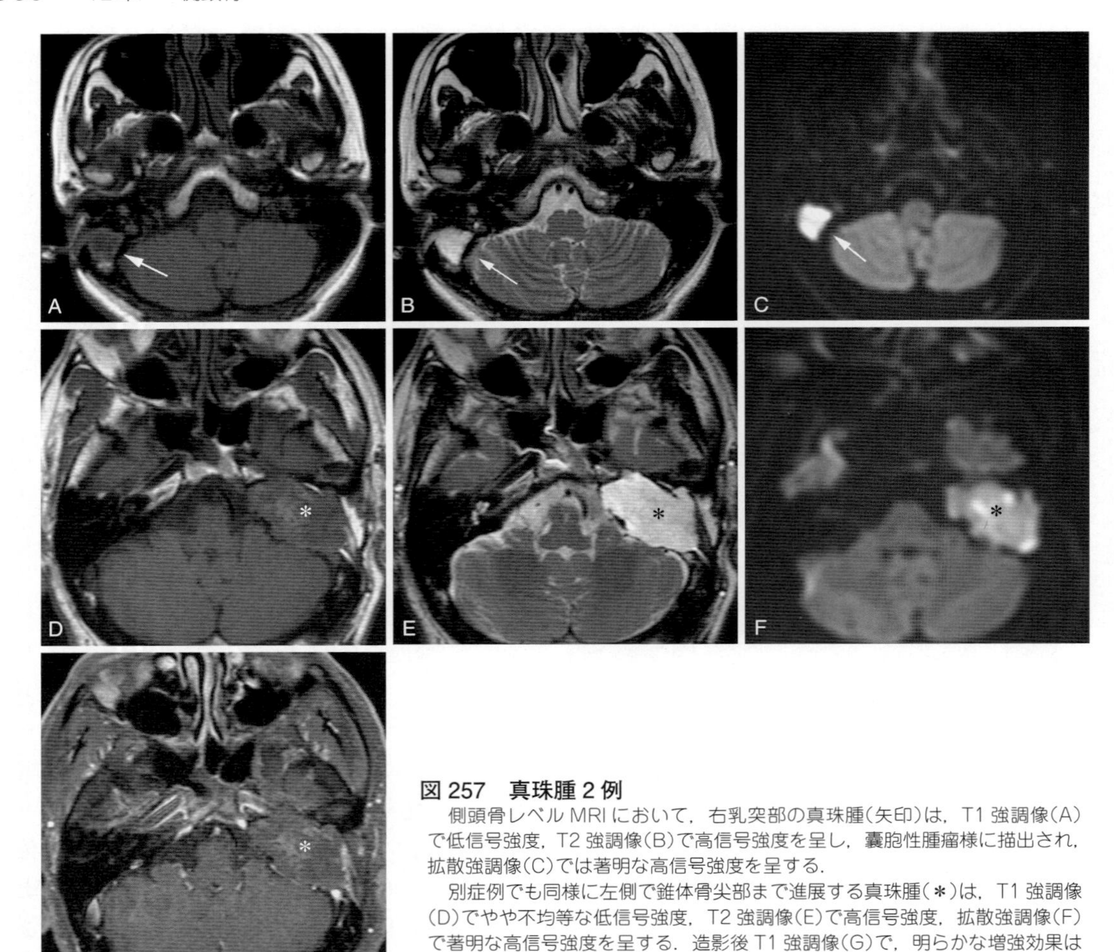

図257　真珠腫2例

側頭骨レベルMRIにおいて，右乳突部の真珠腫(矢印)は，T1強調像(A)で低信号強度，T2強調像(B)で高信号強度を呈し，嚢胞性腫瘤様に描出され，拡散強調像(C)では著明な高信号強度を呈する．

別症例でも同様に左側で錐体骨尖部まで進展する真珠腫(＊)は，T1強調像(D)でやや不均等な低信号強度，T2強調像(E)で高信号強度，拡散強調像(F)で著明な高信号強度を呈する．造影後T1強調像(G)で，明らかな増強効果は示さない．

ページ)[437]され，骨化期は後述の骨化性迷路炎に相当する．まず，外リンパ(鼓室階)に多形核白血球を認める．基底膜の破綻および・あるいはReisnner膜を介して内リンパに進展，炎症が内耳全般に波及すると，電解質の変化，タンパク濃度上昇に伴う浸透圧不均等により内リンパ水腫とともに膜迷路の壊死を生じる[438]．その後，線維化，骨化をきたす．主に蝸牛基底回転の内・外有毛細胞の喪失，ラセン神経節細胞の減少，基底回転での血管条萎縮，内リンパ水腫をきたし，蝸牛(主に基底回転)の障害を生じる[438]．

4）骨化性迷路炎（labyrinthitis ossificans）

化膿性迷路炎(既述)の持続により細菌や細胞の増殖性変化を生じ，徐々に膜迷路は終末像として線維性・骨性組織に置換される(fibroosseous obliteration)(表27：p971)．細菌性髄膜炎を原因とするものが最も多い[439]．鼓室疾患に起因する骨化性迷路炎は乳突洞削開術を受けた患者の2％でみられる[440]．その他，血行性，さらに外傷，手術，耳硬化症，悪性腫瘍の浸潤，自己免疫性内耳疾患，鎌状赤血球症等が原因となる[440]．比較的まれであるが，人工内耳の適応例では13％を占める[441]．膜迷路内での骨形成は以下3つの段階による；類骨の形成，石灰沈着(mineralization)，骨改変(remodeling)[440]．その経過は数ヵ月から数年に及ぶが[421, 442]，早ければ2週間で生じるとされる[443]．画像診断での骨化性迷路炎の同定は，聴力回復の可能性が低いことを示し，補聴器ではなく早期での人工内耳適応の判断において重要である[444]．CTでの骨化性迷路

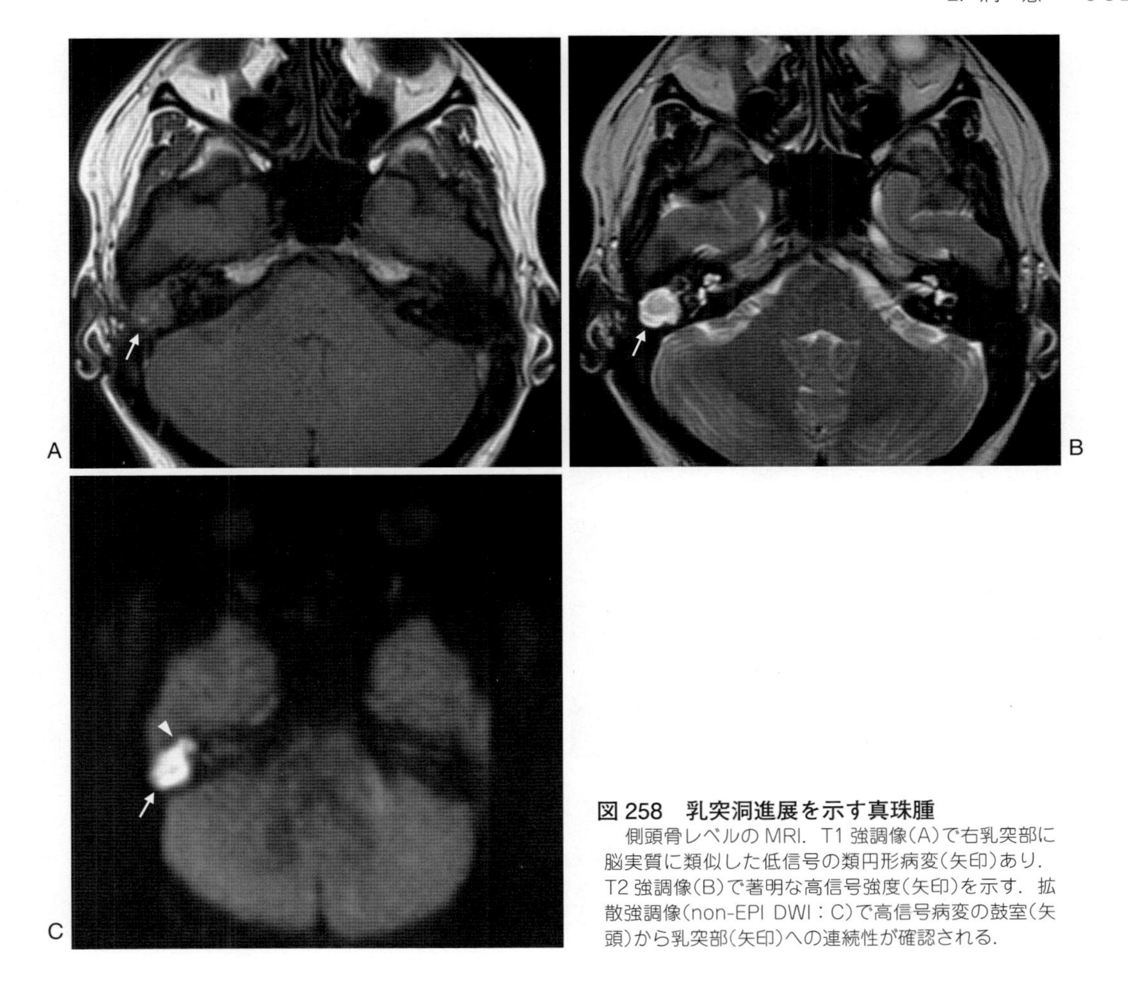

図 258 乳突洞進展を示す真珠腫

側頭骨レベルの MRI．T1 強調像（A）で右乳突部に脳実質に類似した低信号の類円形病変（矢印）あり．T2 強調像（B）で著明な高信号強度（矢印）を示す．拡散強調像（non-EPI DWI：C）で高信号病変の鼓室（矢頭）から乳突部（矢印）への連続性が確認される．

炎の検出率は 100％と信頼性が高く[440]，CT が標準的選択となるが，MRI 所見と合わせた総合的判断が必要となる（表 27）．線維性置換（fibrous obliteration）のみの場合，CT での異常指摘は困難であるが，MRI では高分解能 T2 強調像において内耳リンパ腔を満たすリンパ液に相当する迷路内の高信号強度の消失（図 279）を示す[445]．逆に MRI では，線維性置換（図 279）か，骨性置換（図 280）かの区別は困難（図 281）である．MRI の高分解能 T2 強調像における線維性・骨性置換の検出感度は 94％と高い[444]．骨性置換（osseous obliteration）は“骨化性迷路炎”と呼ばれ，CT において内耳腔の正常軟部濃度の一部あるいは大部分の骨濃度による置換として確認され，病変の進展範囲の評価に非常に有用である（図 254，280～283）[446]．病因にかかわらず，蝸牛基底回転の鼓室階と（乳突腔近傍の）外側半規管が最も高頻度に侵され[440, 447]，前庭は最も頻度は低いが[448]，限局性病変を示す場合もある[449]．ときに内耳奇形との鑑別が問題（図 284）となるが，内耳奇形では蝸牛軸の低形成を伴う場合が多い一方で，正常の蝸牛軸が確認されれば骨化性内耳炎がより考慮される．また，骨化性迷路炎では蝸牛は一度は正常の発達を示しているため，CT で蝸牛の形状が不完全であったとしても，岬角（蝸牛基底回転により鼓室内側壁に形成される隆起）が正常に認められる（図 285）のに対して，蝸牛形成不全では岬角による鼓室内側壁の膨隆が乏しい傾向にある．人工内耳の適応決定において，骨化性迷路炎の有無は術前の画像診断で評価すべき重要な因子である．骨化性迷路炎は蝸牛のラセン神経節細胞の機能喪失をある程度反映するが[450]，確定的な予後

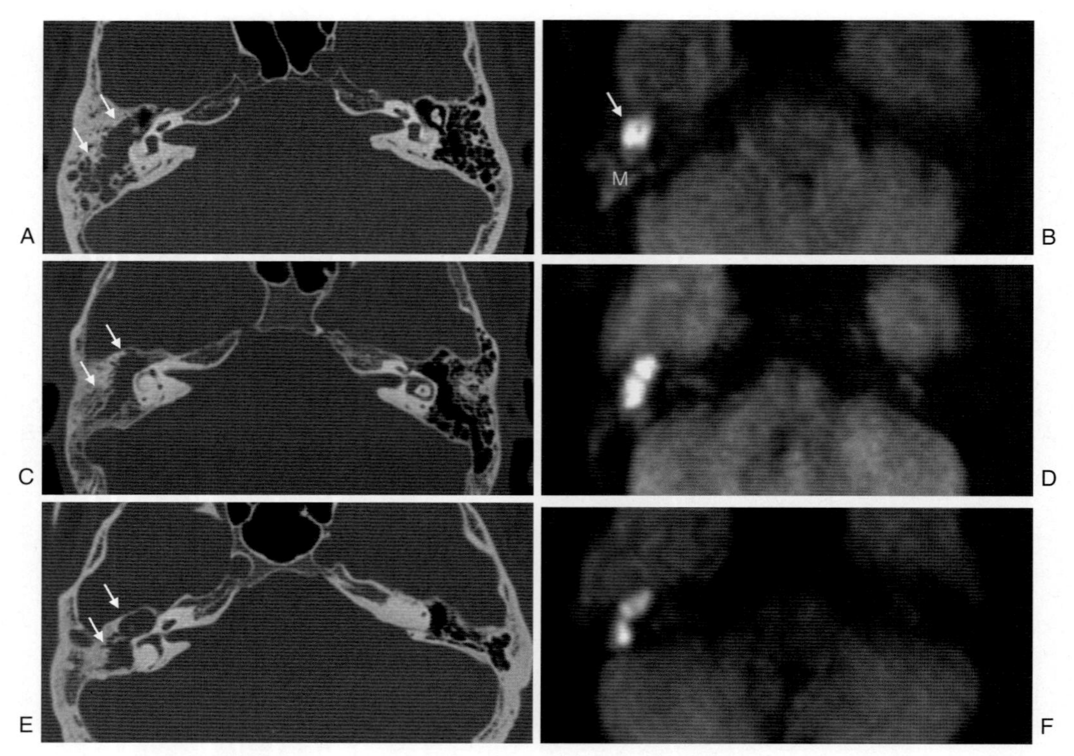

図259　真珠腫拡散強調像(non-EPI DWI) 3例

3例の真珠腫側頭骨CT(A, C, E)および各々の同レベルMRI拡散強調像(non-EPI DWI)(B, D, F). CT(A, C, E)ではいずれも右側で鼓室および乳突洞に軟部濃度(矢印)を認める. non-EPI DWI(B, D, F)により, 1例目(B)は, 鼓室(矢印)は(脳実質よりも)著明な高信号を示し, 真珠腫に相当するが, 乳突洞(M)は(脳実質とほぼ同等の)淡い高信号であり, 非特異的炎症所見のみ(真珠腫の乳突洞進展なし)であることを示す. これに対して, 2, 3例目(D, F)ではいずれも鼓室から乳突洞にかけて2分葉状の著明な高信号域を認め, CT(C, E)での乳突洞軟部濃度は真珠腫自体の乳突洞進展であることが確認される.

表26　真珠腫(術後)における画像評価項目

再発・残存病変の診断	・増大傾向のある軟部濃度 ・進行性骨侵食性変化 ・拡散強調像(non-EPI DWI)での高信号：最小3 mmまで同定可能
術式の特定	・経外耳道アプローチ ・乳突洞削開術(外耳道壁温存の有無) ・鼓室形成術の型(例：Ⅲc型, Ⅳc型)
伝音系の確認	・アブミ骨上部構造の状態 ・columellaの脱臼・偏位, 鼓膜浅在化によるcolumellaと鼓膜の離開など

推定因子とはいえず[451], 画像上における骨化性迷路炎は必ずしも人工内耳の禁忌とならない. ただし, 画像所見と手術所見は良好な一致を示し, MRIでは高い感度, 特異度を示す[452]. 既述のとおり, 画像での早期診断による(蝸牛内腔の置換・閉鎖よりも)人工内耳適応の早期判断が臨床的に重要である. 高分解能T2強調像での蝸牛内正常高信号温存の有無が蝸牛閉塞の予測因子として重要であり[235], Dubrulleらの38例の迷路病変(13例の迷路炎症例を含む)の検討で, 高信号

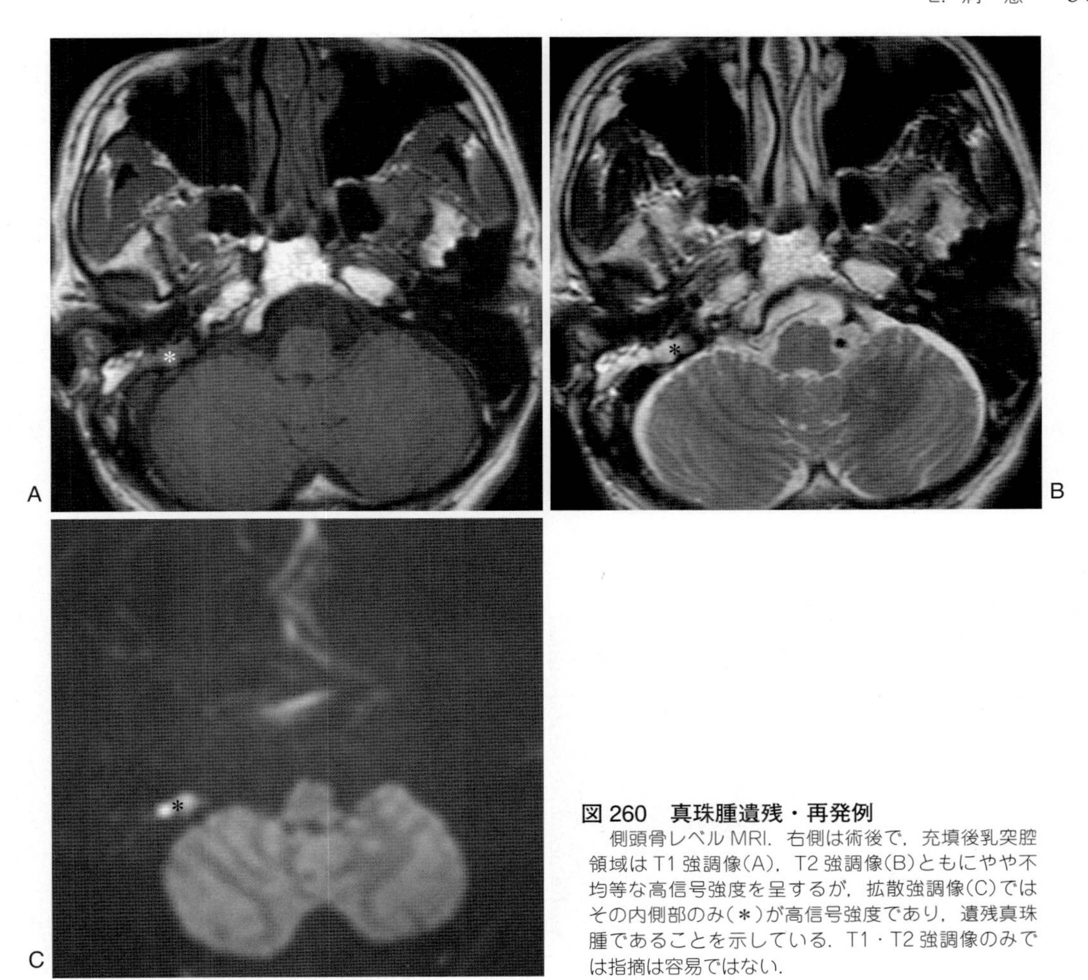

図 260　真珠腫遺残・再発例

側頭骨レベル MRI．右側は術後で，充填後乳突腔領域は T1 強調像(A)，T2 強調像(B)ともにやや不均等な高信号強度を呈するが，拡散強調像(C)ではその内側部のみ(＊)が高信号強度であり，遺残真珠腫であることを示している．T1・T2 強調像のみでは指摘は容易ではない．

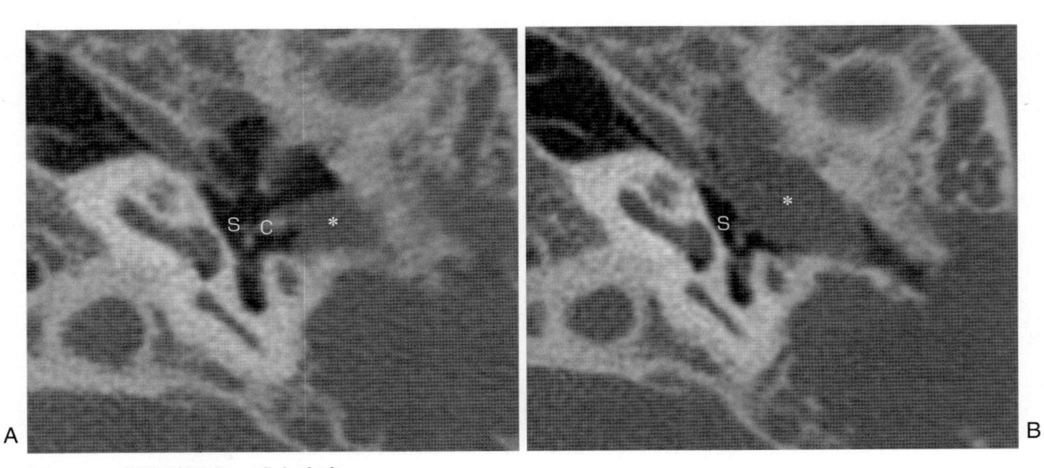

図 261　真珠腫再発・残存病変

左側頭骨横断 CT(A)．Ⅲc 型鼓室形成術後(C：columella，S：アブミ骨上部構造)．鼓室内に限局性軟部濃度(＊)を認める．4 ヵ月後 CT(B)で，軟部濃度腫瘤(＊)は増大を示すとともに，columella の大部分は侵食性変化により消失している．S：アブミ骨上部構造

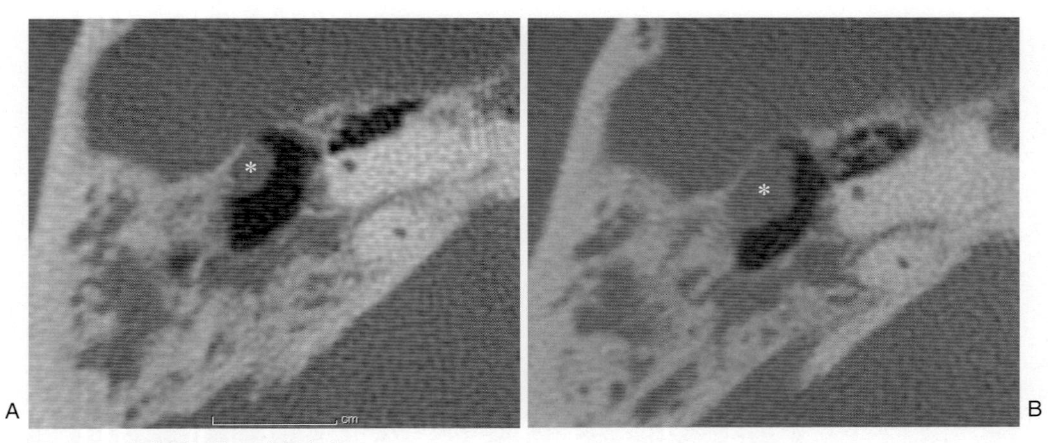

図 262　真珠腫再発・残存病変
真珠腫術後の右側頭骨横断 CT（A）で上鼓室内に限局性軟部濃度（＊）を認め，6 ヵ月後（B）に病変（＊）は増大傾向を示し，再発を支持する．

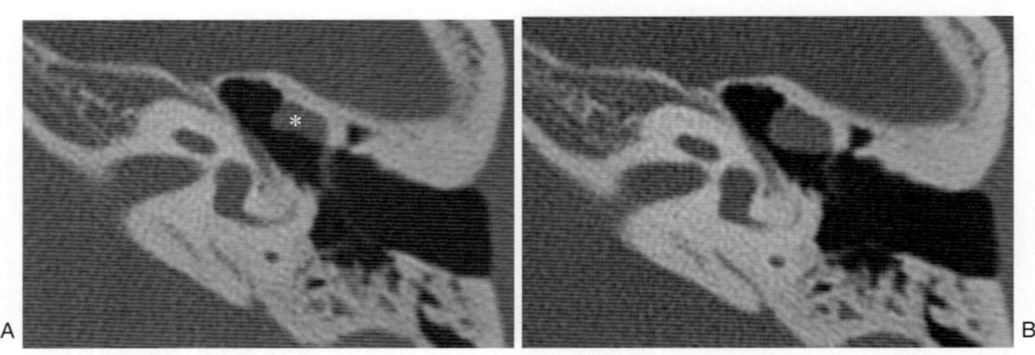

図 263　真珠腫再発・残存病変
術後の左側頭骨 CT 横断像（A）で，上鼓室外側に偏在性軟部濃度（＊）を認め，8 ヵ月後の CT（B）で増大を示す．

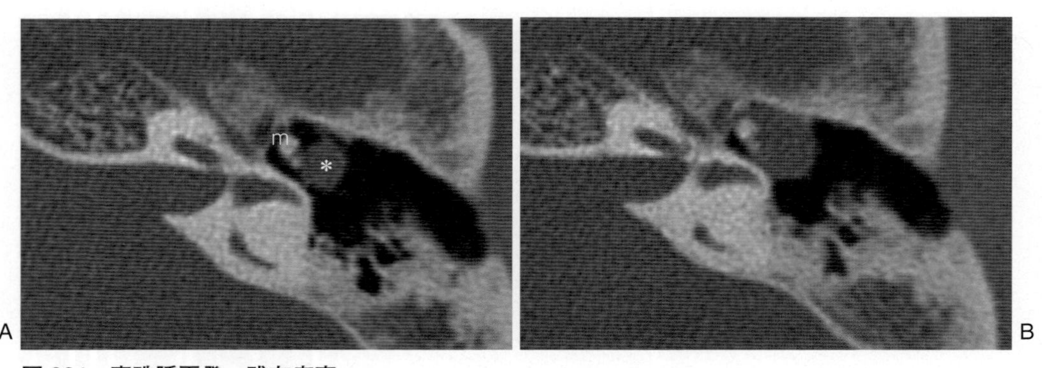

図 264　真珠腫再発・残存病変
術後の左側頭骨 CT 横断像（A）において，上鼓室でツチ骨頭部（m）外側に隣接して軟部濃度（＊）あり．10 ヵ月後の CT（B）で増大を示す．

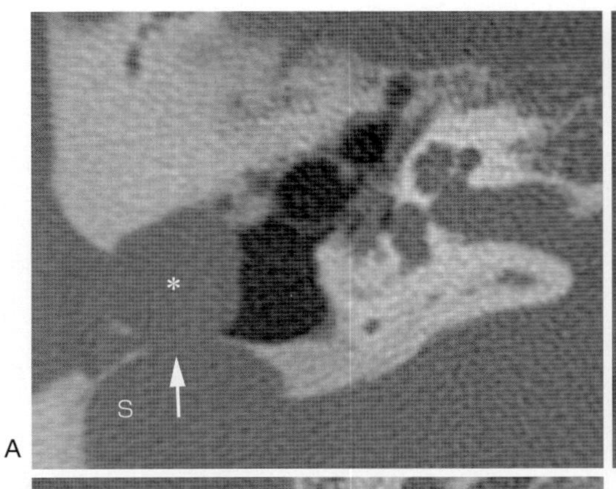

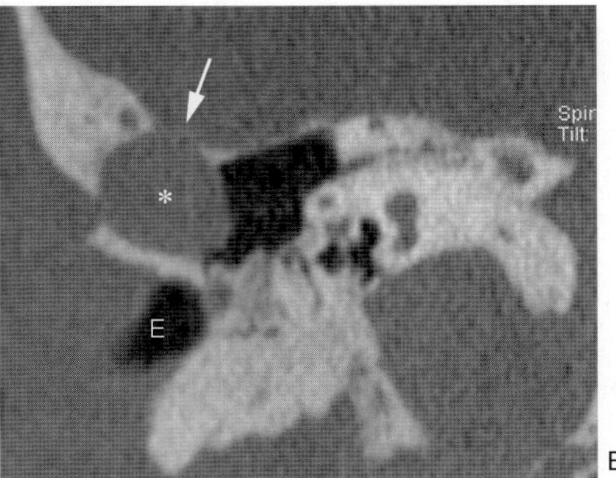

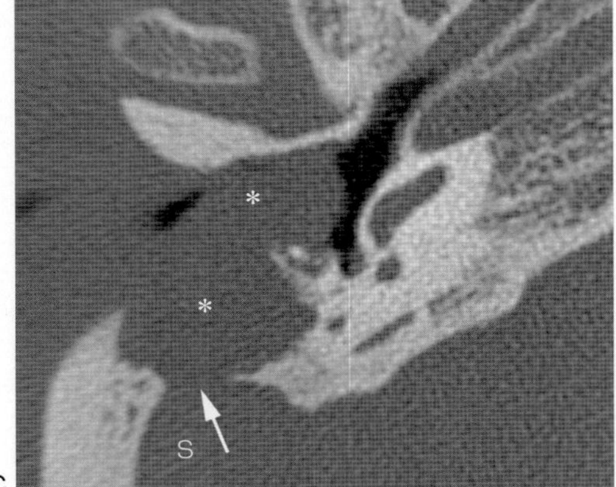

図 265　真珠腫再発・残存病変
乳突洞削開術後の右側頭骨横断 CT（A）および冠状断 CT（B）で乳突腔に軟部濃度腫瘤（＊）を認め，後方に隣接する S 状静脈洞溝（S）との間の骨壁（図 A の矢印），頭側の天蓋（図 B の矢印）の骨壁欠損を伴う．
E：外耳道
別症例の術後右側頭骨横断 CT（C）で，乳突腔から外耳道領域にかけて軟部濃度腫瘤（＊）を認め，S 状静脈洞溝（S）との間の骨壁欠損（矢印）を伴う．

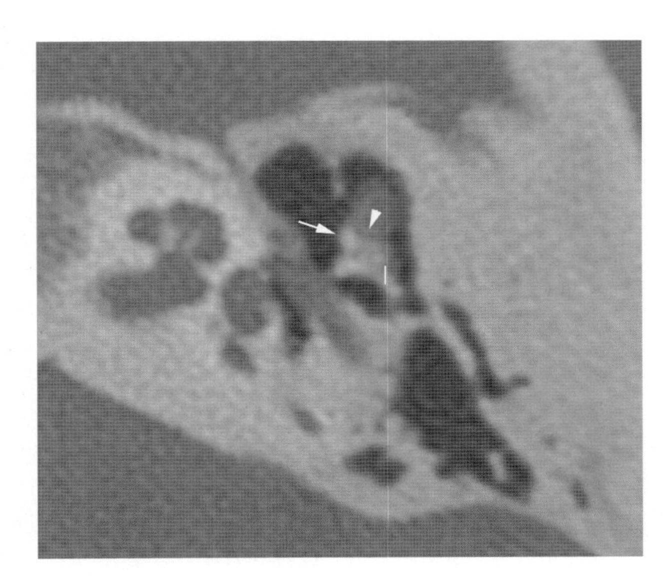

図 266　真珠腫再発病変
術後（I 型鼓室形成術後）の左側頭骨横断 CT．上鼓室内，外側前方（anterior malleolar space）に限局性軟部濃度を認め，内側で隣接するツチ骨頭部（矢印）への侵食性変化（矢頭）を示す．I：キヌタ骨体部・短脚

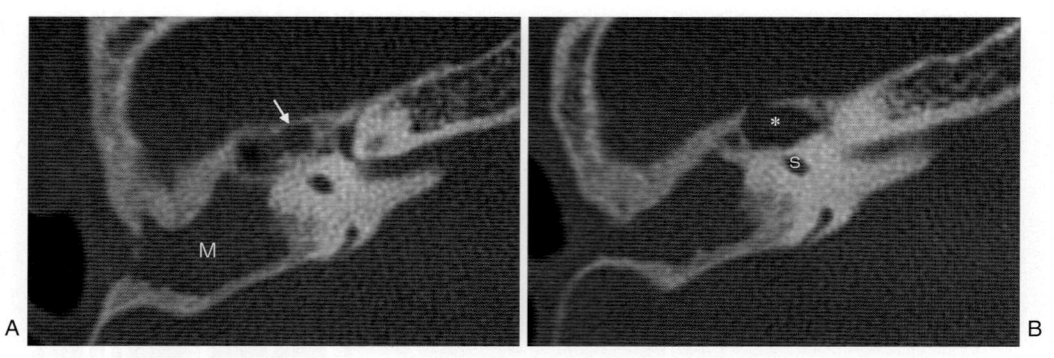

図 267　真珠腫再発・残存病変
術後の右側頭骨 CT 横断像(A)で，上鼓室の anterior epitympanic recess 内側前方に軟部濃度(矢印)を認める．乳突腔(M)も軟部濃度を容れる．1 年後(B)で乳突腔に変化はみられないが，anterior epitympanic recess の病変(＊)は周囲骨侵食性変化とともに増大，上半規管前脚(s)前方から錐体尖部への進展を示す．

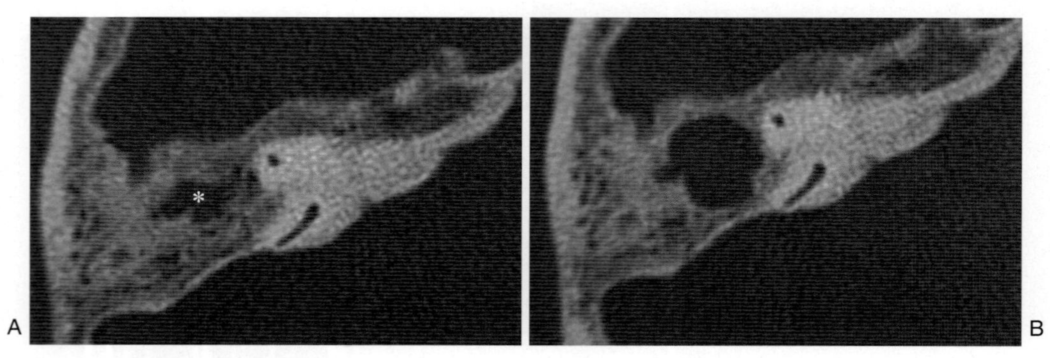

図 268　真珠腫再発・残存病変
術後の右側頭骨 CT 横断像(A)で，上鼓室に軟部濃度(＊)を認める．1 年 4 ヵ月後の CT (B)で同部を中心に周囲骨侵食を伴う軟部濃度病変を認める．

が完全に保たれているか，ごく軽微な信号低下のみの場合，ほぼ完全な聴力回復が期待され，中等度の信号低下を示す場合，50％で著明な聴力障害，高度の信号低下を示す場合，100％で重篤な聴力障害を示したとしている[242]．

b. 迷路出血・内耳出血

迷路炎と同様，突発性あるいは急速進行性の難聴と眩暈を生じる，比較的まれな迷路疾患のひとつである．難聴の大部分は片側性，非可逆性である[453]．(髄膜炎に由来する迷路炎とは異なり)両側性はまれである[454]．凝固障害，特発性の他，外傷，血液疾患(白血病，鎌状赤血球症，多発性骨髄腫など)，迷路炎，頭蓋内出血(くも膜下出血，脳出血，硬膜下出血)，GPA，SLE，転移，スキューバダイビングなどが要因となりうる[453, 455, 456]．蝸牛基底回転の鼓室階に多く(87％)，蝸牛水管が鼓室階に開口すること，鼓室階が蝸牛軸と近接していること，重力効果などが原因と考えられる[456]．トロンビンなどの血液崩壊産物と血行障害により蝸牛の障害をきたす．基底回転を中心に外有毛細胞の減少，内リンパ水腫を生じるが，内有毛細胞やラセン神経節細胞，線維芽細胞に大きな影響は示さない[456]．

診断においてMRIが重要であり[453, 457]，急性・亜急性期ではメトヘモグロビンのT1短縮効果により，T1 強調像で迷路内の高信号を示す(図 286)．T1 強調像を造影後のみ撮像した場合，(増強効果による高信号として診断される)迷路炎(図 274)などとの鑑別のため，造影前の T1 強調像の撮像が重要である[452]．FLAIR でも内耳の高信号を呈すが，FLAIR での異常信号が予後推定に有

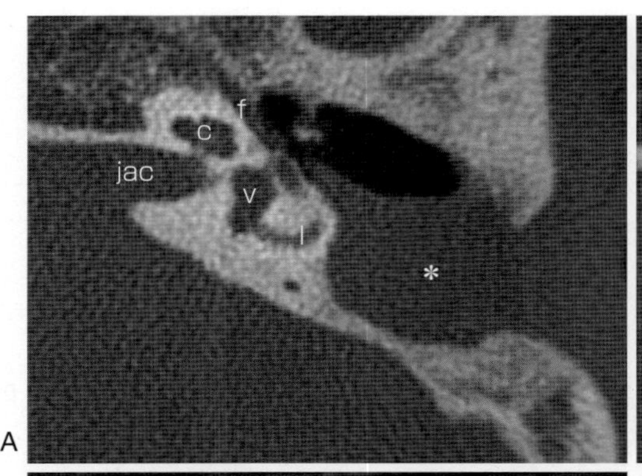

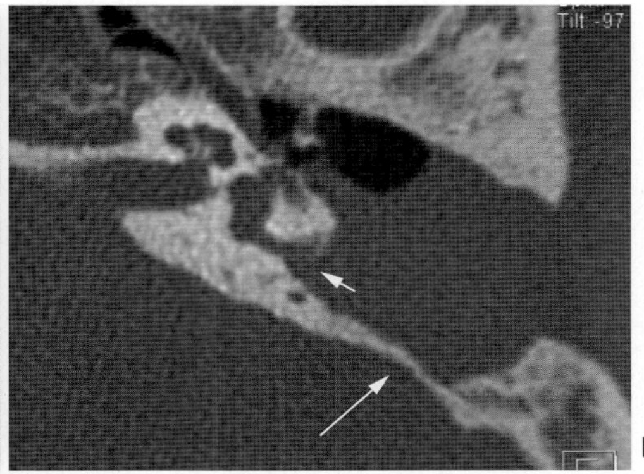

C

図 269　真珠腫再発・残存病変

術後の左側頭骨 CT 横断像(A)において乳突腔に軟部濃度(＊)を認めるが，再発・残存病変を積極的に支持するような(術後欠損と区別される)骨侵食はみられない．c：蝸牛，f：顔面神経管鼓室部，iac：内耳道，l：外側半規管，v：前庭．10 ヵ月後(B)には A では保たれていた外側半規管との間の骨壁には新たな骨侵食による欠損(瘻孔；小矢印)を認める．後頭蓋窩と乳突腔軟部濃度との間の骨(大矢印)も A との比較で菲薄化を示し，真珠腫による骨侵食を疑う．同時期の MRI 拡散強調像(C)において著明な高信号(矢印)を呈し，真珠腫再発あるいは残存病変の再増大を示唆する．

用との報告[453]もある．

既述のとおり，難聴は不可逆的である．早期のステロイド鼓室内投与が有用等の報告[458]もあるが，基本的には予後不良で聴力障害の程度により補聴器，人工内耳の適応が考慮される[456]．

c. 上半規管裂隙症候群(superior canal dehiscence syndrome)

上半規管と中頭蓋窩底部との間の骨壁欠損により内耳に関連した様々な症状を訴える疾患単位で，1998 年 Minor らが慢性平衡機能障害(76%)，音刺激あるいは圧変化により誘発される眩暈と眼振を訴える症例群として最初に報告した[459]．骨欠損の要因は明らかになっていないが，先天性と後天性の 2 つが推定されている．上半規管を覆う骨の菲薄化や欠損ではほとんど骨改変がみられないこと，耳包の骨は身体の他部位よりもターンオーバーが長く，発育は生後数年にわたるとされ，CT での骨欠損の頻度が新生児から生後 1 年で減少傾向を示すことなどからは先天性が疑われる[460]．一方，CT において加齢に伴って上半規管を覆う骨の菲薄化が進行するとの報告[461]もあり，脳と脳脊髄液の長期の拍動による骨侵食の結果として後天的に生じるとの考えもある[462]．頭蓋内圧亢進も原因として推察されていたが，上半規管裂隙症候群患者が肥満傾向にないこと[463]から現在は関連性は小さいと考えられている．

内耳は(人体で最も緻密な骨により形成される)耳包に囲まれて欠損がないことから，聴器と前庭器官は解剖学的に隣接するが独立した機能を維持している[464]．固い耳包に囲まれた内耳には卵円窓(前庭窓)と正円窓(蝸牛窓)という 2 つの窓があることから，アブミ骨から卵円窓に伝わった音の振動はもう 1 つの窓である正円窓，すなわち蝸牛に向かう．しかし，上半規管に骨壁欠損がある場合，これが 3 つめの窓(third mobile window)となり，音の振動の一部が 3 つめの窓に向かい前庭から上半規管にも伝わるため(特に低周波の)音が前庭器官を刺激して症状を引き起こす．症状は蝸牛(聴覚)のみ，前庭(平衡感覚)のみ，あるいはそ

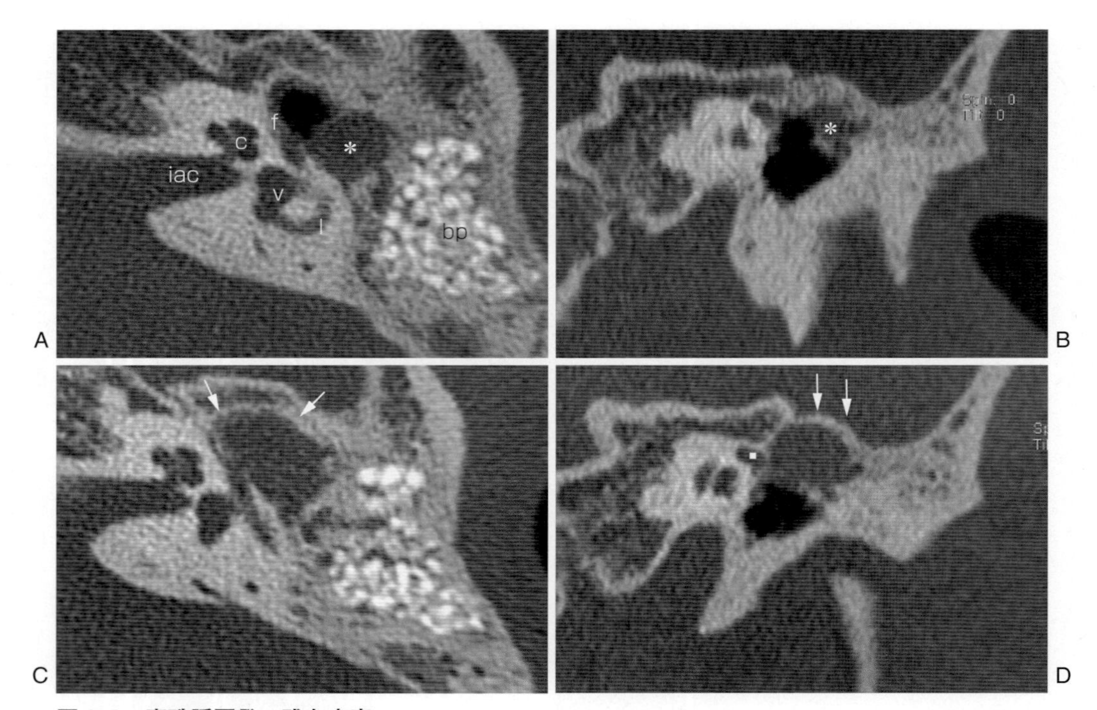

図 270　真珠腫再発・残存病変

術後の左側頭骨 CT 横断像(A)において，上鼓室後方 2 分の 1 に軟部濃度(＊)を認める．bp：乳突腔を充填する骨パテ，c：蝸牛，f：顔面神経管鼓室部，iac：内耳道，l：外側半規管，v：前庭．同冠状断像(B)でも上鼓室に偏在する軟部濃度(＊)を認める．1 年後 CT 横断像(C)では上鼓室は軟部濃度で完全に占拠され，上鼓室前方では A と比較して膨隆性に周囲骨侵食(矢印)を示す．同冠状断像(D)でも上鼓室は軟部濃度で完全に占拠されている．鼓室天蓋(矢印)は B と比較して菲薄化を示し，骨侵食を反映する．膝神経節(■)との間の骨壁は保たれている．

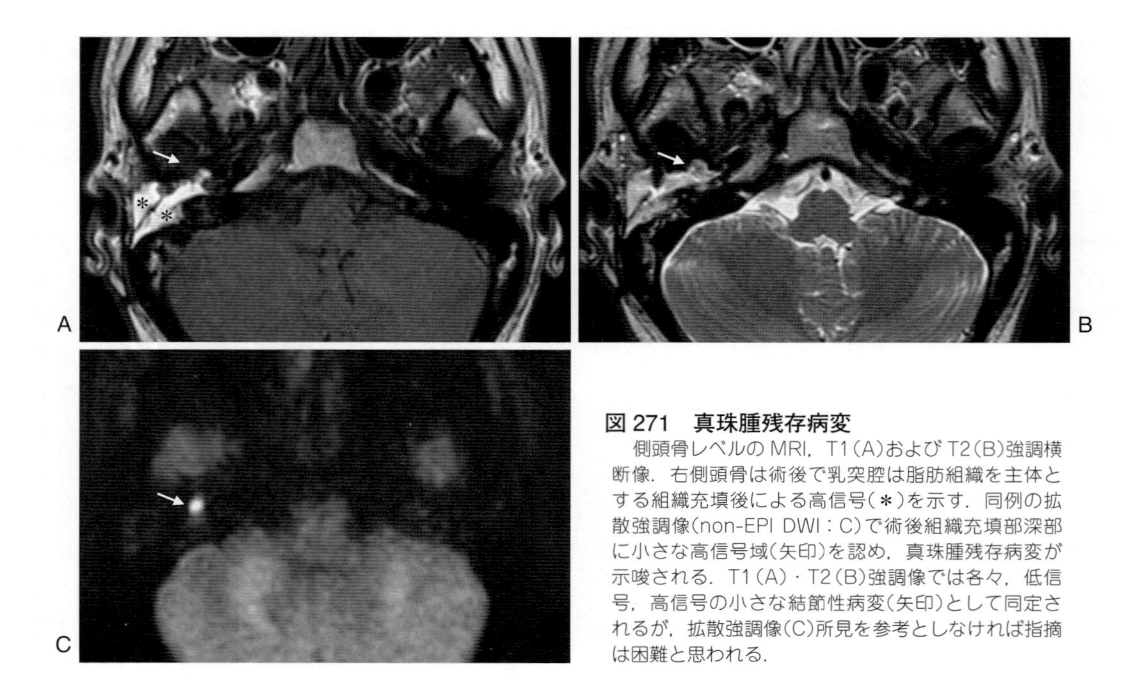

図 271　真珠腫残存病変

側頭骨レベルの MRI，T1(A)および T2(B)強調横断像．右側頭骨は術後で乳突腔は脂肪組織を主体とする組織充填後による高信号(＊)を示す．同例の拡散強調像(non-EPI DWI：C)で術後組織充填部深部に小さな高信号域(矢印)を認め，真珠腫残存病変が示唆される．T1(A)・T2(B)強調像では各々，低信号，高信号の小さな結節性病変(矢印)として同定されるが，拡散強調像(C)所見を参考としなければ指摘は困難と思われる．

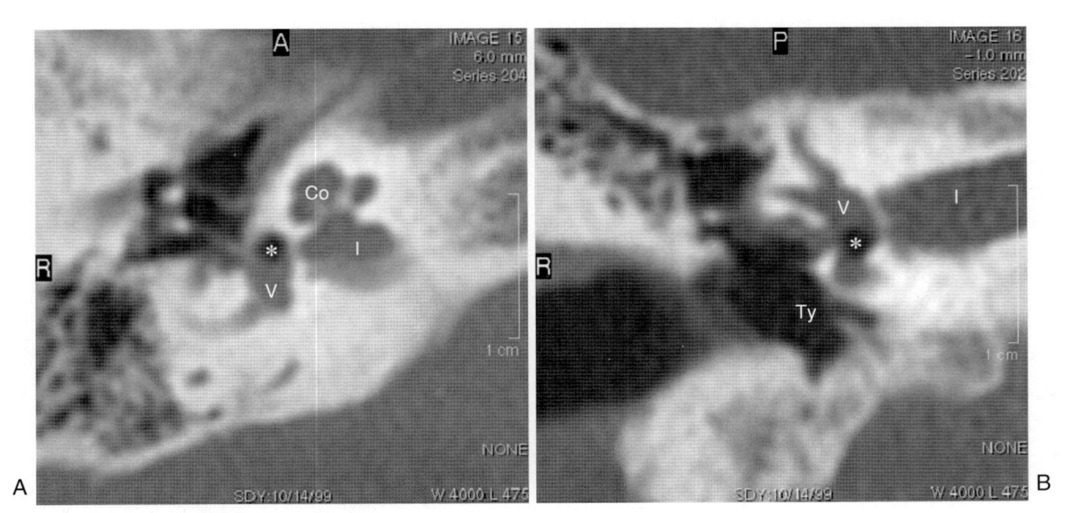

図 272　術後性迷路炎・迷路気腫

A：上鼓室レベル横断 CT.
B：冠状断 CT.
ともに前庭(V)内に空気濃度(＊)を認め，迷路気腫を示す．Co：蝸牛，I：内耳道，Ty：鼓室

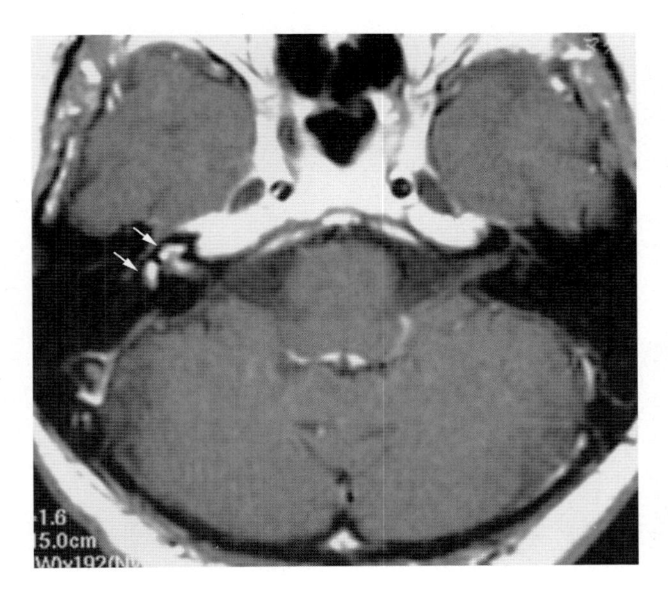

図 273　ウイルス性迷路炎

内耳道レベルにおける造影後 T1 強調冠状断像において右迷路部の増強効果(矢印)を認める．一部，内耳道底に及ぶ．

の両方の機能不全を示すが，蝸牛症状として自声強調，難聴(伝音性，感音性，混合型)，拍動性耳鳴，耳閉感，前庭症状として眼振，動揺視(oscillopsia)，Tullio 現象(大きな音刺激に誘発される眩暈・眼振)，Hennerbert 徴候(外耳道への圧変化で誘発される眩暈・眼振)，Valsalva 手技での眩暈誘発等が知られている．難聴では既述のとおり，低周波でより顕著であるが，音の振動エネルギーの一部が(蝸牛ではなく)上半規管の欠損部に向かうこと，上半規管骨欠損に伴う外リンパの音の振動増幅が骨伝導閾値を下げることから(内耳病変にもかかわらず)伝音難聴を呈することは臨床上重要である[465]．一般に伝音難聴は外耳から鼓室までの疾患で生じるが，CT でこれらの領域に異常を認めない場合，本疾患とともに耳硬化症(後述)の可能性を慎重に評価する必要があ

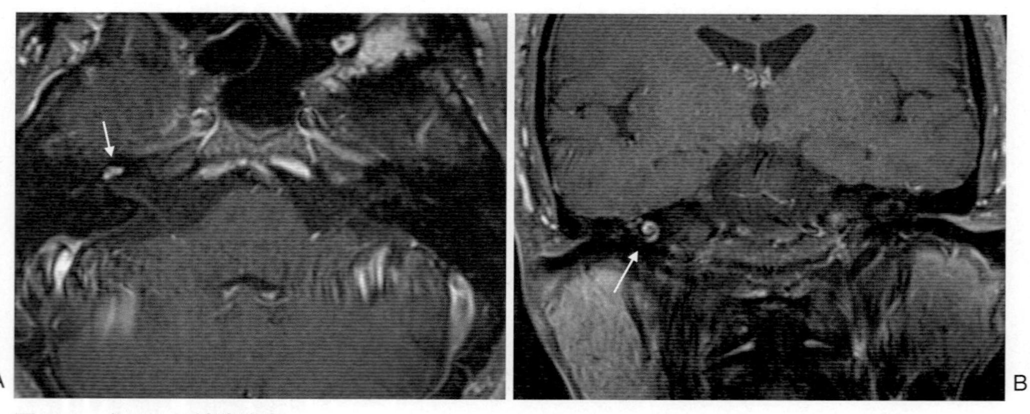

図274　ウイルス性迷路炎

後頭蓋窩レベル MRI，造影後 T1 強調横断像(A)および冠状断像(B)で，右蝸牛の増強効果(矢印)を認める．

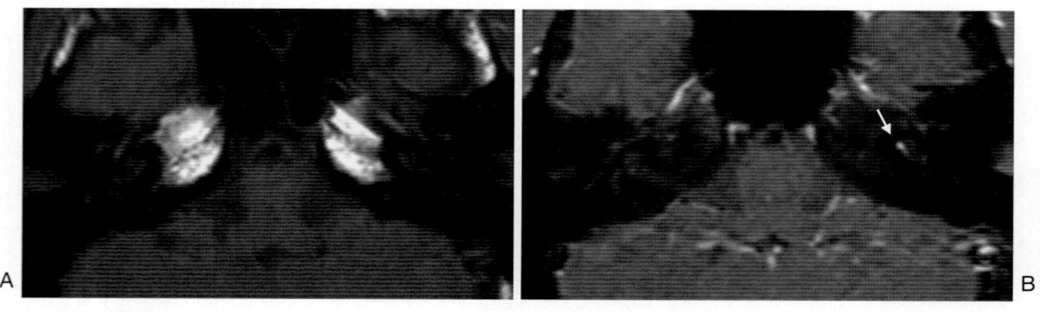

図275　迷路炎

側頭骨レベルの MRI，T1 強調横断像(A)で内耳の信号異常は明らかでない．造影後 T1 強調脂肪抑制横断像(B)で左蝸牛基底回転に一致した増強効果(矢印)を認める．

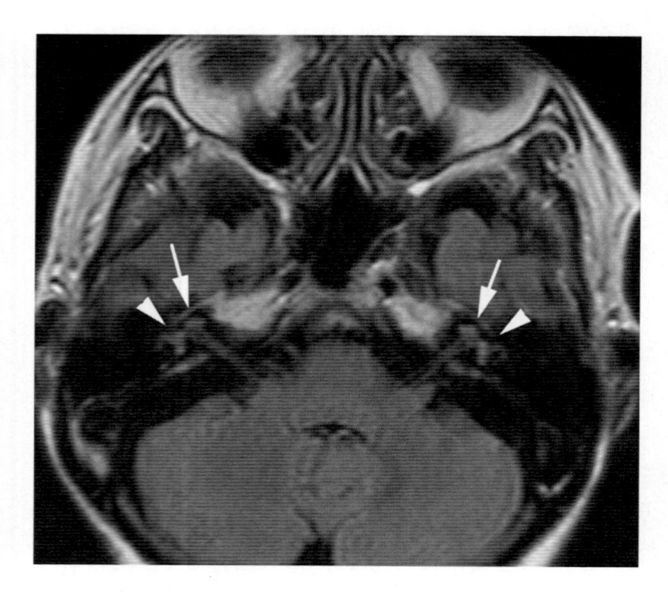

図276　細菌性髄膜炎による化膿性迷路炎

頭部 MRI FLAIR 像において，両側の蝸牛(矢印)，前庭(矢頭)は高信号強度を呈し，迷路への炎症波及を反映する．

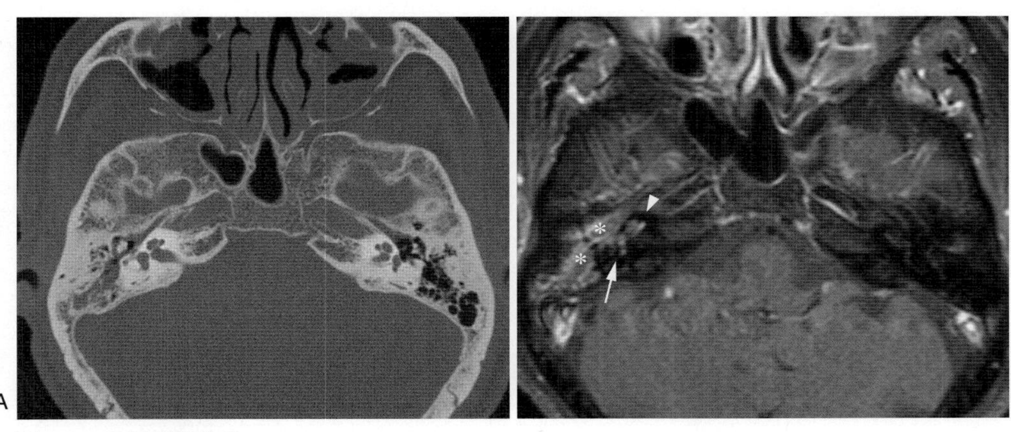

図 277　化膿性迷路炎

側頭骨レベル横断 CT(A)で，右側の鼓室，乳突洞・蜂巣に炎症性軟部濃度を認める．MRI，造影後 T1 強調脂肪抑制横断像(B)では，既述の中耳・乳突洞炎(＊)に加えて，隣接する蝸牛(矢頭)，前庭(矢印)の増強効果を認め，内耳への炎症波及を示す．

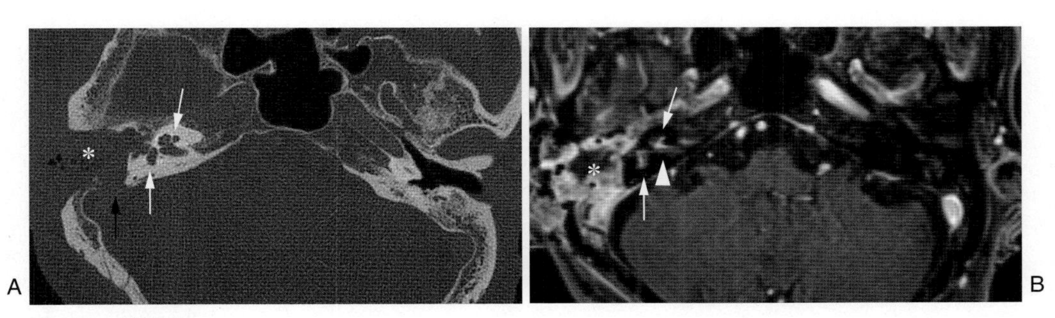

図 278　迷路炎

右中耳真珠腫に対する術後の CT 横断像(A)．右側頭骨で乳突腔は軟部濃度(＊)でほぼ占拠される．後方で後頭蓋窩との間の骨壁の部分的欠損(黒矢印)あり．深部で蝸牛および前庭(白矢印)の形状，内部濃度は正常．ほぼ同レベルの MRI 造影後 T1 強調脂肪抑制画像(B)において右側頭骨の乳突腔(＊)は不均等な増強効果を示し，非特異的な炎症所見を示す．深部で蝸牛，前庭(矢印)の増強効果が見られ，内耳への炎症波及(迷路炎)を示唆する．さらに内耳道底部(矢頭)への炎症の進展がみられる．

表 27　迷路炎の進行病期および画像所見

病期	画像所見	
急性炎症期 (acute inflammatory stage)	CT	所見なし
	MRI	迷路内の増強効果(造影後 T1 強調像)
線維化期(fibrous stage) ＊ fibrous obliteration	CT	所見なし
	MRI	迷路内の増強効果(造影後 T1 強調像) 迷路内の高信号消失(高分解能 T2 強調像)
骨化期(ossification stage) ＊ osseous obliteration ＊骨化性迷路炎	CT	迷路内の石灰化濃度
	MRI	迷路内の高信号消失(高分解能 T2 強調像)

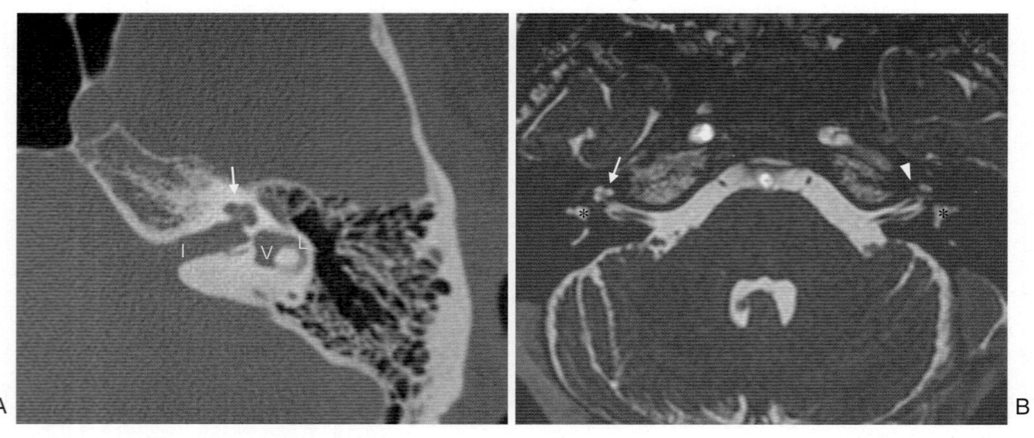

図279　迷路炎（左側）：線維性置換
左側頭骨横断CT（A）において，蝸牛（矢印）を含めて，内耳（L：外側半規管，V：前庭），内耳道（I）は形状・内部濃度ともに正常に描出されている．同症例のMRI true-FISP（B）では，右側では蝸牛（矢印）は正常に描出されているが，左蝸牛（矢頭）は基底回転を優位に内腔のリンパ液による高信号強度が部分的に消失されている．前庭（＊）は保たれている．

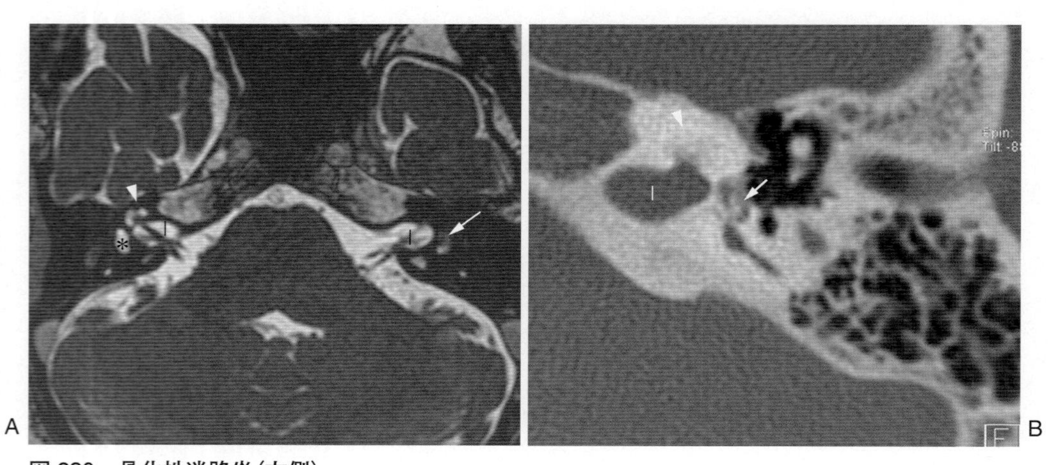

図280　骨化性迷路炎（左側）
左側頭骨MRI true-FISP（A）で蝸牛（右側で矢頭で示す）は描出されない．前庭（右側で＊で示す）内の一部も低信号域（矢印）で置換されている．I：内耳道．同症例の左側頭骨CT横断像（B）において，蝸牛（矢頭）全体および前庭の一部（矢印）の（線維性ではなく）骨性置換であることが確認できる．I：内耳道

る．上半規管の骨壁欠損の頻度は0.4〜0.7％と報告されているが，その多くが無症状であり[466]，本症の診断には単に画像所見のみではなく臨床症状・理学的所見と合わせた総合的判断として行う必要がある[467]．

画像診断は高分解能CT冠状断像および矢状断像が基本であり，上半規管と中頭蓋窩底部との間での骨欠損を確認する（図287〜289）．最近はMRIの高分解能T2強調像（図290）の有用性についても報告がある[468, 469]．冠状断像での欠損の画像所見の頻度は組織学的検索よりも高く（CTでは3.6〜9％，実際の臨床診断は0.6％）特異度が低いため，偽陽性率が高く（80％）臨床所見と対比しなければ過剰診断につながるリスクがある[465, 470, 471]．CT上の骨欠損の大きさと有症状との関連が報告されている（2.5 mm以上の骨欠損では，より小さな欠損と比較して蝸牛・前庭症状を訴える率が高い）[472]．なお，なお，上半規管より

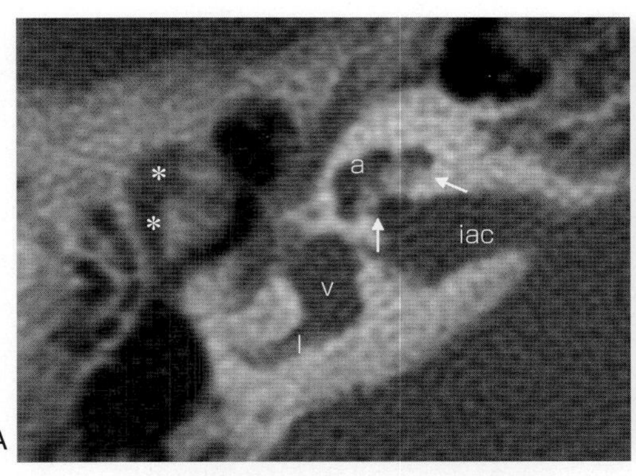

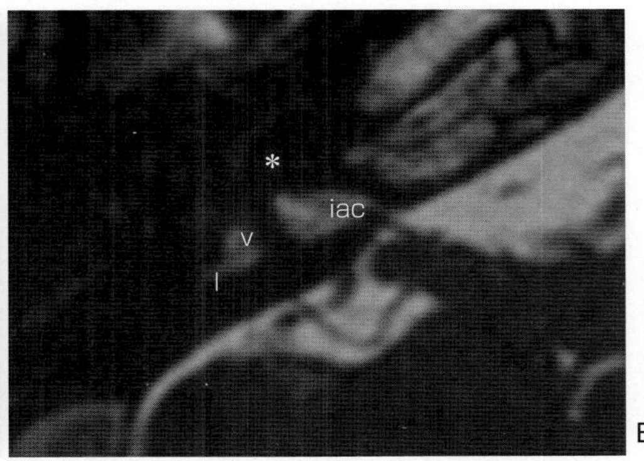

図 281　迷路炎（線維性置換および骨性置換）

右側頭骨 CT 横断像（A）において，上鼓室内で耳小骨外側中心に軟部濃度を認める．蝸牛の基底回転内部は石灰化濃度（矢印）による骨性置換を示すが，第 2 回転から頂回転（a）は正常の軟部濃度を呈する．iac：内耳道．同 MRI の高分解能 T2 強調横断像（B）では蝸牛の領域（＊）に正常リンパ腔による高信号は同定されず，CT（A）で正常濃度を呈していた第 2 回転から頂回転の線維性置換が確認される．ただし，CT（A）所見がなければ，線維性置換の領域と骨性置換の領域との区別は困難である．iac：内耳道，l：外側半規管，v：前庭

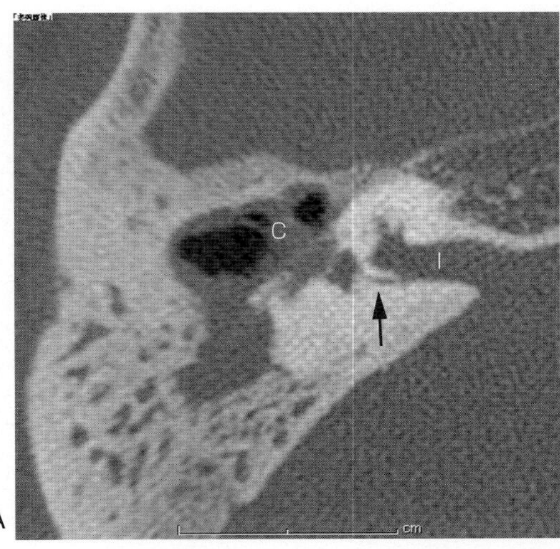

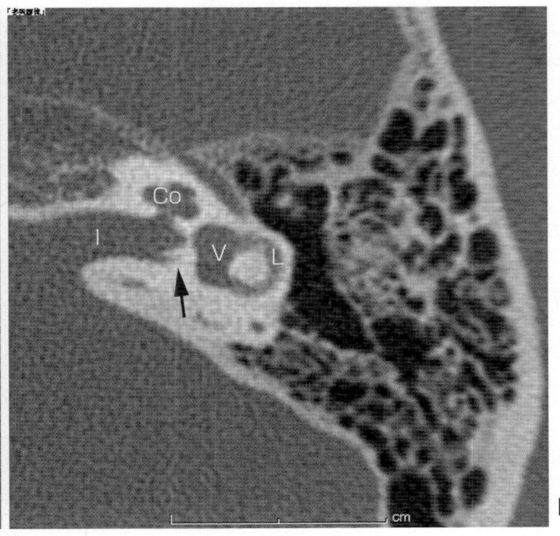

図 282　（中耳真珠腫に起因する）骨化性迷路炎（右側）

右側頭骨横断 CT（A）において，上鼓室から拡大した乳突洞口を介して乳突洞に進展する真珠腫（C）を認め，左側（B）では正常に描出されている蝸牛（Co），前庭（V）の後方部分は骨濃度により置換されており，描出は不良である．I：内耳道，矢印：単孔

もまれであるが，後半規管にも骨欠損（図 291）から同様の症状を示すことが知られている[468]．CT での後半規管骨欠損の頻度は 0.6％とされる[471]．

治療は外科的治療となり，症状の有無・程度，年齢などを考慮して適応が判断される．中頭蓋窩アプローチ（あるいは経乳突部アプローチ）による欠損部の充填（plugging）あるいは resurfacing が行われ，比較的良好な症状改善が得られるが，resurfacing は plugging と比較して長期予後がやや乏しいとされる[460, 466]．

5 その他

a. 耳硬化症（otosclerosis）

1）疫学的事項

内耳を囲む迷路骨包・耳嚢（otic capsule）の軟骨内性骨（enchondral bone）を侵す骨異形成性病

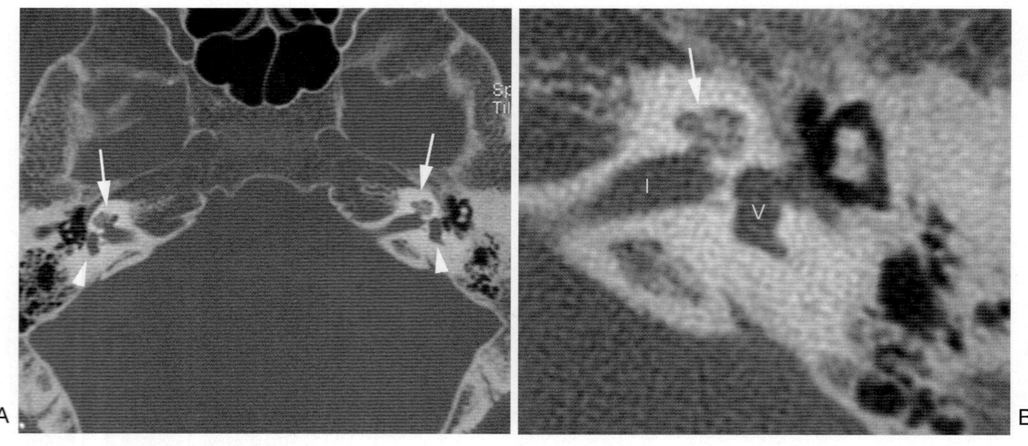

図 283　骨化性迷路炎（両側）

側頭骨レベル横断 CT（A）において，両側の蝸牛（矢印）は淡いびまん性濃度上昇を示し，骨化性迷路炎の変化を示す．前庭（矢頭）は保たれている．同症例の左側頭骨横断 CT（B）．矢印：内部濃度の上昇を示す蝸牛，I：内耳道，V：前庭

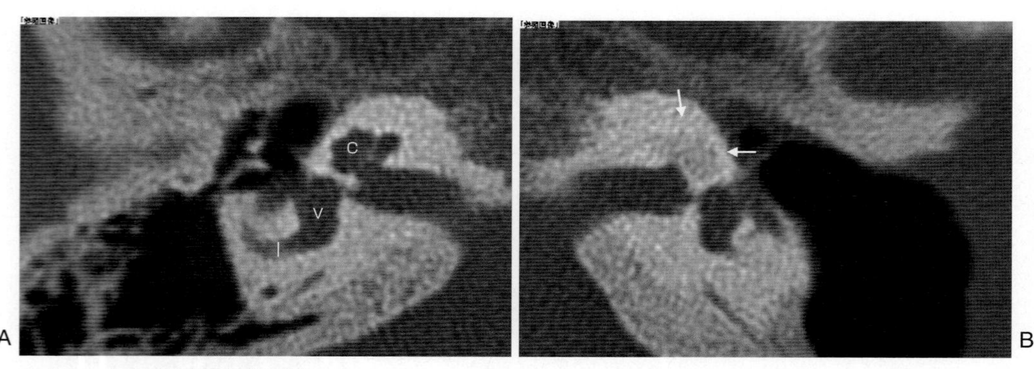

図 284　骨化性迷路炎（左側）

両側の側頭骨 CT 横断像（A：右側，B：左側）．右側（A）では蝸牛（c），前庭（v），外側半規管（l）の形状，内部濃度ともに正常に認められる．canal wall-down mastoidectomy 後の所見を示す左側（B）で（正常軟部濃度を示す）蝸牛は同定されず，蝸牛無形成（内耳奇形）に類似する．ただし，慎重な観察において，本来の蝸牛の位置に，蝸牛に一致した形状を示す，（周囲骨包より）わずかに低濃度の領域（矢印）を認めることから，蝸牛無形成ではなく（一度正常に発達した蝸牛の）骨化性迷路炎であることが確認される．

変で，原因としては遺伝的因子の関与が報告されているが依然不明な部分も多い．Larson らによる検討では浸透率 25～40％の常染色体優性遺伝を示し，臨床的耳硬化症患者の子供において耳硬化症を発症する確率は 19.6％としている[473, 474]．ただし，実際は特発性として単独に生じる場合が多い[475]．女性に多く，男女比は大体 1：2 とされる．思春期に発症し，妊娠，授乳期に増悪する傾向にあることから内分泌因子の関与も考えられている．発症年齢は 10～30 歳代が多い．人種差が著明で，白人に多く，黒人，日本人を含むアジア系ではまれである．組織学的耳硬化症は白人において人口に対して女性の 12％，男性の 6.5％，黒人は男女ともに約 1％[476]，耳疾患患者総数に対する耳硬化症患者は白人では 50％，日本人では 0.6％とされる．ただし，本邦における実際の頻度は白人と同程度であるが，卵円窓前方を侵す病変の頻度が低い，病変の活動性が低い，病変が小さいなどの傾向から有症状例が少ないとの報告もある[477]．高率に（最大 85％）両側性で，しばしば対称性に認められる[478]．片側性は約 10～20％程度である．

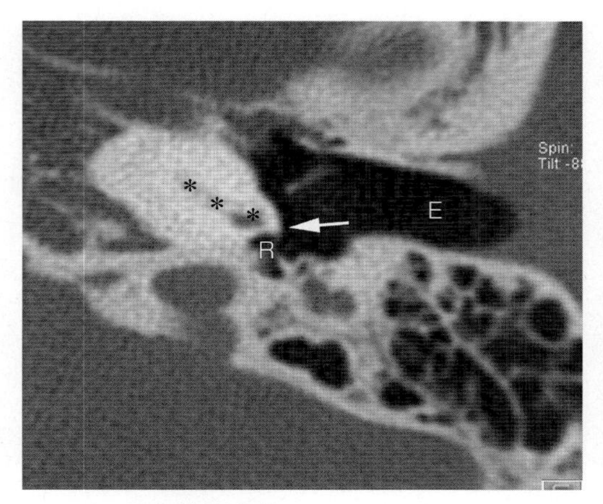

図 285　骨化性迷路炎
左側頭骨横断 CT で，蝸牛基底回転(＊)の大部分は骨濃度で置換されており，形状の異常を認める．鼓室内側壁には岬角(矢印)による膨隆は正常に形成されており，(蝸牛形成不全ではなく)骨化性迷路炎による所見であることを示している．E：外耳道，R: 正円窓窩

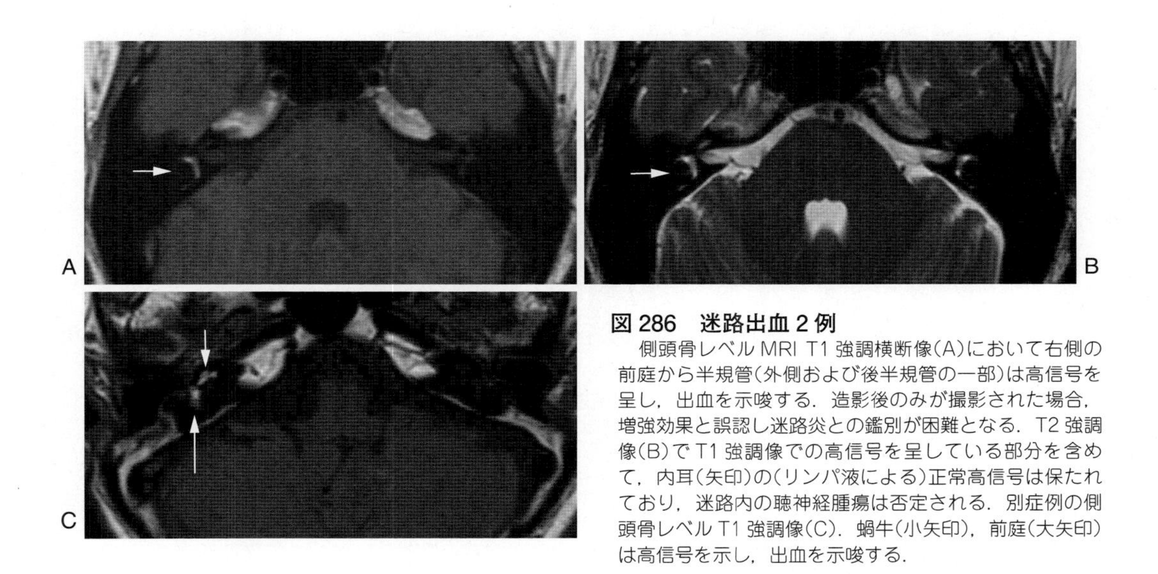

図 286　迷路出血 2 例
側頭骨レベル MRI T1 強調横断像(A)において右側の前庭から半規管(外側および後半規管の一部)は高信号を呈し，出血を示唆する．造影後のみが撮影された場合，増強効果と誤認し迷路炎との鑑別が困難となる．T2 強調像(B)で T1 強調像での高信号を呈している部分を含めて，内耳(矢印)の(リンパ液による)正常高信号は保たれており，迷路内の聴神経腫瘍は否定される．別症例の側頭骨レベル T1 強調像(C)．蝸牛(小矢印)，前庭(大矢印)は高信号を示し，出血を示唆する．

2) 症　状

難聴(伝音性で始まるものが多いが，進行により混合難聴を示す．片側性あるいは両側性)，眩暈(症例の約 3 分の 1)，拍動性耳鳴などを訴える．混合難聴ではまず本疾患が考慮される．85%が両側性で，しばしば対称性に認められる [479]．片側の症状を訴える例であっても，画像では両側性の異常を認める場合も多い．耳鏡所見として耳硬化症患者の最大 10%で Schwartze sign (病変による血流増加により蝸牛岬角が赤色調を示すもので，ドイツの耳鼻科医 Hermann Schwartze の名前にちなんで呼ばれる)を示すが [480]，多くの場合，鼓膜所見は正常である．典型例のオージオグラムでは両側の伝音難聴あるいは混合型難聴とともに，2000Hz での骨導閾値上昇(Carhart notch；骨導聴力低下)とアブミ骨反射の欠如を示す [481]．なお，組織学的な耳硬化症の 8〜11％は無症候性とされる [482]．

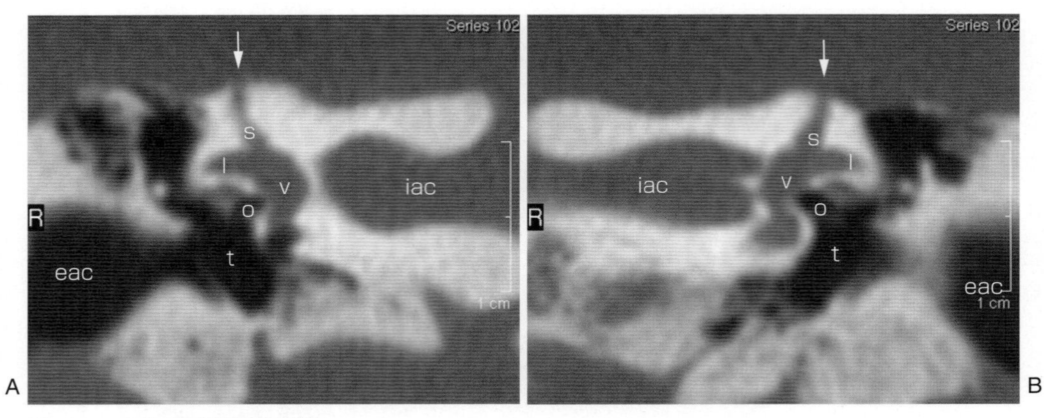

図 287 上半規管裂隙症候群
両側の内耳道レベル側頭骨 CT 冠状断像(A：右側，B：左側)．両側ともに上半規管(s)と中頭蓋窩底部との間で骨欠損(矢印)を認める．eac：外耳道，iac：内耳道，l：外側半規管，o：卵円窓，t：鼓室，v：前庭

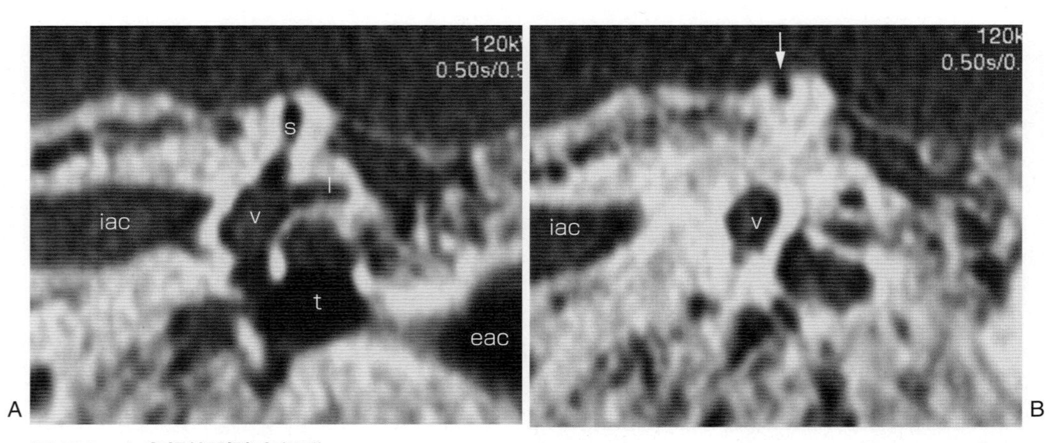

図 288 上半規管裂隙症候群
内耳道レベルの左側頭骨 CT 冠状断像(A)．eac：外耳道，iac：内耳道，l：外側半規管，s：上半規管，t：鼓室，v：前庭．わずかに後方レベル(B)で上半規管と中頭蓋窩底部との間の骨欠損(矢印)を認める．iac：内耳道，v：前庭

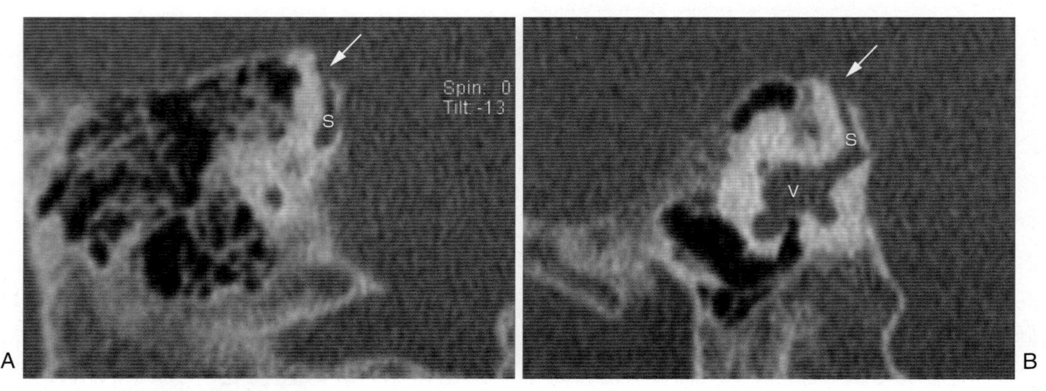

図 289 上半規管裂隙症候群
右側頭骨 CT 冠状断像(A)および矢状断像(B)．上半規管(s)と中頭蓋窩との間の骨壁は欠損(矢印)を示す．v：前庭

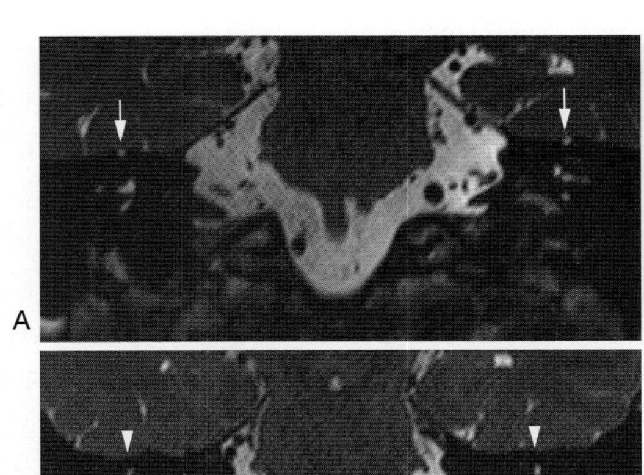

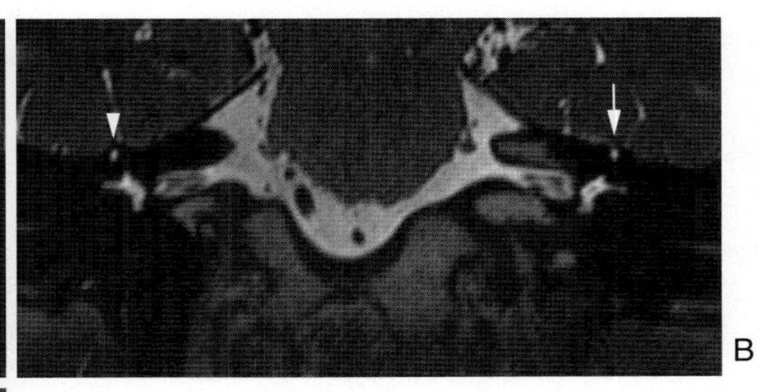

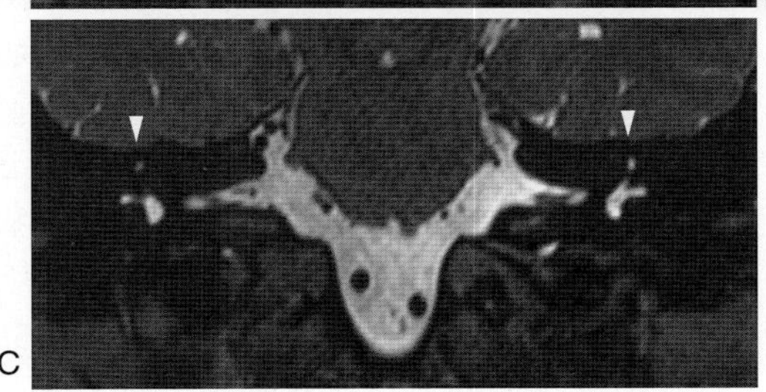

図 290　上半規管裂隙症候群 2 例，正常 1 例
内耳レベルの MRI 高分解能 T2 強調冠状断像(A)において両側上半規管は中頭蓋窩底部と直接接するように認められる．別症例(B)では左上半規管は中頭蓋窩底部と接する(矢印)が，右側(矢頭)は両者の間に薄い低信号が介在しており，骨壁はかろうじて保たれていると思われる．正常例(C)では上半規管と中頭蓋窩との間に十分な低信号が介在しており，上半規管症候群は否定される．

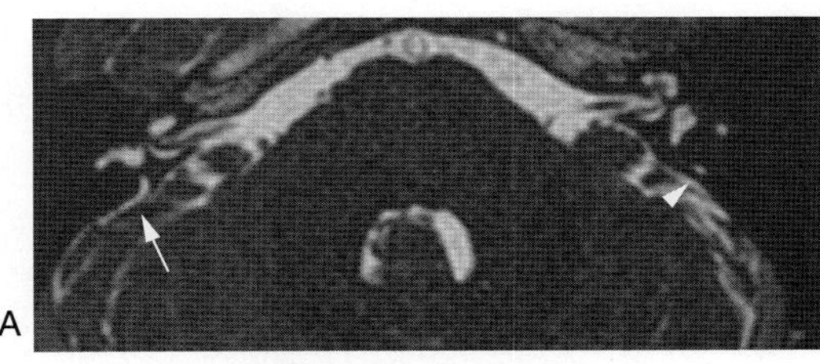

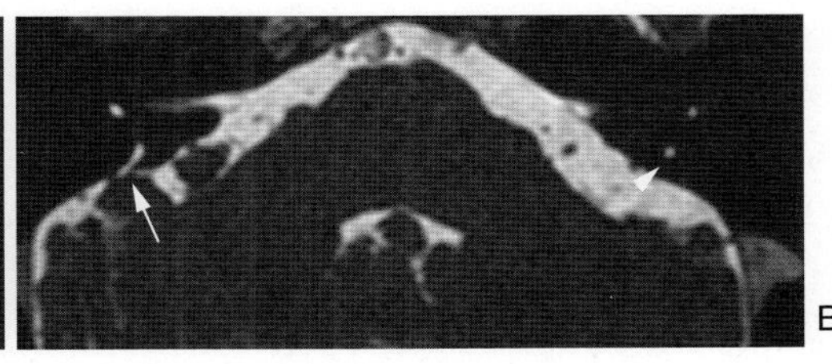

図 291　後半規管裂隙症候群 2 例
2 例の側頭骨レベル MRI 高分解能 T2 強調像(A，B)において，右側の後半規管(矢印)と後頭蓋窩前壁との間の骨壁は欠損の可能性あり(矢印)．左側(矢頭)では両者の間に低信号が介在しており，骨壁が保たれていることが確認される．

3) 病理像

病理組織学的には迷路骨包の軟骨内性骨を侵す限局性，不規則な進行性骨異形成で，初期には血管周囲の骨吸収により血管周囲腔の拡大(海綿状構造)と細胞線維性組織による置換を示す(骨融解期：spongiotic stage)．耳硬化症病変は病理学的，臨床的に活動性・非活動性に分けられ，活動性病変は海綿状構造，骨髄腔の進展を伴う骨芽細胞による未熟な骨新生，破骨細胞を含む細胞線維性組織，血管周囲腔の拡大として現れ，骨硬化の終末像である非活動性病変では狭小化した骨髄腔を含むモザイク様，充実性，緻密性薄層骨沈着と血管の狭小化を示す(骨硬化期：sclerotic stage)．同一病変の中に骨吸収と骨沈着が不規則に生じる．活動性・非活動性病変の血管腔の差により，造影 MRI での増強効果は病変活動性のある程度の指標となりうる(後述)．

4) 病変の局在

耳硬化症は迷路骨包のいかなる部分にも生じるが，病変の局在によって卵円窓，正円窓，顔面神経管，岬角を含む迷路外側壁(鼓室内側壁)を侵す“fenestral type：窓型”と蝸牛周囲を中心に侵す“retrofenestral type (cochlear type)：蝸牛型”の 2 つに区分される．最も高頻度(70〜90％)に侵されるのは卵円窓前方の“fissula antefenestrum (fissula ante fenestram)”領域で[476]，蝸牛型の多くが窓型病変を合併している[481]．初期には数ヵ所の限局性病変が，進行に従い融合傾向をもってびまん性病変に移行する．卵円窓においてアブミ骨底部を支持する輪状靱帯に病変が及ぶと，アブミ骨の可動制限に伴う伝音障害を生じる[483]．上記のごとく，大部分の症例が卵円窓周囲を侵すが，アブミ骨底部の固着を生じるのは10%程度にとどまる[476]．一方でアブミ骨固着の原因としては耳硬化症が70%と最も多いとされる[484]．伝音難聴は通常，アブミ骨前脚領域での骨新生・沈着による[485]．約10%の病変は蝸牛周囲の骨包を侵し，感音難聴あるいは混合難聴を生じる[486]．

5）画像所見

従来，診断は比較的特徴的な臨床所見(鼓室の炎症を伴わない成人発症の進行性伝音性あるいは混合型難聴)により行われていたが[487]，現在は画像診断が，存在診断，病期診断，予後推定，治療計画，合併症の危険性などを図る意味において重要な役割を担う[486]．高分解能CTが標準的選択であり，正診率は90%以上で，孤立性や表在性の微小病変以外は診断可能である[488]．耳硬化症病変の有無，進展範囲の評価に関して感度，特異度ともに高く，正確な診断が可能である[486](表28)．早期病変とされる骨融解期(otospongiotic stage)には，“fenestral type”では卵円窓前方のfissula ante fenestrum(図292)，“retrofenestral type”では蝸牛，前庭，半規管周囲の耳嚢に脱灰・濃度低下(図293，294)として現れる[489, 490]．retrofenestral type(cochlear type)の所見に関しては“double ring effect”，“narrowed cochlear turns”，“aberrant channels”などの表現が用いられる[491]．細菌性迷路炎での骨脱灰所見はまれであるが，梅毒性迷路炎ではしばしば認められ鑑別となりうる[492]．fenestral type病変では，正常変異であるcochlear cleft(図66，295)との鑑別が必要となるが，CT所見の発現頻度は4歳未満で62%，10歳代で19%とされる[493]．脱灰に伴う骨透亮所見は明瞭な例(図292A)から，慎重な評価でないと指摘困難な軽微な例(図292C，296)までさまざまであり，骨融解期から骨硬化期への移行の段階により異なるものと推察される(図297)．2〜3 mm未満の耳硬化症病変，あるいは単なるアブミ骨底部の線維性固着ではCTでの指摘は困難である[488]．CTは活動性の骨融解期病変に対しては高い感度を示し，骨硬化期病変は過小評価される傾向にあるが，様々な時期の病変が混在する特徴(図297，298)から耳硬化症の診断自体には大きく影響はしない[485]．Zhuらは病変のCT値(特に卵円窓前後の病変)が気骨導差(A-B gap)，気導閾値と相関すると報告している[494]．また，蝸牛周囲病変(cochlear type)のCT所見を示す例(図297)で骨導閾値は有意に低いとされる[495]．ただし，CTでの病変進展の程度と聴力結果は相関しないとの報告もある[496]．組織学的検索においても病変の大きさ，細胞の活動性，病変の局在と感音難聴の程度は相関しないとの報告[497]，逆に組織学的に2ヵ所以上の骨内病変を有する例では骨導閾値の結果が不良であるとの報告[498]もあり，一貫していない．ただ，孤立性病変(通常は窓型病変)は複数領域の病変への経時的進行が想定されることから，もし現時点での聴力が同等であったとしても孤立性病変の症例の方が将来的な聴力障害の進行が憂慮される[496]．CTでの病変数と年齢との相関はないが[496]，若年発症例がアブミ骨底部全般を広範に侵す病変を有する一方，高齢発症例では病変がアブミ骨底部の前方部分のみに限局する傾向にあるとされる[499]．既述のとおり，fenestral type病変の頻度が高く，80〜96%を占めるが[477]，ときに両者の混合病型(図297，299，300)を示す．骨硬化期(otosclerotic stage)病変では骨沈着により卵円窓(図294C，298，300，302，303)，正円窓(図301，303，304)の狭小化やアブミ骨底部の肥厚(図298，303，305)などが認められる．正円窓閉鎖の頻度は1%未満とまれで，同所見は感音難聴の危険性が有意に高いことを示す[495]．ただし，Wietらは正円窓が完全に閉鎖した場合のみとしている[500]．また，正円窓閉鎖は術後結果の予後不良因子ともされる[488]．MRIのT2強調像で病変は信号上昇を示すが，やはり信号上昇の程度は病変により異なる(図293，306，307)．病変活動性の評価には造影MRIが有効で，活動性病変は増強効果を示す(図308)[489, 490]．また，骨シンチグラフィにおいても活動性病変は集積を示すとされるが[501]，通常は適応とならない．画像所見による様々なgrading systemが提唱されてきたが，現時点で広く受け入れられているものはない[496]．

表 28　耳硬化症の画像所見

fenestral type	fissula ante fenestrum(卵円窓前方)の osteolucency アブミ骨底部肥厚 卵円窓，正円窓の狭小化・閉塞
retrofenestral type (cochlear type)	蝸牛(および前庭・半規管)周囲耳包の osteolucency (活動性病変は造影 MRI での増強効果を示す)

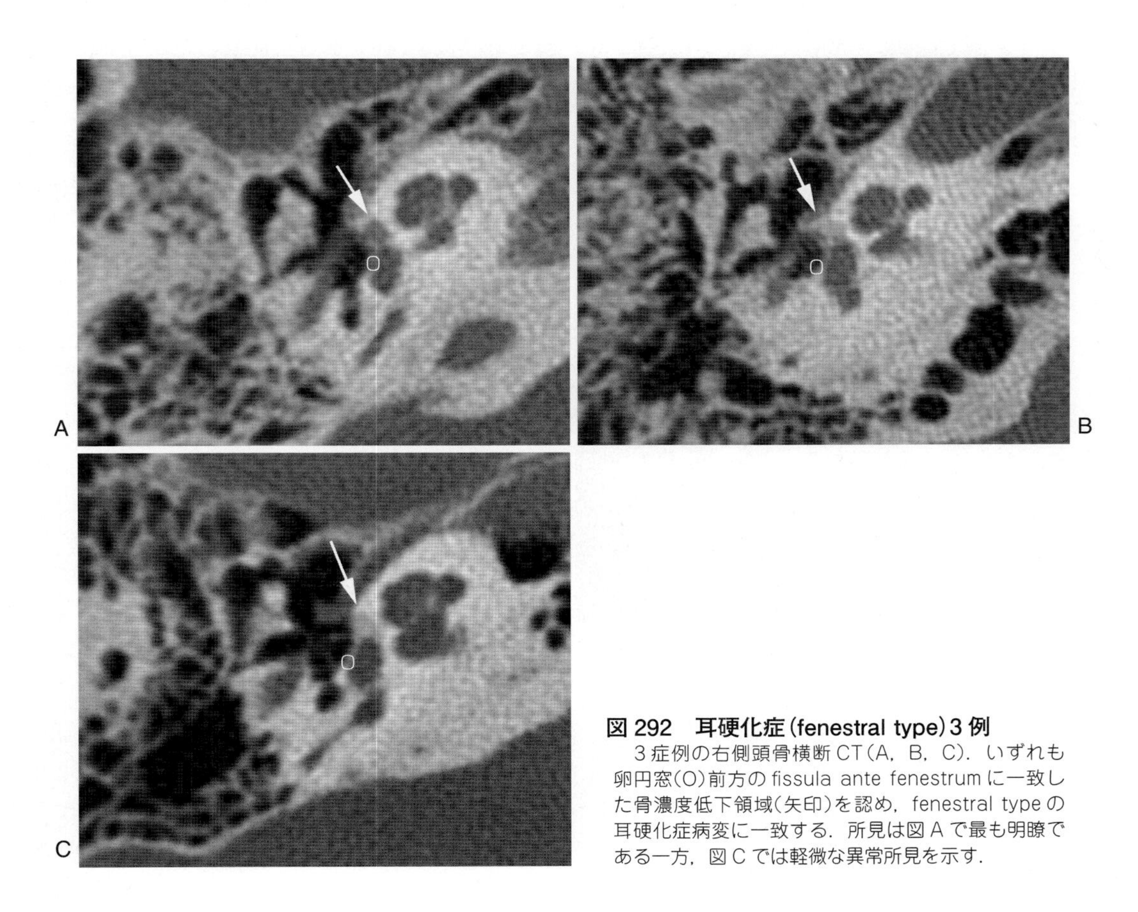

図 292　耳硬化症(fenestral type)3 例
3 症例の右側頭骨横断 CT(A，B，C)．いずれも卵円窓(O)前方の fissula ante fenestrum に一致した骨濃度低下領域(矢印)を認め，fenestral type の耳硬化症病変に一致する．所見は図 A で最も明瞭である一方，図 C では軽微な異常所見を示す．

6) 治療および術後画像評価

薬物療法はなく，1900 年代初期には外側半規管骨壁を開窓する迷路開窓術(fenestration)が施行されていた[502〜504]．また，1952 年 Rosen がアブミ骨可動術(stapedial mobilization)を報告したが[505]，術後のアブミ骨底部再固着の頻度が高いという問題があった．そこで現在は比較的軽度から中等度の病変に対して，1958 年に Shea が紹介したアブミ骨の一部あるいは全部を切除し，テフロンワイヤーピストン(stapes prosthesis)に置換するアブミ骨手術(図 309)が標準術式となっている[506]．術前 CT での卵円窓の高さが 1.4 mm 未満の場合は技術的に困難とされる[507]．一般的に，より症状の強い側の非活動性病変に対して施行されるが，適応は A-B gap が最低でも 15〜20 dB 以上の場合である．アブミ骨手術はアブミ骨底部後方を 0.8 mm 切除する stapedotomy と底部の 2 分の 1 あるいは全部を切除する stapedectomy に分かれる．両者ともに伝音難聴の改善において，良好な長期予後を示す[508]．また，アブミ骨手術では耳鳴の軽減も高率に期待される[509]．高度の病変，蝸牛病変による難聴では人工内耳の適応が考慮される場合もある[510]．

術後の感音難聴は発症時期により原因が異な

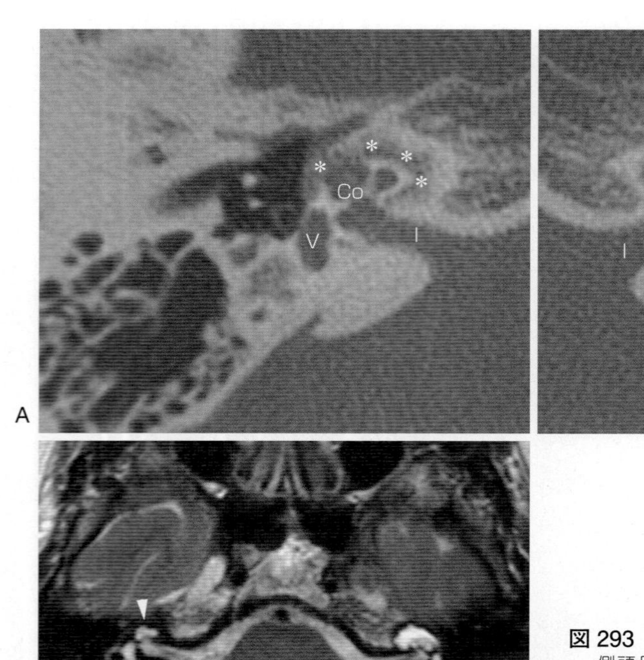

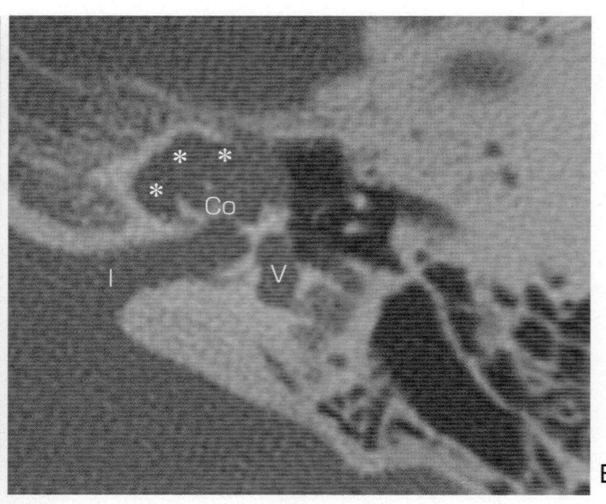

図 293　耳硬化症（retrofenestral type）

側頭骨横断 CT（A：右側，B：左側）．蝸牛（Co）周囲を囲むように骨透過病変（*）を認める．右側の病変（A）よりも左側（B）でより濃度低下は顕著であり，蝸牛との境界は消失している．I：内耳道，V：前庭

同例の MRI T2 強調像（C）．左側病変は蝸牛（右側で矢頭で示す）周囲の高信号強度領域として描出されているが，右側病変は同定困難．矢印：前庭

り，術直後では prosthesis（テフロンワイヤーなど）の前庭への陥入，迷路出血や外リンパ瘻，手術による聴神経損傷，術後 2〜5 ヵ月では中耳の肉芽組織形成などが考慮される[511]．合併症を含み，術後評価においても画像診断が有用であり，CT が標準的選択となるが，病態により MRI とともに重要な役割を果たす．迷路炎の所見は本章ですでに記載した．外リンパ瘻は stapedotomy よりも stapedectomy で多く，変動する感音難聴，眩暈，耳鳴を生じる[492]．CT では卵円窓，輪状靱帯周囲の（漏出したリンパ液および局所刺激で肥厚した粘膜を反映する）限局性軟部濃度として認められる．迷路出血は MRI の T1 強調像での高信号として同定される．迷路気腫は術後の眩暈の原因となるが，数日で吸収され症状も軽減するのが通常である[492]．

アブミ骨手術後の伝音難聴（A-B gap が 10 db 以上）は 5.8 % で認められ[512]，その 80 % が prosthesis の脱臼・偏位とされる[513]．prosthesis（テフロンワイヤーなど）に関連する異常として，前庭への陥入は prosthesis（テフロンワイヤーなど）が 2 mm 以上，あるいは前庭の幅の 50％を超える突出として判断される（図 310，311）[479, 507]．prosthesis 外側端の装着部であるキヌタ骨長脚壊死による prosthesis の偏位（lateralized piston syndrome）や，装着部の侵食性変化による prosthesis の緩み（および，これに伴う中耳腔の圧変化に起因する聴力の変動）である loose wire syndrome，アブミ骨底部が前庭内に陥入する floating foot plate などがあげられる．

b.　傍神経節腫（paraganglioma，別名：chemodectoma）

1）病理・解剖学的事項

傍神経節腫は鰓分節の傍神経節より生じる真性腫瘍であり，副腎の褐色細胞腫に類似する[514]．

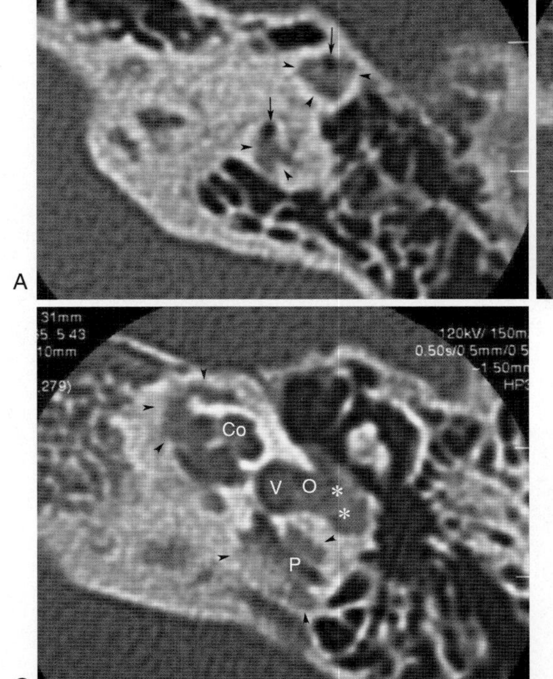

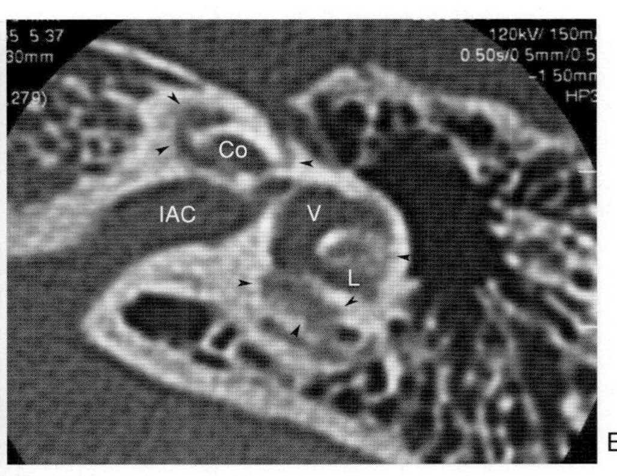

図 294　耳硬化症（retrofenestral type）

A：上半規管レベル，左側頭骨横断 CT．上半規管（矢印）周囲の骨透亮像（矢頭）あり．

B：内耳道（IAC）レベル横断 CT．蝸牛（Co），前庭（V），外側半規管（L）周囲に病変（矢頭）が及んでいる．

C：卵円窓（O）レベル横断 CT．蝸牛（Co），後半規管（P）周囲に骨透亮像（矢頭）を認めるとともに，卵円窓領域にも大きく進展（＊）している．V：前庭

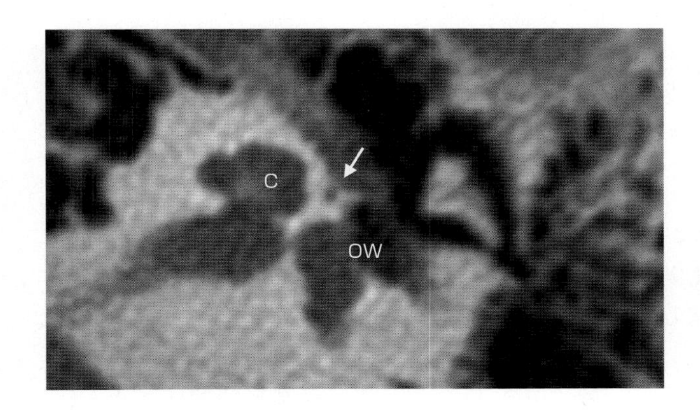

図 295　cochlear cleft

左側頭骨 CT 横断像．卵円窓（ow）前方で，蝸牛（c）に近接する骨内に限局性の骨透亮所見（矢印）を認める．fenestral type の耳硬化症病変（図 292）と異なり，骨辺縁には到達していない．

緩徐に発育し富血行性を示す．鰓分節傍神経節は頸静脈鼓室，頸動脈間，鎖骨下，喉頭，冠動脈，大動脈肺動脈窓，肺などの領域に存在し，副腎外傍神経節に含まれる．これらは酸素濃度や pH などに反応する norepinephrine や関連する神経伝達物質を含み，心肺機能，血液分布などを制御する化学受容体（chemoreceptor）として機能している．頭頸部の傍神経節腫は大部分がクローム非親和性，非分泌性である．

頸静脈鼓室傍神経節は側頭骨内で，約 50％は頸静脈球前外側の外膜，舌咽神経（CN9）鼓室枝（Jacobson's nerve）に近接して位置する[515]．残る 50％は頸静脈球から鼓室に連続する鼓室小管（tympanic canaliculus），鼓室内側壁で蝸牛岬角

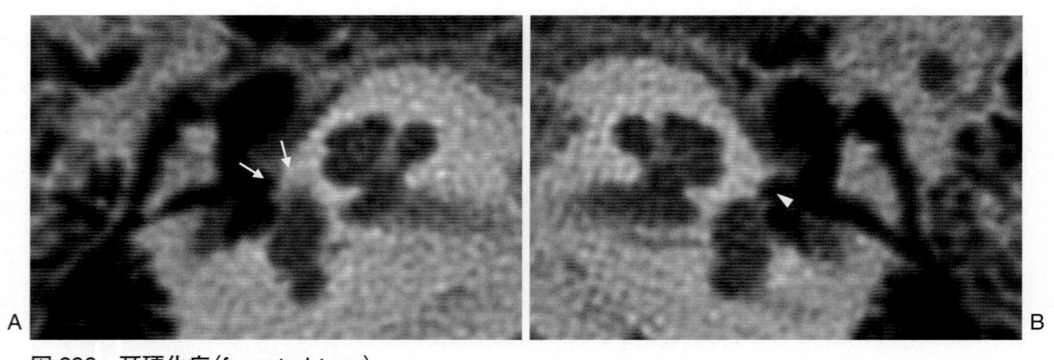

図 296　耳硬化症(fenestral type)

両側側頭骨 CT 横断像(A：右側，B：左側)．右側(A)では卵円窓前方(fissula ante fenestrum)に一致した淡い濃度低下(矢印)を認める．健側である左側(B)では骨の正常高濃度(矢頭)が明瞭に保たれている．

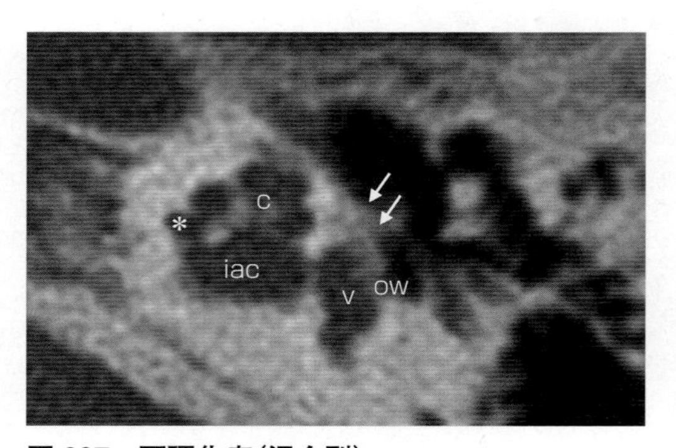

図 297　耳硬化症(混合型)

左側頭骨 CT 横断像で，卵円窓(ow)前方の fissula ante fenestrum には淡い脱灰所見(矢印)として fenestral type 病変を認める一方，retrofenestral type 病変は蝸牛(c)周囲の迷路骨包における著明な骨融解所見(*)としてみられる．iac：内耳道底部，v：前庭

の Jacobson's nerve に沿った部位，迷走神経(CN10)耳介枝(Arnold's nerve)の走行する乳突小管(mastoid canaliculus)に，ほぼ同頻度で認められる．

病理学的には WHO grade Ⅰの良性腫瘍に分類されるが高い局所侵襲性を示し，側頭骨病変では進行に従い頸静脈窩，鼓室，耳嚢，乳突洞，錐体骨，頸動脈管周囲などに骨侵食を伴った進展を生じる．17～40%で頭蓋内進展をきたす[515]．

2）発生部位による分類

頭頸部においては代表的発生部位により頸静脈球に生じる頸静脈型腫瘍[glomus jugulare type paraganglioma(PG)]（図 312），鼓室に生じる鼓室型腫瘍(glomus tympanicum type PG)(図 313)，両者にまたがる頸静脈鼓室型腫瘍(glomus jugulotympanicum type PG)(図 314, 315)，内・外頸動脈分岐部に位置する頸動脈小体より生じる頸動脈小体腫瘍(carotid body tumor)，迷走神経幹より生じる迷走神経傍神経節腫(vagal paraganglioma，glomus vagale tumor)などの呼称が用いられる．鼓室型腫瘍は多くが岬角(蝸牛基底回転による鼓室内側壁の膨隆)領域に生じるが，“鼓室型”の診断は病変が鼓室，乳突洞領域に限局し頸静脈球に及ばないことの確認が必要となる[516]．各領域での発生頻度は報告により異なるが，多いのは頸静脈鼓室型病変，頸動脈小体で，迷走神経傍神経節腫や喉頭，眼窩発生はまれである．迷走神経病変は傍咽頭間隙後茎突区(頸動脈

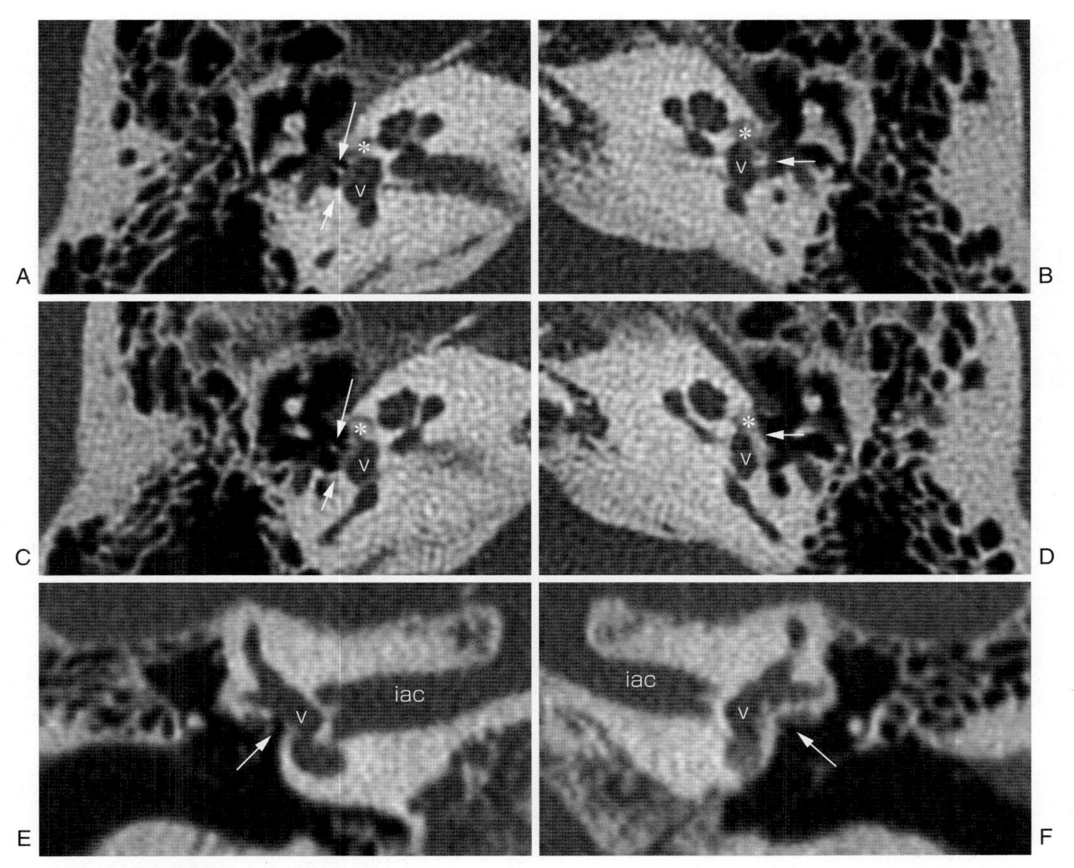

図 298　耳硬化症による卵円窓狭小化

卵円窓レベルの左右側頭骨 CT（A：右側，B：左側，C：右で A の直下のレベル，D：左で B の直下のレベル）．両側ともに，卵円窓前方に骨脱灰（＊）を認め，窓型耳硬化症病変に一致する．右側（A，C）でアブミ骨手術によるピストンワイヤー（大矢印）を認める．卵円窓（小矢印）に明らかな肥厚なし．左側（B，D）で卵円窓は淡い骨濃度の組織により狭窄，閉鎖している（矢印）．左右冠状断像（E：右側，F：左側）で卵円窓（小矢印）は左側で骨濃度組織による閉鎖を認める．iac：内耳道，v：前庭

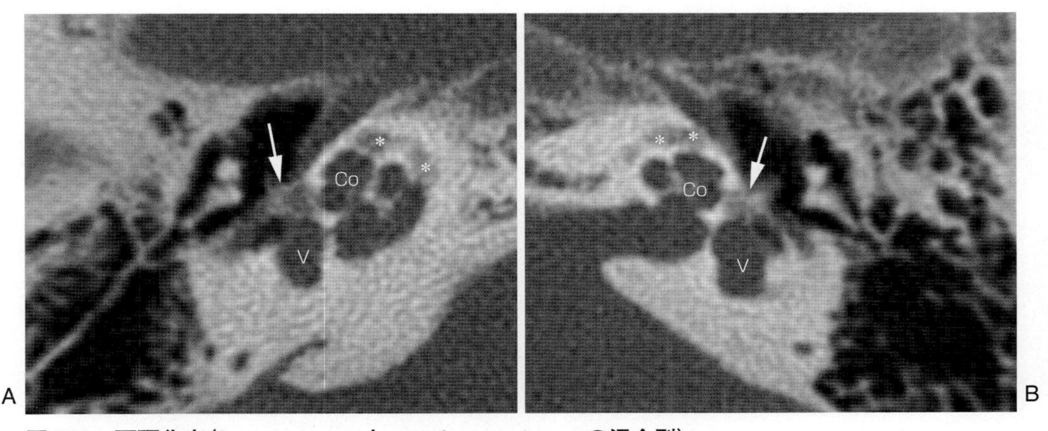

図 299　耳硬化症（fenestral type と retrofenestral type の混合型）

2 症例の側頭骨横断 CT（A は右側，B は左側）．卵円窓前方の fissula ante fenestrum（矢印），蝸牛（Co）周囲（＊）に骨透過病変を認める．V：前庭

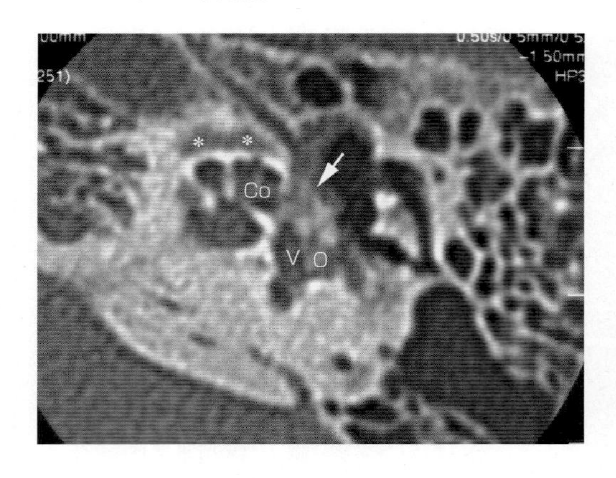

図300　耳硬化症

左側頭骨横断CTで卵円窓前方のfissula ante fenestrum（矢印），蝸牛（Co）周囲（＊）に骨透過病変を認める．卵円窓（O）は進展した病変で充満している．V：前庭

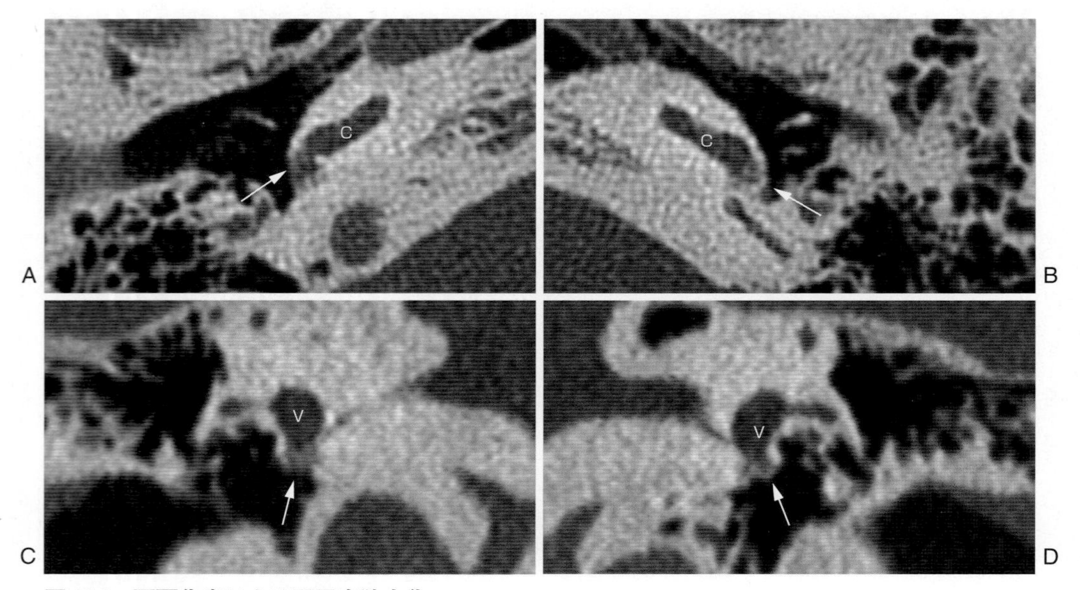

図301　耳硬化症による正円窓狭小化

左右側頭骨CT横断像（A：右側，B：左側）および冠状断像（C：右側，D：左側）において正円窓（矢印）は淡い骨濃度の組織による閉鎖を示す．c：蝸牛，v：前庭

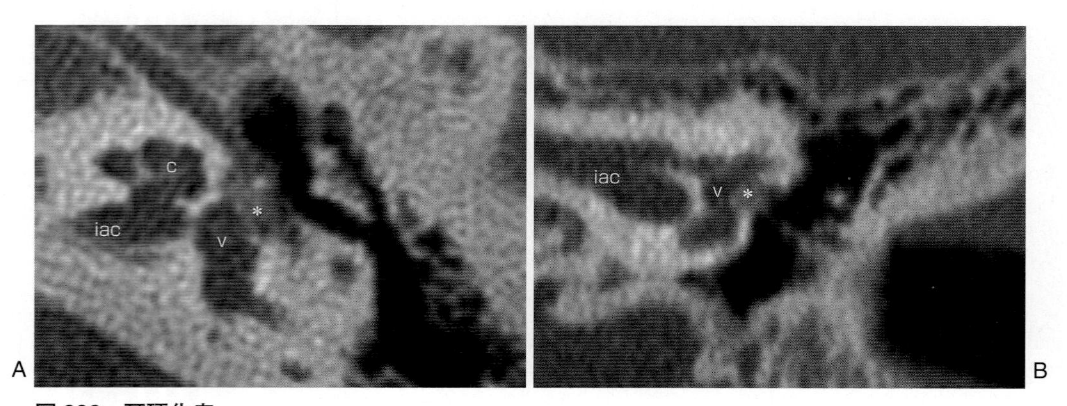

図302　耳硬化症

左側頭骨CT横断像（A）および冠状断像（B）において，卵円窓は淡い骨沈着（＊）により閉鎖している．c：蝸牛，iac：内耳道，v：前庭

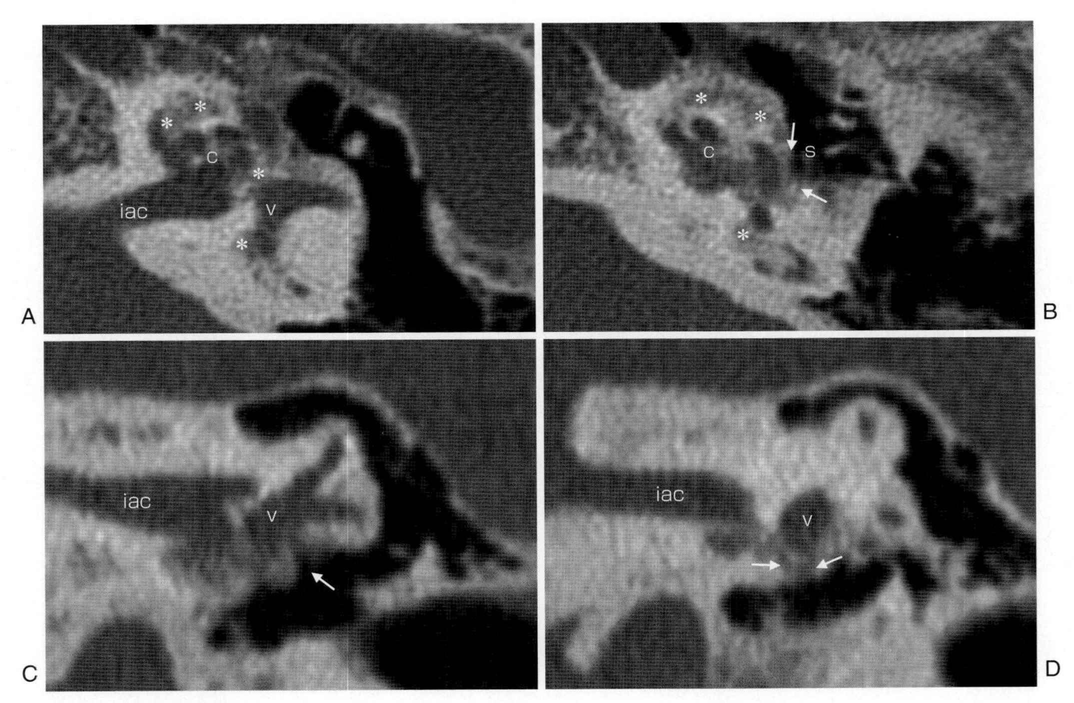

図 303　耳硬化症
　左側頭骨 CT 横断像(A)で蝸牛(c)，前庭(v)周囲の脱灰所見(＊)を認める．やや尾側の卵円窓レベル(B)でも同様の病変(＊)を認めるとともに，アブミ骨(s)底部の肥厚(矢印)を示す．c：蝸牛．同 CT 冠状断像の卵円窓レベル(C)，正円窓レベル(D)において，卵円窓(矢印：C)，正円窓(矢印：D)の骨沈着による閉鎖を認める．iac：内耳道，v：前庭

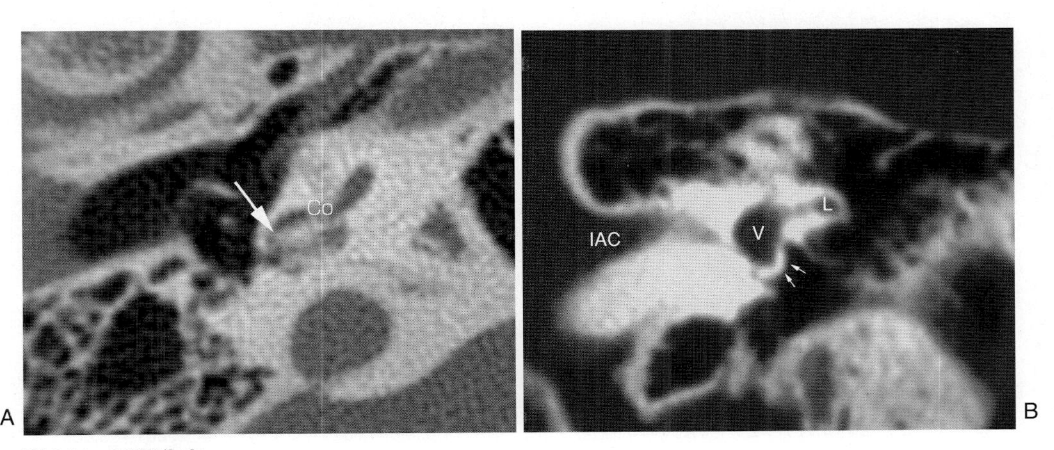

図 304　耳硬化症
　右側頭骨横断 CT(A)において，正円窓(矢印)は不規則な骨濃度により充満している．Co：蝸牛基底回転
　別症例の正円窓レベル，左側頭骨冠状断 CT(B)において骨沈着による正円窓閉鎖(矢印)を認める．IAC：内耳道，L：外側半規管，V：前庭

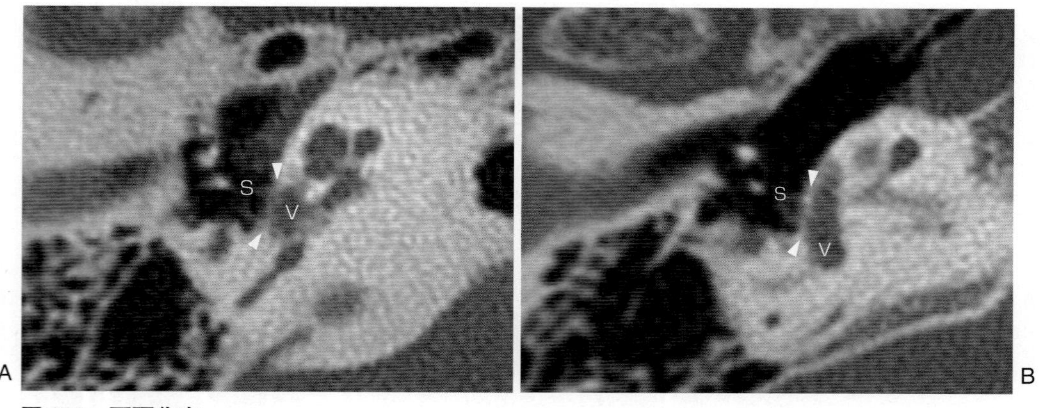

図305　耳硬化症
2症例の右側頭骨横断CT（A，B）．アブミ骨底部（矢頭）の間の肥厚あり．S：アブミ骨上部構造，V：前庭

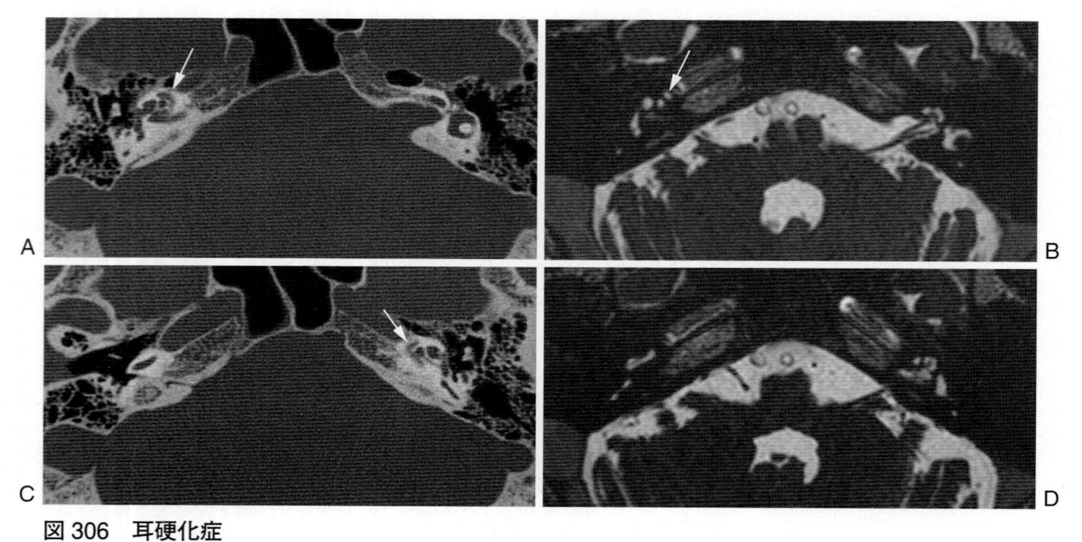

図306　耳硬化症
側頭骨レベルCT横断像（A）において，右蝸牛周囲の脱灰所見（矢印）を認め，ほぼ同レベルのMRI高分解能T2強調像（B）で病変は高信号（矢印）を示す．血管周囲腔拡大などを反映すると思われる．その直下レベルのCT（C）で左蝸牛周囲に同様の脱灰所見（矢印）を認めるが，同レベルMRI高分解能T2強調像（D）で同病変に相当する高信号はみられない．線維性組織に相当すると思われる．

鞘）の腫瘤として認められる．頸動脈分岐より頭側レベルに位置し，頸動脈分岐を前内側に偏位する傾向にある（頸動脈分岐レベルで内・外頸動脈を押し拡げるようにみられる頸動脈小体腫瘍とは異なる）．なお，頸静脈球型病変（glomus jugulare）は頸静脈孔腫瘍では最も多い．

鼓室型腫瘍では上・下鼓室動脈，頸動脈鼓室動脈，岬角を覆う粘膜の血管網，頸静脈型腫瘍では上行咽頭動脈，後頭動脈，内・外頸動脈の枝の他，内上顎動脈などから主に血液供給される．

3）臨床・疫学的事項

傍神経節腫の4分の3は女性に発症，年齢は幅広くみられるが中年に多い．白人に圧倒的に多く（有色人種の10倍弱の発生頻度），頭頸部腫瘍全体の1％未満と比較的まれな病態ではあるが，中耳発生腫瘍として最も多く，側頭骨発生の腫瘍の中でも聴神経腫瘍に次いで2番目に多いとされる[517]．中耳領域の病変（glomus tympanicum，glomus jugulare，glomus jugulotympanicum）は頭頸部発生の全傍神経節腫の約29％を占め，こ

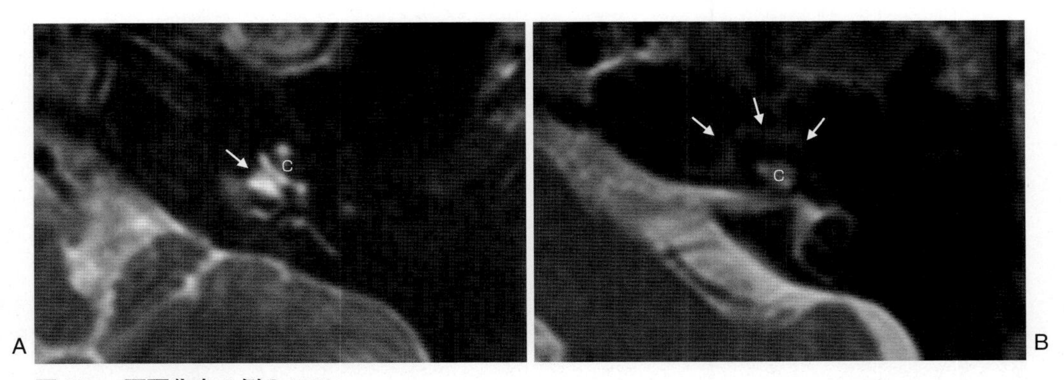

図 307　耳硬化症 2 例の MRI
2 例の左側頭骨の T2 強調横断像．(A)の症例では，蝸牛(c)に隣接して，液体と同様の著明な高信号を示す病変(矢印)を認める．(B)の症例では，蝸牛を囲むようにして，脳実質に近い中等度からやや高信号強度の病変(矢印)を認める．

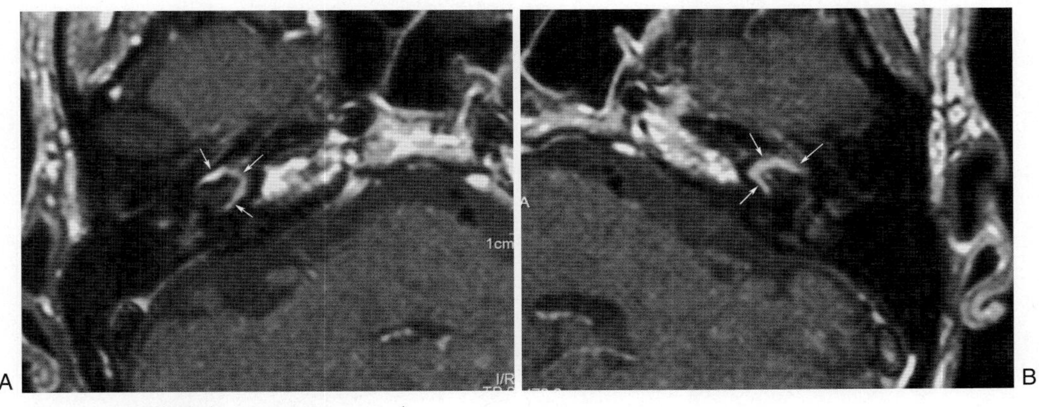

図 308　耳硬化症(retrofenestral type)
A(右側)，B(左側)の側頭骨造影後 T1 強調横断像．蝸牛周囲の病変に一致した増強効果(矢印)を認める．

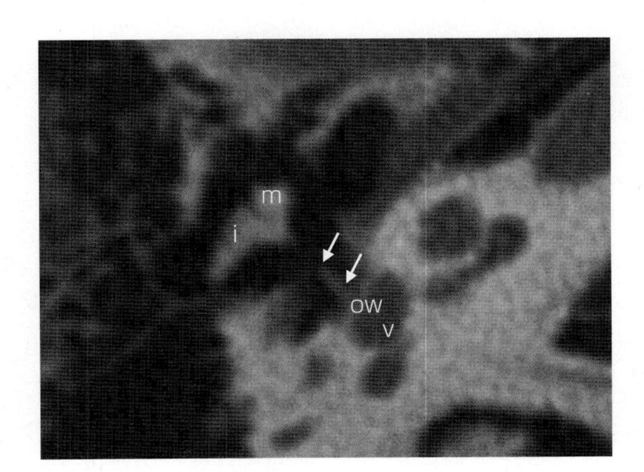

図 309　テフロンワイヤーによるアブミ骨手術後
右側頭骨 CT 横断像．アブミ骨は摘出され，卵円窓(ow)から外側に向かう細い線状の高濃度構造(矢印)を認め，キヌタ骨長脚との間に置かれたテフロンワイヤーに相当する．m：ツチ骨頭，i：キヌタ骨体部・短脚，v：前庭

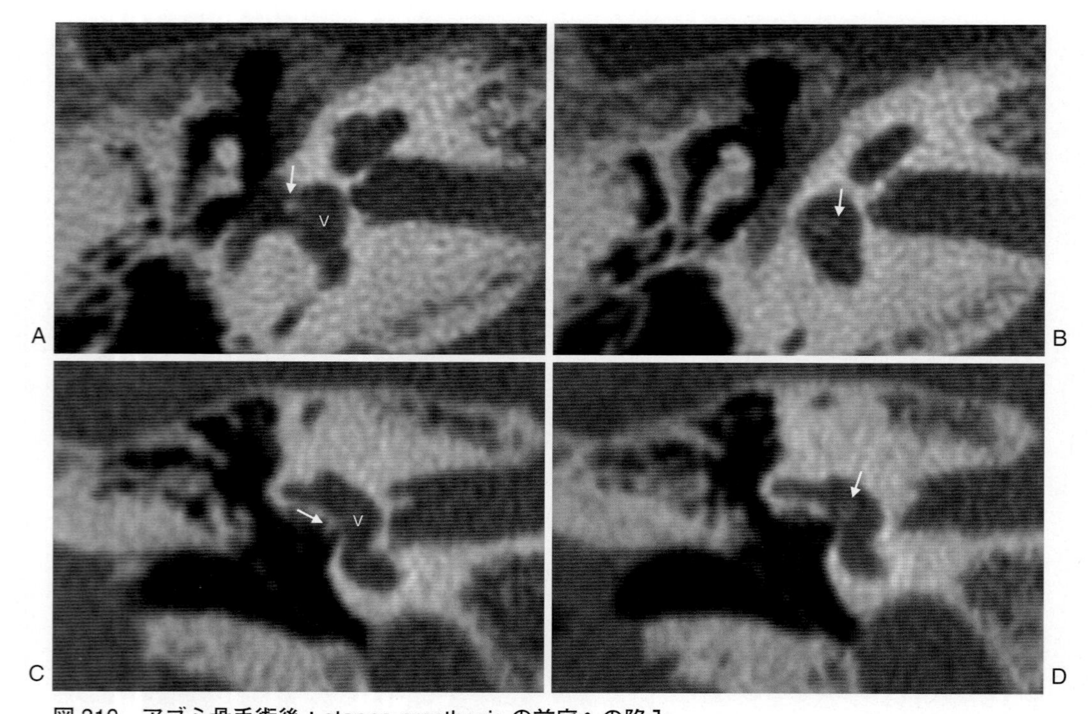

図310　アブミ骨手術後；stapes prosthesisの前庭への陥入
右側頭骨CT横断像(A，B)および冠状断像(C，D)において，prosthesis(矢印)内側は前庭(v)内への(前庭の幅の2分の1を越えた)陥入を示す.

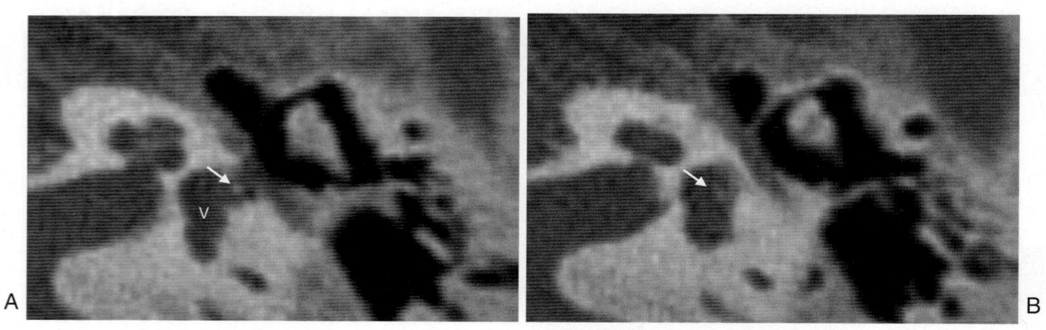

図311　アブミ骨手術後；stapes prosthesisの前庭への陥入
左側頭骨CT横断像(A，B)．prosthesis(矢印)は前庭(v)内に深い陥入を示す.

れらの病変の66〜90％は女性で平均年齢は55歳(26〜79歳)とされる[518]．なお，迷走神経病変は頭頸部の全傍神経節腫の13％で，頭頸部では頸動脈小体腫瘍，中耳領域病変に次いで3番目に多く，同様に女性に多く(50〜85％)，17〜37％が多発病変としてみられる[518].

肉眼的には分葉状，拍動性の紫から暗赤色の軟らかい腫瘤として認められる．鼓室型の初期病変の耳鏡所見は鼓膜の発赤と鼓室内の拍動性赤色調腫瘤である．被膜形成は弱く，容易に損傷，大出血を生じるため，生検には慎重を要する．約10％が多中心性病変で家族歴陽性例に多くみられる．頸静脈型腫瘍の3〜8％で対側，同側あるいは両側の頸動脈小体腫瘍を認めるとされる[515]．また，鼓室型腫瘍と褐色細胞腫，甲状腺髄様癌，副甲状腺過形成を含むMEN (multiple endocrine neoplasia) type IIとの関連も報告されている[519].

頸静脈鼓室型病変の初発症状として多い順に(拍動性)耳鳴，難聴，耳痛などがある．数ヵ月から数年にわたり症状を訴えるが，通常3〜4年程度とされる．病変の進行により(主に下位)脳神経症状をきたす．耳痛は頸静脈型腫瘍よりも鼓室型腫瘍でより高頻度である[515]．眩暈，耳漏，耳出血は比較的まれである．難聴は片側性，進行性で鼓室型腫瘍の約半数で認められ，伝音性が多い(残る半数では難聴なし！)．まれに蝸牛浸潤あるいは瘻孔形成による感音難聴(あるいは混合型難聴)をきたしうる[520]．一方，伝音難聴は耳小骨連鎖と病変との接触による場合が多く，耳小骨破壊・侵食は比較的大きな病変になってから認められるのが通常である．その他，正円窓閉鎖や鼓膜への影響による[520]．頸静脈型腫瘍では病変の進展様式・範囲により伝音性，感音性，混合性難聴を示す．難聴は約72％，耳鳴は約77％でみられ[520]，25％で脳神経障害(第V〜XII脳神経)を認めるが，頭蓋内進展例では複数の脳神経障害とともに頭痛を高頻度に訴える．下位脳神経症状としては嚥下障害，嗄声・発声障害，舌の運動障害，咳嗽反射や喉頭の知覚低下に伴う誤嚥，気管切開依存(tracheostomy dependence)などを生じる(図312)．術前に神経機能が保たれていることは必ずしも腫瘍の神経浸潤を否定するものではない[521]．顔面神経管への腫瘍浸潤による顔面神経麻痺は初発症状としては比較的まれである[522]．後頭蓋窩への大きな進展では脳幹，小脳への圧排などにより閉塞性水頭症を生じ，歩行障害，失調，片麻痺，意識障害などをきたす[523]．頸静脈孔での内頸静脈閉塞は通常は(対側が著しい低形成などでなければ)代償される．神経内分泌機能を示すことはまれである[518].

傍神経節腫瘍の大部分は良性であるが，数％が悪性の病型を示し，最大5％で転移を生じる[518]．悪性病型の診断は転移病変の有無により判断され，病理所見が悪性を示すものではなく予見は困難である[524]．転移の約半数が頸部リンパ節で，その他として肺，骨，肝，乳腺などの報告がある[525]．家族性病変よりも特発性病変で頻度が高いとされる[526].

4）画像所見

拍動性耳鳴を訴える症例に対する画像診断の第1選択はCTである[527]．富血管性を反映して，解剖学的ルールに沿った局在に著明な増強効果を呈する軟部濃度病変として認められる．頸静脈孔周囲の骨変化，鼓室内(特に岬角周囲)軟部濃度腫瘤の有無を含めて，血管走行異常などの他病態の否定とともに傍神経節腫瘍の診断・進展範囲を評価する必要がある．鼓室内に限局した鼓室型腫瘍(図313)では非造影CTでも診断は概ね可能で，岬角に接した軟部濃度腫瘤として認められるが，頸静脈型腫瘍や頭蓋内・外進展を疑う場合では造影CTや後述のMRIが必要となる(図312，314〜316)．また，頸部多発性病変の評価にも造影CTが適する．鑑別診断においてdynamic CTによる動脈相での早期増強効果とwash-out phenomenonからなるtime-density curveが有効とされるが[528]，確定診断に至らない場合は血管造影が必要となる．なお，術後の経過観察で術後肉芽と残存・再発病変との鑑別にもdynamic studyが有効な場合がある．骨は浸透状骨破壊・脱灰により境界不明瞭な骨濃度低下を示す(図317〜319).

頸静脈球領域に関してMRIはflow artifactにより評価困難な場合もあるが，頭蓋内進展，頭蓋底より下方への進展の評価では有効である．T1強調像で低信号，T2強調像で中等度からやや高信号強度を呈する．2 cmを超える病変では腫瘍内部に発達した血管の蛇行したflow voidの混在により高率に“salt-and-pepper pattern”を呈し(図320)，髄膜腫，神経鞘腫，転移などとの鑑別に有用とされるが[529]，実際には明らかでない症例も多い(特に2.5 cm未満の例)(図321)．造影剤投与により急速で高度の増強効果を示す．10 mm程度の病変であってもこれらの特徴的所見を呈しうるとされる[530].

質的診断とともに進展範囲の把握が非常に重要であり，治療選択の判断のもととなる外科的病期分類(後述)に関与する．鼓室に進展した頸静脈型腫瘍，頸静脈鼓室型腫瘍(図312，314，315，317〜319)では，耳鼻科医が鼓膜所見のみを根拠にし，鼓室内に限局した鼓室型腫瘍と理解して経外耳道的に鼓室内成分のみを切除するなどの不適

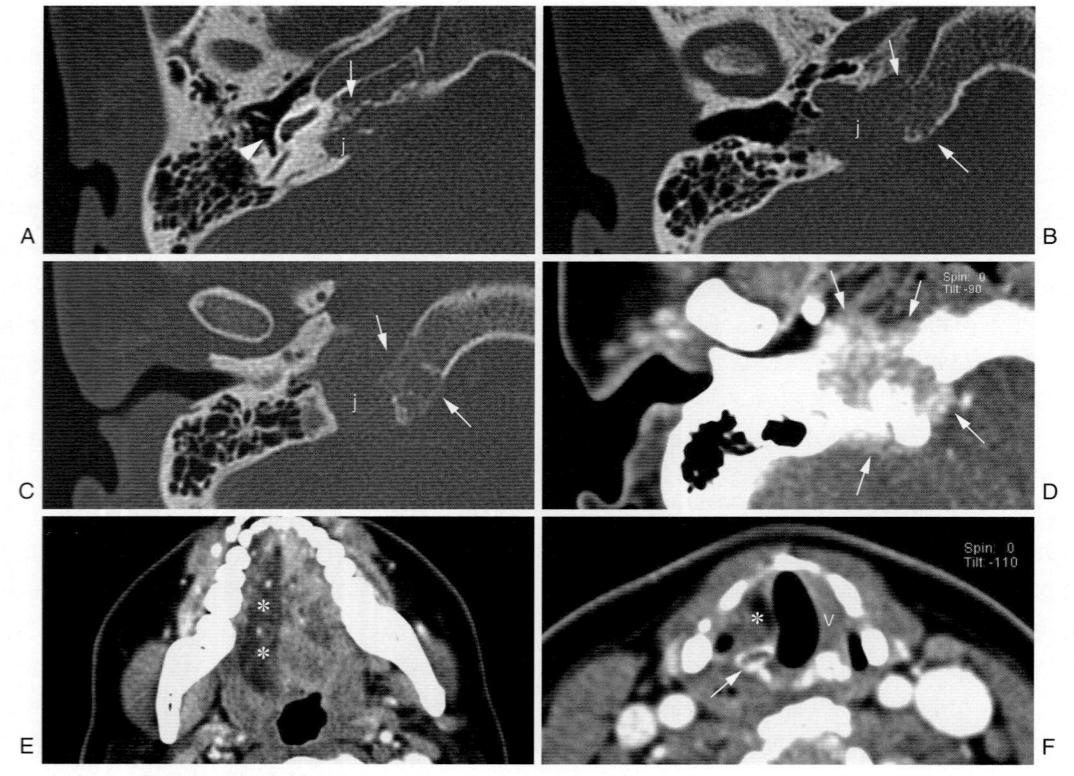

図312　頸静脈型傍神経節腫(glomus jugulare type)
　蝸牛岬角レベルの右側頭骨CT骨条件(A)において蝸牛岬角(矢頭)に接する領域を含めて鼓室の含気は良好．頸静脈孔上縁(j)の前方から内側で骨の輪郭はやや不明瞭(矢印)である．鼓室下部レベル(B)で頸静脈孔(j)の輪郭は不明瞭で，特に内側で斜台外側に骨脱灰・侵食による境界不明瞭な骨濃度低下(矢印)を認める．さらに尾側レベル(C)で頸静脈孔(j)内側の骨侵食は舌下神経管領域(矢印)に及ぶ．造影CT(D)で頸静脈球領域を中心に高度増強効果を呈する腫瘍(矢印)を認める．後頭蓋窩，頭蓋外の頸動脈鞘にむけて骨外性膨隆を示す．口腔レベル(E)で舌右側の萎縮による(舌筋の脂肪浸潤に伴う)濃度低下を認め，右舌下神経(第Ⅻ脳神経)の麻痺，喉頭レベル(F)で右声帯(＊)の(声帯筋萎縮による)脂肪低下，右披裂軟骨(矢印)の内側やや前方への偏位を認め，右反回神経(第Ⅹ脳神経)の麻痺を示す．v：声帯筋により軟部濃度を呈する正常左声帯

切な治療に繋がる危険性がある．耳鏡のみで腫瘍の輪郭全体を確認できることはまれで，画像による評価は重要である．既述のとおり，鼓室型腫瘍の診断では頸静脈型あるいは鼓室頸静脈型腫瘍の否定が最も重要であり[531]，高分解能CTにおいて鼓室・乳突洞内の軟部濃度病変のみならず頸静脈球周囲の骨変化(図317〜319)も慎重に評価する必要がある．CTで腫瘍部と非腫瘍部との区分が明瞭でない病変での進展範囲の把握に関しては造影MRIでの評価が有用である(図314，315，319，322)．頭蓋内・外進展の有無とその範囲，多中心性病変の有無の評価も画像診断に望まれる．頭蓋外では通常，傍咽頭間隙後茎突区(頸動脈鞘)腫瘤として現れる(図316)．

　血管造影では特徴的な“tumor blush”による濃染像(図321)，拡張した栄養血管，動静脈シャント，著明な導出静脈の描出とともに内頸静脈やS状静脈洞などの情報も得ることが可能である．栄養血管は既述のごとく，上行咽頭動脈(図321)，後頭動脈，内・外頸動脈の枝の他，内上顎動脈などから血液供給される．手術を前程とした症例では術中の出血量軽減を目的とする塞栓術が考慮されるが，内頸動脈，椎骨動脈系の合併症に十分配慮する必要がある．

5）外科的病期分類

　多くの外科的病期分類が報告されているが，代表的なものはFisch分類(表29：p998)とGlasscock-Jackson分類(表30：p998)である．両

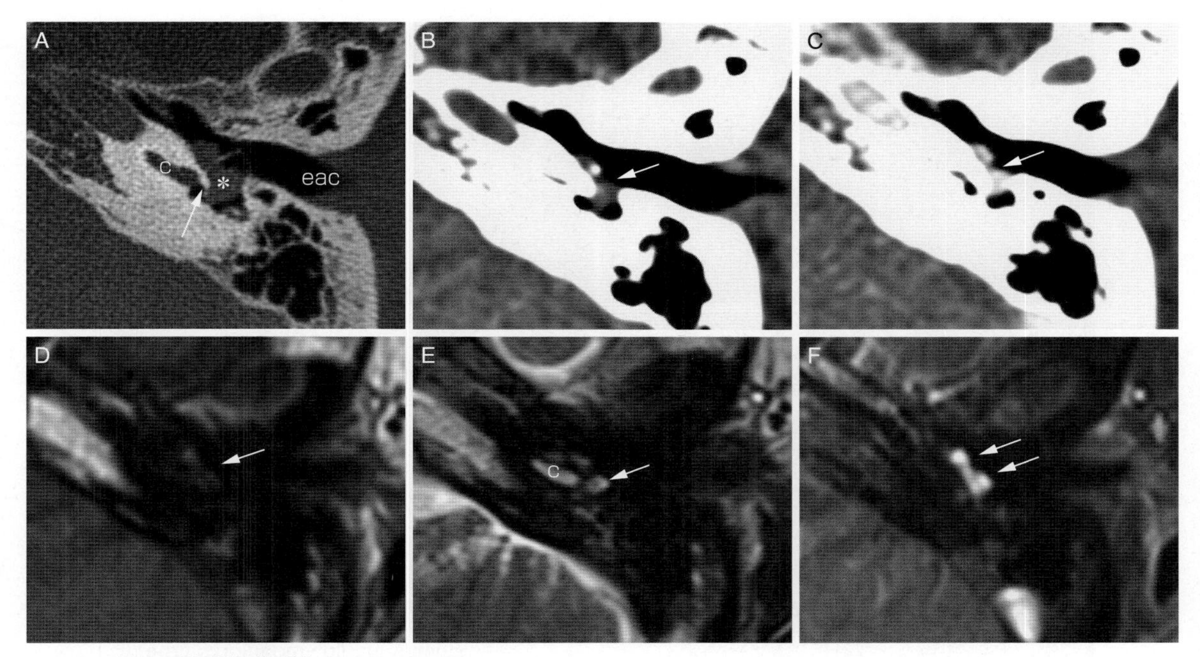

図 313　鼓室型傍神経節腫(glomus tympanicum type)

鼓室レベルの左側頭骨 CT 骨条件表示(A)において，鼓室には，蝸牛基底回転(c)による鼓室内側壁の膨隆としてみられる岬角(矢印)に接して軟部濃度病変(*)を認める．隣接する骨に明らかな脱灰・侵食の所見なし．同レベルの造影前(B)および造影後(C)CT の比較において，病変(矢印)の著明な増強効果が確認される．同レベルの MRI で病変(矢印)は T1 強調像(D)で低信号，T2 強調像(E)で高信号を呈する．造影後 T1 強調脂肪抑制画像(F)で著明な増強効果を示す病変(矢印)は鼓室領域に限局しており，隣接する骨内への連続性は認められない．

分類とも進展範囲により術式選択を決定することを意図しているが，Fisch 分類は鼓室型と頸静脈型を合わせた 1 つの病期分類であるのに対して，Glasscock-Jackson 分類は個別の分類を提示している．術後聴力の温存は腫瘍の大きさ，進展と相関があり，聴力温存率は Fisch 分類の B では 81 %，Glasscock-Jackson 分類の 1 あるいは 2 では 83.5 % であるが，進行病期では不良とされる [520]．

6) 治　療

治療の目的として腫瘍制御の継続とともに術後 QOL の最大化が重要である．小病変は外科的切除が第 1 選択である [532]．進行した病変に対しては外科的治療，放射線治療あるいはその併用が施行される．側頭骨傍神経節腫に対する外科的切除は 1945 年に初めて報告された [533]．1970 年代後半に Fisch により紹介された側頭下窩アプローチは現在も比較的多用されるが，アブミ骨より外側の鼓室，外耳道を切除するため高度伝音難聴を生じる．経迷路・経蝸牛アプローチでは患側聴力は喪失する(感音難聴)．外科的治療の場合は出血量軽減のために術前の塞栓術が考慮される [534]．顔面神経浸潤は術後の顔面神経麻痺発症との相関を示し，浸潤がない場合も術後神経麻痺の可能性は否定されない [520]．必要に応じて術中に顔面神経の転位(transposition)を行うが，ほぼ 20 % で術後顔面神経麻痺を生じるとされ，顔面神経転位の適応に関しては議論がある [535]．

以前は頭蓋内進展，頸動脈管周囲への進展は切除不可能とされていたが，最近では微小外科技術の進歩と側頭下窩アプローチの開発により切除不能範囲は大孔，海綿静脈洞と考えられている [532]．これらの領域への進展の有無を画像によって評価しなければならない．

一方，放射線治療では 4,000～4,500 cGy で高率に腫瘍の進展の抑制，症状の消退が期待される．画像上における腫瘤の縮小率はさまざまで，変化のない局所所見(stable abnormality)を残し

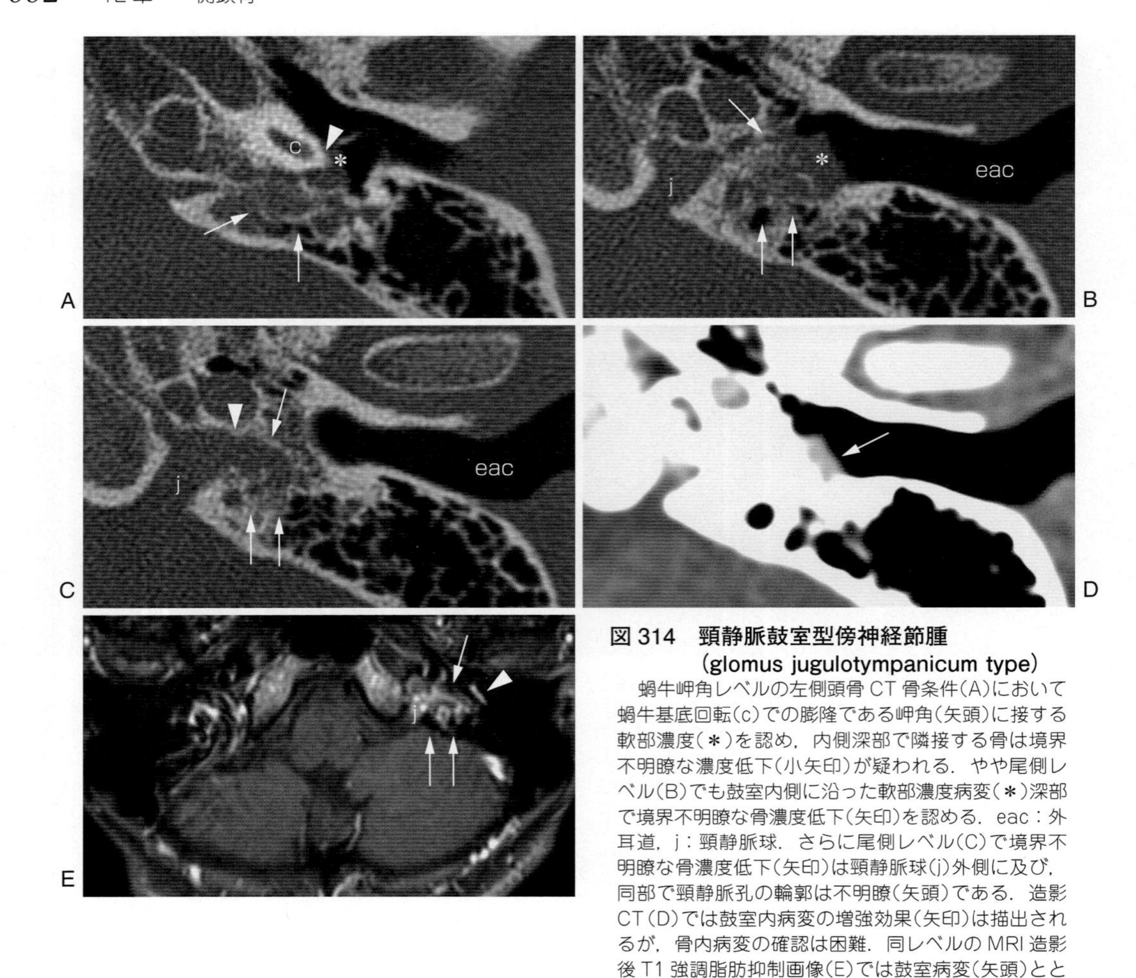

図314　頸静脈鼓室型傍神経節腫
(glomus jugulotympanicum type)

蝸牛岬角レベルの左側頭骨CT骨条件(A)において蝸牛基底回転(c)での膨隆である岬角(矢頭)に接する軟部濃度(＊)を認め，内側深部で隣接する骨は境界不明瞭な濃度低下(小矢印)が疑われる．やや尾側レベル(B)でも鼓室内側に沿った軟部濃度病変(＊)深部で境界不明瞭な骨濃度低下(矢印)を認める．eac：外耳道，j：頸静脈球．さらに尾側レベル(C)で境界不明瞭な骨濃度低下(矢印)は頸静脈球(j)外側に及び，同部で頸静脈孔の輪郭は不明瞭(矢頭)である．造影CT(D)では鼓室内病変の増強効果(矢印)は描出されるが，骨内病変の確認は困難．同レベルのMRI造影後T1強調脂肪抑制画像(E)では鼓室病変(矢頭)とともに深部で頸静脈球(j)に及ぶ骨内病変(矢印)の増強効果も明瞭に確認可能である．

たまま制御される場合が多い[527]．傍神経節腫に対する外照射は一定の制御率を示す治療法として1950年代に最初に報告されている[520]．周囲神経血管構造への障害が問題であったが，近年は定位放射線治療(stereotactic radiosurgery)が後遺症の著明な減少，継続した制御率を示す安全かつ有用な治療法として認識されている[520]．特に外照射が困難な頭蓋底の3 cm未満の腫瘍はよい適応とされる[536]．Patelらは定位放射線で治療した聴力障害が軽度の85例の検討において，治療による蝸牛障害は軽度で純音聴力閾値の上昇は年1.2dB HLと報告している[537]．拍動性耳鳴も定位放射線治療後に60％で軽度から中等度の症状軽減がみられる[537]．放射線治療での治療効果は腫瘍細胞の直接の破壊ではなく，放射線に誘発される線維化による血流閉塞によると考えられるが[520]，長期制御に関する有効性は証明されていない[538]．高齢者では数年の長期にわたり，変化なし，あるいは緩徐な増大を示す傾向にあり，経過観察も選択肢となる[518]．

7）治療後経過観察

CT，MRIは経過観察において，それぞれが有用な評価法となる．上記のごとく，放射線治療後では局所所見を残したままの制御が多いため，治療終了後12〜16週時点における基線検査が重要である．通常，画像上の腫瘍縮小率は0〜50％程度であるが[526]約40％の例で放射線治療後も継続した増大を示す[539]．増大を示す病変のdoubling timeは4.2年と緩徐であることから[540]，比較的保存的な“wait and scan policy”の選択を常に

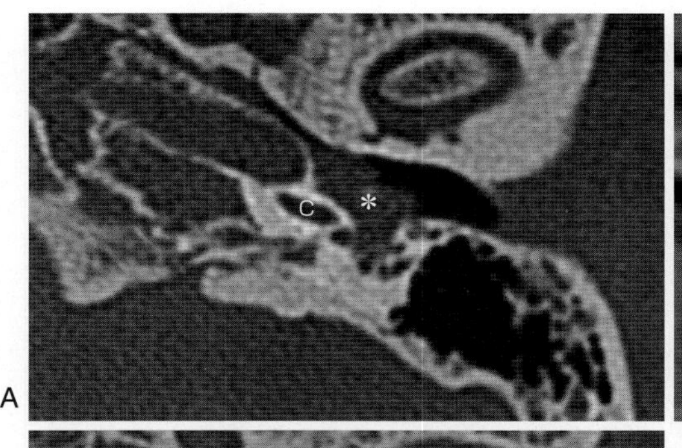

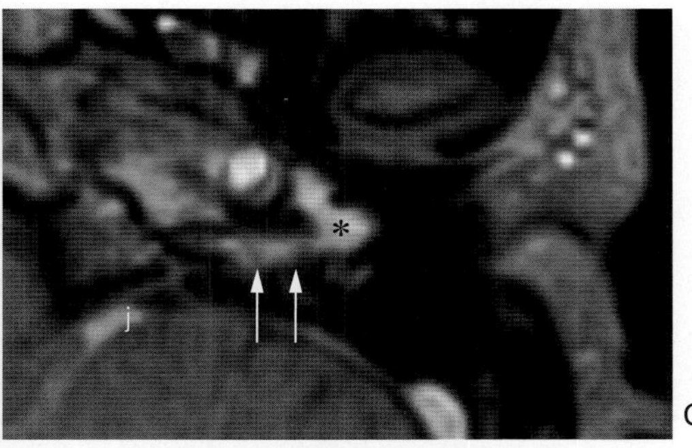

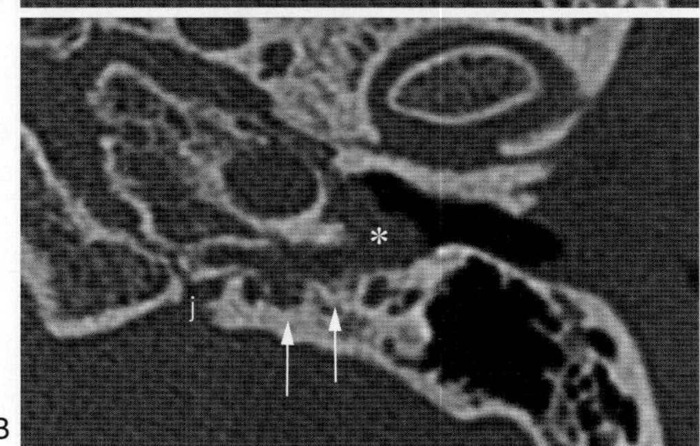

図 315　頸静脈鼓室型傍神経節腫 (glomus jugulotympanicum type)

蝸牛岬角レベル左側頭骨 CT（A）で蝸牛岬角に接して鼓室内に軟部濃度病変（＊）を認める．やや尾側レベル（B）において，鼓室病変（＊）深部で皮質による境界なく，（やや低形成の）左頸静脈孔（j）に向かい骨濃度の低下（矢印）がみられ，頸静脈鼓室型病変が疑われる．ただし，骨濃度低下の所見と骨髄腔との区別は容易ではなく確定的判断は困難と思われる．同レベルの MRI 造影後 T1 強調脂肪抑制画像（C）で鼓室内病変（＊）とともに，CT（B）で深部に連続する骨濃度低下領域に沿った増強効果（矢印）を認め，（鼓室に限局した鼓室型病変ではなく）頸静脈鼓室型病変であることが確認される．j：やや低形成の左頸静脈球

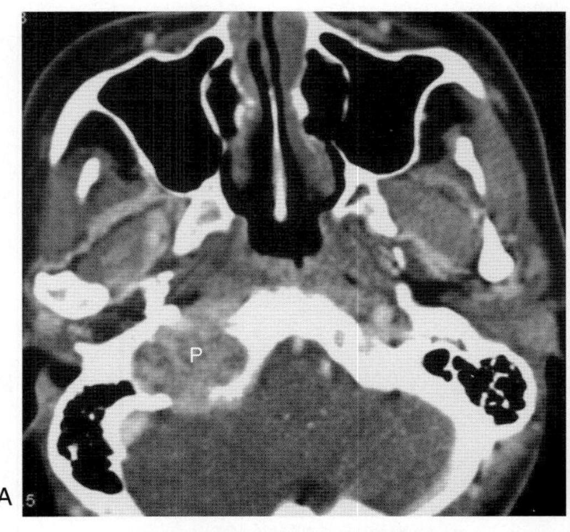

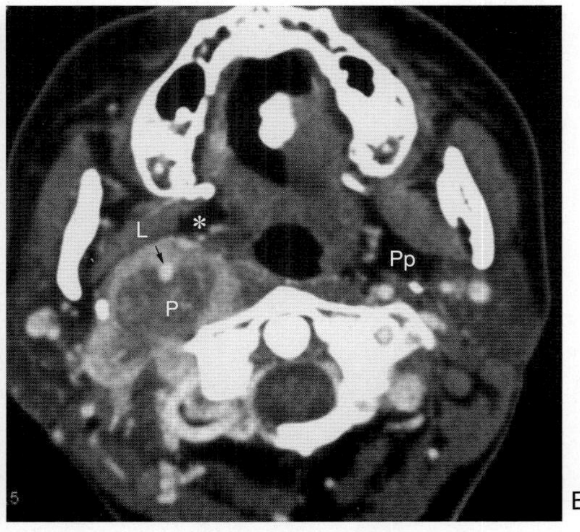

図 316　傍咽頭間隙後茎突区（頸動脈鞘）への頭蓋外進展をきたした頸静脈型傍神経節腫瘍

A：頸静脈球レベル，造影 CT．右頸静脈球に一致して膨張性変化を伴い，強い増強効果を示す腫瘍（P）を認め，周囲の骨に侵食性変化を伴う．

B：尾側レベル．腫瘍（P）は傍咽頭間隙後茎突区（頸動脈鞘）の腫瘤として頭蓋外進展をきたしている．傍咽頭間隙前茎突区（対側で Pp で示す）の脂肪は前方に圧排（＊）されている．矢印：内頸動脈，L：外側翼突筋

考慮して手術適応が判断されるべきである．放射線治療での制御例では，（既述のとおり）腫瘤はしばしば残存するが，大きさは縮小あるいは変化なく，増強効果の減弱，flow void の減少，（経時的な線維化を反映して）T2 強調像での信号低下を示す[541]．制御例は dynamic study における wash-out phenomenon は示さず，増強効果がみられたとしても緩徐な持続的増強効果として現れる場合が多い．CT の骨脱灰・侵食所見は進行を示さず継続性に認められることが多い[541]．骨内病変の

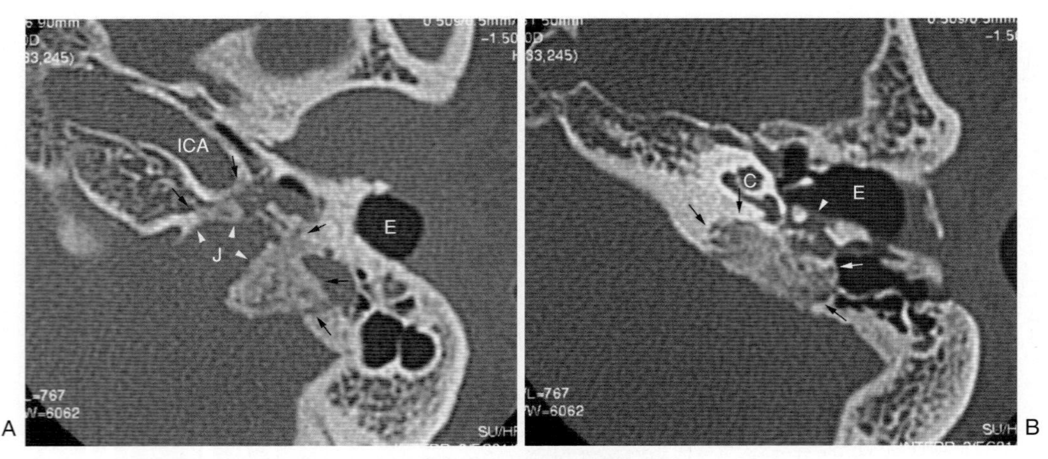

図 317　頸静脈球周囲の骨変化を伴う頸静脈鼓室型傍神経節腫瘍

A：頸静脈孔(J)レベル，左側頭骨横断 CT．頸静脈孔の輪郭(矢頭)は不鮮明で，周囲の骨には不均一な脱灰を示す領域(矢印)が拡がっている．E：外耳道，ICA：頸動脈管水平部

B：蝸牛(C)レベル横断 CT．頸静脈孔周囲から連続する不均一な脱灰を示す領域(矢印)の進展を認め，鼓室後方には軟部濃度腫瘤(矢頭)を形成している．腫瘍の鼓室内成分を示す．E：外耳道

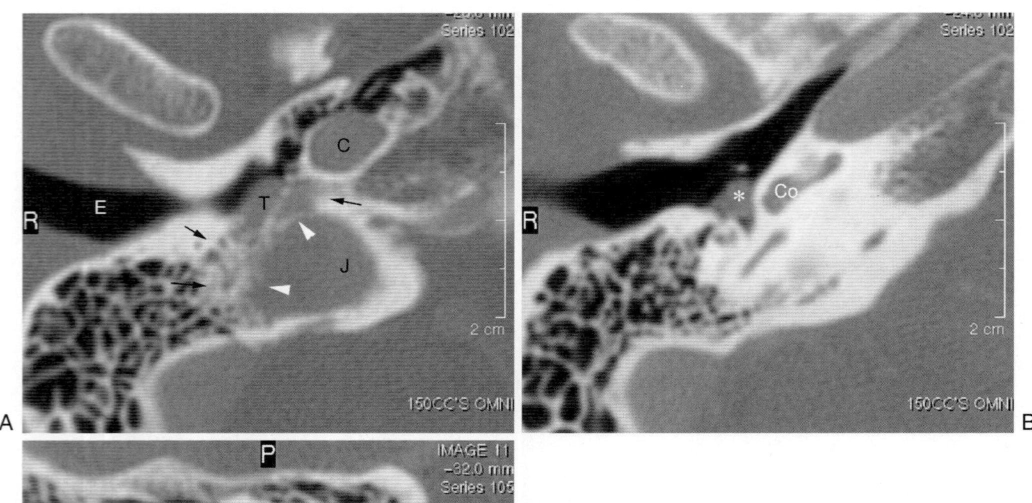

C

図 318　頸静脈球周囲の骨変化を伴う頸静脈鼓室型傍神経節腫瘍

A：頸静脈球レベル，右側頭骨横断 CT．頸静脈孔(J)の輪郭の不明瞭化(矢頭)，周囲の骨の脱灰(矢印)とともに連続性に鼓室内に軟部濃度腫瘤(T)を形成している．

B：蝸牛(Co)岬角レベル．岬角に接する軟部濃度腫瘤(＊)あり．鼓室内成分のみを指摘して，頸静脈球との連続性，その周囲の骨変化を見落とせば，経外耳道的切除のみの不適切な術式選択の危険性あり．

C：頸静脈球レベル冠状断 CT．頸静脈球(J)から連続する鼓室内成分(T)，頸静脈孔周囲の骨の脱灰(矢印)が描出されている．E：外耳道，I：内耳道，V：前庭

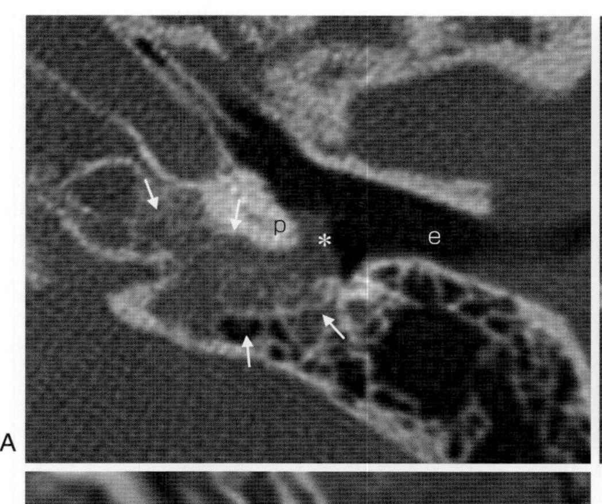

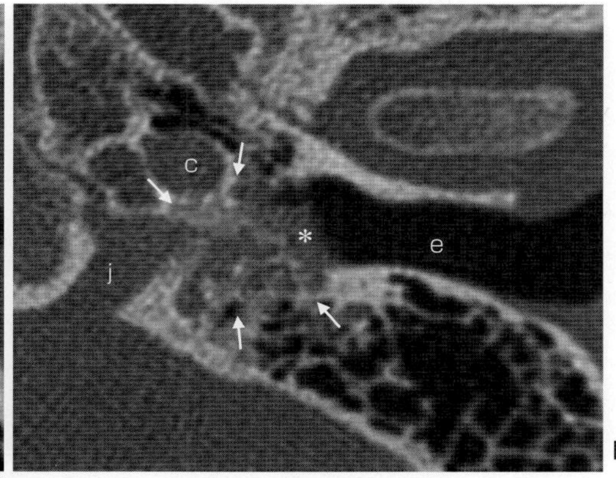

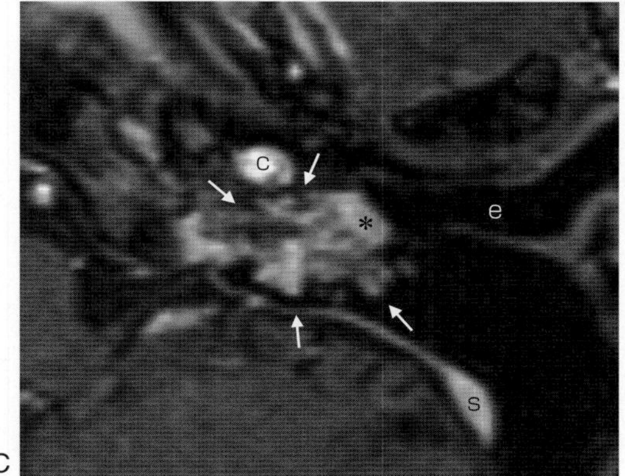

図 319　頸静脈鼓室型傍神経節腫瘍
左側頭骨 CT 横断像(A)で蝸牛岬角(p)に接する軟部濃度病変(＊)を認め，鼓室型傍神経節腫瘍の所見に合致する．隣接する骨はやや粗造な脱灰(矢印)が疑われるが，骨髄腔との区別は困難．e：外耳道．やや尾側レベル(B)でも岬角から尾側への軟部濃度病変(＊)の連続とともに，頸静脈球(j)との間で骨の粗造な脱灰(矢印)の疑いあり．c：頸動脈管垂直部，e：外耳道．同例の MRI，造影後 T1 強調脂肪抑制横断像(C)において，鼓室内の病変(＊)のみではなく，CT(A，B)で認められた骨の脱灰が疑われた領域に連続して，著明な増強効果を示す病変進展(矢印)を認め，(鼓室型病変ではなく)頸静脈鼓室型病変であることが確認される．c：頸動脈管垂直部，e：外耳道，s：S 状静脈洞

活動性については MRI での増強効果，T2 強調像での信号強度等が判断に有用である．一方，外科的治療後では残存腫瘤の有無を評価する必要がある．術後部の硬膜増強効果は術後 1 年程度にわたり認められるため[526]，評価には注意を要する．

c. 内リンパ嚢腫瘍(endolymphatic sac tumor)

1) 疫学・臨床的事項

内リンパ嚢腫瘍は内リンパ嚢に由来する低悪性度の腺癌であるが，臨床的には局所浸潤性・破壊性を示すまれな側頭骨腫瘍で，しばしば中耳腔，後頭蓋窩，骨を侵す．1984 年に Hassard らが最初の症例を報告[542]，1989 年に Heffner が内リンパ嚢を中心とする側頭骨の乳頭上皮腫瘍との疾患概念が確立した病態として最初に記述した[543]．このため “Heffner's tumor” とも称される[544]．その後，1993 年に Li らが内リンパ嚢腫瘍として再分類した[545]．緩徐な増大を示すが，診断時には比較的大きな病変としてみつかる例が多い．転移は極めてまれである．

特発性と von Hippel-Lindau 症候群(VHL：常染色体優性遺伝)をもとに生じる例に分かれる[546]．内リンパ嚢腫瘍の約 3〜15％が VHL 例とされる[544]．VHL は 36.000 出生に 1 人の頻度で生じる中枢神経，内分泌器官(副腎，膵)，網膜，縦隔などを侵す多系統疾患であり，VHL の 11〜24％で内リンパ嚢腫瘍を生じる[547〜549]．特発性では片側性が典型的(両側性は 1％とまれ)であるが，VHL では 30％が両側性病変として現れる[550]．発症年齢は幅広いが，30〜50 歳と若年成人に多い[551]．VHL でやや若年発症の傾向にある(特発例の平均年齢は 52.5 歳，VHL 例の平均年齢は 31.3 歳)[552]．また，特発例では性差はないが，VHL では女性に多い(男性：女性＝1：2)[552]．

症状は病変の進展様式に依存するが，緩徐な発育のため症状発現から診断までしばしば時間を要する(平均 84.7 ヵ月)[544]．難聴(94％，主に感音

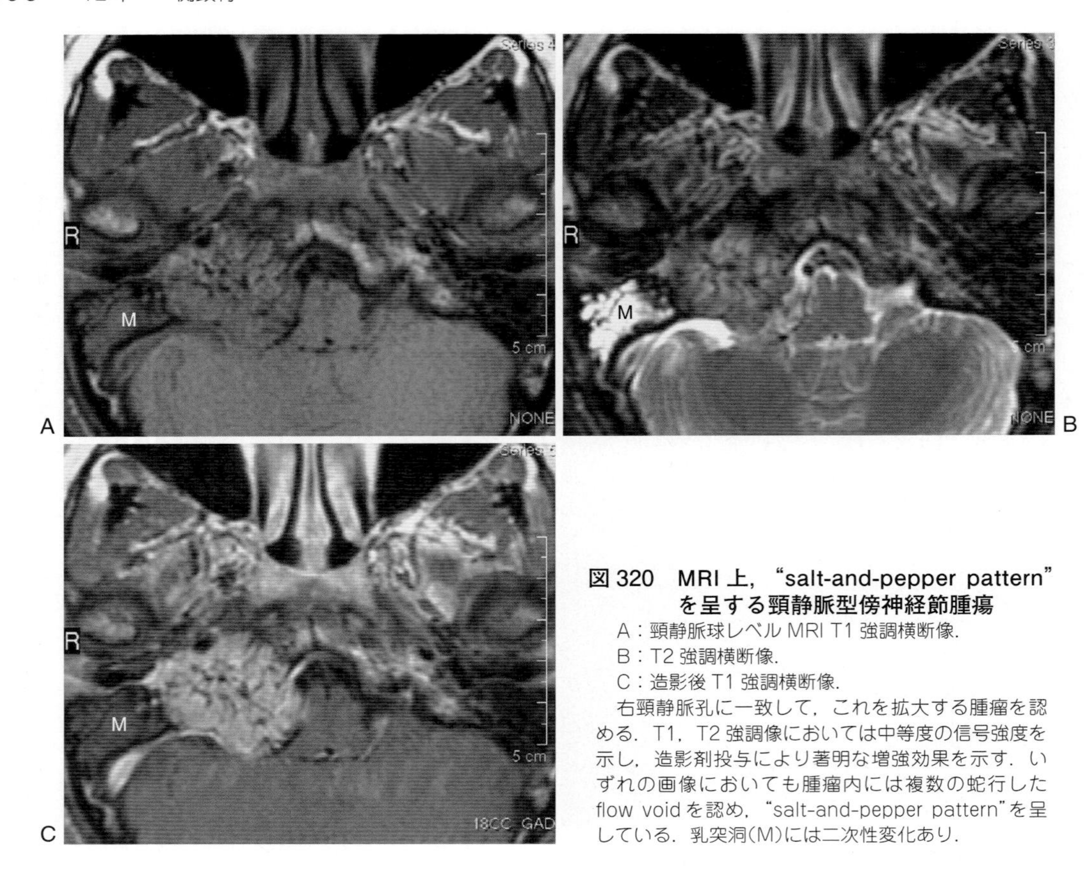

図 320　MRI 上，"salt-and-pepper pattern" を呈する頸静脈型傍神経節腫瘍

A：頸静脈球レベル MRI T1 強調横断像．
B：T2 強調横断像．
C：造影後 T1 強調横断像．
右頸静脈孔に一致して，これを拡大する腫瘤を認める．T1，T2 強調像においては中等度の信号強度を示し，造影剤投与により著明な増強効果を示す．いずれの画像においても腫瘤内には複数の蛇行した flow void を認め，"salt-and-pepper pattern" を呈している．乳突洞(M)には二次性変化あり．

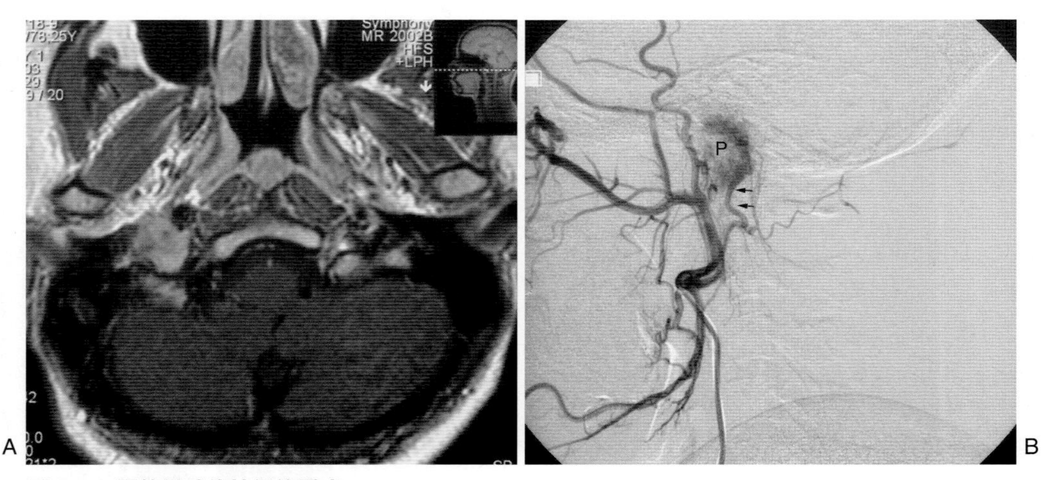

図 321　頸静脈球傍神経節腫瘍

A：頸静脈球レベル造影後 T1 強調横断像．右頸静脈孔に一致して，強い増強効果を示す腫瘤を認める．"salt-and-pepper pattern" は明らかでない．
B：右外頸動脈造影側面像．拡大した上行咽頭動脈(矢印)を栄養血管とする腫瘍濃染(P)を認める．

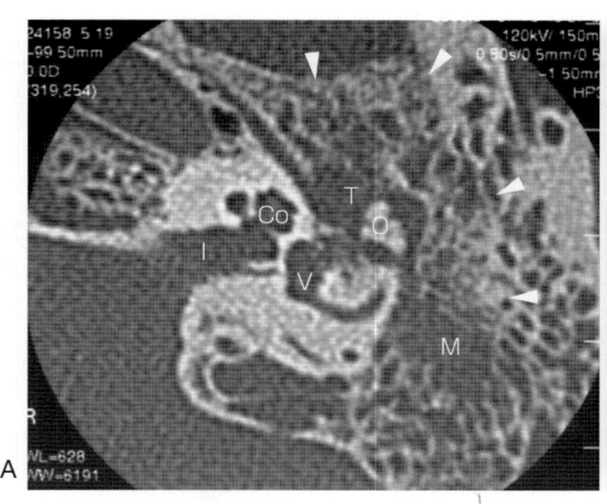

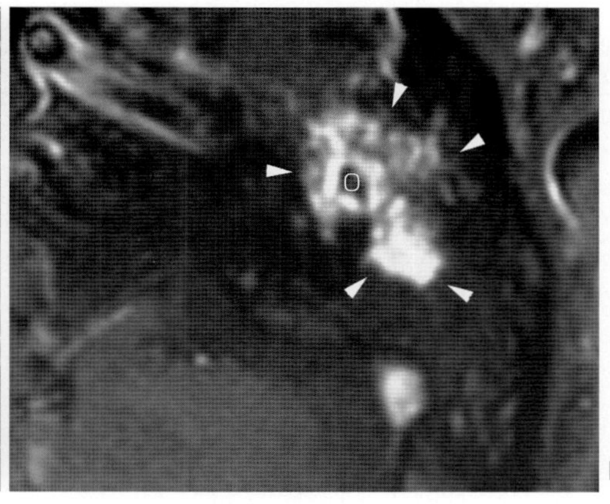

図 322　傍神経節腫瘍
左側頭骨 CT 横断像骨条件表示(A)において，鼓室(T)，乳突洞(M)，その周囲蜂巣に広範に含気腔を置換する軟部濃度を認める．鼓室，乳突洞外側に境界不明瞭な淡い脱灰領域(矢頭)を認め，腫瘍の骨内進展を示唆するが，鼓室内，乳突洞内の進展範囲は明瞭ではない．Co：蝸牛，I：内耳道，O：耳小骨，V：前庭
造影後 T1 強調脂肪抑制画像(B)では，強い増強効果を示す腫瘍(矢頭)の進展範囲が明瞭に描出されている．O：耳小骨

性)が最も多く，突発性，緩徐な進行性のいずれもありうる[553]．その他，耳鳴(55％)，眩暈(47％)，顔面神経麻痺(33％)，下位脳神経障害(5%，主に舌咽神経，迷走神経)，顔面感覚異常(5%，三叉神経)，耳閉感，失調などを訴える[553]．難聴，耳鳴，眩暈の組み合わせでは，臨床的に Ménière 病と類似し，約 21％は初期に Meniere 病と診断される[544]．内リンパ嚢およびこれに連続する内リンパ水管は内リンパの量と圧を調整しており，腫瘍での内リンパ嚢・水管閉鎖でこれらの平衡状態が障害され，迷路内出血から炎症を生じ，(Ménière 病と同様の)内リンパ水腫の状態をきたすことによる[551, 554]．

特発例は VHL 例と比較して，聴力障害が重度で顔面神経麻痺の頻度も高く，症状発現から診断までの期間はより短く，診断時の病変が有意に大きいなど，局所侵襲性がより高い傾向にある[546, 548]．

現状，広く受け入れられている病期分類はないが，Bambakidis らにより提唱された分類(表 31：p999)[552]，Schipper らにより提唱された分類(表 32：p999)[555]が主に用いられる．Bambakidis らの病期分類では，診断時には半数以上が grade Ⅱであり，grade Ⅳは 2〜4％とまれである．Schipper らの病期分類において，typeA のみが前庭蝸牛神経の温存が可能であるが，いずれの病期であっても経迷路アプローチから側頭下窩アプローチまでの様々な術式により顔面神経の機能を温存した完全切除が可能であり，そのなかで経乳突部アプローチによる切除が局所再発のリスクが小さく最も有用としている[555]．

基本的には進展様式として以下の 4 つの方向性を示す：内側，外側，頭側，前内側への進展．内側では小脳橋角部，後頭蓋窩に進展，CT において内耳道，頸静脈孔，後頭骨外側部での骨破壊を示す場合あり[544]．MRI では脳幹，小脳半球への圧排の有無，程度が評価可能である．外側では鼓室に進展，CT において顔面神経管下行部，乳突部，後半規管などの骨侵食を示す．CT での顔面神経管浸潤の所見では高率(91％)に顔面神経麻痺を呈するとされる[544]．頭側では半規管から中頭蓋窩へ進展，脳実質圧排に伴う頭痛の原因となりうる[544, 556]．前内側は錐体稜に沿って斜台底部，海綿静脈洞や蝶形骨洞に進展，三叉神経障害の原因となりうる[544, 557]．

2）病理学的事項

単層の扁平な立方から円柱上皮で覆われる乳頭状，嚢胞性増殖により構成され，有糸分裂活性はまれである[558]．間質は血管が豊富で慢性炎症を示し，細胞成分に乏しい線維化，出血，反応性変化などをしばしば認める．

病理学的には甲状腺癌，腎細胞癌の転移など，

表 29　Fisch 病期分類

分類	進展範囲	術式選択
Type A	中耳腔に限局	経外耳道的切除
Type B	鼓室，乳突洞領域に限局	経外耳道・経乳突洞的切除の併用
Type C	錐体骨尖部方向への迷路下部進展	側頭下窩アプローチによる切除
Type D	頭蓋内進展	側頭下窩アプローチあるいは耳鼻科・脳外科による二期的切除

(Fisch U: Infratemporal fossa approach for glomus tumors of the temporal bone. Ann Otol Rhinol Laryngol **91**: 474-479, 1982)

表 30　Glasscock-Jackson 分類

鼓室型腫瘍

分類	進展範囲	術式選択
Type 1	岬角に限局した小病変	経外耳道的切除
Type 2	鼓室腔を充満	拡大顔面神経窩アプローチによる切除
Type 3	乳突洞へも進展	
Type 4	頸動脈管より前方あるいは外耳道への進展	

頸静脈型腫瘍

分類	進展範囲	術式選択
Type 1	頸静脈球に限局	古典的頭蓋底アプローチによる切除
Type 2	内耳道下面へ進展	
Type 3	錐体骨尖部へ進展	側頭下窩アプローチによる切除
Type 4	斜台・側頭下窩へ進展	

(Jackson CG, Glasscock ME, Harris PF：Arch Otolaryngol **108**：401-406, 1982)

他の乳頭状，腺腫様腫瘍との区別が困難であるが[559]，最近ではEAAT-1，Kir7.1の腫瘍マーカー欠損により鑑別可能とされる[560]．

3）画像所見（表 33）

画像診断は感度，特異度ともに高く[546]，CT，MRI（図 323～325）ともに診断の確定，進展範囲の把握において重要な役割を果たす．いずれにおいても内リンパ嚢の解剖学的部位に一致した，錐体骨後面の迷路後部を中心とした特徴的な局在(retrolabyrinthine location)を示す．CTでは錐体骨後面を中心とする地図状あるいは虫食い状の骨侵食性・破壊性軟部腫瘤として認められ，腫瘍内の点状・網状・棘状石灰化(intratumoral calcific spiculation)，腫瘍後面の薄い辺縁石灰化(posterior rim-calcification)を伴う[561]．特に顔面神経管，頸静脈孔，内耳道，舌下神経管の骨壁の評価が重要である（図 323，324，326）．なお腫瘍内石灰化については，腫瘍が類骨や軟骨基質を産生せず異所性石灰化沈着も示さないことから，(侵食から)取り残された骨構造を反映すると考えられている[562]．MRIではT1強調像での出血，遅い血流，高タンパク内容の嚢胞部などによる高信号強度（図 323，325）が特徴的で，80％で認められる（20％では脳白質と等信号強度）（図 324）[563]．T2強調像で著明な高信号強度を主体として内部に網状・斑状低信号を伴う．富血行性を反映して中等度から高度で不均等な増強効果を呈するのが典型的であり，80％が造影剤投与による増強効果を示す[563]．大きな腫瘍ではときにflow voidを認める．また嚢胞部に液面形成(blood-fluid level)を示す場合もある[544]．

頸静脈球周囲に及んだ病変では傍神経節腫瘍が鑑別となるが（図 324），T1強調像での信号強度が鑑別に有用である．髄膜腫とはT2強調像での著明な高信号強度により鑑別可能である．

4）治　療

早期診断による外科的完全切除が基本であり，放射線治療の適応は主に切除困難例あるいは切除

表 31　内リンパ嚢腫瘍の Bambakidis らによる病期診断

grade Ⅰ	側頭骨，中耳，外耳道に限局
grade Ⅱ	後頭蓋窩への進展
grade Ⅲ	後頭蓋窩・中頭蓋窩への進展
grade Ⅳ	斜台，蝶形骨大翼への進展

（Bambakidis NC, Megerian CA, Ratcheson RA：Otol Neurotol **25**：773-781, 2004）

表 32　内リンパ嚢腫瘍の Schipper らに病期診断

type A	局所に限局性，側頭骨侵食や硬膜浸潤なし
type B	骨迷路浸潤および感音難聴あり
type C	S 状静脈洞や頸静脈球に進展

（Schipper J, Maier W, Rosahl SK et al：J Otolaryngol **35**：387-394, 2006）

表 33　内リンパ嚢腫瘍の画像所見

CT	錐体骨後面・迷路後方の局在 骨侵食性・破壊性腫瘤 棘状（あるいは点状・網状）石灰化（intratumoral calcific spiculation） 後面の薄い辺縁石灰化（posterior rim-calcification）
MRI	錐体骨後面・迷路後方の局在 T1 強調像での高信号強度（80％） T2 強調像で高信号強度 造影後 T1 強調像で増強効果（80％）

断端陽性の術後例などに限る[561]．治療（術式）選択・時期などの判断では，病変の十分な評価（正確な進展範囲の把握，特に既述の病期診断にある重要領域への進展の有無・範囲）をもとに，患者の全身状態，年齢などの因子とともに，経過観察，限定的摘出術での予測される短期・長期予後，病変の増大速度・侵襲性，完全切除の可否および予測される術後障害の程度などを考慮する必要がある[561]．手術アプローチは聴力の状態，腫瘍の大きさ，局在，進展による．小さく内リンパ嚢領域限局性の腫瘍では経乳突部後迷路アプローチ，迷路浸潤を伴う大きな腫瘍では顔面神経温存による経迷路アプローチ，顔面神経，頸静脈球，中耳への浸潤を示すより大きな腫瘍では側頭下アプローチ，深部の錐体尖部進展では経蝸牛アプローチ，後・中頭蓋窩進展例では経乳突部後 S 状静脈洞アプローチ，あるいは十分な視野確保には側頭骨亜全摘が必要となる[544]．既述のとおり，特発性の場合，腫瘍はより広範な進展を示す傾向にあり，術後聴力結果は不良な傾向にある．ただし，VHL 例（特に両側性症例）では，網膜血管芽腫での失明の可能性もあり，聴力温存に対する十分な配慮が必要である[548]．術中出血軽減を目的とした術前塞栓が用いられる場合もある[564]．内リンパ嚢腫瘍の血流は主に下鼓室動脈（上行咽頭動脈の枝），茎乳突動脈（後頭あるいは後耳介動脈の枝），内頸動脈の錐体骨内枝，前・後小脳動脈，中硬膜動脈の錐体枝から供給される[561]．側頭骨亜全摘後の切除断端陽性例や切除不能により明らかな腫瘤残存例では放射線治療の適応を考慮すべきである[565]．ただし，約半数で腫瘍再増大を示す[544]．転移リスクは低いため局所のみを治療対象とするが，断端陽性例では 66Gy，明らかな腫瘍残存例では 70Gy と通常の悪性腫瘍と同様の照射を行う．晩期障害予防に可能であれば IMRT を選択する．3 cm 未満の腫瘍では定位放射線治療（γナイフ等）も適応となるが，定位放射線治療のみが選択される場合は照射野設定は慎重に行うべきである[551]．

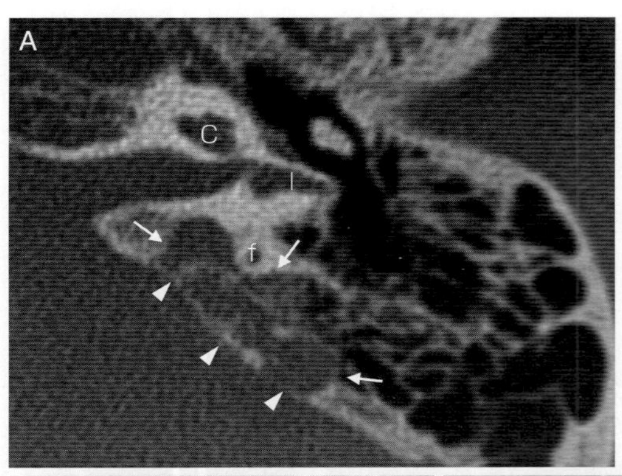

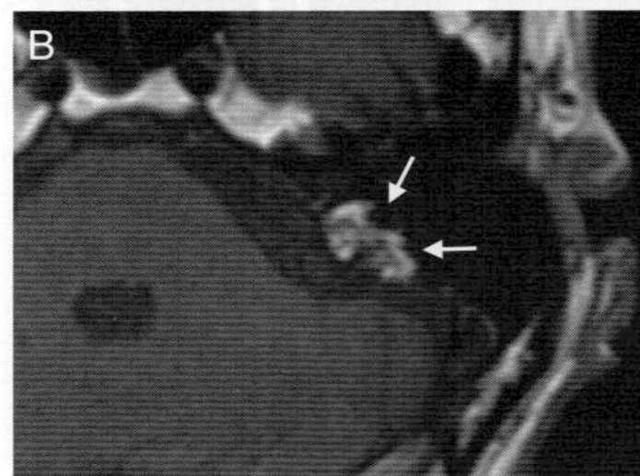

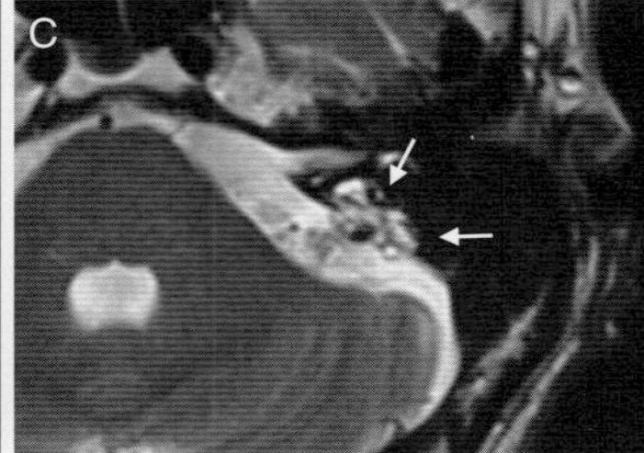

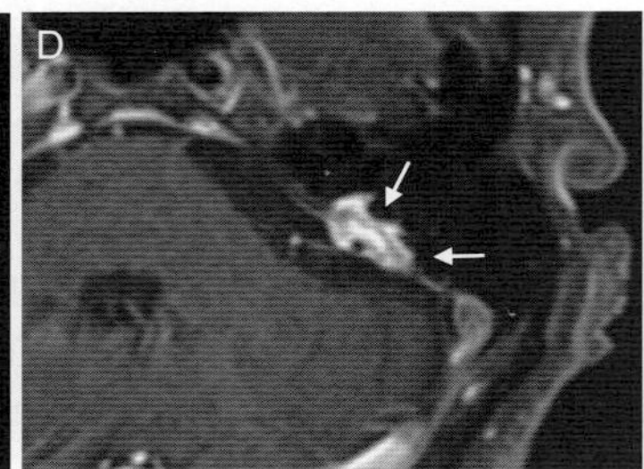

図323　内リンパ嚢腫瘍

左側頭骨CT横断像(A)において，錐体骨後面で迷路(c：蝸牛，l：外側半規管)後方を中心として，骨侵食性病変(矢印)を認め，内部には棘状・網状石灰化を含み，後縁に薄い辺縁石灰化(矢頭)が保たれている．顔面神経管(f)周囲の骨壁は保たれている．同例のMRIで病変(矢印)は，T1強調像(B)において不均一な高信号強度，T2強調像(C)で著明な高信号および内部に網状低信号強度を認める．造影後T1強調脂肪抑制画像(D)では〔T1強調像(B)との比較で〕不均等な増強効果を示す．

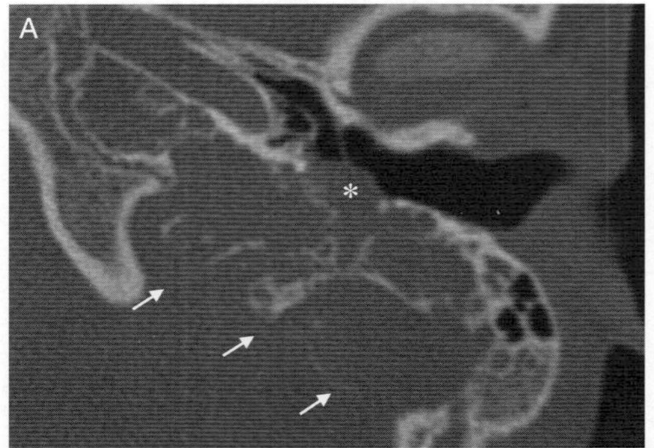

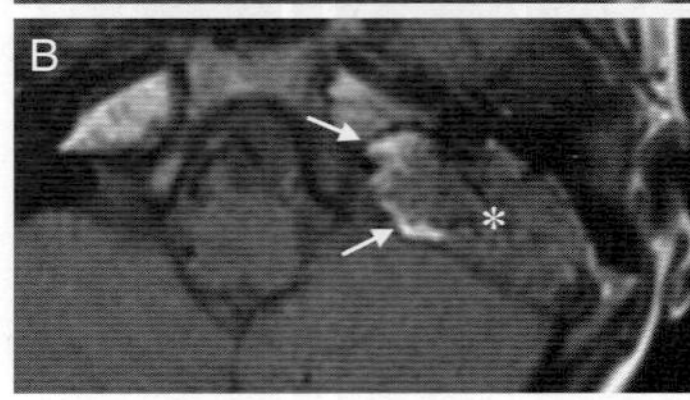

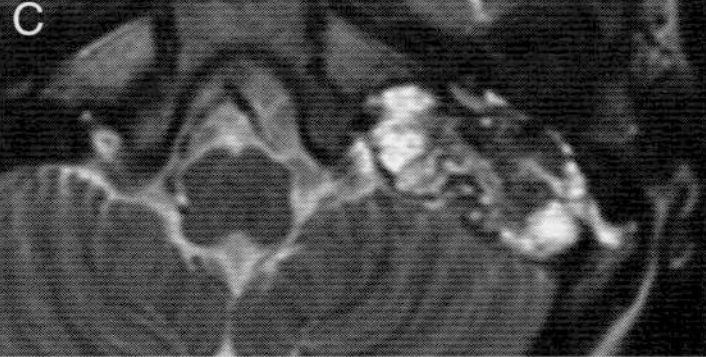

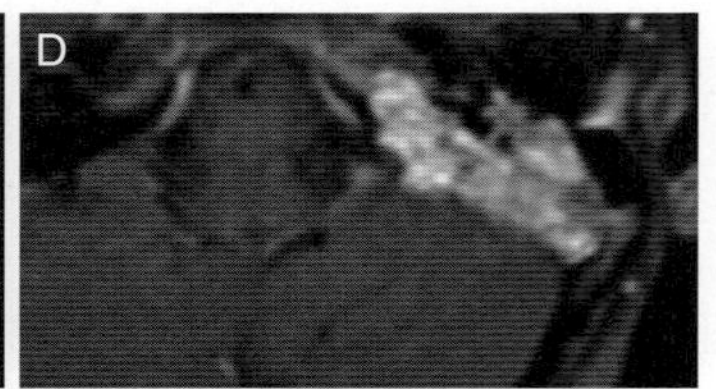

図324　内リンパ嚢腫瘍

左側頭骨CT横断像(A)で側頭骨の大きな骨破壊性・侵食性病変を認め，内部に棘状・網状石灰化を含み，錐体骨後面の骨は途絶(矢印)を示す．前方で鼓室に軟部濃度病変の進展(＊)を認め，進展様式としては頸静脈鼓室型傍神経節腫瘍に類似する．顔面神経管乳突部領域は病変の浸潤を受ける．同例のMRI，T1強調像(B)で病変の大部分(＊)は脳白質とほぼ同等の低信号強度であるが，内側に偏在して高信号域(矢印)を伴う．T2強調像(C)では著明な高信号と低信号がモザイク状を呈する．造影後T1強調脂肪抑制画像(D)では，T1強調像(B)での低信号領域を中心に不均等な増強効果を示している．

d.　聴神経腫瘍(acoustic tumor・vestibular schwannoma)

1917年にHarvey Cushingが聴神経腫瘍の症状や外科的治療についての認識を新たにする指標となる記述を行って以来，1世紀を経て依然として聴神経腫瘍の基礎的なことの多くが不明のままである[566]．

1）疫学・臨床的事項

脳腫瘍の7〜10%を占め，良性頭蓋内腫瘍としては髄膜腫，下垂体腺腫に次いで3番目に多い[567]．第8脳神経より生じる良性の神経原性腫瘍であり，脳神経由来の神経原性腫瘍では最も多く[367]，頭蓋内神経鞘腫の90%以上を占める．小脳橋角部腫瘍の大部分が聴神経腫瘍と髄膜腫，そ

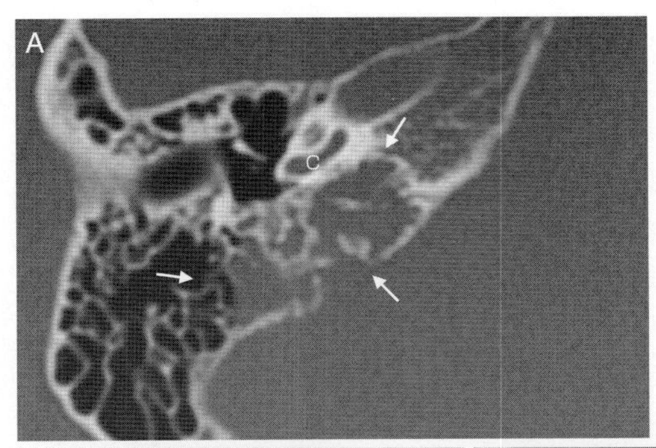

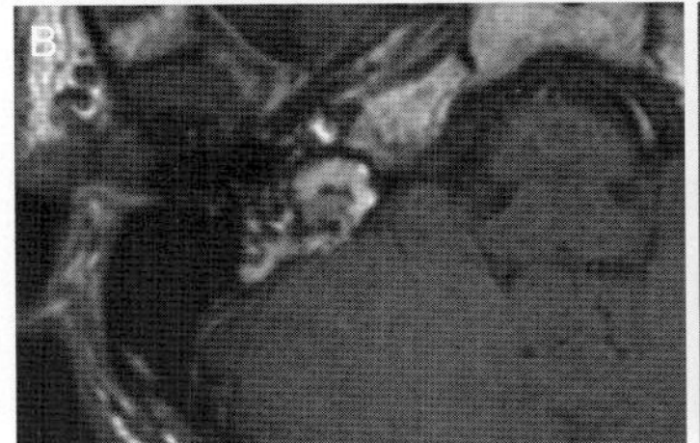

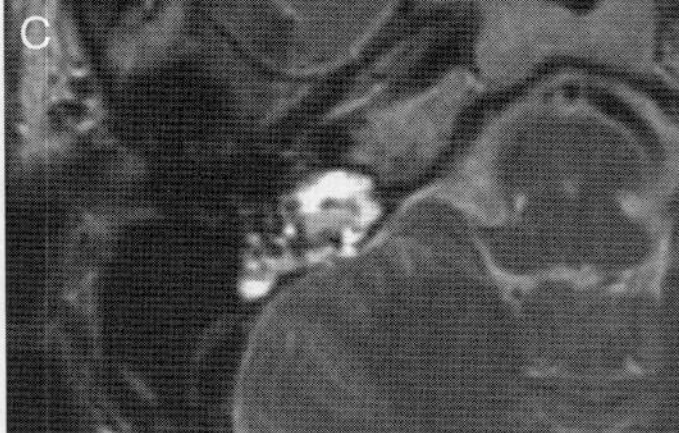

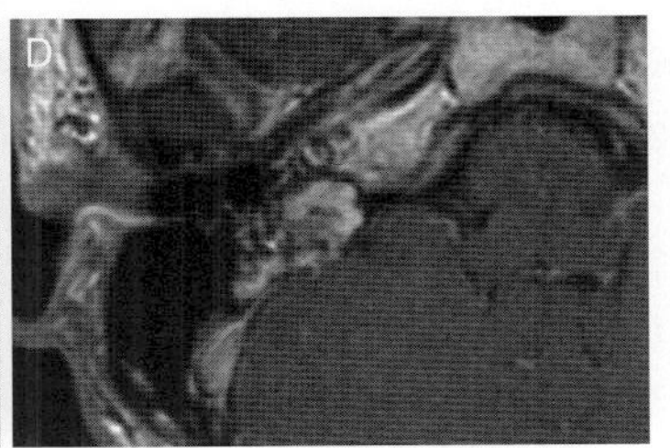

図 325　内リンパ嚢腫瘍

右側頭骨 CT 横断像(A)．錐体骨後面の迷路(c：蝸牛)後方に，内部に棘状・網状石灰化を伴う骨侵食性病変(矢印)を認め，同例の T1 強調像(B)で高信号強度を呈する．T2 強調像(C)で著明な高信号を主体とする．造影後 T1 強調像(D)では造影前(B)の高信号強度により増強効果の有無の判断は困難である．

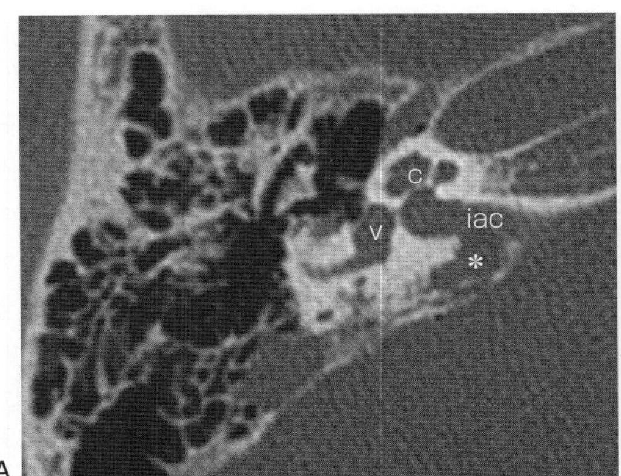

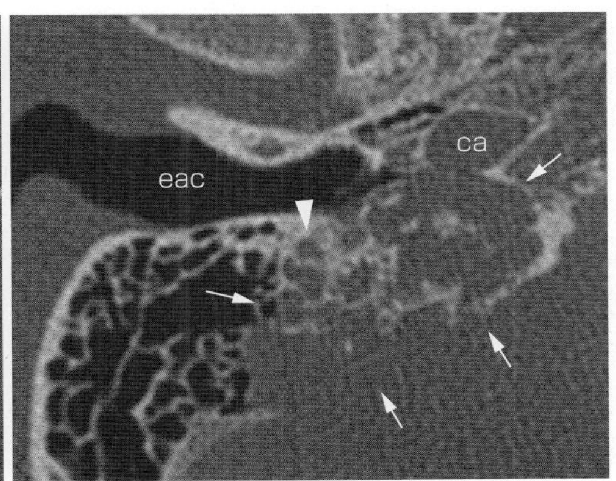

図 326　内リンパ嚢腫瘍

内耳道レベル右側頭骨 CT(A)において，錐体骨後面の骨融解性病変(＊)を認め，内耳道(iac)後壁との間の骨は欠損を示す．c：蝸牛，v：前庭．外耳道レベル(B)において錐体骨後面，内リンパ嚢領域を中心とする骨融解病変(矢印)を認め，内部には網状，棘状の石灰化(取り残された骨構造)を認める．内側前方で頸動脈管垂直部(ca)と隣接，介在する骨の欠損あり．顔面神経管乳突部(矢頭)周囲にも脱灰は及ぶが骨壁は残存する．eac：外耳道．頸静脈球レベル(C)では，病変(矢印)は前方で顔面神経管乳突部領域(矢頭)に進展，顔面神経管骨壁は消失している．内側前方では頸静脈孔(j)領域に近接し，同骨壁は脱灰により不明瞭となっている．

の他では大部分を類皮嚢腫，くも膜嚢胞が占める．成人の後頭蓋窩腫瘍で最も多く，小脳橋角部腫瘍の 80％強を占める[568]．聴神経腫瘍の大部分は前庭神経［本邦では特に下前庭神経[569]］に由来することから前庭神経鞘腫(vestibular schwannoma)がより正確な名称として用いられる(蝸牛神経由来は 10％以下)．

症状は(片側性進行性，あるいは急性発症)感音難聴(94％)，耳鳴(83％)が多く，眩暈(多くは浮動性)などの前庭症状の出現率の報告は幅が広い(17〜75％)がやや低く見積もられる傾向にある[570]．増大に伴い脳幹や他の脳神経(顔面神経，三叉神経など)への圧排をきたす．急性発症の感音難聴(約 10％)は突発性難聴との鑑別が問題となる．突然発症の感音難聴例の 4％に聴神経腫瘍を認めるとされる[571]．初発症状として(感音難聴，耳鳴による)聴覚障害が 80％を占め，眩暈は 10〜15％程度と少ない[572]．腫瘍増大が緩徐であり，前庭神経障害による症状発現が中枢の代償により抑えられるためと考えられる．眩暈は初発時には半数が回転性(vertigo)であるが，反復性は少なく，次第に動揺性(dizziness)，浮動性(unsteadiness)をきたす．顔面神経，三叉神経の障害は比較的まれであり，治療前に顔面神経は 92〜100％，三叉神経は 94〜100％で機能は保たれている[573]．オージオグラムでは様々なパターンを示すが，皿型・谷型が特徴的とされる．感音難聴は純粋な後迷路性ではなく内耳性を示す例もあり，診断には注意を要する．また，組織学的検索での聴神経腫瘍の頻度は数％であるのに対して，臨床例は人口 100,000 に 1 例(0.001％)であり，無症候例が圧倒的に多いことも(特に治療方針の決定において)認識しておく必要がある[574]．加齢により頻度は上昇，65〜74 歳では最大 100,000 人に 2.93 人となり，性差はない[568]．人種差があり白人に多く，黒人，ヒスパニックに少なく，アジア人はその中間に入る[575]．白人と比較して，黒人，ヒスパニック，アジア人は診断時の腫瘍が大きい傾向にあるとされる[575]．

両側性の聴神経腫瘍では神経線維腫症 2 型(neurofibromatosis type 2：NF2)が診断される(図 327，328)．NF2 は 22q12 染色体の変異による常染色体優性の遺伝性疾患で 40,000〜210,000 出生に 1 例と[576, 577]，特発例の約 20 分の 1(聴神経腫瘍全体の 4〜6％)の頻度とされる[578]．NF2 症例の増大速度は様々で，若年者でより速く，左右の病変の増大速度は強い相関を示す[578]．30 歳未満で片側の聴神経腫瘍または他の神経鞘腫，あるいは 25 歳未満で髄膜腫を認めた場合，NF-2 の可能性を考慮すべきである[568]．

2）画像診断

MRI が標準的モダリティとして選択されるが，非対称性の難聴で施行された MRI で聴神経腫瘍が同定される頻度は 1.09〜5.23％とされる[579]．病変は内耳道，小脳橋角部の腫瘤として描出される．スクリーニング，経過観察など，腫瘍の有無(存在診断)，一度確認されている病変の大きさに関する経時的評価が主な目的となる．造影後 T1 強調像が術前，術後評価の基準となるが，高分解能 T2 強調像の有用性も高く，必ずしも造影剤投与を必要としない[580]．前庭・蝸牛神経やその枝，顔面神経などは(造影後 T1 強調像では明瞭な同定は困難であり)高分解能 T2 強調像が評価に優れる．腫瘍内・周囲の嚢胞の評価，(類似の症状を示す)迷路炎や(同じ小脳橋角部腫瘤としてみられる)髄膜腫などとの鑑別を目的とした場合には造影剤投与が有用な場合も多い．なお，迷路出血(図 286)の否定に造影前の T1 強調像が必要である．高分解能 T2 強調像では内耳道や小脳橋角部は脳脊髄液による高信号を呈し，聴神経腫瘍は同領域の低信号結節・腫瘤として認められ，造影剤投与により増強効果を示す(図 329)．T1 強調像では脳実質とほぼ等信号，T2 強調像ではやや不均一な高信号を呈するのが典型的である．造影 T1 強調像での感度は 100％に近い．炎症や微小な血管構造などによる偽陽性所見が考慮されるが，問題となるのは(さらなる精査，経過観察を受ける)偽陽性例よりも(追跡から外れる可能性の高い)偽陰性例である(図 329)[581]．

聴神経腫瘍に関連する画像診断における臨床では，(聴神経腫瘍を評価するよりも)非典型的経過をとる突発性難聴や Ménière 病などにおいて(耳鳴や感音難聴など，類似した症状の原因となりうる)聴神経腫瘍を代表とする器質的異常の否定を

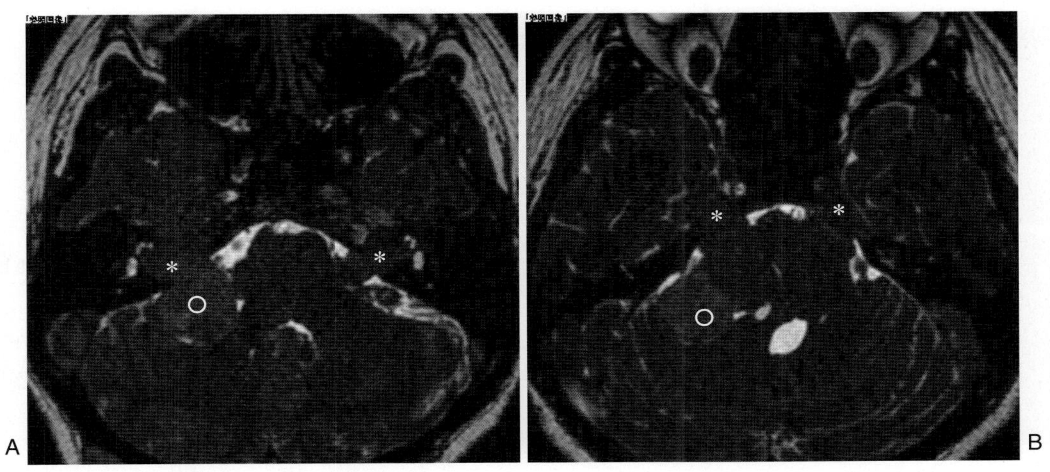

図 327　neurifobromatosis type 2（NF-2）
内耳道レベルの高分解能 T2 強調横断像（A：true-FISP）において，両側の内耳道から小脳橋角部に進展する腫瘤（＊）を認め，右側では小脳橋角部腫瘤（○）により中小脳脚外側面，右小脳半球前面への圧排を示す．やや頭側レベル（B）で両側三叉神経病変（＊）を認める．○：右聴神経腫瘍の小脳橋角部腫瘤．いずれの病変もやや分葉状辺縁を呈する．

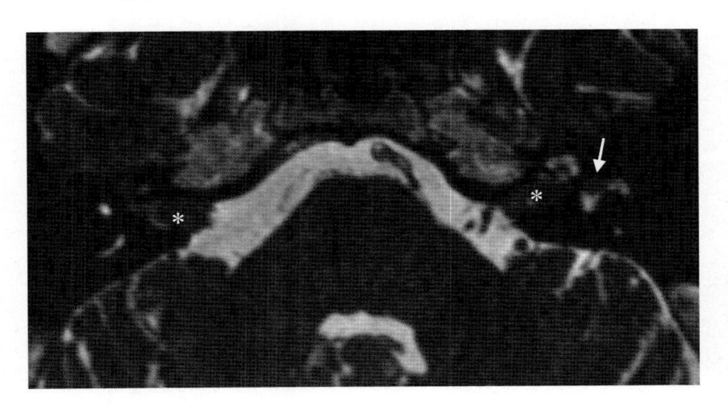

図 328　neurifobromatosis type 2（NF-2）
内耳道レベルの高分解能 T2 強調横断像（true-FISP）．両側内耳道内に低信号腫瘤（＊）を認める．左側では前庭内にも結節性病変（矢印）あり．迷路内病変を示唆する．

目的とする検査が多い．Curtin は画像診断の本当の目的は（小さな聴神経腫瘍をみつけることではなく）腫瘍の存在を否定することにあるとしている[581]．なお，急性発症感音難聴で突発性難聴と診断される例の 3〜5％に聴神経腫瘍が含まれているとされる．

聴神経腫瘍は，理論的にはグリア細胞と Schwann 細胞の接合部（Schwann cell-glial junction・“Redlich-Obersteiner's” transitional zone）とされる内耳道の外側 3 分の 1 より末梢で発生するため，早期病変は内耳道内（やや外側）に限局した腫瘤（intracanalicular type）（図 330）として認められるのが典型的とされるが，実際には聴神経の走行経路のいずれの部位にも生じるため，この考えにとらわれ過ぎる必要はない[582]．実際には半数以上が Schwann cell-glial junction より外側（内耳道底側）に発生するとの報告もあり，Koen らは 38 例の内耳道内病変の検討で内耳道底部近傍（外側）が 61％，中間が 34％，内耳孔近傍（内側）が 5％であったとしている[583]．病変の存在診断，大きさ，進展範囲（様式）の把握において MRI 評価（表 34：p1005）は必須である．治療選択を目的とした臨床分類としては，腫瘍進展範囲による Koos grading system（表 35：p1005）が最も広く受け入れられている[568, 584]．

病変の大きさが 2 cm より大きいか，小さいかが外科的治療選択，術後聴力温存可否の基準となる．2 cm 未満の病変の 90％で聴力温存が可能[585]であるが，2 cm より大きいと聴力温存の可能性は著明に減少する[586]．内耳道内に限局した 5mm

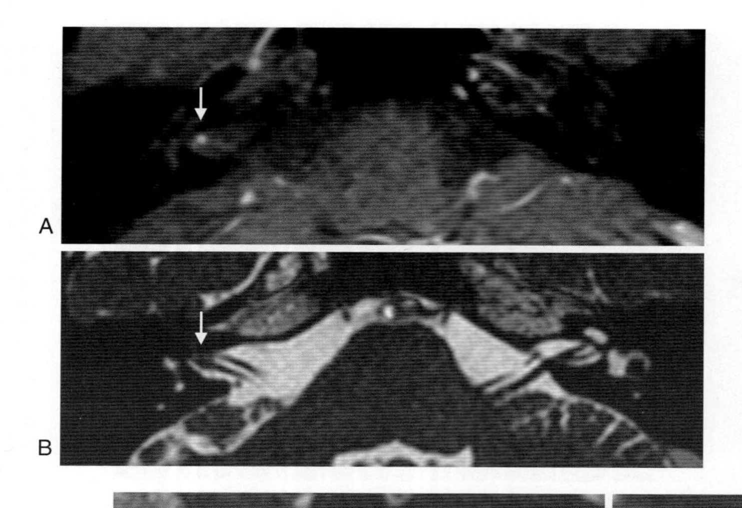

図 329　聴神経腫瘍（intracanalicular type）
内耳道レベルの造影後 T1 強調横断像（A）で，右内耳道底部近傍に小さな結節性増強効果（矢印）を認める．同例の高分解能 T2 強調横断像（B：true-FISP）で同部には淡く境界不明瞭な低信号域（矢印）が疑われるが，造影後 T1 強調像（A）の所見なしに聴神経腫瘍の確定的判断は困難と思われる．

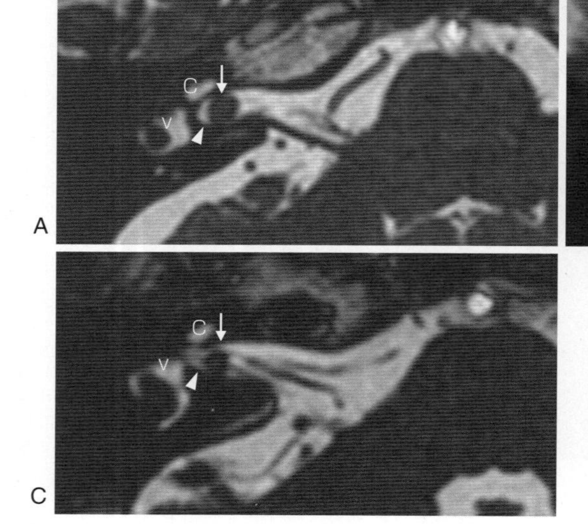

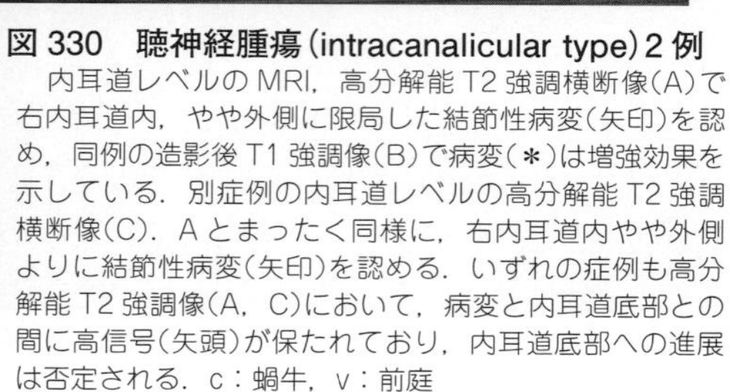

図 330　聴神経腫瘍（intracanalicular type）2 例
内耳道レベルの MRI，高分解能 T2 強調横断像（A）で右内耳道内，やや外側に限局した結節性病変（矢印）を認め，同例の造影後 T1 強調像（B）で病変（＊）は増強効果を示している．別症例の内耳道レベルの高分解能 T2 強調横断像（C）．A とまったく同様に，右内耳道内やや外側よりに結節性病変（矢印）を認める．いずれの症例も高分解能 T2 強調像（A，C）において，病変と内耳道底部との間に高信号（矢頭）が保たれており，内耳道底部への進展は否定される．c：蝸牛，v：前庭

未満の病変の大部分で日常的な聴力は保たれる[583]．腫瘍の大きさと難聴，腫瘍の局在と聴力との間に明らかな相関はみられないとの報告もある[583]．

外側・内側進展の有無，範囲の特定も重要である．外側進展では内耳道底に到達（図 331）するが，内耳道底への進展を示さない例（図 330）と比較して聴力温存による腫瘍切除が困難となる[568]．通常は高分解能 T2 強調像で腫瘍と内耳道底部との間に脳脊髄液による高信号が保たれているかどうかにより判断される（図 330〜332）．造影後 T1 強調像において，内耳道底部の前下部に位置する cochlear fossa（蝸牛窩・蝸牛野）への進展は（感度および陽性的中率 100％で）術後聴力を悪化させる[321]．Dubrulle らによる聴神経腫瘍 31 例の検討において，cochlear fossa 進展陽性例では全例で蝸牛神経は温存されず，進展陰性例では 83％が温存可能であったとしている[587]．さらに内耳道底部を越えると内耳（framinous spiral tract を介して蝸牛，あるいは macula cribosa を介して前庭）への連続性進展（図 333）を示す．内側進展では内耳孔から小脳橋角部に進展（図 333，334），同部で腫瘤を形成すると神経脳槽部，脳幹・小脳が圧排を受ける（図 327，335）．病変の大きさ（既述のとおり，小脳橋角部での腫瘤の大きさは術後聴力温存に強く関連する）とともに脳幹（主に橋側面，中小脳脚）への圧排の有無，程度を評価する．

MRI 上，患側の内耳ではリンパ液のタンパク

表 34　聴神経腫瘍での主な MRI 評価項目

<table>
<tr><td rowspan="3">存在診断</td><td colspan="2">内耳道〔主に外側 3 分の 1〕</td></tr>
<tr><td colspan="2">小脳橋角部</td></tr>
<tr><td colspan="2">迷路内</td></tr>
<tr><td rowspan="2">進展</td><td>外側</td><td>内耳道底部〔特に cochlear fossa〕への到達
内耳への連続性進展</td></tr>
<tr><td>内側</td><td>小脳橋角部への進展
小脳橋角腫瘤の大きさ(2 cm より大きいか，小さいか)
脳幹への圧排の有無</td></tr>
<tr><td>その他</td><td colspan="2">対側病変(NF-2)の評価
囊胞形成の有無・部位(腫瘍内あるいは外)
内耳の信号変化(高タンパク内容)
その他の小脳橋角部病変，内耳・内耳道病変の否定，これらとの鑑別
経時的変化〔増大の有無〕</td></tr>
</table>

表 35　聴神経腫瘍の進展範囲による分類：Koos grading system

Koos Grade	腫瘍の局在・進展範囲
I	内耳道内に限局した小さな病変
II	小脳橋角部に軽度突出する小さな病変で，脳幹との接触なし
III	小脳橋角部を占拠する病変で，脳幹の偏位なし
IV	脳幹，脳神経の圧排を伴う大きな病変

(Goldbrunner R, Weller M, Regis J et al：Neuro Oncol **22**：31-45, 2020)
(Koos WT, Day JD, Matula C et al：J Neurosurg **88**：506-512, 1998)

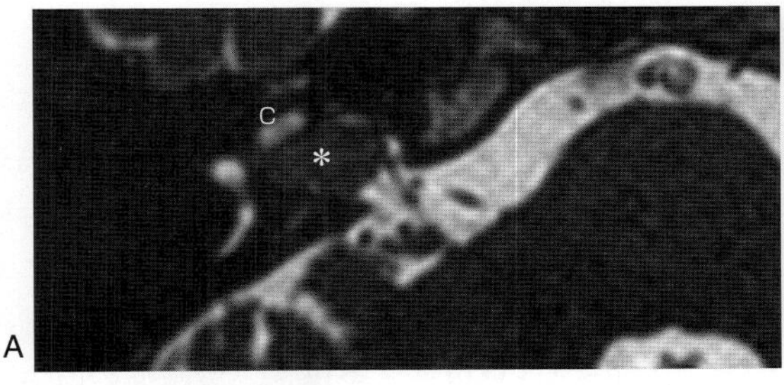

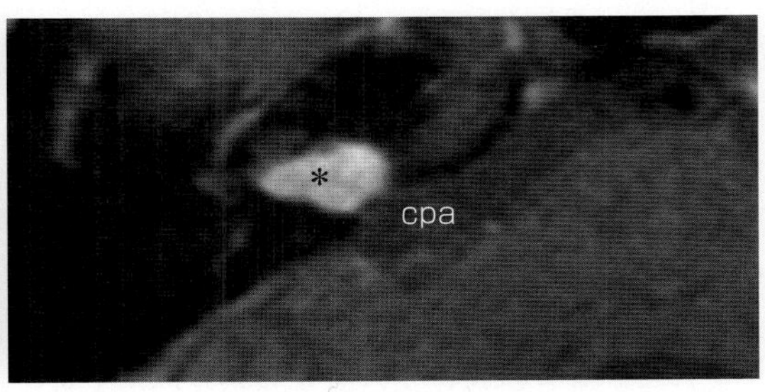

図 331　聴神経腫瘍
内耳道レベルの MRI，高分解能 T2 強調横断像(A)で右内耳道内を占拠する低信号腫瘤(＊)を認め，外側では(内耳道底部との間に高信号は保たれておらず)内耳道底部に到達している．c：蝸牛．同例の造影後 T1 強調像(B)で病変(＊)は充実性増強効果を示す．内耳道底部から内耳への連続性進展を認めない．内側では内耳孔に達するが，小脳橋角部(cpa)への進展はみられない．

濃度上昇による信号変化(FLAIR で上昇，true-FISP などで低下)を示すことが知られている(図 332，334，336)．FLAIR では対側あるいは健常者との比較で有意に高い信号強度を示す[588]．聴神経腫瘍例では外リンパ液のタンパクは正常の 5〜15 倍の濃度を示すとされ[589, 590]，(脳脊髄液よりも)主に血清に由来する．内耳道腫瘍の圧排・閉鎖に起因する内耳への血流障害，内耳道底の脳脊髄液貯留に伴う内耳リンパ液組成の変化を示唆し，腫瘍増大がみられなくても同所見の継続により内耳障害をきたすと考えられている．タンパク濃度と腫瘍の大きさとの関連を示唆する報告もある[589]．信号変化は蝸牛では比較的均一で，前庭では不均一な傾向にある[591]．信号変化の有無は診断時の聴力に差は示さないが，内耳の信号変化を認める例で術後聴力が不良な傾向にあるとされ

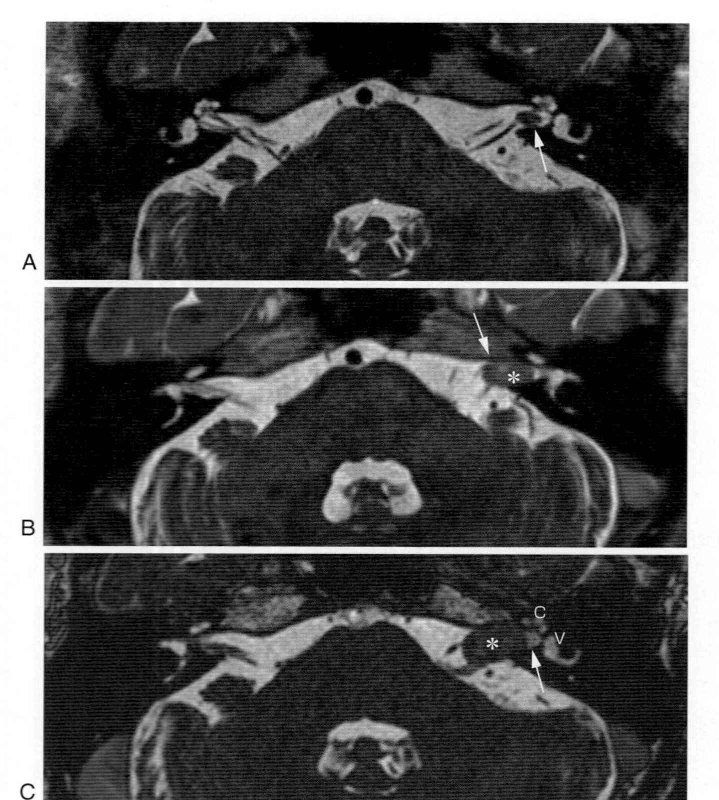

図 332　聴神経腫瘍の経時的増大
内耳道レベル高分解能 T2 強調像(A)において左内耳道内に限局した低信号病変(矢印)あり．約3年後(B)に病変(＊)は増大，内側では内耳孔から小脳橋角部に軽度膨隆(矢印)を示す．約4年後(C)に病変(＊)はさらに増大，小脳橋角部への膨隆もより顕著にみられる．病変内あるいは周囲の囊胞形成はみられない．内耳道底の(液体による)高信号(矢印)は保たれているが，蝸牛(c)，前庭(v)の信号は健側との比較で低下を示し，高タンパク性を示唆する．

る[592]．Jahnke らは，聴神経腫瘍例での内耳の組織学的検索で，高容量の線維性コラーゲン，毛細血管基底膜の肥厚，上皮下のムコイド変性とともに感覚・非感覚上皮の重度障害がみられ，遷延するタンパク毒性が要因と推察している[593]．小脳橋角部の髄膜腫でも外リンパのタンパク濃度上昇を示す例があるが，聴神経腫瘍よりも上昇は軽度である[594]．

腫瘍内部・中心部あるいは周囲(腫瘍外)にしばしば囊胞を形成(図 335，337)するが，各々，10％前後の例で認められるとされる[595]．囊胞性病変は充実性病変よりも大きい傾向にあり，術後聴力に影響を与える[596]．また充実性病変と比較して囊胞性病変は急速な増大(図 338)を示すとされ，経過観察か否かの判断に影響を与える[597]．腫瘍内部・中心部囊胞は壊死物質，血性あるいはコロイドに富む囊胞内容を反映して T1 強調像での高信号強度を示す場合があり，一方の腫瘍周囲の囊胞形成は腫瘍の出血とこれに続発する炎症性変化による癒着に起因するとされる[595]．腫瘍中心部の壁の厚い囊胞は切除可能であるが，腫瘍辺縁の薄壁囊胞は切除困難であり，術後聴力温存率は低く，顔面神経障害の頻度は高い傾向にある[596, 598, 599]．囊胞性病変では，囊胞の局在(腫瘍内部，辺縁)，単房性・多房性，囊胞壁の厚さなどにより分けられる[598]．

NF2 病変は，特発性の片側性症例と比較して，より分葉状辺縁(図 327)を呈し血行は乏しい傾向にある[578]．

迷路内神経鞘腫(図 328，339，340)は既述の前庭神経鞘腫とは別病態との考えもあるが，本項にて記述する．発症年齢は幅広く，平均は 50 歳程度で性差はない[600]．迷路内神経鞘腫はまれな病態であるが，MRI より以前は剖検，あるいは迷路手術時に偶発的に発見されるのみであったことから頻度に関しては過小評価されている[601]．頭部 MRI 検査の 100,000 例に約 1 例の頻度で，加齢により上昇し 70 歳以上で最も多く，100,000

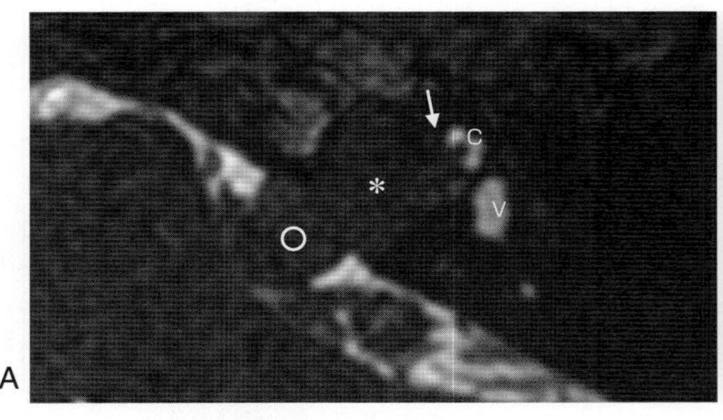

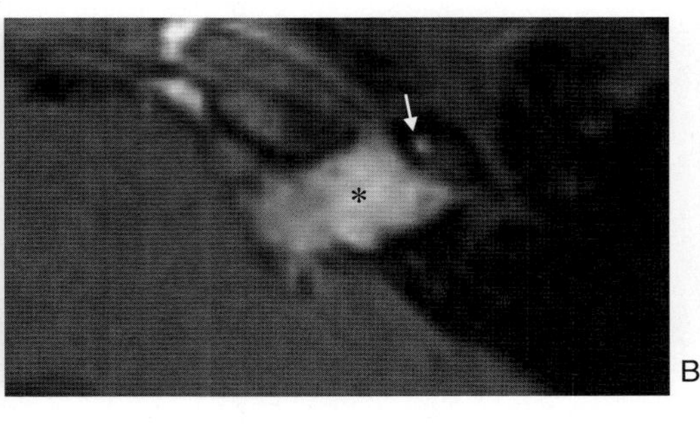

図 333　聴神経腫瘍（内耳進展）

内耳道レベルの MRI，高分解能 T2 強調横断像（A）で左内耳道内を占拠する低信号腫瘤（∗）を認め，外側では内耳道底部に到達，さらに蝸牛（c）基底回転（矢印）への進展が示唆される．内側は内耳孔から小脳橋角部に腫瘤（○）を形成している．v：前庭．同例の造影後 T1 強調像（B）で腫瘍（∗）は充実性増強効果を示す．蝸牛基底回転にも結節様増強効果（矢印）を認め，病変の連続性進展が示唆される．

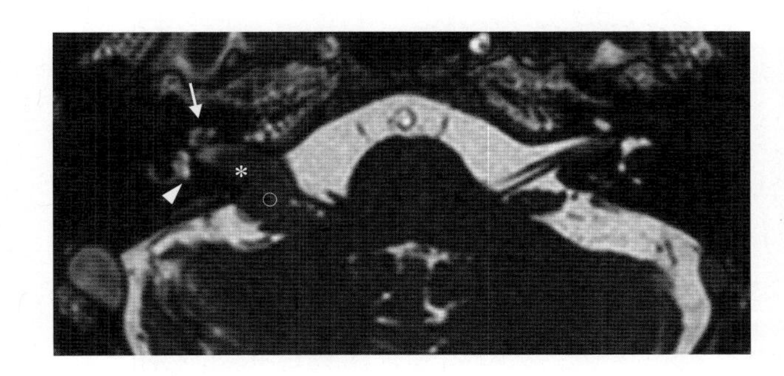

図 334　聴神経腫瘍

内耳道レベルの MRI，高分解能 T2 強調横断像．右内耳道に腫瘤（∗）を認め，内側で内耳孔を介して小脳橋角部に進展（○）を示す．外側では内耳道底部への到達はみられない．内耳道の腫瘍外側と底部の間に介在する脳脊髄液，蝸牛（矢印），前庭（矢頭）のリンパ液の信号強度は低下している．

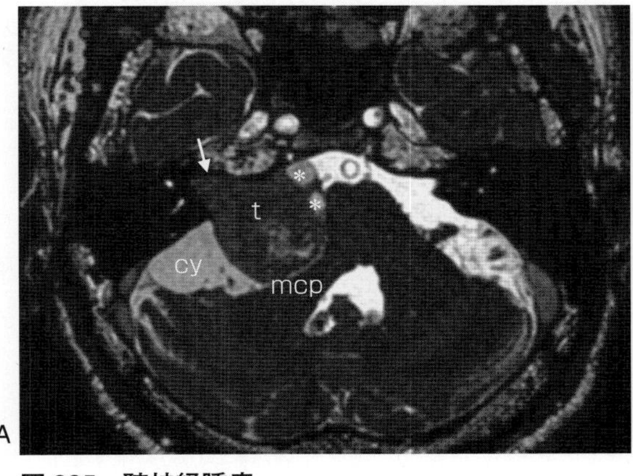

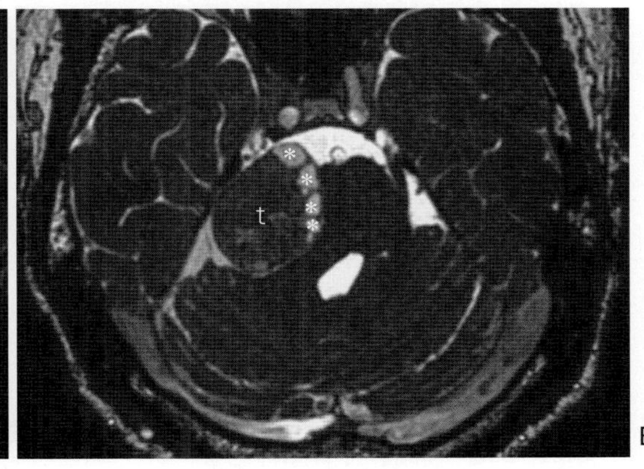

図 335　聴神経腫瘍

内耳道レベルの MRI，高分解能 T2 強調横断像（A）で拡大した右内耳道（矢印）から内側で小脳橋角部に進展，同部に大きな腫瘤形成を伴う腫瘍（t）を認める．腫瘍辺縁（∗），腫瘍後方に近接する腫瘍外（cy）に囊胞形成を示す．病変により右側の中小脳脚（mcp）は外側面より高度圧排を受ける．同例のやや頭側レベル（B）で小脳橋角部腫瘤（t）の内側前方の辺縁に沿って複数の囊胞所見（∗）を伴う．

例に 4.1 例とされる[602]．Mayer が 1917 年に最初の報告[603]を行い，その後 340 例強の報告がある[604]．MRI の高分解能 T2 強調像で蝸牛，前庭あるいは半規管内の低信号の結節として認められ，造影剤投与による増強効果を示す．最小 2 mm の病変まで同定可能で[455]，96％が診断可能とされる[605]．迷路炎は増強効果を認めるが，高分解能 T2 強調像では明らかな結節様低信号は示さないのが一般的で，増強効果の程度も（神経鞘腫と比較して）弱い傾向にある．骨化性迷路炎

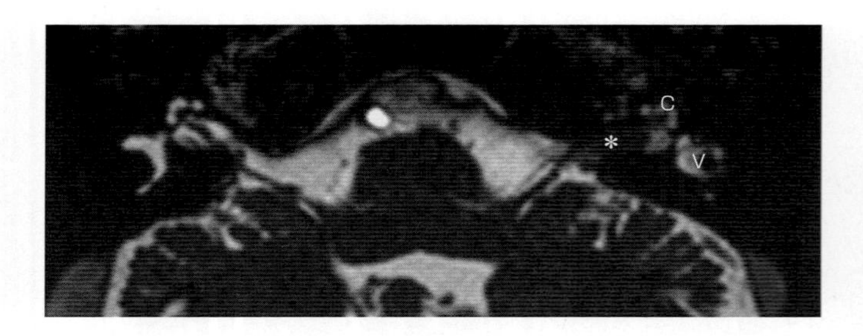

図 336 聴神経腫瘍
内耳道レベルのMRI，高分解能T2強調横断像において，左内耳道に腫瘤(＊)を認める．患側の内耳(c：蝸牛，v：前庭)の信号強度は健側(右側)と比較して低下を示す．

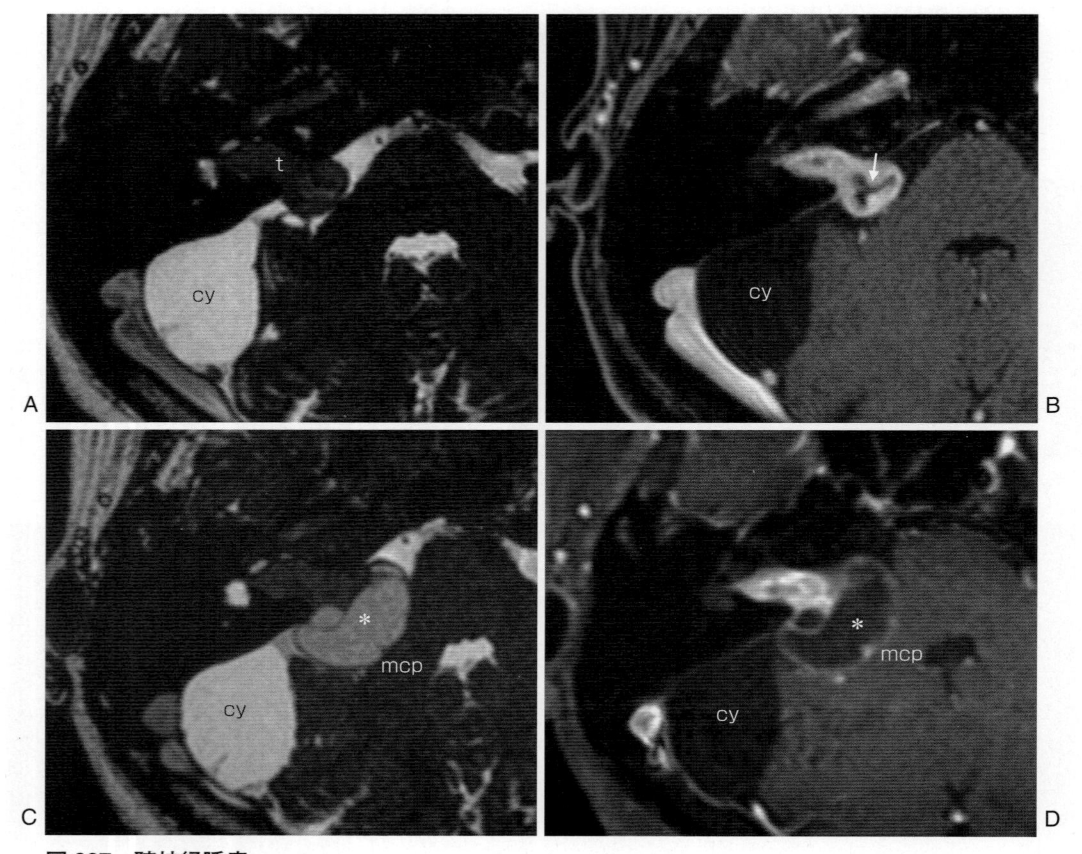

図 337 聴神経腫瘍
内耳道レベルのMRI，高分解能T2強調横断像(A)において，右内耳道内に低信号腫瘤(t)を認め，外側は内耳道底部に到達，内側は小脳橋角部に進展を示す．後頭蓋窩右側で腫瘍後方に近接した(腫瘍外)嚢胞形成(cy)を伴う．同例の造影後T1強調像(B)で増強効果を示す腫瘍内部には造影不良域(矢印)を伴い，嚢胞部(あるいは壊死，粘液間質による緩徐な増強効果のための不均一性)を示唆する．1年後の高分解能T2強調横断像(C)，造影後T1強調像(D)では，小脳橋角部で腫瘍内側辺縁は嚢胞形成(＊)とともに著明な増大を示し，中小脳脚(mcp)外側面への圧排を示す．後頭蓋窩右側後方の嚢胞(cy)に明らかな変化なし．

では高分解能T2強調像で結節様低信号を示すが，CTでの石灰化濃度の有無，髄膜炎や化膿性中耳炎などの病歴から鑑別可能な場合が多い．局在により蝸牛内，前庭内，蝸牛前庭内に区分され，蝸牛病変が最も多く，特に基底回転に好発する[604]．後半規管病変は認められないことから下前庭神経は侵されないと推察される[604]．症状として感音難聴が最も多く，ほぼ100%に認められる．その他，眩暈(vertigo・dizziness)，進行性の耳鳴などが主である．Ménière病に類似し臨床

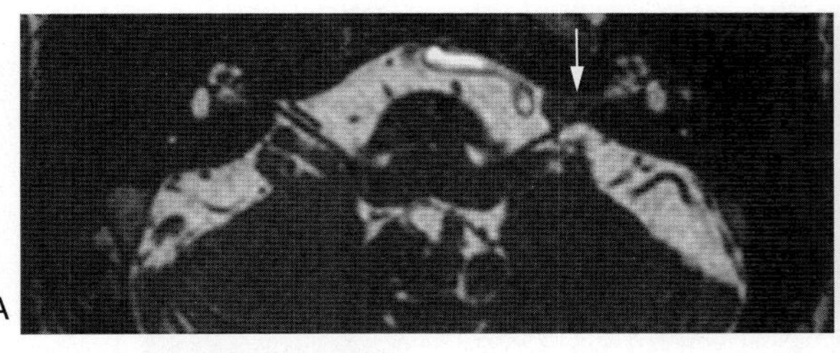
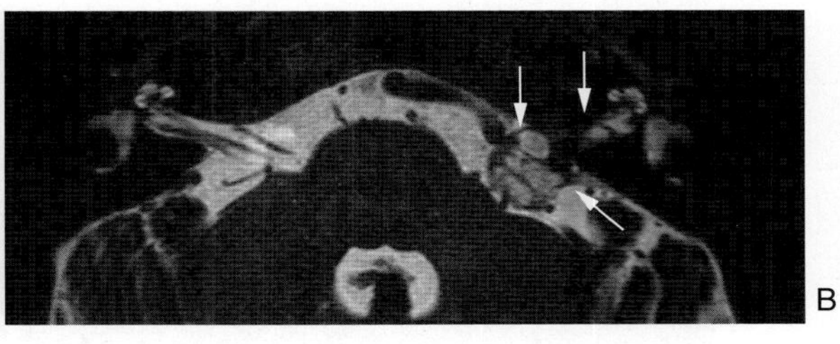

図 338　聴神経腫瘍の増大

内耳道レベル高分解能 T2 強調横断像(A)において左内耳道の内側 2 分の 1 を占拠し，内側では内耳口から小脳橋角部に軽度膨隆する低信号病変(矢印)あり．7 ヵ月後(B)には小脳橋角部成分の急速な増大(矢印)とともに内部に複数嚢胞の出現を認める．

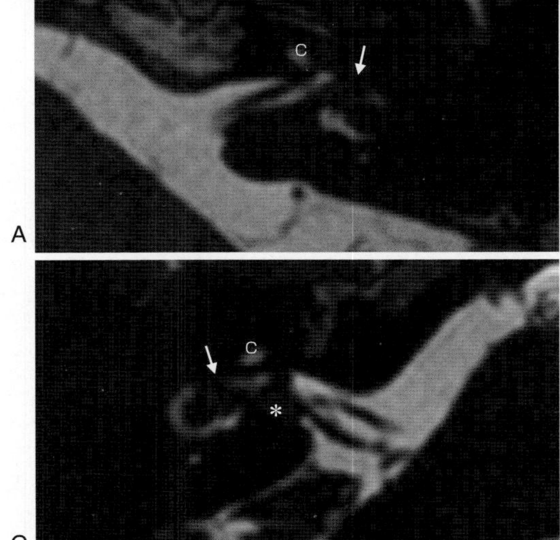

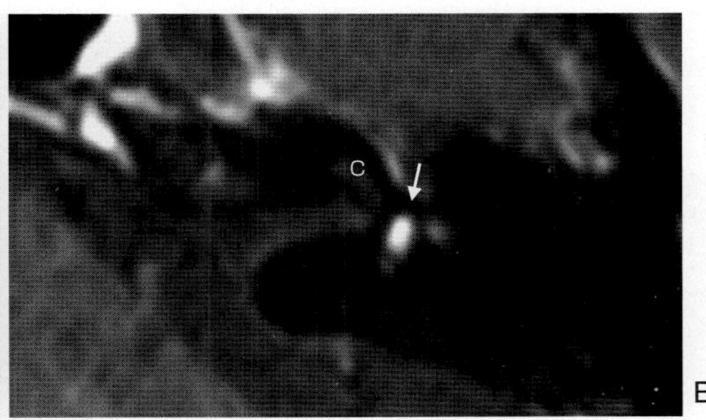

図 339　迷路内神経鞘腫 2 例

内耳道レベルの MRI，高分解能 T2 強調横断像(A)において左前庭内に低信号腫瘤(矢印)を認め，造影後 T1 強調像(B)で結節様増強効果(矢印)を示す．c：蝸牛．別症例の内耳道レベルの MRI，高分解能 T2 強調横断像(C)で右内耳道内に聴神経腫瘍(＊)を認め，さらに前庭内にも結節様の低信号病変(矢印)を認める．c：蝸牛

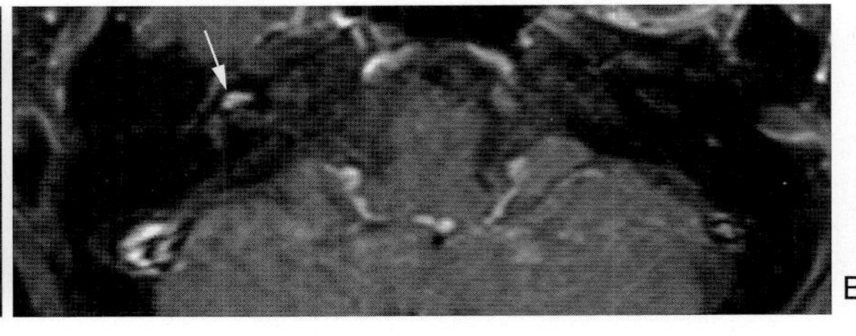

図 340　聴神経腫瘍

内耳道レベル MRI 高分解能 T2 強調像(A)．右蝸牛(対側で矢印で示す)のリンパ液の高信号は完全に消失している．造影後 T1 強調脂肪抑制画像(B)で蝸牛に一致した増強効果(矢印)を認める．

所見のみでの鑑別は困難であり，39％は初期に Ménière 病と診断されると報告されている[606]．緩徐な増大から診断遅延の傾向にあり，症状発現から診断までの平均期間はほぼ 5 年とされる[602]．病変の局在と症状との相関は低く，感音難聴も蝸牛内病変(Corti 器への直接の圧排による)のみならず前庭病変(ductus reunion，球形嚢への圧排による内リンパ水腫に起因)でも高頻度に認められる[600]．通常の聴神経腫瘍の治療選択(後述)と異なり，(放射線治療は含まれず)経過観察

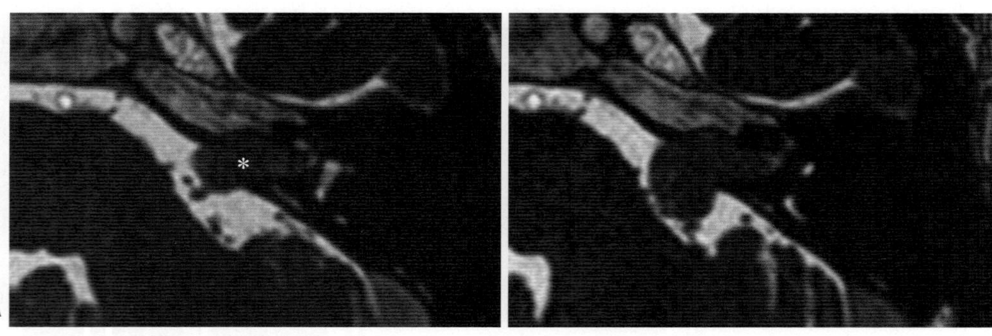

図341　聴神経腫瘍の経時的増大
内耳道レベルのMRI，高分解能T2強調横断像(A)において左内耳道を占拠する低信号腫瘤(＊)を認める．1年後(B)には明らかな増大を示し，内側で小脳橋角部に腫瘤形成を示している．

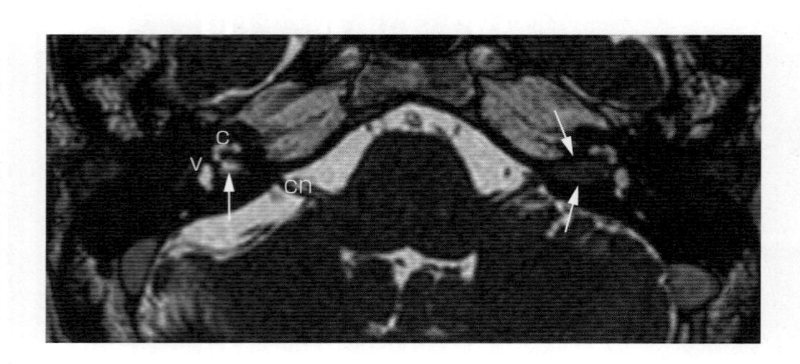

図342　聴神経腫瘍
内耳道レベルのMRI高分解能T2強調横断像．左内耳道を占拠する低信号病変(小矢印)を認める．外側で内耳道底部の液体による高信号(対側で大矢印で示す)は同定されず，内耳道底部への腫瘍到達を示す．蝸牛(c)，前庭(v)は左側で信号がやや低く，左側でのリンパ液の高タンパク性によると考えられる．cn：第Ⅶおよび第Ⅷ脳神経脳槽部．

(watch and scan policy)あるいは外科的摘出のいずれかがとられる．聴力温存手術は不可能であり，重度の眩暈がなく実用的聴力が保たれている例ではMRIでの経過観察が選択される[600]．一般的な頭部ルーチンのシーケンスではほぼ半数は同定困難であり[607]，後頭蓋窩領域の高分解能T2強調像が必須である．通常は初回評価から1年未満で施行，増大が見られない場合はその後2年毎に施行する[601]．増大速度は1.8〜2.4 mm/年と(内耳道の)聴神経腫瘍とほぼ同等(後述)で[608]，約4分の3は経過観察での明らかな増大は示さない[604]．制御困難な眩暈，内耳道や中耳腔への進展例は外科的治療の適応となる．眩暈に関しては手術での高率な症状改善が望まれる．

3）治療・経過観察

手術，放射線治療，経過観察のいずれかが選択されるが，治療が正当化されるのは自然経過と比較して顔面神経機能，聴力が良好と判断される場合のみである[587]．MRIの出現により，微小な病変の同定，経時的変化の正確に評価が可能となったことから，MRIと聴力検査による保存的な経過観察(wait and scan policy)が信頼性の高い，大きな選択肢のひとつとして確立された．ただ，聴神経腫瘍の発育は直線的ではなく予測困難であり，経過観察例の12〜85％で認めると報告の幅は広い[566, 568, 609]．腫瘍最大径の増大は年間平均で1〜2.9 mmとされ(図332)[568, 597]，3分の1は年100％以上の増大率を示すともされる[566]．充実性病変は数年にわたり変化のない例も多く，まれに縮小を示す例もみられる．(上記は増大傾向を示さない例を合わせた平均値のため)すなわち，増大を示す場合は比較的急速な増大を示す例(図341)もあり，急速な増大では囊胞を有する例(図337，338)が多い．また，小病変で増大を示す可能性が高い傾向にある[574]．高分解能T2強調像で病変の大きさ，増大の正確な評価が可能である[609]．ただし，(聴神経が球体に近いと想定した場合)腫瘍体積が20％増大したとしても最大径は

6%の増加にとどまることから[566]，腫瘍径の計測による腫瘍増大の判断は慎重に行う必要がある．約50%は3〜4年間で聴力機能低下を生じる[568]．一方で約50%は5年以上聴力が温存され[610]，3年の経過観察中に治療を要する例は5分の1未満とされる[574]．既述のとおり，無症候性の例も認められることなどから，治療法選択，その時期などに関しては様々な議論があり，症状の有無・程度，年齢などに加えて，既述の病変の大きさ，内耳道底部(特にcochlear fossa)への到達の有無，内耳のMRI信号変化(図342)，囊胞形成の有無・部位などを総合的に考慮して判断する必要がある．聴神経の外科的切除は1894年に初めて施行されたが[611]，基本的に手術では聴力回復の可能性は低く，残る聴力を悪化させる危険性も高い．最善の手術機会は病変が小さい例であり，大きい病変ほど顔面神経障害の危険性が高いとされる[612]．脳幹への圧排を伴う中等大以上の病変では手術の絶対的適応となり，聴力温存は困難であることから顔面神経機能温存を目指す[572]．一般に聴力温存手術の成功率は70%程度とされる[572]．

症状や解剖学的拡がりでの聴器と頭蓋内双方との関わりから，本邦では耳鼻科，脳外科のいずれか，あるいは両者のチームとして手術が施行される．一般に耳鼻科は中頭蓋窩アプローチ，(聴力が失われた症例では)経迷路アプローチ，脳外科では後頭下(後S状静脈洞)アプローチと，各々がより習熟した視野によるアプローチがとられる傾向にある．経迷路アプローチでは聴力は完全に失われるが，内耳道底での顔面神経の同定が可能で顔面神経機能温存率が高い．小から中等度の大きさの病変が適応となる[613]．中頭蓋窩アプローチは聴力温存に適するが，視野が小さく，内耳道底部への到達のない内耳道内に限局した病変が適応となる．術後の聴力温存率は内耳道底部への到達のある例では33%，ない例では50%とされる[586]．内耳道上部に位置する顔面神経への操作が多いことから，術直後からの顔面神経麻痺の頻度が高いとされる[614]．後頭下(後S状静脈洞)アプローチでは視野は広くすべての大きさの病変が対象となるが，小脳損傷のリスクがあり[613]，内耳道底部への到達した病変の露出・摘出が困難であり，顔面神経の同定，機能温存が困難とされる[572]．中頭蓋窩アプローチ，後頭下アプローチでの聴力温存率は腫瘍大きさにより異なるが，25〜77%である[613]．すべての例で可能であれば全摘(total resection)を目指すが，顔面神経や脳幹への癒着，聴力の状態，患者の年齢や意向などにより亜全摘(subtotal resection)が選択される場合もある．腫瘍発育の制御率について全摘で100%，亜全摘で45〜95%とされる[613, 615]．

小から中病変に対して放射線治療も有用である．γナイフによる放射線治療は1951年Leksellにより最初に記載され[613]，聴神経腫瘍に対する放射線治療は1969年に初めて提唱され，1971年に施行された[616]．3 cmを超える病変は外科手術が困難でない限りは放射線治療の適応とはならない[613]．放射線治療でも聴力障害はほぼ必発であるが，(特に短期では)手術より保たれ，顔面神経や三叉神経の障害頻度，合併症の発現率も低いとされる[572, 613]．ただし，放射線治療後の手術では顔面神経損傷の危険性が高い[617]．γナイフなどの定位放射線治療後，数年の間で聴力は低下し，長期の聴力障害発生率は32〜71%と報告に幅があるが，その後も継続的な低下を示す[573]．同治療後の新たな顔面神経麻痺の発現は約5%で認められ，13Gyを超える照射(蝸牛の照射線量と相関あり)，1.5 cm^3 以上の腫瘍体積の病変，内耳道底部に達する外側進展が，治療による顔面神経麻痺の発現と相関するとされる[573]．腫瘍の内耳道底部到達の有無はMRIの高分解能T2強調像で腫瘍外側部と内耳道底との間に液体による高信号(fundal fluid)が保たれているかどうかを評価することが重要である．Lernerらの検討では，術前の高分解能T2強調像において内耳道底部の液体による高信号を認めない例での治療後顔面神経麻痺の発現が71%であったのに対して，内耳道底部の高信号が保たれている例では43%であったとしている[573]．放射線治療後数年の比較的短期の検討では腫瘍増大の停止あるいは増大速度の減少が示される例が多く，50%前後が縮小，30〜40%程度で変化なく，10%弱が増大を示すとされる[574]．ただし，長期予後に関しては不明であり[618]，高齢者や合併症例では有用であるが，若年例の適応は慎重に判断されるべきである．また，定位放射線治療は嚢胞性聴神経腫瘍においても有用な治療法であるが，ときに治療後の増大(pseudoprogression)を示す例のなかには長期に縮小を示す場合もあり再発(再増大)の判断は慎重に行われるべきである[597]．NF2では特発性の片側例と比較して放射線治療の効果が小さい傾向にある[577]．

術後再発率は術式，腫瘍の大きさ，局在により様々で0.3〜55%とされることから，MRIによる再発の術後スクリーニングは重要である．ただし，撮像のタイミング，間隔，観察期間などは定まっていない．最も広く受け入れられ，有用とされるのがMRIの造影後T1強調像であり，1〜2 mmの微小な残存病変の同定が可能とされる[619]．結節様の増強効果では腫瘍再発・残存，瘢痕組織のいずれかが考慮される．経過観察や放射線治療後の経時的評価として大きさを正確に計測するには高解能T2強調像が有用であるが，術後では所見の修飾などもあり造影剤使用が望ましい．

以上，側頭骨における解剖，代表的病態および画像診断に必要とされる臨床的事項につき，解説した．

■参考文献

1) Kennel CE, Puricelli MD, Rivera AL：Surgicaly-relevant anatomy of the external auditory canal buldge and scutum. Otol Neurotol **40**：e1037-e1044, 2019
2) Tseng CC, Lay MT, Wu CC et al：Comparison of the efficacy of endoscopic tympanoplasty and microscopic tympanoplasty：a systematic review and meta-analysis. Laryngoscope **127**：1890-1896, 2017
3) 森満保：真珠腫における protympanum の臨床解剖．臨床耳科 **13**：248-248, 1986
4) Savic D, Djeric D：Anatomical variations and relations in the medial wall of the bony portion of the eustachian tube. Acta Otolaryngol **99**：551-556, 1985
5) De Carpentier J, Axon PR, Hargreaves SP et al：Imaging of temporal bone brain hernias：atypical appearances on magnetic resonance imaging. Clin Otolaryngol **24**：328-334, 1999
6) Toth M, Helling K, Baksa G et al：Localization of congenital tegmen tympani defects. Otol Neurotol **28**：1120-1123, 2007
7) Whyte J, Tejedor MT, Fraile JJ et al：Association between tegmen tympani status and superior semicircular canal pattern. Otol Neurotol **37**：66-69, 2015
8) Suryanarayanan R, Lesser TH："Honeycomb" tegmen：multiple tegmen defects associated with superior semicircular canal dehiscence. J Laryngol Otol **124**：560-563, 2010
9) Bellucci R：Iatrogenic surgical trauma in otology. J Laryngol Otol Suppl **8**：13-17, 1983
10) Aristeguieta LMR, Acuna LEB：Human oscicular chain articulations：asymmetric sound transmission. Int J Morphol **28**：1059-1068, 2010
11) Tos M：Type 2 tympanoplasty, stapes present. Manual of middle ear surgery, Thieme, Stuttgart, Germay, p245-284, 1993
12) Kamrava B, Roehm PC：Systematic review of ossicular chain anatomy：strategic planning for novel middle ear prosthesis. Otolaryngol Head Neck Surg **152**：190-200, 2017
13) Sim JH, Puria S：Soft tissue morphometry of the malleus-incus complex from micro-CT imaging. J Assoc Res Otolaryngol **9**：5-21, 2008
14) Jackler RK：The surgical anatomy of cholesteatoma. Otolaryngol Clin North Am **22**：883−896, 1989
15) Lemmerling MM, Stambuk HE, Mancuso AA et al：CT of the normal suspensory ligaments of the ossicles in the middle ear. Am J Neuroradiol **18**：471−477, 1997
16) Wetmore SJ：Surgical landmarks for the facial nerve. Otolaryngol Clin North Am **24**：505−530, 1991
17) Monkhouse WS：The anatomy of the facial nerve. Ear Nose Throat J **69**：677−687, 1990
18) Barbaix M, Clotuche J, De Jonckere P et al : Naissance et development de l'oto-rhino-laryngologie dans l'histoire de la medicine. Acta Otorhinolaryngol Belg **35**(Suppl 4): 1045−1622, 1981
19) 村上嘉彦：各種素材の人工耳小骨(TORP，PORP)の比較検討．臨床耳科 **12**：374-375, 1985
20) Zollner F：The principles of plastic surgery of the sound-conducting apparatus. J Laryngol Otol **69**：637-652, 1955
21) Sheehy JL：TORPs and PORPs in tympanoplasty. Clin Otolaryngol **3**：451-454, 1978
22) Brachmann DE, Sheehy JL：Tympanoplasty：TORPs and PORPs. Laryngoscope **89**：108-114, 1979
23) Crabtree JA：Tympanoplasty and ossicular reconstruction; the last four years. Am J Otol **4**：172-176, 1982

24) Yu H, He Y, Ni Y et al：PORP vs. TORP：a meta-analysis. Eur Arch Otorhinolaryngol **270**：3005-3017, 2013

25) Yung M, Vowler SL：Long-term results in ossiculoplasty：an analysis of prognostic factors. Otol Neurotol **27**：874-881, 2006

26) Gaskell P, Muzaffar J, Colley S et al：Can preoperative high resolution computed tomography be rationalized in adult cochlear implant candidates? Otol Neurotol **39**：1264-1270, 2018

27) Woolley AL, Oser AB, Lusk RP et al：Preoperative temporal bone computed tomography scan and its use in evaluating the pediatric cochlear implant candidate. Laryngoscope **107**：1100-1106, 1997

28) Weil X, Li Y, Chen B et al：Predicting auditory outcomes from radiological imaging in cochlear implant patients with cochlear nerve deficiency. Otol Neurotol **38**：685-693, 2017

29) Tamplen M, Schwalje A, Lustig L et al：Utility of preoperative computed tomography and magnetic resonance imaging in adult and pediatric cochlear implant candidate. Laryngoscope **126**：1440-1445, 2016

30) Yigit O, Ertugay CK, Yasak AG et al：Which imaging modality in cochlear implant candidates? Eur Arch Otorhinolaryngol **276**：1307-1311, 2019

31) Papsin BC：Cochlear implantation in children with anomalous cochleovestibular anatomy. Laryngoscope **115**（1, pt2)（supple 106)：1-26, 2005

32) McClay JE, Booth TN, Parry DA et al：Evaluation of pediatric sensorineural hearing loss with magnetic resonance imaging. Arch Otolaryngol Head Neck Surg **134**：945-952, 2008

33) Atamaca S, Elmani M, Kucuk H：High and dehiscent jugular bulb: clear and present danger during middle ear surgery. Surg Radiol Anat **36**：369-374, 2014

34) Wadin K, Thomander L, Wilbrand H：Effects of a high jugular fossa and jugular bulb diverticulum on the inner ear. A clinical and radiologic investigation. Acrta Radiol Diagn（Stockh）**27**：629-636, 1986

35) Atilla S, Akpek S, Usulu S et al：Computed tomographic evaluation of surgically significant vascular variations related with the temporal bone. Eur J Radiol **20**：52-56, 1995

36) Woo CK, Wie CE, Park SH et al：Radiologic analysis of high jugular bulb by compuated tomography. Otol Neurotol **337**：1283-1287, 2012

37) Weiss RL, Zahtz G, Goldofsky E et al：High jugular bulb and conductive hearing loss. Laryngoscope **107**：321-327, 1997

38) Hourani R, Carey J, Yousem DM：Dehiscence of the jugular bulb and vestibular aqueduct: findings on 200 consecutive temporal bone computed tomography scans. J Comput Assist Tomogr **29**：657-662, 2005

39) Kupfer RA, Hoesli RC, Green GE et al：The relationship between jugular bulb-vestibular aqueduct dehiscence and hearing loss in pediatric patients. Otolaryngol Head Neck Surg **146**：473-477, 2012

40) Aslan A, Kobayashi T, Diop D et al：Anatomical relationship between position of the sigmoid sinus and regional mastoid pneumatization. Eur Arch Otorhinolaryngol **253**：450-453, 1996

41) Keskil S, Gozil R, Calguner E：Common surgical pitfalls in the skull. Surg Neurol **59**：228-231, 2003

42) Treves F：Surgical applied anatomy. Lead Brothers. Philadelphia, p10-12, 1885

43) Hampl M, Kchlik D, Kilalova K et al：Mastoid foramen, mastoid emissary vein and clinical implications in neurosurgery. Acta Neurochirufgica **160**：1473-1482, 2018

44) Marsot-Dupuch K, Gayet-Delacroix M, Elmaleh-Berges M et al：The petrosquamosal sinus：CT and MR findings of a rare emissary vein. Am J Neuroradiol **22**：1186-1193, 2001

45) Boyd GI：The emissary foramina of the canium in man and the anthropoids. J Anat **65**：108-1213, 1930

46) Pekcevik Y, Sahin H, Pekcebik R：Prevalence of clinically important posterior fossa emissary veins on CT angiography. J Neurosci Rural Pract **5**：135-138, 2014

47) Tsutumi S, Ono H, Yasumoto Y：The mastoid emissary vein：an anatomic study with magnetic resonance imaging. Surg Radiol Anat **39**：351-356, 2017

48) Hadeishi H, Yasui N, Suzuki A：Mastoid canal and migrated bone wax in the sigmoid sinus; technical report. Neurosurgery **36**：1220-1223, 1995

49) Ginsberg LE：The posterior condylar canal. Am J Neuroradiol **15**：969-972, 1994

50) Forte V, Turner A, Liu P：Objective tinnitus associated with abnormal mastoid emissary vein. J Otolaryngol **18**：232-235, 1989

51) Venezio FR, Naidich TP, Shulman TL：Complications of mastoiditis with special emphasis on venous sinus thrombosis. J Pediatr **101**：509-513, 1982

52) Oyarzabal MF, Patel KS, Tolley NS：Bilateral acute mastoiditis complicated by lateral sinus thrombosis. J Laryngol Otol **106**：535-537, 1992

53) Pekala JR, Pekala PA, Satapathy B et al：Incidence of foramen tympanicum（of Huschke）：comparing cadaveric and radiologic studies. J Craniofac Surg **29**：2348-2352, 2018

54) Wang RG, Bingham B, Hawke M et al : Persistence

of the foramen of Huschke in the adult : an osteological study. J Otolaryngol **20** : 251-253, 1991
55）Lacout A, Marsot-Dupuch K, Smoker WRK et al : Foramen Tympanicum, or foramen of Huschke : pathologic cases and anatomic CT sudy. Am J Neuroradiol **26** : 1317-1323, 2005
56）Chadwell JB, Halsted MJ, Choo DI et al : The cochlear cleft. Am J Neuroradiol **25** : 21-24, 2004
57）Schuknecht HF：Congenital aural atresia. Laryngoscope **99**：908-917, 1989
58）Grundfast KM, Camilon F：External auditory canal stenosis and partial atresia without associated anomalies. Ann Otol Rhinol Laryngol **95**：505-509, 1986
59）Jafek BW, Nager GT, Strife J et al：Congenital aural atresia：An analysis of 311 cases. Trans Am Acad Ophthalmol Otolaryngol **80**：588-595, 1975
60）Nadaraja G, Grugel RK, Kim J et al：Hearing outcomes of atresia surgery versus osseointegrated bone conduction device in patients with congenital aurtal atresia：A systematic review. Otol Neurotol **34**：1394-1399, 2013
61）Chen K, Liu L, Shi R et al：Correlation among external auditory canal anomaly, temporal bone malformation, and herainrg levels in patients with microtia. Ear Nose Throat J **96**：210-217, 2017
62）Jahrsdoerfer RA, Yeakley JW, Hall JW et al：High-resolution CT scanning and auditory brain stem response in congenital aural atresia：patient selection and surgical correlation. Otolaryngol Head Neck Surg **93**：292-298, 1985
63）Yeakley JW, Jahrsdoerfer RA：CT evaluation of congenital aural atresia：what the radiologist and surgeon need to know. J Comput Assist Tomogr **20**：724-731, 1996
64）Kountakis SE, Helidonis E, Jahrsdoerfer RA：Microtia grade as an indicator of middle ear development in aural atresia. Arch Otolaryngol Head Neck Surg **121**：885-886, 1995
65）Benton C, Bellet PS：Imaging of congenital anomalies of the temporal bone. Neuroimaging Clin N Am **10**：35-53, 2000
66）Sakamoto T, Kikkawa Y, Kikuta S et al：Favorable prognostic factors for long-term postoperative hearing results after canal tympanoplasty for congenital aural stenosis. Otol Neurotol **35**：966-971, 2014
67）Cole RR, Jahrsdoerfer RA：The risk of cholesteatoma in congenital aural stenosis. Laryngoscope **100**：576-578, 1990
68）Mazita A, Zabri M, Aneeza WH et al：Cholesteatoma in patients with congenital external auditory canal anomalies：retrospective review. J Laryngol Otol **125**：1116-1120, 2011
69）Sakamoto T, Kikuta S, Kikkawa Y et al：Prognostic factors for long-term hearing preservation after canal-tympanoplasty for congenigal aural atresia. Eur Arch Otorhinolaryngol **272**：3151-3156, 2015
70）Dedhia K, Yellon RF, Branstetter BF et al：Anatomic variants on computed tomography in congenital aural atresia. Otol Neurotol **147**：323-328, 2012
71）Li CL, Dai PD, Yang L et al：A meta-analysis of the long-term hearing outcomes and complications associated with atresiaplasty. Int J Pediatr Otorhinolaryngol **79**：793-797, 2015
72）Baker AR, Fanelli DG, Kanekar S et al：A retrospective review of temporal bone imaging with respect to bone-anchoered hearing aid placement. Otol Neurotol **38**：86-88, 2016
73）Baker A, Fanelli D, Kanekar S et al：A review of temporal bone CT imaging with respect to pediatric bone-anchoered hearing aid placement. Otol Neurotol **37**：1366-1369, 2016
74）船坂宗太郎，牛島達次郎，矢野　純：先天性キヌタ・アブミ関節離断症―発生学的ならびに臨床的考察による新名称の提唱．日耳鼻 **82**：476-481, 1979
75）及川敬太，柏村正明，千田英二ほか：外耳道正常な耳小骨奇形40耳の臨床的検討．Otol Jpn **14**：682-687, 2004
76）Nakasato T, Nakayama T, Nakayama M et al：Minor ossicular anomalies in the middle ear：role of submillimeter multislice computed tomography. J Comput Assist Tomogr **38**：655-661, 2014
77）Sands CJ, Napolitano N：Use of the argon laser in the treatment of malleus fixation. Arch Otolaryngol Head Neck Surg **116**：975-976, 1990
78）Nomura Y, Nagao Y, Fukaya T：Anomalies of the middle ear. Laryngoscope **98**：390-393, 1988
79）Kurosaki Y, Tanaka Y, Itai Y：Malleus bar as a rare cause of congenital malleus fixation：CT demonstration. Am J Neuroradiol **19**：1229-1230, 1998
80）Bachor E, Just T, Wright CG et al：Fixation of the stapes footplate in children：a clinical and temporal bone histopathologic study. Otol Neurotol **26**：866-873, 2005
81）Nandapalan V, Tos M：Isolated congenital stapes ankyloses：an embryologic survey and literature review. Am J Otol **21**：71-80, 2000
82）De la Cruz A, Angeli S, Slattery WH：Stapedectomy inchildren. Otolaryngol Head Neck Surg **120**：487-492, 1999
83）Jackler RK, Luxford WM, House WF：Congenital malformations of the inner ear：a classification based on embryogenesis. Laryngoscope **97**（supple 40）：2-14, 1987
84）Sennaroglu L, Saatci I：A new classification for coch-

leovestibular malformations. Laryngoscope **112** : 2230-2241, 2002
85) Sennaroglu L : Cochlear implantation in inner ear malformations - a review article. Cochlear Impnats Int **11** : 4-41, 2010
86) Sennaroglu L, Bajin MD : Classification and current management of inner ear malformations. Balkan Med J **34** : 397-411, 2017
87) Kontorinis G, Goetz F, Giourgas A et al : Radiological diagnosis of incomplete partition type I versus type II : significance for cochlear implantation. Eur Radiol **22** : 525-532, 2012
88) Fisher NA, Curtin HD : Radiology of congenital hearing loss. Otolaryngol Clin North Am **27** : 511-531, 1994
89) Tessier N, Van Den Abbeeele T, Sebag G et al : Computed tomography measurements of the normal and the pathologic cochlea in children. Pediatr Radiol **40** : 275-283, 2010
90) Mondini C, Minor workds of Carlo Mondini : The anatomical section of a boy born deaf. Am J Otol **18** : 288-293, 1996
91) Nance WE, Setleff R, McLeod A et al : X-linked mixed deafness with congenital fixation of the stapedial footplate and perilymphatic gusher. Birth Defects Orig Artic Ser **7** : 64-69, 1971
92) Phelps PD, Reardon W, Pembrey M et al : X-linked deafness, stapes gushers and distinctive defect of the inner ear. Neuroradiology **33** : 326-330, 1991
93) Lemmerling MM, Mancuso AA, Antonelli PJ et al : Normal modiolus : CT appearance in patients with a large vestibular aqueduct. Radiology **204** : 213-219, 1997
94) Davidson HC, Harnsberger HR, Lemmerling MM et al : MR evaluation of vestibulocochlear anomalies associated with large endolymphatic duct and sac. Am J Neuroradiol **20** : 1435-1441, 1999
95) Vinceti V, Ormitti F, Ventura E et al : Cochlear implantation in children with cochlear nerve deficiency. Int J Pediatr Otorhinolaryngol **78** : 912-917, 2014
96) Zhang Z, Li Y, Hu L et al : Cochlear implantation in children with cochlear nerve deficiency : A report of nine cases. Int J Pediatr Otorhinolaryngol **76** : 1188-1195, 2012
97) Casselman JW, Offeciers FE, Govaerts PJ et al : Aplasia and hypoplasia of the vestibulocochlear nerve : diagnosis with MR imaging. Radiology **202** : 773-781, 1997
98) Glastonbury CM, Davidson HC, Harnsberger HR et al : Imaging findings of cochlear nerve deficiency. AJNR Am J Neuroradiol **23** : 635-643, 2002
99) Kim HS, Kim DI, Chung IH et al : Topographical relationship of the facial and vestibulocochlear nerves in the subarachnoid space and internal auditory canal. AJNR Am J Neuroradiol **19** : 1155-1161, 1998
100) Nadol JB Jr, Xu WZ : Diameter of the cochlear nerve in deaf humans : implications for cochlear implantation. Ann Otol Rhinol Laryngol **101** : 988-993, 1992
101) Giesemann AM, Kontorinis G, Jan Z et al : The vestibulocochlear nerve : aplasia and hypoplasia in combination with inner ear malformations. Eur Radiol **22** : 519-524, 2012
102) Wilkins A, Prabhu SP, Huang L et al : Frequent association of cochlear nerve canal stenosis with pediatric sensorineural hearing loss. Arch Otolaryngol Head Neck Surg **138** : 383-388, 2012
103) Yi JS, Lim HW, Kang BC et al : Proportion of bony cochlear nerve canal anomalies in unilateral sensorineural hearing loss in children. Int Pediatr Otorhinolaryngol 77 : 530-533, 2013
104) Clemmens CS, Guidi J, Caroff A et al : Unilateral cochlear nerve deficiency in children. Otolaryngol Head Neck Surg **149** : 318-325, 2013
105) Kono T : Computed tomographic features of the bony canal of the cochlear nerve in pediatric patients with unilateral sensorineural hearing loss. Radiat Med **26** : 115-119, 2008
106) Nakano A, Arimoto Y, Matsunaga T : Cochlear nerve deficiency and associated clinical features in patients with bilateral and unilateral heraring loss. Otol Neurotol **34** : 554-558, 2013
107) Vilchez-Madrigal LD, Blaser SI, Wolter NE et al : Children with unilateral cochlear nerve canal stenosis have bilateral cochlerovestibular anomalies. Laryngoscope **129** : 2403-2408, 2019
108) Jensen J : Congenital anomalies of the inner ear. Radiol Clin North Am **12** : 473-482, 1974
109) Cotuguno D : De aquaeductibus auris humanae internae anatomica dissection. Neapoli, Simoniana, 1761
110) Friberg U, Jasson B, Rask-Andersen H et al : Variations in surgical anatomy of the endolymphatic sac. Arch Otolaryngol Head Neck Surg **114** : 389-394, 1988
111) Mondini C : Anatomica surdi nati section. De Bononiensi Scientiarum et el : Atrium Instituto atque Academia Commentarii **7** : 419-431, 1791
112) Antonelli PJ, Varela AE, Mancuso AA : Diagnostic yield of high-resolution computed tomography for pediatric sensorineural hearing loss. Laryngoscope **109** : 1642-1647, 1999
113) Madden C, Halsted M, Benton C et al : Enlarged vestibular aqueduct syndrome in the pediatric population. Otol Neurotol **24** : 625-632, 2003
114) Dahlen RT, Harnsberger HR, Gray SD et al : Over-

lapping thin-section fast spin-echo MR of the large vestivular aqueduct syndrome. Am J Neuroradiol **18**：67–75, 1997
115）Kachnizrz B, Chen JX, Gilani S et al：Diagnostic yield of MRI for pediatric hearing loss：a systematic review. Otolaryngol Head Neck Surg **152**：5-22, 2015
116）Deep NL, Hoxworth JM, Barrs DM：What is the best imaging modality for diagnosing a large vestibular aqueduct? Laryngoscope **126**：302-303, 2015
117）Deep NL, Carlson ML, Weindling SM et al：Diagnosing large vestibular aqueduct：radiological review of high-resolution CT versus high-resoluting volumentric MRI. Otol Neurotol **38**：948-955, 2017
118）Valvassori GE, Clemis JD：The large vestibular aqueduct syndrome. Laryngoscope **88**：723–728, 1978
119）Weissman JL：Hearing loss. Radiology **199**：593–611, 1996
120）Madden C, Halsted M, Meinzen-Derr J：The influence of mutations in the SLC26A4 gene on temporal bone in a population with enlarged vestibular aqueduct. Arch Otolaryngol Head Neck Surg **133**：162–168, 2007
121）Dewan K, Wippold II FJ, Lieu JEC：Enlarged vestibular aqueduct in pediatric sensorineural hearing loss. Otolaryngol Head Neck Surg **140**：552–558, 2009
122）E-Badry MM, Osman NM, Mohamed HM et al：Evauation of the radiological criteria to diagnose large vestibular aqueduct syndrome. Int J Pediatr Otorhinolaryngol **81**：84-91, 2016
123）Noguchi Y, Fukuda S, Fukushima K et al：A nationwide study on enlargement of the vestibular aqueduct in Japan. Auris Nasus Larynx **44**：31-39, 2017
124）Lhy H, Chen K, Xie Y et al：Morphometric study of the vestibular aqueduct in patients with enlarged vestibular aqueduct. J Comput Assist Tomogr **41**：467-471, 2017
125）Gopen Q, Zhou G, Whittemore K et al：Enlarged vestibular aqueduct：review of controversial aspects. Laryngoscope **121**：1971–1978, 2011
126）Antonelli PJ, Nall AV, Lemmerling MM et al：Hearing loss with cochlear modiolar defects and large vestibular aqueducts. Am J Otol **19**：306–312, 1998
127）Spencer CR：The relationship between vestibular aqueduct diameter and sensorineural hearing loss is linear：a review and meta-analysis of large case series. J Laryngol Otol **126**：1086–1090, 2012
128）Ko HC, Liu TC, Lee LA et al：Timing of surgical intervention with cochlear implant in patients with large vestibular aqueduct syndrome. Plos One **8**：e81568, 2013
129）Hara M, Takahashi H, Kanda Y：The usefulness of reconstructed 3D images in surgical planning for cochlear implantation in a malformed ear with an abnormal course of the facial nerve. Clin Exp Otorhinolaryngol **5**（supple 1）：S48-S52, 2012
130）Winslow CP, Lepore ML：Bilateral agenesis of lateral semicircular canals with hypoplasia of the left internal auditory canal（IAC）. Arch Otolaryngol Head Neck Surg **123**：1236–1239, 1997
131）Shelton C, Luxford WM, Tonokawa LL et al：The narrow internal auditory canal in children：A contraindication to cochlear implants. Otolaryngol Head Neck Surg **100**：227–231, 1989
132）Valvassori GE, Pierce RH : The normal internal auditory canal. Am J Roentgenol **92** : 1232–1241, 1964
133）Ferreira T, Shayestehfar B, Lufkin R : Narrow, duplicated internal auditory canal. Neuroradiology **45** : 308–310, 2003
134）Giesemann AM, Neubuerger J, Lanfermann H et al：Aberrant course of the intracranial facial nerve in cases of atresia of the internal auditory canal（IAC）. Neuroradiol **53**：681–687, 2011
135）Demir OI, Chakmakci H, Erdag TK et al：Narrow duplicated internal auditory canal：radiological findings and review of the literature. Pediatr Radiol **35**：1220–1223, 2005
136）Yamaz R, Okuyucu S, Burakgazi G et al：Aberrant internal carotid artery in the tympanic cavity. J Craniofac Surg **27**：2001-2003, 2016
137）Nicolay S, De Foer B, Bernaerts A et al：Aberrant internal carotid artery presenting as a retrotympanic vascular mass. Acta Radiol Short Rep **26**：2047981614553695. doi：10.1177/2047981614553695., 2014
138）Endo K, Maruyama Y, Tsukatani T et al：Aberrant internal carotid artery as a course of objective pulsatile tinnitus. Auris Nasus Larynx **33**：447-450, 2006
139）Jeffrey T, Hunt MD, Thomas M et al：Management of aberrant internal carotid artery injuries in children. Am J Otolaryngol **21**：50-54, 2000
140）Glasssock NC, Singleton CT, Holly EH：Aberrant carotid artery presenting as a mass in the middle ear. Arch Otolaryngol **94**：29-73, 1994
141）Shimizu S, Sasahara G, Iida Y et al：Aberrant internal carotid artery in the middle ear with a deficienty in the origin of the anterior cerebral artery：a case report. Auris Nasus Larynx **36**：359-362, 2009
142）Lo WW, Solti-Bohman LG, McElveen Jr JT：Aberrant carotid artery. Radiologic diagnosis with emphasis on high-resolution computed tomography.

Radiolographics **5**：985-993, 1985

143) Tugrul S, Eren SB, Dogan R et al：Intratympanic aberrant and hypoplastic carotid artery. Am J Otolaryngol Head Neck Med Surg **34**：608-610, 2013

144) Amand VK, Casano PJ, Flaiz RA：Diagnosis and treatment of the carotid artery in the middle ear. Otolaryngol Head Neck Surg **105**：743-747, 1991

145) Phelps PD, Lloyd GAS：Vascular masses in the middle ear. Clin Radiol **37**：359-364, 1986

146) Hogg ID, Stephens CB, Arnold GE：Theoretical anomalies of the stapedial artery. Ann Otol Rhinol laryngol **81**：860-870, 1972

147) Goderie TPM, Alkhateeb WHF, Smit CF et al：Surgical management of a persistent stapedial artery：A review. Otol Neurotol **38**：788-791, 2017

148) Govaerts PJ, Cremers CW, Marquet TF et al：Persistent stapedial artery：Does it prevent successful surgery? Ann Otol Rhinol Laryngol **102**：724-728, 1993

149) Moreano EH, Paparella MM, Zelterman D et al：Prevalence of facial canal dehiscence and of persistent stapedial artery in the human middle ear：A report of 1000 temporal bones. Laryngoscope **104**：309-320, 1994

150) House HP, Patterson ME：Persistent stapedial artery：Report of two cases. Trans Am Acad Ophthalmol **68**：644-646, 1964

151) Guinto FC Jr, Garrabrant EC, Radcliffe WB：Radiology of the persistent stapedial artery. Radiology **105**：365-369, 1972

152) Petrus LV, Lo WW：The anterior epitympanic recess：CT anatomy and pathology. Am J Neuroradiol **18**：1109-1114, 1997

153) Govaerts PJ, Marquet TF, Cremers WR et al：Persistent stapedial artery：does it prevent successful surgery? Ann Otol Rhinol Laryngol **102**：724-728, 1993

154) Hariga I, Mardassi A, Belhaj Younes F et al：Necrotizing otitis externa：19 cases' report. Eur Arch Otorhinolaryngol **267**：1193-1198, 2010

155) Gilkson E, Sagiv D, Wolf M et al：Necrotizing otitis externa：diagnosis, treatment, and outcome in a case series. Diagn Microbiol Infect Dis **87**：74-78, 2017

156) Sylvester MJ, Sanghvi S, Patel VM et al：Malignant otitis externa hospitalizations：analysis of patient characteristics. Laryngoscope **127**：2328-2336, 2017

157) van Krronenburgh AMJL, van der Meer WL, Bothol RJP et al：Advanced imaging techniques in skull base osteomyelitis due to malignant otitis externa. Curr Radiol Rep **6**：3, 2018

158) Bhasker D, Hartley A, Agada F：Is malignant otitis externa on the increase? A retrospective review of cases. Ear Nose Throat J **96**：E1-E5, 2017

159) Chang PC, Fischbein NJ, Holliday RA：Central skull base osteomyelitis in patients without otitis externa：imaging findings. Am J Neuroradiol **24**：1310-1316, 2003

160) Adams A, Offiah C：Central skull base osteomyelitis as a complication of necrotizing otitis externa：imaging findings, complications, and challenges of diagnosis. Clin Radiol **67**：e7-e16, 2012

161) Meltzer PE, Kelemen G：Pyocutaneous osteomyelitis of the temporal bone, mandible, and zygoma. Laryngoscope **169**：1300-1316, 1959

162) Chandler JR：Malignant external otitis. Laryngoscope **78**：1257-1294, 1968

163) Chandler JR：Malignant external otitis and facial paralysis. Otolaryngol Clin north Am **7**：375-383, 1974

164) Arnold R, Baylin G：Destructive lesions of the temporal bone. Laryngoscope **69**：766-788, 1959

165) Lesser FD, Derbyshire SG, Lewis-ones H：Can computed tomography and magnetic resonance imaging differentiate between malignant pathology and osteomyelitis in the central skull base? J Laryngol Otol **129**：852-859, 2015

166) McElroy EA Jr, Marks GL：Fatal necrotizing otitis externa in a patient with AIDS. Rev Infect Dis **13**：1246-1247, 1991

167) Weinroth SE, Schessel D, Tuazon CU：Malignant otitis externa in AIDS patients：case report and review of the literature. Ear Nose Throat J **73**：772-774, 777-778, 1994

168) Ress BD, Luntz M, Telischi FF et al：Necrotizing external otitis in patients with AIDS. Laryngoscope **107**：456-460, 1997

169) Soldati D, Mudry A, Monnier P：Necrotizing otitis externa caused by Staphylococcus epidermidis. Eur Arch Otorhinolaryngol **256**：439-441, 1999

170) Lancaster J, Alderson DJ, McCormick M：Non-pseudomonal malignant otitis externa and jugular foramen syndrome secondary to cyclosporine-induced hypertrichosis in a diabetic renal transplant patient. J Laryngol Otol **114**：366-369, 2000

171) Spielmann PM, Neeff RYM：Skull base osteomyelitis：current microbiology and management. J Laryngol Otol **127**（Suppl.S1）：S8-S12, 2013

172) Grandis JR, Curtin HD, Yu VL：Necrotizing（malignant）external otitis：prospective comparison of CT and MR imaging in diagnosis and follow-up. Radiology **196**：499-504, 1995

173) Hamzany Y, Soundry E, Preis M et al：Fungal malignant external otitis. J Infect **62**：226-231, 2011

174) Walton J, Coulson C：Fungal malignant otitis externa with facial nerve palsy：tissue biopsy AIDS diagnosis. Case Rep Otolaryngol 2014：192318,

2014

175) Bowles PF, Perkins V, Schechter E：Fungal malignant otitis externa. BMJ Case Rep doi:10.1136/bcr-2016-218420, 2017

176) Al-Noury K, Lotfy A：Computed tomography and magnetic resonance imaging findings before and after treatment of patients with malignant external otitis. Eur Arch Otorhinolaryngol **268**：1727-1734, 2011

177) Mahdyoun P, Pulcini C, Gahide I et al：Necrotizing otitis externa：a systematic review. Otol Neurotol **34**：620-629, 2013

178) Kwon BJ, Han MH, Oh SH et al：MRI findings and spreading patterns of necrotizing external otitis：is a poor outcome predictable? Clin Radiol **61**：495-504, 2006

179) Sreepada GS, Kwartler JA：Skull base osteomyelitis secondary to malignant otitis externa. Curr Opin Otolaryngol Head Neck Surg **11**：316-323, 2003

180) Holder CD, Curucharri M, Bartels LJ et al：Malignant external otitis with optic neuritis. Laryngoscope **96**：1021-1023, 1986

181) Davis JC, Gates GA, Lerner C et al：Adjuvant hyperbaric oxygen in malignant external otitis. Arch Otolaryngol Head Neck Surg **118**：89-93, 1992

182) Handzel O, Halperin D : Necrotizing (malignant) external otitis. Am Fam Physician **68** : 309-312, 2003

183) Lee JE, Song JJ, Oh SH et al：Prognostic value of extension patterns on follow-up magnetic resonance imaging in patients with necrotizing otitis externa. Arch Otolaryngol Head Neck Surg **137**：688-693, 2011

184) Soundry E, Hamazany Y, Preis M et al：Malignant external otitis：analysis of severe cases. Otolaryngol Head Neck Surg **144**：758-762, 2011

185) Chan LL, Singh S, Jones D, et al：Imaging of mucormycosis skull base osteomyelitis. Am J Neuroradiol **21**：828-831, 2000

186) Goh JPN, Karandikar A, Loke SC et al：Skull base osteomyelitis secondary to malignant otitis externa mimicking advanced nasopharyngeal cancer; MR imaging features at initial presentation. Am J Otolaryngol **38**：466-471, 2017

187) Ozgen B, Oguz KK, Cila A：Diffusion MR imaging features of skull base osteomyelitis compared with skull base malignancy. Am J Neuroradiol **32**：179-184, 2011

188) Gaviani P, Schwartz RB, Hedley-Whyte ET et al：Diffusion-weighted imaging of fungal cerebral infarction. Am J Neuroradiol **26**：1115-1121, 2005

189) Charlot M, Pialat J-B, Obadia N et al：Diffusion-weighted imaging in brain aspergillosis. Eur J Neurol **14**：912-916, 2007

190) Stokkel MPM, Boot ICN, van Eck-Smit BLF：SPECT gallium scintigraphy in malignant external otitis：initial staging and follow-up：case reports. Laryngoscope **106**：338-340, 1996

191) Rubin J, Curtin HD, Yu VL et al：Malignant external otitis：utility of CT in diagnosis and follow-up. Radiology **174**：391-394, 1990

192) Asimakopoulos P, Supriya M, Kealey S et al：A case-based discussion on a patient with non-otogenic fungal skull base osteomyelitis：pitfalls in diagnosis. J Laryngol Otol **127**：817-821, 2013

193) Strashun AM, Nejatheim M, Goldsmith SJ：Malignant external otitis：early scintigraphic detection. Radiology **150**：541-545, 1984

194) Murray ME, Britton J：Osteomyelitis of the skull base：the role of high resolution CT in diagnosis. Clin Radiol **49**：408-411, 1994

195) Garty I, Rosen G, Holdstein Y：The radionucleide diagnosis, evaluation and follow-up of malignant external otitis (MEO). The value of immediate blood pool scanning. J Laryngol Otol **99**：109-115, 1985

196) Le Clerc N, Verillaud B, Duet M et al：Skull base osteomyelitis：incidence of resistance, morbidity, and treatment strategy. Laryngoscope **124**：2013-2016, 2014

197) Rubin GJ, Grandis J, Branstetter BFT et al：The changing face of malignant (necrotizing) external otitis：clinical, radiological, and anatomic correlations. Lancet Infect Dis **4**：34-39, 2004

198) Kraus DH, Rehm SJ, Kinney SE：The evolving treatment of necrotizing external otitis. Laryngoscope **98**：934-939, 1988

199) Gehanno P：Ciprofloxacin in the treatment of malignant external otitis. Chemotherapy **40**：35-40, 1994

200) Djalilian HR, Shamloo B, Thakkar KH et al：Treatment of culture-negative skull base osteomyelitis. Otol Neurotol **27**：250-255, 2006

201) Shupak A, Greenberg E, Hardoff R et al：Hyperbaric oxygenation for necrotizing (malignant) otitis externa. Arch Otolaryngol Head Neck Surg **115**：1470-1475, 1989

202) Barbon DA, Hegde R, Li S et al：Bilateral external auditory canal exostoses causing conductive hearing loss：a case report and literature review of the surfer's ear. Cureus **9**：e1810, 2017

203) Attlmayr B, Smith IM：Prevalence of 'surfer's ear' in Cornish surfers. J Laryngol Otol **129**：440-444, 2015

204) Kutz JW Jr, Fayad JN：Exostosis of the external auditory canal. Ear Nose Throat J **85**：142, 2006

205) Kroon DF, Lawson ML, Derkay CS et al：Surfer's

ear：External auditory exostoses are more prevalent in cold water surfers. Otolaryngol Head neck Surg **126**：499–504, 2002

206) Chaplin JM, Stewart IA：The prevalence of exostoses in the external auditory meatus of surfers. Clin Otolaryngol **23**：326–330, 1998

207) Umeda Y, Nakajima M, Yoshioka H：Surfer's ear in Japan. Laryngoscope **99**：639–641, 1989

208) Whitaker SR, Cordier A, Kosjakov S et al：Treatment of external auditory canal exostoses. Laryngoscope **108**：195–199, 1998

209) Toynbee JA：Specimen of molluscum contagiosum developed in the external auditory meatus. Lond Med Gazette **46**：811, 1850

210) Anthony PF, Anthony WP：Surgical treatment of external auditory canal cholesteatoma. Laryngoscope **92**：70–75, 1982

211) Owen HH, Rosborg J, Gaihede M：Cholesteatoma of the external auditory canal：etiological factors, symptoms and clinical findings in a series of 48 cases. BMC Ear Nose Throat Disord **6**：1–9, 2006

212) Naiberg J, Berger G, Hawke M：The pathologic features of keratosis obturans and cholesteatoma of the external auditory canal. Arch Otolaryngol **110**：690–693, 1984

213) Shire JR, Donegan JO：Cholesteatoma of the external auditory canal and keratosis obturans. Am J Otol 7：361–364, 1986

214) Piepergerdes MC, Kramer BM, Behnke EE：Keratosis obturans and external auditory canal cholesteatoma. Laryngoscope **90**：383–391, 1980

215) Dubach P, Hausler R：External auditory canal cholesteatoma：reassessment of and amendments to its categorization, pathogenesis, and treatment in 34 patients. Otol Neurotol **29**：941–948, 2008

216) Martin DW, Selesnick SH, Parisier SC：External auditory canal cholesteatoma with erosion into the mastoid. Otolaryngol Head Neck Surg **121**：298–300, 1999

217) Heilbrun ME, Salzman KL, Glastonbury CM et al : External auditory canal cholesteatoma : clinical and imaging spectrum. Am J Neuroradiol **24** : 751–756, 2003

218) Park K, Chun YM, Park HJ et al : Immunohistochemical study of cell proliferation using BrdU labeling on tympanic membrane, external auditory canal and induced cholesteatoma in Mongolian gervils. Acta Otolaryngol **119** : 874–879, 1999

219) Makino K, Amatsu M：Epithelial migration on the tympanic membrane and external canal. Arch Otorhinolaryngol **1**：39–42, 1986

220) Holt JJ：Ear canal cholesteatoma. Laryngoscope **102**：608–613, 1992

221) Casale G, Nicholas BD, Kesser BW：Acquired ear canal cholesteatoma in congenital aural aresia/stenosis. Otol Neurotol **35**：1474–1479, 2014

222) Lee DH, Jun BC, Park CS et al：A case of osteoma with cholesteatoma in the external auditory canal. Auris Nasus Larynx **32**：281–284, 2005

223) Yu SS, Lee KJ, Lin YS：External auditory canal cholesteatoma in patients given radiotherapy for nasopharyngeal carcinoma. Head Neck **37** : 1794–1798, 2015

224) Naim R, Linthicum Jr F, Shen T et al：Classification of the external auditory canal cholesteatoma. Laryngoscope **115**：455–460, 2005

225) Garin P, Degols JC, Delos M：External auditory canal cholesteatoma. Arch Otolaryngol Head Neck Surg **123**：62–65, 1997

226) Shin S-H, Shim JH, Lee H-K：Classification of external auditory canal cholesteatoma by computed tomography. Clin Exp Otorhinolaryngol **3**：24-26, 2010

227) Darr EA, Linstrom CJ：Conservative management of advanced external auditory canal cholesteatoma. Otolaryngol Head Neck Surg **142**：278–280, 2010

228) Kuhel WI, Hume CR, Selesnick SH：Cancer of the external auditory canal and temporal bone. Otolaryngol Clin North Am **29**：827–852, 1996

229) Kinney SE：Tumors of the external auditory canal, middle ear, mastoid and temporal bone. Comprehensive Management of Head and Neck Tumors, Thawley SE, Panje WR, Batsakis JG (eds), WB Saunders, Philadelphia, p181–206, 1987

230) Moody SA, Hirsch BE, Myers EN：Squamous cell carcinoma of the external auditory anal: an evaluation of a staging system. Am J Otol **21**：582–588, 2000

231) Testa JRG, Fukuda Y, Kowalski LP：Prognostic factors in carcinoma of the external auditory canal. Arch Otolaryngol Head Neck Surg **123**：720–724, 1997

232) Million RR, Cassisi NJ, Mancuso AA et al：Temporal bone. Management of Head and Neck Cancer：A Multidisciplinary Approach, Million RR, Cassisi NJ (eds), JB Lippincott Company, Philadelphia, p751–764, 1994

233) Lim LH, Goh YH, Chan YM et al : Malignancy of temporal bone and external auditory canal. Otolaryngol Head Neck Surg **122** : 882–886, 2000

234) Lobo D, Llorente JL, Suarez C : Squamous cell carcinoma of the external auditory canal. Skull Base **18** : 167–172, 2008

235) Perzin KH, Gullane P, Conley J：Adenoid cystic carcinoma involving the external auditory canal. A clinicopathologic stury of 16 cases. Cancer **50**：2873-2883, 1982

236) Ouaz K, Robier A, Lescanne E et al：Cancer of the external auditory canal. Eur Ann Otorhinolaryngol Head Neck Dis **130**：175-182, 2013
237) Higgins TS, Antonio SA：The role of facial palsy in staging squamous cell carcinoma of the temporal bone and external auditory canal：a comparative survival analysis. Otol Neurotol **31**：1473-1479, 2010
238) Jesse RH, Healey JE Jr, Wiley DB：External auditory canal, middle ear, and mastoid. Cancer of the Head and Neck, MacComb WS, Fletcher GH (eds), Williams & Wilkins, Baltimore, p412-427, 1967
239) Allanson BM, Low T-H, Clark JR et al：Squamous cell carcinoma of the external auditory canal and temporal bone：An update. Head Neck Pathol **12**：407-418, 2018
240) Morita S, Nakamaru Y, Homma A et al：Comparison of hearing outomes after treatment for early-stage external auditory canal cancer. Head Neck **38**：E1110-E1116, 2016
241) Sasaki CT : Distant metastasis from ear and temporal bone cancer. ORL J Otorhinolaryngol Relat Spec **63** : 250-251, 2001
242) Yoon M, Chogule P, Dufresne R et al : Localized carcinoma of the external ear is an unrecognized aggressive disease with a high propensity for local regional recurrence. Am J Surg **164** : 574-577, 1992
243) Luiz P, Rinaldo A, Ferlito A et al：Nodal disease in temporal bone squamous carcinoma. Acta Otolaryngol **125**：5-9, 2005
244) Amin MB, Edge SB, Creene FL et al (eds)：AJCC cancer staging manual, (8th eds), Springer, New York, 2017
245) Morita S, Mizumachi T, Nakamaru Y et al：Comparison of the University of Pittsburgh staging system and the eight edition of the American Joint Committee on Cancer TNM classification for the prognostic evaluation of external auditory canal. Int J Clin Oncol **23**：1029-1037, 2018
246) Breau RL, Gardner EK, Dornhoffer JL : Cancer of the external auditory canal and temporal bone. Curr Oncol Rep **4** : 76-80, 2002
247) Arriaga M, Curtin H, Takahashi H et al：Staging proposal for external auditory meatus carcinoma based on preoperative clinical examination and computed tomography findings. Ann Otol Rhinol Laryngol **99**：714-721, 1990
248) Toriihara A, Nakadate M, Fujioka T et al：Clinical usefulness of 18F-FDG PET/CT for staging cancer of the external auditory canal. Otol Neurotol **39**：e370-e375, 2018
249) Stell PM, McCormick MS：Carcinoma of the external auditory meatus and middle ear：Prognostic factors and a suggested staging system. J Laryngol Otol **99**：847-850, 1985
250) Hirsch BE, Chang CYJ, Moody SA：Carcinoma of the temporal bone. Operative otolaryngology. Myers EN (ed), Saunders, Philadelphia, p1271-1293, 2008
251) Hommer J, Lesser T, Moffat D et al：Management of lateral skull base cancer：United Kingdom National Multidisciplinary Guidelines. J Laryngol Otol **130**(S2)：S119-124, 2016
252) Murai T, Kamata SE, Sato K et al：Hyperfractionated stereotactic radiotherapy for auditory canal or middle ear cancer. Cancer Control **23**：311-316, 2016
253) Knegt PP, Ah-See KW, Meeuwis CA et al：Squamous carcinoma of the external auditory canal：A different approach. Clin Otolaryngol **27**：183-187, 2002
254) Prasad S, Janecka IP：Efficacy of surgical treatments for squamous cell carcinoma of the temporal bone; a literature review. Otolaryngol Head Neck Surg **110**：270-280, 1994
255) Hosokawa S, Mizuta K, Takahashi G et al：Surgical approach for treatment of carcinoma of the anterior wall of the external auditory canal. Otol Neurotol **33**：450-454, 2012
256) Pemberton LS, Swindell R, Sykes AJ：Primary radical radiotherapy for squamous cell carcinoma of the middle ear and external auditory canal — an historical series. Clin Oncol (R Coll Radiol) **18**：390-394, 2007
257) Mawson SR：Middle ear effusions：definitions. Ann Otol Rhinol Laryngol **85**：12-14, 1976
258) Vanneste P, Page C：Otitis media with effusion in children：pathophysiology, diagnosis, and treatment. J Otol **14**：33-39, 2019
259) Blanc F, Ayache D, Calmels MN et al：Management of otitis media with effusion in children. Societe francaise d' ORL ete de chirurgie cervico-faciale clinical practice guidelines. Eur Ann Otorhinolaryngol Head Neck Dis **135**：269-273, 2018
260) Casselbrant ML, Mandel EM：Epidemiology. Evidence-based otitis media (2nd ed), Rosenfeld RM, Bluestone CD (eds), BC Decker Inc, Hamilton, p147-162, 2003
261) Paparella MM, Jung TTK, Goycoolea MV：Otitis media with effusion (Chap 27). Otolaryngology Vol Ⅱ：Otology and Neuro-otology (3rd ed), Paparella MM, Shumrick DA, Gluckman JL (eds), WB Saunders, Philadelphia, p1317-1342, 1991
262) Stewart I, Kirkland C, Simpson A et al：Some factors of possible etiologic significance related to otitis media with effusion. Recent Advances in Otitis Media with Effusion, Lim DJ, Bluestone CD, Klein

JO (eds), BC Decker, Philadelphia, p25–27, 1984

263) Legent F：Definitiion et nosology des otitis [definition and nosology of otitis, French] Rev Prat **48**：829-832, 1998

264) Roberts J, Hunter L, Gravel J et al：Otitis media, hearing loss, and language learning：controversies and current research. J Dev Behav Pediatr **25**：110-122, 2004

265) Atkinson H, Wallis S, Coatesworth AP：Otitis media with effusion. Postgrad Med **127**：381-385, 2015

266) Ito M, Takahashi H, Iino Y et al：Clinical practice guidelines for the diagnosis and management of otitis media with effusion (OME) in children in Japan, 2015 Auris Nasus Larynx **44**：501-508, 2017

267) Djurhuus BD, Christensen K, Skytthe A et al：The impact of ventilation tube in otitis media on the risk of cholesteatoma on a national level. Int J Pediatr Otorhinolaryngol **79**：605-609, 2015

268) Rosenfeld RM, Shin JJ, Schwartz SR et al：Clinical practice guideline：otitis media with effusion (update). Otolaryngol Head Neck Surg **154** (1 Suppl)：S1-S41, 2016

269) Iannella G, Stasolla A, Pasquariello B et al：Tympanomastoid cholesterol granuloma：radiological and intraoperative findings of blood source connection. Eur Arch Otorhinolaryngol **273**：2395-2401, 2016

270) Grinblat G, Vashishth A, Galetti F et al：Petrous apex cholesterol granulomas：outcomes, complications, and hearing results from surgical and wait-and-scan management. Otol Neurotol **38**：e476-e485, 2017

271) Gracek RR：Diagnosis and management of primary tumors of the petrous apex. AnnOtol Rhinol Laryngol **84** (1PT.2Suppl 18)：1-20, 1975

272) Manasse P：Uber Granulationsgeschwulste mit Fremdkoerperriesenzellen. Virch Arch **136**：245-262, 1894

273) Bruchhage K-L, Wollenberg B, Leichtle A：Transsphenoidal and infralabyrinthine approach of the petrous apex cholesterol granuloma. Eur Arch Otorhinolaryngol **274**：2749-2756, 2017

274) Da Costa SS, Paparella MM, Schachern PA et al：Temporal bone histopathology in chronically infected ears with intact and perforated tympanic membranes. Laryngoscope 102：1229-1236, 1992

275) Miglets AW, Booth JB：Cholesterol granuloma presenting as an isolated middle ear tumor. Laryngoscope 91：410-415, 1981

276) Selman Y, Wood JW, Telischi FF et al：Development of cholesterol granuloma in a temporal bone petrous apex previously containing marrow exposed to air cells. Otol Neurotol **34**：958-960, 2013

277) Pfister MHF, Jackler RK, Kunda L：Aggressiveness in cholesterol granuloma of the temporal bone may be determined by the vigor of its blood source. Otol Neurotol **28**：232-235, 2007

278) Maeta M, Saito R, Nakagawa F et al：Surgical intervention in middle-ear cholesterol granuloma. J Laryngol Otol **117**：344–348, 2003

279) Matsuda Y, Kurita T, Ueda Y et al：Analysis of surgical treatment for middle-ear cholesterol granuloma. J Laryngol Otol Supple **31**：90–96, 2009

280) Sweeney AD, Osetinsky LM, Carlson ML et al：The natural history and management of petrous apex cholesterol granulomas. Otol Neurotol **36**：1714-1419, 2015

281) Brodkey JA, Rovertson JH, Shea JJ 3rd et al：Cholesterol granulomas of the petrous apex：combined neurosurgical and ontological management. J Neurosurg **85**：625-633, 1996

282) Zanation AM, Snyderman CH, Carrau RL et al：Endoscopic endonasal surgery for petrous apex lesions. Laryngoscope **119**：19–25, 2009

283) DiNardo LJ, Pippin GW, Sismanis A：Image-guided endoscopic transsphenoidal drainage of select petrous apex cholesterol granulomas. Otol Neurotol **24**：939–941, 2003

284) Venekamp RP, Damoiseaux RA, Schilder AG：Acute otitis media in children. Am Fam Physicians **95**：109-110, 2017

285) Fleischer K：Akute Mittelohrentqundung, Mastoiditis, Petrositis [Chap 25, 5 (I)]. Hals-Nasen-Ohrenheikunde in Praxis und Klinik, Berendes J, Link R, Zollner F (eds), Georg Thieme, Stuttgart, p1–43, 1979

286) Gaddey HL, Wright MT, Nelson TN：Otitis media：rapid evidence review. Am Fam Physician **100**：350-356, 2019

287) Paradise JL：Otitis media in infants and children. Pediatrics **65**：917-943, 1980

288) Qureishi A, Lee Y, Belfield K et al：Update on otitis media — prevention and treatment. Infect Drug Resist **7**：15-24, 2014

289) Corbeel L：what is new in otitis media? Eur J Pediatr **166**：511-519, 2007

290) Torne MC, Chewaproug L, Elden LM：Suppurative complications of acute otitis media：changes in frequency over time. Arch Otolaryngol Head Neck Surg **135**：638–641, 2009

291) Migirov L：Computed tomographic versus surgical findings in complicated acute otomastoitis. Ann Otol Rhinol Laryngol **112**：675–677, 2003

292) Lieberthal AS, Carroll AE, Chonmaitree T et al：The diagnosis and management of acute otitis media. Pediatrics **131**：e964-e999, 2013

293) Shavit SS, Raveh E, Levi L et al：Surgical interven-

tion for acute mastoiditis：10 years experience in a tertiary children hospital. Eur Arch Otorhinolaryngol **276**：3051-3056, 2019

294）Holt GR, Yound WC：Acute coalescent mastoiditis. Otolaryngol Head Neck Surg **89**：317-321, 1981

295）Loh R, Phua M, Shaw CL：Management of paediatric acute mastoiditis：systematic review. J Laryngol Otol **132**：96-104, 2018

296）Vazquez E, Castellote A, Piqueras J et al : Imaging of complication of acute mastoiditis in children. Radiographcs **23** : 359-372, 2003

297）Antonelli PJ, Garside JA, Mancuso AA et al：Computed tomography and the diagnosis of coalescent mastoiditis. Otolaryngol Head Neck Surg **120**：350-354, 1999

298）Levine HR, Ha KY, O' Rourke B et al：A pictorial review of complications of acute coalescent mastoiditis. Proc（Bayl Univ Med Cent）**25**：372-373, 2012

299）Horowitz G, Fishman G, Brenner A et al：A novel radiographic sign and a new calssifygin system in mastoiditis-related epidural abscess. Otol Neurotol **36**：1378-1382, 2015

300）Gaffney RJ, O'Dwyer TP, Maguire AJ：Bezold's abscess. J Laryngol Otol **105**：765-766, 1991

301）Castillo M, Albernaz VS, Mkherji SK et al : Imaging of Bexold's abscess. Am J Roentgenol **171** : 1491-1495, 1998

302）Marioni G, de Filippis C, Tregnaghi A et al：Bezold's abscess in children：case report and review of the literature. Int J Pediatr Otorhinolaryngol **61**：173-177, 2001

303）Katayama K, Gomi H, Shirokawa T et al：Bezold's abscesss in a diabetic patient without significant clinical symptoms. IDCases **12**：e1-e2, 2018

304）Malik K, Dever LL, Kapila R：Bezold's abscess：a rare complication of suppurative mastoiditis. IDCases **17**：e00538, 2019

305）Luc H：The sub-periosteal temporal abscess of otic origin without intraosseous suppuration. Laryngoscope **23**：999-1003, 1913

306）Weiss I, Marom T, Goldfarb A et al：Luc's abscess：the return of an old fellow. Otol Neurotol **31**：776-779, 2010

307）Fernandez JJ, Crocetta FM, Pelligra I et al：Clinical features and management of Luc's abscess：case report and systematic review of the literature. Auris Nasus Larynx **47**：173-180, 2020

308）Scrafton DK, Qureishi A, Nogueira C et al：Luc's abscess as an unlucky complication of mastoiditis. Ann R Coll Surg Engl **96**：e28-e30, 2014

309）Santhi K, Tang IP, Nordin A et al：Congenital cholesteatoma presenting with Luc's abscess. J Surg Case Rep 2012 : 2012, doi：10. 1093/jscr/rjs026

310）Scherer A, Jea A：Pediatric otogenic sigmoid sinus thrombosis：case report and literature reappraisal. Glob Pediatr Health doi:10.1177/2333794X17738837. eCollection 2017

311）van den Bosch MAAJ, Vos JA, de Letter MACJ et al : MRI findings in a child with sigmoid sinus thrombosis following mastoiditis. Pediatr Radiol **3** : 877-879, 2003

312）Coutinho G, Julio S, Matos R et al：Otogenic cerebral venous thrombosis in children：a review of 16 consecutive cases. Int J Pediatr Otorhinolaryngol **113**：177-181, 2018

313）Garcia RD, Baker AS, Cummingham MJ et al : Lateral sinus thrombosis associated with otitis media and mastoiditis in children. Pediatr Infect Dis J **14** : 617-623, 1995

314）DeVeber G, Andrew M, Adams C et al : Cerebral sinovenous thrombosis in children. N Engl J Med **345** : 417-423, 2001

315）Vogl TJ, Bergman C, Villringer A et al：Dural sinus thrombosis：Value of venous MR angiography for diagnosis and follow-up. Am J Roentogenol **162**：1191-1198, 1994

316）Virapongse C, Cazenave C, Quisling R et al : The empty delta sign: frequency and significance in 76 cases of dural sinus thrombosis. Radiology **162** : 779-785, 1987

317）Ropposch T, Nemetz U, Braun EM et al：Management of otogenic sigmoid sinus thrombosis. Otol Neurotol **32**：1120-1123, 2011

318）Ulanovski D, Yacobovich J, Kornreich L et al：Pediatric otogenic sigmoid sinus thrombosis：12-year experience. Int J Pediatr Otorhinolaryngol **78**：930-933, 2014

319）Rosdy B, Csakanyi Z, Kollar K et al：Visual and neurologic deterioration in otogenic lateral sinus thrombosis：15 year experience. Int J Pediatr Otorhinolaryngol **78**：1253-1257, 2014

320）Myerson MC：Suppuration of the petrous pyramid some ciews on its surgical management. Arch Otolaryngol **26**：42-48, 1937

321）Goldstein NA, Casselbrant ML, Bluestone CD et al：Intratemporal compications of acute otitis media in infants and children. Otolaryngol Head Neck Surg **119**：444-454, 1998

322）Gadre AK, Chole RA：The changing face of petrous apicitis — a 40-year experience. Laryngoscope **128**：195-201, 2018

323）Nager GT：Acute and chronic otitis media（tympanomastoiditis）and their regional and endocranial complications. Pathology of the Ear and Temporal Bone, Nager GT（ed）, Williams & Wilkins, Baltimore, p220-297, 1993

324) Chole RA, Donald PJ：Petrous apicitis：Clinical considerations. Ann Otol Rhinol Laryngol **92**：544-551, 1983

325) Papale. Contributo alla patogenesi della syndrome di Gradenigo. Ref. Zentalbl. F. HNO band 6. In：Frenckner P. Some remarks on the treatment of apicitis (petrositis) with or without Gradenigo' s syndrome. Acta Otolaryngol **17**：97-120, 1932

326) Pietrantoni, Sulle vie di propagazione dei processi inflammatory dall' orecchio medio aa'apice della roco petrosa etc. Ref. Zentralbl f. HNO band 11, 1928. In：Frenckner P. Some remarks on the treatment of apicitis (petrositis) with or without Gradenigo's syndrome. Acta Otolaryngol **17**：97-120, 1932

327) Gradenigo G：Ueber Circumscripte Leptomeningitis mit spinalen symptomen. Arch Ohrenheilk **51**：60-62, 1904

328) Hymann L：Zur Kenntnis der Entstehung der otogenen Meningitis. Zeitschr HNO **18**：319, 1927

329) Profant HJ：Gradenigo's syndrome with consideration of "Petrositis". Arch Otolaryngol **13**：347-378, 1931

330) Kong S-K, Lee I-W, Goh E-K et al：Acute otitis media — induced petrous apicitis presenting as the Gradenigo syndrome：successfully treated by ventilation tube insertion. Am J Otolaryngol Head Neck Med Surg **32**：445-447, 2011

331) Price T, Fayad G：Abducens nerve palsy as the sole presenting symptom of petrous apicitis. J Laryngol Otol **116**：726-729, 2002

332) Jensen PVF, Avnstorp MB, Dzongodza T et al：A fatal case of Gradenigo's syndrome in Zimbabwe and the Danish-Zimbabwean ENT collaboration. Int J Pediatr Otorhinolaryngol **97**：181-184, 2017

333) Branco C, Monteiro D, Paco J：Predictive factors for the appearance of myringosclerosis after myringotomy with ventilatation tube placement：randomized study. Eur Arch Otorhinolaryngol **274**：79-84, 2017

334) Flodin MF, Hultcrantz M：Possible inflammatory mediators in tympanosclerosis development. Int J Pediatr Otorhinolaryngol **63**：149-154, 2002

335) Sakalli E, Celikyurt C, Guler B et al：Surgery of isolated malleus fixation due to tympanosclerosis. Eur Arch Otorhinolaryngol **272**：3663-3667, 2015

336) Tos M, Lau T, Arndal H et al：Tympanosclerosis of the middle ear：late results of surgical treatment. J Laryngol Otol **104**：685-689, 1990

337) Dinc AE, Kumbul YC：Clinical landmarks in chronic otitis media with tympanosclerosis：clinical history may have predictive value in the diagnosis of ossicular chain mobility. J Laryngol Otol **133**：992-994, 2019

338) Mutlu F, Iseri M, Erdogan S et al：An analysis of surgical treatment results of patients with tympanosclerosis. J Craniofac Surg **26**：2393-2395, 2015

339) Safak MA：Conduction type hearing loss. Ear Nose Throat Diseases Book, Koc C (ed), Gunis Medicine Publishing House, Ankara, Turky, p129, 2013

340) Yabe T, Moriyama H, Kamide Y et al：Tympanosclerosis clinical and pathological investigation. Nippon Jibiinkoka Gakkai Kaiho **98**：606-612, 1995

341) Wielinga EW, Kerr AG：Tympanosclerosis. Clin Otolaryngol Allied Sci **18**：341-349, 1993

342) Ho KY, Tsai SM, Chai CY et al：Clinical analysis of intratympanic tympanosclerosis：etiology, ossicular chain findings, and hearing results of surgery. Acta Otolaryngol **130**：370-374, 2010

343) De Carvalho Leal M, Ferreira Bento R, da Silva Caldas Neto S et al：Influence of hypercalcemia in the formation of tympanosclerosis in rats. Otol Neurotol **27**：27-32, 2006

344) Kay DJ, Nelson M, Rosenfeld RM : Meta-analysis of tympanostomy tube sequelae. Otolaryngo Head Neck Surg **124** : 374-380, 2001

345) Tos M：Surgical solutions for conductive hearing loss. Thieme, Stuttgart, 2000

346) Yetiser S, Hidir Y, Karatas E et al：Management of tympanosclerosis with ossicular fixation：review and presentation of long-term results of 30 new cases. J Otolaryngol **36**：303-308, 2007

347) Teufert KB, De La Cruz A：Tympanosclerosis：long-term hearing results after ossicular reconstruction. Otolaryngol Head Neck Surg **126**：264-272, 2002

348) Aslan H, Katilmis H, Ozturkcan S et al：Tympanosclerosis and our surgical results. Eur Arch Otorhinolaryngol **267**：673-677, 2010

349) Yang CJ, Kim TS, Shim BS et al：Abnormal CT findings are risk factors for otitis media-related sensorineural hearing loss. Ear Hear **35**：357-378, 2014

350) Yoshida H, Miyamoto I, Takahashi H：Relationship between CT findings and sensorineural hearing loss in chronic otitis media. Auris Nasus Larynx **41**：259-263, 2014

351) Sakagami M, Maeda A, Noda M et al：Long term observation on hearing change in patients with chronic otitis media. Auris Nasus Larynx **27**：117-120, 2000

352) Luntz M, Yehudai N, Haifler M et al：Risk factors for sensorineural hearing loss in chronic otitis media. Acta Otolaryngol **133**：1173-1180, 2013

353) Jahn AF：Cholesteatoma：What is it, how did it get there, and how do we get rid of it? Otolaryngol Clin North Am **22**：847-857, 1989

354）Razek AA, Huang BY：Lesions of the petrous apex：classification and findings at CT and MR imaging. Radiographics **32**：151-173, 2012
355）Mafee MF, Kumar A, Heffner DK：Epidermoid cyst（cholesteatoma）and cholesterol granuloma of the temporal bone and epidermoid cysts affecting the brain. Neuroimaging Clin N Am **4**：561-578, 1994
356）Danesi G, Cooper T, Panciera DT et al：Sanna classification and prognosis of cholesteatoma of the petrous part of the temporal bone：a retrospective series of 81 patients. Otol Neurotol **37**：787-792, 2016
357）Fisch U：Infratemporal fossa approach for extensive tumors of the temporal bone and base of the skull. Neurological surgery of the ear, Silverstein H（ed）, Aesculapius publishing, Birmingham,1977
358）Bartels LJ：Facial nerve and medially invasive petrous bone cholesteatomas. Ann Otol Rhinol Laryngol **100**（4 Pt 1）：308-316, 1991
359）Sanna M, Zini C, Gamoletti R et al：Petrous bone cholesteatoma. Skull Base Surg **3**：201-213, 1993
360）Moffat D, Jones S, Smith W：Petrous temporal bone cholesteatoma：a new classification and long-term surgical outcomes. Skull Base **18**：107-115, 2008
361）Sanna M, Pandya Y, Mancini F et al：Petrous bone cholesteatoma：classification, manafement and review of the literature. Audiol Neurotol **16**：124-136, 2011
362）Grayeli AB, Mosnier I, El Garem H et al：Extensive intratemporal cholesteatoma：surgical strategy. Am J Otol **21**：774-781, 2000
363）Orhan KS, Celik M, Polat B et al：Endoscop-assisted surgery for petrous bone cholesteatoma with hearing preservation. J Int Adv Otol **15**：391-395, 2019
364）Sugimoto H, Hatano M et al：Endoscopic management of petrous apex cholesteatoma. Eur Arch Otorhinolaryngol **274**：4127-4130, 2017
365）Richter GT, Lee KH : Contemporary assessment and management of congenital cholesteatoma. Curr Opin Otolaryngol Head Neck Surg **17** : 339-345, 2009
366）Morita Y, Tono T, Sakagami M et al：Nationwide survey of congenital cholesteatoma using staging and classification criteria for middle ear cholesteatoma proposed by the Japan Otological Society. Auris Nasus Larynx **46**：346-352, 2019
367）Derlacki EL, Clemis JD：Congenital cholesteatoma of the middle ear and mastoid. Ann Otol Rhinol Laryngol **74**：706-727, 1965
368）Denoyelle F, SimonF, Chang KW et al：International pediatric otolaryngoloty group（IPOG）consensus recommendations：congenital cholesteatoma. Otol Neurotol 41：345-351, 2020
369）Levenson MJ, Parisier SC, Chute P et al：A review of twenty congenital cholesteatomas of the middle ear in children. Otolaryngol Head Neck Surg **94**：560-567, 1986
370）Koltai PJ, Nelson M, Castellon RJ et al：The natural history of congenital cholesteatoma. Arch Otolaryngol Head Neck Surg **128**：804-809, 2002
371）Potsic WP, Korman SB, Samadi DS et al：Congenital cholesteatoma：20 years'experience at The Children's Hospital of Philadelphia. Otolaryngol Head Neck Surg **126**：409-414, 2002
372）Kojima H, Miyazaki H, Tanaka Y et al：Congenital middle ear cholesteatoma：experience in 48 cases. Nippon Jibi Inkoka Gakkai Kaiho **106**：856-865, 2003
373）Hidaka H, Yamaguchi T, Miyazaki H et al：Congenital cholesteatoma is predominantly found in the posterior-superior quadrant in the Asian population：systematic review and meta-analysis, including our clinical experience. Otol Neurotol **34**：630-638, 2013
374）Kazahaya K, Potsic WP：Congenital cholesteatoma. Curr Opin Otolaryngol Head Neck Surg **23**：398-403, 2004
375）Fayad JN, House JW：Congenital cholesteatoma. Ear Nose Throat J **83**：600-601, 2004
376）Potsic WP, Samadi DS, Marsh RR et al：A staging system for congenital cholesteatoma. Arch Otolaryngol Head Neck Surg **128**：1009-1012, 2002
377）Lim HW, Yoon TH, Kang WS：Congenital cholesteatoma：clinical features and growth patterns. Am J Otolaryngol Head Neck Med Surg **33**：538-542, 2012
378）Migrov L, Carmel E, Dagan E et al : Mastoid subperiosteal abscess as a first sign of unnoticed cholesteatoma in children. Acta Paedictrica **99** : 147-149, 2010
379）Nelson M, Roger G, Koltai PJ et al：Congenital cholesteatoma：Classification, management, and outcome. Arch Otolaryngol Head Neck Surg **128**：810-814, 2002
380）El-Bitar MA, Choi SS, Emamian SA et al：Congenital middle ear cholesteatoma：Need for early recognition-role of computed tomography scan. Int J Pediatr Otorhinolaryngol **67**：231-235, 2003
381）Lee SH, Jang JH, Lee D et al：Surgical outcomes of early congenital cholesteatoma：minimally invasive transcanal approach. Laryngoscope **124**：755-759, 2014
382）Stapleton AL, Egloff AM, Yellon RF：Congenital cholesteatoma：predictors for residual disease and

hearing outcomes. Arch Otolaryngol Head Neck Surg **138**：280-285, 2012

383) Shohet JA, de Jong AL：The management of pediatric cholesteatoma. Otolaryngol Clin North Am **35**：841-851, 2002

384) De la Cruz A, Fayad JN：Detection and management of childhood cholesteatoma. Pediatr Ann **28**：370-373, 1999

385) Matsuda K, Tono T, Kojima H et al：Practicality analysis of the staging system proposed by the Japan Otological Society for acquired middle ear cholesteatoma：a multicentere study of 446 surgical cases in Japan. Auris Nasus Larynx **45**：45-50, 2018

386) Nager GT：Cholesteatoma of the middle ear. Pathology of the Ear and Temporal Bone, Nager GT (ed), Williams & Wilkins, Baltimore, p298-350, 1993

387) 日本耳科学会ホームページ：中耳真珠腫進展度分類 2015 改訂案(http://www.otology.gr.jp/guideline/img/chole2015.pdf)

388) Lailach S, Sahnert T, Lasurashvili N et al：Hearing outcome after sequential cholesteatoma surgery. Eur Arch Otorhinolaryngol **273**：2035-2046, 2016

389) Lau T, Tos M：Tensa retraction cholesteatoma：Treatment and long-term results. J Laryngol Otol **103**：149-157, 1989

390) Tos M：Can cholesteatoma be prevented? Cholesteatoma and Mastoid Surgery, Sade J (ed), Kugler, Amsterdam, p591-598, 1982

391) Vartiainen E, Nuutinen J：Long-term results of surgical treatment in different cholesteatoma types. Am J Otol **14**：507-511, 1993

392) 中下陽介, 福島典之, 平位知久ほか：二次性真珠腫の臨床的検討. 日耳鼻 **115**：1023-1028, 2012

393) Shambaugh G：Surgery of the ear (2nd ed), WB Saunders, Philadelphia, p187-224, 1967

394) 中西悠, 東野哲也, 河野浩万ほか：緊張部穿孔に伴ういわゆる二次性中耳真珠腫症例の臨床検討. Otol Jpn **18**：659-664, 2008

395) NG JH, Zhang EZ, Soon SR et al：Pre-operative high resolution computed tomography scans for cholesteatoma：has anything changed? Am J Otolaryngol **35**：508-513, 2014

396) Drornelles C, Rosito LPS, Meurer L et al：Hystology finding's correlation between the ossicular chain in the transoperative and cholesteatomas. Braz J Otorhinolaryngol **73**：738-743, 2007

397) Chole RA：The molecular biology of bone resorption due to chronic otitis media. Ann NY Acad Sci **830**：95-109, 1997

398) Gulati M, Gupta S, Prakash A et al：HRCT imaging of acquired cholesteatoma：a pictorial review. Insights Imaging **10**：92. doi：10. 1186/s13244-019-0782-y., 2019

399) Margins O, Victor J, Selesnick S：The relationship between individual ossicular status and conductive hearing loss in cholesteatoma. Otol Neurotol **33**：387-392

400) Yu Z, Hand D, Gong S et al：The value of scutum erosion in the diagnosis of temporal bone cholesteatoma. Acta Otolaryngol **130**：47-51, 2010

401) Yu Z, Wang Z, Yang B et al：The value of preoperative CT scan of tympanic facial nerve canal in tympanomastoid surgery. Acta Otolaryngol **131**：774-778, 2011

402) Yu Z, Hand D, Dai H et al：Diagnosis of the pathological exposure of the mastoid portion of the facial nerve by CT scarnning. Acta Otolaryngol **127**：323-327, 2007

403) Manassawala M, Cunnane ME, Curtin HD et al：Imaging findings in auto-atticotomy. AJNR Am J Neuroradiol **35**：182-185, 2014

404) Lingam RK, Khatri P, Hughes J et al：Apparent diffusion coefficients for detection of postoperative middle ear cholesteatoma on non-echo-planar diffusion-weighted images. Radiology **269**：504-510, 2013

405) Horn RJ, Gratama JWC, van der Zaag-Loonen JH et al：Negative predictive value of non-echo-planar diffusion weighted MR imaging for the detection of residual cholesteatoma done at 9 months after primary surgery is not high enough to omit second look surgery. Otol Neurotol **40**：911-919, 2019

406) Fukuda A, Morita S, Harada T et al：Value of T1-weighted magnetic resonance imaging in cholesteatoma detection. Otol Neurotol **38**：1440-1444, 2017

407) Tatlipinar A, Tuncel A, Ogredik EA et al：The role of computed tomography scanning in chronic otitis media. Eur Arch Otorhinolaryngol **269**：33-38, 2012

408) Thomassin JM, Braccini F：Role of imaging and endoscopy in the follow up and management of cholesteatomas operated by closed technique. Rev Laryngol Otol Rhinol (Bord) **120**：75-81, 1999

409) Allam HS, Abdel Razek AAK, Ashraf B et al：Reliability of diffusion-weighted magnetic resonance imaging in differentiation of recurrent cholesteatoma and granulation tissue after intact canal wall mastoidectomy. J Laryngol Otol **133**：1083-1086, 2019

410) Tierney PA, Pracy P, Blaney SP et al：An assessment of the value of the preoperative computed tomography scans prior to otoendoscopic 'second look' in intact canal wall mastoid surgery. Clin Otolaryngol Allied Sci **24**：274-276, 1999

411）Muzaffar J, Metcalfe C, Colley S et al：Diffusion-weighted magnetic resonance imaging for residual and recurrent cholesteatoma：a systematic review and meta-analysis. Clin Otolaryngol **42**：536-543, 2016
412）Maheshwari S, Mukherji SK : Diffusion-Weighted imaging for differentiating recurrent cholesteatoma from granulation tissue after mastoidectomy: case report. Am J Neuroradiol **23** : 847–849, 2002
413）Gaillardin L, Lescanne E, Moriniere S et al：Residual cholesteatoma：prevalence and location. Follow-up strategy in adults. Eur Annal Otorhinolaryngol Head Neck Dis **129**：136–140, 2012
414）Trojanowska A, Trojanowski P, Olszanski W et al：Differentiation between cholesteatoma and inflammatory process of the middle ear, based on contrast-enhanced computed tomography imaging. J Laryngol Otol **121**：444–448, 2007
415）Blaney SP, Tierney P, Oyarazabal M et al：CT scanning in "second low" combined approach tympanoplasty. Rev Laryngol Otol Rhinol（Bord）**121**：79–81, 2000
416）Aikele P, Kittner T, Offergeld C et al : Diffusion-weighted MR imaging of cholesteatoma in pediatric and adult patients who have undergone middle ear surgery. Am J Roentogenol **181** : 261–265, 2003
417）Huins CT, Singh A, Lingam RK et al：Detecting cholesteatoma with non-echo planar（HASTE）diffusion-weighted magnetic resonance imaging. Otolaryngol Head Neck Surg **143**：141–146, 2010
418）Li MMCP, Linos E, Gurgel RK et al：Evaluating the utility of non-echo-planar diffusion weighted imaging in the preoperative evaluation of cholesteatoma：a meta-analysis. Laryngoscope **123**：1247–1250, 2013
419）Dhepnorrarat RC, Wood B, Rajan GP：Postoperative non-echo-planar diffusion-weighted magnetic resonance imaging changes after cholesteatoma surgery：implications for cholesteatoma screening. Otol Neurotol **30**：54–58, 2008
420）Khemani S, Lingam RK, Kalan A et al：The value of non-echo planar HASTE diffusion-weighted MR imaging in the detection, localization and prediction of extent of postoperative cholesteatoma. Clin Otolaryngol **36**：306–312, 2011
421）Paparella MM：Labyrinthitis. Otolaryngology Vol 2 The Ear, Paparella MM, Shumrick DA（eds）, WB Saunders, Philadelphia, p1735–1756, 1980
422）Cohen BE, Durstenfeld A, Roehm PC：Viral causes of hearing loss：a review for hearing health professionals. Trends Hear **18**. pii：2331216514541361. doi：10. 1177/2331216514541361., 2014
423）El-Badrey MM, Abousetta A, Kader RMA：Vestibular dysfunction in patients with post-mumps sensorineural hearing loss. J Laryngol Otol **129**：337-341, 2015
424）Gupta RK, Best J, MacMahon E：Mumps and the UK epidemic 2005. BMJ **330**：1132-1135, 2005
425）Morita S, Fujiwara K, Fukuda A et al：The clinical features and prognosis of mumps-associated hearing loss：a retrospective, multi-institutional investigation in Japan. Acta Otolaryngol **137**（sup565）：S44-S47, 2017
426）Morrison A, Booth JB：Sudden deafness：an ontological emergency. Br J Hosp Med **4**：287-298, 1970
427）Hasuike K, Sekitani T, Imate Y：Enhanced MRI in patients with vestibular neuronitis. Acta Otolaryngol Suppl **519**：272–274, 1995
428）Woolley AL, Kirk KA, Neumann AM Jr et al : Risk factors for hearing loss from meningitis in children: the Children's hospital experience. Arch Otolaryngol Head Neck Surg **125** : 509–514, 1999
429）Nadol JB Jr : Hearing loss as a sequela of meningitis. Laryngoscope **88** : 739–755, 1978
430）Fortnum H, Davis A：Hearing impairment in children after bacterial meningitis：incidence and resource implications. Br J Audiol **27**：43–52, 1993
431）Kaplan SL, Catlin FL, Weaver T et al：Onset of hearing loss in children with bacterial meningitis. Pediatrics **73**：575–578, 1984
432）Merchant SN, Gopen Q：A human temporal bone study of acute bacterial meningogenic labyrinthitis. Am J Otol **17**：375-385, 1996
433）Kutz JW, Simon LM, Chennupati SK et al：Clinical predictors for hearing loss in children with bacterial meningitis. Arch Otolaryngol Head Neck Surg **132**：941-945, 2006
434）Hartnick CJ, Kim HY, Chute PM et al：Preventing labyrinthitis ossificans：The role of steroids. Arch Otolaryngol Head Neck Surg **127**：180–183, 2001
435）Goycoolea MV, Paparella M, Goldberg B et al：Permeability of the round window membrane in otitis media. Arch Otolaryngol **106**：430-433, 1980
436）Paparella MM：Insidious labyrinthine changes in otitis media. Acta Otolaryngol **92**：513-520, 1981
437）Lemmerling MM, De Foer B, Verbist BM et al：Imaging of inflammatory and infectious dieseases in the temporal bone. Neuroimag Clin N Am **19**：321–337, 2009
438）Kaya S, Tsuprun V, Hizli O et al：Quantitative assessment of cochlear histopathologic findings in patients with suppurative labyrinthitis. JAMA Otolaryngol Head Neck Surg **142**：364-369, 2016
439）Booth TN, Roland P, Kutz Jr JW et al：High-resolution 3-D T2-weighted imaging in the diagnosis of labyrinthitis ossificans：emphasis on subtle cochlear involvement. Pediatr Radiol **43**：1584–1590, 2013

440) Lin HY, Fan YK, Wu KC et al：The incidence of tympanogenic labyrinthitis ossificans. J Laryngol Otol **128**：618-620, 2014
441) Khoo JN, Tan TY：Progression of autoimmune inner ear disease to labyrinthitis ossificans：clinical and radiologic correlation. Ear Nose Throat J **94**：108-110, 2015
442) Swartz JD：Cholesteatomas of the middle ear：Diagnosis, stiology and complications. Radiol Clin N Am **22**：15-35, 1984
443) Tinling SP, Colton J, Brodie HA：Location and timing of initial osteoid deposition in postmeningitic labyrinthitis ossificans determined by multiple fluorescent labels. Laryngoscope **114**：675-680, 2004
444) Isaacson B, Booth T, Kutz Jr JW et al：Labyrinthitis ossificans：How accurate is MRI in predicting cochlear obstruction? Otolaryngol Head Neck Surg **140**：692-696, 2009
445) Arriaga MA, Carrier D：MRI and clinical desictions in cochlear implantation. Am J Otol **17**：547-553, 1996
446) Lu CB, Schuknecht HF：Pathology of prelingual profound deafness：Magnitude of labyrinthitis fibro-ossificans. Am J Otol **15**：74-85, 1994
447) Green JD Jr, Marion MS, Hinojosa R：Labyrinthitis ossificans：Histopathologic consideration for cochlear implantation. Otolaryngol Head Neck Surg **104**：320-326, 1991
448) Buch K, Baylosis B, Fujita A et al：Etiology-specific mineralization patterns in patients with labyrinthitis ossificans. Am J Neuroradiol **40**：551-557, 2019
449) Reeck JB, Lalwani AK：Isolated vestibular ossification after meningitis associated with sensorinueral hearing loss. Otol Neurotol **24**：576-581, 2003
450) Nadol JB Jr, Hsu WC：Histopathologic correlation of spiral ganglion cell count and new bone formation in the cochlea following meningogenic labyrinthitis ossificans. Ann Otol Rhinol Laryngol **100**：712-716, 1991
451) Hinojosa R, Redleaf MI, Green JD Jr et al：Spinal ganglion cell survival in labyrinthitis ossificans：Computerized image analysis. Ann Otol Rhinol Laryngol **166**(Suppl)：51-54, 1995
452) Dubrulle F, Kohler R, Vincent C et al：Differential diagnosis and prognosis of T1-weighted post-gadolinium intralabyrinthine hyperintensities. Eur Radiol **20**：2628-2636, 2010
453) Vivas EX, Panella NJ：Baugnon KL. Spontaneous labyrinthine hemorrhage：a case series. Otolaryngol Head Neck Surg **159**：908-913, 2018
454) Meunier A, Clavel P, Aubry K et al：A sudden bilateral hearing loss caused by inner ear hemorrhage. Eur Ann Otorhinolaryngol Head Neck Dis pii：S1879-7296 (19) 30113-9 doi：**10**. 1016/j.anorl.2019.05.021, 2019
455) Hegarty JL, Patel S, Fischbein N et al：The value of enhanced magnetic resonance imaging in the evaluation of endocochlear disease. Laryngoscope **112**：8-17, 2002
456) Kaya S, Hizli O, Schachern PA et al：Effects of intralabyrinthine hemorrhage on the cochlear elements — a human temporal bone study. Otol Neurotol **37**：132-136, 2015
457) Wu X, Chen K, Sun L et al：Magnetic resonance imaging-detected inner ear hemorrhage as a potential cause of sudden sensorineural hearing loss. Am J Otolaryngol **35**：318-323, 2014
458) Chen K, Wen L, Zong L et al：Audiological outcomes in sudden sensorineural hearing loss with presumed inner ear hemorrhage. Am J Otolaryngol **40**：274-278, 2019
459) Minor LB, Solomon D, Zinreich JS et al：Sound- and/or pressure-induced vertigo due to bone dehiscence of the superior semicircular canal. Arch Otolaryngol Head Neck Surg **124**：249-258, 1998
460) Ward BK, Carey JP, Minor LB：Superior canal dehiscence syndrome：lessons from the first 20 years. Fron Neurol doi：10.3389/fneur.2017.00177. eCollection 2017, 2017
461) Davey S, Kelly-Morland C, Phillips JS et al：Assessment of superior semicircular canal thickenss with advancing age. Laryngoscope **125**：1940-1945, 2015
462) Schutt CA, Neubauer P, Samy RN et al：The correlation between obesity, obstructive sleep apnea, and superior semicircular canal dehiscence：a new explanation for an increasingly common problem. Otol Neurotol 36：551-554, 2015
463) Jan TA, Cheng YS, Landegger LD et al：Relationship between surgically treated superior canal dehiscence syndrome and body mass index. Otolaryngol Head Neck Surg **156**：722-727, 2017
464) Carey J, Amin N：Evolutionary changes in the cochlea and labyrinth：solving the problem of sound transmission to the balance organs of the inner ear. Anat Rec A Discov Mol Cell Evol Biol **288**A：482-490, 2006
465) Masaki Y：The prevalence of superior canal dehiscence syndrome as assessed by temporal bone computed tomography imaging. Acta Otolaryngol **131**：258-262, 2011
466) Saliva I, Maniakas A, Benamira LZ et al：Superior canal deshiscence syndrome：clinical manifestaions and radiologic correlations. Eur Arch Otorhinolaryngol **271**：2905-2914, 2014
467) Tavassolie TS, Penninger RT, Zuniga MG et al：Multislice computed tomography in the diagnosis

of superior canal dehiscence：how much error, and how to minimize it? Otol Neurotol **33**：215-222, 2012
468）Browaeys P, Larson TL, Wong ML et al：Can MRI replace CT in evaluating semicircular canal dehiscence? Am J Neuroradiol **34**：1421-1427, 2013
469）Inal M, Burulday V, Bayar Muluk N et al：Magnetic resonance imaging and computed tomography for diagnosing semicircular canal dehiscence. J Craniomaxillofac Surg **44**：998-1002, 2016
470）Willimson RA, Vrabec JT, Coker NJ et al：Coronal computed tomography prevalence of superior semicircular canal dehiscence. Otolaryngol Head Neck Surg **129**：481-489, 2003
471）Crovetto M, Whyte J, Rodriguez OM et al：Anatomo-radiological study of the superior semicircular canal dehiscence radiological considerations of superior and posterior semicircular canals. Eur J Radiol **76**：167-172, 2010
472）Pfamatter A, Darrouzet V, Gartner M et al：A superior semicircular canal dehiscence syndrome multicenter study：is there an association between size and symptoms? Otol Neurotol **31**：447-454, 2010
473）Larson A：Otosclerosis：A genetic and clinical study. Acta Otolaryngol（Stockh）**5**（Suppl 154）：1-37, 1960
474）Larson A：Genetic problems in otosclerosis. Henry Ford Hospital International Symposium on Otosclerosis, Little Brown, Boston, p109-117, 1962
475）Rovsing H：Otosclerosis：Fenestral and cochlear. Radiol Clin N Am **12**：505-515, 1974
476）Nager GT：Otosclerosis. Pathology of the Ear and Temporal Bone, Nager GT（ed）, Williams & Wilkins, Baltimore, p943-1010, 1993
477）Ohtani I, Baba Y, Suzuki T et al：Why is otosclerosis of low prevalence in Japanese? Otol Neurotol **24**：377-381, 2003
478）Ruedi L：Pathogenesis of otosclerosis. Arch Otolaryngol **78**：469-476, 1963
479）Schwartz JD, Harndberger HR：Imaging of the temporal bone（3rd ed）, Thieme, New York, p294-310, 1998
480）Peng KA, House JW：Schwartze sign. Ear Nose Throat J **97**：54, 2018
481）Brown LA, Mocan BO, Redleaf MI：Diagnostic protocol for detecting otosclerosis on high-resolution temporal bone CT. Ann Otol Thinol Laryngol **128**：1054-1060, 2019
482）Declau F, van Spaendonck M, Timmermans JP et al：Prevalence of histologic otosclerosis: an unbiased temporal bone study in Caucasians. Adv Otorhinolaryngol **65**：6-16, 2007
483）Goodhill V：Ear：Diseases, Deafness and Dissiness, Harper & Row, New York, p388-457, 1979
484）Karosi T, Csomor P, Petkó M et al：Histopathology of nonotosclerotic stapes fixations. Otol Neurotol **30**：1058-1066, 2009
485）Karosi T, Csomor P, Sziklai I：The value of HRCT in stapes fixations corresponding to hearing thresholds and histologic findings. Otol Neurotol **33**：1300-1307, 2012
486）Virk JS, Singh A, Lingam RK：The role of imaging in the diagnosis and management of otosclerosis. Otol Neurotol **34**：e55-e60, 2013
487）Chole RA, McKenna M：Basic science review：pathophysiology of otosclerosis. Otol Neurotol **22**：249-257, 2001
488）Lagleyre S, Sorrentino T, Calmels MN et al：Reliability of high-resolution CT scan in diagnosis of otosclerosis. Otol Neurotol **30**：1152-1159, 2009
489）Sakai O, Curtin HD, Fujita A et al：Otosclerosis：Computed tomography and magnetic resonance findings. Am J Otolaryngol **21**：116-118, 2000
490）Stimmer H, Arnold W, Shwaiger M et al：Magnetic resonance imaging and high-resolution computed tomography in the otospongiotic phase of otosclerosis. ORL J Otorhinolaryngol Relat Spec **64**：451-453, 2002
491）Rotteveel LJ, Proops DW, Ramsden RT et al：Cochlear implantation in 53 patients with otosclerosis：demographics, computed tomographic scanning, surgery and complications. Otol Neurotol **25**：943-952, 2004
492）Rangheard AS, Marsot-Dupuch K, Mark AS et al：Postoperative complications in otospongiosis：usefulness of MR imaging. AJNR Am J Neuroradiol **22**：1171-1178, 2001
493）Chadwell JB, Halsted MJ, Choo DI et al：The cochlear cleft. Am J Neuroradiol **25**：21-24, 2004
494）Zhu MM, Sha Y, Zhung PY et al：Relationship between high-resolution computed tomography densitometry and audiometry in otosclerosis. Auris Nasus Larynx **37**：669-675, 2010
495）Shin YJ, Fraysse B, Deguine O et al：Sensorineural hearing loss and otosclerosis：a clinical and radiologic survey of 437 cases. Acta Otolaryngol **121**：200-204, 2001
496）Yagi C, Morita Y, Takahashi K et al：Otosclerosis：anatomical distribution of otosclerotic loci analyzed by high-resolution computed tomography. Eur Arch Otorhinolaryngol **276**：1335-1340, 2019
497）Schuknecht HF, Barber W：Hisologic variants in otosclerosis. Laryngoscope **95**：1307-1317, 1985
498）Hueb MM, Boycoolea MV, Paparella MM：Otosclerosis：The University of Minnesota temporal bone collection. Otolaryngol Head Neck Surg **105**：396-405, 1991

499) Gristwood RE, Venables WN：Pregnancy and otosclerosis. Clin Otolaryngol Allied Sci **8**：205-210, 1983
500) Wiet RJ, Harvey SA, Bauer GP：Complications in stapes surgery. Options for prevention and management. Otolaryngol Clin North Am **26**：471-490, 1993
501) Arnold W, Niedermeyer HP, Altermatt HJ et al：Zur Pathogenese der otosklerose. HNO **44**：121-129, 1996
502) Jenkins GJ：Otosclerosis：Certain clinical features and experimental operative procedures. Trans 17th Int Congr Med(Lond) **16**：609-611, 1913
503) Sourdille M：New technique in the surgical treatment of severe and progressive deafness from otosclerosis. Bull N Y Acad Med **13**：673-677, 1938
504) Lempert J：Improvement of hearing in cases of otosclerosis：A new, one stage surgical technique. Arch Otolaryngol **28**：42-97, 1938
505) Rosen S：Restoration of hearing in otosclerosis by mobilization of the fized stapedial footplate：An anlysis of results. Laryngoscope **65**：224-269, 1955
506) Shea JJ Jr：Fenestration of the oval window. Ann Otol Rhinol Laryngol **67**：932-951, 1958
507) Ukkoka-Pons E, yache D, Pons Y et al：Oval window niche height：quantitative evaluation with CT before stapes surgery for otosclerosis. AJNR Am J Neuroradiol **34**：1082-1085, 2013
508) House HP, Hansen MR, Al Dakhail AA et al：Stapedectomy versus stapedotomy：Comparison of results with long-term follow-up. Laryngoscope **112**：2046-2050, 2002
509) Ayache D, Earally F, Elbaz P：Characteristics and postoperative course of tinnitus in otosclerosis. Otol Neurotol **24**：48-51, 2003
510) Ruckenstein MJ, Rafter KO, Montes M et al：Management of far advanced otosclerosis in the era of cochlear implantation. Otol Neurotol **22**：471-474, 2001
511) Mann WJ, Amedee RG, Fuerst G et al：Hearing loss as a complication of stapes surgery. Otlaryngol Head Neck Surg **115**：324-328, 1996
512) Vincent R, Sperling N, Oates J et al：Surgical findings and long-term hearing results in 3,050 stapedectomies for primary otosclerosis：a prospective study with the otology-neurotology database. Otol Neurotol **27** (Suppl 2)：S25-47, 2006
513) Whetstone J, Nguyen A, Nguyen-Huynh A et al：Surgical clinical confirmation of temporal bone CT：Findings in patients with otosclerosis with failed stapes surgery. AJNR Am J Neuroradiol **35**：1195-1201, 2014
514) Jensen NF：Glomus tumors of the head and neck anesthetic considerations. Anesth Analg **78**：112-119, 2002
515) Nager GT：Jugulotympanic paragangliomas. Pathology of the Ear and Temporal Bone, Nager GT (ed), Williams & Wilkins, Baltimore, p743-792, 1993
516) Sanna M, Fois P, Pasanisi E et al：Middle ear and mastoid glomus tumors (glomus tympanicum)：an algorithm for the surgical management. Auris Nasus Larynx **37**：661-668, 2010
517) Batsakis JG：Tumors of the Head and Neck：Clinical and Pathological Considerations(2nd ed), Williams & Wilkins, Baltimore, p369-380, 1979
518) WHO classification of head and neck tumours (4th ed), El-Naggar AK, Chan JKC, Grandis JR et al (eds), IARC publications, Lyon, 2017
519) Kennedy DW, Nager GT：Glomus tumors and multiple endocrine neoplasia. Otolaryngol Head Neck Surg **94**：644-648, 1986
520) Walker DD, Babu S：Temporal bone paraganglioma：hearing outcomes and rehabilitation. J Neurol Surg B **80**：209-2132, 2019
521) Sen C, Hague K, Kacchara R et al：Jugular foramen：microscopic anatomic features and implications for neural preservation with reference to glomus tumors involving the temporal bone. Neurosurgery **48**：838-847, 2001
522) Harati A Schulthei β R, Rohde S, Deitmer T：Disease and treatment-related sequelae in patients with complex jugulotympanic paraganglioma. J Clin Med **10**：pii：E51. doi：10.3390/jcm7030051, 2018
523) Carlson ML, Driscoll CLW, Garcia JJ et al：Surgical management of giant transdural glomus jugulare tumors with cerebellar and brainstem compression. J Neurol Surg. Part B Skull Base **73**：197-207, 2012
524) Al-Mefty O, Teixeira A：Complex tumors of the glomus jugulare：criteria, treatment, and outcome. J Neurosurg **97**：1356-1366, 2002
525) Da Silva AD, O'Donnell S, Gillespie D et al：Malignant carotid body tumor：a case report. J Vasc Surg **32**：821-823, 2000
526) Grufferman S, Gillman MW, Pasternak LR et al：Familial carotid body tumors：case report and epidemiologic review. Cancer **46**：2116-2122, 1980
527) Million RR, Cassisi NJ, Mancuso AA et al：Chemodectomas (glomus body tumors). Management of Head and Neck Cancer：A Multidisciplinary Approach, Million RR, Cassisi NJ (eds), JB Lippincott Company, Philadelphia, p765-783, 1994
528) Mafee MF, Valvassori GE, Shugar MA et al：High resolution and dynamic sequential computed tomography：Use in the evaluation of glomus complex tumors. Arch Otolaryngol **109**：691-696, 1983

529) Olsen WL, Dillon WP, Kelly WM et al：MR imaging of paragangliomas. Am J Roentgenol **148**：201-204, 1987
530) Arnold SM, Strecker R, Scheffler K et al：Dynamic contrast enhancement of paragangliomas of the head and neck：evaluation with time-resolved 2D MR projection angiography. Eur Radiol **13**：1608-1611, 2003
531) Carlson ML, Sweeney AD, Pelosi S et al：Glomus tympanicum：a review of 115 cases over 4 decades. Otolaryngol Head Neck Surg **152**：136-142, 2014
532) Jackson CG, Glasscock ME, Harris PF：Glomus tumors : diagnosis, classification and management of large lesions. Arch Otolaryngol **108**：401-410, 1982
533) Rosenwaser H：Carotid body tumor of the middle ear and mastoid. Arch Otolaryngol **41**：64-67, 1945
534) Hekster REM, Luyendijk W, Matricali B：Transfemoral catheter embolization：A method of treatment of glomus jugulare tumors. Neuroradiology **5**：208-214, 1973
535) Borba LAB, Araujo JC, de Oliveira JG et al：Surgical management of glomus jugulare tumors：a proposal for approach selection based on tumor relationships with the facial nerve. J Neurosurg **112**：88-98, 2010
536) Scheick SM, Morris CG, Amdur RJ et al：Long-term outcomes after radiosurgery for temporal bone paragangliomas. Am J Clin Oncol **41**：223-226, 2018
537) Patel NS, Link MJ, Driscoll CLW et al：Hearing outcomes after stereotactic radiosurgery for jugular paraganglioma. Otol Neurotol **39**：99-105, 2018
538) Mafee MF, Raofi B, Kumar A et al：Glomus faciale, glomus jugulare, glomus tympanicum, glomus vagale, carotid body tumors, and simulating lesions. Role of MR imaging. Radiol Clin North Am **38**：1059-1076, 2000
539) Phelps PD, Cheesman AD：Imaging jugulotympanic glomus tumous. Arch Otolaryngol Head Neck Surg **116**：940-945, 1990
540) van den Berg R：Imaging and management of head and neck paragangiomas. Eur Radiol **15**：1310-1318, 2005
541) Mukherji SK, Kasper ME, Tart RP et al：Irradiated paragangliomas of the head and neck：CT and MR appearance. Am J Neuroradiol **15**：357-363, 1994
542) Hassard AD, Boudreau SF, Cron CC：Adenoma of the endolymphatic sac. J Otolaryngol **13**：213-216, 1984
543) Heffner DK：Low-grade adenocarcinoma of probable endolymphatic sac origin. A clinicopathologic study of 20 cases. Cancer **64**：2292-2302, 1989
544) Le H, Zhang H, Tao W et al：Clinicoradiologic characteristics of endolymphatic sac tumors. Eur Arch Otorhinolaryngol **276**：2705-2714, 2019
545) Li JC, Brackmann DE, Los EEM, et al：Reclassification of aggressive adenomatous mastoid neoplasms as endolymphatic sac tumors. Laryngoscope **103**：1342-1348, 1993
546) Patel NP, Wiggins III RH, Shelton C：The radiologic diagnosis of endolymphatic sac tumors. Laryngoscope **116**：40-46, 2006
547) Choo D, Shotland L, Mastroianni M et al：Endolymphatic sac tumors in von Hippel-Lindau disease. J Neurosurg **100**：480-487, 2004
548) Neovoux J, Nowak C, Vellin JF et al：Management of endolymphatic sar tumors：sporadic cases and von Hippel-Lindau disease. Otol Neurotol **35**：899-904, 2014
549) Zanoletti E, Girasoli L, Borsetto D et al：Endolymphatic sac tumours in von Hippel-Linday disease：management strategies. Acta Otorhinolaryngogol Ital **37**：423-429, 2017
550) Maher ER, Neumann HP, Richard S：von Hippel-Lindau disease：a clinical and scientific review. Eur J Hum Ganet **19**：617-623, 2011
551) Mendenhall WM, Suarez C, Skalova A et al：Current treatment of endolymphatic sac tumor of the temporal bone. Adv Ther **35**：887-898, 2018
552) Bambakidis NC, Megerian CA, Ratcheson RA：Differential grading of endolymphaic sac tumor extension by virtue of von Hippel-Lindau disease status. Otol Neurotol **25**：773-781, 2004
553) Husseini ST, Piccirillo E, Taibah A et al：The Gruppo Otologico experience of endolymphatic sar tumor. Auris Nasus Larynx **40**：25-31, 2013
554) Mori N, Miyashita T, Inamoto R et al：Ion transport its regulation in the endolymphatic sac：suggestions for clinical aspects of Meniere's disease. Eur Arch Otorhinolaryngol **274**：1813-1820, 2017
555) Schipper J, Maier W, Rosahl SK et al：Endolymphatic sac tumours：surgical management. J Otolaryngol **35**：387-394, 2006
556) Megerian CA, Semaan MT：Evaluation and management of endolymphatic sac and duct tumors. Otolaryngol Clin North Am **40**：463-478, 2007
557) Jense van Rensburg P, van der Meer G：Magnetic resonance and computed tomography imaing of a grade IV papillary endolymphatic sac tumours. J Neurooncol **89**：199-203, 2008
558) Sun YH, Wen W, Wu JH et al：Endolymphatic sac tumor：case report and review of the literature. Diagn Pathol 36. doi：10.1186/1746-1596-7-36, 2012
559) Kempermann G, Neumann HPH, Vold B：Endo-

lymphatic sac tumours. Histopathology **33**：2–10, 1998
560） Schittenhelm J, Roser F, Tatagiba M et al：Diagnostic value of EAAT-1 and Kir7.1 for distinguishing endolymphatic sac tumors from choroid plexus tumors. Am J Clin Pathol **138**：85–89, 2012
561） Poletti AM, Dubey SP, Barbo R et al：Sporadic endolymphaic sac tumor：its clinical, radiological, and histological features, management, and follow-up. Head Neck **35**：1043–1047, 2013
562） Gaffey MJ, Mills SE, Fechner RE et al：Aggressive papillary middle-ear tumor. A clinicopathologic entity distinct from middle-ear adenoma. Am J Surg Pathol **12**：790-797, 1988
563） Mukherji SK, Albernaz VS, Lo WW et al：Papillary endolymphatic sac tumors：CT, MR imaging, and angiographic findings in 20 patients. Radiology **202**：801–808, 1997
564） Timmer FC, Neeskens LJ, van de Hoogen FJ et al：Endolymphatic sac tumors：clinical outcome and management in series of 9 cases. Otol Neurotol **32**：680–685, 2011
565） Diaz RC, Amjad EH, Sargent EW et al：Tumors and pseudotumors of the endolymphatic sac. Skul Base **17**：379-393, 2007
566） Schnurman Z, Nakamura A, McQuinn MW et al：Volumetric growth rates of untreated vestibular schwannomas. J Neurosurg doi：10.3171/2019.5. JNS1923, 2019
567） Ostrom QT, Gittleman H, Liao P et al：CBTRUS statistical report：Primary brain and other central nerveous system tumors diagnosed in the United States in 2010-2014, Neuro Oncol **19**（supple_5）：v1-v88, 2017
568） Goldbrunner R, Weller M, Regis J et al：EANO guideline on the diagnosis and treatment of vestibular schwannoma. Neuro Oncol **22**：31-45, 2020
569） Komatsuzaki A, Tsunoda A：Nerve origin of the acoustic neuroma. J Laryngol Otol **115**：376–379, 2001
570） Andersen JF, Nilsen KS, Vassbotn FS et al：Predictos of vertigo in patients with untreated vestibular schwannoma. Otol Neurotol **36**：647-652, 2015
571） Lee JD, Lee BD, Hwang SC：Vestibular schwannoma in patients with sudden sensorineural hearing loss. Skull Base **21**：75-78, 2011
572） 橋本　省：聴神経腫瘍．仙台医療セ医誌 **2**：16–24, 2012
573） Lerner DK, Lee D, Naples JG, et al：Factors associated with facial nerve paresis following gamma knife for vestibular schwannoma. Otol Neurotol **41**：e83-e88, 2020
574） Yoshimoto Y：Systematic review of the natural history of vestibular schwannoma. J Neurosurg **103**：59–63, 2005
575） Carlson ML, Marston AP, Glasgow AE et al：Racial differences in vestibular schwannoma. Laryngoscope **126**：2128-2133, 2016
576） Evans DGR, Huson SM, Donnai D et al：A genetic study of type 2 neurofibromatosis in the United Kingdon. I. Prevalence, mutation rate, fitness, and confirmation of maternal transmission oeffect on severity. J Med Genet **29**：841–846, 1993
577） Sun S, Liu A：Long-term follow-up studies of Gamma knife surgery for patients with neurofibromatosis type 2. J Neurosurg（Suppl 2）**121**：143–149, 2014
578） Mautner VF, Baser ME, Thakkar SD et al：Vestibular schwannoma growth in patients with neurofibromatosis type 2：a longidutinal study. J Neurosurg **96**：223–228, 2002
579） Waterval J, Kania R, Somers T：EAONO position statement on vestibular schwannoma：Imaging assessment. What are the indications for performing a screening MRI scan for a potential vestibular schwannoma? J Int Adv Otol **14**：95-99, 2018
580） Soulie D, Cordoliani YS, Vignaud J et al：MR imaging of acoustic neuromas with high resolution fast spin echo T2-weighted sequence. Eur J Radiol **24**：61–65, 1997
581） Curtin HD : Rule our eighth cranial nerve tumor：Contrast-enhanced T1-weighted or high-resolution T2-weighted MR ? AJNR Am J Neuroradiol **18**：1834–1838, 1997
582） Verbist BM, Mancuso AA, Antonelli PJ：Cochleovestibular nerve and cerebellopontine angle tumors and cysts, Head and Neck Radiology, Mancuso AA ed, Lippincott Williams & Wilkins, Philadelphia, p994–1017, 2011
583） Koen N, Shapiro C, Kozin E et al：Location of small intracanalicular vestibular schwannomas based on magnetic resonance imaging. Otolaryngol Head Neck Surg doi：10.1177/0194599819893106., 2019
584） Koos WT, Day JD, Matula C et al：Neurotopographic considerations in the microsurgical treatment of small acoustic neurinomas. J Neurosurg **88**：506-512, 1998
585） Robinette MS, Bauch CD, Olsen WO et al：Nonsurgical factors predictive of postoperative hearing for patients with vestibular schwannoma. Am J Otol **18**：738–745, 1997
586） Somers T, Casselman J, de Ceulaer G et al：Prognostic value of magnetic resonance imaging findings in hearing preservation surgery for vestibular schwannoma. Otol Neurotol **22**：87–94, 2001
587） Dubrulle F, Ernst O, Vincent C et al：Cochlear fossa enhancement at MR evaluation of vestibular

schwannoma：correlation with success at hearing preservation surgery. Radiology **215**：458-462, 2000
588) Bhadelia RA, Tedesco KL, Hwang S et al：Increased cochlear fluid-attenuated inversion recovery signal in patients with vestibular schwannoma. AJNR Am J Neuroradiol **29**：720-723, 2008
589) Silverstein H, Schuknecht HF：Biochemical studies of inner ear fluid in man. Changes in otosclerosis, Meniere's disease, and acoustic neuroma. Arch Otolaryngol **84**：395-402, 1996
590) Silverstein H：Inner ear fluid proteins in acoustic neuroma, Meniere's disease and otosclerosis. Ann Otol Rhinol Laryngol **80**：27-35, 1971
591) Lee IH, Kim HJ, Chung WH et al : Signal intensity change of the labyrinth in patients with surgically confirmed or radiologically diagnosed vestibular schwannoma on isotropic 3D fluid-attenuated inversion recovery MR imaging at 3T. Eur Radiol **20**：949-957, 2010
592) Yoshida T, Sugiura M, Naganawa S et al：Three-dimensional fluid-attenuated inversion recovery magnetic resonance imaging findings and prognosis in sudden sensorineural hearing loss. Laryngoscope **118**：1433-1437, 2008
593) Jahnke K, Neuman TA：The fine structure of vestibular end organs in acoustic neuroma patients. Proceedings of the first international conference on acoustic neuroma, Tos M, Thomsen J (eds), Kugler, Amsterdam/New York, p203-207, 1992
594) O'Conner AF, France MW, Morrison AW：Perilymph total protein levels associated with cerebellopontine angle lesions. Am J Otol **2**：193-195, 1981
595) Tali ET, Yuh WT, Nguyen HD et al：Cystic acoustic scwhannomas：MR characteristics. AJNR Am J Neuroradiol **14**：1241-1247, 1993
596) Jian BJ, Sughrue ME, Rutkowski MJ et al：Implications of cystic features in vestibular schwannomas of patients undergoing microsurgical resection. Neurosurgery **68**：874-880, 2011
597) Ding K, Ng E, Romiyo P et al：Meta-analysis of tumor control rates in patients undergoing stereotactic radiosurgery for cystic vestibular schwannomas. Clin Neurol Neurosurg **188**：105571. doi：10.1016/j.clineuro.2019.105571, 2019
598) Piccirillo E, Wiet MR, Flanagan S et al：Cystic vestibular schwannoma：classification, management, and facial nerve outcomes. Otol Neurotol **30**：826-834, 2009
599) Thakur JD, Khan IS, Shorter CD et al：Do cystic vestibular schwannomas have worse surgical outcome? Systematic analysis of the literature. Neurosurg Focus **33**：E12. doi：10.3171/2012.6.FOCUS12200, 2012
600) Neff BA, Willcox Jr TO, Sataloff RT：Intralabyrinthine schwannomas. Otol Neurotol **24**：299-307, 2003
601) Bouchetemble P, Heathcote K, Tollard E et al：Intralabyrinthine schwannomas：A case series with discussion of the diagnosis and management. Otol Neurotol **34**：944-951, 2013
602) Marinelli JP, Lohse CM, Carlson ML：Incidence of intralabyrinthine schwannoma：a population-based study within the United States. Otol Neurotol **39**：1191-1194, 2018
603) Mayer O：Ein Fall von multiplen Tumoren in den Endansbreitungen des Akustikus. Z Ohrenkeilk **75**：95-113, 1917
604) Gosselin E, Maniakas A, Saliba I：Meta-analysis on the clinical outcomes in patients with intralabyrinthine schwannomas：conservative management vs. microsurgery. Eur Arch Otolaryngol doi：10.1007/s00405-015-3548-2, 2015
605) Kennedy RJ, Shelton C, Salzman KL et al：Intralabyrinthine schwannomas：diagnosis, management, and a new classification system. Otol Neurotol **25**：160-167, 2004
606) bel KM, Carlson ML, Link MJ et al：Primary inner ear schwannomas：a case series and systematic review of the literature. Laryngoscope **123**：1957-1966, 2013
607) Lee SU, Bae YU, Kim HJ et al：Intralabyrinthine schwannoma：distinct features for differential diagnosis. Fron Neurol doi：**10**.3389/fneur.2019.00750. eCollection 2019
608) Jia H, Marzin A, Dubreuil C et al：Intralabyrinthine schwannomas：symptoms and managements. Auris Nasus Larynx **35**：131-136, 2008
609) Forgues M, Mehta R, Anderson D et al：Non-contrast magnetic resonance imaging for monitoring patients with acoustic neuroma. J Laryngol Otol **132**：780-785, 2018
610) Hoa M, Drazin D, Hanna G et al：The approach to the patient with incidentally diagnosed vestibular schwannoma. Neurosurg Focus **33**：E2, 20123
611) Pitts LH, Jacker RK：Treatment of acoustic neuromas. N Engl J Med **339**：1471-1473, 1998
612) Ruth HR, Luethe CM, Whittaker CK：Acoustic tumors：preoperative measurement and correlation with postoperative facial nerve function. Otolaryngol Head Neck Surg **93**：160-163, 1985
613) Karpinos M, The BS, Zeck O et al：Treatment of acoustic neuroma：stereotactic radiosurgery vs. microsurgery. Int J Radiat Oncol Biol Phys **54**：1410-1421, 2002
614) Shelton C, Brackmann DE, House WF et al：Middle fossa acoustic tumor surgery：results in 106

cases. Laryngoscope **99**：405-408, 1989

615) Gormley WB, Sekhar LN, Wright DC et al：Acoustic neuromas：results of current surgical management. Neurosurgery **41**：50-58, 1997

616) Leksell LA：A note on the treatment of acoustic tumors. Acta Chir Scand **137**：763-765, 1971

617) Darrouzet V, Martel J, Enee V et al：Vestibular schwannoma surgery outcomes：our multidisciplinary experiences in 400 cases over 17 years. Laryngoscope **114**：681-688, 2004

618) Whitmore RG, Urban C, Church E et al：Decision analysis of treatment options for vestibular schwannoma. J Neurosurg **114**：400-413, 2011

619) Bukoshi RS, Appelbaum EN, Coelho DH：Postoperative MRI surveillance of vestibular schwannomas：Is there a standard of care? Otol Neurotol **41**：265-270, 2020

13 唾液腺

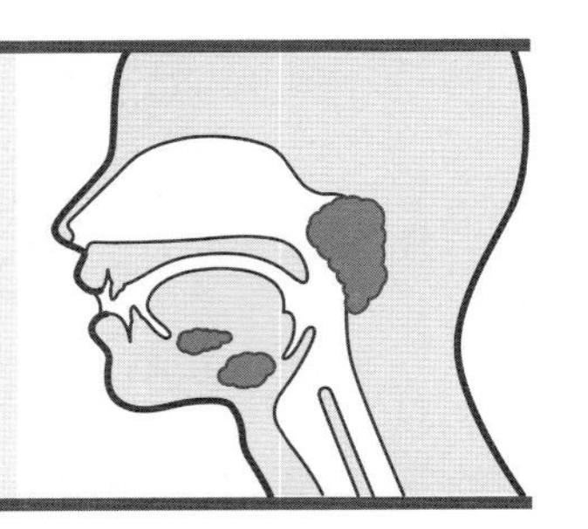

A 生理・臨床解剖

唾液腺組織は左右一対の耳下腺，顎下腺，舌下腺からなる大唾液腺と粘膜下に広範に分布する小唾液腺より構成される．

耳下腺は胎生 6 週に口腔外胚葉より発生する．口腔より耳下部に連続する索状構造を形成，10 週頃に管腔化，腺管を形成，18 週頃より分泌を開始する．これに対して，顎下腺，舌下腺は内胚葉より発生する[1)]．

1 耳下腺(parotid gland)

大唾液腺の中で最大の耳下腺は下顎骨上行枝，外耳道，乳突尖部の間に位置し，前方で咬筋，後方で胸鎖乳突筋表層を覆う．上縁は頬骨弓に相当する．深頸筋膜浅葉が 2 重葉をなし形成される耳下腺被膜に覆われる．その下縁内側では筋膜は索状に肥厚し，茎状突起と下顎骨の間に茎突下顎靱帯(stylomandibular ligament)を形成する．同靱帯により耳下腺尾部と顎下腺後部は隔てられる．また，前方は，やはり深頸筋膜浅葉に覆われる咬筋筋膜とともに耳下腺咬筋筋膜(parotidomasseteric fascia)とも称される[2)]．大唾液腺において，耳下腺のみが実質内にリンパ節を有する(Rouvière は顎下腺内リンパ節を記述をしているが，臨床報告はない)[3)]．これは発生学的に被膜によって閉ざされるのが，耳下腺が最も遅いことによると考えられている．耳下腺内リンパ節の 80%強は浅葉(後述)に位置し，頭皮，前額部，眼瞼，頬部，口角などのリンパを受ける．

腺内を走行する顔面神経主幹部の平面(pes anserinus)によって，より大きな浅葉(80%)と小さな深葉(20%)に区分される(一般的には浅葉・深葉という用語が用いられるが，両者を隔てる裂隙はないことから，浅部・深部の表現が用いられる場合もある)(図 1)．耳下腺組織の 5 分の 4 が顔面神経主幹部よりも外側で，浅葉に含まれる[4)]．明確な解剖学的境界はないが，顔面神経主幹部平面より下部を耳下腺尾部と称する．耳下腺手術，特に後述の耳下腺浅葉切除術では顔面神経の正確な同定は極めて重要である．通常は乳様突起尖部の切断なしに茎乳突孔を出た顔面神経を同定可能であり，同部から末梢に向けて顔面神経の走行を追跡する．耳下腺内において顔面神経主幹部は側頭顔面幹(temporofacial trunk)，頸部顔面幹(cervicofacial trunk)に二分したあと，側頭枝，頬骨枝，頬枝，下顎縁枝，頸枝の 5 つの末梢枝に分岐するのが典型であるが，分岐破格は多い(図 2)．顔面神経は耳下腺内において三叉神経第 3 枝の耳介側頭枝(auriculotemporal nerve)との交通を認め，この解剖の理解は耳下腺腫瘍の神経周囲進展の評価において重要である．なお，顔面神経の走行，解剖学的指標に関しては 12 章「側頭骨」での解説を参照されたい．

深葉内側前方は茎状突起と下顎骨上行枝後縁との間の裂隙[茎突下顎裂(stylomandibular tunnel)]を介して傍咽頭間隙(より正確には「傍咽頭間隙前茎突区」)に突出する(図 1)．その後方に頸動脈鞘(傍咽頭間隙後茎突区)が隣接する．そのため，茎突下顎裂を開大する亜鈴状腫瘤は耳下腺深葉の由来を示唆する(図 3)．耳下腺上縁において三叉神経第 3 枝の耳介側頭枝，浅側頭動・静脈，下縁では下顎後静脈，前縁では顔面神経各末梢枝，耳下腺管，横行顔面動・静脈，後縁ではときに後耳介動脈，後頭動脈が走行あるいは通過する．

耳下腺管(Stensen 管)は耳下腺浅葉前方を出て，

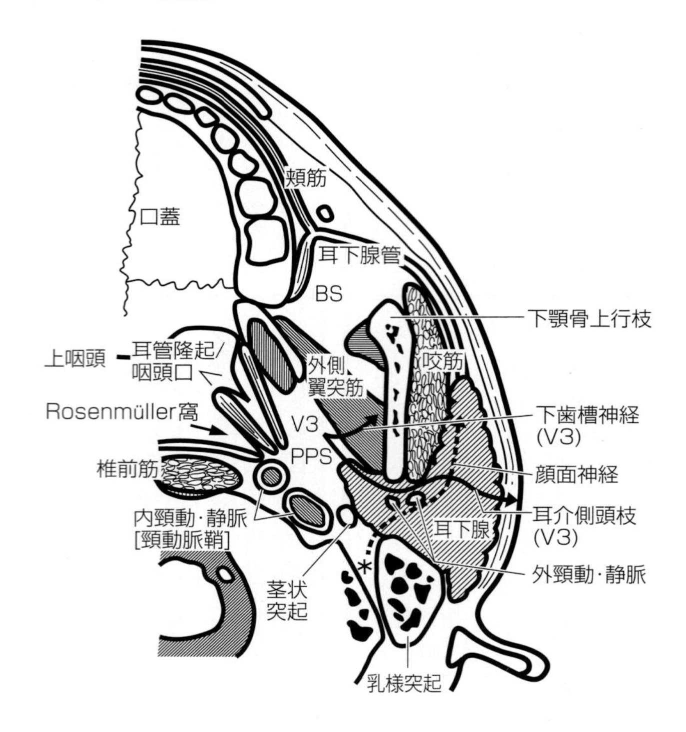

図1 耳下腺および隣接組織. シェーマ

矢印は各々, 三叉神経第3枝(V3)から連続する下歯槽神経, 耳介側頭枝の走行, 点線は茎乳突孔(*)から連続する顔面神経の走行を示す. すなわち, 点線よりも内側が耳下腺深葉, 外側が浅葉に相当する. BS：頬間隙, PPS：傍咽頭間隙前茎突区

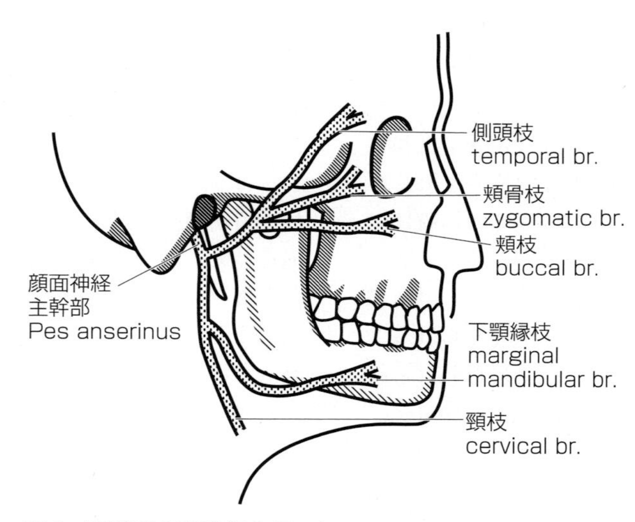

図2 頭蓋外顔面神経走行. シェーマ

頬骨弓の1横指尾側をこれに平行して咬筋表面に沿って走行, 咬筋前縁で内側に向かい頬間隙内を通過, 頬筋を貫通して上顎第2大臼歯に対する頬粘膜に開口する(図1, 4). 約20%で認められる副唾液腺(副耳下腺)は通常, 咬筋表面でStensen管頭側に位置する(図5).

耳下腺唾液の80〜90%は浅葉から分泌されるが, 分泌は脳幹の下唾液腺核から起こる副交感神経線維の刺激による. 舌咽神経とともに走行, 小錐体神経を形成, 三叉神経第3枝とともに卵円孔を介して頭蓋外に出るのが一般的である. 耳介側頭枝(V3)と融合し側頭下窩後方を通過して耳下

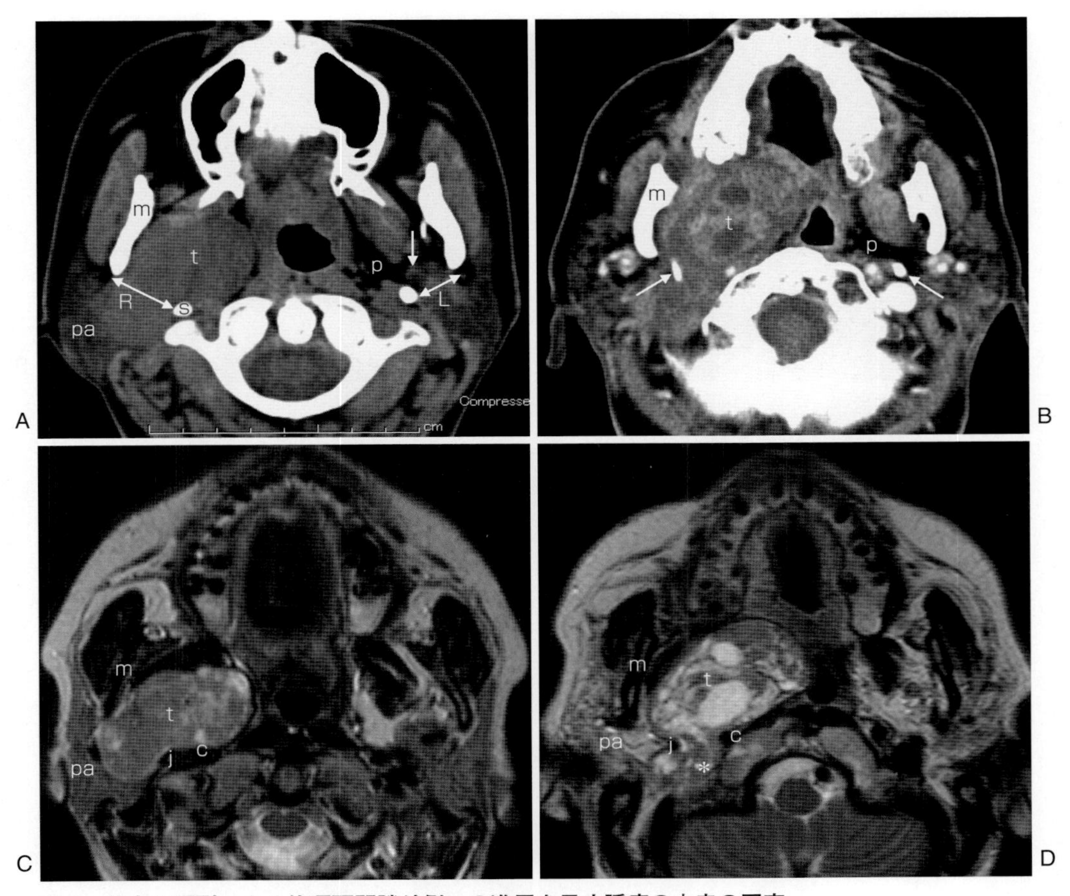

図３　茎突下顎裂による傍咽頭間隙外側への進展を示す腫瘍の由来の同定
耳下腺レベルの非造影 CT 横断像（A）で右側の傍咽頭間隙前茎突区（対側で p で示す）に外側から膨隆する軟部濃度腫瘤（t）を認める．側方で下顎骨枝（m）後縁と茎状突起（s）との間の茎突下顎裂は，左側（両向き矢印 L）と比較して，右側（両向き矢印 R）で開大を示す．既述の腫瘤は同部を介して側方で右耳下腺（Pa）と連続しており，耳下腺深葉由来であることを示唆する．左側では茎突下顎裂を介して傍咽頭間隙の側方に突出する，耳下腺深葉（矢印）を認める．これに対して，別症例の造影 CT（B）では A と類似する右傍咽頭間隙（対側で p で示す）の軟部濃度腫瘤（t）を認める．しかし，茎状突起（矢印）は腫瘤により健側と比較して前方に圧排・偏位，A とは異なり茎突下顎裂は右側で狭小化している．（耳下腺深葉由来は否定的で）茎状突起の偏位の方向から頸動脈鞘由来（下位脳神経の神経原性腫瘍）が示唆される．m：下顎枝．これら２症例の同レベルの MRI，T2 強調横断像（C：A と同症例，D：B と同症例）では，CT（A，B）と同様に右側の傍咽頭間隙に膨隆する腫瘤（t）を認める．ただし，CT と異なり茎状突起の同定は容易ではなく，茎突下顎裂開大の有無による腫瘍由来の確認は困難である．D では外側後方で内頸動脈（c）と内頸静脈（j）との間から頸静脈窩（＊）への連続性を示すことから，（耳下腺深葉由来は否定的で）下位脳神経由来であることが示唆される．m：下顎枝，pa：耳下腺

腺に分布する．

耳下腺は CT では骨格筋よりやや低い濃度を呈するが，加齢による脂肪浸潤に伴いさらに濃度は低下する[5]．同変化を反映して，MRI の T1 強調像では加齢により信号上昇を示す[6]．なお，後述の顎下腺，舌下腺には加齢による T1 強調像での信号上昇は見られない[6]．

1）Frey's syndrome（gustatory sweating, auriculotemporal nerve syndrome）

後述の耳下腺手術後の上記分泌神経線維の再生時に周囲皮膚の汗腺を支配する神経線維との誤った交通を生じると，食事などにより舌咽神経が刺激されることにより顔面皮膚の発汗を認める場合がある．比較的多い後期合併症であり，1923 年 Lucie Frey により最初に記述された[7]．耳下腺摘出術後例の 4〜62％に術後 6〜18 ヵ月で生じると

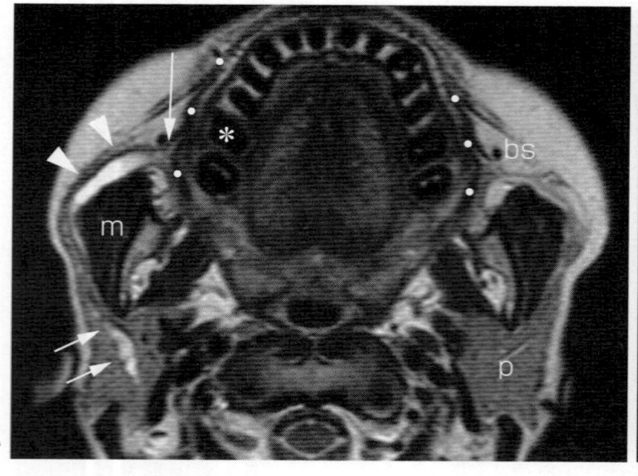

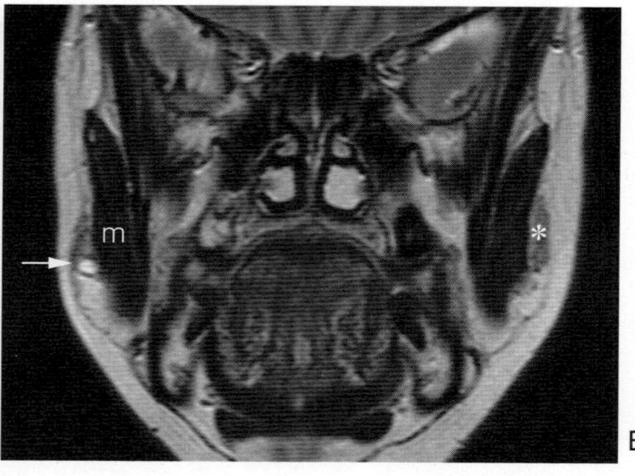

図4　耳下腺管拡張

耳下腺レベル MRI T2 強調横断像(A)において耳下腺内・外にわたる右耳下腺管拡張(矢頭)を認める．耳下腺管は咬筋(m)表層に沿って前方に走行，頬間隙(対側で bs で示す)を通過して，上顎第2大臼歯(＊)に対する頬粘膜に開口(矢印)する．•：頬筋，p：左(健側)耳下腺．同冠状断像(B)で咬筋(m)表層に接する拡張した右耳下腺管(矢印)を認める．＊：左耳下腺浅葉前縁．

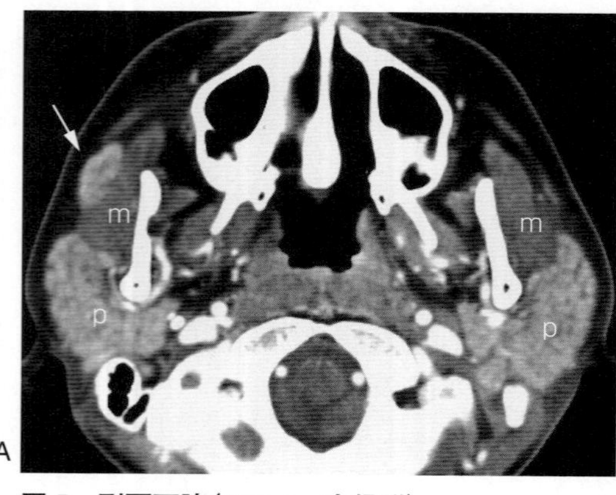

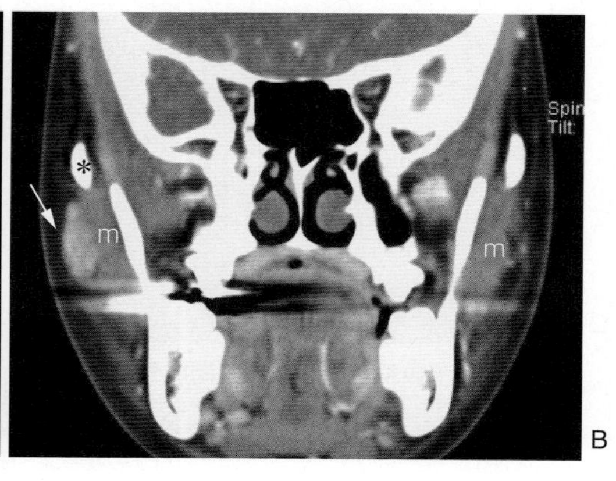

図5　副耳下腺(Sjögren 症候群)

耳下腺レベル造影 CT 横断像(A)において，両側耳下腺(p)は左右対称性の腫大とともにびまん性の増強効果亢進を示し，自己免疫疾患に起因する比較的初期の唾液腺炎を示す．右側では耳下腺と明瞭な連続性はなく，浅葉の前方，咬筋表層に接する腫瘤(矢印)を認め，耳下腺と同様の内部性状を示す．局在および内部性状から副耳下腺と考える．同冠状断像(B)でも咬筋(m)表面に接して，頬骨弓(＊)より尾側に増強効果を示す腫瘤(矢印)を認め，副耳下腺に合致する．

され[7]，症候性は15％程度である．

2）First bite syndrome

傍咽頭間隙，耳下腺領域の術後合併症のひとつで，各食事の一口ごとに数秒間持続する耳下腺領域の疼痛で，最初の一口が最も症状が強く，食事が進むにつれて軽減するのが特徴的である[8]．特に耳下腺深葉手術(38〜50％)，傍咽頭間隙手術(22.4％)，交感神経鎖の郭清(48.6％)がリスクとなる[9, 10]．Frey's syndrome よりも患者 QOL への影響は大きく軽視すべきではない[10]．病因は明らかでないが，手術での頸部交感神経への障害により耳下腺の交感神経支配が損われ，結果として耳下腺の筋上皮細胞の交感神経受容体の脱神経過敏が生じることが原因として推定されている[11]．なお，交感神経障害は Horner 症候群として確認される[8]．

2 顎下腺(submandibular gland)

顎下三角内の顎下間隙に位置しており耳下腺同様，深頸筋膜浅葉に包まれる．顎下三角底部は顎舌骨筋と舌骨舌筋により形成されるが，顎下腺は顎舌骨筋の表層にある浅部と顎舌骨筋後縁を回り

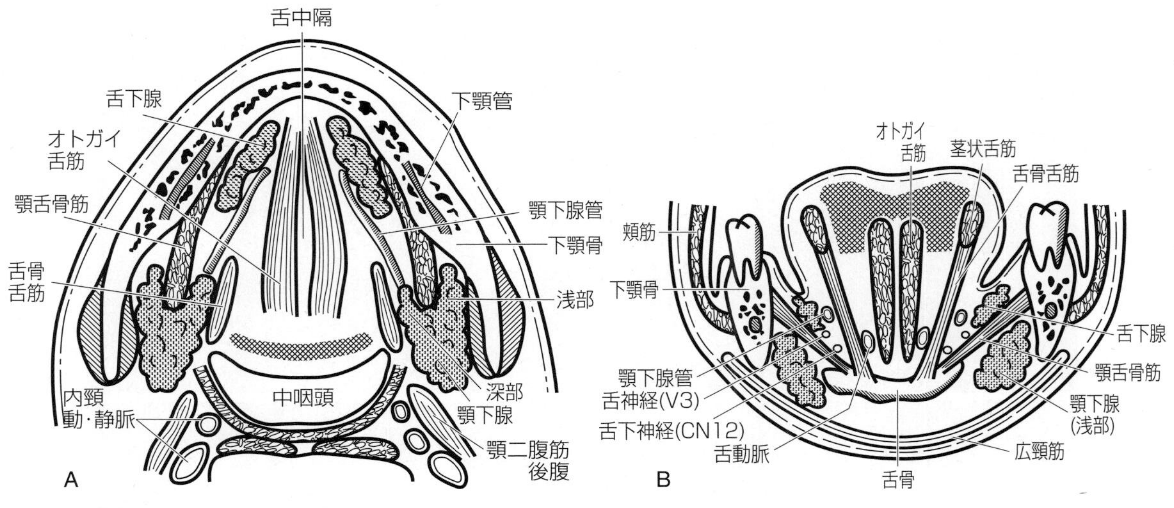

図6　顎下腺，舌下腺および口腔底．シェーマ
A：横断像．
B：冠状断像．

表1　各唾液腺における唾液分泌量の％と相対的粘稠度

唾液腺	唾液総量（24時間）%	相対的粘稠度
顎下腺	71	3.4
耳下腺	25	1.5
舌下腺	3〜4	13.4

（Mandel ID : Crit Rev Clin Lab Sci **12** : 321–366, 1980）

込むようにして，その内側に位置する深部の2つに区分される（図6A）．深部は頸部表面からの触診は困難であるが，一方の手で浅部を支持しながらの口腔側からの触診で口腔底に触知可能である．顎下腺後縁は茎突下顎靭帯により耳下腺尾部と区分される．臨床的には，顎下腺表面で広頸筋下面に沿って走行する顔面神経下顎縁枝の解剖は後述の顎下腺手術時に非常に重要である．

顎下腺管（Wharton管）は顎下腺深部前方から出て，舌下間隙内で顎舌骨筋と舌骨舌筋との間を前方に向かい，前口腔底で舌小帯と隣接する乳頭部に開口する（図6）．顎下腺管は舌下間隙内において舌神経と2度交叉する．

顎下腺の血管支配は顔面動脈から直接分岐する複数の枝が顎二腹筋後腹上縁レベルで直接顎下腺に入る．

舌神経（V3）は舌下間隙内で顎下腺深部の内側上方，舌下神経（第Ⅻ脳神経）は顎下腺深部と舌骨舌筋との間を走行する（図6B）．顔面神経下顎縁枝は顎下腺表面において，広頸筋（浅頸筋膜）と顎下腺被膜（深頸筋膜浅葉）との間を走行する．

顎下腺からの唾液分泌は唾液腺全体の中でも重要性が高く（表1）[12]，顎下腺切除術では術後の口腔内乾燥や衛生面での影響が大きい．

3 舌下腺（sublingual gland）

舌下腺は口腔底の粘膜下，左右舌下間隙内の前方に位置し，扁平な楕円形の形状を示す（図6）．比較的表層性で粘膜直下に認められ，耳下腺や顎下腺と異なりひとつの確立された導管ではなく，8〜20の小管（Rivinus管）により粘膜面に直接，あるいは顎下腺管に開口する．顔面神経の鼓索神経からの副交感神経線維により支配されている．口腔底レベルCTでは77％で顎舌骨筋のボタン穴状欠損（boutonniere，図7）がみられ，同部に37％で副唾液腺組織を認めたとの報告があり，病

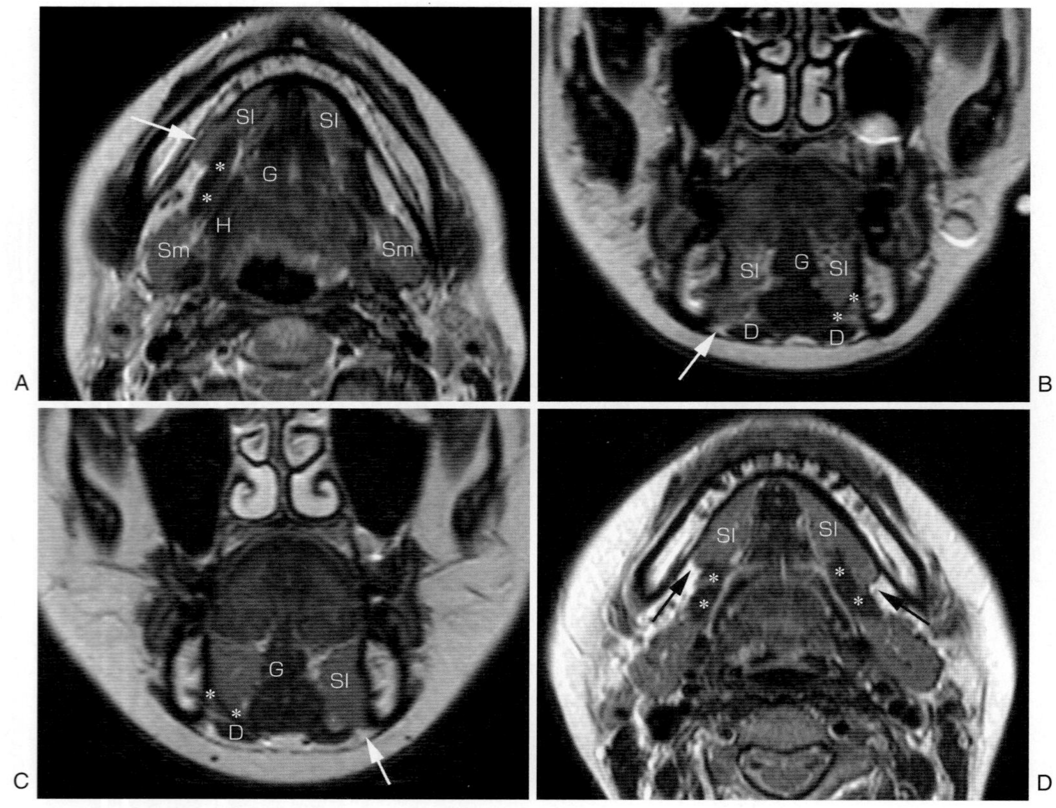

図7　顎舌骨筋欠損“boutonniere”（正常変異）

口腔底レベル MRI T2 強調横断像（A）および冠状断像（B）において，右側の顎舌骨筋（＊）の前方部は欠損を示し，欠損部を介して舌下腺（Sl）組織の一部が顎下間隙に脱出（矢印）している．D：顎二腹筋前腹，G：オトガイ舌筋，H：舌骨舌筋，Sm：顎下腺

別症例の口腔底 MRI T2 強調冠状断像（C）で，左側で，図Bとまったく同様に顎舌骨筋（対側で＊で示す）の欠損と同部を介した舌下腺（Sl）組織の顎下間隙への膨隆（矢印）を認める．D：顎二腹筋前腹，G：オトガイ舌筋

さらに別症例の MRI T2 強調横断像（D）では，顎舌骨筋（＊）は両側性に前方で欠損し，同部における舌下腺（Sl）の顎下間隙への膨隆（矢印）あり．

変と誤らないように注意を要する[13]．

4 小唾液腺（minor salivary gland）

数百（600〜1,000）の小唾液腺が上部消化管気道に広く分布している．口腔に最も多く，口蓋後部，口唇，頬粘膜，口腔底，舌などを中心に分布するが，声帯と歯肉，硬口蓋前縁には乏しいとされる．各々が独立した導管により粘膜面に開口する．漿液腺と粘液腺からなる．

B 撮像プロトコール

唾液腺の炎症疾患では小石灰化や唾液腺管拡張の同定が容易であることより，MRI よりも CT が選択される[14]．腫瘍性病変では CT，MRI ともに有用であるが，CT では腫瘍の石灰化の有無，唾液腺周囲の脂肪層の変化，頸部全体のリンパ節なども同時に評価が可能であり，顔面神経あるいは耳介側頭枝（V3）に沿った中枢側への神経周囲進展の描出，腫瘍内部性状の評価では MRI が優れる．

CT では 3 mm スライス厚・間隔による横断像が基本となるが，唾液腺は義歯の金属アーチファクトとの重なりが問題となる場合が多く，咬合面と撮像断面との調整が必要となる．唾石の評価には骨条件表示が有用な例もある．唾石のみの指摘（存在診断）は非造影 CT で診断可能であるが，随伴する唾液腺炎の評価には造影剤投与が望まれる．腫瘍性病変では嚢胞部，壊死などの評価で造影剤投与が必要となる．実際には質的診断に大きく寄与するものではないが，内部性状の詳細な評価，実質との濃度分解能を高め，大きさ・進展範囲などの正確な経時的評価に有用な場合が多い．頭蓋底（側頭骨の顔面神経管から内耳道を含む）から（頸部リンパ節を評価するために）頸部下部までを撮像範囲とする．

MRIではT1/T2強調像における横断画像が基準となるが，炎症ではSTIRの有用性も高い．耳下腺腫瘍での頭蓋底との関係や頭蓋内進展の評価などにおいて，必要に応じて冠状断，矢状断像を加える．FOVはなるべく小さくし，T1強調像では10～18 cm，T2強調像では18～24 cm程度とする．神経周囲進展の評価には造影後T1強調像（可能であれば脂肪抑制）が有用である．原則として原発病変を評価する目的において適応を考慮するが，唾液腺腫瘍の内部性状，局在，進展範囲，周囲構造との関連などに関しては，コントラスト分解能の高いMRIでの評価が重要である．FOVを広くし，頸部全体のリンパ節も含めた検査計画をたてると，結果として空間解像度が下がり原発部位の評価は不十分となる．

C 代表的術式

1 耳下腺浅葉切除術（parotid superficial lobectomy）

耳下腺浅葉（顔面神経主幹部の平面よりも外側）を一塊として切除する術式で，浅葉に限局する多形腺腫および低悪性度腫瘍が主な対象となる．腫瘤核出術，切除生検は良性腫瘍である多形腺腫であっても再発率が高く，顔面神経損傷の可能性も高くなるなどの理由から可能な限り避けるべきである．中等度あるいは高度悪性腫瘍，耳下腺尾部から外方発育を示す腫瘍は禁忌となる．適応決定には腫瘍の進展範囲の確認が重要であり，可動性が不良であったり腫瘍深部の触知が困難な場合，CTあるいはMRIの画像診断が必須である．

耳介前襞に沿って皮膚切開を施行，前下方は下顎角より2横指尾側まで切開線を進展する．耳下腺被膜を露出するようにして皮弁を挙上する．この際，フラップを厚くしたほうが術後にFrey症候群（既述）をきたす率が低いと報告されている[15]．大耳介神経は切除し，後方では胸鎖乳突筋より耳下腺を挙上，外耳道軟骨部軟骨部から剝離，cartilaginous pointerを露出する．続いて顎二腹筋後腹を同定し，耳下腺を同筋より剝離する．顔面神経の外科的指標となるcartilaginous pointer，顎二腹筋後腹，乳突洞尖部の3つの構造を確認し，顔面神経を同定する．同術式において顔面神経の同定は最も重要な要素となる．小児では茎乳突孔を出た顔面神経主幹部は成人と比較して，より表層に位置しており，顔面神経損傷の危険性が高い[14]．術中の顔面神経モニターは必ずしも必要としないが，再手術では用いるのが好ましい．耳下腺浅葉の剝離は下から上方，後ろから前方に向かって進行，顔面神経を末梢に向かって追い，切除片前縁において耳下腺管を切断するのが通常である．耳下腺前縁では顔面神経末梢枝はより表層に位置しており，損傷の危険性が高く注意を要する．大きな腫瘍では状況により，下方で顔面神経末梢枝（特に頸枝や下顎縁枝）を同定して上方，顔面神経主幹部に向けて追跡し，剝離を進めるのが有効な場合もある（retrograde dissection）．下顎縁枝は顔面静脈と交叉しており，顔面静脈を頸部から頭側に向かって追跡することにより同定可能である．頸枝は下顎後静脈後枝の外側に位置しており，外頸静脈を頭側に追跡することにより同定可能である．また，病変周囲の十分な切除縁を確保するために，必要であれば咬筋筋膜や筋組織の一部などを含む場合もある．同術式後の感染はまれであり，耳下腺炎の既往がある場合に限り術後抗菌薬投与が望まれる．

2 耳下腺全摘出術（total parotidectomy）：deep lateral lobectomy

耳下腺浅葉，深葉，尾部の腺実質すべてを切除する術式で，可能な限り顔面神経を温存する．ただし，実際には腺実質と周囲組織の境界は不明瞭な部分も多く，腺組織をすべて切除するのは困難であり（特に顔面神経温存時），"全摘"という用語はやや誇張した表現である[14]．大きな良性・悪性腫瘍，高悪性度腫瘍，耳下腺深葉の腫瘍，慢性反復性耳下腺炎などが対象となる．多形腺腫の多中心性再発でも適応となりうる．

まず，既述の耳下腺浅葉切除術を施行する．顔面神経は主幹部から各末梢枝を十分に剝離する．次に，下顎骨枝と乳突部との間の耳下腺深葉を切除，続いて後顔面静脈を結紮後に咬筋表面で顔面神経の側頭顔面幹と頸部顔面幹との間に位置する残存深葉を切除して完了する．ときに耳下腺深葉への進展度により下顎骨角あるいはオトガイ部における下顎骨離断が必要となる．

3 根治的耳下腺切除術(radical parotidectomy)

耳下腺全体に加えて顔面神経，皮膚，浅頸筋膜，広頸筋，咬筋の一部，顎二腹筋後腹，内側翼突筋，茎突舌骨筋，乳突尖，胸鎖乳突筋の一部，ときに外耳道の一部を含む．

4 顎下腺切除術(submandibular gland excision)

顎下腺腫瘍，反復性顎下腺炎，唾石などが対象となるが，実際にはレベルⅠを含む頸部リンパ節郭清術に部分的に含まれる場合が多い．炎症急性期や遠位部(口腔底開口部の近傍)に限局した唾石は禁忌となる．

顎下部で顎骨下方2横指，顎下腺表層において皮膚を切開，広頸筋の深さに到達後，同筋を切開，分離する．顔面静脈を同定，顔面神経下顎縁枝の温存が重要である．顔面動脈，前顔面静脈は結紮する．顎下腺を下顎骨下縁から分離し，顎舌骨筋より剝離，腺を外側下方に牽引する．これにより舌神経，顎下腺管，舌下神経を同定，顎下腺管を切断し，腺を舌骨舌筋，顎二腹筋後腹から分離し，腺全体の切除が完了する．腫瘍性病変では核出術は避け，腺組織と一塊として切除しなければならない．また，下顎リンパ節腫大の場合は顎下腺と一緒に切除すべきである．

D 病　態

1 炎症性疾患：唾液腺炎(sialadenitis/sialoadenitis)

a. 感染性唾液腺炎

感染性唾液腺炎は関連する病原体の種類や炎症の慢性化の有無などによりさまざまな病態をとりうる．細菌性感染は通常，唾液腺管の機械的閉塞による逆行性感染としてみられる．一方，流行性耳下腺ウイルス(mumps)などの特定のウイルス感染では唾液腺における限局病変を示す．

1) 急性化膿性唾液腺炎(acute suppurative sialoadenitis)

古典的には外科手術後の脱水に起因した唾液産生低下を伴って細菌の逆行性感染により生じる急性化膿性耳下腺炎の頻度が高かったが，抗菌薬の出現や術後管理の進歩により現在では高齢者や衰弱の強い患者などにほぼ限られる．性差はない．その他には後述の流行性耳下腺炎や下顎骨骨髄炎などに続発する場合がある．大唾液腺のうち最も侵される頻度が高いのは耳下腺であるが，これは耳下腺分泌の唾液の細菌抵抗性が最も低いことによると考えられている．正常では唾液の流れにより唾液腺管内の細菌の侵入が妨げられているが，唾液分泌の停滞に口腔内不衛生，免疫状態低下などが関与して逆行性感染を生じる．術後性耳下腺炎は25％が両側性とされる．

症状は耳下腺部局所の急激な疼痛，腫脹，圧痛，全身症状として発熱，悪寒，白血球増加などを生じる．両手による耳下腺部触診により耳下腺開口部からの排膿を認める場合も多く，抗菌薬開始前に細菌培養や抗菌薬の感受性試験を施行することは重要である．高齢者耳下腺炎の起因菌として最も多いのは，ペニシリン耐性 *Staphylococcus aureus* で，その他 *Streptococcus* 類や *Hemophilus influenzae* などが分離されることも多い．

CT所見としては唾液腺の腫大，やや不均等なびまん性濃度上昇，実質の増強効果の亢進として認められるが(図8)，結石や頬粘膜癌など，耳下腺管を閉塞させる原因病態の有無を併せて確認する必要がある．MRIでは唾液腺の非対称性びま

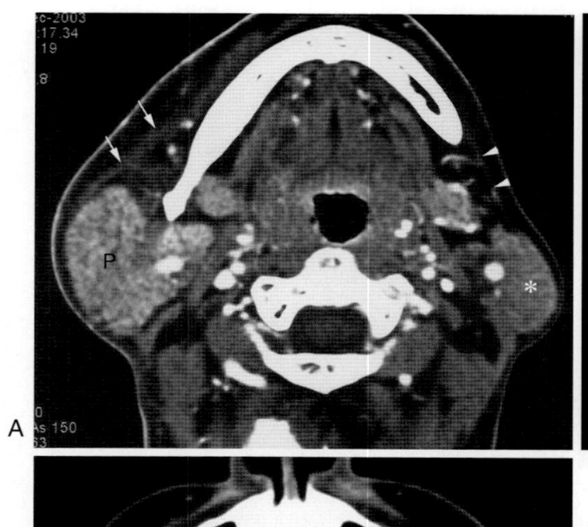

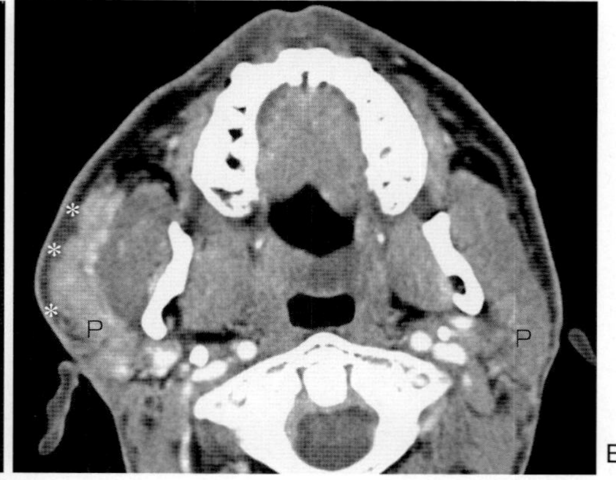

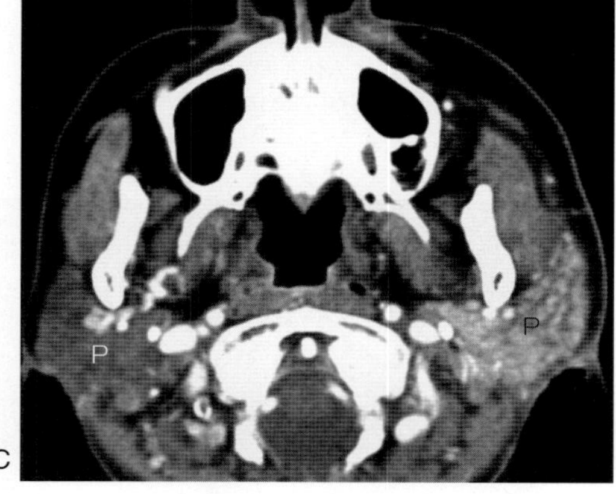

図 8　急性耳下腺炎 3 例

造影 CT（A）において右耳下腺（P）の腫大と増強効果の亢進を認める．隣接する浅頸筋膜（矢印）は肥厚し，周囲の脂肪混濁を伴う．＊：対側正常耳下腺，矢頭：対側の正常浅頸筋膜．別症例の造影 CT（B）でも耳下腺（P）は右側で腫大と増強効果亢進を示し，隣接する皮下脂肪の混濁（＊）を伴う．さらに別症例の造影 CT（C）で耳下腺は左側で腫大を認め，粗造な実質増強効果の亢進を示す．

ん性腫大，STIR での信号上昇とともに造影剤投与で不均一なびまん性増強効果を示す．ときに耳下腺管拡張を伴う．唾液腺炎が軽度あるいは初期では，増強効果亢進，信号・濃度異常はごく軽微な例もあり，注意を要する（図 9）．また，辺縁増強効果を伴う低吸収領域として認められる膿瘍形成の有無（図 10）は治療方針決定において重要であるが，強靱な耳下腺咬筋筋膜で覆われていることから耳下腺膿瘍の波動は触知困難な場合も多く[16]，画像情報が重要である．顎下腺（図 11）の急性唾液腺炎の所見も同様である．画像診断は後述の治療選択においても重要である．

内科的治療としては抗菌薬投与，輸液と電解質補正，口内衛生の維持が含まれる．通常，抗菌薬投与による反応は治療開始後 48〜72 時間で認められるが，症状消退後 1 週間は治療を継続する必要がある[16]．膿瘍形成を認める場合は外科的排膿を要する．

2）小児慢性反復性化膿性耳下腺炎（chronic recurrent parotitis in childhood・juvenile recurrent parotitis）

小児において年 1〜5 回，間欠的に数日から 2 週間程度持続する片側（あるいは両側）耳下腺の有痛性腫脹を繰り返す比較的まれな病態であるが[17]，小児では流行性耳下腺炎に次いで 2 番目に多い唾液腺炎症性疾患で[18]，流行性耳下腺炎の再発と誤診される例も多い．5〜6 歳以下の男児に多い．通常，思春期には頻度は減少，成人になるまでにほぼ完全に消退する．思春期までに 95％が改善する[19]．耳下腺腫脹とともに全身倦怠感，食後の疼痛を示す．病因は明らかでないが，唾液分泌量低下や閉塞による停滞に脱水，結石，自己免疫疾患，先天性唾液腺管拡張などの因子が関与しているとされる[20]．唾液からは *Streptococcus aureus*，*Streptococcus viridans* がよく分離培養されるが，細菌培養は抗菌薬投与前に施行しなければならない．同疾患罹患児の一部で

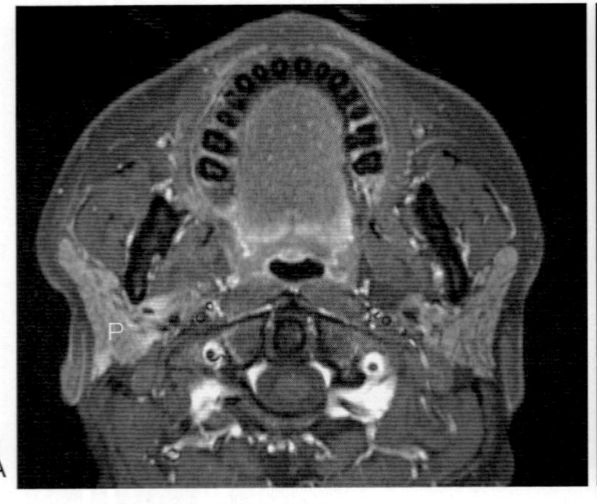

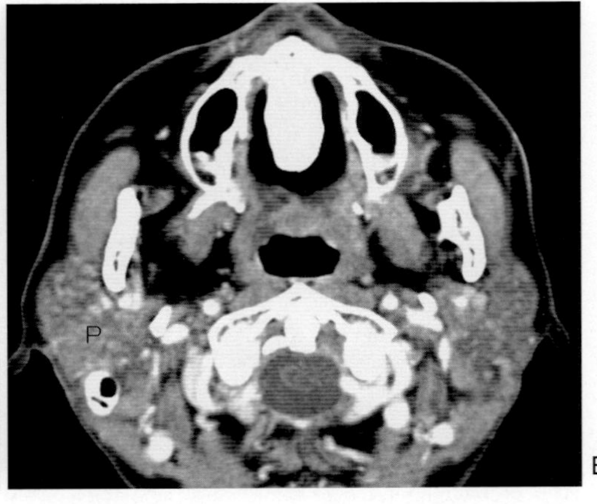

図9　軽度の耳下腺炎2例
MRI，造影後T1強調脂肪抑制画像(A)において，右耳下腺(P)は対側と比較して増強効果の軽微な亢進を示す．腫大は明らかでない．別症例の造影CT(B)でも，右耳下腺(P)の濃度上昇・増強効果の亢進は軽微である．

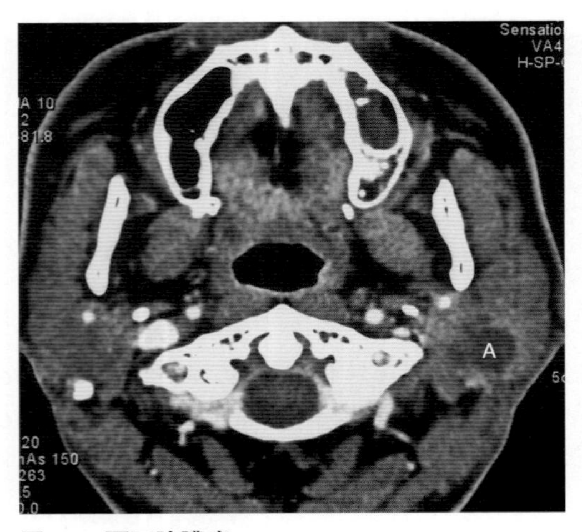

図10　耳下腺膿瘍
造影CTにおいてやや腫大傾向を示す左耳下腺内に不整形の液体濃度領域(A)を認め，周囲は被膜様増強効果に囲まれる．膿瘍に一致する．所見は壊死性腫瘍にも類似する．

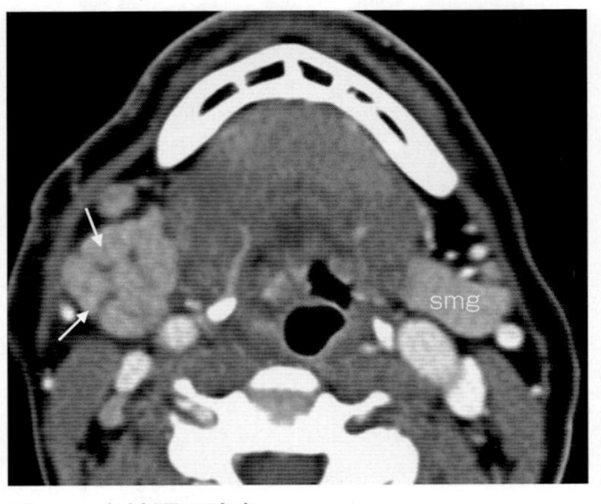

図11　急性顎下腺炎
顎下腺レベルの造影CT横断像．右顎下腺は左側(smg)と比較して，腫大とともに実質増強効果は粗造で亢進を示す．腺内腺管の拡張が内部に線状の低信号域(矢印)としてみられる．

Sjögren症候群が診断されるが[21]，小児反復性耳下腺炎症例の10％がAmerican-European Consensus GroupのSjögren's syndrome成人例の診断基準，40％がBartunkovaによるSjögren's syndrome小児例の診断基準に合致するとされる[22]．症状発現の間隔は症例により様々であるが，重症度は再発の頻度により判断される[23]．

唾液腺造影ではSjögren症候群(後述)初期像に類似する“apple tree appearance”を呈する．唾液腺造影は診断としての用途のみではなく治療的手技としても選択される[24]．CT，MRIでは急性炎症期には片側性あるいは両側性耳下腺腫大と実質増強効果の亢進，慢性反復性炎症後には多発性嚢胞形成を認める(図12，13)[25]．嚢胞は辺縁増強効果を呈する低吸収として膿瘍所見を呈するが，(成人の耳下腺膿瘍が外科的治療対象となるのとは異なり)本疾患は内科的な保存療法の選択が基本であり，安易に外科的介入をしないことが重要である．小児では顔面神経損傷などの合併症リスクも高く，注意を要する．MRIにおける急性期，慢性期の所

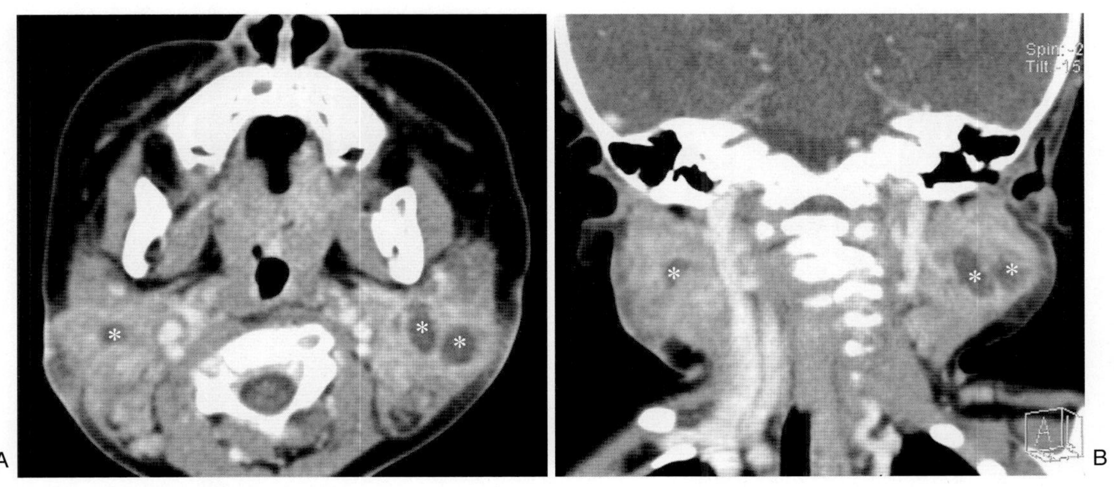

図 12　小児反復性化膿性耳下腺炎
造影 CT 横断像(A)・冠状断像(B)において，両側耳下腺の腫大と増強効果亢進を認め，内部に複数の嚢胞所見(＊)を伴う．

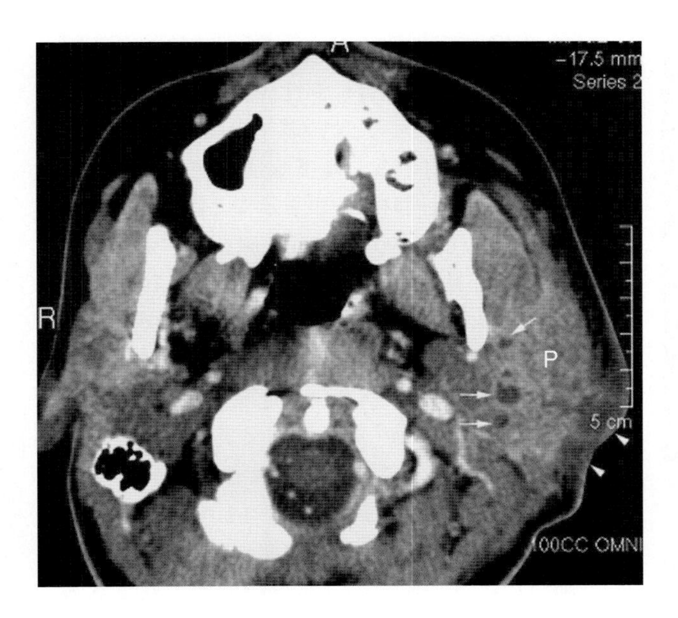

図 13　小児慢性反復性化膿性耳下腺炎
造影 CT において左耳下腺(P)の腫大との不均一な実質増強効果亢進，内部の不整形液体濃度領域(矢印)を認める．隣接する皮下組織の脂肪混濁(矢頭)を認め，耳下腺被膜を越えた炎症波及を示す．

見は臨床病期にもよく相関している[25]．臨床的には多く(66％)が片側性であるが[26]，臨床的に片側性病変であっても，画像所見としては対側でも(より軽度の)唾液腺管拡張を示す例も少なくない[27]．

炎症活動期における治療は抗菌薬投与に加えて，水分補正，局所の冷湿布とマッサージなどにより数日で症状の軽快を認める．本病態は感染性疾患ではないが，抗菌薬により症状が軽減することが知られている[28]．最近では，唾液腺管内視鏡(sialendoscopy)が診断とともに洗浄効果による治療法としても有用性が報告されている[19, 28]．既述の通り，外科的治療が必要とされる場合はまれである[23]．

3) ウイルス性唾液腺炎

唾液腺のウイルス感染は唾液腺管からの逆行性感染も認められるが，多くは血行性であり全身症状を伴う場合も多い．以下に代表である流行性耳下腺炎につき概説する．

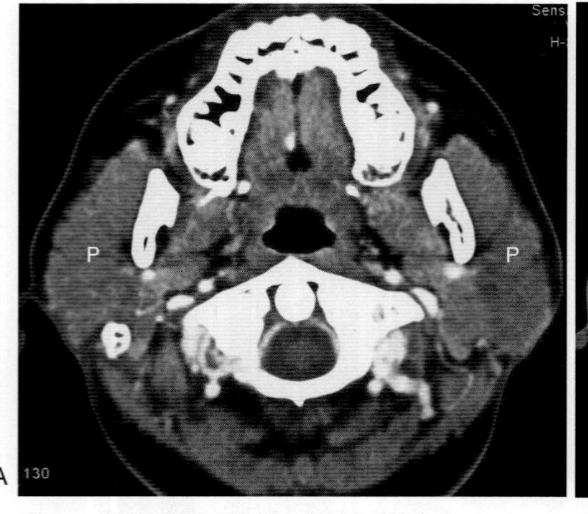

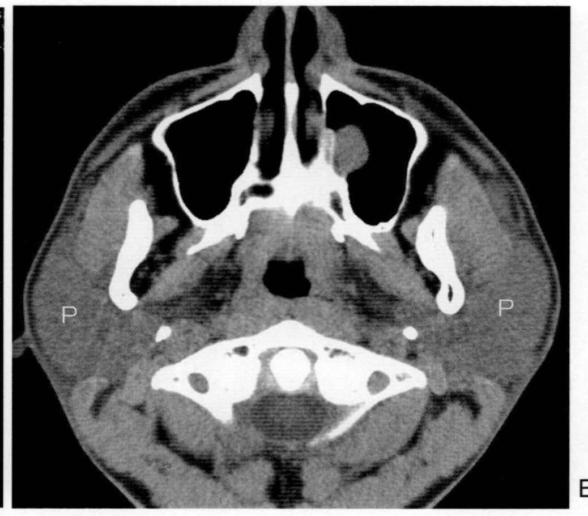

図14　流行性耳下腺炎2例(小児例)
造影CT(A)において，両側耳下腺(P)の腫大と実質増強効果の軽度亢進を認める．別症例の非造影CT(B)で両側耳下腺の腫大とびまん性濃度上昇あり．

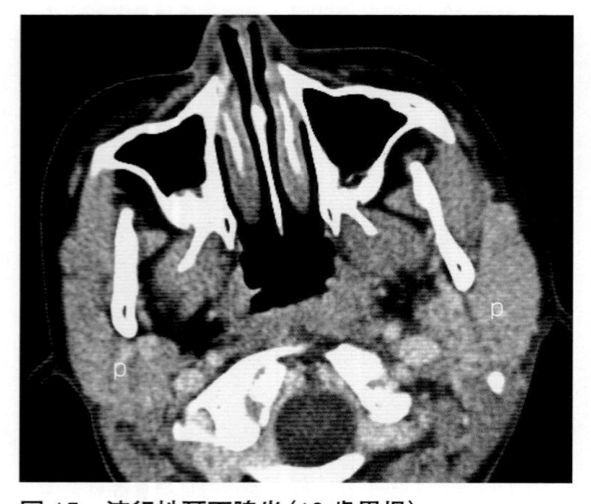

図15　流行性耳下腺炎(10歳男児)
耳下腺レベル造影CTにおいて両側耳下腺(p)は(左側にやや優位の)びまん性腫大と実質増強効果の亢進を示す．

i) 流行性耳下腺炎(mumps, epidemic parotitis)：非化膿性唾液腺炎，ウイルス性唾液腺炎としては最も多く，主に小児に発症し，15歳未満が85%を占める[29]．しかし，成人発症もあることが臨床上重要である．*Paramyxovirus*が原因となるが，唾液，鼻汁などの飛散による流行性を示す．2〜3週間の潜伏期を経て，上気道あるいは耳下腺においてウイルスは増殖，3〜5日間のウイルス血症を生じた後に耳下腺，胚組織，中枢神経に局在するとされる．潜伏期のあと，1〜2日の発熱，頭痛，全身倦怠などの前駆症状を示した後に両側性あるいは片側性(90%は両側性)耳下腺の急激な腫大をきたす．耳下腺腫脹は通常，2週間以内に消退する．耳下腺病変が両側性の場合も，必ずしも同時に腫脹を示すとは限らない[29]．mumpsの多く(90%)が耳下腺を侵すが，10%で耳下腺所見がないことも重要である[29]．また10%は顎下腺，舌下腺を侵す[29, 30]．局所の圧痛，摂食時痛を認める．唾液腺腫大から1週間までは唾液からのウイルス感染の危険性がある．合併症として男性の20〜30%で精巣炎を認めるが，通常は不妊には至らない．その他に約10%で無菌性髄膜炎，5%で膵炎，0.5〜4%で恒久的な片側性感音難聴をきたす．小児期の罹患での終生免疫獲得により，成人の罹患は比較的まれである．MMR(mumps-measles-rubella)弱毒性ワクチンの接種により90%で抗体価上昇が得られる．

大部分は特徴的な臨床経過から診断可能であるが，血清学的検査により確定される．感染初期には血中アミラーゼ上昇を認める．合併症のない場合，画像診断が必要とされることはまれであるが，耳下腺の腫大と実質濃度のびまん性上昇や増強効果の亢進を認める(図14, 15)．

治療は対症療法のみで水分補正，抗炎症薬などである．

表 2　Sjögren 症候群の厚生省改訂診断基準(1999 年)

1	生検病理組織検査でいずれかの陽性所見を認めること	A	口唇腺組織 4 mm^3 当たり 1 focus(導管周囲に 50 個以上のリンパ球浸潤)以上
		B	涙腺組織 4 mm^3 当たり 1 focus(導管周囲に 50 個以上のリンパ球浸潤)以上
2	口腔検査でいずれかの陽性所見を認めること	A	唾液腺造影で stage 1(直径 1 mm 未満の小点状陰影)以上の異常所見
		B	唾液分泌量低下(ガム試験にて 10 分間で 10 mL 以下またはサクソンテストにて 2 分間で 2 g 以下)があり，かつ唾液腺シンチグラフィにて機能低下の所見
3	眼科検査でいずれかの陽性所見を認めること	A	シルマー試験で 5 分間に 5 mm 以下で，かつローズベンガル試験で van Bijsterveld score 3 以上
		B	シルマー試験で 5 分間に 5 mm 以下で，かつ蛍光色素(フルオレセイン)試験で陽性
4	血清検査でいずれかの陽性所見を認めること	A	抗 SS-A 抗体陽性
		B	抗 SS-B 抗体陽性

診断基準：上記 4 項目のうち，いずれか 2 項目以上を満たす(感度 82.8%，特異度 87.9%)
(Fujibayashi T, Sugai S, Miyasaka N et al：Mod Rheumatol **14**：425-434, 2004)

表 3　ACR-EULAR による原発性 Sjögren 症候群の分類基準

項　目	weight/score
口唇唾液腺生検：限局性リンパ球性唾液腺炎および 4 mm^3 当たり 1 focus 以上	3
抗 SS-A 抗体 / Ro 抗体陽性	3
少なくとも一方の眼で OSS(ocular staining score)5 以上(あるいは van Dijsterveld score 4 以上)	1
少なくとも一方の眼で Schirmer's test で 5 mm/ 分以下	1
無刺激唾液分泌量が 0.1 mL/ 分以下	1

診断基準：上記 score が 4 点以上で原発性 Sjögren 症候群と診断
(除外基準：頭頸部領域放射線治療の既往，活動性 C 型肝炎，AIDS，サルコイドーシス，アミロイドーシス，GVHD，IgG4 関連疾患)
(Shinoski CH, Shiboski SC, Seror R et al：Ann Rheum Dis **76**：9-16, 2017)

表 4　Sjögren 症候群の唾液腺造影所見による病期

stage	所　見
1	点状(punctate)の造影剤貯留(1 mm 未満)
2	球状(globular)の造影剤貯留(1～2 mm)
3	腔状(cavitary)の造影剤貯留(2 mm を超える)
4	唾液腺実質の破壊

b.　自己免疫性唾液腺炎

1) Sjögren 症候群 (Sjögren syndrome)

外分泌腺を侵す自己抗体産生に伴う自己免疫疾患であり，涙腺，唾液腺へのリンパ球，形質細胞の進行性浸潤により組織を破壊，口腔内乾燥と乾燥性角結膜炎を生じる．30～50 歳代の女性に多い(30～40 歳代の女性が全体の 90%)．最初の文献的記述は 1883 年 Haddu によるが，1933 年にスウェーデンの眼科医であった Henrik Sjögren が "Zur Kentniss der Keratoconjunctivitis Sicca" の中で確立した疾患概念として報告，1943 年にオーストラリアの眼科医 Bruce Hamilton が英語に翻訳したことで受け入れられることとなった[31]．自己免疫疾患としてはリウマチに次いで 2 番目に多く，本邦での罹患率は約 0.1%とされる．外分泌腺に限局する"原発性"(sicca 症候群)と他の自己免疫疾患(最も多いのは関節リウマチで約半数．他に SLE，PN，PSS など)に関連し，全身症状を伴う"二次性"がある．病因は不明であるが，唾液腺の良性リンパ性細網内皮系疾患(benign lymphoepithelial lesion)として分類される．両側性の涙腺，唾液腺腫大を呈する Mikulicz 病は，以前は同一疾患として扱われることもあったが，現在では IgG4 関連疾患として区別されてい

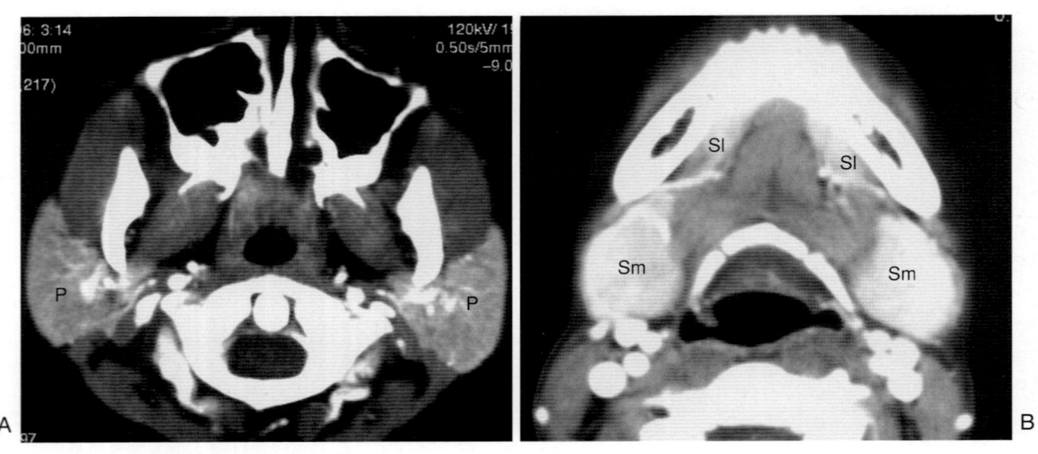

図 16　発症初期の Sjögren 症候群

A：耳下腺レベル造影 CT 横断像．両側耳下腺(P)のびまん性対称性腫大と増強効果の亢進を認める．

B：口腔底レベル．両側顎下腺(Sm)，舌下腺(Sl)も同様に，腫大と増強効果の亢進を示す．

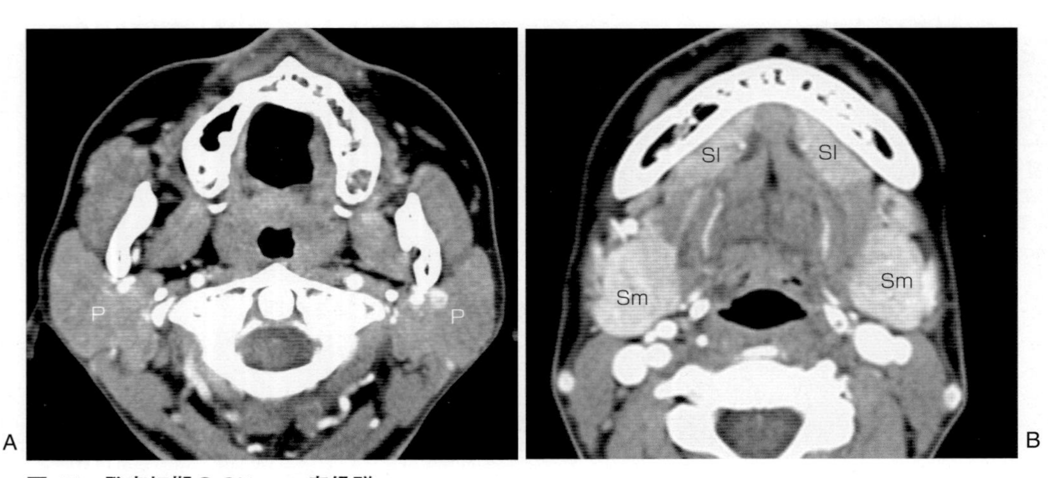

図 17　発症初期の Sjögren 症候群

耳下腺レベル(A)および顎下腺レベル(B)の造影 CT において，両側耳下腺(P)，顎下腺(Sm)，舌下腺(Sl)のびまん性腫大と増強効果亢進を認める．

る(2 章「眼窩」の記述を参照されたい)．最も多い症状は口腔内乾燥であり，嚥下障害，味覚の変化，会話障害などをきたし，長期にわたると齲歯や舌萎縮を生じる．

原発性 Sjögren 症候群の 80%，二次性 Sjögren 症候群の 35%で片側性あるいは両側性，無痛性の唾液腺腫大をきたす．症例の大多数が耳下腺を侵し，(耳下腺病変を伴わず)顎下腺のみの腫大を示すのは 2.5%に過ぎない[18]．小児の反復性耳下腺腫脹は Sjögren 症候群の初発症状として重要であり[32]，5 歳以上の発症では自己免疫疾患の検索が必要である[33]．

依然として診断および・あるいは臨床分類での golden standard となる臨床上，血液生化学上，病理上，画像上の単独の所見はない．診断は総合的に行われるが，免疫血清学的所見としての γ グロブリン，IgG の増加，リウマチ因子陽性，SS-A 抗体，SS-B 抗体，抗 DNA 抗体などの自己抗体の出現が重要である．これに加えて唾液腺・涙腺分泌能検査，耳下腺造影における末梢唾液腺管拡

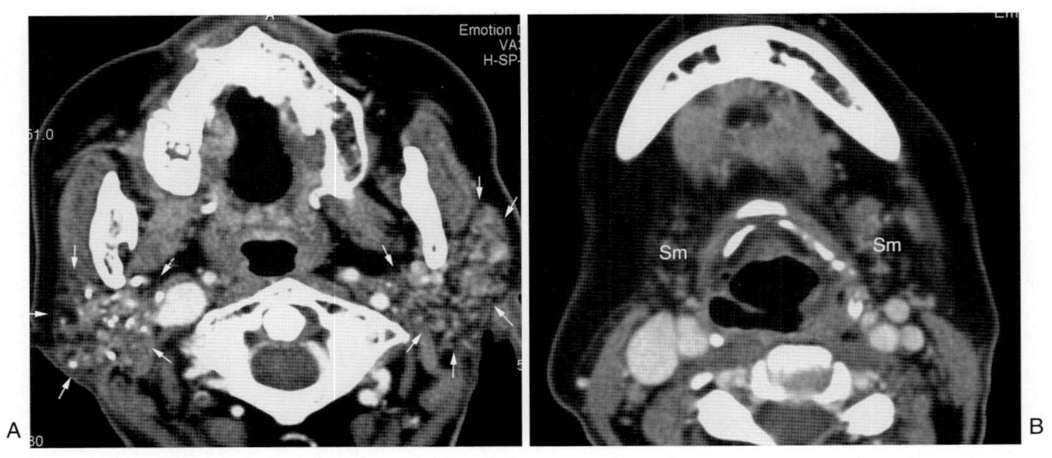

図 18　慢性期の Sjögren 症候群（chronic punctate sialoadenitis）
A：耳下腺レベル造影 CT 横断像．両側耳下腺（矢印）内には点状軟部濃度と点状石灰化が混在している．
B：口腔底レベル．両側顎下腺（Sm）は萎縮し，耳下腺と同様に点状軟部濃度が認められる．

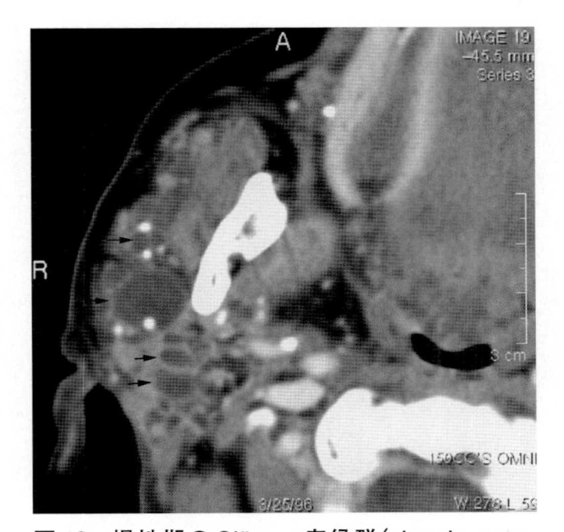

図 19　慢性期の Sjögren 症候群（chronic punctate sialoadenitis）
造影 CT において右耳下腺内には点状軟部濃度，点状石灰化とともに多数の嚢胞形成（矢印）を認める．

張部での造影剤 pooling による“apple tree appearance”（現在は実際に施行される機会は少ない），下口唇の小唾液腺生検などにより診断される．小唾液腺生検が診断方法の中では最も感度，特異度が高い．本邦では従来より厚生省改訂診断基準（表 2：p1047）が汎用されてきた[34]．また臨床研究の適応症例の選択などを目的とした国際基準として用いられる ACR-EULAR（American College of Rheumatology/European League Against Rheumatism）による原発性 Sjögren 症候群に関する分類基準（表 3：p1047）は国際的連携と従来から有用かつ実用的な診断法とされていた項目により作成された[35]．

画像検査は本疾患診断を示唆し，病期の推定，合併症の評価などで重要な役割を担う．CT，MRI において唾液腺病変は初期には両側性びまん性腫大と増強効果の亢進として認められ（図 5，16，17），慢性期では萎縮，点状軟部濃度，石灰化の散在，脂肪浸潤を示し，chronic punctate sialoadenitis と称する（図 18～20）．MRI では萎

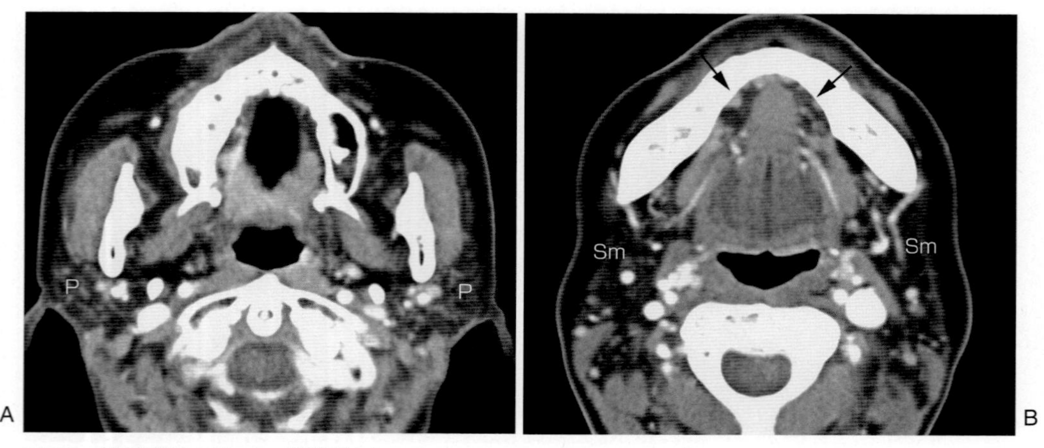

図 20　慢性期の Sjögren 症候群（chronic punctuate sialoadenitis）
耳下腺レベル（A）および顎下腺レベル（B）の造影 CT．両側の耳下腺（P），顎下腺（Sm），舌下腺（矢印）はびまん性脂肪浸潤とともに点状軟部濃度を認める．顎下腺，舌下腺は高度の脂肪浸潤により輪郭の同定も困難である．

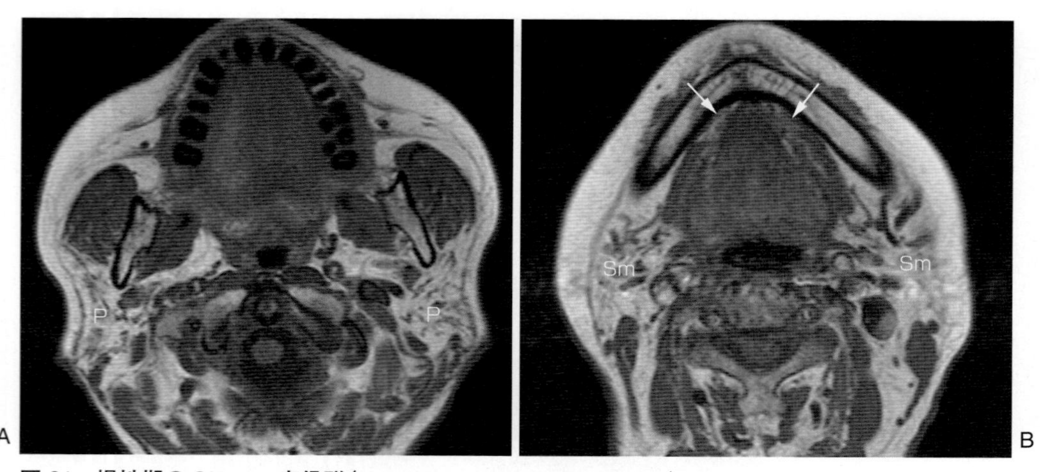

図 21　慢性期の Sjögren 症候群（chronic punctate sialoadenitis）
耳下腺レベル（A）および顎下腺レベル（B）の MRI T1 強調横断像において，両側耳下腺（P），顎下腺（Sm），舌下腺（矢印）には脂肪浸潤とともに内部にびまん性に小結節を認め，“salt-and-pepper appearance”を呈している．

縮した耳下腺内の脂肪浸潤と点状軟部濃度信号により“salt-and-pepper appearance”を呈する（図 21，22）．多数，散在性の小さな嚢胞と充実性結節を認めるが，1 mm 未満の微小嚢胞（microcyst）から 2 cm を超える大きな嚢胞（macrocyst），充実成分との混在した病変（mixed solid-cystic mass）を形成する．CT では小さな嚢胞は（嚢胞所見が明瞭ではなく）点状軟部濃度所見を呈する．画像上，サルコイドーシス（図 23）が鑑別となる．唾液腺造影では既述の apple tree appearance が重要であるが，病期の進行（表 4：p1047）により所見は異なる．^{99m}Tc-pertechnetate による唾液腺シンチグラフィは唾液腺分泌能の指標として有用であり，涙腺分泌能も反映しているとの報告がある[36]．Gallium-67 シンチグラフィでは両側涙腺，耳下腺集積により古典的な“パンダサイン（panda sign）”を呈する．また，Sjögren 症候群では大唾液腺実質への脂肪沈着を生じることから，CT で実質濃度の低下，STIR で信号低下を呈する[37]．早期より認められ，脂肪沈着の程度は唾液分泌障害の重症度と相関を示すとされる[37]．

予後は合併症に依存する．Sjögren 症候群では

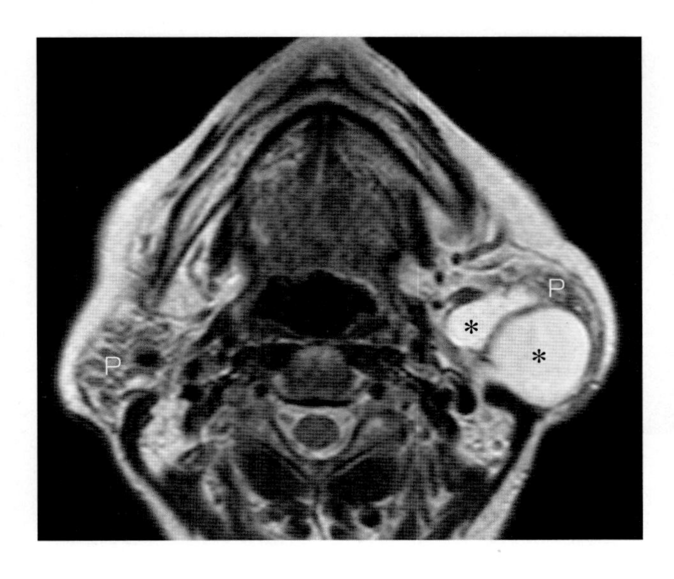

図 22　慢性期の Sjögren 症候群(chronic punctate sialoadenitis)
MRI T2 強調横断像．両側耳下腺(P)は“salt-and-pepper appearance”を示し，左耳下腺尾部には 2 房性の嚢胞所見(＊)を伴う．

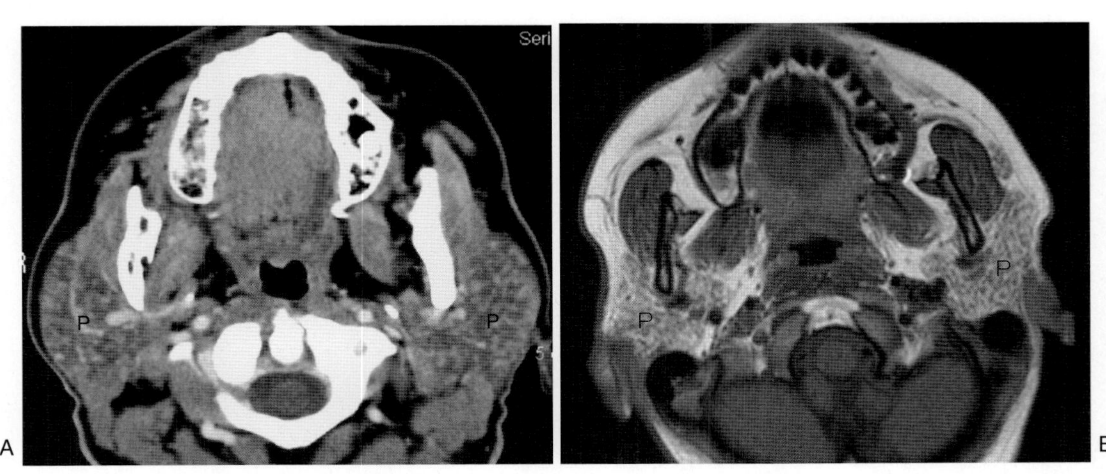

図 23　サルコイドーシスの耳下腺病変
非造影 CT(A)において，両側耳下腺(P)は軽度腫大し，内部には多数の点状・網状軟部濃度を認める．別症例の MRI T1 強調横断像(B)で，両側耳下腺実質内にびまん性分布を示す小結節所見あり．Sjögren 症候群の慢性期よりも結節は比較的小さく均一な大きさを示す傾向にある．

悪性リンパ腫の発生が最も重篤な合併症のひとつであるが，原発性 Sjögren 症候群は健常者と比較して，15〜20 倍の発症の相対的リスクがあり[37, 38]，自己免疫疾患の中では標準化罹患率(standardized incidence rate：SIR)は 18.8％と高リスク(SLE は 7.5％と中リスク，RA は 3.3％と低リスク)に属する[38]．男性例で発生率が高いとの報告もあるが，定まった意見はない．急速な，非対称性唾液腺腫大では悪性リンパ腫の合併を考慮すべきである．多くが B 細胞由来で臨床的に比較的おとなしい MALT リンパ腫(mucosa associated lymphoid tissue lymphoma)と，より悪性度の高いびまん性大細胞型リンパ腫(diffuse large B cell lymphoma：DLBCL)の 2 つの組織型が大部分を占める．良性リンパ上皮性唾液腺炎(lymphoepithelial sialadenitis：LESA)から非 Hodgkin 悪性リンパ腫へは多段階かつ長期の経過で移行するが，抗原による長期刺激が重要な役割を果たす[39]．Sjögren 症候群の罹病期間により悪性リンパ腫発生のリスクは蓄積され，診断 5 年

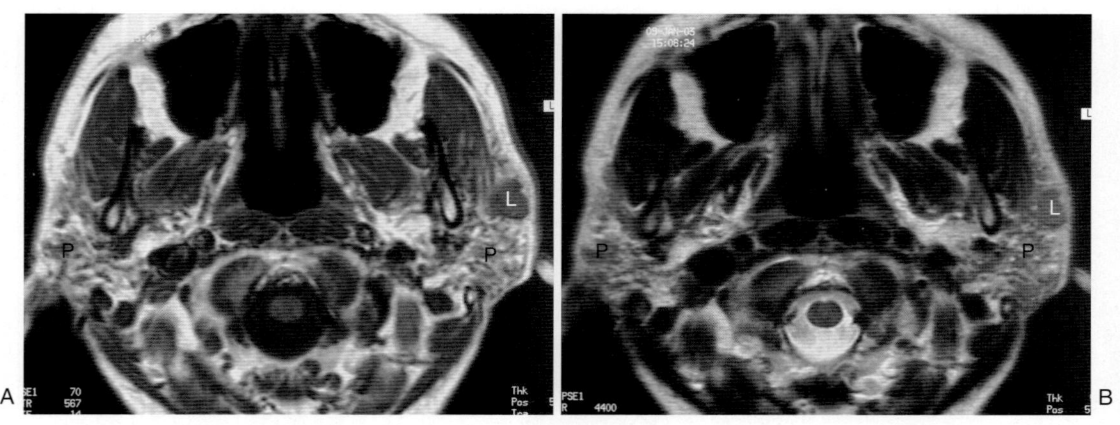

図 24　Sjögren 症候群に合併した悪性リンパ腫
A：MRI T1 強調像.
B：MRI T2 強調像.
両側耳下腺(P)は萎縮に伴う脂肪浸潤による信号上昇を背景にして，内部に点状軟部組織信号が集簇しており全体として "salt-and-pepper appearance" を呈している．Sjögren 症候群の所見に一致する．また，左耳下腺浅葉には孤立性結節性病変(L)として合併した悪性リンパ腫病変が描出されている.

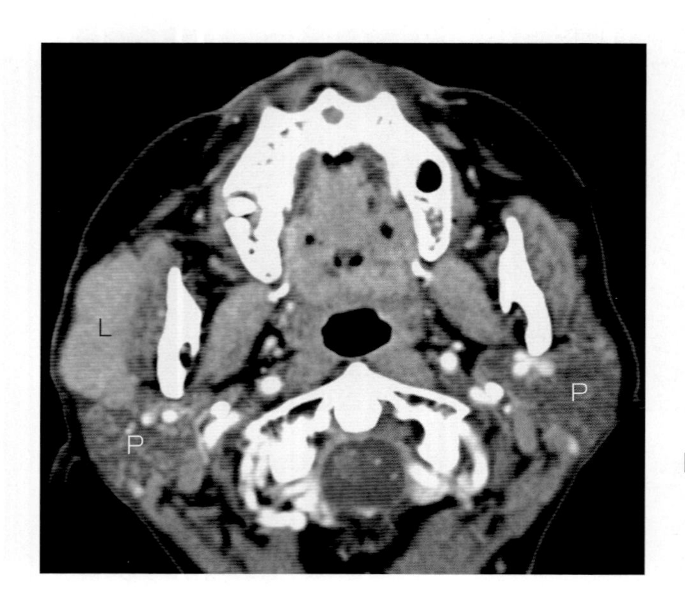

図 25　Sjögren 症候群に合併した悪性リンパ腫
造影 CT 横断像．両側耳下腺(P)は内部にびまん性分布を示す小結節所見を認め，慢性期の Sjögren 症候群に一致する．右耳下腺浅葉には境界明瞭で内部均一な軟部濃度腫瘤(L)を認める.

後での発生率が 3.4％であるのに対して，15 年後には 9.8％に達する[40]．MALT リンパ腫は細菌，ウイルス，自己免疫性の慢性刺激と関連して発生し，主な節外病変の部位は唾液腺組織である．骨髄浸潤，脾腫，B 症状を伴わない限局性病変として認められるのが典型的であるが，20％で 2 つ以上の節外部位を侵す[39]．一度，MALT リンパ腫と診断された場合，頸部から骨盤までの全身 CT での検索が望まれる．通常，比較的良性の経過(5 年生存率は 90％)をとるが，10％はさらに多段階の経過を経て，より悪性の病型である DLBCL に移行する[41]．寒冷グロブリン血症(cryoglobulinemia)，C4(補体)低下，脾腫，リンパ節腫大，白血球減少は非 Hodgkin リンパ腫の危険因子として知られており，いずれかひとつであってもリンパ腫の危険性は 5 倍になる[42]．画像所見としては単中心性腫瘤(図 24〜26)，多中心性・両側性腫瘤(図 27，28)，びまん性腫大(図 29)，内部

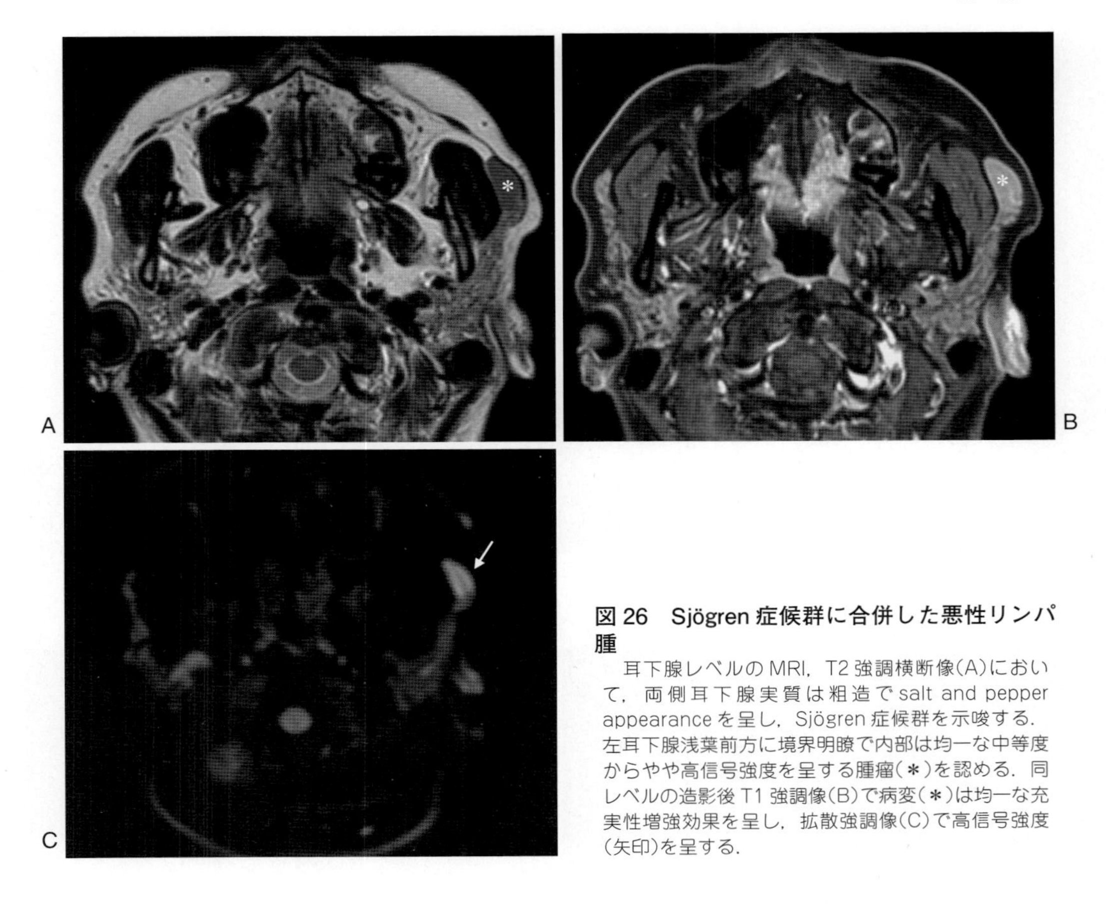

図 26　Sjögren 症候群に合併した悪性リンパ腫

耳下腺レベルの MRI，T2 強調横断像(A)において，両側耳下腺実質は粗造で salt and pepper appearance を呈し，Sjögren 症候群を示唆する．左耳下腺浅葉前方に境界明瞭で内部は均一な中等度からやや高信号強度を呈する腫瘤(＊)を認める．同レベルの造影後 T1 強調像(B)で病変(＊)は均一な充実性増強効果を呈し，拡散強調像(C)で高信号強度(矢印)を呈する．

の嚢胞形成(図 29)など，さまざまな様相を呈しうる．境界明瞭で内部均一な腫瘤として見られ，CT では軟部濃度(図 25，27)，MRI の T1 強調像では骨格筋に類似した低信号強度，T2 強調像では中等度からやや高信号強度，拡散強調像で高信号(ADC で拡散低下)(図 24，26，28)，造影剤投与による均一な増強効果(図 26)を示すのが典型的であるが，(他部位の悪性リンパ腫以上に)所見は多彩であり，画像上，Sjögren 症候群を示す大唾液腺の所見を基礎として，唾液腺腫瘤を認めた場合，いかなる形態の腫瘤であっても悪性リンパ腫の可能性を常に考慮すべきである．

Sjögren 症候群の治療は基本的には対症療法であり，唾液，涙液不足に対しては人工唾液，人工涙液を用い，口腔内は含嗽剤で衛生面の管理を行う．他に免疫抑制薬，ステロイドなどの投与が施行される．悪性リンパ腫の合併では，活動性の低い MALT リンパ腫限局性病変では経過観察がとられる場合もあるが，播種性病変では rituximab，DLBCL では CHOP 療法と rituximab の組み合わせが標準的治療となる[39]．

c．その他の唾液腺炎

1）Küttner tumor(chronic sclerosing sialoadenitis)・IgG4-related sialadenitis

1896 年に Küttner により顎下腺の硬い腫脹に関する最初の記述がなされた[43, 44]．Küttner tumor は唾液腺の慢性炎症性病態で，多くが片側あるいは両側の顎下腺に生じるが，まれに耳下腺を侵す[45]．現在は Mikulicz 病と同様に IgG4 関連疾患とされている(2 章「眼窩」の記述も参照されたい)．診断(や他病変との鑑別)は後述の顎下腺病変とともに IgG4 上昇の確認が有用である[46]．中年成人に多く，ときに若年者にも認められる[44]．性差はやや男性に多いとされるが[18]，報告はさまざまで一定しない．通常は片側性である

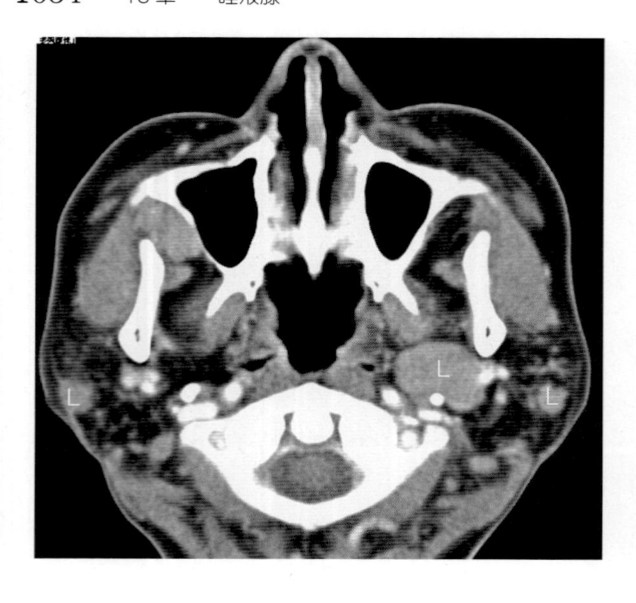

図 27　Sjögren 症候群に合併した悪性リンパ腫
造影 CT 横断像．両側耳下腺(P)は高度脂肪浸潤とともに内部の小結節所見を認め，慢性期の Sjögren 症候群に一致する．両側性に複数の結節，腫瘤(L)を認める．

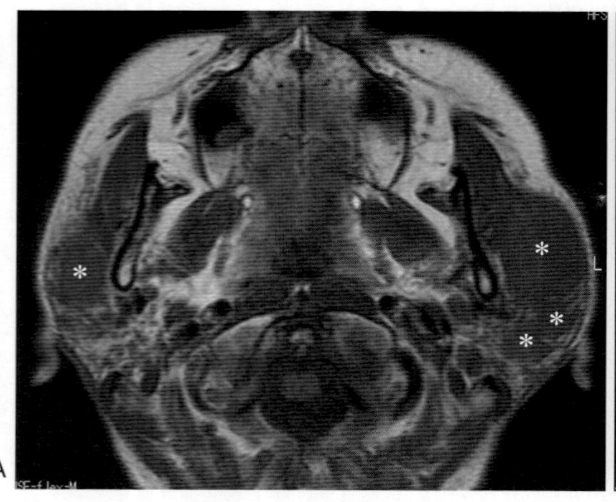

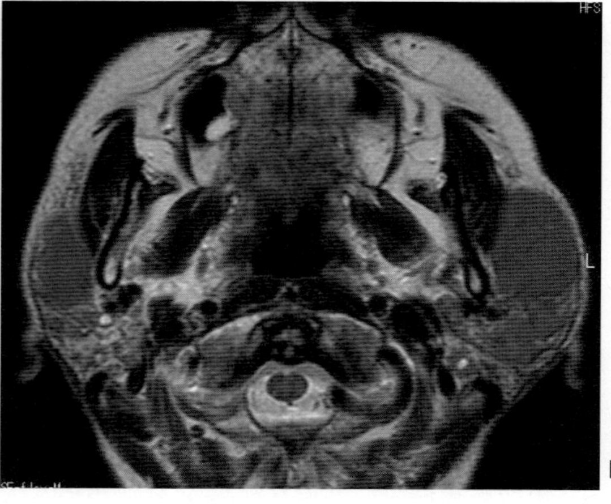

図 28　Sjögren 症候群に合併した悪性リンパ腫
耳下腺レベルの MRI．T1 強調横断像(A)において，粗造な実質信号による salt and pepper appearance を呈する両側耳下腺内に，骨格筋と等信号強度の複数の結節(＊)を認める．T2 強調像(B)で病変は均一な中等度からやや高信号強度を呈する．

が，ときに両側性病変を示す．症状は無痛性腫脹，(主に食事による)反復性疼痛と幅広い．一般に症状は3ヵ月以上継続する[47]．病理所見として，腺管周囲の線維化，密なリンパ球浸潤，腺房の消失を認め，最終的には腺組織の高度硬化をきたす．臨床上，腫瘍や Sjögren 症候群との鑑別が困難な場合も多く，他疾患の除外には血清学的あるいは組織学的検索を要する[48]．ステロイドが有効性を示すことが知られている IgG4 関連疾患である Küttner tumor の診断は，不要な手術・生検や治療を回避する意味で臨床上重要である．IgG4 関連疾患例の 27～53％[49]，自己免疫性膵炎例の 40％[50]で IgG4 関連唾液腺炎を認めるとされる．顎下腺が最も多く，その他として耳下腺，舌下腺，涙腺を侵すが，唾液腺，涙腺病変を認める例では 50％にその他の頭頸部病変(鼻副鼻腔，耳など)を伴う[51]．また，IgG4 関連唾液腺例の 70％で頸部リンパ節病変を認める[52]．

画像所見としては，片側あるいは両側顎下腺の腫瘤様腫大と分葉状を呈する(図 30～32)[53]．CT

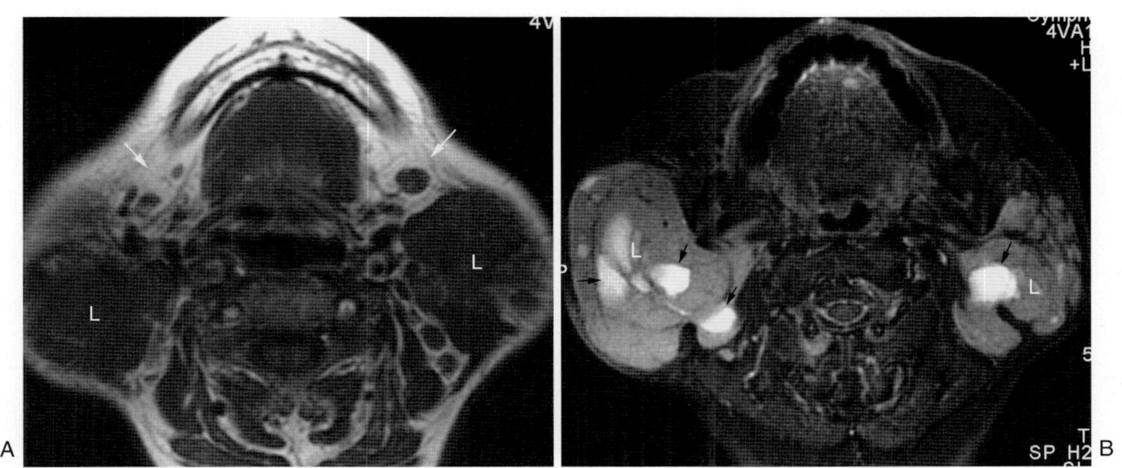

図 29　Sjögren 症候群に合併した悪性リンパ腫

A：耳下腺尾部レベル MRI T1 強調像．両側耳下腺(L)はほぼ対称性に腫大し，内部はやや無構造である．また，顎下間隙(矢印)には正常顎下腺を認めず，著しい萎縮を示す．

B：耳下腺レベル T2 強調脂肪抑制画像．両側性に腫大した耳下腺(L)内には複数の囊胞部分が高信号領域(矢印)として認められ，充実部は比較的均一で無構造である．耳下腺腫大は悪性リンパ腫によるものであることが生検により診断された．

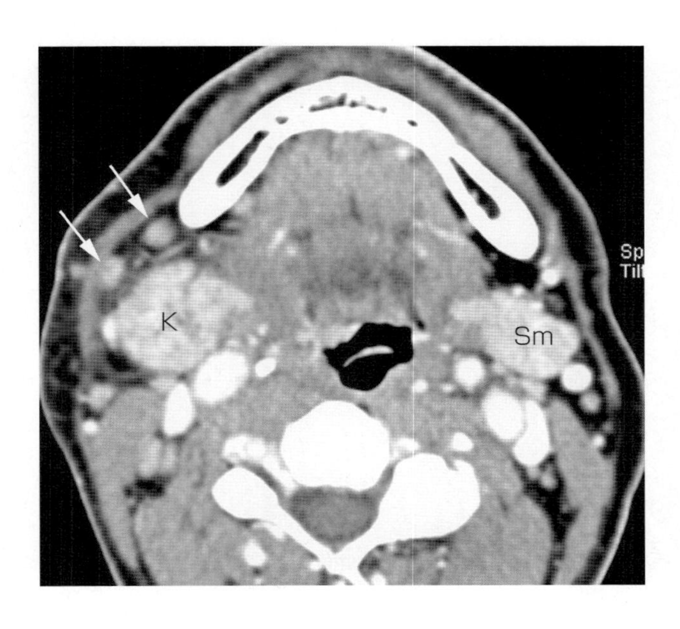

図 30　Küttner tumor

造影 CT．右顎下腺(K)は，健側の顎下腺(Sm)と比較して，腫大を示すとともに辺縁は多分葉状を呈する．隣接して反応性顎下リンパ節(矢印)を認める．

では均一な内部濃度，ほぼ均一なびまん性増強効果を呈する[18]．MRI (図 32，33)では腫大した顎下腺は T2 強調像・STIR で(健側と比較して)やや高信号強度を呈し，拡散強調像でも淡い高信号として見られる[54]．造影剤投与による増強効果の程度は様々である(図 30，33)．時に片側性で石灰化を伴ったりすることで悪性腫瘍に類似する[18]．唾液腺造影は(apple tree appearance を呈する Sjögren 症候群とは異なり)正常を示すことから鑑別に有用である[55]．

治療は IgG4 関連疾患であることから，ステロイド投与が行われる．唾液量は正常か軽度の減少を示すが，ステロイド投与での改善を示す[55]．

2) 耳下腺気腫 (pneumoparotitis)

耳下腺管(Stensen 管)を介して，逆行性に空気が迷入することにより片側あるいは両側耳下腺の疼痛を伴う反復性腫大を生じるまれな病態である．ガラス職人や管楽器奏者，頬を膨らませる癖

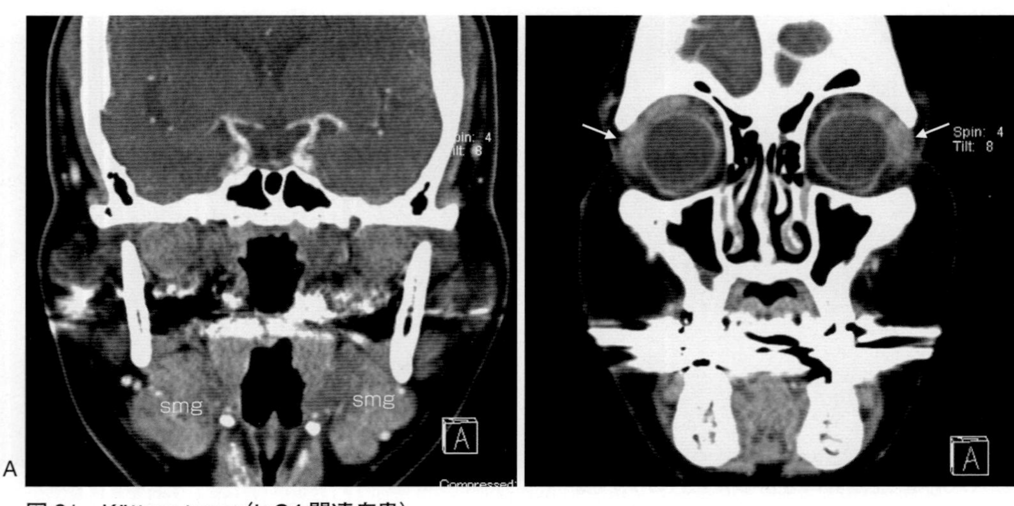

図 31　Küttner tumor（IgG4 関連疾患）
顎下腺レベルの造影 CT 冠状断像（A）において，両側顎下腺（smg）はほぼ対称性の腫大を示し，辺縁は分葉状を呈する．内部に明らかな腫瘤は指摘されない．眼窩レベル（B）で両側涙腺（矢印）の対称性腫大あり．

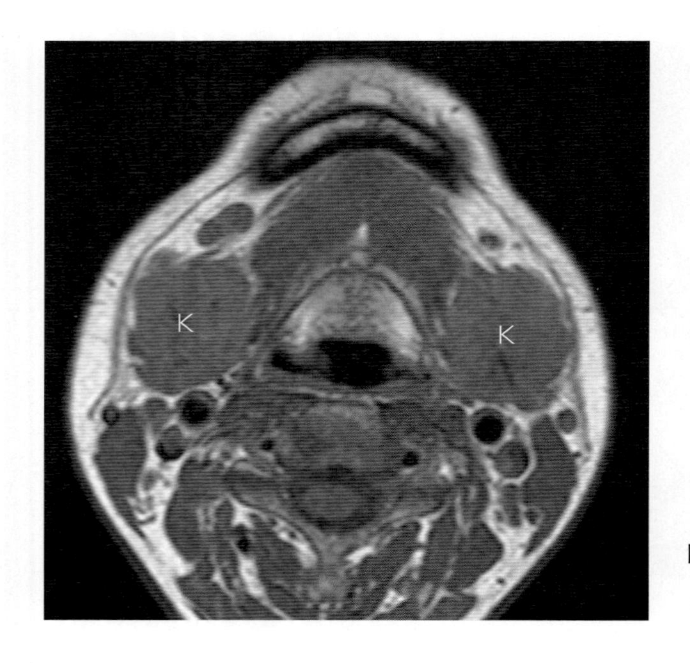

図 32　Küttner tumor
MRI T1 強調像で，両側顎下腺（K）は腫大と分葉状辺縁を認める．

など，習慣的な口内圧上昇をきたす背景を有する場合が多い[56]．正常な口内圧は 2～3 mmHg であるが，ガラス職人やトランペット奏者では 150 mmHg まで上昇するとされる[57]．耳下腺腫脹はしばしば自然に軽減する．逆行性に耳下腺管・腺内に空気が迷入した状態を pneumoparotid と称し，逆行性感染を伴う pneumoparotitis と区別する場合もある[58]．

診断において CT が最も重要であり，耳下腺管あるいは腺房内に分布する空気濃度を認めることにより診断される（図 34，35）．ときに耳下腺外に進展，傍咽頭間隙や咽頭後間隙に及ぶ[58]．治療は原因の特定と除去，二次感染に対する抗菌薬投与，カウンセリングなどが施行されるが，高度反復例ではまれに外科的治療を要する．

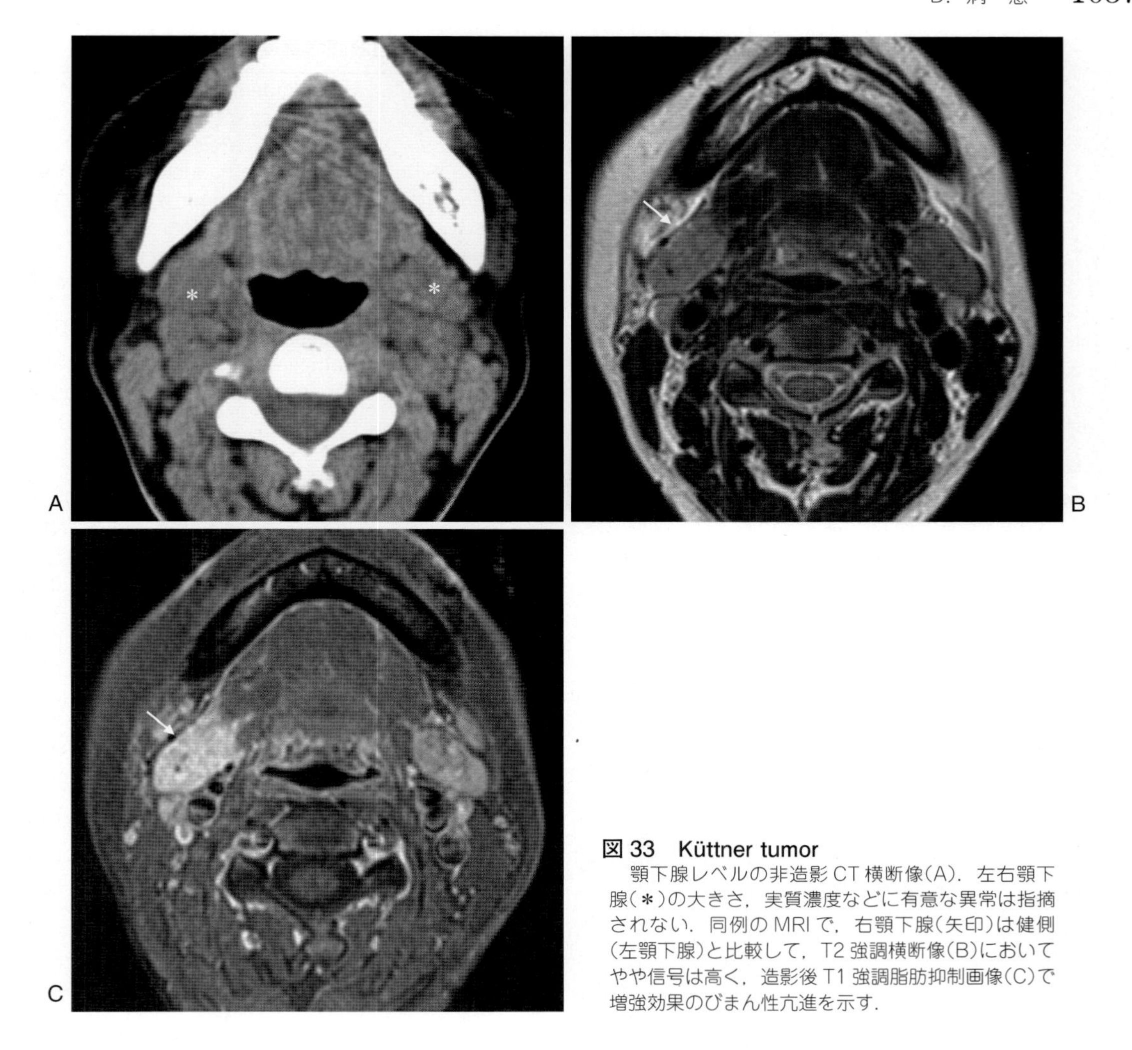

図 33 Küttner tumor
顎下腺レベルの非造影 CT 横断像(A). 左右顎下腺(＊)の大きさ, 実質濃度などに有意な異常は指摘されない. 同例の MRI で, 右顎下腺(矢印)は健側(左顎下腺)と比較して, T2 強調横断像(B)においてやや信号は高く, 造影後 T1 強調脂肪抑制画像(C)で増強効果のびまん性亢進を示す.

3) 放射線性唾液腺炎 (Radiation-induced sialadenitis)

口腔あるいは咽頭腫瘍の照射中に生じ, 放射線治療による患者 QOL 低下の大きな要因となる. 顎下腺よりも耳下腺がより高度の障害を示す傾向にある[18]. まず唾液減少による口内乾燥を生じ, 齲歯や遅延性の放射線骨壊死の誘因となりうる[59]. 6〜12 ヵ月後には腺房の過形成により唾液の産生は部分的回復を示す. 病因は完全には明らかにはなっていないが, 細胞性免疫が重要な役割を果たしていると考えられる[59]. 画像診断(図 36)では, 通常は頭頸部領域の悪性腫瘍治療後であることから再発・残存病変の評価が第一の目的となるが, 唾液腺炎などの治療合併症の程度の把握も必要となる. 早期には唾液腺浮腫を反映して MRI の STIR での実質信号の上昇, 血管増生を反映して造影後 T1 強調像での実質増強効果の亢進を認める[59]. 腺組織への FDG-PET での集積亢進あり. 照射野の設定により片側優位性, 非対称性の所見を示す場合もあるため, 誤診しないように注意が必要である. 治療後 9〜12 ヵ月で腺組織の進行性萎縮を認め, CT では脂肪浸潤に伴い容積減少とともに濃度低下を認める. MRI でも容積減少, 各シーケンスでの実質信号低下を示す. MRI での増強効果は時期により異なり, 萎縮唾液腺が増強効果亢進を示す例もあるが, 経時的に緩徐な減弱を示す. また拡散強調像では経時的な拡散低下, FDG では集積の経時的低下を示す.

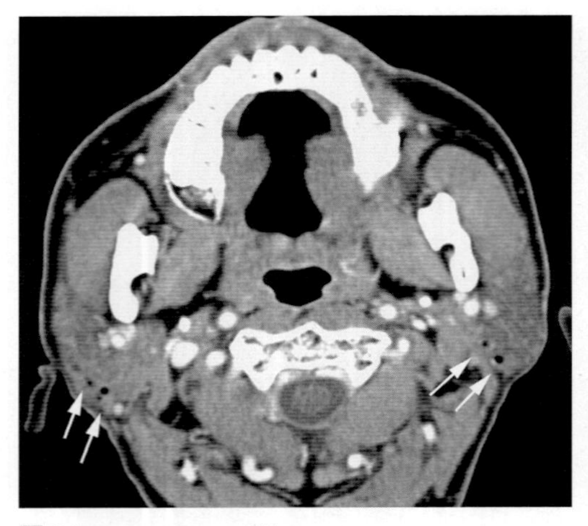

図 34　pneumoparotitis
造影 CT．両側耳下腺は軽度腫大を示し，内部には点状に迷入した空気濃度（矢印）を含む．

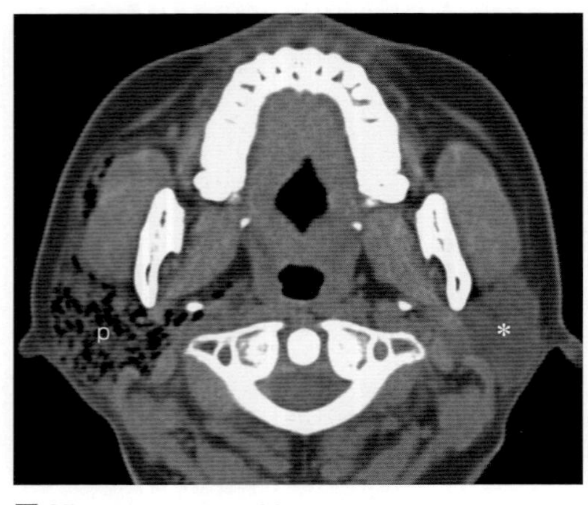

図 35　pneumoparotitis
耳下腺レベルの非造影 CT．右耳下腺（p）内に迷入した空気濃度が腺内にびまん性に分布して見られる．左耳下腺（*）は正常．

2 腫瘍および腫瘍類似疾患

a．唾液腺腫瘍の臨床的事項

唾液腺腫瘍は，頭頸部の腫瘍性疾患全体の 3〜4％とまれである．良性から低悪性度病変，さらに高悪性度病変までさまざまな組織型を含むが，現在は新しい疾患概念や腫瘍の生物学的特性，予後を考慮して 2017 年に再編された WHO（World Health Organization）による組織分類が広く用いられている（表 5）[60]．これには 11 の良性腫瘍，

表 5　唾液腺腫瘍組織型の WHO 分類

Malignant tumours	Mucoepidermoid carcinoma Adenoid cystic carcinoma Acinic cell carcinoma Polymorphous adenocarcinoma Clear cell carcinoma Basal cell adenocarcinoma Intraductal carcinoma Adenocarcinoma, NOS Salivary duct carcinoma Myoepithelial carcinoma Epithelial-myoepithelial carcinoma Carcinoma ex pleomorphic adenoma Secretory carcinoma Sebaceous adenocarcinoma Carcinosarcoma Poorly differentiated carcinoma 　Undifferentiated carcinoma 　Large cell neuroendocrine carcinoma 　Small cell neuroendocrine carcinoma Lymphoepithelial carcinoma Squamous cell carcinoma Oncocytic carcinoma Uncertain malignant potential Sialoblastoma
Benign tumours	Pleomorphic adenoma Myoepithelioma Basal cell adenoma Warthin tumour Oncocytoma Lymphadenoma Cystadenoma Sialadenoma papilliferum Ductal papilloma Sebaceous adenoma Canalicular adenoma and other ductal adenomas
Non-neoplastic epithelial lesions	Sclerosing polycystic adenosis Nodular oncocytic hyperplasia Lymphoepithelial sialadenitis Intercalated duct hyperplasia
Benign soft tissue lesions	Haemangioma Lipoma/sialolipoma Nodular fasciitis
Haematolymphoid tumours	Extranodal marginal zone lymphoma of mucosa-associated lymphoid tissue (MALT lymphoma)

（El-Naggar AK, Chan JKC, Grandis JR et al（eds）：World Health Classification of Head and Neck Tumours, IARC Press, Lyon, 2017）

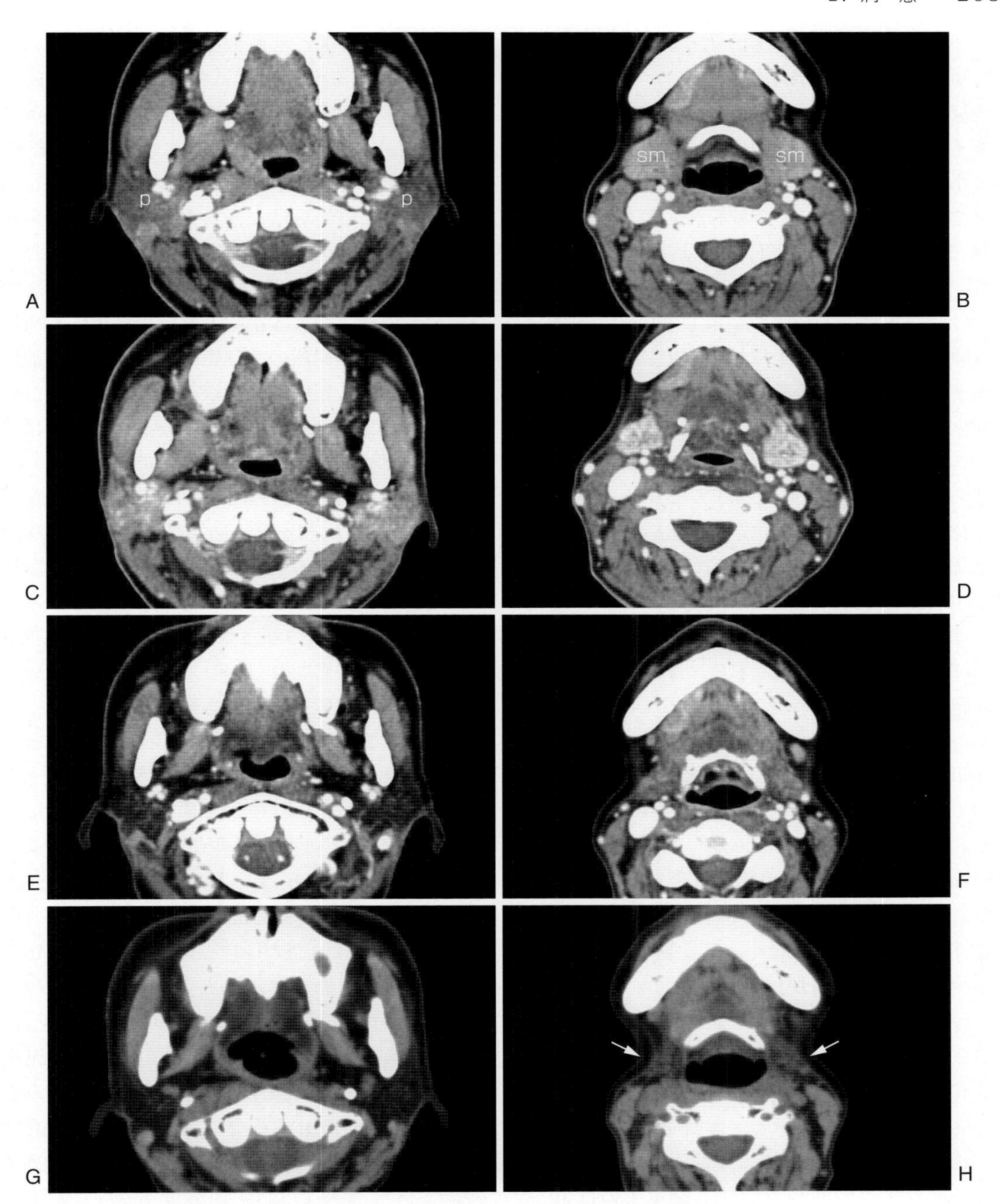

図 36　放射線性唾液腺炎の経時的変化(上咽頭癌に対する放射線治療例)

耳下腺レベル，顎下腺レベルの治療前(A：耳下腺レベル，B：顎下腺レベル)，治療後 6 週間(C：耳下腺レベル，D：顎下腺レベル)，治療後 4 年(E：耳下腺レベル，F：顎下腺レベル)の造影 CT，治療後 7 年の非造影 CT(G：耳下腺レベル，H：顎下腺レベル)．治療前(A，B)において両側の耳下腺(p)，顎下腺(sm)は正常に描出されている．治療後 6 週間(C，D)では耳下腺，顎下腺ともに実質増強効果の亢進を示す．治療後 4 年(E，F)では耳下腺実質の濃度はびまん性に低下し，脂肪浸潤を反映する．顎下腺は軽度萎縮を示す．治療後 7 年(G，H)で耳下腺の脂肪浸潤はさらに進行，顎下腺は萎縮(矢印)の進行あり．

21の悪性腫瘍の他，血管腫，リンパ増殖性疾患，脂肪腫と多彩な病態が含まれる．

唾液腺腫瘍のうち，耳下腺原発（主に浅葉）が最も多く約80%で，顎下腺原発が10〜15%，舌下腺と小唾液腺由来は5〜10%程度である．耳下腺腫瘍では約80%が良性であるが，顎下腺と小唾液腺では半数近く，舌下腺では半数以上（70〜90%）が悪性とされる[60]．良性腫瘍の大部分（95%）は成人例で多形腺腫が最も多い．小児では血管腫が最も多いが，上皮性腫瘍ではやはり多形腺腫が最も多い．唾液腺腫瘍は頭頸部腫瘍全体の約5%，100,000人当たり3.3〜10.3人の発症とされ[61]，唾液腺癌は全悪性腫瘍の0.3%，頭頸部癌全体の約6%を占め，100,000人で0.3〜4人の発症と比較的まれであるが[62, 63]，過去40年間緩徐な増加傾向にあり，50歳以降に増加，70歳以上では100,000人に7人以上の頻度となる[64]．ただし，悪性腫瘍の16%は30歳以下の若年者，2%は10歳以下の小児に発生する．腺様嚢胞癌，腺房細胞癌は女性に多いが，全体としてはやや男性に多い（男女比1.6：1）[64, 65]．最も多いのは粘表皮癌（mucoepidermoid cancer），腺様嚢胞癌（adenoid cystic carcinoma），腺癌NOS（adenocarcinoma not otherwise specified），唾液腺導管癌（salivary duct carcinoma）である[66]．

唾液腺腫瘍に随伴する“疼痛”は必ずしも高率に悪性を示すものではなく，良性腫瘍の5%，悪性腫瘍の6%に疼痛が伴うとされ[67]，感染，出血，嚢胞部の拡大などを伴う良性腫瘍の可能性も考慮される．従って，疼痛の有無は良悪性の鑑別には有用な指標とはならない．ただし，悪性の場合，疼痛は予後不良を示し，診断時の疼痛により5年生存率は68%から35%に低下する[68]．耳下腺悪性腫瘍で“顔面神経症状”を示すのは12〜14%程度と決して多くないが，これも予後不良因子（5年生存率は9〜14%）であるとともに，頸部リンパ節転移の頻度を有意に高くする[68]．硬さ，深部組織への固定，傍咽頭間隙腫瘍での開口障害，頸部リンパ節病変は悪性を支持する[62]．

既述のごとく小唾液腺は上気道粘膜あるいは粘膜下組織に広汎に分布していることから，唾液腺腫瘍はこれらの唾液腺組織が存在するいかなる領域にも生じうる．小唾液腺腫瘍は基本的には粘膜下腫瘍であるが，ときに粘膜面に潰瘍形成を伴う[69]．悪性腫瘍の病期分類にはAJCC（American Joint Committee on Cancer）による分類（**表6**）[70]が用いられる．第7版から第8版への改訂において，T分類の変更はなかったがN分類には（他領域の頭頸部癌と同様に）節外進展が組み入れられた[70]．なお，小唾液腺悪性腫瘍は発生した領域の病期分類に従う．小唾液腺は腺被膜の形成に乏しいことから同様の病理組織像を示す大唾液腺病変と比較して周囲浸潤性が高い傾向にある．ただし，ある特定の組織型の悪性唾液腺腫瘍では口蓋（小唾液腺）発生が最も予後良好で，耳下腺，顎下腺の順で予後不良の傾向にある[71]．唾液腺悪性腫瘍の予後決定因子としてはT因子，組織悪性度の高さ，病変の局在が重要である．傍咽頭間隙に生じる腫瘍では小唾液腺由来も考慮されるが，耳下腺深葉由来の頻度がより高い．両者（**図37**）は術式選択が異なり（後述），画像診断において可能であれば鑑別を試みる必要がある．

耳下腺悪性腫瘍の頸部リンパ節転移は予後不良因子であり，リンパ節転移陰性例の10年生存率が63%であるのに対して陽性例では33%である[69]．また，N1例の5年生存率が76%であるのに対して，N2あるいはN3では34%とされる[72]．初診時における頸部リンパ節転移の頻度は13%で，潜在性リンパ節転移は全体で16%以下，扁平上皮癌では40%とされる[73]．レベルI, II, IIIに多いが，レベルIVやVへの潜在性転移，頸部下部へのskip metastasis（約25%），浅側頸リンパ節などの外頸リンパ節鎖への転移もみられる[62]．また，Ettlらの唾液腺癌316例の検討ではN因子が長期の生命予後因子として重要であり，唾液腺導管癌の組織型が最も強い予測変数（predictor）であったとしている（N陽性率は71%で，多くがN2以上の進行例）[72]．T3病変（耳下腺被膜外浸潤）あるいは高悪性度病変，顔面神経麻痺を伴う耳下腺悪性腫瘍では頸部リンパ節転移の頻度は有意に高い[74]．潜在性リンパ節転移も高悪性度腫瘍で最大50%と有意に高く認められる[75]．臨床的N0（cN0）例において，（腺内）耳下腺リンパ節転移例は疾患特異的生存率（disease-

表 6　唾液腺腫瘍の原発病変病期分類

T 分類		原発病変
TX		原発部位評価不能
T0		原発病変を認めない
Tis		carcinoma *in situ*
T1		原発病変の最大径 2 cm 以下で被膜外進展なし
T2		原発病変の最大径が 2 cm よりも大きく 4 cm 以下で被膜外進展*なし
T3		原発病変が 4 cm 以上および / あるいは被膜外進展あり
T4	T4a	中等度の進行病変；皮膚，顎骨，外耳道および / あるいは顔面神経への浸潤
	T4b	高度信号病変；頭蓋底および / あるいは翼状突起および / あるいは頸動脈浸潤

*："被膜外進展" は臨床的，肉眼的被膜外進展を示し，顕微鏡的被膜外進展のみの場合は病期診断に考慮しない
(Amin MB, Edge SB, Brookland RK et al (eds) : AJCC Cancer Staging Manual 8th ed, Springer, New York, 2017)

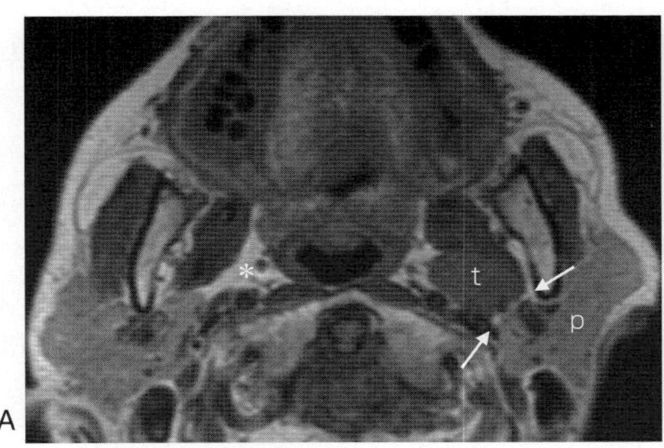

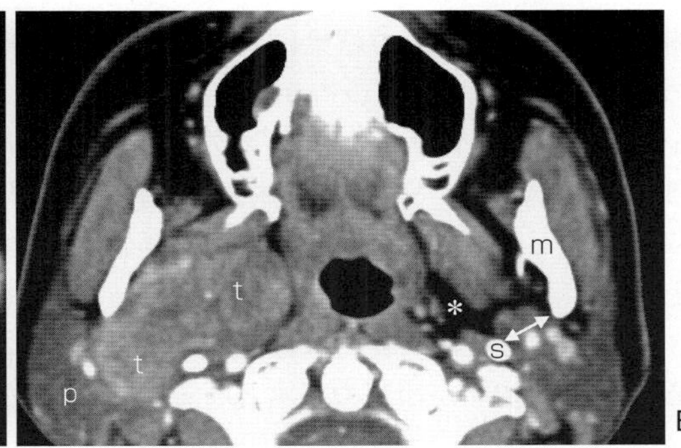

図 37　傍咽頭間隙の腫瘤
耳下腺レベルの MRI，T1 強調像(A)において，左側の傍咽頭間隙(対側で＊で示す)に境界明瞭な低信号腫瘤(t)を認める．耳下腺(p)深葉に近接するが，両者の間には薄い脂肪層(矢印)が介在しており，(耳下腺深葉由来ではなく)傍咽頭間隙内に由来する腫瘤(小唾液腺腫瘍：恐らくは多形腺腫)であることを示す．別症例の耳下腺レベル造影 CT(B)で右傍咽頭間隙(対側で＊で示す)を占拠する腫瘤(t)を認め，側方では開大した茎突下顎裂［対側で両向き矢印で示す：下顎枝(m)後縁と茎状突起(s)の間で形成される］を介して進展，耳下腺(p)と脂肪層の介在なく接する．進展様式，脂肪層消失とともに耳下腺深葉由来の腫瘍であることを示している．

specific survival)が有意に低く，局所・頸部再発のリスクは有意に高い[76]．(腺内)耳下腺リンパ節転移の頸部リンパ節転移に対する陽性的中率も87.3％と高い[76]．唾液腺癌の 25％が小唾液腺に発生するが，Lloyd らの検討では小唾液腺癌の 16％がリンパ節転移陽性であり，男性，T3 あるいは T4 病変，咽頭原発，高悪性度腺癌あるいは高悪性度粘表皮癌の組織型がリンパ節転移陽性に有意な因子であったと報告している[77]．悪性度に関しては，その他(腺癌，粘表皮癌以外)の組織型では有意な差はなかったとしている．小唾液腺癌に関しては腫瘍径とリンパ節転移との相関は明らかでない．耳下腺腫瘍では深葉発生でも予後に影響はみられない[78]．なお，遠隔転移も予後不良因子である．病期診断と遠隔転移の相関も高く[73]，耳下腺悪性腫瘍全体としての遠隔転移の頻度は 20％(腺様嚢胞癌が最も高頻度で約 50％)で，部位としては肺が最も多く，骨がこれに次ぐ[73,74]．

唾液腺腫瘍に対する穿刺細胞診(FNA：fine needle aspiration)の正診率に関しては議論も多い．正診率は病理医の経験や能力に依存する部分

表 7　耳下腺悪性腫瘍における治療指針

Group	耳下腺悪性腫瘍	治療指針
Group Ⅰ	T1/T2N0 低悪性度腫瘍	適切な切除縁をとった腫瘍切除 （通常，耳下腺全摘出術）
Group Ⅱ	T1/T2No 高悪性度腫瘍	耳下腺全摘出術および上内深頸リンパ節切除 顔面神経の温存（明らかな神経浸潤のない例）
Group Ⅲ	T3N0/N＋高悪性度腫瘍および再発腫瘍	根治的耳下腺全摘出術（顔面神経合併切除） 頸部郭清術（N0：非定型，N＋：根治的） 術後放射線治療
Group Ⅳ	耳下腺外浸潤例	高侵襲性根治的外科的切除 頸部郭清術 術後放射線治療

(Johns ME : Head Neck Surg **3** : 132-144, 1980)

が大きいが，良・悪性を区分する点においてはほぼ正確であり，比較的容易に施行可能である．感度は 88〜93％，特異度は 75〜99％とされる[69]．腫瘍（特に悪性）組織型の特定は困難である．約 3 分の 1 の唾液腺症例で FNA の結果により臨床的アプローチが変更されたとの報告がある[79]．ただし，6％が診断不能の判断となりサンプリングエラーの原因となりうる[80]．開放生検は腫瘍播種，感染，再発などの危険性を避けるために通常は施行されない．

Warthin 腫瘍などの良性病変では経過観察も可能であるが，外科的切除が治療の基本となる．腫瘍が良性から低悪性度で，低容積，（腺被膜破綻なく）腺内に限局性の病変であれば基本的には手術により治癒が得られる．ただし，進行病変，切除不能病変では放射線治療や化学療法，あるいはこれらを組み合わせた集学的治療が行われる．予後は由来する唾液腺（小さな唾液腺で予後不良な傾向），組織型（悪性度），分化度，腫瘍進展，リンパ節病変の有無による[62]．悪性腫瘍では放射線治療の組み合わせで再発率が有意に低下するとされ[81]，高悪性度腫瘍，再発腫瘍，深葉発生，肉眼的・顕微鏡的残存腫瘍，切除断端陽性，顔面神経に隣接する腫瘍，所属リンパ節転移，周囲組織（筋，骨，皮膚，神経など）への浸潤例，T3 以上の病変では術後放射線治療を考慮すべきである[82]．高悪性度腫瘍，切除断端陽性例での局所制御率は外科的治療のみの場合（59％）と比較して，手術および術後放射線療法の組み合わせでより高い（82％）[83]．Johns は Group 分類した耳下腺腫瘍における治療の基本を示しているが（**表 7**），実際には腫瘍因子のみではなく年齢や身体状態，社会的背景なども考慮しながら決定される[74]．

既述のとおり，唾液腺癌にとって頸部リンパ節転移は重要な予後因子である．治療開始時の頸部リンパ節転移陽性は 5 年生存率を有意に低下（73〜77％ vs 44〜48％）させる[66]ことが知られており，頸部リンパ節転移陽性例に対して治療的頸部郭清術が強く推奨される．その一方，頸部リンパ節転移陰性例に対する予防的頸部郭清術の可否については依然議論がある[66]．唾液腺癌の潜在的な頸部リンパ節転移の頻度は 10〜20％とされ，組織悪性度と関連するが，一般に 15％のリスクを超えると（特に粘表皮癌，腺癌において）予防的頸部郭清術が考慮される[66, 84]．

b．唾液腺腫瘍の画像評価

唾液腺腫瘍の画像診断では超音波検査，CT，MRI が主に用いられる．小児には被曝がなく，鎮静剤投与の必要もない超音波検査が有用であるが，検者依存性が高く，客観性・再現性に乏しい点，また耳下腺深葉の評価が困難である点などを考慮する必要がある．原発病変（T 因子・唾液腺腫瘍自体）の評価では感度，特異度において MRI が最も優れ，標準的選択となる[85]．CT は口腔金属でのアーチファクトにより唾液腺領域の画像劣化が問題となる場合もあるが，石灰化や骨変化（外耳道骨部，頭蓋底の破壊など）の評価に有用であり，リンパ節（転移）に関しては造影 CT での評価が標準的である．悪性腫瘍が疑われる例，再発

表 8　耳下腺腫瘍の画像診断アプローチ

<table>
<tr><td>耳下腺内か外かの同定</td><td colspan="2">耳下腺腫瘍（耳下腺内由来）であることの確認
・耳下腺外由来（顎関節，下顎枝，咬筋，顎下腺，レベルⅡリンパ節，浅側頸リンパ節など）の否定</td></tr>
<tr><td>CN7 主幹部との相対的位置関係の確認</td><td colspan="2">pretragal cartilaginous pointer（耳珠軟骨の尾側 1 cm，内側 1 cm）を基準とする CN7 主幹部の解剖学的領域との相対的位置関係の把握
・CN7 主幹部領域の占拠の有無，CN7 主幹部の尾側，外側（表在），内側（深在）か？</td></tr>
<tr><td rowspan="4">耳下腺腫瘍自体の形態的評価・質的診断</td><td>多形腺腫の典型例</td><td>・境界明瞭で被膜様低信号帯で囲まれる
・ときに分葉状辺縁（主に大きな病変）
・T2 強調像で高信号を主体とする
・CT では骨格筋よりやや低濃度
・耳下腺浅葉に多い
・明らかな嚢胞部は比較的まれ
（典型的所見でも低悪性度腫瘍の否定は困難，可能性は低いが，その他の良性唾液腺腫瘍，顔面神経鞘腫なども鑑別となる）</td></tr>
<tr><td>Warthin 腫瘍の典型例</td><td>・耳下腺尾部，やや後方を中心
・境界明瞭，類円形
・T2 強調像でしばしば低信号
・しばしば嚢胞形成
　＊中高年男性，喫煙歴などと合わせて判断
　（典型的所見でも低悪性度腫瘍の否定は困難）</td></tr>
<tr><td rowspan="2">その他</td><td>以下の“悪性”を示唆する所見の確認
・境界不明瞭，浸潤性辺縁
・神経周囲進展（CN7，V3 耳介側頭枝）
・リンパ節転移
（境界不明瞭，リンパ節腫大を認めても，炎症を合併した良性腫瘍の可能性あり）</td></tr>
<tr><td>それ以外であっても，上記の多形腺腫，Warthin 腫瘍の典型例を外れる場合，悪性の可能性を十分に考慮する
その一方，多形腺腫，Warthin 腫瘍の所見は多彩であり，非典型例でもこれらは有力な鑑別診断として残る</td></tr>
</table>

例，大きな腫瘍，傍咽頭間隙浸潤の評価を要する例，頸動脈浸潤の疑われる例，その他，顔面神経や頭蓋底など，外科的治療の可否，術式選択に大きく影響する領域への進展の評価を要する例ではCT，MRI の役割はさらに重要である．さまざまな領域に生じる小唾液腺腫瘍に関しても画像診断が有効である．

画像診断の目的は組織型の特定，良・悪性の鑑別とともに，腫瘍進展範囲の把握，顔面神経主幹部との位置関係や神経周囲進展，リンパ節転移，遠隔転移などの随伴所見の評価に置かれる．質的診断，良・悪性鑑別に関しては，基本的に“多形腺腫の典型例”，“Warthin 腫瘍の典型例”，“その他”の 3 つに分けてアプローチするのが最も実践的かつ論理的である（後述）．“その他”の病変に関しては悪性の可能性が十分に考慮されるが，積極的に悪性を支持する所見（後述）の有無の確認が重要となる．増大速度とともに，Warthin 腫瘍では年齢，性別，喫煙歴などの臨床的背景とともに総合的に判断される．^{99m}Tc の集積する腫瘍としては Warthin 腫瘍と膨大細胞腫（oncocytoma）があげられる．MRI の T2 強調像で信号強度が低いほど，細胞密度が高く，高悪性度腫瘍であることを反映する傾向にある．また，多発性，両側性では（臨床経過，年齢，性別などが合致するようであれば）Warthin 腫瘍の他，腺房細胞癌（acinic cell carcinoma），膨大細胞腫あるいは耳下腺内リンパ節病変（頭皮などの皮膚悪性腫瘍の転移，サルコイドーシス，悪性リンパ腫）などを考慮すべきなど，ある程度の傾向があることは知っておく必要がある．

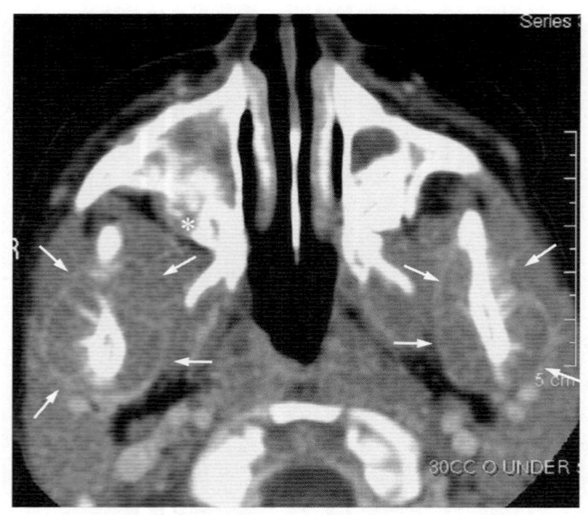

図 38　小児神経芽腫例．両側耳下部腫脹あり
造影 CT 横断像において両側下顎枝に周囲の骨外性軟部腫瘤形成（矢印）を伴う転移性骨病変あり．右上顎洞後壁にも転移（＊）あり．

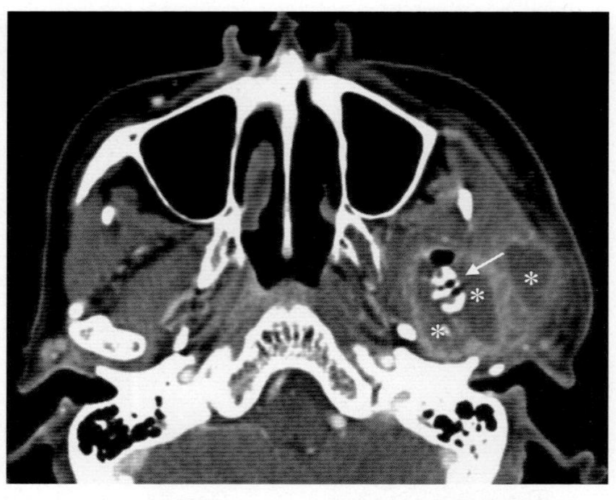

図 39　耳下部腫脹を示した顎関節の化膿性関節炎
顎関節レベルの造影 CT で破壊した下顎骨左関節頭（矢印）周囲から耳下部にかけて，膿瘍腔（＊）形成を認める．

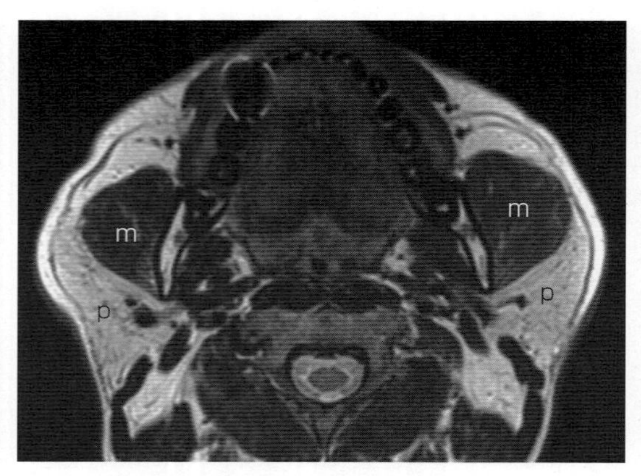

図 40　耳下部腫瘤が疑われた咬筋肥大
耳下腺レベル MRI，T1 強調横断像．左側優位に咬筋（m）の肥大を認め，耳下腺（p）を深部より圧排している．

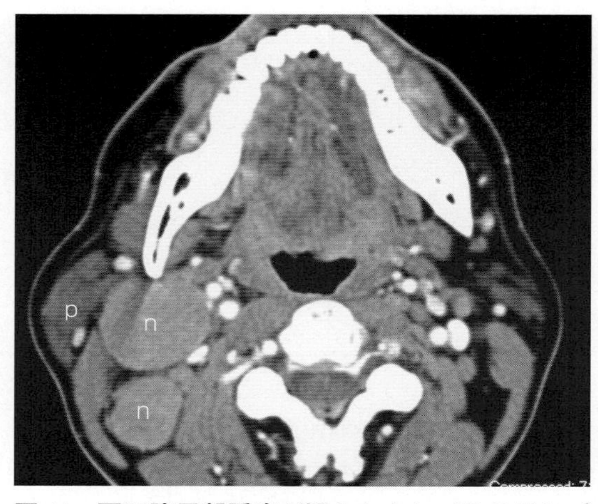

図 41　耳下腺尾部腫瘤が疑われたレベル II リンパ節病変
耳下腺レベル造影 CT．右耳下腺尾部（p）深部に右レベル II リンパ節（n）の腫大を認める．

c. 耳下腺部腫瘍の画像評価（表 8：p1063）

1）耳下腺内か外かの同定

臨床上，下顎骨（図 38），顎関節（図 39），咬筋（図 40），耳下腺外耳下腺周囲リンパ節由来の腫瘤，耳下腺尾部領域ではレベル II リンパ節（図 41），顎下腺腫瘤（図 42）や側頸嚢胞（図 43）なども耳下部腫瘤として表現される場合もあり，耳下腺実質に由来する病変か否かを最初に特定する必要がある．ただし，ときに耳下腺内か外かの判断が困難な例（特に尾部領域）もあり，この場合は耳下腺内・外のいずれの由来も考慮して診断を進める必要がある．

2）顔面神経主幹部との位置関係の評価

耳下腺腫瘍の場合，（12 章「側頭骨」にて解説した）顔面神経主幹部の外科的指標（特に“tragal cartilaginous pointer”：耳珠軟骨下方 1 cm，内側 1 cm に顔面神経主幹部が位置する）により顔面神経との相対的な位置関係を評価する（12 章「側頭骨」，図 15）．顔面神経主幹部の解剖学的領域を腫瘍が占拠していれば，病変と顔面神経との密接な関連が考慮される．あるいは腫瘍が同領域の尾側，外側（表在），内側（深在）に位置するかに

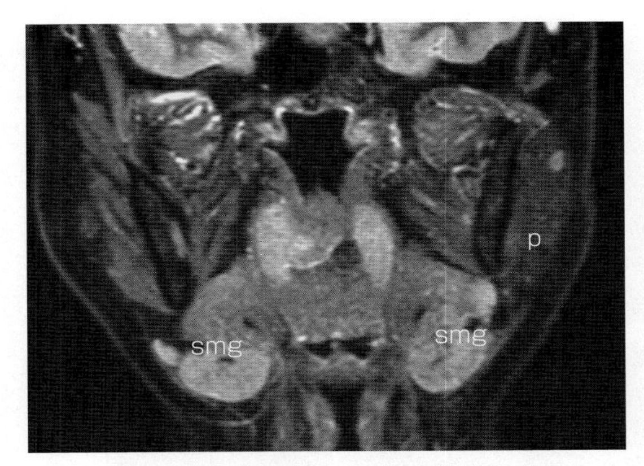

図 42　両側耳下腺尾部から顎下部腫脹を示した Küttner tumor

顎下腺レベルの MRI，STIR 冠状断像で，左右顎下腺(smg)のほぼ対称性の腫大とともにびまん性信号上昇を認める．側方では耳下腺(p)尾部深部に位置する．

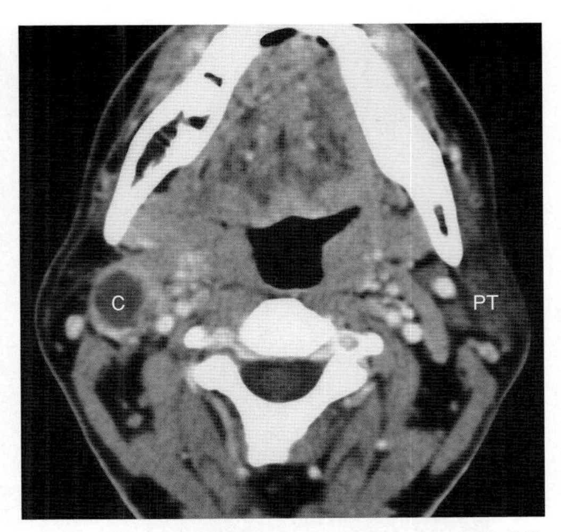

図 43　耳下腺尾部腫瘤として認められた(感染性)第 2 鰓裂嚢胞

耳下腺尾部レベル造影 CT 横断像において耳下腺尾部(対側で PT で示す)と同様の解剖学的部位を占拠する，増強効果のあるやや厚い壁を有する単房性嚢胞性腫瘤(C)あり．

より，顔面神経主幹部との相対的位置関係を推定する．術前画像での顔面神経浸潤の所見，あるいは治療前で顔面神経障害を示す例では腫瘍摘出術時に 1 本以上の顔面神経枝の切除が必要な場合が多い[62, 86]．

3) 腫瘍の形態，随伴する所見の評価

唾液腺腫瘍は多くの組織型(表 5：p1058)を有し，低・悪性度腫瘍など多彩で，その多くの所見が非特異的であり，質的診断，良・悪性鑑別は必ずしも容易ではない．基本的には"多形腺腫の典型例(多形腺腫の項で後述)"，"Warthin 腫瘍の典型例(Warthin 腫瘍の項で後述)"，"その他"の 3 つに分けて考えるのが，最も実践的かつ論理的アプローチである．"その他"では悪性の可能性を十分に考慮すべきであり，唾液腺腫瘍の他に耳下腺リンパ節や顔面神経を含めて判断される．以下 3 つの所見は積極的に悪性を支持する[88]．

①境界不明瞭な浸潤性辺縁(図 44)[87]，骨浸潤
②神経周囲進展：三叉神経第 3 枝の耳介側頭枝から主幹部(図 45，46)および顔面神経(図 47，48)．
③リンパ節転移(図 49)．

これらの悪性所見の有無を画像情報として提供する必要がある．明らかな悪性所見がない場合は良性のみならず，低悪性度から中等度悪性度腫瘍までが鑑別に含まれることを十分に認識しておく必要がある．

既述のとおり，唾液腺腫瘍の組織型は数多く(表 5)，まれな腫瘍の質的診断は困難であるが，一般に片側性孤立性の耳下腺腫瘍をみた場合の質的診断に関しては，最も頻度の高い多形腺腫，2 番目に多い Warthin 腫瘍の典型的画像所見に一致するかどうかを判断する．後者の場合は，年齢・性別・局在(通常は中高年男性の耳下腺尾部)，喫煙の有無などの臨床的背景と合わせるとより正確な診断が可能である．画像所見，臨床像がこれらの腫瘍の典型例と異なる場合は"その他"として悪性を含めた他の組織型の可能性を考慮すべきであり，まずは前述の悪性所見の有無を評価する．実際には多形腺腫，Warthin 腫瘍の画像所見も多彩であり，典型的でない場合であってもこれらの可能性も十分にあり，否定は困難である．また，悪性所見に乏しい場合(腺被膜外浸潤，神経周囲進展，リンパ節転移などの所見のない辺縁平滑，境界明瞭な腫瘍)であっても低悪性度腫瘍の可能性は依然否定されない．唾液腺腫瘍内の嚢胞・壊死部に関しては，悪性に多いとの報

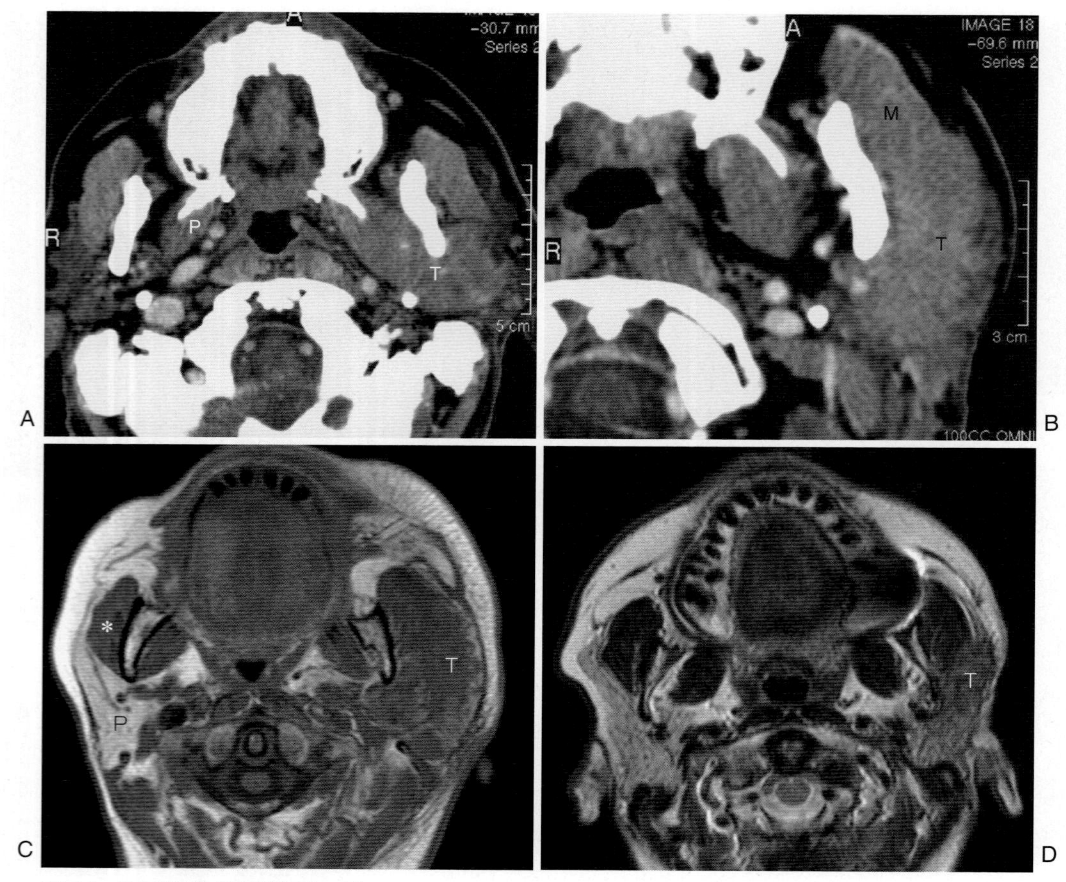

図44　耳下腺癌（高悪性度）4例

造影CT（A）において，左耳下腺浅葉から深葉にかけて浸潤性軟部濃度腫瘍（T）あり．辺縁は不整かつ不明瞭である．内側では翼突筋（対側でPで示す）に浸潤を示す．

別症例造影CT（B）で，左耳下腺に辺縁不整，不明瞭な浸潤性腫瘍（T）あり．隣接する咬筋（M）との境界も明らかでない．

別症例のMRI T1強調横断像（C）において，左耳下腺領域を中心とした浸潤性腫瘤（T）を認め，隣接する咬筋（対側で＊で示す）への浸潤を伴う．P：健側の耳下腺

別症例のT2強調横断像（D）で左耳下腺浅葉に耳下腺実質よりも低信号強度を示す，境界不明瞭な浸潤性腫瘍（T）を認める．

告[89]もある一方で，良性であるWarthin腫瘍でもしばしば嚢胞を認めることから，良悪性の鑑別に有用ではない[90]．また，悪性の嚢胞・壊死部では壁は不整で，より中心性に認められる傾向がある（良性ではより偏在性で壁は平滑）[89]．拡散強調像，ADC値は悪性で拡散低下を示す傾向にあるが，overlapも大きく（特にWarthin腫瘍など），信頼性の高い良悪性鑑別は困難である[91]．dynamic studyで高悪性度腫瘍は早期濃染，緩徐な洗い出しを示すのが典型的であるが[92]，これについても信頼性の高い判断は困難である．なお，唾液腺腫瘍の診断能は評価する画像診断医の経験に大きく影響を受ける[61]．

d. 顎下部腫瘍の評価（腺内・外の同定）

顎下三角は下顎骨体部下縁，顎二腹筋前・後腹に囲まれる領域で顎舌骨筋が底部を形成する．顎下間隙内の占拠性病変として，腫瘍では顎下腺腫瘍，あるいは顎下リンパ節（レベルIB）病変が主であるが，触診だけでは両者の鑑別は困難な場合も多く画像所見が重要である．

腫瘤と顎下腺との間に脂肪層が保たれている場

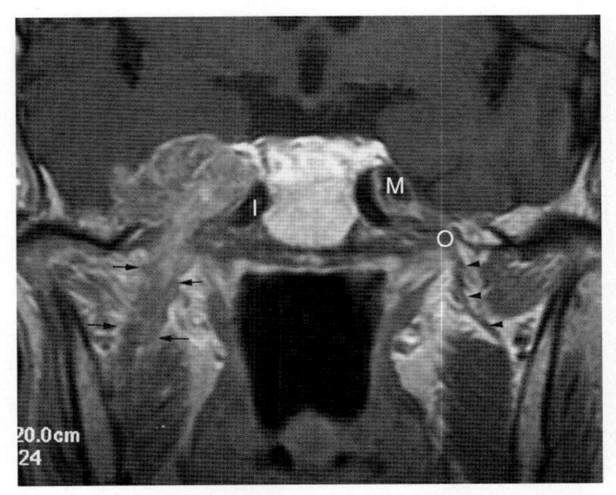

図 45　三叉神経第 3 枝に沿った中枢側への神経周囲進展を示した耳下腺腺癌の再発性病変

造影 MRI T1 強調冠状断像において右三叉神経第 3 枝(左側で矢頭で示す)に沿った索状腫瘤(矢印)を認め，卵円孔(左側で O で示す)を開大し，頭蓋内において Meckel 腔(左側で M で示す)を中心に腫瘤を形成している．I：内頸動脈

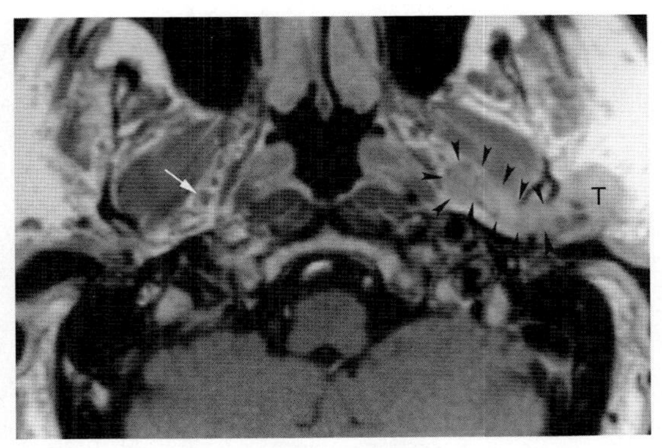

図 46　三叉神経第 3 枝耳介側頭枝に沿った神経周囲進展を示した耳下腺癌病変

造影 MRI T1 強調横断像．左耳下腺内に腫瘍(T)を認め，これから連続するようにして左下顎枝後縁を囲むように索状病変(矢頭)を認め，耳介側頭枝に沿った神経周囲進展を示す(図 1 参照)．これは内側に向かい三叉神経第 3 枝主幹部(対側で矢印で示す)に及ぶ．

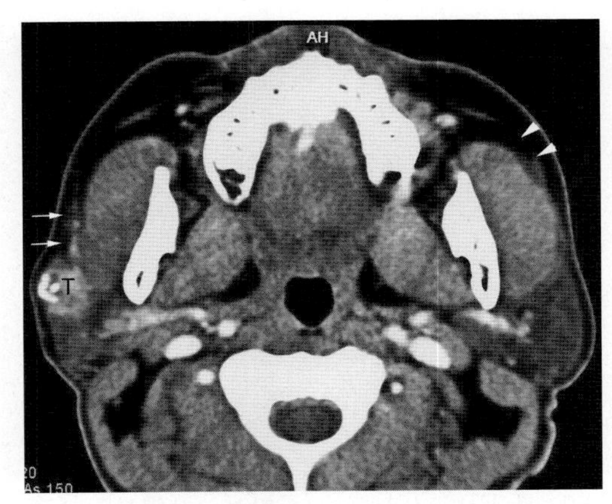

図 47　顔面神経頬枝に沿った末梢側への神経周囲進展を示した耳下腺腺癌

右耳下腺浅葉に偏在性石灰化を伴う不整形結節性病変(T)を認め，これから連続するようにして SMAS(対側で矢頭で示す)の不整な索状肥厚像(矢印)あり．顔面神経頬枝に沿った神経周囲進展に一致する．

合(図 50)は腺外由来と判断され，多くは顎下リンパ節病変(転移，悪性リンパ腫リンパ節病変，反応性リンパ節・リンパ節炎)である．介在する脂肪層が同定されない場合，腺内・外由来の区別は必ずしも容易ではない．前顔面静脈(anterior facial vein)は両者の鑑別に有用な指標となり，顎下腺腫瘍(腺内由来)では前顔面静脈が顎下腺と腫瘤とを区分することはなく(図 51)，顎下腺と腫瘤とを分けるように認められる場合(図 52)は腺外由来を示唆する[93, 94]．前顔面静脈は眼角静脈(angular vein)として始まり，眼窩下縁レベルから前顔面静脈として下行，顎下腺表面外側を走行し，内頸静脈に流入，あるいは下顎後静脈(retromandibular vein)と合流して総顔面静脈(common facial vein)を形成する[95]．

顎下腺腫瘍としては良性の多形腺腫が最も多い．顎下腺癌は唾液腺腫瘍全体の 1〜2％にすぎないが顎下腺腫瘍の 24〜50％に相当し，腺様嚢胞癌が最も多く，その他として粘表皮癌，扁平上皮癌，腺癌が多い[96, 97]．一方，顎下腺発生の Warthin 腫瘍，悪性リンパ腫節外病変は極めてまれである．顎下腺腫瘍は良悪性ともに年齢により頻度は上昇し，70 歳をピークに減少するとされ，高齢者で悪性の率は増えるとの報告がある[98]．各腫瘍は耳下腺と同様の画像所見を示すが，所見特異性は低く，組織型の特定，良悪性の明確な鑑別は容易ではない(完全に良性の形態を示していたとしても低悪性度腫瘍否定は困難)．

外科的切除が治療の基本となるが，経頸部的あるいは経口的，もしくは内視鏡下と様々なアプローチがある．悪性の場合，一塊(en bloc)での根治的切除が重要であり，頸部リンパ節転移，神経周囲浸潤，腫瘍病期，年齢，組織悪性度，腺外浸潤，切除断端陽性などが局所制御に対する予後

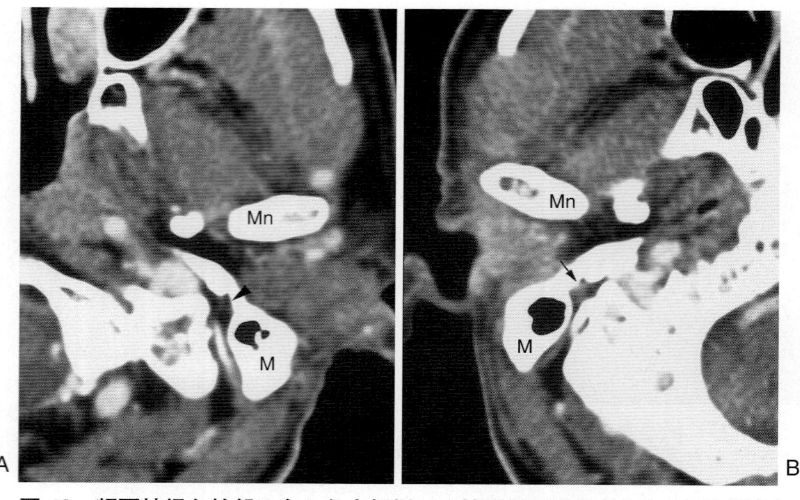

図48　顔面神経主幹部に向かう中枢側への神経周囲進展を示した耳下腺悪性腫瘍再発病変

造影CTにおいて，健側(A)では顔面神経が側頭骨の顔面神経管乳突部から頭蓋外に出る茎乳突孔直下の脂肪層(矢頭)は保たれているが，患側(B)では軽度の増強効果を示す軟部濃度病変で置換されている(矢印)．M：乳様突起，Mn：下顎骨関節頭

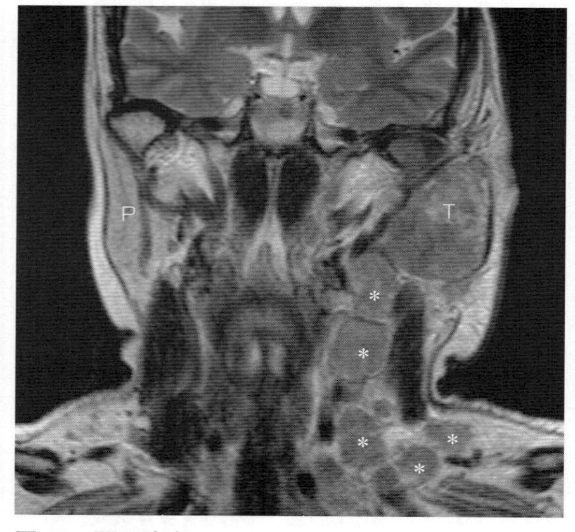
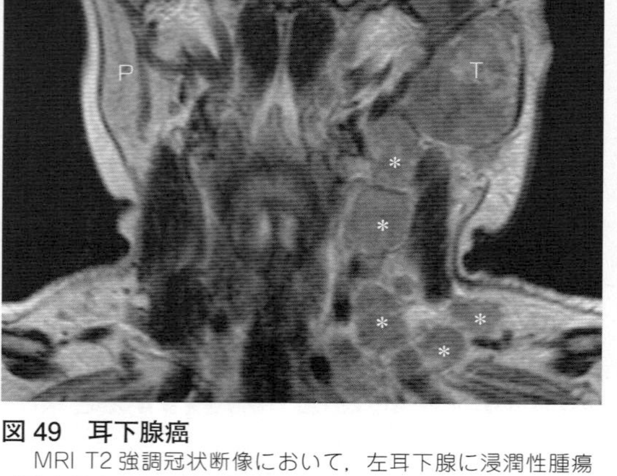

図49　耳下腺癌

MRI T2強調冠状断像において，左耳下腺に浸潤性腫瘍(T)を認める．同側の頸静脈鎖から鎖骨上部に多数のリンパ節転移(＊)を伴う．P：健側耳下腺

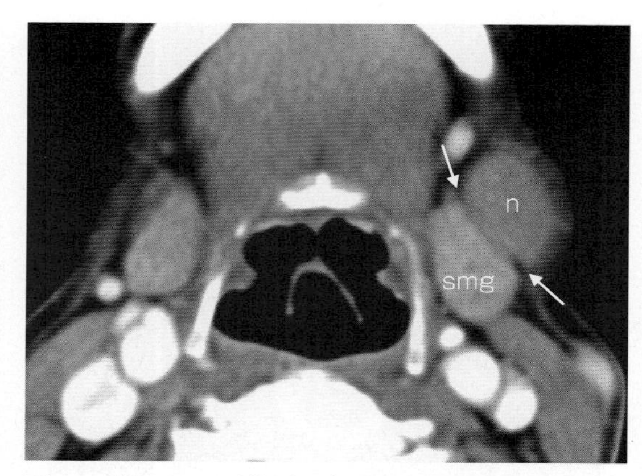

図50　顎下リンパ節腫大(悪性リンパ腫リンパ節病変)

顎下腺レベルの造影CT．左顎下間隙に辺縁平滑な楕円形腫瘤(n)を認め，深部に近接する顎下腺(smg)との間には薄い脂肪層(矢印)が介在する．

因子となる(このうち，頸部リンパ節転移，神経周囲浸潤，病期が最も重要)[97]．術後照射は局所制御率の向上に寄与するとされる[98]．Mallikらは T1病変を除き，N0例に対する予防的頸部郭清術を推奨している[97]．同報告での顎下腺癌例の5年生存率は63%とされている．局所と頸部が制御されていたとしても約3分の1が遠隔転移による再発を生じ，遠隔転移が顎下腺癌の主な死因となる[63, 99]．頸部リンパ節転移(N2以上)，高悪性度の組織型が遠隔転移のリスク因子となる[99]．なお，多形腺腫については耳下腺病変と比較して術後再発の頻度は低い傾向にある(耳下腺では顔面神経との関係などにより切除縁が十分にとれない場合があるため)[98]．

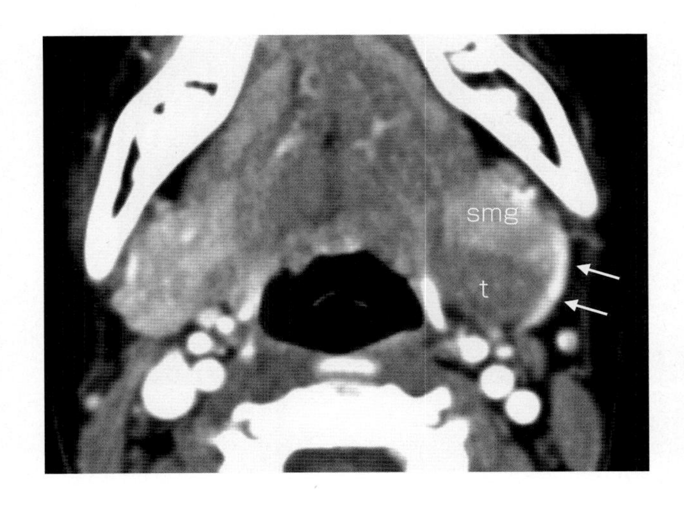

図 51　顎下腺腫瘍
顎下腺レベルの造影 CT．左顎下腺(smg)後方に脂肪層の介在なく腫瘤(t)を認める．円弧状に圧排された前顔面静脈(矢印)は両者表面に沿って走行しており，腫瘤が腺内由来であることを示唆する．

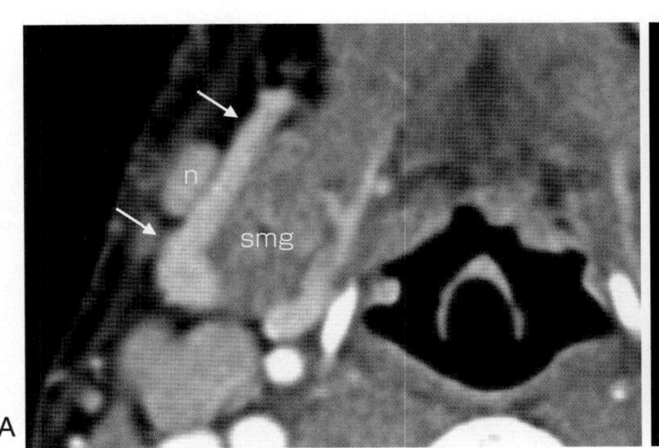

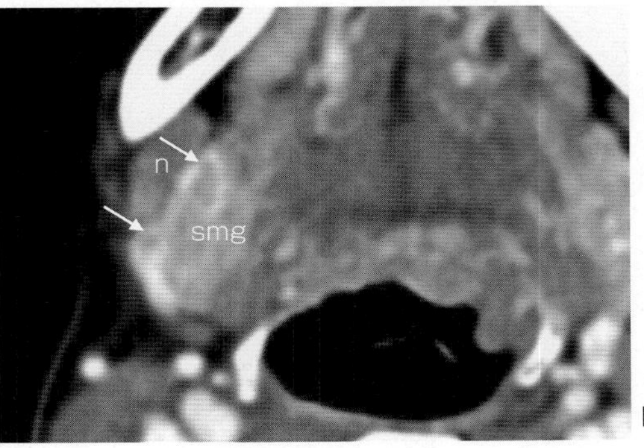

図 52　顎下リンパ節(正常大)2 例
顎下腺レベルの造影 CT(A，B)．いずれも顎下腺(smg)とリンパ節(n)との間に前顔面静脈(矢印)が介在しており，腺外病変であることを示す．

e. 代表的唾液腺腫瘍

唾液腺腫瘍組織型に対する知識は画像評価，臨床医からの情報の理解において必要であるが，本書では臨床上重要な代表的唾液腺腫瘍の解説に限る．その理由は，ひとつには唾液腺腫瘍は頻度と比較して多くの組織型があり(表 5：p1058)，代表的腫瘍以外はまれであること，もうひとつには既述のごとく，画像診断における組織型の特定，良・悪性の鑑別の信頼性は決して高くはないことによる．このため，(既述のとおり)耳下腺腫瘍の質的診断に対しては“典型的な多形腺腫”，“典型的な Warthin 腫瘍”，“その他”の区分でのアプローチが最も実践的である．様々な画像評価の進歩による試みがあり一定の傾向は報告されているが，過度に良性の可能性，特定の組織型を示すことは臨床上のリスクとなる状況に大きな変化はない．まれな組織型に関する個別の解説は他の成書を参照されたい．

1) 多形腺腫(良性混合腫瘍)[pleomorphic adenoma(benign mixed tumor)]

大・小唾液腺の上皮性腫瘍として最も多く，大唾液腺腫瘍の 60〜80％，小唾液腺腫瘍の 40〜70％で[100]，唾液腺腫瘍全体の約 3 分の 2 を占める．女性にやや多く(性比は 2：1)，耳下腺(図 53)に最も多く，耳下腺腫瘍の 60〜70％を占める[101]．顎下腺(図 54，55)，小唾液腺腫瘍においても単独の組織型としては最も多く，小唾液腺では口蓋(図 56)に最も多い(60〜65％)[102]．多形腺

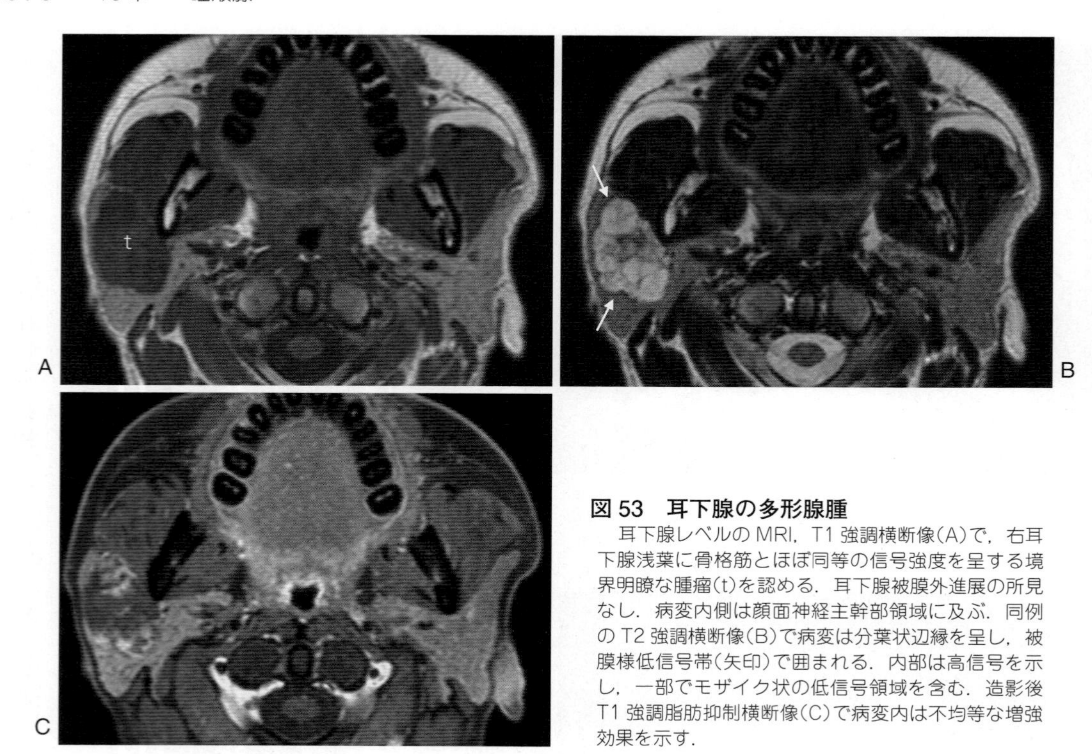

図 53　耳下腺の多形腺腫
耳下腺レベルの MRI，T1 強調横断像(A)で，右耳下腺浅葉に骨格筋とほぼ同等の信号強度を呈する境界明瞭な腫瘤(t)を認める．耳下腺被膜外進展の所見なし．病変内側は顔面神経主幹部領域に及ぶ．同例の T2 強調横断像(B)で病変は分葉状辺縁を呈し，被膜様低信号帯(矢印)で囲まれる．内部は高信号を示し，一部でモザイク状の低信号領域を含む．造影後 T1 強調脂肪抑制横断像(C)で病変内は不均等な増強効果を示す．

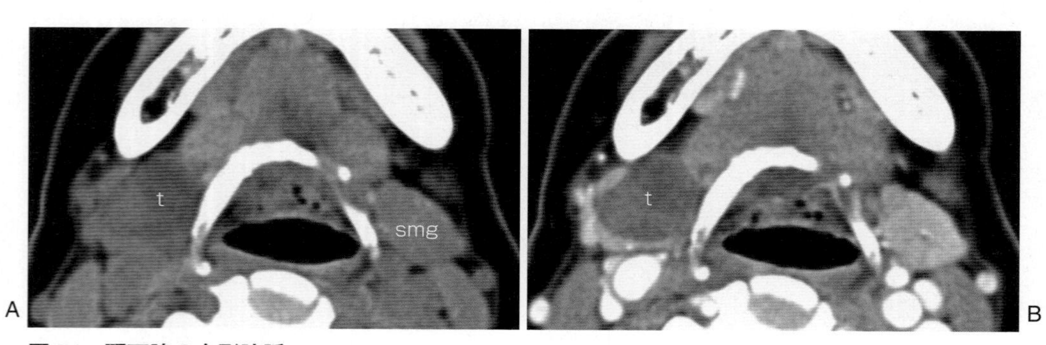

図 54　顎下腺の多形腺腫
顎下腺レベルの造影前(A)および造影後 CT (B)．右顎下腺(対側で smg で示す)内に限局して，境界明瞭な低濃度腫瘤(t)を認める．造影後(B)の増強効果は比較的軽度である．

腫全体の 75%が耳下腺，10%が顎下腺，同じく 10%が小唾液腺より発生する[103]．その他，涙腺(図 57)の発生も知られている(2 章「眼窩」を参照されたい)．年齢層は幅広く，小児においても血管腫に次いで 2 番目に多く，上皮性唾液腺腫瘍では最も多い．組織学的には，(偽)被膜，上皮および筋上皮細胞，粘液様・軟骨様の腫瘍基質よりなるが，著しい多様性を示す．

通常，緩徐な発育を示す．可動性のある無痛性腫瘤として現れ，ほぼ常に孤立性である[104]．耳下腺病変は約 90%が顔面神経主幹部より外側(耳下腺浅葉)に認められる．深葉発生の病変(図 37B，58，59)は浅葉発生と比較して組織学的侵襲性がやや低いとされる[105]．

肉眼的には境界鮮明な分葉状腫瘤として認められる．組織学的には偽被膜，(腫瘍上皮細胞による)実質，(粘液性，軟骨性，あるいは骨性に由来する)間質の 3 つの構成要素を有し，細胞の多様

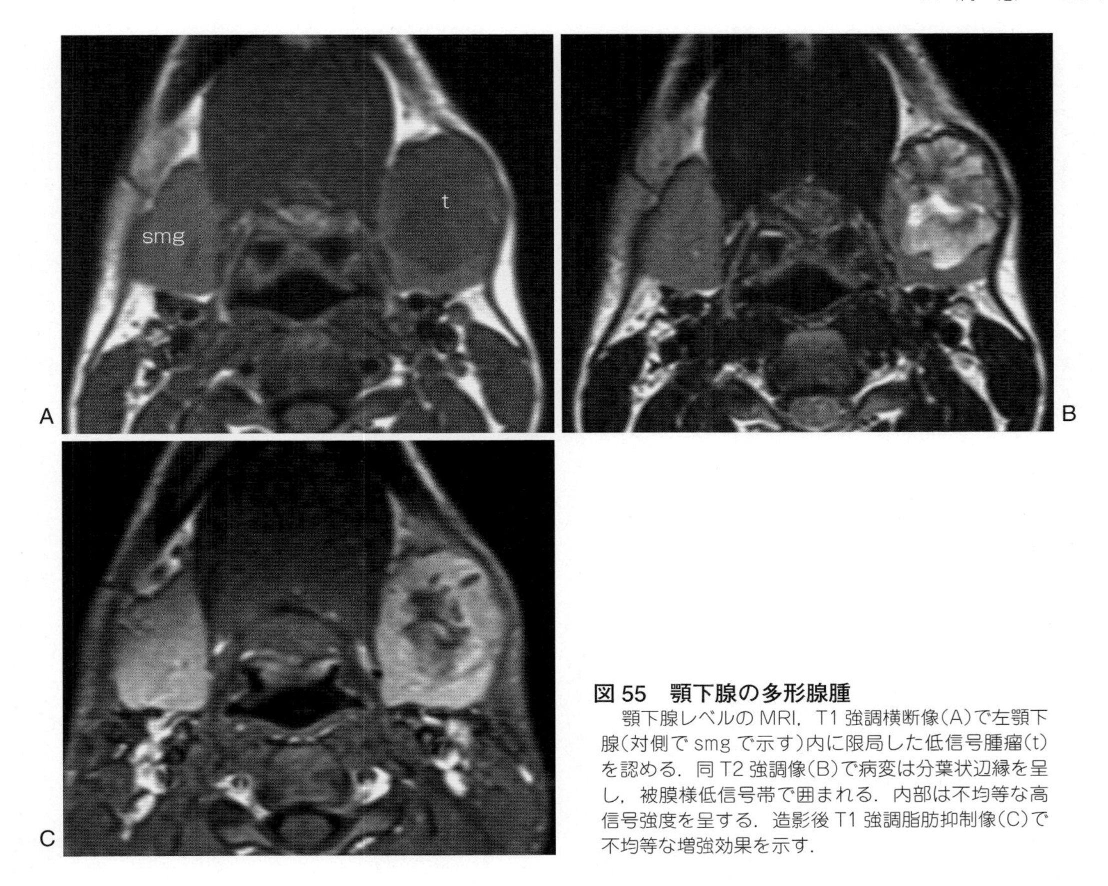

図 55　顎下腺の多形腺腫
　顎下腺レベルの MRI，T1 強調横断像（A）で左顎下腺（対側で smg で示す）内に限局した低信号腫瘤（t）を認める．同 T2 強調像（B）で病変は分葉状辺縁を呈し，被膜様低信号帯で囲まれる．内部は不均等な高信号強度を呈する．造影後 T1 強調脂肪抑制像（C）で不均等な増強効果を示す．

性が特徴である[101]．偽被膜の厚さは 0.015〜1.75 mm と形成の程度は様々で，実質優位な病変では，間質優位な病変よりも厚い傾向にあり，間質優位な病変の 2 分の 1〜3 分の 2 で偽被膜の欠損を伴う[101]．また，耳下腺深葉病変では浅葉病変よりも厚い傾向にある[106]．腫瘍細胞の偽被膜を越えた“finger-like tumor projections”，“pseudopodia”あるいは“tumor satellite”がみられ，術後再発の要因として考えられている[107]．間質では粘液性間質が最も多く認められる（94.2%）[108]．

　画像所見としては CT（図 54，56A，60〜62），MRI（図 53，55，56B・C，58，59，63，64）上，境界明瞭な腫瘤としてみられ，比較的小さな病変では類円形，ある程度の大きさでは分葉状辺縁を示すのが典型である[100]．辺縁が分葉状を呈するのは約半数とされる[109]．MRI T2 強調像では，腫瘍辺縁の低信号帯として偽被膜が認められる例が多いが，部分的あるいは全体として不明瞭な場合（図 65，66）もある．腫瘍内部の濃度・信号強度は間質と上皮成分の腺組織からなる多彩な組織型を反映して様々である．ときに石灰化（約 15%）（図 60，67）や脂肪，嚢胞変性（29〜40%）（図 68）を認める[89, 110]．腫瘍内部は，線維粘液性間質（fibromyxoid stroma）が CT で低濃度領域，MRI の T1 強調像で低信号，T2 強調像で高信号強度を示し，造影剤投与により不均一な増強効果を呈するのが典型的である（図 59，63，64）．既述のとおり内部信号強度は様々で，T2 強調像でほぼ均一な高信号強度を示すもの（図 69）から，著明な内部不均一性を示すもの（図 55，58，63），低信号が目立つもの（図 70）まで多彩である．T2 強調像で 90% 以上は高信号を呈し，中等度以下の信号を示す病変は 10% 未満とされる[109]．ときに病変内出血を反映して，T1 強調像で高信号強度領域の混在を認める（図 71，72）．腫瘍内出血は悪性を示唆するが，多形腺腫や Warthin 腫瘍，FNA

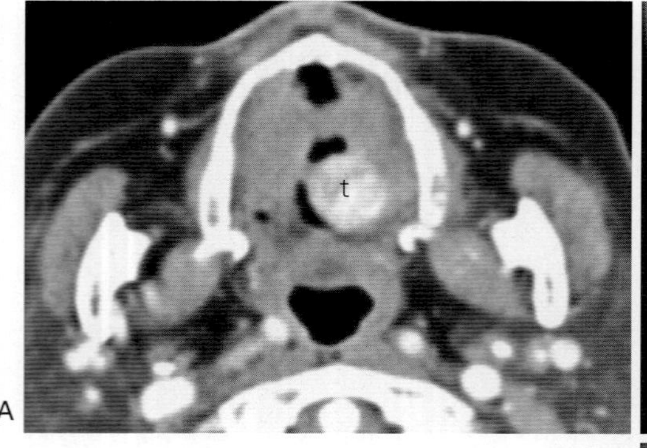

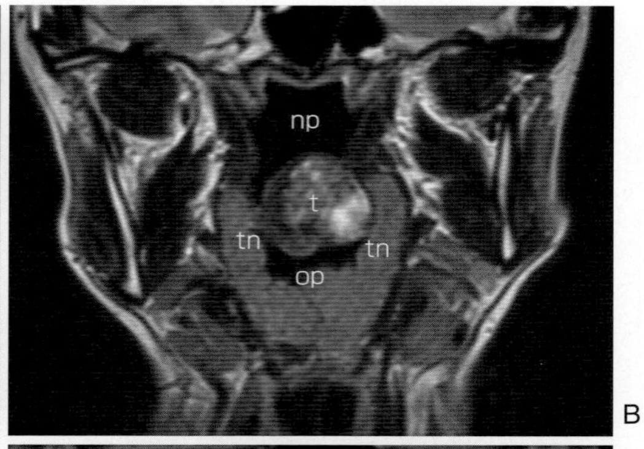

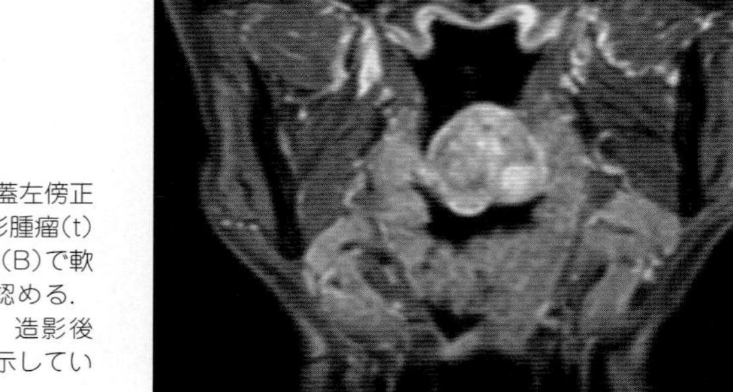

図 56　口蓋の多形腺腫 2 例
口蓋レベルの造影 CT(A)において，硬口蓋左傍正中に，比較的著明な増強効果を呈する類円形腫瘤(t)を認める．別症例の MRI，T2 強調冠状断像(B)で軟口蓋に境界明瞭で内部不均一な腫瘤(t)を認める．np：上咽頭，op：中咽頭，tn：口蓋扁桃．造影後 T1 強調像(C)で病変は不均等な増強効果を示している．

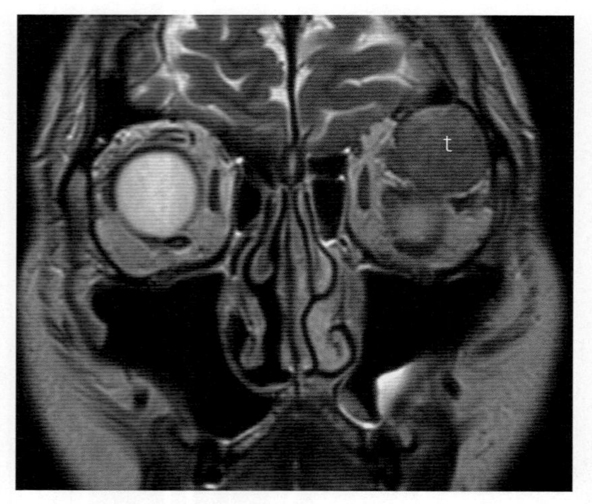

図 57　涙腺の多形腺腫
眼窩レベルの MRI，T2 強調冠状断像で左眼窩の外側上部を中心として，涙腺窩領域を含み，境界明瞭な類円形腫瘤(t)を認める．

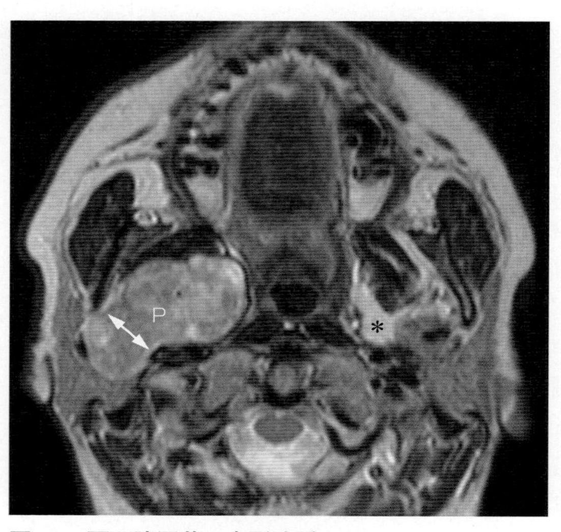

図 58　耳下腺深葉の多形腺腫
MRI T2 強調像で，右傍咽頭間隙前茎突区(対側で＊で示す)を中心とする，境界明瞭で被膜による低信号帯に囲まれる，分葉状腫瘤(P)を認め，側方では茎突下顎切痕(stylo-mandibular notch/tunnel：両矢印)を開大し，耳下腺に連続する．病変内部は不均一な高信号強度を示す．

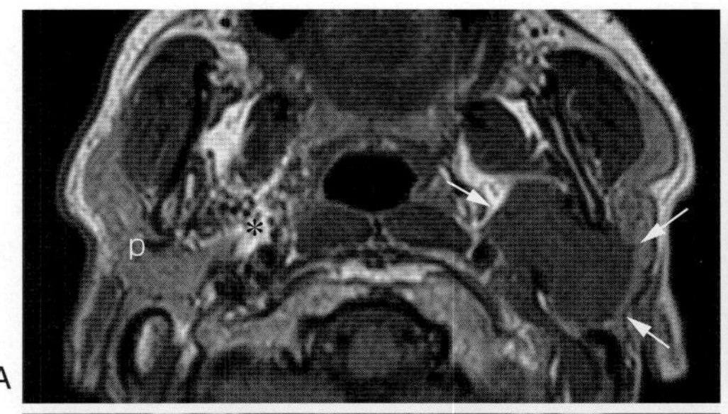

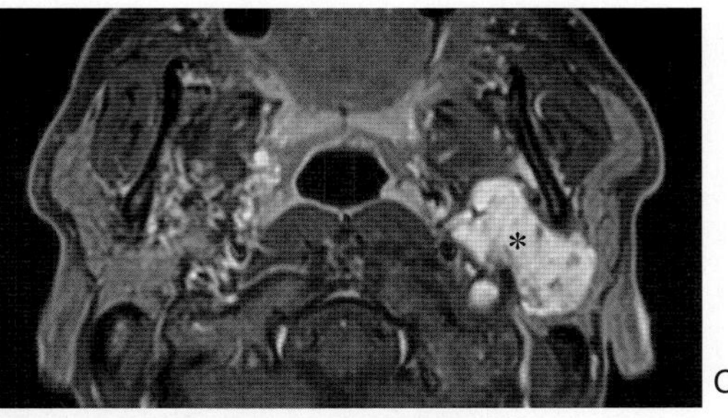

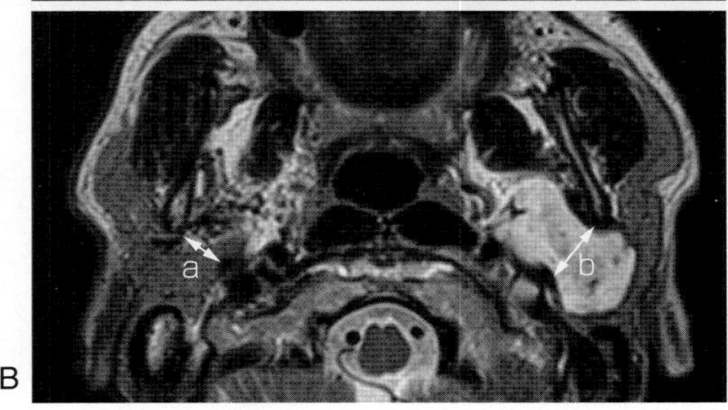

図 59　耳下腺深葉の多形腺腫

耳下腺レベル MRI T1 強調像(A)において左耳下腺(対側で p で示す)に辺縁比較的明瞭な低信号腫瘤(矢印)を認める．内側では傍咽頭間隙(対側で＊で示す)外側への進展を示す．T2 強調像(B)で病変はやや不均等な高信号を呈する．下顎枝後縁と茎状突起との間(茎突下顎裂)は健側(両向き矢印 a)と比較して患側(両向き矢印 b)で開大を示しており，(傍咽頭間隙の小唾液腺ではなく)耳下腺深葉の病変であることを示す．造影後 T1 強調脂肪抑制画像(C)で病変(＊)は不均等な増強効果を呈する．

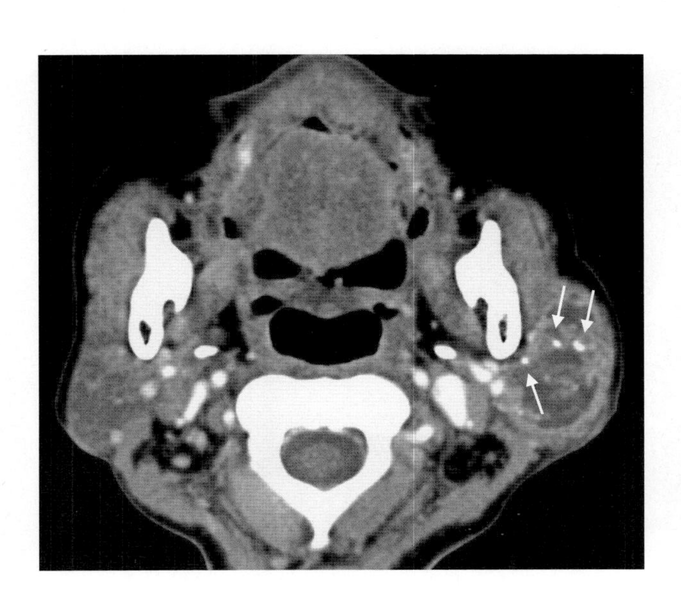

図 60　耳下腺多形腺腫

造影 CT．左耳下腺浅葉に分葉状腫瘤を認める．内部は不均等な増強効果を示すとともに，散在性に点状石灰化(矢印)を含む．

後などの良性腫瘍でもときに出血，壊死を認める[103]．造影剤投与での増強効果も軽微なもの(図 54)から著明なもの(図 56A)まで腫瘍により幅がある．また，背景の耳下腺実質も(加齢に伴う脂肪浸潤などにより)異なった濃度や信号強度を呈し，濃度分解能の低い CT では等濃度腫瘤(図 73)として指摘困難な例もあり注意を要する．さらに，このように多彩な所見を呈することから，非典型的所見であっても悪性病変の可能性とともに(多形腺腫の実際の頻度から)多形腺腫は依然として有力な鑑別疾患として残ることを認識しておく必要がある．逆に，たとえ多形腺腫の典型的所見を呈していたとしても悪性腫瘍(図 74)は依然として否定困難であることも再度強調したい．ただし，多形腺腫は悪性転化のリスク(後述)，(偽被膜を越えた進展から，再発防止のために)十分な切除縁をとった外科的切除の必要性(後述)などから，臨床的には低悪性度腫瘍に比較的近い認識

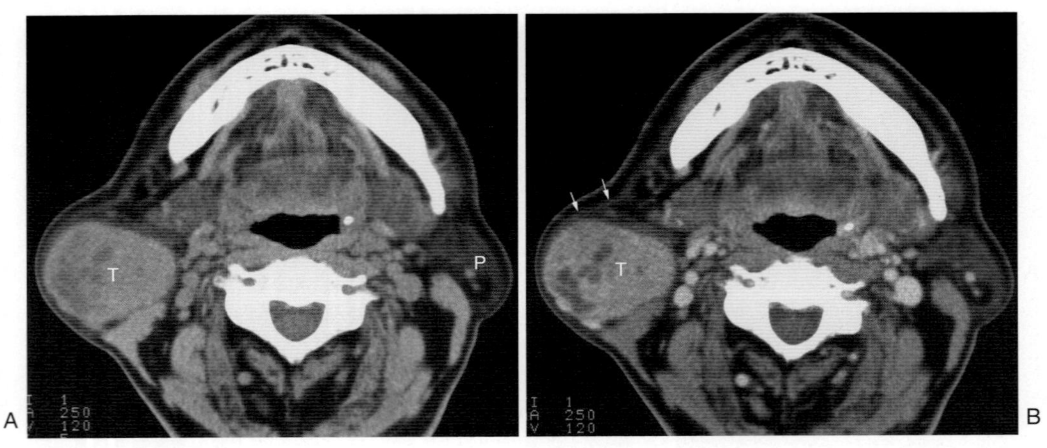

図 61　多形腺腫

A：耳下腺レベル単純 CT．右耳下腺尾部(対側で P で示す)外側を中心として境界鮮明な一部分葉状輪郭を示す腫瘤(T)を認める．

B：同一レベル造影後 CT．腫瘤(T)は不均一な増強効果を示し，表情筋から連続する浅頸筋膜(矢印)は外側に圧排，伸展される．

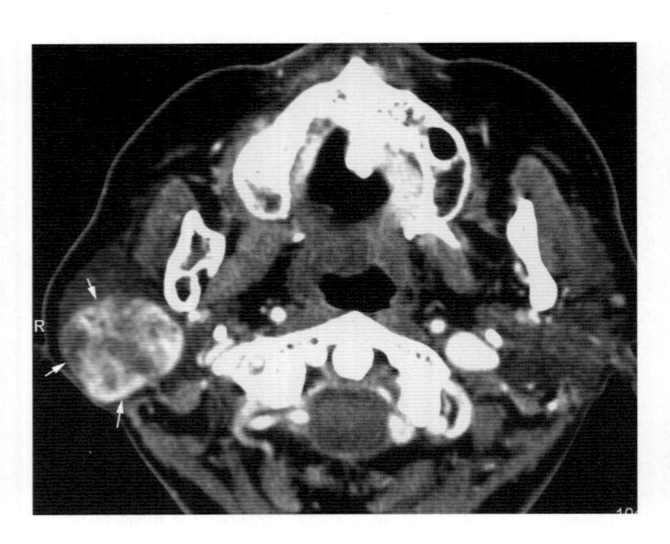

図 62　多形腺腫

造影 CT において右耳下腺浅葉を中心として，境界鮮明な腫瘤(矢印)を認め，内部は不均一な増強効果を示す．

が求められるとも考えられる．質的診断に関して FNAB が有用とされており[111]，画像所見には質的診断のみではなく，進展範囲，顔面神経主幹部との相対的位置関係，悪性を示唆する所見の有無などの評価が求められる．

数%で悪性化のリスクがあり(後述)，通常は外科的切除の対象となる．核出術のみでは既述の肉眼的被膜を越えた腫瘍浸潤や摘出時の被膜損傷による腫瘍細胞の播種などの理由から再発率が高く，十分な切除縁をとった腫瘍切除が必要とされる．20 世紀前半，(再発よりも)顔面神経損傷が考慮され主に核出術が施行され，1940 年以前の再発率は最大 45%と高かったが，耳下腺浅葉切除術(病変の局在，大きさによっては耳下腺全摘術)が施行されるようになって以降，1～4%にまで低下した[112]．4 cm 未満で可動性のある耳下腺浅葉に限局した病変に対しては，欧米では顔面神経を同定する耳下腺浅葉切除が依然として広く受け入れられているが[101]，本邦ではより限定的な(外科的切除縁をとり，顔面神経を温存する)腫瘍

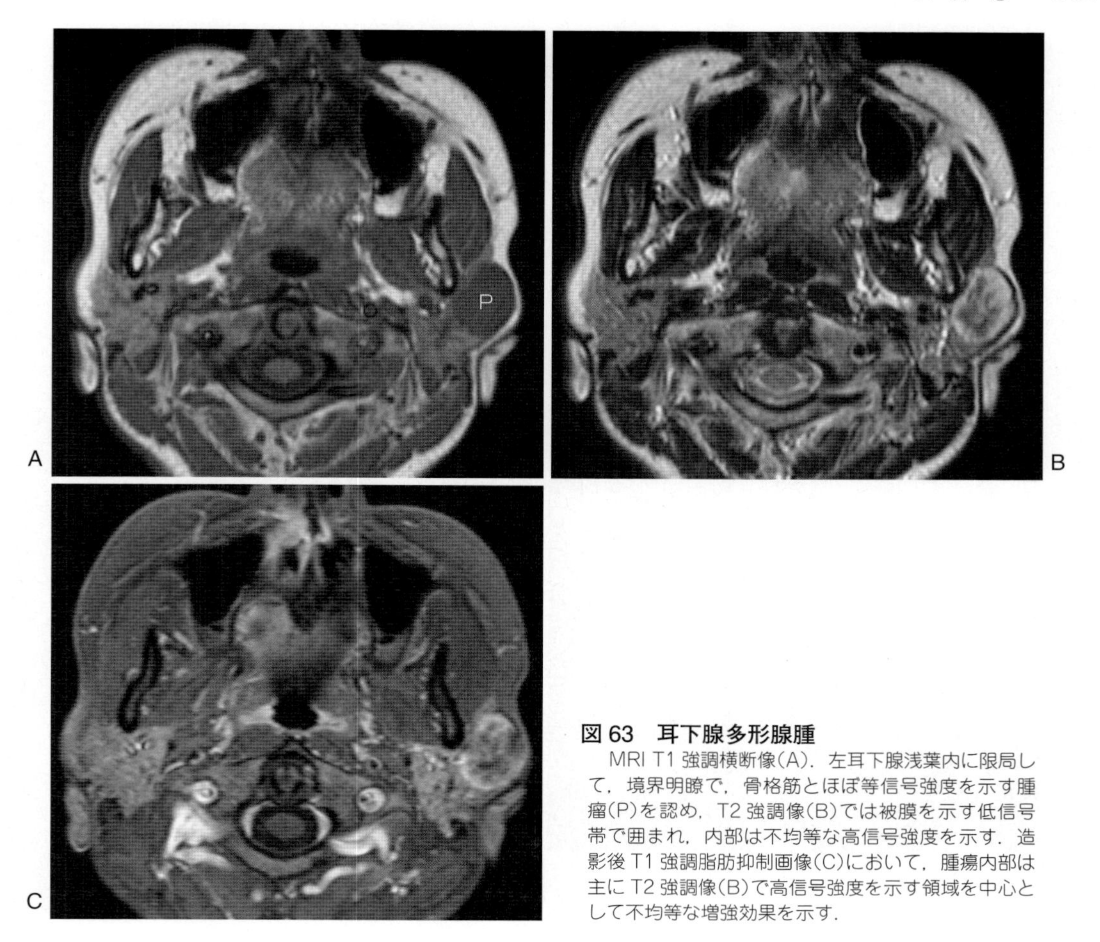

図 63　耳下腺多形腺腫
MRI T1 強調横断像(A). 左耳下腺浅葉内に限局して, 境界明瞭で, 骨格筋とほぼ等信号強度を示す腫瘤(P)を認め, T2 強調像(B)では被膜を示す低信号帯で囲まれ, 内部は不均等な高信号強度を示す. 造影後 T1 強調脂肪抑制画像(C)において, 腫瘍内部は主に T2 強調像(B)で高信号強度を示す領域を中心として不均等な増強効果を示す.

摘出術・被膜外腫瘍切除(extracapsular dissection)が施行されることも多い. 既述のとおり, 多形腺腫の 90%が浅葉に発生し, 4 cm より大きい病変(図 64)は 6%に過ぎない[113]. 用語の定義として, 核出術(enucleation)は被膜を開放して, (被膜を残して)腫瘍摘出を行うのに対して, (狭義の)腫瘍摘出術(nodulectomy/tumorectomy)は切除縁をとることなく, 被膜面で切除, 腫瘍を摘出する術式を指す. 被膜外腫瘍切除では腫瘍周囲に切除縁をとり, 腫瘍を摘出する. さらに, 耳下腺浅葉切除術では顔面神経を同定し, 腫瘍とともに耳下腺浅葉ほぼ全体を切除する. 本邦では顔面神経を同定した上での被膜外腫瘍切除が施行されるのが一般的であるが, しばしば腫瘍摘出術の用語も用いられる. 耳下腺浅葉切除は, 被膜外腫瘍切除と比較して, 理論的には切除縁がより広く再発の可能性が低くなるが, 実際には耳下腺浅葉切除術・耳下腺全摘術であっても腫瘍としばしば近接する顔面神経の温存のため, 60%で腫瘍被膜の露出が必要となり[114], 推奨されている 2 cm の切除縁をとっての腫瘍切除が可能な例は 4%未満であり, 30%で被膜面での切除が避けられないとの報告もある[115]. 実際, 2〜3 cm 以上の病変では神経と接する例が多い. 最近は, 耳下腺浅葉切除・全摘術と被膜外腫瘍切除での再発率に有意な差はない(にもかかわらず, 欧米では耳下腺浅葉切除術が標準的と考える臨床医が多い)[116, 117]が, これは被膜を損傷してはいけないとの認識が広まったことによると推察される. 最も重要な術後合併症のひとつである顔面神経麻痺に関して, 術式選択は永久麻痺の発現に有意な差はないが, 一過性麻痺に影響を与える(全摘術では 38.4%, 浅

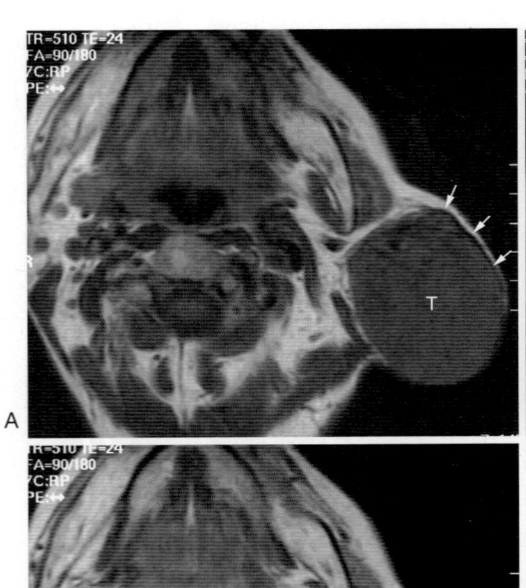

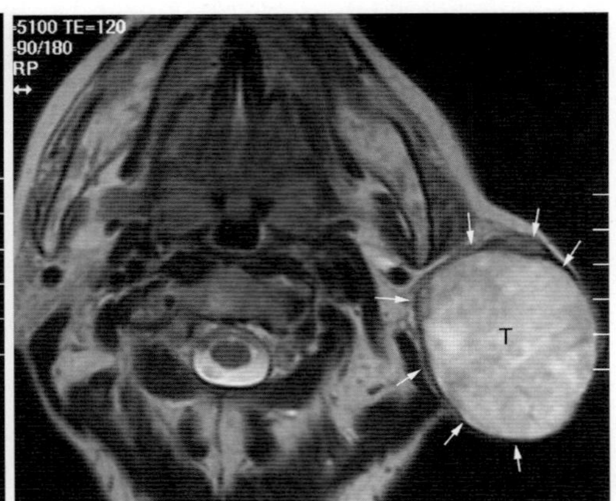

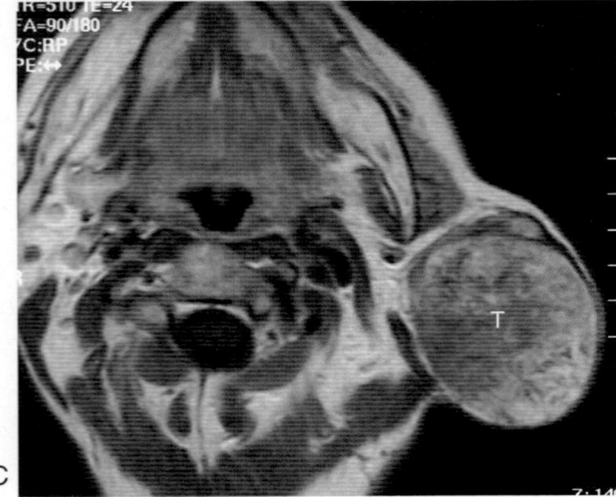

図 64　多形腺腫

A：耳下腺レベル MRI T1 強調横断像．左耳下腺尾部領域に大きく外方に膨隆する，境界鮮明な腫瘤(T)を認める．辺縁の一部では被膜様低信号帯(矢印)を伴う．

B：同一レベル T2 強調像．腫瘤(T)内部は不均一な高信号強度を示し，被膜様低信号帯(矢印)はより広範囲かつ明瞭に確認される．

C：造影後 T1 強調像．腫瘤(T)は不均一な増強効果を示している．

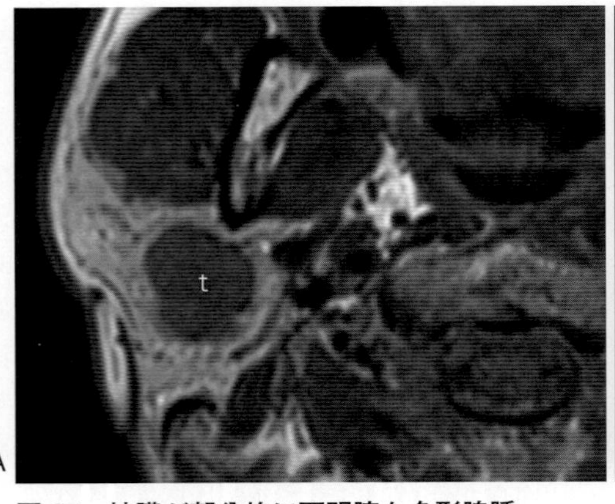

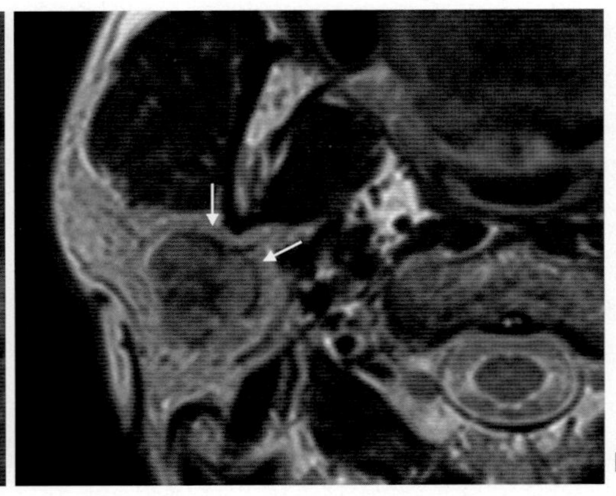

図 65　被膜が部分的に不明瞭な多形腺腫

耳下腺レベルの MRI．T1 強調横断像(A)で右耳下腺浅葉から深葉にかけて境界明瞭で一部で分葉状辺縁を呈する，骨格筋とほぼ等信号強度の腫瘤(t)を認める．T2 強調像(B)で病変は内部不均一な高信号を呈する．内側は偽被膜を示す低信号帯(矢印)で囲まれるが，外側では明らかでない．

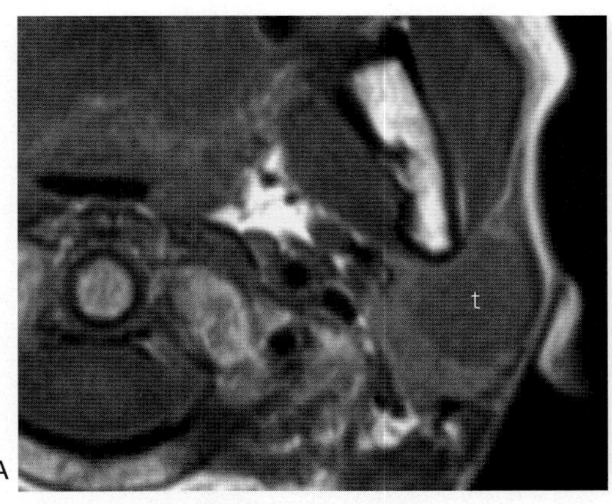

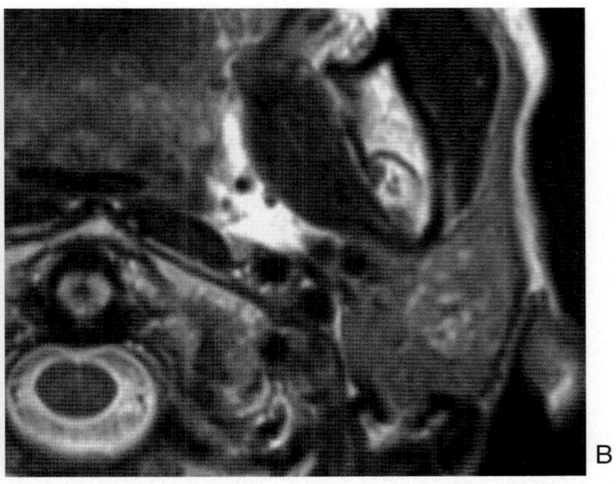

図 66　被膜が不明瞭な多形腺腫
耳下腺レベルの MRI，T1 強調横断像(A)で左耳下腺浅葉を中心に骨格筋とほぼ等信号強度の腫瘤(t)を認める．T2 強調像(B)で病変は耳下腺実質よりやや高い不均一な信号強度を呈するが，辺縁を囲む被膜様低信号帯は認められず，輪郭の明瞭な同定は困難である．

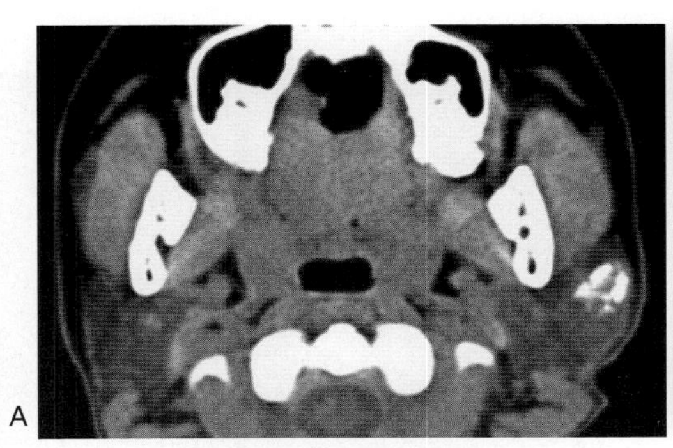

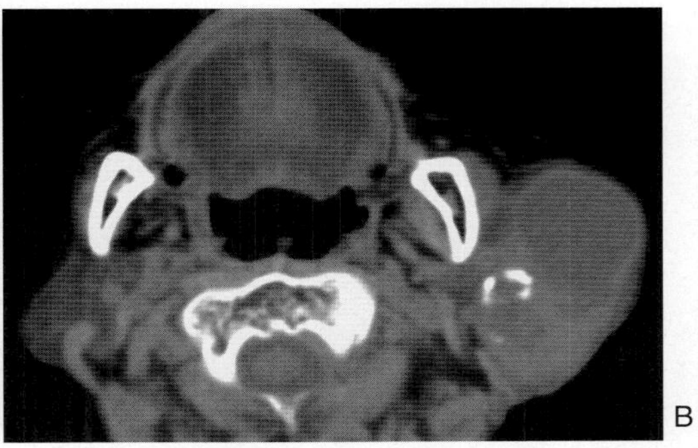

図 67　石灰化を伴う多形腺腫 2 例
2 例の耳下腺レベル非造影 CT(A，B)．いずれも左耳下腺浅葉に石灰化を伴う腫瘤を認める．

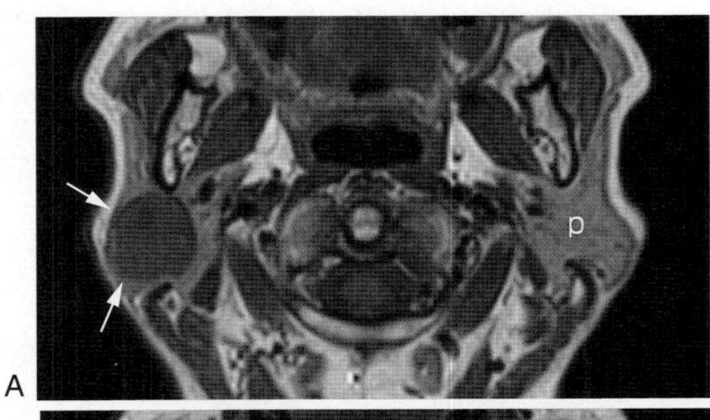

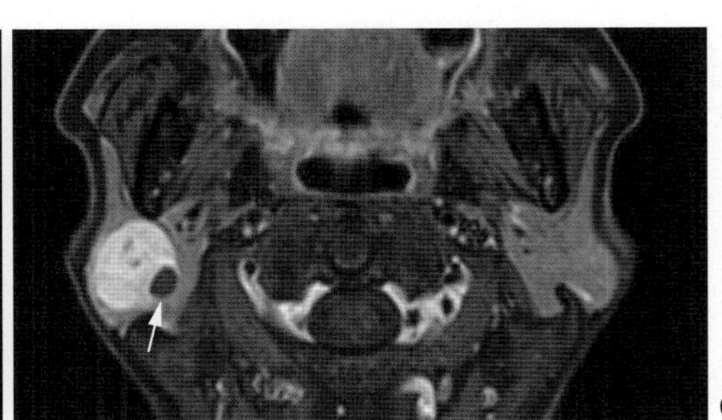

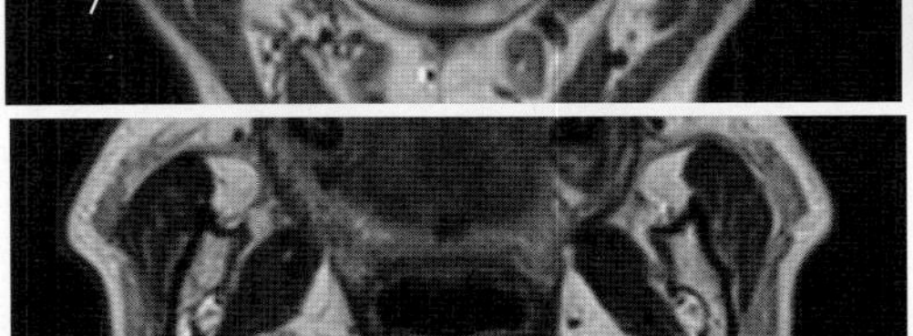

図 68　嚢胞成分を伴う多形腺腫
耳下腺レベル MRI T1 強調像(A)において，右耳下腺(対側で p で示す)浅葉に辺縁平滑，境界明瞭な類円形の低信号腫瘤(矢印)を認める．T2 強調像(B)で病変辺縁は偽被膜に相当する低信号帯で囲まれ，内部は不均一な高信号を呈する．また，内側後方に偏在性に楕円形の著明な高信号領域(＊)あり．造影後 T1 強調脂肪抑制画像(C)で病変は一部不均一な増強効果を呈するが，T2 強調像での偏在性の著明な高信号領域に一致した造影不良域(矢印)を認め，嚢胞成分に一致する．

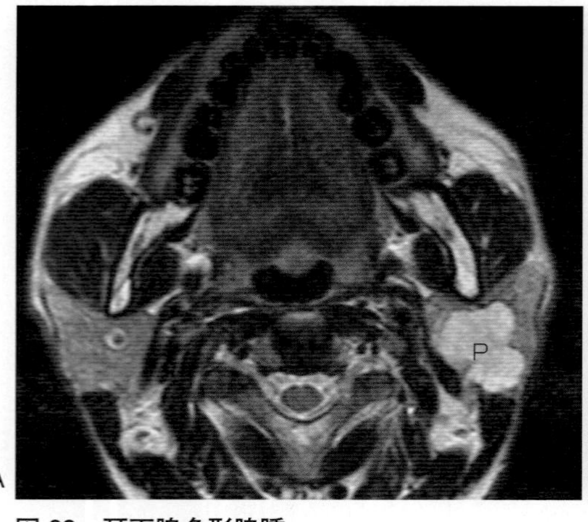

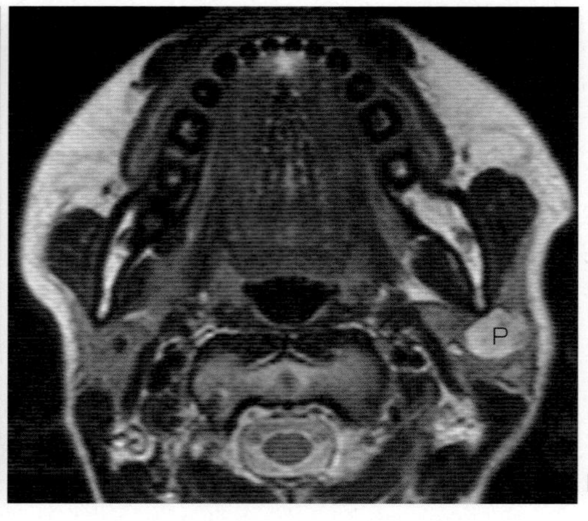

図69　耳下腺多形腺腫
2例のMRI T2強調像(A，B)において，左耳下腺に境界明瞭で，内部ほぼ均一な高信号強度を示す腫瘤(P)を認める．

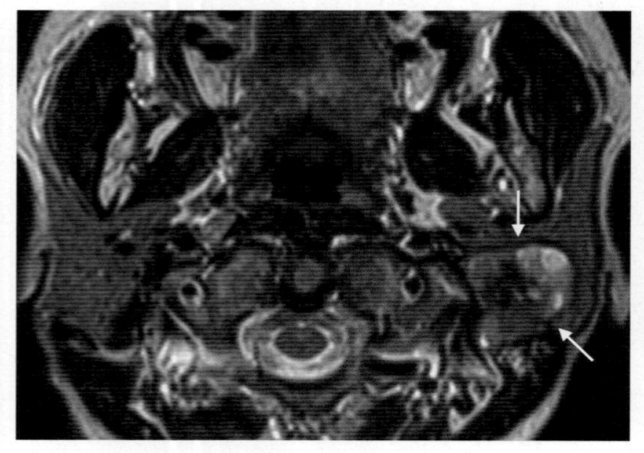

図70　耳下腺多形腺腫
耳下腺レベルのMRI，T2強調横断像で，左耳下腺浅葉から深葉にかけて境界明瞭な腫瘤(矢印)を認める．偽被膜を示す低信号帯で囲まれ，内部は著明な不均一性を示し，全体としては低信号領域が目立つ．

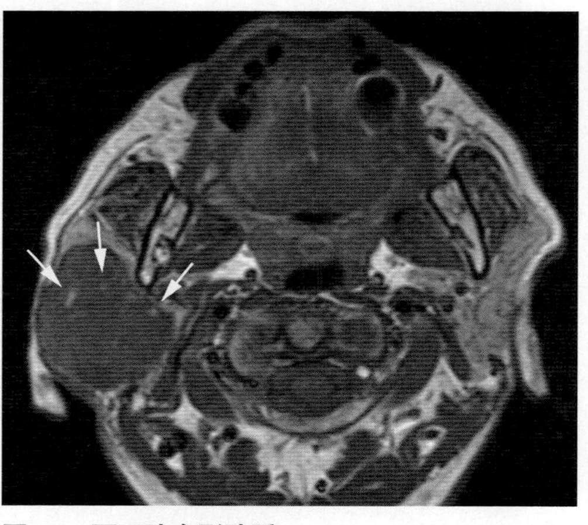

図71　耳下腺多形腺腫
MRI T1強調像で右耳下腺に境界明瞭な分葉状腫瘤を認める．内部はほぼ骨格筋と等信号強度であるが，腫瘍内の限局性の出血を示唆する点状高信号域(矢印)の混在あり．

葉切除術では25.6％，浅葉部分切除では5.9％，被膜外切除では3～12％)[117]．また，もうひとつの術後合併症であるFrey症候群(gustatory sweating：p1037)も浅葉切除・全摘術よりも被膜外腫瘍切除での発現率が低く，整容的観点でも被膜外切除が優れる[118]．これらのことから再発率に有意な差がなく，合併症の発現率が低く，整容的にも優れる被膜外腫瘍切除術(切除縁をとった腫瘍切除術)は多形腺腫に対する重要な選択肢となるが，術者技量への依存度が高い点を考慮するとともに術前における悪性病変否定の重要性がより高いことを認識する必要がある．

耳下腺深葉病変は耳下腺浅葉切除後，顔面神経を同定，分離した後に十分な切除縁とともに摘出される．傍咽頭間隙(前茎突区)病変では，耳下腺深葉から同間隙に膨隆する腫瘍(図58，59，75)に対しては経耳下腺的アプローチにより，顔面神経その他の重要な神経血管構造の同定後に切除さ

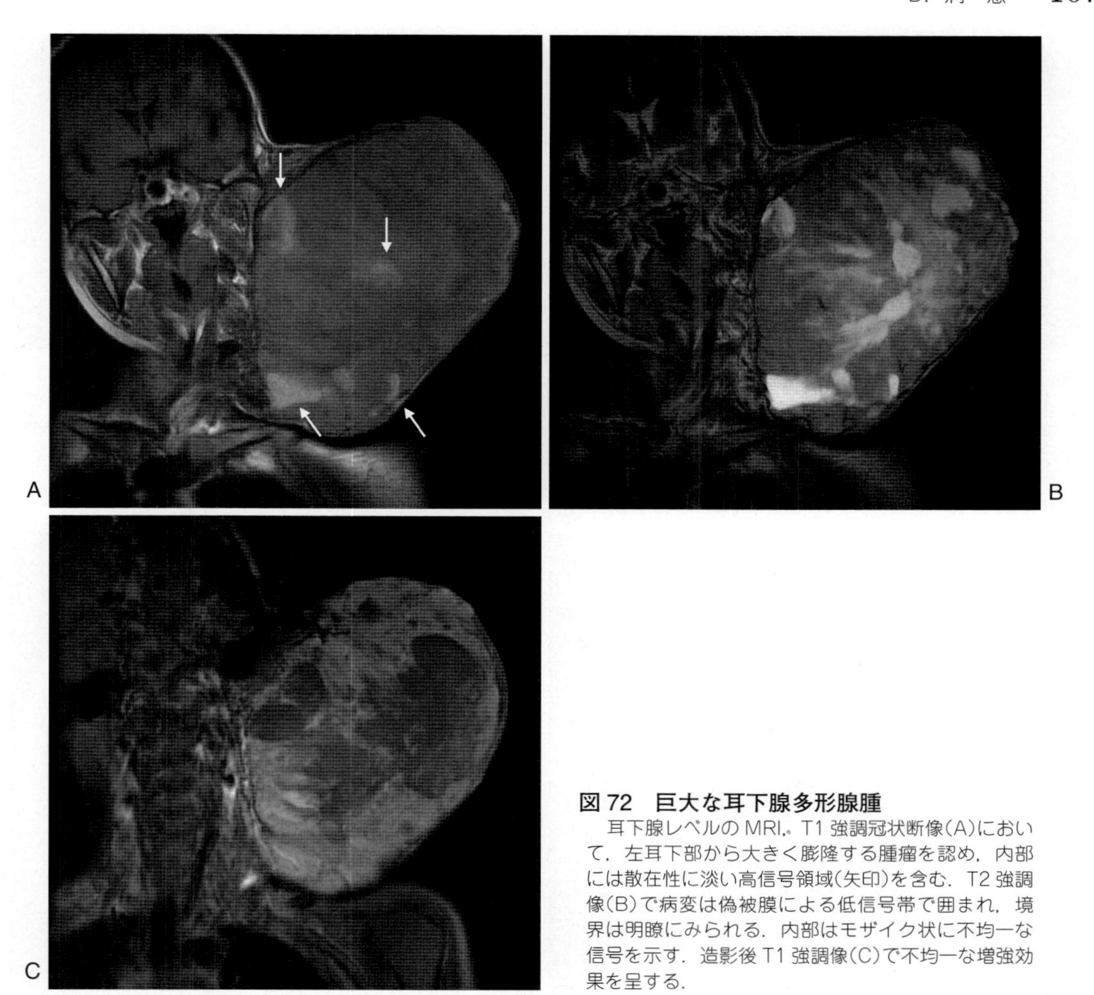

図 72　巨大な耳下腺多形腺腫

耳下腺レベルの MRI。T1 強調冠状断像(A)において，左耳下部から大きく膨隆する腫瘤を認め，内部には散在性に淡い高信号領域(矢印)を含む．T2 強調像(B)で病変は偽被膜による低信号帯で囲まれ，境界は明瞭にみられる．内部はモザイク状に不均一な信号を示す．造影後 T1 強調像(C)で不均一な増強効果を呈する．

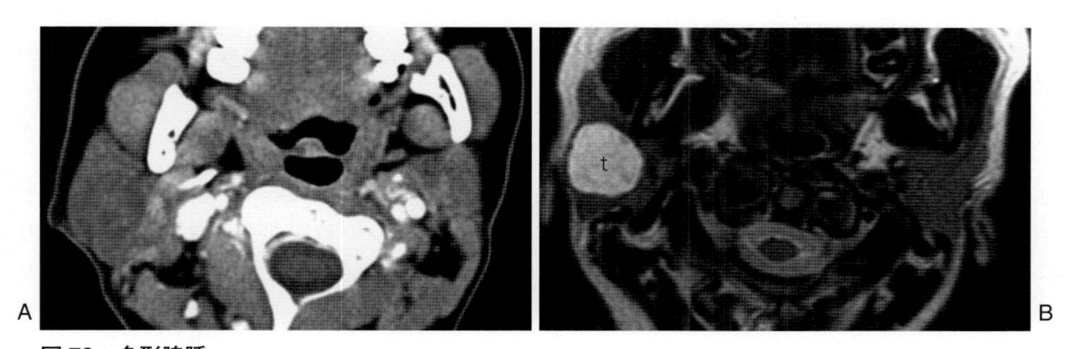

図 73　多形腺腫

耳下腺レベルの造影 CT(A)では右耳下腺は対側より著明に認められるが，腫瘤は明らかでない．同例の MRI，T2 強調像(B)で右耳下腺浅葉を中心に典型的所見を呈する多形腺腫(t)が明瞭に描出されている．

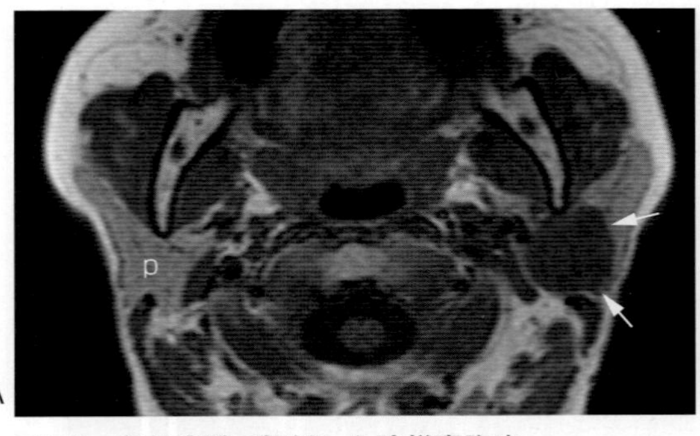

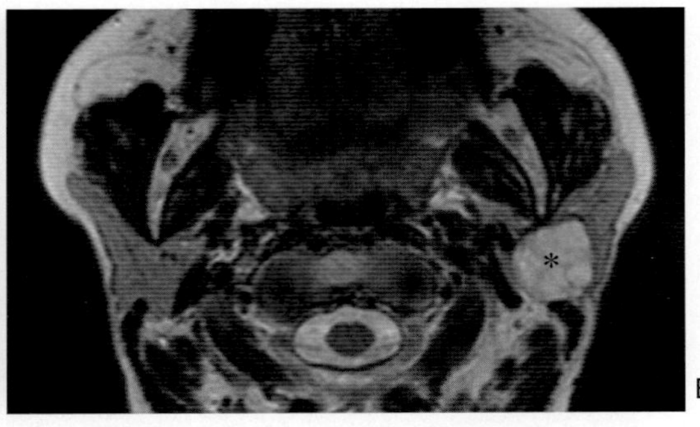

図 74　多形腺腫に類似した腺様囊胞癌
耳下腺レベル MRI T1 強調像(A)において，左耳下腺(対側で p で示す)に辺縁平滑，境界明瞭な類円形低信号腫瘤(矢印)を認める．深部は顔面神経主幹部の解剖学的領域を占拠する．周囲浸潤性はみられない．T2 強調像(B)において辺縁は被膜様低信号帯で囲まれ，内部はやや不均等な高信号を呈し，多形腺腫の典型的所見に類似する．

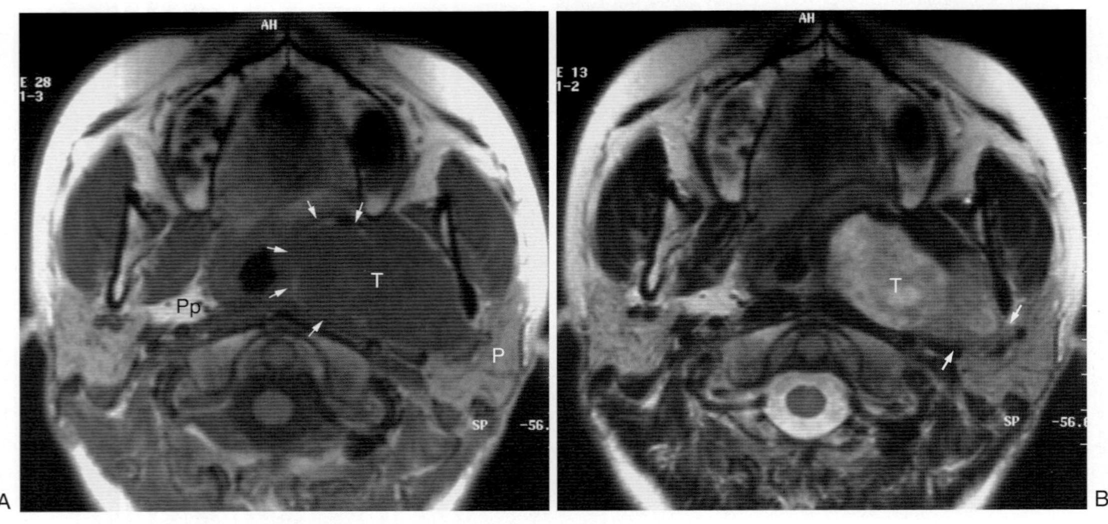

図 75　耳下腺深葉より傍咽頭間隙前茎突区に膨隆する腫瘍
A：耳下腺レベル MRI T1 強調横断像．左耳下腺(P)深葉から傍咽頭間隙前茎突区に連続する腫瘤(T)を認める．その内側辺縁には圧排，伸展された傍咽頭間隙前茎突区の脂肪(対側で Pp で示す)が細い高信号帯(矢印)として認められる．
B：同一レベル T2 強調像．腫瘤(T)内部は不均一な高信号を示す．隣接する左耳下腺深葉内側縁は“beak sign(矢印)”を示し，耳下腺深葉由来を示唆している．

れるが，同間隙内小唾液腺より発生した腫瘍(図 76)の場合は頸部からのアプローチがとられる．傍咽頭間隙腫瘍の 80％が良性であり，大部分が唾液腺腫瘍で多形腺腫が最も多い[119]．顎下腺，舌下腺の多形腺腫では腺組織とともに一塊として切除，小唾液腺腫瘍では十分な切除縁をとって切除される．

多形腺腫の再発(実際には“再増大”がより正確)については，1950 年代 Patey らにより提唱された(既述の)偽被膜の欠損や偽被膜を越えた腫瘍(satellite や finger-like projection)を原因とする説[120]，術中の被膜損傷による腫瘍細胞の漏出(tumor spill)を原因とする説の 2 つの仮説がある[112]．再発の 70～80％が術後 10 年以内で，再発までの平均期間は 7 年であるが[121]，術後 10～15 年を経て現れる場合もある．再発病変は術後部位に一致した無痛性腫瘤として現れ，顔面神経症状や潰瘍形成はまれである．まれに生検後の播種による再発を生じる(図 77)．33～98％が多発再発であり，顕微鏡的には多くが 1 mm 未満の結

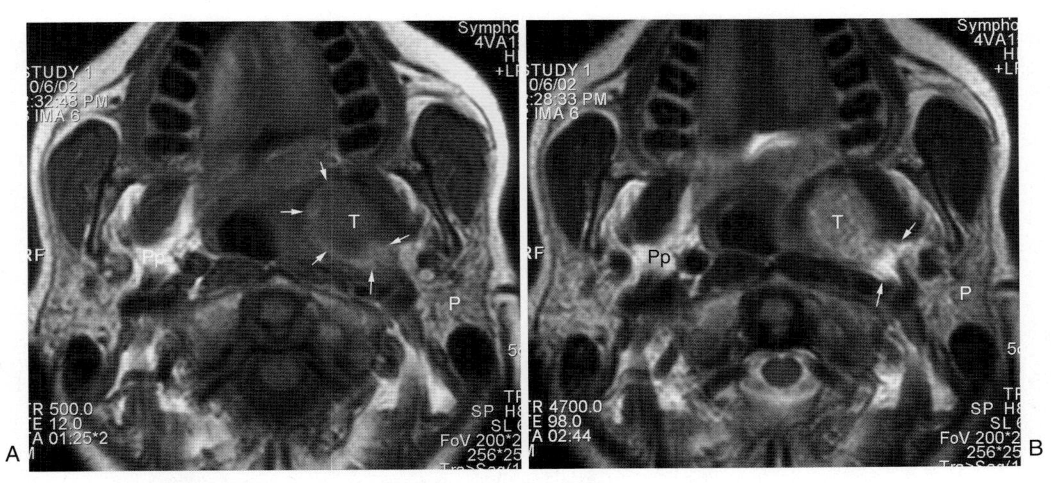

図 76　傍咽頭間隙前茎突区内の小唾液腺に由来する腫瘍

A：耳下腺レベル MRI T1 強調横断像．傍咽頭間隙前茎突区(対側で Pp で示す)内に腫瘤(T)を認める．その辺縁には圧排，伸展された傍咽頭間隙の脂肪層(矢印)が認められ，これは左耳下腺(P)深葉と隣接する外側まで回り込んでおり，耳下腺深葉由来よりは傍咽頭間隙内から小唾液腺の発生であることを示唆する．

B：同一レベル T2 強調像．左耳下腺(P)深葉との間に介在する傍咽頭間隙(対側で Pp で示す)の脂肪の介在(矢印)がより明瞭である．

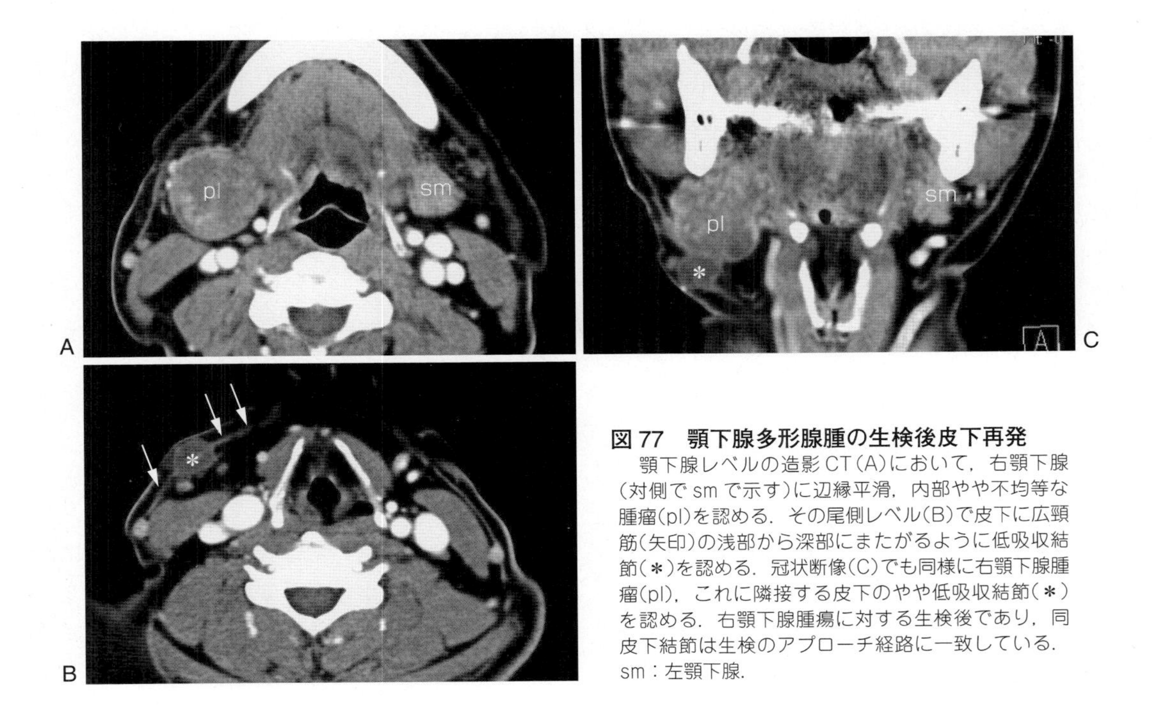

図 77　顎下腺多形腺腫の生検後皮下再発

顎下腺レベルの造影 CT (A)において，右顎下腺(対側で sm で示す)に辺縁平滑，内部やや不均等な腫瘤(pl)を認める．その尾側レベル(B)で皮下に広頸筋(矢印)の浅部から深部にまたがるように低吸収結節(＊)を認める．冠状断像(C)でも同様に右顎下腺腫瘤(pl)，これに隣接する皮下のやや低吸収結節(＊)を認める．右顎下腺腫瘍に対する生検後であり，同皮下結節は生検のアプローチ経路に一致している．sm：左顎下腺．

節を 100 以上認める場合が多い[112]．顔面神経周囲を囲むように認められる場合も少なくなく(図 78〜80)，治療に難渋する．臨床的には術後再発の約半数は多発性で[104]，その 25%は悪性とされる[122]．これらの点においても最初の術式選択は非常に重要である[123]．切除断端陽性例での再発率は約 50%とされる[124]．一方で，顕微鏡的断端陽性例と陰性例での再発率の差は軽微であるとの報告もある[125]．再発病変に対する外科的治療はより高い再発率(再々発率)とより高い顔面神経損

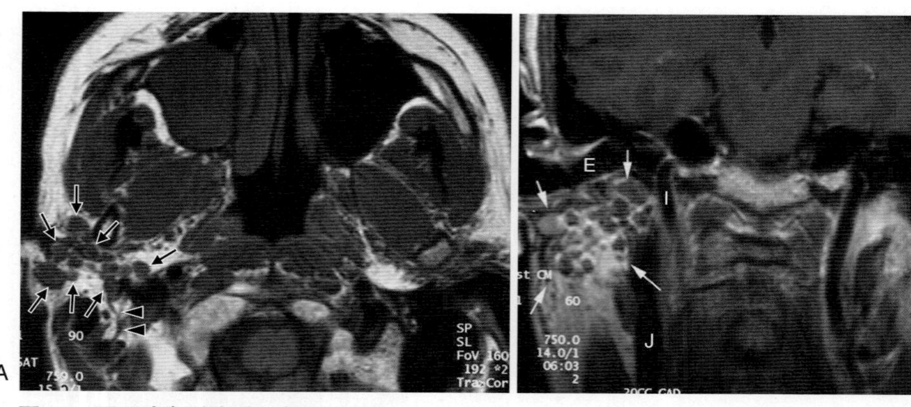

図78　耳下腺多形腺腫の多発性再発

A：耳下腺レベルMRI T1強調横断像．右耳下腺領域に多発性結節性病変(矢印)を認め，茎乳突孔直下から耳下腺領域に連続する顔面神経主幹部(矢頭)を一部で取り囲んでいる．

B：造影後T1強調冠状断像．多発性再発性腫瘤(矢印)は増強効果を示す．E：外耳道，I：内頸動脈，J：内頸静脈，P：左耳下腺

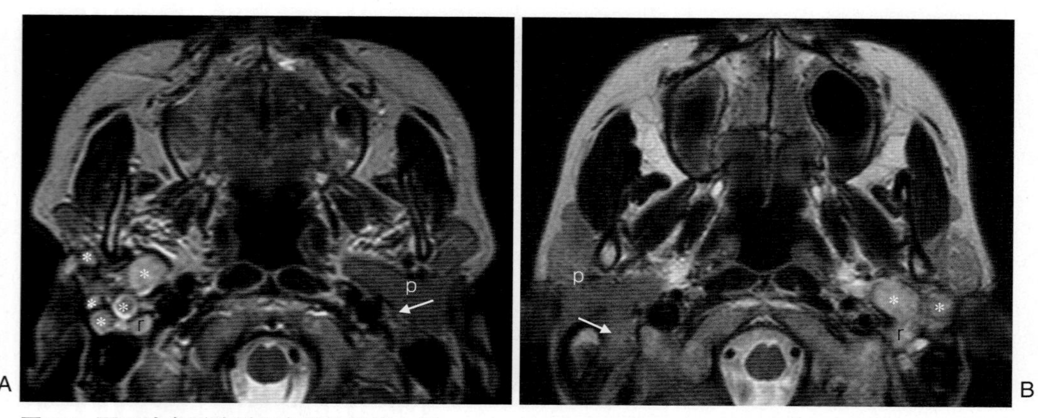

図79　耳下腺多形腺腫の多発性再発2例

2例の耳下腺レベルのMRI，T2強調横断像(A，B)．Aでは右側，Bでは左側の耳下腺(いずれも対側でpで示す)領域に一致した多発性再発性結節(＊)を認め，一部(r)は茎乳突孔直下に進展，同部で顔面神経主幹部(対側で矢印で示す)と密接な位置関係にあることを示す．

傷率を示す(一時的あるいは永続的顔面神経麻痺発現の頻度は，初発時手術の術後で9.1～64.0％，0～3.9％であるのに対して，再発病変に対する術後で90～100％，11.3％～40.0％)[112, 126]．被膜外腫瘍切除では顔面神経を露出していないため，(再発に対する)再手術時は初回手術と同等の顔面神経損傷の危険性となる[118]．Liuらは再発に対する手術で術中顔面神経モニターを使用することで永続的顔面神経麻痺の頻度は減少するとしている(10.7％ vs 23.3％)[127]．最終的に約3分の1の再発例が非治癒となる[124]．再発例に対する放射線治療の役割については有効性と悪性転化に対する観点から議論が分かれるが，顕微鏡的病変は制御可能と考えられている．小さな多発再発で腫瘍の完全切除に顔面神経切除が求められるような症例において，顔面神経温存による不完全切除の(再々発の予防目的の)術後照射は適応となりうる．大きな病変の治癒は不可能であり，放射線単独療法もごく限られた例にのみ選択されるべきである．なお，Wittekindtらは再発病変に対して手術のみの場合，75％で再々発を認めたと報告している[128]．

多形腺腫に関連する悪性病変は以下の３病型に分けられる．

①carcinoma ex pleomorphic adenoma（多形腺腫内癌）（図 81〜86）：良性多形腺腫（あるいはその再発病変）から癌が生じるもの．
②悪性混合腫瘍（malignant mixed tumor）（図 87）：癌肉腫として生じるもの．
③metastasizing benign pleomorphic adenoma：組織学的に良性であるが遠隔転移を示すもの．

これらの中では carcinoma ex pleomorphic adenoma が最も多く，1,000,000 人に 0.17 例，全悪性腫瘍 100,000 例の 5.6 例とまれであるが，唾液腺腫瘍全体の 4%，唾液腺悪性腫瘍全体の約 12% に相当する[129]．この 10 年間で増加傾向にあり[130]，多形腺腫全体の 1.1〜6.2％に生じるとされる[131]．良性多形腺腫の診断から最初の５年における悪性化の危険性は 1.5％であるが，15 年を超えると約 10％に上がる[132]．Thackray と Lucas は，多形腺腫を放置すると 25％が悪性化すると推定している[133]．50〜60 歳代に多いが[134]，若年例で否定してはならない[135]．症状発現（多形腺腫としてのものを含む）から診断までの期間は様々（1 ヵ月から 52 年，平均 9 年）であるが，半数は無痛性腫瘤として気付いて１年未満である[134]．治療前の顔面神経麻痺は約 23％でみられ[136]，約３分の１が顔面神経浸潤を示す[134]．無症候性の場合もあり，術前診断は容易ではない．FNAB の感度は低く，50％程度とされる[117]．組織型は様々であるが未分化腺癌が多く，腺癌 NOS（adenocarcinoma not otherwise specified）あるいは唾液腺導管癌が最も多い[137]．高齢者，小唾液腺病変，所属リンパ節病変（＞5 mm），MRI での ADC 低値などが同病変を示唆するとされる[135]．多形腺腫の成分と癌の成分より構成されるが，癌の成分が 50％以上を占める病変が大部分（86.3％）である[138]．発生部位は多い順に耳下腺，顎下腺，口蓋，口唇，副鼻腔，上咽頭，扁桃で，診断時 25〜50％でリンパ節転移陽性である[139, 140]．小唾液腺発生が，大唾液腺発生と比較してやや予後良好な傾向があるが[140]，全体としては予後不良で５年，10 年，15 年生存率はそれぞれ，40％，24％，19％とされる[96]．腫瘍の大きさ（＞4 cm），病理学的悪性度，組織型，リンパ節転移，腫瘍病期，血管・神経周囲浸潤，遠隔転移，年齢，腺外進展などが予後因子となる[130, 140〜142]．なお，多形腺腫（のみ）の 10％が 4 cm 以上で，2 cm 未満が 40％であるのに対して，carcinoma ex pleomorphic adenoma では 42％が 4 cm 以上で 2 cm 未満が 14.3％とされる[135]．腺被膜外浸潤の範囲が 1.5〜1.6 mm を超えると組織型にかかわらず予後不良とされ[131, 143]，8 mm を超える全例が腫瘍死したとの報告がある[144]．遠隔転移の予防が予後に重要な要素となる[134]．MRI 所見は本来の多形腺腫と癌成分の割合・混在の仕方，組織型などにより様々である．まずは既述の典型的な多形腺腫の MRI 所見と異なる場合，経過観察例であれば部分的な経時的変化を認めた場合に悪性の可能性を考慮するが，通常は全体として浸潤性辺縁を呈する腫瘍の内部（中心あるいは偏在性）に本来の多形腺腫の偽被膜が類円形・リング状の低信号帯として同定される場合（図 82〜86），あるいは浸潤性腫瘤に被包化された類円形成分が混在するように認められた場合[145]に診断が示唆される．ただし，多形腺腫の痕跡が明らかでない場合は（悪性との診断は可能かもしれないが，carcinoma ex pleomorphic adenoma との）診断困難と考えられる．また，拡散強調像で拡散低下の弱い成分（多形腺腫），拡散低下の強い成分（癌）の混在（図 82）により診断が示唆されるとの報告[146]もある．

悪性混合腫瘍（図 87）は癌の成分と肉腫の成分の両方を有するまれな悪性腫瘍で，侵襲性が高く予後不良である．

metastatic benign pleomorhic adenoma は組織学的に悪性所見を認めないが，転移をきたす非常にまれな病態である．良性多形腺腫の多発性局所再発例においてより多く認められ，局所侵襲性の高い例もあり，10〜20 年の間にまれに致死的経過をとる．“metastatic benign pleomorphic adenoma”は腫瘍不完全切除との相関が高く[147]，しばしば非常に長い期間（平均 16 年，最大で 51 年）を経て臨床的に顕在化する[148, 149]．原発として耳

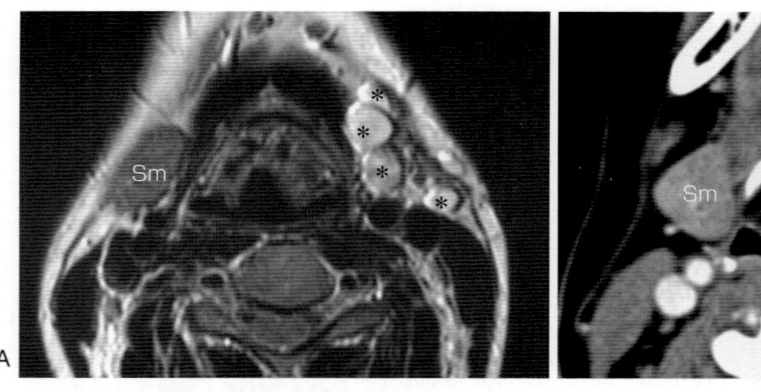

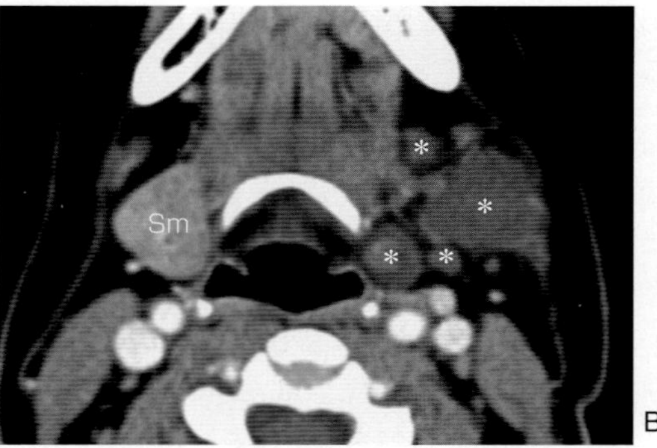

図 80　顎下腺多形腺腫の多発再発 2 例
顎下腺レベルの MRI，T2 強調像(A)，別症例の造影 CT (B)において，いずれも術後の左顎下腺領域に集簇性に多発性結節(＊)を認める．Sm：右顎下腺

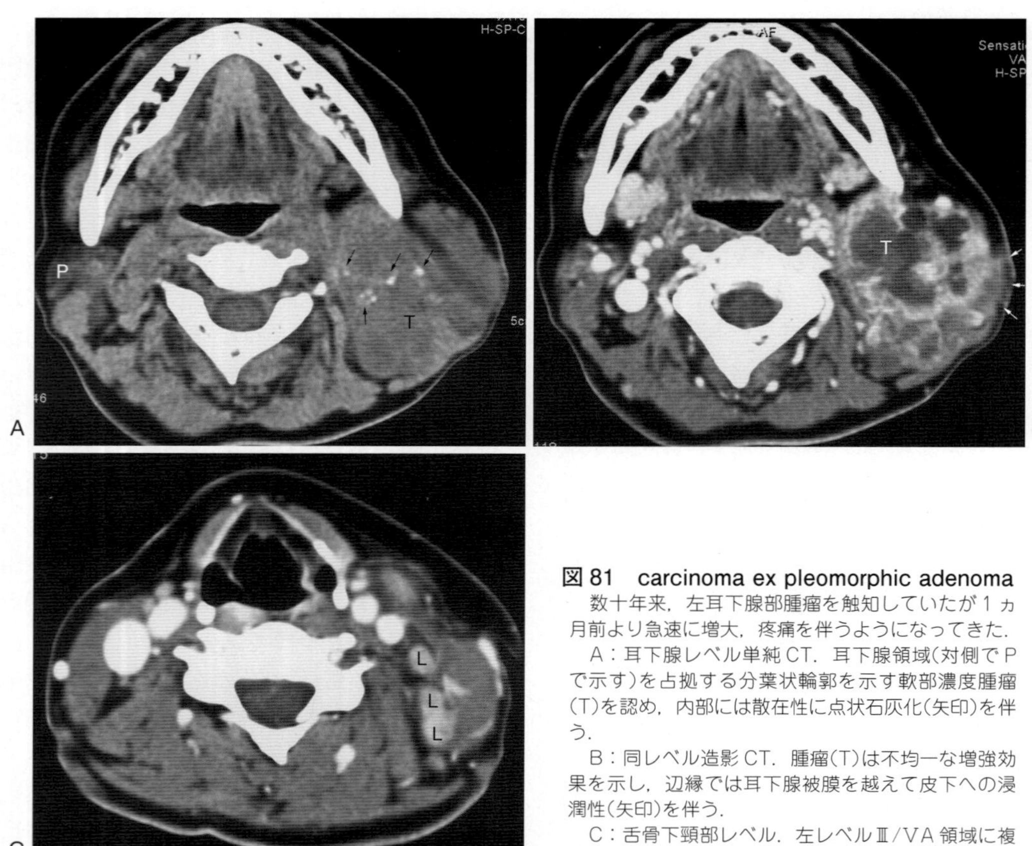

図 81　carcinoma ex pleomorphic adenoma
数十年来，左耳下腺部腫瘤を触知していたが 1 ヵ月前より急速に増大，疼痛を伴うようになってきた．

A：耳下腺レベル単純 CT．耳下腺領域(対側で P で示す)を占拠する分葉状輪郭を示す軟部濃度腫瘤(T)を認め，内部には散在性に点状石灰化(矢印)を伴う．

B：同レベル造影 CT．腫瘤(T)は不均一な増強効果を示し，辺縁では耳下腺被膜を越えて皮下への浸潤性(矢印)を伴う．

C：舌骨下頸部レベル．左レベルⅢ/ⅤA 領域に複数の転移リンパ節(L)を認める．

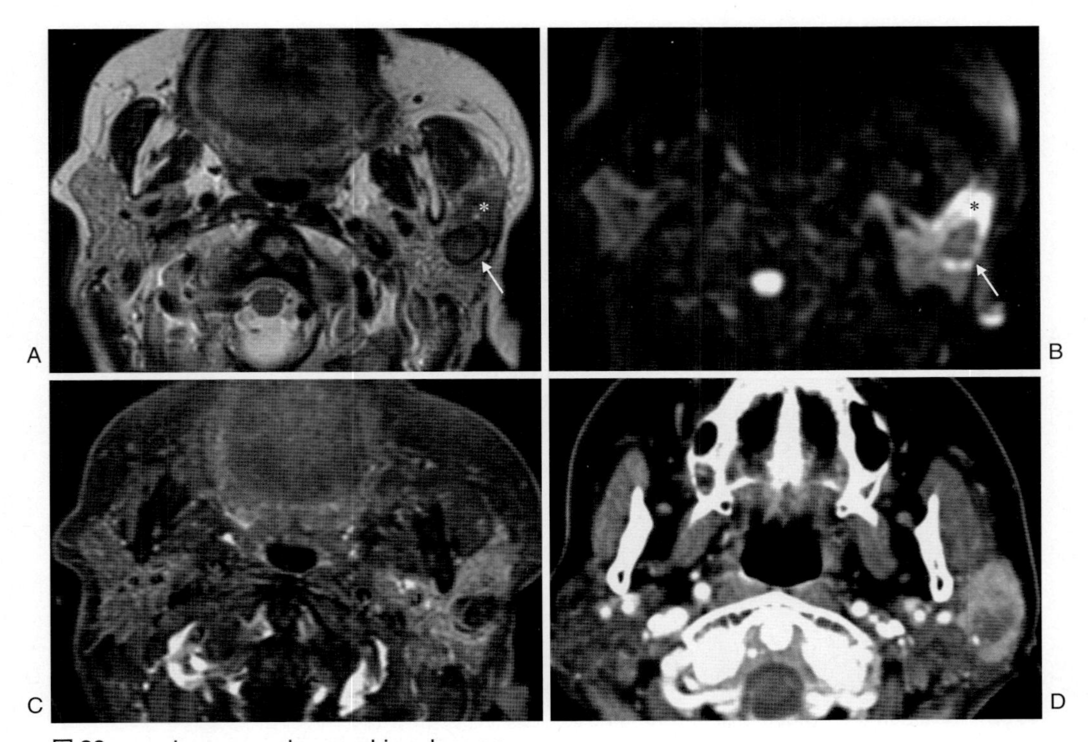

図 82　carcinoma ex pleomorphic adenoma

耳下腺レベルの MRI，T2 強調横断像(A)において，左耳下腺浅葉に類円形リング状の低信号帯(矢印)を認め，その前方に浸潤性を呈する病変(＊)あり．リング状低信号帯が本来の多形腺腫の偽被膜に相当し，前方部が本来の腫瘍の輪郭を越えて進展した癌に相当すると思われる．同例の拡散強調像(B)で，T2 強調像(A)で本来の多形腺腫と思われた領域は類円形の低信号域(矢印)として見られる一方で，浸潤性成分(＊)は著明な高信号強度を呈する．同例の造影後 T1 強調脂肪抑制画像(C)，造影 CT(D)で本来の多形腺腫は比較的増強効果の乏しい領域として認められる．

下腺病変が最も多く，小唾液腺，顎下腺の順とされるが，これは耳下腺病変が顔面神経との関連などにより完全切除が困難な例が多いためと推察される[149]．転移部位は骨(36.6%)，肺(33.8%)，頸部リンパ節(20.1%)が多く，その他としては腎，皮膚，肝，脳などの報告がある[148, 150, 151]．画像診断は病変部位により異なるが，局所の CT，MRI や超音波検査，さらに全身では PET や骨シンチ等も有用である[148, 149]．病理学的診断は容易ではなく，臨床情報の提供によりしばしば修正される[149]．治療では基本的には転移病変の外科的切除が行われ，化学療法，放射線治療の効果はない．5 年疾患特異的生存率および無病生存率はそれぞれ 58%，50%で，多発転移，術後 10 年以内の再発例は予後不良の傾向にある[149]．

2) Warthin 腫瘍(Warthin's tumor/papillary adenolymphoma)

多形腺腫に次いで 2 番目に多い唾液腺良性腫瘍で，基本的には耳下腺のみに発生する(ただし，少数の顎下腺発生の報告例あり)．緩徐な増大を示す良性腫瘍であり，全耳下腺腫瘍の 6〜10%を占める[152]．1895 年 Hildebrand が側頸囊胞の変異として初めて記載し[153]，その 15 年後に Albrecht と Arzt が胎生期のリンパ節への唾液腺組織迷入による機序を推察した[154]．その後，1923 年 Nicholson が英語誌[155]，1929 年 Warthin が米国誌[156]に記載した．中高年男性の耳下腺尾部に多く，40 歳未満はまれである．白人に多く，アジアではやや少なく，黒人にはまれとされる[157]．近年，増加傾向にあるとの報告もある[158]．喫煙は(年齢・性別を問わず)強い関連性を示し，約 90%が喫煙者で[157, 159]，喫煙者の発生

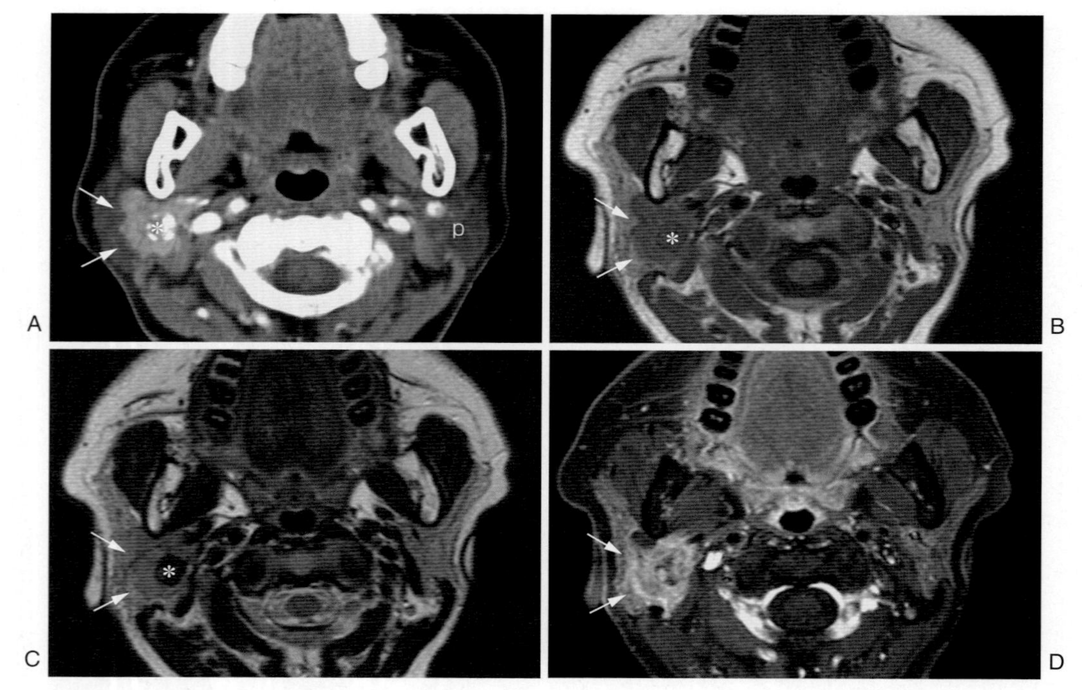

図 83　carcinoma ex pleomorphic adenoma
耳下腺レベル造影 CT(A)において，右耳下腺(対側で p で示す)にやや不整形の充実性増強効果を呈する腫瘤(矢印)を認め，耳下腺腫瘍を示す．その中心に石灰化の集簇した結節様所見(＊)あり．MRI の T1 強調像(B)で病変(矢印)は低信号を呈し，内部に辺縁低信号帯で囲まれる結節所見(＊)が疑われる．T2 強調像(C)で病変は耳下腺実質とほぼ等信号を示すが，中心の結節(＊)は辺縁の低信号帯とともに内部も不均等な低信号を呈する．これらの所見から carcinoma ex pleomorphic adenoma であり，中心の低信号帯で囲まれる結節部は既存の多形腺腫に相当すると考えられる．組織型の特定は困難．造影後 T1 強調脂肪抑制画像(D)で病変(矢印)は不均等な増強効果を呈する．結節部はやや造影不良を示すが，明瞭な結節としては同定困難．

率は非喫煙者と比較して約 8 倍とされる[160]．最近は女性例の比率がやや増加傾向にあるが，これも女性喫煙者増加との関連が考慮される．10〜20％で多発性，約 10％で両側性の発生を示すが[152, 161]，両側性の多くは異時性(metachronous)[162]で，同時性(synchronous)(図 88)は 10％程度である[163]．耳下腺内リンパ節内に迷入した異所性腺上皮の過敏性反応が発生要因として考えられている(腺内耳下腺リンパ節は耳下腺浅葉尾側よりに多い)[164]．ただし，耳下腺被膜の形成は尾部では不完全な場合も多く，実際には尾部実質内のみではなく，尾部領域として幅広い認識がより実践的である(図 89)．この場合は耳下腺尾部リンパ節，外頸静脈リンパ節病変などとの鑑別が問題となる．耳下腺外発生の部位として，まれに顎下腺(0.4〜6.9％)(図 90)，頸部リンパ節(8％)，小唾液腺(0.1〜1.2％)などに認められる[165, 166]．

穿刺吸引細胞診ではしばしば確定的診断は困難である[164]．画像所見(後述：特に耳下腺尾部後方を中心とする局在)とともに，年齢，性別，喫煙歴などの患者背景を合わせて総合的に診断することが重要である．画像所見としては CT(図 91，92)，MRI(図 88，89，93〜96)では耳下腺尾部周囲(主に耳下腺尾部内，後方中心)の境界明瞭な類円形腫瘤として認められるのが典型であり，多発例の大部分は耳下腺尾部病変が最も大きい[164]．しばしば嚢胞部を伴う(図 93〜95)．嚢胞は様々な形状(類円形，多角形，三日月形など)，数(単房性，多房性)，局在(偏在性，中心性)などで，薄壁の単純性嚢胞から分葉状多房性嚢胞まで多様な形態を示す．嚢胞内容も T1 強調像で低信号強度，T2 強調像で高信号強度を示すものから，高タンパク内容，好中球，泡沫細胞などにより，T1 強調像で高信号強度，T2 強調像でほぼ無信号

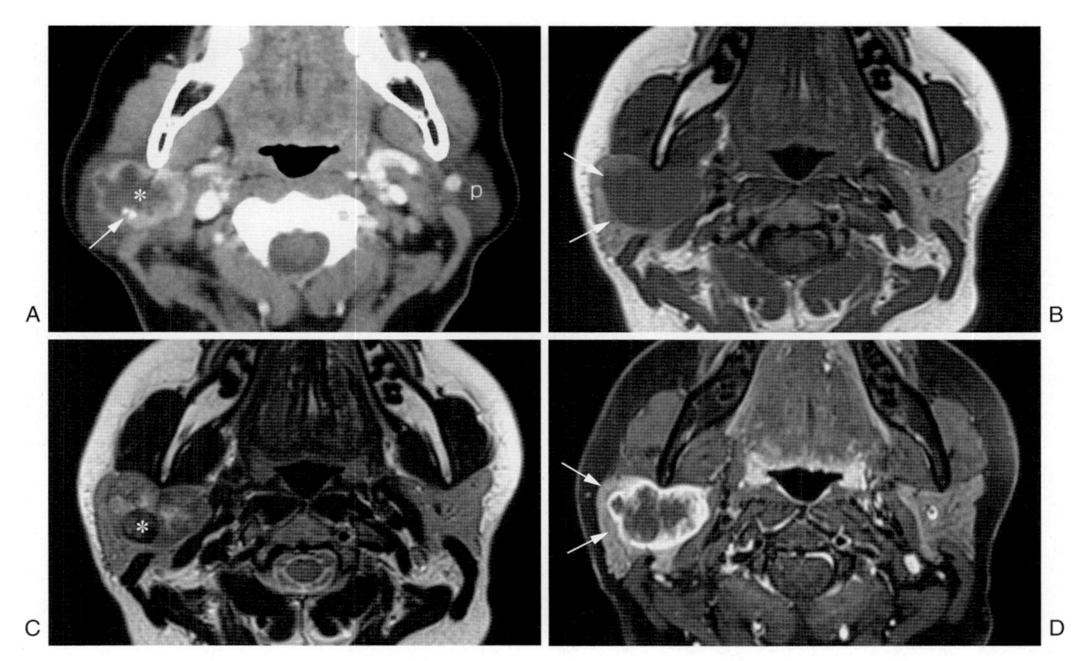

図 84　carcinoma ex pleomorphic adenoma
耳下腺レベル造影 CT（A）において，右耳下腺（対側で p で示す）に不整形で辺縁の増強効果と内部の造影不良を示す腫瘤（＊）を認める．病変後方に偏在する点状石灰化あり．MRI の T1 強調像（B）で病変（矢印）は低信号を呈する．T2 強調像（C）で病変は周囲耳下腺実質に類似の信号を呈するが，内部に辺縁低信号帯で囲まれ内部も不均等な低信号を呈する類円形結節（＊）あり．同所見から同結節部を既存の多形腺腫とする carcinoma ex pleomorphic adenoma が示唆される．組織型の特定は困難．造影後 T1 強調脂肪抑制画像（D）で病変（矢印）は辺縁の増強効果と内部の造影不良を示し，内部は壊死傾向を疑う．結節部とその他との区分は明らかでない．

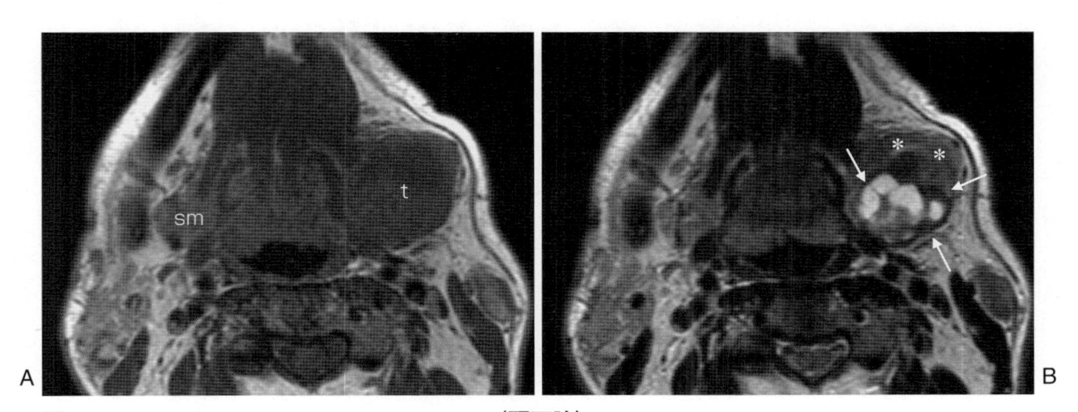

図 85　carcinoma ex pleomorphic adenoma（顎下腺）
顎下腺レベルの MRI，T1 強調横断像（A）で左顎下腺（対側で sm で示す）領域を中心とする腫瘤（t）を認める．T2 強調像（B）では，多房性嚢胞性を呈する，分葉状で比較的明瞭な辺縁を呈する腫瘤（矢印）と，その前方やや外側の浸潤性部分（＊）よりなる．

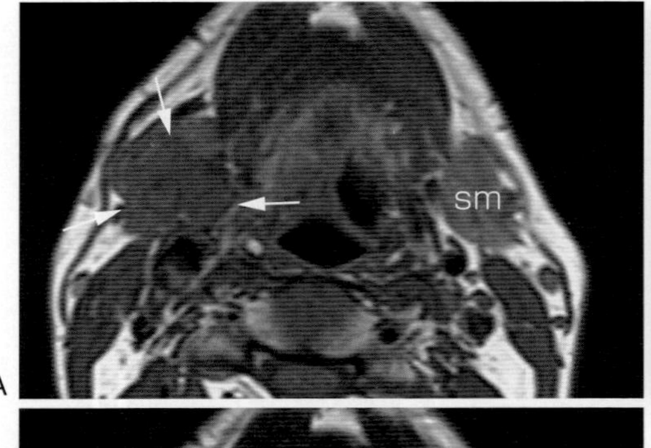

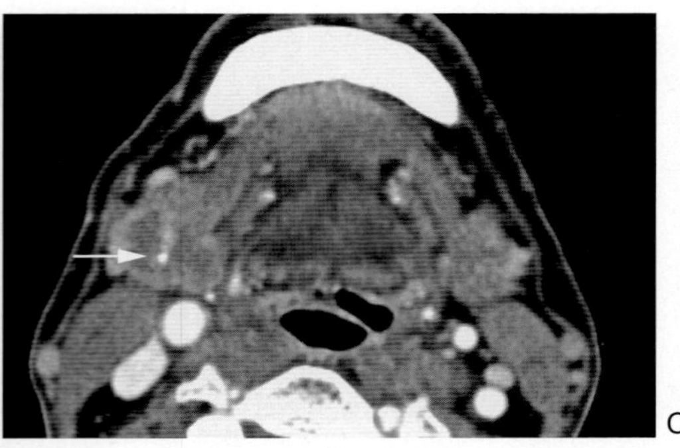

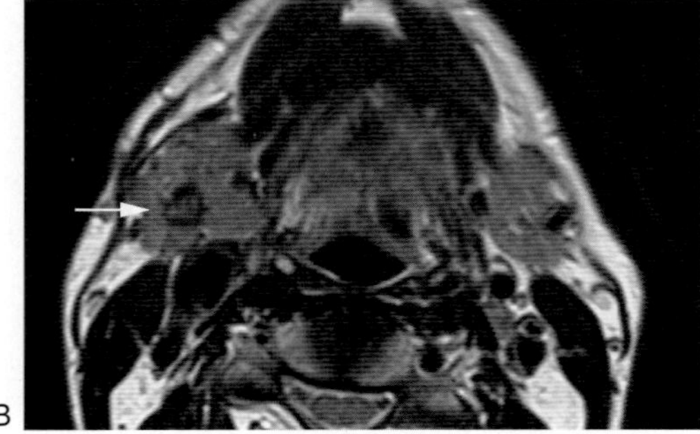

図 86 carcinoma ex pleomorphic adenoma 顎下腺病変

顎下腺レベルの MRI T1 強調横断像(A)において右顎下腺(対側で sm で示す)を置換する不整形の低信号腫瘤(矢印)を認める．T2 強調像(B)で病変はやや高信号で健側顎下腺実質とほぼ等信号．内部にリング状低信号(矢印)を認めることから，同部を既存の多形腺腫とする carcinoma ex pleomorphic adenoma が示唆される．同例の造影 CT(C)de 病変はやや不均等な増強効果を呈し，MRI での結節部に点状石灰化(矢印)あり．

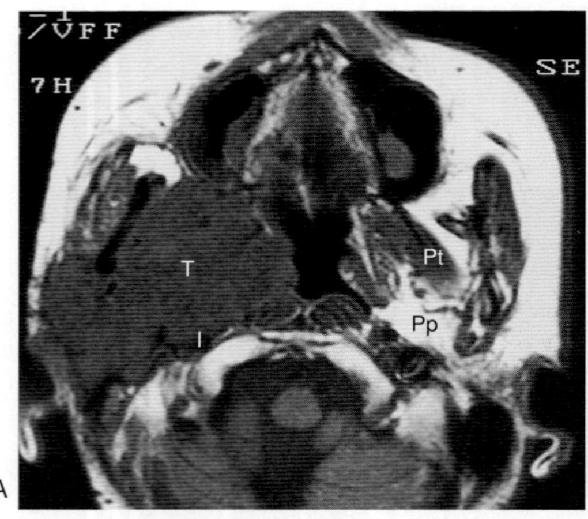

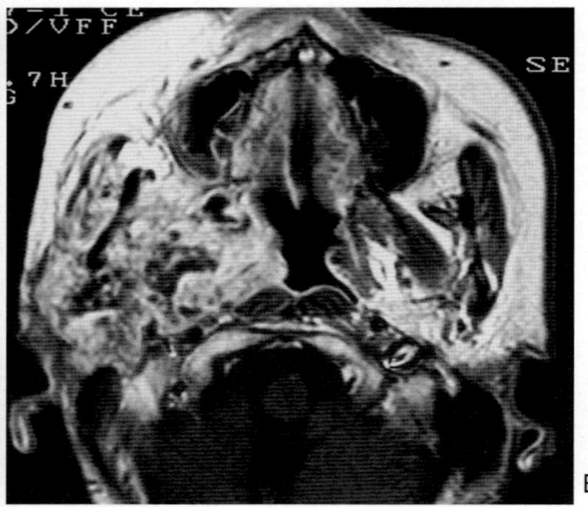

図 87 悪性混合腫瘍(malignant mixed tumor)

A：耳下腺レベル MRI T1 強調横断像．右耳下腺間隙を中心に骨格筋とほぼ等信号強度を示す不整形腫瘤(T)を認め，隣接する傍咽頭間隙前茎突区(対側で Pp で示す)，後茎突区(同区内にある内頸動脈を I で示す)，咀嚼筋間隙の外側翼突筋(対側で Pt で示す)領域に浸潤を示す．

B：造影後 T1 強調像．不均一な増強効果を示す．

に近い低信号強度を示すもの(図 97)まである[167]．辺縁はときに分葉状を示すが，多形腺腫ほど明らかでない．MRI の STIR，T2 強調像での低信号(図 89，90，96，97)が診断を示唆する[167]．臨床情報が片側性，孤立性病変であっても，画像所見としての多発性，両側性病変が診断を支持することも少なくない(図 91，93)．大唾液腺の同時性両側性病変として次に多いのは多形腺腫であり，その他両側性唾液腺腫瘍の鑑別には膨大細胞腫，基底細胞腺腫，腺房細胞癌，腺様嚢胞癌，粘表皮癌などが含まれる[168]．Warthin 腫瘍は，dynamic MRI の time-intensity curve にお

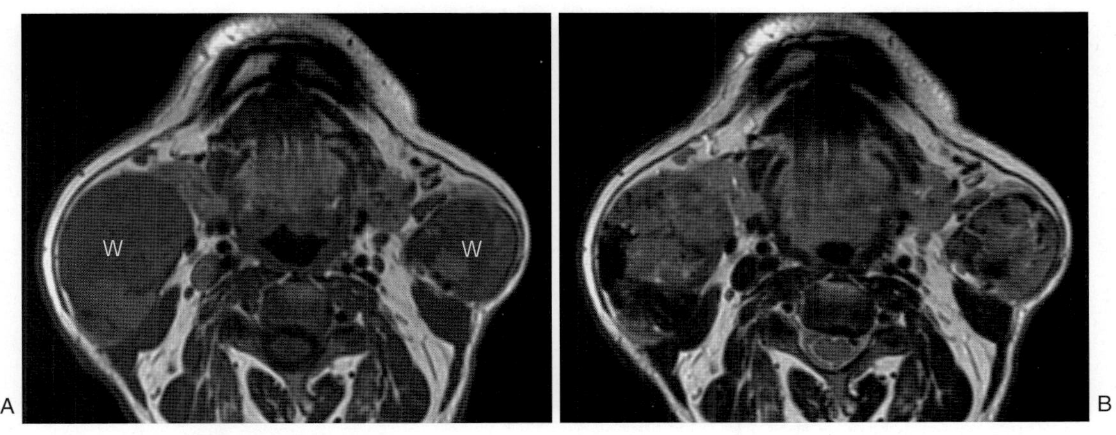

図 88　Warthin 腫瘍（同時性両側性）
耳下腺尾部レベルの MRI，T1 強調横断像（A）において，両側耳下腺尾部領域に境界明瞭な腫瘤（w）を認め，内部にはモザイク状に淡い高信号域の混在がみられる．同 T2 強調横断像（B）で病変内部は中等度信号強度，低信号強度の領域が混在し，著明な不均一性を示している．

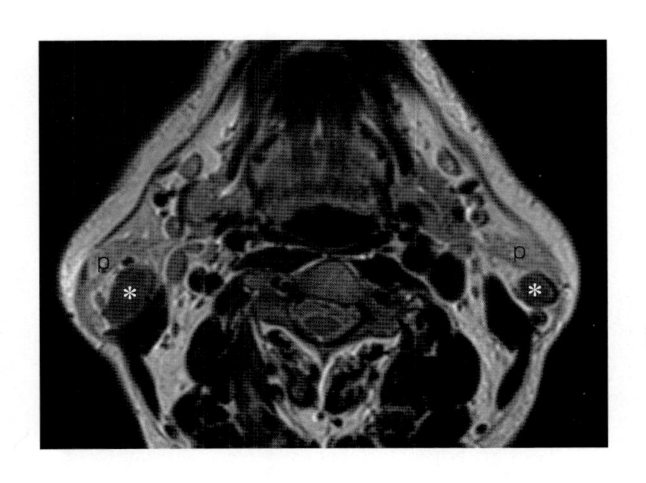

図 89　Warthin 腫瘍
耳下腺尾部レベルの MRI，T2 強調像において，両側耳下腺尾部（p）後方に隣接して境界明瞭な低信号病変（＊）を認める．いずれも画像上で耳下腺尾部内との判断は困難であるが，Warthin 腫瘍としては極めて典型的な局在と考えられる．

いて，急速な上昇（早期濃染）のあと急速な低下，その後は緩徐な洗い出しを示すのが典型である[168]．急速な上昇，急速な低下は，発達した微小血管，細胞成分に富む間質による[167, 169]．これに対して，多形腺腫は緩徐な立ち上がりの増強効果を示す[168]．

約半数（46.2％）で ^{99m}Tc の集積を認める[170]ことも，ある程度の特異的診断に寄与する（膨大細胞腫にも集積あり）．FDG-PET での集積により偶発的に認められる場合も多く，耳下腺リンパ節転移（特に他の悪性腫瘍の転移検索で PET が施行された場合）や耳下腺悪性腫瘍の可能性が臨床上考慮されることとなるが[171]，MRI での追加評価により Warthin 腫瘍の診断が可能な場合が多い．

治療は外科的切除であるが，多形腺腫と異なり，悪性化は極めてまれで（1％程度），しばしば経過観察される（図 98）．核出術のみでも再発率が低い点は，適応や術式の判断において考慮すべきである．なお，Maiorano らの検討では 16.6％で他の腫瘍（多くが悪性腫瘍）[163]，White らの検討では 19％で肺癌の合併が見られたとされる[172]．喫煙との関連性の高さの関与が疑われる．

3）耳下腺血管腫（parotid hemangioma）

新生児では最も多い腫瘍，小児では最も多い唾液腺腫瘍で耳下腺腫瘍の 50％を占めるが，成人では 2％とまれである[173]．女児に多い（女児：男

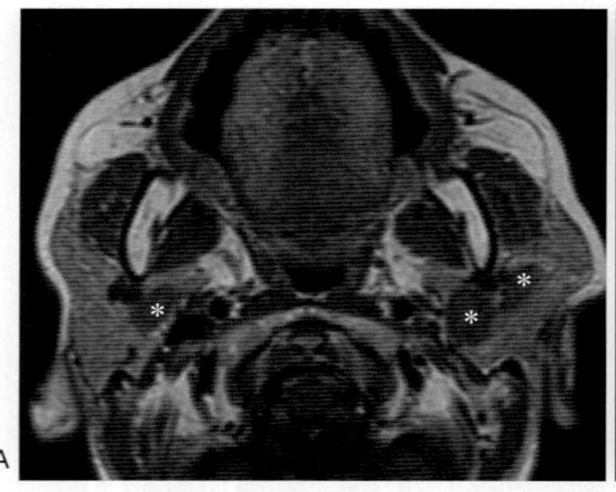

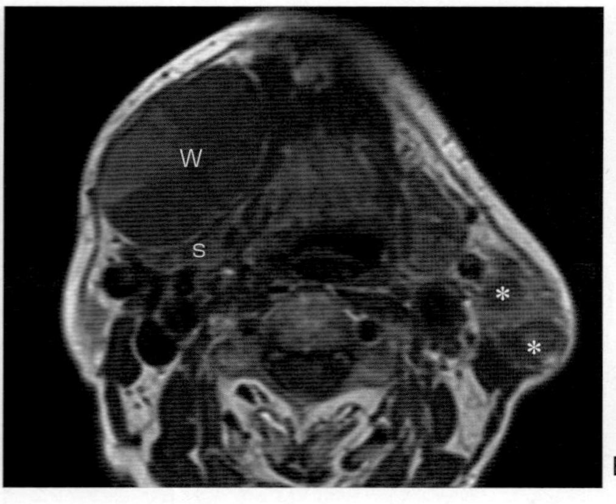

図 90　Warthin 腫瘍(両側耳下腺，顎下腺病変)

耳下腺レベルの MRI，T1 強調横断像(A)において，両側耳下腺内に複数の境界明瞭な結節性病変(＊)を認める．同顎下腺レベル(B)で右顎下部に，内部モザイク状の不均一性を示す腫瘤(w)を認める．右顎下腺(s)は後方に圧排，偏在して認められる．顎下腺(あるいは顎下リンパ節)由来が示唆される(手術により顎下腺由来が確認された)．左耳下腺尾部にも数個の結節(＊)を認める．

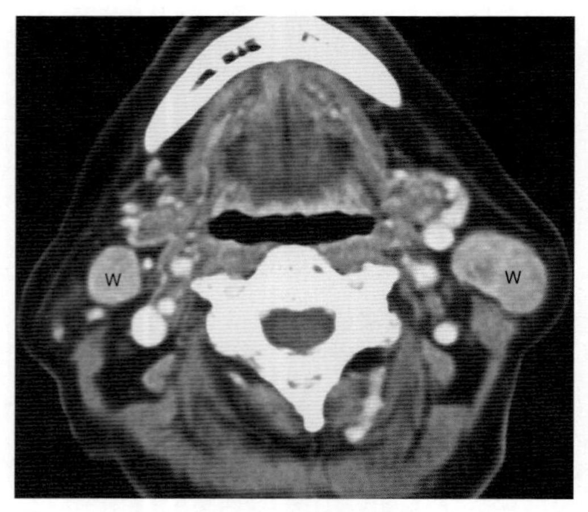

図 91　理学的所見では片側性孤立性，画像所見では両側性多発性腫瘤として認められた Warthin 腫瘍

耳下腺尾部レベル造影 CT において両側耳下腺尾部に境界鮮明な腫瘤(W)を認め，右側は類円形，左側は楕円形で軽度分葉状輪郭を示す．内部はやや不均一で強い増強効果を示す．本例では増強効果不良部位を認めるが，嚢胞成分は明らかでない．

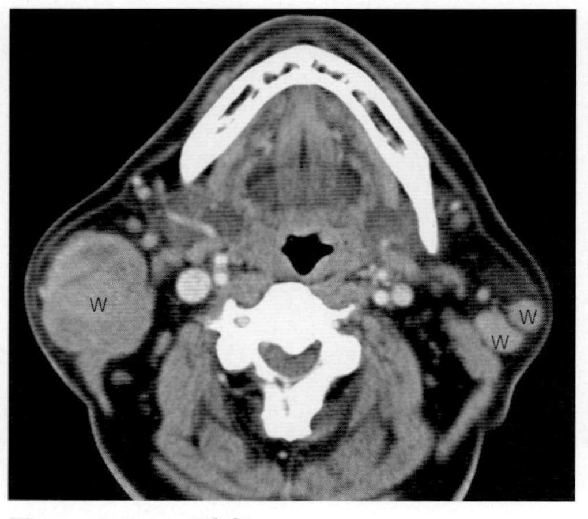

図 92　Warthin 腫瘍

造影 CT において，両側耳下腺尾部に境界明瞭な腫瘤(W)を認める．

児＝2〜4.5：1)[174]．唾液腺血管腫の 90％が耳下腺，10％が顎下腺に発生する[175]．しばしば臨床的には血管腫と混同される血管リンパ管奇形ではなく，本疾患は真性腫瘍としての血管腫である．乳児血管腫(infantile hemangioma)では低体重発生が最も重要な発症因子であり，生下時体重が 500 g 減少するごとに発症リスクは 40％上昇するとされる[176]．通常，生後直後あるいは数週から数ヵ月の新生児，乳児で片側耳下腺全体の柔らかい(容易に圧迫可能な)無痛性腫脹として認められる．血管腫の約 30％は生下時より認められる[177]．1〜6 ヵ月の増大期の後に，他部位の血管腫同様，1〜12 年と徐々に退縮傾向を示す．退縮に伴い，線維脂肪組織に置換されていく[177]．耳

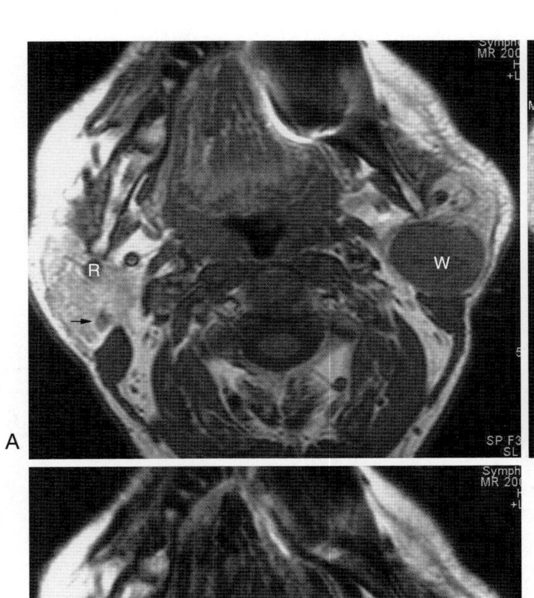

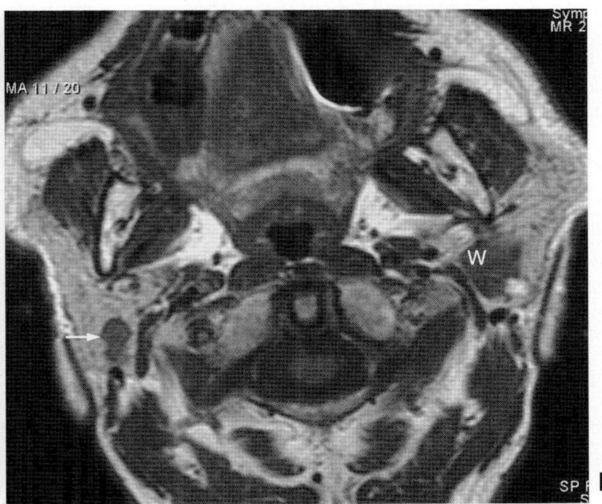

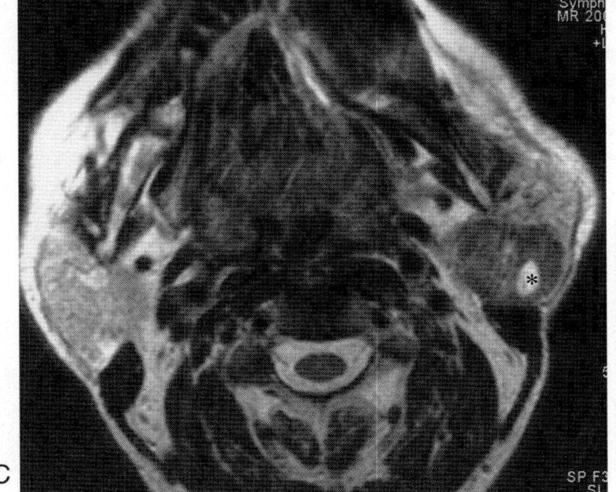

図 93　理学的所見では片側性孤立性，画像所見では両側性多発性腫瘤として認められた Warthin 腫瘍

A：耳下腺レベル MRI T1 強調横断像．左耳下腺内に境界鮮明な腫瘤(W)を認める．対側にも小さな結節(矢印)が認められる．R：下顎後静脈

B：図 A よりもやや頭側レベル．右耳下腺内にもうひとつの結節(矢印)あり．対側腫瘤(W)は図 A で指摘された病変と同一．

C：T2 強調像．左耳下腺腫瘤内には嚢胞部と思われる限局性，偏在性高信号域(＊)を認める．

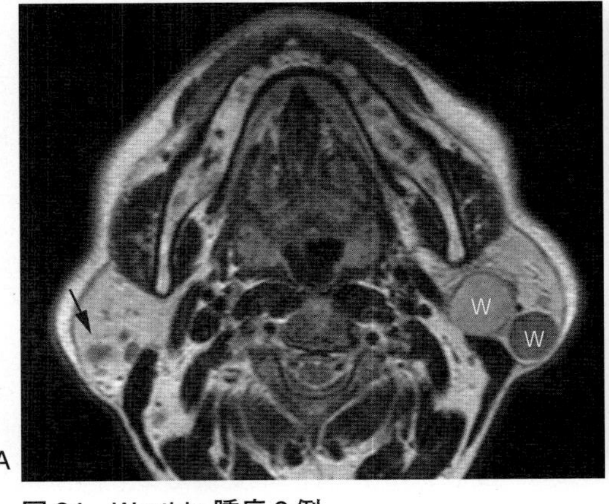

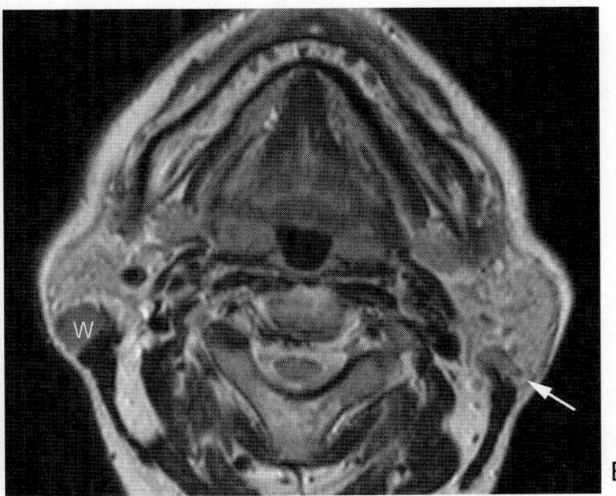

図 94　Warthin 腫瘍 2 例

MRI T2 強調像(A)において，左耳下腺尾部に集簇性に 2 つの境界明瞭な類円形病変(W)を認める．前内側に位置する，内部が高信号強度を示す病変は嚢胞性と思われる．右側には理学的所見として確認されなかった小病変(矢印)を認め，画像において両側性多発性耳下腺腫瘍であることが確認された．

別症例の T2 強調像(B)．右耳下腺尾部に低信号強度を示す結節(W)を認める．対側耳下腺尾部の小結節(矢印)は触知困難であった．

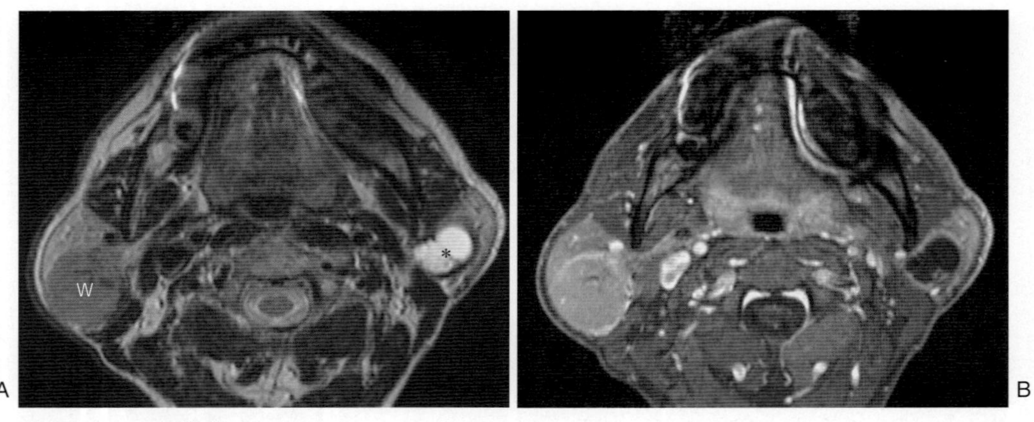

図95　Warthin腫瘍
MRI T2強調像(A)．右耳下腺尾部には境界明瞭で内部比較的均一な中等度・低信号強度腫瘤(W)，対側耳下腺尾部には2房性囊胞性腫瘤(＊)を認める．造影後T1強調脂肪抑制画像(B)で，右側の病変は充実性増強効果を示すのに対し，左側の病変の囊胞部は造影欠損として認められる．

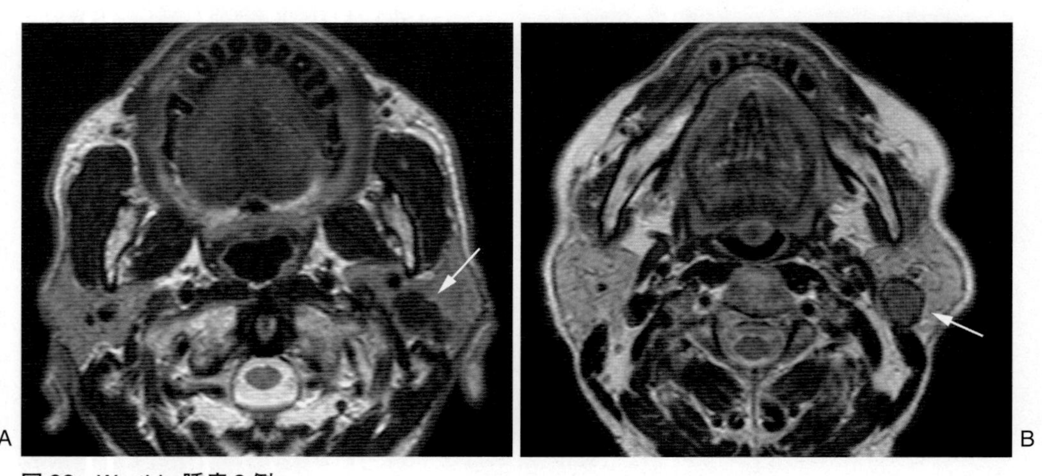

図96　Warthin腫瘍2例
2例のMRI T2強調像．いずれも左耳下腺内部に，1例(A)はやや不整形，もう1例(B)は類円形の境界明瞭な低信号腫瘤(矢印)を認める．

下腺血管腫は視力や顔面神経機能に障害を伴う高度の顔面変形をきたす可能性がある[178]．他部位血管腫と比較して増大期が長く1歳を超えることもしばしばで，退縮も緩徐でより長い治療期間を要し，結果も望ましいものではない傾向にある[179, 180]．副耳下腺発生[181]，両側発生[174, 182]の報告もみられる．両側性は全体の約4分の1で[174]，6例中5例がほぼ対称性[182]であったとの報告がある．約60％の血管腫は早期増大期に潰瘍形成を示す[174]．

診断は主に理学的所見と病歴によりなされるが，診断未確定例での診断確定や病変の大きさ，進展範囲(特に深部)，重要構造との関係などの評価において画像診断は重要である[183]．まずは超音波検査が施行される場合が多く，耳下腺実質よりやや低輝度の腫瘤として描出されるのが通常である．深部進展のより詳細な評価には(被ばくの点から)MRIが推奨される[184]．画像所見としては片側性耳下腺びまん性腫大と増強効果，MRIのT2強調像での著明な高信号強度を示し(図99,

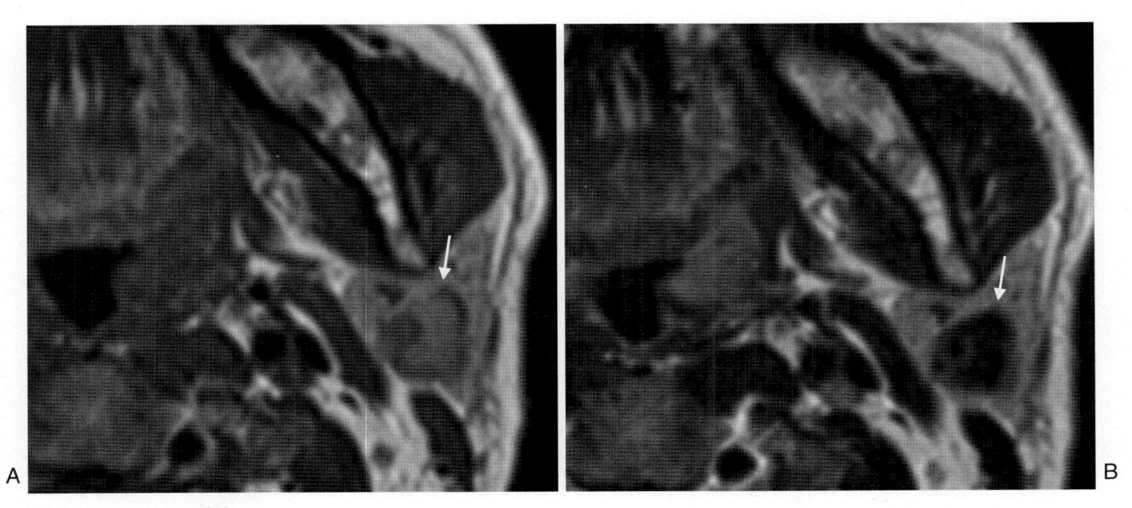

図 97　Warthin 腫瘍

耳下腺レベルの MRI．T1 強調像（A）において，左耳下腺内，浅葉から深葉にかけて境界明瞭な淡い高信号腫瘤（矢印）を認める．T2 強調像（B）で病変（矢印）は著明な低信号強度を示している．

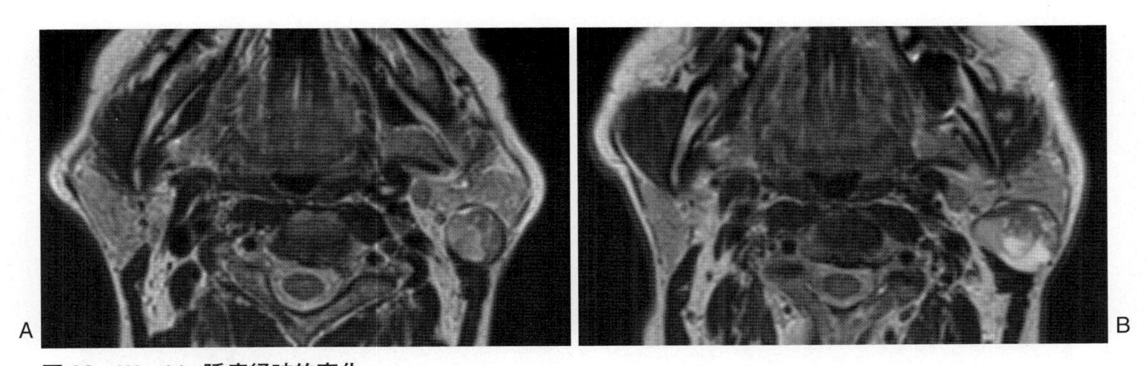

図 98　Warthin 腫瘍経時的変化

耳下腺レベルの MRI．T2 強調像（A）において，左耳下腺に境界明瞭な腫瘤を認める．同症例の 1 年後（B）では病変増大を示す．一般的には緩徐な増大を示すが，ときに縮小を示す例もみられる．

100），内部に小さな血管が線状構造（flow void）として認められる場合がある（図 99）[182]．造影様式は高度で均一な病変から不均一で緩徐な増強効果を示す病変まで様々である．時に静脈石が CT で内部の散在性石灰化として認められ，MRI でも点状・粒状低信号領域を示すが，小さいと flow void との区別が困難な場合もある（図 101）．

1970 年代には外科的摘出も施行されていたが，増大期には出血量も多く顔面神経麻痺のリスクもあることから現在は推奨されない．また，成長により自然退縮期に至ることから DIC や出血，心不全，気道狭窄などの合併症がみられなければ，（形態的観点を除き）治療対象とはしない．治療戦略としては積極的非介入（経過観察），薬物治療（局所・全身），外科的治療（切除・レーザー治療）の 3 つに区分されるが標準化はされていない．治療要否，治療選択は病変の大きさ，局在，病期，潰瘍形成や出血の有無，機能障害，変形のリスクなどにより判断される[178]．薬剤治療の対象となるのは血管腫全体の 10％程度である[185]．なお，外耳道閉鎖に関しては，両側性で 1 歳時まで継続しなければ問題とはならない[174]．治療対象になる場合，小さく表在性の病変では局所薬物治療が行われ，全身薬物治療は比較的大きく機能障害のリスクのある病変や局所療法に反応不良な例に対して行われるが，まずは β ブロッカー（proprano-

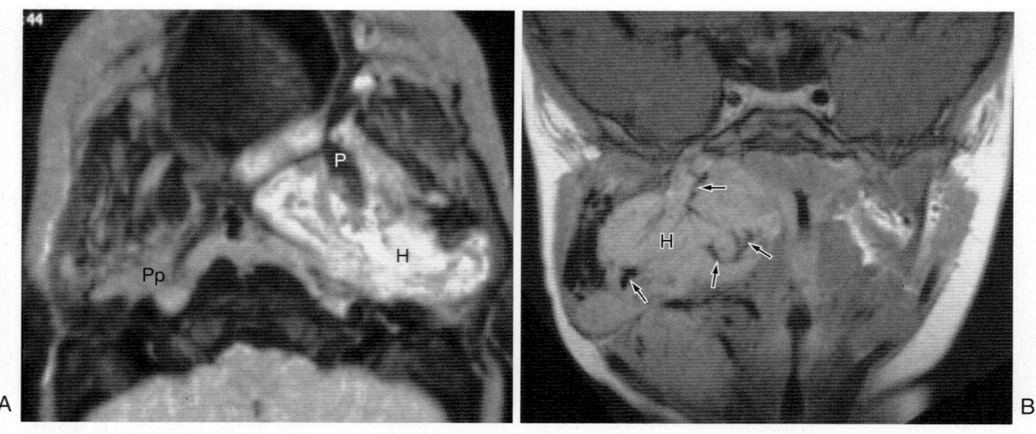

図 99 耳下腺血管腫

A：耳下腺レベル MRI T2 強調横断像．左耳下腺間隙を置換する分葉状輪郭を示す高信号腫瘤(H)あり．隣接する傍咽頭間隙前茎突区(対側で Pp で示す)，咀嚼筋間隙内の翼突筋(P)周囲に進展を示す．

B：T1 強調冠状断像．腫瘤(H)は骨格筋とほぼ等信号から軽度高信号強度を示し，内部には増生した血管が flow void(矢印)として確認される．

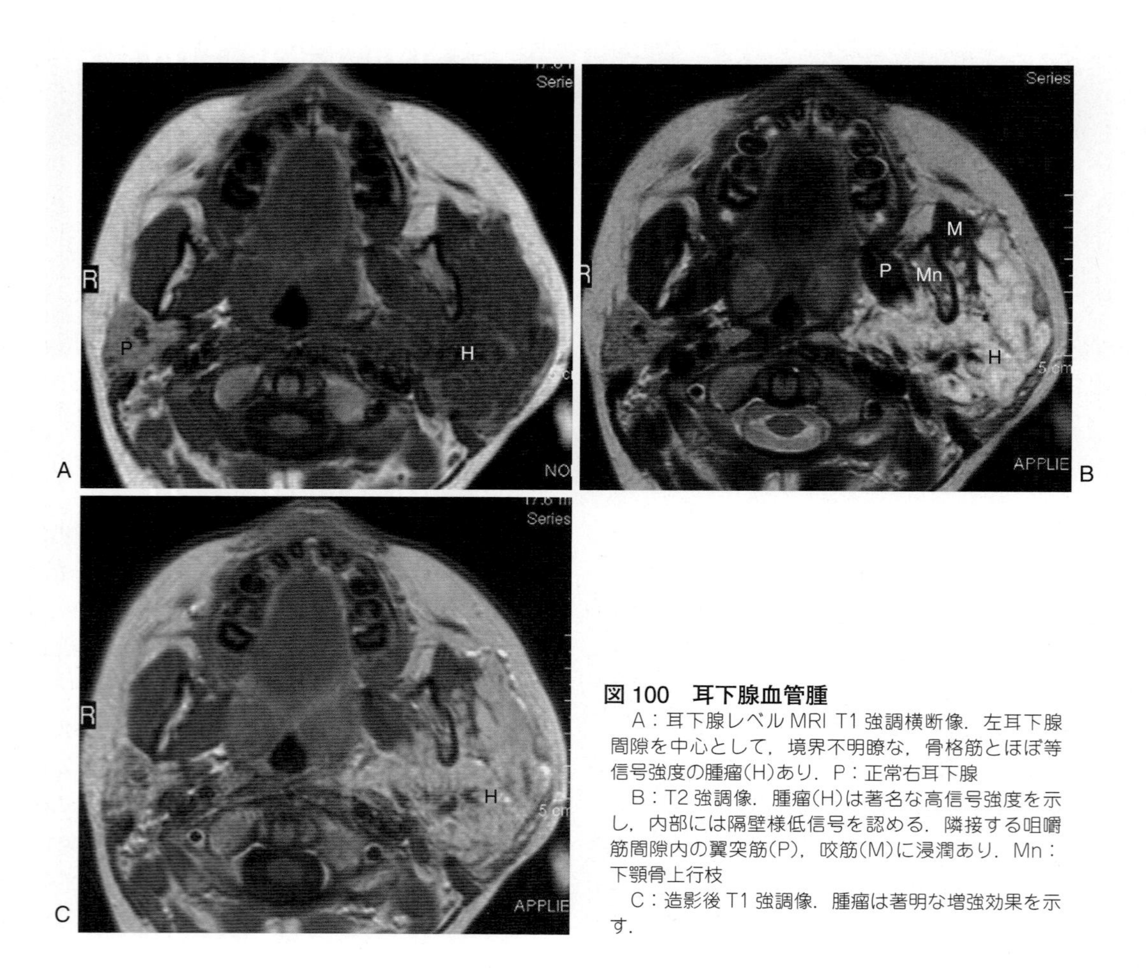

図 100 耳下腺血管腫

A：耳下腺レベル MRI T1 強調横断像．左耳下腺間隙を中心として，境界不明瞭な，骨格筋とほぼ等信号強度の腫瘤(H)あり．P：正常右耳下腺

B：T2 強調像．腫瘤(H)は著名な高信号強度を示し，内部には隔壁様低信号を認める．隣接する咀嚼筋間隙内の翼突筋(P)，咬筋(M)に浸潤あり．Mn：下顎骨上行枝

C：造影後 T1 強調像．腫瘤は著明な増強効果を示す．

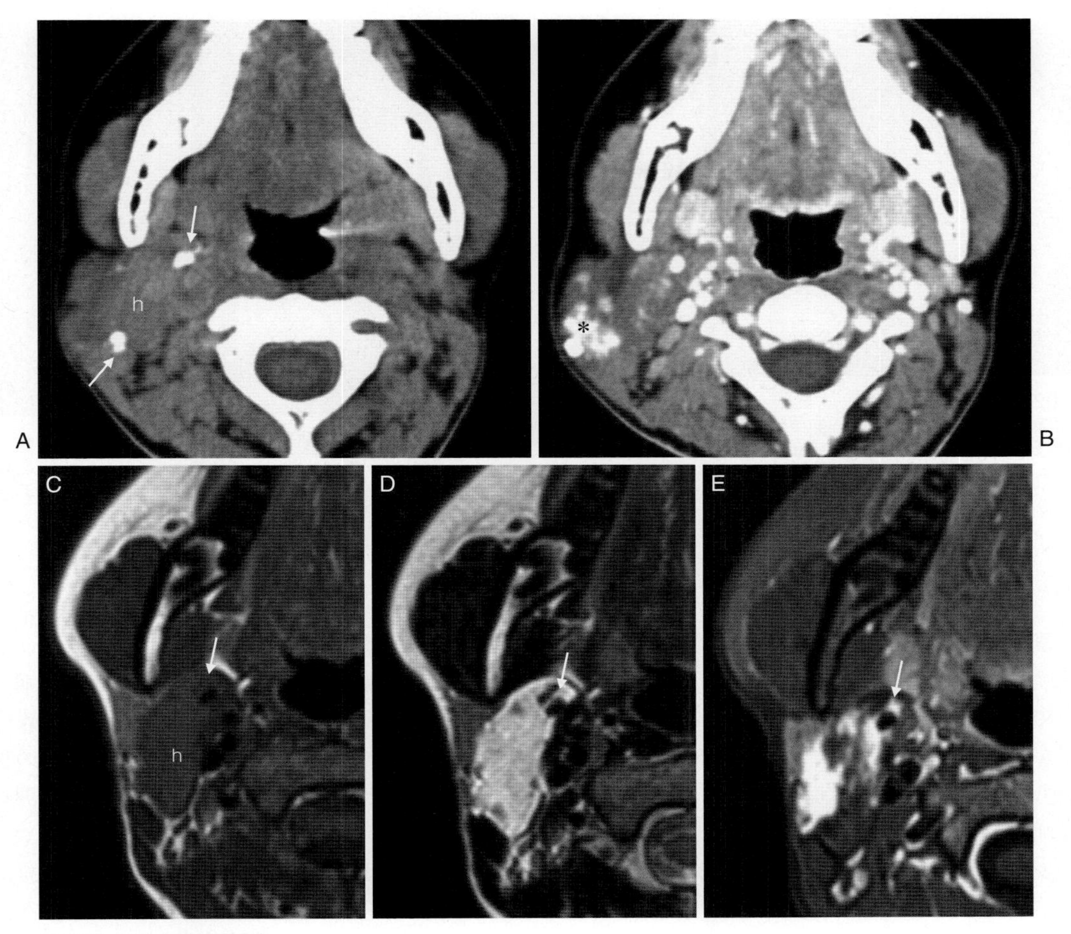

図 101　耳下腺血管腫

耳下腺レベルの造影前(A)・後(B)CT．造影前 CT(A)で右耳下部に軟部濃度腫瘤(h)を認め，散在性に(静脈石に相当する)石灰化(矢印)を認める．造影後(B)には病変の外側後方部分(＊)は著明な増強効果を示すが，他部位の(この時相での)増強効果は比較的軽度にとどまる．同症例の MRI，T1 強調横断像(C)で病変(h)は骨格筋とほぼ同等の低信号強度を呈し，前方に偏在性に結節様低信号(矢印)を認め，CT(A)で見られた静脈石に相当する．T2 強調像(D)で病変は著明な高信号強度を呈し，造影後 T1 強調脂肪抑制像(E)で不均等な増強効果を示している．静脈石(矢印)はいずれでも低信号としてみられる．

lol)投与が第一選択として広く受け入れられている[178]．ステロイドやインターフェロン投与による薬物療法が有効な場合も多く，98％で有効性が認められたとの報告がある[174]．ステロイドのみの有効性は 40〜60％程度で，ステロイド抵抗例の 95％がインターフェロンへの反応を示すとされるが，他部位病変と比較して耳下腺病変の反応はやや不良の傾向にあるとの報告もある[174]．大きな病変では塞栓術が施行される例もある．増大期での外科的切除の適応はまれであるが，退縮後の弛緩した耳介前部皮膚の線維脂肪組織に対する形成手術はしばしば必要となる[174]．小病変や潰瘍形成のある病変はレーザー治療の対象になる．

4）粘表皮癌(mucoepidermoid carcinoma)

唾液腺腫瘍全体の 10％未満ではあるが[186]，耳下腺悪性腫瘍として最も多く，顎下腺・小唾液腺の悪性腫瘍としても 2 番目(後述の腺様嚢胞癌に次ぐ)に多い[139]．耳下腺腫瘍の約 15％，耳下腺悪性腫瘍の最大 50％，唾液腺悪性腫瘍の 30〜40％を占める[187]．発生部位は 80〜90％が耳下腺で[96]，2 番目に多いのが口蓋で，顎下腺，口腔の他の小唾液腺がこれに続く[60]．小唾液腺発生で

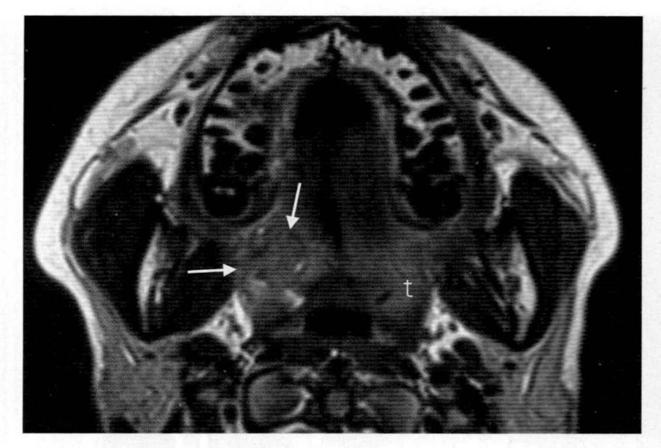

図102　口蓋の粘表皮癌
中咽頭レベルのMRI，T2強調横断像．軟口蓋右側に口蓋扁桃(対側でtで示す)と同等のやや高信号を示す腫瘤(矢印)を認める．周囲浸潤性はみられない．

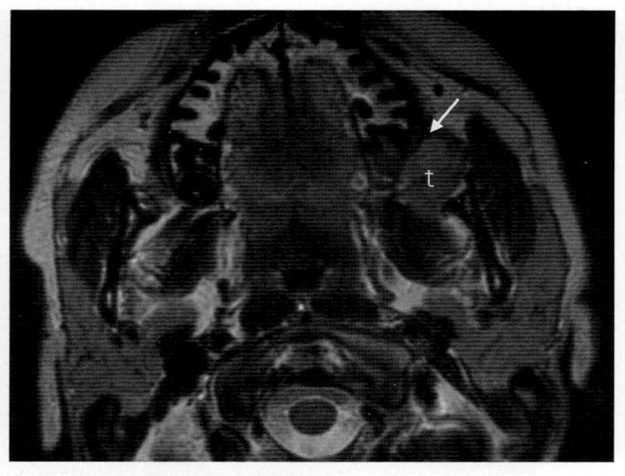

図103　臼後部の粘表皮癌
中咽頭レベルのMRI，T2強調横断像において，左臼後部に境界明瞭なやや高信号強度の腫瘤(t)を認める．周囲浸潤性は見られないが，隣接する上顎結節外側面への圧排性骨侵食(矢印)を示す．

は口蓋(図102)の他，臼後部(図103)，口腔底，頬粘膜，舌，口唇などに発生する[188]．副耳下腺発生の報告もみられる[189]．発症年齢は幅広いが60%が40歳以下で，小児，20歳以下の若年者では最も多い唾液腺悪性腫瘍である[188]．小児の唾液腺腫瘍は約50〜60%が悪性で，その25〜35%が粘表皮癌と最も多く，腺房細胞癌がこれに次ぐ(25〜35%)[190]．成人と比して低悪性度病変(後述)が多く，致死的なことは比較的まれである[190]．小児期の放射線治療に続発して生じる場合もあり，放射線治療から発症までの期間は平均8年とされる[60]．やや女性に多い[191]．

病理組織学的には粘液産生細胞(mucous cell)，類上皮細胞(epidermoid〔squamous〕cell)の2つを主成分として，さらに中間細胞(intermediate〔undifferentiated small〕cell)より構成されるが[187]，その比率から低悪性度，中悪性度，高悪性度の3病型に区分される．低悪性度病変が最も多く(約75%)[139]，高悪性度病変が最も少ない(耳下腺病変の30%未満)[192]．組織学的悪性度は予後と相関し，10年全生存率は低悪性度で約90%，中悪性度で約70%，高悪性度で約25%である[139, 196]．低悪性度病変は粘液産生細胞と嚢胞部，高悪性度病変は扁平上皮癌に類似して類上皮細胞が主体をなす[139]．顎下腺の低悪性度病変(図104)は(耳下腺病変と比較して)やや予後不良の傾向にある[193]．

低悪性度腫瘍は数ヵ月から数年にわたる病歴を有し，臨床的にも多形腺腫との区別は困難である．比較的境界明瞭で，多くは4 cm未満の被膜のない腫瘤として認められる．治療は広範囲切除が施行され，術後放射線治療の必要性は低い．顔面神経麻痺は最大8%で[194]，顔面神経に直接浸潤がなければ通常は温存可能である．5年生存率は90%以上とされる．低悪性度病変の脱分化の報告もある[195]．

高悪性度腫瘍は急速な増大を示す，境界不明瞭な(嚢胞性よりも)充実性腫瘤で，多くが4 cmより大きく，しばしば出血，壊死を伴う[188]．25%で顔面神経麻痺(図105)，50%で頸部リンパ節転移を示す．高悪性度腫瘍ではしばしば局所・頸部再発を認め，頸部リンパ節転移は予後不良因子とされる[192]．広範囲切除(可能な範囲で顔面神経温存)に術後放射線治療を組み合わせるのが望ましい．5年生存率は65〜80%程度とされる[139, 192]．

粘表皮癌の予後因子としては，年齢(40歳以上で不良)，可動性(非可動性では不良)，T/N因子，組織学的悪性度，神経周囲浸潤，リンパ管浸潤，腺外進展が重要である[142, 196, 197]．年齢因子は40歳以下で組織学的悪性度が低い傾向にあることによる．高悪性度病変は低悪性度病変と比較して，より高い局所再発率，より高い遠隔転移率，より

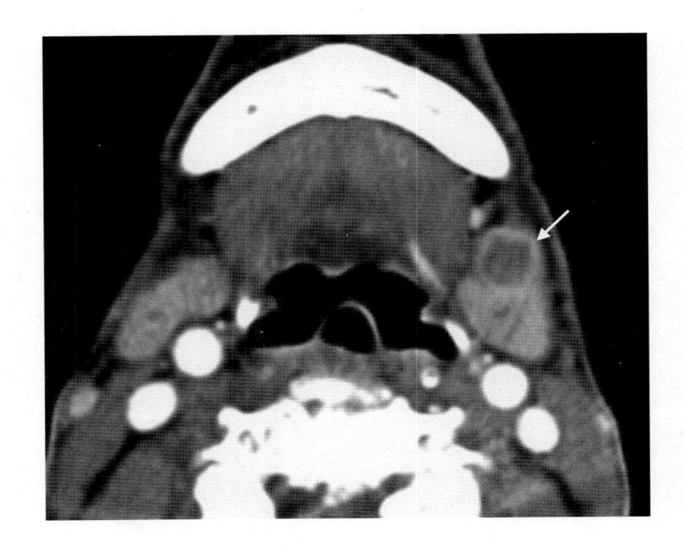

図 104　顎下腺の粘表皮癌
顎下腺レベルの造影 CT において，左顎下腺前方より突出するように，類円形腫瘤(矢印)を認める．周囲浸潤性は明らかでない．

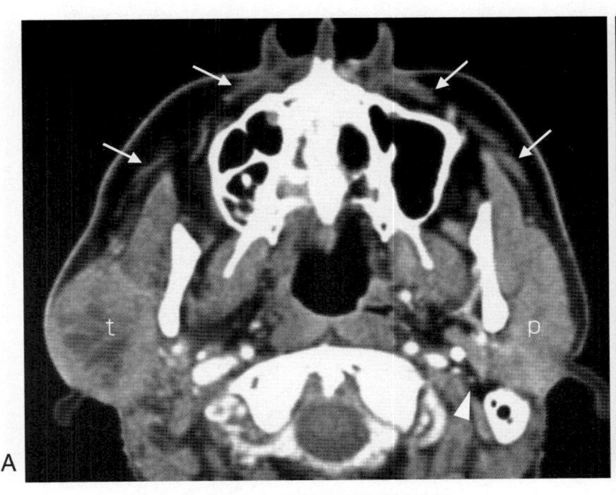

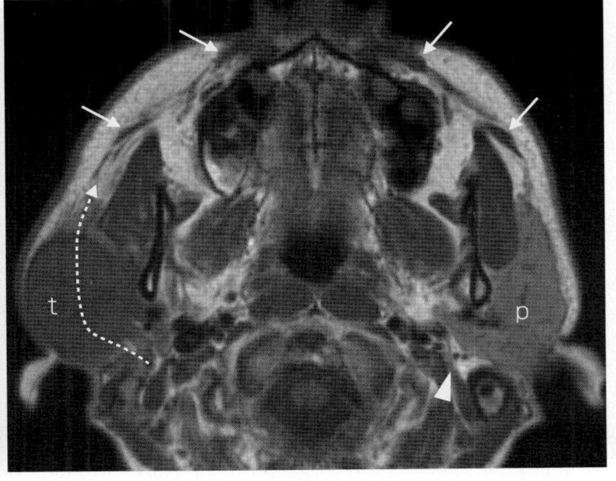

図 105　粘表皮癌による顔面神経麻痺
耳下腺レベルの造影 CT (A)および MRI，T1 強調横断像(B)．右耳下腺浅葉を中心として，境界不明瞭な浸潤性腫瘤(t)を認め，顔面神経主幹部の領域(B：矢印破線)を占拠する．表情筋(矢印)は患側(右側)で萎縮傾向を示し，右顔面神経麻痺を反映する．腫瘍内部には壊死部に相当する造影不良域を含む(A)．矢頭：茎乳突孔直下の顔面神経主幹部，p：左耳下腺

低い生存率を示す．頸部リンパ節転移(図 106)は組織悪性度に依存しており，転移陽性は高悪性度腫瘍が約 50％であるのに対して，低悪性度腫瘍では 17％である[47]．また，4 cm より大きな腫瘍では潜在性リンパ節転移の頻度が有意に高いとされる[198]．耳下腺粘表皮癌でしばしば認められる腺内耳下腺リンパ節転移は無病生存率，無再発生存率を低下させる[192, 199]．腺内耳下腺リンパ節は局在により耳下腺浅葉，深葉の 2 群に分けられるため[200]，同リンパ節転移は術式にも影響する[199]．腺内耳下腺リンパ節転移は 15〜38％に認められ，頸部リンパ節転移を示唆(感度 70％，特異度 90.6％)するとともに，TNM 因子，組織悪性度と相関するとされる[76, 199]．粘表皮癌の予後は通常は良好であるが，高悪性度腫瘍ではしばしば致死的であり，死因の多くは(局所，所属リンパ節再発よりも)遠隔転移による[201]．

画像所見の特異性はなく，ほぼ完全な単房性嚢胞性腫瘤として良性嚢胞に類似して認められるもの[202]，多房性嚢胞性腫瘤(図 106)，境界明瞭な腫瘤(図 103，107，108)から浸潤性腫瘍(図 105，109〜111)として認められるものまでさま

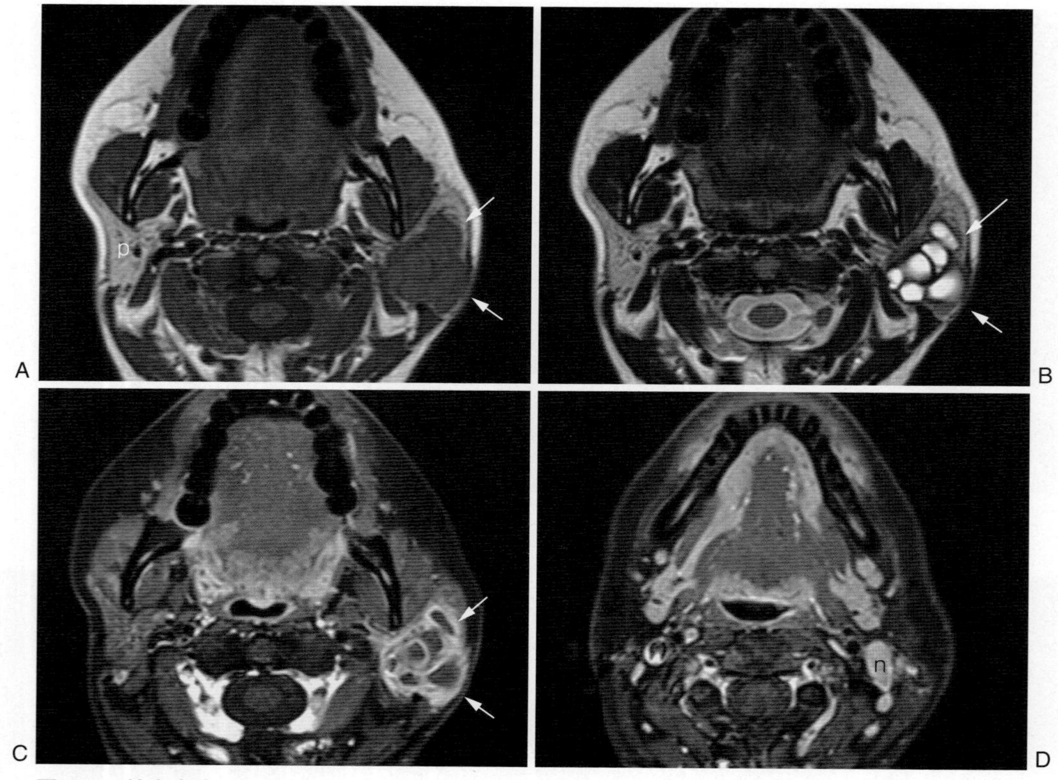

図 106　粘表皮癌

耳下腺レベル MRI T1 強調像において左耳下腺(対側で p で示す)に境界比較的明瞭な分葉状辺縁を呈する低信号腫瘤(矢印)を認める．T2 強調像(B)で隔壁構造と内部の著明な高信号による多房性嚢胞の形態を呈する(矢印)．造影後 T1 強調脂肪抑制画像(C)で病変(矢印)は辺縁，隔壁は増強効果を呈し，嚢胞部は造影不良域として認められる．同顎下腺レベル(D)において腫大した左レベル II リンパ節(n)を認め，転移を示唆する．

ざまである．一般に，嚢胞性腫瘤，境界明瞭な腫瘤は低(～中等度)悪性度病変，浸潤性辺縁を示す充実性腫瘤は高悪性度病変に相当する．まれに腫瘍内に石灰化がみられ，一部では高悪性度腫瘍での頻度が高いとの報告もあるが意見は定まっていない[203, 204]．境界鮮明な場合，多形腺腫など良性病変との画像所見での鑑別は困難な例も多い．T2 強調像で低信号強度を示す場合は豊富な細胞成分，不明瞭な境界を認める場合は浸潤性を反映する．

治療は可能な限り顔面神経を温存し，適切な切除縁をとった全摘出術が求められるが[190, 205]，高悪性度病変，切除断端陽性例，頸部リンパ節転移陽性例では放射線治療の適応が考慮される[190]．最近は IMRT での比較的良好な治療成績の報告もあるが，年齢(56 歳以上)は予後不良因子となるとされる[206]．

5）腺様嚢胞癌(adenoid cystic carcinoma)

粘表皮癌に次いで 2 番目に多い唾液腺悪性腫瘍で，1856 年 Billroth により最初に記述された[207]．頭頸部癌全体の 1％未満[60]，大唾液腺腫瘍全体の 5～10％，唾液腺悪性腫瘍全体の 15％[208]，小唾液腺悪性腫瘍全体の 35％，舌下腺腫瘍の 40～60％を占める[209]．大唾液腺に最も多いが，約半数が口腔内[211]，3 分の 1 以上が小唾液腺に発生し[60]，顎下腺(図 112，113)，舌下腺，小唾液腺の悪性腫瘍では最も多い(ただし，最近は小唾液腺悪性腫瘍では粘表皮癌がより多いとの報告もある[188])．顎下腺悪性腫瘍の 35～43％を占め[112, 113, 210]，小唾液腺では口蓋に最も多く，その他として鼻副鼻腔(図 114)，舌(図 115)，頬粘膜，舌根(図 116)，口唇，口腔底，甲状腺，外耳

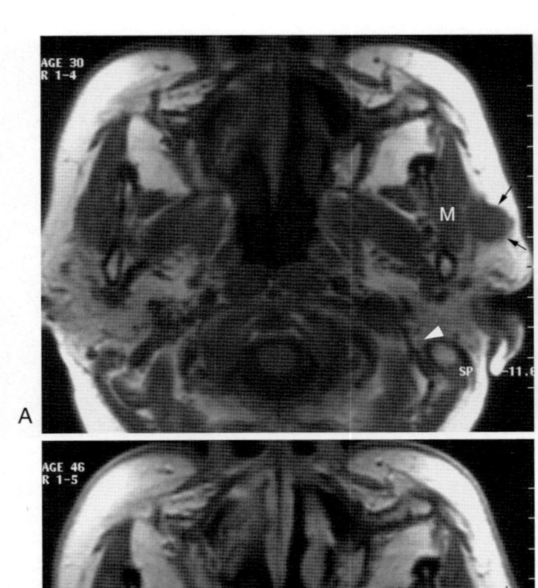

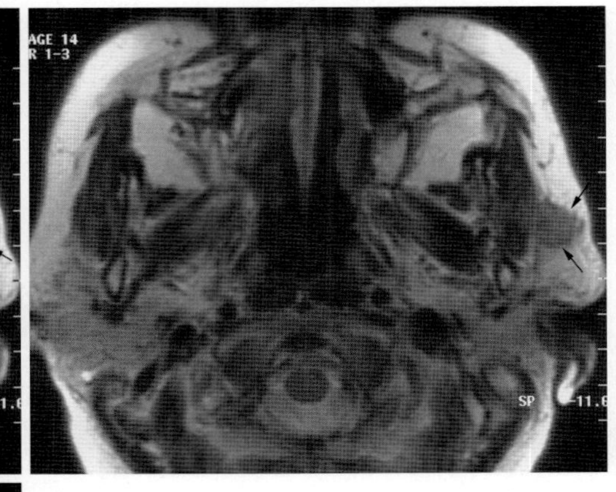

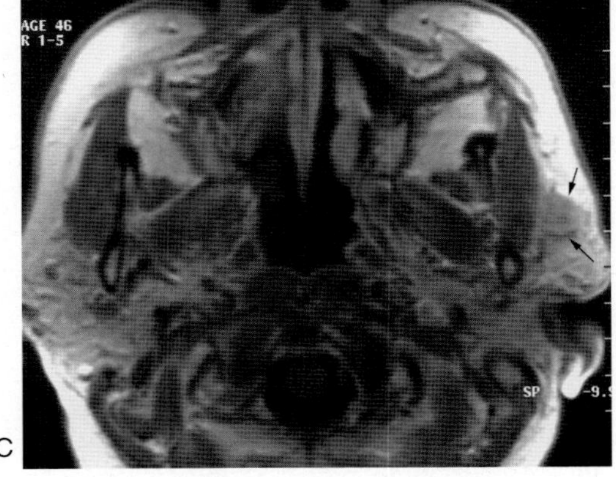

図 107　耳下腺粘表皮癌

A：耳下腺レベル MRI T1 強調像．左耳下腺浅葉前縁に比較的境界鮮明な類円形腫瘤（矢印）あり，咬筋（M）表面に接する．腫瘤内部は骨格筋とほぼ等信号強度を示す．茎乳突孔直下の脂肪層（矢頭）は保たれており，顔面神経主幹部に沿った中枢側への神経周囲進展を示す所見なし．

B：T2 強調像．腫瘤（矢印）は骨格筋よりはやや高信号強度を示す．多形腺腫の典型例とは異なり，辺縁の被膜様低信号帯は認められず，内部の信号もやや低い．

C：造影後 T1 強調像．腫瘤（矢印）にはほぼ均一な増強効果が認められる．

道，気管などにみられる．

発症年齢は幅広いが基本的には成人の疾患であり，主に 40〜60 歳代の中高年に生じる．やや女性に多く（男女比は 1：1.5）[60]，女性は男性より予後が良い傾向にある[212]．神経周囲浸潤および神経周囲進展が有名であり，緩徐な増大を示す腫瘤で次第に（神経周囲浸潤による）疼痛，痺れや知覚障害を伴うようになるのが典型である[213]．約 30％の症例が顔面神経麻痺を示す[214]．ただし，多くの症例は診断前数ヵ月から数年にわたり無症候性で経過する[210]．

病理組織学的に，①tubular，②cribriform，③solid の 3 型に分けられ，cribriform type が最も多い．tubular type が最も予後良好で，solid type が最も予後不良とされるが，これらの組織型は同一腫瘍内にしばしば混在する．

頸部リンパ節転移の頻度は比較的低く（4〜17％程度）[72, 209, 210]，潜在性頸部転移はまれである[215]．リンパ節転移は予後因子であり[216]，頸部リンパ節転移陽性例の 90％が（病変内の割合にかかわらず）solid type の組織型に生じる[60, 217, 218]．Oplatek らは 113 例の検討において，診断時の頸部リンパ節転移陽性（N＋）例の生存期間（平均 52 ヵ月）は，転移陰性例（N−）より短く，N＋例では N−例と比較して平均で 36 ヵ月早く再発を認めたとしている[219]．頸部リンパ節転移例は遠隔転移の頻度も高く，節外進展は予後不良因子となる[217]．

遠隔転移は，診断時は 5％程度であるが，その後最大 50％の症例に生じる[210]．肺（41％）に最も多く，その他として主に脳（22％），骨（13％），肝臓（4％）に認められる[220〜222]．遠隔転移例の 5 年生存率はわずかに 7〜32％に過ぎず[60, 217]，75％が 3 年以内に死亡する[217]．遠隔転移の多くが 5 年以内（平均 31.5〜36 ヵ月）に生じるが[223, 224]，35〜50％は 15〜20 年以降にみられる[225, 226]．進行

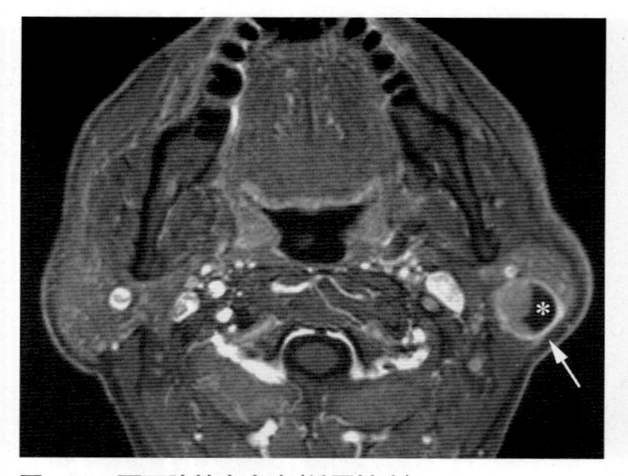

図 108　耳下腺粘表皮癌(低悪性度)
　MRI，造影後 T1 強調脂肪抑制画像において，左耳下腺下顎後部に境界明瞭な類円形腫瘤(矢印)を認める．内部には偏在性に嚢胞部分(＊)が含まれる．

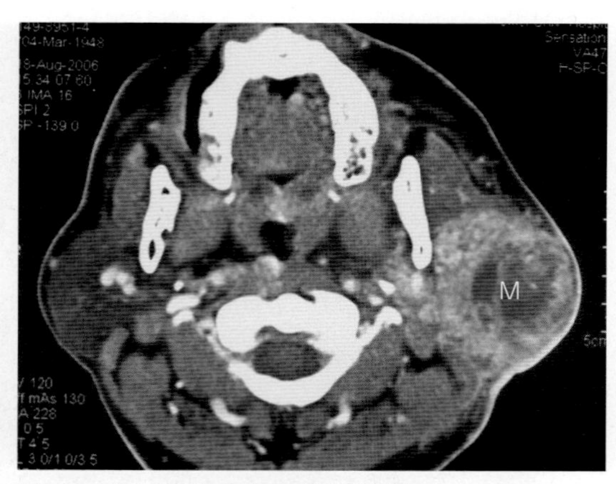

図 109　耳下腺粘表皮癌(高悪性度)
　造影 CT 横断像において，左耳下腺領域に浸潤性腫瘤(M)を認める．隣接する皮下，皮膚組織への浸潤あり．内部は中心部で増強効果が乏しく，壊死を反映する．

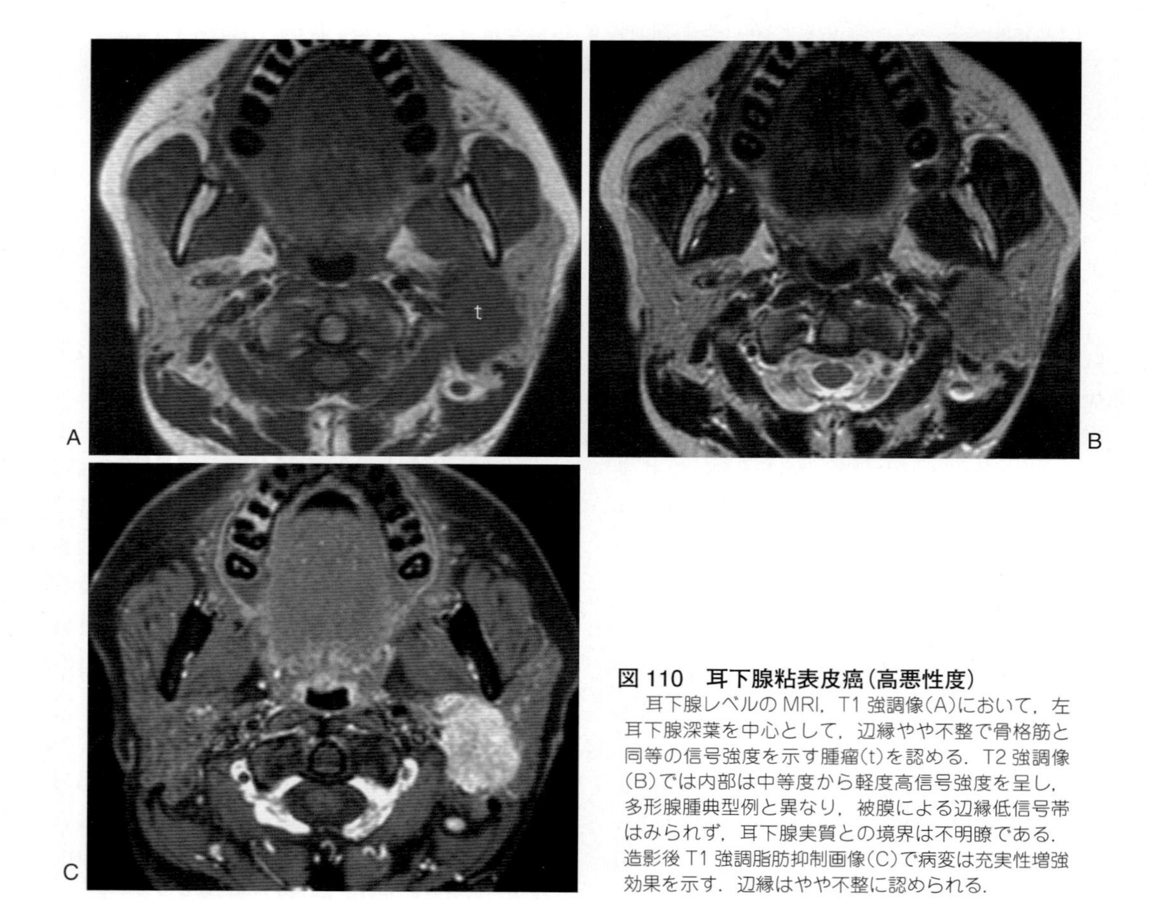

図 110　耳下腺粘表皮癌(高悪性度)
　耳下腺レベルの MRI，T1 強調像(A)において，左耳下腺深葉を中心として，辺縁やや不整で骨格筋と同等の信号強度を示す腫瘤(t)を認める．T2 強調像(B)では内部は中等度から軽度高信号強度を呈し，多形腺腫典型例と異なり，被膜による辺縁低信号帯はみられず，耳下腺実質との境界は不明瞭である．造影後 T1 強調脂肪抑制画像(C)で病変は充実性増強効果を示す．辺縁はやや不整に認められる．

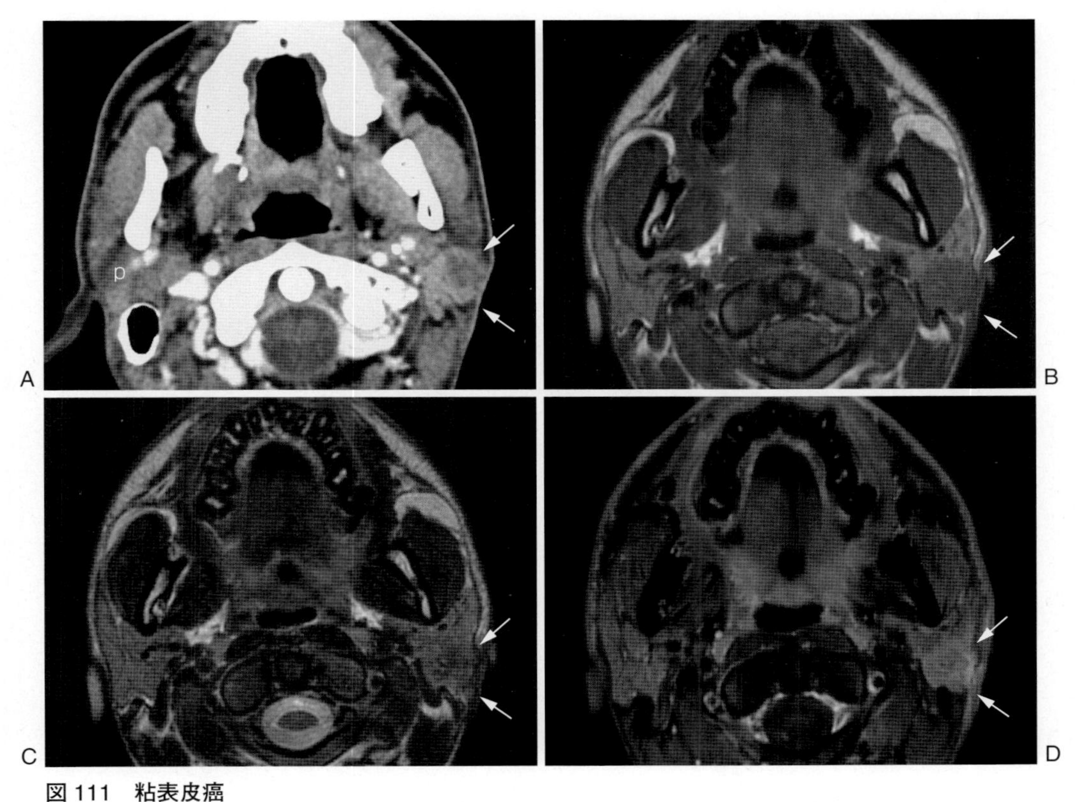

図 111　粘表皮癌

耳下腺レベル造影 CT（A）において左耳下腺（対側で p で示す）に内部やや不均等な腫瘤（矢印）を認める．CT 上，境界は比較的明瞭に認められる．MRI T1 強調像（B）で病変（矢印）は低信号を示す．境界はやや不明瞭である．T2 強調像（C）では内部は不均等な中等度からやや高信号で，多形腺腫と比較してやや信号は低く，辺縁の被膜様低信号帯も明らかでなく，境界は不明瞭（矢印）．造影後 T1 強調脂肪抑制画像（C）で病変（矢印）は充実性増強効果を呈し，明らかな壊死，嚢胞部分はみられない．

T 病期とともに，（既述のとおり）頸部リンパ節転移陽性例で遠隔転移の頻度は高いが，局所・頸部再発のない例であっても，少なくとも 20％で生じるとされる[227]．これは手術時にすでに潜在的な微小転移を生じていることを示唆する[228]．Umeda らは転移病変の doubling time を 393 日と推察しているが[229]，solid type の組織型で最も早く予後不良因子とされる[223]．肺転移は（他部位の転移と比較して）より早期に認められる傾向にあるが，他部位転移例よりも生存期間は長い傾向にある[230]．複数臓器転移では 1 年以内に半数，6 年以内にほぼ全例死亡する[217]．

予後因子として，組織型，病変部位，TN 因子，腫瘍の大きさ，骨浸潤，遠隔転移，神経周囲浸潤，外科的切除縁の状態，年齢，局所再発・頸部再発，PET での SUVmax などが重要である[60, 210, 211]．5 年生存率は 89％[231]，10 年生存率は 50～70％[60]であるが，10～15 年で 80～90％が原病死し長期予後は不良である[232]．これは遅発性の局所再発，遠隔転移病変の遷延する経過によるが[226]，肺，肝転移よりも脳，骨転移例で予後不良である[216]．また，発生部位として顎下腺（豊富なリンパ網により），鼻副鼻腔病変（解剖学的複雑性のため切除断端陽性率が高いことにより）は予後不良とされる[210, 216]．切除断端の状態は局所再発に影響するが，遠隔転移，全生存期間には影響しないとされる[219, 225]．ただし，切除断端陽性例でより早期の再発を示す傾向にある[219]．遠隔転移の多くは初期に無症状であるが，症状発現，他臓器転移の出現で生存率は低下する[226]．

画像診断では神経周囲進展に加えて大唾液腺病変の局所評価は MRI が基本となるが，耳下腺腫瘍では側頭骨，特に顔面神経管周囲の骨破壊などにおいて CT も有用である（図 117）．小唾液腺病

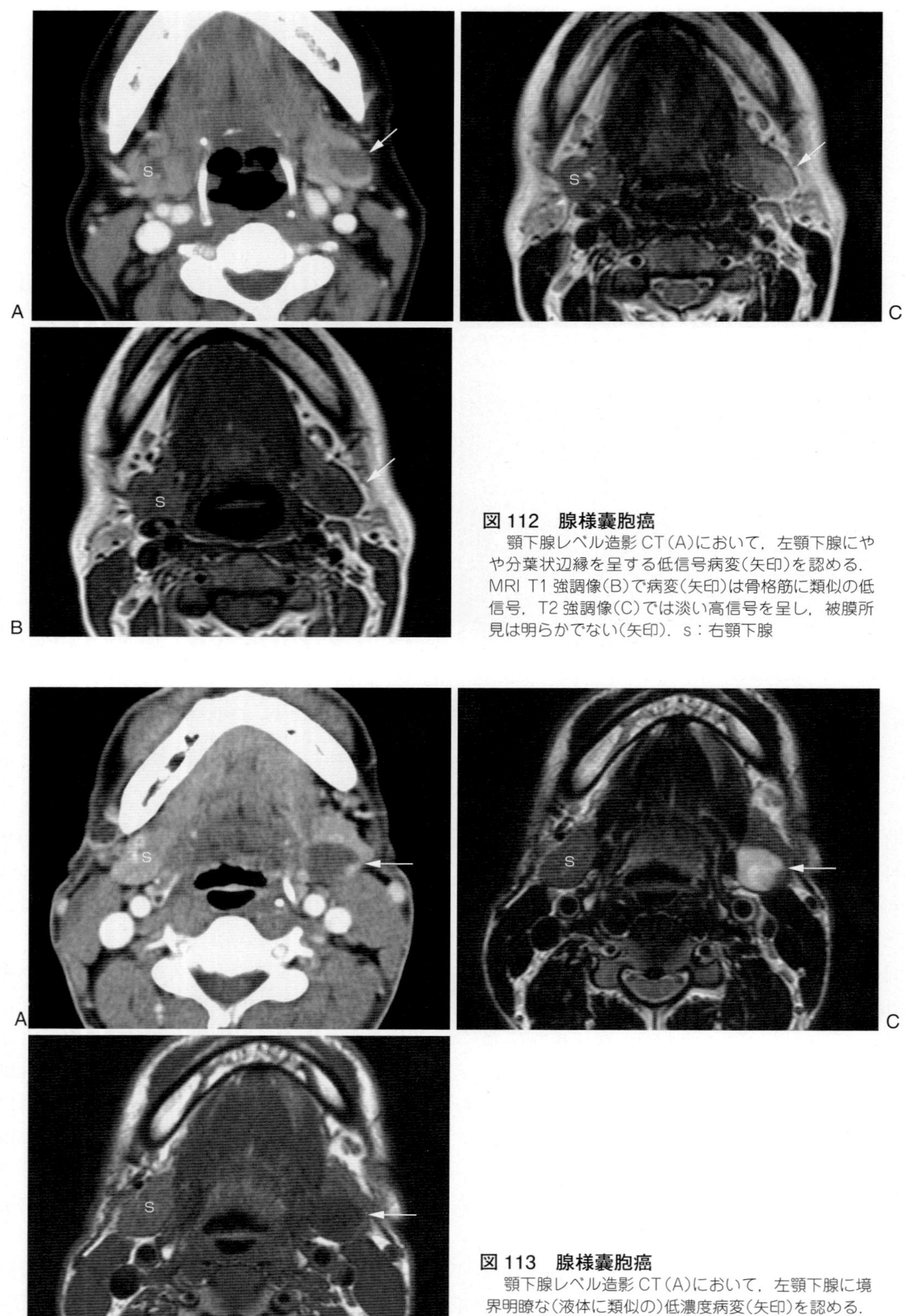

図 112　腺様嚢胞癌
　顎下腺レベル造影 CT（A）において，左顎下腺にやや分葉状辺縁を呈する低信号病変（矢印）を認める．MRI T1 強調像（B）で病変（矢印）は骨格筋に類似の低信号，T2 強調像（C）では淡い高信号を呈し，被膜所見は明らかでない（矢印）．s：右顎下腺

図 113　腺様嚢胞癌
　顎下腺レベル造影 CT（A）において，左顎下腺に境界明瞭な（液体に類似の）低濃度病変（矢印）を認める．MRI T1 強調像（B）で病変（矢印）は骨格筋に類似の低信号，T2 強調像（C）では著明な高信号を呈し，被膜所見は明らかでない（矢印）．s：右顎下腺

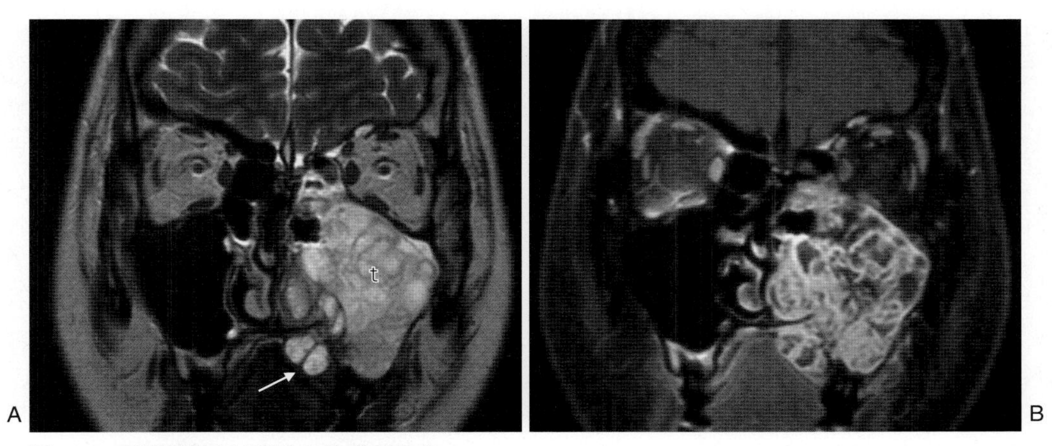

図 114　鼻副鼻腔（上顎洞）の腺様囊胞癌

鼻副鼻腔レベルの MRI，T2 強調冠状断像（A）において，左上顎洞を中心に高信号腫瘤（t）を認め，内側では左鼻腔，内側下方では硬口蓋を破壊して口腔粘膜下（矢印）への進展を示す．造影後 T1 強調脂肪抑制画像（B）で病変は不均等な増強効果を示し，内部に囊胞部と思われる造影不良域が不規則に混在している．

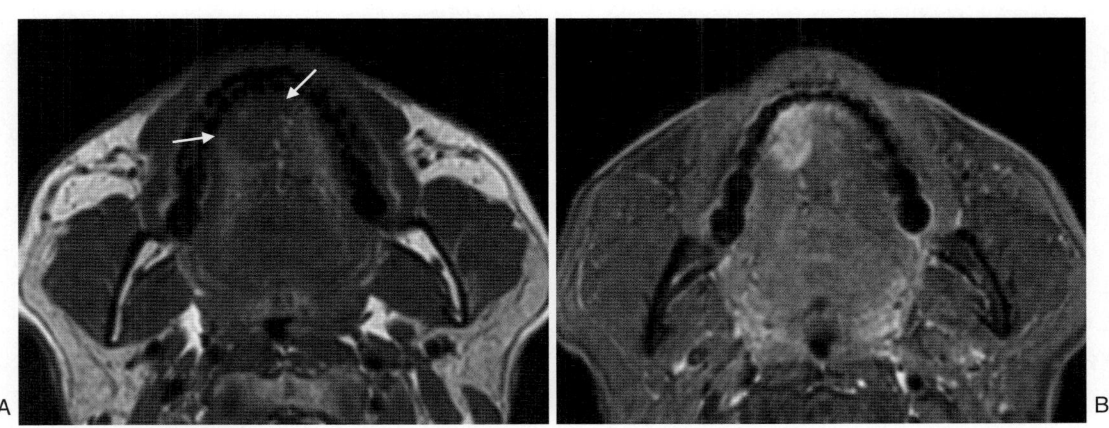

図 115　舌の腺様囊胞癌

口腔レベルの MRI，T1 強調横断像（A）で舌尖部の右傍正中に骨格筋と同等の低信号腫瘤（矢印）を認め，造影後 T1 強調脂肪抑制画像（B）で比較的均一な充実性増強効果を示す．

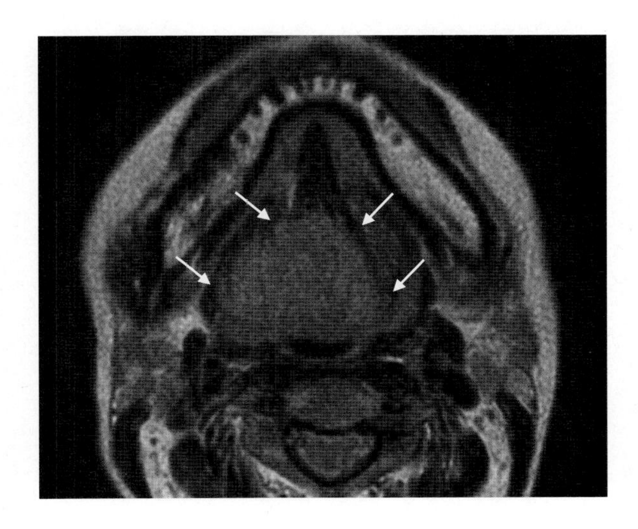

図 116　舌根の腺様囊胞癌

口腔レベルの MRI，T2 強調横断像で，右側優位に舌根を大きく占拠する，比較的均一な中等度からやや高信号強度の腫瘤（矢印）を認める．

変も内部性状についてはMRIの評価が優れるが，それぞれの部位により進展範囲の把握にCTが必要となる．また頸部リンパ節病変や肺転移に対してはCT，リンパ節転移，遠隔転移に対してはPETも有用性が高い．腺様囊胞癌の病変自体の画像所見特異性は低く，境界明瞭な腫瘤（図118）から，やや境界不明瞭な腫瘤（図119，120），さらに高度浸潤性腫瘤（図121）を示すものまで様々で，ときに囊胞部分を含む．MRI，T2強調像でも高信号強度（図122）から比較的低信号強度（図119）を示す場合があり，一部は多形腺腫に類似する．造影後も増強効果は比較的均一な充実性病変（図122），不均一な病変（図114，117，120）がある．PETではほぼ全腫瘍が中等度から高度の集積を示し，既述のとおり治療前SUVmaxが予後を示唆する[231]．PETの追加評価によりN，M分類が修正されることもしばしばで[211]，再発の診断にも有用とされる[233]．

既述のごとく，神経周囲進展は本腫瘍の特徴として知られるが（実際に遭遇する神経周囲進展の症例としては，全体の症例数が多いことから扁平上皮癌がより多い），画像診断上も同進展様式の有無，範囲を正確に評価することが治療において極めて重要である．神経周囲進展は神経の肥厚，増強効果，神経孔の拡大，組織層の消失などの画像所見を示すが（図45～48，121），各解剖学的領域において評価すべき脳神経解剖の理解が必要である．耳下腺腫瘍では顔面神経の他，三叉神経第3枝の耳介側頭枝に沿った進展，口蓋腫瘍では大・小口蓋神経から翼口蓋窩への進展を確認しなければならない．口蓋腫瘍で50歳以上で大口蓋孔（greater palatine foramen）の開大を伴う場合，87.1％で腺様囊胞癌の診断を示唆するとの報告もある[234]．神経周囲進展は神経の末梢側，中枢側の双方に進展するが，中枢側進展が多い．スキップ病巣を示す場合もあり，神経周囲進展の画像評価は脳幹部の脳神経核から標的臓器までの全経路を含める必要がある（詳細は15章「神経周囲進展」を参照されたい）．

治療は全摘出術が基本となるが，腫瘍の局在や神経周囲進展により断端陰性での切除が困難な例が多く，局所制御の改善を目的として術後放射線治療が望まれる[231]．外科的治療が困難な例では放射線治療が唯一の選択肢であり（図117，123），化学療法の効果は乏しい[231, 233]．放射線治療照射野の決定において神経周囲進展の有無，範囲の把握は重要である．放射線治療に対する反応は比較的良好であるが，長期にわたり緩徐な進行性の経過をとる場合が多い．術後照射は生存率改善には寄与しないが，局所制御率は改善を示し，神経周囲浸潤，切除断端陽性，T2以上の大きさの病変，頸部リンパ節転移などが適応となる[210]．

長期に局所・頸部の再発病変なしに，遠隔転移で再発する場合もあり，長期にわたる全身の経過観察が必要となる．局所の術後瘢痕，放射線治療後変化などと腫瘍再発との鑑別については，通常のCT，MRIや超音波検査の特異度は低く[231]，経時的変化（図123）の慎重な評価，拡散強調像での拡散低下の有無（再発では拡散低下あり，炎症では拡散低下に乏しい），あるいはPET所見（集積がなければ再発は否定的，集積がある場合は再発とともに非特異的な炎症なども鑑別となる）に，症状，理学的所見などと合わせた総合的判断が求められる．

6）唾液腺導管癌（salivary duct carcinoma）

唾液腺管上皮より発生するまれな腺癌で[235]，1968年Kleinsasserらにより最初の記述がなされ[236]，1991年にWHO分類に加えられた[237]．唾液腺悪性腫瘍の最大10％（最近は増加傾向）[238]を占める高悪性度腫瘍で[60]，予後は極めて不良である[235]．主に50歳以上（多くは60歳以上）に発症し，男性に多い（男性：女性＝5.5～7.7：1）[239, 240]．耳下腺発生（84％）が最も多いが，まれに顎下腺（16％），舌下腺，小唾液腺を侵す[241]．耳下腺悪性腫瘍の6～12％を占める[242]．孤立性に生じる場合とcarcinoma ex pleomorphic adenoma（既述）として生じる場合があり，carcinoma ex pleomorphic adenomaとしての発生は唾液腺導管癌全体の20～70％とされる[243～246]．ただし，潜在的であった多形腺腫から進行した唾液腺導管癌として顕在化した場合，carcinoma ex pleomorphic adenomaとの正確な診断は困難であることが想定され，実際にはさらに多い可能性がある．

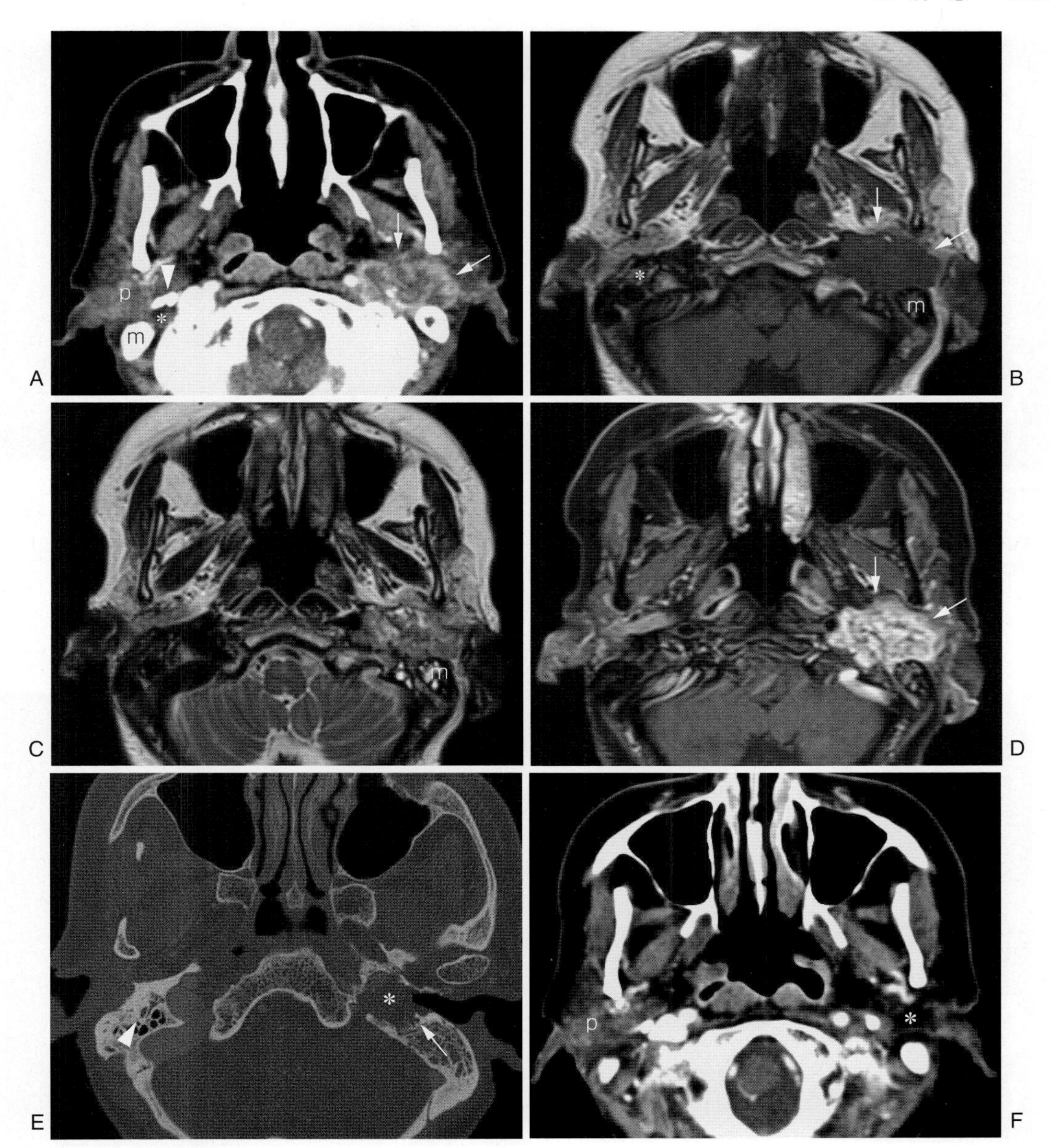

図 117　腺様嚢胞癌

耳下腺レベル造影 CT（A）において左耳下腺（対側で p で示す）の深葉を中心に浸潤性腫瘤（矢印）を認める．乳様突起尖部（対側で m で示す）と茎状突起（対側で矢頭で示す）との間にみられる，茎乳突孔直下の脂肪層（対側で＊で示す）の低濃度は消失しており，同部への浸潤を示す．MRI T1 強調像（B）で腫瘍（矢印）は低信号を示し，CT と同様に茎乳突孔直下の脂肪層（対側で＊で示す）の高信号は消失，同部への浸潤に相当する．m：乳様突起．T2 強調像（C）で病変は不均等な中等度からやや高信号を呈する．左乳様突起尖部の蜂巣（m）は液体を含み，乳様突起炎を示す．造影後 T1 強調脂肪抑制画像（D）で病変（矢印）は不均等な増強効果を呈する．同例の側頭骨レベル CT 骨条件表示（E）で側頭骨深部の骨破壊性病変（＊）を認める．顔面神経管（対側で矢頭で示す）は左側（矢印）では腫瘍による前壁の骨欠損がみられる．重粒子線治療後 16 ヵ月の造影 CT（F）で腫瘍は消失するとともに，左耳下腺（対側で p で示す）の実質濃度はびまん性に低下し，萎縮に伴う脂肪浸潤を反映している．

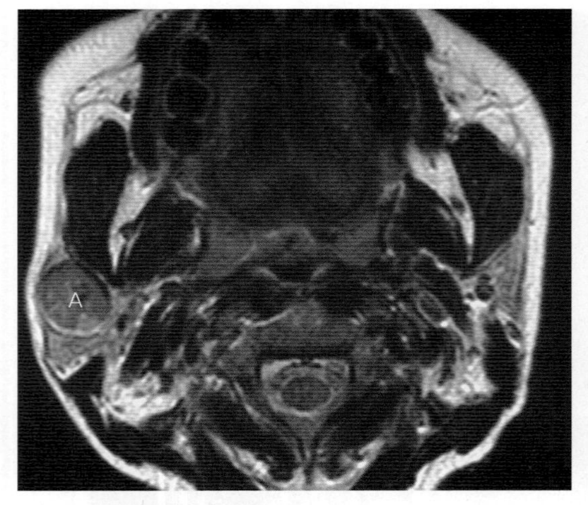

図 118　耳下腺腺様嚢胞癌
MRI T2 強調像において，右耳下腺浅葉に境界明瞭な類円形腫瘤(A)を認める．内部は多少の不均一性を示す，やや低信号強度を呈する．

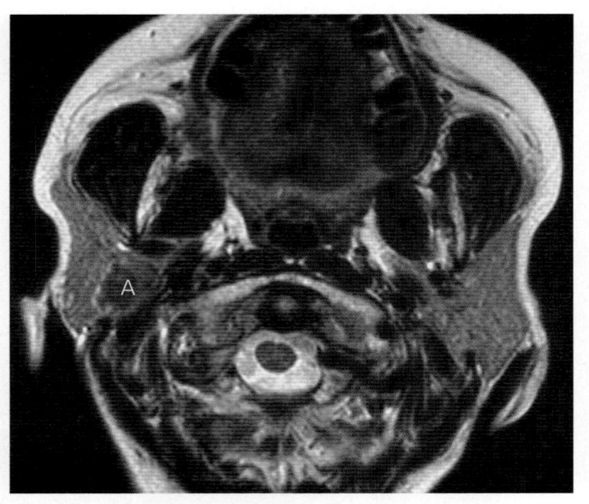

図 119　耳下腺腺様嚢胞癌
MRI T2 強調像で，右耳下腺浅葉・深葉にまたがって，辺縁やや不整な低信号腫瘤(A)を認める．

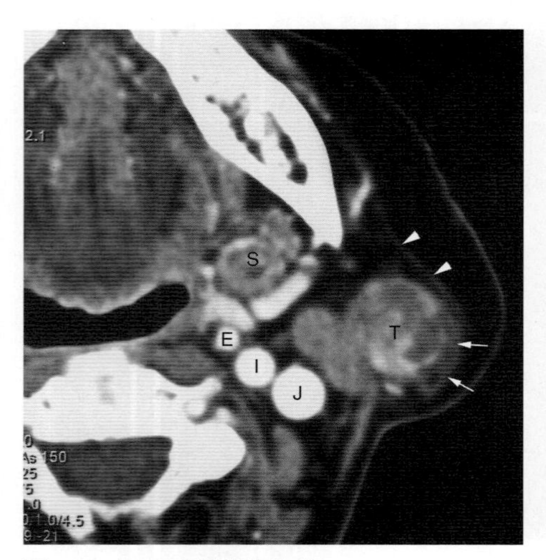

図 120　耳下腺腺様嚢胞癌
造影 CT において左耳下腺尾部に類円形腫瘤(T)あり．外側では浅頸筋膜(矢頭)との間の脂肪層の混濁(矢印)を認め，耳下腺被膜外浸潤に一致し，T3 以上であることを示す(表 3)．E：外頸静脈，I：内頸動脈，J：内頸静脈，S：顎下腺

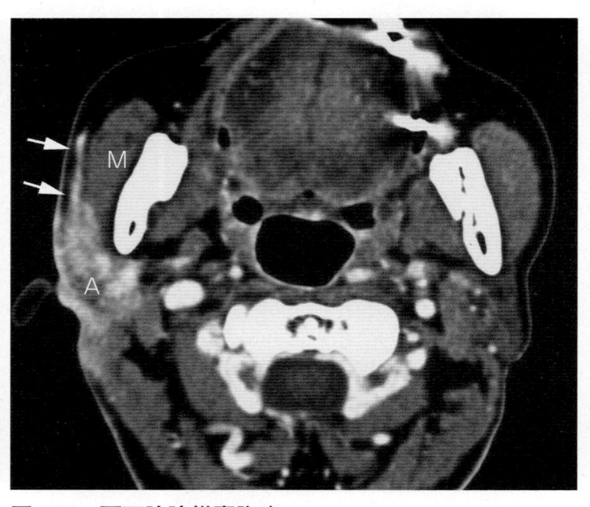

図 121　耳下腺腺様嚢胞癌
造影 CT．右耳下腺領域を中心とした，高度浸潤性腫瘤(A)を認める．前方，咬筋(M)表層に沿った索状増強効果(矢印)を認め，顔面神経頬枝に沿った末梢側に向かう神経周囲進展を反映する．

急速に増大する耳下部腫瘤として認められるのが典型で，65～66％が 2 cm より大きな進行病期(stage Ⅲ / Ⅳ)として発見され[247, 248]，17％が疼痛を伴う(無痛性腫大の方が多い)[241]．30～56％で顔面神経麻痺，42～77％で頸部リンパ節転移を認める[235, 249]．頸部リンパ節転移は予後不良因子であり，3 cm より大きな病変でその頻度は倍になるとされる[250]．唾液腺導管癌は他の唾液腺癌と比較して，頸部リンパ節転移の頻度(54％ vs 24％)，潜在的リンパ節転移の頻度(24％ vs 10％)

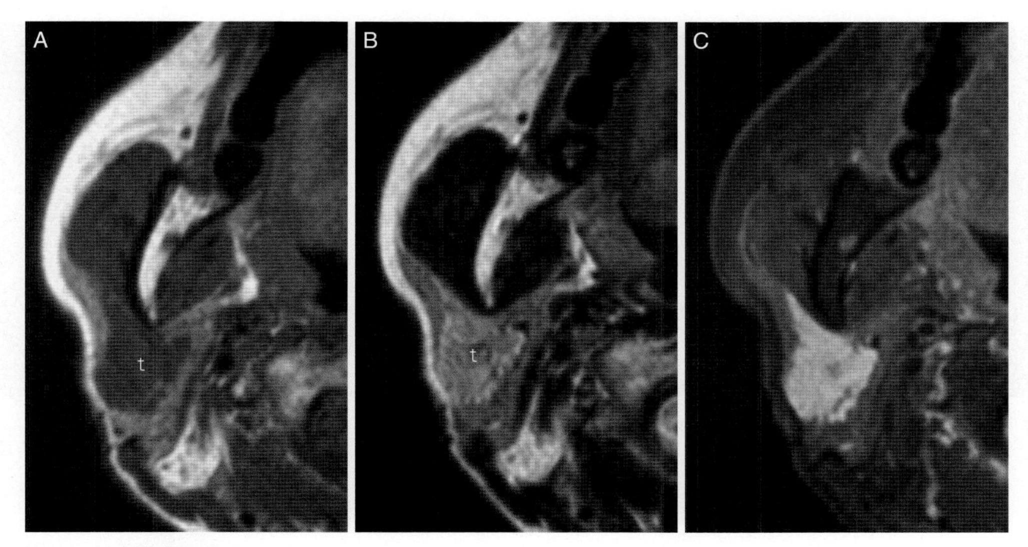

図 122 腺様嚢胞癌

耳下腺レベルの MRI，T1 強調横断像(A)で右耳下腺浅葉を中心に地図状の不整形腫瘤(t)を認める．T2 強調像(B)では，腫瘍(t)は高信号強度を呈するが，多形腺腫とは異なり被膜による辺縁低信号帯はみられない．造影後 T1 強調脂肪抑制像(C)でほぼ均一な増強効果を示している．血管腫にも類似する．

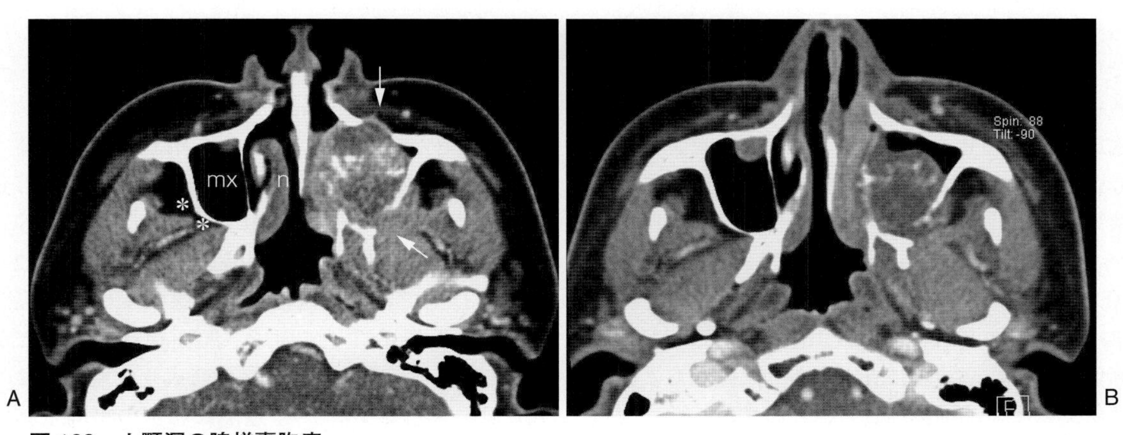

図 123 上顎洞の腺様嚢胞癌

上顎洞レベル造影 CT(A)において左上顎洞(対側で mx で示す)を中心とする腫瘤(矢印)を認め，内部は淡い不均等な増強効果とともに散在性の石灰化濃度を認める．前壁の骨欠損から頬部皮下深部，後側壁の欠損から頬間隙(対側の正常脂肪層を＊で示す)への進展(矢印)を認める．内側は左鼻腔(対側で n で示す)に進展，鼻中隔に接するが，対側進展はみられない．重粒子線治療後 1 年(B)で病変は軽度縮小とともに増強効果の減弱がみられ，治療効果を反映する．

も高く[251)]，唾液腺導管癌の潜在的リンパ節転移も高悪性度病変が低悪性度病変よりも高い(36% vs 8%)とされる[252)]．

組織学的には腺管内成分と浸潤性成分が混在し，腺管内成分は通常 comedonecrosis を伴い，病理像が乳腺の invasive ductal carcinoma に類似する．被膜形成を認めず浸潤性発育を示す．神経周囲浸潤，リンパ管浸潤の頻度が高い[60)]．

画像所見は非特異的であるが，高度浸潤性発育を反映して境界不明瞭(infiltrative border)な腫瘤(図 124)として認められる．MRI T2 強調像では通常，中等度から低信号強度を示し，完全な充実

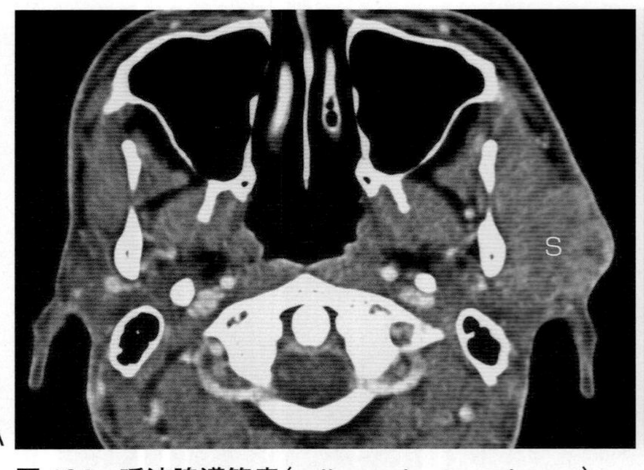

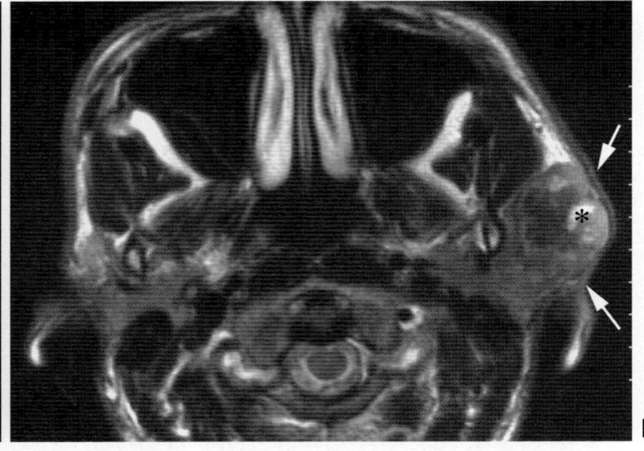

図124　唾液腺導管癌(salivary duct carcinoma)
造影CT(A)において，左耳下腺領域を中心として高度浸潤性腫瘤(S)を認める．MRI T2強調像(B)では，腫瘍(矢印)はおおむね低信号強度を示すが，偏在性に小さな囊胞部(＊)を含む．

性腫瘍の場合と，壊死，囊胞の混在する場合がある(図124B)[243]．Weonらの20例でのCT・MRI所見の検討では，浸潤性辺縁を85%(逆に比較的境界明瞭な例もみられる：図125)，周囲組織への浸潤を60%，内部の壊死(図125，126)を80%で認め，さらにCTでは50%で様々な大きさの腫瘍内石灰化(図126)を認めたとしている[235]．臨床像を合わせると，耳下腺のT2強調像で低信号強度を呈する浸潤性腫瘤で，しばしば腫瘍内の壊死，石灰化，頸部リンパ節転移の所見を伴うのが典型的と考えられる．また，MotooriらはADC低値やdynamic MRIでの造影様式(早期濃染，緩徐な洗い出し)に関して報告している[249]．画像診断は病期診断に有用であり，臨床および画像所見による病期診断(cTNM)は病理所見による病期診断(pTNM)と82%で一致するが，不一致例ではcTNMでより進行病期と判断される傾向にある[235]．PETで病変は著明な集積を示し，リンパ節転移，遠隔転移，再発の診断に有用である[252]．なお，carcinoma ex pleomorphic adenomaとして発生した場合，浸潤性腫瘤内にT2WIでは(既存の多形腺腫被膜に相当する)リング状・円弧状低信号帯を認め，CTでの石灰化は同部中心にみられる場合が多い(詳細は本章内“carcinoma ex pleomorphic adenoma”の記述を参照されたい)．

治療は全摘出術と術後放射線治療が基本となるが，術後照射の生存率への寄与は小さいと考えられている．切除縁を保った完全切除には40～73%で顔面神経切除を要する[252]．予後は極めて不良で死亡率は53～77%，平均生存期間は11～37ヵ月で，5年生存率は20～44%とされる[235, 241]．*de novo*の症例よりもcarcinoma ex pleomorphic adenomaとして生じた例でやや予後は良好な傾向にある[253]．死因は遠隔転移(肺，骨に多い)が最も多いが[249]，局所再発，頸部再発の頻度も高い．予後因子には頸部リンパ節転移の他，年齢(50歳以上で不良)，腫瘍サイズ(2～3cm以上で不良)，局在(耳下腺病変は顎下腺病変より不良)，T・N因子，顔面神経浸潤などが含まれる[250, 253]．頸部リンパ節病変は遠隔転移の発現にも相関する[240]．遠隔転移例の平均生存期間は13ヵ月とされる[254]．転移や再発病変に対しての後療法として放射線治療に組み合わせる，あるいは姑息的治療としてしばしば用いられるが，抗がん剤による治療効果は期待されない[252]．最近はHER-2タンパクなどに関する免疫組織学的，分子生物学的検討が行われ，分子標的治療に対する評価が行われている．唾液腺導管癌の25～40%でHER-2陽性，70～80%でアンドロゲン受容体が陽性であり[60, 255]，再発・転移病変のHER-2陽性例に対するtrastuzumabによる抗HER-2療法[255]，アンドロゲン受容体陽性例に対するアンドロゲン遮断療法(androgen blockage)

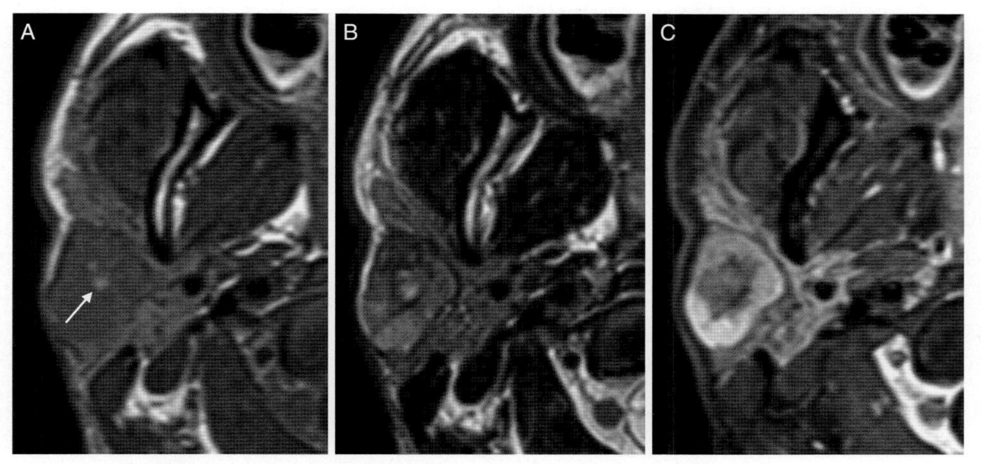

図 125　比較的境界明瞭な唾液腺導管癌（salivary duct carcinoma）
耳下腺レベルの MRI，T1 強調横断像（A）で，右耳下腺浅葉を中心として骨格筋よりやや高信号強度を呈する腫瘤を認める．中心に淡い高信号領域（矢印）がみられ，出血を伴う壊死部が示唆される．T2 強調像（B），造影後 T1 強調像（C）ではいずれも辺縁は被膜様低信号帯で囲まれ，比較的境界明瞭にみられる．内部は著明な不均一性を示す．

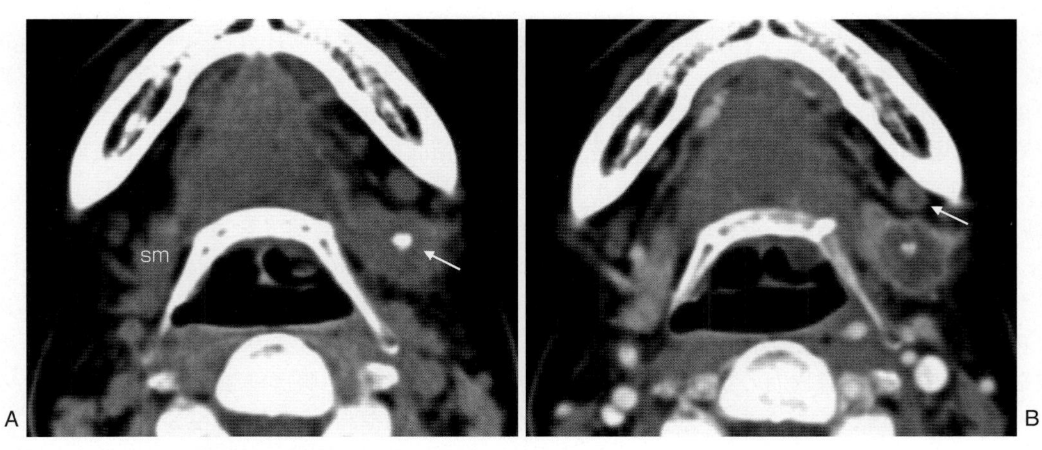

図 126　顎下腺の唾液腺導管癌（salivary duct carcinoma）
顎下腺レベルの造影前 CT（A）において，不整に腫大した左顎下腺（対側で sm で示す）内部に石灰化（矢印）を認める．造影後（B）で左顎下腺に石灰化を中心として浸潤性辺縁を示す壊死性腫瘤が描出される．近接して内部低濃度を含む左顎下リンパ節（矢印）を認め，リンパ節転移を示唆する．

[256]の有用性が示されている．

7）腺房細胞癌（acinic cell carcinoma）

漿液性腺房細胞への分化を示す腫瘍細胞による悪性唾液腺上皮系腫瘍であり，唾液腺腫瘍全体の 2.5〜8％[257, 258]，唾液腺癌全体の 10〜17％を占め[64]，唾液腺悪性腫瘍として成人では 3 番目，小児では 2 番目に多い[60, 258]．耳下腺発生（81〜95％以上）が大部分で，11％が顎下腺，3〜12％が小唾液腺に発生[60, 259]，舌下腺発生は 1％未満である[258]．耳下腺腫瘍全体の 1〜6％，耳下腺悪性腫瘍の 10〜15％に相当する[260]．なお，小唾液腺では（他の組織型が口蓋に多いのに対して）頬粘膜や上口唇に多いとされる[261]．やや女性に多い（男女比 1：1.5）[60, 258]．発症年齢は平均約 50 歳で，35％が 60 歳よりも上で，16％が 30 歳よりも下，4％は 20 歳よりも下と幅広く[60]，他の唾液腺癌よりやや若年発症で，若年者でより女性に多い傾向にある[258]．放射線治療歴や家族歴がリスク因子となる可能性が指摘されている[258]．

比較的低悪性度の腫瘍であり（ときに高悪性転化・脱分化を示す：後述），1892年Nasseにより“blue dot tumor”として最初の症例が報告され[262]，恐らくは1953年Buxtonらが初めて悪性であることを示した[263]．1965年にはAbramsがAFIPの記録から77例について詳細な臨床的病理学的記述を行い[264]，1972年WHOの唾液腺腫瘍組織分類の発刊により現在使用される“acinic cell carcinoma（腺房細胞癌）”の用語が広まった[68]．その後，2010年腺房細胞癌の一部としてMASC（mammary analogue secretory carcinoma）が報告されたが[265]，現在のWHO分類[60]では両者を独立して扱っている．

通常，耳下腺領域の緩徐に増大する無痛性可動性の孤立性腫瘤としてみられ，3分の1が疼痛，5～10％が顔面神経麻痺，ときに多結節性（特に再発例）や皮膚との固定を示す[60]．疼痛，皮膚との固定は予後不良を示唆する[266]．Spiroらは34.3～50.8％が耳下腺尾部に発生するとしている（図127）[267]．頸部リンパ節転移の頻度は9～12％と比較的低いと考えられているが，潜在性転移は最大36.6％との報告もあり予後不良因子である[258, 268, 269]．なお，リンパ節転移陽性例の75％は残存・再発病変を伴う[268]．術中に耳下腺リンパ節病変をみた場合，耳下腺周囲のリンパ節，患側レベルIIリンパ節転移に注意が必要となる[269]．遠隔転移は（一般の唾液腺癌が20～50％であるのに対して）比較的まれ（ほぼ20％）であるが[268, 270]，肺の他，胸膜，脳，腹膜，傍大動脈・気管傍・縦隔リンパ節，皮膚などを侵し，特に高悪性転化・脱分化例で認められる[271]．なお，腺房細胞癌は両側発生が知られているが，これに関しては議論がある[271]．

穿刺吸引細胞診は唾液腺腫瘍の確立された有用な診断方法であり，腺房細胞癌では通常は腺房に分化した腫瘍細胞と特定の構造を呈するが，壊死，核分裂像，細胞の多形性など，悪性を支持する所見に乏しく，腺房細胞癌では感度は低く，しばしば良性腫瘍や正常唾液腺組織と誤認（偽陰性）されることが知られている（正診率17％，特異度27％）[258, 270]．通常，画像上は非特異的な良性の形態（境界明瞭な非浸潤性腫瘤）であり，良性腫瘍や他の低悪性度腫瘍に類似するため，画像所見のみで質的診断の確定に至ることはまれであるが，局在，進展範囲の把握（顔面神経との関係，深葉進展の有無など），頸部リンパ節病変，遠隔転移の評価など，正確な病期診断，適切な治療選択に必要不可欠である．また，腺房細胞癌の診断が得られている場合，高悪性転化・脱分化を示唆する不明瞭な境界，高度浸潤性などの所見の有無の評価も重要である．CT（図127）では境界明瞭からやや不明瞭な軟部濃度腫瘤として同定され，造影剤投与で中等度の増強効果を呈する．MRI（図127, 128）は局所評価（局所進展や内部性状の評価）に優れる．MRI上も境界明瞭からやや不明瞭な類円形から分葉状の充実性腫瘤を呈し，T1強調像では非特異的な低信号を示す場合が多いが，ときに出血，ヘモジデリン沈着による淡い高信号を含む（図127）[272, 273]．また，T2強調像では（多形腺腫の典型例と比較すると）不均一でやや低い信号を示す傾向にある[258]．一方，臨床上鑑別となるMASCは比較的大きな囊胞成分を有し，囊胞内容はT1強調像で高信号を呈するとされる[272]．コントラスト分解能の高いMRIは，特に残存・再発病変の評価に有用であり，これらの75％がMRI評価なしに適切な治療方針の言及が困難との報告もある[268]．腺房細胞癌ではまれではあるが，進行病期や高悪性転化・脱分化例に対しては病期診断や術後評価としてPETが有用な場合もある[271]．

腺房細胞癌は唾液腺癌のなかで最も予後良好で，最近の報告では5年生存率は97％，10年生存率は94％，20年生存率は約90％（女性でやや良好）とされる[60, 274]．予後因子としては年齢，疼痛，性別，頸部リンパ節転移，進行病期，頭蓋底浸潤，切除断端，以前の不適切な治療，高悪性転化・脱分化，神経周囲浸潤，リンパ管浸潤などがあげられる[269～271]．茎乳突孔から顔面神経に沿った頭蓋内進展を示す例では80％で再発を示すとの報告がある[275]．高悪性転化（high-grade transformation）は従来，脱分化（de-differentiation）と

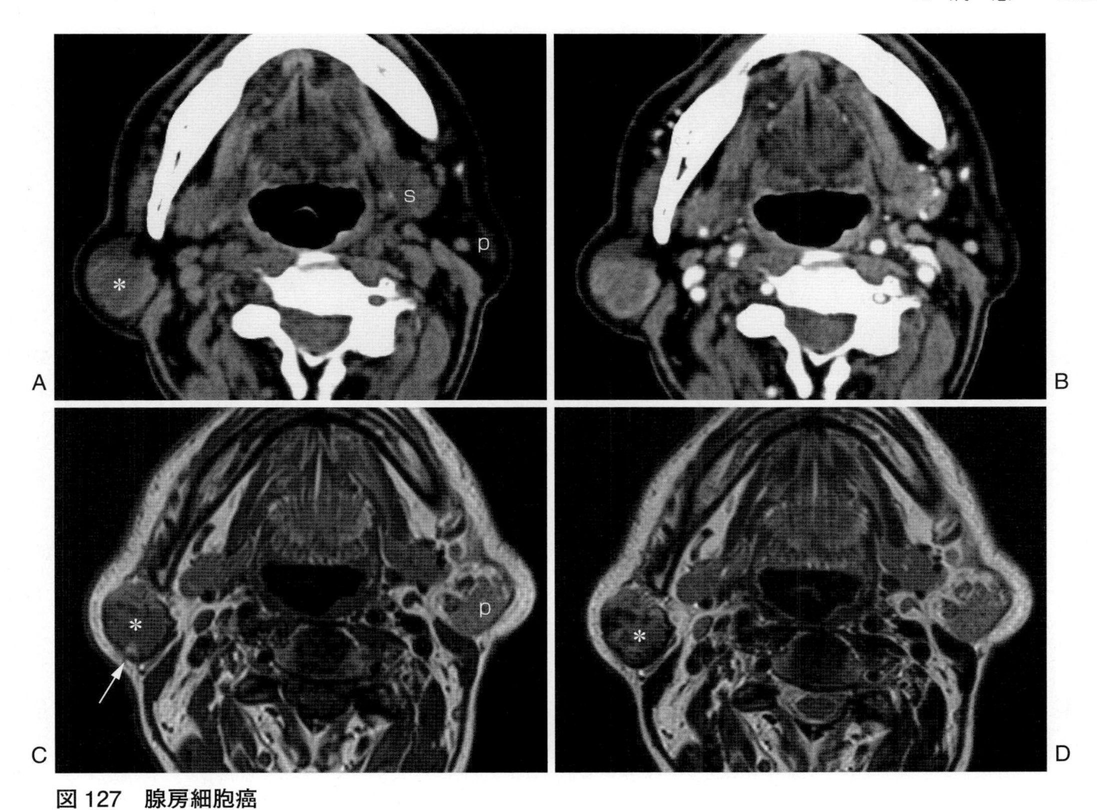

図 127　腺房細胞癌

耳下腺尾部レベルの造影前 CT(A)において，右耳下腺尾部(対側で p で示す)を中心に軟部濃度腫瘤(＊)を認める．s：顎下腺．造影 CT(B)で病変は中等度の充実性増強効果を呈する．明らかな壊死，嚢胞部はみられない．MRI T1 強調像(C)で右耳下腺尾部(対側で p で示す)の病変(＊)は多少の分葉状辺縁を示す低信号腫瘤としてみられるが，後方に偏在して限局性の高信号部分(矢印)を認める．T2 強調像(D)で病変(＊)は著明な低信号を含む内部不均一性を呈する．

称され，“脱分化”の用語は 1971 年 Dahlin と Beabout らが(軟骨肉腫に対して)初めて用い[276]，唾液腺腫瘍に関しては，1988 年 Stanley らにより耳下腺の腺房細胞癌に対して初めて報告された[277]．腺房細胞癌の高悪性転化はまれではあるが遠隔転移のリスク因子となり[278]，この 10〜15 年で増加傾向にある[279]．

治療では耳下腺全摘あるいは亜全摘による，切除断端陰性での腫瘍の完全切除が標準となる(図 128D)[258, 271]．耳下腺の腺房細胞癌では 30％以上で close margin(切除断端は陰性であるが腫瘍との距離は 1 mm 以下)での切除になるとされる[280]．T3 あるいは T4 病変では顔面神経切除が必要になる場合もあるが，術前に保たれた顔面神経機能については腫瘍と神経の間に切除縁が取れず顕微鏡的な残存腫瘍があったとしても術後放射線治療により制御可能と考えられる[281]．その他，再発病変，高悪性転化例，進行病期，頸部リンパ節転移例，神経周囲浸潤などが術後放射線療法の適応となる[258]．低悪性度病変，病期 I あるいは II の病変では推奨されない．予防的頸部郭清術は通常は推奨されないが，頸部郭清術の追加により頸部制御率の向上がみられるとの報告[268]もあり，高容積腫瘍，高悪性度腫瘍，進行病期ではレベル II，III，IV の予防的頸部郭清術の適応も考慮される．化学療法の有用性は示されていない．高悪性転化例での治療の標準はなく，耳下腺全摘，頸部郭清術に，切除断端，神経周囲浸潤の有無，進行病期などにより術後放射線治療を行うのが通常である[282]．

再発の多くは局所，頸部リンパ節ではなく遠隔転移(肺が最多)で，長期経過において 20％で認

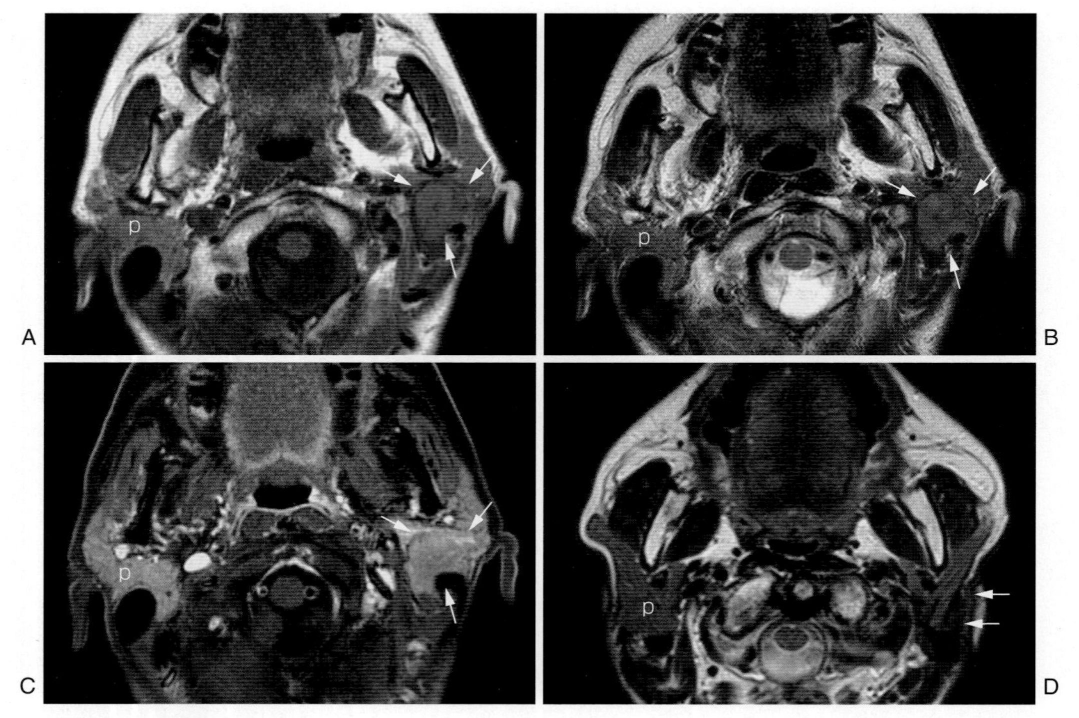

図 128　腺房細胞癌

耳下腺レベルの MRI T1 強調像(A)において左耳下腺深葉を中心に耳下腺実質よりわずかに低信号，骨格筋よりやや高信号を示す腫瘤(矢印)を認める．T2 強調像(B)でも中等度からやや高信号の腫瘤(矢印)としてみられ，典型的多形腺腫よりやや信号強度は低いと思われる．造影後 T1 強調脂肪抑制画像(C)で病変(矢印)はびまん性充実性増強効果を示し，嚢胞，壊死などの所見はみられない．術後の T2 強調像(D)で腫瘍は摘出され，切除創に沿った低信号(矢印)を認め，術後線維性瘢痕に相当する．p：右耳下腺

められ，主な死因となる[268]．既述のとおり，局所についてはMRI，遠隔転移についてはCTやPETでの長期経過観察が求められる．

8)（耳下腺内）顔面神経鞘腫（intraparotid facial nerve schwannoma）

神経鞘腫(schwannoma)は，神経鞘を有する脳神経を含んだ末梢神経軸索を包むSchwann細胞に由来する良性腫瘍である．通常は由来する神経の走行経路に沿った，境界明瞭な孤立性腫瘤として認められ，緩徐な増大を示す．約3分の1が頭頸部に生じるが，顔面神経由来はまれで[283]，1930年Schmidtが最初に記述した[284]．顔面神経鞘腫は，顔面神経の小脳橋角部でのglial-Schwann細胞移行部から終末枝までのいずれの部位にも生じうるが，その多くが側頭骨内発生であり，耳下腺内発生は顔面神経鞘腫の9%で耳下腺腫瘍全体の0.2～1.5%と頻度は低い[285]．

40～50歳代に多く，性差はない．緩徐な増大を示し，片側性無痛性耳下腺腫瘤としてみられるのが典型で，多くが無症候性であるが約20%で顔面神経障害(weaknessあるいはparalysis，進行性が典型的)を伴う[286]．組織学的に腫瘍は神経鞘から偏心性に発育し，腫瘍基質は神経線維を含まないため，神経症状は浸潤よりも圧排によるものであり，病変の局在に依存する[287]．これらのことから顔面神経障害を示す例は比較的大きな腫瘍が多いが，顔面神経麻痺が初発症状となる例[288]，顔面神経麻痺を伴う有痛性耳下腺腫瘤としての報告もある[289]．

顔面神経症状に乏しい臨床像，画像所見(後述)ともに(より頻度の高い耳下腺腫瘍である)多形腺腫や低悪性度腫瘍としばしば類似し，必ずしもこれらとの鑑別は容易でないが，不用意な手術による顔面神経麻痺を回避する意味において可能な限

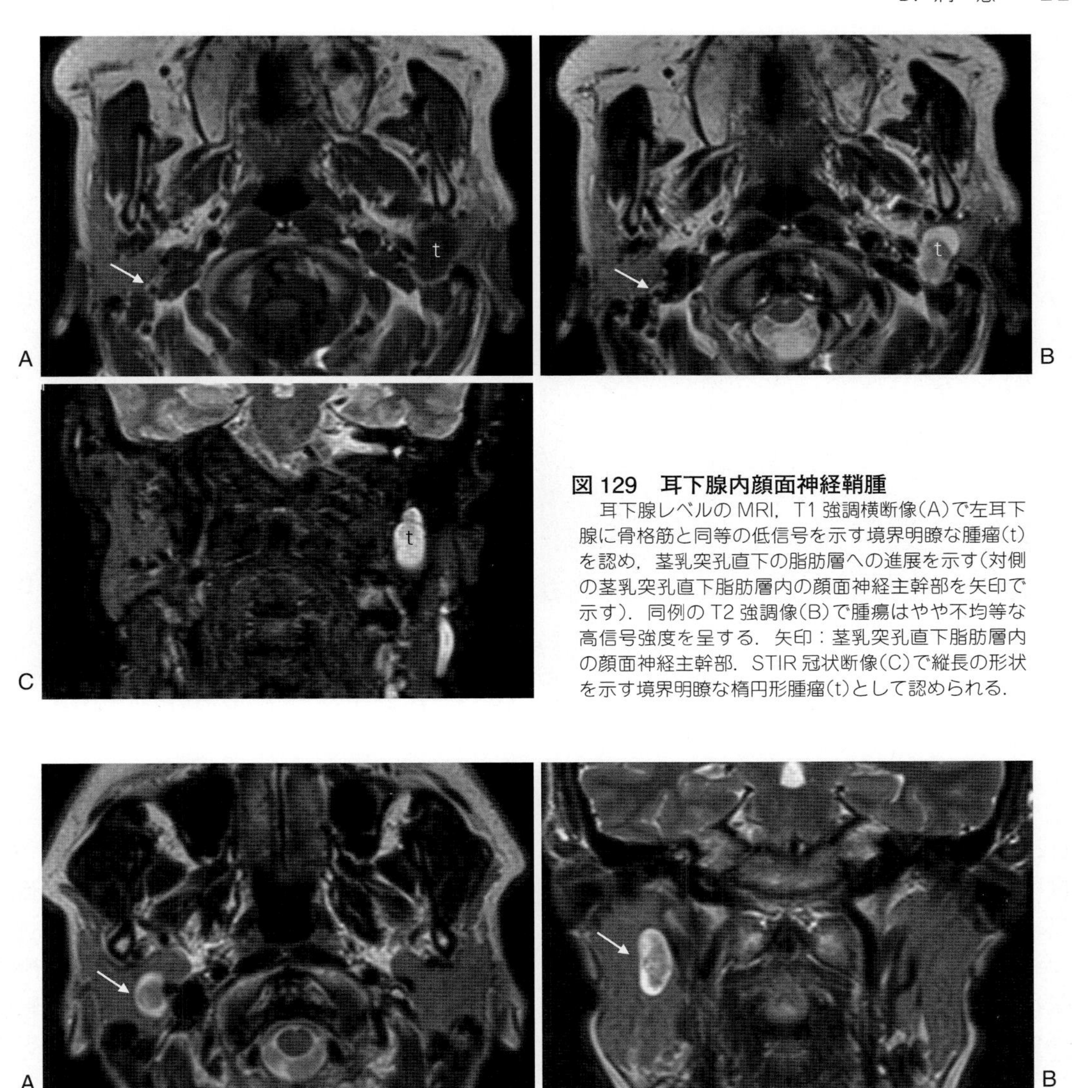

図 129　耳下腺内顔面神経鞘腫
耳下腺レベルの MRI，T1 強調横断像(A)で左耳下腺に骨格筋と同等の低信号を示す境界明瞭な腫瘤(t)を認め，茎乳突孔直下の脂肪層への進展を示す(対側の茎乳突孔直下脂肪層内の顔面神経主幹部を矢印で示す)．同例の T2 強調像(B)で腫瘍はやや不均等な高信号強度を呈する．矢印：茎乳突孔直下脂肪層内の顔面神経主幹部．STIR 冠状断像(C)で縦長の形状を示す境界明瞭な楕円形腫瘤(t)として認められる．

図 130　耳下腺内顔面神経鞘腫
耳下腺レベルの MRI，T2 強調像(A)で顔面神経主幹部の解剖学的領域に一致して，境界明瞭な楕円形腫瘤(矢印)を認める．内部は同心円状に target sign を呈する．同冠状断像(B)で縦長の形状を示す．

りの術前診断(少なくとも鑑別として考慮する，あるいはその可能性を示唆する)が望まれる．

術前診断にしばしばFNA が施行されるが，嚢胞あるいは高度粘液間質，膠原繊維の豊富な領域では診断困難な場合も多く，一般的に有用性は低い[290]．画像診断では耳下腺腫瘍としてしばしばCT，MRI，超音波検査の評価対象となる．画像所見として最も重要なのは局在であり，次に形状が鍵となる．内部性状(濃度，信号強度，造影様式など)は腫瘍により様々で所見特異性は低い．

顔面神経主幹部に由来する病変の局在は，同部の解剖学的領域(tragal "cartilaginous pointer" を基準とする．12 章「側頭骨」を参照されたい)に一致(図 129，130)する必要があり，頭側で茎乳突孔直下脂肪層への到達(図 129)，さらに同孔から拡大した顔面神経管下行部(乳突部)への連続性(図 131)を認めればより信頼性高い診断が可能である．ただし，耳下腺悪性腫瘍の神経周囲進展は鑑別となるため注意を要する．形状としては他領域の神経鞘腫と同様，神経の走行経路に沿ったや

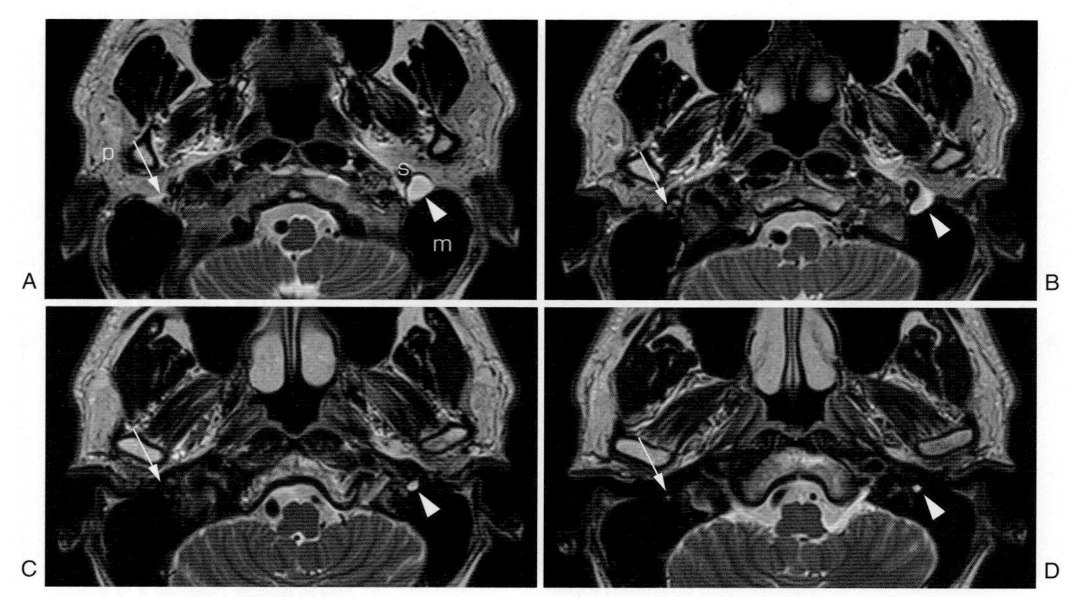

図 131　耳下腺内顔面神経鞘腫
耳下腺レベル MRI T2 強調横断像（A）において，左耳下腺（対側で p で示す）の深部で乳様突起（m）と茎状突起（s）との間で，茎乳突孔直下の顔面神経主幹部（対側で大矢印で示す）の解剖学的領域に一致して境界明瞭な高信号腫瘤（矢頭）を認める．さらに頭側に連続するスライス（尾側から頭側に順に B，C，D）で高信号腫瘤（小矢印）は茎乳突孔から顔面神経管乳突部に侵入し，顔面神経（矢印）腫大としてみられる．

や縦長の楕円形・管状の辺縁平滑，境界明瞭な腫瘤（図 129，130）として見られる．内部所見は様々で，ときに target sign（図 130，132）を呈する．充実部は，Antoni A，Antoni B それぞれの混在の程度により多少異なるが，CT では骨格筋よりやや低濃度から等濃度で，不均一な増強効果を呈する[291]．MRI では T1 強調像で骨格筋に類似する低信号強度，T2 強調像では高信号強度を呈するのが典型的である．しばしば囊胞成分を含む．内部性状に関する評価は MRI が（CT，超音波検査よりも）優れ[292]，顔面神経管拡大に関しては CT 骨条件表示が有用である．

外科的切除の適応に関しては依然議論があるが，年齢，腫瘍の局在・進展範囲，生物学的特性，顔面神経障害の有無・程度などの要素を総合的に判断する．Marchioni らは外科的切除を前提とした腫瘍と顔面神経との関係から 4 つのタイプ（type A～D）に区分している（表 9）[293]．25～41.3％が顔面神経との分離が可能な type A で，術前に顔面神経麻痺を示すことはなく，術後の顔面神経機能は House-Brackmann 分類（表 10：p1116）の grade I あるいは II である[291, 294～296]．type B，C，D は顔面神経枝のいずれかと強固につながるが，顔面神経主幹部を侵す type C，D が全体の 69.7～81.5％を占める[291]．顔面神経障害がごく軽微で，側頭骨内進展がなく耳下腺内に限局している例では，手術での顔面神経障害悪化のリスクを考慮して経過観察される例も多い[294]．理論的には神経鞘腫は神経と切離可能であるが，神経内の小さな神経線維から発生している場合には切離困難である[295]．画像および・あるいは術中所見として顔面神経と腫瘍の分離が困難な場合，多くの外科医は突然発症あるいは House-Brackmann grade Ⅳ（表 10）を超える重度の顔面神経麻痺，顔面神経管乳突部への進展を認めない限り，経過観察を選択する[294]．ただし，重度の顔面神経麻痺，乳突部進展例で切除時期を遅らせれば，切除の技術的困難さは増し，さらなる神経損傷の危険性も高くなることから適切な時期での判断が重要である．茎乳突孔から側頭骨顔面神経管に連続し進展を示す耳下腺顔面神経鞘腫（図 131）は，側頭骨内発生の病変と同様の対応が必

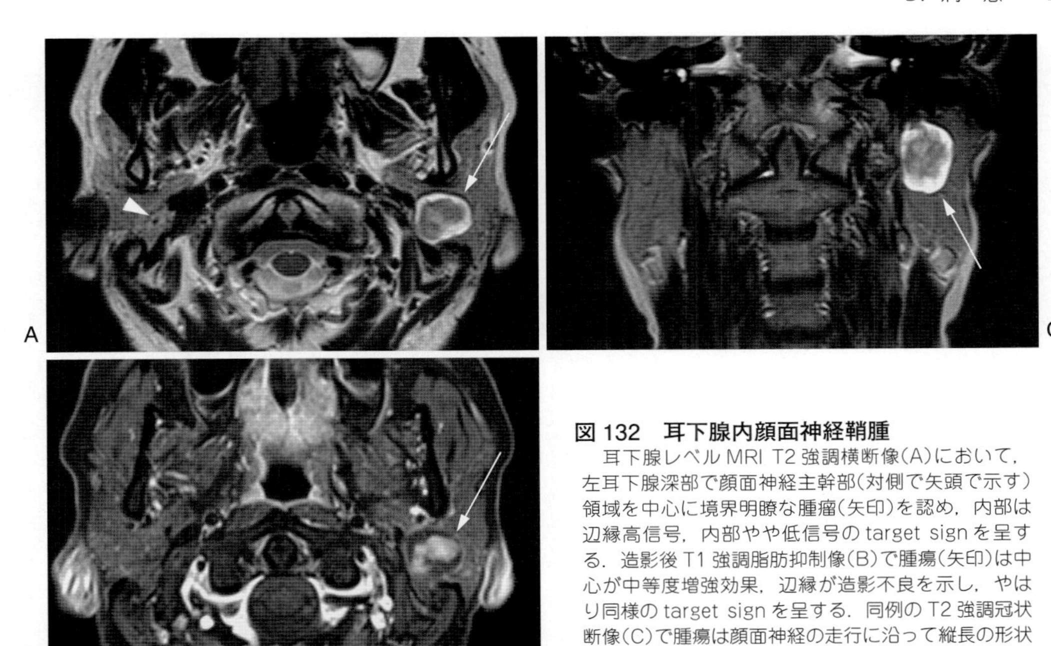

図 132　耳下腺内顔面神経鞘腫

耳下腺レベル MRI T2 強調横断像(A)において，左耳下腺深部で顔面神経主幹部(対側で矢頭で示す)領域を中心に境界明瞭な腫瘤(矢印)を認め，内部は辺縁高信号，内部やや低信号の target sign を呈する．造影後 T1 強調脂肪抑制像(B)で腫瘍(矢印)は中心が中等度増強効果，辺縁が造影不良を示し，やはり同様の target sign を呈する．同例の T2 強調冠状断像(C)で腫瘍は顔面神経の走行に沿って縦長の形状を示す．

表 9　耳下腺内顔面神経鞘腫の臨床分類

病 型	顔面神経との関係
Type A	顔面神経の損傷なく切除可能
Type B	腫瘍切除に顔面神経の部分的切除を要する(顔面神経の末梢枝あるいは遠位部を侵す)
Type C	腫瘍切除に顔面神経主幹部の切除を要する
Type D	腫瘍切除に顔面神経主幹部に加えて，側頭・顔面枝(temporo-facial branch)，頸部・顔面枝(cervico-facial branch)のいずれかの切除を要する

(Marchioni D, Alicandri Ciufelli M, Presutti L：J Laryngol Otol **121**：707–712, 2007)

要であり，顔面神経機能を可能なかぎり長期に最大限温存し，治療を必要とする他の症状を抑えることが第一の目標となる[297]．

3 その他

1) ガマ腫(ranula)

舌下腺の貯留嚢胞として生じるガマ腫に関しては 11 章「頸部嚢胞性腫瘤」を参照されたい．

2) 唾石(sialolithiasis)

唾石は唾液腺機能不全の原因として最も多いもののひとつで，閉塞性病変の最大 70％を占める[298]．全人口の 0.45％が生涯の間に唾石による症状を訴えるとされる[299]．ただし，無症候性の場合もあり小さい結石の一部は自然排石されることから実際の頻度はより多く，屍体の検討において人口の 1.2％で認めたとの報告がある[300]．唾液腺管内に侵入した小異物や細菌などを核として，同心円状，層状に炭酸カルシウム，リン酸カルシウムなどが石灰化沈着することにより形成される．唾液の停滞，唾液量の低下などによるが，局所的要因として，炎症や外傷，腺・管組織の解剖学的特徴などが関与すると考えられている．喫煙，水分摂取の低下，唾液量低下を来す薬剤，Sjögren 症候群や通風などの全身性疾患，頭頸部領域の放射線治療，年齢(高齢者)，腎不全などが危険因子や基礎病態となる[301, 302]．なお，血清カルシウム濃度[302]や水の硬度[303]と唾石の発生は関連ない．男性に多い(男性：女性 ＝ 2：1)とされるが[302, 304]，一部で女性がやや多いとの報告もある[300]．30～60 歳に多く，小児はまれであり唾石

表10　House-Brackmann分類(顔面神経麻痺)

Grade	安静時	額の皺寄せ	閉眼	口角の運動	共同運動	拘縮	痙攣	全体的印象
Ⅰ：正常	正常	正常	正常	正常	— なし	— なし	— なし	正常
Ⅱ：軽度	対称性 緊張正常	軽度〜正常	軽く可能 軽度非対称性	力を入れれば動くが，軽度非対称	— (±)	— (±)	— (±)	注意しないとわからない程度
Ⅲ：中等度	対称性 緊張ほぼ正常	軽度〜高度	力を入れれば可能 非対称性明瞭	力を入れれば動くが，非対称明瞭	＋ 中等度	＋ 中等度	＋ 中等度	明らかな麻痺だが，左右差は著明でない
Ⅳ：やや高度	対称性 緊張ほぼ正常	不能	力を入れても不可	力を入れても非対称性明瞭	＋＋ 高度	＋＋ 高度	＋＋ 高度	明らかな麻痺，左右差も著明
Ⅴ：高度	非対称性 口角下垂 鼻唇溝消失	不能	不可	力を入れてもほとんど動かず	—	—	—	わずかな動きを認める程度
Ⅵ：完全麻痺	非対称性 緊張なし	動かず	動かず	動かず	—	—	—	緊張の完全喪失

全体の3%に過ぎない[300, 304]．

腺管を閉塞する大きさになると摂食時に唾疝痛(salivary colic)と呼ばれる疼痛を訴える．二次性の閉塞性唾液腺炎では，片側性に急性あるいは慢性の腫脹，疼痛を訴えるが，しばしば感染を伴い[305]長期にわたると唾液腺の萎縮をきたす．ときに偶発的所見としてみられる場合もあり，約30%の例は無痛性腫大を示す(無痛性の場合に否定してはならない)[302]．唾石の多くは5 mm以下であるが，ときに数cmまでの増大(図133)もみられ[304]，一般に唾石の増大速度は1〜1.5 mm/年と推定されている[306]．

症例の80〜92%が顎下腺・管(図133〜135)，6〜15%が耳下腺(図136〜139)，舌下腺と小唾液腺が各々2%から1%未満とされる[307〜309]．顎下腺に多い理由としては，顎下腺唾液の性状が高ムチン成分，高pH(アルカリ性)，高有機物質，石灰・リン酸塩の濃縮，低二酸化炭素，高リン酸酵素であり，解剖学的に顎下腺管(Wharton氏管)(図6)の長く不規則な走行，重力依存部に位置する顎下腺・管，腺管開口部の位置や腺管よりも小さい径などがあげられる[307]．また，小唾液腺結石に対する記述は限られているが，実際に報告されているよりも少し多いと考えられる．小唾液腺結石は頬粘膜，上口唇に多く，口蓋，歯槽粘膜，下口唇には少ないが[310]，これも頬粘膜や口唇の導管は口蓋と比較して長く，結石がより形成されやすい唾液性状が理由とされる．

画像診断(表11：p1121)として石灰化の検出に優れるCTが最も有用である．単純X線では60〜70%まで石灰化しないと描出されないことから，口内法，パノラマ撮影ともに少なくとも顎下腺唾石の20%，耳下腺唾石の50%は同定されない[302]．超音波検査では2 mm以上で同定可能とされ[311]，感度は59.1〜93.7%，特異度は86.7〜100%である[300]．通常，CTで顎下腺管の走行する口腔底の舌下間隙(図6)に一致して石灰化結石を認める(図133，135)．(後述のごとく)開口部近傍か(図135，140)，腺管内か(図141，142)，腺内か(図143，144A)(腺内の場合はどのような部位か)の局在，数(図141，142)の同定は治療選択において重要である．顎下腺開口部では咬合面での義歯からの金属アーチファクトとの重なりなどもあり，小さな唾石(図140)は慎重な評価が望まれる．軟部濃度条件では隣接する小さな唾石の同定が困難な場合もあり，唾石の数を正確に示すには骨条件表示が必要となる(図142，145)．一方で微小な結石は骨条件で不明瞭となる場合もあり(図146)，注意を要する．耳下腺の結石も実質内あるいは耳下腺管の走行あるいは開口部に一致した石灰化病変として認められる(図136A，139)．唾石の同定のみに関しては非造影CTで十

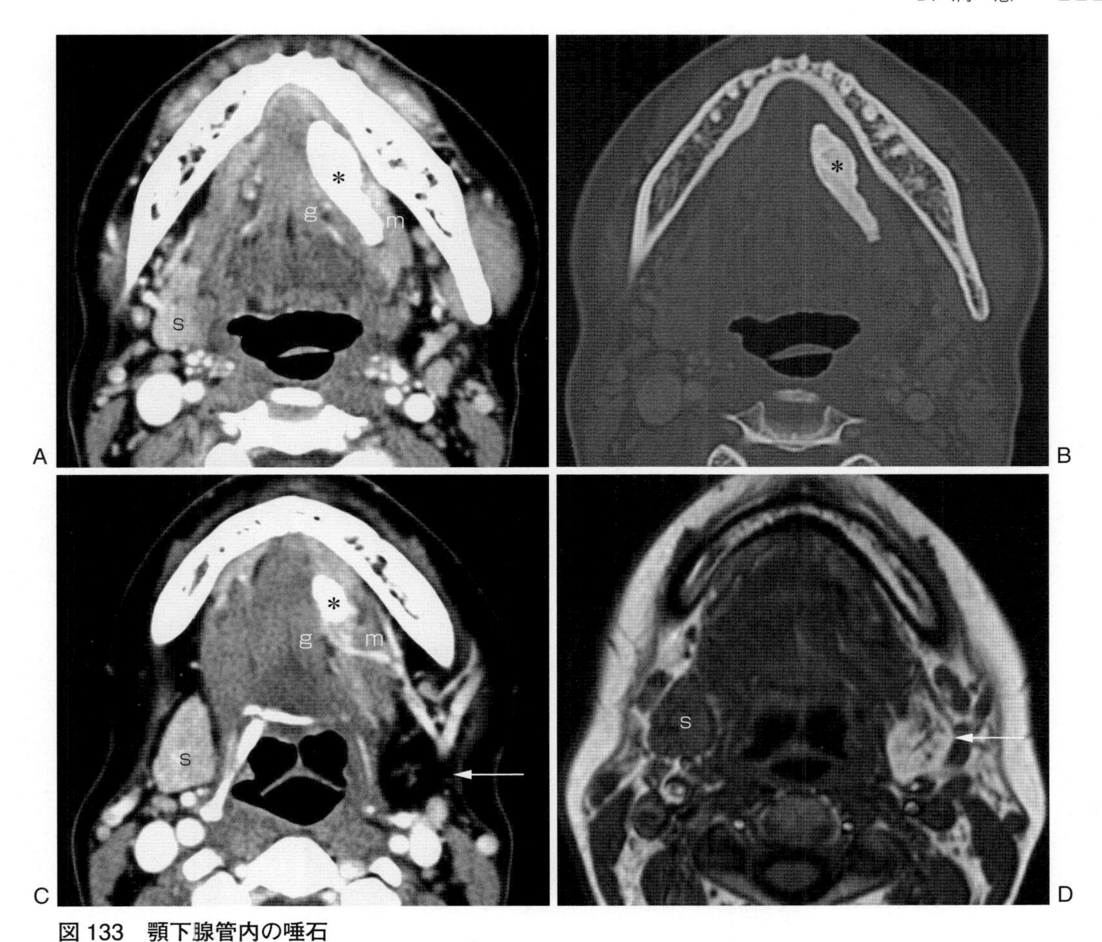

図 133　顎下腺管内の唾石

口腔底レベル造影 CT（A）において，左側のオトガイ舌筋（g）と顎舌骨筋（m）との間の舌下間隙内で顎下腺管の走行に一致して粗大な石灰化（＊）を認め，唾石が示唆される．顎下腺（右で s で示す）は患側で同定されない．同骨条件表示（B）で内部無形な石灰化（＊）が描出されている．さらに尾側（C）で右顎下腺（s）が明瞭に同定されるレベルでも左顎下腺は同定されず，脂肪に置換されており（矢印），唾石（＊）による長期の顎下腺閉塞による二次性萎縮を示す．g：オトガイ舌筋，m：顎舌骨筋．同レベルの MRI T1 強調像でも顎下腺（右で s で示す）領域は脂肪の信号（矢印）を呈する．

分であり，2 mm の唾石まで信頼性高く同定可能である[312]．これは 1〜2 mm の尿管結石の同様の評価での検出率（29％）よりも良好である[313]．ただし，急性唾液腺炎による膿瘍形成有無の評価（図 147）を必要とする状況においては造影剤使用が望ましい．唾液腺炎に関しては，急性期には腫大，辺縁不明瞭化（や周囲脂肪混濁）とともに，非造影 CT で実質濃度のびまん性上昇（図 138, 148），造影 CT で実質増強効果のびまん性亢進（図 134，135，137）を呈し，長期例では唾液腺萎縮を反映して，腺組織の縮小（図 144），脂肪浸潤による置換（図 133，149）を認める．造影 CT のみでは小さな結石の同定が困難な場合もあり（図 144A，150），非造影 CT（図 140，143）が望まれるが，造影 CT のみでも非造影 CT と同等の診断能（感度 96％，特異度 100％，正診率 98％）であるとの報告[300]や，dual energy CT の仮想非造影 CT でも正確な診断が可能との報告[312]もある．鑑別（偽陽性）として石灰化リンパ節，茎突舌骨靱帯の石灰化（Eagle 症候群），扁桃結石，静脈石などがあげられる（図 151）[300]．MRI では唾石は結節様低信号（図 136）としてみられるが，2 mm 未満の唾石の検出は困難であり，唾石自体の存在診断で MRI が適応となる例は少ない[314]．

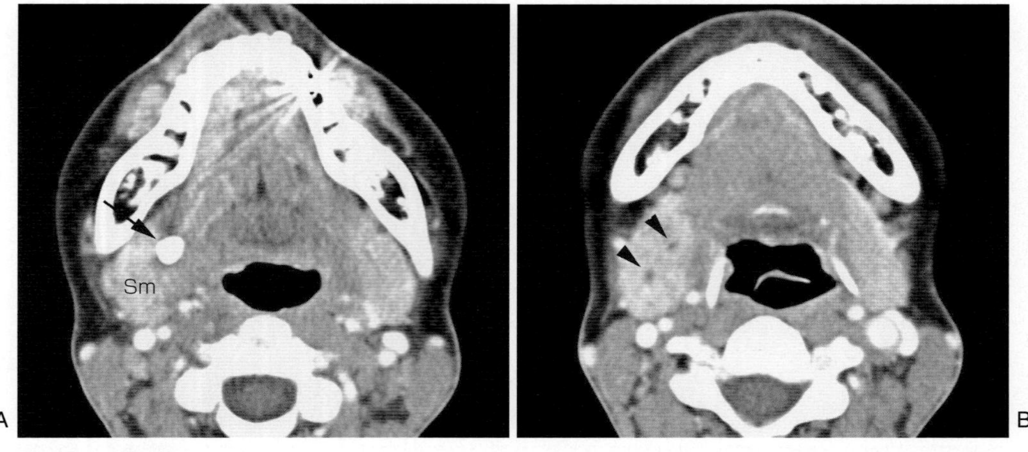

図 134　唾石症
造影 CT（A）において，右顎下腺門（腺・管接合部）に一致して石灰化（矢印）を認め，唾石に一致する．右顎下腺（Sm）の増強効果は，健側顎下腺と比較して，軽度亢進している．5 mm 尾側レベル（B）で，右顎下腺（Sm）は健側よりも腫大，増強効果の軽度亢進を示すとともに，腺内腺管拡張（矢頭）を示す．

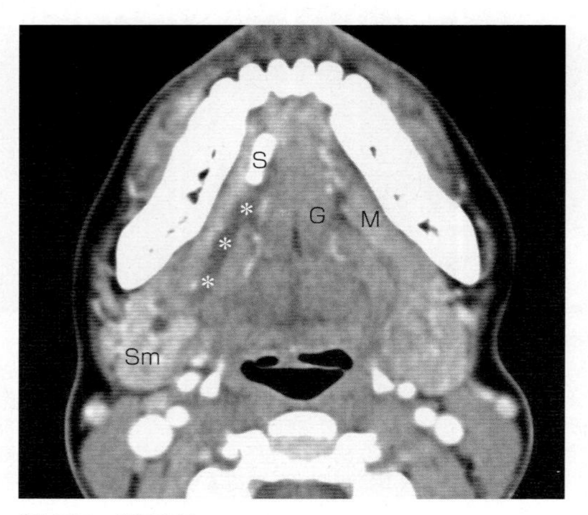

図 135　唾石症
造影 CT．右顎下腺管開口部近傍に唾石（S）を認める．オトガイ舌筋（G）と顎舌骨筋（M）の間の舌下間隙内を走行する右顎下腺管の拡張（＊）を伴う．右顎下腺（Sm）は二次性唾液腺炎による増強効果亢進を示す．

ただし，CT では指摘困難な軽度の唾液腺炎についてSTIR での実質信号の軽度上昇として描出されたり，MR sialography では唾液腺管の拡張・狭窄の様子を評価することが可能である[315, 316]．

治療としては抗炎症鎮痛薬を使用し，顎下腺管遠位の開口部近傍（2 cm 以内）（図 135，140）の場合は（必要に応じて）切開を加えて用手的圧迫により排石する．腺管内（図 141，142）の場合は口内からの切開にて排石するのが原則である．これは唾液瘻を形成したとしても内瘻となるためである．経口的摘出が可能かどうかの判断には，唾石が触知可能かどうかが重要な要素となる[317]．腺・管接合部（腺門）（図 134，145），腺実質内（図 143，144A）の結石では顎下腺であれば腺摘出術，耳下腺であれば顔面神経損傷に注意を払いながら結石，変性腺実質を切除する．顎下腺門，顎下腺内の唾石に対する操作では顎舌骨筋後縁，下顎骨内側縁と（内側に牽引された）舌神経との三角形が

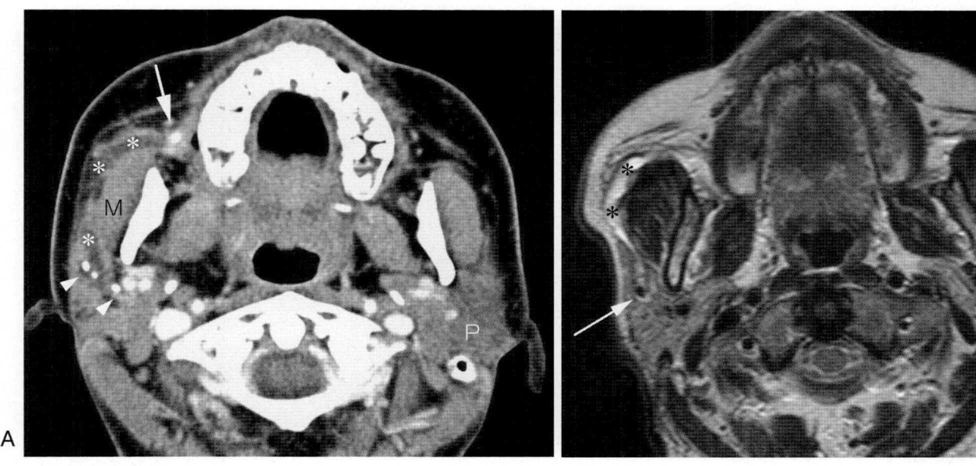

図 136　唾石症

造影 CT 横断像(A)において，右耳下腺管の頬粘膜開口部に一致して唾石(矢印)を認め，咬筋(M)表面に沿って走行する耳下腺管拡張(＊)を伴う．右耳下腺内腺管にも複数の唾石(矢頭)を認める．

別症例の MRI T2 強調横断像(B)で，両側耳下腺管の拡張(＊)を認め，右耳下腺管内には低信号の唾石(矢印)が同定される．P：耳下腺

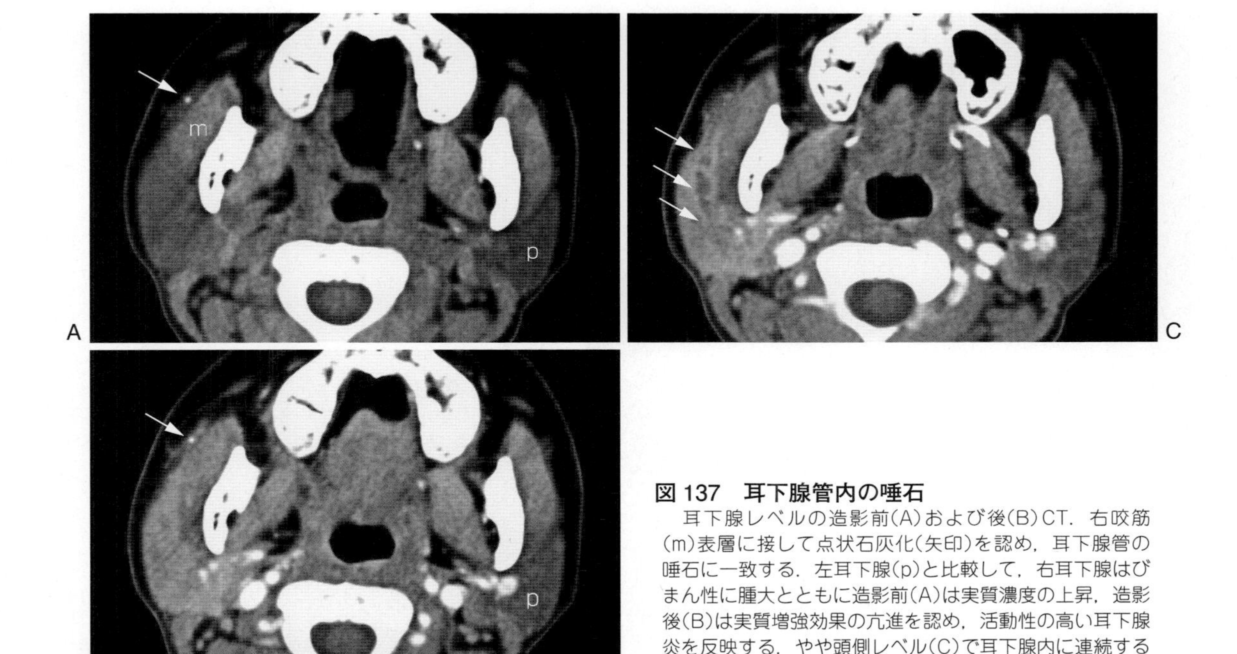

図 137　耳下腺管内の唾石

耳下腺レベルの造影前(A)および後(B)CT．右咬筋(m)表層に接して点状石灰化(矢印)を認め，耳下腺管の唾石に一致する．左耳下腺(p)と比較して，右耳下腺はびまん性に腫大とともに造影前(A)は実質濃度の上昇，造影後(B)は実質増強効果の亢進を認め，活動性の高い耳下腺炎を反映する．やや頭側レベル(C)で耳下腺内に連続する拡張した耳下腺管(矢印)を認める．

外科的指標となるが[304]，舌神経損傷のリスクがあり注意を要する[318]．他の合併症として唾液瘻，唾液瘤(sialocele)，顔面瘢痕，Frey 症候群などがあげられ[304]，合併症全体の発現率は約 5% とされる[314]．最近は唾液腺管内視鏡(sialoendoscopy)の導入によって，より非侵襲的な摘出が可能となった[318]．1991 年 Katz により腺管内を観察する方法として最初に記述され[319]，腺の温存を図る場合の 5 mm 程度までの唾石で，特に類円形・楕円形で表面平滑で，可動性があり，顎下腺管遠位部(開口部近傍)，あるいは 5～10 mm 程度の触知困難な唾石が対象となる[311, 314, 318]．

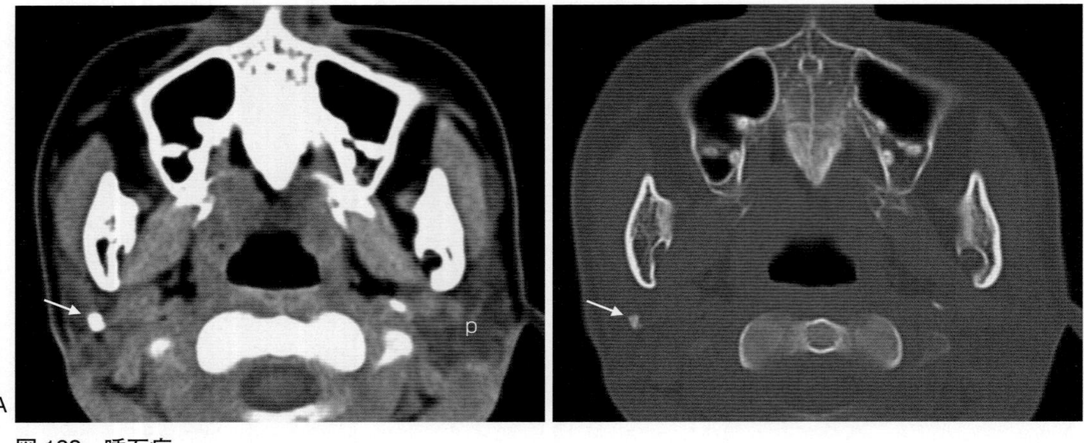

図138　唾石症
耳下腺レベルの非造影CT(A)．左耳下腺(p)と比較して，縮小とともに実質濃度の上昇した右耳下腺内に石灰化(矢印)を認め，唾石に一致する．同骨条件表示(B)．

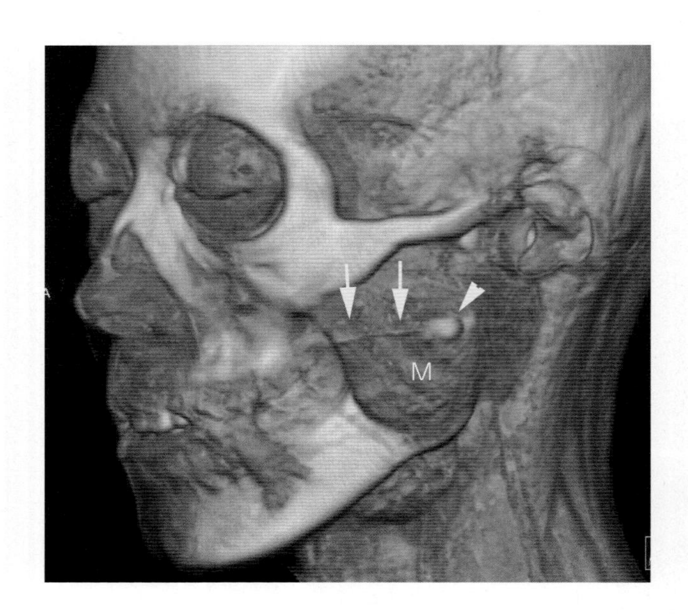

図139　唾石症
3D-CT表示．顔面を左斜め前から眺めた図．左耳下腺管(矢印)の走行経路に一致して唾石(矢頭)が同定される．M：咬筋

3) 木村氏病(Kimura disease, eosinophilic hyperplastic lymphoid granuloma)

比較的まれな緩徐進行性の慢性炎症性病態で，主に頸部(最大で全体の76%)に発生する孤立性・多発性の無痛性皮下腫瘤と頸部リンパ節病変を示し[320]，通常，唾液腺(主に耳下腺と顎下腺)腫大と頸部リンパ節腫大として現れる．25%が両側性であったとする記述[321]もあるが，報告により頻度は多少異なる．リンパ節腫大の発現は42〜100%とされる[322]．皮下腫瘤の大きさは様々(2〜11 cm)で[323]，最大20 cmに及ぶ[324]．上記以外に腎もしばしば侵され，活性化されたT細胞により糸球体基底膜の透過性が亢進し，19%の例でタンパク尿を生じる[324, 325]．1937年Kim，Szetoが最初に報告[326]，1948年Kimura，Ishikawaがさらに分類，リンパ組織の過形成を伴うまれな肉芽として詳細な病理を報告し，広く知られるようになった[327]．

アジア(特に日本，中国)で多く，欧米ではまれで，現在までに約400例が報告されている[328]．

表 11　唾石(顎下腺・管)の画像評価項目

大きさ	4〜5 mm 以下では唾液腺管内視鏡での(腺を温存した)摘出対象となる例も多い	
数	単数 複数	
局在	顎下腺管遠位 (開口部から 2 cm 以内)	経口的アプローチでの摘出可能な例が多い
	顎下腺管近位から顎下腺・管接合部(腺門)・顎下腺内	顎下腺合併切除が必要な例が多い
顎下腺の状態	顎下腺炎合併の有無	顎下腺腫大，実質増強効果亢進，周囲脂肪混濁，顎下リンパ節腫大
	慢性閉塞では萎縮	顎下腺縮小，脂肪濃度での置換

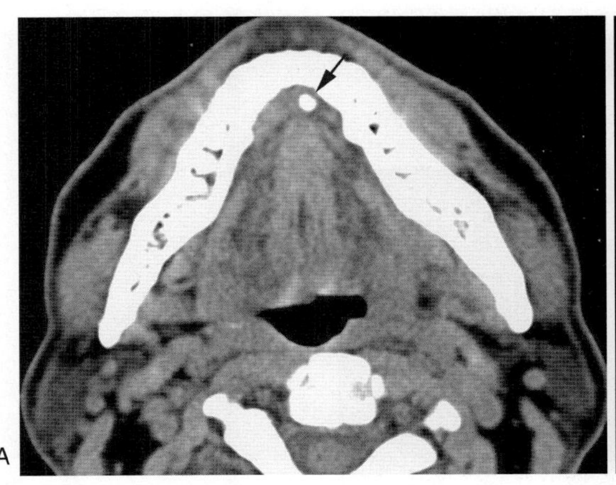

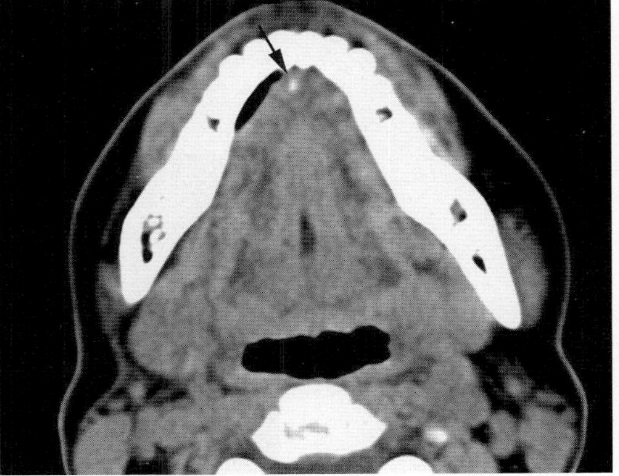

図 140　唾石症 2 例

2 例の非造影 CT(A，B)．いずれも前口腔底傍正中部の顎下腺管開口部に一致して，小さな点状石灰化(矢印)として唾石を認める．

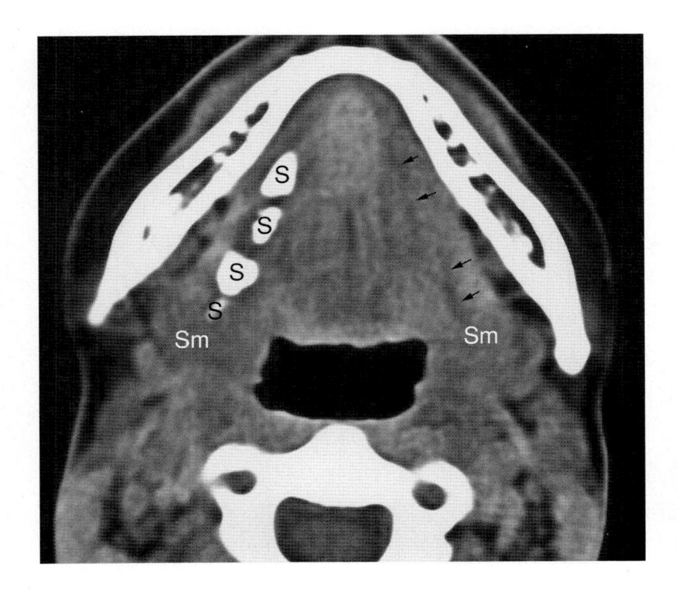

図 141　多発性唾石症

口腔底レベル単純 CT において舌下間隙(左側で矢印で示す)内，顎下腺管の走行に沿って，開口部近傍から腺・管接合部に至り，複数の結石(S)あり．Sm：顎下腺

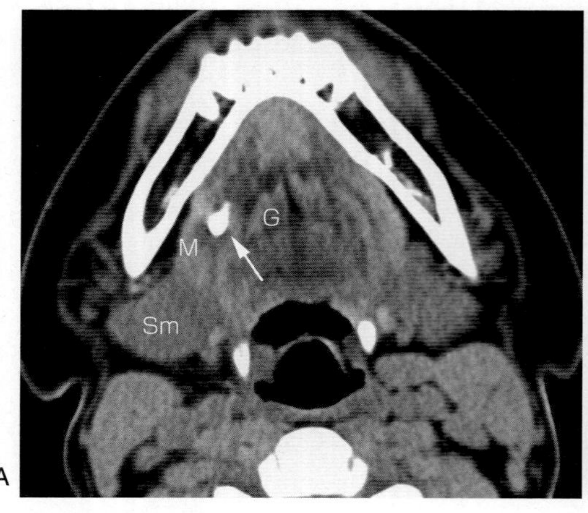

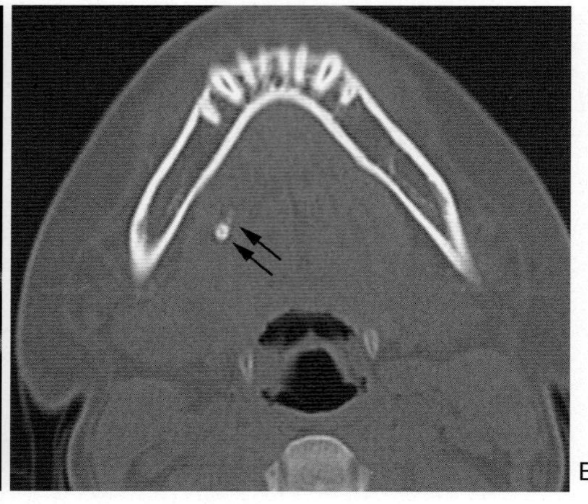

図142　唾石症
非造影CT軟部濃度表示(A)．オトガイ舌筋(G)と顎舌骨筋(M)の間，舌下間隙内に，同間隙内を走行する顎下腺管ほぼ中央部に唾石(矢印)を示す石灰化が認められる．右顎下腺(Sm)は対側より軽度腫大を示す．骨条件表示(B)では，隣接する複数の唾石として認められるが，軟部濃度表示(図A)でのこれらの分離(複数との判断)は困難．

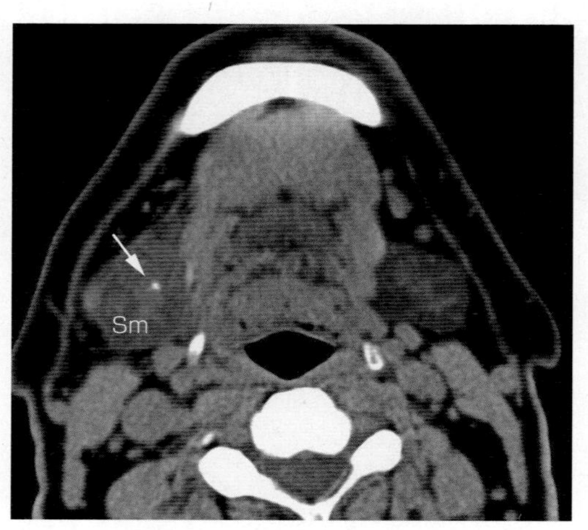

図143　唾石症
非造影CT．右顎下腺(Sm)内に点状石灰化(矢印)を認める．顎下腺は，対側と比較して，腫大と実質濃度の不均等な上昇を示し，顎下腺炎を示す．

20〜30歳代の男性に多く，男女比は3〜19：1とされる[322, 329]．病因は明らかでないが，アレルギー反応，外傷，自己免疫異常などが推察されている．末梢血での好酸球増多(10〜70%)が診断では最も重要であり，IgEも増加(800〜3,500 IU/mL)を示す[330, 331]．

病理所見では，主に好酸球浸潤を伴う濾胞構造を示し，その他に形質細胞，リンパ球，肥満細胞などの浸潤が認められ，血管増生と線維化を伴う[332]．悪性転化は認められない．FNAC(穿刺吸引細胞診)も(悪性病変の除外という意味では)よい第一選択となるが，診断確定は困難でありリンパ節生検による組織診が必要となる[324]．

画像所見としてCT，MRIいずれも特異性は低いが，病変の局在・進展範囲(特に深部浸潤)の把握，内部性状(血管増生の程度など)の把握，臨床的に潜在性の病変の同定，リンパ節病変の評価に加えて，鑑別となる悪性腫瘍の否定を目的として

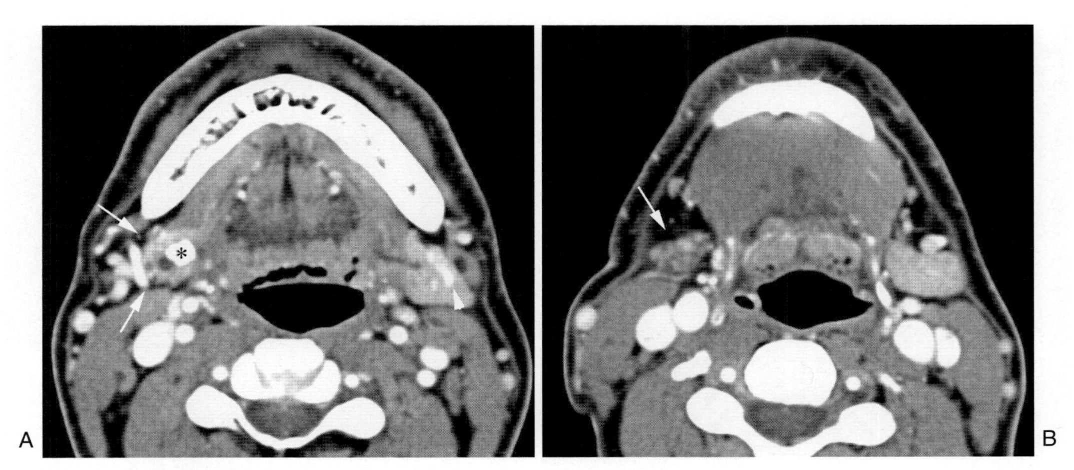

図 144　唾石症 2 例

造影 CT(A)において，右顎下腺(矢印)内に唾石(＊)を認める．右顎下腺(矢印)は，対側と比較して，萎縮とともに増強効果の亢進あり．長期にわたる唾液腺炎を示す．左顎下腺内には拡張した血管(矢頭)を認めるが，造影 CT のみでは唾石との区別は容易ではない．

別の唾石症症例(B：唾石は右顎下腺・管接合部)でも，右顎下腺(矢印)は萎縮と実質濃度の異常を示す．

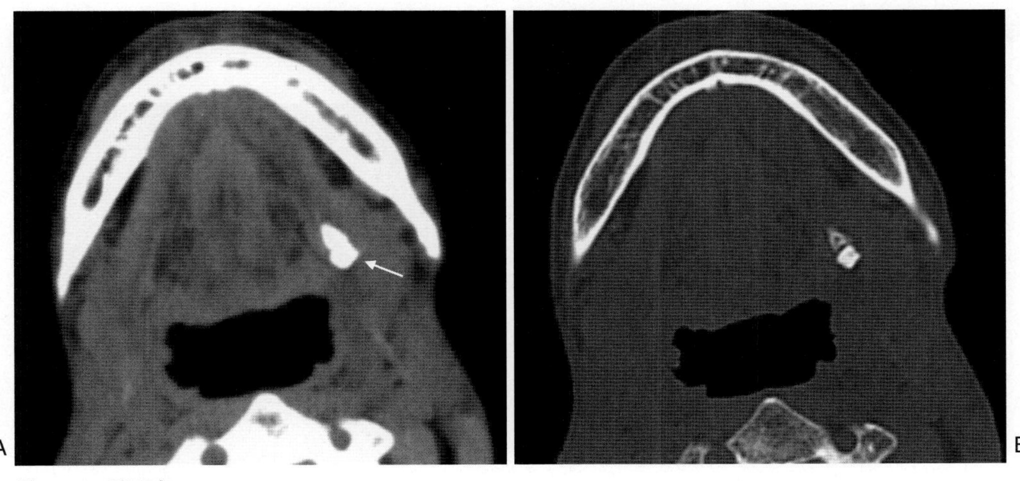

図 145　唾石症

顎下腺レベルの非造影 CT(A)において，左顎下腺・管接合部に一致して石灰化(矢印)を認め，唾石に一致する．同骨条件表示(B)では隣接する 2 つの唾石が確認されるが，軟部濃度条件(A)では両者の分離は困難である．

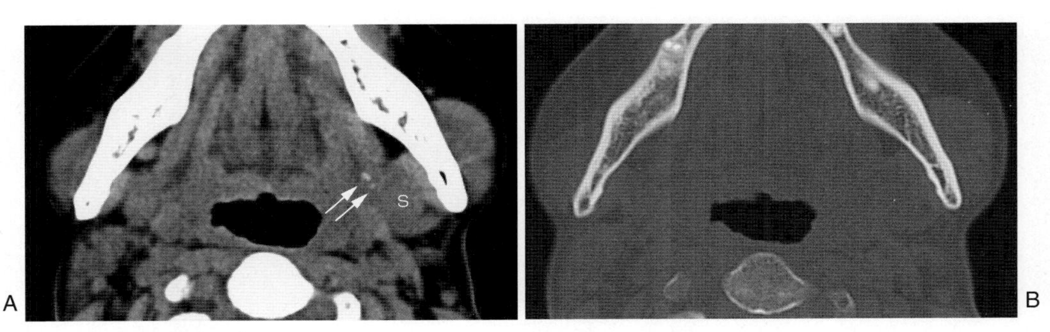

図 146　微小な唾石症

口腔底レベル造影 CT(A)において左顎下腺(s)・管接合部に 2 つの微小な唾石(矢印)を認める．同レベルの骨条件表示(B)での唾石の指摘は容易ではない．

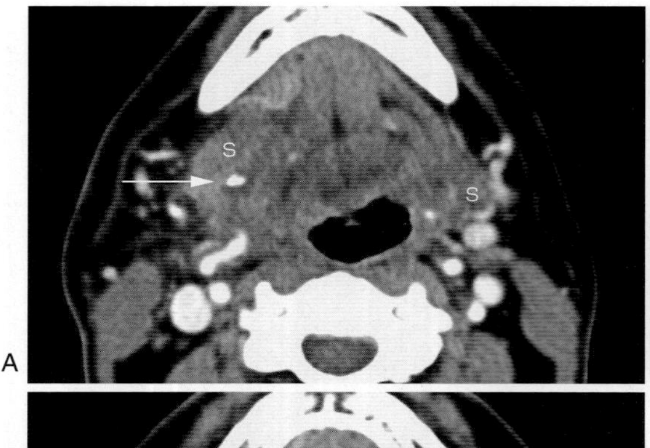

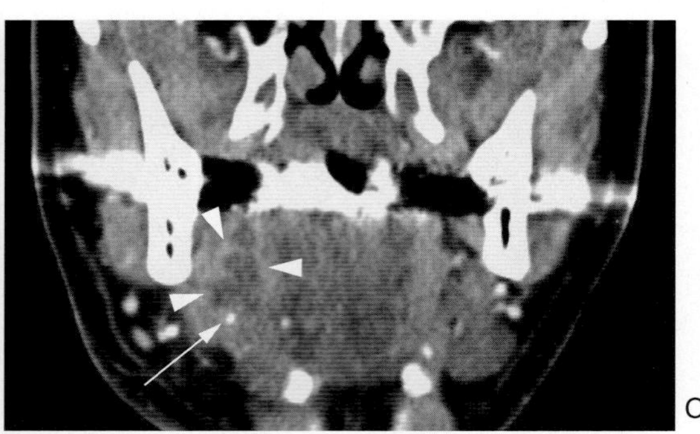

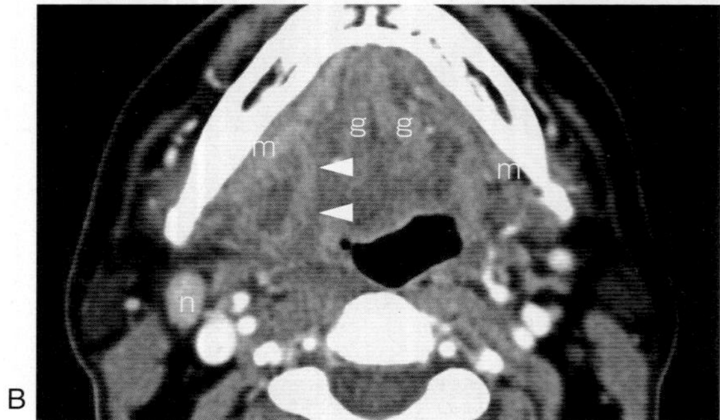

図 147　唾石症に起因する口腔底膿瘍

顎下腺レベル造影 CT（A）において顎下腺（s）は右側で腫大と実質増強効果亢進，辺縁の不明瞭化がみられ，顎下腺炎を呈する．内部には唾石（矢印）を認める．口腔底レベル（B）ではオトガイ舌筋（g）と顎舌骨筋（m）との間で舌下間隙に相当する部位に辺縁の淡い増強効果帯を伴う低吸収領域（矢頭）を認め，膿瘍腔を反映する．冠状断像（C）において，唾石（矢印）と頭側に広がる口腔底右側を中心とする膿瘍腔（矢頭）を認める．

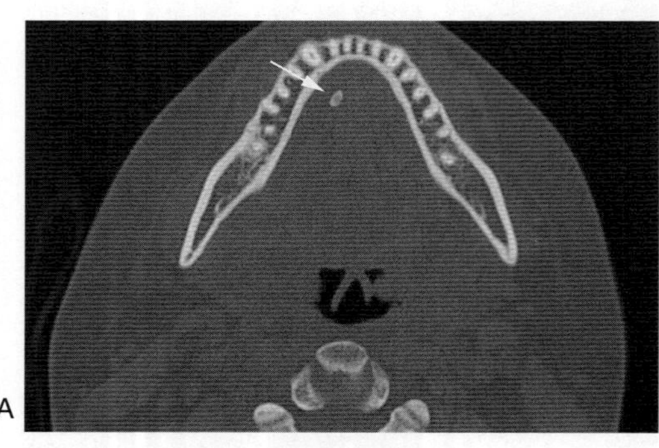

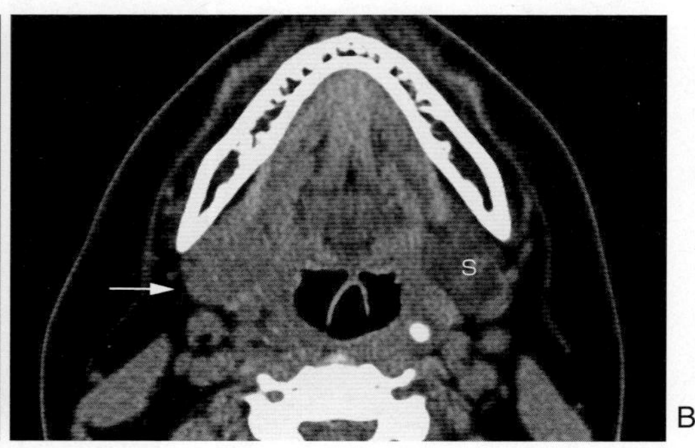

図 148　唾石症による顎下腺炎

口腔底レベル CT 骨条件表示（A）において前口腔底の右傍正中に小さな石灰化（矢印）を認め，右顎下腺管の口腔底開口部近傍の唾石を示す．顎下腺レベルの軟部濃度条件（B）で右顎下腺（矢印）は対側（s）と比較して腫大とともに実質濃度のびまん性上昇を示している．

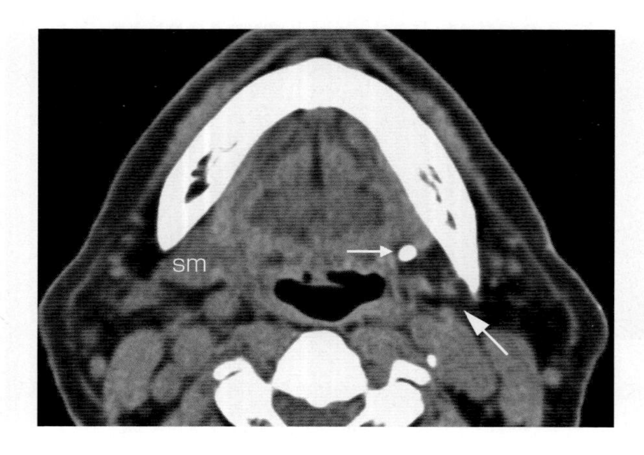

図 149　唾石症

顎下腺レベルの非造影 CT において，左顎下腺・管接合部に一致する唾石（小矢印）を認める．左顎下腺領域には顎下腺萎縮による脂肪浸潤（大矢印）を示す．sm：健側の顎下腺

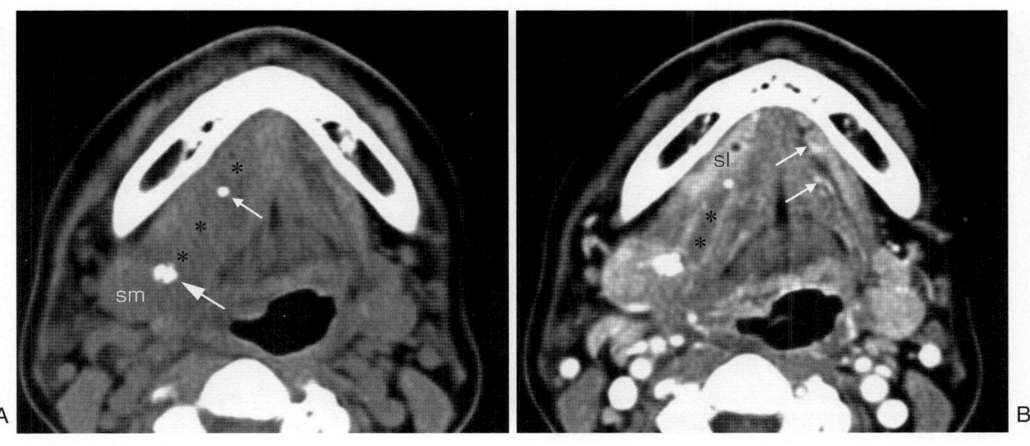

図 150　唾石症

顎下腺レベルの非造影 CT（A）において，右外側口腔底（＊）の著明な軟部組織腫脹を認め，顎下腺（sm）・管接合部（大矢印）および顎下腺管遠位（小矢印）に 2 つの唾石を認める．同造影 CT（B）で顎下腺管（＊）拡張を示す．顎下腺遠位の唾石（A の小矢印）は，顎下腺管とともに舌下間隙を走行する舌の血管（対側で矢印で示す）に類似し，唾石との確定的判断は困難な可能性あり．sl：舌下腺

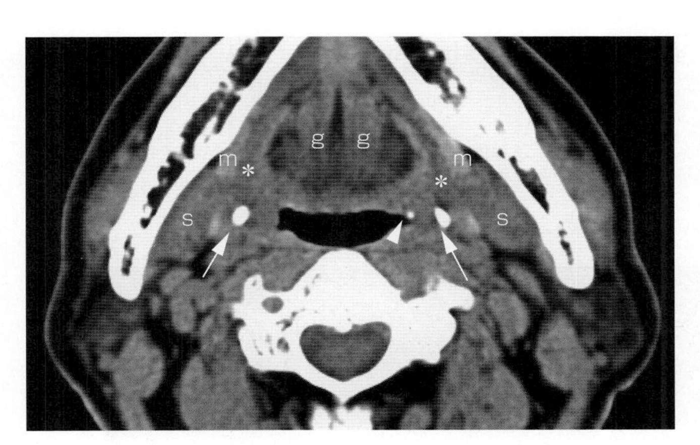

図 151　茎突舌骨靱帯の石灰化，扁桃結石

口腔底レベル非造影 CT．左口蓋扁桃に点状石灰化（矢頭）を認め，扁桃結石に相当する．また，咽頭側壁の深部に両側ほぼ対称性に結節様石灰化（矢印）を認める．ただし，通常の唾石を認める顎舌骨筋（m）の内側に接した部位（＊）よりもさらに内側であり，頭尾側スライス（表示なし）方向の連続性から茎突舌骨靱帯の石灰化に相当する．g：オトガイ舌筋，s：顎下腺

有用性は高い．典型的には，片側（図 152～155）あるいは両側（図 156）の，主に耳下腺領域において，腺実質から表層に隣接する皮下・皮膚にかけて，比較的特徴的な境界不明瞭な浸潤性病変として認められる．耳下腺病変の分布としては，浅葉から隣接する皮下・皮膚を中心とする場合が多く，病変深部には保たれた耳下腺実質が観察可能な場合がある（図 153，156）．これらの病変分布が比較的特徴的である．浸潤性辺縁を示す病変がほとんどであるが，大きく浸潤性辺縁のプラーク状病変と境界明瞭な結節性病変とに分けられる[333]．Gopinathan と Tan は 13 例の CT 所見から以下の 2 型を分類している；type I（境界明瞭で内部均一な増強効果を呈する結節性病変），type II（境界不明瞭で内部がやや不均一な軽度増強効果を示す結節性病変）[322]．この 2 型の臨床的境界は不明瞭であるが，type I 病変は被膜形成がみられ，リンパ節腫大が示唆される（特に耳下腺領域）[321]．type II 病変は症例の 30.7％で認められ，type I 病変よりも入院期間が長い傾向にある[322]．type II 病変で被膜形成はみられないが，（鑑別となる悪性腫瘍でしばしば認められる）囊胞変性，出血性壊死や石灰化は示さない[321]．典型的には，CT では軟部濃度，MRI では T1 強調像で骨格筋

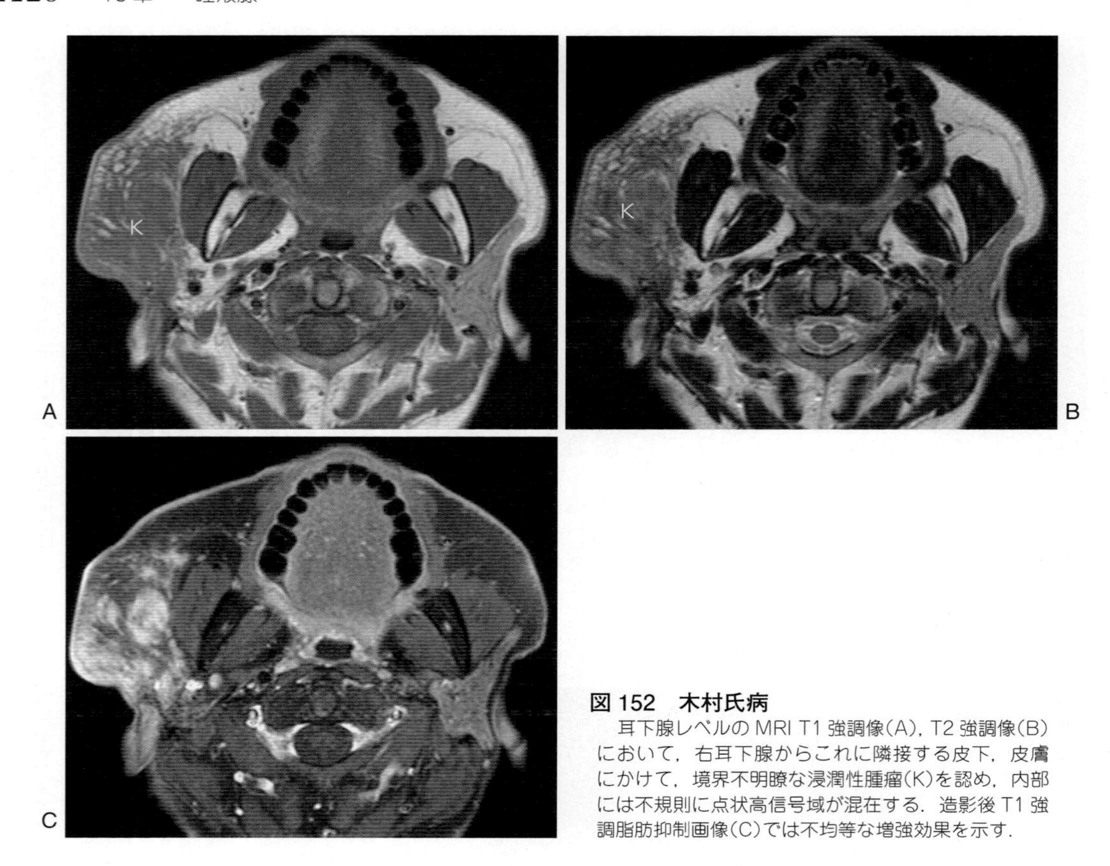

図 152　木村氏病
耳下腺レベルの MRI T1 強調像(A)，T2 強調像(B)において，右耳下腺からこれに隣接する皮下，皮膚にかけて，境界不明瞭な浸潤性腫瘤(K)を認め，内部には不規則に点状高信号域が混在する．造影後 T1 強調脂肪抑制画像(C)では不均等な増強効果を示す．

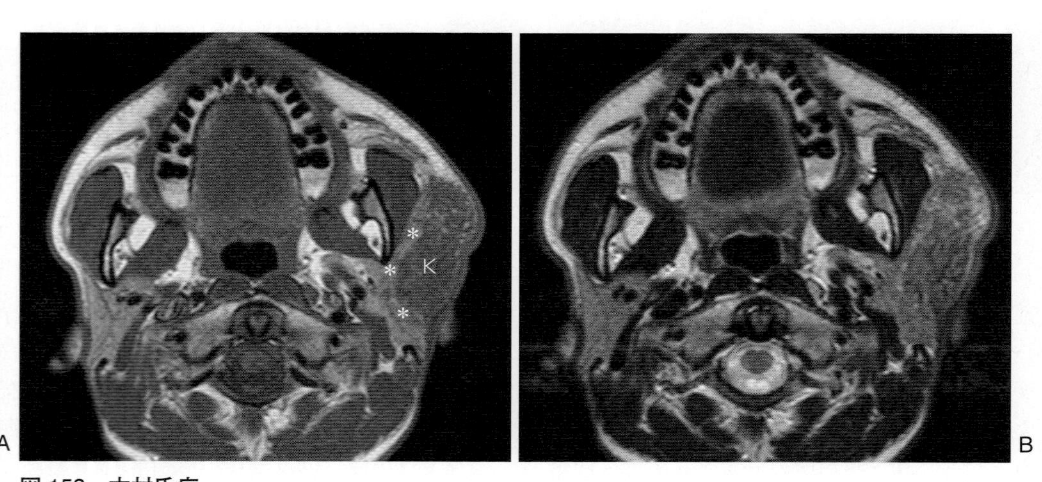

図 153　木村氏病
耳下腺レベルの MRI T1 強調像(A)，T2 強調像(B)で，左耳下腺から隣接する皮膚，皮下への浸潤性病変(K)を認める．内部に点状高信号域がみられる．T1 強調像(A)では，病変深部に比較的保たれた左耳下腺実質(*)が認められる．

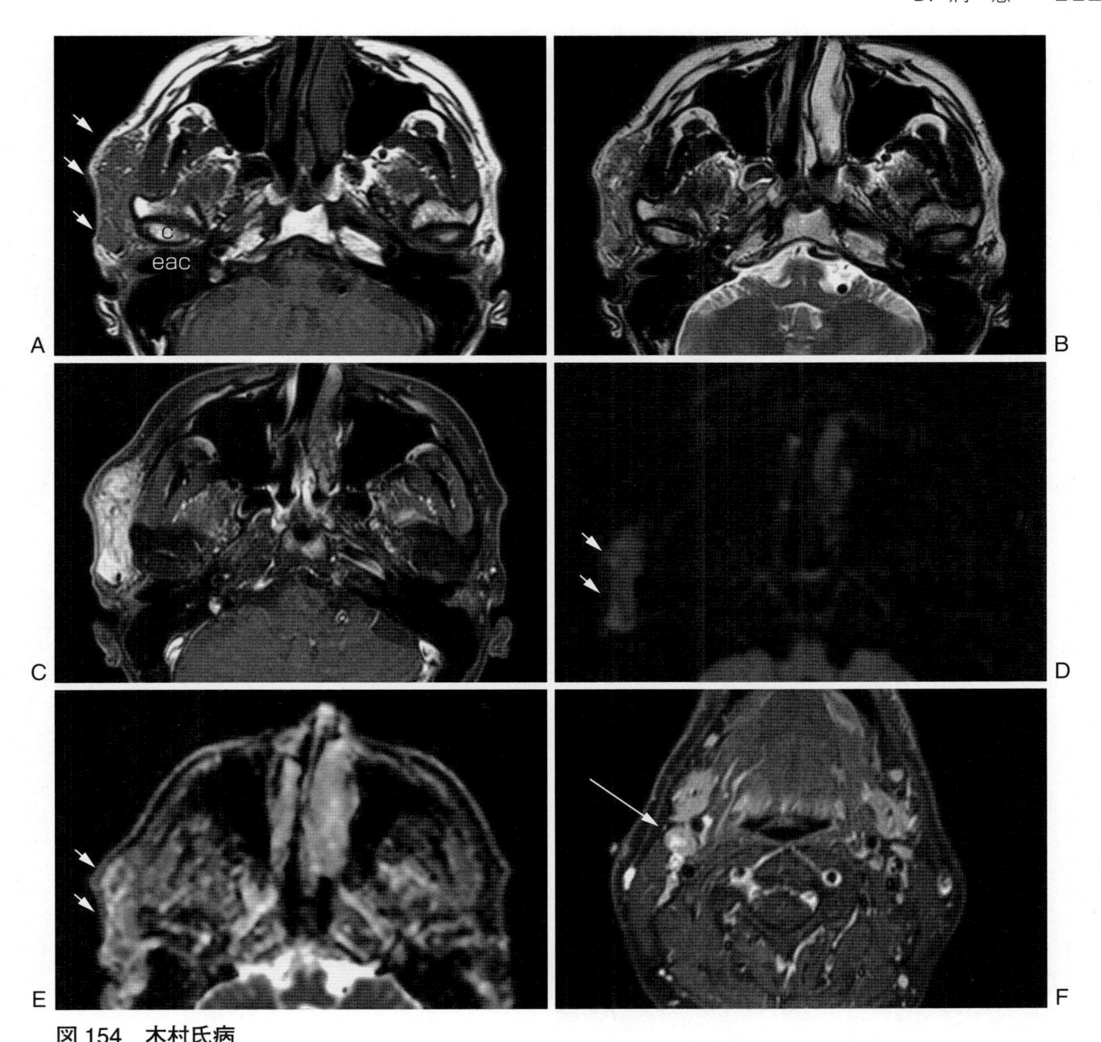

図 154　木村氏病

外耳道レベル MRI T1 強調像(A)において右耳前部の皮下に境界不明瞭な浸潤性腫瘤(矢印)あり．骨格筋と類似の低信号を呈するが，内部には多数の点状高信号がみられ，取り残されるように混在する脂肪に相当する．c：下顎頭．T2 強調像(B)で不均等なやや高信号強度を示し，造影後 T1 強調脂肪抑制画像(C)では増強効果を示す．明らかな嚢胞，壊死部などはみられない．拡散強調像(D)で淡い高信号(矢印)を示すが，ADC map(E)で拡散低下を示唆する低信号は明らかではなく，鑑別となる悪性リンパ腫などの悪性腫瘍としては非典型的である．顎下部レベルの造影後 T1 強調脂肪抑制画像(F)で軽度腫大を示す類円形の右レベル II リンパ節(矢印)を認める．

とほぼ等信号強度から軽度低信号強度，T2 強調像で不均一な高信号強度を示し，造影剤投与による増強効果は不均等で，強弱は血管増生と線維化の程度により異なる[330]．MRI の信号強度も実際には幅があり，type II 病変では浸潤性病変内に不規則に取り残された皮下脂肪が(泡沫様の点状高信号として)混在することによる不均一性が特徴的である(図 152〜154，156)．血管増生と線維成分を反映して，ダイナミック CT では緩徐な継続的増強効果を呈するが[321]，ダイナミック MRI でも緩徐な立ち上がりの増強効果を示し，拡散強調像(図 154)で著明な拡散低下は示さない[333]．増強効果は均一な例もあれば，不均一な例もみられる．

随伴するリンパ節(図 154)は辺縁平滑，境界明瞭な類円形・楕円形で，壊死，嚢胞は伴わず，内部均一な濃度・信号強度で，増強効果も均一な場合が多い[322]．ADC 値は低値で反応性リンパ節と

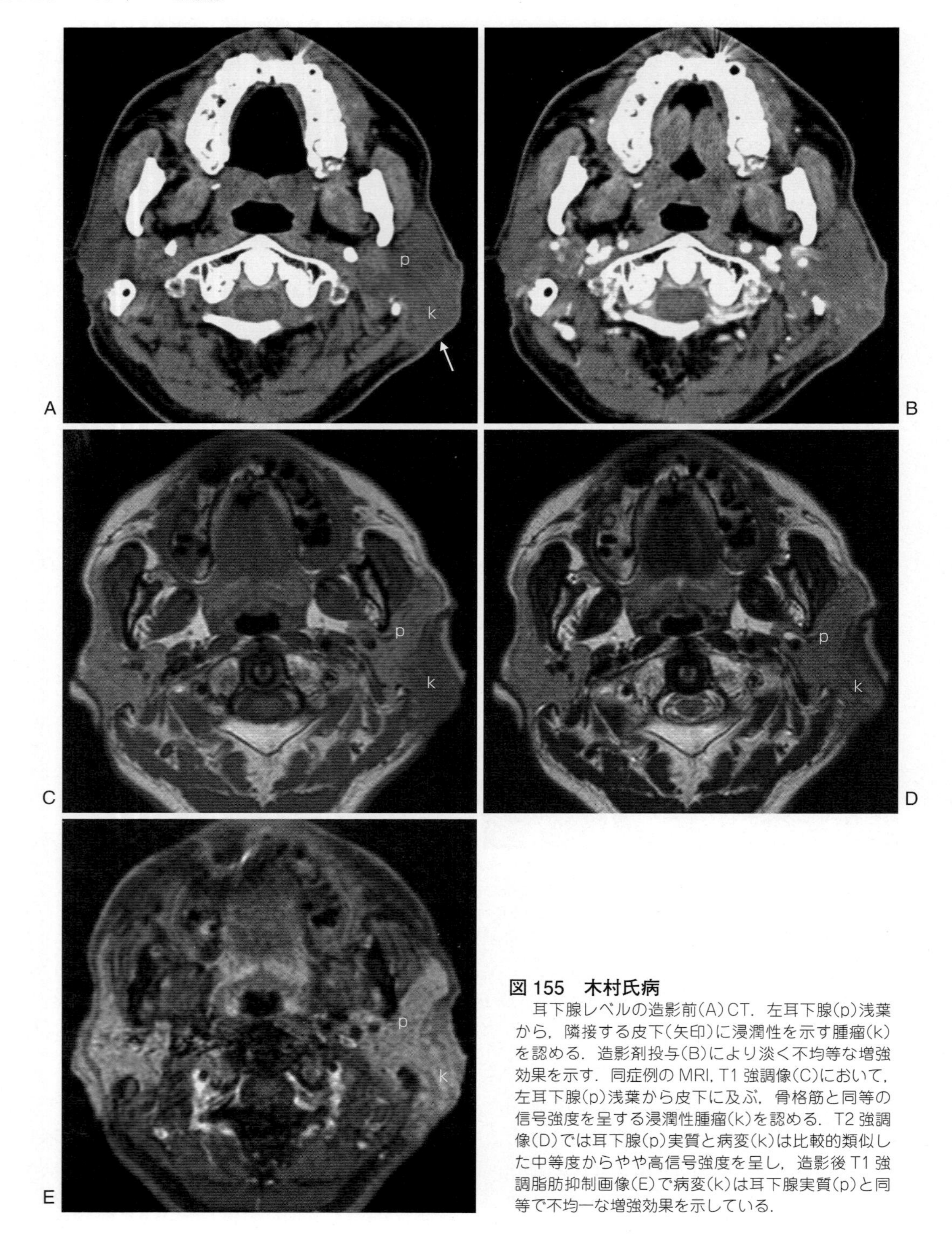

図155　木村氏病

耳下腺レベルの造影前(A)CT．左耳下腺(p)浅葉から，隣接する皮下(矢印)に浸潤性を示す腫瘤(k)を認める．造影剤投与(B)により淡く不均等な増強効果を示す．同症例のMRI，T1強調像(C)において，左耳下腺(p)浅葉から皮下に及ぶ，骨格筋と同等の信号強度を呈する浸潤性腫瘤(k)を認める．T2強調像(D)では耳下腺(p)実質と病変(k)は比較的類似した中等度からやや高信号強度を呈し，造影後T1強調脂肪抑制画像(E)で病変(k)は耳下腺実質(p)と同等で不均一な増強効果を示している．

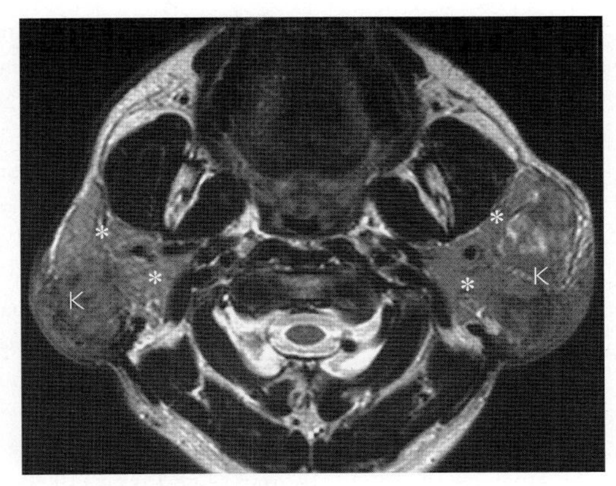

図 156　木村氏病
MRI T2 強調像で，両側耳下腺の浅葉から，隣接する皮下・皮膚への浸潤性病変(K)を認める．信号は不均等である．病変深部には保たれた耳下腺実質(＊)が同定される．

思われる[333]．画像での鑑別診断には耳下腺腫瘍，悪性リンパ腫，転移，皮膚・皮下悪性腫瘍，結核，ALHE (angiolymphoid hyperplasia with eoinophilia)などが含まれる[334]．

標準的治療は確立されていないが，通常は外科的治療が選択される．致死的ではないが，術後再発率は14～最大62％と高く[335, 336]，再発病変や切除困難例ではステロイド投与，シクロスポリン，シクロフォスファミド，放射線治療，塞栓療法なども考慮される．腎病変を有する症例ではステロイド投与が必要となる[324, 325]．放射線治療はステロイド治療の反応不良例で特に有用性が高い[324]．2つ以上の治療を組み合わせた方が再発率は低いとされる[337]．また，発症からの長期の時間経過(5年以上)，高容量病変，多発あるいは両側性病変，血中好酸球の20％以上の上昇，画像で境界不明瞭な病変は再発率が高いとの報告もある[338]．

以上，唾液腺における解剖，撮像プロトコール，代表的術式，代表的病態につき，解説した．

■参考文献

1) Moore KL, Persaund TVN, Torchia MG：The developing human：clinically oriented embryology (8th ed), Saunders/Elesvier, Philadelphia, 2008
2) Stuzin JM, Baker TJ, Gordon HL：The relationship of the superficial and deep facial fascias：Relevance to rhytidectomy and aging. Plast Reconstr Surg **89**：441–449, 1992
3) Rouvière H：Lymphatic system of the head and neck. Anatomy of the Human Lymphatic System, Tobias MJ (trans), Edwards Brothers, Ann Arbor, p5–28, 1938
4) Leverstein H, van der Wal JE, Tiwari RM et al：Surgical management of 246 patients previously untreated pleomorphic adenomas of the parotid gland. Br J Surg **84**：399–403, 1997
5) Izumi M, Eguchi K, Nakamura H et al：Premature fat deposition in the salivary glands associated with Sjogren syndrome：MR and CT evidence. AJNR Am J Neuroradiol **18**：951–958, 1997
6) Sumi M, Izumi M, Yonetsu K et al：Sublingual gland：MR features of normal and diseased states. AJR Am J Roentgenol **172**：717–722, 1999
7) Motz KM, Kim YJ：Auriculotemporal syndrome (Frey syndrome). Otolaryngol Clin North Am **49**：501–509, 2016
8) Chiu AG, Cohen JI, Burningham AR et al：First bite syndrome：A complication of surgery involving the parapharyngeal space. Head Neck **24**：996–999, 2002
9) Likov G, Morris LG, Shah JP et al：First bite syndrome：incidence, risk factors, treatment, and outcomes. Laryngoscope **122**：1773–1778, 2012
10) Fiacchini G, Cerchiai N, Trico D et al：Frey syndrome, first bite syndrome, great auricular nerve morbidity, and quality of life following parotidectomy. Eur Arch Otorhinolaryngol **275**：1893–1902, 2018
11) Netterville JL, Jackson CG, Miller FR et al：Vagal paraganglioma：a review of 46 patients treated during a 20-year period. Arch Otolaryngol Head Neck Surg **124**：1133–1140, 1998
12) Mandel ID：Sialochemistry in diseases and clinical situations affecting salivary glands. Crit Rev Clin Lab Sci **12**：321–366, 1980
13) White DK, Davidson HC, Harnsberger HR et al：Accessory salivary tissue in the mylohyoid boutonniere：A clinical and radiologic pseudolesion of the oral cavity. Am J Neuroradiol **22**：406–412, 2001
14) Million RR, Cassisi NJ, Mancuso AA：Major salivary gland tumors. Management of Head and Neck Cancer：A Multidisciplinary Approach, Million RR, Cassisi NJ (eds), JB Lippincott Company, Philadelphia, p711–735, 1994
15) Singleton GT, Cassisi NJ：Frey's syndrome：Incidence related to skin flap thickness in parotidecto-

my. Laryngoscope **90**：1636–1639, 1980
16) Gayner SM, William JK, McCaffrey TV：Infections of the salivary glands. Otolaryngology Head and Neck Surgery (3rd ed), Cummings CW, Fredrickson JM, Harker LA et al (eds), Mosby-Year Book, St Louis, p1234–1246, 1998
17) Geterud A, Lindvall AM, Nylen O：Follow-up study of recurrent parotitis in children. Ann Otol Rhinol Laryngol **97**：341–346, 1988
18) Kaban LB, Mulliken JB, Murray JE：Sialadenitis in childhood. Am J Surg **135**：570-576, 1978
19) Quenin S, Plouin-Gaudon I, Marchal F et al：Juvenile recurrent parotitis. Arch Otolaryngol Head Neck Surg **134**：715–719, 2008
20) Pershall KE, Koopman CF Jr, Coulthard SW：Sialoadenitis in children. Int J Pediatr Otorhinolaryngol **11**：199–203, 1986
21) Hearth-Holmes M, Baethge BA, Abreo F et al：Autoimmune exocrinopathy presenting as recurrent parotitis of childhood. Arch Otolaryngol Head Neck Surg **119**：347–349, 1993
22) Schiffer BL, Stern SM, Park AH：Sjögren's syndrome in children with recurrent parotitis. Int J Pediatr Otorhinolaryngol doi：10.1016/j.ijporl.2019.109768, 2020
23) Huisman TA, Holzmann D, Nadal D：MRI of chronic recurrent parotitis in childhood. J Comput Assist Tomogr **25**：269–273, 2001
24) Tucci FM, Roma R, Bianchi A et al：Juvenile recurrent parotitis：diagnostic and therapeutic effectiveness of sialography. Retrospective study on 110 children. Int J Pediatr Otorhinolaryngol 127：179-184, 2019
25) Cohen HA, Gross S, Nussinovitch M et al：Recurrent parotitis. Arch Dis Child **67**：1036–1037, 1992
26) Shacham R, Droma EB, London D et al：Long-term experience with endoscopic diagnosis and treatment of juvenile recurrent parotitis. J Oral Maxillofac Surg **67**：162–167, 2009
27) Ericson S, Zetterlund B, Ohman J：Recurrent partitis and sialectasis in childhood. Clinical, radiologic, immunologic, basteriologic, and histologic study. Ann Otol Rhinol Laryngol **100**：527–535, 1991
28) Schneider H, Koch M, Kunzel J et al：Juvenile recurrent parotitis：a retrospective comparison of sialendoscopy versus conservative therapy. Laryngoscope **124**：451–455, 2014
29) Abdel Razek AAK, Mukherji S：Imaging of sialadenitis. Neuroradiol J **30**：205–215, 2017
30) Carroll WR, Morgan CE：Diseases of the salivary glands. Otorhinolaryngology Head and Neck Surgery (16th ed), Snow JB Jr, Ballenger JJ (eds), BC Decker, Ontario, p1441–1454, 2003
31) Jonsson R, Broksrad KA, Jonsson MV et al：Current concepts on Sjögren's syndrome - classification criteria and biomarkers. Eur J Oral Sci **126** (supple. 1)：37–48, 2018
32) Mizuno Y, Hara T, Hatae K et al：Recurrent parotid gland enlargement as an initial manifestation of Sjögren syndrome in children. Eur J Pediatr **148**：414–416, 1989
33) Hara T, Nagata M, Mizuno Y et al：Recurrent parotid swelling in children：Clinical features useful for differential diagnosis of Sjögren's syndrome. Acta Paediatr **81**：547–549, 1992
34) Fujibayashi T, Sugai S, Miyasaka N et al：Revised Japanese criteria for Sjögren's syndrome (1999)：availability and validity. Mod Rheumatol **14**：425–434, 2004
35) Shinoski CH, Shiboski SC, Seror R et al：International Sjögren's syndrome criteria working group. 2016 American College of Rheumatology/European League Against Rheumatism classification criteria for primary Sjögren's syndrome：A consensus and data-driven methodology involving three international patient cohorts. Ann Rheum Dis **76**：9–16, 2017
36) Saito T, Fukuda H, Horikawa M et al：Salivary gland scnitigraphy with 99m-Tc-pertechnetate in Sjögren's syndrome：Relationship to clinicopathologic features of salivary gland and lacrimal gland. J Oral Pathol Med **26**：46–50, 1997
37) Theander E, Henriksson G, Ljungberg O et al：Lymphoma and other malignancies in primary Sjögren's syndrome：a cohort study on cancer incidence and lymphoma predictors. Annals Rheumatic Dis **65**：796–803, 2006
38) Zintzaras E, oulgarelis M, Moutsopoulos HM：The risk of lymphoma development in autoimmune diseases：a meta-analysis. Arch Intern Med **165**：2337–2344, 2005
39) Routsias JG, Goules JD, Charalampakis G et al：Malignant lymphoma in primary Sjogren's syndrome: An update on the pathogenesis and treatment. Semin Arth Rheumat **43**：178–786, 2013
40) Sloans-Laque R, Lopez-Hernandez A, Bosch-Gil JA et al：Risk, predictors, and clinical characteristics of lymphoma development in primary Sjögren's syndrome. Semin Arth Rheumat **41**：415–423, 2011
41) Voulgarelis M, Ziakas PD, Papageorgiou A et al：Prognosis and outcome of non-Hodgkin lymphoma in primary Sjögren syndrome. Medicine **91**：1–9, 2012
42) Voulgarelis M, Moutsopoulos HM：Malignant lymphoma in primary Sjögren's syndrome. Israel Med Assoc J **3**：761–766, 2001
43) Küttner H：Uber entzundiche tumoren der sub-

maaxillar - speichel - druse. Bruns Beits Klin Chir **15**：815–834, 1986

44) Ellis G, Auclair P : Tumors of the salivary glands, Armed Forces Institute of Pathology, Washington DC, p419–449, 1998

45) Chou YH, Tiu CM, Li WY et al : Chronic sclerosing sialadenitis of the parotid gland ; Diagnosis using color Doppler sonography and sonographically guided needle biopsy. J Ultrasound Med **24** : 551–555, 2005

46) Geyer JT, Ferry JA, Harris NL et al：Chronic sclerosing sialadenitis（Küttner tumor）is an IgG4-associated disease. Am J Surg Pathol **34**：202–210, 2010

47) Geyer JT, Deshpande V：IgG4-associated sialadenitis. Current Opin Rheumatol **23**：95–101, 2011

48) Putra J, Ornstein DL：Küttner tumor：IgG4-related disease of the submandibular gland. Head Neck Pathol **10**：530–532, 2016

49) Brito-Zeron P, Ramos-Casals M, Bosch X et al：The clinical spectrum of IgG4-related disease. Autoimmun Rev **13**：1203–1210, 2014

50) Puxeddu I, Capecchi R, Carta F et al：Salivary gland pathology in IgG4-related disease：A comprehensive review. J Immunol Res doi：10.1155/2018/6936727. eCollection 2018

51) Hong X, Sun ZP, Li W et al：Comorbid diseases of IgG4-related sialadenitis in the head and neck region. Laryngoscope **125**：2113–2118, 2015

52) Li W, Chen Y, Sun ZP et al：Clinicopathological characteristics of immunoglobulin G4-related sialadenitis. Arthritis Res Ther doi：10.1186/s13075-015-0698-y, 2015

53) Adachi M, Fujita Y, Murata T et al : A case of Küttner tumor of the submandibular gland. Auris Nasus Larynx **31** : 309–312, 2004

54) Abu A, Motoori K, Yamamoto S et al：MRI of chronic sclerosing sialoadenitis. Br J Radiol **81**：531–536, 2008

55) Takano K, Yamamoto M, Takahashi H et al：Recent advances in knowledge regarding the head and neck manifestations of IgG4-related disease. Auris Nasus Larynx **44**：7–17, 2017

56) Prabhu SP, Tran B : Pneumoparotitis. Pediatr Radiol **38** : 1144, 2008

57) Banks P：Nonneoplastic parotid swelling：a review. Oral Surg Oral Med Oral Pathol **25**：732–745, 1968

58) McGreevy AE, O'Kane AM, McCaul D et al：Pneumoparotitis：A case report. Head Neck **35**：E55–E59, 2013

59) Varoquaux A, Rager O, Dulguerov P et al：Diffusion-weighted and PET/MR imaging after radiation therapy for malignant head and neck tumors. Radiographics **35**：1502–1527, 2015

60) El-Naggar AK, Chan JKC, Grandis JR et al（eds）：World Health Classification of Head and Neck Tumours, IARC Press, Lyon, 2017

61) Vogl TJ, Albrehct MH, Nour-Eldin NA et al：Assessment of salivary gland tumors using MRI and CT：impact of experience on diagnostic accuracy. Radiat Med **123**：105–116, 2018

62) Green B, Rahimi S, Brennan PA：Salivary gland malignancies - an update on current management for oral healthcare practitioners. Oral Dis **22**：735–739, 2016

63) Roh JL, Choi SH, Lee SW et al：Carcinomas arising in the submandibular gland：high propensity for systemic failure. J Surg Oncol **97**：533–537, 2008

64) Lin HH, Limesand K, Ann DK：Current state of knowledge on salivary gland cancers. Crit Rev Oncog **23**：139–151, 2018

65) Noone AM, Howlader N, Krapcho M et al（eds）：SEER Cancer statistics review, 1975–2015. Bethesda, MD：National Cancer Institute; April 2018 Available from：https://seer.cancer.gov/csr/1975_2015/

66) Wang X, Luo Y, Li M et al：Management of salivary gland carcinomas – a review. Oncotarget **8**：3946–3956, 2017

67) Eneroth CM：Histological and clinical aspects of parotid tumors. Acta Otolaryngol Suppl **191**：1–99, 1964

68) Thackray AC, Sobin LH：Histological typing of salivary gland tumors. International Histological Classification of Tumours, No.7, WHO, Geneva, 1972

69) Lee YYP, wong KT, King AD et al：Imaging of salivary gland tumours. Eur J Radiol **66**：419–436, 2008

70) Amin MB, Edge SB, Brookland RK et al（eds）：AJCC Cancer Staging Manual 8th ed, Springer, New York, 2017

71) Batsakis JG：Tumors of the Head and Neck, Williams and Wilkins, Baltimore, 1979

72) Ettl T, Gosau M, Brockhoff G et al：Predictors of cervical lymph node metastasis in salivary gland cancer. Head Neck **36**：517–523, 2014

73) Spiro RH, Huvos AG, Strong EW：Cancer of the parotid gland. Am J Surg **130**：452–459, 1975

74) Johns ME：Parotid cancer：A rational basis for treatment. Head Neck Surg **3**：132–144, 1980

75) Armstrong JG, Harrison LB, Thaler HT et al：The indications for elective treatment of the neck in cancer of the major salivary glands. Cancer **69**：615–619, 1992

76) Lim CM, Gilbert MR, Johnson JT et al：Clinical

significance of intraparotid lymph node metastasis in primary parotid cancer. Head Neck **36**：1634-1637, 2014

77) Lloyd S, Yu JB, Ross DA et al：A prognostic index for predicting lymph node metastasis in minor salivary gland cancer. Int J Radiat Oncol Biol Phys **76**：169-175, 2010

78) Nigro MR Jr, Spiro RH：Deep lobe parotid tumors. Am J Surg **134**：523-527, 1977

79) Heller KS, Dubner S, Chess Q et al：Value of fine needle aspiration biopsy of salivary gland masses in clinical decision-making. Am J Surg **164**：667-670, 1992

80) Zheng N, Li R, Liu W et al：The diagnostic value of combining conventional, diffusion-weighted imaging and dynamic contrast-enhanced MRI for salivary gland tumors. Br J Radiol **91**：20170707, 2018

81) Rossman KJ：The role of radiation therapy in the treatment of parotid carcinomas. Am J Roentgenol **123**：492-499, 1975

82) Guillamondegui OM, Byers RM, Luna MA et al：Aggressive surgery in treatment for parotid cancer：The role of adjunctive post-operative radiotherapy. Am J Roentgenol **123**：49-54, 1975

83) Pohar S, Gay H, Rosenbaum P et al：Malignant parotid tumors：presentation, clinical/pathologic prognostic factors, and treatment outcomes. Int J Radiat Oncol Biol Phys **61**：112-118, 2005

84) Vander PV, Hunt J, Bradley PJ et al：Recent trends in the management of minor salivary gland carcinoma. Head Neck **36**：444-455, 2014

85) Liu Y, Li J, Tan Y et al：Accuracy of diagnosis of salivary gland tumors with the use of ultrasonography, computed tomography, and magnetic resonance imaging：a meta-analysis. Oral Surg Oral Med Oral Pathol Oral Radiol **119**：238-245, 2015

86) Scianna JM, Petruzzelli GJ：Contemporary management of tumours of the salivary glands. Curr Oncol Rep **9**：134-138, 2007

87) Raine C, Saliba K, Chippindale AJ et al：Radiological imaging in primary parotid malignancy. Br J Plast Surg **56**：637-643, 2003

88) Wierzbicka M, Kopec T, Szyfter W et al：The presence of facial nerve weakness on diagnosis of parotid gland malignant process. Eur Arch Otorhinolaryngol **269**：1177-1182, 2012

89) Kato H, Kanematsu M, Watanabe H et al：Salivary gland tumors of the parotid gland：CT and MR imaging findings with emphasis on intratumoral cystic components. Neuroradiology **56**：789-795, 2014

90) Christe A, Waldherr C, Hallett R et al：MR imaging of parotid tumors：typical lesion characteristics in MR imaging improve discrimination between benign and malignant disease. AJNR Am J Neuroradiol **32**：1202-1207, 2011

91) Habermann CR, Arndt C, Graessner J et al：Diffusion-weighted echo-planar MR imaging of primary parotid gland tumors：is a prediction of different histologic subtypes possible? AJNR Am J Neuroradiol **30**：591-596, 2009

92) Yabuuchi H, Fukuya T, Tajima T et al：Salivary gland tumours：diagnostic value of gadolinium-enhanced dynamic MR imaging with histopathologic correlation. Radiology **226**：345-354, 2003

93) Weissman JL, Carrau RL：Anterior facial vein and submandibular gland together：predicting histology of submandibular mass with CT or MR imaging. Radiology **208**：441-446, 1998

94) Chikui T, Shimizu M, Goto TK et al：Interpretation of the origin of a submandibular mass by CT and MRI imaging. Oral Surg Oral Med Oral Pathol Oral Radiol Endod **98**：721-729, 2004

95) Hollinshead WH：Anatomy for Surgeons：the Head and Neck (3rd ed), Lippincott, Philadelphia, 1982

96) Spiro RH：Salivary neoplasms：overview of a 35 year experience with 2,807 patients. Head Neck Surg **8**：177-184, 1986

97) Mallik S, Agarwal J, Gupta T et al：Prognostic factors and outcome analysis of submandibular gland cancer：a clinical audit. J Oral Maxillofac Surg **68**：2104-2110, 2010

98) Mizrachi A, Bachar G, Unger Y et al：Submandibular salivary gland tumors：clinical course and outcome of a 20-year multicenter study. ENT J **96**：e17-e20, 2017

99) Yamada K, Honda K, Tamaki H et al：Survival in patients with submandibular gland carcinoma - results of a multi-institutional retrospective study. Auris Nasus Larynx **45**：1066-1072, 2018

100) Kakimoto N, Gamoh S, Tamaki J et al：CT and MR images of pleomorphic adenoma in major and minor salivary glands. Eur J Radiol **69**：464-472, 2009

101) Witt RL：The significance of the margin in parotid surgery for pleomorphic adenoma. Laryngoscope **112**：2141-2154, 2002

102) Rajendran R：Tumors of the salivary gland. Shafer's textbook of oral pathology (6th ed, Rajendran R, Sivapathasundharam B (eds), Elesvier, New Delhi, p219-224, 2009

103) Kato H, Kawaguchi M, Ando T et al：Pleomorphic adenoma of salivary glands：common and uncommon CT and MR imaging features. Jpn J Radiol **36**：463-471, 2018

104) Koral K, Sayre J, Bhuta S et al：Recurrent pleomorphic adenoma of the parotid gland in pediatric

and adult patients：value of multiple lesions as a diagnostic indicator. AJR Am J Roentgenol **180**：1171–1174, 2003

105) Harney MS, Murphy C, Hone S et al：A histological comparison of deep and superficial lobe pleomorphic adenomas of the parotid gland. Head Neck **25**：649–653, 2003

106) Fliss DM, Rival R, Gullane P et al：Pleomorphic adenoma：a preliminary histopathologic comparison between tumors occurring in the deep and superficial lobes of the parotid gland. Ear Nose Throat J **71**：254–257, 1992

107) Henriksson G, Westrin KM, Carlsoo B et al：Recurrent primary pleomorphic adenomas of salivary gland origin：Intrasurgical rupture, histopathologic features, and pseudopodia. Cancer **82**：617–620, 1998

108) Ito F, Jorge J, Vargas PA et al：Histopathological findings of pleomorphic adenoma of the salivary glands. Med Oral Pathol Oral Cir Bucal **14**：e57–e61, 2009

109) Ikeda K, Katoh T, Ha-Kawa SK et al：The usefulness of MR in establishing the diagnosis of parotid pleomorphic adenoma. Am J Neuroradiol **17**：555–559, 1998

110) Kato H, Kanematsu M, Mizuta K et al：Imaging findings of parapharyngeal space pleomorphic adenoma in comparison with parotid gland pleomorphic adenoma. Jpn J Radiol **31**：724–730, 2013

111) Heaton CM, Chazen JL, van Zante A et al：Pleomorphic adenoma of the major salivary glands：diagnostic utility of FNAV and MRI. Laryngoscope **123**：3056–3060, 2013

112) Witt RL, Eisele DW, Morton RP et al：Etiology and management of recurrent parotid pleomorphic adenoma. Laryngoscope **125**：888–893, 2015

113) Zbaren P, Stauffer E：Pleomorphic adenoma of the parotid gland：histopathologic analysis of the capsular characteristics of 218 tumors. Head Neck **29**：751–757, 2007

114) Donovan DT, Conley JJ：Capsular significance in parotid tumor surgery：reality and myths of lateral lobectomy. Laryngoscope **94**：324–329, 1984

115) Riad MA, Abdel-Rahman H, Ezzat WF et al：Variables related to recurrence of pleomorphic adenomas：outcome of parotid surgery in 182 cases. Laryngoscope **121**：1467–1472, 2011

116) Albergotti WG, Nguyen SA, Gillespie MB：In response to extracapsular dissection for benign parotid tumors：a meta-analysis. Laryngoscope **124**：55. doi:10.1002/lary.23969, 2014

117) Zbaren P, Poorten VV, Witt RL et al：Pleomorphic adenoma of the parotid: formal parotidectomy or limited surgery? Am J Surg **205**：109–118, 2013

118) Iro H, Zenk J：Role of extracapsular dissection in surgical management of benign parotid tumors. JAMA Otolaryngol Head Neck Surg **140**：768–769, 2014

119) Work WP：Tumors of the parapharyngeal space. Trans Am Acad Ophthalmol Otolaryngol **73**：389–394, 1969

120) Patey D, Thackray AC：The treatment of parotid tumours in the light of a pathological study of parotiedectomy material. Br J Surg **45**：477–487, 1958

121) Maran AG, MacKenzie IJ, Stanley RE：Recurrent pleomorphic adenomas of the parotid gland. Arch Otolaryngol **110**：167–171, 1984

122) Valentini V, Fabiani F, Perugini M et al：Surgical techniques in the treatment of pleomorphic adenoma of the parotid gland：our experience and review of literature. J Craniofac Surg **12**：565–568, 2001

123) Phillips PP, Olsen KD：Recurrent pleomorphic adenoma of the parotid gland：Report of 126 cases and review of the literature. Ann Otol Rhinol Laryngol **104**：100–104, 1995

124) Myssiorek D, Ruah CB, Hybels RL：Recurrent pleomorphic adenomas of the parotid gland. Head Neck **12**：332–336, 1990

125) Natvig K, Soberg R：Relationship of intraoperative rupture of pleomorphic adenomas to recurrence: an 11-25 year follow-up study. Head Neck **16**：213–217, 1994

126) Glas AS, Vermey A, Hollema H et al：Surgical treatment of recurrent pleomorphic adenoma of the parotid gland：A clinical analysis of 52 patients. Head Neck **23**：311–316, 2001

127) Liu H, Wen W, Huang H et al：Recurrent pleomorphic adenoma of the parotid gland：intraoperative facial nerve monitoring during parotidectomy. Otolaryngol Head Neck Surg **151**：87–91, 2014

128) Wittekindt C, Streubel K, Arnold G et al：Recurrent pleomorphic adenoma of the parotid gland：analysis of 108 consecutive patients. Head Neck **29**：822–828, 2007

129) Gnepp DR, Wenig BM：Malignant mixed tumors. Surgical Pathology of the Salivary Glands, Ellis G, Anclair P, Gnepp D (eds), WB Saunders, Philadelphia, p350–368, 1991

130) Gupta A, Koochakzadeh S, Neskey DM et al：Carcinoma ex pleomorphic adenoma：a review of incidence, demographics, risk factors, and survival. Am J Otolaryngol **40**：doi：10.1016/j.amjoto.2019.102279, 2019

131) de Morais EF, Pinheiro JC, Sena DAC et al：Extracapsular invasion：a potential prognostic marker

for carcinoma ex-pleomorphic adenoma of the salivary glands? A systematic review. J Oral Pathol Med **48**：433-440, 2019
132) Seifert G：Histopathology of malignant salivary gland tumors. Eur J Cancer B Oral Oncol **28**：49-56, 1992
133) Thackray AC, Lucas RB：Tumors of the major salivary glands. Atlas of Tumor Pathology (2nd series), Fascicle 10, Armed Forces Institute of Pathology, Washington DC, p107-117, 1983
134) Suzuki M, Matsuoka T, Saijo S et al：Carcinoma ex pleomorphic adenoma of the parotid gland; a multi-institutional retrospective analysis in the Northern Japan Head and Neck Cancer Society. Acta Otolaryngol **136**：1154-1158, 2016
135) Seok J, Hyun SJ, Jeong WJ et al：The difference in the clinical features between carcinoma ex pleomorphic adenoma and pleomorphic adenoma. Ear Nose Throat J **98**：504-509, 2019
136) Luers JC, Wittekindt C, Streppel M et al：Carcinoma ex pleomorphic adenoma of the parotid gland. Study and implications for diagnostics and therapy. Acta Oncol **48**：132-136, 2009
137) Zhao J, Wang J, Yu C et al：Prognostic factors affecting the clinical outcome of carcinoma ex pleomorphic adenoma in the major salivary gland. World J Surg Oncol **11**：180, 2013
138) Lewis JE, Olsen KD, Sebo TJ：Carcinoma ex pleomorphic adenoma：pathologic analysis of 73 cases. Hum Pathol **32**：596-604, 2001
139) Rice DH：Malignant salivary gland neoplasms. Otolaryngol Clin North Am **32**：875-886, 1999
140) Olsen KD, Lewis JE：Carcinoma ex pleomorphic adenoma：A clinicopathologic review. Head Neck **23**：705-712, 2001
141) Griffith CC, Thompson LD, Assaad A et al：Salivary duct carcinoma and the concept of early carcinoma ex pleomorphic adenoma. Histopathology **65**：doi：10.1111/his. 12454, 2014
142) Bhattacharyya N, Fried MP：Determinants of survival in parotid gland carcinoma：a population-based study. Am J Otolaryngol **26**：39-44, 2005
143) Di Palma S：Carcinoma ex pleomorphic adenoma, with particular emphasis on early lesions. Head Neck Pathol **7**：68-76, 2013
144) Tortoledo ME, Luna MA, Batsakis JG：Carcinoma ex pleomorphic adenoma and malignant mixed tumors. Histomorphologic indexes. Arch Otolaryngol **110**：172-176, 1984
145) Kashiwagi N, Murakami T, Chikugo T et al：Carcinoma ex pleomorphic adenoma of the parotid gland. Acta Radiologica **53**：303-306, 2012
146) Kato H, Kanematsu M, Ito Y et al：Carcinoma ex pleomorphic adenoma of the parotid gland：radiologic-pathologic correlation with MR imaging including diffusion-weighted imaging. AJNR Am J Neuroradiol **29**：865-867, 2008
147) Buchman C, Stringer SP, Mendenhall WM et al：Pleomorphic adenoma：effect of tumor spill and inadequate resection on tumor recurrence. Laryngoscope **104**：1231-1234, 1994
148) Koyama M, Terauchi T, Koizumi M et al：Metastasizing pleomorphic adenoma in the multiple organs. Medicine **97**：e11077. doi：10.1097/MD, 2018
149) Nouraei SA, Ferguson MS, Clarke PM et al：Metastasizing pleomorphic salivary adenoma. Arch Otolaryngol Head Neck Surg **132**：788-793, 2006
150) Knight J, Ratnasingham K：Metastasizing pleomorphic adenoma：systematic review. Int J Surg **19**：137-145, 2015
151) Wenig BM, Hitchcock CL, Ellis GL et al：Metastasizing mixed tumor of salivary glands. A clinicopathologic and flow cytometric analysis. Am J Surg **16**：845-858, 1992
152) Califano J, Eisele DW：Benign salivary gland neoplasms. Otolaryngol Clin North Am **32**：861-873, 1999
153) Hildebrand O：Uber angeborene epitheliale Cysten und Fisteln des Halses. Arch Klin Chir **49**：167-192, 1895
154) Albrecht H, Arzt L：Beitrage zur Frage der Gewebsverirrung. I. Papillare Cystadenome in Lymphdrusen. Frankfurt Z Pathol **4**：47-69, 1910
155) Nicholson G：Studies on tumour formation. V. The importance of congenital malformations in tumour formation. Guy's Hosp Rep **73**：37-64, 1923
156) Warthin AS：Papillary cystadenoma lymphomatosum. A rare teratoid of the parotid region. J Cancer Res **13**：116-125, 1929
157) Pinkston JA, Cole P：Cigarette smoking and Warthin's tumor. Am J Epidemiol **144**：183-187, 1996
158) Yu G, Zho Z, Ma D et al：Comprehensive study on the parotid Warthin's tumor. Chin J Stomatol **34**：187-189, 1999
159) Yoo GH, Eisele DW, Askin FB et al：Warthin's tumor：A 40-year experience at The Johns Hopkins Hospital. Laryngoscope **104**：799-803, 1994
160) Cope W, Naugler C, Taylor SM et al：The association of Warthin tumor with salivary ductal inclusions in intra and periparotid lymph nodes. Head Neck Pathol **8**：73-76, 2014
161) Harnsberger HR, Wiggins RH, Hudgins PA et al：Diagnostic imaging：Head and Neck, Amirsys Inc, Salt Lake City, Utah, p20-23, 2004
162) Shugar JM, Som PM, Biller HF：Warthin's tumour, a multifocal disease. Ann Otol Rhinol Laryngol **91**：246-249, 1982

163) Maiorano E, Muzio LL, Favia G et al：Warthin's tumour：a study of 78 cases with emphasis on bilaterality, multifocality and association with other malignancies. Oral Oncol **38**：35-40, 2002
164) Liang CH, Di WY, Ren JP et al：Imaging, clinical and pathological features of salivary gland adenolymphoma. Eur Rev Med Pharmacol Sci **18**：3638-3644, 2014
165) Iwai T, Baba J, Murata S et al：Warthin tumor arising from the minor salivary gland. J Craniofac Surg **23**：e374-e376, 2012
166) Pereira J, Machado S, Lima F et al：Warthin tumor in an unusual site：a case report. Minerva Stomatol **62**：189-192, 2013
167) Ikeda M, Motoori K, Hanazawa T et al : Warthin tumor of the parotid gland : Diagnostic value of MR imaging with histopathologic correlation. AJNR Am J Neuroradiol **25** : 1256-1262, 2004
168) Hisatomi M, Asaumi J, Konouchi H et al：Assessment of dynamic MRI of Warthin's tumors arising as multiple lesions in the parotid glands. Oral Oncol **38**：369-372, 2002
169) Yabuuchi H, Matsuo Y, Kamitani T et al：Parotid gland tumors：can addition of diffusion-weighted MR imaging to dynamic contrast-enhanced MR imaging improve diagnostic accuracy in characterization? Radiology **249**：909-916, 2008
170) Ikarashi F, Nakano Y, Nonomura N et al：Radiological findings of adenolymphoma（Warthin's tumor）. Auris Nasus Larynx **24**：405-409, 1997
171) Rassekh CH, Cost JL, Hogg JP et al：Positron emission tomography in Warthin's tumor mimicking malignancy impacts the evaluation of head and neck patients. Am J Otolaryngol **36**：259-263, 2015
172) White CK, Williams KA, Rodriguez-Figueroa J et al：Warthin's tumors and their relationship to lung cancer. Cancer Invest **33**：1-5, 2015
173) George CD, Ng YY, Hall-Craggs MA et al：Parotid haemangioma in infants：MR imaging at 1. 5 T. Pediatr Radiol **21**：483-485, 1991
174) Greene AK, Rogers GF, Mulliken JB：Management of parotid hemangioma in 100 children. Plast Reconstr Surg **113**：53-60, 2004
175) Batsakis JG：Vascular tumors of the salivary glands. Ann Otol Rhiol Laryngol **95**：649-650, 1986
176) Cheng CE, Friedlander SF：Infantile hemangiomas, complications and treatments. Semin Cutan Med Surg **35**：108-116, 2016
177) Weiss I, Teresa MO, Lipari BA et al：Current treatment of parotid hemangiomas. Laryngoscope **121**：1642-1650, 2011
178) Harris J, Phillips JD：Evaluating the clinical outcomes of parotid hemangiomas in the pediatric patient population. Ear Nose Throat J doi：10.1177/0145561319877760, 2019
179) Liu B, Liu JY, Zhang WF et al：Pediatric parotid tumors：clinical review of 24 cases in a Chinese population. Int J Pediatr Otorhinolaryngol **76**：1007-1011, 2012
180) Brandling-Bennet HA, Metry DW, Baselga E et al：Infantile hemangiomas with unusually prolonged growth phase：a case series. Arch Dermatol **144**：1632-1637, 2008
181) Quereshy FA, Goldstein JA：Infantile hemangioma of the accessory parotid gland. J Craniofac Surg **9**：468-471, 1998
182) Andronikou S, McHugh K, Jadwat S et al：MRI features of bilateral parotid haemangiomas of infancy. Eur Radiol **13**：711-716, 2003
183) Mantadakis E, Tsouvala E, Deftereos S et al：Involution of a large parotid hemangioma with oral propranolol：an illustrative report and review of the literature. Case Rep Pediatr 2012：353812, 2012
184) Weber FC, Greene AK, Adams DM et al：Role of imaging in the diagnosis of parotid infantile hemangiomas. Int J Pediatr Otorhinolaryngol doi：10.1016/j.ijporl.2017.08.035, 2017
185) Enjolras O, Gelbert F：Superficial hemangiomas：Association and management. Pediatr Dermatol **14**：173-179, 1997
186) Cornog JL, Gray SR：Surgical and clinical pathology of salivary gland tumors. Disease of the Salivary Glands, Rankow RM, Polayes IM（eds）, WB Saunders, Philadelphia, p99-142, 1976
187) Byrd SA, Spector MR, Carey TE et al：Predictors of recurrence and survival for head and neck mucoepidermoid carcinoma. Otolaryngol Head Neck Surg **149**：402-408, 2013
188) Triantafillidow K, Dimitrakopoulos J, Iordanidis F et al：Mucoepidermoid carcinoma of minor salivary glands：a clinical study of 16 cases and review of the literature. Oral Dis **12**：364-370, 2006
189) Tamiolakis D, Thomaidis V, Tsamis I et al：Malignant mucoepidermoid tumor arising in the accessory parotid gland：A case report. Acta Medica（Hradec Kralove）**46**：79-83, 2003
190) Li MZ, Mao MH, Feng ZE et al：Prognosis of pediatric patients with mucoepidermoid carcinoma of the parotid gland. J Craniofac Surg doi：10.1097/SCS.0000000000006048, 2019
191) Castro EB, Huvos AG, Strong EW et al：Tumors of the major salivary glands in children. Cancer **29**：312-317, 1972
192) Shang X, Fang Q, Liu F et al：Deep parotid lymph node metastasis is associated with recurrence in high-grade mucoepidermoid carcinoma of the pa-

rotid gland. J Oral Maxillofac Surg **77**：1505–1509, 2019

193) Goode RK, Auclair PL, Ellis GL：Mucoepidermoid carcinoma of the major salivary glands：clinical and histopathologic analysis of 234 cases with evaluation of grading criteria. Cancer **82**：1217–1224, 1998

194) Conley J：Salivary Glands and the Facial Nerve, Grune and Stratton, New York, 1975

195) Nagao T, Gaffey TA, Unni KK et al：Dedifferentiation in low-grade mucoepidermoid carcinoma of the parotid gland. Hum Pathol **34**：1068–1072, 2003

196) Pires FR, de Almeida OP, de Araujo VC et al：Prognostic factors in head and neck mucoepidermoid carcinoma. Arch Otolaryngol Head Neck Surg **130**：174–180, 2004

197) McHugh CH, Roberts DB, El-Naggar AK et al：Prognostic factors in mucoepidermoid carcinoma of the salivary glands. Cancer **118**：3928–3936, 2012

198) Armstrong JG, Harrison LB, Thaler HT et al：The indications for elective treatment of the neck in cancer of the major salivary glands. Cancer **69**：615–619, 1992

199) Niu X, Fang Q, Liu F：Role of intraparotid node metastasis in mucoepidermoid carcinoma of the parotid gland. BMC Cancer **19**：417. doi：10.1186/s12885-019-5637-x, 2019

200) Sonmez Ergun S, Gayretli O, Buyukpinarbasili N et al：Determining the number of intraparotid lymph nodes：postmortem examination. J Craniofac Surg **42**：657–660, 2014

201) Ali S, Sarhan M, Palmer FL et al：Cause-specific mortality in patients with mucoepidermoid carcinoma of the major salivary glands. Ann Surg Oncol **20**：2396–2404, 2013

202) Qannam Q, O.Bello I, Al-Kindi M et al：Unicystic mucoepiermoid carcinoma presenting as a salivary duct cyst. Int J Surg Pathol **21**：181–185, 2013

203) Kurabayashi T, Ida M, Yoshino N et al：Differential diagnosis of tumours of the minor salivary glands of the palate by computed tomography. Dentromaxillofac Radiol **26**：16–21, 1997

204) Gonzalez-Arriagada WA, Santos-Silva AR, Ito FA et al：Calcifications may be a frequent finding in mucoepidermoid carcinomas of the salivary glands：a clinicopathologic study. Oral Surg Oral Med Oral Pathol Oral Radiol Endod **111**：482–485, 2011

205) Dombrowski ND, Wolter NE, Irace AL et al：Mucoepidermoid carcinoma of the head and neck in children. Int J Pediatr Otorhinolaryngol doi：10.1016/j.ijporl.2019.02.020, 2019

206) Akbaba S, Heusel A, Mock A et al：The impact of age on the outcome of patients treated with radiotherapy for mucoepidermoid carcinoma（MEC）of the salivary glands in the head and neck：A 15-year single center experience. Oral Oncol **97**：115–123, 2019

207) Billroth T：Untersuchungen uber die Entwicklung der Blutgefasse, Die Cylinder-Geschwalst, G. Reimer Berlin, p55–69, 1856

208) Bradley PJ：Adenoid cystic carcinoma of the head and neck：a review. Curr Opin Otolaryngol Head Neck Surg **12**：127–132, 2004

209) Spiro R, Huvos A, Strong E：Adenoid cystic carcinoma of salivary origin：A clinicopathologic study of 242 cases. Am J Surg **128**：512–520, 1974

210) Cohen AN, Damrose EJ, Huang RY et al：Adenoid cystic carcinoma of the submandibular gland：a 35-year review. Otolaryngol Head Neck Surg **131**：994–1000, 2004

211) Jung J, Lee SW, Son SH et al：Clinical impact of ^{18}F-FDG positron emission tomography/CT on adenoid cystic carcinoma of the head and neck. Head Neck **39**：447–455, 2016

212) Ellington CL, Goodman M, Kono SA et al：Adenoid cystic carcinoma of the head and neck：Incidence and survival trends based on 1973-2007 surveillance, epidemiology, and endo results data. Cancer **118**：4444–4451, 2012

213) Cai Q, Zhang R, Wu G et al：Adenoid cystic carcinoma of submandibular salivary gland with late metastases to lung and choroid：A case report and literature review. J Oral Maxillofac Surg **72**：1744–1755, 2014

214) Berdal P, de Besche A, Mylius E：Cylindroma of salivary glands：Report of 80 cases. Acta Otolaryngol **263**：170–173, 1970

215) Iannetti G, Belli E, Marini Balestra F et al：Lymph node metastasis in adenoid cystic carcinoma. Minerva Stomatol **50**：85–89, 2001

216) Amit M, Binenbaum Y, Sharma K et al：Analysis of failure in patients with adenoid cystic carcinoma of the head and neck. An international collaborative study. Head Neck **36**：998–1004, 2014

217) van Weert S, Reinhard R, Bloemena E et al：Differences in patterns of survival in metastatic adenoid cystic carcinoma of the head and neck. Head Neck **39**：456–463, 2017

218) Myers EN, Ferris RL（eds）：Salivary gland disorders, Springer, Berlin, New York, 2007

219) Oplatek A, Ozer E, Agrawal A et al：Patterns of recurrence and survical of head and neck adenoid cystic carcinoma after definitive resection. Laryngoscope **120**：65–70, 2010

220) Andersen LJ, Therlildsen MH, Ocklmann HH et

al：Malignant epithelial tumours in the minor salivary glands, the submandibular salivary gland and the sublingual gland. Cancer **68**：2431-2437, 1991
221) Conley J, Digman DL：Adenoid cystic carcinoma in the head and neck (cylindroma). Arch Otolaryngol **100**：81-90, 1974
222) Simpson JR, Thawley SE, Matsuba HM：Adenoid cystic carcinoma：treatment with irradiation and surgery. Radiology **151**：509-512, 1984
223) Spiro RH：Distant metastasis in adenoid cystic carcinoma of salivary gland origin. Am J Surg **174**：495-498, 1997
224) Bhayani MK, Yener M, El-Naggar A et al：Prognosis and risk factors for early-stage adenoid cystic carcinoma of the major salivary glands. Cancer **118**：2872-2878, 2012
225) Rapidis AD, GIvalos N, Gakiopoulou H et al：Adenoid cystic carcinoma of the head and neck. Clinicopathological analysis of 23 patients and review of the literature. Oral Oncol **41**：328-335, 2005
226) Bradley PJ：Distant metastases from salivary glands cancers. ORL J Otorhinolaryngol Relat Spec **63**：233-242, 2001
227) Gao M, Hao Y, Huang MX et al：Clinicopathological study of distant metastases of salivary adenoid cystic carcinoma. Int J Oral Maxillofac Surg **42**：923-928, 2013
228) Terhaard CH, Lubsen H, van der Tweel I et al：Dutch Head and Neck Oncology Cooperative Group：Salivary gland carcinoma：independent prognostic factors for locoregional control, distant metastases, and overall survival：results of the Dutch head and neck oncology cooperative group. Head Neck **26**：681-692, 2004
229) Umeda M, Nishimatsu N, Masago H et al：Tumor-doubling time and onset of pulmonary metastasis from adenoid cystic carcinoma of the salivary gland. Oral Surg Oral Med Oral Pathol Oral Radiol Endod **88**：473-478, 1999
230) van der Wal JE, Beckling AG, Snow GB et al：Distant metastases of adenoid cystic carcinoma of the salivary glands and the value of diagnostic examinations during follow-up. Head Neck **24**：779-783, 2002
231) Ruhlmann V, Poeppel TD, Veit J et al：Diagnostic accuracy of ^{18}F-FDG PET/CT and MR imaging in patients with adenoid cystic carcinoma. BMC Cancer **17**：887. doi：10.1186/s12885-017-3890-4, 2017
232) Hamper K, Lazar F, Dietel M et al : Prognostic factors for adenoid cystic carcinoma of the head and neck : a retrospective evaluation of 96 cases. J Oral Pathol Med **19** : 101-107, 1990
233) Kirchner J, Schaarschmidt BM, Sauerwein W et al：^{18}F-FDG PET/MRI vs MRI in patients with recurrent adenoid cystic carcinoma. Head Neck **41**：170-176, 2019
234) Ju W, Zhao T, Liu Y et al：Computed tomographic features of adenoid cystic carcinoma in the palate. Cancer Imaging **19**：doi：10.1186/s40644-019-0190-z, 2019
235) Weon YC, Park SW, Kim HJ et al：Salivary duct carcinomas：clinical and CT and MR imaging features in 20 patients. Neuroradiol **54**：631-640, 2012
236) Kleinsasser O, Klein HJ, Hubner G：Speichelgang-carcinomas: Ein den Milchgangcarcinomen der Brustdruse Analoge Gruppe von Speicheldrusentrumoren. Arch Klin Exp Ohren Nasen Kehlkopfheikd **192**：100-105, 1968
237) Seifert G, Sobin LH：Histological typing of salivary gland tumors：World Health Organization International Histological Classification of Tumors (2nd ed), Springer-Verlag, New York, 1991
238) D'heygere E, Meulemans J, Vander Poorten V：Salivary duct carcinoma. Curr Opin Otolaryngol Head Neck Surg **26**：142-151, 2018
239) Lewis JE, McKinney BC, Weiland LH et al：Salivary duct carcinoma. Clinicopathologic and immunohistochemical review of 26 cases. Cancer **77**：223-230, 1996
240) Guzzo M, Di Palma S, Grandi C et al : Salivary duct carcinoma: clinical characteristics and treatment strategies. Head Neck **19** : 126-133, 1997
241) Salovaara E, Hakala O, Back L et al：Management and outcome of salivary duct carcinoma in major salivary glands. Eur Arch Otorhinolaryngol **270**：281-285, 2013
242) Colmenero RC, Patron RM：Martin PM. Salivary duct carcinoma：a report of nine cases. J Oral Maxillofac Surg **51**：641-646, 1993
243) Kashiwagi N, Takashima S, Tomita Y et al : Salivary duct carcinoma of the parotid gland : clinical and MR features in six patients. Br J Radiol **82** : 800-804, 2009
244) Jaehne M, Roser K, Jaekel T et al：Clinical and immunohistologic typing of salivary duct carcinoma. Cancer **103**：2526-2533, 2005
245) Hosal AS, Fan C, Barves L et al：Salivary duct carcinoma. Otolaryngol Head Neck Surg **129**：720-725, 2003
246) Delgado R, Vuitch F, Albores-Saavedra J：Salivary duct carcinoma. Cancer **72**：1503-1512, 1993
247) Otsuka K, Imanishi Y, Tada Y et al：Clinical outcomes and prognostic factors for salivary duct carcinoma：a multi-institutional analysis of 141 patients. Ann Surg Oncol **23**：2038-2045, 2016
248) Kawakita D, Tada Y, Imanishi Y et al：Impact of hematological inflammatory markers on clinical

outcome in patients with salivary duct carcinoma：a multi-institutional study in Japan. Oncotarget **8**：1083-1091, 2017
249) Motoori K, Iida Y, Nagai Y et al : MR imaging of salivary duct carcinoma. Am J Neuroradiol **26** : 1201-1206, 2005
250) Jayaprakash V, Merzianu M, Warren GW et al：Survival rates and prognostic factors for infiltrating salivary duct carcinoma: Analysis of 228 cases from the surveillance, epidemiology, and end results database. Head Neck **36**：694-701, 2014
251) Xiao CC, Zhan KY, White-Gilbertson SJ et al：Predictors of nodal metastasis in parotid malignancies：A National Cancer Data Base study of 22,653 patients. Otolaryngol Head Neck Surg **154**：121-130, 2016
252) Schmitt NC, Kang H, Sharma A：Salivary duct carcinoma：an aggressive salivary gland malignancy with opportunities for targeted therapy. Oral Oncol **74**：40-48, 2017
253) Gilbert MR, Sharma A, Schmitt NC et al：A 20-year review of 75 cases of salivary duct carcinoma. JAMA Otolaryngol Head Neck Surg **142**：489-495, 2016
254) Misfud M, Sharma S, Leon M et al：Salivary duct carcinoma of the parotid：outcomes with a contemporary multidisciplinary treatment approach. Otolaryngol Head Neck Surg **154**：1041-1046, 2016
255) Takahashi H, Tada Y, Saotome T et al：Phase II trial of trastuzumab and docetaxel in patients with human epidermal growth factor receptor 2-positive salivary duct carcinoma. J Clin Oncol **37**：125-134, 2018
256) Fushimi C, Tada Y, Takahashi H et al：A prospective phase II study of combined androgen blockage in patients with androgen receptor-positive metastatic or locally advanced unresectable salivary gland carcinoma. Ann Oncol **29**：979-984, 2018
257) Colmenero C, Patron M, Sierra I：Acinic cell carcinoma of the salivary glands. A review of 20 new cases. J Craniomaxillofac Surg **19**：260-266, 1991
258) Al-Zaher N, Obeid A, Al-Salam S et al：Acinic cell carcinoma of the salivary glands：a literature review. Hematol Oncol Stem Cell Ther **2**：259-264, 2009
259) Federspil PA, Constantinidis J, Karapantzos I et al：Acinic cell carcinomas of the parotid gland. A retrospective analysis. HNO **49**：825-830, 2001
260) Kim SA, Mathog RH：Acinic cell carcinoma of the parotid gland：a 15-year review limited to a single surgeon at a single institution. Ear Nose Throat J **84**：597-602, 2005
261) Omile JE, Koutlas IG：Acinic cell carcinoma of minor salivary glands：a clinicopathologic study of 21 cases. J Oral Maxillofac Surg **68**：2053-2057, 2010
262) Nasse D：Die Geschwulste Der Speicheldrusen Und Verwandte Tumoren Des Kopfes. Arch Klin Chir **44**：233-302, 1892
263) Buxton RW, Maxwell JH, French AJ：Surgical treatment of epithelial tumors of the parotid gland. Surg Gynecol Obstet **97**：401-416, 1953
264) Abrams AM, Cornyn J, Scofield HH et al：Acinic cell adenocarcinoma of the major salivary glands. A clinicopathologic study of 77 cases. Cancer **18**：1145-1162, 1965
265) Skalova A, Vanecek T, Sima R et al：Mammary analogue secretory carcinoma of salivary glands, containing the ETV6-N TRK3 fusion gene：a hitherto undescribed salivary gland tumor entity. Am J Pathol **34**：599-608, 2010
266) Lewis JE, Olsen KD, Weiland LH：Acinic cell carcinoma. Clinicopathologic review. Cancer **67**：172-179, 1991
267) Spiro RH, Huvos AG, Strong EW：Acinic cell carcinoma of salivary origin：A clinicopathologic study of 67 cases. Cancer **41**：924-935, 1978
268) Neskey DM, Klein JD, Hicks S et al：Prognostic factors associated with decreased survival in patients with acinic cell carcinoma. JAMA Otolaryngol Head Neck Surg **139**：1195-1202, 2013
269) Grasl S, Janik S, Grasl MC et al：Nodal metastases in acinic cell carcinoma of the parotid gland. J Clin Med 3, 1315; doi：10.3390/jcm8091315, 2019
270) Fang Q, Wei JW, Du W et al：Predictors of distant metastasis in parotid acinic cell carcinoma. BMC Cancer **19**：475 doi.org/10.1186/s12885-019-5711-4, 2019
271) Vander Poorten VV, Triantafyllou A, Thompson LDR et al：Salivary acinic cell carcinoma：reappraisal and update. Eur Arch Otorhinolaryngol **273**：3511-3531, 2016
272) Hsieh MS, Chou YH, Yeh SJ et al：Papillary-cystic pattern is characteristic in mammary analogue secretory carcinomas but is rarely observed in acinic cell carcinomas of the salivary gland. Virchows Arch **467**：145-153, 2015
273) Kashiwagi N, Nakatsuka S, Murakami T et al：MR imaging features of mammary analogue secretory carcinoma and acinic cell carcinoma of the salivary gland：a preliminary report. Dentromaxillofac Radiol **47**：20170218. doi：10.1259/dmfr.20170218, 2018
274) Patel NR, Sanghvi S, Khan MN et al：Demographic trends and disease-specific survival in salivary acinic cell carcinoma：an analysis of 1129 cases. Laryngoscope **124**：172-178, 2014

275) Breen JT, Carlon ML, Link MJ et al：Skull base involvement by acinic cell carcinoma of the parotid gland. J Neurol Surg B Skull Base **73**：371-378, 2012
276) Dahlin DC, Beabout JW：Dedifferentiation of low-grade chondrosarcomas. Cancer **28**：461-466, 1971
277) Stanley RJ, Weiland LH, Olsen KD et al：Dedifferentiation acinic cell (acinous) carcinoma of the parotid gland. Otolaryngol Head Neck Surg **98**：155-161, 1988
278) Thompson LD, Aslam MN, Stall JN et al：Clinicopathologic and immunophenotypic characterization of 25 cases of acinic cell carcinoma with high-grade transformation. Head Neck Pathol **10**：152-160, 2016
279) Bury D, Dafalla M, Ahmed S et al：High grade transformation of salivary gland acinic cell carcinoma with emphasis on histological diagnosis and clinical implications. Pathol Res Pract **212**：1059-1063, 2016
280) Cho JK, Lim BW, Kim EH et al：Low-grade salivary gland cancers：treatment outcomes, extent of surgery and indications for postoperative adjuvant radiation therapy. Ann Surg Oncol **23**：4368-4375, 2016
281) Vander Poorten V, Bradley PJ, Takes RP et al：Diagnosis and management of parotid carcinoma with a special focus on recent advances in molecular biology. Head Neck **34**：429-440, 2012
282) Al-Otaibi SS, Alotaibi F, Al Zaher Y et al：High-grade transformation (Dedifferentiation) of acinic cell carcinoma of the parotid gland：report of an unsusual variant. Case Rep Otolaryngol 2017:7296467. doi：10.1155/2017/7296467, 2017
283) Putney FJ, Moran JJ, Thomas GK：Neurogenic tumors of the head and neck. Laryngoscope **74**：1037-1059, 1964
284) Caughey RJ, May M, Schaitkin BM：Intraparotid facial nerve schwannoma：diagnosis and management. Otolaryngol Head Neck Surg **130**：586-592, 2004
285) Sneige N, Batsakis JG：Primary tumors of the facial (extracranial) nerve. Ann Otol Rhinol Laryngol **100**：604-606, 1991
286) Bretlau P, Melchiors H, Krogdahl A：Intraparotid neurilemmoma. Acta Otolaryngol **95**：382-384, 1983
287) Richmon JD, Wahl CE, Chia S：Coexisting facial nerve schwannoma and monomorphic adenoma of the parotid gland. Ear Nose Throat J **83**：166-169, 2004
288) Chung JW, Ahn JH, Kim JH et al：Facial nerve schwannomas: different manifestations and outcomes. Surg Neurol **62**：245-252, 2004
289) Ma Q, Song H, Zhang P et al：Diagnosis and management of intraparotid facial nerve schwannoma. J Craniomaxillofac Surg **38**：271-273, 2010
290) Cibas E, Ducatman B：Cytology：Diagnostic Principles and Clinical Correlates (3rd ed), Saunders Elsevier, Philadelphia, 2009
291) Li S, Lu X, Xie S et al：Intraparotid facial nerve schwannoma：a 17-year, single-institution experience of diagnosis and management. Acta Oto Laryngol **139**：444-450, 2019
292) Lee DW, Byeon HK, Chung HP et al：Diagnosis and surgical outcomes of intraparotid facial nerve schwannoma showing normal facial nerve function. Int J Oral Maxillofac Surg **42**：874-879, 2013
293) Marchioni D, Alicandri Ciufelli M, Presutti L：Intraparotid facial nerve schwannoma：literature review and classification proposal. J Laryngol Otol **121**：707-712, 2007
294) McCarthy WA, Cox BL：Intraparotid schwannoma. Arch Pathol Lab Med **138**：982-985, 2014
295) Ulku DH, Uyar Y, Acar O et al：Facial nerve schwannomas：a report of four cases and a review of literature. Am J Otolaryngol **25**：426-431, 2004
296) Seo BF, Choi HJ, Seo KJ et al：Intraparotid facial nerve schwannomas. Arch Craniofac Surg **20**：71-74, 2018
297) Li Y, Jiang H, Chen X et al：Management options for intraparotid facial nerve schwannoma. Acta Oto Laryngol **132**：1232-1238, 2012
298) Marchal F, Dulguerov P, Becker M et al：Specificity of parotid sialendoscopy. Laryngoscope **111**：264-271, 2001
299) Escudier MP, McGurk M：Symptomatic sialoadenitis and sialolithiasis in the English population, an estimate of the cost of hospital treatment. Br Dent J **186**：463-466, 1999
300) Purcell YM, Kavanagh RG, Cahalane AM et al：The diagnostic accuracy of contrast-enhanced CT of the neck for the investigation of sialolithirasis. Am J Neuroradiol **38**：2161-2166, 2017
301) Williams MF：Sialolithiasis. Otolaryngol Clin North Am **32**：819-834, 1999
302) Moghe S, Pillai A, Thomas S et al：Parotid sialolithiasis. BMJ Case Reports doi：10.1136/bcr-2012-007480, 2012
303) Sherman JA, McGurk M：Lack of correlation between water hardness and salivary calculi in England. Br J Oral Maxillofac Surg **38**：50-53, 2000
304) Pachisia S, Mandal G, Sahu S et al：Submandibular sialolithiasis：a series of three case reports with review of literature. Clin Pract **9**：1119. doi：10.4081/cp.2019.1119 eCollection 2019
305) Huoh KC, Eisele DW：Etiologic factors in sialolithiasis. Otolaryngol Head Neck Surg **145**：935-

939, 2011
306) Siddiqui SJ：Sialolithiasis an unusually large submandibular salivary stone. Br Dent J **193**：89-91, 2002
307) el Deeb M, Holte N, Gorlin RJ：Submandibular salivary gland sialoliths perforated through the oral floor. Oral Surg **51**：134-139, 1981
308) Grazoamo F, Vano M, Cei S et al：Unusual asymptomatic giant sialolith of submandibular gland. A clinical report. J Craniofacial Surg **17**：549-552, 2006
309) Zenk J, Koch M, Klintworth N et al：Sialendoscopy in the diagnosis and treatment of sialolithiasis：a study on more than 1000 patients. Otolaryngol Head Neck Surg **147**：858-863, 2012
310) Anneroth G, Hansen LS：Minor salivary gland calculi：A clinical and histopathological study of 49 cases. Int J Oral Surg **12**：80-89, 1983
311) Kopec T, Wierzbicka M, Szyfter W et al：Algorithm changes in treatment of submandibular gland sialolithiasis. Eur Arch Otolaryngol **270**：2089-2093, 2013
312) Pulickal GG, Singh D, Lohan R et al：Dual-source dual-energy CT in submandibular sialolithiasis：reliability and radiation burden. Am J Roentogenol **213**：1291-1296, 2019
313) Takahashi N, Vrtiska TJ, Kawashima A et al：Detectability of urinary stones on virtual nonenhanced images generated at pyelographic-phase dual-energy CT. Radiology **256**：184-190, 2010
314) Fabie JE, Kompelli AR, Naylor TM et al：Glanpreserving surgery for salivary stones and the utility of sialendoscopes. Head Neck **41**：1320-1327, 2019
315) Becker M, Marchal F, Becker CD et al：Sialolithiasis and slivary ductal stenosis：diagnostic accuracy of MR sialography with a three-dimensional extended-phase conjugate-symmetry rapid spin-echo sequence. Radiology **217**：347-358, 2000
316) Jager L, Menauer F, Holzknecht N et al：Sialolithiasis：MR sialography of the submandibular duct－an alternative to conventional sialography and US? Radiology **216**：665-671, 2000
317) Park JS, Sohn JH, Kim JK：Factors influencing intraoral removal of submandibular calculi. Otolaryngol Head Neck Surg **135**：704-709, 2006
318) Luers JC, Grosheva M, Stenner M et al：Sialoendoscopy：prognostic factors for endoscopic removal of salivary stones. Arch Otolaryngol Head Neck Surg **137**：325-329, 2011
319) Katz P：Endoscopy of the salivary glands. Ann Radiol (Paris) **34**：110-113, 1991
320) Sun QF, Xu DZ, Pan SH et al：Kimura disease：review of the literature. Intern Med J **38**：668-672, 2008
321) Zhang L, Yao L, Zhou WW et al：Computerized tomography features and clinicopathological analysis of Kimura disease in head and neck. Exp Ther Med **16**：2087-2093, 2018
322) Gopinathan A, Tan TY：Kimura's disease：imaging patterns on computed tomography. Clin Radiol **64**：994-999, 2009
323) Som PM, Biller HF：Kimura disease involving parotid gland and cervical nodes：CT and MR findings. J Comput Assist Tomogr **16**：320-322, 1992
324) Carretero RG, Brugera MR, Rebollo-Aparicio N et al：Eosinophilia and multiple lymphadenopathy：Kimura disease, a rare, but benign condition. BMJ Case Rep doi：10.1136/bcr-2015-214211, 2016
325) Raipoot DK, Pahl M, Clark J：Nephrotic syndrome associated with Kimura disease. Pediatr Nephrol **14**：486-488, 2000
326) Kim HT, Szeto C：Eosinophilic hyperplastic lymphogranuloma, comparison with Mikulicz's disease. Chin Med J **23**：699-700, 1937
327) Kimura T, Yoshimura S, Ishikawa E：On the unusual granulation combined with hyperplastic changes of lymphatic tissues. Trans Soc Pathol Jpn **37**：179-180, 1948
328) Wang X, Ma Y, Wang Z：Kimura's disease. J Craniofac Surg **30**：e415-e418, 2019
329) Wang DY, Mao JH, Zhang Y et al：Kimura disease：a case report and review of the Chinese literature. Nephron Clin Pract **111**：c55-c61, 2009
330) Takahasi S, Ueda J, Furukawa T et al : Kimura disease : CT and MR findings. Am J Neuroradiol **17** : 382-385, 1996
331) Chen H, Thomson LD, Aguilera NS et al：Kimura disease: a clinopathologic study of 21 cases. Am J Surg Pathol **28**：505-513, 2004
332) Ishikawa E, Tanaka H, Kakioto S et al : A pathological study on eosinophilic lymphfolliculoid granuloma (Kimura's disease). Acta Pathol Jpn **31** : 767-781, 1981
333) Horikoshi T, Motoori K, Ueda T et al：Head and neck MRI of Kimura disease. Br J Radiol **84**：800-804, 2011
334) Park SW, Kim HJ, Sung KJ et al：Kimura disease：CT and MR imaging findings. AJNR Am J Neuroradiol **33**：784-788, 2012
335) Wang Z, Zhang J, Ren Y et al：Successful treatment of recurrent Kimura's disease with radiotherapy：a case report. Int J Clin Exp Pathol **7**：4519-4522, 2014
336) Zhang R, Ban XH, Mo YX et al：Kimura's disease; The CT and MRI characteristics in fifteen cases. Eur J Radiol **80**：489-497, 2011
337) Hiwatashi A, Hasuo K, Shina T et al：Kimura's

disease with bilateral auricular masses. AJNR Am J Neuroradiol **17**：382–385, 1996

338) Lin YY, Jung SM, Ko SF et al：Kimura's disease: clinical and imaging parameters for the prediction of disease recurrence. Clin Imaing **36**：272–278, 2012

14 頭蓋顔面・頸部外傷

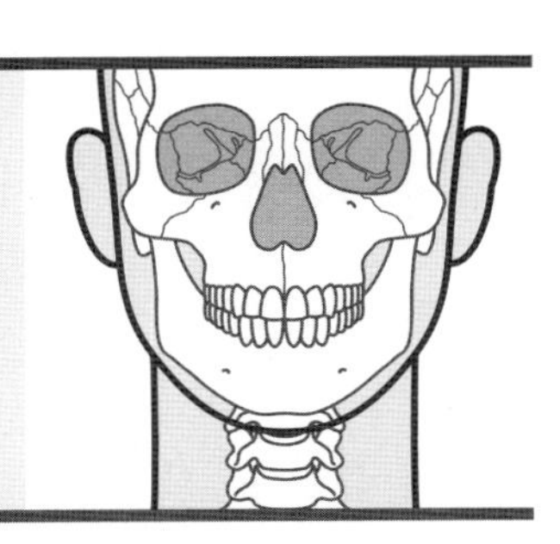

本邦の頭蓋顔面・頸部外傷では，交通外傷，スポーツ外傷などの鈍的外力に伴った頭蓋顔面骨折が主である．頭蓋骨は大小15種23個の骨よりなり，下顎骨と舌骨以外は不動結合により複雑に組み合わさる．結果，複雑繊細な立体構造を形成する．また，内部には脳，眼球，聴器，口腔，咽頭，鼻副鼻腔などの重要構造を容れ，脳神経・血管を通す骨の孔・溝が存在する．したがって，同領域の骨折も複雑かつ立体的で，関連する重要臓器も多岐にわたる．

頭蓋顔面外傷では，骨折の有無・程度の評価および骨折型の分類，重要な部位への骨折進展の有無，骨片偏位の有無・程度，合併する頭蓋内損傷・軟部組織損傷などの評価において，画像診断は重要な役割を担う．頭蓋顔面骨折では，軽微な鼻骨骨折などを除き，疑われる全例においてCTによる評価が望ましい．

また，頸部損傷においては臨床上，重症度や損傷臓器の推定などにおいて“zone”の解剖学的区分の概念が重要となる．

以下，頭蓋顔面骨折，頸部外傷につき，画像診断とともにこれに必要な臨床的事項を含めて解説する．なお，側頭骨骨折，喉頭外傷に関しては，各々，12章「側頭骨」，7章「喉頭」を参照されたい．

A 頭蓋顔面骨折

1 眼窩吹き抜け骨折(blow-out fracture)

1) 臨床的事項

眼窩壁(図1)骨折は，孤立性あるいはLe Fort型(後述)などの他の顔面骨骨折に合併してみられ，眼窩壁骨折の3分の2以上が眼窩底(下壁)骨折であり[1]，眼窩に限局した骨折の80%が眼窩吹き抜け骨折である[2]．眼窩底(下壁)は上顎骨，頬骨，口蓋骨より形成され，後方は上顎洞後縁までであり4つの眼窩壁のうち最も短い[3]．眼窩壁の孤立性骨折としても下壁骨折が最も多く(27%)，20歳代男性に多い(男女比は4：1)[4, 5]．眼窩底の孤立性骨折である眼窩吹き抜け骨折の発生機序としては，眼窩縁への外力がより脆弱な眼窩下壁に伝播し，下壁骨折を生じるとする“buckling theory(1901年Rene Le Fortにより提唱)”と，眼窩前方からの鈍的外力が眼球，さらに眼球周囲の眼窩内容に伝播，眼窩内圧が急激に上昇する結果として生じるとする“hydraulic theory(1943年Pfeifferにより提唱)”がある[6]．眼窩容積は約30 mLで，眼球はその約7 mLを占める[7]．

狭義には眼窩縁が保たれる場合を示し，pure blow-out fractureとされる[2]．これに対して，他の骨折と合併する眼窩底骨折をimpure blow-out fracture(図2)と呼ぶ．Ngらによると，眼窩底骨折に関する最初の記述は1844年MacKenzie[8]，pure blow-out fractureに関する最初の記述は1889年Lang[9]によるもので，1957年SmithとReganらが下直筋entrapmentによる眼球運動障害に関して記述した際に初めて“吹き抜け骨折(blow-out fracture)“の用語が用いられた[10]．

眼窩吹き抜け骨折の原因としては，暴行，交通外傷，スポーツ外傷が主で，典型的な病歴は，上眼瞼部から眼球領域に対してボールが当たる，あるいは拳で殴られるなどである．(ボールや拳など)眼窩縁骨折を生じるほどに大きくなく，逆に

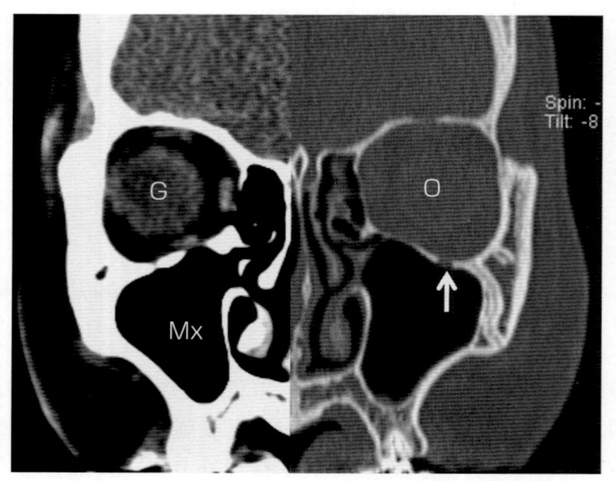

図1　眼窩レベル冠状断CT（右側：軟部濃度条件，左側：骨条件表示）
矢印：眼窩下管，G：眼球，O：眼窩，Mx：上顎洞

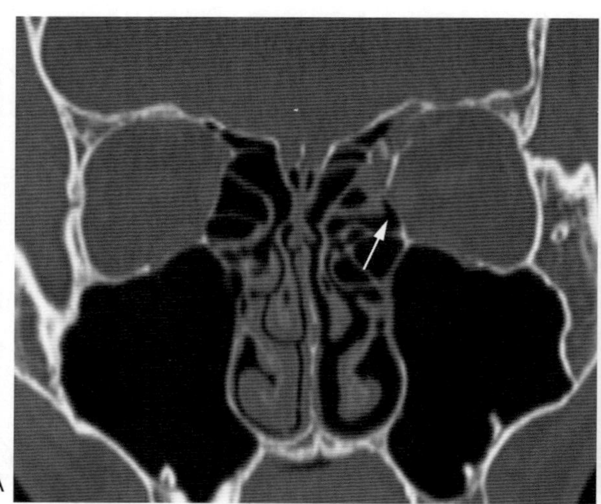

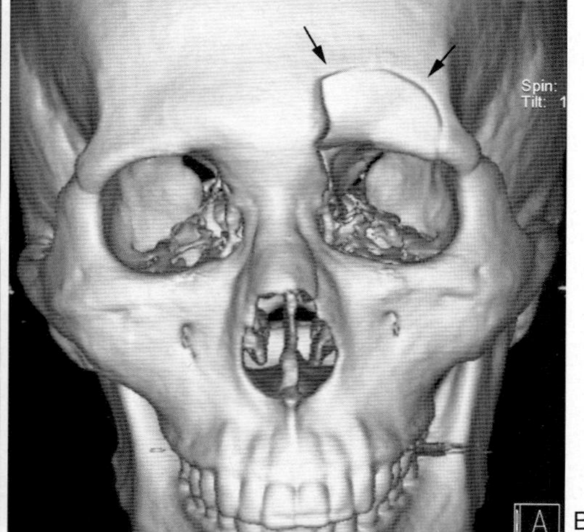

図2　impure typeの眼窩吹き抜け骨折
眼窩レベル冠状断CT骨条件表示（A）において，左眼窩内側壁の骨折（矢印）を認める．顔面頭蓋3D表示（B）で，合併する左眼窩上縁の骨折（矢印）がみられる．

眼球損傷をきたすほどに小さくない物体での鈍的外力により生じる[11]．ボクシングや喧嘩では，しばしば両側性（図3）で，他の顔面骨骨折（図4）との合併を認める．また，状況により頭蓋内外傷に対しても注意を要する．

症状としては（主に上方視での）複視，眼球下垂，同側の眼窩下神経（V2）領域の知覚異常，眼窩気腫・血腫，鼻出血，眼瞼腫脹などが認められる．眼窩浮腫や血腫の吸収に伴い数週の経過で症状は改善傾向を示す場合も多く[12]，複視も多くが一時的な筋損傷や麻痺による一過性のものである．高容積の吹き抜け骨折では眼球陥凹（外科的修復の適応：後述）を示すが，発症初期には眼瞼など軟部組織腫脹により正確な評価は困難な傾向にある（図5）．外傷性視神経障害の発現は顔面外傷例全体の2〜5％で[13]，眼窩吹き抜け骨折での視力障害の頻度は低いが[14]，逆に外傷性視神経障害例の最大87％で眼窩壁骨折を認める[15]．そ

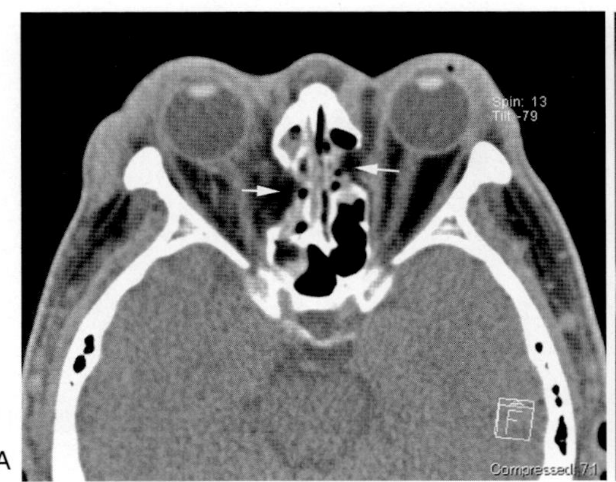

A

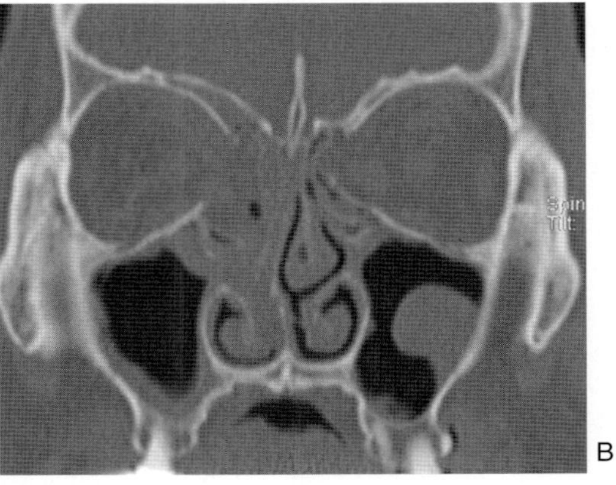

B

図 3　ボクシングによる両側性の内側壁型吹き抜け骨折

眼窩レベル CT 横断像(A)および冠状断骨条件表示(B)において，両側眼窩内側壁の骨折(図 A 矢印)，眼窩内容の内側(篩骨洞側)への膨隆を認める．両眼瞼を中心とした皮下血腫を認める．

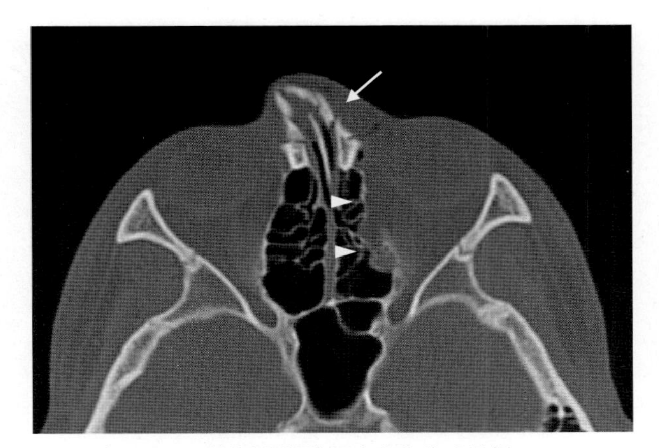

図 4　鼻骨および(内側壁型)眼窩吹き抜け骨折

眼窩レベルの CT 横断像骨条件表示において，左眼窩内側壁は内側(篩骨洞側)への偏位(矢頭)を示し，内側壁型の吹き抜け骨折に一致する．また，左側から右側に向かう両側性鼻骨骨折(lateral injury：後述)を伴う．

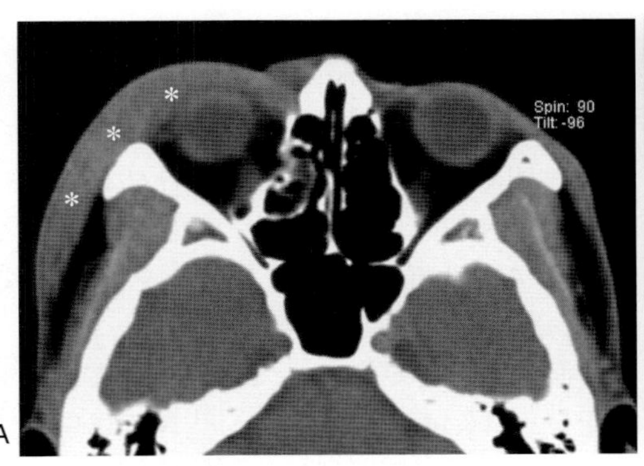

A

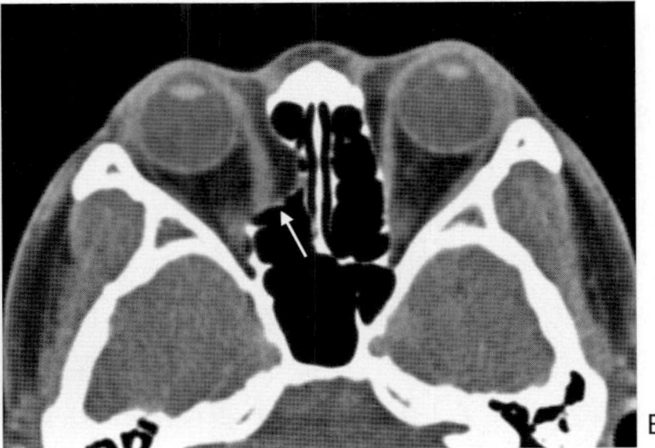

B

図 5　眼球陥凹を示す吹き抜け骨折

発症直後の眼窩レベル CT 横断像(A)において右眼瞼の高度軟部組織腫脹(＊)あり．2 週間後の CT(B)では，右側で眼窩内側壁の吹き抜け骨折(矢印)とともに眼球陥凹を認める．

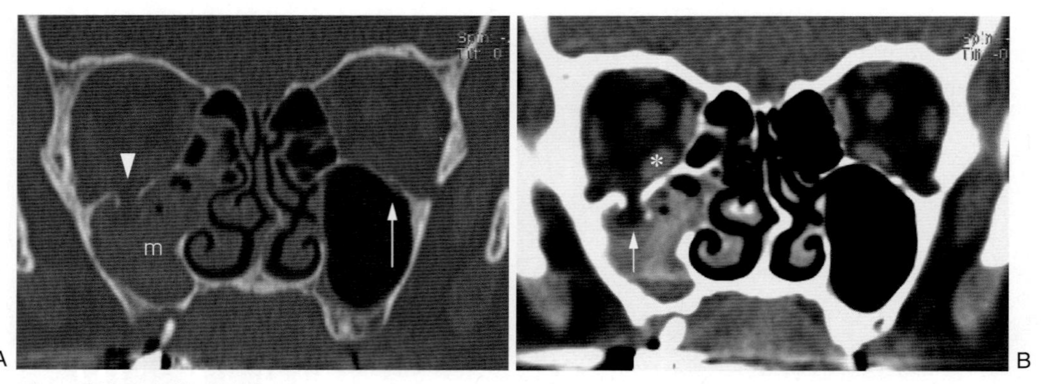

図6　眼窩吹き抜け骨折

眼窩レベル冠状断CT骨条件(A)において，右側の眼窩下管(対側で矢印で示す)に一致した骨折(矢頭)を認め，右上顎洞(m)は軟部濃度でほぼ占拠される．同軟部濃度条件(B)では骨折部を介した眼窩内脂肪の上顎洞への脱出(矢印)を認める．下直筋(＊)は眼窩内にとどまる．右上顎洞内は淡い高吸収を呈し，出血性液体貯留に相当する．

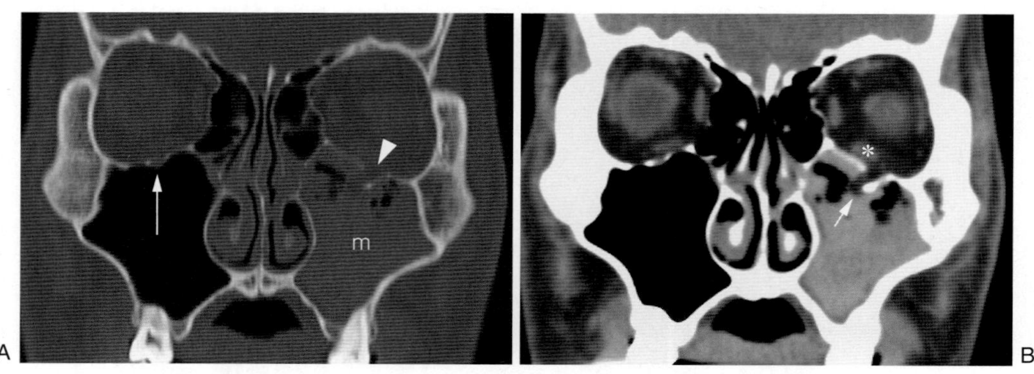

図7　眼窩吹き抜け骨折

所見は図6と同様であり，眼窩レベル冠状断CT骨条件表示(A)において，左側の眼窩下管(対側で矢印で示す)に一致した骨折(矢頭)を認め，左上顎洞(m)は軟部濃度でほぼ占拠される．同軟部濃度条件(B)では骨折部を介した眼窩内脂肪の上顎洞への脱出(矢印)を認める．下直筋(＊)は眼窩内にとどまる．左上顎洞内は淡い高吸収を呈し，出血性液体貯留に相当する．

の後の外科的修復後合併症としての視力障害と区別する意味において，治療前の視力評価は必須である．なお，外眼筋(下直筋，下斜筋が最も多い)の脱出による複視の出現頻度は約60％とされる[16]．

眼窩底の中でも眼窩下管・溝領域(図1)が最も脆弱であり，多くが同部(図6，7)，あるいは同部から内側の骨折(図8)として認められる．口蓋骨で形成される眼窩下管・溝より後方部分は保たれる傾向にある[12]．若木骨折(green stick fracture)として生じた眼窩底骨折で，骨の弾性によりほぼ本来の位置に戻り，線状骨折としてのみ確認される場合，“trap door type”と呼ばれるが，用語としては1965年Sollらによる最初の報告がある[17]．骨折の内側端は眼窩内側壁・下壁接合部，外側端は眼窩下管領域の線状のわずかな離開として認められる，あるいは内側端をdoorの蝶番(hinge)として外側端が下方(上顎洞側)に軽度の回旋・偏位を示す[18](図9，10)．これに対して，骨折部の大きな離開を認める場合は“open door type”とされる(図11〜13)．

眼窩底骨折の約50％で同側の眼窩内側壁骨折を伴う(図14，15)．また，広義には内側壁のみの骨折を“内側壁型の吹き抜け骨折”と称する(図16，17)．眼窩底(下壁)と上顎洞の内側壁により眼窩内支柱(internal orbital buttress)が形成

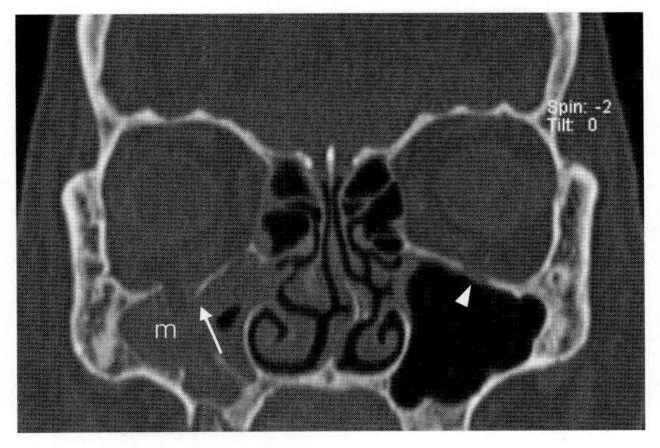

図 8　眼窩吹き抜け骨折
眼窩レベルの CT 冠状断骨条件表示．右眼窩底は眼窩下管(対側で矢頭で示す)領域での離開がみられ，内側の骨片はやや尾側への偏位(矢印)を示す．右上顎洞(m)に軟部濃度を認め，粘膜肥厚，液体貯留を示唆する．

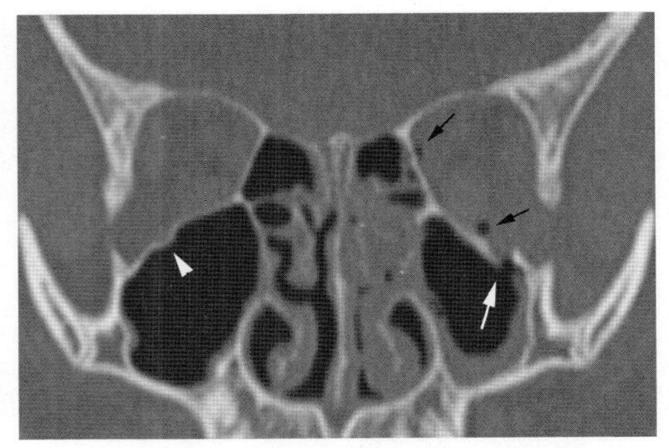

図 9　trap door type の眼窩吹き抜け骨折(5 歳男児)
眼窩レベル CT 冠状断骨条件表示において，左眼窩下壁で眼窩下溝(対側で矢頭で示す)においてわずかな離開(白矢印)を認め，眼窩気腫(黒矢印)を伴う．

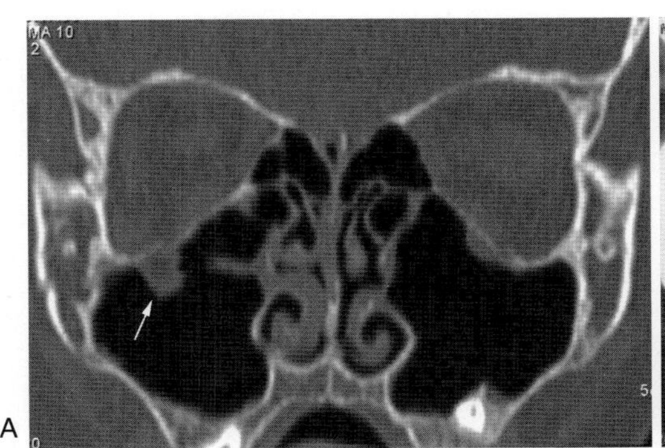

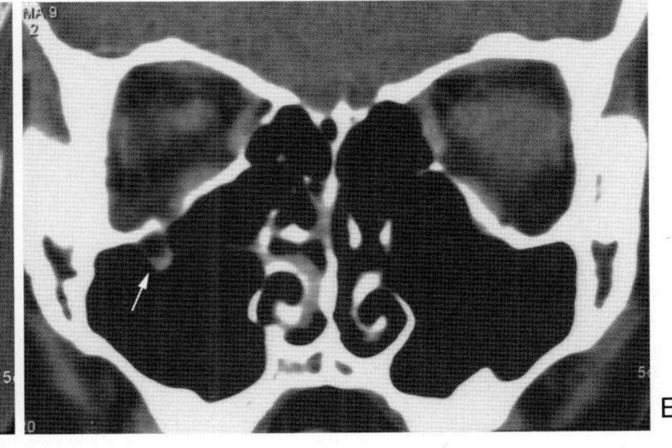

図 10　trap door type の眼窩吹き抜け骨折(13 歳男児)
眼窩レベル CT 冠状断骨条件表示(A)において，眼窩下壁の骨折は明らかでないが，下壁に隣接して，上顎洞内に涙滴様軟部濃度(矢印)を認める(teardrop sign)．同所見は軟部濃度表示(B)において，脂肪濃度(矢印)を呈し，上顎洞の炎症性粘膜肥厚や粘液貯留ではなく，骨折線より脱出した眼窩内脂肪を示す．

されるが，眼窩内側壁と下壁の混合骨折のうち，40 % は眼窩内支柱が保たれており(simple fracture)，60 % が支柱の虚脱を伴う(complex fracture)とされる[2]．低容量の内側壁型吹抜け骨折の場合(図 18)，複視などの症状がなければ患者に骨折の自覚がなく既往としての申告がなされず，鼻内視鏡手術時に術前 CT で指摘しなければ眼窩合併症の原因となり，CT 評価では注意を要する．眼窩上壁の吹き抜け骨折(図 19)(superior blow-out fracture，blow-up fracture)もまれに認められるが[19]，眼窩上部の含気の発達した例に多く，眼窩縁が保たれている場合のほうが予後良好とされる[20]．また，眼窩底が眼窩内に向かって，頭側への偏位をきたす骨折(blow-in fracture)もあるが，頻度は低い．眼窩前方からの衝撃に対する眼球・眼窩内脂肪組織の反動により生じる眼窩内陰圧が原因と推察されている[11]．

小児では成人と比較し，眼窩骨壁の弾性が高く，若木骨折として生じる trap door type の骨折が多く(図 9，10，20)，複視・外眼筋の運動障害の発現率が高い傾向にある[21]．また，小児の trap door type の吹き抜け骨折では結膜下出血に乏しく，眼瞼周囲浮腫は比較的早期に軽減することから，“white-eyed blow-out fracture” と呼ばれる場合もある[22]．小児では眼球心臓反射(oculocardiac reflex)が強く，しばしば嘔気，嘔吐が主な症状として現れる場合があり，注意を要する[23]．

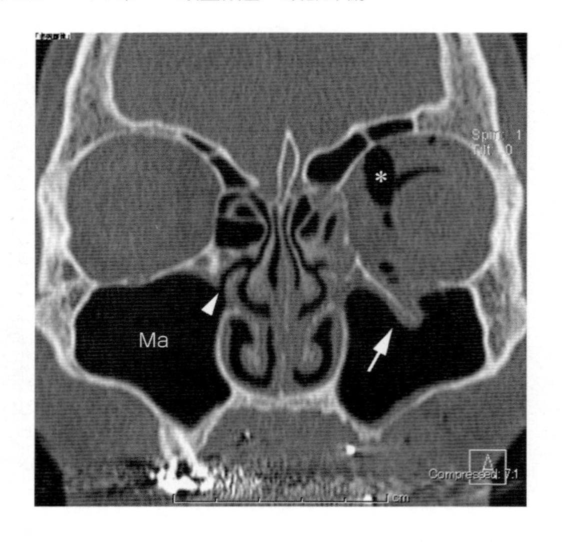

図11　open door typeの眼窩吹き抜け骨折
眼窩レベルCT冠状断骨条件表示において，左眼窩底の骨折(矢印)を認める．骨折片は内側端を支点として，外側端は尾側(上顎洞側)に大きく偏位を示す．これにより上顎洞(対側でMaで示す)のostiomeatal unit(対側で矢頭で示す)の閉塞をきたしている．眼窩気腫(＊)を伴う．

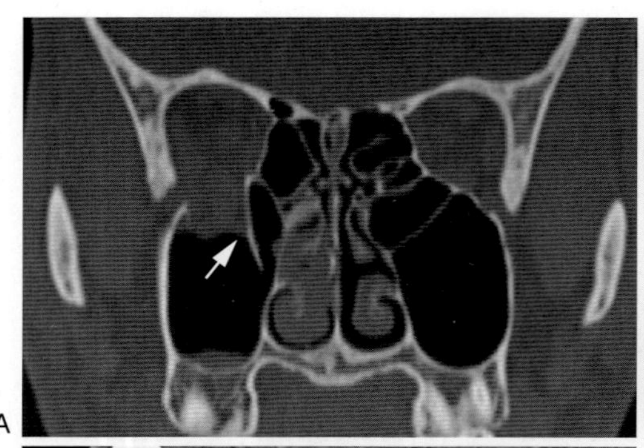

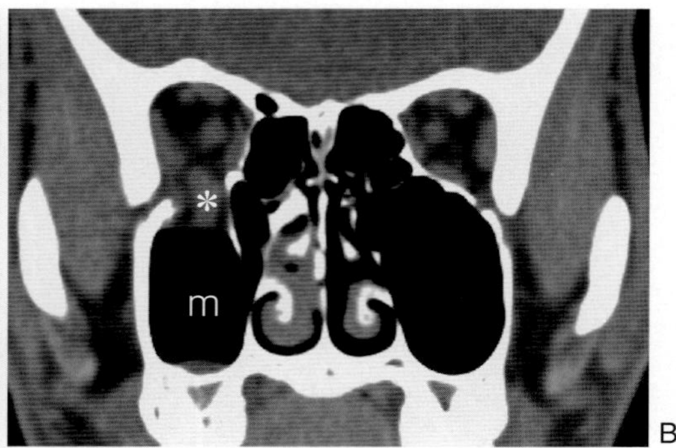

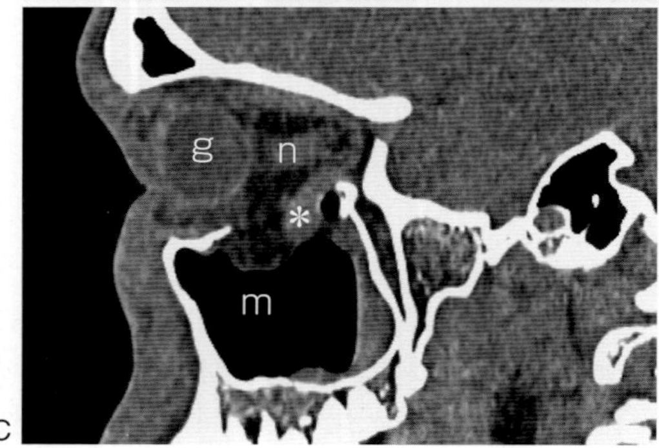

図12　open door typeの眼窩吹き抜け骨折
眼窩レベルCT冠状断骨条件(A)において，右眼窩下壁の吹き抜け骨折を認める．骨片は内側を支点として下方に偏位(矢印)してみられる．同軟部条件(B)および右眼窩レベル矢状断像(C)において，眼窩内脂肪とともに下直筋(＊)の上顎洞(m)への部分的脱出を認める．

2）画像所見（表1：p1152）

画像評価としては，眼窩・顔面領域を中心とするCTの冠状断および横断像(骨および軟部条件表示)が基本となる．単純X線写真での正診率は約50％にとどまる．また，ルーチンの頭部CT横断像のみでは眼窩底骨折は見逃される危険性があり，注意を要する[14]．

CT上，直接所見として眼窩底(および/あるいは内側壁)の骨折(図11〜17)，分節化，間接所見として眼窩内容(脂肪)および/あるいは骨片の上顎洞への偏位・脱出(図6, 7, 10, 13, 21)，眼窩気腫(図11, 21, 22)，上顎洞内の出血性液体貯留(図6, 7, 13)などを認める．一方で，受傷直後のCTで隣接副鼻腔の含気が良好に保たれ，(液体貯留や粘膜肥厚を疑う)軟部濃度を認めない場合(“clear sinus” sign)，高い信頼度で骨折

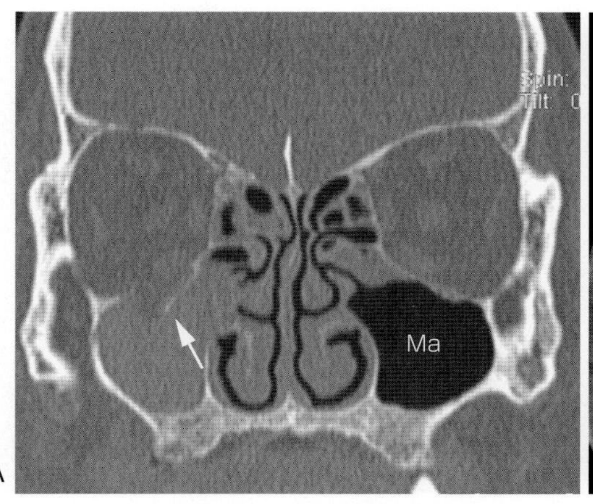

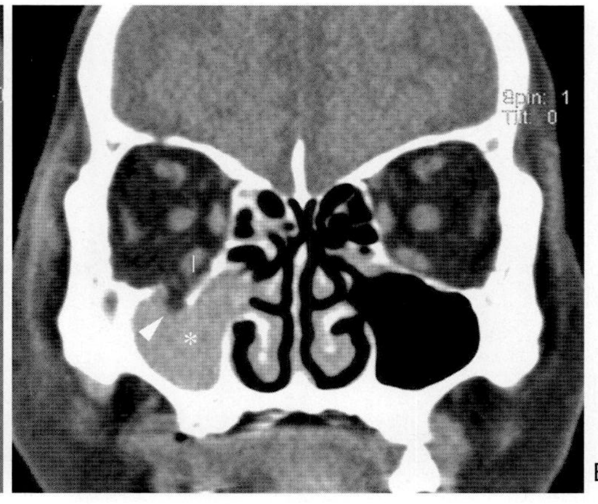

図 13　open door type の眼窩吹き抜け骨折
眼窩レベル CT 冠状断骨条件表示(A)において，右眼窩底の骨折(矢印)を認める．骨折片は内側端を支点として，外側端は尾側(上顎洞側)への偏位を示す．Ma：上顎洞．軟部濃度表示(B)で，骨折部を介して眼窩内脂肪の上顎洞側への脱出(矢頭)を認めるが，下直筋(l)は眼窩内にとどまる．右上顎洞には高濃度を示す出血性液体貯留(＊)を伴う．

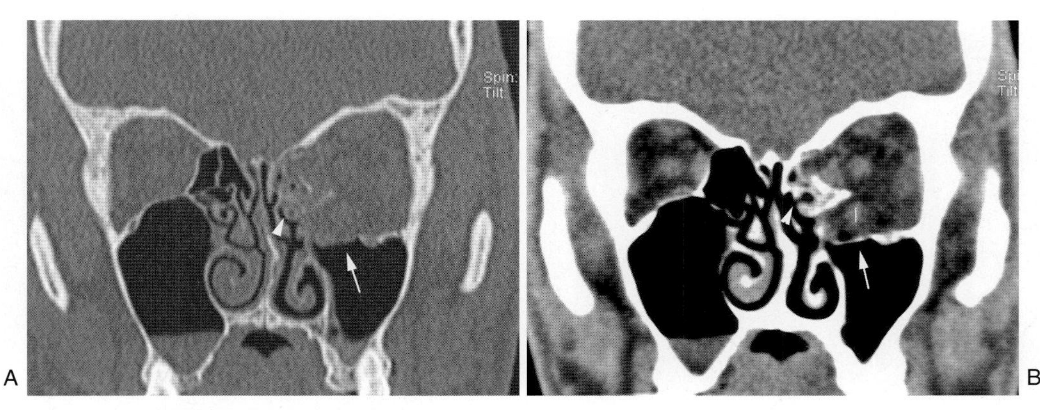

図 14　内側壁骨折を伴う眼窩吹き抜け骨折
眼窩レベル CT 冠状断骨条件表示(A)・軟部濃度表示(B)において，左眼窩底(矢印)および内側壁(矢頭)の骨折を認める．下直筋(l)は類円形を呈し，眼窩内脂肪とともに上顎洞側に完全に脱出している．

の否定が可能とされる(眼窩吹き抜け骨折では上顎洞，内側壁型の場合は篩骨洞の含気の状態で判断する)[24]．逆に隣接副鼻腔の液体貯留は顔面骨骨折のない外傷例でも 27％でみられ，所見特異性は低い[25]．trap door type(図 9，10，20)では骨片偏位はわずかであり，ごく軽微な離開や非連続性を示す骨折線を慎重に同定しなければならない．この場合，上顎洞側に脱出した眼窩内容が涙滴様(teardrop sign：図 10，23)を呈する場合があり，吹き抜け骨折を示す間接所見のひとつとして重要である．一方で，下直筋の上顎洞への完全脱出により眼窩内より消失したように認められる場合(missing muscle syndrome)もある[26](図 24, 25)．CT 冠状断像において，下直筋(および・あるいは内側直筋)が正常な位置に正常な平坦な形状で認められる場合，一般的には筋円錐は概ね保たれ，上顎洞・篩骨洞への眼窩内容脱出は軽微であるのに対して，外眼筋が骨折部近傍で類円形から楕円形を呈する(厚みを増す)，あるいは変形，(上顎洞への)尾側偏位を示す場合(図 14, 21，26)，眼窩内容とともに筋の脱出が示唆される[27,28]．Matic らは，CT 冠状断での下直筋の高さと幅の比(height-to-width ratio)が 1.0 より大きい場合に晩発性眼球陥凹の危険性を示唆する

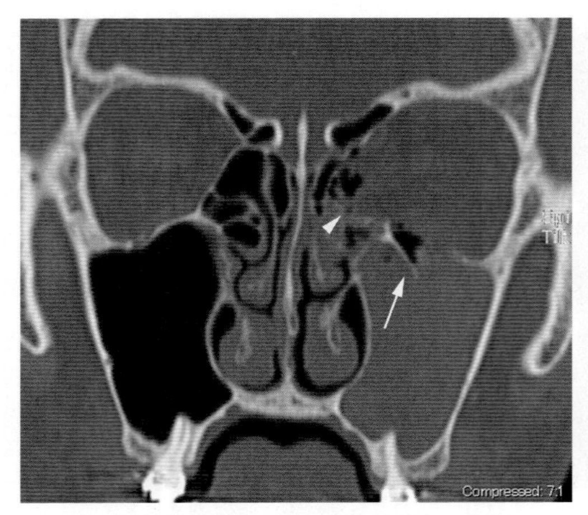

図 15　内側壁骨折を伴う眼窩吹き抜け骨折
眼窩レベル CT 冠状断骨条件表示において，左眼窩底（矢印）および内側壁（矢頭）の骨折を認める．

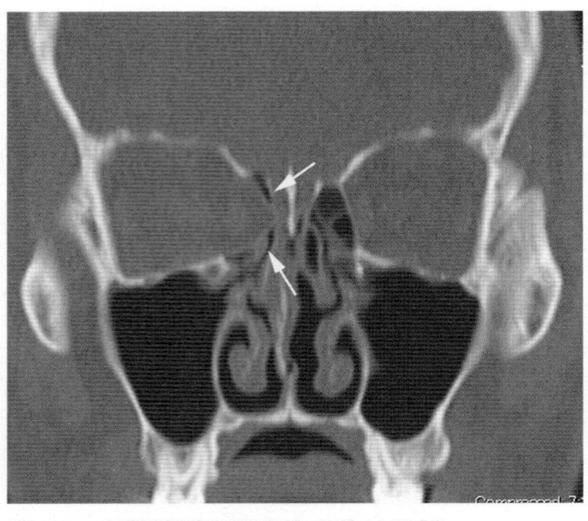

図 16　内側壁型の眼窩吹き抜け骨折
眼窩レベル CT 冠状断骨条件表示で左眼窩内側壁の吹き抜け骨折（矢印）を認める．下壁は保たれている．

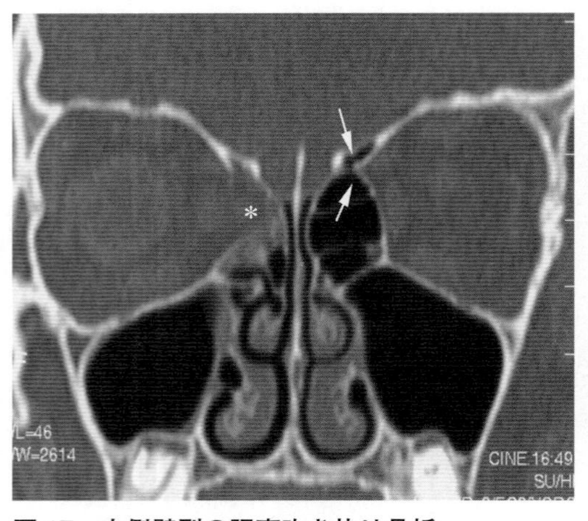

図 17　内側壁型の眼窩吹き抜け骨折
眼窩レベル CT 冠状断骨条件表示で右眼窩内側壁の吹き抜け骨折（＊）を認める．骨折部は，前篩骨孔（対側で矢印で示す）領域を含む．

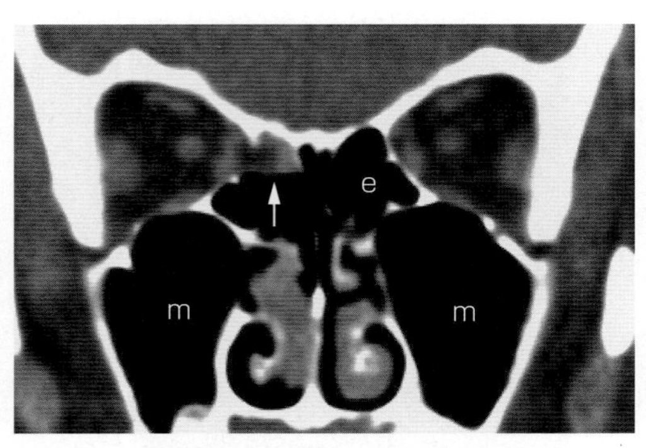

図 18　内側壁型の眼窩吹き抜け骨折
眼窩レベル CT 冠状断像において右眼窩内側壁は部分的に欠損し，眼窩内脂肪の内側，篩骨洞側への膨隆（矢印）を認める．e：左篩骨洞，m：上顎洞

が，継続性複視との関連性は低いと報告している[29]．また，眼球運動制限は骨折部の骨欠損の大きさや脱出内容の容積よりも周囲結合織による外眼筋の牽引（図 27），筋損傷の影響がより大きいともされる[2]．

臨床上，眼窩骨折では眼窩尖部に骨折が及んでいるかどうかが非常に重要であり，CT で慎重に評価する必要がある．視神経管骨折（図 28，29）では視神経損傷・浮腫による視力障害，上眼窩裂骨折では CN3（動眼神経）損傷による眼球運動障害などを生じうる[14]．

3）治　療

必ずしも全例が外科的治療対象となるわけではなく，手術適応としては，外眼筋 entrapment（図 14，21，24～26）による複視，（2 mm を超える）眼球陥凹（図 5，30，31），小児の “trap door (white-eyed)” type の吹き抜け骨折（図 9，20），眼窩下壁の 50％あるいは 2 cm^2 を超える骨折が重要である[7, 30, 31]．実際には臨床所見（複視，内出血，眼球位置異常，white-eyed blow out frac-

A
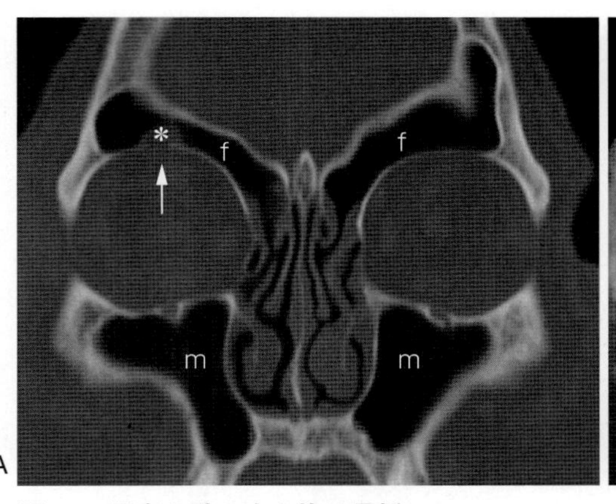

B
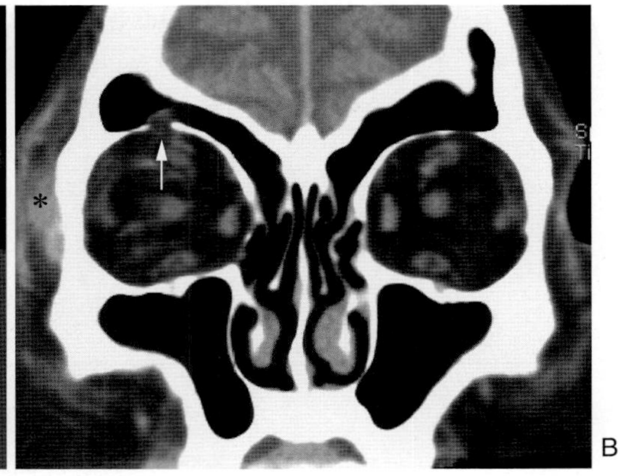

図 19　眼窩上壁の吹き抜け骨折

眼窩レベル CT 冠状断像骨条件(A)において右眼窩上壁の部分的欠損(矢印)と隣接する前頭洞(f)右側の限局性軟部組織(*)を認める．同軟部濃度条件(B)で前頭洞右側の軟部組織は脂肪濃度であり，脱出した眼窩内脂肪に相当する．

A
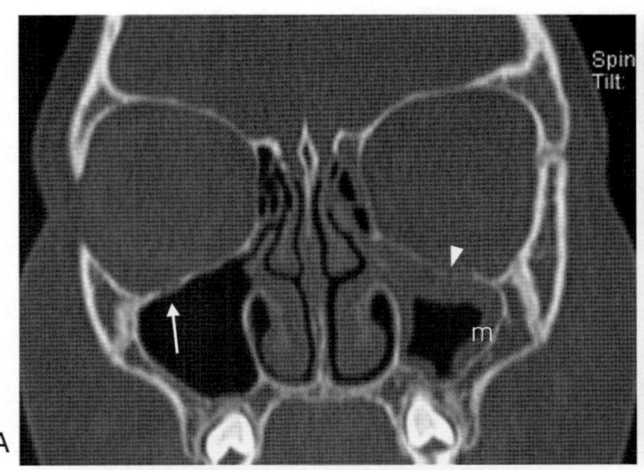

B
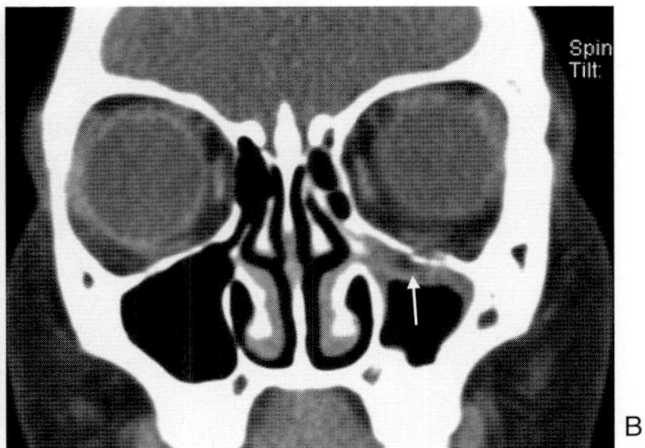

C

図 20　trap door type の眼窩吹き抜け骨折の小児 2 症例

眼窩レベルの CT 冠状断像骨条件表示(A)では左側で眼窩下管領域の眼窩下壁の骨の非連続性(矢頭)は，右側(矢印)と比較して拡大してみられるが，眼窩吹き抜け骨折の確定診断は困難と思われる．隣接する左上顎洞(m)には壁に沿ったびまん性軟部濃度肥厚を認める．同例の軟部濃度条件(B)で左上顎洞上壁に沿った軟部濃度肥厚の中に，眼窩下管に接して限局性脂肪濃度(矢印)を認め，trap door type の眼窩吹き抜け骨折および眼窩内脂肪の脱出の所見の診断が可能である．別症例の眼窩レベル CT 冠状断像(C)で軟部濃度を容れる左上顎洞(m)の上壁(眼窩下壁)に接して限局性脂肪濃度(矢頭)を認め，隣接する左下直筋(対側で矢印で示す)周囲の眼窩内脂肪混濁がみられることから，trap door type の眼窩吹き抜け骨折および眼窩内脂肪の脱出が診断される．

表 1　眼窩吹き抜け骨折での主な画像評価項目

眼窩底(下壁)骨折の有無	眼窩下神経領域(眼窩下管・溝)の骨折の有無
眼窩内側壁骨折の有無	前・後篩骨孔領域の骨折の有無
眼窩尖部への骨折の到達	視神経管，上・下眼窩裂の骨折，骨片偏位の有無・程度
外眼筋 entrapment	下直筋(眼窩底骨折例)・内側直筋(内側壁型骨折例)の状態
眼球陥凹の有無	
随伴所見	眼窩気腫 副鼻腔液体貯留の有無(みられない場合は骨折新鮮例の可能性は低い)
他の顔面骨骨折，頭蓋内外傷などの有無	

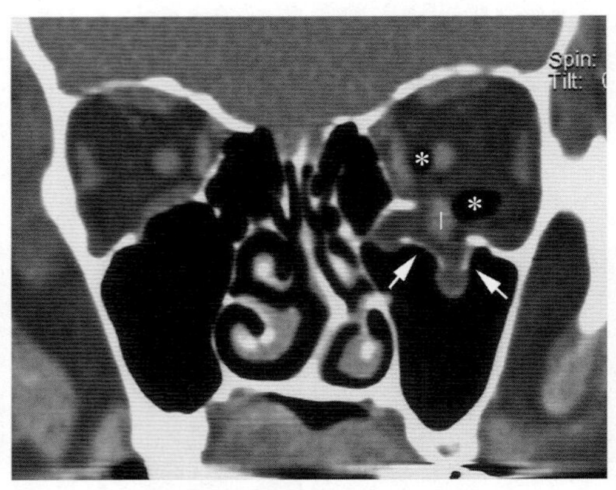

図 21　眼窩吹き抜け骨折

眼窩レベル CT 冠状断骨条件表示で左眼窩底骨折(矢印)を認め，眼窩内脂肪とともに，縦長の形状を示す下直筋(I)の一部も上顎洞への脱出を示す．眼窩気腫(＊)を伴う．

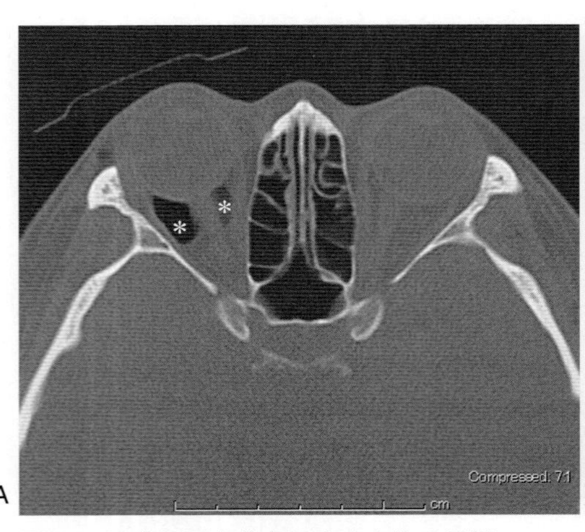

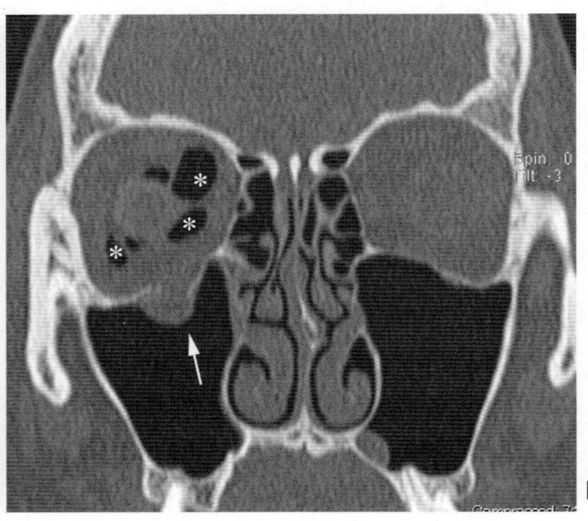

図 22　眼窩気腫を伴う眼窩吹き抜け骨折

眼窩レベル CT 横断像(A)・冠状断像(B)骨条件表示で，open door type の右眼窩底骨折(矢印)に伴い，眼窩気腫(＊)を認める．

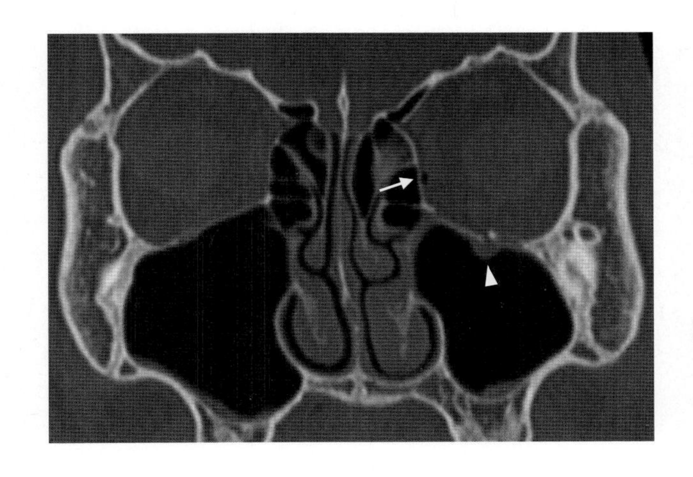

図 23　teardrop sign を呈する眼窩吹き抜け骨折
眼窩レベル CT 冠状断骨条件表示．左眼窩下壁の眼窩下管領域に接して，左上顎洞に涙滴様軟部濃度(矢頭)がみられ，眼窩下管での trap door type の吹き抜け骨折が示唆される．軽度の眼窩気腫(矢印)を伴う．

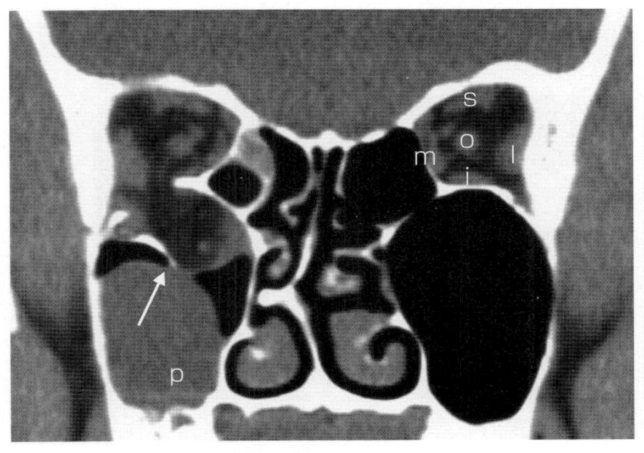

図 24　missing muscle syndrome
眼窩レベル CT 冠状断において，右眼窩底の比較的高容積の吹き抜け骨折(矢印)を認める．下直筋(対側で i で示す)は骨折部を介して眼窩内脂肪とともに脱出，眼窩内には同定されない．l：外側直筋，m：内側直筋，o：視神経眼窩部，p：右上顎洞のポリープ様粘膜肥厚，s：上直筋

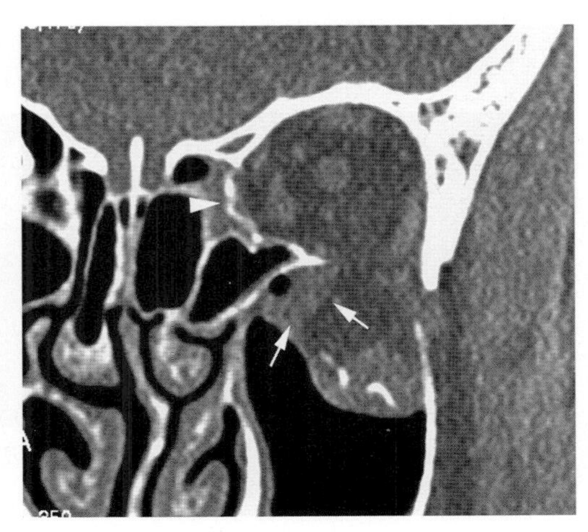

図 25　missing muscle syndrome
眼窩レベル CT 冠状断骨条件表示で左眼窩底の高容積骨折を認め，眼窩内脂肪とともに下直筋(矢印)は上顎洞への完全な脱出を示す．内側壁骨折(矢頭)を伴う．

ture など)，CT 所見(外眼筋の entrapment，脱出の有無，骨折の範囲，脱出内容の容積など)，患者背景(年齢など)により総合的に判断される[12]．眼窩下神経の知覚過敏・疼痛の手術により回復の程度は様々であり，これのみでは必ずしも手術適応とはならない[32]．

一般的な外科的修復の時期に関しては 50 年以上にわたる議論があるが，浮腫は軽減してくるが，手術を困難にする線維化が生じる以前で，修復のより容易な受傷後 1〜2 週での治療が望ましいと考えられている．一般に早期の外科的介入で(垂直方向の)眼球偏位，眼球陥凹，眼球運動障害の改善結果は有意に良好とされる[12]．また，小児では骨折後の仮骨形成が 7 日以内に始まることから，受傷後 5 日以内と，より早期の修復が望ましいとされる[21, 33]．さらに小児では trap door fracture の　他，white-eyed blow-out fracture (entrap された下直筋の虚血，その後の拘縮を防ぐため)と(眼球心臓反射による)高度の徐脈を示す例においては受傷後 24〜48 時間以内の修復が推奨される[32, 34]．小児例の多くが初期には保存的にみられるが[34]，既述のとおり眼窩浮腫などの消退が早く，患児が親に対して症状を十分に表現できない場合も多いなどの理由から，受診・治

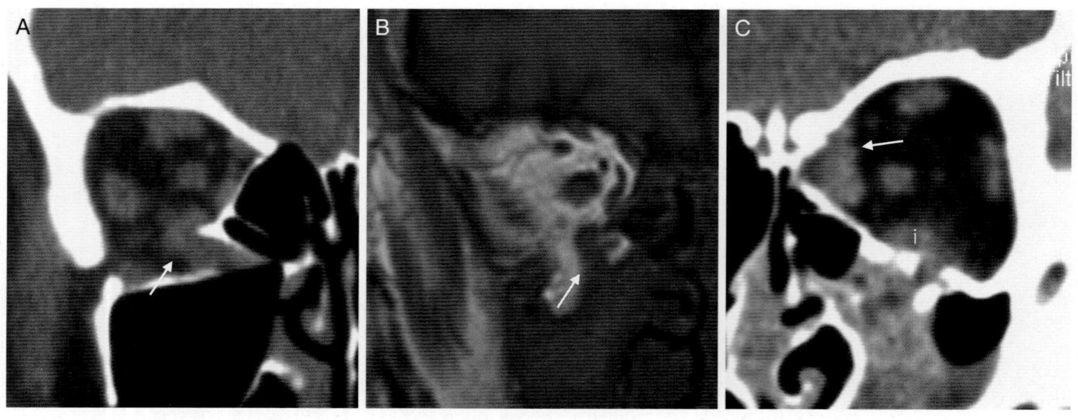

図26　眼窩吹き抜け骨折(3症例)に伴う外眼筋の変形・偏位
眼窩レベル冠状断像．A(CT)およびB(MRI，T1強調像)の2例では，右眼窩底の吹き抜け骨折を認め，下直筋(矢印)は肥厚を伴う高度の変形とともに，一部が尾側の上顎洞への脱出・偏位を示す．C(CT)の症例では内側壁および眼窩底の吹き抜け骨折を認め，内側直筋(矢印)の肥厚がみられる．下直筋(i)も輪郭はやや不明瞭で周囲脂肪は混濁(浮腫)を示す．

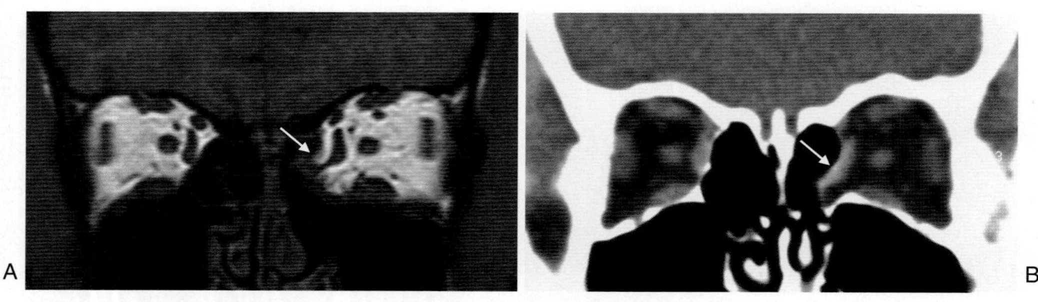

図27　眼窩吹き抜け骨折(2症例)に伴う外眼筋牽引による変形
眼窩レベル冠状断像．A(MRI，T1強調像)およびB(CT)の2例ともに，左眼窩内側壁型の吹き抜け骨折を認め，内側直筋(矢印)の下端は眼窩内脂肪の内側(篩骨洞側)脱出に伴う組織牽引性の変形を示している．

療が遅れる危険性も指摘されている．

早期外科的修復は通常，24～48時間以内と定義されるが[6)]，外眼筋entrapmentは外科的修復までの経過が長いほど，継続性複視の頻度が高くなるとされ，48時間以内の修復で危険性を有意に軽減できる[35)]．ただし，臨床的にentrapmentの症状を示さない例ではCT所見として眼窩組織のentrapmentを認めても，必ずしも外科的修復の適応とはならず，(継続性複視の危険性を高めることなく)保存的治療が可能である[21)]．逆に，眼窩周囲浮腫が複視の原因となっている場合は14日までに軽減を示すことから，CT所見として組織のentrapmentのない例は最大14日までの経過観察が可能である．複視が自然に軽減した場合，外科的修復は回避可能となる[36)]．なお，術後の継続性複視の多くは筋原性(外眼筋の虚血，線維化)，神経原性(外眼筋を支配する神経の外傷性障害)要因による．

2～3 mm以上の眼球陥凹(図5B，30，31)は審美的問題となる[38)]．完成された眼球陥凹の修復は組織の線維化と萎縮のため極めて困難であり[37)]，多数回の手術を要することもしばしばで早期外科的修復の対象となる．5％の眼窩内容増加で臨床的に顕在化する眼球陥凹を生じるとされ[6)]，一般にCT所見として骨折による壁欠損が眼窩底全体の50％以上あるいは3 cm^2以上，あるいは壁が3～5 mmの偏位を示す場合には眼球陥凹を防ぐために外科的修復を要するとされ

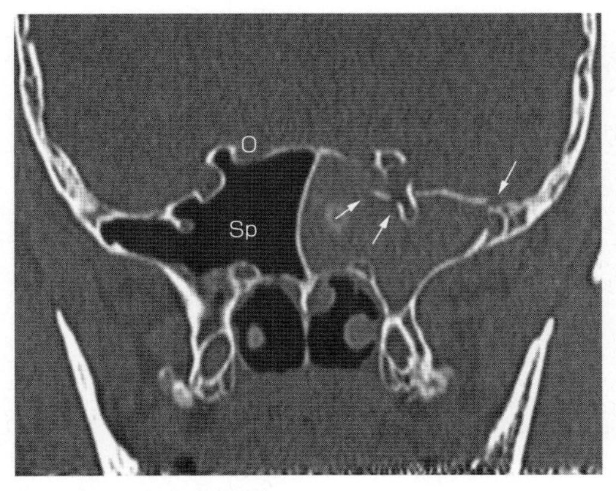

図 28　眼窩尖部骨折

眼窩尖部レベル CT 冠状断骨条件表示で，左眼窩尖部および蝶形骨洞左側壁の骨折（矢印）を認める．O：視神経管，Sp：蝶形骨洞

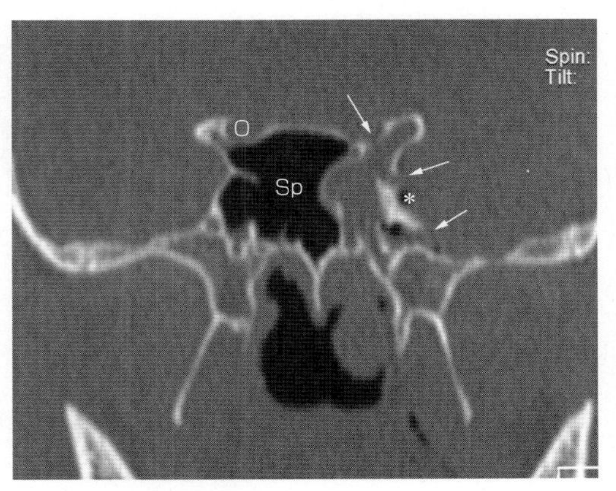

図 29　眼窩尖部骨折

眼窩尖部レベル CT 冠状断骨条件表示で，左眼窩尖部および蝶形骨洞左側壁の骨折（矢印）を認め，気脳症（＊）を伴う．O：視神経管，Sp：蝶形骨洞

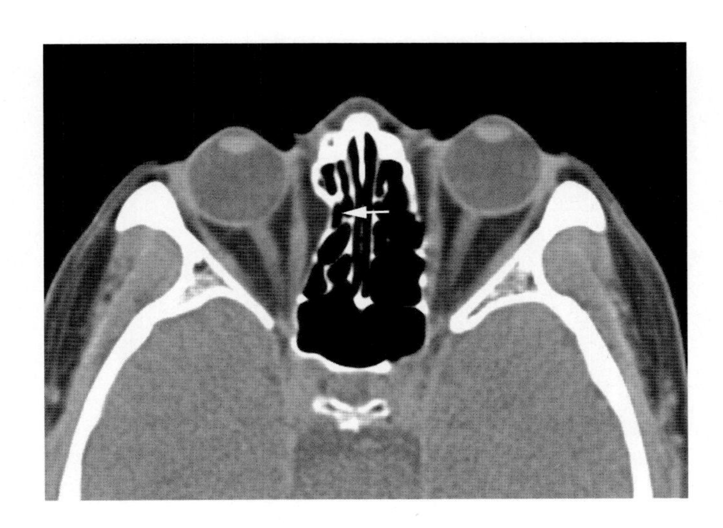

図 30　眼球陥凹を伴う眼窩吹き抜け骨折

眼窩レベル CT 横断像で右眼窩内側壁の吹き抜け骨折（矢印）を認め，右眼球陥凹をきたしている．

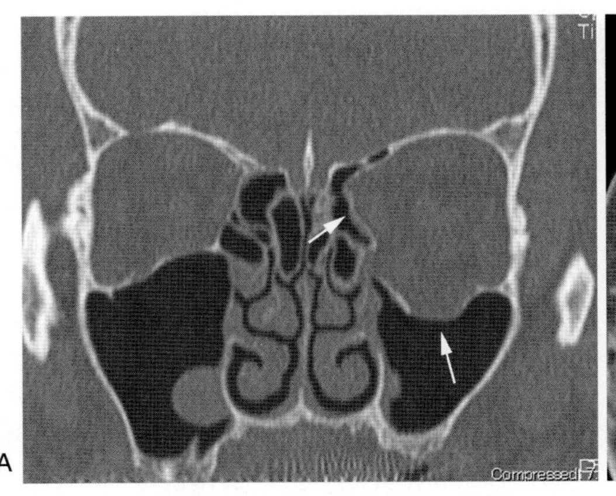

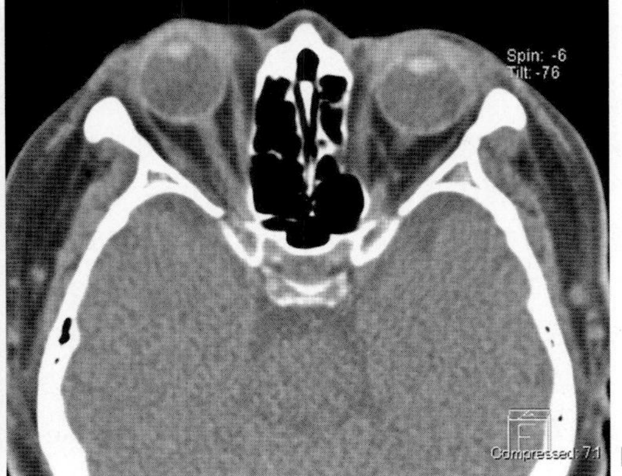

図 31　眼球陥凹を伴う眼窩吹き抜け骨折

眼窩レベル CT 冠状断骨条件表示（A）において，左眼窩底および内側壁の吹き抜け骨折（矢印）を認め，横断像（B）で左眼球陥凹を伴う．

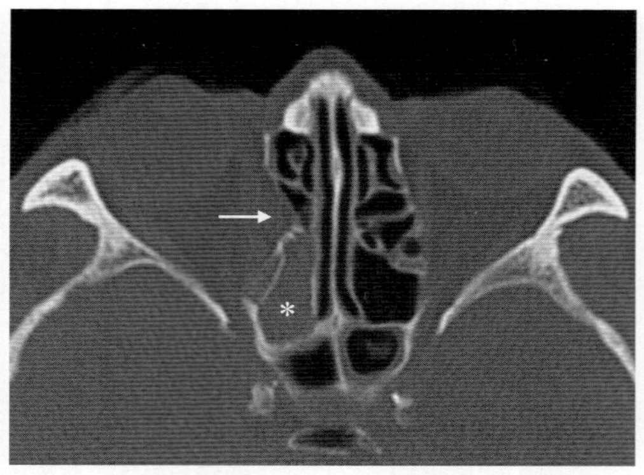

図32　内側壁型吹き抜け骨折による篩骨洞炎
眼窩レベルのCT横断像骨条件表示において，右眼窩内側壁の吹き抜け骨折(矢印)を認める．その後方において二次性閉塞性変化として右後篩骨洞炎(＊)を併発している．

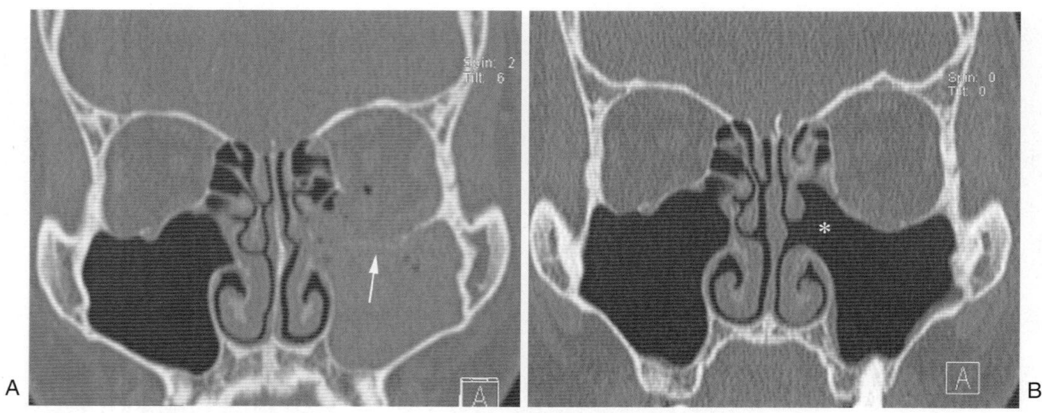

図33　経鼻内視鏡的(ESS)アプローチによる眼窩吹き抜け骨折修復
眼窩レベルCT冠状断骨条件表示(A)において，左眼窩底の吹き抜け骨折(矢印)を認め，左上顎洞には出血性と思われる液体貯留を伴う．術後(B)では，左上顎洞開放後変化(＊)とともに，左眼窩底骨折の修復が認められる．

る[38]．その他，眼窩内容の1.5 mL以上の容積減少，脱出容積が0.9 mL以上，眼窩下縁から骨折部後縁までの距離が3 cm以上なども眼球陥凹のリスクとして報告されている[12, 39]．0.667 cm^2 の眼窩壁欠損で眼窩容積は1 cm^3 増加，眼球は1 mm後方に偏位することから，2 cm^2 以上の壁欠損によって臨床的に問題となる3 mmの眼球陥凹を生じると考えられる[1]．また，眼窩内容の変化と眼球陥凹はリニアな相関(the “volume-unit principle”)を示すことが知られており，眼球内容の1 mLの変化で0.8〜0.9 mLの眼球陥凹を生じるとされる[40, 41]．眼窩容積が2.8％変化することにより眼球は1 mm偏位，内側壁，下壁(底)がそれぞれ3 mm偏位することより，眼窩容積は7〜12％変化，眼球は2.5〜4 mmの偏位を生じる[42]．晩発性眼球陥凹は特に眼窩底・内側壁の2壁骨折例(図14，15，31)で出現頻度が高い．既述のとおり，眼窩下神経障害は通常，外科的治療対象とはならない．ときに偏位した骨片による上顎洞のOMC (ostiomeatal complex)や篩骨洞の閉塞など(図11，13，32，33)に起因した，難治性副鼻腔炎をきたし，鼻内手術の対象となる[43]．

最近は，経鼻的内視鏡アプローチ(endoscopic sinus surgery : ESS)による修復(endoscopic en-

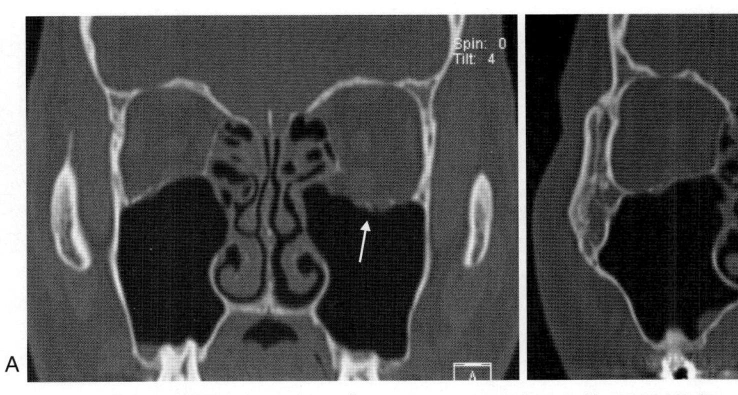

図 34　経鼻内視鏡的（ESS）アプローチによる眼窩吹き抜け骨折修復
眼窩レベル CT 冠状断（A）で左眼窩底の吹き抜け骨折（矢印）を認める．術後 CT（B）で ESS に伴う篩骨蜂巣，上顎洞の開放後変化（＊）とともに，骨折部の修復が認められる．

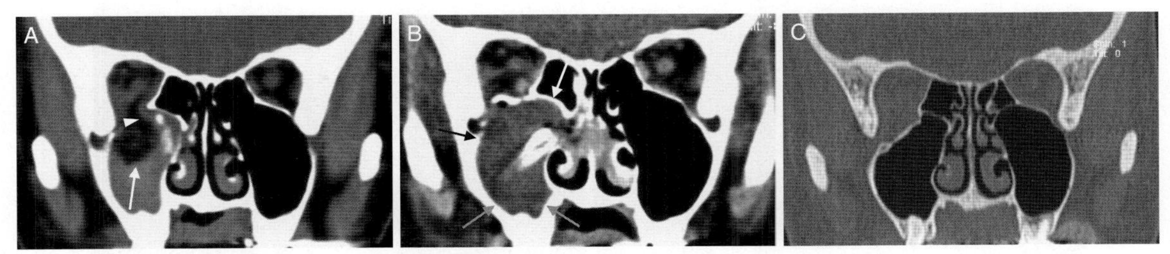

図 35　眼窩吹き抜け骨折に対する外科的修復後バルーンカテーテル挿入
眼窩レベル CT 冠状断（A）で右眼窩底の吹き抜け骨折（矢印）を認め，下直筋（矢頭）の変形がみられ，entrapment が示唆される．外科的修復後（B）に眼窩下壁を保持するために右上顎洞内にバルーンカテーテル（矢印）が挿入されている．術後 6 ヵ月の CT（C）で骨折の修復が認められる．

donasal reduction：図 33，34）が，形態的（美容的）・機能的障害が小さく良好な視野が得られること等の利点とともに高い有用性が示され，適応が広がる傾向にある[44, 45]．一般的には通常の鼻内アプローチにより経中鼻道的に上顎洞を開放して洞内に進入（状況により経下鼻道的開放も加える），粘膜，眼窩骨膜を温存しながら骨片のみを摘出する．骨折部修復後，traction test により眼球運動障害の改善を確認した後，眼窩底に対する一時的な固定と支持を目的として，洞内にガーゼやバルーンカテーテル（図 35，36）を挿入する．

外切開の場合，通常は経結膜切開（transconjunctival incision）により眼窩底にアプローチし，眼窩骨膜を挙上して骨折を修復する．顔面皮膚の切開瘢痕がなく，下眼瞼の牽引性変形の危険度も低いという利点がある．なお，高容積骨折例での眼窩壁修復には自家骨移植や金属メッシュ，テフロンシートなどが用いられるが（図 37），ときに修復が不十分な場合，術後 OMU 閉塞の解除が困難な例もある（図 38）．

外科的修復での合併症としては，複視の増悪，失明，散瞳，眼球陥凹の持続，流涙，眼窩下神経障害，グラフトの感染や偏位などがあげられるが，いずれも遅延性の手術で頻度が高いとされる[30, 32]．眼窩内側壁の大きな欠損の後縁が視神経管から 1 cm 以内に達する場合，再建シートの挿入は視神経損傷をきたさないように注意を要する[46]．

2 鼻骨骨折（nasal bone fracture）

1）臨床的事項

鼻骨骨折は最も多い顔面骨骨折であり，顔面骨骨折全体の 39〜58％を占める[47, 48]．顔面中央部で突出した構造であること，外力に比較的弱いこ

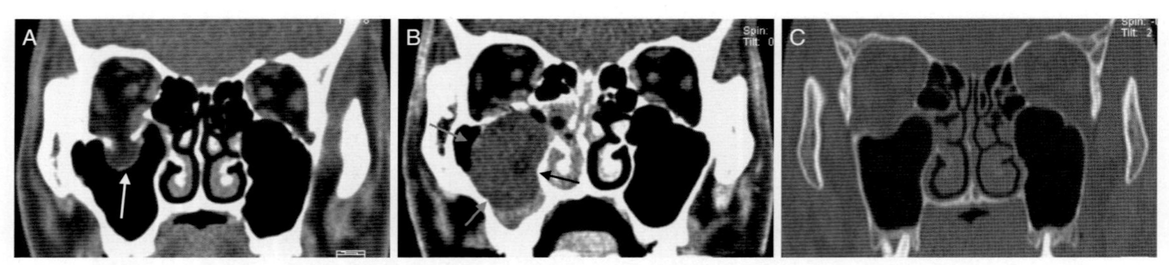

図 36　眼窩吹き抜け骨折に対する外科的修復後バルーンカテーテル挿入
眼窩レベル CT 冠状断(A)で右眼窩底の吹き抜け骨折(矢印)を認める．外科的修復後(B)に眼窩下壁を保持するために右上顎洞内にバルーンカテーテル(矢印)が挿入されている．術後 6 ヵ月の CT(C)で骨折の修復が認められる．

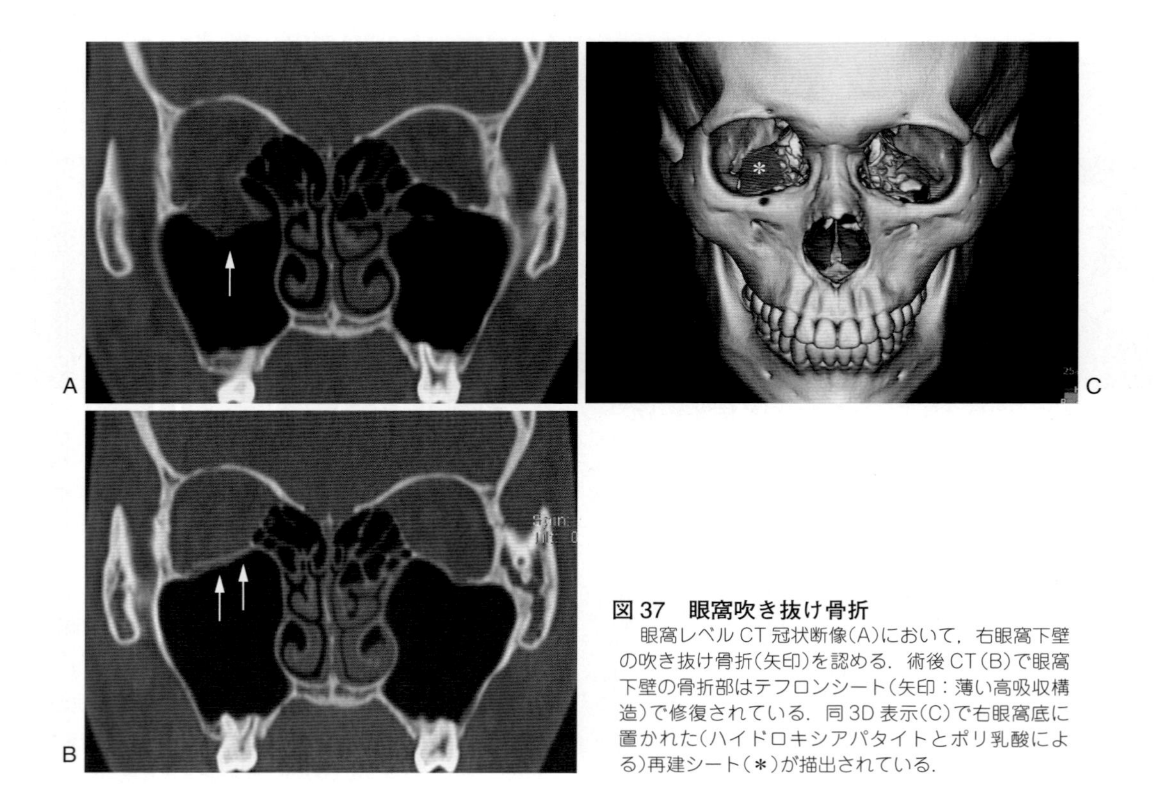

図 37　眼窩吹き抜け骨折
眼窩レベル CT 冠状断像(A)において，右眼窩下壁の吹き抜け骨折(矢印)を認める．術後 CT(B)で眼窩下壁の骨折部はテフロンシート(矢印：薄い高吸収構造)で修復されている．同 3D 表示(C)で右眼窩底に置かれた(ハイドロキシアパタイトとポリ乳酸による)再建シート(＊)が描出されている．

とが理由とされる．スポーツ外傷(20％)，暴行(54.6％)，交通事故などが主な要因となる[49]．成人，小児ともに男性に多く(男性：女性＝ 2：1)，10～20 歳代に好発する．女性の顔面外傷の最大で 30～60％は家庭内暴力が原因とされる．鼻骨骨折単独で致死的な状況に至る例は極めてまれであるが，正確な診断と適正な治療がなされなければ整容的・機能的障害が問題となる．なお 93％が閉鎖骨折である[47]．

両側の鼻骨は正中で合わさり，鼻錐体(nasal pyramid)上部 2 分の 1 を支持するが，頭側は nasion において前頭骨鼻突起(nasal process of the frontal bone)，両側方では上顎骨前頭突起(frontal process of the maxilla)と関節する(図 39)．鼻錐体下部 1/2 は鼻軟骨と鼻中隔軟骨により支持を受ける(図 40)．鼻骨は尾側で薄くなっており，鼻骨骨折の約 80％が下 2 分の 1～3 分の 1 レベル(左右内眼角を結ぶ intercanthal line より下方)に生じるが，これは比較的厚い頭側部分と薄い尾側部分との移行部に相当する[50]．

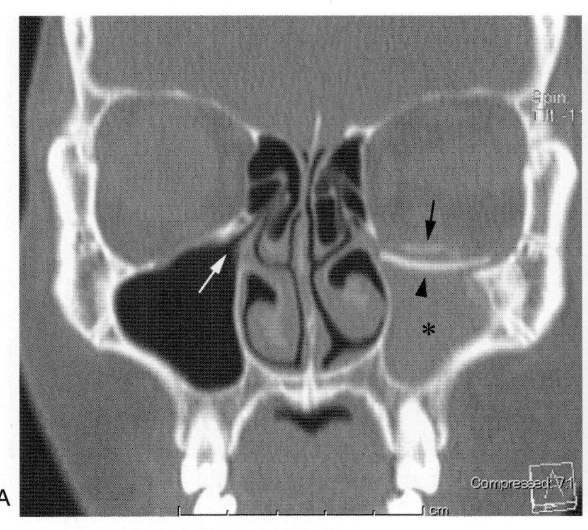

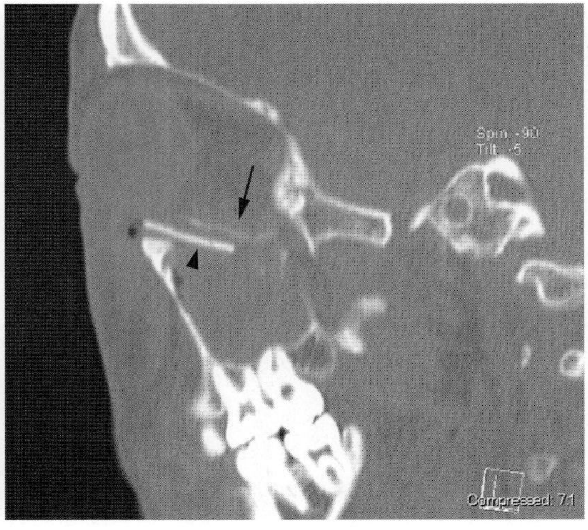

図 38　眼窩吹き抜け骨折術後

眼窩レベル CT 冠状断骨条件表示(A)において，自家骨移植(矢頭)およびテフロンシート(黒矢印)で修復された左眼窩底吹き抜け骨折術後性変化を認めるが，OMU(対側で白矢印で示す)の閉塞により，難治性上顎洞炎(＊)を生じている．矢状断像(B)で，眼窩底の前方は自家骨移植(矢頭)，後方はテフロンシート(矢印)で修復されている．

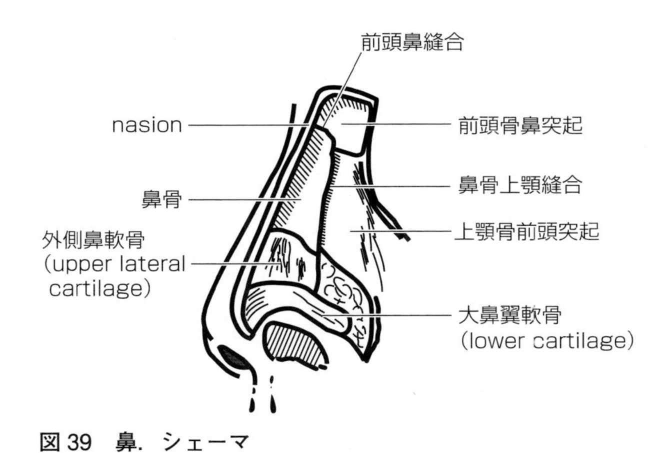

図 39　鼻．シェーマ

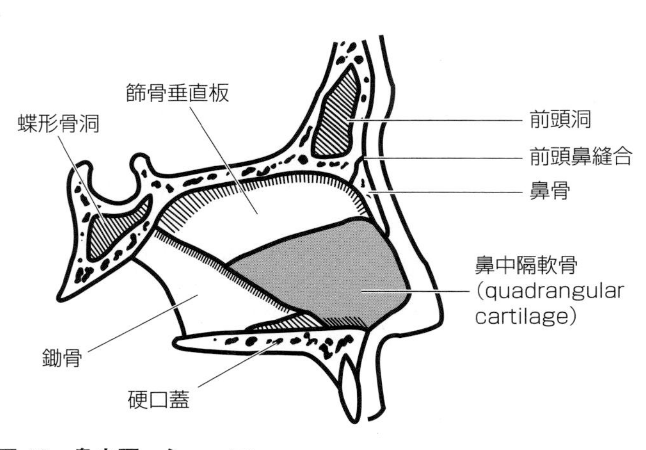

図 40　鼻中隔．シェーマ

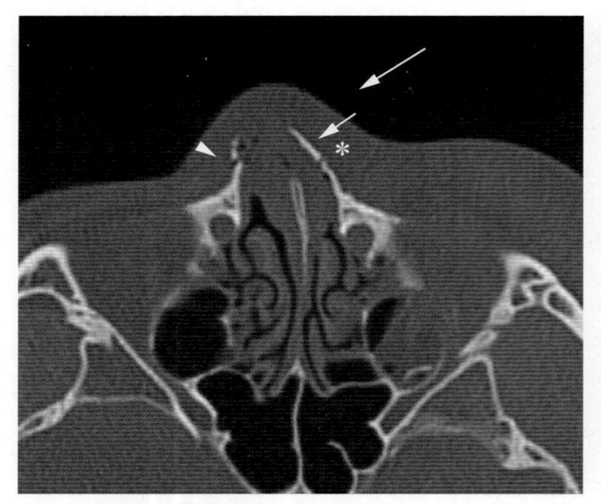

図41　鼻骨骨折（lateral injury）
顔面領域CT骨条件横断像．左側から右側への偏位を伴う両側鼻骨骨折（右：矢頭，左：小矢印）を認め，左側から右側に向かう外力（大矢印）によるlateral injuryに相当する．外力が加えられたと想定される外鼻左側で軟部組織腫脹（＊）を示す．

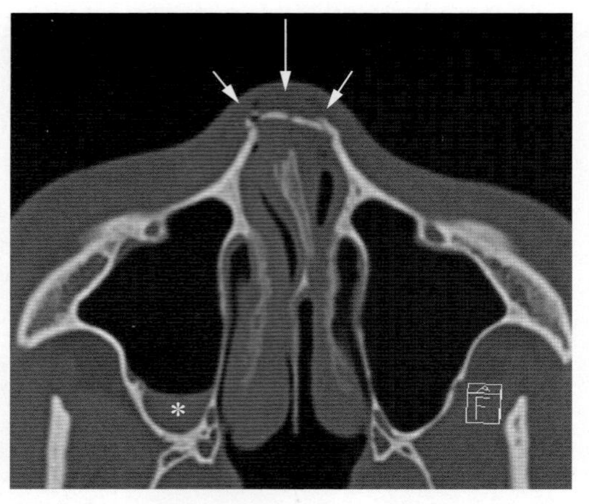

図42　鼻骨骨折（frontal injury；plane 2）
顔面領域CT骨条件横断像．両側鼻骨は平面的な後方への偏位を示し，両側の鼻骨上顎縫合部での骨折（小矢印）を認め，前方からの外力（大矢印）によるplane 2（後述）でのfrontal injuryに相当する．右上顎洞には液体貯留（＊）を伴う．

症状としては明らかな外傷歴とともに，外鼻の変形・圧痛，鼻出血・鼻閉，血腫，浮腫などを認める．

鼻骨骨折の病型は，与えられた外力の強さ，方向，機序などにより異なる[50]．Stranc，Robertsonが1979年に提唱した病型分類[51]が最も広く用いられている．側方からの外力により対側に向かって骨折する“lateral injury（斜鼻型）”（図4，41）と正面からの外力による（より重症な）“frontal injury（鞍鼻型）”（図42）に分けられるが，lateral injuryの頻度がより高い．側方からの外力ではわずか16～66 kPa，正面からの外力では114～312 kPaで鼻骨骨折を生じるとされる[52]．frontal injuryはさらに冠状断面で前方から後方に向けてplane 1～3（図43）の3つによりgrade 1～3（表2）が区分され，より後方がより高度の損傷とされる[53]．plane 1 injuryは最も前方の（浅い）損傷であり，鼻骨下部，鼻中隔前縁（軟骨部）を主に侵し，鼻骨は概ね正中にとどまる．plane 2 injury（図42，44）ではより後方（深部）で，鼻骨，上顎骨前頭突起などのより高度の損傷を示すが，眼窩縁は保たれる．最も後方のplane 3 injuryは眼窩壁を含み，後述のnasoorbitoethmoidal (NOE) fractureに相当する．

lateral injuryにおける骨折は，軽度の場合は外力を受けた側（片側性）の鼻骨（通常は下2分の1）のみ（図45），より高度の外力では対側鼻骨（図4，41，46）にも及び両側性骨折となり，高頻度に鼻中隔骨折・脱臼を伴う[53]．Stranc，Robertsonの分類（表3：p1163）では，その程度により3型が区分される[51]．暴行による鼻骨lateral injuryでは右利きの相手が多いことから左側の骨折の頻度が高い[54]．その程度により上顎骨前頭突起，梨状口辺縁に及ぶ．鼻中隔骨折（図47）を伴う例では篩骨垂直板に達するが，篩板は保たれる場合が多い．鼻中隔脱臼は鼻背のS字状変形，鼻尖部非対称，鼻閉を生じる．一方，frontal injuryでは鼻背の陥没（図42，48）・開大とともに鼻閉をきたす．小児は鼻骨正中の骨癒合が弱いことから，frontal injury（前方正面からの外力による損傷）では，鼻骨正中の離開と中心部の陥没とともに左右鼻骨が開大を示し，“open book fracture”（図49）と呼ばれる特徴的な骨折を生じる場合がある[55]．

診断では，外力の方向・機序，鼻出血や髄液鼻漏の有無，鼻閉の有無，以前の鼻骨骨折の有無などに関する病歴を確認する．理学的所見として，外鼻変形の有無，粘膜損傷，鼻中隔断裂，septal hematoma（鼻中隔血腫）の有無が重要であり，30～63％が臨床的に診断可能とされる[49]．ただし，

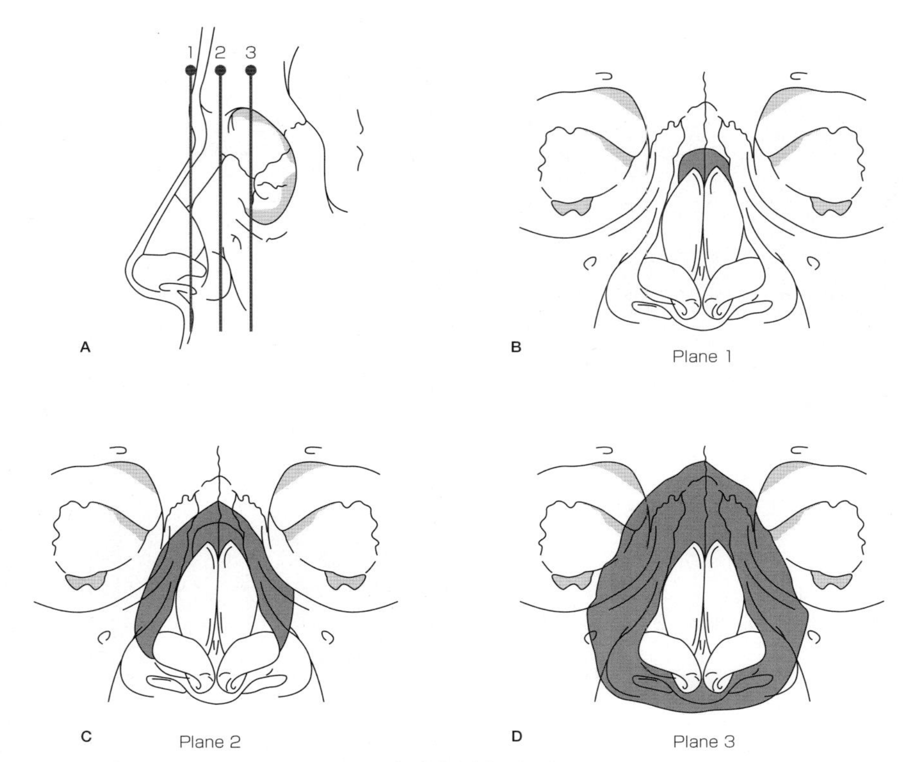

図 43 Stranc と Robertson による鼻骨骨折病型分類

A, Lateral view of planes 1, 2, and 3. B, Plane 1 injury. C, Plane 2 injury. D, Plane 3 injury.

(Stranc MF, Robertson GA : Ann Plast Surg **2** : 468, 1979)

表 2 鼻骨 frontal injury の Stranc, Robertsonn による分類

grade 1	鼻骨，前鼻棘より前方の軟骨部骨折（CT では不明瞭）
grade 2	鼻錐体の平坦化
grade 3	鼻錐体の重度虚脱と鼻中隔の短縮

(Stranc MF, Robertson GA：Ann Plast Surg **2**：468–474, 1979)

骨折の詳細（骨折部位の特定，骨片偏位の有無・程度など）や合併症の評価に画像診断が有用である．特に septal hematoma（図 50〜52）の放置は，軟骨障害から鼻中隔穿孔・壊死（24 時間以内に始まり，72〜96 時間で非可逆性）による鞍鼻変形をきたす危険性が高く，迅速な粘膜切開による血腫除去，壊死部切除，抗菌薬投与が必要である．臨床例の 0.8〜3.5％で認められるが[49]，成人よりも小児に多いとされる[56]．

2）画像診断

鼻骨骨折の診断における画像検査の要否に関しては議論があるが，一般に単純 X 線撮影（側面像，Water's view が多い）の信頼性は低く，診断や治療計画において有用性は高くない．感度は低く，偽陰性率がほぼ 50％[56]，偽陽性率が 66％[57]とされる．CT は鼻骨骨折とともに眼窩壁，篩骨洞，鼻中隔など，他の重要な顔面骨構造を明瞭に描出するが，孤立性の鼻骨骨折では必ずしも CT を必要としない．ただし，鼻骨骨折の存在・程度を客観的に確認すると同時に，他の顔面骨骨折やその他の合併症の疑いがある場合は（これを否定あるいは評価する目的において）有用性が高く推

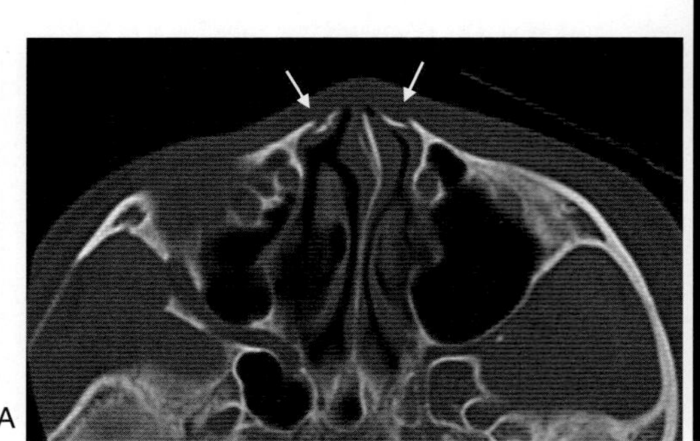

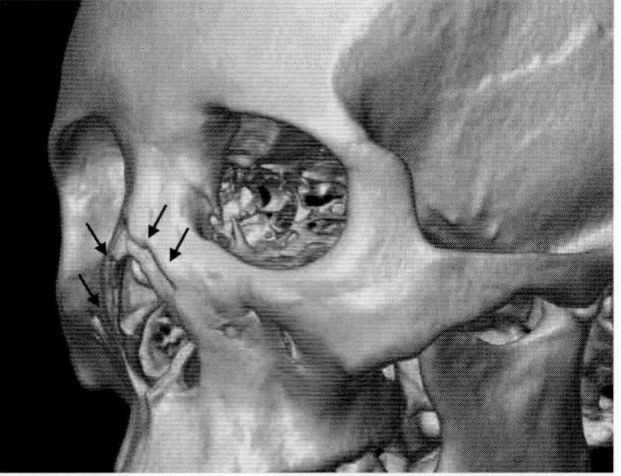

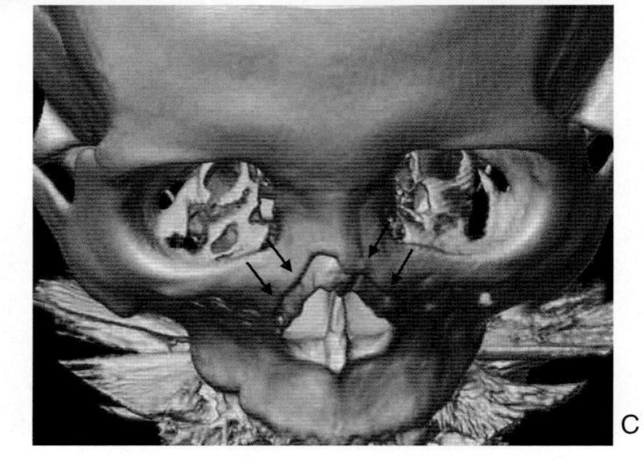

図 44　frontal injury (plane 2 injury) の鼻骨骨折

CT 横断像骨条件表示(A)において，鼻骨は両側性骨折(矢印)とともに中心部陥没を示す．3D 表示(B, C)で，Stranc と Robertson の鼻骨骨折の分類(図 43)の plane 2 injury に相当する鼻骨および上顎骨前頭突起の両側性骨折(矢印)を認める．

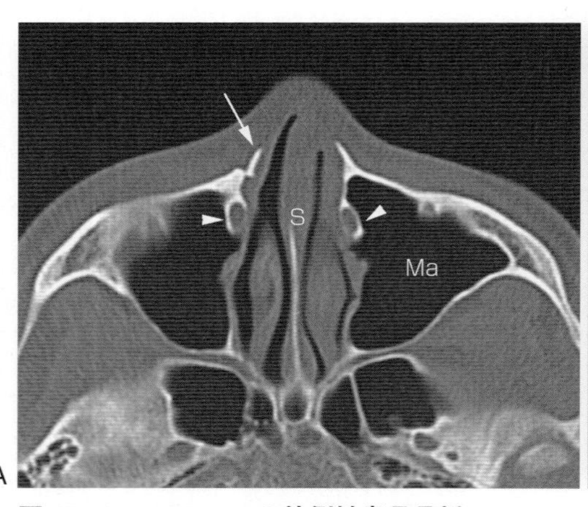

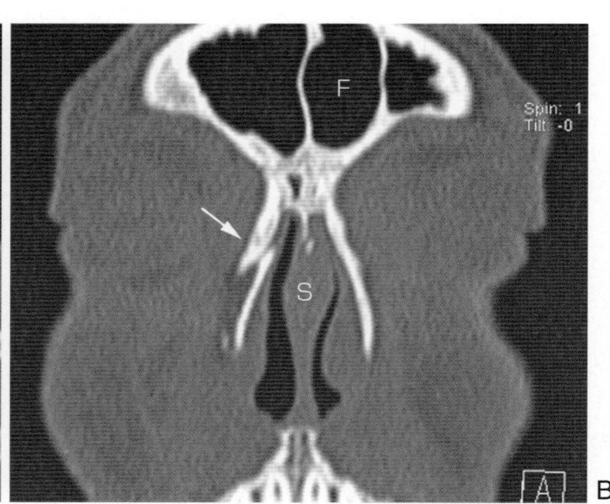

図 45　lateral injury の片側性鼻骨骨折

顔面領域 CT 横断像(A)・冠状断像(B)骨条件表示で，右側から左側に向かう外力による，lateral-type の右側の片側性鼻骨骨折(矢印)を認める．矢頭：鼻涙管，F：前頭洞，Ma：上顎洞，S：鼻中隔

奨される(図 54，53)．鼻中隔の骨折および偏位は外側鼻軟骨(upper lateral cartilage)を介した鼻骨骨折部への変形外力を生じ，初期に観血的整復が施行された症例の最大 50％で鼻中隔形成を必要とする変形治癒を生じる[46]．

画像所見により，骨片の偏位のある例(displaced fracture)とない例(non-displaced fracture)が区分されるが，Rhee らは CT 所見としての鼻中隔偏位の程度により 4 型(表 4：p1166)を区分している[58]．また，3D-CT (図 54)も，とき

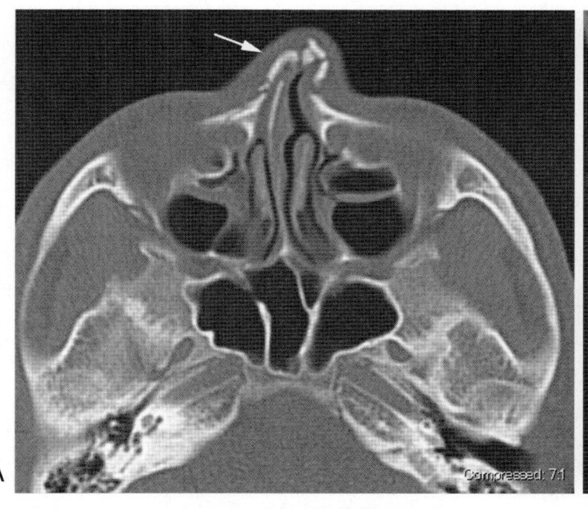

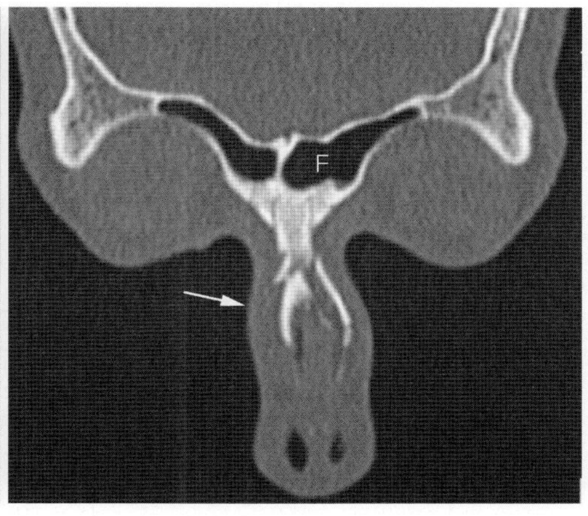

図 46　lateral injury の両側性鼻骨骨折
顔面領域 CT 横断像(A)・冠状断像(B)骨条件表示で，右側から左側に向かう外力による，lateral-type の両側性鼻骨骨折(矢印)を認める．F：前頭洞

表 3　鼻骨 lateral injury の Stranc，Robertsonn による分類

grade 1	鼻錐体の片側の陥凹
grade 2	対側鼻骨の外側への偏位
grade 3	両側の上顎骨前頭突起の偏位

(Stranc MF, Robertson GA：Ann Plast Surg **2**：468-474, 1979)

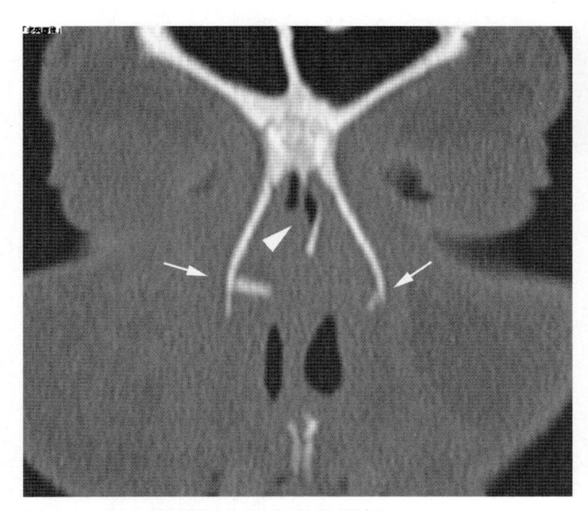

図 47　鼻中隔骨折を伴う鼻骨骨折
顔面領域 CT 冠状断像で，両側性鼻骨骨折(矢印)とともに鼻中隔骨折(矢頭)を認める．

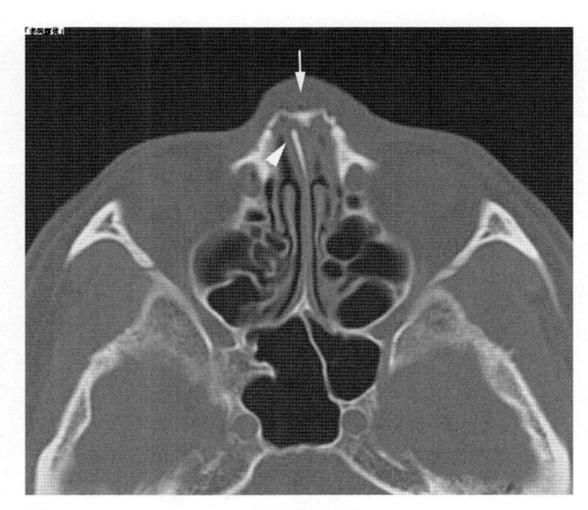

図 48　frontal injury の鼻骨骨折
顔面領域 CT 横断像骨条件表示．前方からの外力による frontal-type の鼻骨骨折(矢印)を認め，鼻背の陥没変形をきたしている．鼻中隔骨折(矢頭)を伴う．

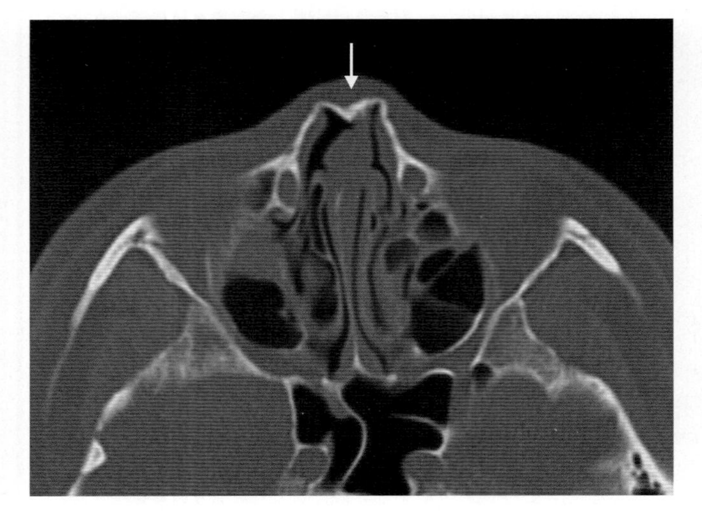

図 49　“open book fracture”（frontal injury による鼻骨骨折）

CT 横断像骨条件表示．frontal injury による鼻骨骨折に伴う中心部の陥没（矢印），左右鼻骨の開大を認める．

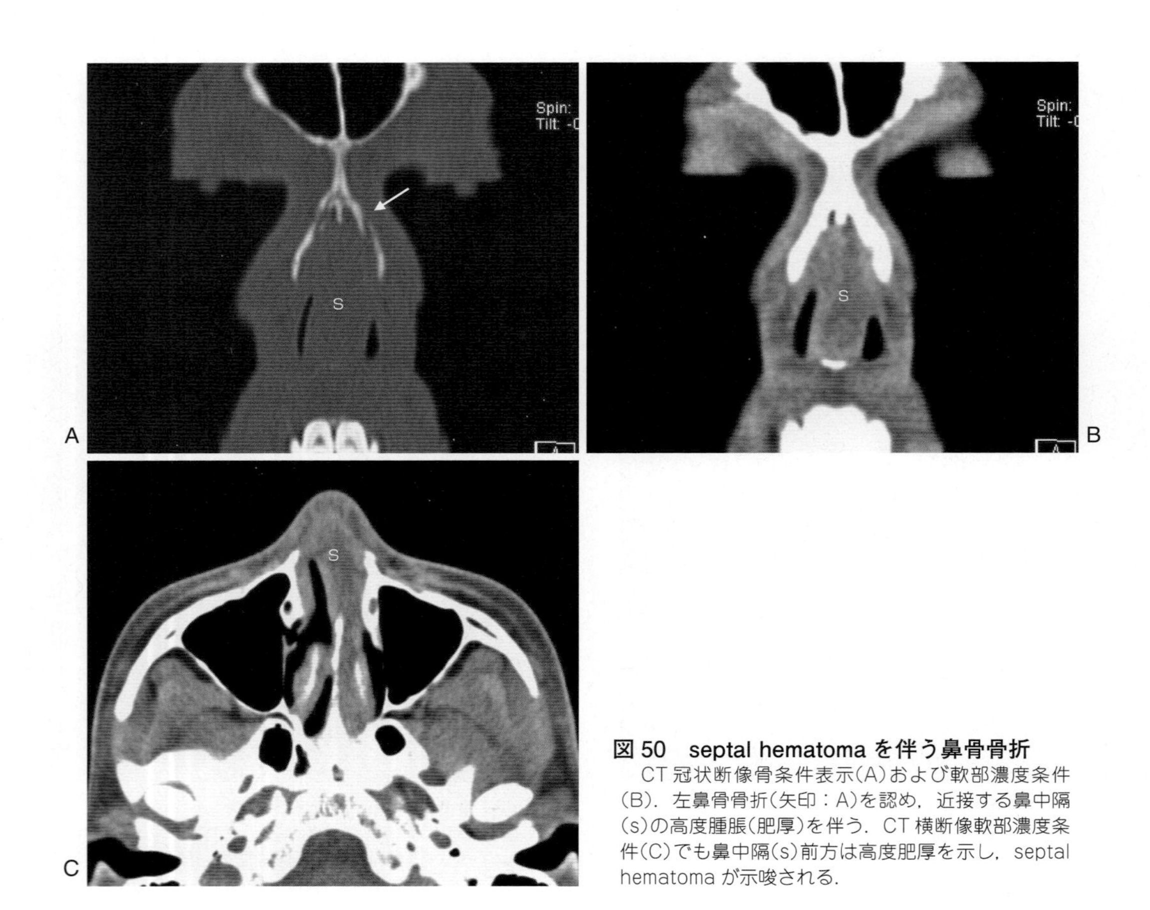

図 50　septal hematoma を伴う鼻骨骨折

CT 冠状断像骨条件表示（A）および軟部濃度条件（B）．左鼻骨骨折（矢印：A）を認め，近接する鼻中隔（s）の高度腫脹（肥厚）を伴う．CT 横断像軟部濃度条件（C）でも鼻中隔（s）前方は高度肥厚を示し，septal hematoma が示唆される．

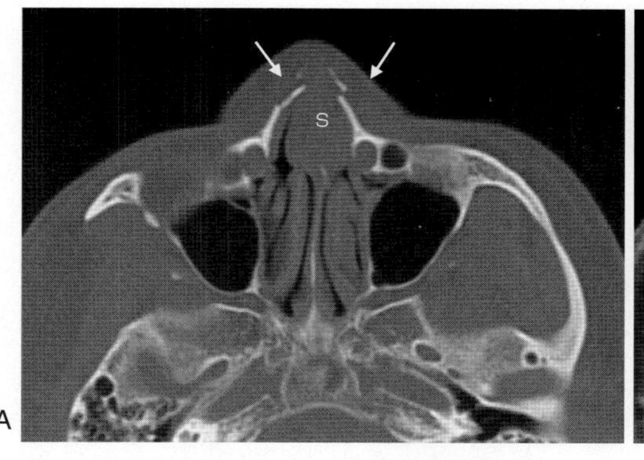

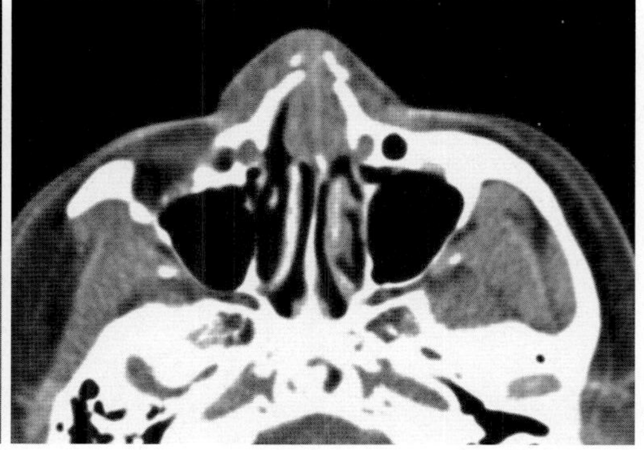

図 51　septal hematoma を伴う鼻骨骨折
CT 横断像骨条件表示(A)および軟部濃度条件(B). 両側性の鼻骨骨折(矢印：A)を認め, 後方に隣接する鼻中隔(s)前縁の高度腫脹(肥厚)を認め, septal hematoma が示唆される.

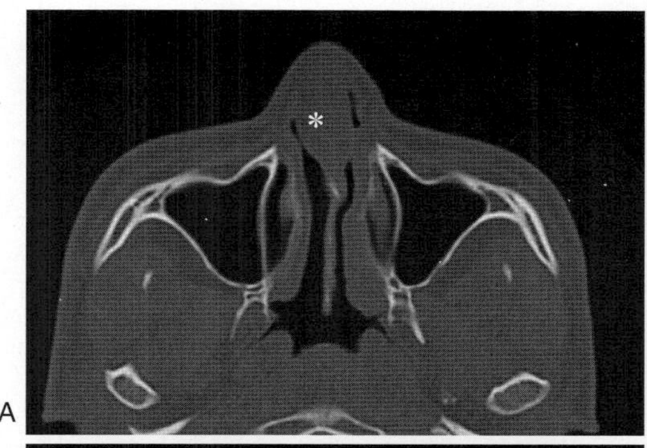

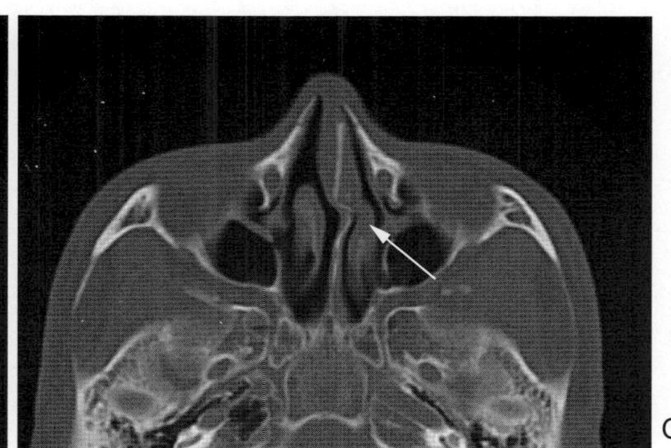

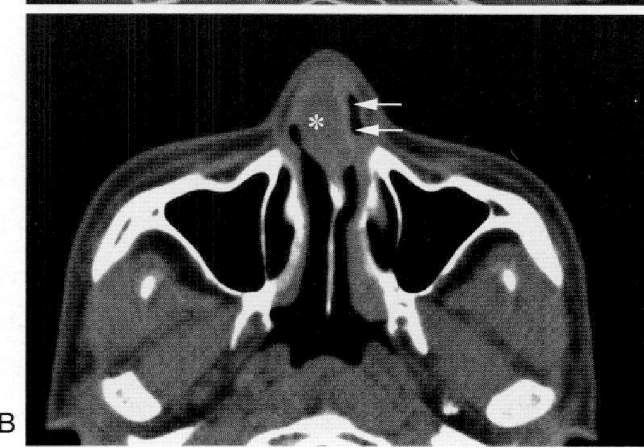

図 52　septal hematoma, 鼻中隔骨折
鼻骨骨折例での顔面領域 CT 骨条件横断像(A). 鼻骨骨折(表示なし)の後方に隣接する鼻中隔前方の軟部組織肥厚(*)を認める. 同軟部条件(B)で線状の淡い高吸収構造として認められる鼻中隔軟骨(矢印)の右側面に沿って軟部濃度腫瘤(*)を認め, septal hematoma を示唆する. やや頭側レベルの CT 骨条件(C)で臨床的に潜在性であった鼻中隔骨部の骨折(矢印)が描出されている.

に術前変形の程度に対する客観的評価として有用である. 小児例では被曝の問題を考慮し, 超音波検査による診断の報告も認められる[59].

3) 治　療

治療では機能障害, 整容的形態変化の回復を目的とするが, 治療しなかった例(図 54)では数ヵ月後・数年後に高率に鼻形成(rhinoplasty), 鼻中隔形成(septoplasty)が必要となる.

受傷後 3〜6 時間以内で高度浮腫の出現前であれば, 鼻骨骨折を正確に評価し, 鉗子を挿入して矯正する非観血的整復(closed reduction)が可能な場合もあるが, 実際には受傷直後の受診は少なく, 浮腫により, 評価や非観血的整復が困難な場合も多い. それ以後であれば 3〜7 日ほど待ってから再評価, 外科的修復の適否, 手術時期, 適切な術式の選択につき考慮する必要がある[60]. 手

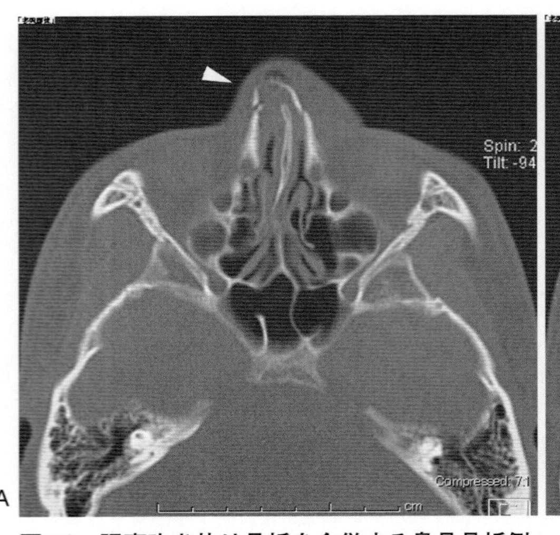

A

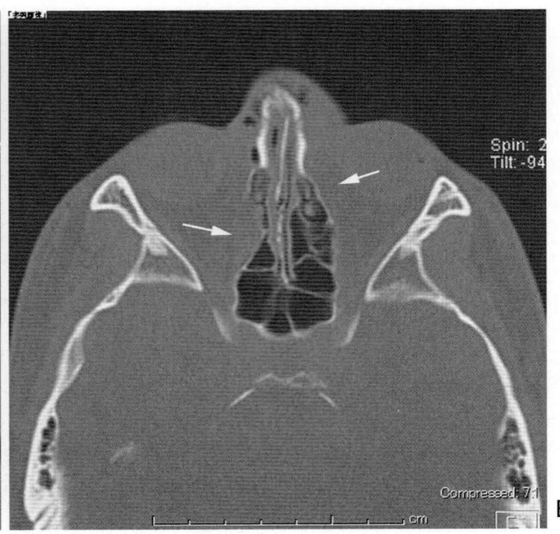

B

図 53　眼窩吹き抜け骨折を合併する鼻骨骨折例

眼窩下部レベル CT 横断像骨条件表示(A)で鼻骨骨折(矢頭)，眼窩中央部レベル(B)で両側性の眼窩内側壁型の吹き抜け骨折(矢印)を認める．喧嘩による外傷例．

表 4　鼻骨・鼻中隔骨折の Rhee らによる CT 所見での分類

grade 0	鼻中隔偏位なし
grade 1	鼻甲介までの距離の 2 分の 1 未満の鼻中隔偏位
grade 2	鼻甲介までの距離の 2 分の 1 以上の鼻中隔偏位
grade 3	鼻甲介に接触あるいはほぼ接触する鼻中隔偏位

(Rhee SC, Kim YK, Cha JH et al：Plast Reconstr Surg **113**：45-52, 2004)

術適応では受傷後 5～10 日での修復が通常である．さらに 7～10 日以上経過すると骨折の治癒過程(線維化)の進行により，骨切り術を要する例もあるが，この場合は骨折が安定し，創部が治癒する 3～4 ヵ月後まで待機するのが望ましい．小児の手術時期に関しても多少の議論があり，骨折後骨新生の速度が速いことから受傷後 3～5 日と，より早期での手術時期が望ましいとされる一方で，成人と同様でよいとの報告もある[61]．

観血的整復(open reduction)はすでに損傷のある鼻中隔の血液供給を障害することから，その適応は非観血的整復の失敗例，変形治癒例に限る．より重篤な開放骨折や septal hematoma に関しては，可及的な外科的処置を要する．鼻前頭部・鼻篩骨部骨折(後述)では術式が異なることより，治療計画にはこれらの骨折の否定が必要となる．

3 顔面中央部骨折

顔面中央部(図 55)は上方は前頭上顎縫合，前頭鼻骨縫合を通り両側頬骨前頭縫合を結ぶ線，下方は上顎切歯，咬合面，後方を蝶形篩骨結合で囲まれる部分で，蝶形骨翼状突起自由縁を含む．上顎骨，口蓋骨，頬骨と側頭突起，鼻骨，涙骨，鋤骨と鼻甲介骨，蝶形骨(体部・大翼・小翼・翼状突起)により形成される．顔面中央部はさらに中心部と外側部に区分される．

同領域の骨折の治療に関しては，歯肉頬粘膜移行部切開，冠状切開，mid facial degloving などのアプローチにより，ミニ / マイクロプレート，ミニスクリューによる外科的整復が施行されるが，手術時期としては軟部組織浮腫の軽減した後で，線維性・骨性癒合傾向の出る前である，受傷後 10～14 日が望ましいとされる．

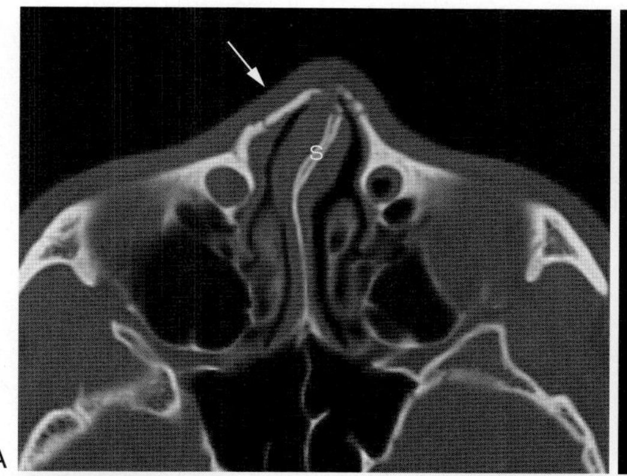

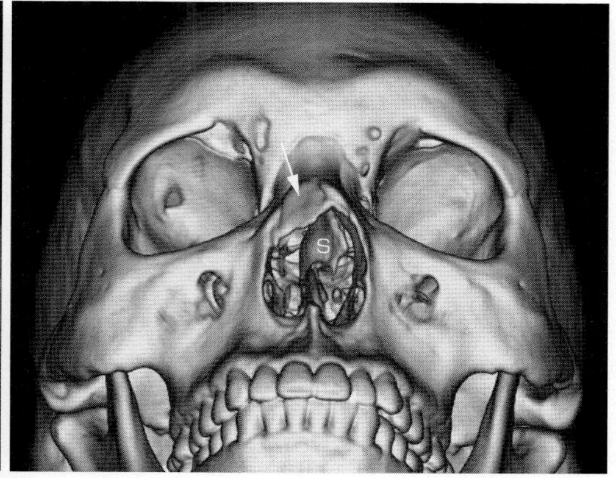

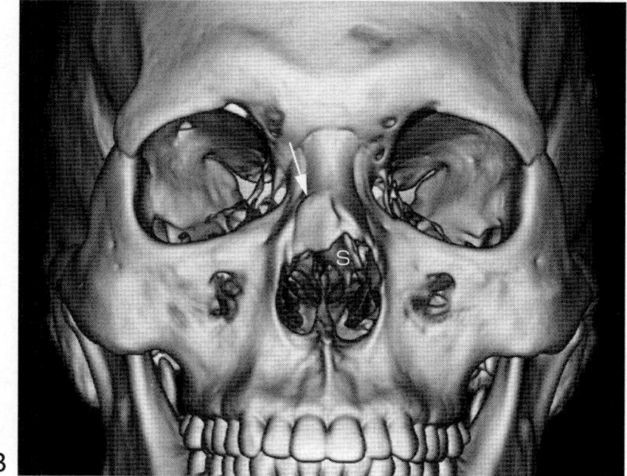

図 54　鼻骨骨折の変形治癒

顔面領域CT 骨条件横断像(A)において右鼻骨は対側への偏位，変形(矢印)を示し，右側から左側に向かう lateral injury による鼻骨骨折後の変形治癒に相当する．これに伴い鼻中隔(s)も左側への傾斜を示す．3D 表示(B，C)では，右鼻骨の変形治癒(矢印)，鼻中隔の傾斜の立体的な把握が容易である．

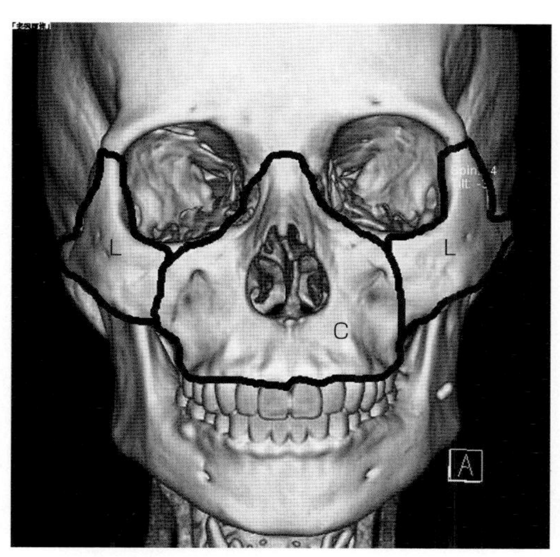

図 55　顔面中央部(3D-CT)

C：中心部，L：外側部

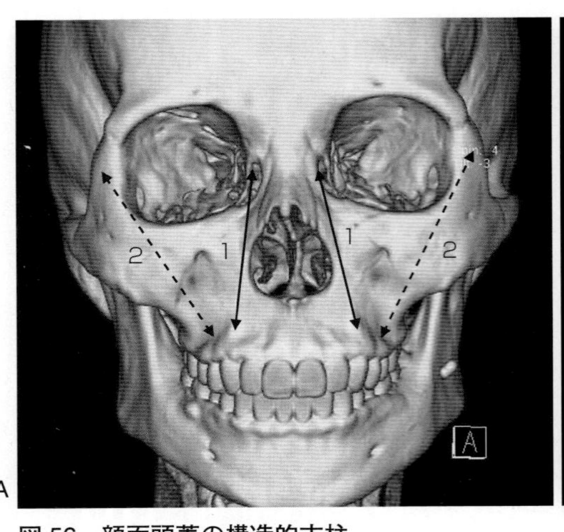

A

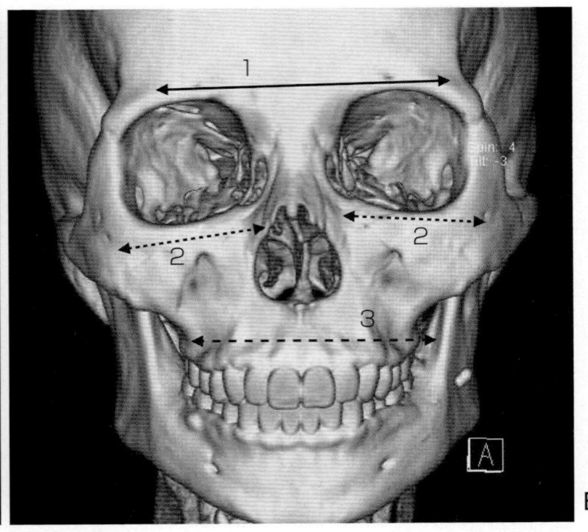

B

図 56　顔面頭蓋の構造的支柱
垂直方向の支柱(A). 1：鼻上顎(内側)支柱(nasomaxillary/medial buttress), 2：頬骨上顎(外側)支柱(zygomaticomaxillary/lateral buttress)
水平方向の支柱(B)：1：眼窩上縁(supraorbital rim/bar)/上横支柱, 2：眼窩下縁(infraorbital rim)/中横支柱, 3：上顎歯槽(maxillary alveolus)/下横支柱

a. 顔面中央部中心部骨折

顔面中央部中心部(図 55)は薄い骨壁とこれを補強する硬口蓋, 歯槽弓, 犬歯窩から眼窩内側縁, さらに眉間にいたる梨状口外側縁, 頬骨弓と眼窩下から外側縁に連続する頬骨突起, 眼窩縁, 翼状突起などの骨構造からなる. 各々が交差した構造をとることで, 全体として強固な骨格を形成している.

顔面頭蓋には垂直方向および水平方向にいくつかの構造的支柱(図 56)が存在するが, 上顎洞, 眼窩, 鼻腔を囲む硬い骨構造と垂直に配置して咬合のストレスを上顎から前頭骨へと伝導する. 鼻上顎支柱(内側支柱)は上顎犬歯領域から上方に向かい, 歯槽弓から上顎洞内側縁, 上顎骨前頭突起, 眉間, 前頭骨へと至る. 頬骨上顎支柱(外側支柱)は大臼歯前部から歯槽弓を通過, 上顎洞前外側壁から上方, 頬骨前頭突起から前頭骨へと至る. 骨折線はこれらの支柱の間あるいは支柱自体を横切るように走行する. したがって, これらの解剖学的理解は骨折の画像診断において重要である. また, 顔面中央部骨折の外科的修復では, (比較的厚い骨で構成される)これらの支柱を中心にミニプレートを置き, 顔面頭蓋の支持を回復するのが原則である. 同領域は広く粘膜に覆われることから骨折部分が鼻副鼻腔, 口腔と交通をもちうる.

既述の鼻骨骨折は顔面で高頻度にみられる骨折であるが, 一般に顔面中央部骨折とは分けて論じられることから, 本書もこれに従った.

1) nasoorbitoethmoidal/nasoethmoidal fracture

nasoorbitoethmoidal(NOE)complex は前頭骨, 鼻骨, 上顎骨, 篩骨, 涙骨, 蝶形骨より構成され, 前頭蓋窩, 鼻腔, 眼窩を区分する. 前頭骨上顎突起, 鼻骨, 上顎骨前頭突起が垂直方向の支持支柱(内側支柱), 鼻根が水平方向の支持支柱となる. 眼窩間腔(interorbital space)は篩骨洞が占拠し, 頭側では篩骨篩板(cribriform plate)・篩骨窩(fovea ethmoidalis)が前頭蓋窩底部を形成する. 同領域の重要な軟部組織構成である内眼角靱帯(medial canthal tendon：MCT)は強靱な線維組織帯で, 前・後の涙嚢稜(lacrimal crest)に付着, 涙嚢を囲み, 側方では眼輪筋に移行する. 眼輪筋の収縮に伴う涙嚢に対するポンプ作用が涙の鼻涙管への流出を促す.

NOE 領域の骨折は既述の Stranc と Robertson による鼻骨骨折における plane 3 injury (図 43D)に相当し[51], 最も修復が困難な顔面骨骨折のひとつである[62]. 顔面骨骨折の約 5%を占め, 最大 60～65%で他の顔面骨骨折(最も多くは Le Fort 骨折あるいは前頭洞骨折), 20%で汎顔面骨骨折

(panfacial fracture)を伴う[63, 64]．小児ではやや多く，全顔面骨骨折の16%を占める[65]．(孤立性鼻骨骨折や眼窩吹き抜け骨折と比較して)より高速で高度の外力が必要とされるが，Swearingenは前頭骨骨折に要する外力が120～180 gm/inch^{2}であるのに対して，NOE領域の骨折は35～80 gm/inch^{2}とより小さな外力で生じるとしている[66]．原因は交通事故が最も多く，暴行がこれに次ぐ．通常，整容的・機能的障害が問題となり，多くが外科的修復の適応となる．

NOE骨折は以下の5箇所の骨折線(five key fracture line/cardinal tracts)が極めて重要である(図57)；(1) 鼻骨・梨状口外側部，(2) 鼻上顎支柱，(3) 眼窩下縁・下壁，(4) 眼窩内側壁，(5) 前頭上顎縫合[46]．NOE骨折の診断(他の顔面骨骨折との鑑別)ではこのうち少なくとも4ヵ所の骨折線を確認する必要がある．NOEの支持支柱の損傷を伴う粉砕骨折(図58)では，内眼角離開(telecanthus)，眼球陥凹，複視，顔面中央部の陥没などをきたし，前頭蓋底骨折を伴う場合は髄液漏，前篩骨蜂巣や鼻前頭窩(nasofrontal recess)の骨折では前頭洞炎，時間経過により粘液瘤形成の可能性が高く，前頭洞と鼻腔の交通が機能していることを確認する必要がある(図58F)[67]．

NOE骨折の修復で鍵となるのが，MCTの付着する骨片であり，Markowitzらはその状態によりNOE骨折を以下の3つに分類している(図58～62，表5：p1171)[68]．

type Ⅲ骨折では硬膜損傷，頭蓋底骨折，眼窩内容損傷の危険性が高いとされる．

画像診断において，単純X線撮影の有用性は低く，1.5～2.0 mmスライスでのCT横断像・冠状断(および，ときに矢状断)再構成画像による評価が標準的である．診断および病型分類においてCTは重要であるが，MCT自体はCTでは描出されないため理学的所見と総合的な判断が必要となる[46]．CTは損傷範囲の把握，治療計画に必要不可欠であり[61]，頭蓋内損傷の有無，視神経管骨折などの視力障害の要因となるような所見の有無とともに，前頭洞，篩骨紙様板，篩板，篩骨蜂巣，鼻中隔，鼻前頭窩，眼窩壁などの状態を評価する．特にMCT付着部である涙嚢窩領域の粉砕

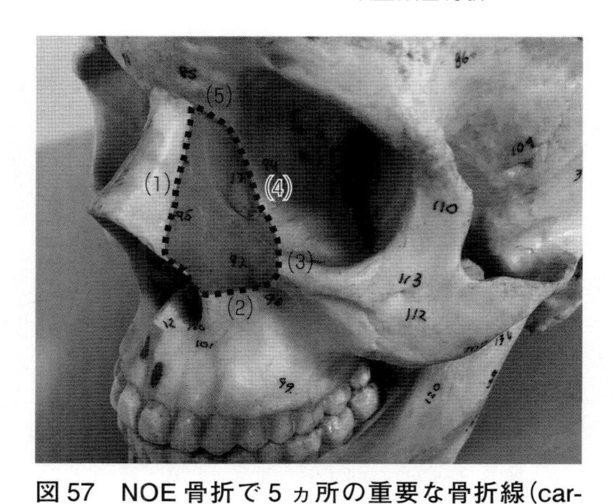

図57 NOE骨折で5ヵ所の重要な骨折線(cardinal tracts)
(1) 鼻骨・梨状口外側部，(2) 鼻上顎支柱，(3) 眼窩下縁・下壁，(4) 眼窩内側壁，(5) 前頭上顎縫合

骨折の有無・程度，鼻前頭窩(管)骨折の有無・程度の把握が重要である[28]．鼻前頭窩(管)の骨片での閉塞，前頭洞底部あるいは前篩骨洞の骨折は，前頭洞と鼻腔の交通(nasofrontal outflow tract)の遮断を示唆する[69]．鼻前頭管閉塞の未治療例は最大50%で粘液瘤(前頭洞嚢胞)を形成する[70, 71]．一般に前頭洞底部骨折に関しては冠状断あるいは矢状断像，前篩骨洞骨折に関しては横断像での評価が有用である．また，眼窩内側壁の評価は2D，既述の垂直方向の支柱(内側上顎支柱)，特に梨状口領域の評価は3D表示が優れることから，両者を組み合わせた総合的評価が望ましい[72]．

NOE骨折に対する外科的治療は骨折の病型，粉砕骨折の程度，鼻前頭窩(管)損傷，神経症状，前頭洞後壁骨折，髄液漏の有無などをもとに判断される[69]．治療の最終目的は内眼角の位置，外鼻の形状，涙の流出路，鼻副鼻腔(主に前頭洞)の交通(mucociliary clearance)を治療前の状態に復元することであり[64]，中央部の骨片の安定化が鍵となる．発症2週間以上経過し，軟部組織の治癒，瘢痕の形成が始まると修復は困難あるいは不可能となるため，早期修復が原則となる．ミニ/マイクロスクリュー，ミニプレートを用いて，不安定骨片を安定した顔面頭蓋の骨格に固定(図58E，61D，62D，63)することにより，頭蓋内・眼窩内容の保護，早期・晩期障害の防止，形態的

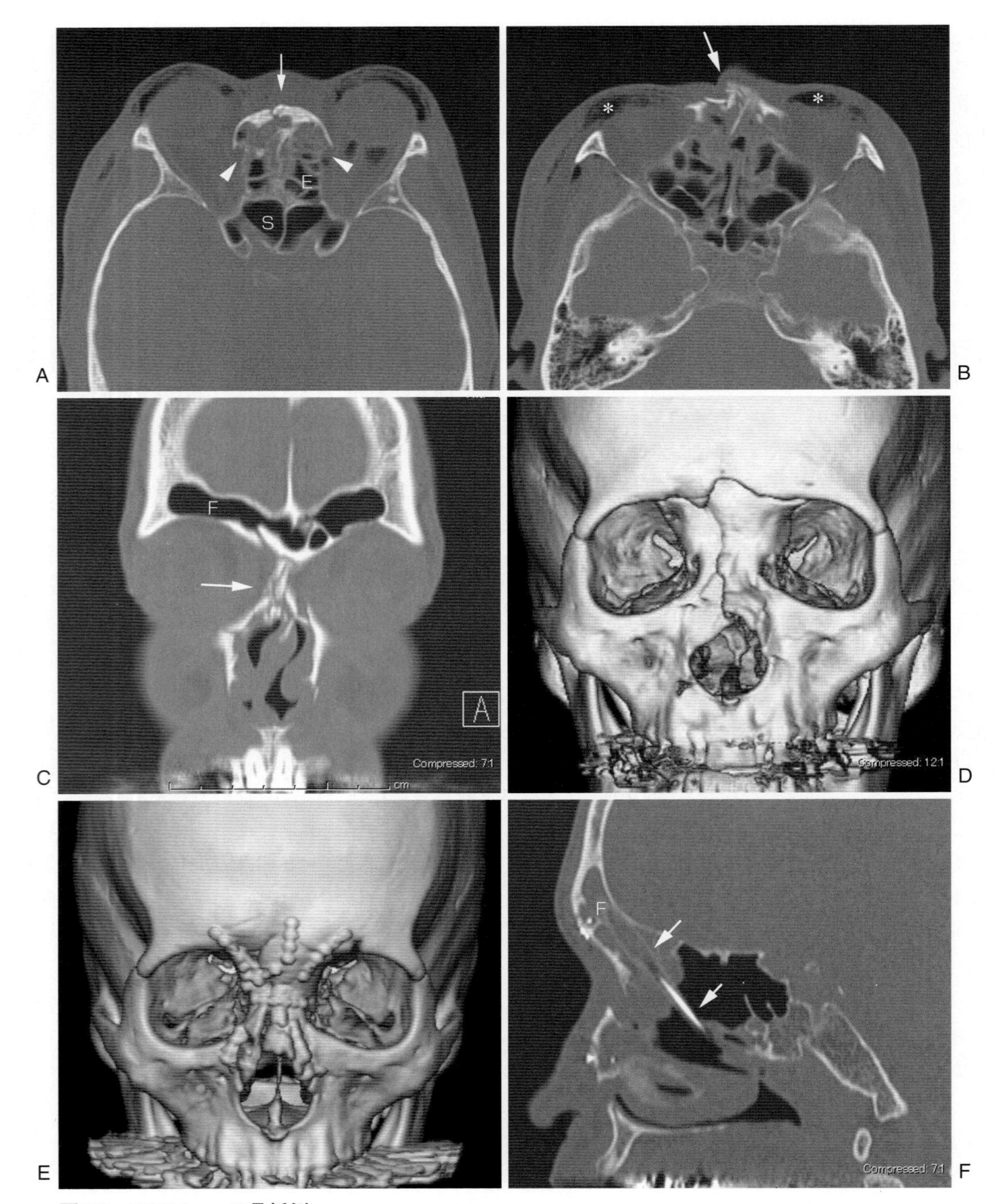

図 58　NOE type Ⅲ骨折例

顔面領域，眼窩中央レベルでの CT 横断像骨条件表示(A)において，NOE 領域の骨折を認め，前方からの外力により顔面中央部の陥没変形(矢印)を生じている．両側眼窩内側壁(篩骨紙様板)骨折(矢頭)を伴う．E：篩骨洞，S：蝶形骨洞．眼窩下部レベル(B)において，NOE 領域の粉砕骨折による多数の分節化(矢印)を認める．両眼瞼，右側頭窩に軟部組織気腫(＊)がみられる．冠状断像(C)における NOE 領域の高度粉砕骨折(矢印)を認める．F：前頭洞．顔面領域 3D-CT(D)では，粉砕骨折の分節化の描出は横断像(図 B)，冠状断像(図 C)に劣るが，陥没変形の立体的把握に有用である．

同症例の術後における顔面領域 3D-CT(E)で，分節化していた骨片はミニスクリュー，ミニプレートにより顔面頭蓋の安定骨格に固定され，陥没骨折による変形の修復が認められる．矢状断像(F)では，前頭洞(F)から鼻腔との交通の確保のため，術後留置されたシリコンチューブ(矢印)を認める．

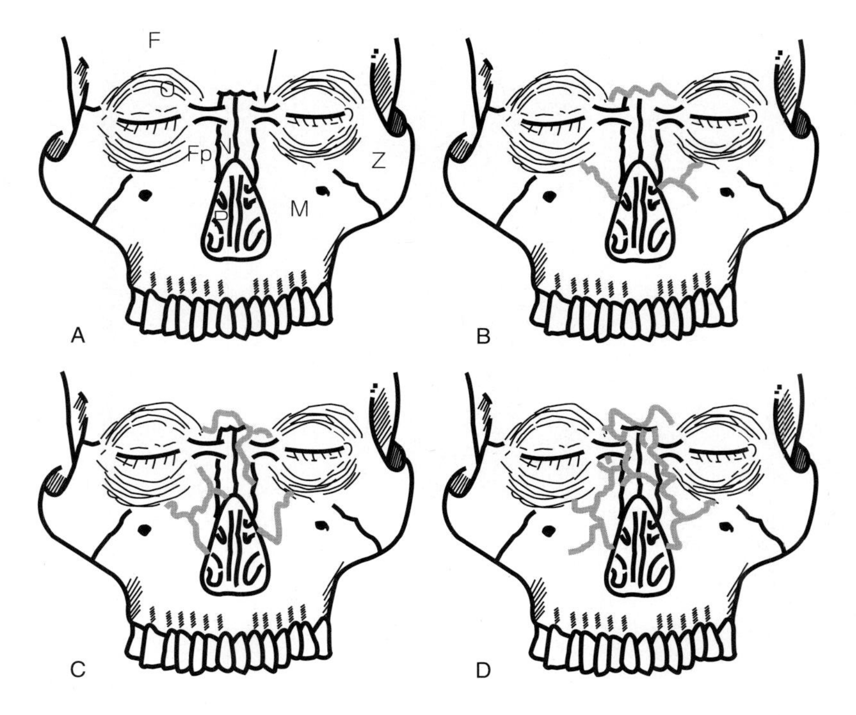

図 59　NOE 骨折分類. シェーマ

MCT 正常解剖シェーマ(A), 矢印：MCT, F：前頭骨, Fp：上顎骨前頭突起, M：上顎骨, N：鼻骨, O：眼輪筋, P：梨状孔, Z：頬骨

type Ⅰ骨折(B)
type Ⅱ骨折(C)
type Ⅲ骨折(D)

(Markowitz BL, Manson PN, Sargent L et al : Plast Reconstr Surg **87** : 843-853, 1991)

表 5　NOE 骨折の Markowitz-Manson 分類

type I	MCT 断裂を伴わない，眼窩内側に限局した非粉砕型の骨折．中央部骨片は孤立性
type II	粉砕骨折．MCT の(plate/screw で修復するに十分な大きさの)骨片との付着は保たれる
type III	重度の粉砕骨折．MCT 付着部の断裂を伴うか，(plate/screw で修復するに十分な大きさの)骨片との付着が失われている

(Markowitz BL, Manson PN, Sargent L et al : Plast Reconstr Surg **87** : 843-853, 1991)

回復(正常の内眼角間距離は 30〜35 mm，40 mm 以上は異常)が目的となるが，MCT 付着の回復が重要である．

多くで open approach が必要であり，直視下に MCT と付着部の骨片の状態を確認することから始まる．type Ⅱ，type Ⅲ骨折では MCT と骨片を固定する安定した顔面頭蓋骨格の同定が重要であり，片側のみの前頭骨，鼻骨への固定では MCT に異常な牽引力が働き，鼻涙系の機能障害を生じうる．一般的であるが，前頭洞後壁の保たれた鼻前頭管閉塞例では前頭洞充填術(obliteration)，前頭洞後壁の 25％以上が侵されている例では頭蓋化(cranialization)が施行される[46]．重度の type II および type III の全例で経鼻的なワイヤーによる内眼角固定術が施行されるが，成功率は十分には高くなく，しばしば晩発性の内眼角離開や眼球位置異常を生じる[46]．type Ⅲ骨折で頭蓋底骨折を伴う場合，髄液漏防止に pericranial flap が用いられる．また type III 骨折例の最大 31〜42％で骨グラフトによる鼻背形成が必要となる．なお，涙囊，鼻涙管損傷による流涙(epiphora)は術後例の最大 5〜21％で継続してみられるとされる[73]．ただし，明瞭な鼻涙管損傷を認めても，鼻涙管閉塞症状を示さない場合もあり[74]，鼻涙管形成術要否の判断は臨床的に行われるべきである．

2) Le Fort 骨折(Le Fort type fracture)

顔面中央部中心部の骨折は，治療の観点から，1901 年フランスの外科医である Rene Le Fort により“great lines of weakness”として記載され

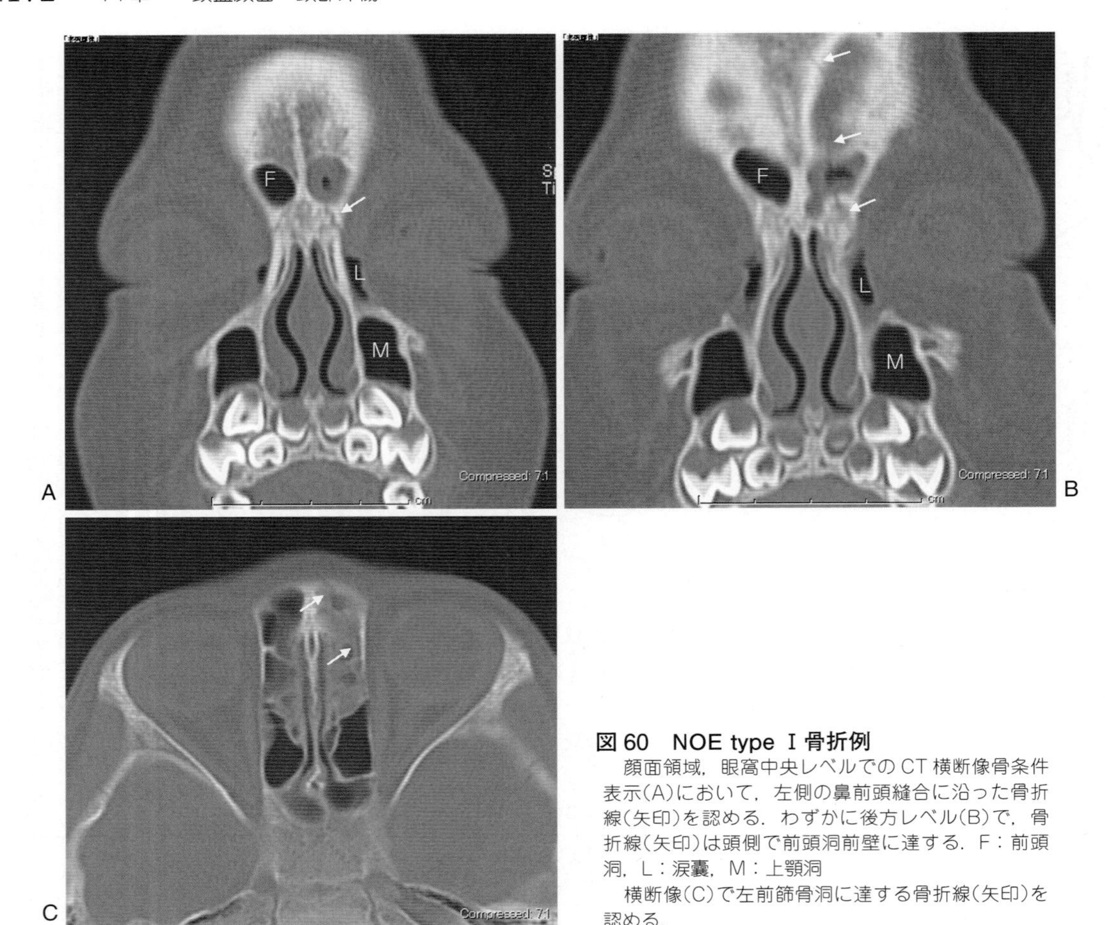

図60　NOE type Ⅰ骨折例
顔面領域，眼窩中央レベルでのCT横断像骨条件表示(A)において，左側の鼻前頭縫合に沿った骨折線(矢印)を認める．わずかに後方レベル(B)で，骨折線(矢印)は頭側で前頭洞前壁に達する．F：前頭洞，L：涙嚢，M：上顎洞
横断像(C)で左前篩骨洞に達する骨折線(矢印)を認める．

た骨折線の高さに基づくLe Fort分類(尾側から頭側に向かって，順にLe Fort Ⅰ，Ⅱ，Ⅲの3つの骨折線を分類)(図64)が最も広く用いられている[28]．交通外傷，暴行や転倒，落下などが原因となり，飲酒や薬物などが関連する場合も多い[75]．本来，Le Fortは両側対称性骨折として記述したが，実際には片側性も多く[76,77]，これら3型はしばしば非対称性あるいは混合型(図65)を呈する．Le Fort骨折は3型いずれもが翼状突起骨折を伴う(図66，67)(翼状突起が保たれている場合は原則としてLe Fort骨折には分類されない)．Le Fort分類の臨床的有用性は高いが，顔面骨骨折の約20%が同分類に合致しない粉砕骨折とされる[78,79]．これはRene Le Fortがオリジナルの記載をした当時と異なり，交通外傷などの高エネルギー・高速度外傷が中心になっていることが要因と考えられる．Le Fort I骨折の56%が立った位置からの転倒や暴行などの低速度外傷によるものであるのに対して，Le Fort IIあるいはIII骨折は高所からの落下や交通外傷などの高速度外傷に起因する場合が多い[75]．歯槽骨骨折，粉砕骨折あるいは骨欠損の有無の同分類への関与はなく[80]，これらに関しては個別に評価，記載する必要がある．ChenらはLe Fort骨折の最大半数で合併する硬口蓋骨折を3型(**表6**：p1180)に区分し，type 1の縦方向の骨折が最も多く90%以上を占め，横方向の骨折(type 2)や粉砕骨折(type 3)等はまれ(4〜5%)としている[81]．硬口蓋骨折が下顎骨骨折を合併する場合，咬合の復元は困難である．また，眼球障害はLe Fort II骨折の8.3%，Le Fort III骨折の6.7%で認められ[82]，水晶体脱臼や眼球破裂など，外科的修復が必要となるのは

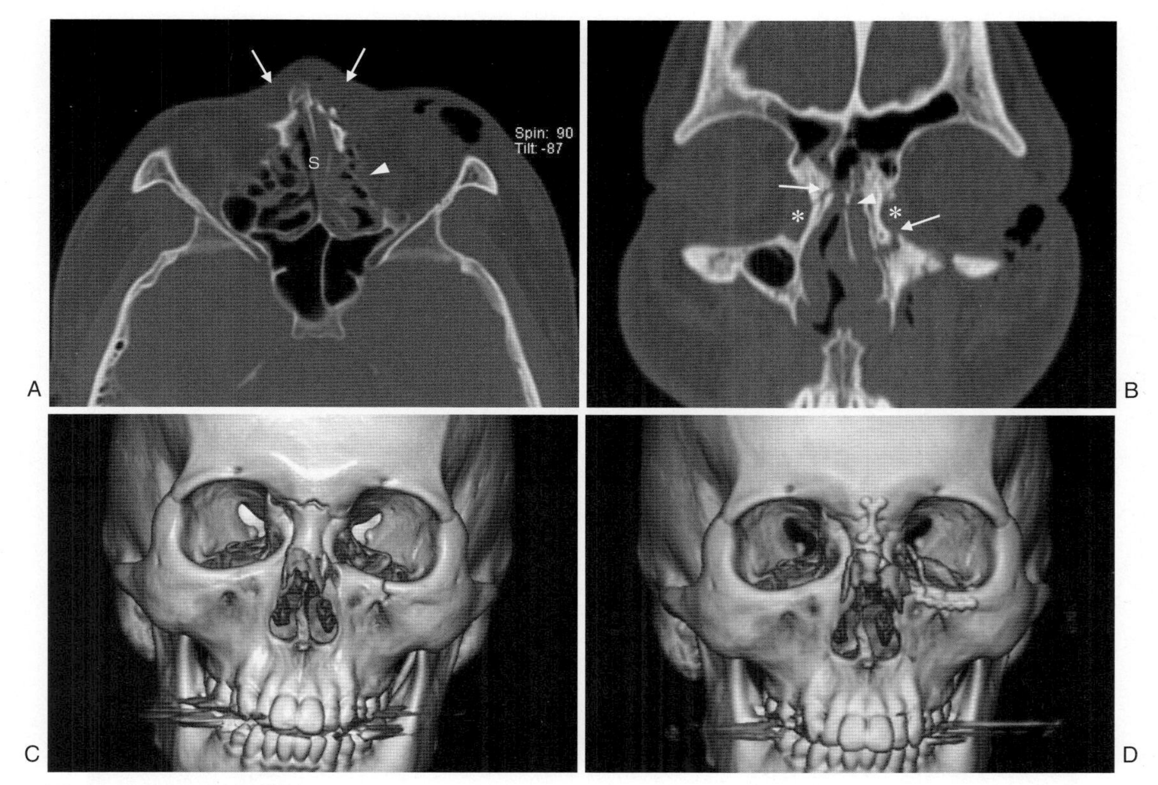

図 61　NOE type Ⅱ骨折

顔面領域の CT 横断像骨条件表示(A)において，鼻骨を中心とする粉砕骨折(矢印)とともに左眼窩内側壁の骨折(矢頭)を認める．鼻中隔(s)前縁の骨折もみられる．同冠状断像(B)で右前頭骨上顎突起，左上顎骨前頭突起の骨折(矢印)を認める．いずれの骨折線も側方で(MCT の付着部である)涙嚢窩(＊)の壁に到達する．鼻中隔骨折(矢頭)もみられる．術前の顔面領域 3D-CT(C)において，骨折による変形の立体的な把握は 2D 表示(A，B)よりも優れるが，粉砕骨折の程度，個々の骨折線の走行などは 2D 表示でより明瞭に確認可能である．術後(D)において，ミニスクリュー・プレートでの再建後所見を認める．

4.5％，網膜剝離での失明は 0.84％とされる[83]．Le Fort 骨折での歯牙損傷は 47.7％と他の顔面骨骨折(23.2％)よりも頻度が高い[84]．さらに Le Fort I 骨折の 6.9％，Le Fort II 骨折の 5.6％，Le Fort III 骨折の 3.0％で内頸動脈損傷を認め，無症状例に対してもスクリーニングが推奨されるとの報告もある[85]．Le Fort 骨折では視機能障害(47％)，複視(21％)，流涙(37％)，呼吸苦(31％)，咀嚼困難(31％)などを生じるが[86]，一般に高位の骨折(Le Fort Ⅰ・Ⅱよりも Le Fort Ⅲ)で頭蓋骨骨折(40.7％)，頭蓋内損傷(5.4％)，頸椎外傷(5.4％)などの頭頸部合併損傷の頻度が高いとされ(図 66)[87, 88]，ISS (Injury Severity Score)での評価，外科的気道確保の必要性などを含めて重症度が高い傾向にあると考えられている．Le Fort Ⅲ骨折では脳外科的介入の頻度，外傷性視力障害の危険性が高く，緊急手術，ICU(集中治療室)での管理の必要性が高いとされる[77]．なお，気道閉塞では上気道への出血が原因として最も多く，Le Fort 骨折全体の約 22〜33％，Le Fort III 骨折では約 44％で緊急気管切開が必要とされる[77, 88]．気管切開が必要とされなかった例の死亡率 0％に対して，必要となった例の死亡率は 7.2％であったとの報告がある[89]．死亡率は，Le Fort I 骨折が 0％，Le Fort II 骨折が 4.5％，Le Fort III 骨折が 8.7％で，Le Fort II 骨折は単純な顔面骨骨折と比較して 1.94 倍の死亡率との報告がある[90]．頸椎損傷(図 66)は顔面中央部の孤立性骨折例の 4.9〜7.7％，同多発骨折あるいは下顎骨骨折合併例(図 66，67)の 7〜10％でみられる

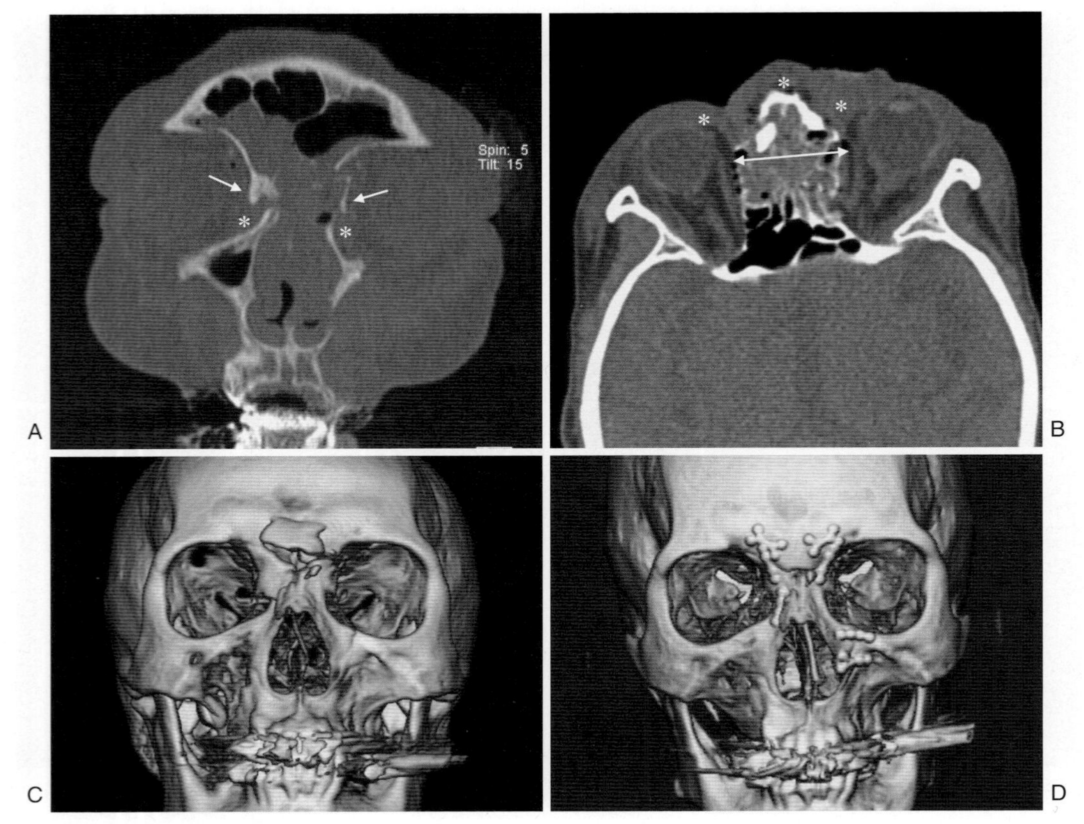

図62　NOE type Ⅱ
顔面領域のCT冠状断像骨条件表示(A)において，鼻前頭領域での粉砕骨折(矢印)がみられ，両側(MCTの付着部である)涙嚢窩(＊)骨壁の骨折を認める．同横断像軟部条件表示(B)で，眼瞼から鼻根部軟部組織肥厚(＊)を認める．鼻前頭領域の骨折に伴い，内眼角間距離(両向き矢印)の増大(telecanthus)を示す．術前(C)および術後(D)の顔面領域の3D-CT．術後(D)ではミニスクリューとミニプレートが顔面支柱(図56参照)に沿った安定骨格に固定されている．

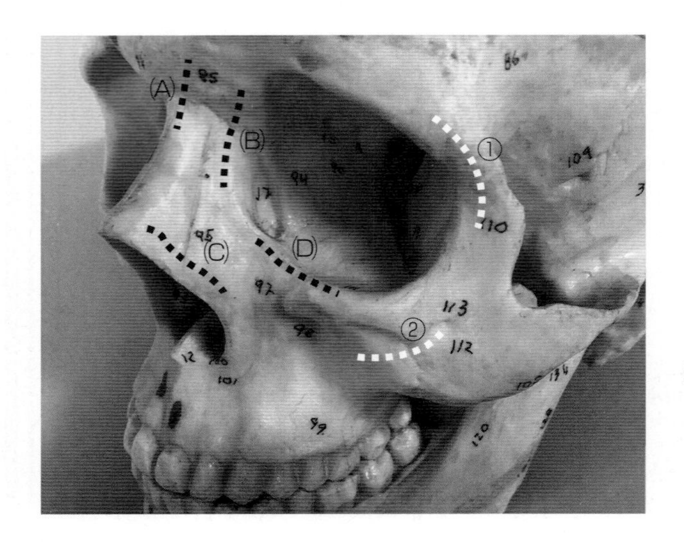

図63　顔面骨骨折の外科的修復における固定点
(A) 前頭鼻縫合(frontonasal suture)，(B) 前頭上顎縫合(frontomaxillary suture)，(C) 鼻上顎支柱(nasomaxillary buttress)，(D) 眼窩下縁(inferior orbital rim)，その他として①：前頭頬骨縫合，②：頬骨上顎縫合．

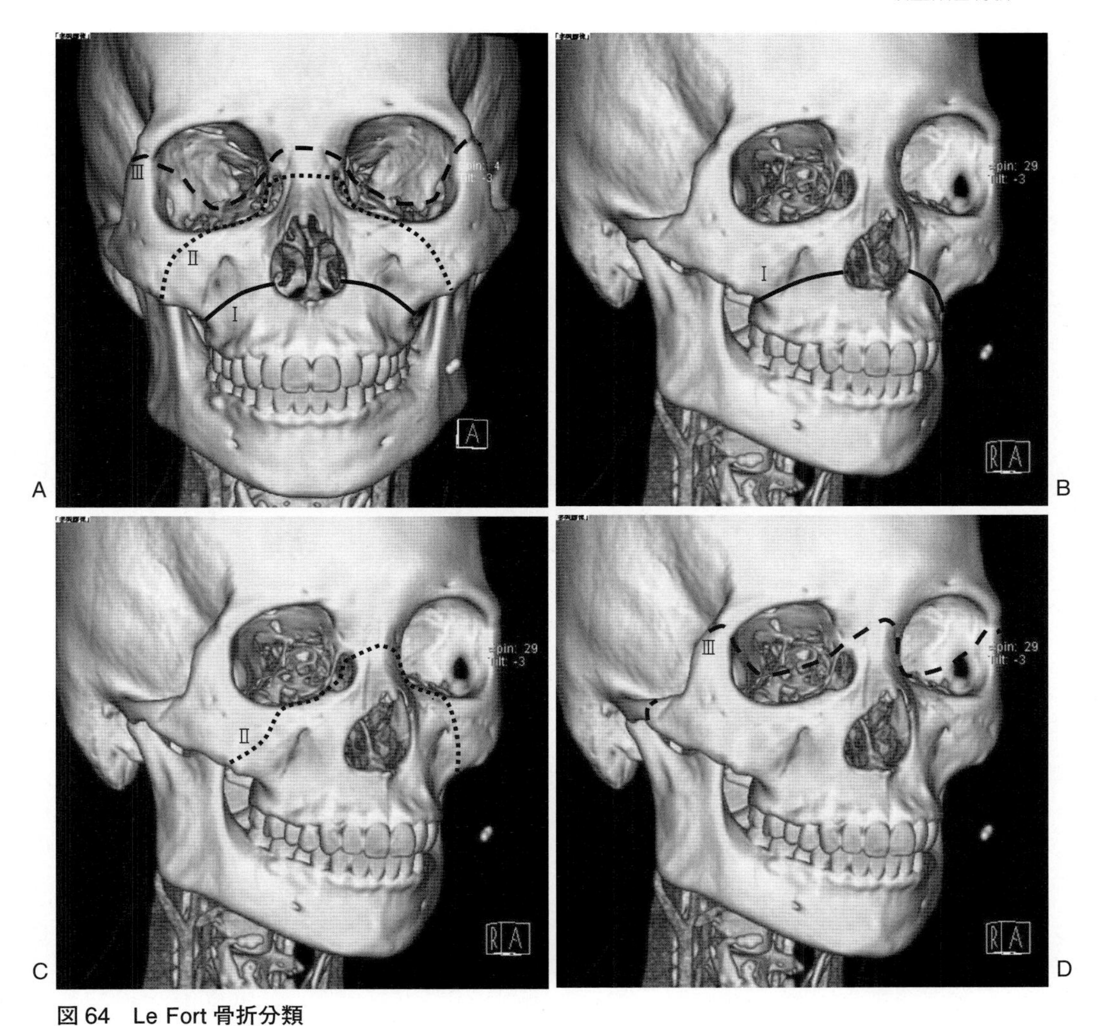

図 64　Le Fort 骨折分類
顔面正面像(A)，右斜め前からの像(B，C，D)．
Le Fort Ⅰ骨折線：実線(A，B)，Le Fort Ⅱ骨折線：点線(A，C)，Le Fort Ⅲ骨折線：破線(A，D)

が，頸椎損傷のある例はない例と比較して死亡率が約 2 倍とされる[91]．なお，仕事への復帰は Le Fort I および II 骨折例で 70%であるのに対して，Le Fort III 骨折例では 58%にとどまる[86]．

診断は病歴，症状，理学的所見とともに画像が重要である．顔面中央部骨折では単純 X 線撮影の適応は(下顎骨骨折合併時の panorex view など一部を除き)限定的であり，高分解能 CT(横断像および冠状断像)での評価が必須である．3 次元(3D)表示も骨折線の走行方向の把握などにおいて有用である．ただし，Le Fort 骨折の上顎咬合部での骨折の 9〜20%は不完全骨折，若木骨折

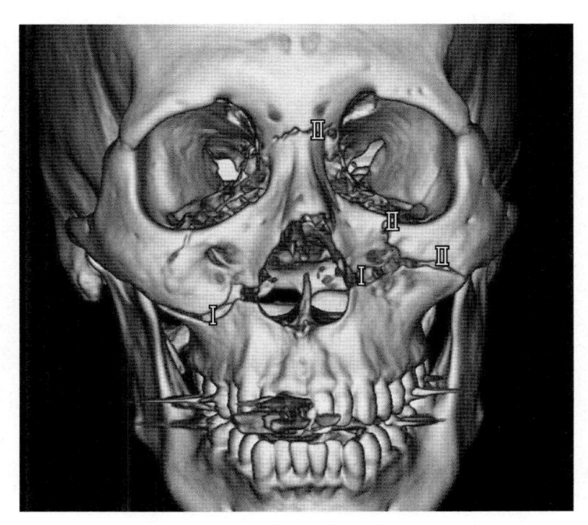

図 65　Le Fort I ＋ II 混合型骨折
顔面領域 CT の 3D 表示．両側性の Le Fort I 骨折(I)とともに左側の Le Fort II 骨折(II)の骨折線を認める．

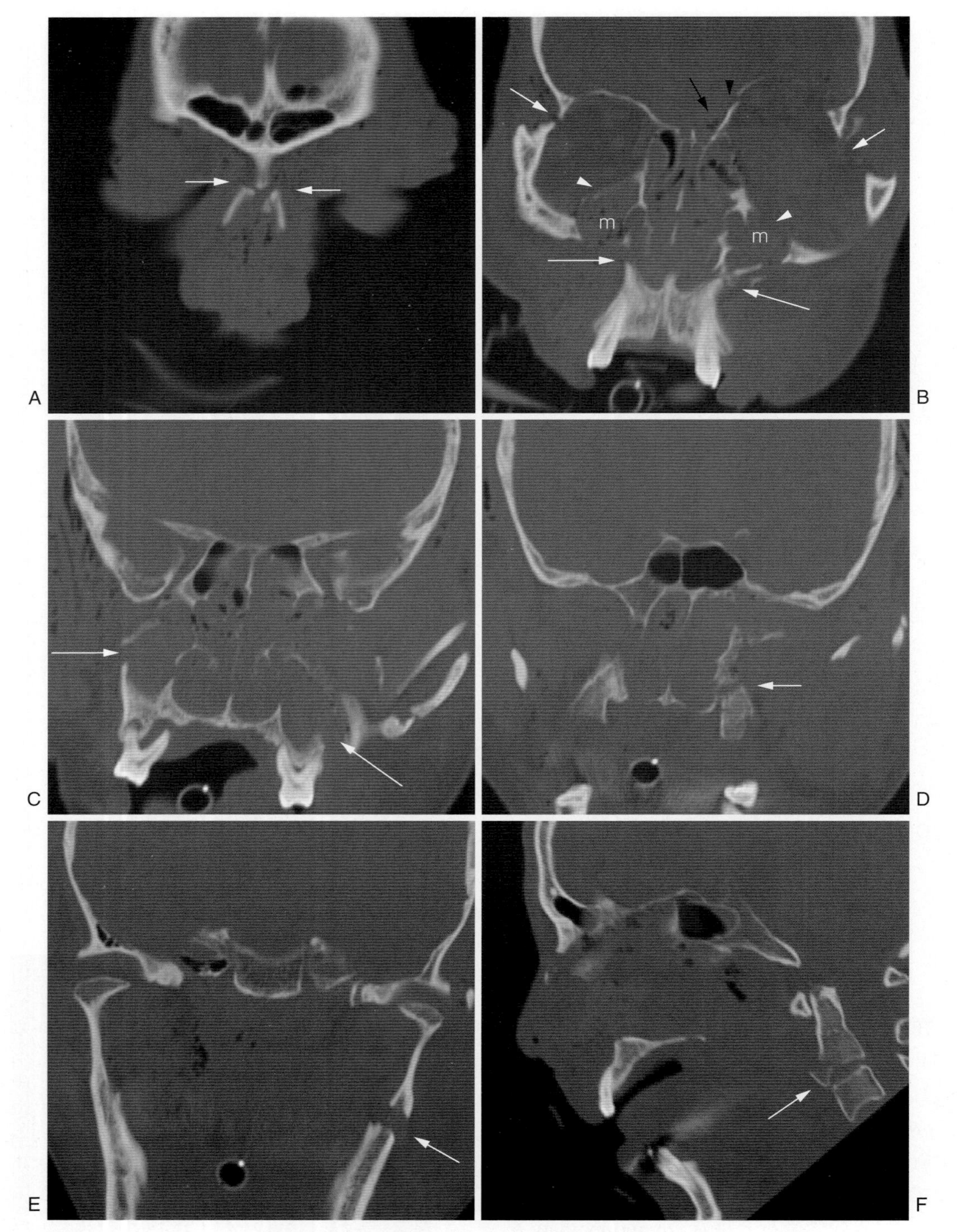

図66　Le Fort I＋II＋III 混合型骨折，眼窩血腫，急性硬膜下血腫合併(p1177へつづく)

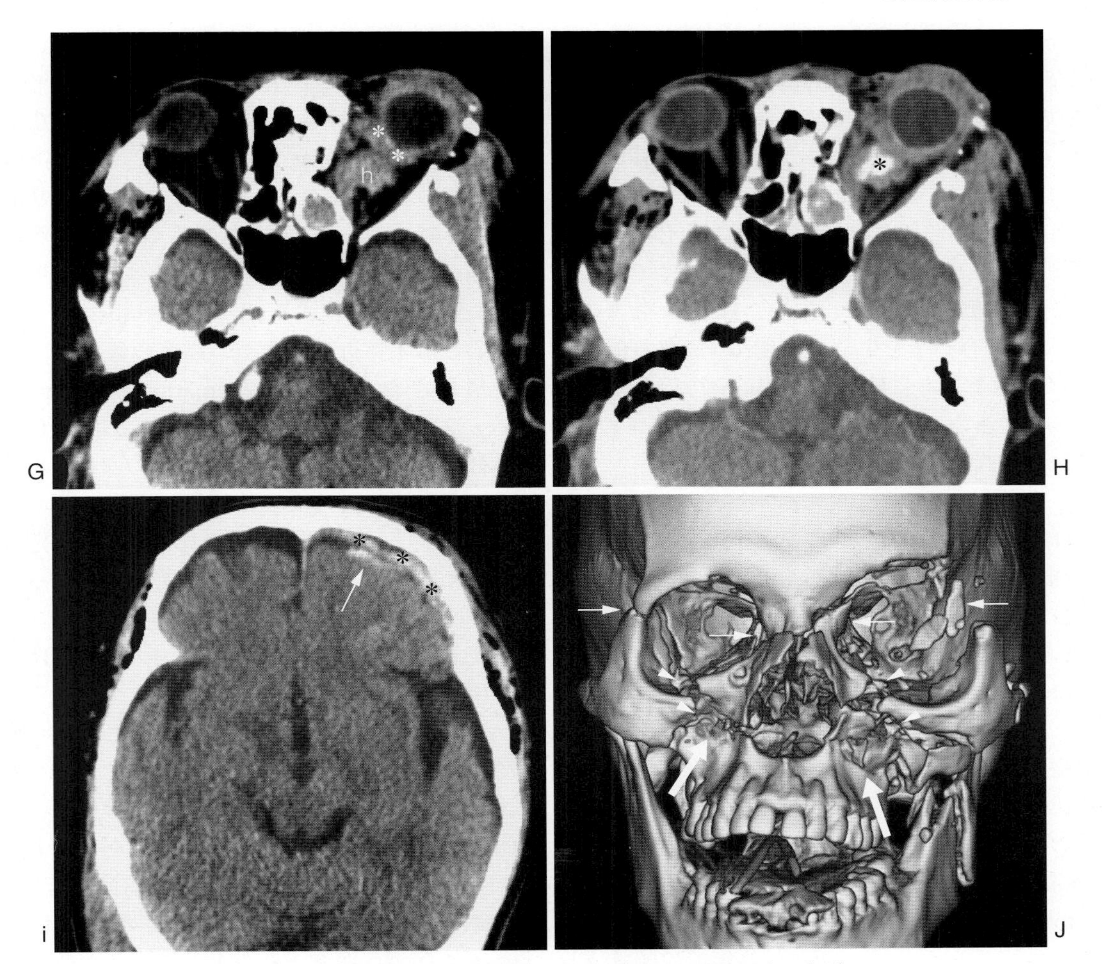

図 66　Le Fort Ⅰ＋Ⅱ＋Ⅲ 混合型骨折，眼窩血腫，急性硬膜下血腫合併（つづき）

顔面領域の CT 冠状断像（前方から後方に向かい A，B，C，D，E）．鼻根部レベル（A）において鼻前頭縫合部の骨折（矢印）を認め，眼窩レベル（B）では両側における前頭頬骨縫合での眼窩外側壁骨折（白小矢印），眼窩下縁（白矢頭），鼻腔（梨状口）側壁（大矢印）の骨折を認め，Le Fort Ⅰ，Ⅱ，Ⅲ の混合型骨折であることを示す．m：上顎洞．これに加えて左眼窩上壁の骨折（黒矢頭），気脳症（黒矢印）を認める．眼窩尖部レベル（C）で両側上顎洞後側壁の骨折（矢印）を認め，さらに後方（D）で翼状突起骨折（矢印）あり．口蓋が頭蓋から遊離（floating palate）していることを示す．さらに後方の顎関節レベル（E）で左下顎枝骨折（矢印），正中矢状断像（F）で頸椎骨折（C2 椎体前下縁）（矢印）の合併あり．眼窩レベルの造影前 CT（F）で左眼窩の球後部にやや高吸収の腫瘤（h）を認め，血腫に一致する．また眼球後面に沿った組織肥厚（*）もみられ，Tenon 腔の血腫が示唆される．動脈相の造影 CT（H）で血腫内に血管と同等の増強効果を示す領域（*）を認め，仮性動脈瘤を示す．頭部 CT（I）では左前頭部での急性硬膜下血腫（*），外傷性くも膜下出血（矢印）を認め，隣接する左前頭葉では脳溝は不明瞭で浮腫（一部でごく淡い高吸収がみられ，脳挫傷の疑い）を示唆する．顔面領域の 3D 表示（J）で Le Fort Ⅰ 骨折（大矢印），Ⅱ 骨折（矢頭），Ⅲ 骨折（小矢印）それぞれの骨折線の走行が容易に同定される．

であり[46)]，偏位の乏しい場合は3D表示では同定困難なこともしばしばであり，2D(横断像や冠状断像)の詳細な評価が重要である．副鼻腔の液体貯留のCT所見も重要であり，副鼻腔の液体貯留がないとき(clear sinus sign)，73％で骨折はないとされる．液体貯留がないことで骨折自体の否定は困難であるが，Le Fort骨折では100％で認められるとの報告もある[92)]．なお，Le Fort骨折の8～20％で咬合不全を生じるとされ[93)]，外科的修復では形態とともに咬合(occlusion)の回復が最も重要な要素のひとつとなるが，咬合は以下の3型に区分される．

①class Ⅰ occlusion：正常な咬合
②class Ⅱ occlusion：下顎が上顎より後方に位置する(retrognathism)
③class Ⅲ occlusion：下顎が上顎より前方に位置する(prognathism)

治療の目的は機能(視覚，気道維持，咀嚼，涙の排出，嗅覚，味覚，聴覚，顔面の表情など)，形態の復元であるが，Le Fort骨折の60％が観血的修復(open reduction)および内固定(internal fixation)が必要であり，30％は保存的治療，10％は無治療でみられる[75)]．観血的修復では頬骨支柱，頬骨上顎縫合および前頭頬骨縫合の固定で，解剖学的転位の安定的な修復固定が可能である(図63，67，68)[94)]．一般的には1.5～2.0 mmのプレートが支柱の固定に用いられるが，眼窩下縁，鼻根部，前頭頬骨縫合，頬骨弓などではより小さなプレートを用いる場合もある[75)]．尾側から頭側，外側から内側に固定，修復が進められる．ただし，外部からの触知，疼痛，ゆるみや偏位，感染，欠損や温度覚過敏などにより，顔面骨骨折に使用されたチタンプレートの最大12％は除去しなければならなくなる[75)]．頬骨骨折，Le Fort骨折全体の4％で感染を生じ，観血的修復と相関があるが，術後抗菌薬投与期間が24時間と5日のグループの間で発生に有意差はないとされる[95)]．治療後の機能的，審美的満足度は全体の89.1％で得られるが，10.9％で感染の遷延，顔面変形，一時的な顎関節硬直などを認める[96)]．

ⅰ)Le Fort Ⅰ骨折(Guerin骨折)(図64A・B，65～71)：鼻腔底より上方レベルでの水平骨折で，3型の中では最も頻度は少ない．上顎歯槽縁下部への下方に向かう外力により，鼻中隔の下3分の1および口蓋骨，上顎骨歯槽突起，翼状突起下3分の1よりなる可動性をもつ骨片(いわゆる“floating palate”)を生じる．口蓋は咀嚼筋の牽引により後方に偏位する(class Ⅱ occlusion)．咬合不全と歯牙骨折を伴う[97)]．高度の偏位では気道狭窄をきたしうる．zygomaticomaxillary complex(ZMC)骨折(後述)の合併をみる場合(図71)もある．外科的治療の目的は咬合の回復にある．両側上顎側の歯肉頬粘膜移行部切開によるアプローチで上顎前面から側面を露出，顎間固定により咬合を回復，ミニ/マイクロスクリュー，ミニプレートにより骨折部固定が施行される．上顎骨は血行豊富であり，骨髄炎などの合併症はまれとされる．

ⅱ)Le Fort Ⅱ骨折(図64A・C，65～67，71～73)：上顎の中部から下部への外力により，上顎骨の大部分と鼻骨，硬口蓋よりなる錐体形の骨片(floating maxilla)の遊離および偏位をきたす．骨折線は逆V字をなし，鼻骨梁(鼻前頭縫合)より眼窩内側壁から眼窩下縁内側3分の1(頬骨上顎縫合)を通過，眼窩下孔の上あるいは内側を通過する．さらにZMC下部より横走して上顎洞外側壁から上顎結節，翼状突起に至る．すなわち，鼻上顎(内側)支柱，頬骨上顎(外側)支柱，眼窩上縁(上横)支柱(図56)および後上顎支柱を破断し，眼窩下縁内側の非連続性を生じる[75)]．頬骨と頭蓋底との接合は保たれる．眼窩外傷として外眼筋損傷，眼窩血腫，眼球破裂，視神経損傷，鼻上顎支柱の破断に伴い鼻出血，髄液鼻漏，鼻涙管・涙嚢損傷，副鼻腔排出路閉鎖，内眼角靱帯損傷などをきたす[98)]．眼窩周囲軟部組織の腫脹がときにLe Fort Ⅱあるいは Ⅲ骨折を示唆する．顔面中央部の広範な陥没による扁平化した顔貌はdish-faceあるいはpan-face deformityと呼ばれる．同骨折は高度の外力により生じることから，頭蓋内外傷，頸椎外傷の合併の可能性が高い．外科的には顎間固定によりclass Ⅰ occlusionの獲得，両側性歯肉頬粘膜移行部切開に睫毛下(subciliary)

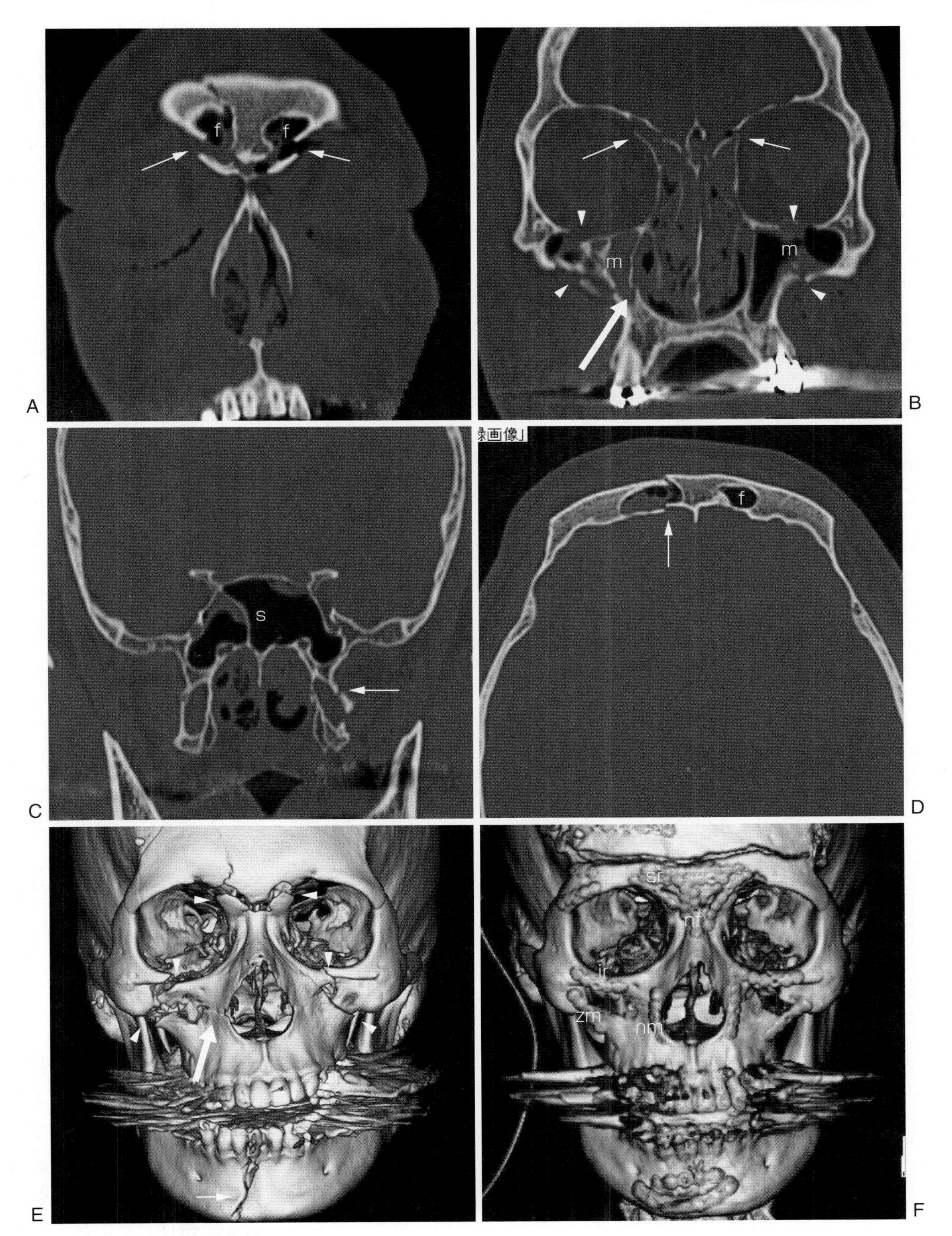

図 67　Le Fort I＋II 混合型骨折

顔面領域の CT 冠状断像（前方から後方に向かい A，B，C）．鼻根部レベル（A）において，前頭骨傍正中下部で前頭洞（f）前壁の骨折（矢印）を認める．眼窩レベル（B）で両側の眼窩内側壁（小矢印），下壁（矢頭）から上顎洞（m）側壁（矢頭），右鼻腔内側壁（大矢印）の骨折線，蝶形骨洞レベル（C）で左翼状突起骨折（矢印）を認め，両側性の Le Fort II 骨折と右側の Le Fort I 骨折との混合型であることが示されている．s：蝶形骨洞．前頭洞レベルの横断像（D）で前頭洞（f）右側の前壁および後壁骨折（矢印）を認める．3D 表示（E）では右側の Le Fort I 骨折線（大矢印），両側の Le Fort II 骨折線（矢頭）とともに，下顎骨の右傍オトガイ部骨折（小矢印）を認める．術後 CT の 3D 表示（F）において，鼻前頭縫合（nf）とともに，横方向の支柱である眼窩上縁（上横支柱）（sr），眼窩下縁（中横支柱）（ir），縦方向の支柱である鼻上顎支柱（内側支柱）（nm），頬骨上顎支柱（外側支柱）（zm）に対して金属プレートで固定術が施行されている．

表 6　硬口蓋骨折の Chen らによる分類

type 1	上顎歯槽から傍正中あるいは歯槽近傍を通過する縦方向の骨折（全体の 90％強）
type 2	横方向の骨折
type 3	複雑および粉砕骨折

（Chen CH, Wang TY, Tsay PK et al：Plast Reconstr Surg **121**：2065–2073, 2008）

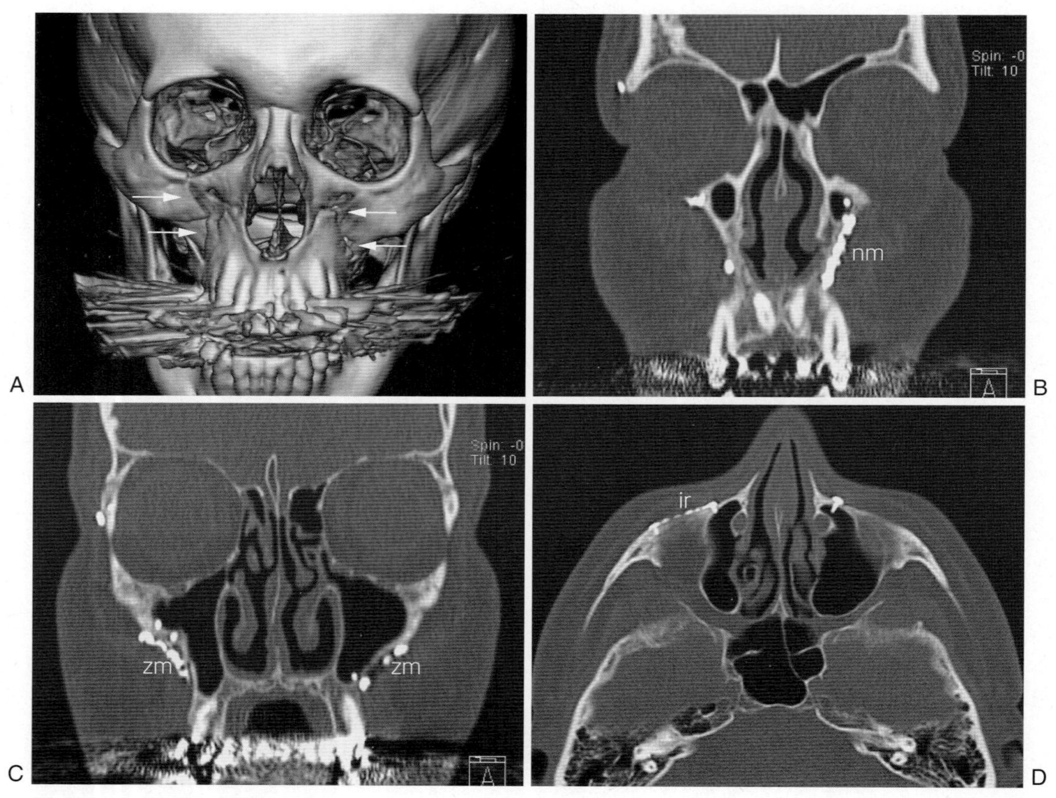

図 68　Le Fort II 骨折

顔面領域 CT の 3D 表示（A）において，Le Fort II 骨折線（矢印）を認める．術後の顔面領域 CT 冠状断像の前歯部歯槽レベル（B）において鼻上顎支柱（nm），上顎洞自然孔レベル（C）で頬骨上顎支柱（zm），横断像（D）で眼窩下縁での金属プレート固定術後の所見を認める．

あるいは経結膜（transconjunctival）切開を追加，あるいは midface degloving incision によるアプローチをとり，ミニ / マイクロスクリュー，ミニプレートにより骨折部の整復固定がなされる．通常，錐体形の上顎骨片は頬骨に固定される．

ⅲ）Le Fort Ⅲ 骨折（craniofacial dysjunction）（図 64A・D，66，72〜74）：鼻部から上顎上部への外力により生じ，頭蓋底と平行した骨折線をもち，顔面中央部の骨格と頭蓋底との分離（craniofacial dysjunction）をきたす．骨折線は鼻基部から後方の篩骨，蝶形骨小翼を侵し，内下方に向かい視神経管下方を通過した後，翼上顎裂，蝶口蓋窩に至る．また，下眼窩裂から外側上方に向かう骨折線は蝶形骨大翼と頬骨を分離して前頭頬骨縫合を通過，下後方に向かい蝶口蓋窩から翼状突起基部を侵す．頬骨弓は通常，最も弱い頬骨側頭縫合で骨折する．鼻上顎（内側）支柱，頬骨上顎（外側）支柱，眼窩上縁（上横）支柱（図 56）および後上顎支柱を破断する．Le Fort II 骨折と同様，しばしば眼窩外傷，髄液漏を伴う[75]．純粋な両側性 Le Fort Ⅲ型骨折（図 74）は極めてまれで，臨床的には Le Fort Ⅰおよび・あるいはⅡ型骨折

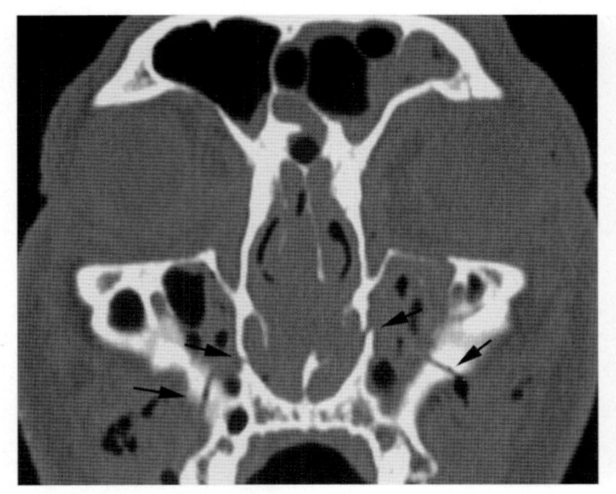

図 69　Le Fort Ⅰ骨折
顔面領域 CT 冠状断骨条件表示において，Le Fort Ⅰ骨折（矢印）を認める．左前頭骨骨折を伴う．

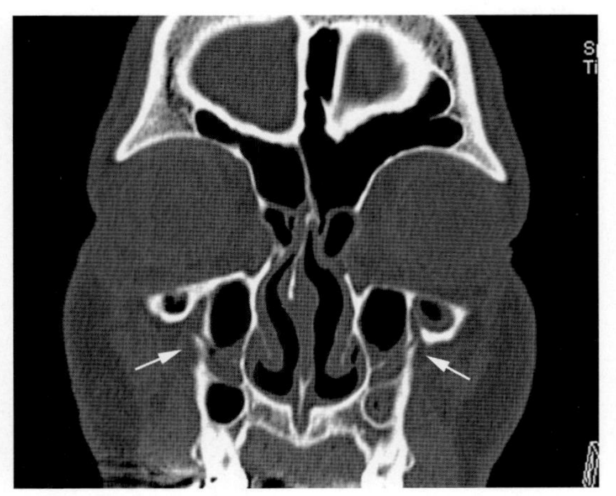

図 70　Le Fort Ⅰ骨折
顔面領域 CT 冠状断骨条件表示において，Le Fort Ⅰ骨折（矢印）を認める．

と ZMC 骨折（後述）の合併を示す場合が多い[77]．画像診断上，最も大きな臨床的意義をもつのは，高頻度に認められる咽頭後血腫で，上咽頭での気道閉塞をきたしうる．外科的整復では顎間固定の後，冠状切開により前頭頬骨縫合部（眼窩外側縁）骨折の修復，midface degloving incision により上顎下部に到達，ミニ / マイクロスクリュー，ミニプレートによる骨折部の整復固定がなされる．上顎骨折の固定に先立ち，下顎骨，頭蓋の骨折の固定を図る．

b. 顔面中央部外側部骨折

片側性顔面骨折は眼窩，頬骨，上顎骨領域の各々単独あるいは複合骨折として生じる．単独骨折は通常，上顎洞（図 75），眼窩内側壁，頬骨弓（図 76）等の局所に限局した鈍的損傷や穿通傷を原因とする．

顔面中央部外側部（図 55）は頬骨を中心とする領域で上顎骨頬骨突起を含む．頬骨前頭突起が眼窩外側縁下部，頬骨側頭突起は頬骨弓前部を形成する．顔面中央部外側部骨折では三脚骨折を代表とする頬骨上顎骨複合（zygomaticomaxillary complex : ZMC）骨折が重要である．

1）孤立性頬骨弓骨折（図 76）

暴行，交通事故，スポーツ外傷などにおいて，側方からの外力により生じるが，頬骨骨折のなかでは比較的まれである[46]．（深部に向かって骨折偏位した頬骨弓の側頭筋表面や筋突起への impingement による）開口障害（図 76），頬部の平坦化・非対称などをきたす．頬骨弓に限局した骨折は ZMC 骨折全体の 8〜4％に相当する[99]．頬骨弓には咬筋，SMAS（superficial musculoaponeurotic system；浅頸筋膜），側頭頭頂筋膜が付着していることから，様々な方向への転位，回旋偏位を示しうる[100]．これは後述の ZMC 骨折でも同様である．診断，頬骨弓骨折による変形や偏位の状況の評価，他の顔面骨骨折や頸椎損傷の否定において CT が重要である．

形態・機能障害は外科的修復の適応となる場合が多い．側頭部毛髪線後方で，頬骨弓頭側 4 cm に 3 cm の切開を加え，側頭筋膜と側頭筋との間の層に鉗子（Gilles 鉗子）を挿入し，頬骨弓を深部から持ち上げるように側方への牽引を加える，Gilles approach が一般的である．側頭筋膜深部に鉗子を挿入することで顔面神経（側頭神経，頬神経）の損傷が回避される．あるいは経口的切開による Keene approach による修復が行われる．変形，転位がないか軽微で咀嚼機能障害のない例では経過観察される場合もある．

2）頬骨上顎骨複合骨折（zygomaticomaxillary complex［ZMC］fracture）・三脚骨折（tripod fracture, trimalar fracture）（図 77〜80）

顔面中央部外側の重要な支柱（外側支柱）である ZMC は，頬骨隆起（malar eminence）を形成し形

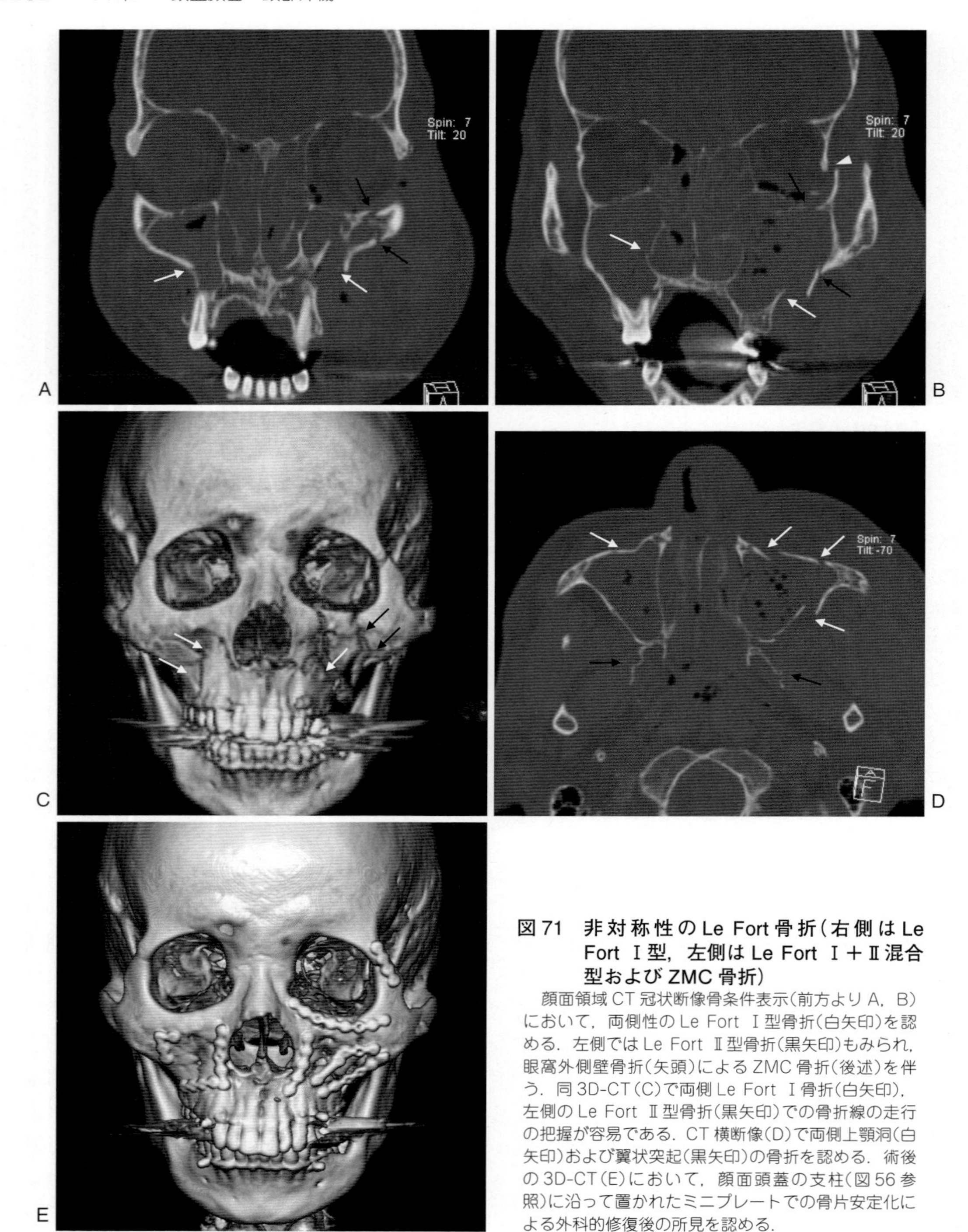

図71　非対称性のLe Fort骨折(右側はLe Fort Ⅰ型，左側はLe Fort Ⅰ＋Ⅱ混合型およびZMC骨折)

顔面領域CT冠状断像骨条件表示(前方よりA，B)において，両側性のLe Fort Ⅰ型骨折(白矢印)を認める．左側ではLe Fort Ⅱ型骨折(黒矢印)もみられ，眼窩外側壁骨折(矢頭)によるZMC骨折(後述)を伴う．同3D-CT(C)で両側Le Fort Ⅰ骨折(白矢印)，左側のLe Fort Ⅱ型骨折(黒矢印)での骨折線の走行の把握が容易である．CT横断像(D)で両側上顎洞(白矢印)および翼状突起(黒矢印)の骨折を認める．術後の3D-CT(E)において，顔面頭蓋の支柱(図56参照)に沿って置かれたミニプレートでの骨片安定化による外科的修復後の所見を認める．

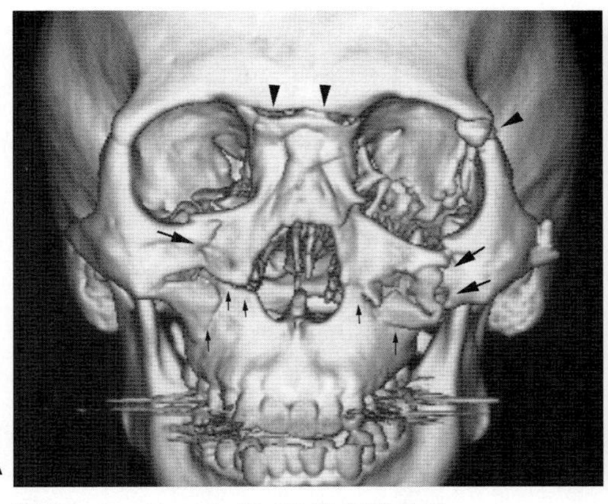

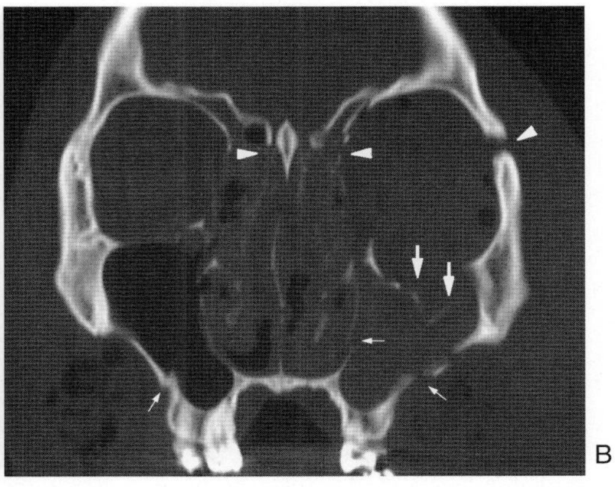

図 72　Le Fort Ⅰ/Ⅱ/Ⅲ混合型骨折

　顔面頭蓋 3D-CT（A）において顔面正中から左側にかけて Le Fort Ⅲ骨折（矢頭），両側性に Le Fort Ⅱ骨折（大矢印），Le Fort Ⅰ骨折（小矢印）を認める．

　冠状断 CT（B）において Le Fort Ⅲ骨折（矢頭），Le Fort Ⅱ骨折（大矢印），Le Fort Ⅰ骨折（小矢印）を示す．

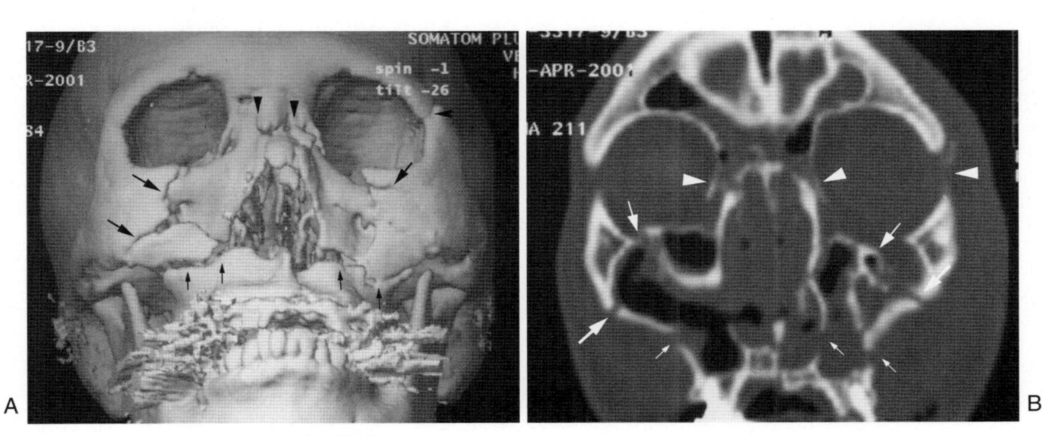

図 73　Le Fort Ⅰ/Ⅱ/Ⅲ混合型骨折

　顔面頭蓋 3D-CT（A），冠状断（B）において Le Fort Ⅲ骨折（矢頭），Le Fort Ⅱ骨折（大矢印），Le Fort Ⅰ骨折（小矢印）の混合を認める．

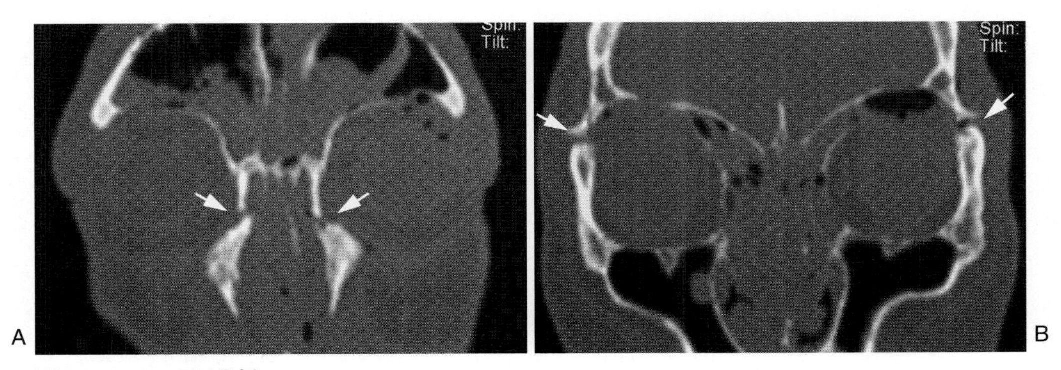

図 74　Le Fort Ⅲ骨折

　顔面頭蓋 CT 冠状断（A，B）において両側性の Le Fort Ⅲ骨折（矢印）を認める．

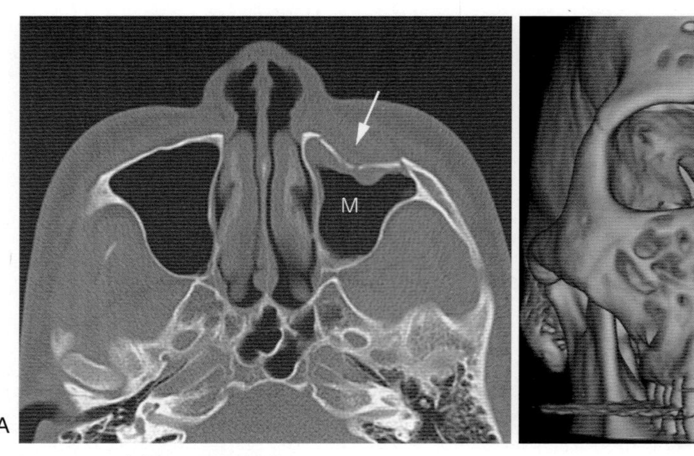

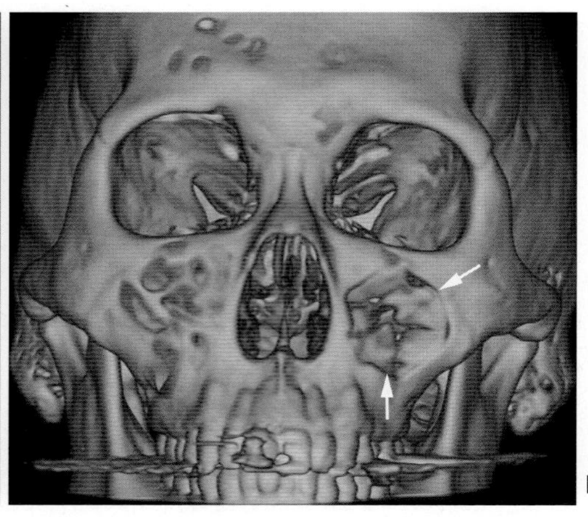

図 75　孤立性上顎洞骨折
上顎洞レベルの CT 骨条件表示(A)および 3D-CT(B)において，左上顎洞(M)前壁の陥没骨折(矢印)を認める．

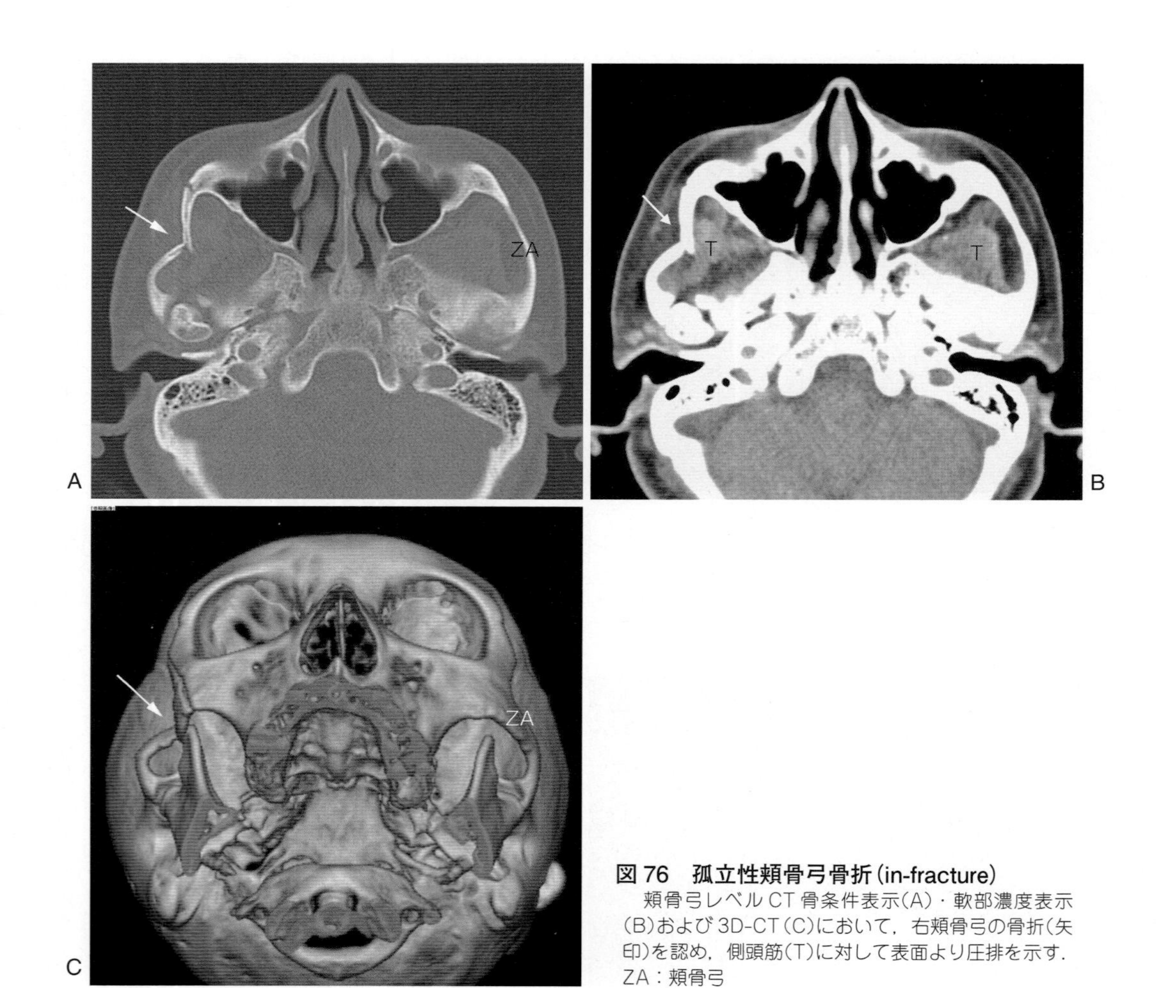

図 76　孤立性頬骨弓骨折(in-fracture)
頬骨弓レベル CT 骨条件表示(A)・軟部濃度表示(B)および 3D-CT(C)において，右頬骨弓の骨折(矢印)を認め，側頭筋(T)に対して表面より圧排を示す．
ZA：頬骨弓

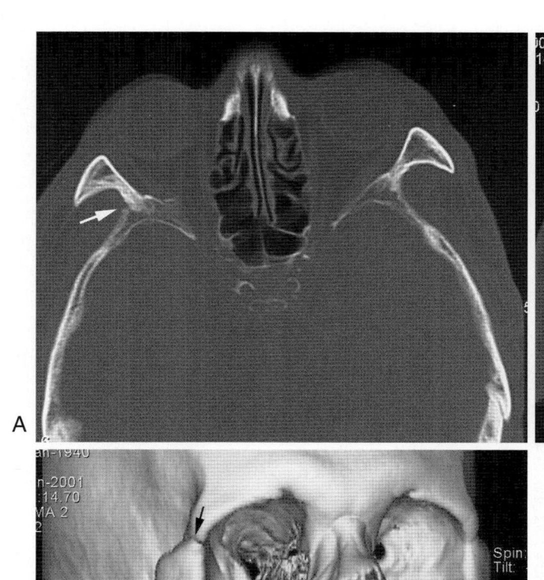

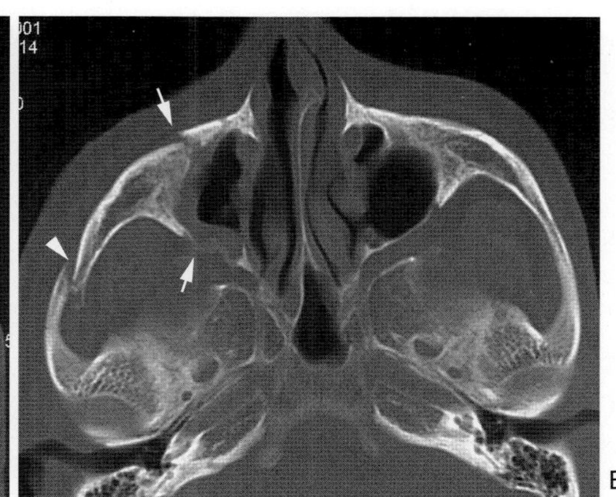

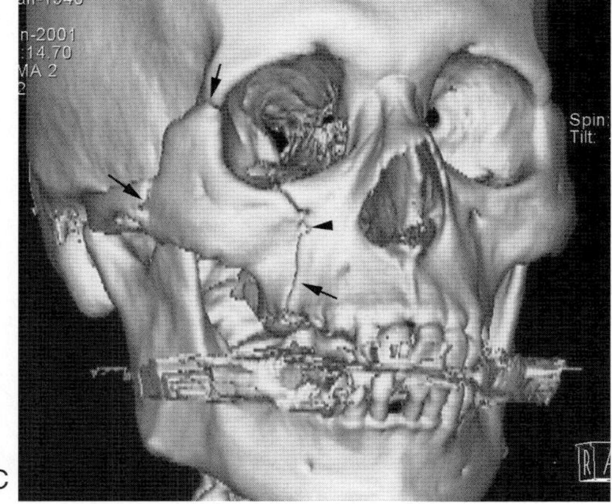

図 77　ZMC 骨折
眼窩レベル CT 横断像(A)で右眼窩外側壁の骨折(矢印)，上顎洞レベル(B)で上顎洞前壁・後側壁の骨折(矢印)，頬骨弓骨折(矢頭)を認め，三脚骨折に一致する．3D-CT(C)でも図 A・B で指摘された骨折線(矢印)を認める．眼窩下縁から伸びる骨折線は眼窩下孔(矢頭)を通過している．

態的に重要であるとともに，解剖学的に眼窩と側頭窩，上顎洞を区分する構造的意義も高い．眼窩外側壁および眼窩下溝・管より外側の眼窩底(下壁)を形成，眼球を側方から支持しており，両眼視に必要不可欠とされる．ZMC の頭側は(a)前頭頬骨縫合により前頭骨頬骨突起，外側は(b)頬骨側頭縫合により(頬骨弓において)側頭骨頬骨突起，内側は(c)頬骨上顎縫合により上顎骨，深部では(d)頬骨蝶形骨縫合により蝶形骨大翼と，頭蓋と 4 つの付着(支持)を有する．

ZMC 骨折は臨床的分類として，範囲，重症度による Zingg らによる分類(**表 7**：p1188)[117]が適用される．ZMC 骨折は鼻骨骨折とほぼ同程度の外力で比較的容易に生じうる．暴行，転倒，スポーツ外傷，交通外傷などが原因となるが，大きく低速度外傷(暴行，転倒)と高速度外傷(主に交通外傷)に分けられる[101]．これらの要因から80％以上が男性で，若年者(20 歳代)が主であるが，転倒については高齢者にも多い[102]．顔面骨骨折としては比較的多く，顔面骨骨折全体の 17～25％を占め[46, 101]，NOE 骨折の 10 倍以上の頻度とされる[103]．ただし，近年はシートベルト着用の義務化により減少傾向にある[104]．一方でエアバッグでは想定された程の改善はみられなかった．

ZMC 骨折は同領域の合併損傷を示すが，眼窩下縁，眼窩外側壁，頬骨弓を侵す“三脚骨折(tripod/trimalar fracture)”はここに含まれ，上顎骨頬骨隆起への直接の鈍的外傷により生じる．ただし，同用語は臨床的に重要な上顎部の骨折を表現しておらず，完全な ZMC 骨折(type B, type C)では，実際には既述のごとく 4 つの付着部での骨折(tetrapod fracture)であることから不適切との意見もある．上顎骨外側壁を中心として前頭

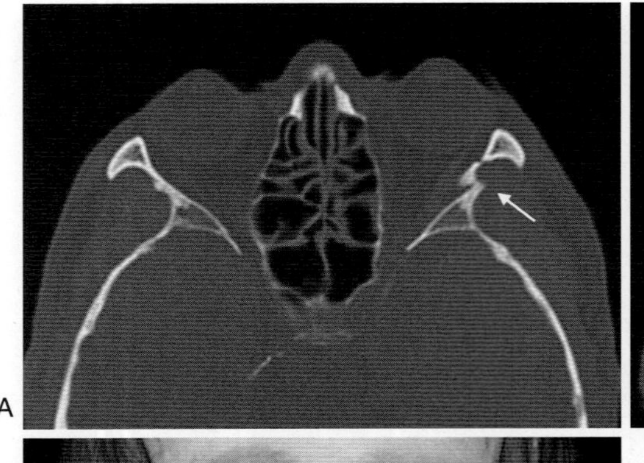

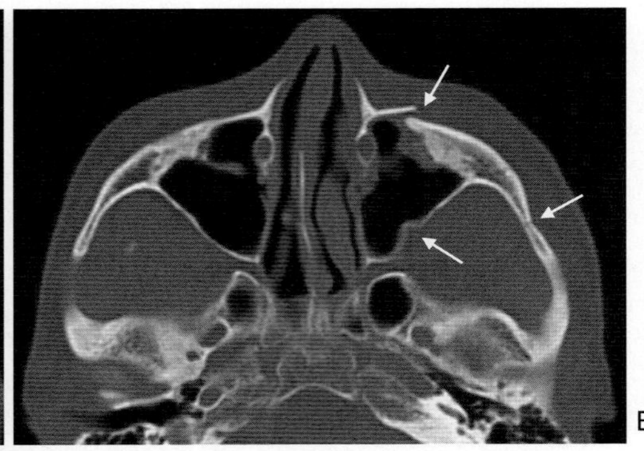

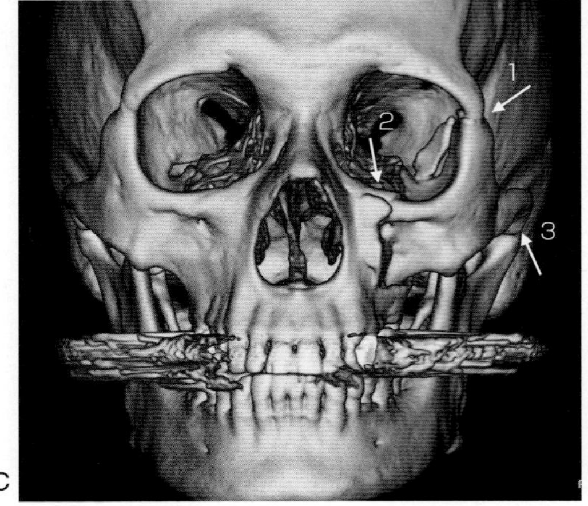

図78　ZMC骨折

眼窩レベルのCT横断像(A)で左眼窩外側壁の骨折(矢印)，同上顎洞レベル(B)で左上顎洞前壁・後側壁および頬骨弓の骨折(矢印)を認める．顔面領域の3D-CT(C)で頬骨前頭縫合(1)，頬骨上顎縫合(2)，頬骨側頭縫合(頬骨弓)(3)での骨折を認める．

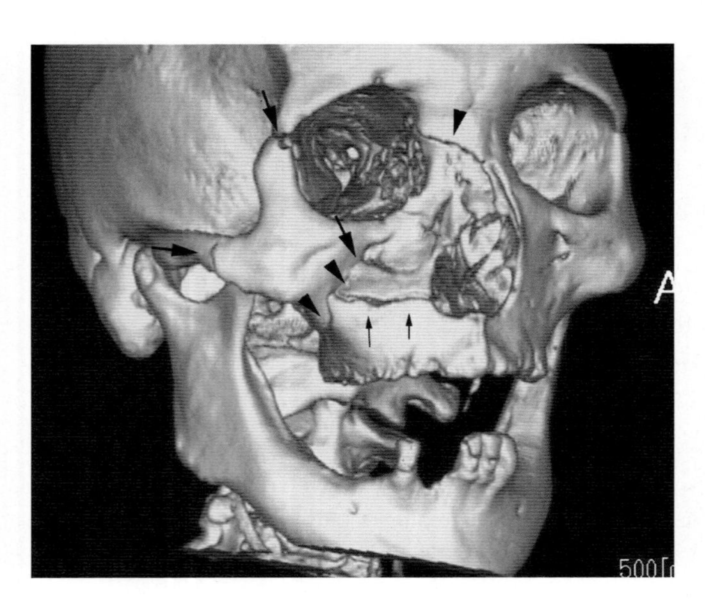

図79　Le Fort Ⅰ/Ⅱとの複合型として認められたZMC骨折

顔面頭蓋3D-CTにおいて右側の三脚骨折(大矢印)とともに片側性のLe Fort Ⅰ骨折(小矢印)，Le Fort Ⅱ骨折(矢頭)の合併が認められる．

頬骨縫合と頬骨側頭縫合の離開を伴うZMCの陥没骨折では，蝶形骨大翼との完全離開(頬骨蝶形骨縫合)を生じ，頬骨の上顎骨外側壁への陥入により眼窩下神経損傷をきたしうる．顔面神経(CN7)前頭枝がSMAS深部で頬骨弓表面の間を通過することから，重度のZMC骨折では片側の顔面神経麻痺をきたしうる[105]．頬骨眼窩面は眼窩外側壁から下壁の形成に関与しており，ZMCの回旋偏位で眼窩容積は大きく影響を受ける(図81)[106]．これらによる顔面非対称性や眼球陥凹は変形治癒後の修復が困難である[46]．ZMC骨折は，暴行などの中速度外傷では垂直軸に対する頬骨の時計方向，あるいは反時計方向の回旋を示すが，交通外傷などの高速度外傷では頬骨蝶形骨縫合の後側方への偏位，外側への回旋による顔面の幅拡大を生じるのが典型的である[107]．結果として，頬骨隆起の陥没骨折による平坦化(図80〜82)を生じ，眼窩外側壁，上顎洞前・後側壁および頬骨弓骨折を伴う．頬骨隆起の陥没は，骨折直後では軟部腫脹(図81B)のため臨床上明らかでない例も多いが，審美的な面から重要な手術適応となる．また，ZMC骨折の約25%が他の顔面骨骨折を合併し[108]，ZMC骨折の内側進展として最も多い上顎骨前頭突起骨折によるNOE骨折の合併は見落とされる傾向にあり，不適切な固定・修復により頬骨の位置異常に起因した頬骨隆起平坦化，顔面幅拡大，眼球陥凹，眼球緊張異常，下眼瞼位置異常などの重大な機能上，審美上の問題を生じうる[109]．

合併症，症状として眼窩下神経損傷(図77C，80B，83)，咬合不全，開口障害，顎関節の可動域制限，片側性鼻出血，複視，嚥下障害などが認められる．ZMC骨折での開口障害では頬骨弓の内側への陥凹を伴う骨折(in-fracture)による側頭筋，筋突起へのimpingement(図76)，複視では頬骨蝶形骨縫合の骨折による骨片の外眼筋への圧排が原因として考えられる[104]．複視はZMC骨折の最大で12%，眼球陥凹は3〜4%で認められる[108, 110]．

画像評価では，CT横断像・冠状断像が基本となり，診断および治療計画に必要不可欠である．骨折線の立体的走行の把握，骨折片偏位や頬骨隆起の変形の評価に3D表示が有用である(図77〜82，84)．ときに合併する片側性蝶形骨大翼骨折は，頭蓋単純X線正面撮影で無名線の断裂として認められるが，中硬膜動脈損傷による硬膜外血腫に注意を要する．ZMC骨折はさまざまな程度でLe Fort II型骨折との関連をもつ(図71，79)．ZMC骨折におけるCTでの主な画像評価項目は，各4つの支持(前頭頬骨縫合，頬骨側頭縫合，頬骨上顎縫合，頬骨蝶形骨縫合)での骨折(図81C)の有無(ときに縫合の軽度離開として認められるのみであり，注意を要する)，眼窩下溝・管の骨折，眼窩尖部(図83，84)，骨片偏位による外眼筋圧排，頬骨弓in-fractureによる側頭筋・筋突起への圧排，他の顔面骨骨折(主にNOE骨折，Le Fort骨折)合併の有無などである．ZMC骨折による配列不整，眼窩容積変化に関して，CT横断像で頬骨蝶形骨縫合(眼窩外側壁)の変形，偏位，非連続性の所見(図85)の感度が最も高い[46]．なお，外傷後早期において副鼻腔に出血性液体貯留(図81B)，粘膜肥厚などを示唆する軟部濃度を認めず，含気が良好に保たれている場合，該当する副鼻腔壁の骨折に関して高い信頼性での否定が可能であり，“clear sinus sign”としてZMC骨折(のみならず，Le Fort骨折)が疑われる例で有用である[24, 25, 103]．ただし，逆に副鼻腔の液体貯留所見の特異度は低く，骨折のない例の27%で液体貯留を認めるとされる[25]．

ZMC骨折の大部分が外科的修復の適応となり，受傷7〜10日後に施行するのが望ましい．受傷後2〜6週でも修復可能であるが，線維化と瘢痕形成により容易ではなく，6週以上での修復は極めて困難である[105]．ZMC骨折に限らず，顔面骨骨折の手術では，適切な露出，適切な偏位の修復，安定した固定とともに合併症発現率の最小化の4つが重要な要素であり，形態，機能の復元・維持が最終目的となるが，手術の要否，術式選択は症例ごとに検討されるべきである．ZMC骨折の最大17%で非観血的修復が可能とされる[110]．Zinggらの分類におけるtype A1骨折は偏位があれば非観血的修復が行われるのが通常であり，type A2およびA3も非観血的修復が可能な場合も多いが，不安定骨片を伴うtype A2骨折では眉

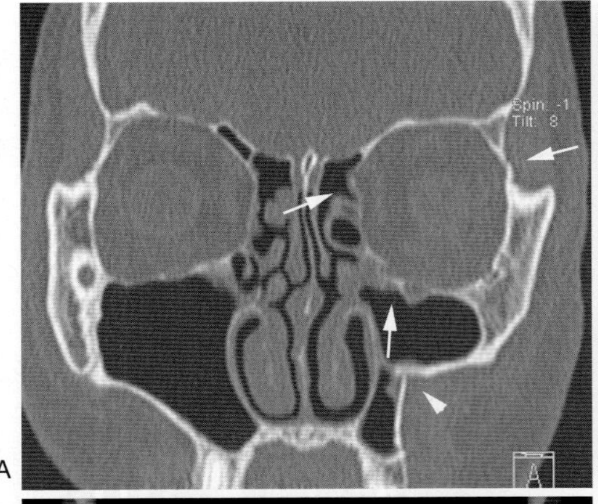

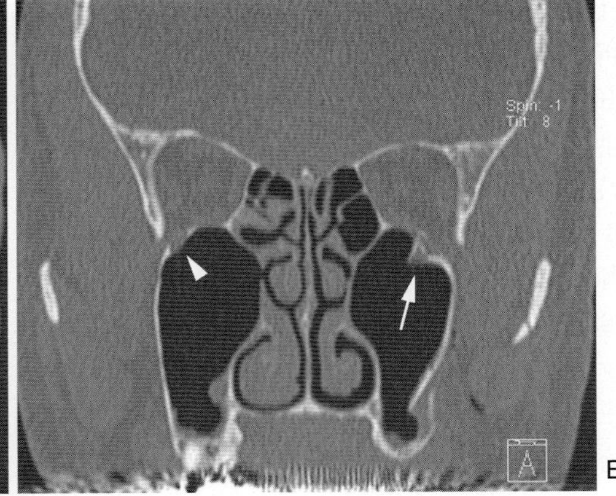

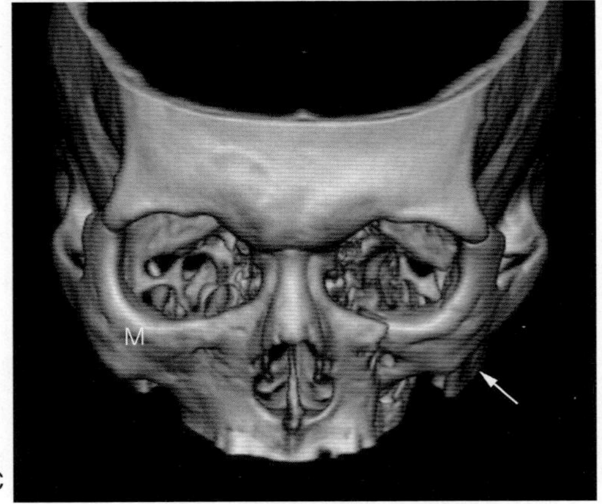

図 80　ZMC 骨折

顔面 CT 冠状断像(A)で左眼窩内側壁，下壁，外側壁の骨折(矢印)，上顎洞の側壁の骨折(矢頭)を認める．より後方のレベル(B)で左眼窩下壁(矢印)，頬骨弓，上顎洞側壁の骨折を認め，眼窩下壁骨折は眼窩下管(健側で矢頭で示す)を侵す．3D-CT(C)では ZMC 骨折により，頬骨隆起(健側で M で示す)の陥没・扁平化(矢印)が描出されている．

表 7　ZMC 骨折の Zingg らによる分類

type A	頬骨 1 支柱の不完全骨折	
	A1	頬骨弓の骨折(既述の孤立性頬骨弓骨折に相当)
	A2	眼窩外側縁あるいは外側壁の骨折
	A3	眼窩下縁の骨折
type B	頬骨体部は保たれた全 4 支柱の骨折(完全な tetrapod fracture)	
type C	頬骨体部とともに全 4 支柱の多分節骨折(粉砕骨折)	

頬骨の 4 つの支柱：前頭頬骨縫合(眼窩外側縁)，頬骨側頭縫合(頬骨弓)，頬骨上顎縫合(眼窩下縁)，頬骨蝶形骨縫合(眼窩外側壁)
(Zingg M, Laedrach K, Chen J et al：J Oral Maxillofac Surg **50**：778-790, 1992)

毛外側切開(lateral eyebrow incision)，眼瞼形成(blepharoplasty)切開により前頭頬骨支柱，type A3 骨折では経結膜切開，下眼瞼切開(lower eyelid incision)により眼窩下縁(頬骨上顎支柱)にプレート固定する[46, 105]．type B 骨折では，偏位が軽度であれば Gilles あるいは Keene アプローチで修復可能な場合もあるが，多くは不安定骨片であり，観血的修復による内固定術(ORIF：open reduction and rigid internal fixation)が必要となる[46]．前頭頬骨支柱あるいは頬骨上顎支柱の 1 点固定，頬骨上顎支柱，前頭頬骨支柱両方の 2 点固定(頬骨前頭縫合を先に固定する)(図 86)，眼窩下縁を加えた 3 点固定(既述の 2 点固定後に眼窩下縁を固定する)(図 81D)，さらに頬骨弓を含む 4 点固定(既述の 3 点固定後に頬骨弓を固定する)などが行われるが，固定点の数には議論があ

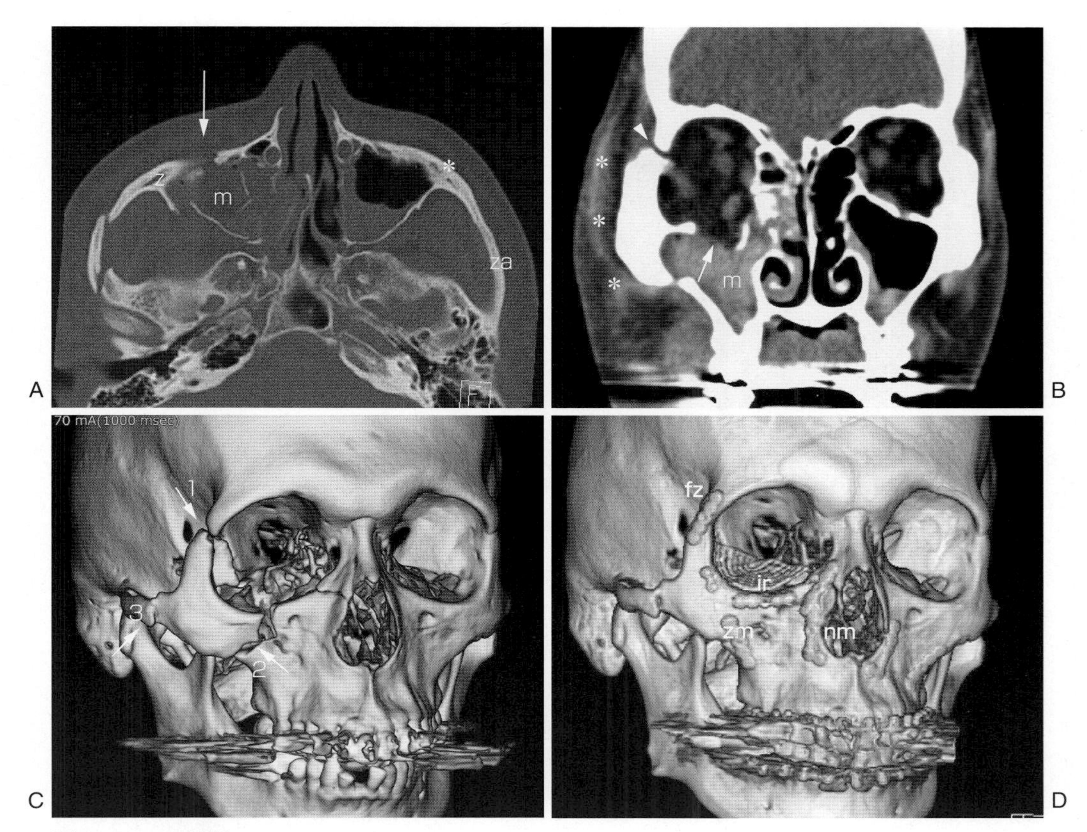

図 81　ZMC 骨折

顔面領域 CT 骨条件横断像(A)において右上顎洞(m)前方からの外力(矢印)により，上顎洞前・後・内側壁の骨折とともに，頬骨(z)の外側後方への偏位，頬骨弓(左側で za で示す)の骨折を伴う．これらにより顔面の幅の増大，頬骨隆起(対側で＊で示す)の平坦化をきたしている．軟部濃度条件冠状断像(B)で右眼窩下壁骨折に伴い，出血性液体貯留による高吸収で占拠される右上顎洞(m)への眼窩内脂肪の膨隆(矢印)を認める．右頬骨前頭縫合の離開骨折(矢頭)，右頬部軟部組織の腫脹(＊)もみられる．3D 表示(C)で右側の頬骨前頭縫合(矢印 1)，頬骨上顎縫合(矢印 2)，頬骨側頭縫合(矢印 3)の骨折を認め，ZMC 骨折に一致する．術後(D)では頬骨前頭支柱(fz)，頬骨上顎支柱(zm)，眼窩下縁(ir)の 3 点固定に加えて，鼻上顎支柱(nm)に対してプレート固定が施行されている．

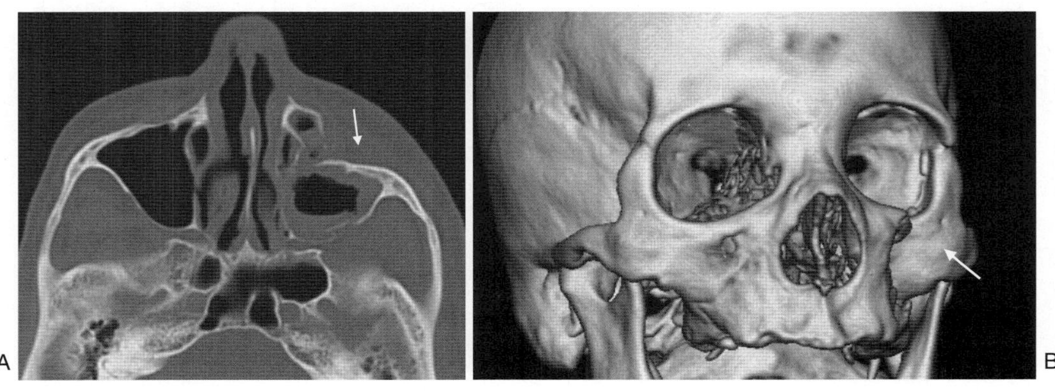

図 82　ZMC 骨折

顔面レベルの CT 横断像(A)で左側の ZMC 骨折を認め，頬骨前面の陥没(矢印)により頬骨隆起の平坦化・陥凹を認める．同例の 3D-CT(B)において，頬骨隆起の平坦化・陥没(矢印)がより明瞭に把握される．

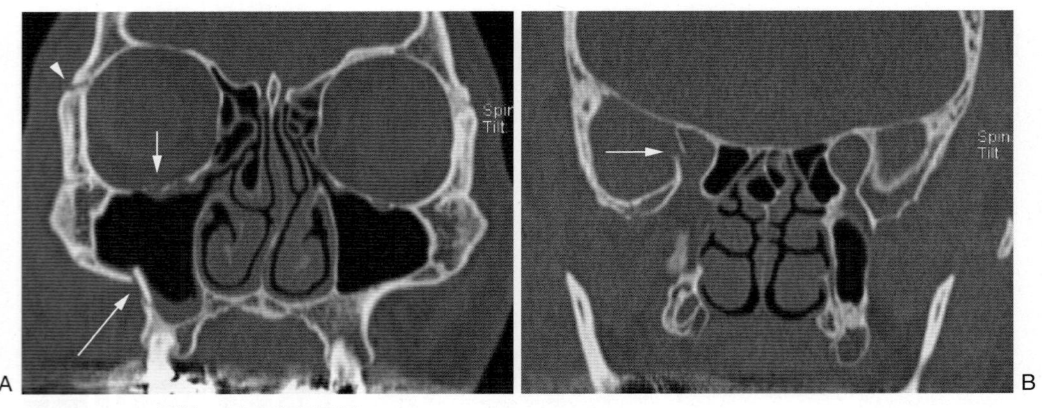

図83　ZMC骨折；眼窩尖部骨折

上顎洞レベルCT骨条件冠状断像(A)において，右側の眼窩下管領域での眼窩下壁骨折(小矢印)，上顎洞側壁骨折(大矢印)，頬骨前頭縫合の離開(矢頭)を認め，ZMC骨折に合致する．眼窩尖部レベル(B)で右眼窩尖部側壁の骨折(矢印)を認める．

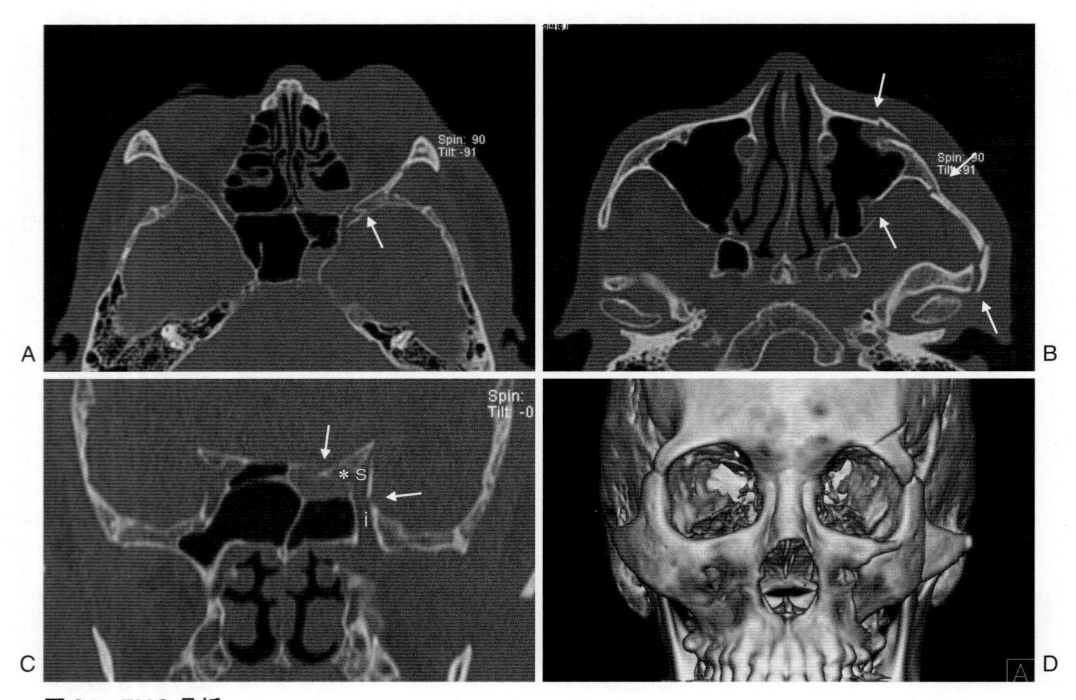

図84　ZMC骨折

眼窩レベルのCT横断像(A)において，左眼窩尖部の骨折(矢印)を認める．上顎洞レベル(B)で左上顎洞の前壁・後側壁，頬骨弓の骨折(矢印)を認める．眼窩尖部レベルのCT冠状断像(C)では，左眼窩尖部において，視神経管(＊)，上眼窩裂(s)・下眼窩裂(i)に近接した骨折(矢印)を認める．同症例の顔面領域の3D-CT(D)．

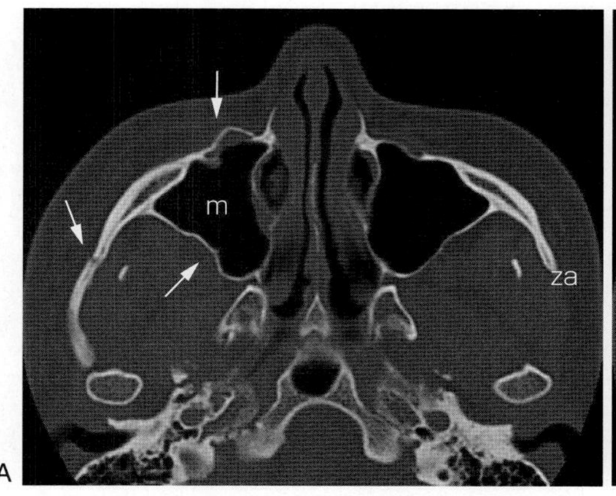

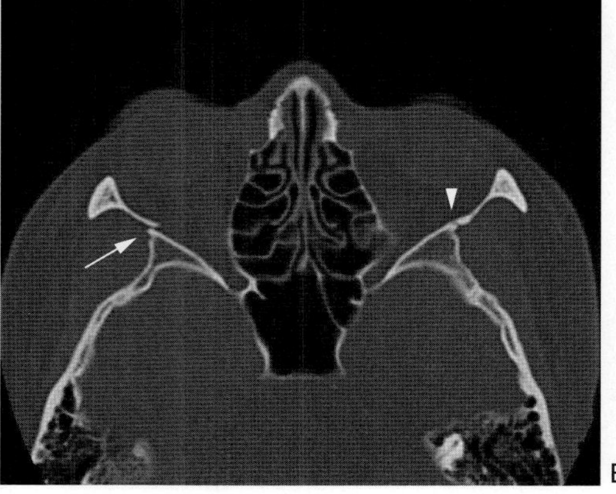

図 85　ZMC 骨折；頬骨蝶形骨縫合部の骨折
　上顎洞レベル CT 骨条件横断像(A)において，右上顎洞(m)の前壁，後側壁，頬骨弓(左側で za で示す)の骨折(矢印)を認める．眼窩レベル(B)では右眼窩外側壁の頬骨蝶形骨縫合(左で矢頭で示す)での非連続性，軽度偏位(矢印)を認める

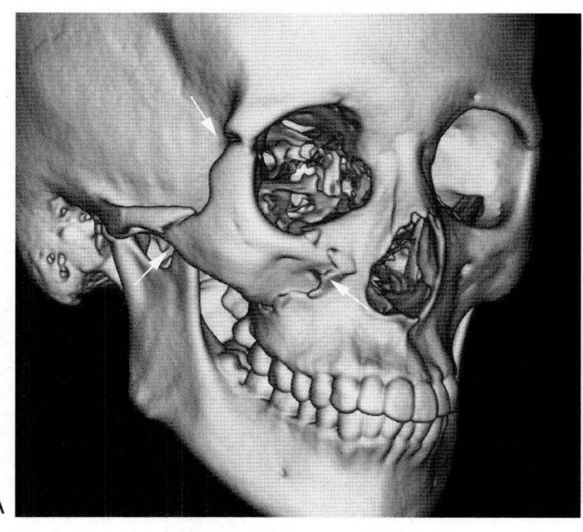

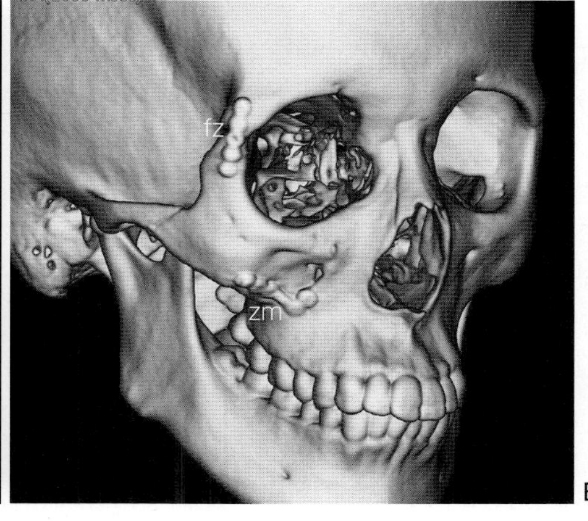

図 86　ZMC 骨折に対する 2 点固定術
　顔面領域 CT の 3D 表示(A)において，右側の ZMC 骨折(矢印)を認める．術後(B)では頬骨上顎支柱(zm)，前頭頬骨支柱(fz)の 2 点に対するプレート固定が施行されている．

り，30〜40％の例が 1 点固定で十分との報告[110]がある一方で，2 点固定で十分[111]，あるいは 3 点固定が 2 点固定よりも優れる等の報告[112]もみられる．なお，眼窩底の修復が必要な場合(50％以上あるいは 1〜2 cm^2 よりも大きな範囲の損傷)は上記の頬骨固定後に行う[105]．type C 骨折では全例で十分な露出による ORIF が必要となる．NOE 骨折併発例では術前 CT でこれを認識しておくことが重要である[113]．多くで歯肉頬粘膜移行部切開のアプローチがとられるが，同アプローチでは眼窩下縁まで到達可能である．ミニプレート，マイクロスクリューにより固定される(図 87，88)．重篤例や両側性骨折では両側性あるいは片側性冠状切開アプローチがとられる場合がある．最近は内視鏡下の鼻内アプローチによる修復の報告もある[114]．術後合併症では医原性失明が最も重篤である．プレートの偏位・脱落，骨髄炎，偽関節化などの頻度は 4％未満であるが，(経口的アプローチのため)頬骨上顎支柱，鼻上顎支柱のプレートに生じやすい[115]．4 週以内に再手術を必要とす

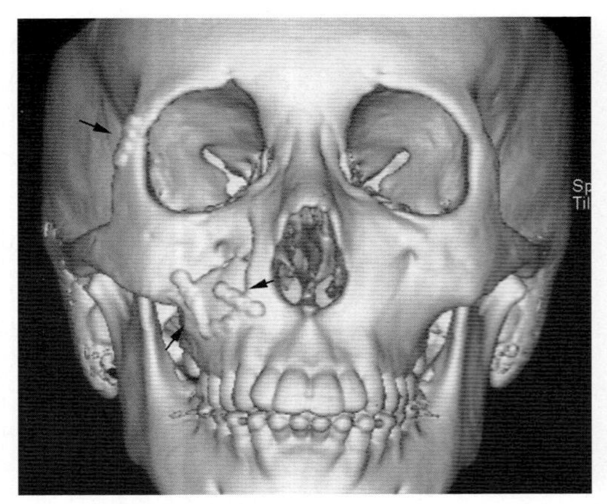

図 87　ZMC 骨折術後
顔面頭蓋 3D-CT で右側の三脚骨折および骨折部におかれた金属性ミニプレートが認められる(矢印).

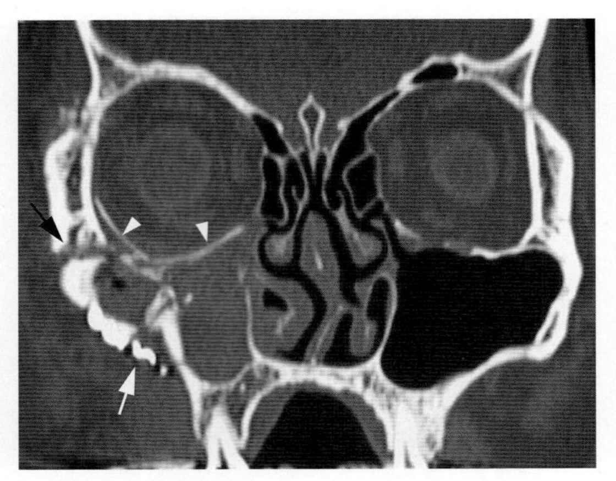

図 88　ZMC 骨折術後
顔面頭蓋 CT 冠状断像において三脚骨折(矢印)を認め，広範な損傷をきたした眼窩下壁は腸骨からの自家骨グラフト(矢頭)により再建されている.

るのは最大 5%であり[116]，一般に術後の長期予後は良好である．骨折部での配列不整や術後偏位の発現率は比較的高く，20～40%で顔面非対称を示すが，重度の非対称性は3～4%とされる[105, 110, 117]．なお，術後偏位は咬筋による牽引，手術での修復不全が原因となる[104]．永続的な知覚障害(眼窩下神経)の頻度は22～65%である[118]．

4 下顎骨骨折

1) 原　因

下顎骨骨折は顔面骨骨折において鼻骨骨折に次いで頻度が高く，外科的修復を要する顔面骨骨折では最も多い[119]．孤立性あるいは他の顔面骨骨折と合わせて生じる．顔面骨骨折例の 24.3%を占め[120]，頸椎損傷例の 91%[77]が下顎骨骨折を合併するとされる．要因としては暴行，交通外傷が最も多く，その他として転倒，スポーツ外傷，労災などが含まれ，20～30 歳代の男性に多い．女性では 25%が転倒で，家庭内暴力の可能性も考慮する必要がある[121]．下顎骨の萎縮(頭尾側径が 15～20 mm 以下)や無歯顎(血流の低下を生じる)では骨折を生じやすい[122]．

2) 分　類

骨折部位(図 89)による分類としては，以下のように区分され，各部位における発生頻度を図 89A に示す[123]．

①オトガイ結合部(symphyseal)：両側内側切歯間の正中部(図 90)・傍オトガイ結合部(para-symphseal)：左右の犬歯歯槽部の間の傍正中部(図 91，92)

②体部(body)：傍オトガイ部遠位から咬筋前縁(図 93～95)

③下顎角(angle)：咬筋前縁，咬筋の後上縁の間の三角形の領域(図 96)

④下顎枝(ramus)：下顎角上縁から S 状切痕最深部を通過する線の間(図 97～99)・関節突起 / 頸(condylar process/neck)(図 91～93，99)・筋突起(coronoid process)

臨床的には治療方針(修復や固定の要否判断)の違いにより，下顎骨骨折全体を関節突起部の骨折(condylar fracture)と関節突起部以外の骨折(noncondylar fracture)に大きく2つに区分する[124]．

また，骨折の性状では以下に分類される．

①単純性・閉鎖性骨折：皮膚，粘膜，歯周膜などの外環境との交通のない骨折

②複雑・開放性骨折(図 96)：皮膚，粘膜，歯周靱帯などの外環境と交通のある骨折

③粉砕骨折：骨が破砕されている骨折(図 95)で，下顎骨骨折の 5～10%に相当し，高率に咬合不全，癒合不全を生じる[125, 126]

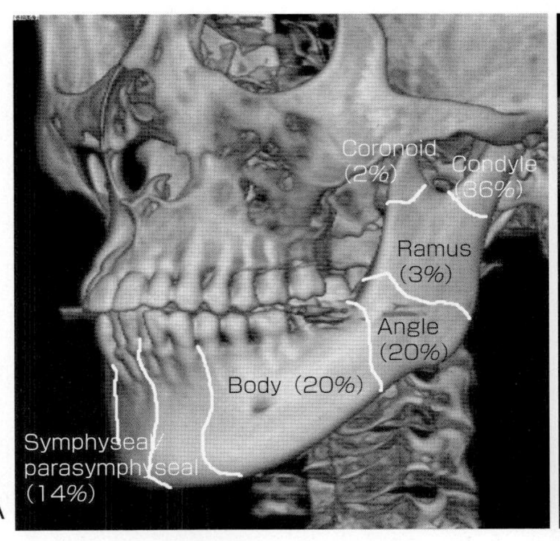

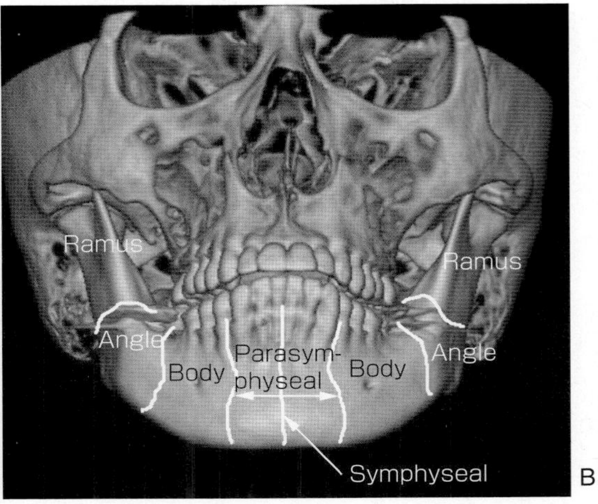

図 89　下顎骨骨折部位による分類
顔面骨 3D-CT：左前方からの表示(A)・正面からの表示(B).
(　)内は下顎骨骨折の部位ごとの発生頻度[26].

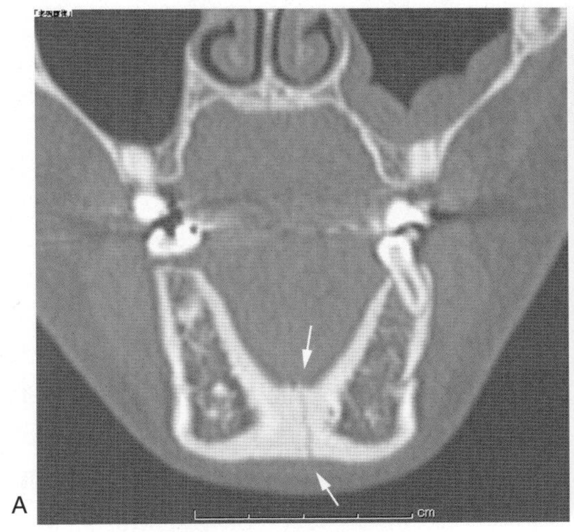

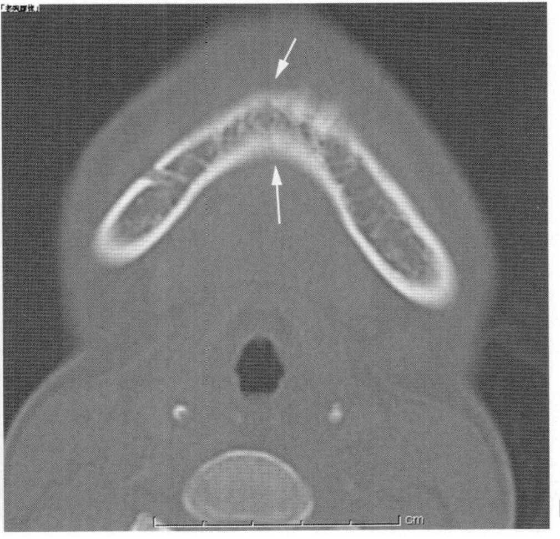

図 90　下顎骨オトガイ結合部骨折
下顎骨 CT 冠状断像(A)および横断像(B)において，下顎骨体部正中のオトガイ部に骨折(矢印)を認める.

④その他：病的骨折，若木骨折，嵌入骨折，萎縮性骨折など

3) 受傷機転と骨折のメカニズム

Fridrich らの検討によると，一般に自動車事故では関節突起頸部，自転車・バイク事故ではオトガイ・傍オトガイ結合部，暴行では下顎角での骨折の頻度が高く，下顎骨骨折例の 43％で合併損傷(内訳：頭部外傷が 39％，頭頸部裂傷が 30％，顔面中央部骨折が 28％，眼球損傷が 16％，鼻骨骨折が 12％，頸椎損傷が 11％)を認めるとしている[127].

下顎骨は圧迫に対しては抵抗力をもつが，張力の加わった部位で骨折を生じる．オトガイ結合，オトガイ孔あるいは下顎骨体部への前方からの外力により対側関節突起に張力が生じ，関節突起は関節窩から後下方へ外耳道前壁に向けて外力が伝導する．構造的に脆弱な下顎孔近位の下顎骨体部，埋没歯近位の下顎角(図 96)が骨折の好発部

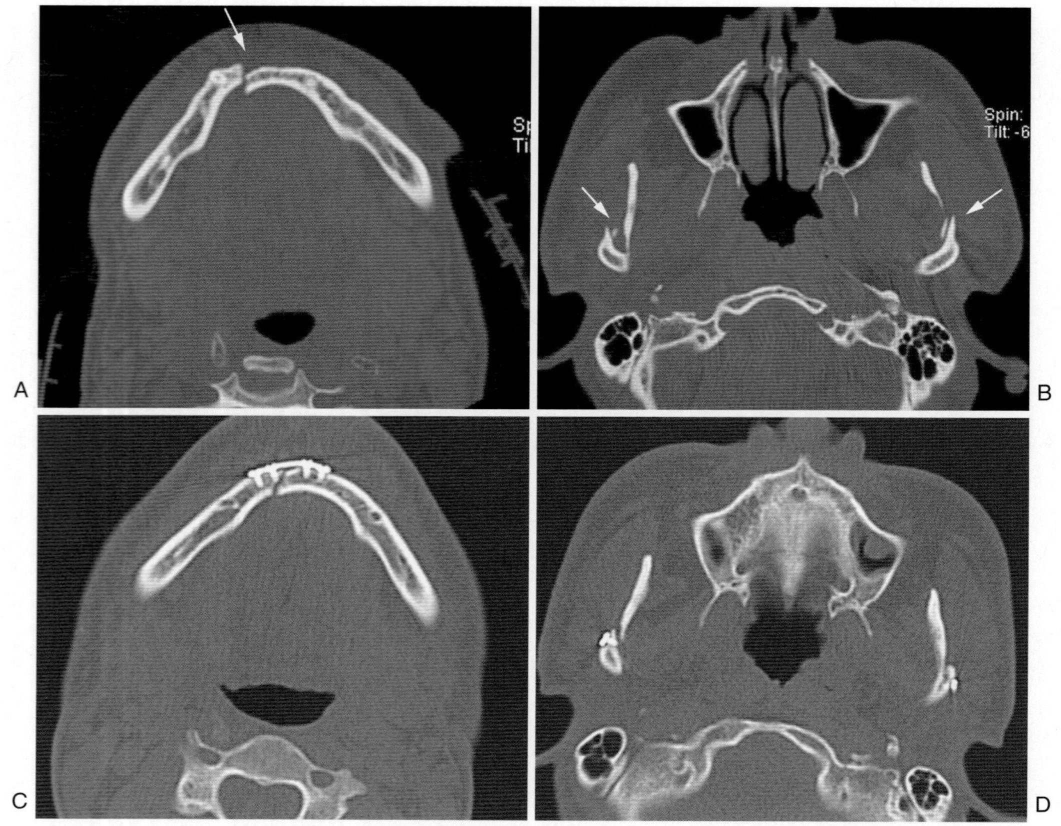

図91 傍オトガイ部・両側関節突起骨折(金属プレート・ミニスクリューによる固定)
下顎骨体部レベルCT横断像(A)で右傍正中の傍オトガイ部骨折(矢印),関節突起レベル(B)で両側性の関節突起骨折(矢印)を認める.
術後(C, D)では,各々,金属プレート,ミニスクリューにより固定されている.

位となるが[128],第3大臼歯の存在により,下顎角骨折の発生頻度はほぼ倍になる.下顎骨の形状は閉鎖した“リング”として作用することから,多発骨折(約半数)の頻度が高く,Olsonらの下顎骨骨折580例の検討において2ヵ所の骨折(図92, 99)が37%,3ヵ所以上の骨折(図91, 93)が9%であったとしている[129].オトガイ結合部・傍オトガイ結合部骨折では片側,対側関節突起の骨折を合併する頻度が高い[129, 130].顎関節脱臼(図99, 100)も高頻度に認められ,まれにオトガイ結合部から関節頭への外力の伝播により,外耳道骨折(図101)や関節頭の中頭蓋窩への嵌入(図102)をきたす.

咀嚼筋の付着・作用は下顎角・体部での骨折後の骨片偏位に影響があり,前方の骨片は顎二腹筋前腹,オトガイ舌筋,オトガイ舌骨筋により後下方,後方の骨片は咬筋,側頭筋,内側翼突筋により上内側に牽引される傾向にある.偏位のある“unfavorable fracture”と,咀嚼筋により偏位が抑制されている“favorable fracture”とに分けられる.両側の傍オトガイ結合部骨折ではオトガイ結合部が自由片となり,これに付着するオトガイ舌筋,オトガイ舌骨筋,顎二腹筋前腹が作用を失い,舌の後方偏位による気道狭窄の危険性がある.

4) 症 状

症状として,疼痛,咬合障害,下口唇・顎の感覚障害(V3)などを訴えるが,咬合障害の出現は顎骨骨折を強く示唆する.下口唇・顎の感覚障害に関しては,偏位のない骨折ではほとんど認められない一方で,偏位のある下顎孔遠位の骨折ではしばしば認められる.

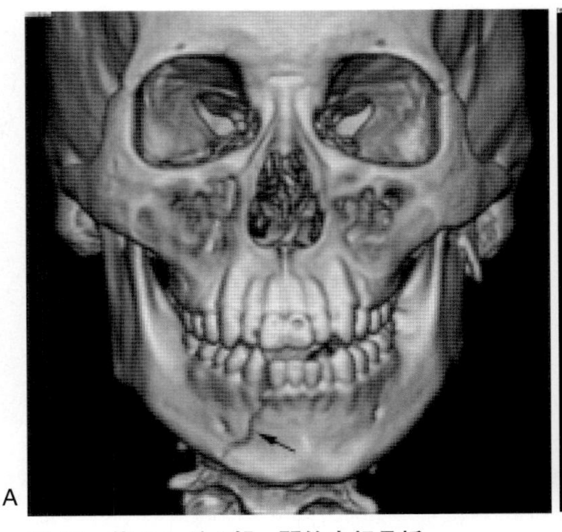
A

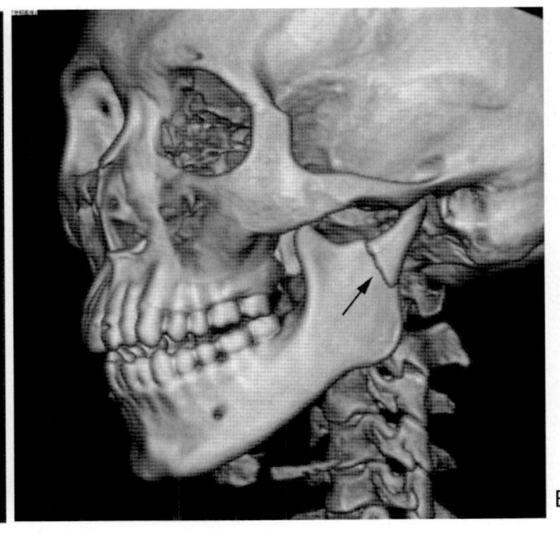
B

図 92　傍オトガイ部・関節突起骨折
顔面領域 3D-CT において，右傍オトガイ部(A：矢印)，左関節突起(B：矢印)の骨折を認める．

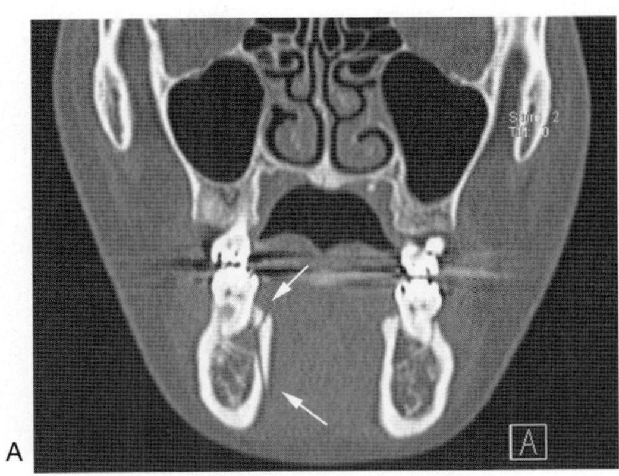
A

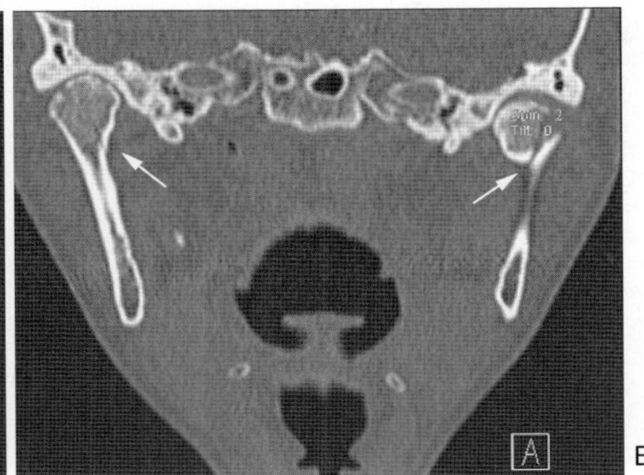
B

図 93　下顎骨体部・両側関節突起骨折
下顎骨体部レベル CT 冠状断像(A)で右体部(矢印)，顎関節レベル(B)で両側関節突起の骨折(矢印)を認める．

5）画像診断

下顎骨骨折において，骨折の数・分節化，脱臼・回旋の有無・程度，顔面骨あるいは頭蓋底骨折，頸椎損傷などの合併損傷の有無・程度，軟部組織損傷の把握などが重要な評価項目となる．単純 X 線撮影では(パノラマ撮影を含む)最低 2 方向での評価が必要で，顎関節も含めた下顎骨全体の撮影を要する．パノラマ撮影では下顎骨後方の骨折を見落とす傾向がある．関節突起や下顎頸骨折，歯根骨折はパノラマ撮影でも明瞭に描出されるが，近位骨片の側方向への偏位や回旋の評価には CT が有用である [131]．下顎骨骨折の感度は単純 X 線撮影では 86％であるのに対して，CT は 100％とされる [132]．CT は(単純 X 線撮影で感度の低い)下顎骨後方の骨折とともに頸椎などの合併損傷の評価にも有用である [133]．MRI の適応は多くないが，関節突起部の骨折で関節突起・頭の偏位を示す例(dislocated condylar fracture)では，(偏位のない例と比較して)顎関節により高度の障害をきたし，MRI 所見として関節円板の前下方への転位や断裂，関節包の破綻などを示す場合が多い [134]．

6）治　療

外傷前の咬合(外傷前咬合が正常でなかったと

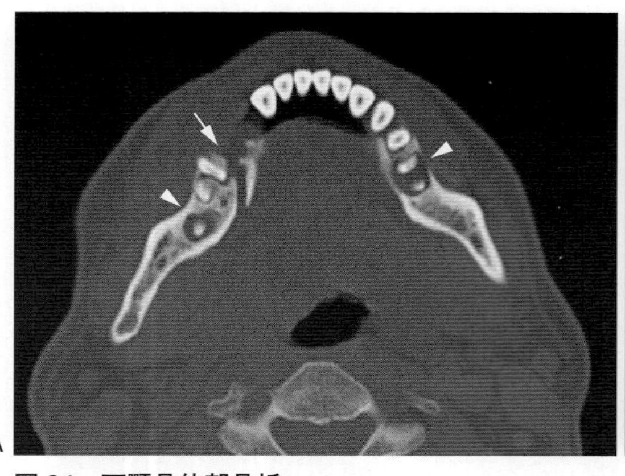

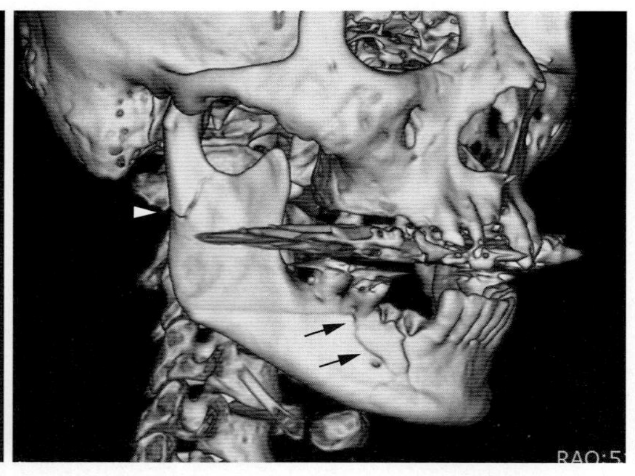

図 94　下顎骨体部骨折
下顎骨レベル CT 骨条件横断像(A)において，下顎骨右体部に骨折線を認め，歯周病，根尖病変により周囲歯槽骨吸収を示す下顎右第 1 大臼歯部の歯槽に達する(矢印)．下顎右第 2 大臼歯，下顎左第 1 大臼歯にも根尖病変(矢頭)を認める．3D 表示(B)で下顎骨右体部の骨折線(矢印)が下顎右第 1 大臼歯歯槽を侵している．

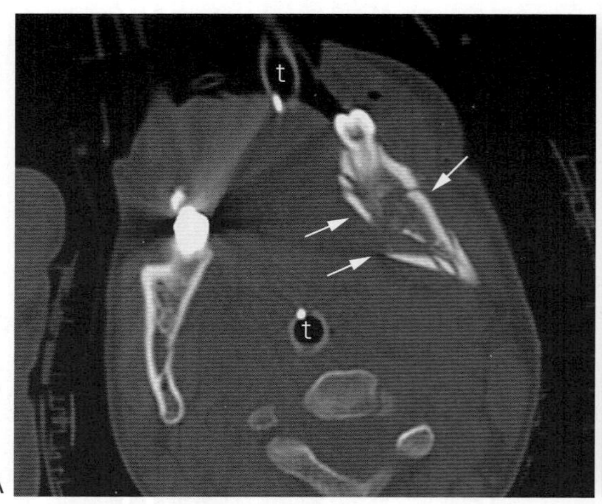

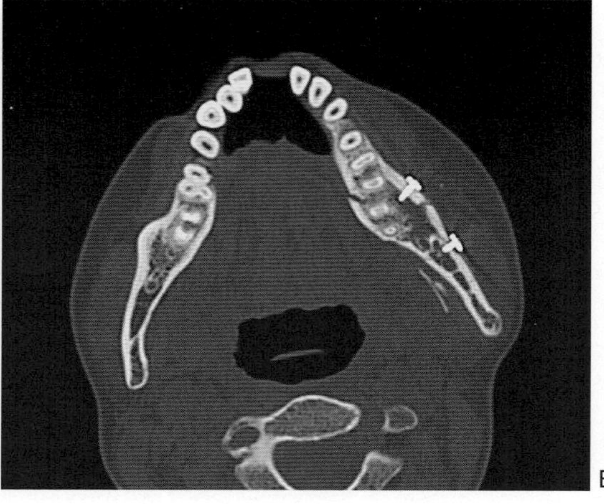

図 95　下顎骨体部骨折
下顎骨レベル CT 骨条件横断像(A)において，下顎骨左体部の多分節化(矢印)がみられ，粉砕骨折に一致する．t：気管内挿管チューブ．術後(B)では ORIF 後のスクリューがみられる．骨折は比較的良好な癒合を示す．

しても)の復元が骨折修復の目的となる．外科的修復の要否・適応に関しては，関節突起部の骨折(condylar fracture)と関節突起部以外での骨折(noncondylar fracture)に分けて判断される場合が多い．condylar fracture による咬合不全が最も多く，condylar fracture の 1.4～13％で生じるとされる[135]．下顎骨骨折の 25～40％を占める condylar fracture に対して，容易かつ侵襲性が低いことから非観血的修復(closed treatment・closed reduction)が施行されてきたが，近年は観血的な修復および内固定術(open reduction and rigid internal fixation：ORIF)(図 91，93，103)での治療後機能の優位性が示されている[136]．非観血的修復の適応は下顎枝の高さの短縮が 2 mm 未満で偏位角度が 10 度未満で，下顎枝の高さ短縮が 15 mm より大きく，偏位角度が 45 度より大きい場合は観血的修復が必要となる[137]．ORIF は術直後から顎骨の運動機能の回復を示す一方[138]，顔面神経損傷などの合併症のリスク，切開創の瘢痕などが問題となる[139]．

外科的修復の時期に関しては理論的には早期固定(48～72 時間以内)が望ましい．Biller らは手術時期の遅延により咬合不全，顔面神経の下顎縁枝不全麻痺，疼痛，非感染性創部離開の危険性が高

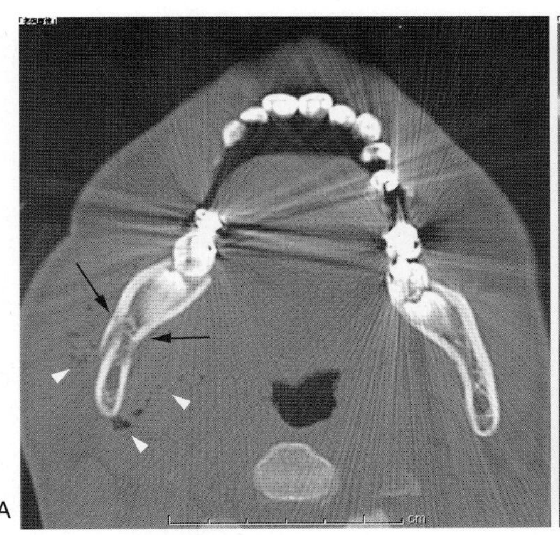

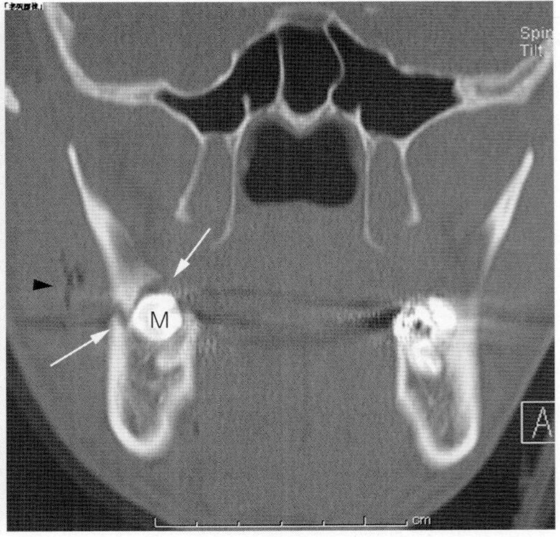

図 96　下顎角開放骨折
下顎骨角レベル CT 横断像(A)において右下顎角の骨折(矢印)を認め，隣接する軟部組織内に不規則に空気濃度(矢頭)の混在あり．冠状断像(B)で下顎角の骨折線(矢印)は大臼歯(M)歯周膜に達する．隣接軟部組織内の空気濃度(矢頭)あり．

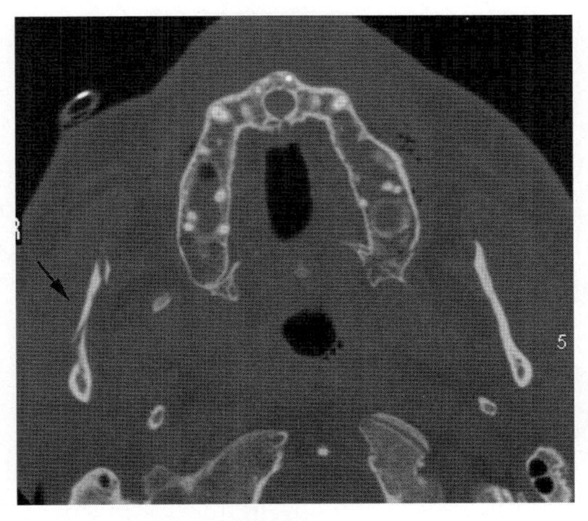

図 97　下顎骨上行枝骨折
下顎骨上行枝レベル CT 横断像において，右上行枝に骨折線(矢印)を認める．

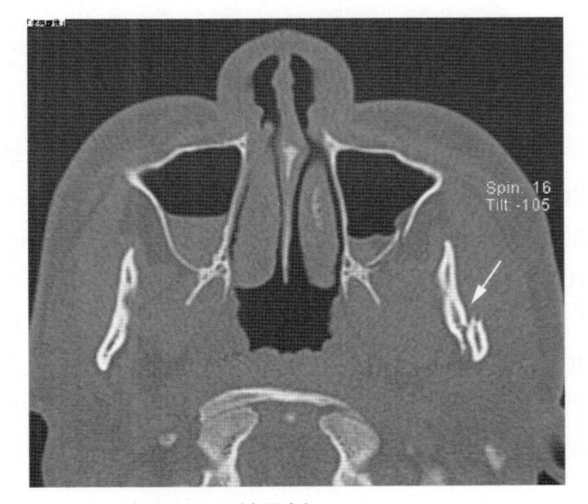

図 98　下顎骨上行枝骨折
下顎骨上行枝レベル CT 横断像において，左上行枝に骨折線(矢印)を認める．左上顎洞の側壁(矢頭)にも骨折あり．

いとしている[140]一方で，Barker ら[141]，Lucca ら[142]の検討では有意差はないともされており，依然として議論がある．

開放骨折(図 96)では抗菌薬投与が感染リスクを有意に低下されることが知られており，歯周靱帯(periodontal ligament)を侵す骨折(図 94)では，治療選択にかかわらず速やかな抗菌薬(ペニシリン系薬剤が最も多く用いられる)投与が望まれる[132]．なお，受傷後 48 時間以上経過している場合は(創部感染を伴う)開放骨折と同様に扱われる[143]．一方，術後抗菌薬投与の有用性は確立されていない[144]．骨折線上にある歯(図 96)は慎重に評価し，過度の可動性，歯根露出，歯髄の露出した歯の破折，齲歯の歯髄露出では抜歯が必要となる．ただし，配列不整のない健全な歯の抜歯は周囲骨の不安定性と感染リスクを高めることとな

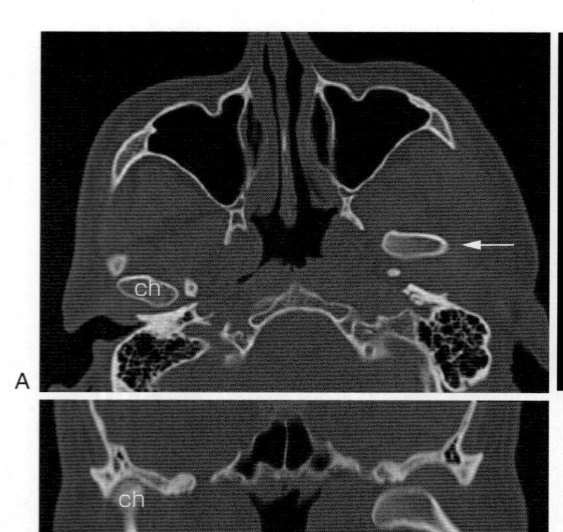

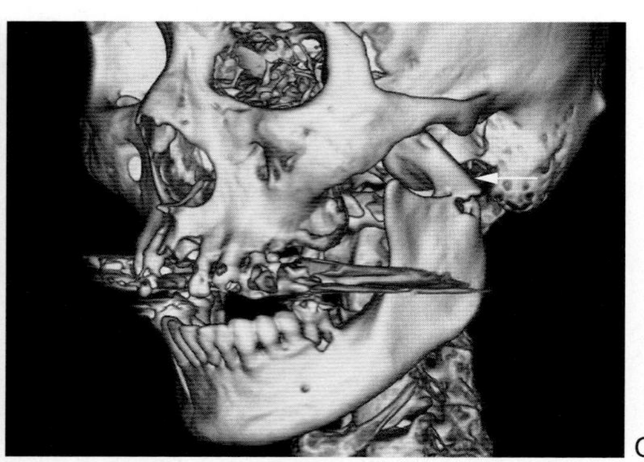

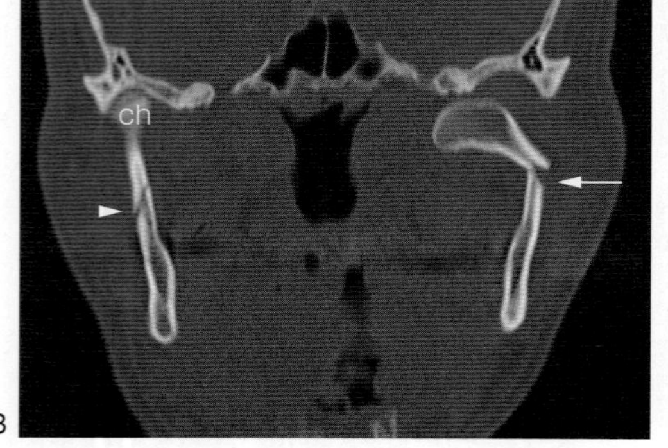

図 99　下顎骨関節突起・下顎枝骨折
顎関節レベル CT 骨条件横断像(A)において左関節頭(対側で ch で示す)は前方への脱臼(矢印)を示す．同冠状断像(B)で右下顎枝(矢頭)，左関節突起基部(矢印)での下顎骨骨折，左関節頭(対側で ch で示す)の内側への脱臼・偏位を認める．3D 表示(C)で左関節突起基部の骨折，関節頭の偏位(矢印)が明瞭に描出されている．

り，温存しなければならない[144]．偏位のない骨折，粉砕骨折などでは，外科的侵襲性の低い非観血的修復が行われるが，arch bar と顎間固定(図 104)により骨の治癒には約 6 週を要し，4 週〜2 ヵ月間は流動食のみとなり，経過中の誤飲や長期の顎間固定後の顎関節機能障害などにも注意を要する．非観血的修復では，25 歳以上で関節突起の偏位が大きい例で術後の下顎機能不全が多く，女性，関節内骨折が慢性疼痛を訴える予後因子と報告されている[145]．無歯顎の顎間固定には特別の手技を要する．偏位のある骨折，関節突起骨折，顔面骨折の合併例などでは，ORIF でのチタンプレートによる固定(図 91，98)が施行される．顔面骨骨折の合併例では下顎骨骨折の修復から行われる．なお，無歯顎例は(咬合不全が問題とならないため)求められる修復での正確性はやや低くなる[132]．

無治療経過観察では 4 週，外科的修復後では 8 週以内に骨折部治癒が得られない場合に癒合不全，遷延とされるが[146]，下顎骨骨折の 2.8％(主に体部，下顎角)で癒合不全による偽関節化(図 105)を認め[119, 147]，再手術(デブリードメント，適切な修復および固定)が必要となる．また，他の合併症として，関節内出血や線維化などによる顎関節固定を認める場合がある．

B　穿通性口腔・咽頭損傷

穿通性口腔・咽頭損傷(penetrating intraoral/pharyngeal injury，Lollipop injury)は，歯ブラシ，鉛筆，ペン，箸，棒付きキャンディー(Lollipop)などの細長く尖った物質を口にくわえたまま転倒することにより生じる比較的まれな咽頭の穿通性外傷で，男児が女児の 2〜3 倍多い[148]．本来，(後述の)頸部穿通性外傷に含まれるが，粘膜に穿通部位を有する本症はここで別に解説する．東京消防庁の発表(http://www.tfd.metro.tokyo.jp/lfe/topics/201506/hamigaki.html)では，2010 年から 2014 年の間に歯ブラシに関連した小児の外傷で 207 例が救急搬送され，1〜2 歳児(1 歳児が 46.8％，2 歳児が 29.4％)が全体の 76.3％を占めている(文献的な好発年齢は 3

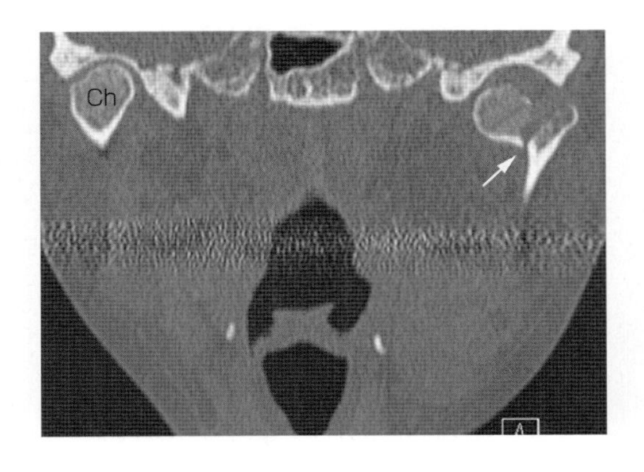

図 100　顎関節脱臼を伴う関節頭骨折
顎関節レベル CT 冠状断像において下顎骨左関節頭の骨折(矢印)を認めるとともに，顎関節脱臼の所見あり．Ch：健側の関節頭

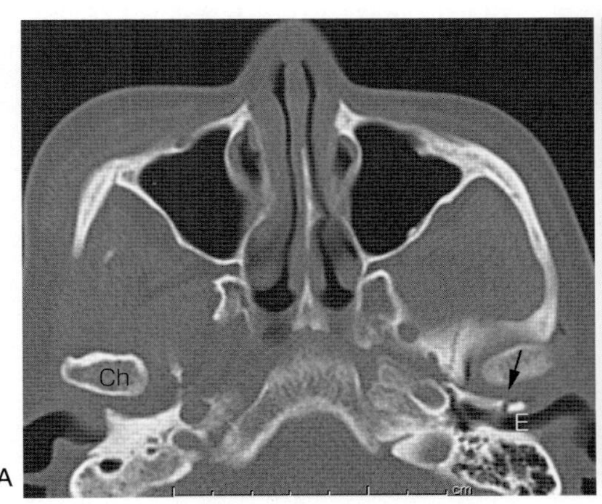

A

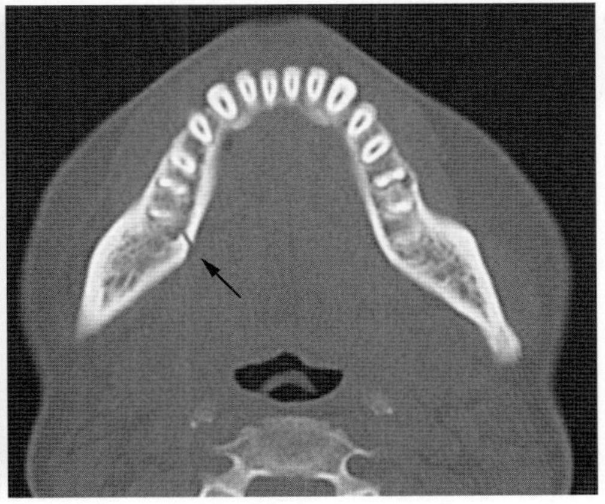
B

図 101　外耳道骨折を伴う下顎骨骨折
外耳道レベル CT 横断像(A)で左外耳道骨部(E)前壁の骨折(矢印)を認める．左下顎頭(右側で Ch で示す)周囲軟部組織に散在性に空気濃度あり．下顎体部レベル(B)で右体部の骨折(矢印)を認める．

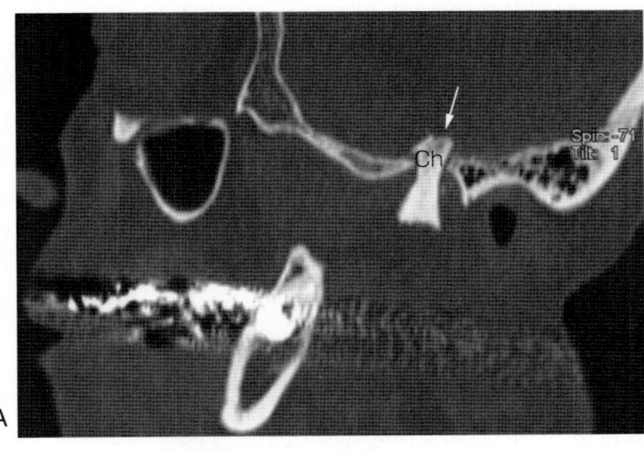

A

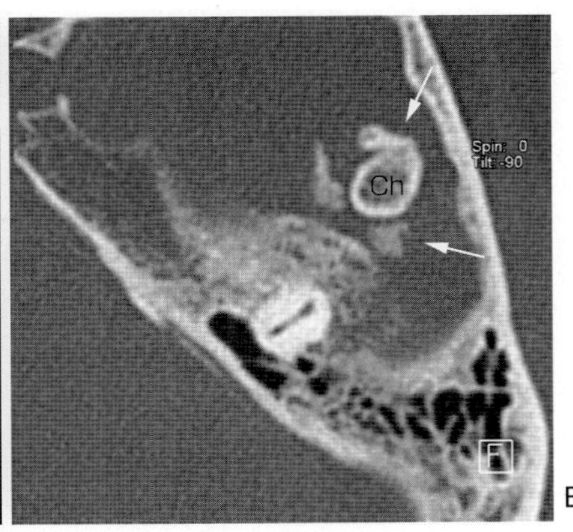

B

図 102　下顎骨関節頭の中頭蓋窩への嵌入
左顎関節レベル CT 矢状断像(A)および左側頭骨レベル横断像(B)において，下顎骨関節頭(Ch)は関節窩の骨折部を介して，中頭蓋窩に嵌入を示す(矢印)．

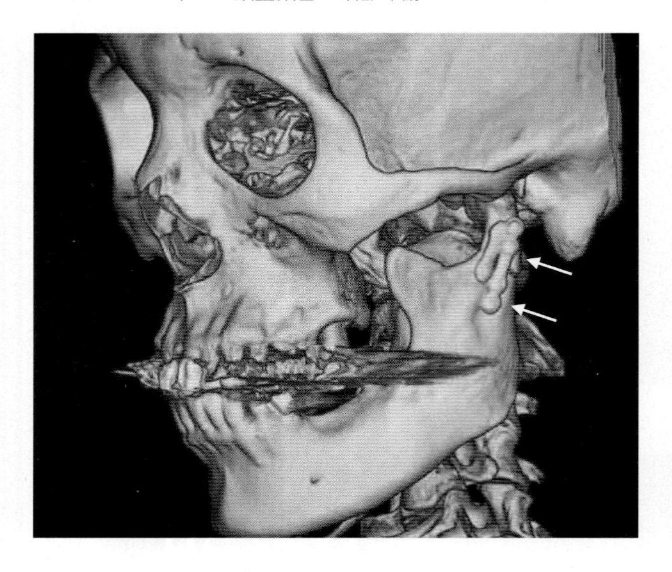

図103　下顎骨関節突起骨折およびORIFによる修復後
　顔面領域3D-CTにおいて，下顎骨左関節突起の骨折およびミニプレートによる修復後変化(矢印)を認める.

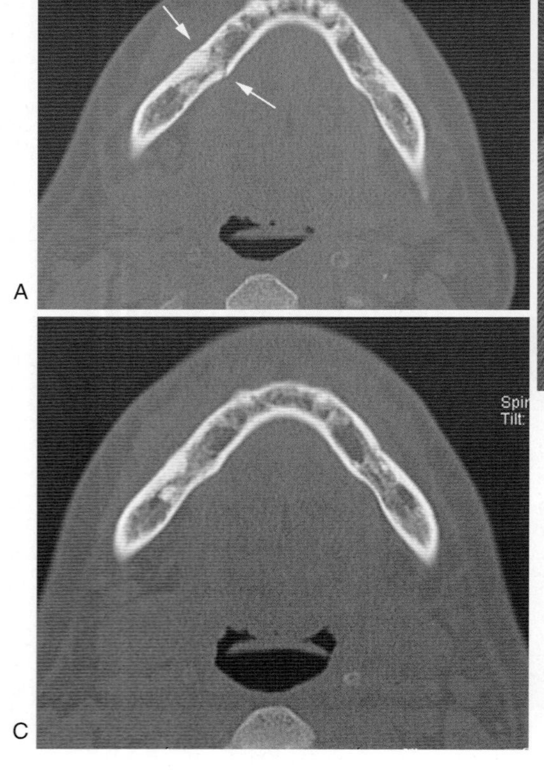

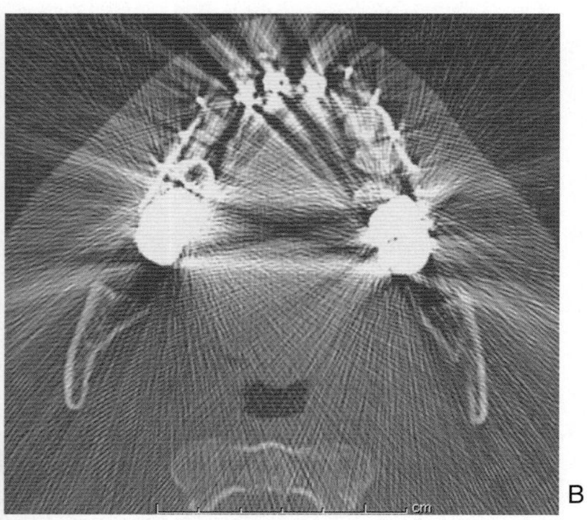

図104　顎間固定により治癒した下顎骨骨折
　下顎骨体部レベルCT横断像(A)において，右体部に偏位を示さない骨折(矢印)を認める．顎間固定(B)が施行され，良好な治癒(C)が得られた.

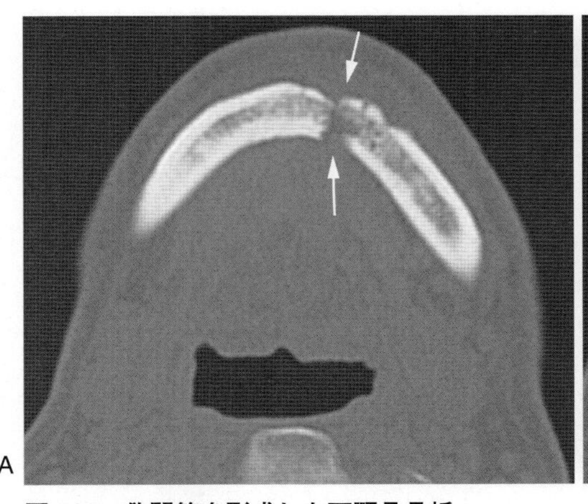

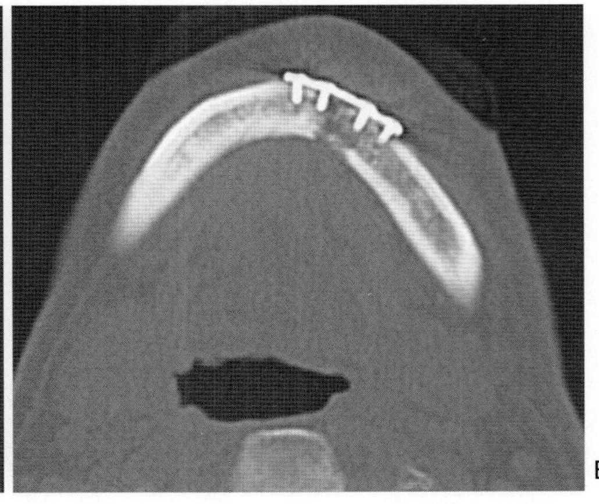

図 105　偽関節を形成した下顎骨骨折
下顎骨レベル CT 横断像(A)で左傍オトガイ部の骨折(矢印)を認める．保存的治療が施行されたが，軽度の偏位とともに骨折線に沿った不整な骨吸収がみられ，偽関節形成を示す．その後，金属プレートでの固定が行われた(B)．

～4 歳とされる[149)]．64.3%が躓き・転倒，9.2%が衝突，6.8%がイスからの落下による損傷で，重篤な障害は 2 例，29 例が入院を要したとしている．小児例では症例により虐待の可能性も考慮しなければならない．

損傷部位としては口蓋扁桃(主に上極)，咽頭後壁(図 106～108)が最も多く，次いで軟口蓋(図 109)に認められる[150)]．医原性の原因として内視鏡(図 110)や経鼻胃管，気管内挿管チューブなどによる咽頭壁損傷があげられ，喉頭蓋谷，梨状窩，食道入口部などが損傷部位となる．

症例の多くは無治療あるいは(抗菌薬投与など)保存的治療にて軽快するが，推定より損傷は深くより複雑な場合もあり，頭蓋底から頭蓋内損傷，頸部の重要血管(頸動脈，椎骨動脈，頸静脈)損傷，神経障害，咽後膿瘍などの深頸部膿瘍や血腫・気腫，縦隔炎・膿瘍・気腫，肺炎などの他，気管，食道，椎体などへの障害をきたしうる[150, 151)]．外科的処置を要する例は約半数とされる[152)]．血管損傷に対して，EAST (Eastern Association for the Surgery of Trauma) ガイドライン[153)]では，Biffl らにより提唱された grading (表 8：p1204)[154)]が用いられて，grade I，II ともにアスピリンなどの抗血栓薬による治療が推奨されている．創部や全身状態が重篤でない例であっても，頸動脈損傷による脳梗塞，頸静脈塞栓(図 108)による脳浮腫などを遅発性に示す場合がある[155)]．頸動脈閉塞の症状発現まで，受傷後 1 時間から最大 60 時間が想定され，12.5%は 24 時間以上を要する[149, 156)]．これらの例の 40%は難治性痙攣などの重度後遺症を残し，死亡率は約 20%とされる[149)]．特に咽頭側壁損傷では神経血管損傷の可能性が考慮されるが，実際にはまれである．損傷起点，損傷程度のいずれもが神経血管損傷との明らかな相関を示さず，臨床的に顕在化するのに数日から数週を要する場合もある[157)]．一方で感染に関しては，口腔・咽頭損傷の 4～8%で咽後膿瘍，縦隔膿瘍などの合併症をきたすとされ[151, 158)]，後方の咽頭を刺入部とする損傷でより頻度が高いとされる[149)]．また，歯ブラシの微生物汚染(約 $10^{7\sim8}$ コロニー)による感染発症への関与が推定されている(図 108)[149)]．基本的な治療戦略は創部(刺入部)の開放，デブリードメント，止血，創部洗浄と排膿となる[159)]．創部汚染，1 cm を超える裂傷では抗菌薬投与が推奨される[160)]．

神経血管損傷などの深部損傷の有無・程度，気道狭窄，深頸部膿瘍や迷入異物同定などの評価を目的として CT が施行される(血管損傷の疑いがある場合は造影剤を投与)．早期診断が重要であり，小児例が多いことから受傷時の状況が不明の場合も多く，症状に乏しいとしても合併損傷の可

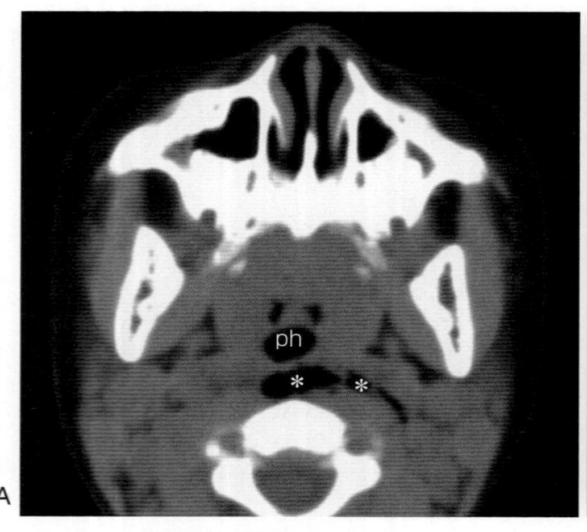

A

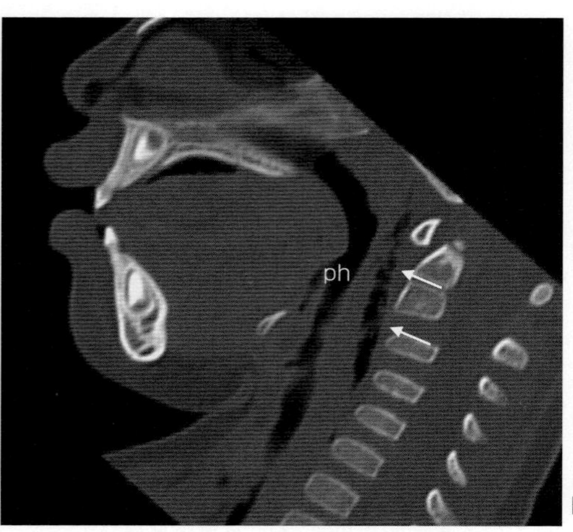

B

図 106　穿通性咽頭損傷（3 歳男児）

歯ブラシをくわえて転倒，受傷．中咽頭レベルの CT 横断像（A）において，咽頭後間隙に軟部組織気腫（＊）を認める．明らかな咽後膿瘍の形成はみられない．ph：中咽頭腔．同矢状断骨条件表示（B）において，咽頭（ph）後方軟部組織に気種（矢印）を認める．

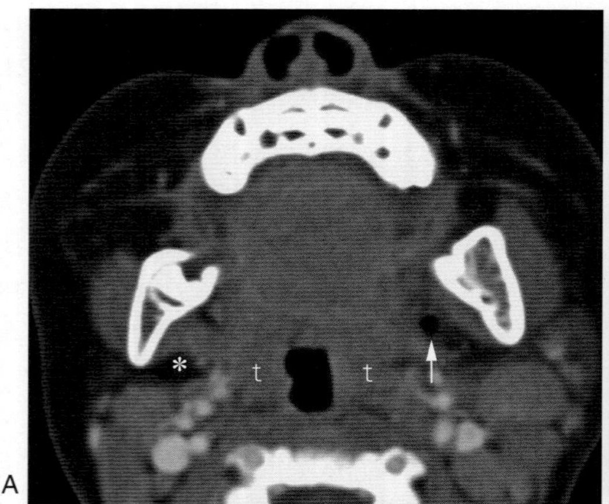

A

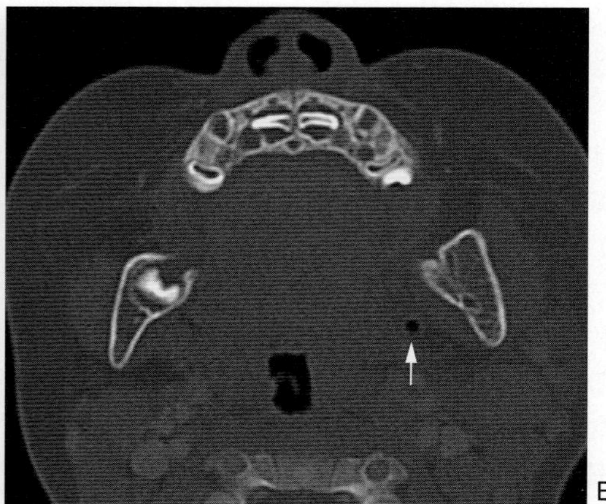

B

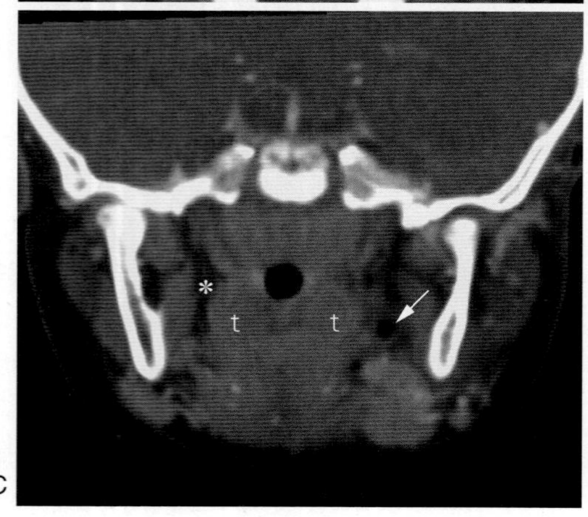

C

図 107　穿通性咽頭損傷（2 歳男児）

箸をくわえたままイスから転落し受傷．中咽頭レベル CT 横断像（A）において口蓋扁桃（t）深部に隣接する左傍咽頭間隙（対側で＊で示す）に空気濃度（矢印）を認め，穿通性外傷が示唆される．同骨条件（B）で空気濃度（矢印）の存在がより明瞭に描出されている（軟部条件のみでは脂肪とのコントラストが小さく微細な空気は見落とす危険がある）．冠状断像（C）でも同様に左傍咽頭間隙（対側で＊で示す）の空気濃度（矢印）を認める．t：口蓋扁桃

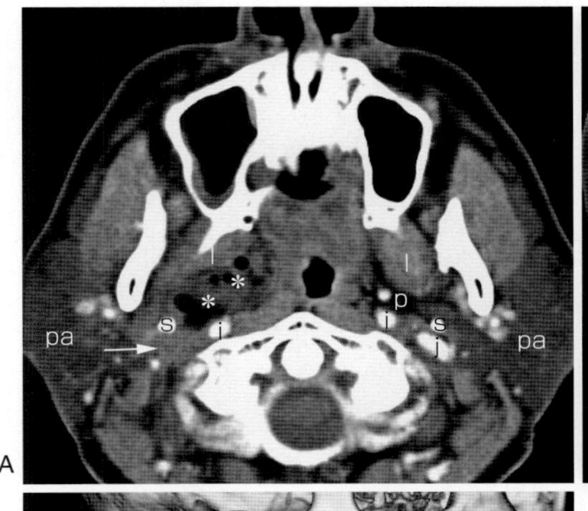

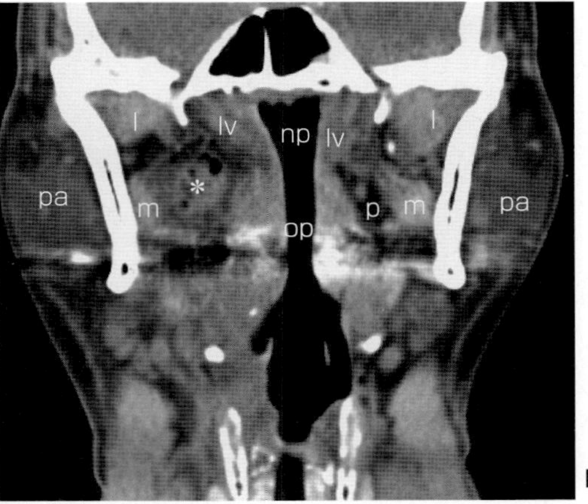

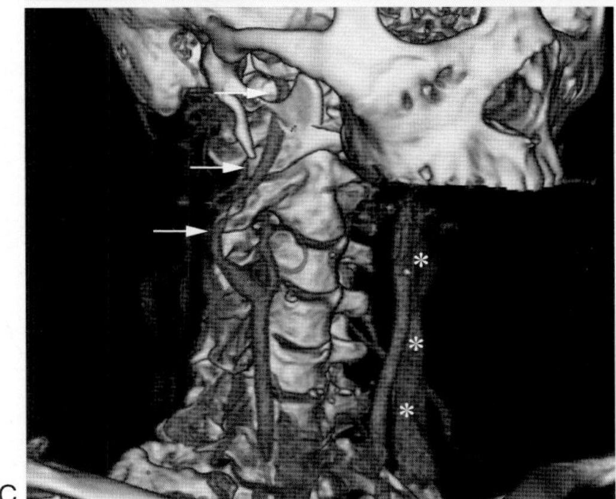

図 108　穿通性咽頭損傷(23 歳男性)

歯磨き中に転倒し受傷．中咽頭レベル造影 CT 横断像(A)および冠状断像(B)において，右側の傍咽頭間隙(対側で p で示す)に空気濃度および泡沫様液体貯留(＊)を認め，穿通性外傷による早期膿瘍形成の疑いを示す．横断像(A)で同所見は内頸動脈(i)前面に隣接，右内頸静脈(矢印：左内頸静脈を j で示す)の増強効果は確認されない．l：外側翼突筋，lv：口蓋帆挙筋，m：内側翼突筋，np：上咽頭，op：中咽頭，pa：耳下腺，s：茎状突起．CTA(C)において右内頸動脈(矢印)は明瞭に同定されるが，右内頸静脈(対側で＊で示す)の描出はなく，閉塞が示唆される．

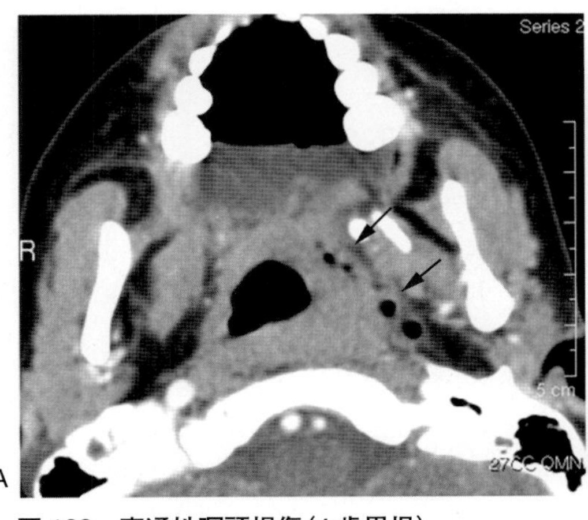

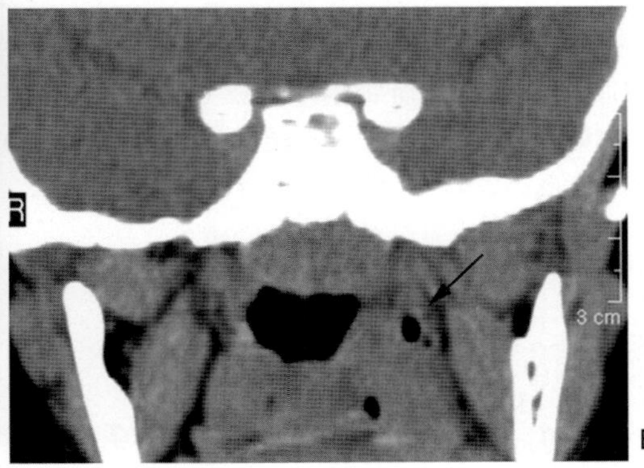

図 109　穿通性咽頭損傷(4 歳男児)

棒付きキャンディー(lollipop)をくわえたままソファーより飛び降り，転倒して損傷．非造影 CT 横断像(A：軟口蓋レベル)・冠状断像(B：上咽頭レベル)において，軟口蓋左側からほぼ左口蓋帆挙筋の走行に沿った軟部組織腫脹と空気の迷入を認める(矢印)．明らかな血管損傷や膿瘍形成の所見は認められない．

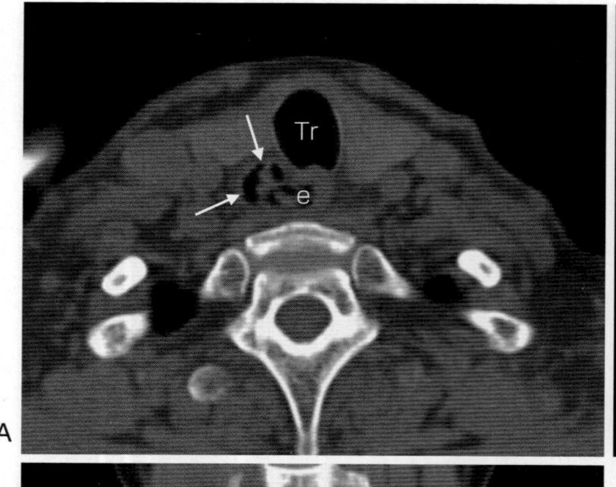

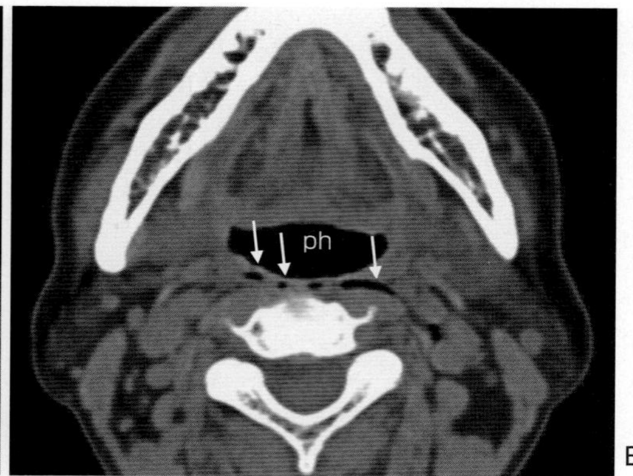

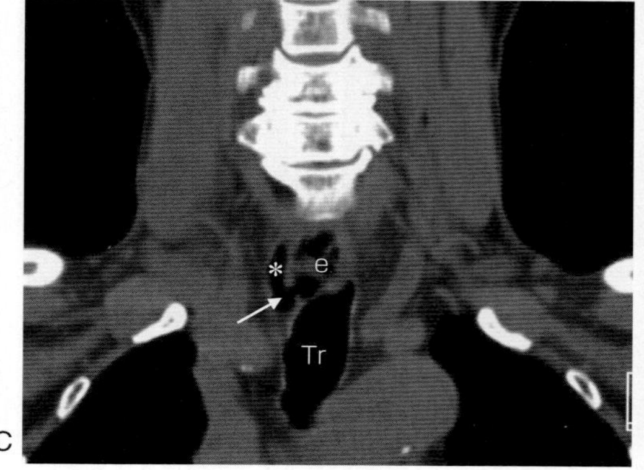

図 110　上部消化管内視鏡による穿通性咽頭損傷

頸部食道レベルの CT 横断像(A)において，頸部食道(e)右側壁の破綻，腔外への空気迷入(矢印)を認める．Tr：気管．中咽頭レベル(B)で気腫は咽頭後間隙(矢印)において頭側への進展を示す．明らかな深頸部膿瘍形成はみられない．ph：中咽頭．同冠状断像(C)において，頸部食道(e)右側壁の破綻(矢印)と傍食道領域の軟部組織気腫(＊)を認める．Tr：気管

表 8　Biffl らによる血管損傷の分類

grade I	内膜の不整と 25％未満の狭窄
grade II	動脈解離あるいは壁内血腫と 25％を超える狭窄

(Biffl WL, Moore EE, Offner PJ et al：J Trauma **47**：845-853, 1999)

能性が否定されない場合は CT での評価を行うことが望ましい．特に血管損傷では CT/CTA (図 108C)が第一選択となる[161]．深部軟部組織気腫は穿通性外傷の存在，局在を間接的に示唆する．

C 頸部外傷

頸部外傷は，思春期を含む若年の男性に多く，重篤な外傷全体の 5～10％程度を占める．頸部外傷全体での死亡率は 4～6％程度であるが，約 10％で呼吸障害をきたし，気道閉塞例では約 30％の死亡率を示す．受傷機転より，鈍的外傷と穿通性外傷に分かれる．

1 頸部鈍的外傷

交通外傷が典型であるが，スポーツ外傷，絞首などによっても生じる．交通外傷では，(特にシートベルトをしていない場合)頸部前面をハンドルやダッシュボードに打ち付け，喉頭(特に輪状軟骨)や気管などが頸椎との間で挟み込まれることにより生じる．喉頭外傷に関しては，7 章「喉頭」を参照されたい．鈍的外傷においても血管損傷を生じうることは，臨床上重要である．

2 頸部穿通性外傷

1） 臨床的事項

本邦ではまれであるが，米国では救急救命室(ER)症例全体の約 5～10％を占め，30％は頸部以

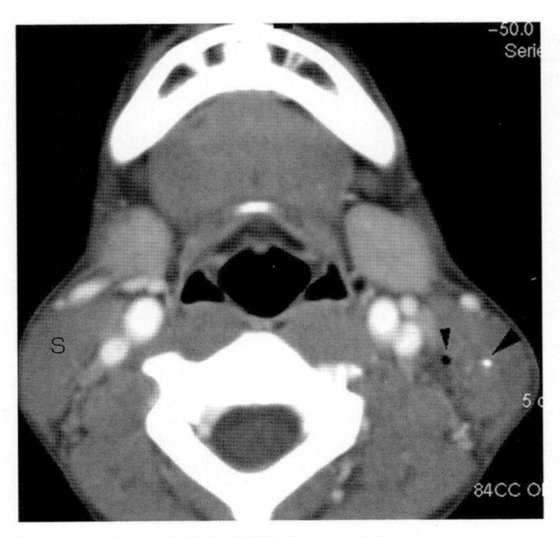

図 111 頸部穿通性損傷(zone Ⅱ)
工事現場で針金が左側頸部に刺さった．舌骨下頸部レベルの造影 CT において，左胸鎖乳突筋(健側で S で示す)の腫大，内部の金属異物(大矢頭)の残留，空気濃度(小矢頭)を認める．明らかな血管損傷は認められない．

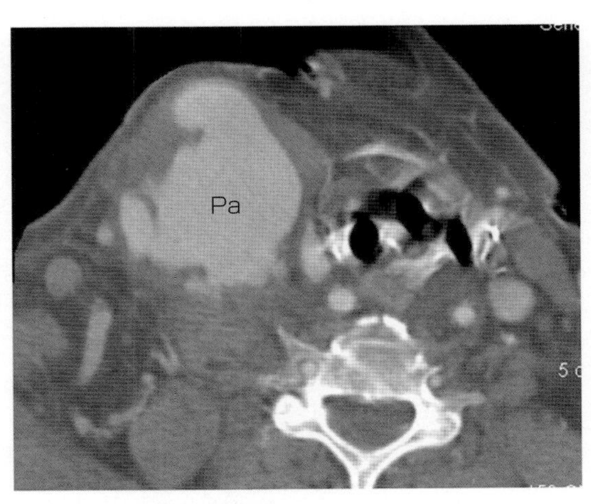

図 112 頸部穿通性損傷(zone Ⅱ)
右側頸部をナイフで刺された．舌骨下頸部レベルの造影 CT で右側頸部に，血管内腔と同等の増強効果を示すやや不整形の腫瘤(Pa)を認め，仮性動脈瘤を示す．

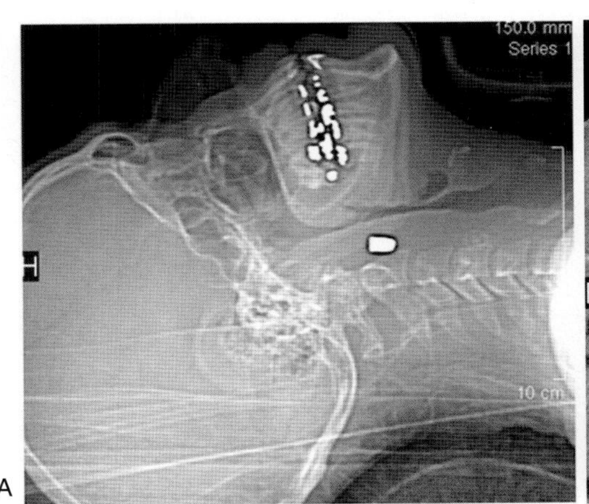

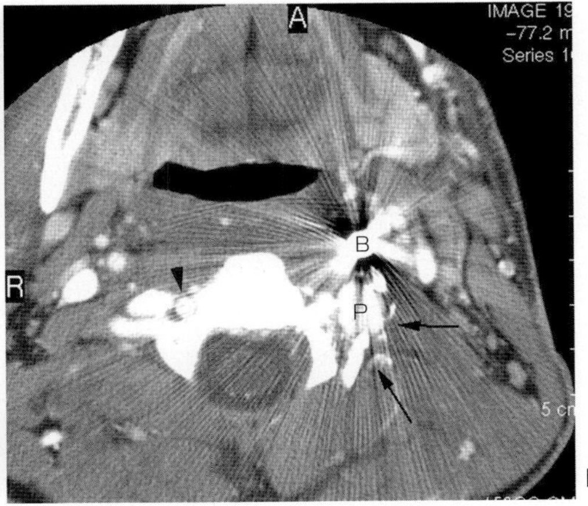

図 113 頸部穿通性損傷(zone Ⅲ)
左側頸部を銃で撃たれた．CT 撮影時の位置決め画像(A)で，C2 椎体前面に一部重なるように弾丸の体内残留を認める．
中咽頭レベルの造影 CT (B)において，弾丸(B)は左頸動脈鞘深部で，咽頭後壁左側後方に位置し，隣接する頸椎外側塊の破壊(矢印)とともに椎骨動脈(右側で矢印で示す)の仮性動脈瘤(P)の形成を認める．

外の外傷を伴う．死亡率は約 3〜10％であり，血管損傷例でより高い[162]．主に(ナイフなどによる)刺創(図 111，112)と(銃器による)銃創(図 113)に分けられ，銃創は刺創と比較して外科的な頸部開創(neck exploration)が必要とされる率が高く，銃創で 75％，刺創で 50％程度とされる．

臨床的には広頸筋が保たれているかどうかが重要であり，一般に広頸筋が保たれていれば重篤な傷害はなく，損傷が認められる場合は重篤な深部損傷の可能性が考慮される．このため，広頸筋全層の穿通が頸部穿通性外傷の定義とされるのが一般的である[163]．最も損傷が多いのが頸部血管で，刺創では喉頭・気管領域，咽頭，銃創では脊髄，消化管・気道，神経がこれに続く[164]．正中構造

表9　血管損傷の確実な徴候(hard sign)・不確実な徴候(soft sign)

hard signs	気道緊急(airway compromise)・閉塞 増大性あるいは拍動性血腫 重度の活動性出血 (輸液への反応不良の)ショック 血管雑音(bruit)・振戦(thrill) 神経障害：脳虚血	
soft signs	血管損傷	止血後の出血 非増大性血腫 頸動静脈近傍の創 橈骨動脈の脈拍なし・減弱 軽度の神経障害：軽度の脳虚血徴候
	気道損傷	嗄声・声の変化 捻髪音の触知(palpable crepitus) 血痰 創部からの空気の漏れ 単純X線写真：頸部気腫，縦隔気腫
	食道損傷	深頸部痛 吐血 嚥下痛・困難 単純X線写真：頸部気腫，縦隔気腫

表10　血管損傷のCT/CTAでの直接所見・間接所見

direct signs	血管の途絶 部分的・完全閉塞 活動性出血 仮性動脈瘤 内膜損傷 解離 動静脈瘻 動脈の口径変化
indirect signs	血管周囲の血腫 血管周囲の脂肪混濁 血管周囲のガス像，異物，(血管から5mm以内の)骨片

をまたぐ受傷は重篤な損傷をきたす場合が多い．頸部穿通性外傷で運ばれる患者で重篤な症状(hard sign)を示すのは10%未満であるが，これらの症例の約90%は外科的治療を必要とする損傷を有する[165]．10%の偽陽性例は微小な血管からの活動性出血の場合が多く，広範な外科的創部管理を必要とする．可及的な気道管理を要する例は11%である[166]．頸椎固定はルーチンには必要ではない[167]．

頸部は重要な血管，気道消化管，神経が比較的守られることなく位置しており，穿通性頸部外傷ではこれらの構造への損傷を生じる．動脈損傷は穿通性頸部外傷例の15～25%でみられ，部分的あるいは完全閉塞(最多)，解離，仮性動脈瘤(図112，113)，動静脈瘻やextravasationなどを生じる[168]．最大80%で頸動脈，最大43%で椎骨動脈を侵し，脳卒中などにより予後不良を示す[169]．頸動脈損傷では最大15%が脳卒中をきたし，死亡率は22%とされる[169]．動脈結紮よりも動脈再建・修復の方が予後良好である．主要血管，気道・消化管損傷では理学的所見における確実な徴候(hard sign)と不確実な徴候(soft sign)(**表9**)とともに後述のCT/CTAでの直接・関節所見(**表10**)を合わせて総合的に判断することで正診率は向上する[164]．理学的所見のhard signで創部手術(neck exploration)を行った場合，最大28%で損傷所見は陰性とされるが，CT所見とともに評価することで15%に減少可能である[164]．Borsettoらの穿通性頸部外傷157例の検討において，診断の特異度は理学的所見のみと比較してCT所見を合わせることで86.6%から97.7%に上昇したと報告されている[164]．soft signのみの場合の損傷の頻度は約16%に過ぎないとの報告もあり[170]，理学的所見のみでは不十分であり，CT評価の重要性は高い．基本的には血管損傷の疑いのある全例が外科的修復の対象となるが，血管損傷例の3分の1で初期症状に乏しく，注意を要する．静脈損傷は穿通性頸部外傷例の16〜18%，頸椎損傷は11〜14%で認められ，頸部食道損傷はまれで0.9〜6.6%とされる[169]．頸部食道損傷では診断遅延が縦隔炎，敗血症による死亡の要因として最も重要であり，死亡率は最大で20%と，適切に診断されたとしても死亡率は高く，迅速な外科的修復例でも12.5%が敗血症で死亡するとされる[171]．受傷後12時間以内では直接縫合とドレナージが施行されるが12時間以上を経過すると致死率が上昇する[172]．気管・喉頭損傷は穿通性頸部外傷例の1〜7%で認められ，気道の確保において極めて重要である[169]．嗄声や声の変化，喘鳴，呼吸苦，(気胸を伴わない)皮下気腫，創部からの気胞や喀血などを示す[173]．もし気道損傷が明らかでなかったとしても，穿通性外傷の所見が気管あるいは喉頭を通過している場合，CT，内視鏡，気管支鏡での確認が望まれる[169]．必要に応じて輪状甲状靱帯切開あるいは気管切開で気道管理を行う．神経構造の損傷では，脊髄(1%未満とまれ)，第VII〜XII脳神経，交感神経，末梢神経，腕神経叢等を侵す[173, 174]．

頸部の穿通性外傷は1500年代初期には記載されているが，南北戦争，第一次および第二次世界大戦の当時は主に動脈結紮が行われ，第二次世界大戦の終わりに近くなってから全例で創部手術(neck exploration)に移行し，第二次世界大戦後になって創部手術に血管造影などの放射線医学，内視鏡など多少の侵襲性のある検査が関与することとなった[169]．1969年Monsonの最初の記述[175]により，従来から臨床上，外傷管理の点より頸部全体を3つの解剖学的zoneに区分してきた(表11：p1208，図114)．この解剖学的区分は依然として外傷外科医の間で広く用いられており，画像診断医は臨床医との情報共有のためにも用語に精通している必要がある[169]．zone Ⅰは輪状軟骨下縁から胸郭入口部の間のレベルで，重要な血管構造を多く含むことから，同部の穿通性外傷が最も予後不良とされる．胸腔，縦隔の血腫などの診断が困難な場合も多い．zone Ⅱは下顎角から輪状軟骨下縁との間のレベルで，同部の損傷(図111，112)が最も多いが，外科的到達が容易であり，予後は比較的良好である．zone Ⅲは頭蓋底から下顎角との間のレベルで(図113)，外科的到達・診断が困難である．zone II損傷については患者の状態にかかわらず全例創部手術が施行されていたことから，最大50〜60%が非治療的手術であったとされる[169]．一方でzone I，zone III は外科的到達が容易ではなく胸部や頭蓋内外傷の関連も考慮されることなどから[176]，血管撮影，内視鏡での評価が行われてきた．

しかし，画像診断の進歩(特に1990年代のCTA出現)，外部の外傷部位と内部損傷の部位との相関の低さ[177]，非治療的創部手術の率の高さなどにより，最近は既述のzoneの区分によるアプローチ(zone II損傷全例で創部手術施行，zone I，III損傷で自動的に血管撮影や内視鏡施行の方針)が見直され，“no zone”アプローチが標準化されてきている[178, 179]．zoneにかかわらず，大量出血，増大性血腫，ショック，気道緊急などのhard signを示す全身状態が不安定な例では緊急手術の適応となるが，全身状態の安定した例では臨床症状(表9)とCT/CTA(表10)でのトリアージにより適切な治療選択が行われることとなる．既述のとおり，臨床所見のみでは不十分であり，臨床的徴候や症状が明らかでないことが血管損傷を否定するものではなく，(臨床的意義のある)血管損傷例の43%で血行動態の不安定性(収縮期血圧80〜100 mmHg以下で蘇生への反応なし)はなく，70%は来院時に活動性出血はなく[180]，創部手術で指摘される血管損傷の30%は臨床的徴候を示さないとされる[181]．このため全身状態の安

表 11　頸部穿通性損傷における頸部解剖(zone Ⅰ/Ⅱ/Ⅲ)

zone	範囲	臨床像	重要構造
zone Ⅰ	輪状軟骨下縁から胸郭入口部	最も予後不良 重要構造が多い	大血管(頸動脈・椎骨動脈・鎖骨下動脈・大動脈弓，内頸静脈，無名静脈など) 気管 食道 胸管 胸腺 肺尖
zone Ⅱ	下顎角から輪状軟骨下縁	最も多い 比較的予後良好 到達が容易	内・外頸動脈・椎骨動脈・内頸静脈 咽頭 喉頭 食道 気管 甲状腺・副甲状腺
zone Ⅲ	頭蓋底から下顎角	到達・診断が困難	頭蓋外頸動脈・椎骨動脈・内頸静脈 唾液腺 (下位)脳神経

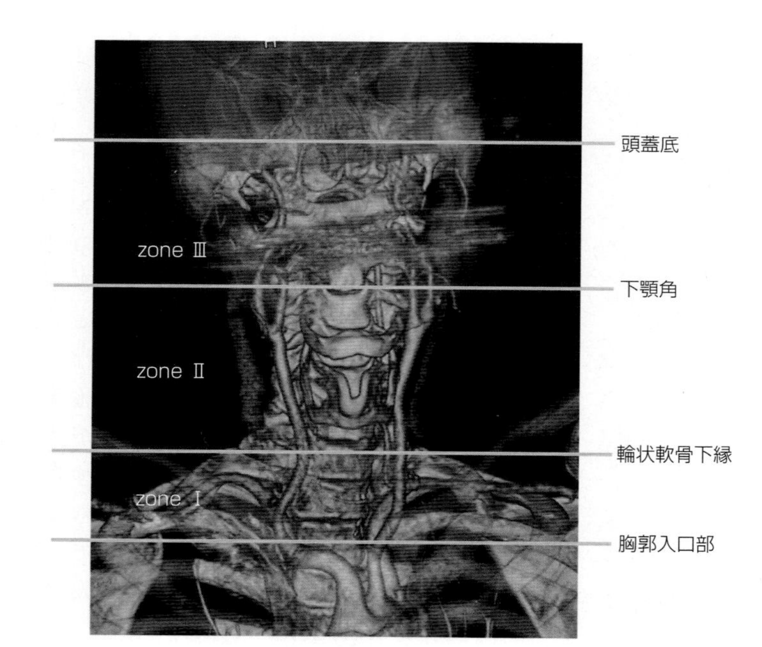

図 114　頸部穿通性損傷における頸部解剖(zone Ⅰ/Ⅱ/Ⅲ)

定した全例でCT/CTA施行が推奨される．

2) 画像診断

画像評価として，頸部単純X線撮影(正面および側面像)は異物の有無，大きさ，数の同定に有用であるが，異物と重要な解剖構造との相対的な位置関係，血管損傷などの把握は困難である．zone Ⅰの外傷では胸部単純X線撮影で血気胸，縦隔拡大，縦隔気腫などの評価が必要と考えられる．従来はzone Ⅰ，Ⅲの頸部損傷で血管損傷が疑われる場合は血管造影が必要で，血管損傷の症状のないzone Ⅲ損傷では血管造影は必要ないとされていた[182]．頸部穿通性外傷例での血管造影の合併症発現頻度は0.16〜2.0％とされる[183]．CT/CTAは安全かつ正確な画像診断モダリティであり，全身状態の安定した例では適切な治療選択において全例で必要な検査であり[184]，骨・軟部組織損傷(特に血管，気管・喉頭など)，異物の有無と重要構造との位置関係の評価等に有用である．多くの外傷センターで穿通性頸部外傷の診断の中心であり，第一選択となる[170, 185]．造影剤を使用することにより血管損傷(図 112, 113)も正確に評価可能であり，CTA は血管損傷の初期検査として，従来の血管造影検査をほぼ置き換える検査となっている[186]．CT/CTA は従来の血管造影(Four vessel study)と比較して，低侵襲で迅速に施行可能であり，検査後の安静も不要などのメリットがある[169]．不適切な時相での撮影や(歯科金属や体動に伴う)アーチファクトでの画質劣化などの問題もあるが，感度(90～100%)，特異度(93.5～100%)ともに高く[169]，偽陰性も極めて低い(0.9%)とされる[170]．CT/CTA により非治療的(所見陰性の)創部手術を有意に減らすことが可能であり[187]，zone にかかわることなく状態の安定した全例での施行が推奨される[173]．臨床的徴候(表 9：p1206)と CT 所見(表 10：p1206)に焦点を当てた“no zone”アプローチでは，hard sign とともに CT での直接所見を有する場合，所見陰性の可能性は極めて低く，創部手術の適応と考えられる[164]．逆に hard sign がなく，CT の間接所見のみの場合は経過観察，保存的治療(selective non-operaive management：SNOM)が選択される．超音波のカラードプラ検査は感度，特異度ともに高いが，術者依存性が高く[186]，再現性に乏しい．早期の外科的介入が望まれる食道損傷の検出において CT の感度は低く，最低で55%と報告されている[173]．依然として食道損傷の疑われる例では食道造影や内視鏡が必要となる場合が多い．内視鏡での食道損傷の診断感度は100%に近い[185]．血管損傷，食道損傷の診断遅延は死亡率上昇などの重篤な結果につながる[188]．基本的には MRI を必要とする例は少なく，血管障害による急性脳梗塞などの評価などに限定される．

以上，頭蓋顔面・頸部領域の外傷性病態につき，画像診断を中心に臨床的事項を含めて解説した．

■参考文献

1) Goggin J, Jupiter DC, Czerwinski M：Simple computed tomography-based calculations of orbital floor fracture defect size are not sufficiently accurate for clinical use. J Oral Maxillofac Surg **73**：112-116, 2015
2) Burm JS, Chung CH, Oh SJ : Pure orbital blowout fracture : new concepts and importance of medial orbital blowout fracture. Plast Reconstr Surg **103** : 1893-1849, 1999
3) Boush GA, Lemke BN：Progressive infraorbital nerve hyperesthesia as a primary indication for blow-out fracture repair. Ophthalmic Plast Reconstr Surg **10**：271-275, 1994
4) Hwang K, You SH, Sohn IA：Analysis of orbital bone fractures：a 12-year study of 391 patients. J Craniofac Surg **20**：1218-1223, 2009
5) Ramzan MM, Fadl S, Linnau KF：Core curriculum illustration：orbital blow out fracture. Emerg Radiol **25**：561-563, 2018
6) Pfeiffer RL：Traumatic enophthalmos. Trans Am Ophthalmol Soc **41**：293-306, 1943
7) Gart MS, Gosain AK：Evidence-based medicine: orbital floor fracture. Plast Reconstr Surg **134**：1345-1355, 2014
8) Ng P, Chu C, Young N et al : Imaging of orbital floor fractures. Australas Radiol **40** : 264-268, 1996
9) Injuries and diseased of the orbit. Traumatic enophthalmos with retention of perfect acuity of vision. By William Lang, 1889. Adv Ophthalmic Plast Reconstr Surg **6**：3-6, 1987
10) Smith B, Regan WF Jr : Blow-out fracture of the orbit ; mechanism and correction of internal orbital fracture. Am J Ophthalmol **44** : 733-739, 1957
11) Rowe NL, Williams JL : Fractures of the zygomatic complex ad orbit. Maxillofacial Injury (2nd ed), Williams JL (ed), Churchill Livingstone, New York, p475-590, 1994
12) Jazayer HE, Khavanin N, Yu JW et al：Does early repair of orbital fractures results in superior patient outcomes? A systematic review and meta-analysis. J Oral Maxillofac Surg doi：10.1016/j.joms.2019.09.025, 2019
13) Tsai HH, Jeng SF, Lin TS et al：Predictive value of computed tomography in visual outcome in indirect traumatic optic neuropathy complicated with periorbital facial bone fracture. Clin Neurol Neurosurg **107**：200-206, 2005
14) Chen T, Gu Shanzhi, Han W : The CT characteristics of orbital blowout fracture and its medicolegal expertise. J Foresic Med **16** : 1-4, 2009
15) Wang BH, Robertson BC, Girotto JA et al：Traumatic optic neuropathy：a review of 61 patients. Plast Reconstr Surg **107**：1655-1664, 2001

16）Haskell R : Applied surgical anatomy. Maxillofacial Injury (2nd ed), Williams JL (ed), Churchill Livingstone, New York, p1-37, 1994
17）Soll DB, Poley BJ : Trapdoor variety of blow-out fracture of the orbital floor. Am J Ophthalmol **60** : 269-272, 1965
18）Ogata H, Kaneko T, Nakajima T et al : Strangulated trapdoor type orbital blow-out fractures in children. Fracture pattern and clinical outcome. Eur J Plast Surg **27** : 12-19, 2004
19）Rothman MI, Simon EM, Zoarski GH et al : Superior blowout fracture of the orbit : The blowup fracture. Am J Neuroradiol **19** : 1448-1449, 1998
20）Mancuso AA, Hanafee WN : Facial trauma (chap 3). Computed Tomography and Magnetic Resonance Imaging of the Head and Neck (2nd ed), Williams & Wilkins, Baltimore, 1985
21）Hwon JH, Moon JH, Kwon MS et al : The Differences of blowout fracture of the inferior orbital wall between children and adults. Arch Otorhinolaryngol Head Neck Surg **131** : 723-727, 2005
22）Jordan DR, Allen LH, White J et al : Intervention within days for some orbital floor fractures : the white-eyed blow out. Ophthal Plast Reconstr Surg **14** : 379-390, 1998
23）Kim HS, Kim SD, Kim CS et al：Prediction of the oculocardial reflex from pre-operative linear and nonlinear heart rate dynamics in children. Anaesthesia **55**：847-852, 2000
24）Lambert DM, Mirvis SE, Shanmuganathan K et al：Computed tomography exclusion of osseous paranasal sinus injury in blung trauma patients：the "clear sinus" sign. J Oral Maxillofac Surg **55**：1207-1210, discussion 1210-1211, 1997
25）Peltola EM, Koivikko MP, Koskinen SK：The spectrum of facial fractures in motor vehicle accidents：an MDCT study of 374 patients. Emerg Radiol **21**：165-171, 2014
26）Wachler BS, Holds JB : The missing muscle syndrome in blowout fractures : an indication for urgent surgery. Ophthal Plast Reconstr Surg **14** : 17-18, 1998
27）Putterman AM, Urist MJ：Surgical anatomy of the orbital septum. Ann Ophthalmol **6**：290-294, 1974
28）Hopper RA, Salemy S, Sze RW：Diagnosis of midface fractures with CT：what the surgeon needs to know. Radiographics **26**：783-793, 2006
29）Matic DB, Tse R, Banerjee A et al：Rounding of the inferior rectus muscle as a predictor of enophthalmos in orbital floor fractures. J Craniofac Surg **18**：127-132, 2007
30）Burnstine MA：Clinical recommendations for repair of isolated orbital floor fractures：an evidence-based analysis. Ophthalmology **109**：1207-1210; discussion 1210-1211; quiz 1212-1213, 2002
31）Frohwitter G, Wimmer S, Goetz C et al：Evaluation of a computed-tomography-based assessment scheme in treatment decision-making for isolated orbital floor fractures. J Craniomaxillofac Surg **46**：1550-1554, 2018
32）Scawn RL, Ophth C, Hooi L et al：Outcomes of orbital blow-out fracture repair performed beyond 6 weeks after injury. Ophthal Plast Reconstr Surg **32**：doi：10.1097/IOP.0000000000000511, 2016
33）Grant JH, Patrinely JR, Weiss AH et al : Trapdoor fracture of the orbit in a pediatric population. Plast Reconstr Surg **109** : 482-489, 2002
34）Chung SY, Langer PD：Pediatric orbital blowout fractures. Curr Opin Ophthalmol **28**：470-476, 2017
35）Brucoli M, Arcuri F, Cavenaghi R et al：Analysis of complications after surgical repair of orbital fractures. J Crainofac Surg **22**：1387-1390, 2011
36）Harris GJ：Avoiding complications in the repair of orbital floor fractures. JAMA Facial Plast Surg **16**：290-295, 2014
37）Bayat M, Momen-Heravi F, Khalilzadeh O et al：Comparison of conchal cartilage graft with nasal septal cartilage graft for reconstruction of orbital floor blowout fractures. Br J Oral Maxillofac Surg **48**：617-620, 2010
38）Jin HR, Shin SO, Choo MJ et al：Relationship between the extent of fracture and the degree of enophthalmos in isolated blowout fractures of the medial orbital wall. J Oral Maxillofac Surg **58**：617-620, 2000
39）Alinasab B, Borstedt KJ, Rudstrom R et al：New algorithm for the management of orbital blowout fracture based on prospective study. Craniomaxillofac Trauma Reconstr **11**：285-295, 2018
40）Whitehouse RW, Batterbury M, Jackson A et al：Prediction of enophthalmos by computed tomography after 'blow out' orbital fracture. Br J Ophthalmol **78**：618-620, 1994
41）Fan X, Li J, Zhu J et al：Computer-assisted orbital volume measurement in the surgical correction of late enophthalmous caused by blowout fractures. Ophthal Plast Reconstr Surg **19**：207-211, 2003
42）Parson G, Mathog RH：Orbital wall and volume relationships. Arch Otolaryngol Head Neck Surg **114**：743-747, 1988
43）Bachelet JT, Landis BN, Scolozzi P：recurrent maxillary sinusitis and periorbital cellulitis revealing an unnoticed medial wall orbital fracture. J Craniofac Surg **30**：2251-2252, 2019
44）Hinohira Y, Yumoto E, Shimamura I : Endoscopic endonasal reduction of blowout fractures of the orbital floor. Otolaryngol Head Neck Surg **133** : 741-

747, 2005

45) Liang KL, Su MC, Shiao JY et al : Endoscopic sinus surgery for the management of orbital diseases. ORL J Otorhinolaryngol Relat Spec **70** : 134-140, 2008

46) Dreizin D, Nam AF, Diaconu SC et al : Multidetector CT of midfacial fractures : classification systems, principles of reduction, and common complications. Radiographics **38** : 248-274, 2018

47) Pham TT, Lester E, Grigorian A et al : National analysis of risk factors for nasal fractures and associated injuries in Trauma. Craniomaxillofac Trauma Reconstr **12** : 221-227, 2019

48) Hussain K, Wijetunge DB, Grubnic S et al : A comprehensive analysis of craniofacial trauma. J Trauma **36** : 34-47, 1994

49) Sindi A, Abaalkhail Y, Malas M et al : Patients with nasal fracture. J Craniofac Surg **31** : e275-e277, 2020

50) Murray JA, Maran AG, Mackenzie IJ et al : Open v closed reduction of the fractured nose. Arch Otolaryngol **110** : 797-802, 1984

51) Stranc MF, Robertson GA : A classification of injuries of the nasal skeleton. Ann Plast Surg **2** : 468-474, 1979

52) Redman HC, Purdy PD, Miller GL : Facial trauma. Emergency Radiology, Redman HC, Miller GL, Purdy PD (eds), WB Saunders, Philadelphia, p96-105, 1993

53) Rubinstein B, Strong EB : Management of nasal fractures. Arch Fam Med **9** : 738-742, 2000

54) Han DSSY, Hand YS, Park JH : A new approach to the treatment of nasal bone fracture : radioloigic classification of nasal bone fractures and its clinical application. J Oral Maxillofac Surg **69** : 2841-2847, 2011

55) Flint P, Haughey B, Lund V et al (eds) : Cummings : Otolaryngology-Head and Neck Surgery (5th ed), Mosby Elsevier, Philadelphia, 2010

56) Moran WB : Nasal trauma in children. Otolaryngol Clin North Am **10** : 95-101, 1977

57) de Lacey GJ, Wignall BK, Hussain S et al : The radiology of nasal injuries : problems of interpretation and clinical relevance. Br J Radiol **50** : 412-414, 1977

58) Rhee SC, Kim YK, Cha JH et al : Septal fracture in simple nasal bone fracture. Plast Reconstr Surg **113** : 45-52, 2004

59) Hong HS, Cha JG, Paik SH et al : High-resolution sonography for nasal fracture in children. AJR Am J Roentgenol **188** : W86-W92, 2007

60) Wright RJ, Murakami CS, Ambro BT : Pediatric nasal injuries and management. Facial Plast Surg **27** : 483-490, 2011

61) Yabe T, Tsuda T, Hirose S et al : Comparison of pediatric and adult nasal fractures. J Craniofac Surg **23** : 1364-1366, 2012

62) Pawar SS, Rhee JS : Frontal sinus and naso-orbital-ethmoid fractures. JAMA Facial Plast Surg **16** : 284-289, 2014

63) Ellis E III : Sequencing treatment for naso-orbito-ethmoid fractures. J Oral Maxillofac Surg **51** : 543-558, 1993

64) Baril SE, Yoon MK : Naso-orbito-ethmoidal (NOE) fractures : a review. Int Ophthalmol Clin **53** : 149-155, 2013

65) Nguyen M, Koshy JC, Hollier LH Jr : Pearls of nasoorbitoethmoid trauma management. Semin Plast Surg **24** : 383-388, 2010

66) Swearingen JJ : Tolerances of the human face to crash impact, Office of Aviation Medicine, Federal Aviation Agency, June 1965

67) Harris L, Marano GD, McCorkle D : Nasofrontal duct : CT in frontal sinus trauma. Radiology **165** : 195-198, 1987

68) Markowitz BL, Manson PN, Sargent L et al : Management of the medial canthal tendon in nasoethmoid orbital fractures : the importance of the central fragment in classification and treatment. Plast Reconstr Surg **87** : 843-853, 1991

69) Stanwix MG, Nam AJ, Manson PN et al : Critical computed tomographic diagnostic criteria for frontal sinus fractures. J Oral Maxillofac Surg **68** : 2714-2722, 2010

70) Donald PJ, Ettin M : The safety of frontal sinus fat obliteration when sinus walls are missing. Laryngoscope **96** : 190-193, 1986

71) Bell RB, Dierks EJ, Brar P et al : A protocol for the management of frontal sinus fractures emphasizing sinus preservation. J Oral Maxillofac Surg **65** : 825-839, 2007

72) Remmler D, Denny A, Gosain A et al : Role of three-dimensional computed tomography in the assessment of nasoorbitoethmoidal fractures. Ann Plast Surg **44** : 553-562, 2000

73) Liau JY, Woodlief J, van Aalst JA : Pediatric nasoorbitoethmoid fractures. J Craniofac Surg **22** : 1834-1838, 2011

74) Gruss JS, Hurwitz JJ, Nik NA et al : The pattern and incidence of nasolacrimal injury in naso-orbital-ethmoid fractures; the role of delayed assessment and dacryocystorhinostomy. Br J Plast Surg **38** : 116-121, 1985

75) Phillips BJ, Turco LM : Le Fort Fractures : a collective review. Bull Emerg Trauma **5** : 221-230, 2017

76) Ferraro J : Fundamentals of Maxillofacial Surgery, Springer-Verlag, New York, p220-221, 1997

77) Bagheri SC, Holmgren E, Kademani D et al : Com-

parison of the severity of bilateral Le Fort injuries in isolated midface trauma. J Oral Maxillofac Surg **63**：1123–1129, 2005

78) Roumeliotis G, Ahluwalia R, Jenkyn T et al：The Le Fort system revisited：trauma velocity predicts the path of Le Fort I fractures through the lateral buttress. Plast Surg **23**：40–42, 2015

79) Patil RS, Kale TP, Kotrashetti SM et al：Assessment of changing patterns of Le Fort fracture lines using computed tomography scan：an observational study. Acta Odontol Scand **72**：984–988, 2014

80) McRae M, Frodel J：Midface fractures. Facial Plast Surg **16**：107–113, 2000

81) Chen CH, Wang TY, Tsay PK et al：A 162-case review of palatal fracture：management strategy from a 10-year experience. Plast Reconstr Surg **121**：2065–2073, 2008

82) Garri JI, Perlyn CA, Johnson MJ et al：Patterns of maxillofacial injuries in powered watercraft collisions. Plast Reconstr Surg **104**：922–927, 1999

83) Rajkumar GC, Ashwin DP, Singh R et al：Ocular injuries associated with midface fractures：a 5 year survey. J Maxillofac Oral Surg **14**：925–929, 2015

84) Ruslin M, Wolff J, Boffano P et al：Dental trauma in association with maxillofacial fractures：an epidemiological study. Dent Traumatol **31**：318–323, 2015

85) Mundinger GS, Dorafshar AH, Gilson MM et al：Blunt-mechanism facial fracture patterns associated with internal carotid artery injuries：recommendations for additional screening criteria based on analysis of 4,398 patients. J Oral Maxillofac Surg **71**：2092–2100, 2013

86) Girotto JA, MacKenzie E, Fowler C et al：Long-term physical impairment and functional outcomes after complex facial fractures. Plast Reconstr Surg **108**：312–327, 2001

87) Chen WJ, Yang YJ, Fang YM et al：Identification and classification in Le Fort type fractures by using 2D and 3D computed tomography. Chin J Traumatol **9**：59–64, 2006

88) Beogo R, Bouletreau P, Konsem T et al：Wire internal fixation：an obsolete yet valuable method for surgical management of facial fractures. Pan Afr Med J **17**：219, 2014

89) Holmgren EP, Bagheri S, Bell RB et al：Utilization of tracheostomy in craniomaxillofacial trauma at a level-1 trauma center. J Oral Maxillofac Surg **65**：2005–2010, 2007

90) Bellamy JL, Mundinger GS, Reddy SK et al：Le Fort II fractures are associated with death：a comparison of simple and complex midface fractures. J Oral Maxillofac Surg **71**：1556–1562, 2013

91) Färkkilä EM, Peacock ZS, Tannyhill RJ et al：Frequency of cervical spine injuries in patients with midface fractures. Int J Oral Maxillofac Surg **49**：75–81, 2020

92) Salonen EM, Koivikko MP, Koskinen SK：Multidetector computed tomography imaging of facial trauma in accidental falls from heights. Acta Radiol **48**：449–455, 2007

93) Ellis E：Passive repositioning of maxillary fractures：an occasional impossibility without osteotomy. J Oral Maxillofac Surg **62**：1477–1485, 2004

94) Oliveira-Campos GH, Lauriti L, Yamamoto MK et al：Trends in Le Fort fractures a South American trauma care center：Characteristics and management. J Maxillofac Oral Surg **15**：32–37, 2016

95) Soong PL, Schaller B, Zix J et al：The role of postoperative prophylactic antibiotics in the treatment of facial fractures; A randomized, double-blind, placebo-controlled pilot clinical study. Part 3：Le fort and zygomatic fractures in 94 patients. Br J Oral Maxillofac Surg **52**：329–333, 2014

96) Jarupoonphol V：Surgical treatment of Le fort fractures in ban pong hospital：Two decades of experience. J Med Assoc Thai **84**：1541–1549, 2001

97) Brown D, Borschel G：Michigan manual of plastic surgery, Lippincott Williams and Wilkins, Philadelphia, 2004

98) Fraioli RE, Branstetter BF, Deleyiannis FW：Facial fractures; beyond Le fort. Otolaryngol Clin North Am **41**：51–76, vi., 2008

99) Homer A, Homer B, Sullivan SR et al：The natural history of treated and untreated zygomatic arch fracture. J Craniofac Surg **30**：e631–e633, 2019

100) Jazayeri HE, Khavanin N, Yu JW et al：Fixation points in the treatment of traumatic zygomaticomaxillary complex fractures：a systematic review and meta-analysis. J Oral Maxillofac Surg **77**：2064–2073, 2019

101) Strong EB, Gary C：Management of zygomaticomaxillary complex fractures. Facial Plast Surg Clin North Am **25**：547–562, 2017

102) Blumer M, Kumalic S, Gander T et al：Retrospective analysis of 471 surgically treated zygomaticomaxillary complex fractures. J Craniomaxillofac Surg **46**：269–273, 2018

103) Salonen EM, Koivikko MP, Koskinen SK：Multidetector computed tomography imaging of facial trauma in accidental falls from heights. Acta Radiol **48** : 449–455, 2007

104) Meslemani D, Kellman RM：Zygomaticomaxillary complex fractures. Arch Facial Plast Surg **14**：62–66, 2012

105) Bergeron JM, Raggio BS：Zygomatic arch fracture.

StatPearls［Internet］. Treasure Island（FL）：StatPearls Publishing, 2020
106） Roth FS, Koshy JC, Goldberg JS et al：Pearls of orbital trauma management. Semin Plast Surg **24**：398–410, 2010
107） Czerwinski M, Izadpanah A, Ma S et al：Quantitive analysis of the orbital floor defect after zygoma fracture repair. J Oral Maxillofac Surg **66**：1869–1874, 2008
108） Ellis E III, el-Attar A, Moos KF：An analysis of 2,067 cases of zygomatico-orbital fracture. J Oral Maxillofac Surg **43**：417–428, 1985
109） Buchanan EP, Hopper RA, Surver DW et al：Zygomaticomaxillary complex fractues and their association with naso-orbito-ethmoid fractures：a 5-year review. Plast Reconstr Surg **130**：1296–1304, 2012
110） Ellis E III, Kittidumkerng W：Analysis of treatment for isolated zygomaticomaxillary complex fractures. J Oral Maxillofac Surg **54**：386–401, 1996
111） Luck JD, Lopez J, Faateh M et al：Pediatric zygomaticomaxillary complex fracture repair：location and number of fixation sites in growing children. Plast Reconstr Surg **142**：51e–60e, 2018
112） Gadkari N, Bawane S, Chopra R et al：Comparative evaluation of 2-point vs 3-point fixation in the treatment of zygomaticomaxillary complex fractures — A systematic review. J Craniomaxillofac Surg **47**：1542–1550, 2019
113） Kelley P, Hopper R, Gruss J：Evaluation and treatment of zygomatic fractures. Plast Reconstr Surg **120**（7, suppl 2）：5S–15S, 2007
114） Mueller R：Endoscopic treatment of facial fractures. Facial Plast Surg **24**：78–91, 2008
115） Francel TJ, Birely BC, Ringelman PR et al：The fate of plates and screws after facial fracture reconstruction. Plast Reconstr Surg **90**：568–573, 1992
116） Starch-Jensen T, Linnebjerg LB, Jensen JD：Treatment of zygomatic complex fractures with surgical or nonsurgical intervention：A retrospective study. Open Dent J **12**：377–387, 2018
117） Zingg M, Laedrach K, Chen J et al：Classification and treatment of zygomatic fractures：a review of 1,025 cases. J Oral Maxillofac Surg **50**：778–790, 1992
118） Balakrishnan K, Ebenezer V, Dakir A et al：Management of tripod fractures（zygomaticomaxillary complex）1 point and 2 point fixations：a 5-year review. J Pharm Bioallied Sci **7**（Suppl 1）：S242–S247, 2015
119） Reddy L, Lee D, Vincent A et al：Secondary management of mandible fractures. Facial Plast Surg **35**：627–632, 2019
120） Haug RH, Savage JD, Likavec M et al : A review of 100 closed head injuries associated with facial fractures. J Oral Maxillofac Surg **50** : 218–222, 1992
121） Czerwinski BO, Parker WL, Chehade A et al：Identification of mandibular fracture epidemiology in Canada：Enhancing injury prevention and patient evaluation. Can J Plast Surg **16**：36–40, 2008
122） Barber HD：Conservative management of the fractured atrophic edentulous mandible. J Oral Maxillofac Surg **59**：789–791, 2001
123） Romeo A, Pinto A, Cappabianca S et al : Role of multidetector row computed tomography in the management of mandible traumatic lesions. Semin Ultrasound CT MRI **30** : 174–180, 2009
124） Ellis III E：An algorithm for the treatment of noncondylar mandibular fractures. J Oral Maxillofac Surg **72**：939–949, 2014
125） Ellis E III, Muniz O, Anand K：Treatment considerations for comminuted mandibular fractures. J Oral Maxillofac Surg **61**：861–870, 2003
126） Alpert B, Tiwana PS, Kushner GM：Management of comminuted fractures of the mandible. Oral Maxillofac Surg Clin North Am **21**：185–192, 2009
127） Fridrich KL, Pena-Velasco G, Olson RA : Changing trends with mandibular fractures : A review of 1067 cases. J Oral Maxillofac Surg **50** : 586–589, 1992
128） Busuito MJ, Smith DJ Jr, Robson MC : Mandibular fractures in an urban trauma center. J Trauma **26** : 826–829, 1986
129） Olson RA, Fonseca RJ, Zeitler DL et al : Fractures of the mandible : a review of 580 cases. J Oral Maxillofac Surg **40** : 23–28, 1982
130） Sawazaki R, Lima SM Jr, Asprino L et al：Incidence and patterns of mandibular condyle fractures. J Oral Maxillofac Surg **68**：1252–1259, 2010
131） Ogura I, Kaneda T, Mori S et al：Characterization of mandibular fractures using 64-slice multidetector CT. Dentomaxillofac Radiol **41**：392–395, 2012
132） Wilson IF, Lokeh A, Benhami CI et al : Prospective comparison of panoramic tomography（zonography）and helical computed tomography in the diagnosis and operative management of mandibular fractures. Plast Reconstr Surg **107** : 1369–1375, 2001
133） Morrow BT, Samson TD, Schubert W et al：Evidence-based medicine：mandible fractures. Plast Reconstr Surg **134**：1381–1390, 2014
134） Wang P, Yang J, Yu Q：MR imaging assessment of temporomandibular joint soft tissue injuries in dislocated and nondislocated mandibular condylar fractures. AJNR Am J Neuroradiol **30**：59–63, 2009
135） Berner T, Essig H, Schmann P et al：Closed versus open treatment of mandibular condylar process fractures; a meta-analysis of retrospective and prospective studies. J Craniomaxillofac Surg **43**：

1404-1408, 2015
136) Al-Moraissi EA, Ellis III E：Surgical treatment of adult mandibular condylar fractures provides better outcomes than closed treatment：a systematic review and meta-analysis. J Oral Maxillofac Surg **73**：482-493, 2015
137) Vincent AG, Ducic Y, Kellman R：Fractures of the mandibular condyle. Facial Plast Surg **35**：623-626, 2019
138) Undt G, Kermer C, Resse M et al：Transoral miniplate osteosynthesis of condylar neck fractures. Oral Surg Oral Med Oral Pathol Oral Radiol Endod **88**：534-543, 1999
139) Yang WG, Chen CT, Tsay PK et al：Functional results of unilateral mandibular condylar process fractures after open and closed treatment. J Trauma **52**：498-503, 2002
140) Biller JA, Pletcher SD, Goldberg AN et al：Complications and the time to repair of mandible fractures. Laryngoscope **115**：769-772, 2005
141) Barker DA, Oo KK, Allak A et al：Timing for repair of mandible fractures. Laryngoscope **121**：1160-1163, 2011
142) Lucca M, Shastri K, McKenzie W et al：Comparison of treatment outcomes associated with early versus late treatment of mandible fractures：a retrospective chart review and analysis. J Oral Maxillofac Surg **68**：2484-2488, 2010
143) Maloney PL, Lincoln RE, Coyne CP：A protocol for the management of compound mandibular fractures based on the time from injury to treatment. J Oral Maxillofac Surg **59**：879-884, discussion 885-886, 2001
144) Shokri T, Misch E, Ducic Y et al：Management of complex mandible fractures. Facial Plast Surg **35**：602-606, 2019
145) Dijkstra PU, Stegenga B, de Bont LG et al：Function impairment and pain after closed treatment of fractures of the mandibular condyle. J Trauma **59**：424-430, 2005
146) Haug RH, Schwimmer A：Fibrous union of the mandible：a review of 27 patients. J Oral Maxillofac Surg **52**：832-839, 1994
147) Mathog RH, Toma V, Clayman L et al：Nonunion of the mandible：an analysis of contributing factors. J Oral Maxillofac Surg **58**：746-752, discussion 752-753, 2000
148) Kupietzky A：Clinical guidelines for treatment of impalement injuries of the oropharynx in children. Pediatr Dent **22**：229-231, 2000
149) Umibe A, Omura K, Hachisu T et al：Life-threatening injury caused by complete impalement of a toothbrush：case report. Dent Traumatol **33**：317-320, 2017
150) Luqman Z, Khan MAM, Nazir Z : Penetrating pharyngeal injuries in children : trivial trauma leading to devastating complications. Pediatr Surg Int **21** : 432-435, 2005
151) Uchino H, Kuriyama K, Kimura K et al：Accidental oropharyngeal impalement injury in children：a report of two cases. J Emerg Trauma Shock **8**：115-118, 2015
152) Radkowski D, McGill TJ, Healy GB et al : Penetrating trauma of the oropharynx in children. Laryngoscope **103** : 991-994, 1993
153) Bromberg WJ, Collier BC, Diebel LN et al：Blunt cerebrovascular injury practice management guidelines：the Eastern Association for the Surgery of Trauma. J Trauma **68**：471-477, 2010
154) Biffl WL, Moore EE, Offner PJ et al：Blunt carotid arterial injuries; Implications of a new grading scale. J Trauma **47**：845-853, 1999
155) Pitner SE：Carotid thrombosis due to intraoral trauma. An unusual complication of a common childhood accident. N Eng J Med **274**：764-767, 1966
156) Zelster R, Kalter A, Xasap N et al：Oropharyngeal impalement injuries in children：report of 2 cases. J Oral Maxillofac Surg **61**：510-514, 2003
157) Schoem SR, Choi SS, Zalzal GH et al : Management of oropharyngeal trauma in children. Arch Otolaryngol Head Neck Surg **123** : 1267-1270, 1997
158) Siou G, Yates P：Retropharyngeal abscess as a complication of oropharyngeal trauma in an 18-month-old child. J Laryngol Otol **114**：227-228, 2000
159) Beiler HA, Zachariou Z, Daum R：Impalement and anorectal injuries in childhood; a retrospective study of 12 cases. J Pediatr Surg **33**：1287-1291, 1998
160) Randall DA, Kang RD：Current management of penetrating injuries of the soft palate. Otolaryngol Head Neck Surg **135**：356-360, 2006
161) Brietzke SE, Jones DT：Pediatric oropharyngeal trauma; what is the role of CT scan? Int J Pediatr Ororhinolaryngol **69**：669-679, 2005
162) Saito N, Hito R, Burke PA et al：Imaging of penetrating injuries of the head and neck：current practice at a level I trauma center in the United States. Keio J Med **63**：23-33, 2014
163) Sperry JL, Moore EE, Coimbra R et al：Western trauma association critical decisions in trauma：penetrating neck trauma. J Trauma Acute Care Surg **75**：936-940, 2013
164) Borsetto D, Fussey J, Mavuti J et al：Penetrating neck trauma：radiological predictors of vascular injury. Eur Arch Otorhinolaryngol **276**：2541-2547, 2019

165) Inaba K, branco BC, Menaker J et al：Evaluation of multidetector computed tomography for penetrating neck injury：A prospective multicenter study. J Trauma **72**：576–584, 2012
166) Mandavia DP, Qualls S, Rokos I：Emergency airway management in penetrating neck injury. Ann Emerg Med **35**：221–225, 2000
167) Stuke LE, Pons PT, Guy JS et al：Prehospital spine immobilization for penetrating trauma — review and recommendations from the Prehospital Trauma Life Support Executive Committee. J Trauma **71**：763–769, 2011
168) Babu A, Garg H, Sagar S et al：Penetrating neck injury：collaterals for another life after ligation of common carotid artery. Chin J Traumatol **20**：56–58, 2017
169) Steenburg SD, Sliker CW, Shanmuganathan K et al：Imaging evaluation of penetrating neck injury. Radiographics **30**：869–886, 2010
170) Madsen AS, Kong VY, Oosthuizenn GV et al：Computed tomography angiography is the definitive vascular imaging modality for penetrating neck injury：a south African experience. Scand J Surg **107**：23–30, 2018
171) Symbas PN, Hatcher CR Jr, Vlasis SE：Esophageal gunshot injuries. Ann Surg **191**：703–707, 1980
172) Madiba TE, Muckart DJ：Penetrating injuries to the cervical oesophagus; is routine exploration mandatory? Ann R Coll Surg Engl **85**：162–166, 2003
173) Nowicki JL, Stew B, Ooi E：Penetrating neck injuries; a guide to evaluation and management. Ann R Coll Surg Engl **100**：6–11, 2018
174) Rhee P, Kuncir EJ, Johnson L et al：Cervial spine injury is highly dependent on the mechanism of injury following blunt and penetrating assault. J Trauma **61**：1166–1170, 2006
175) Monson DO, Saletta JD, Freeark RJ：Carotid vertebral trauma. J Trauma **9**：987–999, 1969
176) Bell RB, Osborn T, Dierks EJ et al：Management of penetrating neck injuries：a new paradigm for civilian trauma. J Oral Maxillofac Surg **65**：691–705, 2007
177) Low GM, Inaba K, Chouliaras K et al：The use of the anatomic 'zone' of the neck in the assessment of penetrating neck injury. Am Surg **80**：970–974, 2014
178) Shiroff AM, Gale SC, Martin ND et al：Penetrating neck trauma：a review of management strategies and discussion of the 'No Zone' approach. Am Surg **79**：23–29, 2013
179) Hundersmarck D, Folmer ER, de Borst GJ et al：Penetrating neck injury in two Dutch level 1 trauma centres：the non-existent problem. Eur J Vasc Endovasc Surg **58**：455–462, 2019
180) Fogelman JM, Stewart RD：Penetrating wounds of the neck. Am J Surg **91**：581–593, discussion 593-596, 1956
181) Bishara RA, Pasch AR, Douglas DD et al：The necessity of mandatory exploration of penetrating zone II neck injuries. Surgery **100**：655–660, 1986
182) Ferguson E, Dennis JW, Vu JH et al : Redefining the role of arterial imaging in the management of penetrating zone 3 neck injuries. Vascular **13** : 158–163, 2005
183) Munera F, Soto JA, Palacio DM et al：Penetrating neck injuries：helical CT angiography for initial evaluation. Radiology **224**：366–372, 2002
184) Mazolewski PJ, Curry JD, Browder T et al：Computed tomographic scan can be used for surgical decision making in zone II penetrating neck injuries. J Trauma **51**：315–319, 2001
185) Feliciano DV：Penetrating cervical trauma. "Current concepts in penetrating trauma" . World J Surg **39**：1363–1372, 2015
186) Burgess CA, Dale OT, Almeda R et al：An evidence based review of the assessment and management of penetrating trauma. Clin Otolaryngol **37**：44–52, 2011
187) Osborn TM, Bell RB, Qaisi W et al：Computed tomographic angiography as an aid to clinical decision making in the selective management of penetrating injuries to the neck：a reduction in the need for operative exploration. J Trauma **64**：1466–1471, 2008
188) Sankaran S, Walt A：Penetrating wounds of the neck：principles and some controversies. Surg Clin North Am **57**：139–150, 1977

15 神経周囲進展

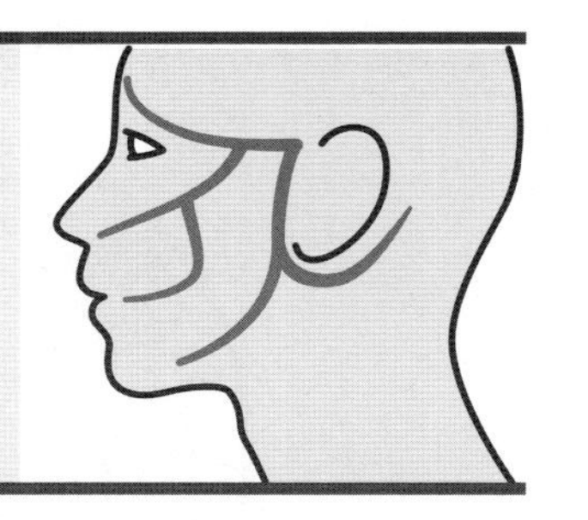

A 総　論

1 定義(神経周囲浸潤と神経周囲進展)

神経は組織学的に結合織で形成される以下の3層に包まれる(図1)；(1)神経内膜(endoneurium)は最内層で神経線維(軸索とSchwann細胞)を包む．(2)神経周膜(perineurium)は内皮細胞より成り，神経束を囲む．(3)神経上膜(epineurium)は複数の神経束をまとめ大きな神経を形成する．

神経に沿った腫瘍の進展には，“神経周囲浸潤(perineural invasion)”と“神経周囲進展(perineural spread, perineural extension)”の2つがある[1]．神経周囲浸潤が顕微鏡的所見としての病理学的用語であるのに対して，肉眼的所見で画像評価対象となる神経周囲進展(本章でのメインテーマ)はより臨床的な用語である．両者はときに混同して用いられ用語の選択には十分な注意が必要である(実際に本書の参考文献にも同義として用いられているものが認められる)．また，神経上膜と神経周膜の間の潜在腔に対して“神経周囲腔(perineural space)”の用語がしばしば用いられるが，神経周囲進展は必ずしも神経周囲腔のみを介した腫瘍の広がりとは限らないことも認識しておく必要がある．

“神経周囲浸潤”は，基本的には原発腫瘍の領域に限局した，無名の微小な神経あるいはその周囲への顕微鏡的浸潤である．主にBatsakisのtumor cell invasion “in, around, and through the nerve”との記述[2]をもとにした比較的幅広い定義が用いられ，場合により神経に隣接していれば神経内への浸潤は必要ないとも受け取れるが，Liebigは少なくとも神経周囲の3分の1以上を囲む，あるいは上記3層いずれかの内部への腫瘍細胞の浸潤と特定している[3]．また神経内膜内への腫瘍浸潤に対しては“intraneural invasion”の用語も用いられる[4]．以前は純粋に腫瘍のみにより引き起こされる現象と考えられていたが，現在は腫瘍と神経との間の微小環境の複雑な生物化学的な相互作用が要因であることが示されている[1,4]．これらの因子が特定の組織型で多くみられることに関与していると推定されるが，頭頸部癌での頻度は25～80%で[1,4]，腺様嚢胞癌では最低でも50%に認められる[5]．神経周囲浸潤は(特に切除断端陽性例での)予後不良因子として重要であり[6]，局所再発率(5～36%)[1]，リンパ節転移の頻度[7]，疾患特異的死亡率[8]は高く，無病生存率[9]は低下する．1mmより大きな神経への神経周囲浸潤を示す口腔癌症例では局所再発率が有意に高く，全生存率が有意に低いと報告されている[10]．

“神経周囲進展”は，原発病変が神経内膜もしくは神経鞘に沿って神経周囲腔などに播種する転移様式であり，1835年に初めて記述された[11]．厳密には神経周膜に沿った腫瘍進展に対して用いられるべきであるが，一般的に神経に沿った腫瘍進展に対してより幅広く用いられている．既述のとおり，多くは肉眼的，すなわち画像で評価可能な，(通常は名のある)大きな神経に沿った進展であり，(神経周囲浸潤と同様に)重要な予後因子でもある．TNM診断では，神経周囲進展は臨床的にも病理学的にもT，N，Mいずれに含めるかの規定はないため，慎重な画像評価と臨床医への丁寧な情報提供が求められる．また，頭頸部悪性腫瘍で，予後推定，切除の可否，放射線治療の照射

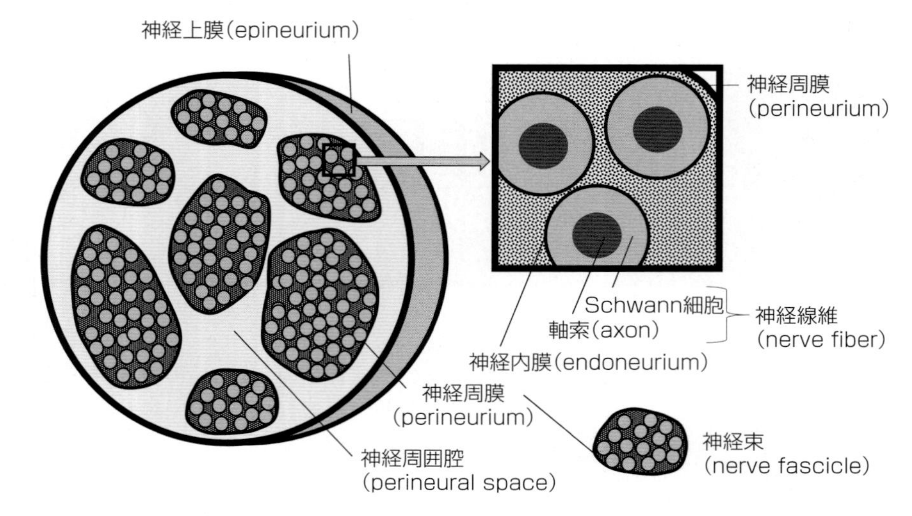

図 1　神経・神経鞘(断面)シェーマ

表 1　三叉神経と顔面神経の近接・吻合

部位	三叉神経	顔面神経
翼口蓋窩	V2	大錐体神経・翼突管神経(を経由する中間神経)⇒翼口蓋神経節
頬部皮下	V2(眼窩下神経，頬骨神経)	顔面神経(頬骨枝・頬枝)
耳下腺	V3(耳介側頭神経)	顔面神経
舌・口腔底	V3(舌神経)	鼓索神経

野設定など，治療方針の決定において重要な要素となる[12)]．その機序に関しては確定的ではないが，神経周囲に到達した腫瘍が，抵抗の少ない神経周囲腔に沿って進展する[13)]，あるいは神経内リンパ流が原因のひとつとも考えられていたが，神経周囲進展病変でリンパ内皮細胞は観察されず現在は否定的である[14)]．神経上膜，神経周膜を介した神経への直接浸潤および腫瘍増殖は(神経周囲浸潤の項にあるとおり)腫瘍や腫瘍周囲の炎症細胞による蛋白分解酵素の産生などの科学的因子，微小環境での神経との相互作用が要因と考えられている[1)]．神経周囲進展における重要な臨床的事項とともに画像診断について以下に解説する．

2 脳神経

頭頸部腫瘍の神経周囲進展ではいずれの脳神経も侵しうるが，最も頻度が高いのは三叉神経(CN5)と顔面神経(CN7)である[15)]．これらの神経が迷走神経(CN10)に次いで長い経路をとり，特に舌骨上頸部において広範かつ密に分布するためと考えられている．

3 原発部位

頭頸部病変の原発部位としては，鼻副鼻腔，唾液腺，上咽頭，皮膚(顔面・頭皮)など，主に舌骨上頸部病変が代表的となる．

4 病変の組織型

神経周囲進展を伴う腫瘍の組織型としては，腺様嚢胞癌と扁平上皮癌が最も重要である．神経周囲進展をきたす腫瘍として最も知られているのは腺様嚢胞癌であるが，実際に遭遇するのは，全体の症例数の多さから扁平上皮癌でより頻度が高い．

他に悪性リンパ腫，他の唾液腺悪性腫瘍，肉腫，その他多くの悪性腫瘍で生じうる．すなわち，すべての頭頸部悪性腫瘍において，その危険性を考慮すべきである．ただし，悪性リンパ腫のように全身療法が主体となる例では，手術や放射線治療などの局所療法が重要な癌と臨床的意義が異なる．

頭頸部悪性腫瘍全体の2.5〜5.0％[16]，腺様嚢胞癌では最大60％[17]で神経周囲進展を示す．神経周囲進展と関連性の高いN-CAM(neural cell adhesion molecule)は腺様嚢胞癌全体の89％，神経周囲進展を示す腺様嚢胞癌の93％で発現を示すと報告されている[18, 19]．また，扁平上皮癌での発現も93％とされる[20]．

5 進展方向

神経周囲進展は，腫瘍が神経に到達した部位から中枢側(centripetal/retrograde)，末梢側(centrifugal/antegrade)のいずれにも向かうが，中枢方向に向かう例が多い[21]．連続性，非連続性に播種を示し，非連続性の場合はskip lesionとして現れる．また末梢では神経間での近接した位置関係や吻合により，別の脳神経での中枢側，末梢側への進展が混在しうることも臨床上重要である．三叉神経と顔面神経(表1)が主であるが，その他として海綿静脈洞領域を走行する脳神経(CN3，CN4，V1，V2，CN6)の解剖も重要である．

6 臨床的事項

a. 症　状

神経周囲進展は無症候性あるいは特異性の低い軽微な症状のみを示す場合も多い．無痛性の知覚障害は神経周囲進展を疑うが[22]，有症状例では顔面痛，知覚麻痺・しびれ，顔面表情筋や咀嚼筋麻痺，顔面変形などを示す[4, 23]．一般に明らかな症状を示すのは，画像で神経領域に腫瘍浸潤を示す例の約15％程度とされる．広範な神経周囲進展例の最大で30〜45％が無症候性で，正常な神経機能を示すとされる[24, 25]．数年にわたり無症候性・潜在性の場合もあり，臨床医・画像診断医が，常にその可能性を考慮して慎重に評価しなければ，診断遅延の危険性が高い[12, 15]．進行病変になってから神経脱落症状が明らかになるのが通常である．

b. 危険因子

神経周囲進展の危険因子としては，男性，高容積病変，治療後再発，組織学的低分化病変，顔面中央部の局在などが挙げられる[11]．

c. 予後因子としての臨床的意義

神経周囲進展は局所再発率を約3倍とし，5年生存率を約30％減少させる[7, 25〜27]．遠隔転移の頻度も高くなるが[28]，(神経周囲浸潤とは異なり)リンパ節転移の頻度に有意な上昇はない[1]．画像所見として確認される神経周囲進展も予後不良因子とされるが[15]，最近は画像により正確に進展範囲を把握し，これらを含めた放射線治療で制御可能な場合があることが認識されている[29]．したがって神経周囲進展の存在は根治的治療の選択肢を否定するものではなく，明瞭な神経周囲進展を伴う皮膚癌の例で放射線治療により50〜57％が制御可能との報告もある[30, 31]．

中枢側に進展した症例は末梢部に限局した症例と比較して[32]，症候性の症例は無症候性の症例と比較して[29]，高容積病変は低容積病変と比較して[29]，予後不良の傾向を示す．中枢側への神経周囲進展の頭蓋内進展は頭蓋内播種のリスクから切除不能とされる[23]．

扁平上皮癌例の3年生存率は神経周囲進展を認める例では約23％であるのに対して，認めない例では49％とされる[3]．腺様嚢胞癌例の5年生存率は神経周囲進展を認める例では37％であるのに対して，認めない例では94％と報告されている[33]．

7 画像診断

a. 画像評価の臨床的意義

既述のとおり，画像所見として確認可能な神経周囲進展は予後不良を示す[15]．神経周囲進展の発現と，腫瘍容積，組織分化度や頸部リンパ節転移の有無には相関がないとの報告もあり[34]，症状の有無，組織型，原発病変の大きさにかかわらず，頭頸部領域のすべての悪性腫瘍において，画像評価で神経周囲進展の存在・範囲を可能な限り正確に把握し，治療計画に反映させることが重要である．

表 2　神経周囲進展の画像所見

- 神経の腫大・肥厚
- 神経の不整な増強効果
- 神経孔の拡大
- 神経の走行経路における組織層(脂肪層)消失
- skip lesion の発現
- 海綿静脈洞の肥厚・外側への膨隆(主に V2，V1 の神経周囲進展)
- SMAS (superficial musculoaponeurotic system) の肥厚(CN7 末梢枝の神経周囲進展)

治癒の期待される症例，すなわち無症候性のうちに，末梢部に限局した低容積病変を指摘することが画像評価の最も重要な役割である．放射線治療での計画標的体積(planning target volume：PTV)は画像で同定された神経周囲進展病変に対しては原発病変と同じ治癒線量(66～70 Gy)を考慮すべきであり[35]，原発病変より末梢側への進展がみられた場合には全領域を対象とすべきである[4]．既述の吻合や近接によるリスクのある他神経領域については周囲の重要臓器の存在などを考慮して症例ごとの検討が必要となる．

b. 画像所見・評価

神経周囲進展の画像所見を表 2 に示す[12, 15, 21]．異なる組織型であったとしても，同一神経の神経周囲進展の画像所見は類似する(例：扁平上皮癌であっても腺様嚢胞癌であっても，同じ V2 に沿った神経周囲進展の画像所見は同様)．一般に神経周囲進展の評価では造影 MRI が優れるとされるが，高いコントラスト分解能を有し，頭蓋顔面領域の骨・(義歯)金属などのアーチファクトによる画質劣化の傾向に乏しいことによる．ただし，頭蓋底での神経孔拡大は骨条件 CT が有用であり，組織層(脂肪層)消失に関しても，CT は MRI (T1 強調像)と同等の評価能を示す．なお，造影 MRI での脂肪抑制の付加に関しては，領域や撮影機種の性能などにより考慮されるべきであり，不均等な脂肪抑制は造影効果の評価をしばしば困難にする．神経周囲進展における CT の感度は 55～88％，特異度は 83～89％[6, 36]，MRI の感度は 95～100％，特異度は 85％[5, 23]と MRI に優位性があるが，MRI においても全進展範囲の把握における感度は 63～83％とやや低く報告されている[35, 37]．MRI 所見を考慮のうえ PET 評価を行うことで MRI のみよりも進展範囲の把握に優れるとの報告[23]もあるが，^{18}FDG-PET は空間分解能がやや低く低容積病変の指摘が困難なことに加えて，脳に集積することから頭蓋底や頭蓋内への中枢側進展の評価が困難との面もあり，多くの場合は敢えて PET を追加する必要はないと考える．

神経周囲進展は，必然的に脳神経の分布に従った領域に現れるが，画像上，微小な所見として認められるのが一般的であり，実際の症例の画像診断において，T 因子・N 因子のみを意識して評価した場合，容易に見落とす．逆に，低容積病変であり，微小な所見であったとしても，その存在を意識し，脳神経解剖に基づいて系統的に評価すれば，病変の指摘は比較的容易に可能である．脳神経の走行はほぼ一定しており，(既述のとおり，腫瘍の組織型にかかわらず)関連する脳神経における神経周囲進展は，ほぼ常に同じ解剖学的領域に類似した画像所見として現れる(すなわち，忘れずにその部位にその所見があるかどうかを確認することが最も重要である)．また，運動神経の神経周囲進展では筋肉の脱神経萎縮による変化(特に V3 障害による咀嚼筋変化)が診断を示唆する場合がある．早期には浮腫，時間経過とともに萎縮，脂肪浸潤を示す．PET でも早期には集積を示し，晩期に正常化するとされる[38]．神経周囲静脈叢による増強効果，炎症，虚血，外傷，脱髄性疾患などによる非腫瘍性増強効果は偽陽性の原因となりうる[5]．

当然，神経周囲進展の画像評価では，脳神経の系統解剖・画像解剖に対する詳細な理解が必須となる．

B 各　論

以下，三叉神経(CN5)，顔面神経(CN7)，その他の脳神経において，神経周囲進展の画像評価対象となる枝の系統解剖・画像解剖，各神経に沿った神経周囲進展の画像所見につき，症例提示とともに解説する．その類似性，一貫性を確認す

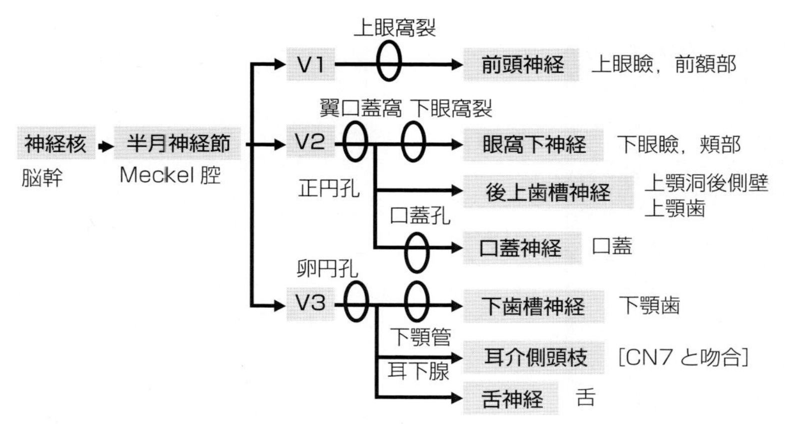

図2　三叉神経(CN5)の解剖

ることを目的として，各脳神経の神経周囲進展に関して，可能な限り類似する複数例を反復して提示する．

1 三叉神経(CN5：trigeminal nerve)

第1鰓器官の神経である三叉神経は，(その名前の由来となる)眼神経(V1)，上顎神経(V2)，下顎神経(V3)の3つの枝よりなり，知覚枝と運動枝に分かれる(図2〜4)．知覚枝は3つの枝が，各々顔面の上・中・下部の知覚を担う．運動枝は下顎神経のみに含まれ，咀嚼筋，口蓋帆張筋，鼓膜張筋，顎舌骨筋，顎二腹筋前腹を支配する．

a. 脳神経核

主に橋に位置するが，一部は中脳，延髄から頸髄上部(最大でC2レベル)に及ぶ．

b. 脳槽部(図3A)

三叉神経(脳槽部)は橋中部の外側面より出て，中大脳脚下面と錐体骨尖部上面との間を前方に向かい，後述の三叉神経槽(Meckel腔)に入り，半月神経節を形成する．

【三叉神経脳槽部における神経周囲進展の画像所見】

三叉神経脳槽部の肥厚・増強効果として同定される(図5〜7)．

c. 半月神経節(図3A・B，4G)

中頭蓋窩内側縁で，海綿静脈洞後方に隣接し，錐体骨尖部上面に浅い陥凹として認められる三叉神経槽(trigeminal cistern，trigeminal cavity，Meckel's cave，Meckel腔)内に進入してきた三叉神経は，同腔の前下方に半月神経節(semilunar ganglion，trigeminal ganglion，Gasselian ganglion)を形成する．同神経節より後述の3枝(眼神経・上顎神経，下顎神経)を出す．

【神経周囲進展による半月神経節浸潤の画像所見】

正常画像解剖では，同神経節を容れる三叉神経槽は，液体濃度(CT)・液体信号強度(MRI)として確認されるが，神経周囲進展による半月神経節到達は，同領域を占拠する，増強効果を示す軟部組織病変として認められる(図5〜7)．半月神経節に到達した神経周囲進展は進行によりMeckel腔全体を占拠するが，神経節自体はMeckel腔の内側前方に偏在することから部分的に液体濃度・信号の残存が同定される場合(図5)があることを認識しておかなければならない．一度，三叉神経末梢枝からの神経周囲進展が半月神経節に到達すると，中枢側では三叉神経脳槽部に向かい，末梢側では別の枝への進展をきたす場合もあり，注意を要する(例：V3の神経周囲進展が卵円孔を介して，半月神経節に到達した後，V2を末梢側に向かい，海綿静脈洞領域から正円孔を介して翼口蓋窩に進展する場合もある；図8)．

d. 眼神経(V1：ophthalmic division)(図2，3A，4A〜F，9)

半月神経節の前内側から出た後，前方の海綿静脈洞側壁やや上部に沿って走行する．蝶形骨小翼

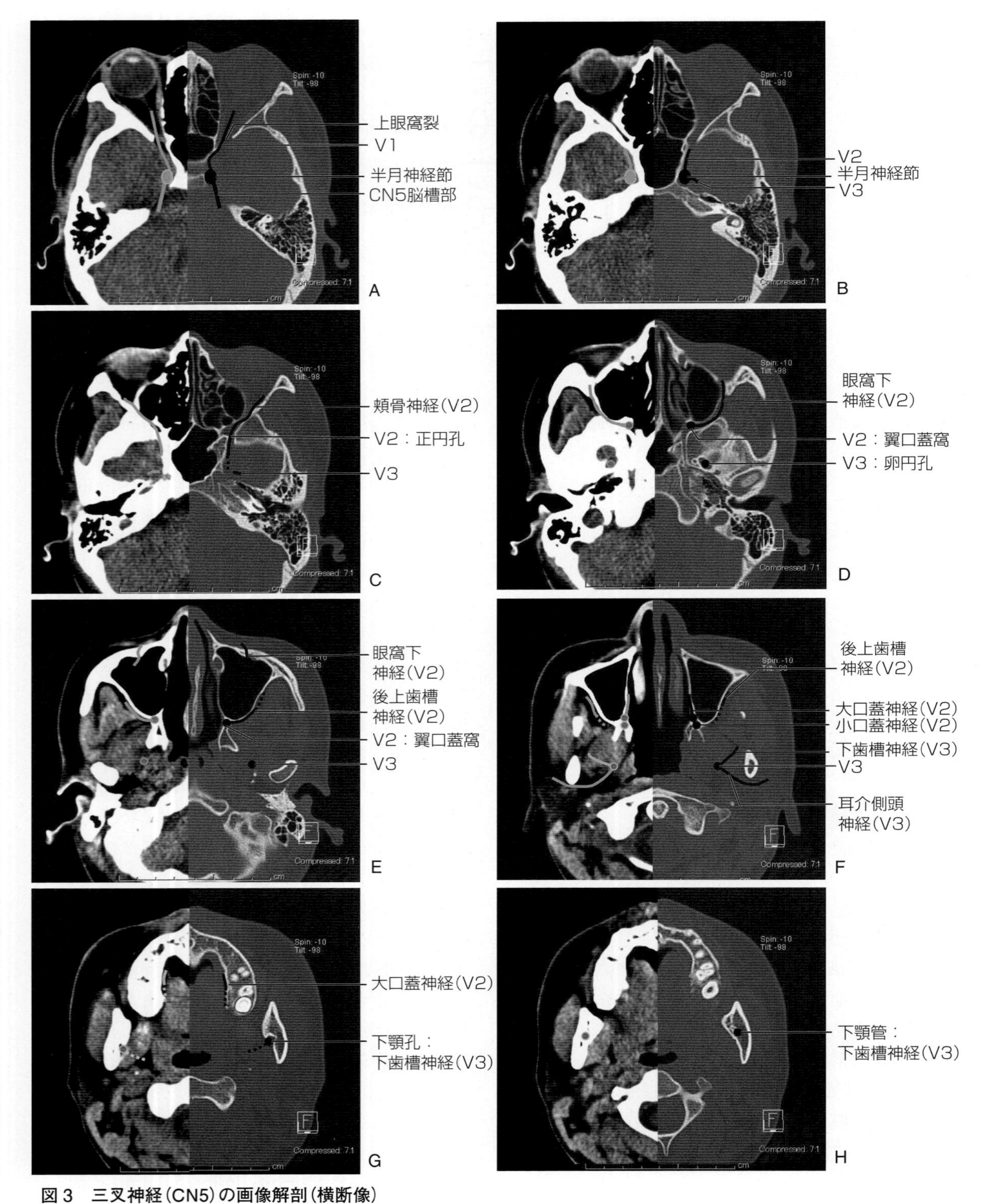

図3　三叉神経(CN5)の画像解剖(横断像)

頭側から尾側に向かって，CT(各画像の右側は軟部濃度表示，左側は骨条件表示)横断像A～Hとして表示．CN5：三叉神経，V1：眼神経，V2：上顎神経，V3：下顎神経

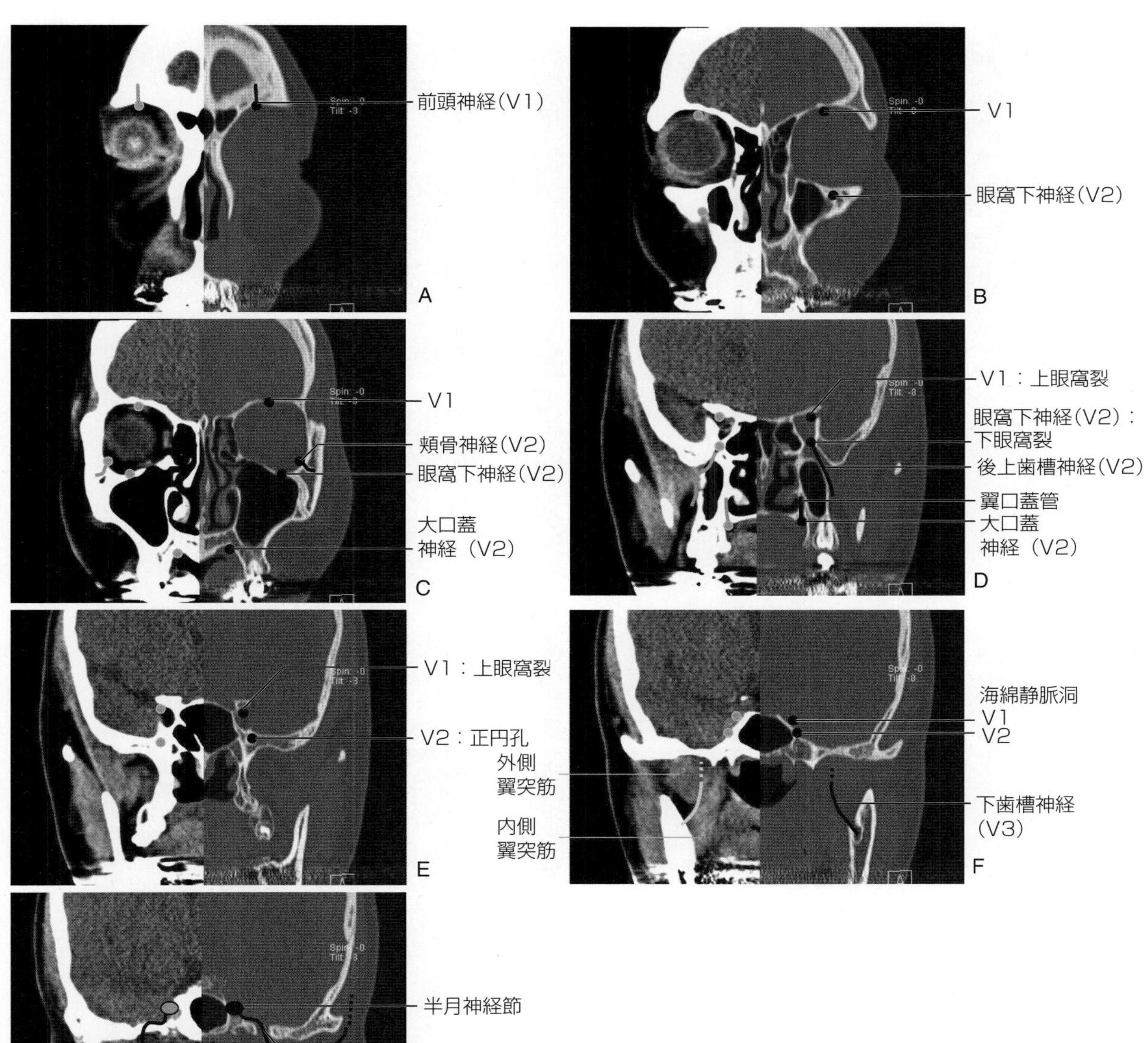

図4　三叉神経(CN5)の画像解剖(冠状断像)

前方から後方に向かって，CT(各画像の右側は軟部濃度表示，左側は骨条件表示)冠状断像をA～Gとして表示．CN5：三叉神経，V1：眼神経，V2：上顎神経，V3：下顎神経

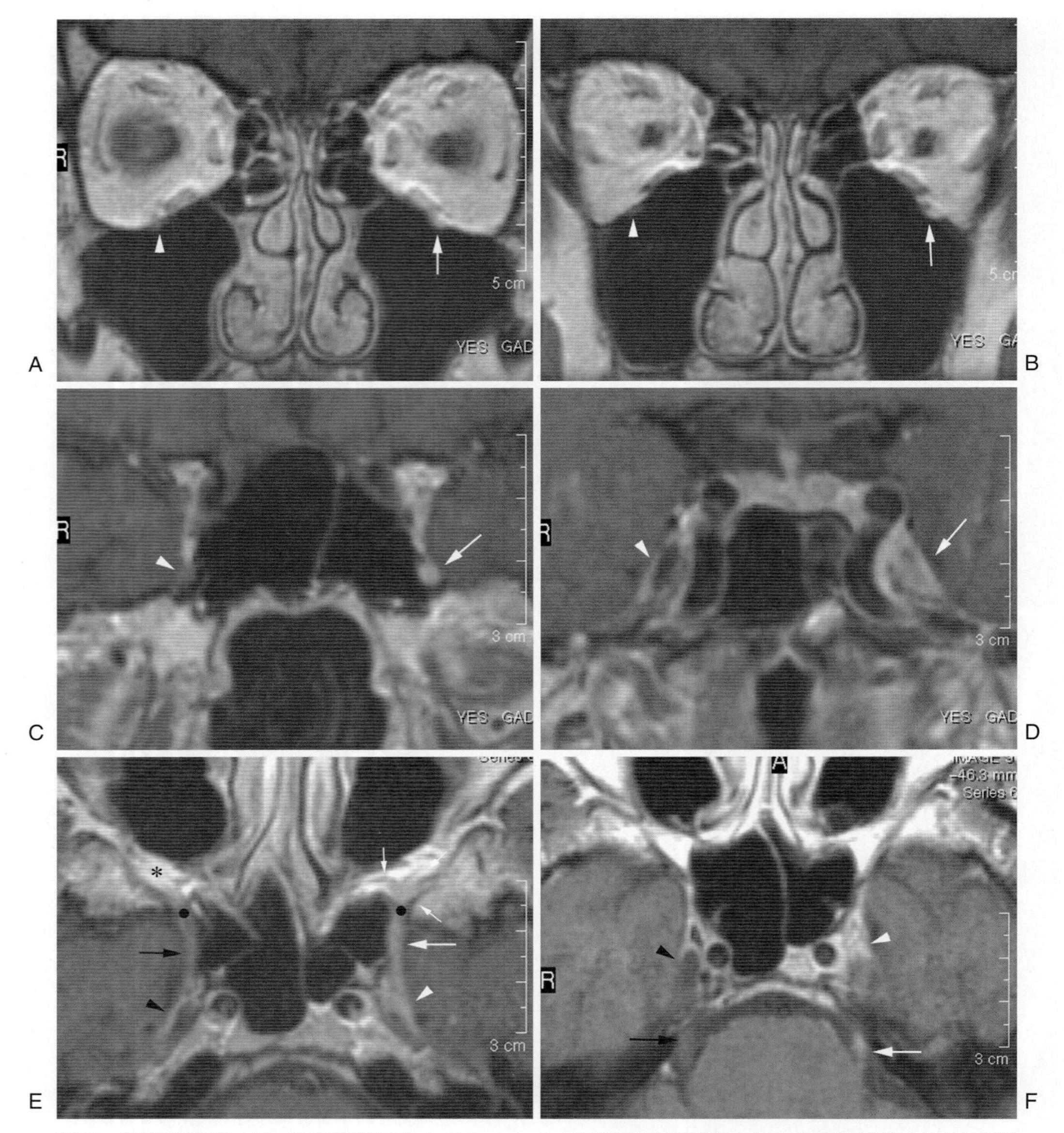

図5　眼窩下神経，V2の中枢側に向かう（retrograde）神経周囲進展による半月神経節，CN5脳槽部への進展

MRI，造影後T1強調冠状断像の前方より後方に向けて，眼窩前方（A），眼窩後方（B），正円孔（C），半月神経節（D）レベル．左眼窩下壁に沿って，眼窩下管・溝内を走行する眼窩下神経の異常増強効果あり（図A・B：矢印，健側の右眼窩下神経は矢頭）．中枢側では正円孔内のV2（図C：矢印，健側のV2は矢頭）の増強効果を認め，さらに病変は半月神経節に到達，神経節を容れる三叉神経槽（Meckel腔）内に腫瘤を形成している（図D：矢印，健側の三叉神経槽は矢頭）．

正円孔レベルの横断像（E）では，左V2の位置する左翼口蓋窩内（健側の右翼口蓋窩の正常脂肪を＊で示す）に増強効果のある浸潤性腫瘍（白小矢印）を認め，中枢側は正円孔（●）を介して進展，V2海綿静脈洞部の肥厚（白大矢印，健側は黒矢印），半月神経節を容れる三叉神経槽の腫瘤（白矢頭，健側は黒矢頭）をきたしている．さらに図Eのすぐ頭側レベル（F）において半月神経節（白矢頭，健側は黒矢頭）からCN5脳槽部（白矢印，健側は黒矢印）に病変の進展が認められる．

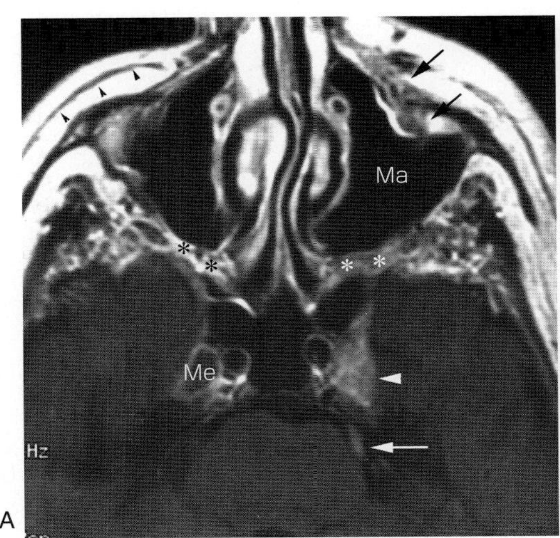

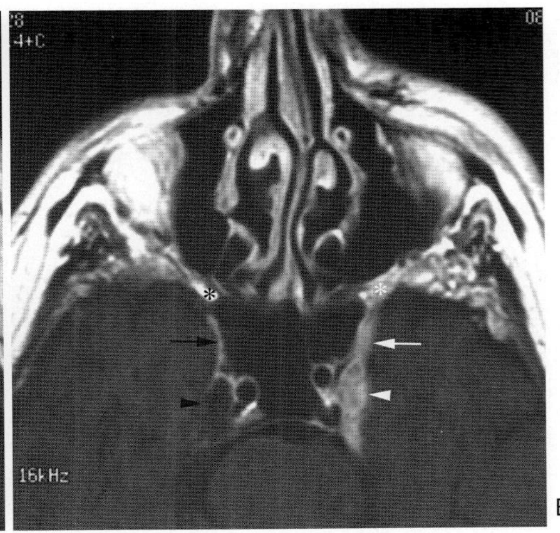

図 6　眼窩下神経，V2 の中枢側に向かう (retrograde) 神経周囲進展による半月神経節，CN5 脳槽部への進展

MRI，造影後 T1 強調横断像の海綿静脈洞レベル(A)において，左上顎洞(Ma)前壁と交差するようにして索状腫瘤(黒矢印)を認め，眼窩下神経末梢部に沿った神経周囲進展に一致する．黒矢頭：SMAS (superficial musculoaponeurotic system)および表情筋．後方では(V2 の位置する)翼口蓋窩内に増強効果のある腫瘤形成による脂肪層消失を認める(白＊，健側の翼口蓋窩の正常脂肪層を黒＊で示す)．さらに中枢側では海綿静脈洞から三叉神経槽内に腫瘤を形成(白矢頭，健側三叉神経槽は Me で示す)，CN5 脳槽部への進展あり(白矢印)．

わずかに頭側レベル(B)では左翼口蓋窩(白＊，健側翼口蓋窩の正常脂肪層を黒＊で示す)から海綿静脈洞(白矢印，健側は黒矢印)，三叉神経槽の半月神経節(白矢頭，健側は黒矢頭)への連続性進展が描出されている．

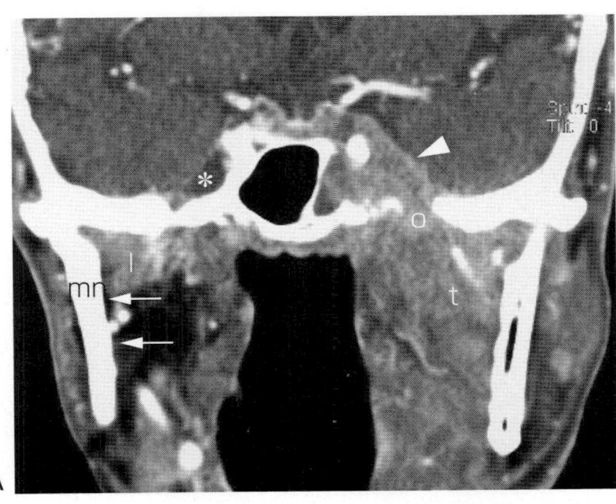

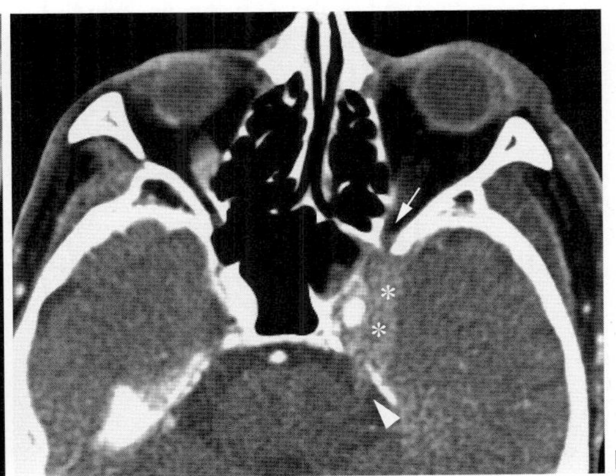

図 7　V3 から中枢測に向かう神経周囲進展

卵円孔レベル造影 CT 冠状断像(A)において左側頭下窩に浸潤性病変(t)を認め，外側翼突筋(対側で l で示す)周囲および下顎枝(対側で mn で示す)内側に沿った脂肪層(矢印)は消失している．頭側で拡大した卵円孔(o)を介して V3 に沿った Meckel 腔(対側で＊で示す)への頭蓋内進展(矢頭)を示す．眼窩レベル横断像(B)で左海綿静脈洞の肥厚(＊)とともに，三叉神経脳槽部に沿った中枢側進展が索状腫瘤(矢頭)として認められる．一方，前方では上眼窩裂から眼窩尖部への進展(矢印)がみられ，半月神経節から V1(および V2)への末梢側進展が示唆される．

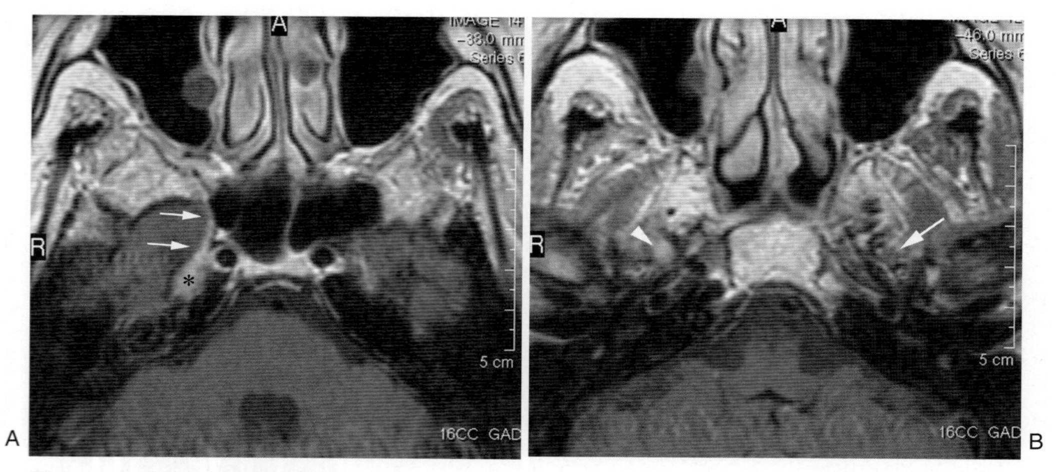

図 8　三叉神経の神経周囲進展
半月神経節レベル(A)の MRI，造影 T1 強調横断像で，右半月神経節に一致した腫瘤(＊)を認めるとともに，V2 海綿静脈洞部の末梢に向かう神経周囲進展(矢印)の所見あり．頭蓋底レベル(B)では，卵円孔内の右 V3(矢頭)の腫大と増強効果を認め，V3 の神経周囲進展病変を示す．矢印：健側の卵円孔内の V3

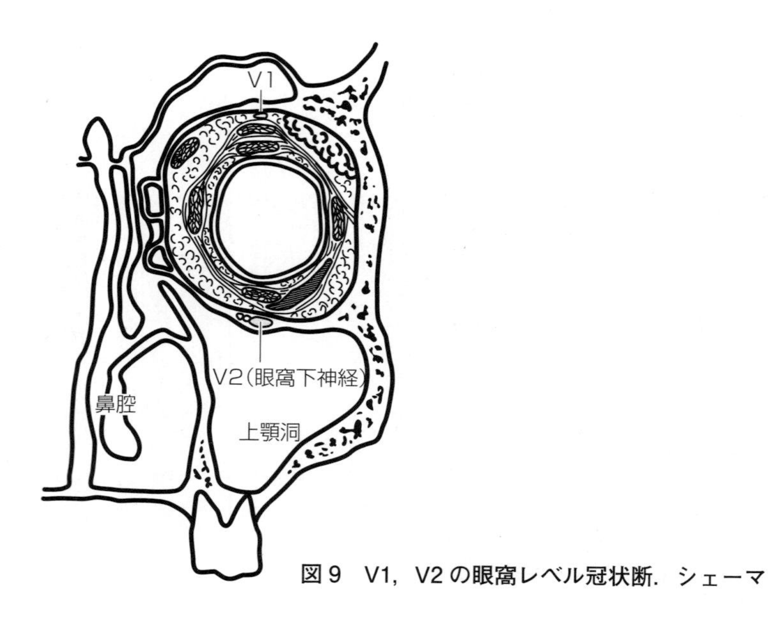

図 9　V1，V2 の眼窩レベル冠状断．シェーマ

と大翼の間に形成される上眼窩裂より眼窩内に進入する直前に前頭神経，涙腺神経，鼻毛様体神経に分岐する．

鼻毛様体神経のみが眼窩尖部において Zinn 総腱輪を通過，眼窩円錐内を走行する(2 章「眼窩」の図 3A)[39]．

1）前頭神経

前頭神経が最も太く，眼窩上壁に沿って前方に走行，眼窩上切痕から前額部・前頭部皮下(眼窩上神経)，滑車上切痕から上眼瞼内側・鼻根部など(滑車上神経)に分布し，これらの領域の知覚を担う(図 10)．

【前頭神経・眼神経に沿った神経周囲進展】

眼窩上壁に沿って前後方向に向かう索状・管状腫瘤として認められる(図 11〜13)．後方で V1 本幹に到達すると，眼窩尖部で上眼窩裂，さらに海綿静脈洞領域に連続する．上眼窩裂では同部の脂肪層消失，増強効果，海綿静脈洞では同部の肥

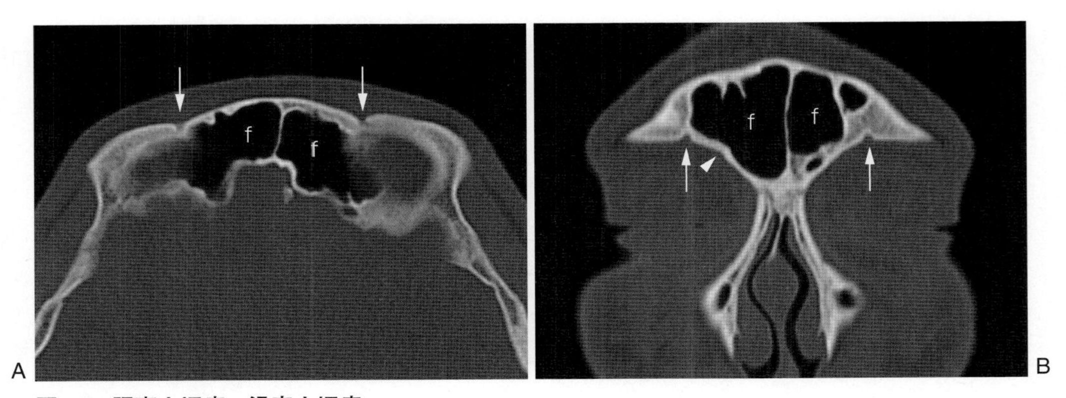

図 10　眼窩上切痕・滑車上切痕

眼窩上部レベル CT 骨条件の横断像(A)，冠状断像(B)で，眼窩上切痕(矢印)，滑車上切痕(矢頭)を示す．f：前頭洞

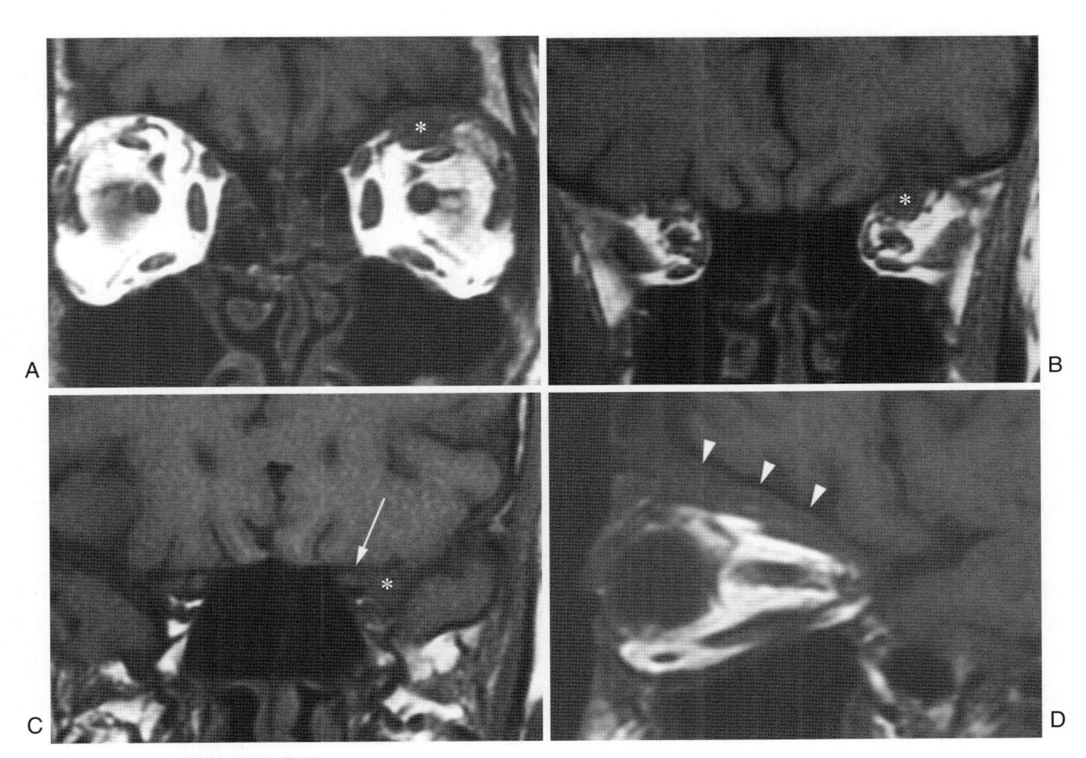

図 11　V1 の神経周囲進展

MRI，T1 強調冠状断像の前方より後方に向かって，眼窩前方(A)，眼窩後方(B)，眼窩尖部(C)レベル，および左眼窩長軸に沿った斜矢状断像(D)．V1 の走行に一致した，左眼窩上壁に沿って前後方向に向かう索状の tissue intensity lesion(＊)を認める．眼窩尖部(C)では(V1 が通過する)上眼窩裂に向かう．矢印：視神経(視神経管内)

左眼窩長軸に沿った斜矢状断像(D)で眼窩上壁に沿って進展する腫瘍(矢頭)を認め，V1 の神経周囲進展に一致する．

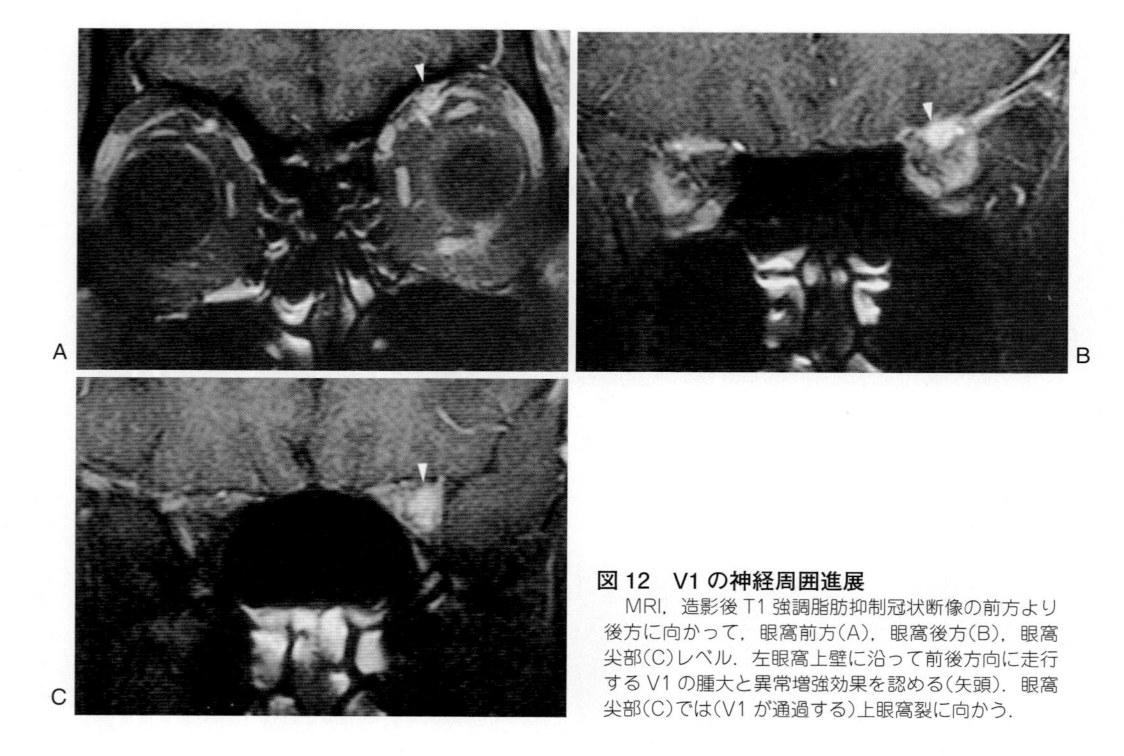

図12　V1の神経周囲進展
MRI，造影後T1強調脂肪抑制冠状断像の前方より後方に向かって，眼窩前方(A)，眼窩後方(B)，眼窩尖部(C)レベル．左眼窩上壁に沿って前後方向に走行するV1の腫大と異常増強効果を認める(矢頭)．眼窩尖部(C)では(V1が通過する)上眼窩裂に向かう．

厚，外側への膨隆として認められる．

e．上顎神経(V2：maxillary division)(図2，3B〜E，4E・F)

V2本幹は，半月神経節から出た後，前方の海綿静脈洞の側壁に沿って前方に進展，蝶形骨大翼垂直部で蝶形骨洞側壁下部に位置する正円孔(foramen rotundum)を介して頭蓋外，翼口蓋窩(pterygopalatine fossa)に出る．翼口蓋窩において，眼窩下神経，頬骨神経，後上歯槽神経，口蓋神経などの枝に分岐する．

【V2本幹に沿った神経周囲進展の画像所見】

翼口蓋窩は主に脂肪で満たされることから，正常横断像においてCTで低濃度，T1強調像で高信号強度を呈する．同部に到達した神経周囲進展は，同脂肪濃度・信号強度を置換する組織層消失・増強効果(図5，6，14〜16)や翼口蓋窩自体の拡大(図14〜16)を示す．また，さらに中枢の正円孔内への進展では，正円孔の拡大(図14，15)，正円孔内V2の肥厚や増強効果(図5，6，15)，海綿静脈洞の肥厚(図6，14，17)として認められる．

上顎洞癌に対する根治手術後(特に翼状突起，翼突筋の合併切除後)では，翼口蓋窩はほぼ常に脂肪層消失，増強効果を継続性に示し(図18)[40]，必ずしも再発・残存腫瘍を示す所見とはされず，経時的評価とともに臨床経過などとの対比，臨床的判断も必要となる．

1）眼窩下神経(infraorbital nerve)(図2，3D・E，4B〜D，9)

正円孔を介して頭蓋内から翼口蓋窩底部に出るV2本幹の枝として，その前方に近接する下眼窩裂より眼窩内に進入，眼窩下壁(上顎洞上壁)に沿って斜め外側前方に走行，眼窩下溝・管を通過して，上顎洞前壁上部に位置する眼窩下孔より，SMAS (superficial musculoaponeurotic system)に含まれる顔面表情筋と上顎洞前壁との間の脂肪層(preantral fat pad)に出て(図6，14〜16，19)，頬部内側，鼻部側面に分布，同部の知覚を担う．

【眼窩下神経に沿った神経周囲進展の画像所見】

末梢部病変は，横断像でSMAS深部のpreantral fat pad (SMASと上顎洞前壁との間)の脂肪層消失(図6，14〜16，20〜22)，同部で眼窩下孔領域を中心とした軟部組織腫瘤形成として同定さ

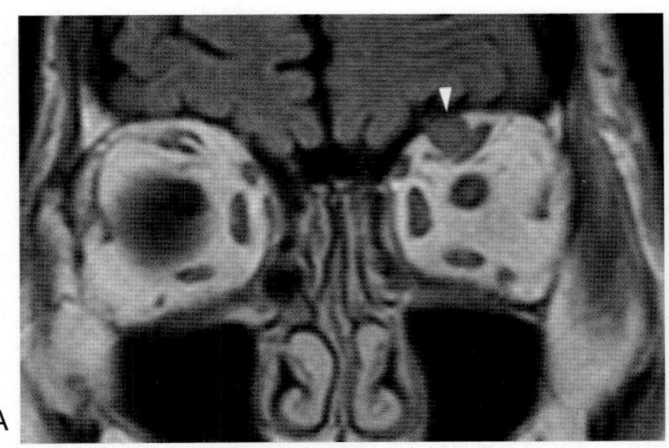

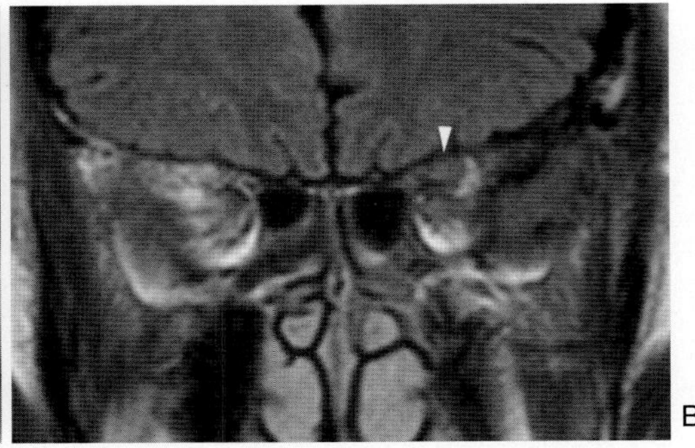

図 13　V1 の神経周囲進展
MRI，FLAIR 像冠状断像の眼窩前方(A)，眼眼窩尖部(B)レベル．左眼窩上壁に沿って前後方向に走行する V1 の腫大を認める(矢頭)．

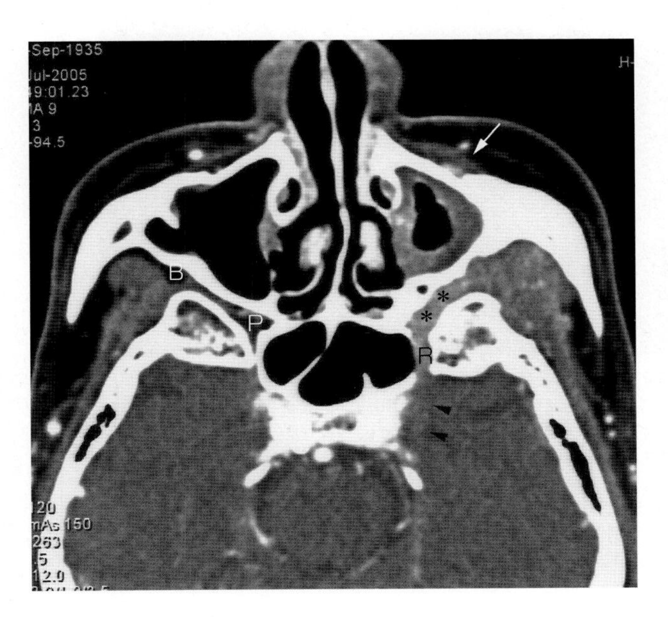

図 14　眼窩下神経，後上歯槽神経，V2 の神経周囲進展
翼口蓋窩(右側で P で示す)レベルの造影 CT 横断像において，左翼口蓋窩(＊)の拡大，脂肪層の消失を認め，外側では連続性に左上顎洞後側壁後方の頬間隙(右側で B で示す)の脂肪層(retroantral fat pad)の消失がみられる．各々，V2，(V2 の枝である)後歯槽神経の神経周囲進展の所見を反映する．さらに(もうひとつの V2 の枝である)眼窩下神経末梢部での神経周囲進展が左頬部で SMAS と上顎洞前壁との間の脂肪層(preantral fat pad)の消失として同定される(矢印)．一方，中枢側では V2 に沿った病変は拡大した正円孔(R：対側と比較)を介して，海綿静脈洞領域に達する(矢頭)．

れ，ときに眼窩下管への連続性が，上顎洞前壁と交差する索状・管状腫瘤(図 6，20)を呈する．冠状断では眼窩下管の拡大(図 19，21)・同管内の眼窩下神経の肥厚・増強効果(図 5，15，19)，(後方では)下眼窩裂脂肪層の消失(図 16，22)を示す．

2）**頬骨神経(zygomatic nerve)(図 2，3C，4C，23)**

翼口蓋窩の下眼窩裂近傍で V2 本幹より分かれ，下眼窩裂を介して眼窩内に進入，眼窩下壁外側に沿って前方に進展，頬骨側頭神経(zygomaticotemporal nerve)と頬骨顔面神経(zygomaticofacial nerve)に分岐する．前者は眼窩外側壁を形成する頬骨側頭面の同名の小孔(zygomaticotemporal canaliculus)を出て，前額部外側から側頭部前方，後者は頬骨体部前面の同名の小孔(zygomaticofacial canaliculus)を出て，頬部外側の知覚を担う．これらの小孔は CT 上同定可能(図 24)であり，顔面外傷例で骨折線と誤らないよう，注意を要する．

【頬骨神経に沿った神経周囲進展の画像所見】

眼窩外側壁に沿った軟部組織の肥厚・腫瘤(図 25，26)として認められ，ときに頬骨側頭神経，頬骨顔面神経が貫通する眼窩外側壁の破壊(図

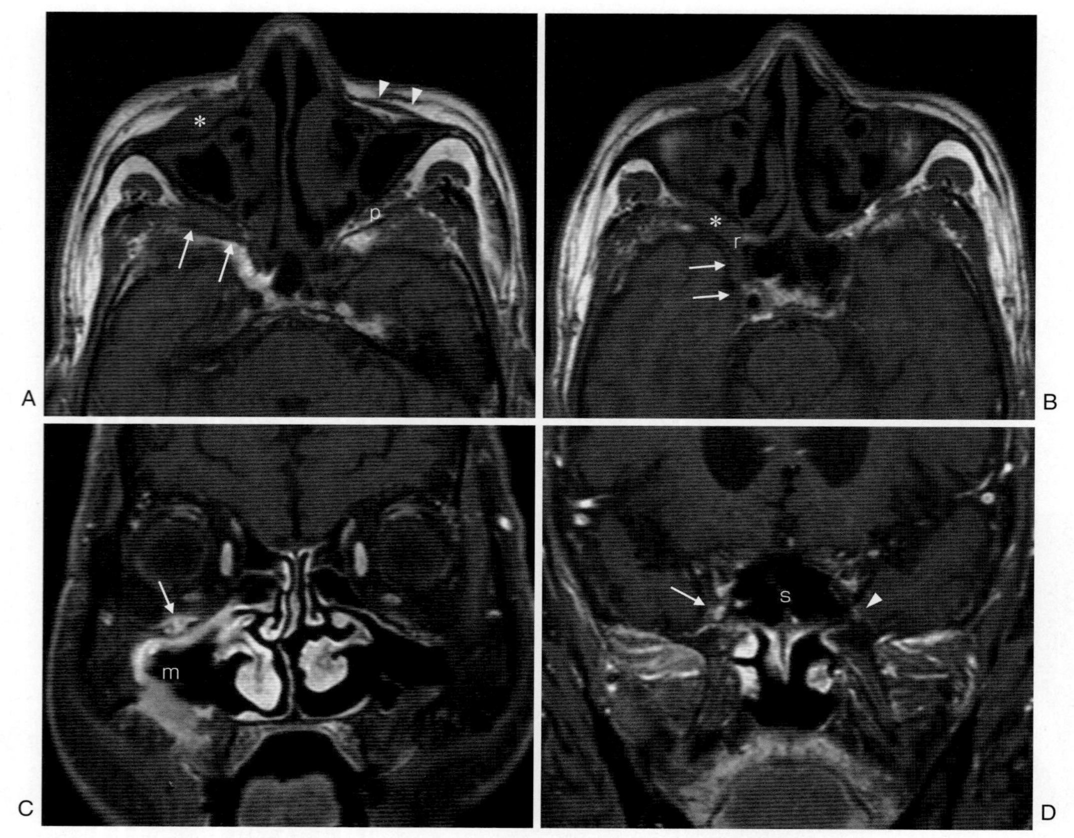

図15　V2本幹および眼窩下神経の神経周囲進展(上顎洞癌：扁平上皮癌)

上顎洞レベルのMRI，T1強調横断像(A)において，右翼口蓋窩(矢印)の脂肪は骨格筋に類似した信号強度で置換され，左翼口蓋窩(p)と比較して拡大を示す．V2本幹に沿った神経周囲進展の所見に一致する．前方で上顎洞前壁とSMAS(対側で矢頭で示す)との間の脂肪層の消失(＊)が見られ，眼窩下神経末梢部の神経周囲進展病変に相当する．やや頭側レベル(B)では，右翼口蓋窩の病変(＊)は正円孔(r)を介して海綿静脈洞領域(矢印)に向かう，中枢側への進展を示している．同例の造影後T1強調冠状断像の上顎洞レベル(C)において，右上顎洞(m)の壁に沿った浸潤性病変を認め，上顎洞癌(原発病変)に一致する．同側の眼窩下神経(矢印)の腫大，増強効果が見られ，眼窩下神経に沿った神経周囲進展を示す．蝶形骨洞(s)レベル(D)において，右正円孔(矢印)の拡大，内部の増強効果が認められ，V2本幹の神経周囲進展を反映する．矢頭：健側の正円孔

27)を伴う．

3)　後上歯槽神経(posterior superior alveolar nerve)(図2，3E・F，4D)

翼口蓋窩においてV2本幹より分岐し，上顎洞後側壁に沿って，上顎洞後側壁に接する(翼口蓋窩から外側の頬間隙に連続する)脂肪層(retroantral fat pad；頬間隙の一部)内を走行し，上顎臼歯，臼歯歯槽・歯肉の知覚を担う．

【後上歯槽神経に沿った神経周囲進展の画像所見】

横断像において，翼口蓋窩から外側に連続するように，上顎洞後側壁に沿ったretroantral fat padの脂肪層消失，増強効果のある腫瘤として認められる(図14，20B，25，26，28，29)．

4)　口蓋神経(palatine nerve)(図2，3F・G，4C・D)

翼口蓋窩においてV2本幹より分岐，翼口蓋窩を下行，その下端からさらに翼口蓋管(pterygopalatine canal)を通過して，硬口蓋外側後縁に出る．ここで大口蓋神経(greater palatine nerve)・小口蓋神経(lesser palatine nerve)に分かれ，各々，大・小口蓋管に進入し，大口蓋神経は硬口蓋口腔面の外側端を前方に向かい硬口蓋，小口蓋神経は後方に向かい軟口蓋の知覚を担う．

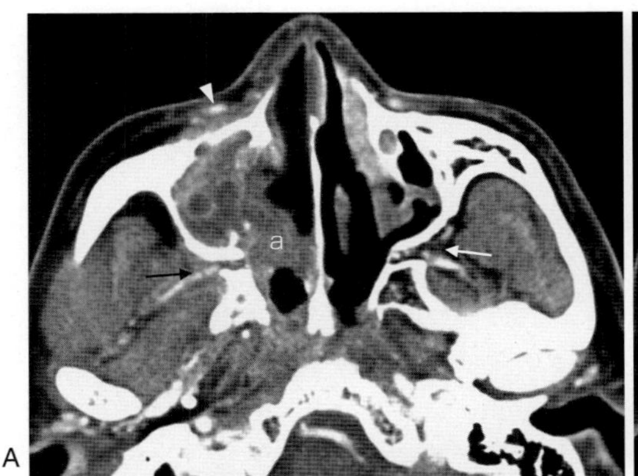

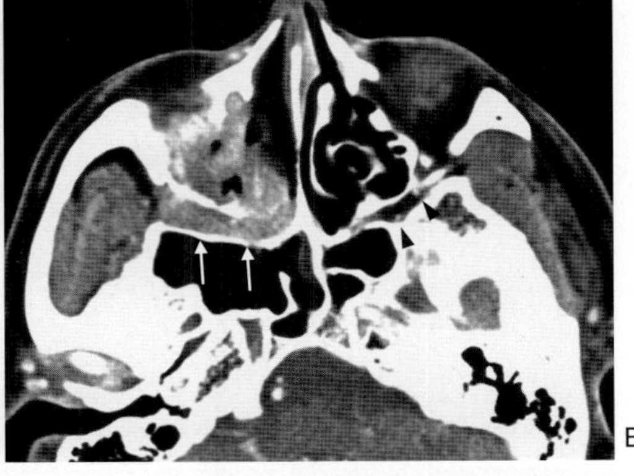

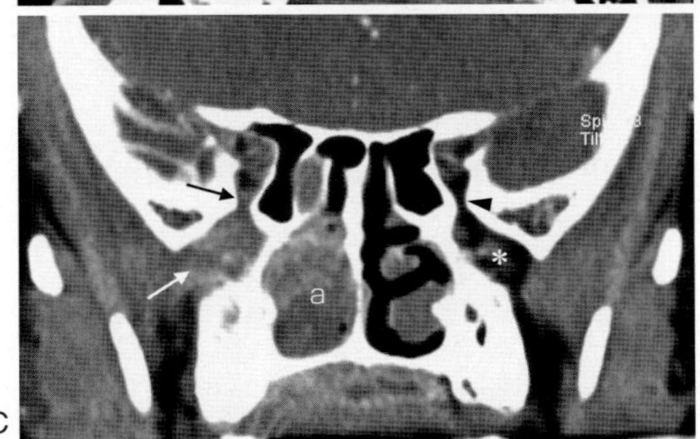

図 16　V2 本幹および眼窩下神経の神経周囲進展（鼻腔癌：腺様囊胞癌）

上顎洞レベルの造影 CT 横断像（A）．右鼻腔に不整形腫瘤（a）を認める．蝶口蓋孔を介して隣接する右翼口蓋窩（黒矢印）の脂肪（白矢印：対側翼口蓋窩の正常脂肪濃度）は浸潤性軟部濃度病変で置換される．上顎洞前壁に接した組織肥厚（矢頭）が見られ，眼窩下神経末梢部の神経周囲進展に相当する．やや頭側レベル（B）において，軟部濃度で置換された右翼口蓋窩（矢印）は拡大を示す．矢頭：（正常脂肪濃度の）対側翼口蓋窩．眼窩尖部レベルの冠状断像（C）で，拡大した右翼口蓋窩（白矢印）に浸潤性軟部濃度病変を認め，頭側では連続する下眼窩裂（対側で矢頭で示す）への浸潤（黒矢印）を示す．a：鼻腔腫瘍，＊：対側翼口蓋窩

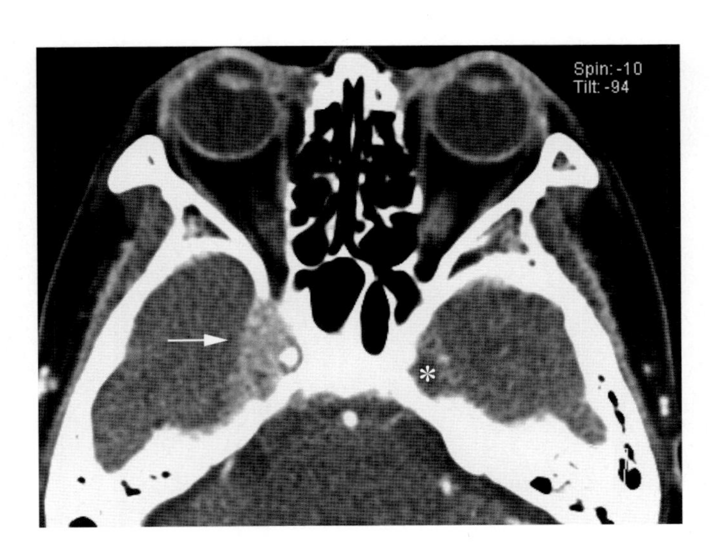

図 17　海綿静脈洞領域への神経周囲進展

海綿静脈洞レベル造影 CT において右海綿静脈洞領域の増強効果を示す組織肥厚（矢印）とともに，Meckel 腔（対側で＊で示す）の液体濃度の消失を認める．

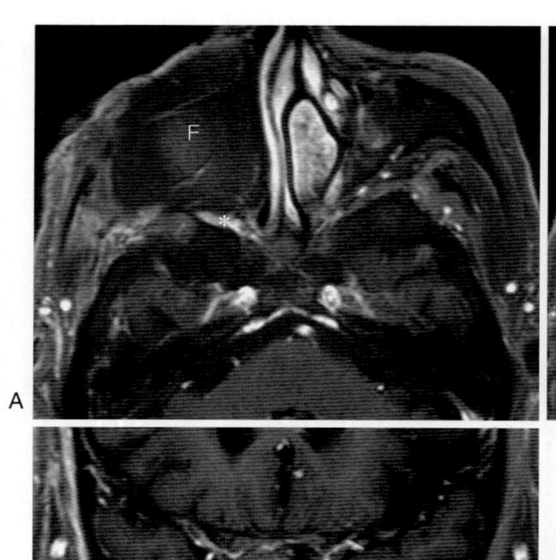

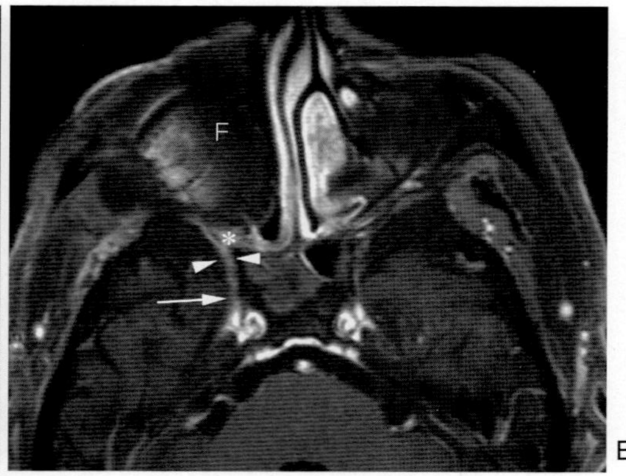

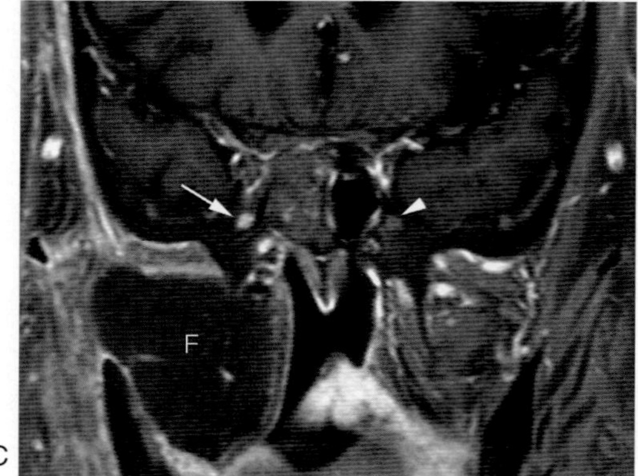

図 18　上顎洞癌術後の翼口蓋窩の増強効果

右上顎洞癌に対する根治的上顎切除術および右翼状突起の合併切除後．術後部は筋皮弁(F)により再建後．

造影後 T1 強調脂肪抑制横断像の翼口蓋窩レベル(A)において，術後の右側翼口蓋窩は増強効果を示し(＊)，正円孔レベル(B)では右 V2 に沿って，翼口蓋窩(＊)，正円孔(矢頭)から海綿静脈洞部(矢印)への増強効果を認める．正円孔レベルの冠状断像(C)において，正円孔内の右 V2 に沿った増強効果(矢印)を認める(矢頭：健側の正円孔内 V2)．

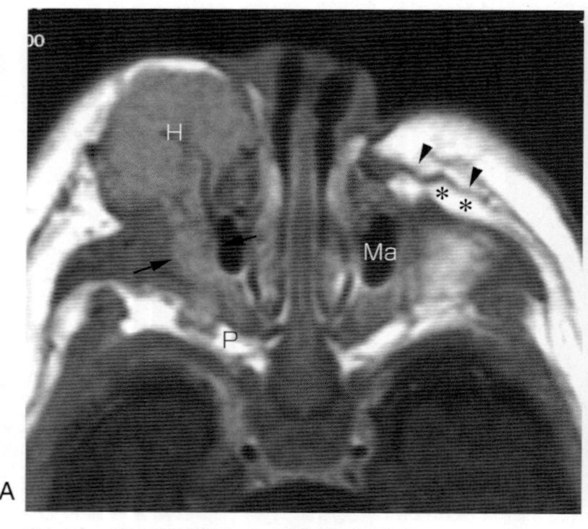

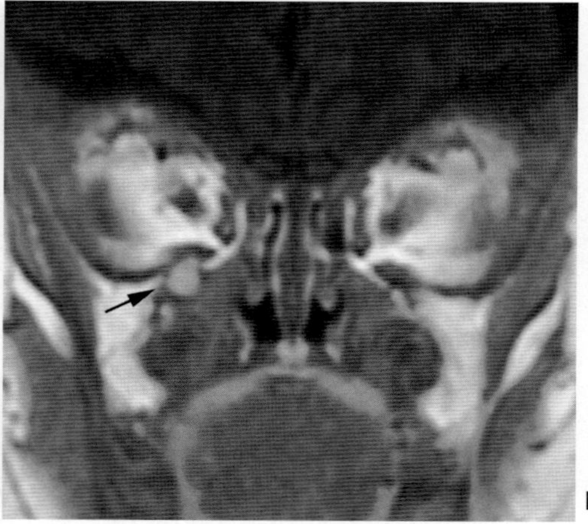

図 19　眼窩下管内への進展を示す juvenile hemangioma

本症例は良性腫瘍であるが，眼窩下管・孔の解剖を示すために提示する．

上顎洞(Ma)レベルの MRI，造影後 T1 強調横断像(A)において，右頬部の SMAS(対側で矢頭で示す)深部の preantral fat pad(対側で＊で示す)内に腫瘍(H)を認め，後方では拡大した眼窩下管(矢印)に沿って進展，翼口蓋窩(P)に到達している．冠状断像(B)で拡大した眼窩下管内の腫瘍(矢印)を認める．

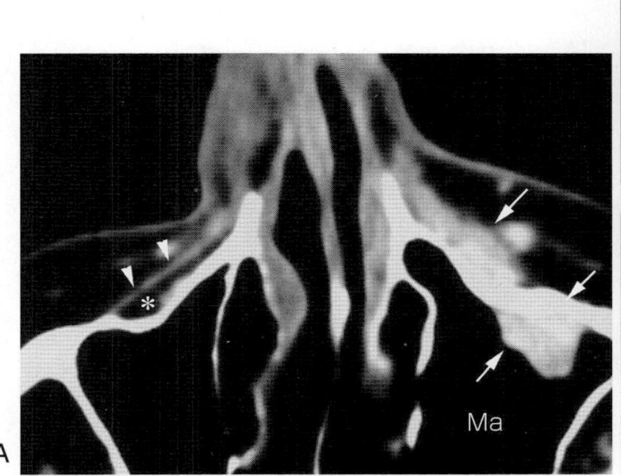

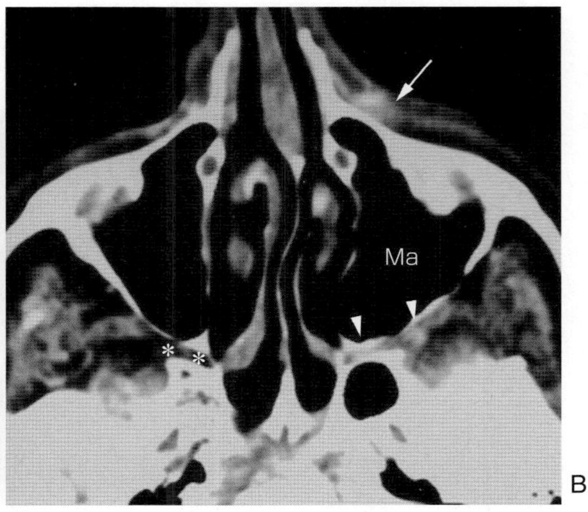

図 20 眼窩下神経末梢部の神経周囲進展
上顎洞(Ma)レベル，造影 CT 横断像(A)で，眼窩下孔レベルで左上顎洞前壁と交差する索状腫瘤(矢印)を認め，前方では上顎洞前壁と SMAS(健側で矢頭で示す)との間の preantral fat pad(健側で＊で示す)の部分的脂肪層消失を示す．わずかに頭側の横断像(B)においても preantral fat pad の脂肪層消失(矢印)を認め，中枢側に向かう神経周囲進展は翼口蓋窩(健側で＊で示す)に到達，retroantral fat pad の脂肪層消失(矢頭)を示す．

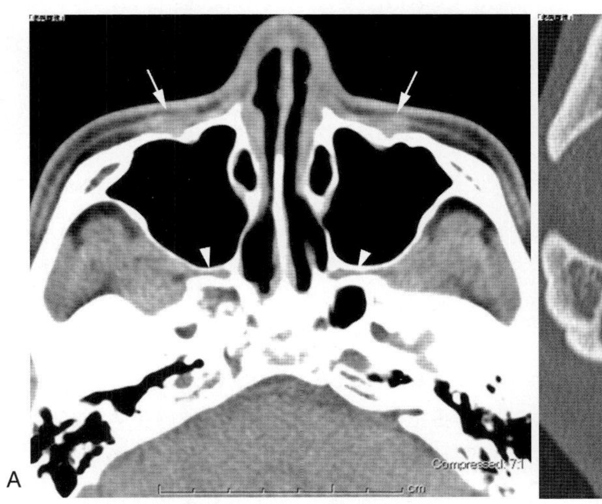

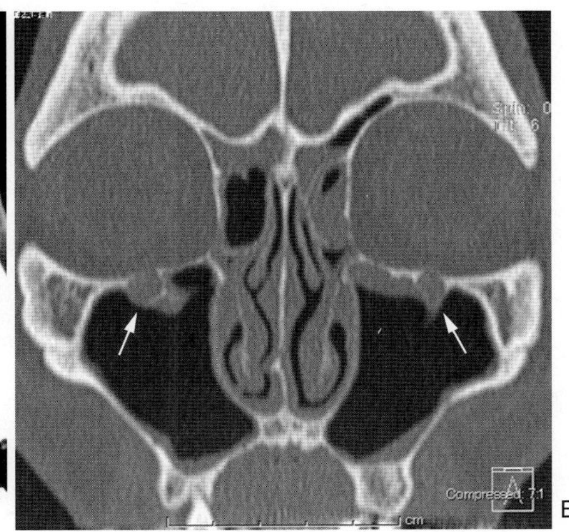

図 21 両側眼窩下神経の神経周囲進展を示す悪性リンパ腫
横断 CT(A)において，両側性に preantral fat pad(矢印)，翼口蓋窩(矢頭)の脂肪層消失を認め，冠状断 CT 骨条件表示(B)において両側ほぼ対称性に眼窩下管(矢印)の拡大を示す．

【口蓋神経に沿った神経周囲進展の画像所見】

口蓋神経病変は，横断像で翼口蓋窩下端から尾側に連続する翼口蓋管の拡大(CT 骨条件)，同部の腫瘤として認められる(図 30，31)．

さらに末梢部病変は翼口蓋管下端の硬口蓋レベルで前後に分かれる大・小口蓋管の拡大(CT 骨条件)，同部の腫瘤所見を呈する(図 32)．ときに 2 分葉を呈する(図 33)．

その後，大口蓋神経は硬口蓋口腔面の両側端の主に脂肪で満たされた溝を前後方向に走行する．大口蓋神経の神経周囲進展病変では(横断像，冠状断像ともに)同脂肪組織を置換する病変として認められる(図 31 D・E，34〜38)．評価には冠状断像が有用であるが，脂肪抑制のない造影 MRI では周囲脂肪の高信号と病変とのコントラストが乏しく指摘が困難な場合もあり，造影前の

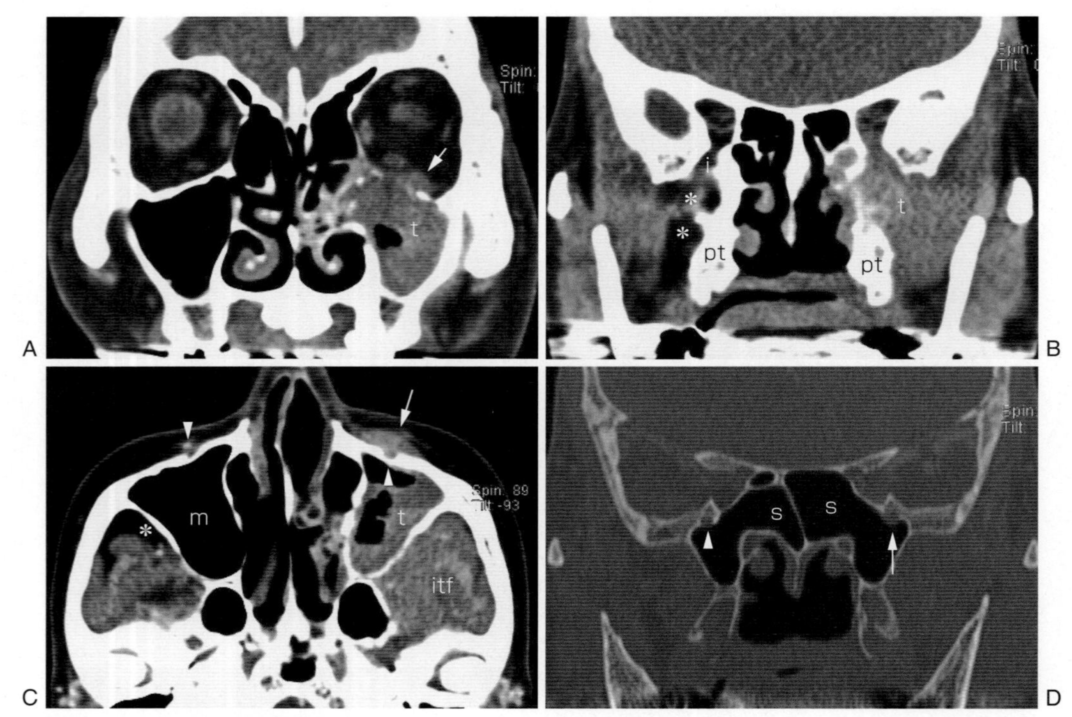

図 22　眼窩下神経の神経周囲進展
眼窩レベル造影 CT 冠状断像(A)において，左上顎洞に軟部濃度腫瘤(t)を認め，これに隣接する眼窩下壁に接して(眼窩下管領域に)結節様病変(矢印)を認める．眼窩尖部レベル(B)で翼口蓋窩(対側で＊で示す)，下眼窩裂(対側で i で示す)の脂肪層を消失する浸潤性病変(t)を認める．横断像(C)で左上顎洞(対側で m で示す)には軟部濃度病変(t)を認め，洞前壁の眼窩下孔(対側で矢頭で示す)領域を中心に頬部皮下に腫瘤形成(矢印)を認め，眼窩下神経末梢部の神経周囲進展に相当する．一方，上顎洞後壁後方に接する頬間隙(対側で＊で示す)を含め，左側頭下窩(itf)の組織層消失がみられる．上顎洞後壁に沿った脂肪層消失に関しては後上歯槽神経の神経周囲進展を反映すると思われる．蝶形骨洞レベル骨条件冠状断像(D)で左正円孔(矢印)は対側(矢頭)と比較して拡大を示し，V2 本幹への中枢側進展を反映する．s：蝶形骨洞

T1 強調像での評価が重要である．

上顎神経およびその枝の神経周囲進展の画像所見のまとめを表 3(p1242)に示す．

f. 下顎神経(V3：mandibular division)(図 2，3B～H，4F・G)

三叉神経の 3 枝のうち，最大である下顎神経は(前方の海綿静脈洞側壁に沿って走行する V1・V2 とは異なり)半月神経節より分岐後，その外側下方で蝶形骨大翼内側に位置する卵円孔(foramen ovale)より頭蓋外に出るが，V3 本幹は外側翼突筋後面に沿って同筋膜下を走行，内側・外側翼突筋の間に向かい分岐する(図 39)．三叉神経のなかで唯一運動枝を含み，咀嚼筋(内側・外側翼突筋，咬筋，側頭筋，口蓋帆張筋)を支配する．

【V3 本幹に沿った神経周囲進展の画像所見】

頭蓋底レベルでは，卵円孔の拡大・内部の増強効果(図 8B，25，26，40～44)，頭蓋底直下においては，横断像では外側翼突筋後面に沿った結節様腫瘤(図 40，45)，冠状断像では卵円孔から内・外側翼突筋の間に向かう索状腫瘤(図 41C)あるいは，内側・外側翼突筋の間の脂肪層消失(図 44)として認められる．多くは頭蓋内で半月神経節に到達し，Meckel 腔に腫瘤を形成する(図 7，41，42，45)．ときに同側の咀嚼筋群が脱神経萎縮(図 41C，43B)・浮腫による T2 強調像での信号上昇や増強効果(図 46)，CT での萎縮(脂肪浸潤)を示す．

1) 下歯槽神経(inferior alveolar nerve)(図 2，3G・H，4F)

卵円孔を出たのち，外側翼突筋後面に沿って下

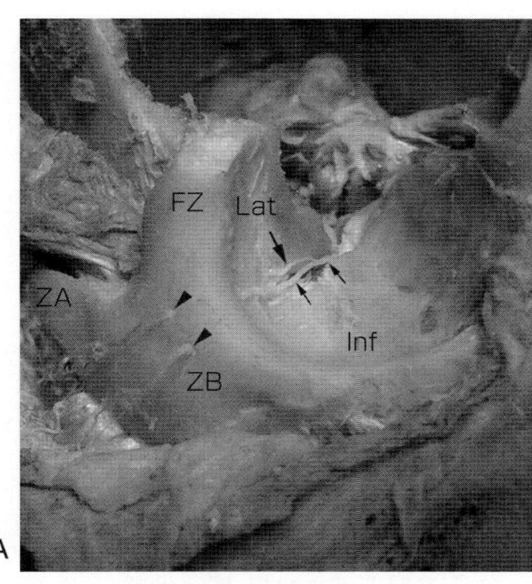

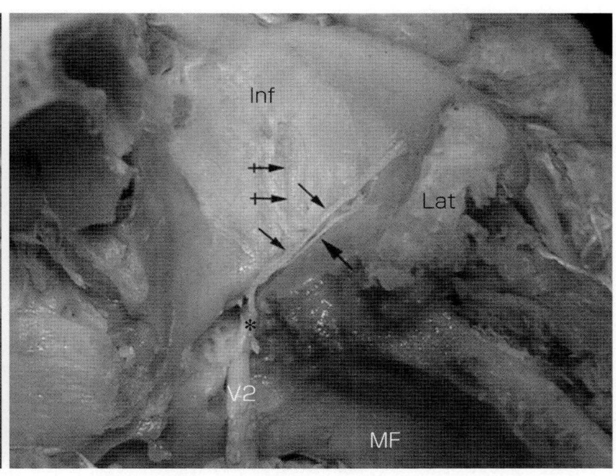

図 23　頬骨神経の解剖（屍体例）

上壁を外した右眼窩の前面（A）および上面（B）からの観察．

中頭蓋窩（MF）から正円孔を介して翼口蓋窩（＊）に進展した上顎神経（V2）を認め，同部で V2 より分岐した頬骨神経は，下眼窩裂から眼窩内に進入，頬骨側頭神経（大矢印）と頬骨顔面神経（小矢印）に分岐，眼窩外側壁（Lat）下部に沿って前方に向かう．頬骨顔面神経は頬骨体部（ZB）前面の小孔（zygomaticofacial canaliculus）より出る（矢頭）．同孔は通常，1～3 個ほど認められる．

上面からの観察（B）では，V2 の枝である眼窩下神経（十字矢印）が同様に下眼窩裂から眼窩内に進展，眼窩下壁（Inf）の眼窩下管内に進入する様子が認められる．FZ：頬骨前頭突起，MF：中頭蓋窩，ZA：頬骨弓（頬骨側頭突起）

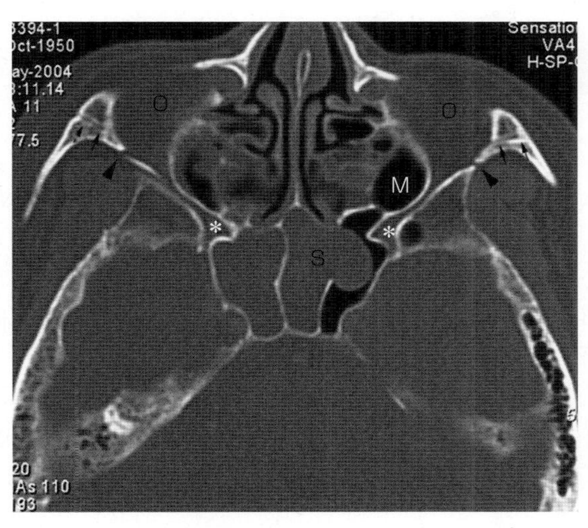

図 24　zygomaticofacial canaliculus および zygomaticotemporal canaliculus の CT 解剖

眼窩下部レベル CT 横断像の骨条件表示において，眼窩（O）外側壁前部より頬骨体部表面に向かう小孔（矢印）を認め，zygomaticofacial canaliculus に一致する．また，そのすぐ後方で眼窩外側壁にも頬骨側頭面との間の小孔（矢頭）を認め，zygomaticotemporal canaliculus を示す．＊：翼口蓋窩，M：上顎洞，S：蝶形骨洞

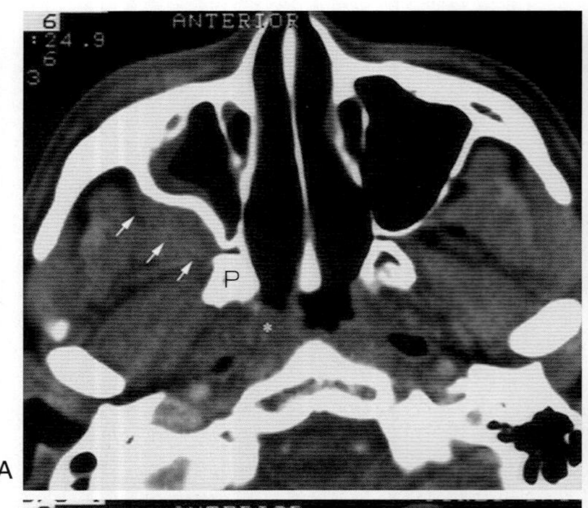

A

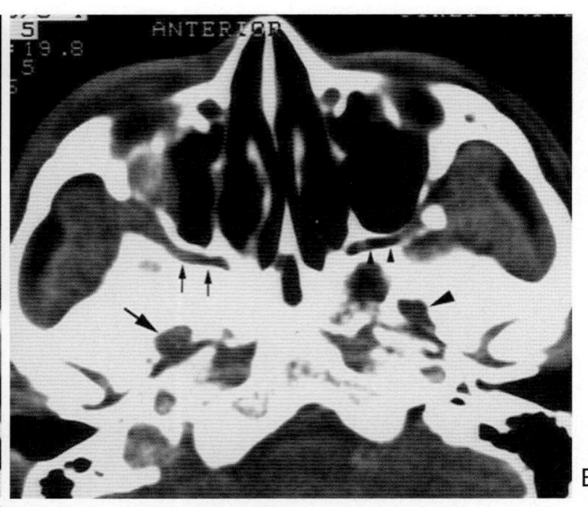

B

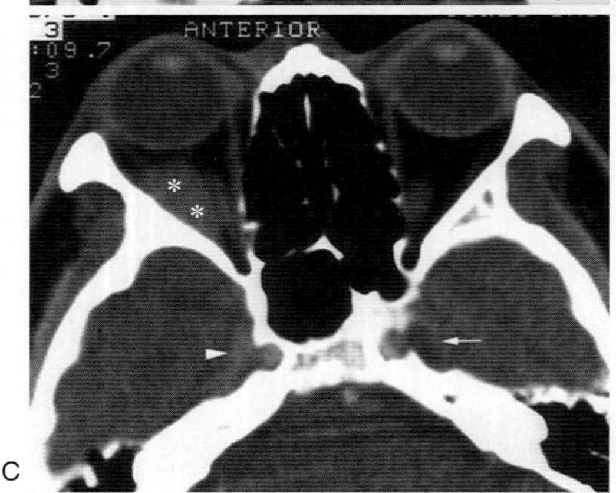

C

図 25　頬骨神経を含む V2 とその枝，V3 の神経周囲進展を示す上咽頭癌

上咽頭レベル(A)の造影 CT 横断像で，上咽頭の右 Rosenmüller 窩内側に軟部濃度腫瘤(＊)を認め，原発病変を示す．同側の後上歯槽神経(V2)の神経周囲進展が retroantral fat pad の脂肪層消失(矢印)として認められる．翼状突起基部(P)の硬化性変化を伴う．

頭蓋底レベル(B)では右翼口蓋窩の脂肪層消失(小矢印：健側の翼口蓋窩の脂肪を小矢頭で示す)を認め，V2 領域への神経周囲進展を反映する．さらに卵円孔(健側で大矢頭で示す)の拡大と内部の増強効果(大矢印)を認め，中枢側に向かう V3 の神経周囲進展を示す．

海綿静脈洞レベル(C)で，半月神経節を容れる三叉神経槽(正常画像解剖では液体濃度域として認められる：健側で矢印で示す)に一致した腫瘤形成(矢頭)を認め，(V2，V3 いずれかあるいは両者での中枢側に向かう)神経周囲進展による頭蓋内進展を示す．右眼窩内で，外側壁に沿った軟部組織腫瘤(＊)を認め，頬骨神経(V2)の神経周囲進展を反映する．

行する V3 本幹は内側・外側翼突筋の間で下歯槽神経を分岐する．下歯槽神経は下顎骨上行枝内面の下顎孔から下顎管内に進入，下顎歯に対して下歯枝を分岐した後，オトガイ神経として下顎骨体部前方舌側に位置するオトガイ孔から骨外に出て，顎・下口唇などの知覚を担う．

【下歯槽神経に沿った神経周囲進展の画像所見】

下顎骨の下顎管内病変では，下顎管の拡大，同管に沿った肥厚・腫瘤(図 44E・F)として認められ，近位部では下顎骨上行枝内面の下顎孔周囲の脂肪層消失(図 44，45，47，48)，さらに(V3 より分岐する)内側・外側翼突筋の間の脂肪層消失(図 44)として認められる．

2）耳介側頭神経(auriculotemporal nerve)(図 2，3F，4G，40，49)

外側翼突筋後面で V3 本幹から分岐した耳介側頭神経は，外側翼突筋後面に沿って後側方に進展，さらに下顎骨上行枝から関節突起頸部後面を回り込むように耳介前方に向かい，耳介部・側頭部の知覚を担う．この進展経路において，耳下腺内を走行，腺内において顔面神経との吻合をもつ(図 49)．この吻合は神経周囲進展の評価において重要である．

【耳介側頭神経に沿った神経周囲進展の画像所見】

下顎骨上行枝から外側翼突筋を後面より囲むような索状腫瘤として同定され，内側深部は外側翼突筋後面に隣接する V3 本幹に向かう(図 40，50～53)．ときに耳下腺内において，吻合を有する

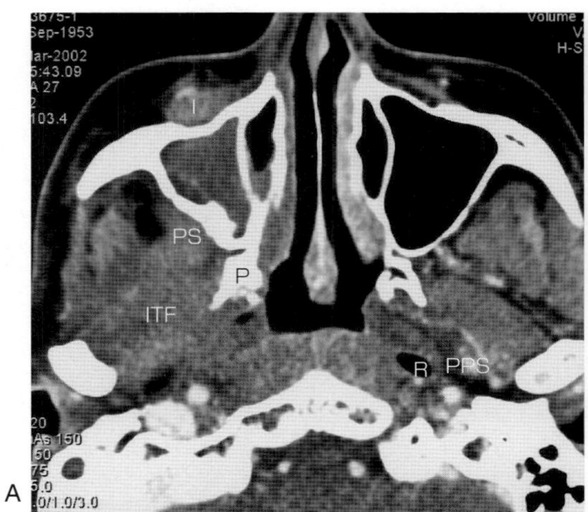

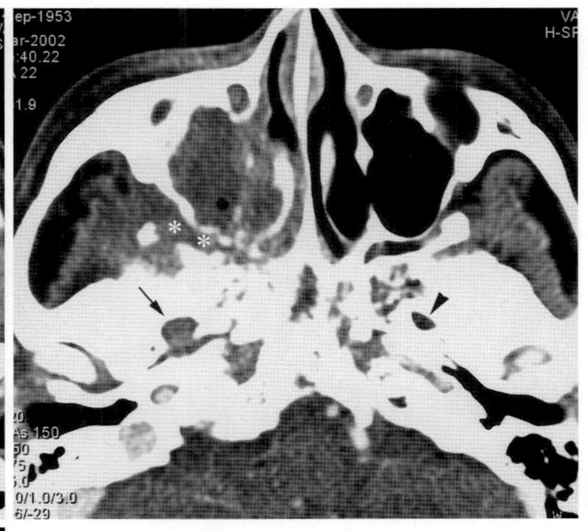

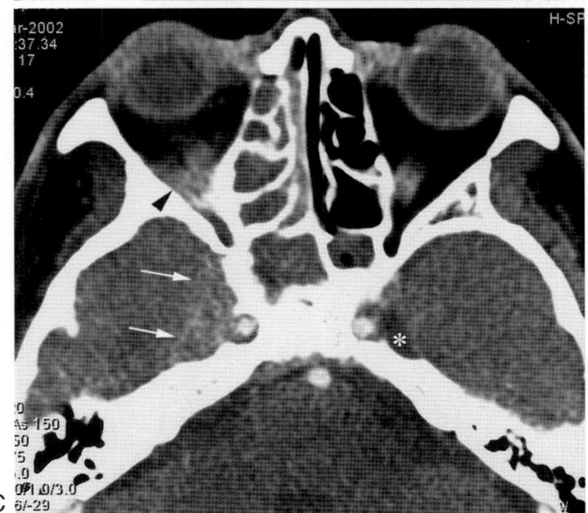

図 26　頬骨神経を含む V2 とその枝，V3 の神経周囲進展を示す上咽頭癌

上咽頭レベル(A)の造影 CT 横断像で，上咽頭の右 Rosenmüller 窩(左側で R で示す)を中心とした浸潤性腫瘍を認める．側方では傍咽頭間隙(前茎突区)に進展，正常の脂肪濃度(健側で PPS で示す)は消失している．さらに側頭下窩(ITF)から翼口蓋窩に回り込むように進展，翼状突起基部(P)の硬化性変化を伴う．V2 の枝である後上歯槽神経(PS)，眼窩下神経(I)の神経周囲進展が各々，retroantral fat pad，preantral fat pad 内の腫瘤・脂肪層消失として認められる．

頭蓋底レベル(B)では，図 25B とまったく同様に，右翼口蓋窩の脂肪層消失(＊)と同側の卵円孔(健側で矢頭で示す)の拡大と内部の増強効果(矢印)を認め，各々，V2・V3 の神経周囲進展を示す．

海綿静脈洞レベル(C)でも図 25C と同様に，海綿静脈洞から三叉神経槽(正常画像解剖では液体濃度域として認められる：健側で＊で示す)に一致した腫瘤形成(矢印)を認め，(V2，V3 いずれかあるいは両者での中枢側に向かう)神経周囲進展による頭蓋内進展を示す．同側頬骨神経(V2)の神経周囲進展が眼窩内で，外側壁に沿った軟部組織腫瘤(矢頭)を形成している．

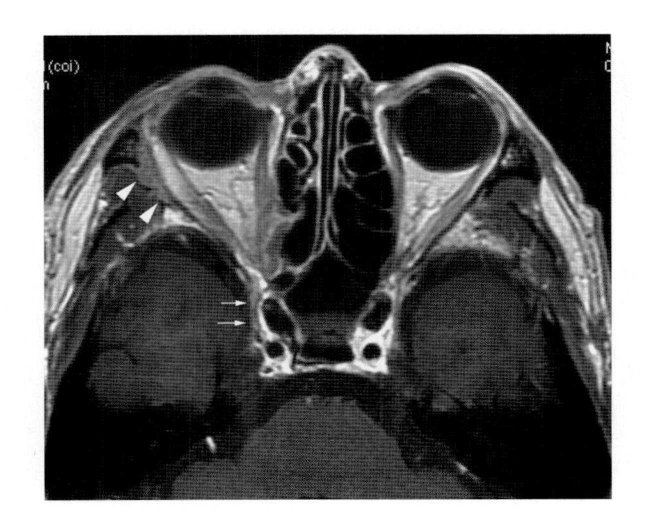

図 27　頬骨神経の神経周囲進展

MRI，造影後 T1 強調横断像において，右眼窩外側壁に沿って眼窩壁破壊を伴う腫瘤(矢頭)を認め，頬骨神経の神経周囲進展を示す．海綿静脈洞領域では同側 V1 の肥厚と増強効果(矢印)を認め，V1 の神経周囲進展を示唆する．

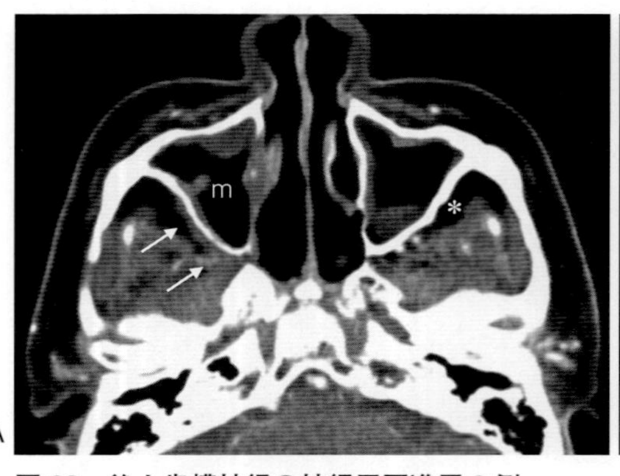

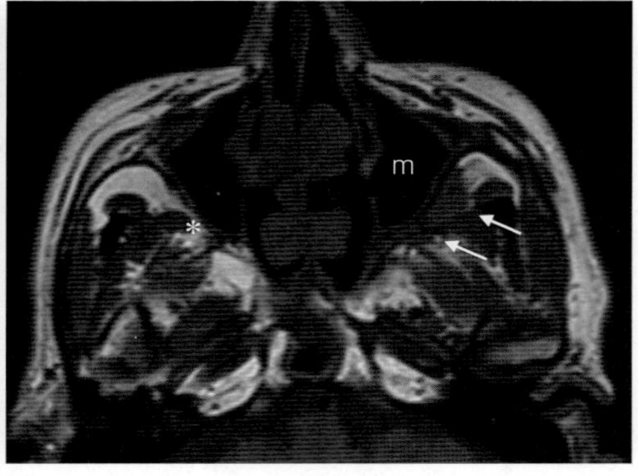

図 28　後上歯槽神経の神経周囲進展 2 例

上顎洞レベルの造影 CT 横断像(A)，別症例の MRI，T1 強調横断像(B)．A は右上顎洞(m)，B は左上顎洞(m)の後側壁に沿って，対側では保たれる翼口蓋窩から頬間隙の脂肪濃度・信号(＊)を置換する浸潤性病変(矢印)を認め，後上歯槽神経の神経周囲進展を示す．

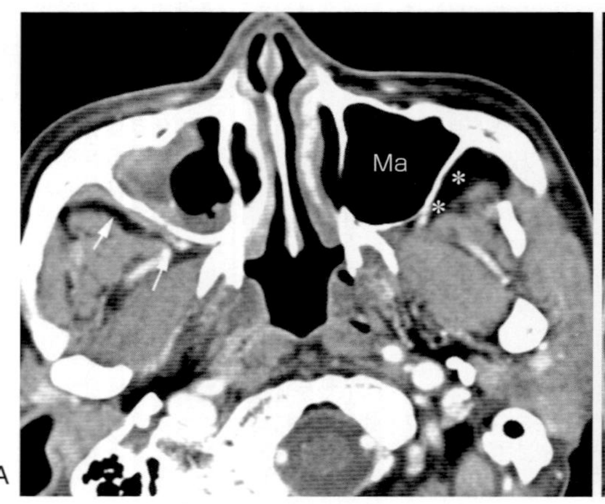

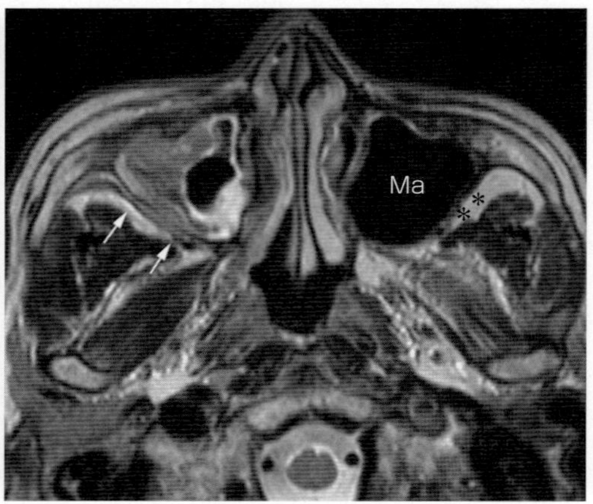

図 29　後上歯槽神経の神経周囲進展

図 28 と同様，上顎洞(Ma)レベル，造影 CT 横断像(A)，MRI T2 強調横断像(B)で，左 retroantral fat pad(対側で＊で示す)の脂肪層消失(矢印)を認める．

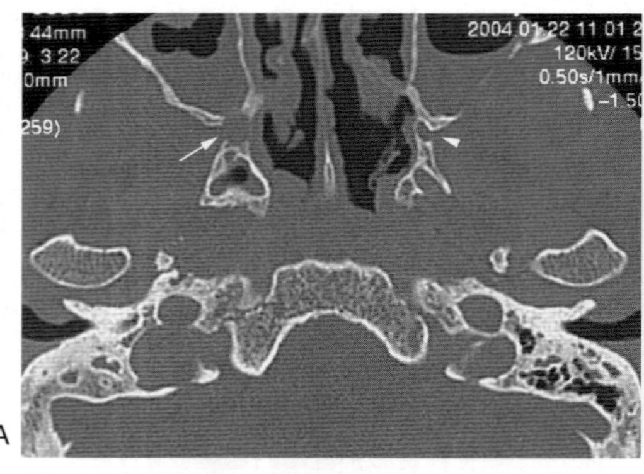

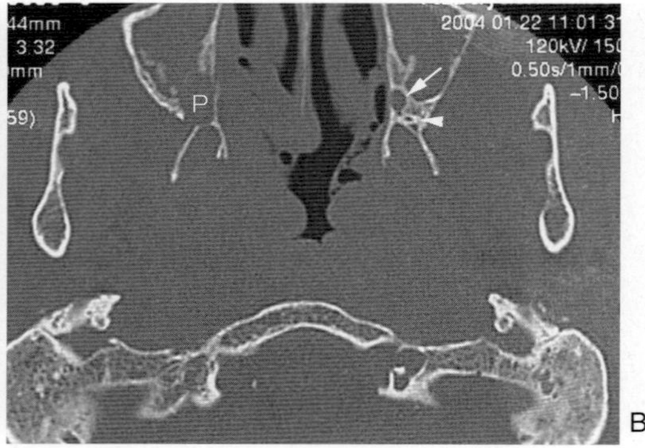

図 30　口蓋神経の神経周囲進展を示す悪性リンパ腫

翼口蓋管(矢頭)レベル(A)の CT 横断像骨条件表示において，右側の翼口蓋管(対側で矢頭で示す)の拡大(矢印)を認める．その尾側レベル(B)で病変(P)は拡大した大口蓋神経管(対側で矢印で示す)内に連続性進展を示す．矢頭：小口蓋神経管

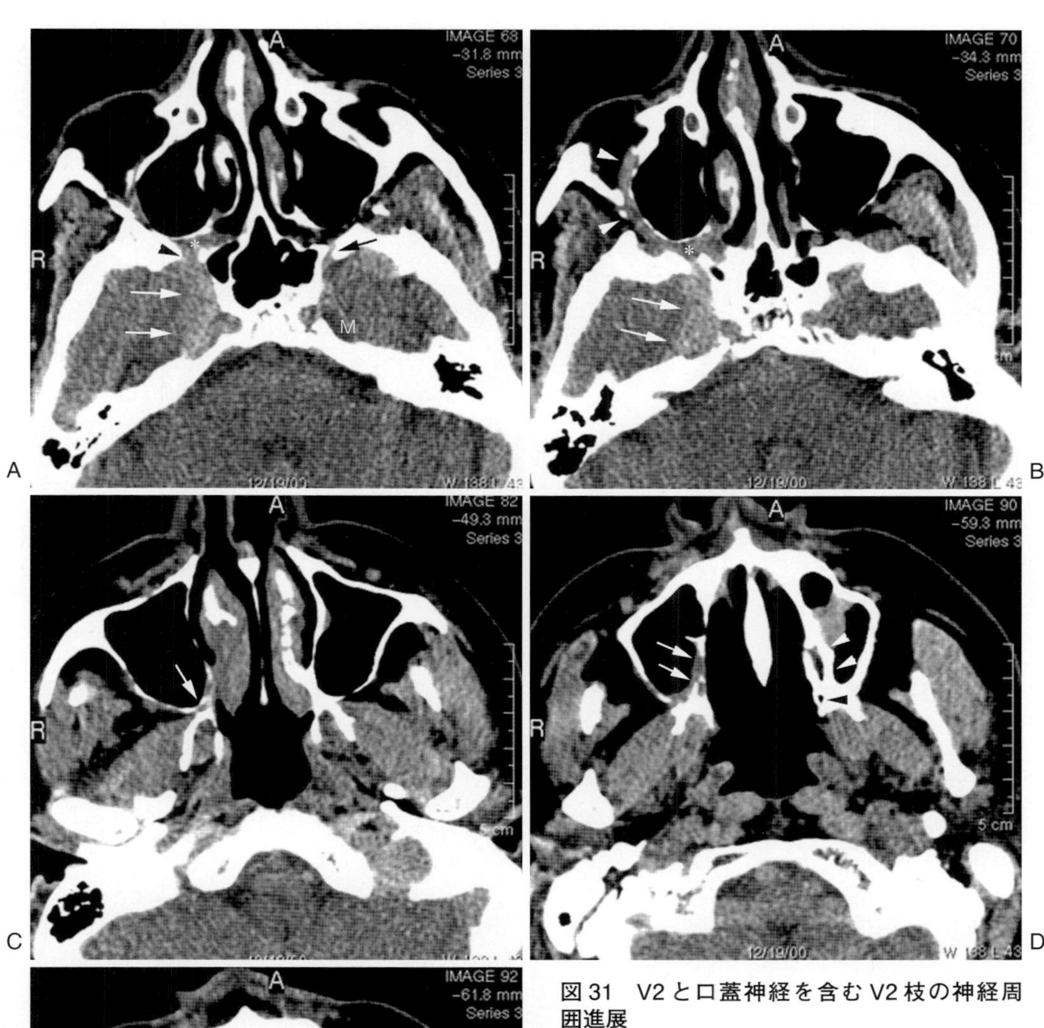

図 31　V2 と口蓋神経を含む V2 枝の神経周囲進展

海綿静脈洞レベル(頭側より尾側に向かって，A・B)の非造影 CT 横断像において，右翼口蓋窩の脂肪層消失(＊)を認め，中枢側では正円孔(健側で黒矢印で示す)の拡大(黒矢頭)を伴い，海綿静脈洞に腫瘤形成を示す(白矢印)．V2 の神経周囲進展に一致する．末梢では，右翼口蓋窩より外側前方に向かう眼窩下神経の神経周囲進展(白矢頭)を伴う．M：Meckel 腔

上咽頭レベル(C)では，右翼口蓋管(矢印)の拡大あり．

さらに尾側の鼻腔底部レベル(D)において，健側の大口蓋神経管(白矢頭)内に認められる脂肪濃度が右側では軟部濃度に置換されている(矢印)．黒矢頭：小口蓋神経管

硬口蓋レベル(E)でも同様に，健側では脂肪濃度で認められる大口蓋神経の走行路(矢頭)は，患側で軟部濃度での置換を示す(矢印)．

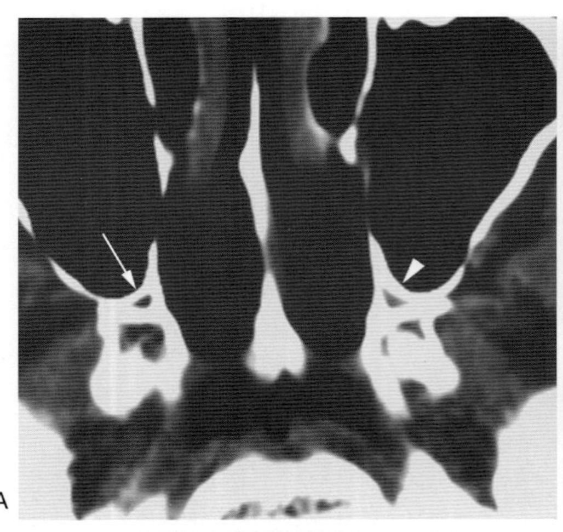

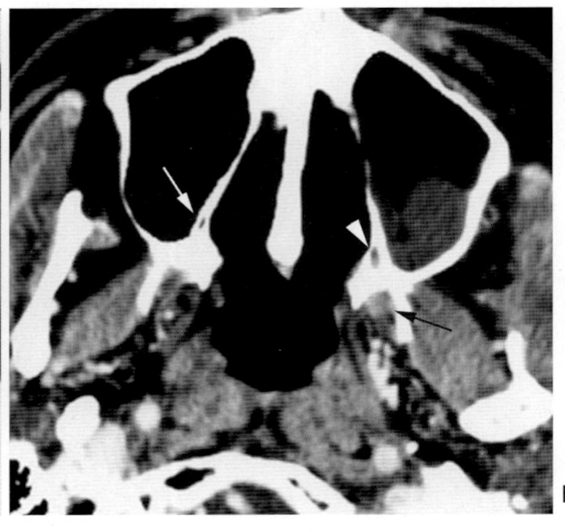

図 32　口蓋神経の神経周囲進展の 2 例

翼口蓋管(右側で矢印で示す)レベルの横断 CT で，左翼口蓋管内は軟部濃度(矢頭)で占拠されている．別症例の大口蓋神経管(右側で白矢印で示す)レベルの横断 CT において，左大口蓋神経管の拡大(矢頭)，小口蓋神経に一致した腫瘤形成(黒矢印)を認める．

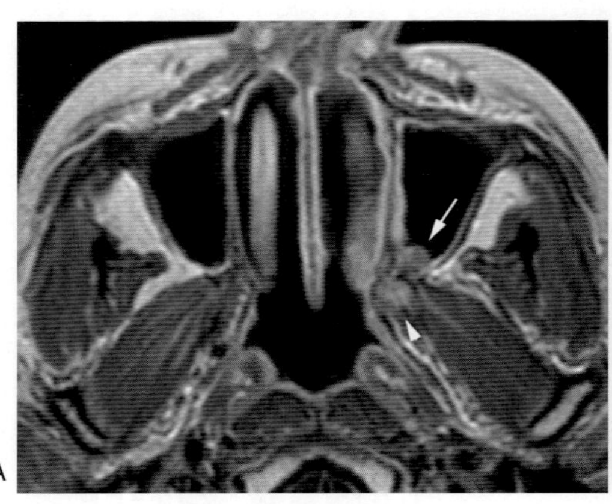

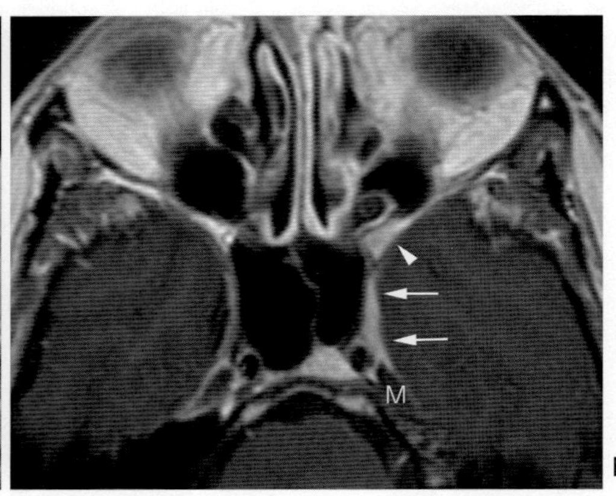

図 33　口蓋神経の神経周囲進展

翼口蓋管下部レベルの MRI，造影後 T1 強調横断像(A)において，翼口蓋管領域に 2 分葉腫瘤を認め，各々，大口蓋神経(矢印)・小口蓋神経(矢頭)の神経周囲進展病変を示す．

海綿静脈洞レベル(B)では，中枢に向かう神経周囲進展が翼口蓋窩(矢頭)から海綿静脈洞(矢印)での V2 の肥厚・増強効果として認められる．M：三叉神経槽

顔面神経主幹部に沿った神経周囲進展を合併する場合(後述)があり，合わせて評価することが重要となる．

3）舌神経（lingual nerve）（図 2）

V3 から分岐後，外側翼突筋深部を下行，同部で(舌の前方 2/3 の味覚を伝える)鼓索神経(顔面神経)の枝を受ける．その後，下顎枝内側面に沿って内側翼突筋との間で下歯槽神経の前内側を走行，内側翼突筋前縁を越えて上咽頭収縮筋の下顎骨起始部下方を通過，第 3 大臼歯舌側歯肉から顎下腺および顎舌骨筋の深部(内側)，茎突舌筋・舌骨舌筋の外側を走行する．同部で顎下神経節と交通する．さらに顎下腺管と交差するように前方に粘膜直下を走行，口腔底・歯肉舌面，舌の前方 2/3 の粘膜に枝を送り，最終的に舌尖部に到達する．

【舌神経に沿った神経周囲進展の画像所見】

舌神経の走行に一致した索状腫瘤として追跡さ

A 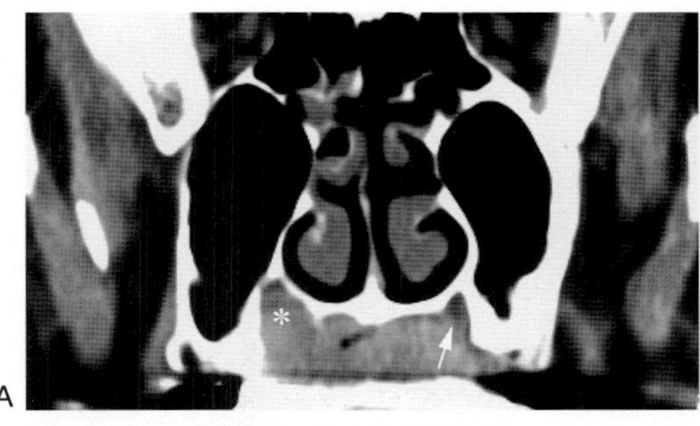

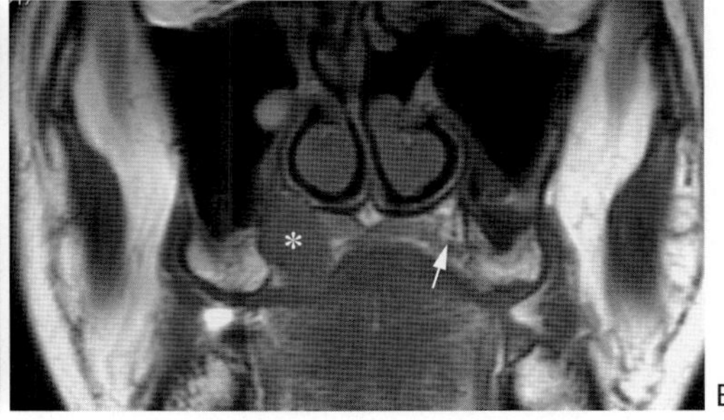 B

図 34　大口蓋神経の神経周囲進展

硬口蓋レベル CT 冠状断像(A)において硬口蓋口腔面外側端の(大口蓋神経が前後方向に走行する)溝は右側(＊)では対側(矢印)より拡大するとともに，内部脂肪濃度の消失を認める．同例の MRI T1 強調冠状断像(B)で硬口蓋右外側部の低信号腫瘤(＊)の形成を認める．健側(矢印)は脂肪による高信号を呈し，内部に大口蓋神経に相当すると思われる点状低信号構造を容れる．

A 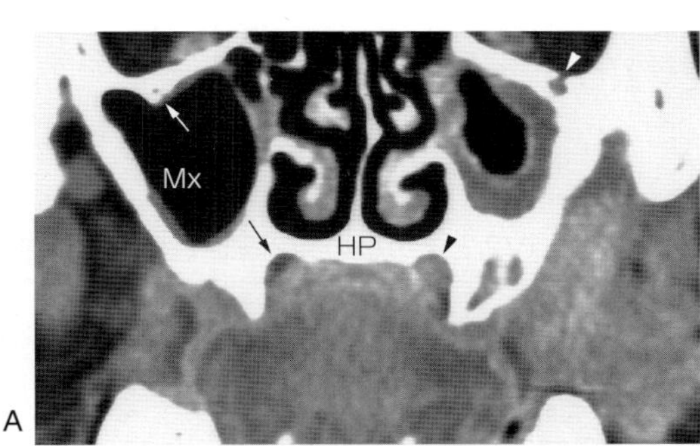

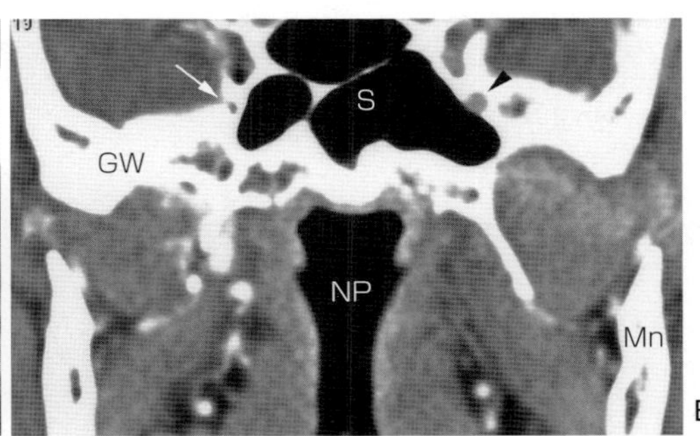 B

図 35　口蓋神経を含む V2 の神経周囲進展

硬口蓋(HP)レベルの造影 CT 冠状断像(A)において，硬口蓋口腔面の両外側に大口蓋神経の走行する溝があり，健側の右側(黒矢印)では内部の脂肪濃度が確認されるが，左側(黒矢頭)では異常軟部濃度に置換されており，大口蓋神経の神経周囲進展を反映する．なお，眼窩下管も健側(白矢印)と比較して，左側で拡大(白矢頭)を認め，眼窩下神経の神経周囲進展を伴う．Mx：上顎洞

蝶形骨洞(S)レベル(B)で，正円孔(健側の右正円孔を矢印で示す)は左側(矢頭)で拡大を示し，V2 に沿った中枢側への神経周囲進展を反映する．GW：蝶形骨大翼，Mn：下顎骨上行枝，NP：上咽頭

A 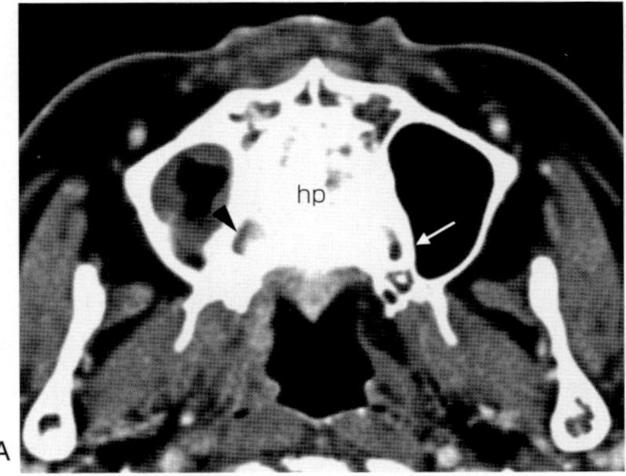

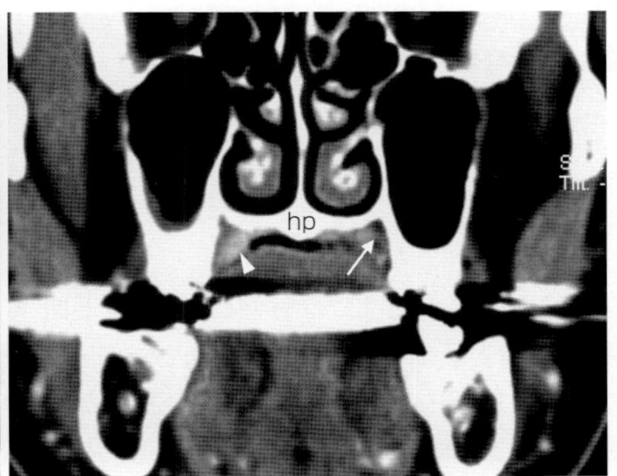 B

図 36　大口蓋神経の神経周囲進展

口腔レベルの造影 CT 横断像(A)および冠状断像(B)．大口蓋神経の走行する硬口蓋(hp)口腔面外側縁の溝において，左側(矢印)では保たれている脂肪濃度が，右側(矢頭)では軟部濃度で置換されており，右大口蓋神経の神経周囲進展が示唆される．

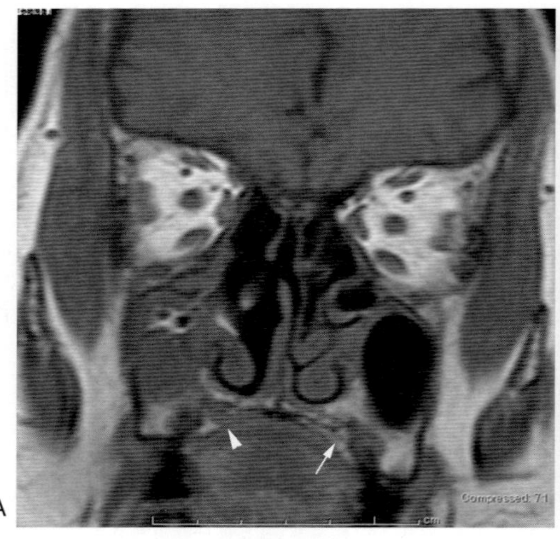

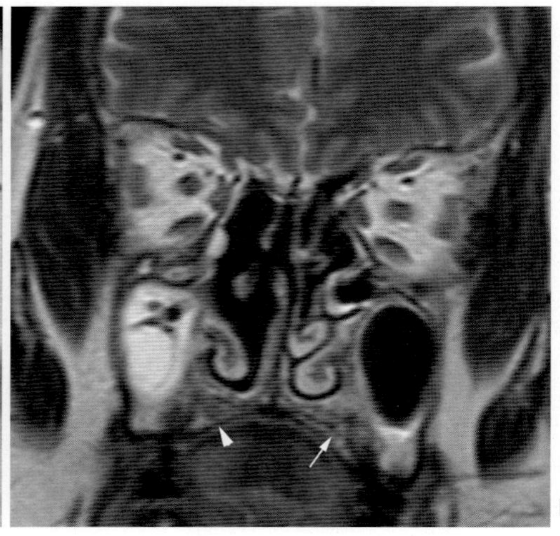

図37　口蓋神経の神経周囲進展
硬口蓋レベルのMRI T1強調(A)・T2強調(B)冠状断像において，右大口蓋神経の走行する硬口蓋口腔面右外側部の溝(図34A，35A，36Bとまったく同様)に腫瘤の形成(矢頭)を認める．左側(矢印)では内部の脂肪を示す高信号強度が正常に保たれている．

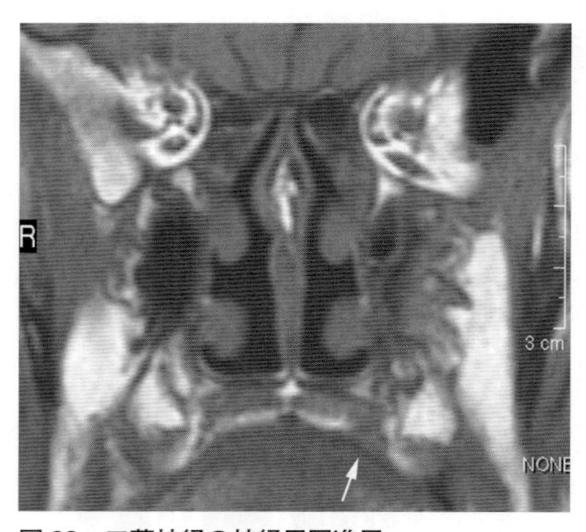

図38　口蓋神経の神経周囲進展
硬口蓋レベルのMRI T1強調冠状断像で左大口蓋神経に一致した腫瘤(矢印)を認める．

表3　V2とその枝の神経周囲進展の画像所見

1. V2本幹
・翼口蓋窩の脂肪層消失
・正円孔の拡大・内部増強効果
・海綿静脈洞側壁の肥厚
2. 眼窩下神経
・preantral fat pad脂肪層消失
・眼窩下壁の眼窩下管・溝内を走行する眼窩下神経の増強効果・肥厚，眼窩下管の拡大
3. 頬骨神経
・眼窩外側壁に沿った軟部組織肥厚
4. 口蓋神経
・翼口蓋管，口蓋管の拡大・内部脂肪層消失
5. 後上歯槽神経
・retroantral fat padの脂肪層消失

れる(図46，54)．末梢部では外側口腔底(舌下間隙)で顎舌骨筋と舌骨舌筋・茎突舌筋との間(図54F)を後方に連続，下顎角内側から下顎枝と内側翼突筋との間に進展することから，下顎枝と内側翼突筋の間の結節脂肪層消失(図46D・F，54B・G・H・J)として認められる．下歯槽神経の神経周囲進展例より同定は困難であり，慎重な評価が求められる．さらに内側および外側翼突筋の間への進展により，(下歯槽神経の走行と近接することから，下歯槽神経の神経周囲進展例と同様に)冠状断像での内側・外側翼突筋間の腫瘤，脂肪層消失(図46E，54H)を示す．V3本幹との合流により，さらに卵円孔，三叉神経節領域への中枢側(retrograde)，あるいは下歯槽神経への末梢側(antegrade)への進展を生じうる．

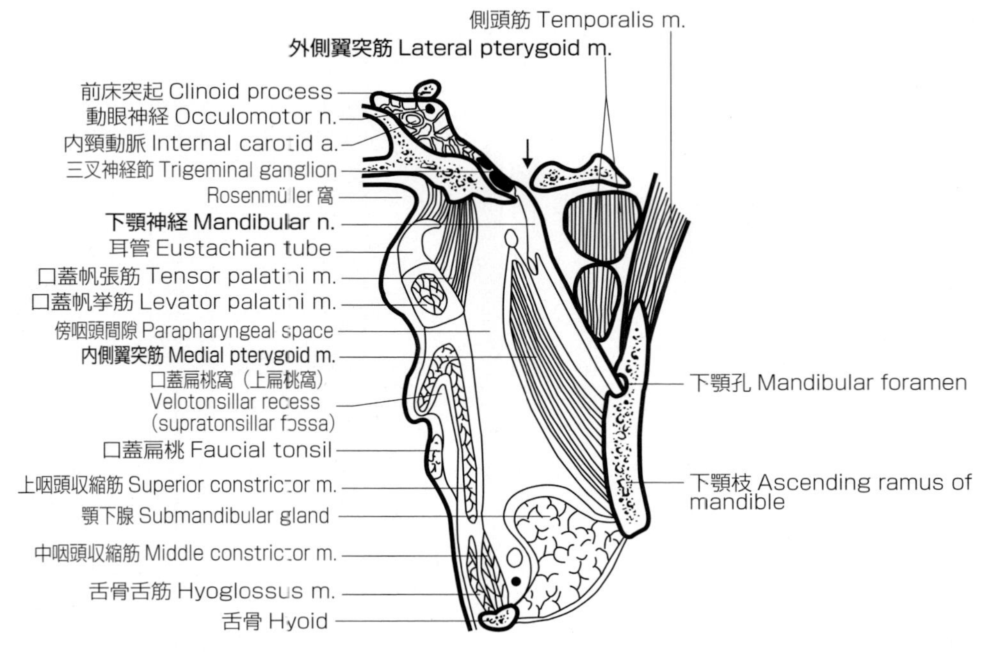

図 39　下顎神経（V3）の解剖．冠状断シェーマ
矢印：卵円孔

下顎神経およびその枝の神経周囲進展の画像所見のまとめを表 4（p1254）に示す．

2 顔面神経（CN7：facial nerve）

第 2 鰓器官の神経である顔面神経は，主に顔面表情筋による随意運動を支配する（図 49，55〜57）．

a. 脳槽部（cisternal segment）・内耳道部（intracanalicular segment）（図 55A，56A）

橋下端の側方より出た顔面神経は小脳橋角槽を通過し，側頭骨錐体部後面にある内耳孔より内耳道に進入する．内耳道内では，その上前方を通過し，内耳道底において上前 1/4（水平稜の上部で，Bill's bar 前方）より顔面神経管に進入する．

【脳槽部・内耳道部に沿った神経周囲進展の画像所見】

同部の顔面神経に沿った索状の増強効果・腫瘤として認められる（図 58，59）．

b. 顔面神経管部（fallopian canal segment・facial nerve canal segment）（図 55A〜D，56A，57）

側頭骨内において，内耳道底から茎乳突孔に至る顔面神経管は，（内耳道側から順に）迷路部・鼓室部・乳突部（下行部）の 3 つに区分され，迷路部と鼓室部との間に膝神経節（geniculate ganglion）を形成，前方に向かう大錐体神経を出す．また，乳突部においてアブミ骨筋神経（アブミ骨反射に関連），鼓索神経（舌前方 2/3 の味覚）を分岐する．

【顔面神経管部における神経周囲進展の画像所見】

顔面神経管内の顔面神経の増強効果・腫大（図 58〜61），CT 骨条件による顔面神経管の拡大所見（図 60〜62）として同定される．MRI での顔面神経管内部の増強効果は神経周囲静脈叢により正常でも認められ，健側との比較が重要であり，神経の腫大がなければ確定的判断は困難な場合も少なくない[5]．膝神経節（顔面神経管前膝部）から前方に向かう大錐体神経は，頸動脈管水平部周囲から破裂孔領域，翼突管神経として翼突管を介して翼口蓋窩への連続性（表 1：p1218）を有する．こ

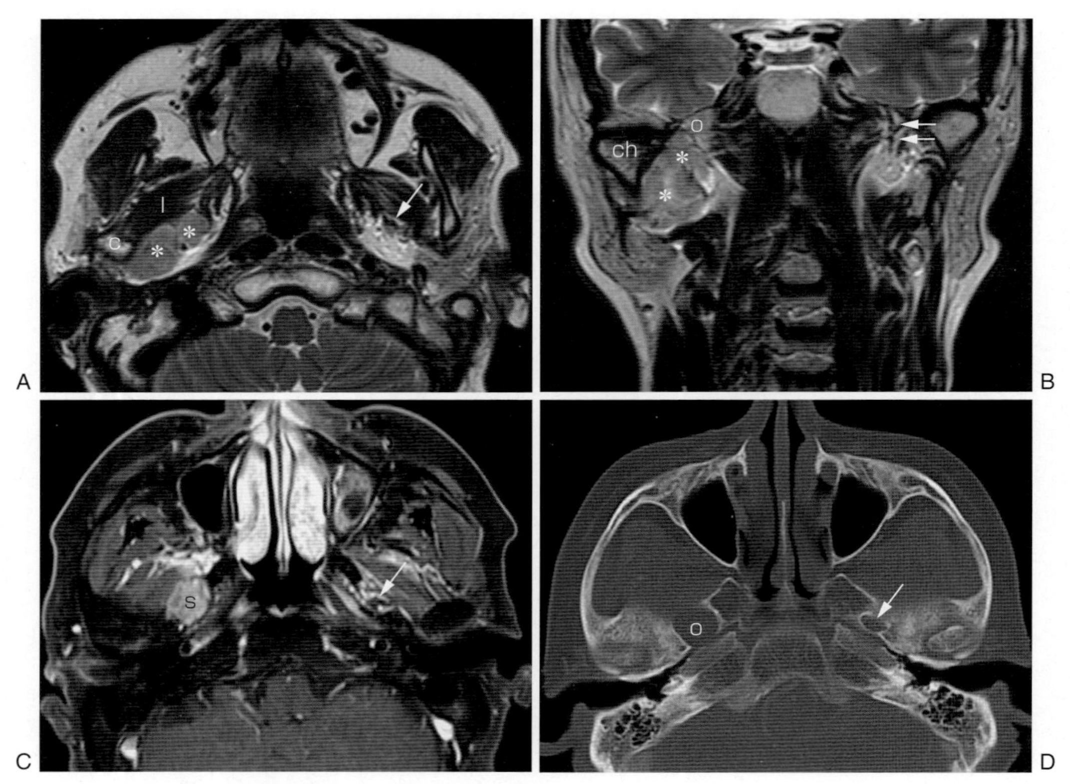

図40　V3から耳介側頭神経に及ぶ(良性)神経鞘腫

上咽頭レベルMRI T2強調横断像(A)において外側翼突筋(l)から下顎骨関節突起(c)後面に沿った，やや高信号を呈する分葉状腫瘤(＊)を認める．矢印：健側V3．同冠状断像(B)で右咀嚼筋間隙の腫瘤(＊)は頭側で卵円孔(o)内に進入する．矢印：健側V3．頭蓋底直下レベル造影後T1強調脂肪抑制横断像(C)で右V3(対側で矢印で示す)に一致して増強効果を示す腫瘤(s)を認める．同例の頭蓋底レベルCT骨条件(D)で右卵円孔(o)は対側(矢印)との比較で拡大を示す．

のためV2(三叉神経)の神経周囲進展による翼口蓋窩病変はときに翼突管，破裂孔領域，頸動脈管水平部周囲から大錐体神経(顔面神経)を侵す(図63)．

c.　頭蓋外部・耳下腺部(parotid segment)(図49，55D・E，56B，57)

茎乳突孔を介して，頭蓋外に出た顔面神経主幹部は約1cmの経路の後，耳下腺被膜を貫通，耳下腺内に進入する．耳下腺は顔面神経主幹部により浅葉・深葉に区分される．顔面神経主幹部は(多くの破格がみられるが，典型的には)耳下腺内において，側頭顔面幹(temporofacial trunk)，頸顔面幹(cervicofacial trunk)の2つの神経幹に分かれたのち，(頭側より順に)側頭枝，頬骨枝，頬枝，下顎縁枝，頸枝の5つの枝に分岐する．

【頭蓋外部・耳下腺部における神経周囲進展の画像所見】

顔面神経主幹部が出てくる茎乳突孔直下の脂肪層の混濁(図64，65)・同部の増強効果や神経の腫大(図66)として認められ，耳下腺内においてはときに顔面神経の走行に沿った索状腫瘤を形成する．耳下腺内に到達した神経周囲進展は，吻合を有する耳介側頭神経(V3)に沿った神経周囲進展を合併する場合がある(表1：p1218，図65A，67)．

d.　顔面領域末梢部(facial segment)(図49，55D・E，56B，57)

耳下腺内において分岐した5つの末梢枝は，広頸筋より連続する浅頸筋膜で形成されるSMAS(superficial musculoaponeurotic system)(図55C，

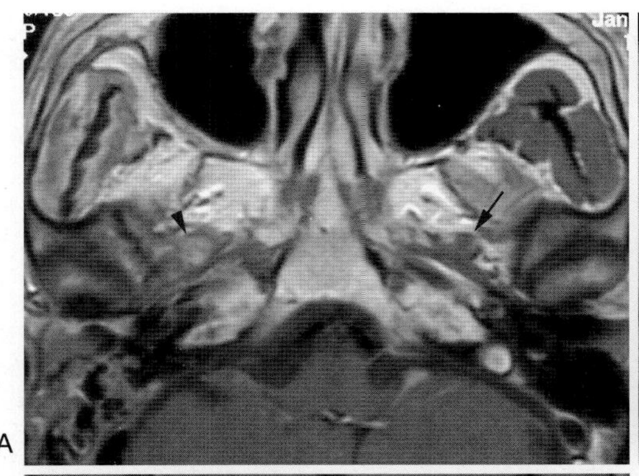

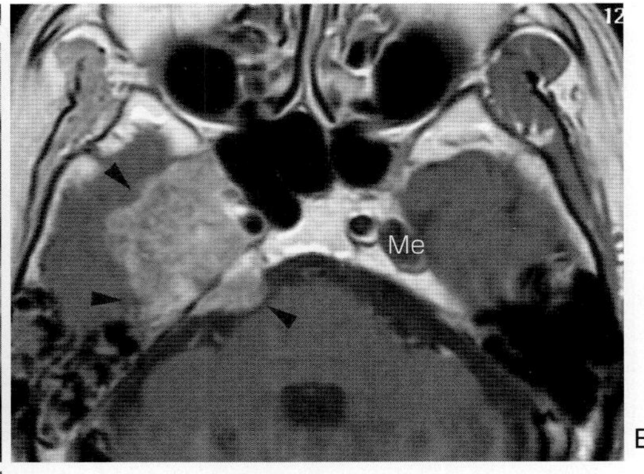

図 41　V3 神経周囲進展を示す耳下腺癌再発

頭蓋底レベル(A)の MRI，造影後 T1 強調横断像において，右卵円孔内の V3 の不均一な増強効果(矢頭)を認める．矢印：健側の左卵円孔内の V3

海綿静脈洞レベル(B)では，(半月神経節を容れる)右三叉神経槽(健側で Me で示す)領域を中心として，中頭蓋窩から後頭蓋窩にまたがる腫瘤(矢頭)を認め，V3 を介した中枢に向かう神経周囲進展による頭蓋内進展を反映する．

卵円孔(O)レベルの冠状断像(C)で，左側では三叉神経槽(Me)から卵円孔(O)を介して頭蓋外に出て，内側(M)・外側(L)翼突筋の間に連続する V3 本幹(矢印)の正常画像解剖が明瞭に描出されている．図 39 シェーマに一致する．右側では V3 の走行に一致した索状腫瘤(矢頭)が拡大した卵円孔(＊)を介して，中頭蓋窩内側の三叉神経槽(対側で Me で示す)領域を中心とした頭蓋内腫瘤(T)を形成している．内側・外側翼突筋(それぞれ対側で M，L で示す)の脱神経萎縮あり．NP：上咽頭，Mn：下顎骨上行枝

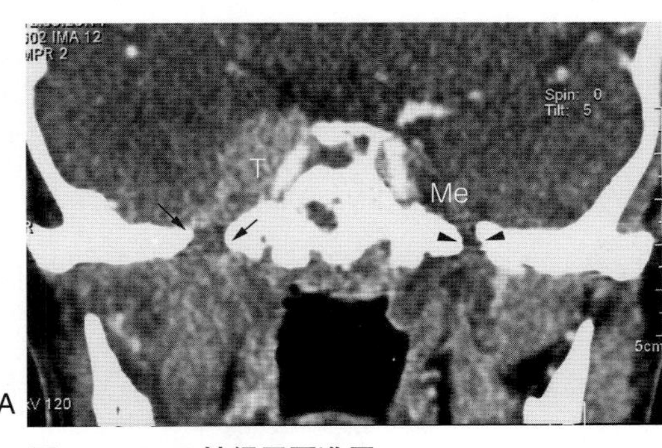

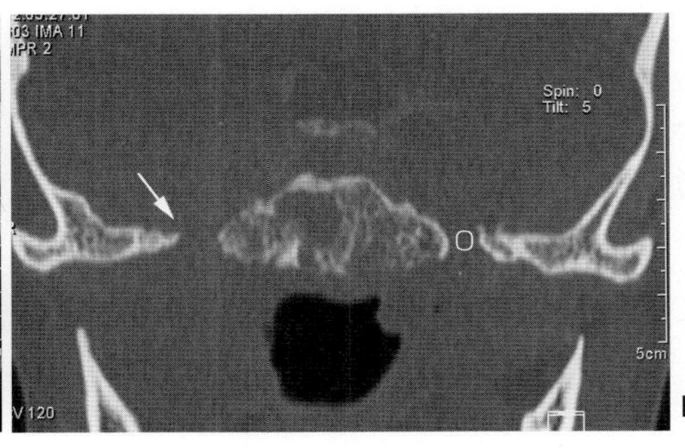

図 42　V3 の神経周囲進展

卵円孔(左側で矢頭で示す)レベルの CT 冠状断像軟部濃度表示(A)．右卵円孔(矢印)の拡大と三叉神経槽(左側で Me で示す)領域を中心とした頭蓋内腫瘤(T)の形成あり．骨条件表示(B)において，左卵円孔(O)では確認可能な辺縁の骨皮質が，右卵円孔(矢印)で消失し，拡大を示す．

67，68)に沿って，やはり SMAS に含まれる顔面表情筋(図 55E，68)に達する．

【顔面神経末梢枝に沿った神経周囲進展の画像所見】

SMAS に沿った(ときに多結節様)肥厚(図 69～72)，索状腫瘤(図 67，71)として認められる．

頬部においては，SMAS 深部に分布する眼窩下神経(V2)末梢部と近接しており，ときに両神経に沿った神経周囲進展が混在する(表 1：p1218，図 70)．

顔面神経およびその枝の神経周囲進展の画像所

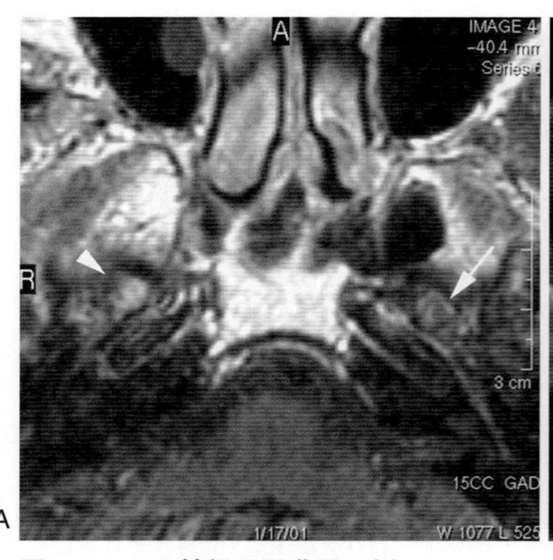

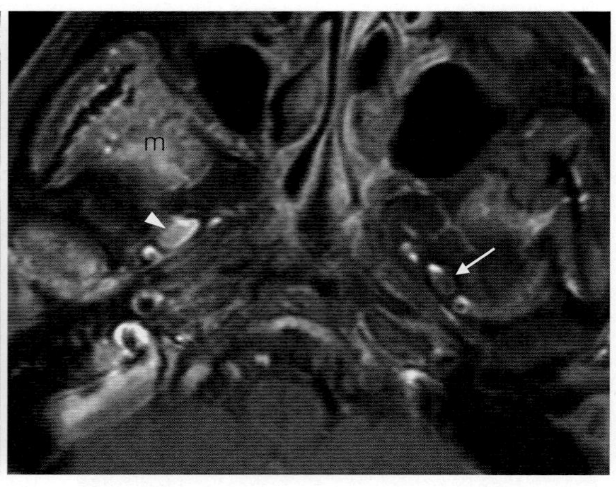

図 43　V3 の神経周囲進展 2 例

頭蓋底レベルの MRI，造影後 T1 強調横断像(A)において，右卵円孔内の右 V3(矢頭)の腫大と増強効果を認める．左卵円孔(矢印)内では神経周囲静脈叢による左 V3 周囲を縁取るリング状の淡い増強効果を示すが，V3 自体の増強効果は見られない．別症例の同レベル MRI，造影後 T1 強調脂肪抑制横断像(B)．A と同様に右卵円孔内の右 V3(矢頭)の腫大，増強効果を認める．患側の咀嚼筋(m)は脱神経による淡い増強効果を呈する．矢印：対側卵円孔および V3

見のまとめを表 5(p1263)に示す．

3 三叉神経(CN5)と顔面神経(CN7)との末梢枝の吻合(communication)

舌骨上頸部に密に分布する三叉神経と顔面神経とは，末梢部において直接の吻合を有する，あるいは隣接しており，特定の解剖学的領域において密接な関連を示す．片方の神経に沿った神経周囲進展がその領域に達すると，これらの吻合を介してもう一方の神経に沿った神経周囲進展を生じる場合もあり，臨床的に重要とされる．代表的な部位は以下である(表 1：p1218)．

①上顎神経(V2)と，顔面神経の枝である大錐体神経より分岐する Vidian 神経(翼突管神経)の翼口蓋神経節における吻合(図 63)

②下顎神経(V3)の枝である舌神経と顔面神経の枝である鼓索神経の吻合

③下顎神経(V3)の枝である耳介側頭神経と顔面神経との耳下腺内吻合(図 49，65，67)

④頬部において隣接する，SMAS に沿って走行する顔面神経末梢枝(主に頬枝)と SMAS 深部の preantral fat pad 内に分布する眼窩下神経(V2 の枝)(図 70)

4 その他の脳神経の神経周囲進展病変

脳幹から頸静脈孔，舌下神経管に向かう下位脳神経(lower cranial nerves；CN9-12)病変(図 73～75)や，まれに顎下腺から外頸動脈枝周囲に向かう，交感神経の枝である外頸動脈神経(external carotid artery nerve)(図 76，77)，あるいは翼口蓋窩から翼突管，破裂孔を介した内頸動脈神経叢(交感神経)(図 63)への神経周囲進展などを認める．

5 神経向性リンパ腫(neurotropic lymphoma)

脳神経と高い親和性をもって進展する悪性リンパ腫(図 59，73，78，79)で，低悪性度の B 細胞性リンパ腫が多い．広範で多中心性分布を示していたとしても，30Gy 程度の放射線治療による比較的良好な制御が期待される[41]．

6 IgG4 関連疾患

IgG4 関連疾患は全身の様々な臓器において IgG4 免疫染色陽性のリンパ形質細胞浸潤を伴う臓器腫大，腫瘤，肥厚性病変を示すが[42]，その詳細には 2 章「眼窩」を参照されたい．

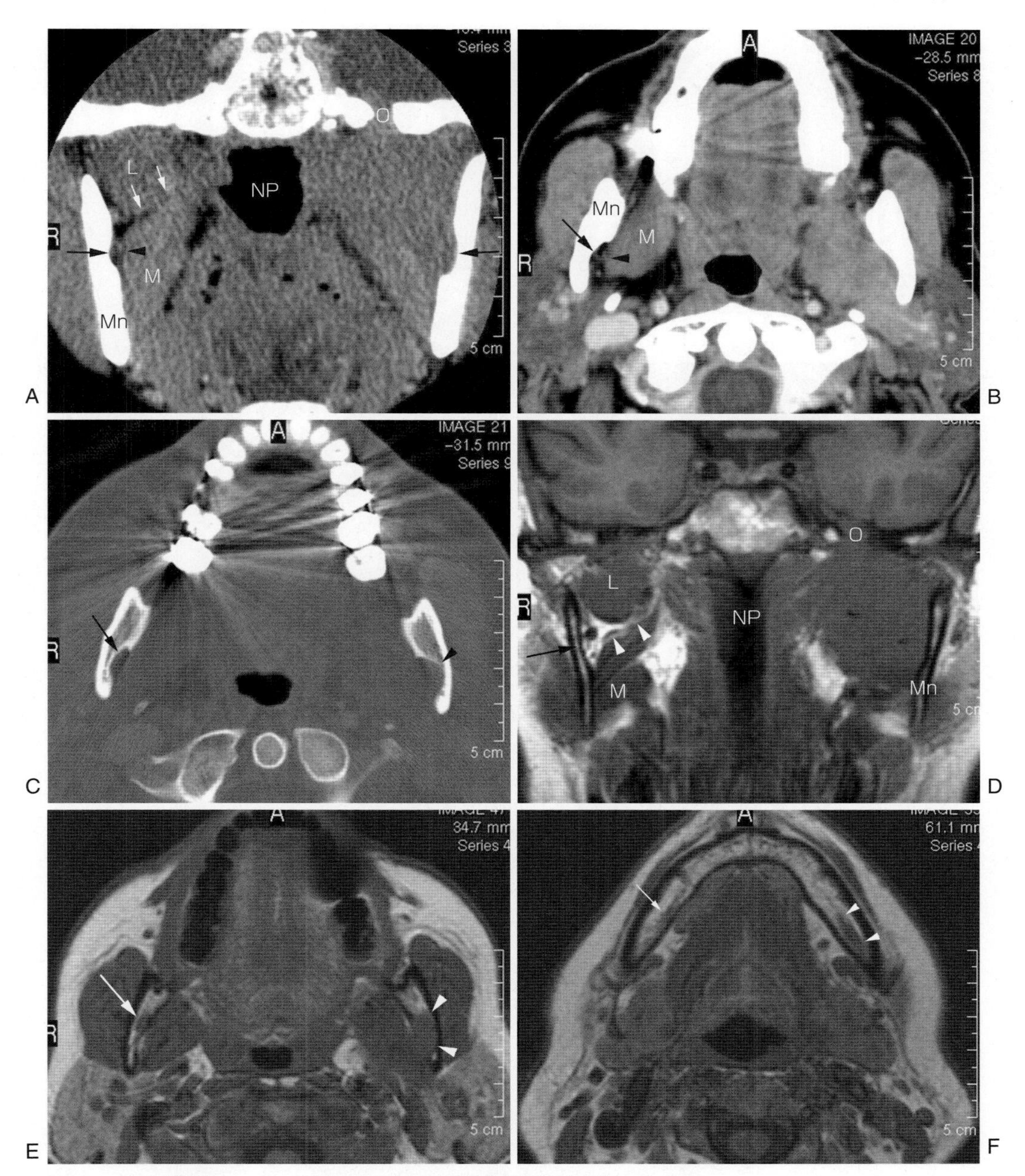

図 44　下歯槽神経，V3 の神経周囲進展(咀嚼筋間隙の悪性リンパ腫)

造影 CT 上咽頭(NP)レベル冠状断像(A)で，右側では(V3 の走行する)内側(M)・外側(L)翼突筋の間の脂肪層(白矢印)が明瞭に確認可能であるが，左側で消失している．下歯槽神経が下顎骨の下顎管に進入する，下顎孔(黒矢印)は下顎骨上行枝(Mn)内側面の陥凹として同定されるが，これに隣接する脂肪層(矢頭)も左側では消失している．同側の卵円孔(O)の拡大を伴う．

同横断像(B)でも，下顎骨上行枝(Mn)内側面に下顎孔(矢印)による陥凹を認め，これに隣接する脂肪層(矢頭)は左側で消失している．

同骨条件表示(C)で左下顎孔(矢頭)は健側(矢印)と比較して，拡大を示す．

同症例の MRI，上咽頭(NP)レベル T1 強調冠状断像(D)で，右側では確認可能な内側(M)・外側(L)翼突筋の間の脂肪層(矢頭)，下顎骨上行枝(Mn)内側面の下顎孔に隣接する脂肪層(矢印)は，左側で消失しており，V3，下歯槽神経の神経周囲進展を示唆する．同側卵円孔(O)の拡大あり．

下顎骨上行枝レベルの横断像(E)で下顎孔から下顎管に進入する下歯槽神経(右側で矢印で示す)は左側で腫大(矢頭)している．

下顎骨体部レベル(F)では下顎骨内の下顎管(右側で矢印で示す)は左側で拡大(矢頭)を示す．

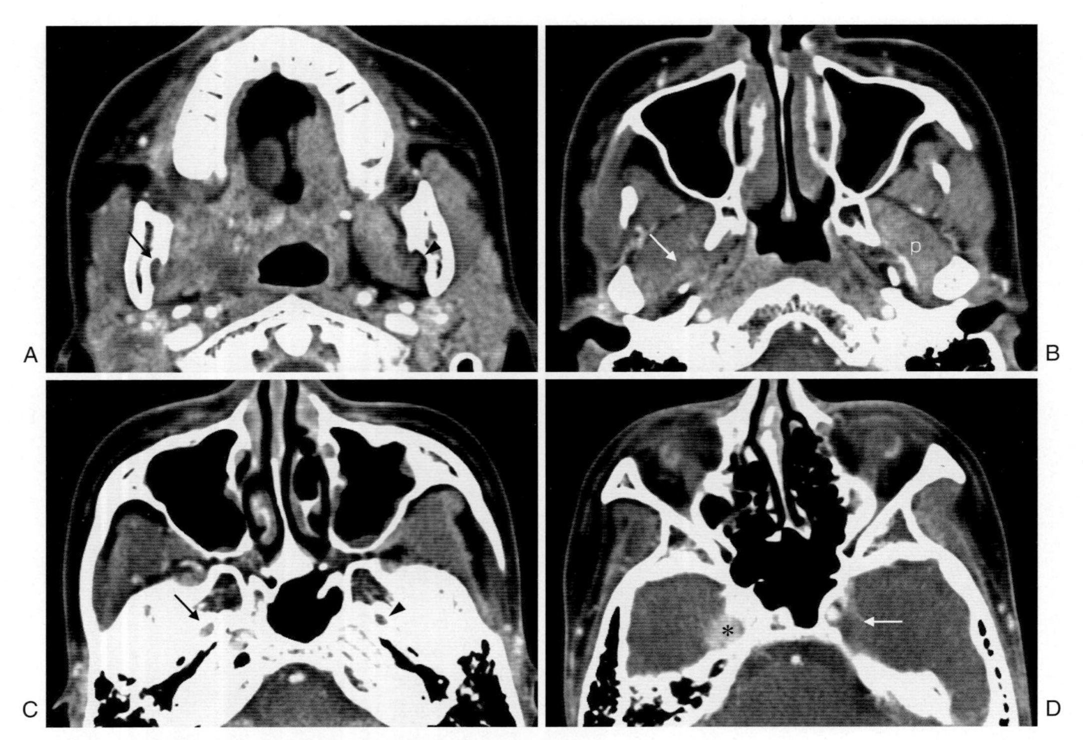

図 45　下歯槽神経，V3 本幹の神経周囲進展（舌癌再発）

中咽頭レベルの造影 CT 横断像（A）において，右下顎孔領域（矢印）の脂肪層消失を認め，下歯槽神経の神経周囲進展病変が疑われる．矢頭：左下顎孔に隣接する正常脂肪層．上咽頭レベル（B）で右外側翼突筋（対側で p で示す）後面に接し，V3 本幹の位置に一致して結節性病変（矢印）を認め，下歯槽神経から V3 本幹への進展を示す．頭蓋底レベル（C）で右卵円孔（矢印）は対側（矢頭）と比較して，内部の増強効果を示す．海綿静脈洞レベル（D）において，右三叉神経槽に腫瘤（＊）を認め，V3 本幹からさらに三叉神経節へ到達した，中枢側に向かう神経周囲進展を示す．矢印：対側で正常の低濃度を示す三叉神経槽（Meckel 腔）

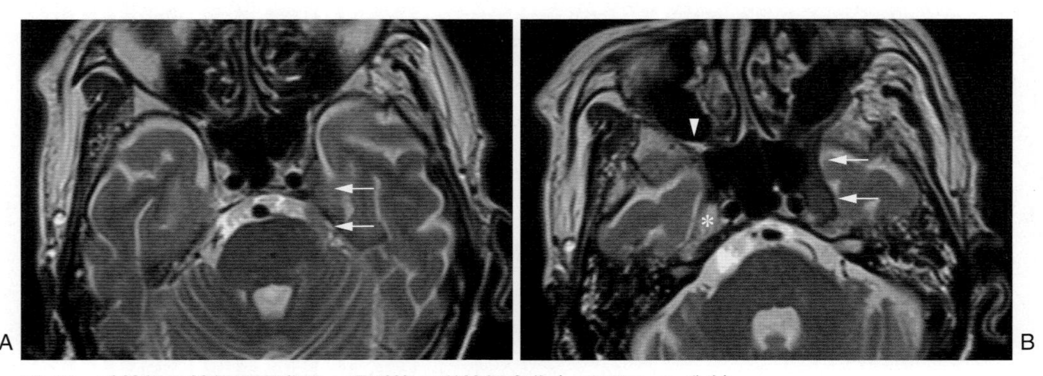

図 46　舌神経の神経周囲進展，咀嚼筋の脱神経変化**（p1249 へつづく）**

脳幹レベル MRI T2 強調横断像（A）で左 Meckel 腔から左三叉神経脳槽部に沿った神経周囲進展による組織肥厚（矢印）を認める．海綿静脈洞レベル（B）で左 Meckel 腔から海綿静脈洞領域の低信号腫瘤を認め，さらに前方で下眼窩裂から翼口蓋窩移行部レベルの脂肪層（対側で矢頭で示す）消失がみられることから，神経節から V2 に沿って正円孔を介した頭蓋外進展をきたしていると思われる．

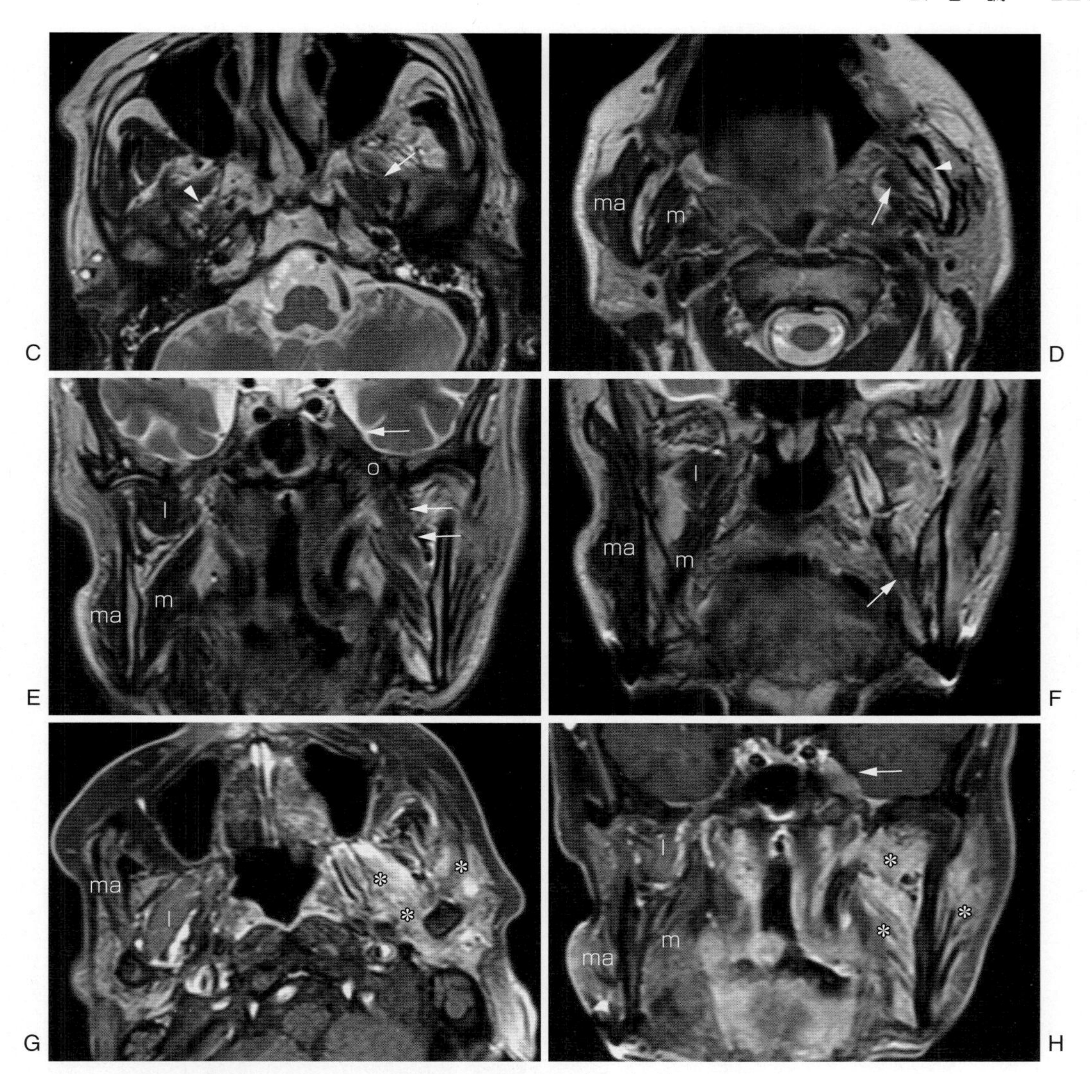

図 46　舌神経の神経周囲進展，咀嚼筋の脱神経変化（つづき）

頭蓋底レベル(C)で卵円孔内の左 V3（矢印）は健側（矢頭）より腫大を示す．口蓋扁桃レベル(D)で左下顎骨枝内側に沿って，（舌神経の走行に一致した）腫瘤（矢印）を認める．下顎枝内の下歯槽神経（矢頭）の腫大などはみられない．咬筋(ma)，内側翼突筋(m)は左側で容積減少と信号上昇がみられ，萎縮を示す．卵円孔レベル冠状断像(E)で左内側翼突筋(m)，外側翼突筋(l)との間を通過して卵円孔(o)から半月神経節領域に連続する索状腫瘤（矢印）を認め，V3 の中枢側への神経周囲進展に相当する．翼突筋に加えて咬筋（対側で ma で示す）は萎縮を示す．下顎角レベル(F)で下顎角内側で（舌神経の走行に一致した）腫瘤（矢印）を認める．m：内側翼突筋，ma：咬筋，l：外側翼突筋．造影後 T1 強調脂肪抑制画像の横断像(G)，冠状断像(H)で左咀嚼筋群はびまん性増強効果（*）を呈する．矢印：半月神経節への進展，健側の m：内側翼突筋，ma：咬筋，l：外側翼突筋．

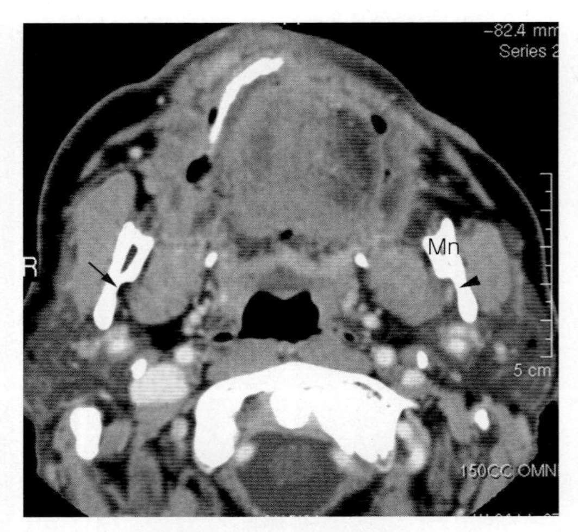

図 47　下歯槽神経の神経周囲進展

造影 CT 横断像において，下顎骨上行枝内側面の下顎孔に隣接する脂肪層(右側で矢印で示す)は左側で消失しており(矢頭)，左下歯槽神経の神経周囲進展を示す．

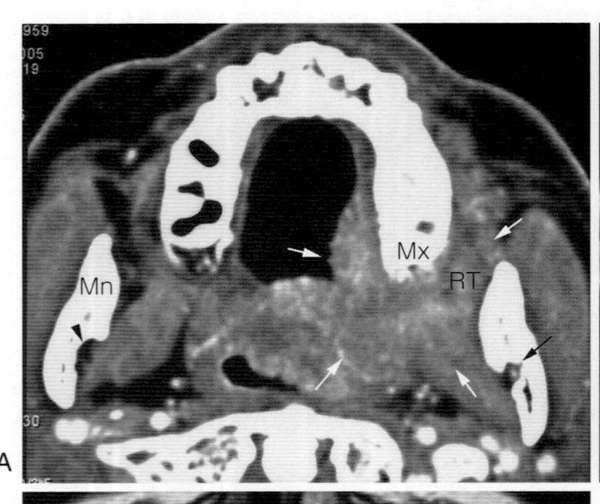

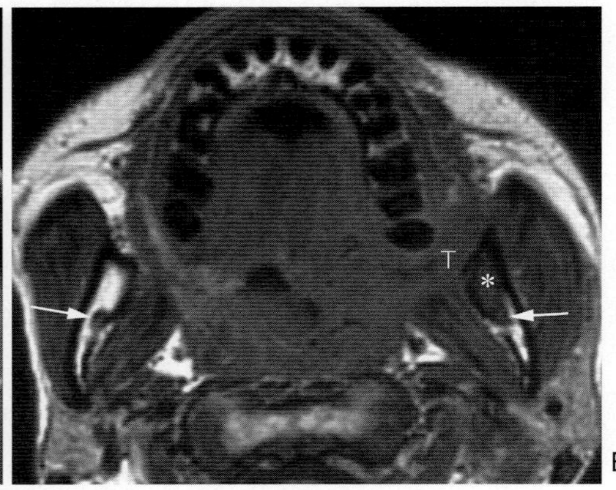

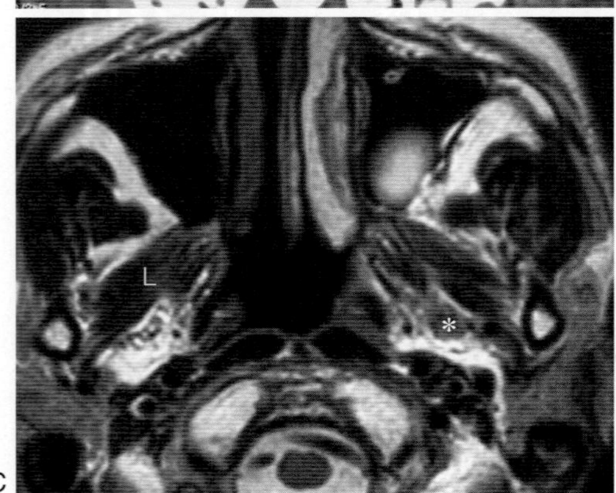

図 48　下歯槽神経の神経周囲進展

下顎骨上行枝(Mn)レベル，造影 CT 横断像(A)において，左臼後三角(RT)から上顎結節(Mx)周囲に浸潤性腫瘍(白矢印)を認める．下顎孔に隣接した脂肪層(右側で矢頭で示す)は左側で部分的に混濁(黒矢印)しており，下歯槽神経の神経周囲進展を示し，(明らかな骨破壊は認められないが)間接的に下顎骨浸潤を反映する．

同レベルの MRI，T1 強調冠状断像(B)において，腫瘍(T)に隣接する下顎骨左上行枝の前方 1/2 で髄内信号異常(＊)を認め，顎骨浸潤を示す．同浸潤は下歯槽神経(矢印)に及んでいる．

上咽頭レベルの T2 強調横断像(C)で，外側翼突筋(L)後面に沿った左 V3(＊)の腫大を認め，下歯槽神経から V3 への中枢側に向かう神経周囲進展を示す．

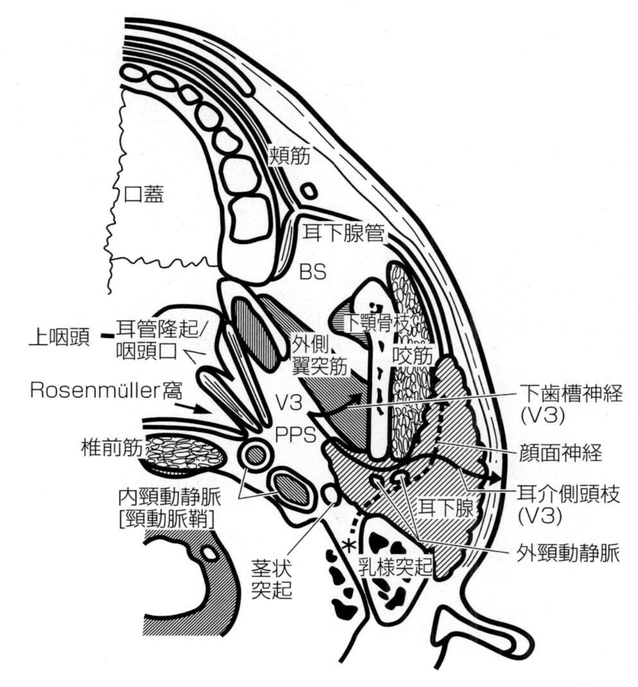

図 49　耳介側頭神経・顔面神経(頭蓋外部)の解剖．シェーマ

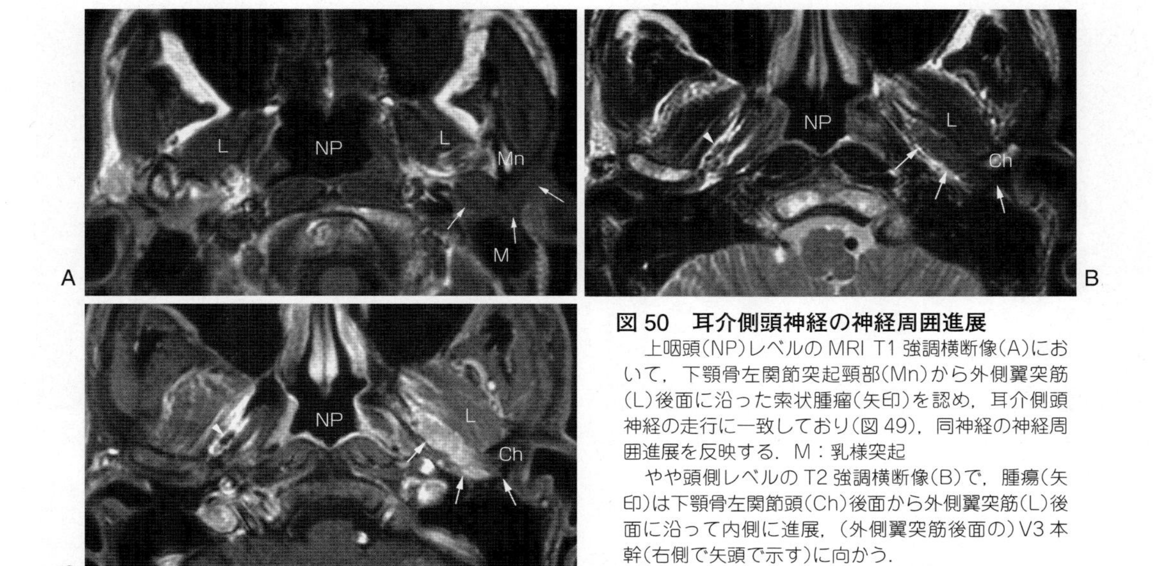

図 50　耳介側頭神経の神経周囲進展

上咽頭(NP)レベルの MRI T1 強調横断像(A)において，下顎骨左関節突起頸部(Mn)から外側翼突筋(L)後面に沿った索状腫瘤(矢印)を認め，耳介側頭神経の走行に一致しており(図 49)，同神経の神経周囲進展を反映する．M：乳様突起

やや頭側レベルの T2 強調横断像(B)で，腫瘍(矢印)は下顎骨左関節頭(Ch)後面から外側翼突筋(L)後面に沿って内側に進展，(外側翼突筋後面の)V3 本幹(右側で矢頭で示す)に向かう．

同レベルの造影後 T1 強調横断像(C)．矢印：V3 に向かう耳介側頭神経の神経周囲進展，矢頭：健側の V3，Ch：関節頭，L：外側翼突筋，NP：上咽頭

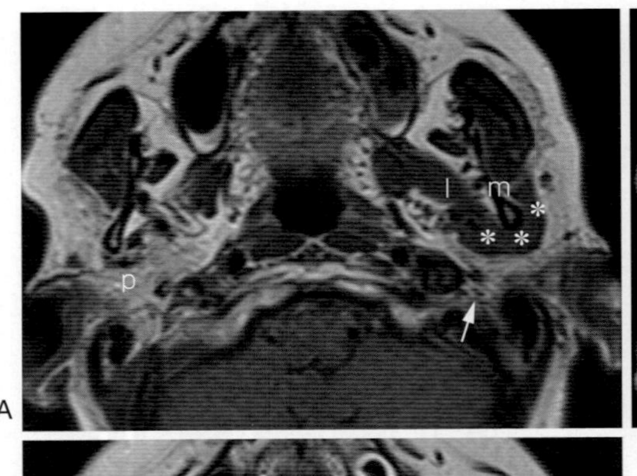

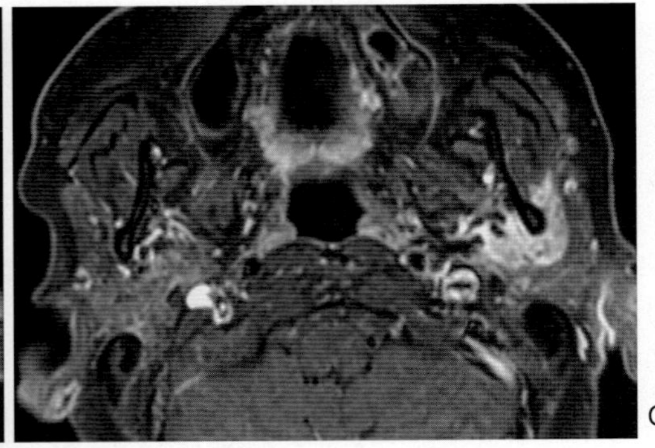

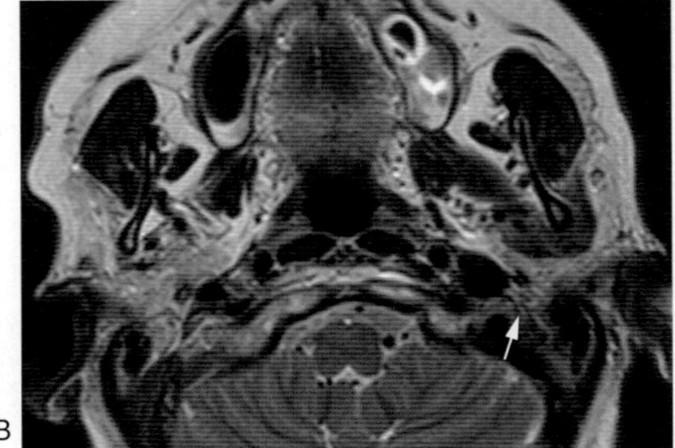

図 51　耳介側頭神経の神経周囲進展

耳下腺レベル MRI T1 強調横断像(A)において左耳下腺(対側で p で示す)に下顎枝(m)から外側翼突筋(l)後面に沿った低信号腫瘤(＊)を認める．茎乳突孔直下の顔面神経(矢印)は正常に描出されており，腫大などはみられない．T2 強調像(B)，造影後 T1 強調脂肪抑制画像(C)も同様．左耳下腺の腫瘍は増強効果を呈する一方，患側顔面神経の増強効果などは認められない．

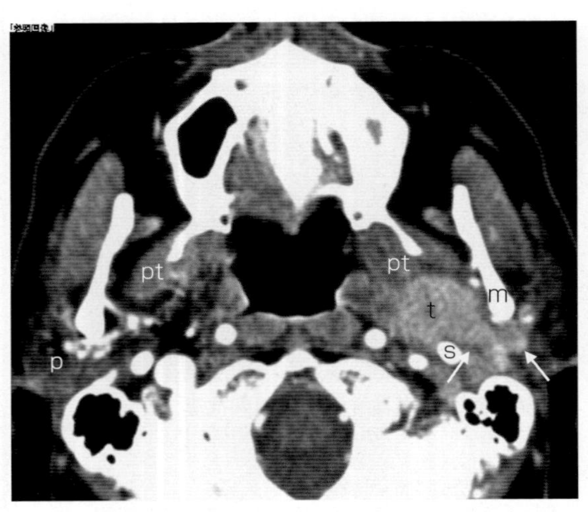

図 52　耳介側頭神経，V3 本幹の神経周囲進展(悪性リンパ腫)

耳下腺レベルの造影 CT 横断像．左下顎枝(m)後面に沿って回り込むように進展する浸潤性軟部濃度病変(矢印)を認め，内側では左耳下腺深葉領域から翼突筋(pt)後面に接する腫瘤(t)を形成している．耳介側頭神経から V3 本幹に向かう神経周囲進展の所見に一致する．p：右耳下腺，s：茎状突起

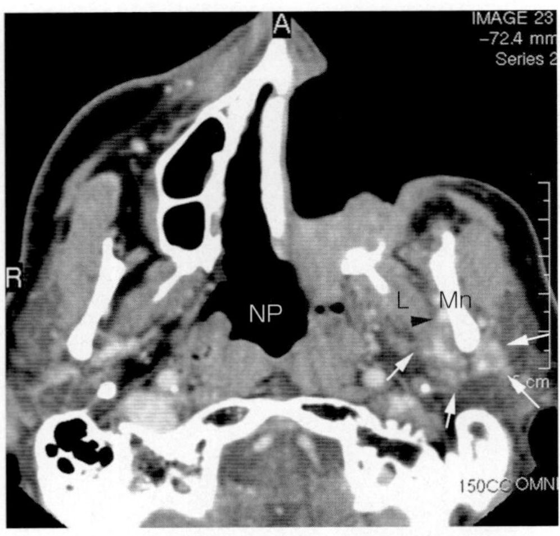

図 53　耳介側頭神経の神経周囲進展(上顎洞癌術後)

上咽頭(NP)レベル造影 CT 横断像において，下顎骨左上行枝上部(Mn)から外側翼突筋(L)後面に沿った浸潤性腫瘤(矢印)を認める．下顎骨上行枝内面に沿った脂肪層混濁(矢頭)も見られ，下歯槽神経の神経周囲進展の合併を示唆する．

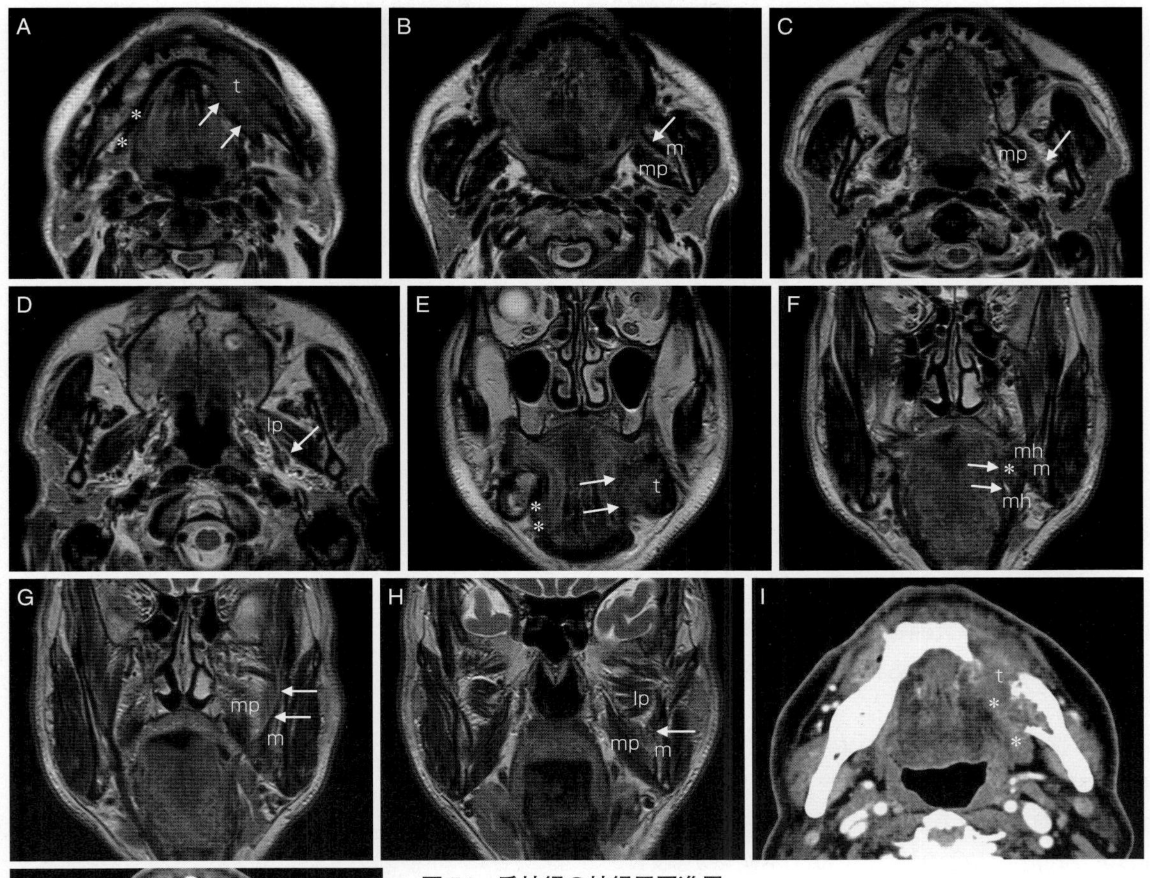

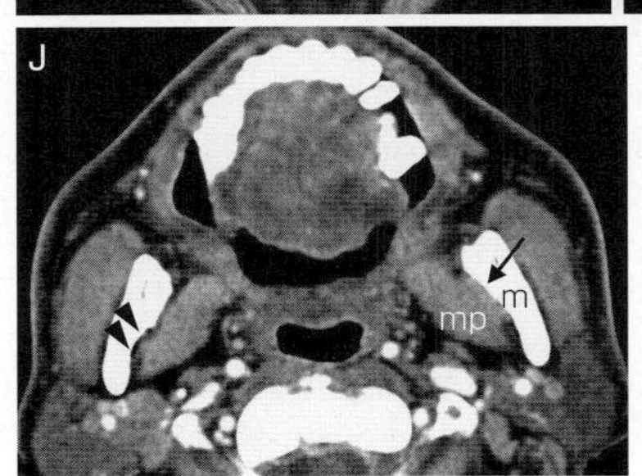

図 54　舌神経の神経周囲進展

MRI，T2 強調像の口腔底レベル(A)において，左下歯肉に広範な顎骨浸潤を伴う浸潤性破壊性腫瘤(t)を認め，下歯肉癌(T4a 病変)に一致する．内側(舌側)では隣接する顎舌骨筋(対側で＊で示す)に沿って左外側口腔底へ浸潤(矢印)する．中咽頭レベル(B)で下顎枝(m)内側(舌側)に沿い，内側翼突筋(mp)との間への病変の進展(矢印)を認め，舌神経の神経周囲進展を示唆する．上咽頭レベル(C)で内側翼突筋(mp)上縁に沿って進展する索状腫瘤(矢印)，さらに頭側レベル(D)で外側翼突筋(lp)後面に隣接する V3 本幹(矢印)の肥厚を認め，舌神経に沿った中枢側への神経周囲進展の V3 本幹への到達を示す．同冠状断像，口腔レベル(E)において，左下歯肉の浸潤性腫瘤(t)を認め，内側で顎舌骨筋(対側で＊で示す)に沿った浸潤(矢印)が見られる．その後方(F)で左側の下顎角(m)・顎舌骨筋(mh)と茎突舌筋・舌骨舌筋(矢印)との間に進入する索状腫瘤(＊)を認め，さらに後方(G)で舌神経の神経周囲進展(矢印)は下顎枝(m)内側面に沿った進展を示す．mp：内側翼突筋．軟口蓋レベル(H)において，内側翼突筋(mp)と外側翼突筋(lp)との間に進入(矢印)する．m：下顎骨

同例の造影 CT 横断像，口腔底レベル(I)で左下歯肉癌(t)および左外側口腔底への浸潤(＊)を示す．舌可動部レベル(J)で，下顎枝(m)と内側翼突筋(mp)との間の脂肪層(右側で矢頭で示す)の消失(矢印)を認める．

表4　V3とその枝の神経周囲進展の画像所見

1. V3本幹
   - 卵円孔の拡大・内部増強効果
   - 外側翼突筋後面の腫瘤
2. 下歯槽神経
   - 翼突筋間隙(内側・外側翼突筋の間)の脂肪層消失
   - 下顎骨上行枝内側，下顎孔に接した脂肪層消失
   - 下顎管内腫瘤
3. 耳介側頭枝
   - 下顎骨関節頭・上行枝後面を回り込み，外側翼突筋後面に沿う索状腫瘤・増強効果
4. 舌神経
   - 外側口腔底で顎舌骨筋に沿った浸潤性腫瘤
   - 顎舌骨筋と茎突舌筋・舌骨舌筋との間の浸潤性腫瘤・脂肪層消失
   - 下顎枝と内側翼突筋との間の脂肪層消失
   - (近位部では)内側・外側翼突筋間の脂肪層消失

悪性腫瘍の播種性転移としての神経周囲進展とは異なるが，神経周囲進展と類似の所見を呈する腫瘍類似疾患であることから本章に関連する項目として取り上げる．

IgG4関連疾患では，V2およびV3，とくに眼窩下神経(V2)の腫大を示す[43, 44]．眼窩下神経を含む，両側，複数の三叉神経枝の腫大，増強効果(および通過する孔の拡大)では，本疾患が疑われる(実際の鑑別疾患としては悪性リンパ腫が含まれる)．眼窩下神経腫大は特異度の高い所見であり，本邦，米国での出現頻度は23.8～32%，三叉神経のその他の枝の病変は24～42.3%とされる[45]．両側涙腺腫大や唾液腺腫瘤などは診断を支持する(図80，81)．画像診断では三叉神経，涙腺を含む眼窩，唾液腺，リンパ節などを系統的に評価する必要がある．

以上，頭頸部領域悪性腫瘍における神経周囲進展の臨床および画像診断を解説した．

■参考文献

1) Brown IS：Pathology of perineural spread. J Neurol Surg B Skull Base **77**：124-130, 2016
2) Batsakis JG：Nerves and neurotropic carcinomas. Ann Otol Rhinol Laryngol **94** (4 Pt 1)：426-427, 1985
3) Liebig C, Ayala G, Wilks JA et al：Perineural invasion in cancer：a review of the literature. Cancer **115**：3379-3391, 2009
4) Bakst RL, Glastonbury CM, Parvathaneni U et al：Perineural invasion and perineural tumor spread in head and neck cancer. Int J Radiat Oncol Biol Phys **103**：1109-1124, 2019
5) Singh FM, Mak SY, Bonington SC：Patterns of spread of head and neck adenoid cystic carcinoma. Clin Radiol **70**：644-653, 2015
6) Mukherji SK, Weeks SM, Castillo M et al：Squamous cell carcinomas that arise in the oral cavity and tongue base：Can CT predict perineural or vascular invasion? Radiology **198**：157-162, 1996
7) Fagan JJ, Collins B, Barnes L et al：Perineural invasion in squamous cell carcinoma of the head and neck. Arch Otolaryngol Head Neck Surg **124**：637-640, 1998
8) Cracchiolo JR, Xu B, Migliacci JC et al：Patterns of recurrence in oral tongue cancer with perineural invasion. Head Neck **40**：1287-1295, 2018
9) Roh J, Muelleman T, Tawfik O et al：Perineural growth in head and neck squamous cell carcinoma: a review. Oral Oncol **51**：16-23, 2015
10) Brandwein-Gensler M, Teixeira MS, Lewis CM et al：Oral squamous cell carcinoma: histologic risk assessment, but not margin status, is strongly predictive of local disease-free and overall survival. Am J Surg Pathol **29**：167-178, 2005
11) Paes FM, Singer AD, Checkver AN et al：Perineural spread in head and neck malignancies：clinical significance and evaluation with 18F-FDG PET/CT. Radiographics **33**：1717-1736, 2013
12) Ojiri H：Perineural spread in head and neck malignancies. Radiat Med **24**：1-8, 2006
13) Ibrahim M, Parmar H, Gandhi D et al：Imaging

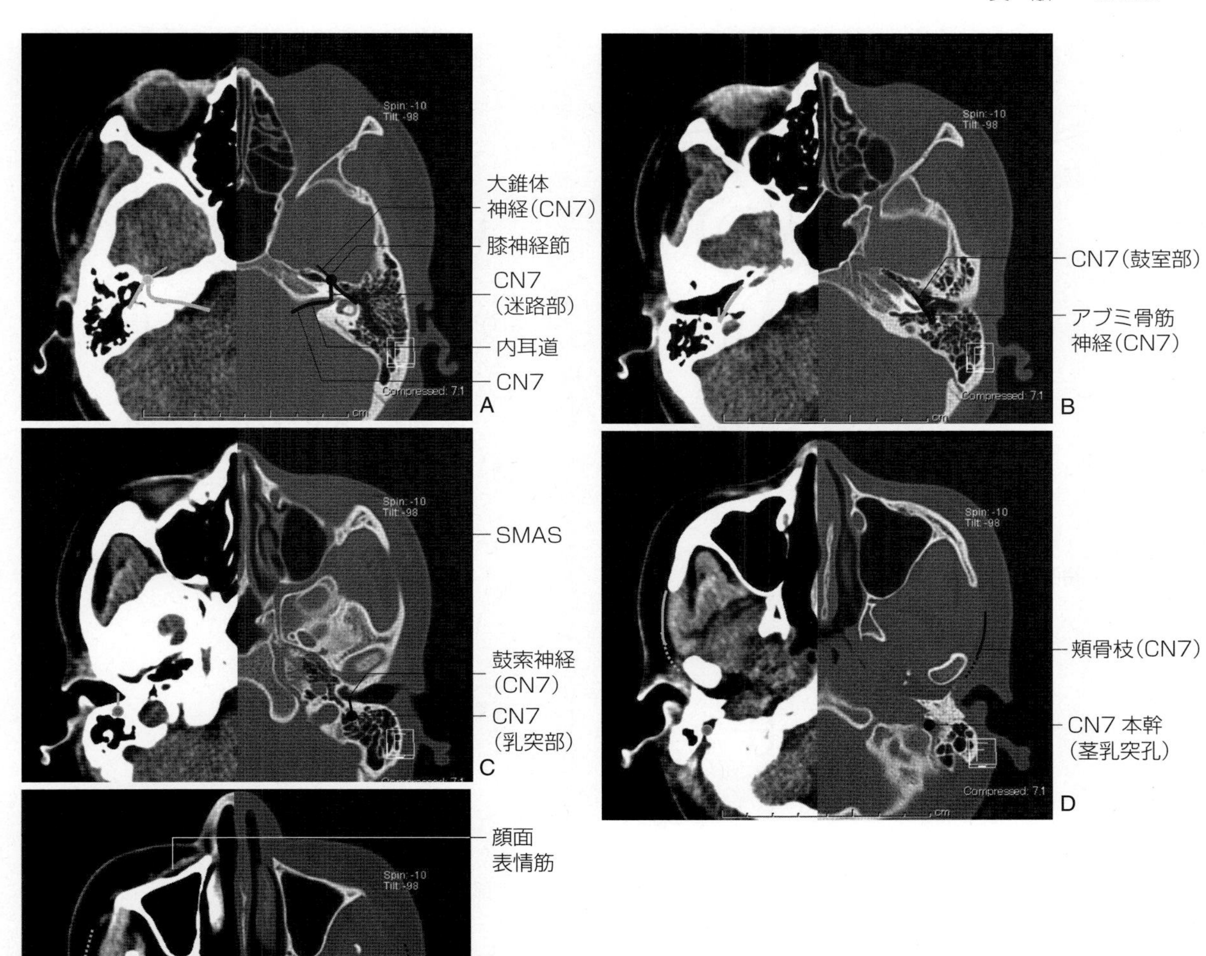

図 55　顔面神経(CN7)の画像解剖(横断像)

頭側から尾側に向かって，CT(各画像の右側は軟部濃度表示，左側は骨条件表示)横断像を A〜E として表示．
CN7：顔面神経，SMAS：superficial musculoaponeurotic system

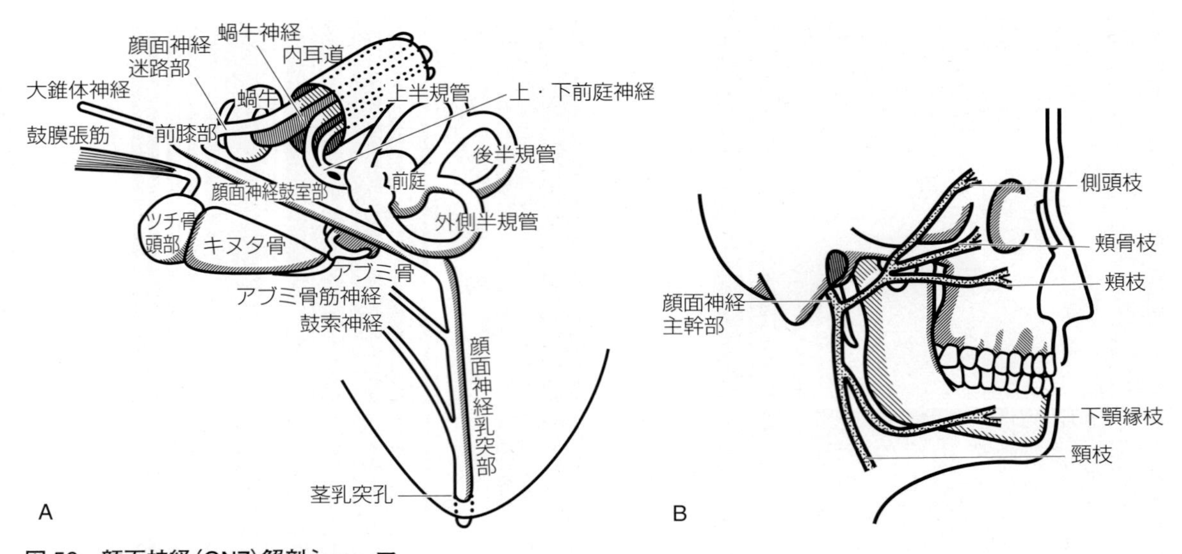

図 56　顔面神経（CN7）解剖シェーマ
側頭骨内，顔面神経管の解剖（A）および頭蓋外顔面神経枝の解剖（B）．

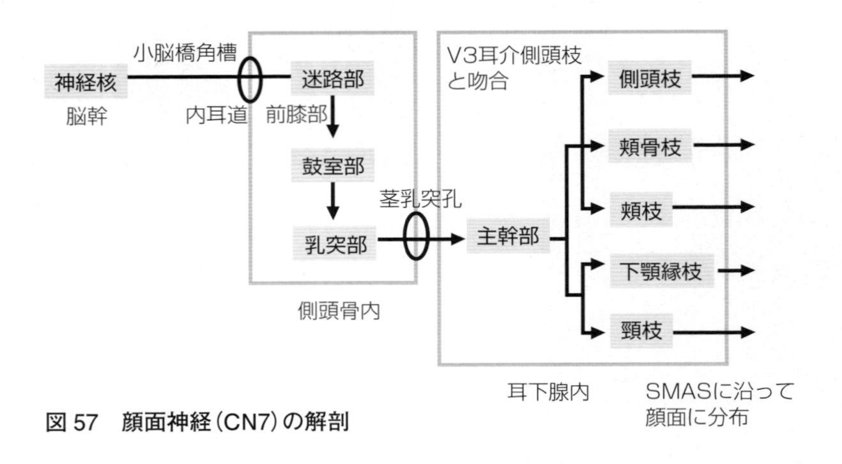

図 57　顔面神経（CN7）の解剖

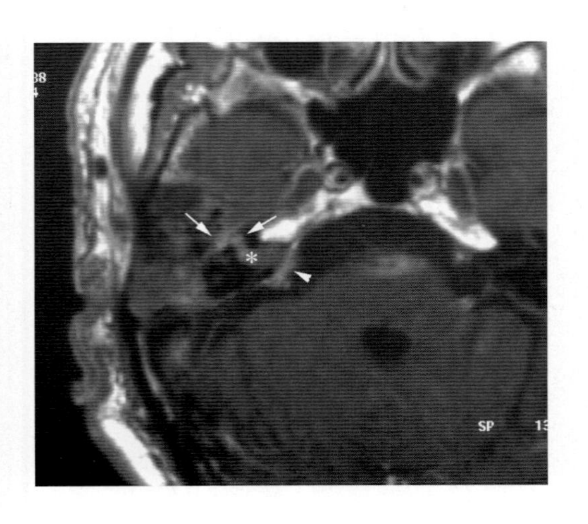

図 58　顔面神経の神経周囲進展（耳下腺癌再発）
頭部 MRI，造影後 T1 強調横断像において，右側頭骨内の顔面神経管，鼓室部および迷路部（矢印）に一致した索状腫瘤を認める．中枢側は内耳道内（＊）から小脳橋角部（矢頭）に進展を示す．

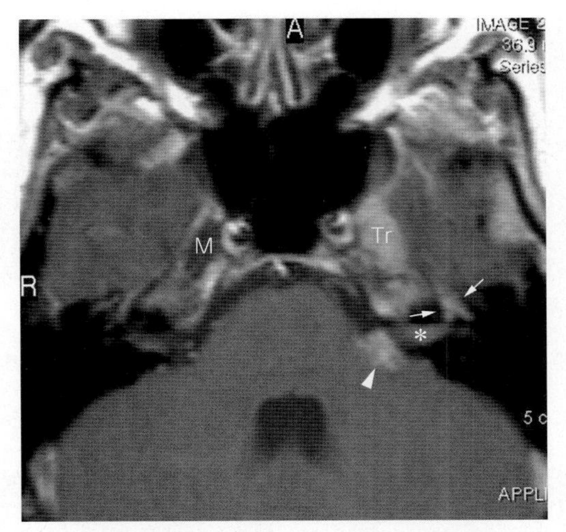

図 59　顔面神経および三叉神経の神経周囲進展（悪性リンパ腫）

頭部 MRI，造影後 T1 強調横断像において，左側頭骨内の顔面神経管，鼓室部および迷路部（矢印），内耳道（＊），小脳橋角部（矢頭）に向かう CN7 の神経周囲進展に加え，左三叉神経槽（健側は M で示す）にも造影される腫瘤（Tr）が占拠しており，CN5 の神経周囲進展を認める．

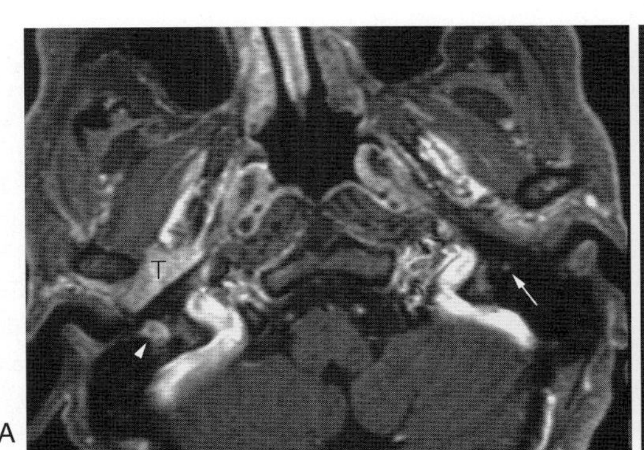

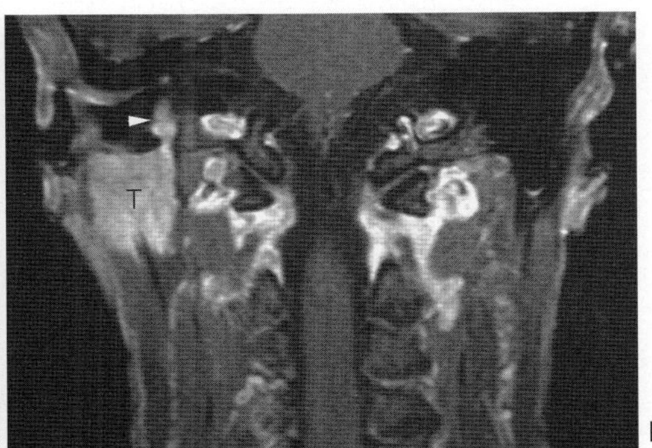

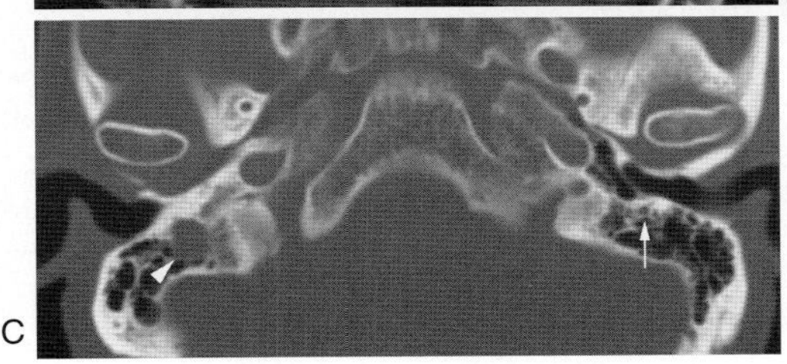

図 60　顔面神経の神経周囲進展（耳下腺の腺様嚢胞癌）

側頭骨レベル MRI，造影後 T1 強調横断像（A）において，右耳下腺の増強効果を示す腫瘍（T）を認め，顔面神経管乳突部内の顔面神経（左側で矢印で示す）の腫大と増強効果（矢頭）を伴い，中枢側の顔面神経管内に向かう神経周囲進展を示す．

冠状断像（B）では，右耳下線腫瘍（T）の顔面神経管乳突部への連続性進展（矢頭）が描出されている．

側頭骨レベル CT 横断像骨条件表示（C）において，顔面神経管乳突部（左側で矢印で示す）は右側で拡大（矢頭）を示す．

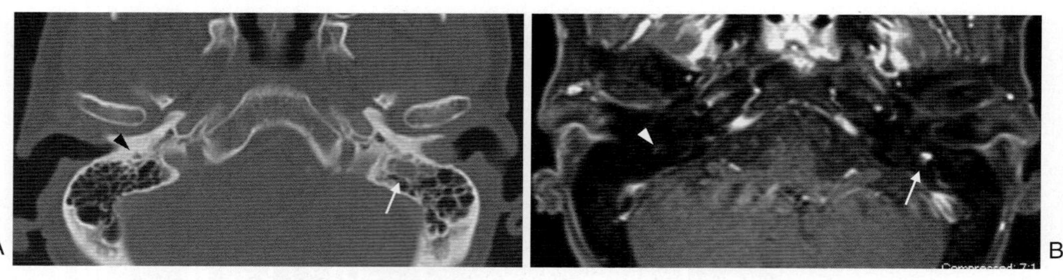

図 61　顔面神経の神経周囲進展（耳下腺癌）
　側頭骨レベルの CT 横断像（A）において，左側の顔面神経管下行部（乳突部：矢印）は右側（矢頭）と比較して拡大を示す．MRI，造影後 T1 強調横断像（B）で同部の顔面神経（矢印）の腫大と増強効果を認める．矢頭：対側の顔面神経

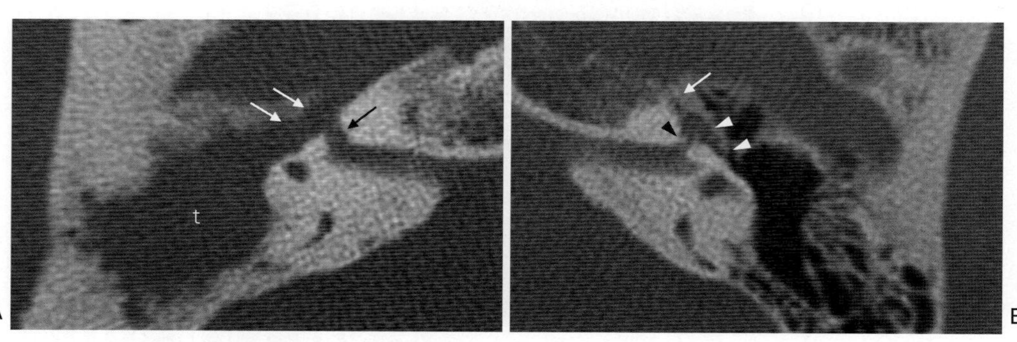

図 62　顔面神経の神経周囲進展（右外耳道癌）
　側頭骨レベルの CT 横断像，右側（A）および左側（B）．右側頭骨（A）では上鼓室から乳突洞領域にかけて軟部濃度病変（t）を認める．顔面神経管の鼓室部（白矢印）および迷路部（黒矢印）は対側（B）と比較して拡大を示す．左側（B）において，正常の顔面神経管迷路部（黒矢頭），鼓室部（白矢頭）および大錐体神経（矢印）を示す．

nucances of perineural spread of head and neck malignancies. J Neuroophthalmol **27** : 129–137, 2007
14）Ong CK, Chong VFH : Imaging of perineural spread in head and neck tumours. Cancer Imaging **10** : S92–S98, 2010
15）Williams LS : Advanced concept in the imaging of perineural spread of tumor to the trigeminal nerve. Top Magn Reson Imaging **10** : 376–383, 1999
16）Fowler BZ, Crocker IR, Johnstone PA : Perineural spread of cutaneous malignancy to the brain : a review of literature and five patients treated with stereotactic radiotherapy. Cancer **103** : 2143–2153, 2005
17）Yousem DM, Gad K, Tufano RP : Resectability issues with head and neck cancer. AJNR Am J Neuroradiol **27** : 2024–2036, 2006
18）Hutcheson JA, Vural E, Korourian S et al : Neural cell adhesion molecule expression in adenoid cystic carcinoma of the head and neck. Laryngoscope **110** : 946–948, 2000
19）Gandour-Edwards R, Kapadia SB, Barnes L et al : Neural cell adhesion molecule in adenoid cystic carcinoma invading the skull base. Otolaryngol Head Neck Surg **117** : 453–458, 1997
20）Vural E, Hutcheson JA, Korourian S et al : Correlation of neural cell adhesion molecules with perineural spread of squamous cell carcinoma of the head and neck. Otolaryngol Head Neck Surg **122** : 717–720, 2000
21）Caldemeyer KS, Mathews VP, Righi PD et al : Imaging features and clinical significance of perineural spread or extension of head and neck tumors. Radiographics **18** : 97–110, 1998
22）Catalano PJ, Sen C, Biller HF：Cranial neuropathy secondary to perineural spread of cutaneous malignancies. Am J Otol **16**：772–777, 1995
23）Lee H, Lazor JW, Assadsangabi R et al：An imager's guide to perineural tumor spread in head and neck cancers: Radiologic footprints on ^{18}FDG-PET, with CT and MRI correlates. J Nucl Med **60**：304–311, 2019
24）Warden KF, Parmar H, Trobe JD : Perineural spread of cancer along the three trigeminal divisions. J Neuroophthalmol **29** : 300–309, 2009
25）Ampil FL, Hardin JC, Peskind SP et al : Perineural

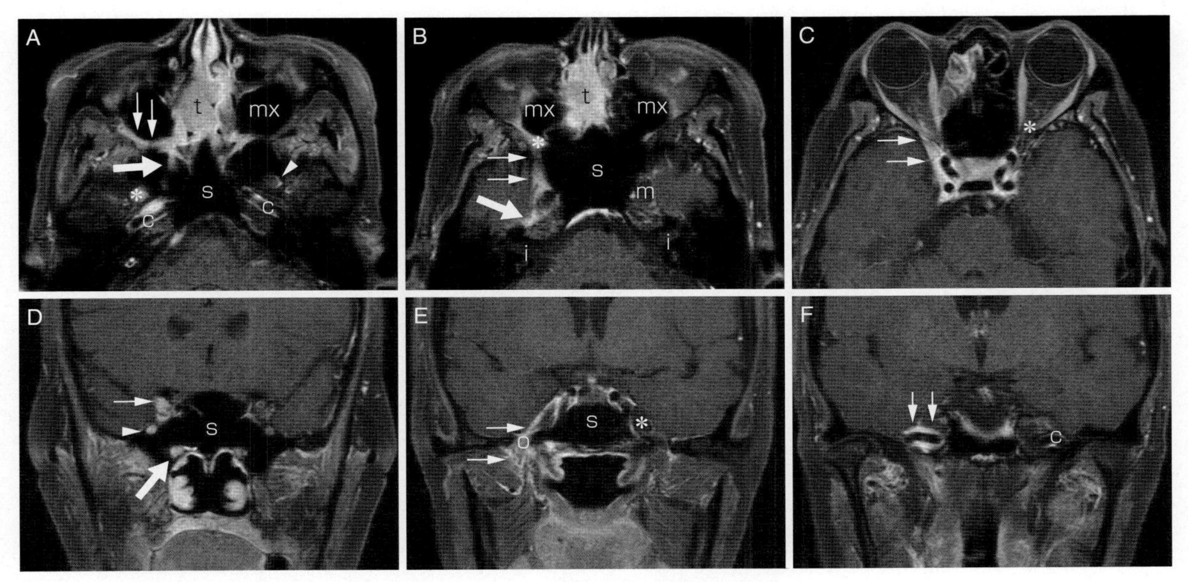

図 63　大錐体神経と三叉神経の翼突管神経を介して連続する神経周囲進展

翼突管レベル MRI 造影後 T1 強調脂肪抑制画像の横断像(A)において右鼻腔に充実性腫瘍(t)を認める．蝶口蓋孔を介して近接する右翼口蓋窩(小矢印)から翼突管への連続性(大矢印)を認め，後方の頸動脈管水平部(c)周囲の増強効果を伴う．翼口蓋窩神経節から翼突管神経，深錐体神経(顔面神経の枝である大錐体神経と合流し翼突管神経を形成)を介して連続する内頸動脈神経叢(交感神経)への浸潤を示唆する．これらの連続性から三叉神経(V2)，顔面神経双方の神経周囲進展に相当する．また右卵円孔内の V3(＊)は健側(矢頭)と比較して腫大とともに増強効果を呈し，V3 の神経周囲進展の併存を示す．mx：上顎洞，s：蝶形骨洞．やや頭側の正円孔レベル(B)で右海綿静脈洞から正円孔(＊)に連続する V2 の神経周囲進展(小矢印)の所見あり．後方では Meckel 腔(対側で m で示す)の一部に及ぶ．さらに錐体尖部に沿う増強効果(大矢印)を認め，大錐体神経に沿った神経周囲進展を示す．i：内耳道，mx：上顎洞，s：蝶形骨洞．さらに頭側の上眼窩裂レベル(C)で右海綿静脈洞の肥厚は前方で上眼窩裂(対側で＊で示す)への進展(矢印)を示し，V1 の神経周囲進展の併存を示す．正円孔レベルの冠状断像(D)において，右側で上眼窩裂の V1(小矢印)，正円孔の V2(矢頭)，翼突管内の翼突管神経(大矢印)の肥厚，増強効果を認める．s：蝶形骨洞．Meckel 腔レベル(E)で卵円孔(o)を介して頭蓋内に連続する V3 病変(矢印)を認める．＊：Meckel 腔，s：蝶形骨洞．さらに後方の錐体尖部レベル(F)で頸動脈管水平部(対側で c で示す)周囲に増強効果を示す病変(矢印)を認める．翼突管神経を介した内頸動脈神経叢への連続性進展に相当する．

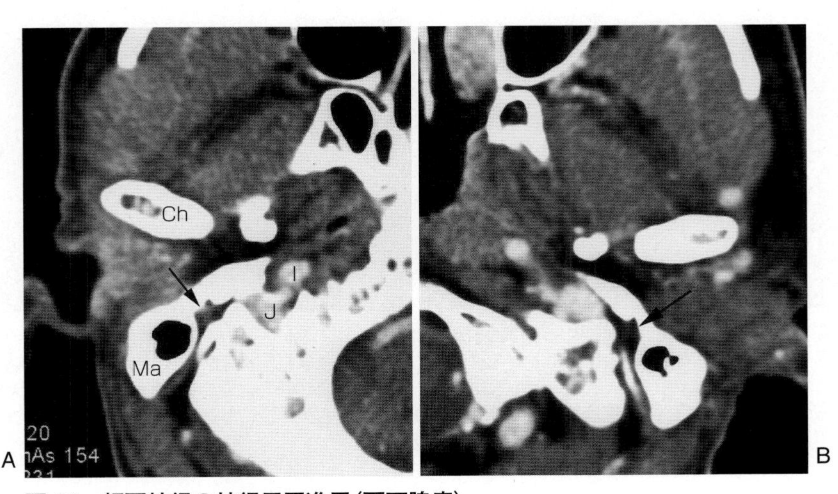

図 64　顔面神経の神経周囲進展(耳下腺癌)

右側(A)・左側(B)の頭蓋底直下レベルの造影 CT 横断像において，左側(B)では保たれている茎乳突孔直下の脂肪層(矢印)は，右側(A)では混濁しており，顔面神経主幹部に沿った神経周囲進展を示唆する．Ch：下顎骨関節頭，I：内頸動脈，J：内頸静脈，Ma：乳様突起

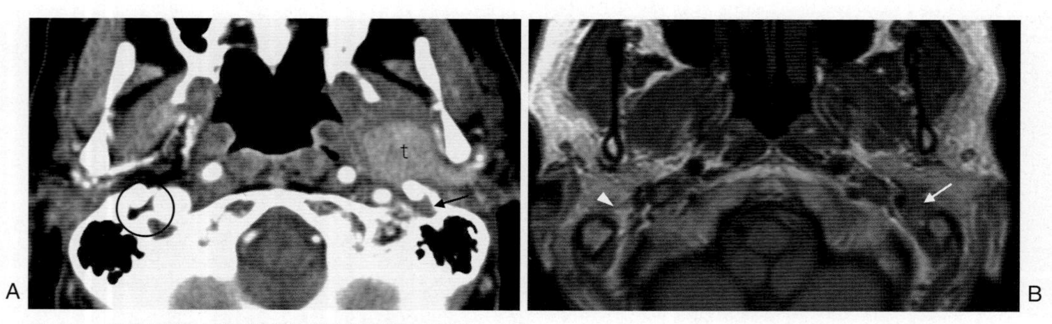

図 65　顔面神経主幹部の神経周囲進展 2 例

耳下腺レベルの造影 CT（A：図 52 と同一症例）において，左側の茎乳突孔直下の脂肪層（対側で○で示す）は軟部濃度で置換されている（矢印）．同側で耳介側頭神経（V3）から V3 本幹に至る神経周囲進展の所見あり（詳細は図 52 説明文を参照されたい）．本例での茎乳突孔直下脂肪層消失は，耳下腺内での耳介側頭神経と顔面神経の吻合を介した顔面神経主幹部への神経周囲進展が示唆される．別症例の MRI，T1 強調横断像（B）．A と同様に，左側の茎乳突孔直下の脂肪層（対側で矢頭で示す）は浸潤性病変により置換されている（矢印）．

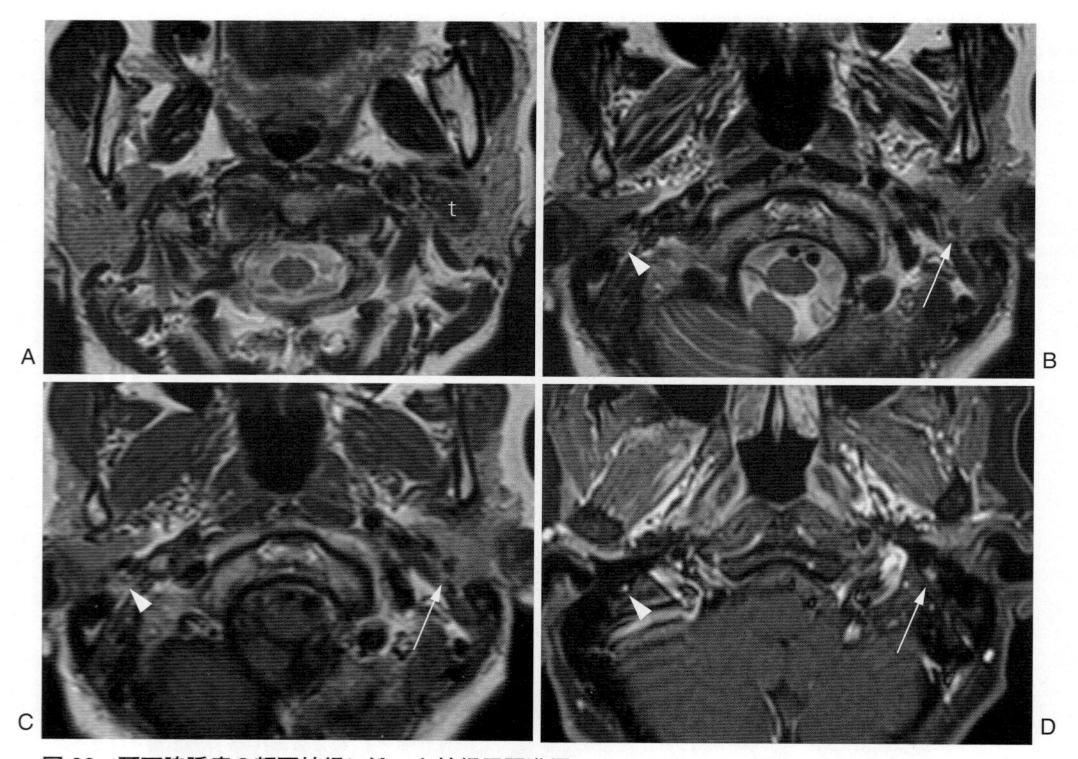

図 66　耳下腺腫瘍の顔面神経に沿った神経周囲進展

耳下腺レベル MRI T2 強調横断像（A）で左耳下腺深葉に比較的低信号を示す腫瘍（t）を認める．やや頭側の茎乳突孔直下レベルでの T2 強調像（B），T1 強調像（C）において左顔面神経（矢印）は健側（矢頭）と比較して腫大を示す．さらに頭側レベルの造影後 T1 強調脂肪抑制画像（D）で顔面神経管乳突部内においても，左顔面神経（矢印）は健側（矢頭）より腫大を示す．ただし，増強効果は健側でも認められる．

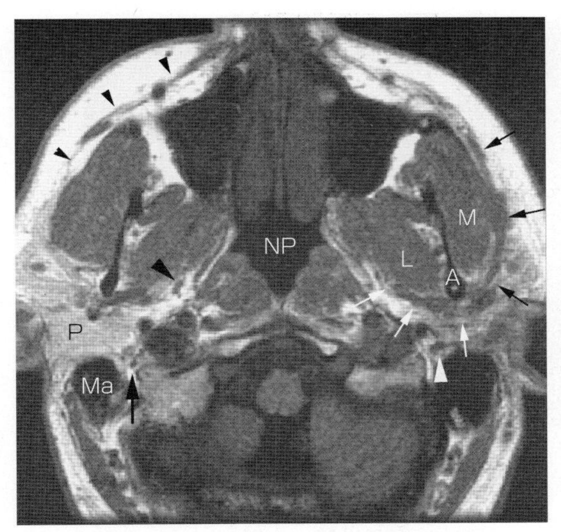

図 67　顔面神経および耳介側頭神経（V3）の神経周囲進展

上咽頭（NP）レベルの MRI T1 強調横断像において，左側では咬筋（M）表層に隣接した部位で SMAS（右側で小さな黒矢頭で示す）に沿った索状腫瘤（小さな黒矢印）を認め，顔面神経末梢枝（頬枝）の神経周囲進展を示す．中枢側では耳下腺（P）内に進入している．耳下腺内では下顎枝（A）から外側翼突筋（L）の後面に沿って V3 本幹（右側で大きな黒矢頭で示す）に向かう索状腫瘤（白矢印）として連続しており，顔面神経と耳介側頭神経との吻合による耳介側頭神経（V3）の神経周囲進展を示す（図 49 参照）．一方で，顔面神経の中枢側に向かう神経周囲進展は茎乳突孔直下レベルでの顔面神経主幹部（健側で大きな黒矢印で示す）の腫大（白矢頭）として認められる．Ma：乳様突起

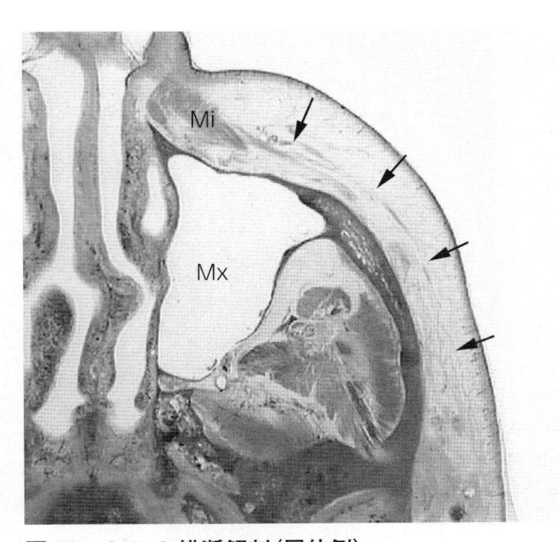

図 68　SMAS 横断解剖（屍体例）

矢印：SMAS，Mi：顔面表情筋，Mx：上顎洞

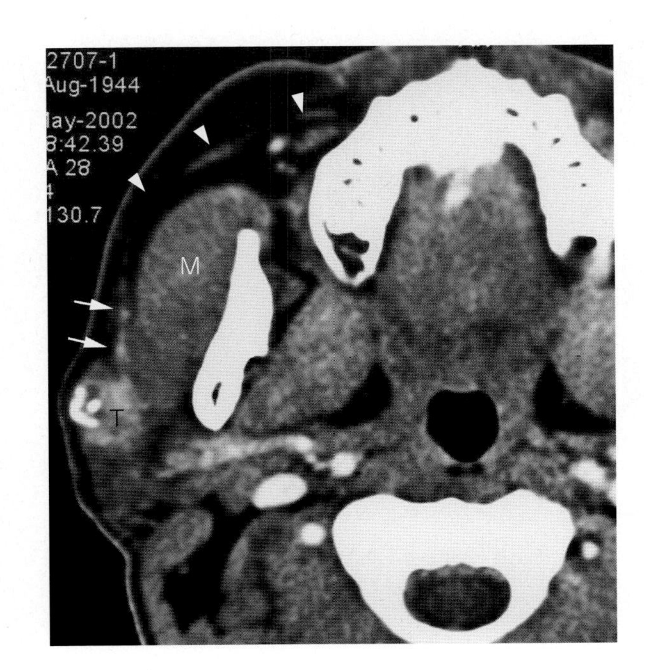

図 69　顔面神経の神経周囲進展（耳下腺癌）

耳下腺レベルの造影 CT 横断像で，右耳下腺浅葉に石灰化を伴う不整形の腫瘤（T）を認め，前方に向かって SMAS（矢頭）に沿った索状の肥厚（矢印）を認め，顔面神経末梢枝（頬枝）の神経周囲進展を示す．M：咬筋

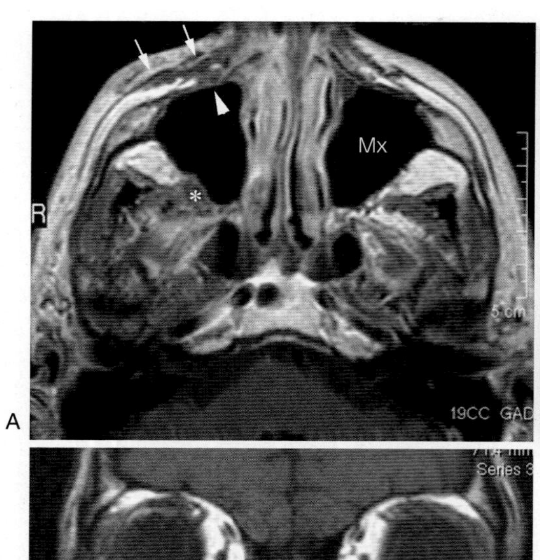

A

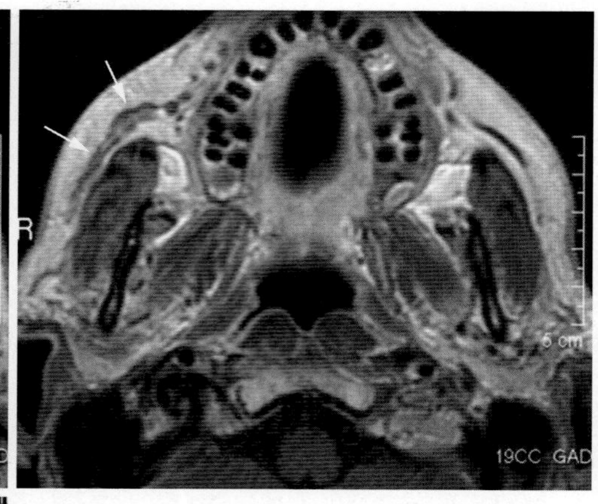

B

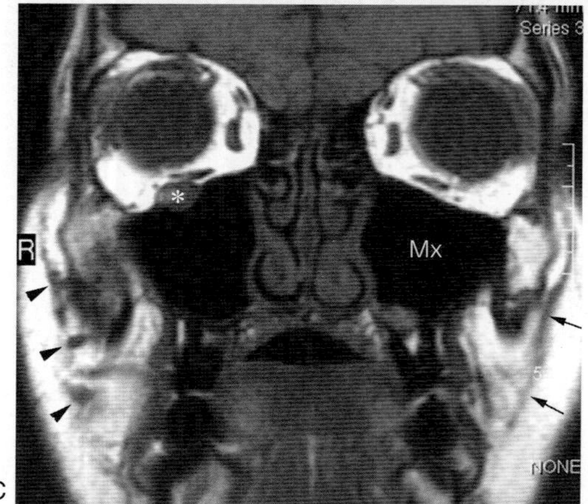

C

図 70　顔面神経頬枝および眼窩下神経(V2)の神経周囲進展

上顎洞(Mx)レベルの MRI，造影後 T1 強調冠状断像(A)において，右頬部で SMAS に沿った多結節様肥厚(矢印)を認め，顔面神経頬枝の神経周囲進展を示す．同時に，深部において(眼窩下神経末梢部の分布する) preantral fat pad 内に腫瘤(矢頭)を認める．同病変は中枢側に向かい翼口蓋窩への進展を示す(＊)．

口蓋レベル(B)では，顔面神経頬枝の神経周囲進展の中枢側(後方)への進展(矢印)が描出されている．

上顎洞(Mx)レベルの T1 強調冠状断像(C)で SMAS (左側で矢印で示す)の多結節様肥厚(矢頭)で示される顔面神経頬枝神経周囲進展とともに眼窩下神経(＊)の肥厚を認める．

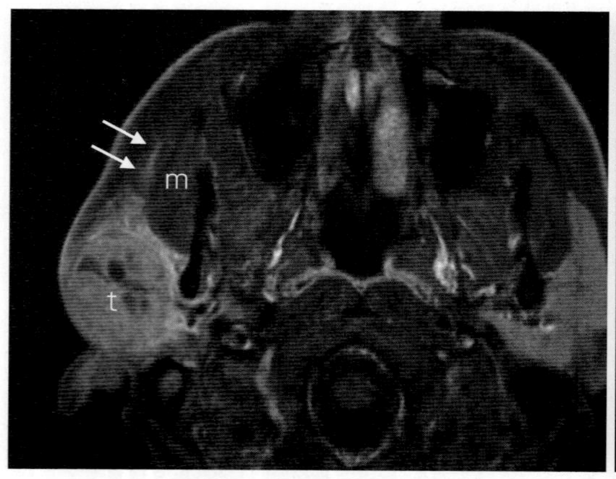

A

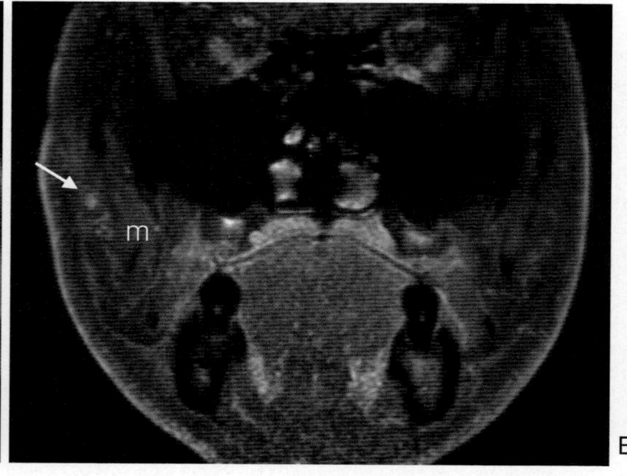

B

図 71　顔面神経の神経周囲進展(耳下腺癌)

耳下腺レベルの MRI，造影後 T1 強調脂肪抑制横断像(A)において，右耳下腺浅葉を中心として不均一な増強効果を示す腫瘤(t)を認める．前方において咬筋(m)表層に沿って SMAS の肥厚・増強効果(矢印)が見られる．同冠状断像(B)で本所見に一致して SMAS 上の索状病変(矢印)を認め，顔面神経末梢枝(頬枝：buccal branch)に沿った神経周囲進展を示す．m：咬筋

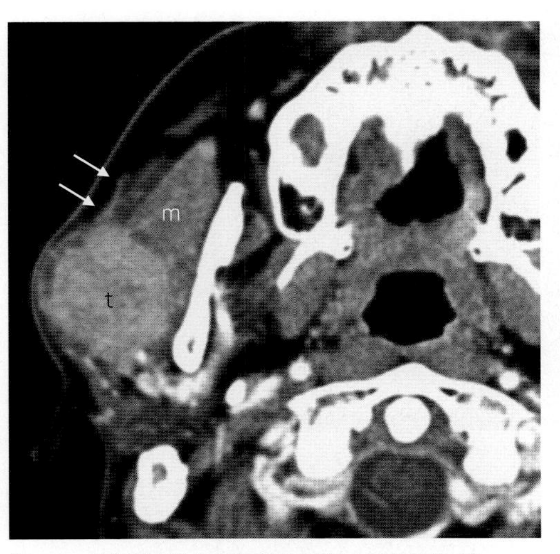

図 72 顔面神経の神経周囲進展(耳下腺癌)
耳下腺レベルの造影 CT．右耳下腺浅葉に浸潤性辺縁を示す腫瘤(t)を認め，前方に連続するように咬筋(m)表層での SMAS の肥厚(矢印)を認め，(図 71 と同様に)顔面神経末梢枝(頬枝：buccal branch)に沿った神経周囲進展を反映する．

表 5 CN7 とその枝の神経周囲進展の画像所見

1. CN7 主幹部(側頭骨内)
・側頭骨の顔面神経管拡大・内部の増強効果
2. CN7 主幹部(頭蓋外)
・茎乳突孔直下の脂肪層消失
3. CN7 末梢枝
・SMAS に沿った索状，多結節様肥厚

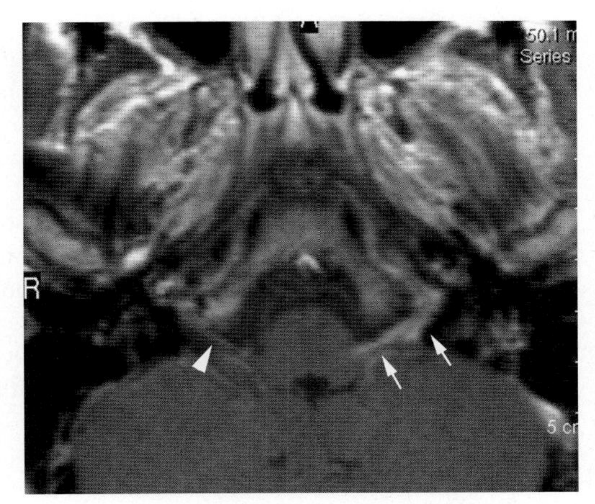

図 73 下位脳神経の神経周囲進展(悪性リンパ腫)
脳幹レベルの MRI，造影後 T1 強調横断像において，延髄から頸静脈孔に向かう下位脳神経(右側で矢頭で示す)は左側で肥厚・増強効果(矢印)を示し，神経周囲進展に一致する．

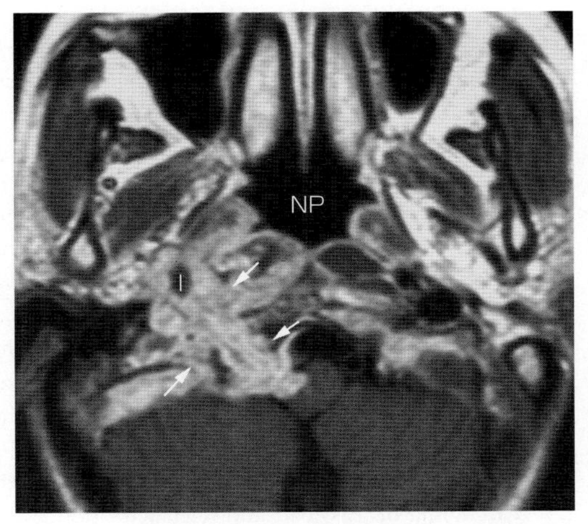

図 74 下位脳神経の神経周囲進展(上咽頭の腺様嚢胞癌)
脳幹レベルの MRI，造影後 T1 強調横断像において，右舌下神経管を介して頭蓋外(頸動脈鞘)・内(後頭蓋窩)に連続する索状腫瘤(矢印)を認め，舌下神経の神経周囲進展に一致する．I：内頸動脈，NP：上咽頭

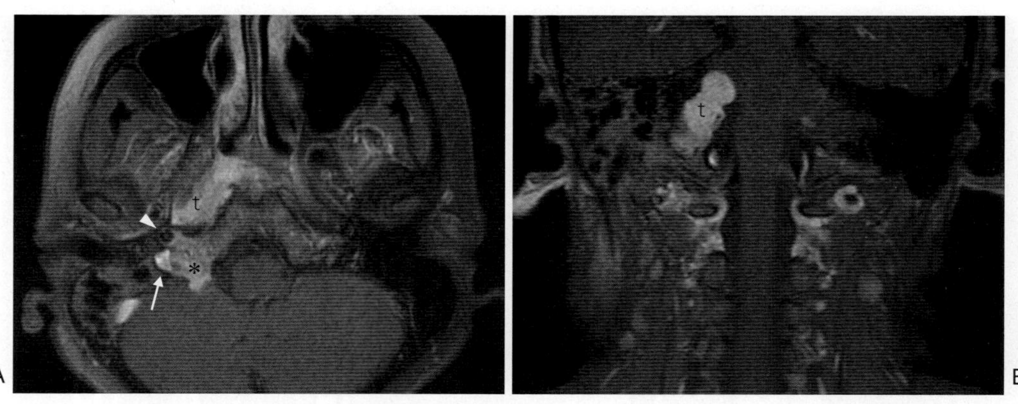

図75　下位脳神経に沿った神経周囲進展（上咽頭癌）

上咽頭レベルのMRI．造影後T1強調脂肪抑制横断像（A）において，右Rosenmüller窩から深部浸潤を示す腫瘍（t）を認め，既知の上咽頭癌に一致する．外側後方では右頸静脈孔を介した後頭蓋窩への進展（*）を示す．矢印：右内頸静脈，矢頭：右内頸動脈．同冠状断像（B）で，右頸静脈孔を介して頭蓋内へ進入する腫瘍（t）を認める．

invasion in skin cancer of the head and neck : a review of nine cases. J Oral Maxillofac Surg **53** : 34-38, 1995

26） Lee KJ, Abemayor E, Sayre J et al : Determination of perineural invasion preoperatively on radiographic images. Otolaryngol Head Neck Surg **139** : 275-280, 2008

27） Rapidis AD, Givalos N, Gakipoulous H et al : Adenoid cystic carcinoma of the head and neck. Clinicopathological analysis of 23 patients and review of the literature. Oral Oncol **41** : 328-335, 2005

28） Trotta BM, Pease CS, Rasamny JJ et al：Oral cavity and oropharyngeal squamous cell cancer: key imaging findings for staging and treatment planning. RadioGraphics **31**：339-354, 2011

29） Galloway TJ, Morris CG, Mancuso AA et al : Impact of radiographic findings on prognosis for skin carcinoma with clinical perineural invasion. Cancer **103** : 1254-1257, 2005

30） Balamucki CJ, Mancuso AA, Amdur RJ et al：Skin carcinoma of the head and neck with perineural invasion. Am J Otolaryngol **33**：447-454, 2012

31） Moore BA, Weber RS, Prieto V et al：Lymph node metastases from cutaneous squamous cell carcinoma of the head and neck. Laryngoscope **115**：1561-1567, 2005

32） Mendenhall WM, Amdur RJ, Williams LS et al : Carcinoma of the skin of the head and neck with perineural invasion. Head Neck **24** : 78-83, 2002

33） Majoie CB, Hulsmans FJ, Verbeeten B Jr et al : Perineural tumor extension along the trigeminal nerve : magnetic resonance imaging findings. Eur J Radiol **24** : 191-205, 1997

34） Soo KC, Carter RL, O'Brien CJ et al : Prognostic implications of perineural spread in squamous cell carcinomas of the head and neck. Laryngoscope **96** : 1145-1148, 1986

35） Amit M, Eran A, Billan S et al：Perineural spread in noncutaneous head and neck cancer：new insights into an old problem. J Neurol Surg B **77**：86-95, 2016

36） Hanna E, Vural E, Prokopakis E et al：The sensitivity and specificity of high-resolution imaging in evaluating perineural spread of adenoid cystic carcinoma to the skull base. Arch Otolaryngol Head Neck Surg **133**：541-545, 2007

37） Nemzek WR, Hecht S, Gandour-Edwards R et al : Perineural spread of head and neck tumors : how accurate is MR imaging. AJNR Am J Neuroradiol **19** : 701-706, 1998

38） Lee SH, Seo HG, Oh BM et al：Increased ^{18}FDG uptake in the trapezius muscle in patients with spinal accessory neuropathy. J Neurol Sci **362**：127-130, 2016

39） Shah K, Esmaeli B, Ginsberg LE : Perineural tumor spread along the nasociliary branch of the ophthalmic nerve : Imaging findings. J Comput Assist Tomogr **37** : 282-285, 2013

40） Chan LL, Chong J, Gillenwater AM et al : The pterygopalatine fossa : postoperative MR imaging appearance. Am J Neuroradiol **21** : 1315-1319, 2000

41） Garcia-Serra A, Price Mendenhall N, Hinerman RW et al : Management of neurotropic low-grade B-cell lymphoma : report of two cases. Head Neck **25** : 972-976, 2003

42） Wallace ZS, Khosroshahi A, Jakobiec FA et al : IgG4-related systemic disease as a cause of "idiopathic" orbital inflammation, including orbital myositis, and trigeminal nerve involvement. Surv Ophthalmol **57** : 26-33, 2012

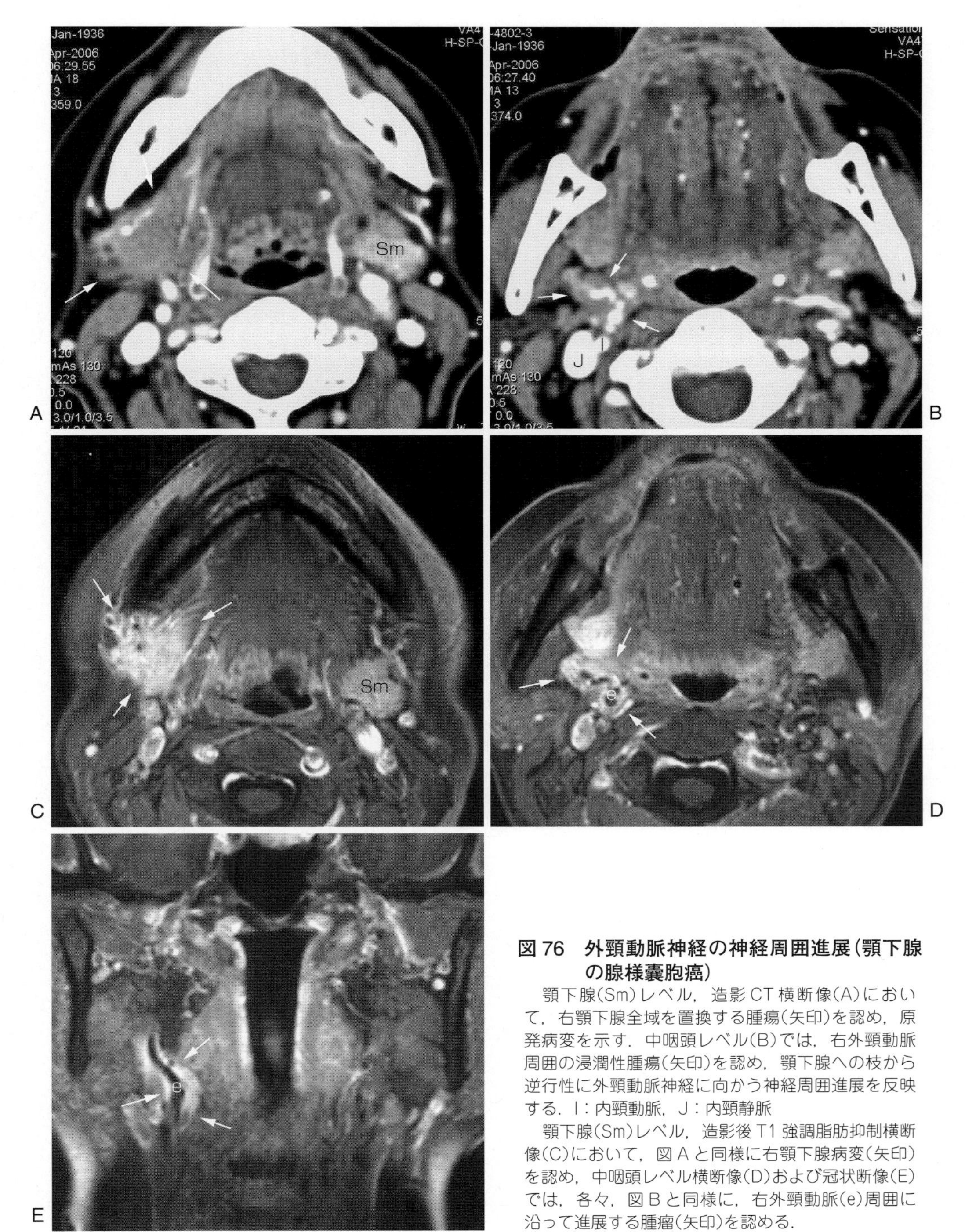

図 76　外頸動脈神経の神経周囲進展(顎下腺の腺様囊胞癌)

顎下腺(Sm)レベル，造影 CT 横断像(A)において，右顎下腺全域を置換する腫瘍(矢印)を認め，原発病変を示す．中咽頭レベル(B)では，右外頸動脈周囲の浸潤性腫瘍(矢印)を認め，顎下腺への枝から逆行性に外頸動脈神経に向かう神経周囲進展を反映する．I：内頸動脈，J：内頸静脈

顎下腺(Sm)レベル，造影後 T1 強調脂肪抑制横断像(C)において，図 A と同様に右顎下腺病変(矢印)を認め，中咽頭レベル横断像(D)および冠状断像(E)では，各々，図 B と同様に，右外頸動脈(e)周囲に沿って進展する腫瘤(矢印)を認める．

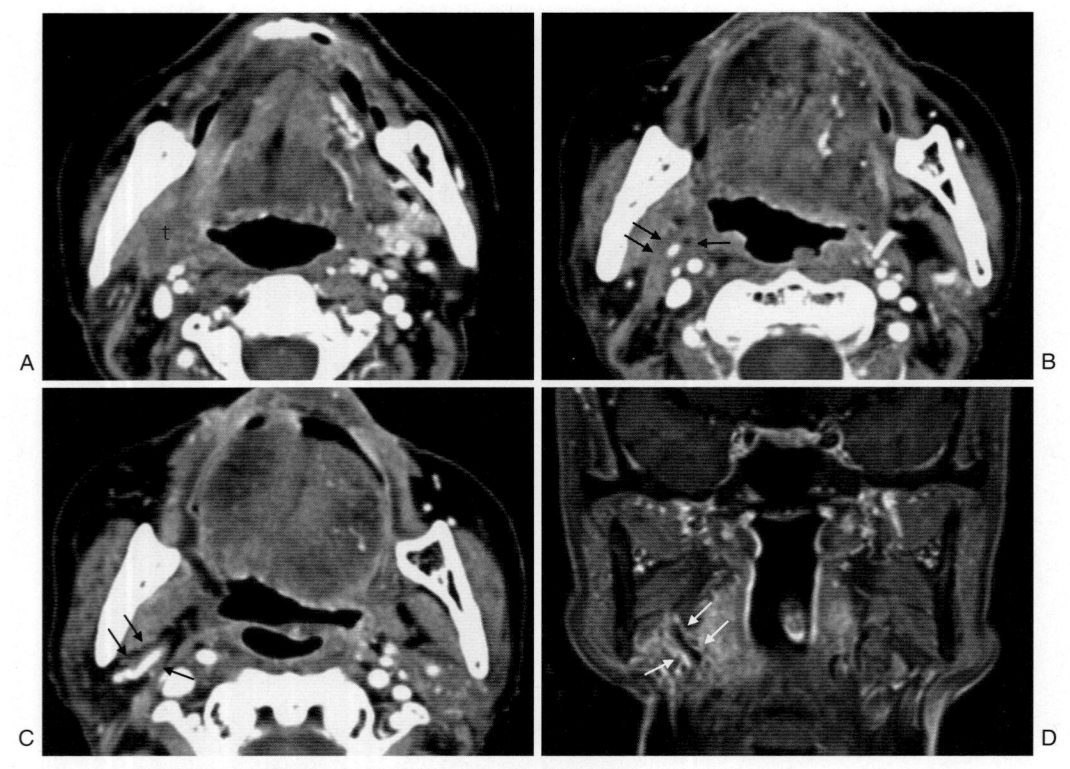

図 77　外頸動脈神経の神経周囲進展(顎下腺の腺様嚢胞癌)

顎下腺レベルの造影 CT(A)において，右顎下間隙に浸潤性腫瘤(t)を認め，原発病変に一致する．頭側レベル(B，C)で右外頸動脈周囲を縁取るように軟部濃度(矢印)を認める．同例の MRI，造影後 T1 強調脂肪抑制冠状断像(D)でも同様に右外頸動脈周囲に沿って増強効果を示す病変(矢印)を認め，(図 76 と同様に)外頸動脈神経に沿った神経周囲進展を反映する．

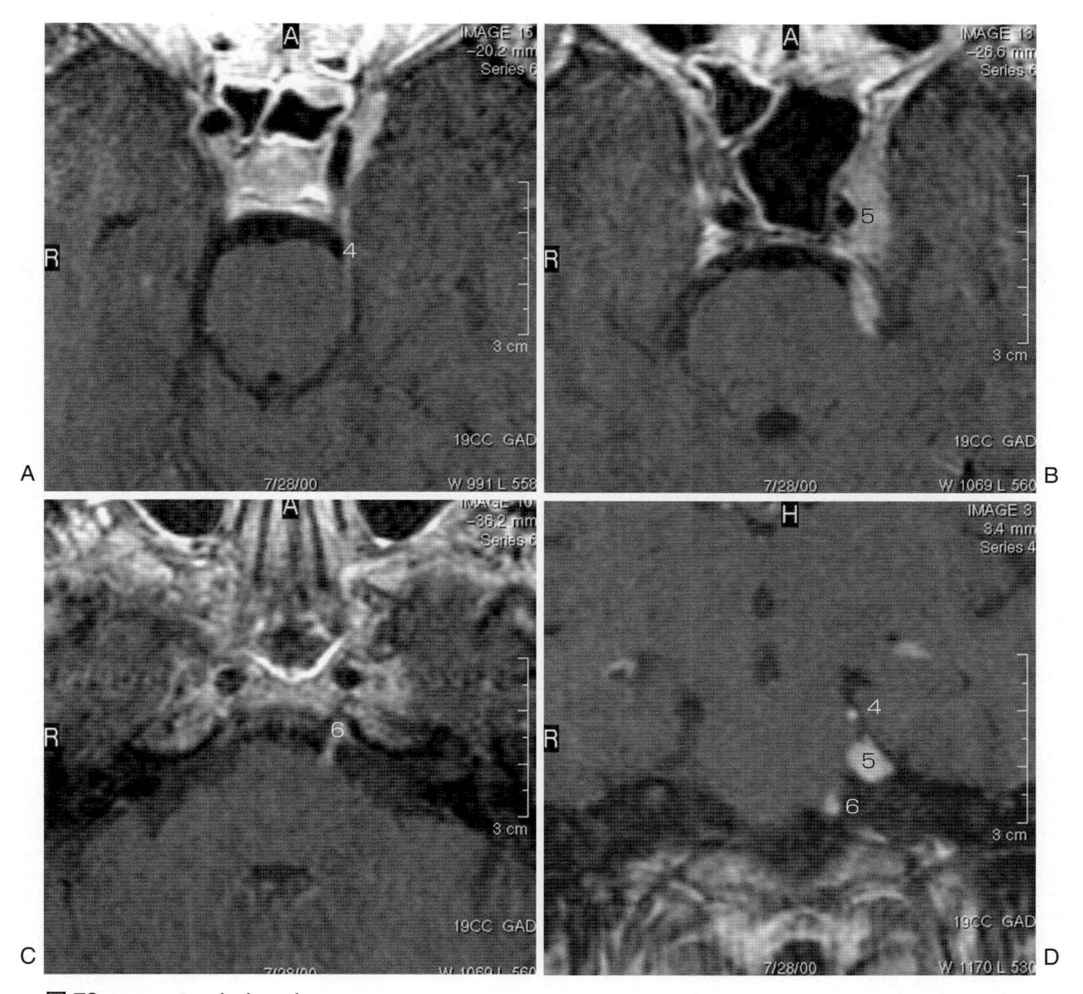

A B C D

図 78　neurotropic lymphoma

脳幹レベルの MRI，造影後 T1 強調横断像(頭側から尾側に向かって A，B，C)および冠状断像(D)において，左側の滑車神経(4)，三叉神経(5)，外転神経(6)の肥厚・増強効果を認める．

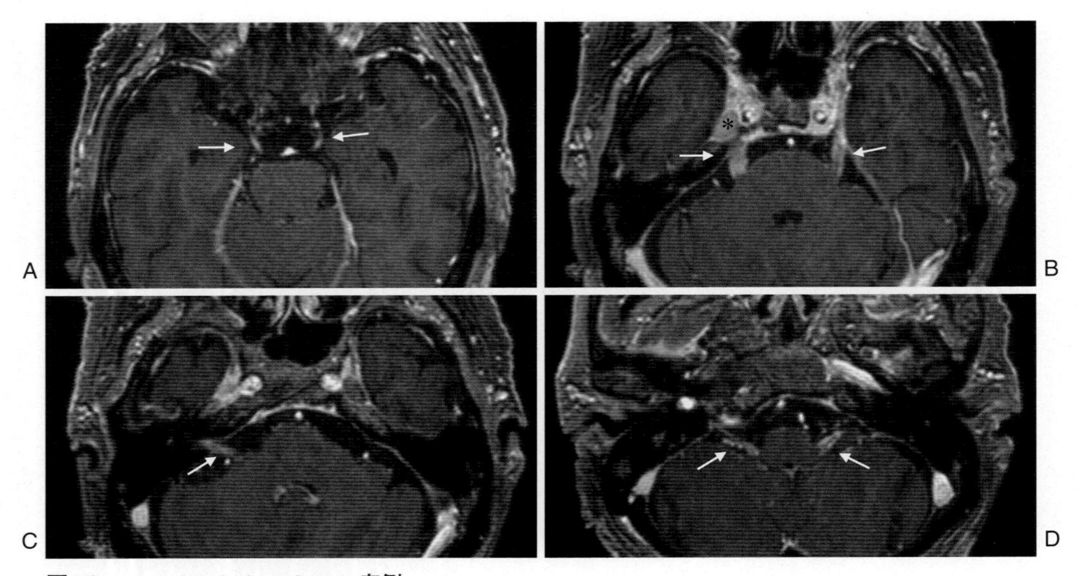

図 79　neurotropic lymphoma 症例

脳幹レベルの MRI，造影後 T1 強調脂肪抑制横断像（頭側から尾側にかけて，A，B，C，D）．

動眼神経（A：矢印），三叉神経（B：矢印，＊：三叉神経節病変），顔面神経あるいは内耳神経（C：矢印），下位脳神経（D：矢印）の肥厚・増強効果を認める．

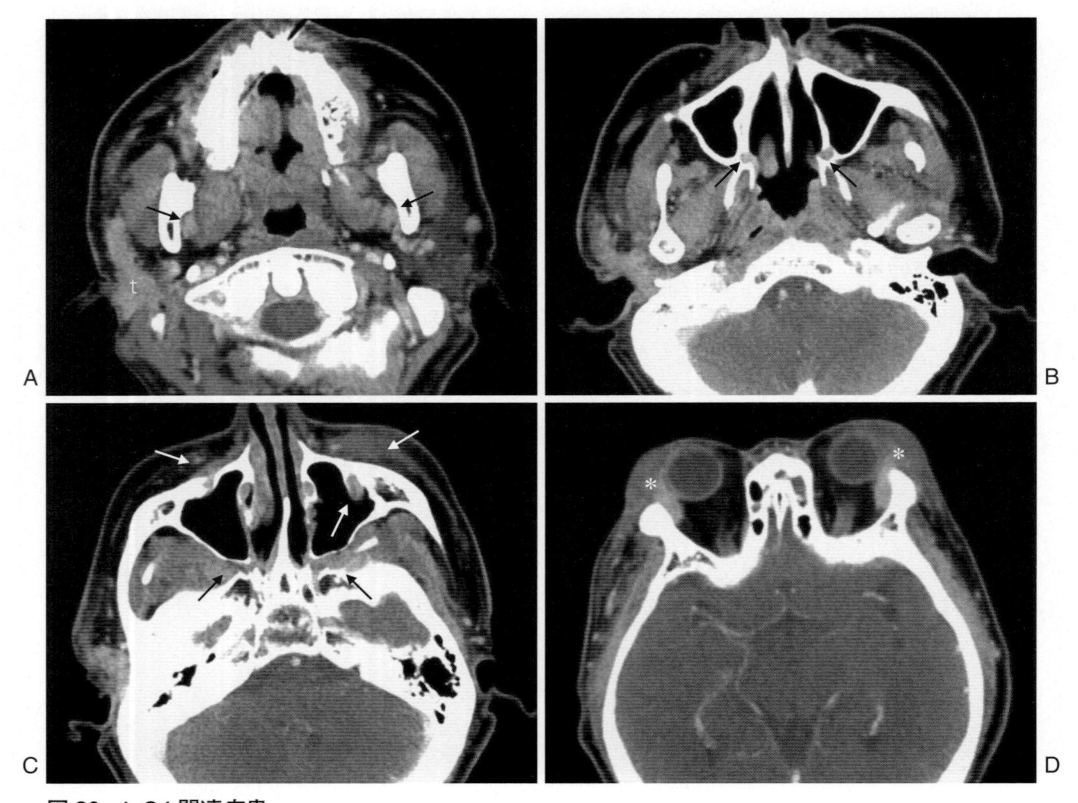

図 80　IgG4 関連疾患

耳下腺レベルの造影 CT（A）において，両側下顎孔に接する軟部濃度病変（矢印）を認め，下歯槽神経（V3）の腫大を示す．右耳下腺に浸潤性腫瘍（t）あり．上咽頭レベル（B）で両側翼口蓋管（矢印）の対称性拡大を認め，口蓋神経（V2）病変を示唆する．頭蓋底レベル（C）で両側翼口蓋窩の V2 病変（黒矢印），preantral fat pad 内の眼窩下神経病変（白矢印）を認める．眼窩レベル（D）で両側涙腺腫大（＊）あり．

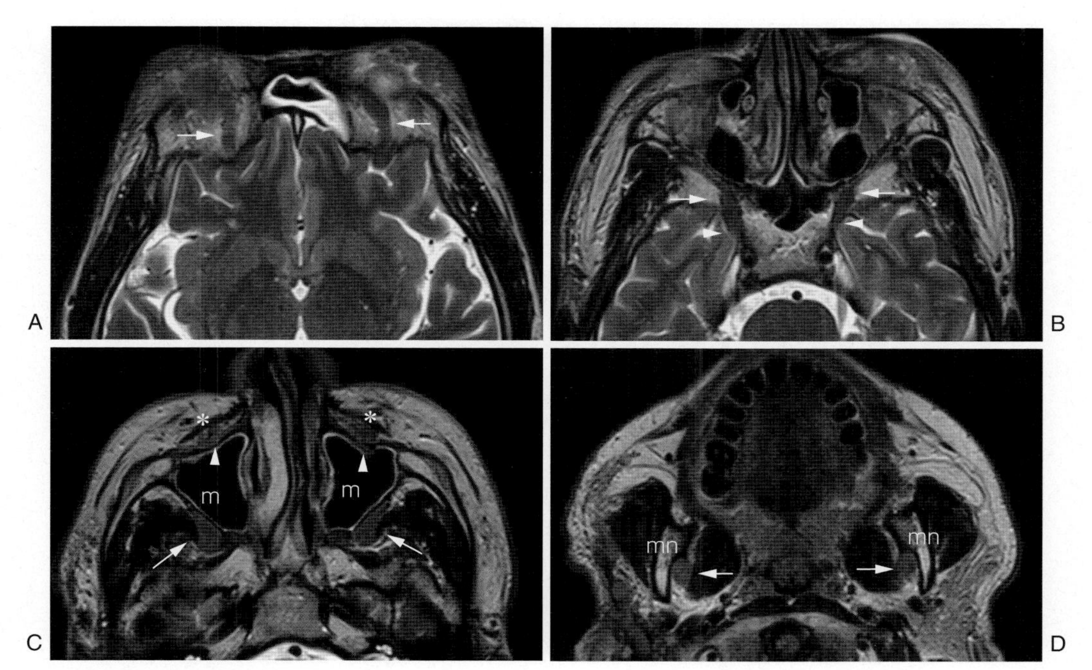

図 81　IgG4 関連疾患

眼窩上縁レベル MRI T2 強調横断像（A）において両側眼窩上壁を前後に走行する索状病変（矢印）を認め，V1 病変に相当する．正円孔レベル（B）で両側の正円孔（矢印）から海綿静脈洞（矢頭）に連続する V2 病変あり．上顎洞レベル（C）で両側翼口蓋窩に V2 病変を認め，上顎洞（m）前壁と表情筋（＊）との間には眼窩下神経末梢部の病変（矢頭）を認める．下顎枝レベル（D）で下顎枝（mn）内側に V3（下歯槽神経）病変（矢印）を認める．

43）Katsura M, Morta H, Horiuchi K et al : IgG4-related inflammatory pseudotumor of the trigeminal nerve : another component of IgG4-related sclerosing disease? AJNR Am J Neuroradiol **32** : E150-152, 2011

44）Toyoda K, Oba H, Kutomi K et al : MR imaging of IgG4-related disease in the head and neck and brain. AJNR Am J Neuroradiol **33** : 2136-2139, 2012

45）Soussan JB, Deschamps R, Sadik JC et al：Infraorbital nerve involvement on magnetic resonance imaging in European patients with IgG4-related ophthalmic disease; a specific sign. Eur Radiol **27**：1335-1343, 2017

16 その他

本章では，頭頸部画像診断において，特定の章のみに含めるのに適さない事項，あるいは各領域の章内に散見されるが，一括することによって臨床上，より実践的知識として機能するような事項について解説する．

1 頭頸部癌の予後因子としての腫瘍容積

頭頸部癌において，腫瘍容積（tumor volume/tumor volumetry：TV）は主に局所制御に関連する重要な予後因子であるが，原発部位や治療法の選択により多少意義は異なる．以下に，各領域の主な文献的報告，治療法選択での TV の cut off 値を示す（CRT：化学放射線療法，IMRT：intensity modulated radiotherapy，RT：放射線治療）．治療選択や予後推定で考慮すべき要素のひとつとなる．

腫瘍容積の概算

後述の腫瘍容積を実臨床で適用するためには（スライスごとに腫瘍を囲んで求めることは現実的ではなく），以下の楕円体での概算を用いるのが実践的である[1]．

最大前後径×最大左右径×最大頭尾側径×π/6 = 腫瘍容積

（⇒ 最大前後径×最大左右径×最大頭尾側径÷2 ≒腫瘍容積）

a. 上咽頭癌

・RT での局所制御率（5 年）[2]

TV が 20 cm^3 以下：88％

TV が 20〜60 cm^3：80％

TV が 60 cm^3 より大きい：56％

・RT での局所制御[3]

TV が 64 cm^3 より大きい：total dose 72Gy での制御困難

・RT での局所制御[4]

TV が 60 cm^3 より大きい：通常の RT，CRT での制御は困難であり，IMRT と CRT の組み合わせ等，より強化された治療が必要

・IMRT での局所制御率[5]

TV が 40 cm^3 より大きい場合，有意に低い

b. 中咽頭癌

・RT での局所制御[6,7]

TV と局所制御率との有意な相関なし

c. 下咽頭癌

・T1/T2 梨状窩病変の RT での局所制御率[8]

TV が 6.5 cm^3 より小さい：89％

TV が 6.5 cm^3 以上：25％

梨状窩尖部進展が軽度（横断径 1 cm 未満）：83％

梨状窩尖部進展が高度（横断径 1 cm より大きい）：25％

（上記所見の組み合わせから）

TV が 6.5 cm^3 より小さく，梨状窩尖部進展が軽度：94％

TV が 6.5 cm^3 以上，あるいは梨状窩尖部進展が高度：50％未満

TV が 6.5 cm^3 以上，かつ梨状窩尖部進展が高度：0％

・原発病変と頸部転移病変とを合わせた TV と RT での 5 年生存率[9]

T1/T2 病変；TV が 40 cm^3 以下：75％

T1/T2 病変；TV が 40 cm^3 より大きい：26％

T3/T4病変；TVが40 cm^3 以下：70%
T3/T4病変；TVが40 cm^3 より大きい：24%

・下咽頭癌と同時CRTでの生存率[10]
TVが30 cm^3 未満：75%
TVが30 cm^3 以上：20%
（TVが30 cm^3 未満の場合，喉頭温存を図るべき）

d. 声門上癌

・RTでの局所制御率[11]
TVが6 cm^3 より小さい：89%
TVが6 cm^3 以上：52%

・外科的切除での局所制御率[12]
TVが16 cm^3 以下：94%

e. 声門癌

・T2病変のRTでの局所制御率[13]
TVと局所制御率との有意な相関なし

・T3病変のRTでの局所制御率[14]
TVが3.5 cm^3 以下：85%
TVが3.5 cm^3 より大きい：35%

f. T4a喉頭癌

・5年生存率[15]
TVが21 cm^3 より大きい：44%
TVが21 cm^3 より小さい：64%

・TVが15 cm^3 以上の例の5年生存率[16]
喉頭全摘施行：54.5%
CRT施行：22.5%

・TVが15 cm^3 以上の例のPFS（progression free survival：無増悪生存率）[16]
喉頭全摘施行：80%
CRT施行：32.2%

・TVが15 cm^3 以上の例の局所制御率[16]
喉頭全摘施行：80%
CRT施行：45.5%

g. 原発病変TVと頸部転移

・中咽頭癌，下咽頭癌[17]
TVが20 cm^3 以下：同側のレベルⅡ・Ⅲに限局
TVがより大きい：より頭側，尾側など，より多くの頸部レベルに多発転移を示す傾向

h. CRT症例

・CRTでの局所非治癒率[18]
TVが19.6 cm^3 以下：57%
TVが19.6 cm^3 より大きい：93.8%

・CRTでの生存率[18]
TVが19.6 cm^3 以下：41.5%
TVが19.6 cm^3 より大きい：14.1%

i. 導入化学療法症例

・導入化学療法での奏効率[19]
TVが29.31 cm^3 以下：93%がCR

j. 遠隔転移

・遠隔転移の頻度[20]
TVが70 cm^3 未満：4%
TVが70 cm^3 より大きい：25%（導入化学療法の適応）

2 頸動脈浸潤（carotid invasion）

頭頸部癌の頸動脈浸潤は原発病変，頸部リンパ節病変のいずれにおいても予後不良因子であるとともに切除不能を意味し，原発病変では（上咽頭癌，HPV陽性中咽頭癌などの一部を除き）T4bに分類される．（外科的切除の対象とならない）上咽頭癌においても頸動脈浸潤は予後不良因子として報告されている[21]．頸部郭清術例の5～20%が頸部リンパ節病変の頸動脈浸潤を示す[22, 23]．頸動脈浸潤は，手術適応決定などの治療計画で重要な要素となり，治療開始前（術前）における可能な限り正確な評価が望まれる．診断には理学的所見（腫瘍の固定，可動性の有無）に加えて画像診断が重要な役割を担うが，画像診断にとって頸動脈浸潤は（頸部リンパ節転移とともに）最も困難な評価項目のひとつである．通常，CT，MRI，超音波検査が用いられるが，以下に代表的な画像診断基準につき解説する．

a. 頸動脈との最大接触角度

横断像での，腫瘍と頸動脈の最大接触角度で判断するもので，最も一般的に用いられる診断基準である．Yousemらは MRIにおいて，270度以下の接触では頸動脈浸潤陰性（切除可能）で，270度

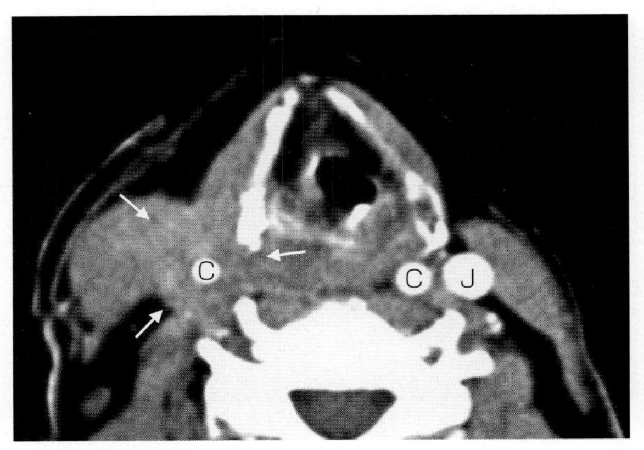

図 1 頸動脈浸潤
喉頭レベルの造影 CT 横断像．右側のレベルⅢ領域に浸潤性腫瘤(矢印)を認め，節外進展を伴う頸部リンパ節転移を示す．頸動脈(C)を完全に取り囲み(最大接触角度 360 度)，頸動脈浸潤を示唆する．J：内頸静脈

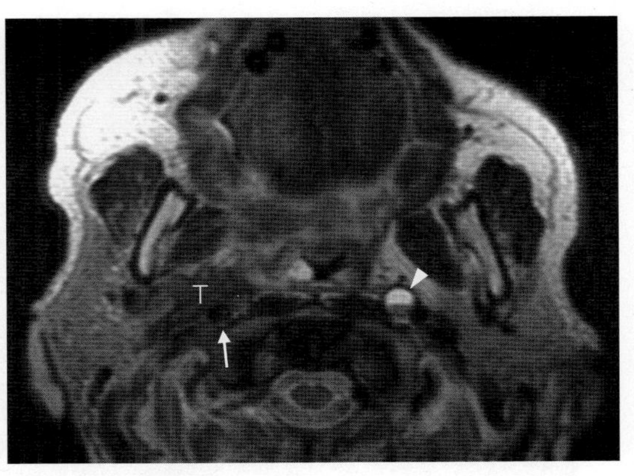

図 2 頸動脈浸潤
上咽頭レベルの MRI，T2 強調横断像．右 Rouvière リンパ節領域を中心に浸潤性腫瘤(T)を認め，右内頸動脈(矢印)を囲んでいる．左 Rouvière リンパ節の嚢胞性転移(矢頭)あり．

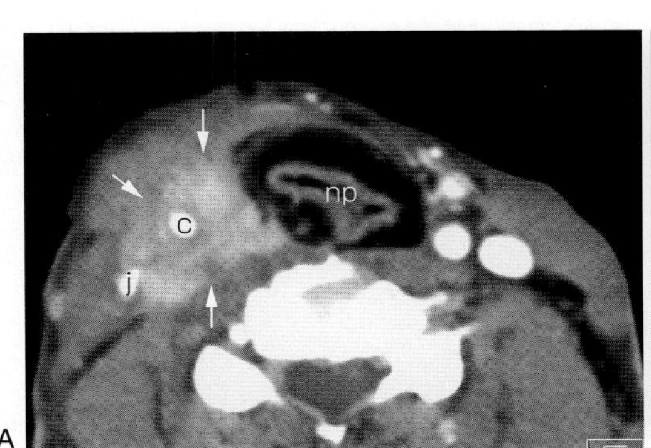

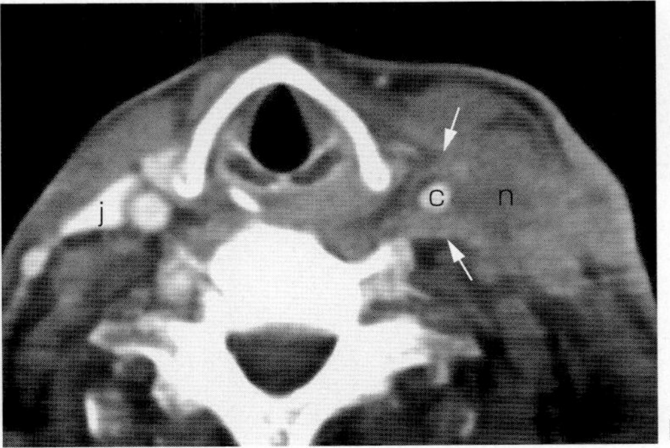

図 3 頸動脈浸潤 2 例
咽喉食摘後例の頸部造影 CT (A)において，右レベル III の頸部再発病変(矢印)を認める．浸潤性辺縁であり節外進展を示唆する．右総頸動脈(c)は病変に囲まれ，右内頸静脈(j)は側方に圧排偏位を示す．np：再建咽頭．別症例の頸部造影 CT (B)で左レベル III の頸部再発病変(n)を認め，内側では左総頸動脈(c)を 270 度以上にわたり囲む．左内頸静脈(対側で j で示す)は同定されず，腫瘍による浸潤を示唆する．

より大きな角度での接触は頸動脈浸潤陽性(切除不可)(図 1〜3)とする診断基準で，感度は 100%，特異度は 88%，正診率は 90%で，陰性的中率は 100%と高いが，陽性的中率は 70%と低いとされる[24]．Sharifian ら，Sarvanon らによる同一の診断基準を用いた CT 所見の検討で，感度は 31〜75%，特異度は 93〜100%，正診率 70%，陰性的中率は 73%，陽性的中率は 67%と報告している[25, 26]．また，Yoo らは，CT 上，最大接触角度 180 度のみを診断基準とした場合，理学的所見での臨床的判断とほぼ同等の診断能であり，寄与するところは小さいとしている[27]．また，著者らは最大接触角度が 180 度未満の場合，切除可能と判定している．頸部リンパ節転移の評価では造影 CT が標準的選択となるが，(問題となるリンパ節領域に絞った) MRI では頸動脈との最大接触角度について，非侵襲的により正確な評価が可能であり，必要に応じて MRI の追加を考慮すべきである．CT では腫瘍浸潤とともに炎症・浮腫も頸動脈周囲の組織層消失として認められることから，最大接触角度を過大評価する傾向にあるのに対して，MRI の T2 強調像(あるいは STIR)では炎症・浮腫は(腫瘍よりも)高信号を呈し，拡散強調像や ADC map では(腫瘍と異なり)拡散低下を示さないことから両者の区別が可能である(図 4)(詳細は 10 章「頸部リンパ節」を合わせて参照さ

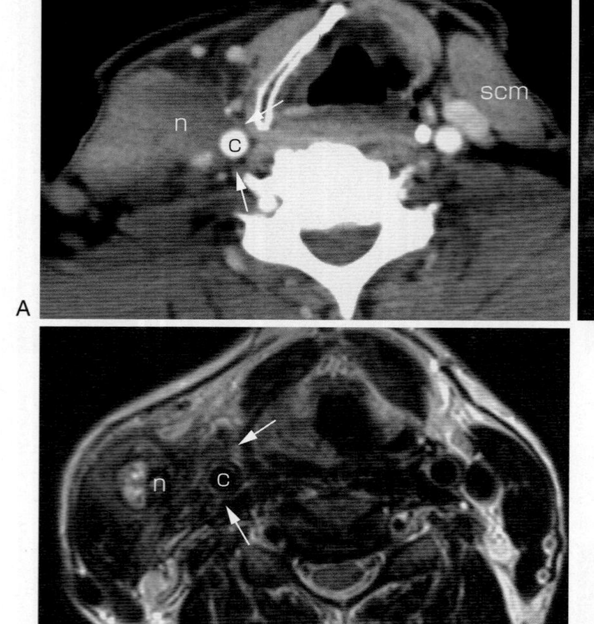

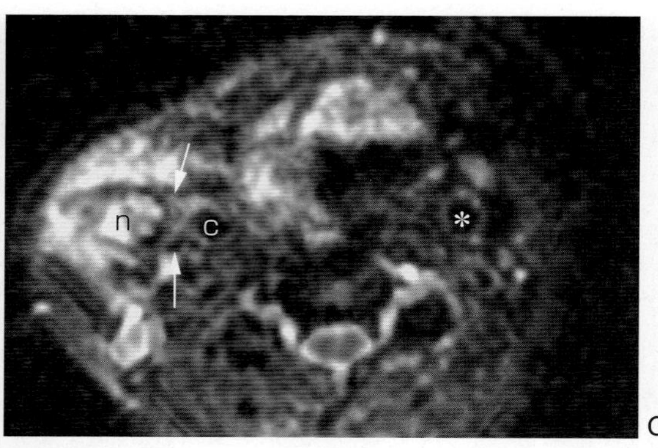

図4 頸動脈浸潤陰性例
頸部造影CT(A)において右レベルIIIに頸部転移(n)を認め，内側で右総頸動脈(c)を約270度囲む(矢印)．胸鎖乳突筋(対側でscmで示す)との境界はなく浸潤を示唆する．同例のMRI T2強調横断像(B)で内部不均一，境界不明瞭な右レベルIIIリンパ節転移(n)と右総頸動脈(c)との最大接触角度(矢印)は約180度であるが，ADC map(C)では約120度(矢印)でみられる．c：右総頸動脈，n：右レベルIIIリンパ節転移，＊：左総頸動脈

れたい)．

b. 頸動脈との接触距離(長さ)

Gritzmannらは超音波検査による検討で，頸部リンパ節転移の病変と頸動脈との接触距離が4 cm以上の場合，80％で頸動脈浸潤が陽性であると報告している[28]．

c. 頸動脈との脂肪層・組織層不明瞭化・消失

腫瘍と頸動脈との間の脂肪層・組織層の消失を診断基準とすると，感度，陰性的中率は100％[25]と高いことから，脂肪層・組織層が保たれている場合(図5)は，高い確率で頸動脈浸潤否定(切除)が可能である．一方で特異度は26％，陽性的中率は39％[25]と低いことから，脂肪層・組織層が消失していた場合(図6)，偽陽性が多く頸動脈浸潤陽性との診断には至らない[24]．

d. 頸動脈への圧排

頸動脈への圧排所見(図7)を診断基準とした場合の感度は36％，特異度は100％，正診率は84.1％である[29]．

e. 頸動脈分岐部(内・外頸動脈起始部間)への浸潤

一般に頸動脈分岐部において，分岐間(内・外頸動脈起始部間)への腫瘍浸潤(図8)は切除困難とされる．

頸動脈浸潤の画像評価においては，以上のような診断基準が一般に用いられる．その他として，頸部リンパ節転移では頸動脈と接するリンパ節病変が節外進展の所見を伴うか否かも重要な要素となる(図6，8)．また，dynamic MRIで嚥下時に病変と頸動脈との間の可動性評価が診断に有用との報告もある[30]．ただし，いずれの診断基準も完全とは言えず，複数の診断基準を組み合わせた総合的判断の重要性を強調すべきである[25]．

3 carotid blowout syndrome(頸動脈破裂)

carotid blowout syndrome (CBS)は頭頸部癌治

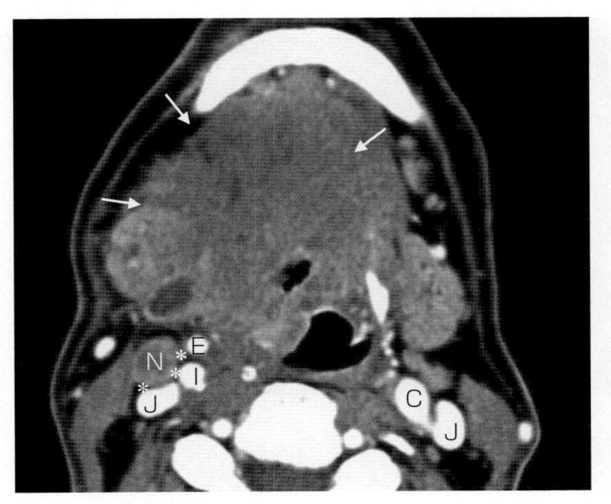

図5 頸動脈浸潤陰性

中咽頭レベルの造影CT横断像．舌根から口腔底，右顎下部軟部組織に浸潤する腫瘤(矢印)を認め，舌根癌に一致する．右レベルⅡリンパ節転移(N)あり．同病変辺縁は平滑で，内側では内頸(I)・外頸(E)動脈，内頸静脈(J)に隣接するが，介在する脂肪層が薄い線状低濃度(＊)として保たれている．C：左総頸動脈

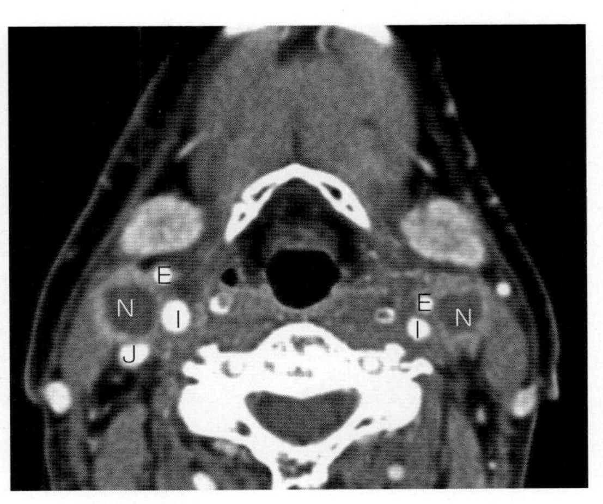

図6 頸動脈浸潤

喉頭・下咽頭レベルの造影CT横断像．両側レベルⅡの頸部転移病変(N)を認める．両側ともにレベルⅡに内部低濃度を含む頸部リンパ節転移(N)病変あり．境界はやや不明瞭で節外浸潤を示唆する．深部では右側では内頸(I)・外頸(E)動脈，内頸静脈(J)，左側では内頸(I)・外頸(E)動脈と隣接し，介在する組織層は消失している．

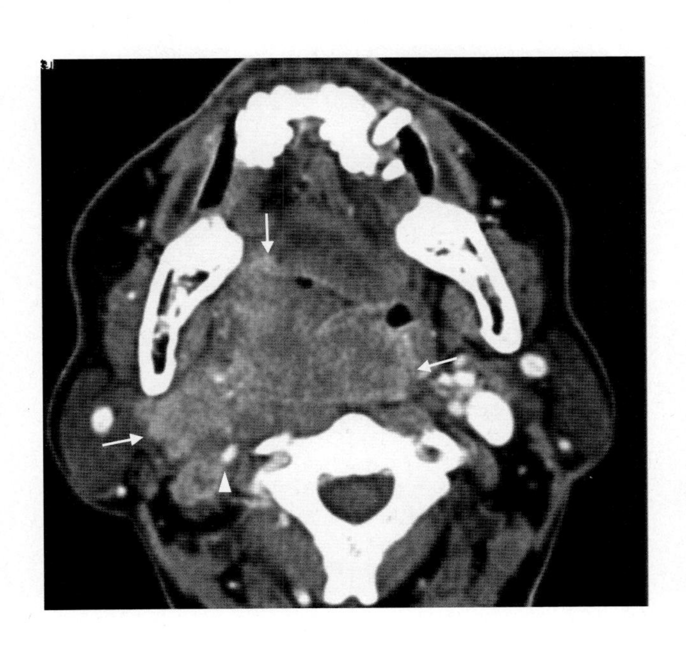

図7 頸動脈圧排

中咽頭レベルの造影CT横断像．右口蓋扁桃から後側方のRouvièreリンパ節・レベルⅡ領域に直接浸潤，一塊となった腫瘤(矢印)を認め，扁桃癌に一致する．右内頸動脈(矢頭)は圧排による変形を示す．

療例の比較的まれな致死的合併症で，腫瘍の直接浸潤や再発病変への放射線治療後，あるいはその両者により生じる頸動脈壁の壊死による出血を示す[31〜33]．頸動脈鞘を剥離する根治的頸部郭清術[34]とともに放射線治療が主な疫学的因子となる[31]．頭頸部治療例全体での頻度は2.6〜4.5％であるが，放射線治療歴のない例で0〜2.4％とされる一方で，放射線治療歴のある例では4.5〜21.1％とされる[33]．放射線治療歴でリスクは7.6倍に上昇するとされ[35]，再照射によりさらに4倍に上昇するが，化学療法あるいは救済手術でのリスク上昇はないとされる[31]．頸部への総線量が70 Gyを超えた場合のリスクは14倍になるともされ[36]，全体として頸動脈破裂例の80〜90％に放射線治療歴がある[33]．手術例では術後10〜40日が通常であるが，2〜3ヵ月から2〜20年後

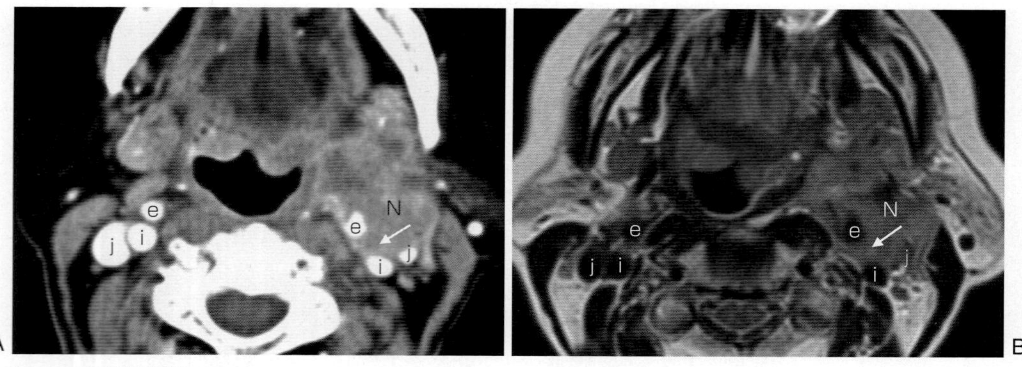

図8 頸動脈浸潤

中咽頭レベルの造影CT横断像(A)およびMRI，T2強調横断像(B)．左レベルⅡに高度の節外進展を伴う頸部転移(N)を認める．内側(深部)では内頸動脈(i)および外頸動脈(e)起始部の間(頸動脈分岐間)への浸潤(矢印)を示す．内頸動脈(i)との最大接触角度は180度程度と思われるが，頸動脈分岐間への進展により切除不可と判断される．j：内頸静脈

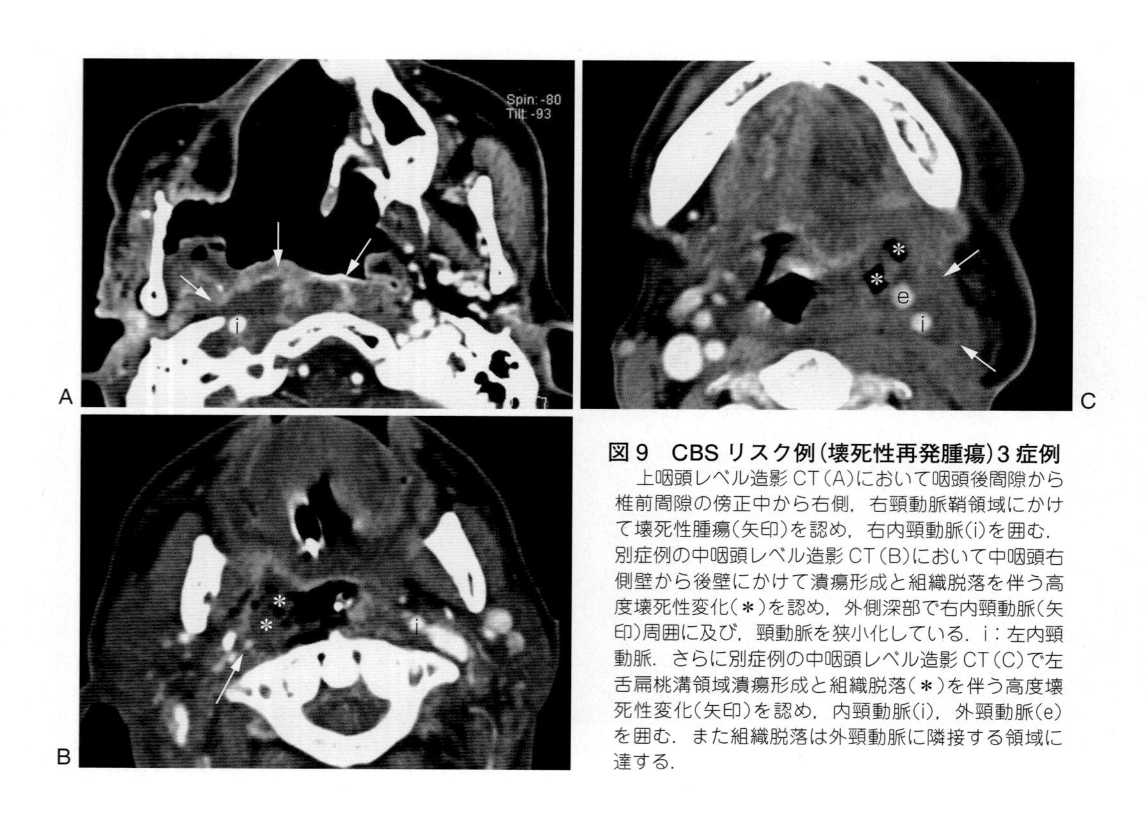

図9 CBSリスク例(壊死性再発腫瘍)3症例

上咽頭レベル造影CT(A)において咽頭後間隙から椎前間隙の傍正中から右側，右頸動脈鞘領域にかけて壊死性腫瘍(矢印)を認め，右内頸動脈(i)を囲む．別症例の中咽頭レベル造影CT(B)において中咽頭右側壁から後壁にかけて潰瘍形成と組織脱落を伴う高度壊死性変化(＊)を認め，外側深部で右内頸動脈(矢印)周囲に及び，頸動脈を狭小化している．i：左内頸動脈．さらに別症例の中咽頭レベル造影CT(C)で左舌扁桃溝領域潰瘍形成と組織脱落(＊)を伴う高度壊死性変化(矢印)を認め，内頸動脈(i)，外頸動脈(e)を囲む．また組織脱落は外頸動脈に隣接する領域に達する．

の場合もある[33, 37]．主に頸動分岐近傍の総頸動脈(60〜70%)で[33]，しばしば動脈硬化による狭窄部位に乗じる[38]．両側発生は極めてまれで2%に過ぎない[32]．他のリスク因子としては再発腫瘍浸潤，皮弁壊死，粘膜皮膚瘻・潰瘍の形成，創部感染などがあげられ，CBS例の38%に感染，40%に瘻孔，55%に軟部組織壊死を認めたとの報告がある[32]．組織壊死，瘻孔形成により深部構造が露出し，頸動脈が(しばしば潜在性に)感染や障害を受ける(図9，10)．細菌感染，放射線治療等に伴う局所の活性酸素(free radical)産生がvasa vasorumの塞栓・閉塞，外膜線維化，早期

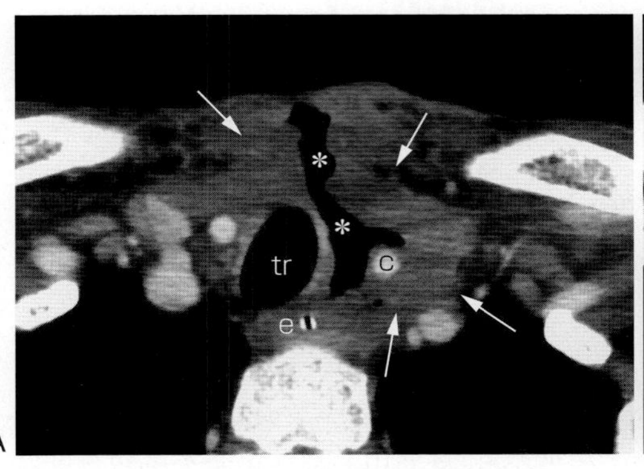

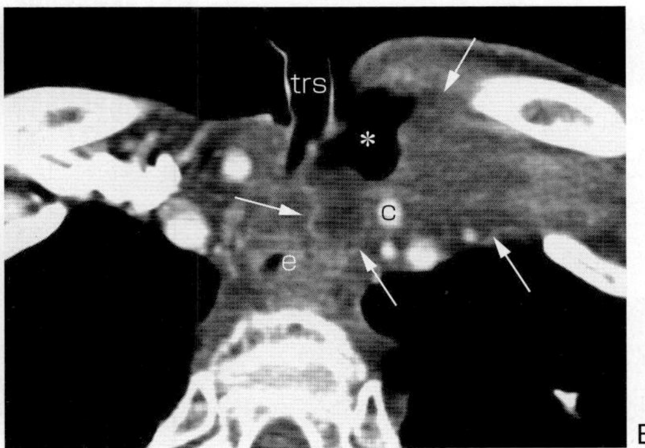

図10 CBSリスク例(瘻孔形成)2症例
頸部下部レベルの造影CT(A)において，前頸部皮下から左気管傍領域に浸潤性腫瘤(矢印)を認め，皮膚から連続する瘻孔(*)を伴う．瘻孔底部は左総頸動脈(c)に広く接する．e：食道，tr：気管．別症例の頸部下部レベル造影CT(B)で左鎖骨上部から左気管傍領域の浸潤性，壊死性腫瘍(矢印)を認め，カニューレ(trs)の挿入された気管切開孔左側壁から左気管傍に至る組織脱落による瘻孔(*)を認め，左総頸動脈(c)に接する．e：食道

表1 carotid blowout syndrome(CBS)の3病型

type I	threatened CBS	頸動脈の露出，あるいは動脈壁途絶
type II	impending CBS(sentinel bleeding)	圧迫止血で制御可能な一時的出血
type III	carotid system hemorrhage	皮膚(外方)あるいは粘膜側(ややまれ)への急速な致死的出血

(Chang FC, Lirng JF, Luo CB et al：J Vasc Surg **47**：936-945, 2008)

表2 切除縁の病理学的区分

切除縁と腫瘍との距離・関係	病理学的判定
5 mm 以上	clear margin(断端陰性)
5 mm 未満	close margin
切除縁に腫瘍細胞浸潤あり	positive margin(断端陽性)

動脈硬化などを生じることで動脈壁脆弱化をきたすが[32, 39]，外膜が内膜，中膜の血液供給の80%を担っている[33]．再発病変への再照射例でのCBS発生は0〜17%とされるが[33]，従来の照射で0〜7%であるのに対してIMRTでは0〜2.4%との報告もある[40]．腫瘍浸潤が頸動脈の180度を超える場合のみCBSを生じるともされていることから[33]，横断像における腫瘍と頸動脈の最大接触角度の評価は重要である．粘膜皮膚瘻(咽頭皮膚瘻)(図10)は腫瘍の壊死，感染，急速な縮小などにより生じ，瘻孔に近接した残存腫瘍の動脈壁への侵食が頸動脈破裂の原因となる[41]．ただし，頸動脈への照射線量が34 Gy未満の場合には生じないとの報告もある[33]．なお，頸動脈との最大接触角度180度以上，潰瘍形成，リンパ節領域への放射線治療歴の3つのリスク因子を指標(CBS index)として，治療後12ヵ月の時点での頸動脈未破裂での生存率(CBS free survival)は，リスク因子が0で100%，1つで95%，2つで84%であり，リスク因子3つすべて揃った場合は6ヵ月の時点で25%とされる[42]．

CBSは3病型(**表1**)に区分されるが[34]，頸動脈の露出を示すtype Iは画像上動脈周囲のガス像，隣接部の膿瘍や瘻孔・潰瘍形成を伴う腫瘍(図9，10)，もしくは血管壁の不整として認められ，評価にCTやMRIが有用である[32]．一時的出血であるtype IIでは，大出血の直前から数ヵ月前に先行してみられることもあり，記述のリスク因子などの評価が望まれる．急速な出血によるtype IIIは致死的(特に院外発症)であるが，画像上仮性動脈瘤，活動性出血として同定される．出血は皮膚(外方)あるいは粘膜側(ややまれ)に生じ，ときに気道狭窄の原因となる．軟部組織内の膨隆性血腫の形成は比較的まれとされる[32]．大出血を生じる前に治療された例で合併症の発現率は低く，早期に同定しtype IIIの発生を防ぐことが重要である[43]．CBSは全生存率を低下させ，未治療例の死亡率は40%，罹患率は60%とされる[31]．進行T因子，RT(あるいはCRT)の既往，局所再発によりCBS関連死のリスクは上昇する[31]．ほぼすべての死亡例はCBS発症1ヵ月以内の死亡であり[42]，生存率は発症1ヵ月後が34%，1年後が31%と(1ヵ月を超えた)時間経過による生存率低下はあまりみられない．高齢者，皮膚浸潤，壊死や感染兆候などがリスク因子とされる[33]．

治療はIVRの進歩によりこの20年間でより低侵襲な治療に大きくシフトした．従来は外科的に頸動脈結紮術が行われ，平均死亡率は40% (9～100%)，神経学的後遺症の発現は60% (9～84%)とされていた[39, 44]．頸動脈に対する血管内治療はまず狭窄や外傷に対して用いられたが，1980年代にCBSに対するバルーン閉鎖術の最初の記述があり，その後コイル塞栓術なども行われ，血管内治療での死亡率は約10%[45]，長期の神経学的後遺症は15～20%と[39]，いずれも(結紮術よりも)低い．さらに最近では血管壁の脆弱性・不安定さの管理に血管内ステントも用いられるようになっている．早期成績は良好であるが，感染巣へのステント留置の問題，塞栓術との比較では長期で再出血率が高いとの報告もあり，塞栓術が可能な場合は塞栓術を選択すべきとされる[32]．また全身状態が不安定なtype III例でIVR施行可能な施設への搬送が困難な場合は依然として結紮術の適応となる．

4 皮弁辺縁再発(flap margin recurrence)

頭頸部癌の外科的治療においては，病変部の切除による治癒を目標とすると同時に，可能な限り機能・形態の温存・再建が図られる．そこで組織欠損部にはしばしば筋皮弁が置かれる．このため，CT，MRIにおいては解剖学的歪み，術後肉芽・浮腫などによる組織層消失などもあり，早期再発病変の指摘はしばしば困難となる．しかし，この一方で救済手術の成否には早期発見が最も重要である．

筋皮弁は健全な他部位より採取されるため，(一見，術前にオリジナルの腫瘍のepicenterに相当する)皮弁中心部に再発を生じる例は少ない(まれに皮弁内に含まれるリンパ系に辺縁より浸潤，皮弁組織内のリンパ節などへの転移をきたす)．皮弁辺縁は外科的切除縁に相当することもあり，再発は主に皮弁辺縁より生じることから，経過観察の画像診断においては皮弁の周囲(皮弁辺縁)を慎重に評価することが極めて重要となる．切除縁は腫瘍との関連により病理学的に判断(表2：p1277)されるが，切除断端陽性では必然切除縁に沿った再発の可能性が高くなる．筋皮弁は，主に限局性の脂肪濃度領域として同定されるが，筋肉成分や血管茎は各々，軟部濃度，増強効果を示す索状構造として偏在する．これら以外に，皮弁辺縁部で経時的増大傾向を示す，あるいは新たに出現した軟部濃度腫瘤を認めた場合は，皮弁辺縁再発(図11～13)として指摘すべきである．顎骨(図14)，頸動脈鞘(図11，15)や眼窩壁(図16)の周囲，切除縁内側(図12)や後方(図11，15)の深部など，十分な切除縁の確保が困難な領域に好発する．なお，皮弁の脂肪や筋肉は経時的に吸収，縮小を示す場合もある．

5 気道狭窄(airway compromise, subglottic stenosis, laryngotracheal stenosis)

外傷，炎症(急性喉頭蓋炎，扁桃周囲膿瘍下極型など)，腫瘍(進行喉頭癌)，先天性機序のいずれにしても，気道管理は生命に関わる重要事項である．9：1で後天性が多く，外傷(気管内挿管後を含む)，腫瘍，放射線性軟骨壊死，GPAなどの肉芽腫等が主となり，狭窄の程度，範囲に加えて，腫瘍など原因の評価にCTは有用である．急性喉頭蓋炎などの炎症性では急性(数時間での経

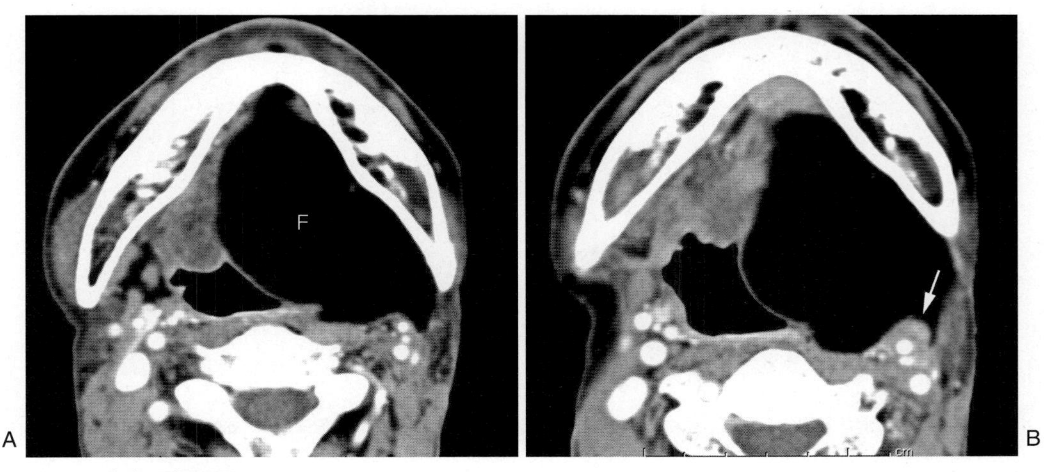

図 11 皮弁辺縁再発

舌癌による舌亜全摘後．術後３ヵ月造影 CT（A）において，筋皮弁（F）は脂肪濃度領域として認められる．術後６ヵ月 CT（B）で，皮弁後縁で外頸動脈前面に隣接して軟部濃度結節（矢印）の出現あり．

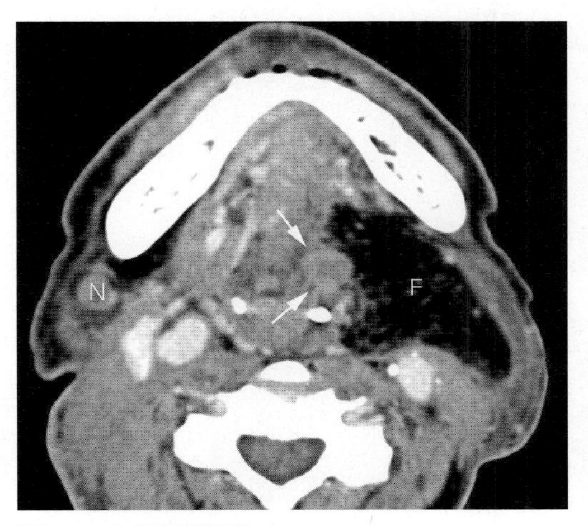

図 12 皮弁辺縁再発

左外側口腔底癌術後例．術後６ヵ月の造影 CT において脂肪濃度で描出される皮弁（F）内側縁に軟部濃度結節（矢印）を認め，皮弁辺縁再発に一致する．右レベルⅠB の頸部再発（N）を伴う．

過），喉頭癌などの腫瘍性では慢性（数日以上）の経過で現れるのが通常である．以下，臨床で遭遇の頻度の高いと想定される腫瘍性狭窄を中心に解説する．

気道消化管の進行悪性腫瘍ではときに気道狭窄（図 17，18）による呼吸苦を訴えるが，（場合により腫瘍の治療よりも）緊急性のある対応が求められる．喉頭癌で重度の呼吸苦（および・あるいは）喘鳴として顕在化するのは 5％に過ぎないが [46]，T3/4 喉頭癌（声門および声門上）の 35.7％で気管切開 [47]，T4 喉頭癌の最大 45％ [48] で予定された喉頭摘出術の前に外科的な気道管理を要するとされる．気道狭窄の程度については Cotton Grading System によるグレード分類（表 3：p1283）が用いられる [49]．外科的気道管理としては気管切開，緊急喉頭摘出術，気管内挿管±腫瘍減量術の３つの選択肢がある．気管切開は気道管理の点では最も安全な対応であるが，潜在的な腫瘍播種による

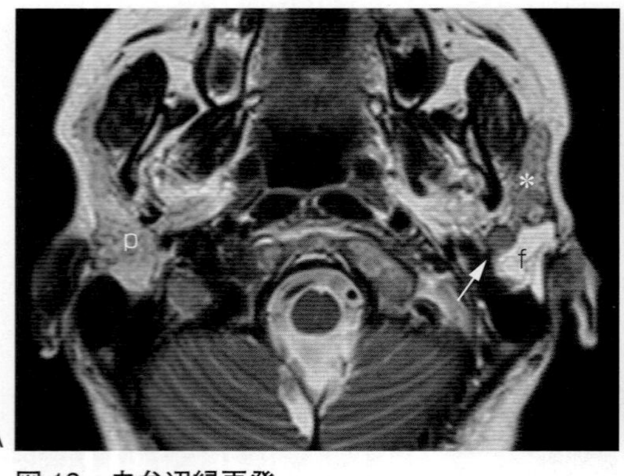

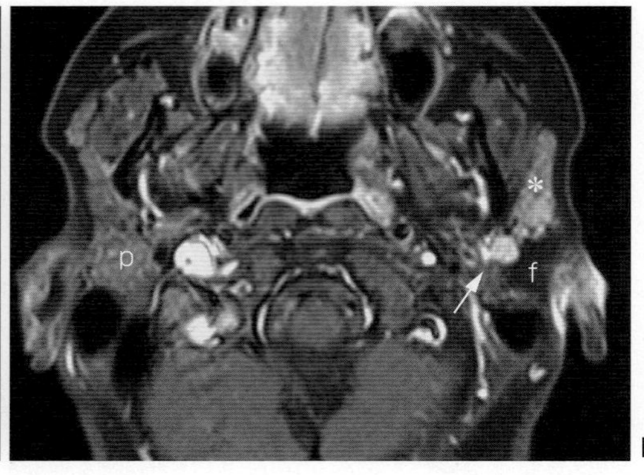

図 13　皮弁辺縁再発
左耳下腺癌に対する術後 MRI．T2 強調像（A）および造影後 T1 強調脂肪抑制画像（B）において，左耳下腺浅葉切除および筋皮弁による再建後所見を認める．T2 強調像（A）では皮弁（f）は高信号を呈し，脂肪抑制画像（B）では信号が抑制されており，脂肪を主体とする組織として同定される．その内側深部の皮弁辺縁に増強効果を呈する結節（矢印）を認め，皮弁辺縁再発に一致する．p：右耳下腺，＊：残存する左耳下腺浅部の前方部分

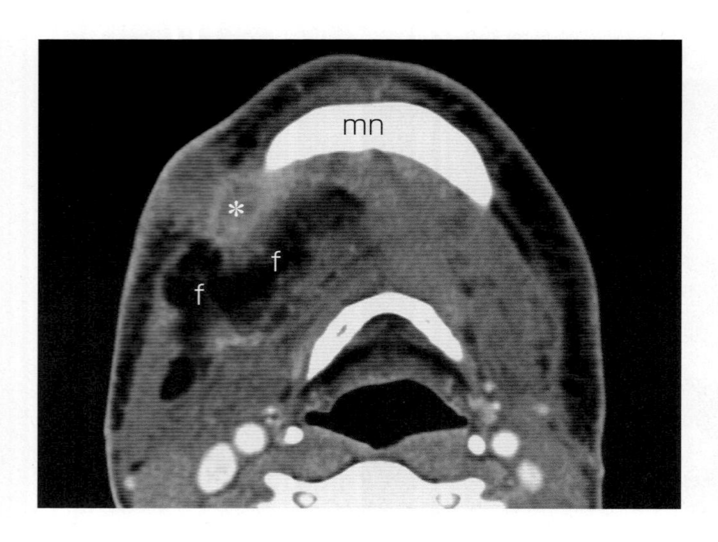

図 14　皮弁辺縁再発
口腔底癌（右側）に対する術後造影 CT．右顎下部を中心として脂肪濃度主体の領域（f）を認め，筋皮弁に相当する．下顎骨（mn）右体部下縁に接して結節性病変（＊）を認め，皮弁辺縁再発を示す．

気切孔再発のリスク[50]，不適切な部位での気管切開によりその後の喉頭摘出術が困難になる可能性[47]，根治的治療開始のタイミングの遅延[47]などが憂慮され，その是非には常に議論の余地がある．なお気管切開後の気切孔再発の発生は 8～41％で[51]，死亡率は約 90％で 80％強が 2 年以内の死亡とされる[52]．緊急喉頭摘出術は 1954 年に最初の記述があるが[53]，時間がかかるとの欠点がある[54]．腫瘍減量では CO_2 レーザーによる内視鏡的 microdebridement が比較的安全な方法として報告されている[54～56]．

6 Eagle 症候群・茎状突起過長症（Eagle syndrome，elongated styloid process）

1937 年米国の耳鼻咽喉科医である Watt Weems Eagle により“stylalgia”として最初に記述されたが[56]，嚥下，顎の動き，頸部の回旋により生じる，咽頭，喉の奥，舌根などの突然で強い神経の痛みを訴えるまれな病態ととらえられており，通常は茎状突起の延長（茎状突起過長症）あるいは茎突舌骨靱帯の石灰化・骨化に関連する[57]．症状は疼痛が最も多いが，頭部症状（頭痛，頭鳴，

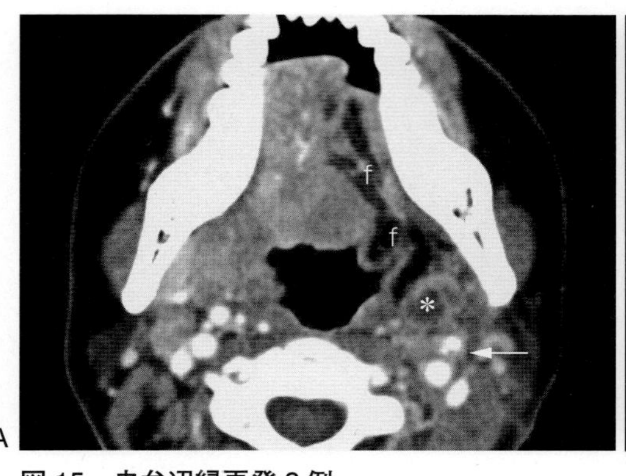

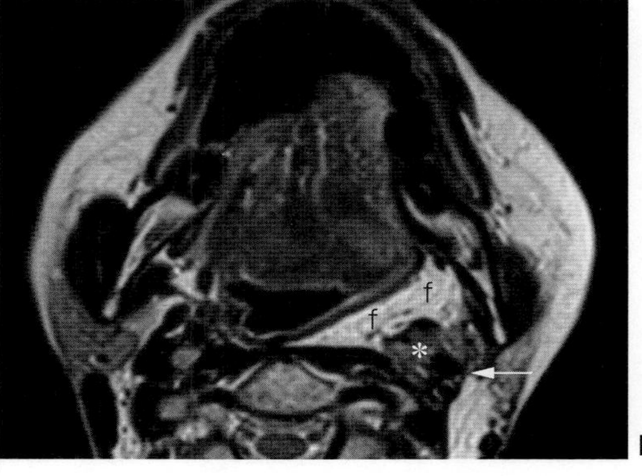

図 15 皮弁辺縁再発 2 例

左舌扁桃溝癌に対する術後造影 CT（A）において，中咽頭左側壁から左外側口腔底にかけて脂肪濃度の皮弁（f）を認め，その後縁で頸動脈鞘（矢印）前方に隣接して結節（＊）を認め，皮弁辺縁再発に一致する．咽頭後壁癌（別症例）に対する術後 MRI T2 強調横断像において，中咽頭左側壁から咽頭後壁にかけて脂肪信号領域（f）を認め，皮弁に相当する．その後縁，頸動脈鞘（矢印）前方に隣接する中等度信号の結節性病変（＊）として皮弁辺縁再発の病変を認める．

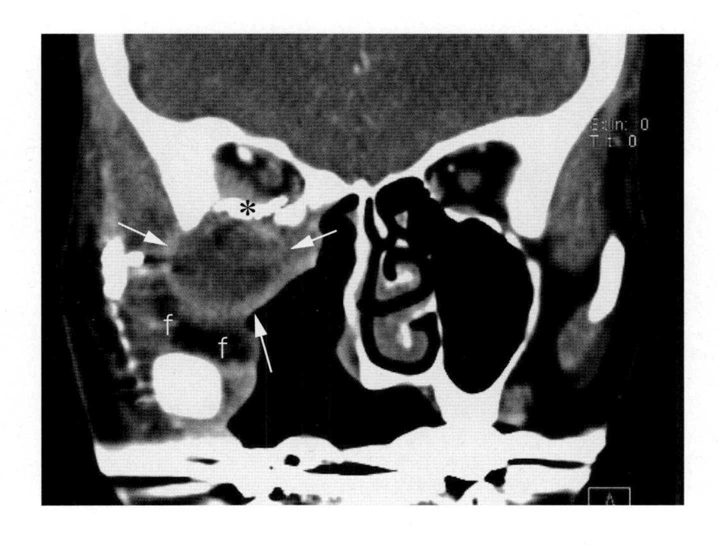

図 16 皮弁辺縁再発

右上顎洞癌に対する術後造影 CT 冠状断像．眼窩内容は温存され，眼窩下壁は prosthesis（＊）により再建後．右上顎洞領域には脂肪濃度の皮弁（f）が充填されているが，眼窩下壁に沿った腫瘤（矢印）を認め，皮弁辺縁での再発に相当する．

眩暈，記憶障害），眼症状（複視，視力障害・霧視，視野欠損），耳症状（耳鳴，高音難聴），頸部症状（疼痛；典型的には前側頸部，嚥下痛・嚥下困難，咽頭異物感・不快感）や睡眠障害など様々であるが非特異的である[58]．

茎状突起は第 2 鰓弓の Reichert 軟骨近位部から発生し，頭蓋底の茎乳突孔内側前方から前下方に向けて突出する針状・茎状の骨性突起構造である．下端（尖端）は内・外頸動脈の間に位置し，扁桃窩に向かう．茎状突起は 5～8 歳までに骨化し，その後も最大 30 歳まで尾側への延長を示す[59]．

茎状突起の正常の長さ（頭蓋底基部から尖端まで）は約 25 mm で性差はなく，正常上限は 30 mm とされ[60]，画像上 25 あるいは 30 mm 以上で異常と判断する（図 19）[61]．茎状突起の形態的異常の要因として以下の 3 つの可能性があげられる[63]；Reichert 軟骨の胎児軟骨の遺残，茎突舌骨靱帯の石灰化，茎突下舌骨靱帯基部での骨組織の膨隆．茎状突起の石灰化・骨化の場合は先天的とも考えられ，“stylohyoid syndrome” と称される[60]．延長した茎状突起や茎突舌骨靱帯の石灰化・骨化は，顔面神経，耳介側頭神経（V3），舌

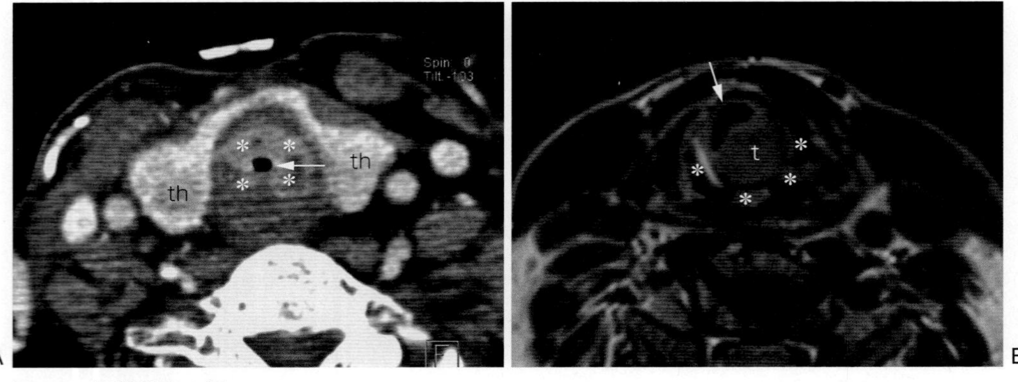

図 17　気道狭窄 2 例

声門下癌の甲状腺レベル造影 CT(A)において腫瘍の気管内進展(＊)により気道(矢印)は pinhole 様の狭窄(grade III)を示す．th：甲状腺．声門癌の声門下進展例の輪状軟骨レベル MRI T2 強調横断像(B)で輪状軟骨(＊)内への腫瘍進展(t)を認め，気道(矢印)の偏心性狭窄(grade III)を認める．

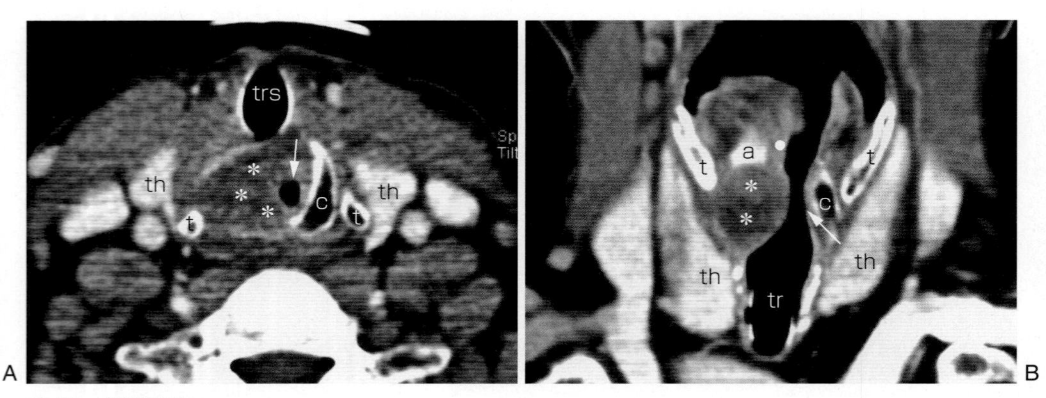

図 18　気道狭窄

右声門癌の声門下進展例の輪状甲状関節レベルの造影 CT(A)．腫瘍(＊)の右側優位の声門下進展を認め，輪状軟骨(c)右側の広範な破壊とともに高度の気道狭窄(矢印)を示す．t：甲状軟骨下角，th：甲状腺，trs：気管切開による気管内カニューレ．同冠状断像(B)において右声帯(・)から声門下進展(＊)を示す腫瘍を認め，気道狭窄(矢印)(grade III)を示す．輪状軟骨(c)の破壊，右披裂軟骨(a)および甲状軟骨(t)右側板の硬化を認める．th：甲状腺

神経(V3)，鼓索神経(CN7)，舌咽神経，舌下神経，交感神経幹など，茎状突起近傍の神経血管束に対する圧排により症状を呈すると考えられている[60]．CT 上，茎状突起の延長の頻度は 4〜7.3％で，茎突舌骨靱帯の石灰化・骨化と合わせると 22〜44％に及ぶ[60]．ただし，茎状突起の延長を示す例で有症状は 4〜10.3％[64]と無症状の場合が多く，必ずしもこれらの所見のみで診断されるわけではない[65]．茎状突起 40 mm 以上で有症状が多いとされるが[65]，長さのみではなく偏位も症状発現に関与していると推定される．内側偏位では扁桃窩に尖端を触知し[66]，側方偏位では外頸動脈，後方偏位では下位脳神経を圧排，前方偏位では粘膜への刺激を呈する[65]．血管への圧排例(vascular Eagle syndrome)において，内頸動脈の圧排(stylocarotid syndrome)では頸動脈解離のリスク因子となり，一過性脳虚血や脳卒中等の重大な合併症や頸動脈ステントの破損等を生じうる[60, 67]．一方，内頸静脈は茎状突起と第 1 頸椎外側塊との間での圧排による狭窄(後述の“styloidgenic jugular venous compression syndrome”)が多いが，頸静脈狭窄，静脈還流減少による頭蓋内圧亢進の可能性も考慮される[68]．診断は症状とともに画像での内頸静脈狭窄と周囲

表 3　気道狭窄に対する Cotton グレード分類

分類	From	To
Grade I	閉塞なし 0%	50%
Grade II	51%	70%
Grade III	71%	90%
Grade IV	100%	内腔の開存なし

(Cotton RT, Richardson MA：Otolaryngol Clin North Am **14**：203-218, 1981)

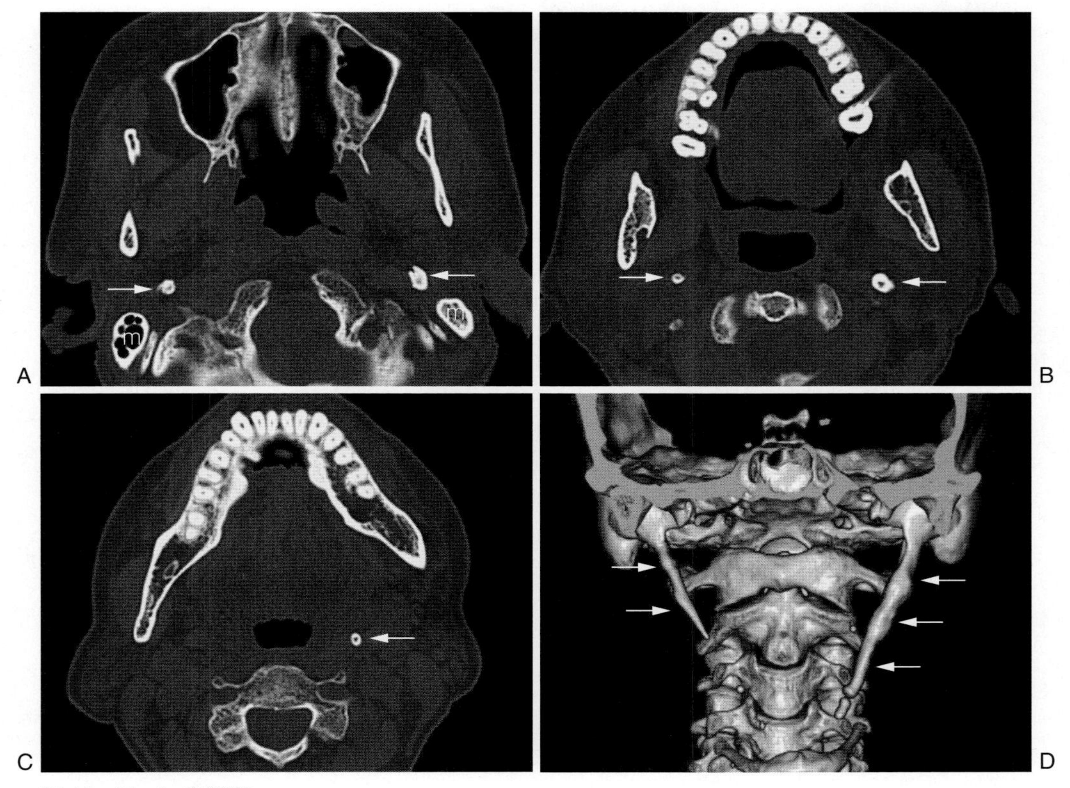

図 19　Eagle 症候群

頭頸部 CT 骨条件の乳様突起レベル(A)，下顎枝レベル(B)および下顎角レベル(C)において，通常より尾側まで進展する茎状突起(矢印)を認める．m：乳様突起．3D 表示での後面像(D)で，左優位に両側茎状突起(矢印)の尾側への延長を認める．

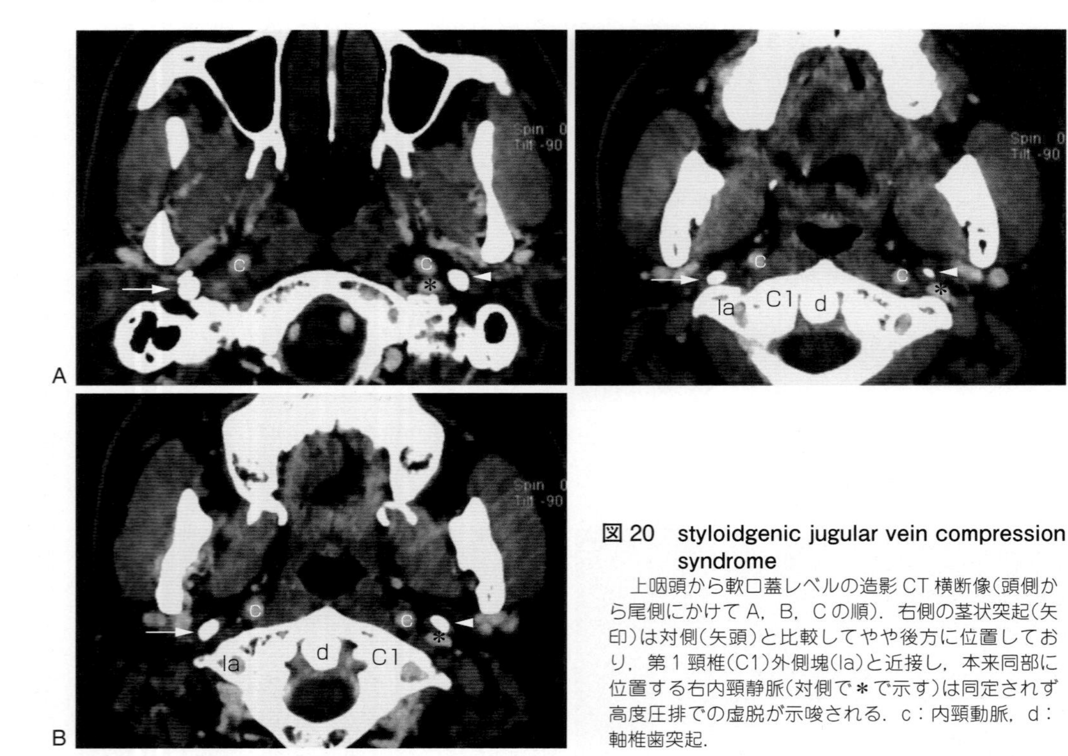

図20　styloidgenic jugular vein compression syndrome

上咽頭から軟口蓋レベルの造影CT横断像(頭側から尾側にかけてA，B，Cの順)．右側の茎状突起(矢印)は対側(矢頭)と比較してやや後方に位置しており，第1頸椎(C1)外側塊(la)と近接し，本来同部に位置する右内頸静脈(対側で＊で示す)は同定されず高度圧排での虚脱が示唆される．c：内頸動脈，d：軸椎歯突起．

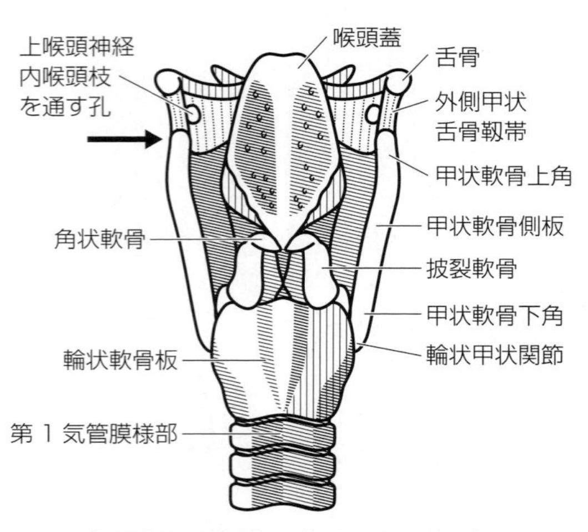

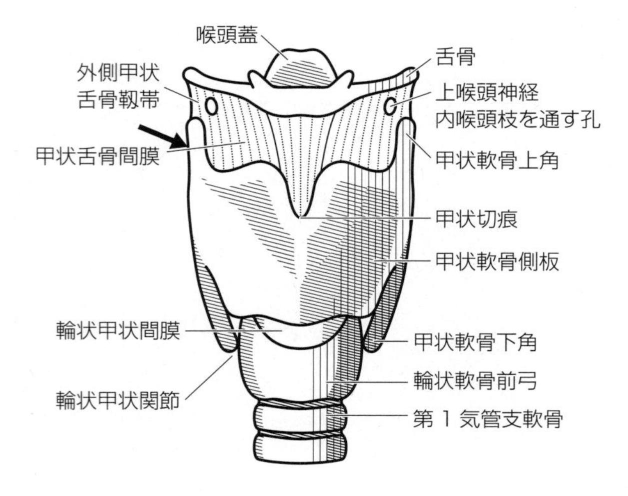

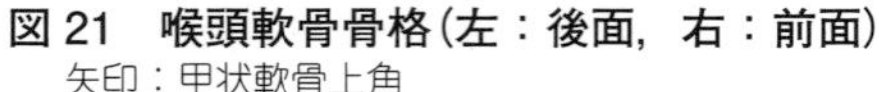
図21　喉頭軟骨骨格(左：後面，右：前面)

矢印：甲状軟骨上角

傍椎体静脈叢の代償性拡張の確認によるが，同病態の認識の低さと非特異的症状からしばしば診断遅延を生じる[57]．

治療ではNSAIDなどによる保存的な内科的治療もあるが，長期の症状消失には外科的治療が推奨される傾向にある[69]．経口的あるいは頸部からの外方アプローチにより茎状突起切除を行う．前者は扁桃摘出術に続き扁桃窩に茎状突起尖端部を蝕知し，鈍的剝離で靱帯付着や骨膜に続き，茎状突起を可能な限り近位部まで切除する．茎状突起全体の完全な露出はないが，皮膚瘢痕はなく，多くの例で症状軽減を認める[60]．一方で外方ア

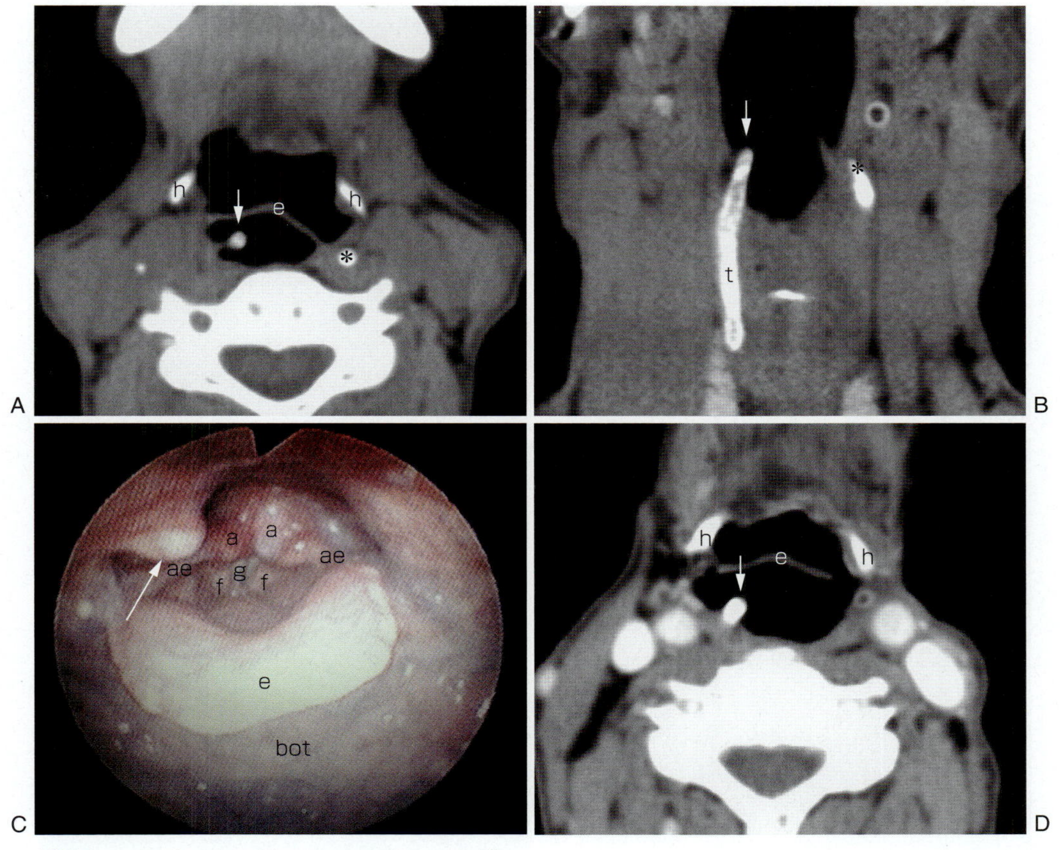

図 22 superior thyroid cornu syndrome 2 例

喉頭蓋レベル CT 横断像(A)において甲状軟骨右上角(矢印)は対側(＊)と比較して内側やや前方に偏位，咽頭腔に突出して認められる．e：喉頭蓋，h：舌骨．同冠状断像(B)で甲状軟骨右側板(t)から頭側に連続する右上角(矢印)の内側偏位を認める．＊：対側甲状軟骨上角．同例の内視鏡写真(C)で咽頭右後壁から内腔への膨隆・突出(矢印)を認める．a：披裂部，ae：披裂喉頭蓋ひだ，bot：舌根，f：仮声帯，g：声帯・声門．別症例の造影 CT 横断像(D)で(A と同様に)内側へ偏位した甲状軟骨右上角(矢印)の咽頭腔への突出を認める．e：喉頭蓋，h：舌骨

プローチは下顎角の斜切開後に胸鎖乳突筋を剝離，後側方に牽引し，耳下腺と顎二腹筋後腹との間から茎状突起を露出する．茎状突起の露出には優れるが，皮膚瘢痕を生じる点と CN7 下顎縁枝の損傷リスクがある点[70]がデメリットとされる．

7 styloidgenic jugular vein compression syndrome

内頸静脈の骨構造での圧排は約 40％で認められるとされるが，後方偏位を示す茎状突起と第 1 頸椎外側塊との間での圧排，狭窄による本病態が最も多い[57]．臨床的に既述の Eagle 症候群(vascular Eagle syndrome)の疾患概念に含まれ，臨床的事項については Eagle 症候群と合わせた理解が必要であるが，画像上は，(いわゆる Eagle 症候群の茎状突起の延長(過長)や茎突舌骨靱帯の石灰化・骨化などの所見とは)異なる視点での画像診断が求められることから本章では敢えて別項目として記述する．場合により頭蓋内圧亢進[68, 71]や内頸静脈塞栓[72]を生じる．臨床症状とともに，CT 横断像(図 20)での茎状突起と C1 外側塊との近接，同部での内頸静脈の狭窄により診断される．茎状突起切除による圧迫解除が有効との報告もある[71]．

8 superior thyroid cornu syndrome

甲状軟骨上角(図 21)の延長・骨化あるいは(主に内側への)偏位に伴う咽頭壁への圧排により，

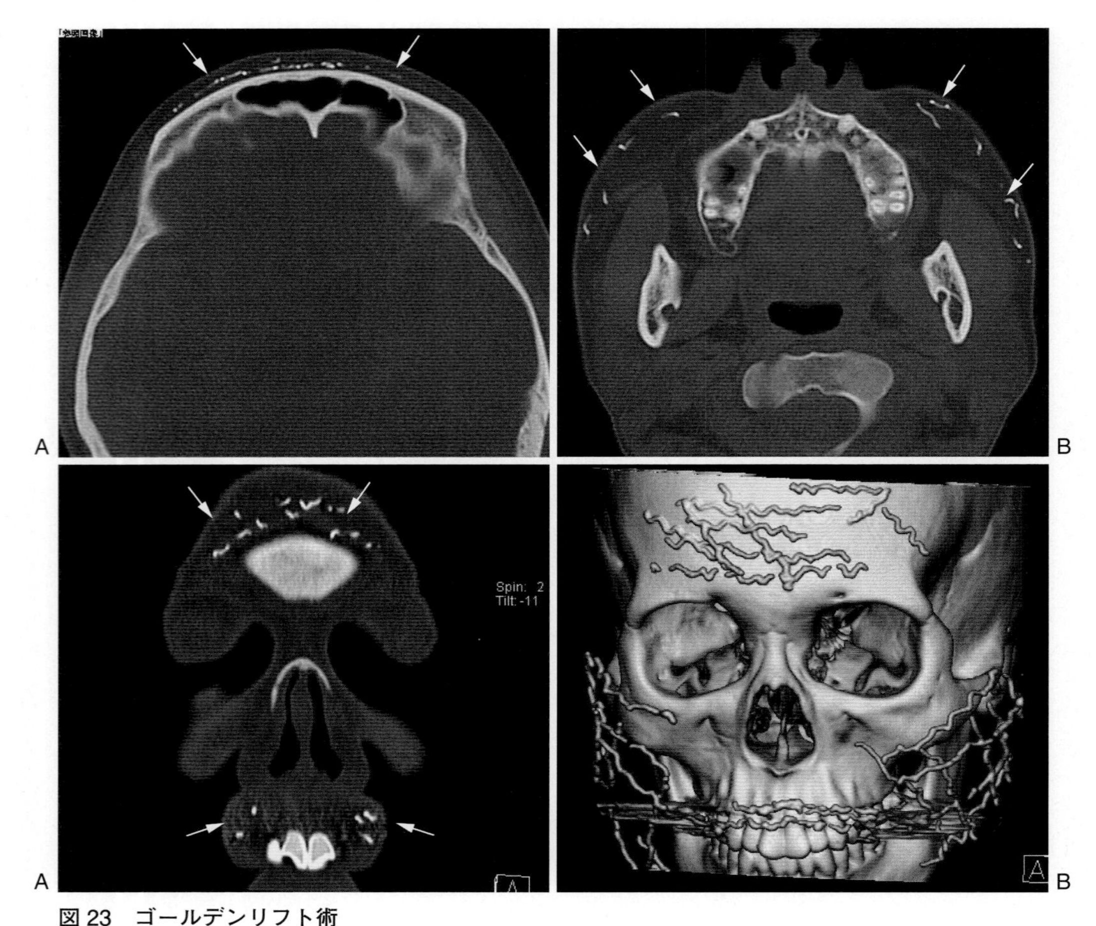

図 23　ゴールデンリフト術

前額部レベル CT 骨条件横断像(A)において前額部皮下に皮膚と平行に数珠状に配列する線状高吸収異物(矢印)を認める．上顎歯槽レベル(B)では両側頬部皮下にほぼ左右対称性に分布する，蛇行した線状高吸収異物(矢印)を認める．同冠状断像(C)でも顔面皮下に多数の線状高吸収異物(矢印)を認める．3D 表示(D)で前額部には平行して，両側頬部には格子状に蛇行した線状高吸収異物を認める．局在，濃度，形状，配列などから金糸による顔面リフト術後の所見に相当する．

異物感や嚥下時・咳嗽時の疼痛，場合により液体の誤嚥，声質変化などを生じるもので superior thyroid cornu syndrome と称する[73]．1980 年 Counter により最初の症例が報告され[74]，2009 年 Mortensen らが最初のケースシリーズ(11 例)で“superior thyroid cornu syndrome”の名称を用いた[75]．甲状軟骨上角はときに異常な延長や骨化を呈するが[76]，男性に多く通常は思春期に始まる[75]．偏位については先天性あるいは外傷後が考慮される[74, 77]．高齢者の方が軟骨骨格の可動性が低いことから咽頭症状が著明な傾向にあるとされる[78]．上角の延長では嚥下時の咽頭相に喉頭蓋と接触して嚥下困難の原因となりうる[76]．後方，内側への偏位では嚥下時の疼痛を伴うクリックを生じたり，椎前筋膜の潰瘍形成や披裂軟骨との接触で咳嗽や咽頭反射の要因となりうる[79]．臨床症状に加えて，内視鏡での咽頭後壁の偏在性壁外性圧排とともに CT での甲状軟骨上角の偏位，咽頭壁への圧排や咽頭腔への突出の所見により診断される(図 22)(同疾患の診断とともに，腫瘍などのその他の病態の否定が重要)．Browning は咽頭腫瘤感を訴える 100 例の内視鏡検査において 3% で偏位した甲状軟骨上角が同定されたとし，程度により grade 0〜2 に区分している[80]．Shiozawa らは 97 例の CT の検討で，男性の 5.6%，女性の 2.9% で上角は頸椎と 1.5 mm

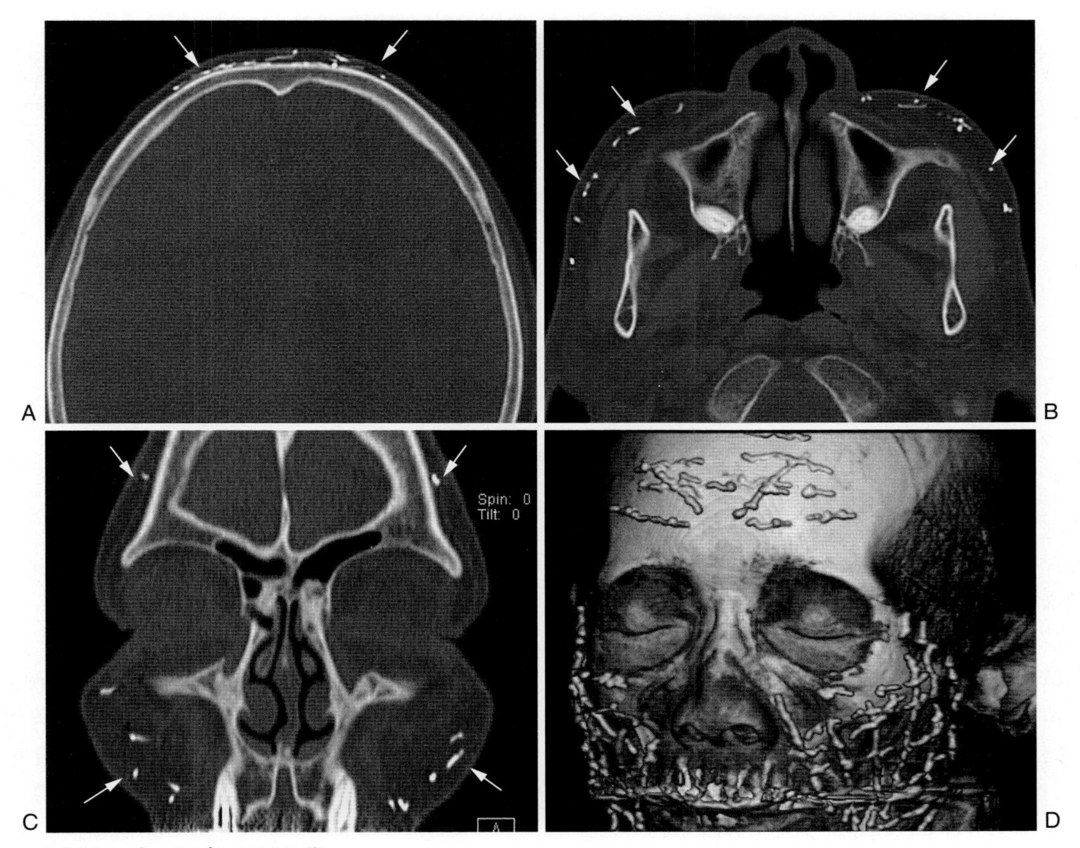

図 24　ゴールデンリフト術
前額部レベル(A)，頬部レベル(B)の CT 骨条件横断像，および同冠状断像(C)において，図 23 と同様に顔面皮下に左右ほぼ対称性に蛇行する細い線状高吸収異物(矢印)を認め，3D 表示(D)において頬部では格子状配列を示す．金糸による顔面リフト術後に一致する．

以内，男性の 2.4％，女性の 4.3％で頸動脈と 0.5 mm 以内であったと報告している[73]．

9 顔面美容形成術後変化

頭頸部，特に顔面領域ではしばしば美容形成・形成外科手術に伴う変化を認める．画像検査で病歴として正確に記載されない場合も多く，これらの術後所見の理解が不足していると病変と誤認するなど，正確に評価できない可能性がある．また代表的な術後合併症についての理解も望まれる．以下に代表的な術式・術後画像所見を概説する．

a. ゴールデンリフト術(golden thread lift)

いわゆる“顔面若返り手術”のひとつで低侵襲の顔面リフト術としてロシアで始められ，現在は欧米に広く広がっている[81]．はっきりした検証なく様々な人工素材が用いられる中で 0.1 mm 径の金糸を皮下(真皮層あるいは真皮直下)に移植するもので[82]，単なる組織の機械的支持のみではなく，弾性線維と膠原線維産生を引き起こす周囲異物反応による組織癒合の効果を想定している[83]．低侵襲で合併症も少ない一方で治療効果，長期予後に関するエビデンスはない[81,82]．CT(図 23, 24)では皮下に広く分布する蛇行する線状・糸状高吸収構造として認められる．副作用としての化学反応，免疫組織反応はまれであるが[84]，感染は起こりうる[81]．

b. 頬部縮小術(reduction malar surgery, reduction malarplasty)

“小顔手術”のひとつとして最も多く用いられる術式であり，特にアジアで広く行われている

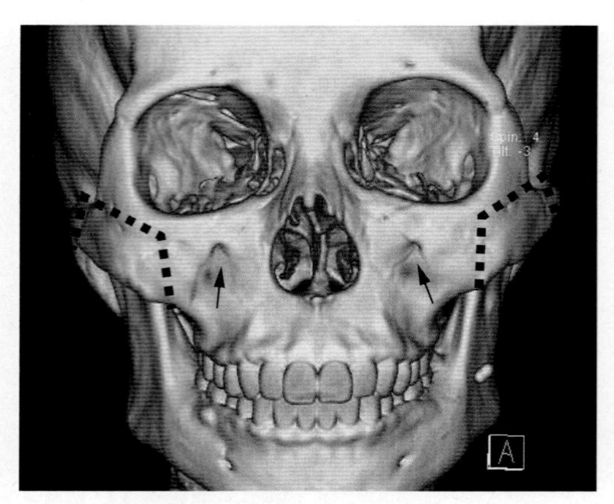

図25　頬部縮小手術；L字骨切りシェーマ
頬骨の骨切り線を点線で示す．矢印：眼窩下孔

(一方，欧米ではmalar eminence(頬骨隆起)が審美的な重要性をもつとされる)．頬骨の部分的切除によるが，頬骨の形状を保ちながら頬骨の膨隆を軽減，顔の幅を縮小し，顔のかたちをより楕円になるように頬骨を適切な位置に調整することを目的とする[85]．“(上顎洞を含む)L字骨切り(図25)”や“(上顎洞を含まない)I字骨切り”，ステップバックおよび固定などにより行われる．経口的アプローチで犬歯外側の歯肉頬粘膜移行部を切開，骨膜を剝離し上顎洞前壁から頬骨体部とともに眼窩下縁外側部を露出し，頬骨体部のL字の骨切りを行い，次に側頭部毛髪線後方の皮膚切開から頬骨弓を露出し部分的に切除する．遊離された頬骨骨片を後上方の適切な位置に移動しミニプレート，ミニスクリューやワイヤーで固定する．CT(図26，27)では両側の頬骨体部と頬骨弓の骨切り，同部の固定金属を認める．頬骨骨切りはしばしば上顎洞内に切り込み上顎洞炎(図28)の発症も考慮されるが，通常は術後抗菌薬投与により副鼻腔炎発生の頻度は高くない[86]．その他，頬部下垂(2.8%)，骨癒合不全(完全・不完全)・変形治癒(2.2%)がまれな合併症となる[87, 88]．骨癒合不全・変形治癒は最も重度の後遺症であり骨の過剰切除が主な要因となるが，咀嚼時のクリック，疼痛，頬部下垂や顔面非対称を生じる[89, 90]．(3Dを含む)CTで頬骨体部や頬骨弓での骨の段差や欠損としてみられる．再手術の理由としては低い満足度と骨癒合不全の2つが主であり，満足度が低い理由では形成不足(undercorrection)が最も多いとされる[90]．

c. 下顎角骨切り術(mandibular angle resection/reduction angleplasty)・下顎角形成術(mandibular angle plasty)・下顎骨外板切除術(mandibular corticectomy)・下顎縮小形成術(reduction mandibuloplasty)

いわゆる“エラとり手術”であり，下顎角領域の手術で張ったエラを修正して顔の幅を縮小し，顔のかたちを四角から楕円にするものである．特にアジア女性は欧米の女性と比べ下顎角幅・下顎角間距離(bigonal distance)が約12～20 mm大きいとされる[91]．一般に顔の幅は頬骨間距離(bizygomatic distance)，側頭間距離(bitemporal distance)が最も広く，下顎角幅が10%程度狭いのが通常である[92]．1989年Baekらが最初に“prominent mandibular angle”の用語を用いたことから下顎角幅減少，再造形する手術は下顎角形成術と呼ばれてきた[93]．多くは経口的アプローチにより下顎角から下顎骨体後部下面に沿って切除し，さらに場合により下顎角の外側皮質を切除する(図29)；前者のみでは前方からの形態的改善に乏しい場合があり，厚さも減少させる必要がある[94]．CT(図30)では両側下顎角から体後部下縁に沿って皮質の欠損を示す．

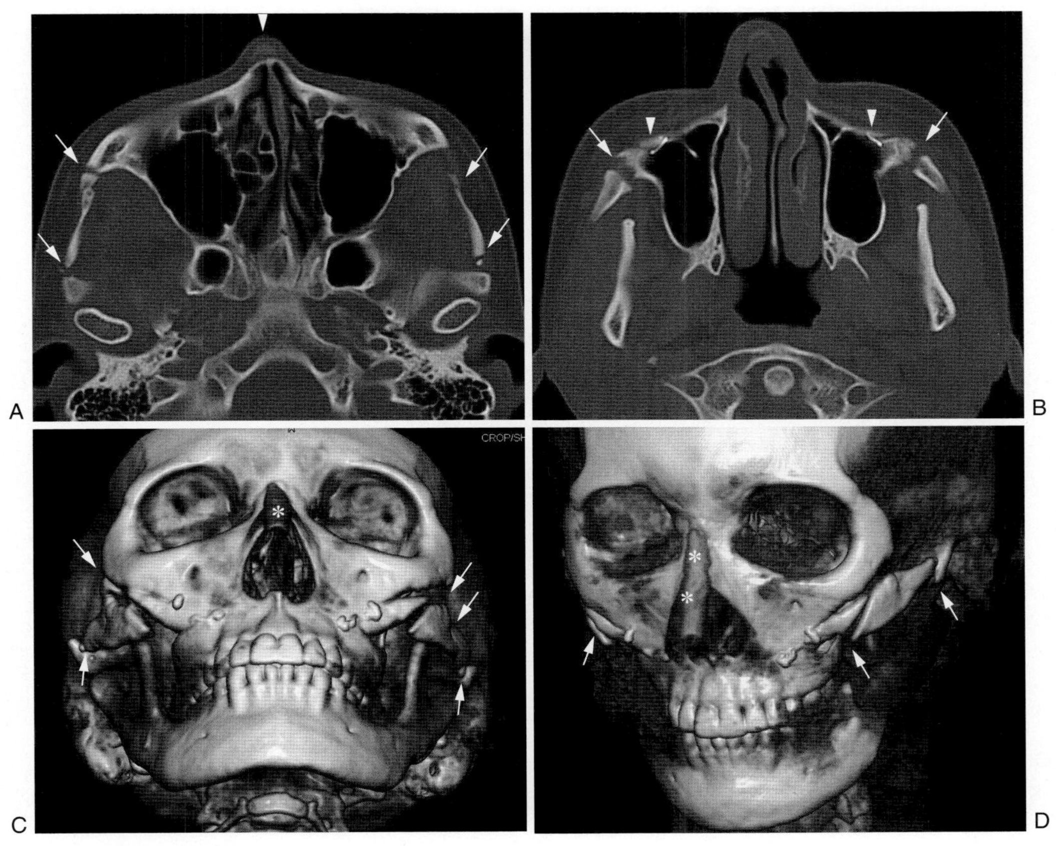

図 26　頬部縮小手術

頬骨弓レベル CT 骨条件横断像(A)において両側頬骨弓の骨切り後変化(矢印)を認める．鼻背にシリコンプロテーゼと思われる淡い高吸収構造(矢頭)を認め，隆鼻術後に相当する．やや尾側レベル(B)で頬骨体部と側頭突起基部との間の骨切り(矢印)，上顎像前壁の骨切りおよびワイヤー固定による所見(矢頭)を認める．3D 表示(C，D)で両側頬骨体部と頬骨弓の骨切り(矢印)の所見を認める．＊：隆鼻術によるシリコンプロテーゼ

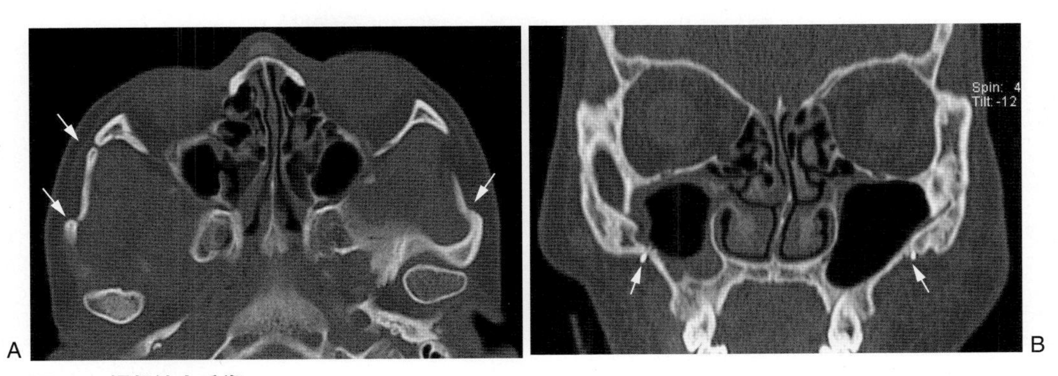

図 27　頬部縮小手術

顔面領域 CT 骨条件横断像(A)において，両側頬骨弓の骨切り後所見(矢印)を認める．同冠状断像(B)では頬骨体部から一部上顎洞に及ぶ骨切りとワイヤーでの固定後所見(矢印)がみられる．

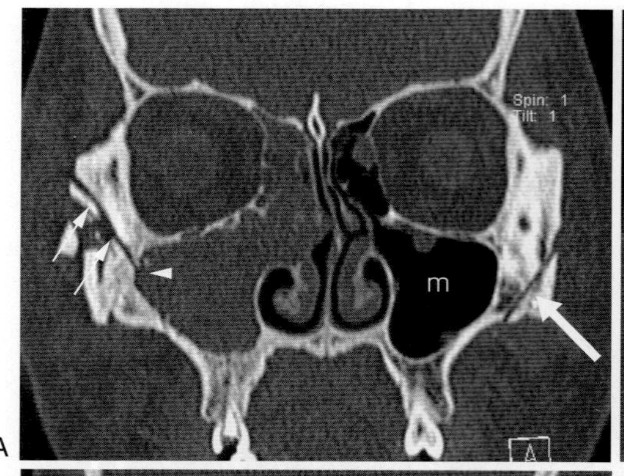

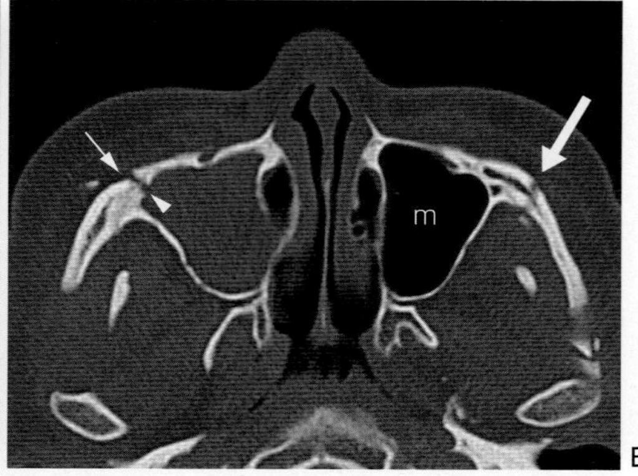

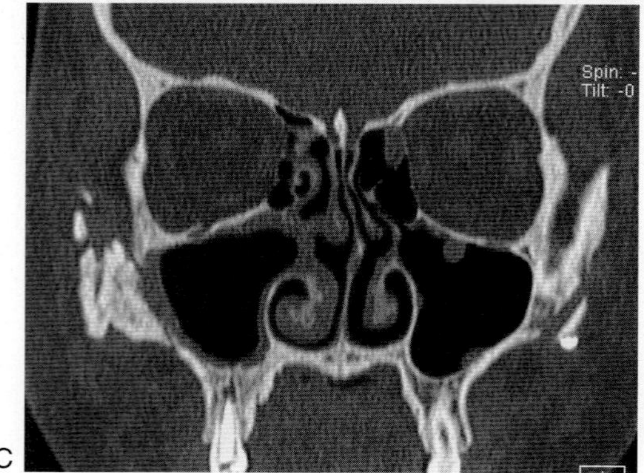

図28　頬部縮小手術；術後上顎洞炎
顔面領域CT骨条件冠状断像(A)および横断像(B)．両側頬骨体部の骨切りの所見を認める．右側(小矢印)は上顎洞(対側でmで示す)外側に切り込んでおり(矢頭)，右上顎洞炎の所見を伴う．大矢印：左頬骨の骨切り線．抗菌薬による保存的治療2週間後のCT冠状断像(C)で右上顎洞炎の所見は改善している．

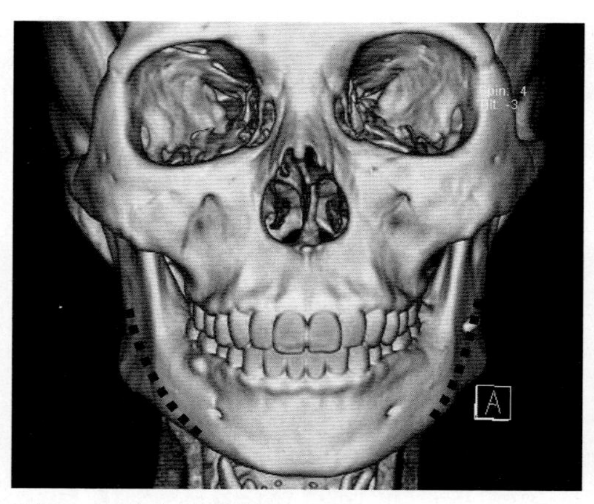

図29　下顎角形成術シェーマ
下顎骨の骨切り線を点線で示す．

d. ヒアルロン酸注入(hyaluronic acid injection)

充填物(filler)の注入は，安全で時間がかからず，顔面リフト術のような切開を必要としない“顔面若返り手術”のひとつとして広く行われている．ヒアルロン酸注入は主に鼻唇溝，口や眼の周囲，頬部脂肪などに行われ，CTでは浸潤性軟部濃度(図31)，MRIでは豊富な水分内容により液体に相当する信号強度(T1強調像では低信号，T2強調像やSTIRでは著明な高信号；図32，33)を呈する[95]．ヒアルロン酸はコラーゲン，弾性線維と結合して細胞間の安定性を示す自然の多糖

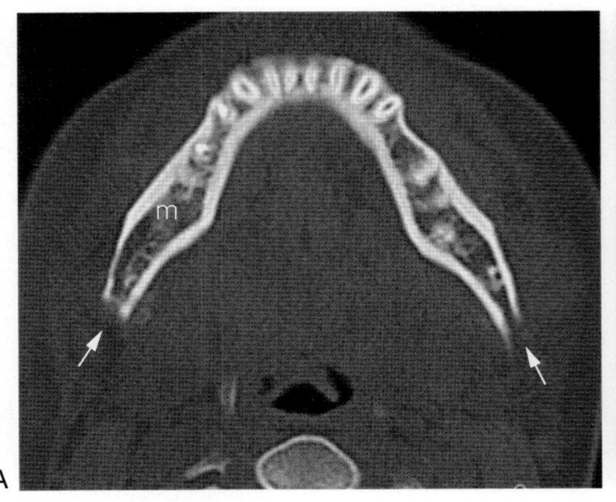

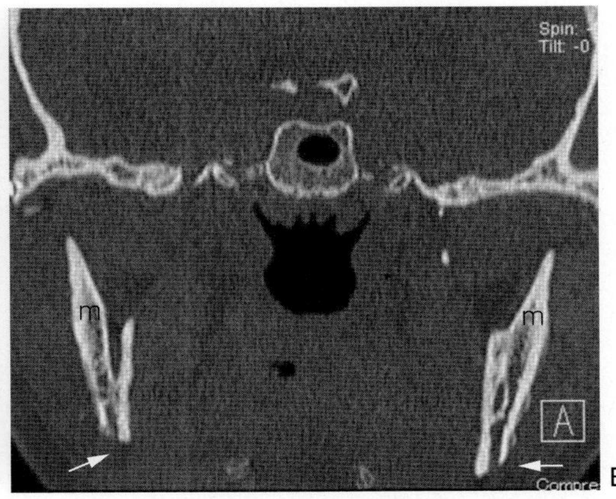

図 30　下顎骨形成術
下顎部 CT 骨条件横断像(A)および冠状断像(B)．下顎骨(m)の両側下顎角から体後部下面の皮質骨欠損(矢印)を認め，下顎角形成術後変化に相当する．

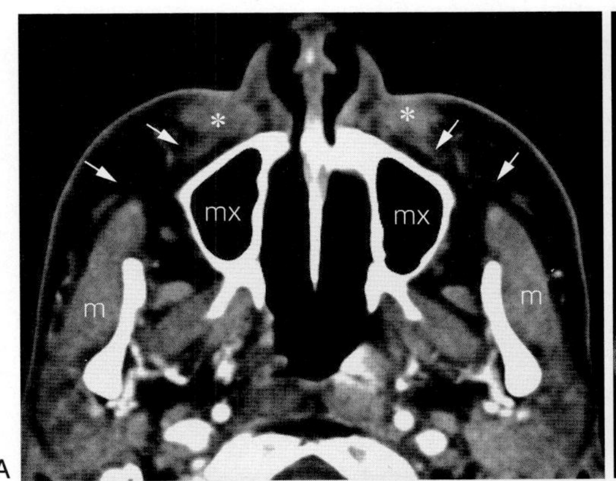

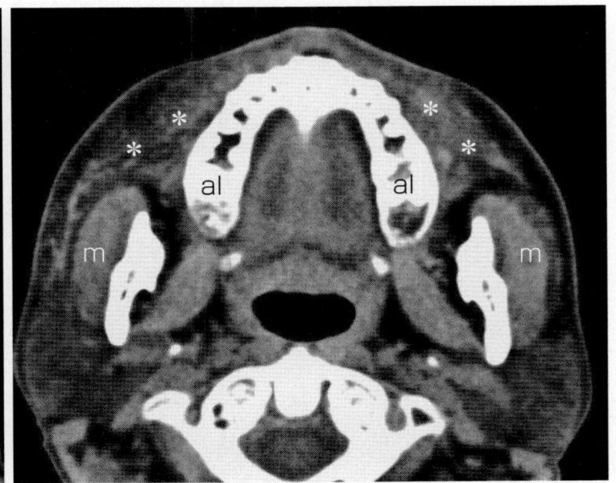

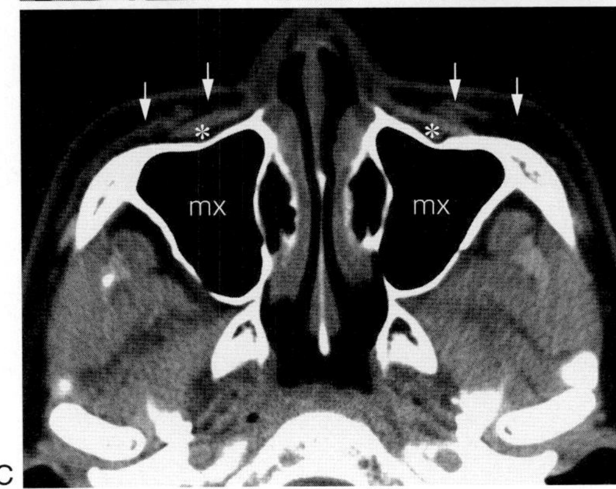

図 31　ヒアルロン酸注入
上顎洞レベル CT 横断像(A)において，上顎洞前方に接する両側頬部皮下にほぼ対称性に境界不明瞭な浸潤性軟部濃度(＊)を認める．m：咬筋，mx：上顎洞，矢印：SMAS．同上顎歯槽レベル(B)で両側頬部皮下から頬間隙に対称性に広範な浸潤性軟部濃度(＊)を認める．a：上顎歯槽，m：咬筋．正常例(C)．両側頬部皮下は脂肪濃度を主体としており上顎洞(mx)との間に SMAS(矢印)が位置する．上顎洞と SMAS との間の脂肪層(＊)は "preantral fat pad" と称され，浸潤性真菌性副鼻腔炎や上顎洞腫瘍などの洞外進展を評価するうえで画像診断上重要である．

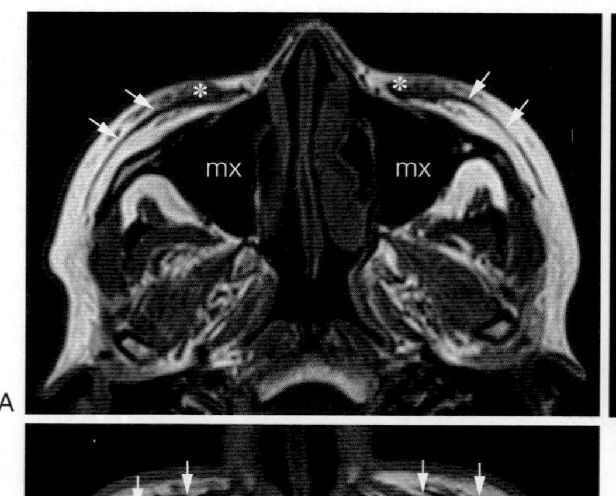

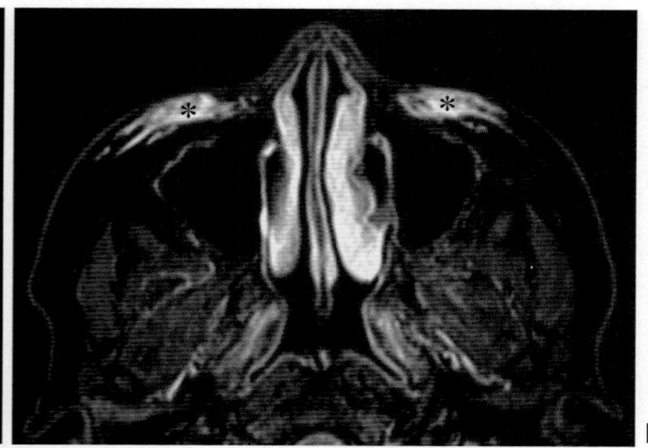

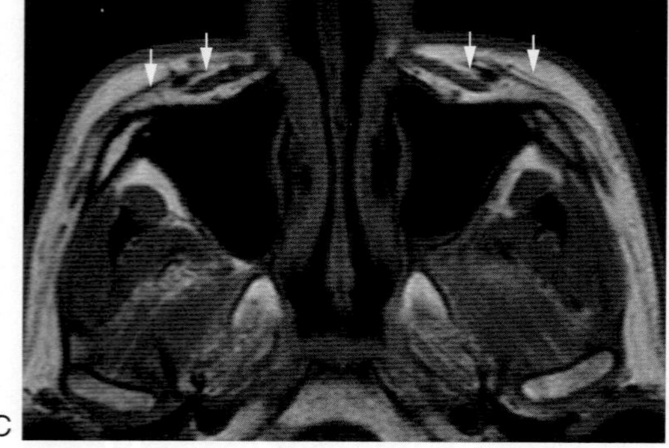

図 32 ヒアルロン酸注入

上顎洞レベル MRI T1 強調像(A)において，両側頬部皮下で SMAS(矢印)に沿って境界不明瞭な低信号の組織肥厚(＊)を認める. mx：上顎洞. STIR 像(B)で同所見(＊)は著明な高信号を示す．正常例の T1 強調像(C)．頬部皮下脂肪は高信号で描出され，内部に帯状低信号構造として SMAS(矢印)を認める.

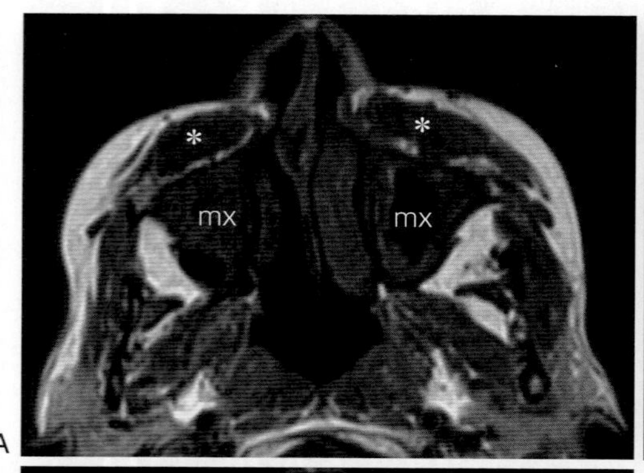

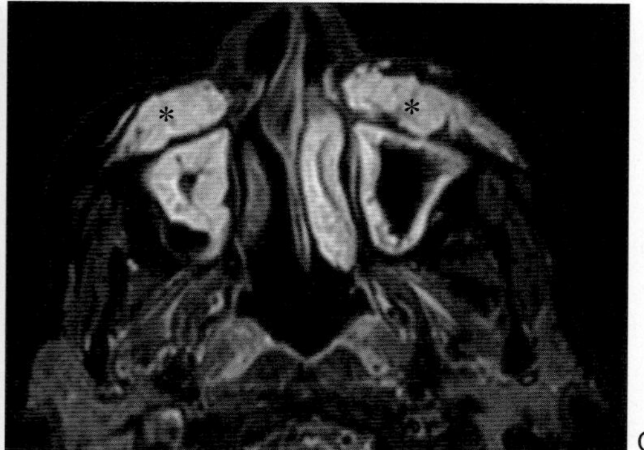

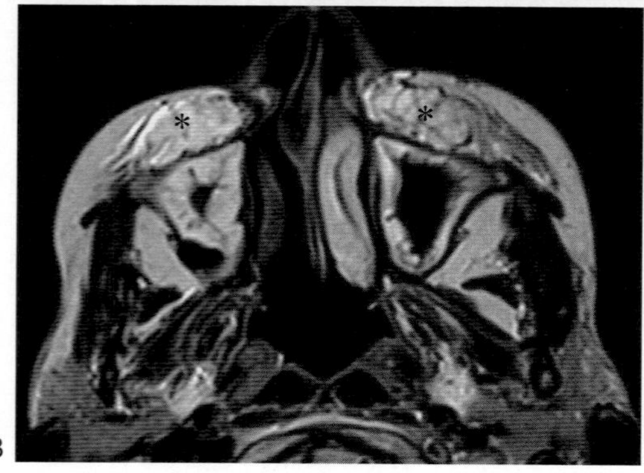

図 33 ヒアルロン酸注入

上顎洞レベル MRI T1 強調像(A)で両側頬部皮下に対称性に扁平な低信号腫瘤(＊)を認める．mx：上顎洞．T2 強調像(B)，STIR 像(C)で同部(＊)は著明な高信号を呈する.

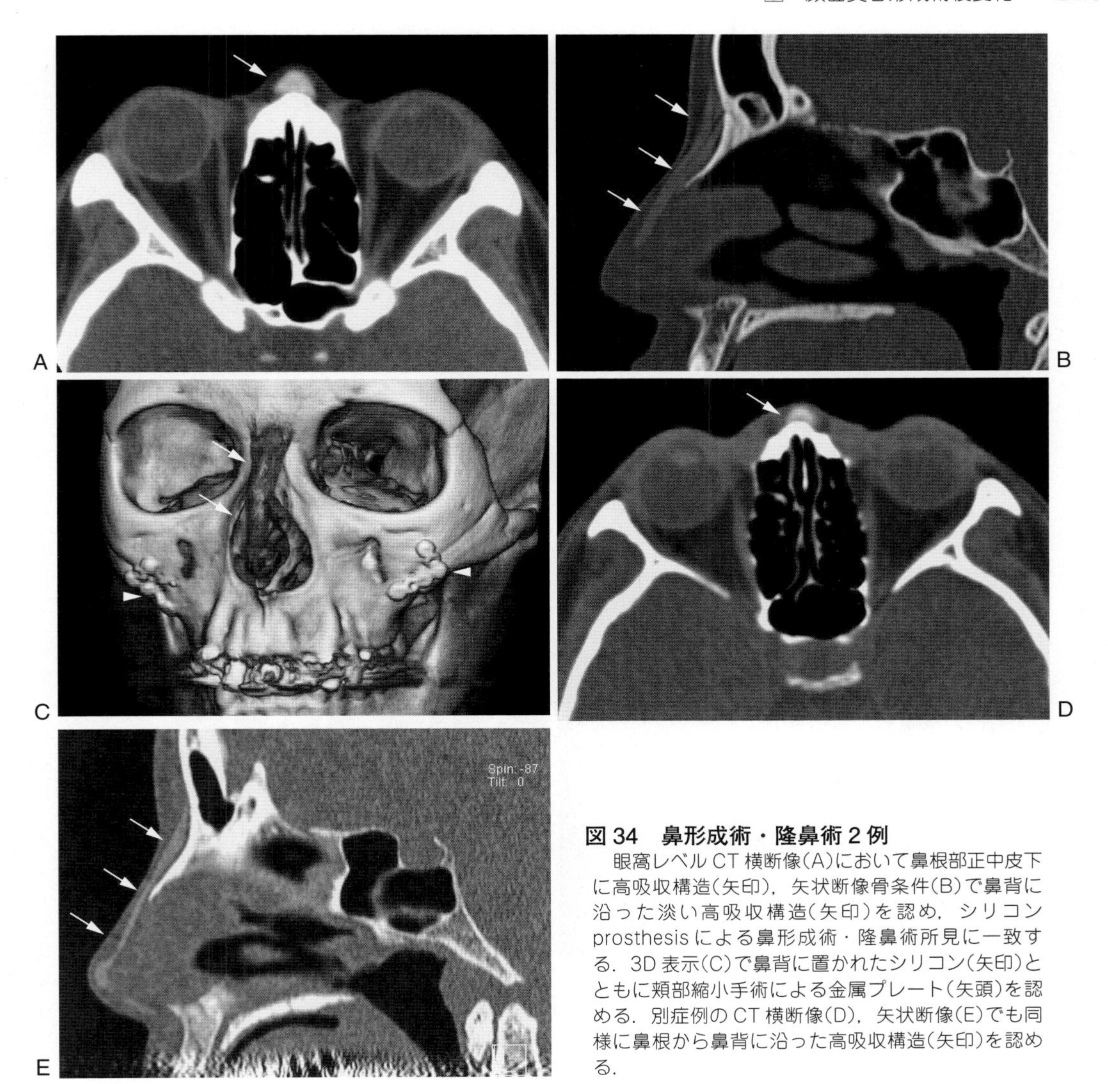

図 34　鼻形成術・隆鼻術 2 例
眼窩レベル CT 横断像(A)において鼻根部正中皮下に高吸収構造(矢印)，矢状断像骨条件(B)で鼻背に沿った淡い高吸収構造(矢印)を認め，シリコン prosthesis による鼻形成術・隆鼻術所見に一致する．3D 表示(C)で鼻背に置かれたシリコン(矢印)とともに頬部縮小手術による金属プレート(矢頭)を認める．別症例の CT 横断像(D)，矢状断像(E)でも同様に鼻根から鼻背に沿った高吸収構造(矢印)を認める．

類であり，安全性，容易な可逆性と副作用の少なさ等から filler として最も多く用いられている．効果は数ヵ月から 1 年程度継続するとされる[95]．上記のとおり，明瞭に描出される T2 強調像で皮下のヒアルロン酸の経時的評価が可能である[96]．注入後 6 ヵ月は組織の血管増生による軽微な増強効果を認め，1 年後にかけて増強効果減弱とともに T2 強調像での信号強度も徐々に低下する[97]．容積は徐々に増加し注入後 1 ヵ月で最大となる[95]．PET でしばしば集積を示す[98]．短期あるいは長期の合併症を起こしうるが，感染はまれであり 0.004〜0.2％とされる[99, 100]．まれに血管閉塞による組織壊死，視力消失，脳梗塞など，重篤な急性合併症の報告がある[101, 102]．長期合併症として主なものは異物性肉芽や遅発感染による膿瘍形成，瘢痕，組織壊死や潰瘍形成などである．

e. 鼻形成術・隆鼻術(augmentation rhinoplasty)

アジア人は鼻背，鼻尖が低い傾向にあり，鼻形成術・隆鼻術はアジアでは最も多く行われる美容形成術のひとつである[103, 104]．術式と結果には疑問も多い．自家軟骨なども用いられるが，アジアでは人工物，特にシリコンが第一選択とされることが最も多い[105, 106]．CT (図 26，34)では鼻背正中に沿った高吸収構造として描出される．合併症

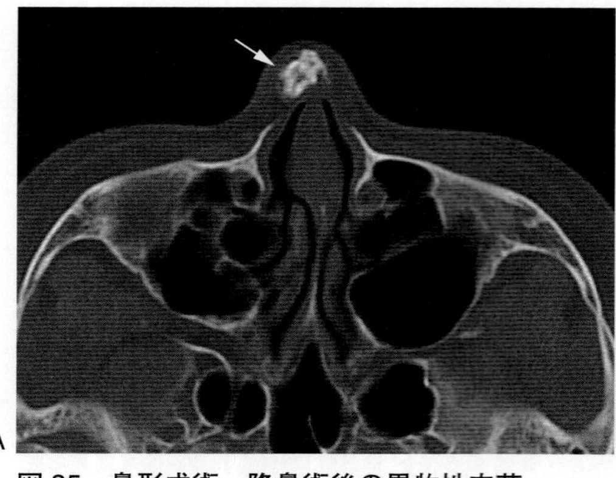

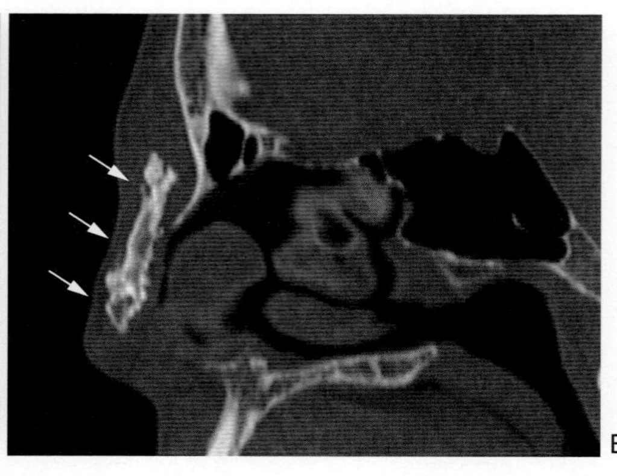

図 35　鼻形成術・隆鼻術後の異物性肉芽
顔面領域 CT 骨条件の横断像(A)および矢状断像(B)で鼻背正中に沿った皮下に不規則な石灰化(矢印)を認め，鼻形成術・隆鼻術後の prosthesis 周囲の異栄養性石灰化を示す．

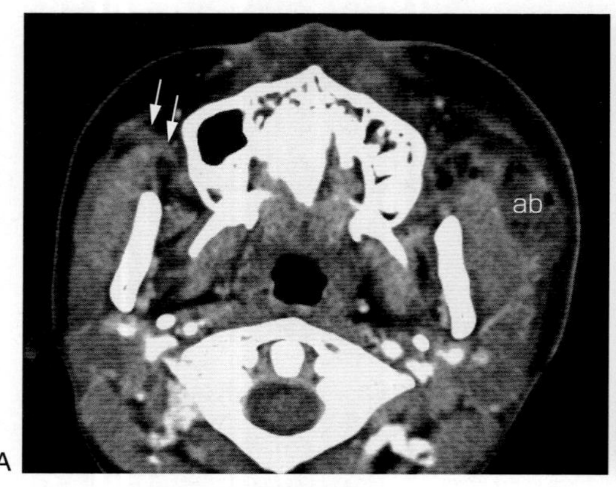

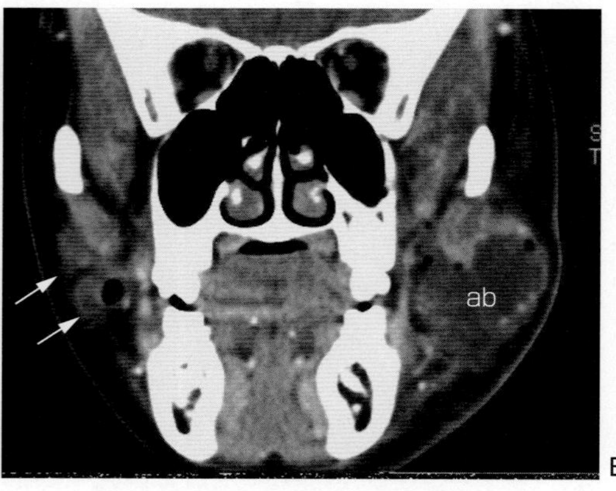

図 36　脂肪吸引後の膿瘍形成
顔面領域 CT 横断像(A)および冠状断像(B)．右頬間隙の脂肪内に不整形の軟部濃度と気腫の所見(矢印)を認める．左側では頬間隙を中心に膿瘍(ab)の形成による軟部組織腫脹，液体濃度および混在する空気嚢胞を認める．

としては突出(2.1～3.7％)，感染(3.7％)，偏位(3％)や異物性肉芽(図 35)などを認めるが[106]，頻度は術者の技術・経験，術式選択やインプラントの形状に左右される[105]．

f. 脂肪吸引(liposuction)

耳珠の裏や下あごなどの小切開からカニューレを挿入して頬部やあごの脂肪を吸引する“小顔手術”のひとつ．RF 波補助による脂肪吸引では脂肪組織の液状化とともに加温効果によるコラーゲン産生と拘縮の効果があり[107]，軟部組織の拘縮は 12 ヵ月で最大 34％とされる[108]．加温のない脂肪吸引では 6％に過ぎず[108]，レーザー補助では 6 ヵ月で 17％となる[109]．CT (図 36)では皮下脂肪混濁や(術直後であれば)軟部組織気腫などを認める．カニューレ挿入に伴い，合併症としてまれに出血や膿瘍形成(図 36)を認める．

■参考文献

1) Dejaco E, Url C, Schartinger VH et al : Approximation of head and neck cancer volumes in contrast enhanced CT. Cancer Imaging **15** : 16. doi: 10.1186/s40644-015-0051-3, 2015
2) Chua DTT, Sham JST, Kwong DLW et al : Volumetric analysis of tumor extent in nasopharyngeal carcinoma and correlation with treatment outcome. Int J Radiat Oncol Biol Phys **39** : 711-719, 1997
3) Willner J, Baier K, Pfreundner L et al : Tumor volum and local control in primary radiotherapy

of nasopharyngeal carcinoma. Acta Oncologica **38** : 1025–1030, 1999

4) Chang CC, Chen MK, Liu MT et al : The effect of primary tumor volumes in advanced t-staged nasopharyngeal tumors. Head Neck **24** : 940–946, 2002

5) Feng M, Wang W, Fan Z et al : Tumor volume is an independent prognostic indicator of local control in nasopharyngal carcinoma patients treated with intensity-modulated radiotherapy. Radiat Oncol **8** : 208. Doi : 10.1186/1748-717X-8-208, 2013

6) Mukherji SK, Schmalfuss IM, Castelijins J et al : Comparison of thallium-201 and F-18 FDG SPECT uptake in squamous cell carcinoma of the head and neck. Am J Neuroradiol **25** : 1425–1432, 2004

7) Been MJ, Watkins J, Manz RM et al : Tumor volume as a prognostic factor in oropharyngeal squamous cell carcinoma treated with primary radiotherapy. Laryngoscope **118** : 1377–1382, 2008

8) Pameijer FA, Mancuso AA, Mendenhall WM et al : Evaluation of pretreatment computed tomography as a predictor of local control in T1/T2 pyriform sinus carcinoma treated with definitive radiotherapy. Head Neck **20** : 159–168, 1998

9) Chen SW, Yang SN, Liang JA et al : Value of computed tomography-based tumor volume as a predictor of outcomes in hypopharyngeal cancer after treatment with definitive radiotheraphy. Laryngoscope **116** : 2012–2017, 2006

10) Chen SW, Yang SN, Liang LA et al : Prognostic impact of tumor volume in patients with stage III-IV hypopharyngeal cancer without bulky lymph nodes treated with definitive concurrent chemoradiotheraphy. Head Neck **31** : 709–716, 2009

11) Mancuso AA, Mukherji SK, Kotzur I et al : Preradiotherapy computed tomography as a predictor of local control in supraglottic carcinoma. J Clin Oncol **17** : 631–636, 1999

12) Mukherji SK, O'Brien SM, Gerstle RJ et al : The ability of tumor volume to predict local control in surgically treated squamous cell carcinoma of the supraglottic larynx. Head Neck **22** : 282–287, 2000

13) Mukherji SK, Mancuso AA, Mendenhall WM et al : Can pretreatment CT predict local control of T2 glottic carcinomas treated with radiation therapy alone? Am J Neuroradiol **16** : 655–662, 1995

14) Pameijer FA, Mancuso AA, Mendenhall WM et al : Can pretreatment computed tomography predict local control in T3 squamous cell carcinoma of the glottis larynx treated with definitive radiotheraphy? Int J Radiat Oncol Biol Phys **37** : 1011–1021, 1997

15) Shiao JC, Mohamed ASR, Messer JA et al : Quantitative pretreatment CT volumetry: association with oncologic outcomes in patients with T4a squamous carcinoma of the larynx. Head Neck **39** : 1609–1620, 2017

16) Hsin LJ, Fang TJ, Tsang NM et al : Tumor volumetry as a prognostic factor in the management of T4a laryngeal cancer. Laryngoscope **124** : 1134–1140, 2014

17) Kimura Y, Sumi M, Ichikawa Y et al : Volumetric MR imaging of oral, maxillary sinus, oropharyngeal, and hypopharyngeal cancers : Correlation between tumor volume and lymph node metastasis. Am J Neuroradiol **26** : 2384–2389, 2005

18) Ilana D, Denys D, Robbins T : Tumor volume predicts outcome for advanced head and neck cancer treated with targeted chemoradiotheraphy. Laryngoscope **112** : 1724–1749, 2002

19) Baghi M, Mack MG, Markus H et al : Usefulness of MRI volumetric evaluation in patients with squamous cell cancer of the head and neck treated with neoajuvant chemotheraphy. Head Neck **29** : 104–108, 2007

20) Studer G, Seifert B, Glanzmann C : Prediction of distant metastasis in head neck cancer patients : implications for induction chemotherapy and pretreatment staging? Strahlenther Oncol **11** : 580–585, 2008

21) Chan JYW, Wong STS, Wei WI : Stage II recurrent nasopharyngeal carcinoma: prognostic significance of retropharyngeal nodal metastasis, parapharyngeal invasion, and carotid encasement. Head Neck **40** : 103-110, 2018

22) Kennedy JT, Krause CJ, Loevy S : The importance of tumor attachment to the carotid artery. Arch Otolaryngol **103** : 70–73, 1977

23) Nieto CS, Solano JME, Martinez GB et al : Invasion of the carotid artery in tumors of the head and neck. Clin Otolaryngol **6** : 29–37, 1981

24) Yousem DM, Hatabu H, Hurst RW et al : Carotid artery invasion by head and neck masses : prediction with MR imaging. Radiology **195** : 715–720, 1995

25) Sharifian H, Aghaghazvini L, Aghaghazvini M et al : The diagnostic value of computed tomography in determining invasion to carotid arteries by head and neck malignant tumors. Iran J Radiol **4** : 217–221, 2007

26) Sarvanan K, Rajiv Bapuraj S, Sharma SC et al : Computed tomography and ultrasonographic evaluation of metastatic cervical lymph nodes with surgicoclinicopathologic correlation. J Laryngol Otol **116** : 194–199, 2002

27) Yoo GH, Hocwald E, Korkmaz H et al : Assessment of carotid artery invasion in patients with head and neck cancer. Laryngoscope **110** : 386–390, 2000

28) Gritzmann N, Grasl MC, Helmer M et al : Invasion of the carotid artery and jugular vein by lymph node metastases : detection with sonography. AJR Am J Roentogenol **154** : 411–414, 1990
29) Yu Q, Wand P, Shi H et al : Carotid artery and jugular vein invasion of oral-maxillofacial and neck malignant tumors : Diagnostic value of computed tomography. Oral Surg Oral Med Oral Pathol Oral Radiol Endod **96** : 368–372, 2003
30) Chitose S, Ono T, Shin B et al：Use of dynamic MRI during swallowing to assess carotid artery invasion by neck metastasis. Head Neck **40**：330–337, 2018
31) Jacobi C, Gahleitner C, Bier H et al：Chemoradiation and local recurrence of head and neck squamous cell carcinoma and the risk of carotid artery blowout. Head Neck **41**：3073–3079, 2019
32) Powitzky R, Vasan N, Krempl G et al：Carotid blowout in patients with head and neck cancer. Ann Otol Rhinol Laryngol **119**：476–484, 2010
33) Suárez C, Fernández-Alvarez V, Hamoir M et al：Carotid blowout syndrome：modern trends in management. Cancer Manag Res **10**：5617–5628, 2018
34) Chang FC, Lirng JF, Luo CB et al：Patients with head and neck cancers and associated postirradiated carotid blowout syndrome：endovascular therapeutic methods and outcomes. J Vasc Surg **47**：936–945, 2008
35) Macdonald S, Gan J, McKay AJ et al：Endovascular treatment of acute carotid blow-out syndrome. J Vasc Interv Radiol **11**：1184–1188, 2000
36) Chen YJ, Wang CP, Wang CC et al：Carotid blowout in patients with head and neck cancer：associated factors and treatment outcomes. Head Neck **37**：265–272, 2015
37) Ernemann U, Herrmann C, Plontke S et al：Pseudoaneurysm of the superior thyroid artery following radiotherapy for hypopharyngeal cancer. Ann Otol Rhinol Laryngol **112**：188–190, 2003
38) Luo CB, Teng MM, Chang FC et al：Radiation carotid blowout syndrome in nasopharyngeal carcinoma: angiographic features and endovascular management. Otolaryngol Head Neck Surg **138**：86–91, 2008
39) Lesley WS, Chaloupka JC, Weigele JB et al：Preliminary experience with endovascular reconstruction for the management of carotid blowout syndrome. AJNR Am J Neuroradiol **24**：975–981, 2003
40) Sulmann EP, Schwartz DL, Le TT et al：IMRT reirradiation of head and neck cancer-disease control and morbidity outcomes. Int J Radiat Oncol Biol Phys **73**：399–409, 2009
41) Hehr T, Classen J, Belka C et al：Reirradiation alternating with docetaxel and cisplatin in inoperable recurrence of head-and-neck cancer: a prospective phase I/II trial. Int J Radiat Oncol Biol Phys **61**：1423-1431, 2005
42) Yamazaki H, Ogita M, Himei K et al：Carotid blowout syndrome in pharyngeal cancer patients treated by hypofractionated stereotactic re-irradiation using CyberKnife：a multi-institutional matched-cohort analysis. Radiother Oncol **115**：67–71, 2015
43) Citardi MJ, Chaloupka JC, Son YH et al：Management of carotid artery rupture by monitored endovascular therapeutic occlusion (1988-1994). Laryngoscope **105**：1086–1092, 1995
44) Chaloupka JC, Putman CM, Citardi MJ et al：Endovascular therapy for the carotid blowout syndrome in head and neck surgical patients：diagnostic and managerial considerations. AJNR Am J Neuroradiol **17**：847–852, 1996
45) Lu HJ, Chen KW, Chen MH et al：Predisposing factors, management, and prognostic evaluation of acute carotid blowout syndrome. J Vasc Surg **58**：1226–1235, 2013
46) Bradley PJ：Treatment of the patients with upper airway obstruction caused by cancer of the larynx. Otolaryngol Head Neck Surg **120**：737–741, 1999
47) Du E, Smith RV, Ow TJ, et al：Tumor debulking in the management of laryngeal cancer airway obstruction. Otolaryngol Head Neck Surg **155**：805–807, 2016
48) Pezier TF, Nixon IJ, Joshi A et al：Pre-operative tracheostomy does not impact on stomal recurrence and overall survival in patients undergoing primary laryngectomy. Eur Arch Otorhinolaryngol **270**：1729–1735, 2013
49) Cotton RT, Richardson MA：Congenital laryngeal abnormalities. Otolaryngol Clin North Am **14**：203–218, 1981
50) Campbell AC, Gleich LL, Barrett WL et al：Cancerous seeding of the tracheostomy site in patients with upper aerodigestive tract squamous cell carcinoma. Otolaryngol Head Neck Surg **120**：601–603, 1999
51) Breneman JC, Bradshaw A, Gluckman J et al：Prevention of stomal recurrence in patients requiring emergency tracheostomy for advanced laryngeal and pharyngeal tumors. Cancer **62**：802–805, 1988
52) Davis RK, Shapshay SM：Peristomal recurrence：pathophysiology, prevention, treatment. Otolaryngol Clin North Am **13**：499–508, 1980
53) Hoover WB, King GD：Emergency laryngectomy. Arch Otolaryngol **59**：431–433, 1954
54) Simoni P, Peters GE, Magnuson JS et al：Use of the endoscopic microdebrider in the management of

airway obstruction from laryngotracheal carcinoma. Ann Otol Rhinol Laryngol **112**：11–13, 2003

55) Gul F, Teleke YC, Yalciner G et al：Debulking obstructing laryngeal cancers to avoid tracheostomy. Bz J Otorhinolaryngol pii：S1808-8694(19)30089-9. doi：10.1016/j.bjorl, 2019

56) Eagle WW：Elongated styloid processes：report of two cases. Arch Otolaryngol Head Neck **25**：584–587, 1937

57) Bai C, Wang Z, Guan J et al：Clinical characteristics and neuroimaging findings in eagle syndrome induced internal jugular vein stenosis. Ann Transl Med **8**：97, 2020

58) Li M, Sun Y, Chan CC et al：Internal jugular vein stenosis associated with elongated styloid process: five case reports and literature review. BMC Neurology **19**：112. doi: 10.1186/s12883-019-1344-0, 2019

59) Baylan H：The anatomical basis of the symptoms of an elongated styloid process. J Hum Rhythm **3**：32–35, 2017

60) Badhey A, Jategaonkar A, Kovacs AJA et al：Eagle syndrome：a comprehensive review. Clin Neurol Neurosurg **159**：34–38, 2017

61) Correll RW, Jensen JL, Taylor JB et al：Mineralization of the stylohyoid-stylomandibular ligament complex. A radiographic incidence study. Oral Surg Oral Med Oral Pathol **48**：286–291, 1979

62) Monsour PA, Young WG：Variability of the styloid process and stylohyoid ligament in panoramic radiographs. Oral Surg Oral Med Oral Pathol **61**：522–526, 1986

63) Murtagh RD, Caracciolo JT, Fernandez G：CT findings associated with Eagle syndrome. Am J Neuroradiol **22**：1401–1402, 2001

64) Shayganfar A, Golbidi D, Yahay M et al：Radiological evaluation of the styloid process length using 64-row multidetector computed tomography scan. Adv Biomed Res 7：85. doi.org/10.4103/2277-9175.233479, 2018

65) Ayyildiz VA, Senel FA, Dursun A et al：Morphometric examination of the styloid process by 3D-CT in patients with Eagle syndrome. Eur Arch Otorhinolaryngol **276**：3453–3459, 2019

66) Formmer J：Anatomic variations in the styloid chain and their possible clinical significance. Oral Surg Oral Med Oral Pathol **38**：659–667, 1974

67) Hooker JD, Joyner DA, Farley EP et al：Carotid stent fracture from stylocarotid syndrome. J Radiol Case Rep **10**：1–8, 2016

68) Zhou D, Meng R, Zhang X et al：Intracranial hypertension induced by internal jugular vein stenosis can be resolved by stenting. Eur J Neurol **25**：365–e13, 2018

69) Mortellaro C, Blanvcucci P, Picciolo V et al：Eagle syndrome：importance of a corrected diagnosis and adequate surgical treatment. J Craniofac Surg **13**：755–758, 2002

70) Fusco DJ, Asteraki S, Spetzler RF：Eagle's syndrome：embryology, anatomy, and clinical management. Acta Neurochir (Wien) **154**：1119–1126, 2012

71) Dashti SR, Nakaji P, Hu YC et al：Styloidogenic jugular venous compression syndrome：diagnosis and treatment：case report. Neurosurgery **70**：E795–E799, 2012

72) Pokeerbux MR, Delmaire C, Morell-Dubois S et al：Styloidogenic compression of the internal jugular vein, a new venous entrapment syndrome. Vasc Med **25**：378–380, 2020

73) Shiozawa T, Epe P, Herlan S et al：Clinically relevant variations of the superior thyroid cornu. Surg Radiol Anat **39**：299–306, 2017

74) Counter T：A superior thyroid carnu anomaly：a report of a case. J Laryngol Otol **94**：1087–1088, 1980

75) Mortensen M, Ivery CM, Iida M et al：Superior thyroid cornu syndrome：an unsual case of cervical dysphagia. Ann Otol Rhinol Laryngol **118**：833–838, 2009

76) Lim D, Fischbein N, Eisele DW：Odynophagia secondary to variant thyroid anatomy. Dysphagia **20**：232–234, 2005

77) Nadig SK, Uppal S, Back GW et al：Foreign body sensation in the throat due to displacement of the superior cornu of the thyroid cartilage：two cases and a literature review. J Laryngol Otol **120**：608–609, 2006

78) Avrahami E, Harel M, Englender M：CT evaluation of displaced superior cornu of ossified thyroid cartilage. Clin Radiol **49**：683–685, 1994

79) Smith ME, Berke GS, Gray SD et al：Clicking in the throat：cinematic fiction or surgical fact? Arch Otolaryngol Head Neck Surg **127**：1129–1131, 2001

80) Browning ST, Whittet HB：A new and clinically symptomatic variant of thyroid cartilage anatomy. Clin Anat **13**：294–297, 2000

81) Stark GB, Bannasch H：The "Golden thread lift"：radiologic findings. Aesth Plast Surg **31**：206–208, 2007

82) Keestra JA, Jacobs R, Quirynen M：Gold-wire artifacts on diagnostic radiographs：a case report. Imaging Sci Dent **44**：81–84, 2014

83) Negayama R, Fujikawa T：CT appearance of gold thread facelift. QJM **111**：57. doi：10.1093/qjmed/hcx177, 2018

84) Rondo W, Vidare G, Michalany N：Histologic

study of the skin with gold thread implantation. Plast Reconst Surg **97**：256-258, 1996

85) Baek SMHJ, Baek RM, Oh KS：10-year experience on reduction malarplasty. J Korean Soc Plast Recontr Surg **24**：1478-1487, 1997

86) Chen CT, Pan CH, Liao HT et al：Combined intraoral and endoscopic approach for malar reduction. Aesth Surg J **36**：1188-1194, 2016

87) Yang HW, Hong JJ, Koo YT：Reduction malarplasty that uses malar seback without resection of malar body strip. Aesth Plast Surg **41**：910-918, 2017

88) Myung Y, Kwon H, Lee SW et al：Postoperative complications associated with reduction malarplasty via intraoral approach：a meta analysis. Ann Plast Surg **78**：371-378, 2017

89) Dong G, Teng L, Lu J et al：Application of the bracing system in reduction malarplasty in Asian population. Aesth Plast Surg **44**：114-121, 2020

90) Lee SW, Jeong YW, Myung Y：Revision surgery for zygoma reduction: causes, indications, solutions, and results from a 5-year review of 341 cases. Aesth Plast Surg **41**：161-170, 2017

91) Choi J, Han K, Kang J：Normal anthropometric values and standardized templates of Korean face and head. J Korean Soc Plast Reconstr Surg **20**：995-1005, 1993

92) Farkas LG：Anthropometry of the head and face in medicine. Elsevier, New York, 1981

93) Baek SM, Kim SS, Bindiger A：The prominent mandibular angle：preoperative management, operative technique, and results in 42 patients. Plast Reconstr Surg **83**：272-280, 1989

94) Jin H, Kim BG：Mandibular angle reduction versus mandible reduction. Plast Reconstr Surg **114**：1263-1269, 2004

95) Mundada P, Kohler R, Boudabbous S et al：Injectable facial fillers: imaging features, complications, and diagnostic pitfall at MRI and PET CT. Insights Imaging **8**：557-572, 2017

96) Gensanne D, Josse G, Schmitt AM et al：In vivo visualization of hyaluronic acid injection by high spatial resolution T2 parametric magnetic resonance images. Skin Res Technol **13**：385-389, 2007

97) Becker M, Balague N, Montet X et al：Hyaluronic acid filler in HIV-associated facial lipoatrophy: evaluation of tissue distribution and morphology with MRI. Dermatology **230**：367-374, 2015

98) Ho L, Seto J, Ngo V et al：Cosmetic-related changes on ^{18}F-FDG PET/CT. Clin Nucl Med **37**：e150-e153, 2012

99) Reda-Lari A：Augmentation of the malar area with polyacrylamide hydrogel：experience with more than 1300 patients. Aesthet Surg J **28**：131-138, 2008

100) Ferneini EM, Beauvais D, Aronin SI：An overview of infections associated with soft tissue facial fillers：identification, prevention, and treatment. J Oral Maxillofac Surg **75**：160-166, 2017

101) Park SW, Woo SJ, Park KH et al：Iatrogenic retinal artery occlusion caused by cosmetic facial filler injections. Am J Ophthalmol **154**：653-662.e1, 2012

102) Narins RS, Jewell M, Rubin M et al：Clinical conference：management of rare events following dermal fillers-focal necrosis and angry red bumps. Dermatol Surg **32**：426-434, 2006

103) Jang YJ, Alfanta EM：Rhinoplasty in the Asian nose. Facial Plast Surg Clin North Am **22**：357-377, 2014

104) Jang YJ, Yi JS：Perspectives in Asian rhinoplasty. Facial Plast Surg **30**：123-130, 2014

105) Kim IS：Augmentation rhinoplasty using silicone implants. Facial Plast Clin North Am **26**：285-293, 2018

106) Malone M, Pearlman S：Dorsal augmentation in rhinoplasty：a survey and review. Facial Plast Surg **31**：289-294, 2015

107) Han X, Yang M, Yin B et al：The efficacy and safety of subcutaneous radiofrequency after liposuction: a new application for face and neck skin tightening. Aesth Surg J pii：sjz364. doi：10.1093/asj/sjz364, 2020

108) Duncan DI：Nonexcisional tissue tightening: creating skin surface area reduction during abdominal liposuction by adding radiofrequency heating. Aesth Surg J **33**：1154-1166, 2014

109) Dibernardo B：Randomize, blinded split abdomen study evaluating skin shrinkage and skin tightening in laser-assisted liposuction versus liposuction control. Aesthetic Surg J **30**：593-602, 2010

付録 1
画像診断レポート

本章では頭頸部領域の画像診断に関して，正常および代表的疾患を含め，各領域での画像診断レポートの具体的な記述を載せる．本書各章において解説してきた，解剖学的知識や臨床的理解をもとにした重要な画像評価項目に関し，系統的かつ簡潔に記述することに努め，本書の内容が臨床でどのように機能するか(機能させるか)を示すことを目的とする．これらは著者自身が実臨床の中で作成しているレポートやカンファレンスでの基本的論点と同一であり，正常例の記載は読影システムのテンプレートから引用している．異常例に関しても，代表的症例を選択・想定して実際のレポートと同一の記述を示す．

日常的な診療では，時間効率よく，過不足のない画像評価が求められるが，各画像診断医の読影環境や各臨床医の画像参照における状況・環境は均一ではなく，以下にあげるレポートの記述は必ずしも最善として受け入れられない場合も多いと思われるが，基本的な画像情報の提供を目的とするものとして参考にしていただきたい．なお，添付の画像はキー画像として提示しており，記載されている所見のすべてを示すものではなく，図自体の解説は加えていない．

1. 鼻副鼻腔

a. 正常例(CT)

	鼻副鼻腔 CT
所見	・副鼻腔の発達は正常．なお，前頭洞の発達は不良(正常変異)． ・鼻副鼻腔の含気は良好であり，異常軟部濃度を認めない．両側 OMU 開存性は保たれている． ・篩板，眼窩骨壁は保たれている．その他，有意な正常変異の所見なし． ・左側に向かう軽度鼻中隔弯曲あり．
診断	正常鼻副鼻腔 CT
キー画像	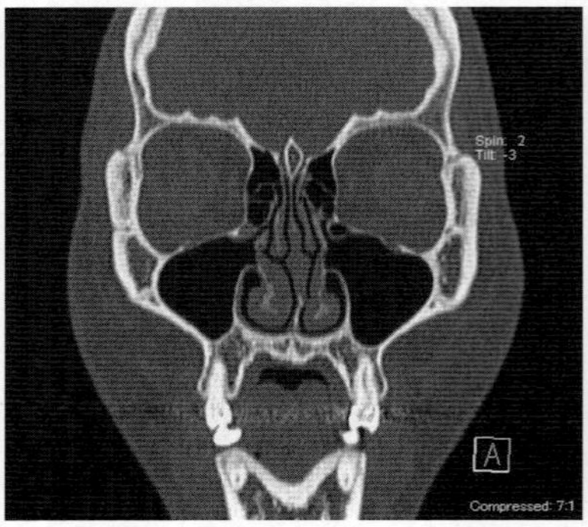 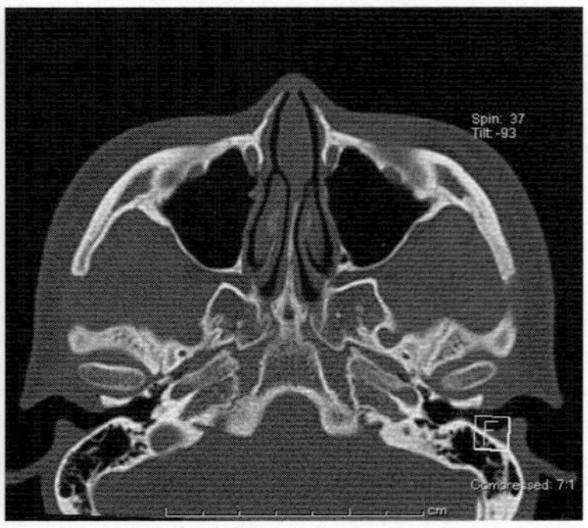

b. 慢性鼻副鼻腔炎(CT)

	鼻副鼻腔 CT
所見	・副鼻腔の発達は正常． ・両側の上顎洞，篩骨洞，前頭洞および鼻腔にびまん性軟部濃度肥厚を認め，慢性鼻副鼻腔炎を示す．積極的に好酸球性副鼻腔炎によるアレルギー性ムチンを示す淡い高濃度領域の混在なし．右鼻腔ポリープあり．両側 OMU 開存性は明らかでない． ・粘液瘤の形成なし． ・篩板低位なし．眼窩骨壁は保たれている．その他，有意な正常変異の所見なし． ・左側に向かう高度の鼻中隔弯曲あり．下鼻甲介頸部の粘膜との接触あり．
診断	慢性鼻副鼻腔炎(鼻腔ポリープあり)
キー画像	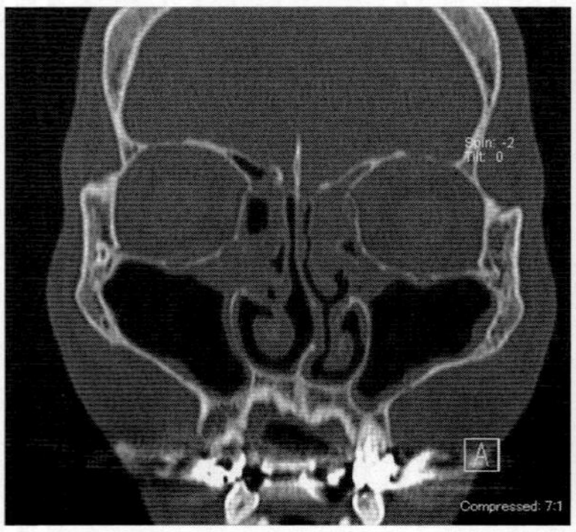 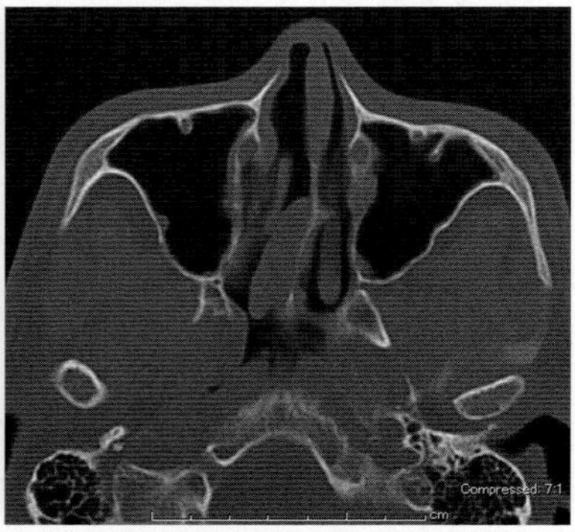

c. 歯性上顎洞炎(CT)

	鼻副鼻腔 CT
所見	・副鼻腔の発達は正常． ・左上顎洞をほぼ占拠する軟部濃度肥厚を認め，片側性副鼻腔炎に一致する．洞骨壁の粗造な硬化・肥厚がみられ，長期にわたる炎症を反映する．根管治療後の左上顎第 2 大臼歯には periapical disease を示す歯根周囲の歯槽骨吸収あり．同病変と上顎洞下壁との骨は欠損を示し，歯性上顎洞炎を支持する．CT で確認可能な菌球形成，閉塞性腫瘍の所見はみられない． ・その他の鼻副鼻腔領域の含気は良好．右 OMU 開存性は保たれている．

所見	・篩板，眼窩骨壁は保たれている．その他，有意な正常変異の所見なし． ・有意な鼻中隔弯曲なし．
診断	左片側性副鼻腔炎(左上顎第 2 大臼歯を原因歯とする歯性上顎洞炎)
キー画像	

d. 上顎洞癌

	鼻副鼻腔領域 MRI
所見	・副鼻腔の発達は正常範囲． ・左上顎洞を中心とする浸潤性破壊性腫瘤を認め，上顎洞癌に一致する．頭側は眼窩下壁を越えた左眼窩内へ進展，眼窩内容を圧排する．眼窩内脂肪との境界は鮮明で，下直筋周囲の脂肪層も保たれており，眼窩骨膜下への進展にとどまると思われる(眼窩骨膜自体への浸潤の否定は困難)．眼窩尖部への進展なし． 尾側での上顎骨歯槽突起や硬口蓋の破壊，口腔への進展なし． 後側方で上顎洞壁は保たれており，翼口蓋窩，頬間隙，側頭下窩への進展を認めない． 前方は表情筋深部において頬部軟部組織(SMAS 深部の preantral fat pad)への洞外進展を示す．同部は眼窩下神経(V2)領域への浸潤に相当するが，翼口蓋窩，正円孔など，V2 本幹に沿った中枢側に向かう神経周囲進展の所見なし． 内側では左鼻腔から篩骨洞下部への進展あり．嗅裂深部への進展，篩板や篩板側壁など，頭蓋底との接触なし．鼻中隔に広範に隣接するが，これを越えた対側への進展はみられない．鼻腔病変の前方での鼻前庭，後方での後鼻孔を介した上咽頭への進展なし．前頭洞，蝶形骨洞への腫瘍進展なし．左前頭洞は二次性閉塞性変化を示すが，粘液瘤の形成はみられない． MRI 上，T4a 病変に相当する． ・対側の鼻副鼻腔には壁に沿ったびまん性粘膜肥厚あり．慢性鼻副鼻腔炎が示唆される． ・右側に向かう軽度鼻中隔弯曲あり． ・撮像範囲において，Rouvière リンパ節，顔面リンパ節病変なし．
診断	左上顎洞癌(MRI 上，眼窩進展による T4a 病変に相当)
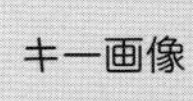	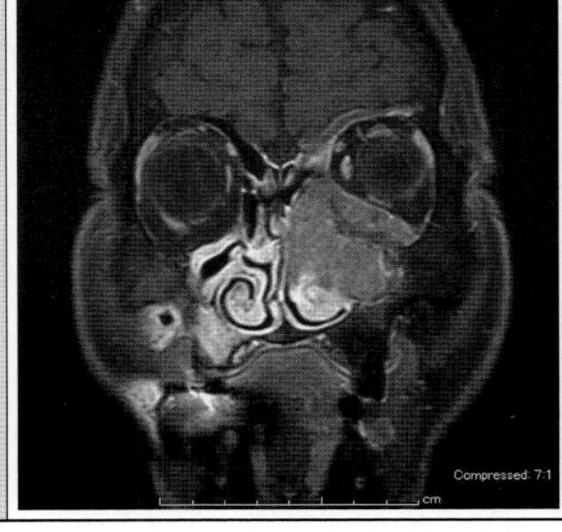 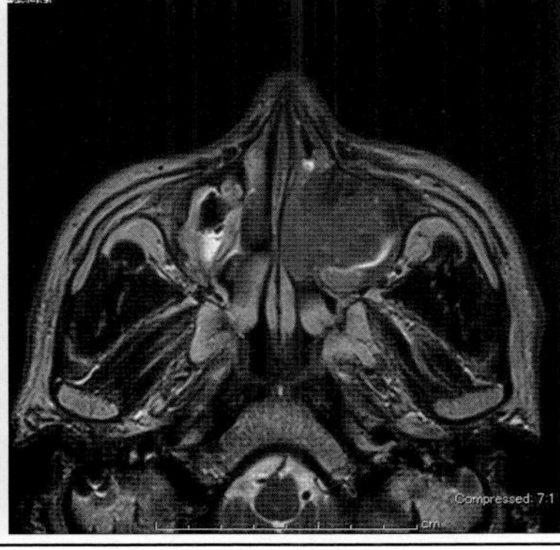

2. 上咽頭

a. 上咽頭癌

	頭頸部 MRI
所見	・上咽頭右側壁，Rosenmüller 窩を中心とする浸潤性腫瘤を認め，上咽頭癌に一致する． 前方は右側の耳管隆起から耳管咽頭口に及ぶが，後鼻孔を介した鼻腔への進展なし．眼窩，翼口蓋窩，副鼻腔進展の所見なし． 側方で口蓋帆挙筋に沿って傍咽頭間隙に進展あり．V3 の走行する外側翼突筋後面に接し，これを外側前方に圧排する． 後側方では Rouvière リンパ節領域から頸動脈周囲(頸動脈鞘)に達する．後方では右側の頸長筋から斜台への進展あり． 内側は後壁ほぼ正中にとどまり，左側壁への進展なし． 頭側では右破裂孔周囲を中心として，右錐体尖部，斜台への頭蓋底浸潤を示し，さらに右海綿静脈洞への頭蓋内進展を示す．一部は右 V3 に沿った中枢側への神経周囲進展による変化を反映すると思われる． 尾側での中咽頭右側壁への進展はみられない． MRI 上，T4 病変に相当する． ・既述の右 Rouvière リンパ節領域への進展に加えて，両側レベルⅡに複数の転移リンパ節を認める．いずれも辺縁平滑，境界明瞭な類円形病変で内部不均一性はみられない．MRI 上，N2 に相当する．
診断	上咽頭癌(MRI 上，T4N2 病変に相当)
キー画像	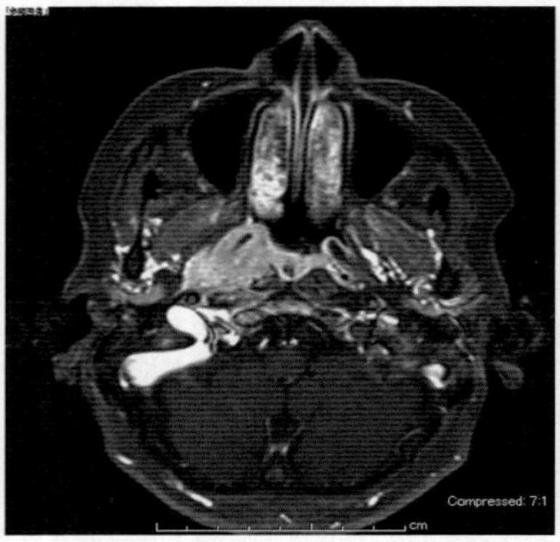 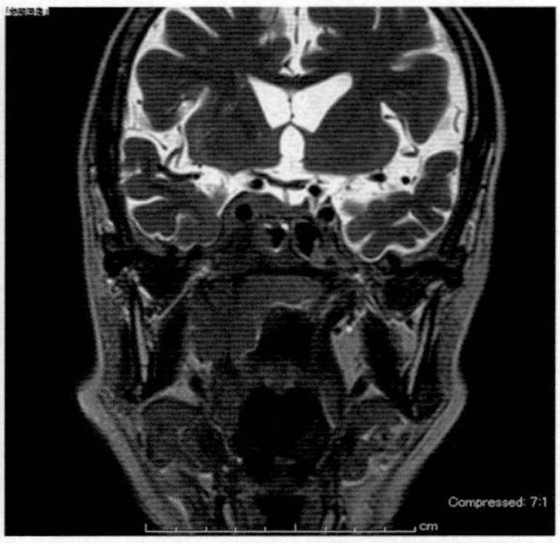 Compressed: 7:1　cm　Compressed: 7:1　cm

3. 口　腔

a. 舌　癌

	頭頸部 MRI
所見	・左舌縁(舌可動部)に最大横断径約 2.8 cm の浸潤性腫瘤を認め，既知の舌癌に一致する． 前方は舌尖の後方約 2 cm で下顎左第 2 小臼歯に接するレベルに及ぶが，舌尖部への進展なし． 後方は第 3 大臼歯に接するレベルから舌扁桃溝前縁に近接するが，舌扁桃溝自体あるいは舌根への進展はみられない． 尾側で左外側口腔底上縁に及ぶが舌下間隙への深部組織浸潤はみられない． 舌基質への最大深達度は 1 cm 強であり，同側の茎突舌筋・舌骨舌筋への浸潤を示す．オトガイ舌筋への浸潤なし．正中への到達，対側への進展なし．側方での下顎骨浸潤の所見なし．MRI 上，(外舌筋浸潤により)T4a 病変に相当する． ・左レベル IB に正常大であるが内部不均一性(focal defect)を示すリンパ節を認め，頸部転移に一致する．辺縁は平滑，境界明瞭であり節外進展の所見はみられない．その他，対側頸部，Rouvière リンパ節を含め，明らかな頸部転移病変の所見なし．MRI 上，N1 に相当する．
診断	舌癌(左舌縁：MRI 上，T4aN1 に相当)

キー画像	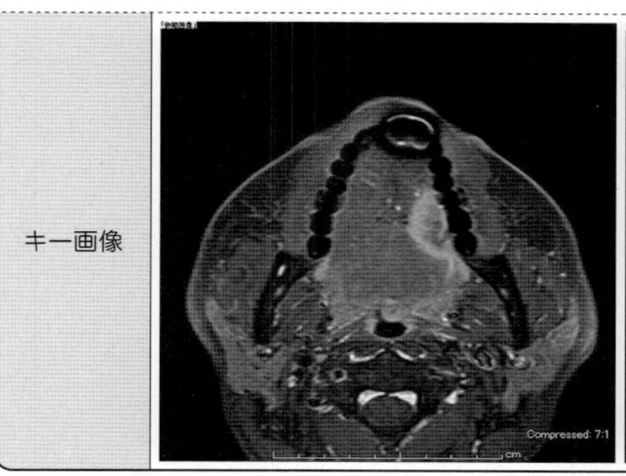 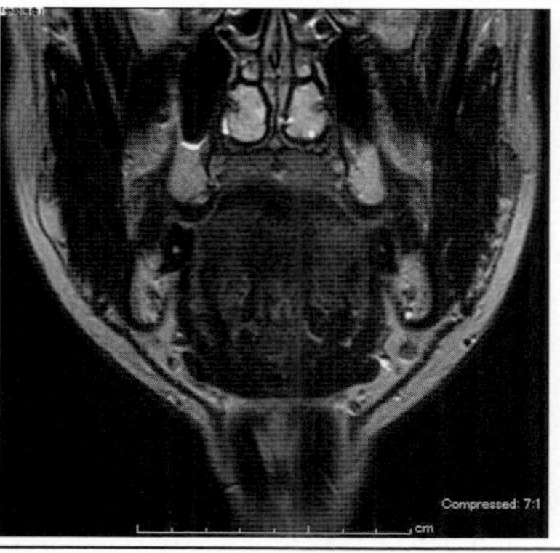

b. 舌癌術後

	頭頸部 MRI
所見	・左舌縁の舌癌(T2)に対する舌部分切除術後(6ヵ月). 筋皮弁による再建術後. ・皮弁前縁の前口腔底左傍正中に最大横断径約 2.2 cm の腫瘤を認め, 皮弁辺縁再発に一致する. 前方は前口腔底正中に及ぶが, 明らかな対側進展なし. 同側のオトガイ舌筋前方を外側から圧排するが同筋への明らかな浸潤なし. 側方では下顎骨左体部舌側に広範に接するが, 明らかな顎骨浸潤なし. オトガイ下・顎下部軟部組織への進展なし. MRI 上, rT2 に相当する. ・左頸部郭清術後. 右(対側)レベル IB に 2 cm 弱の頸部再発あり. 辺縁は平滑であるが, 境界は不明瞭であり節外進展を示唆する. 頭側で下顎骨右体部下面に接し, 皮質への限局性浸潤の可能性あり. 内側は顎舌骨筋下面と接し, 同筋への固定の可能性あり. 後方は顎下腺浅部前面に接する. 頸動脈浸潤なし. 頸部下部, 患側頸部, Rouvière リンパ節病変なし. MRI 上, rN2c に相当する.
診断	舌癌術後再発(局所再発および頸部再発:rT2rN2c に相当)
キー画像 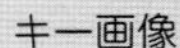	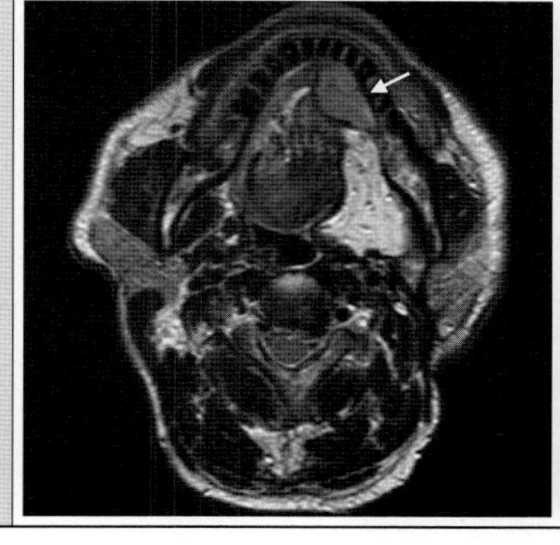 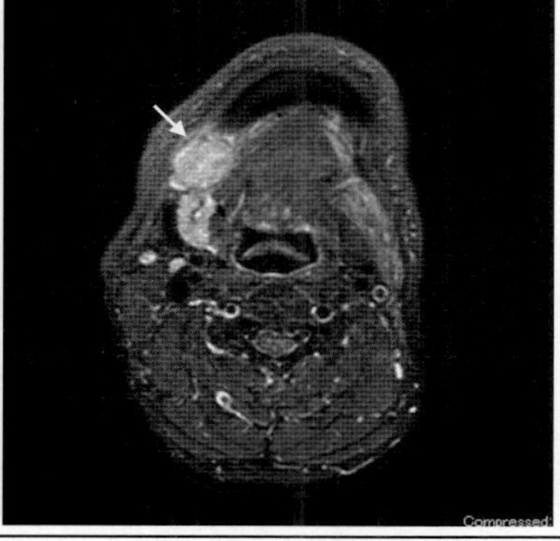

4. 中咽頭

a. 扁桃周囲膿瘍

	頭頸部 CT
所見	・腫大した左口蓋扁桃内の外側に偏在する不整形の低濃度(液体濃度)領域を認め, 扁桃周囲膿瘍に一致する. 側方に隣接する傍咽頭間隙の脂肪は保たれており, 同間隙への進展による深頸部膿瘍の形成はみられない. 軟部組織腫脹は尾側では扁桃下極からさらに左外側咽頭喉頭蓋ひだ, 左梨状窩側壁に及ぶが, 有意な気道狭窄はみられない. 原因としての異物(魚骨など)は同定されない. ・化膿性リンパ節炎の所見なし. 同側の上内深頸リンパ節は軽度腫大と増強効果亢進を示し, 反応性リンパ節の所見に相当する. ・頸静脈の血栓性静脈炎の所見なし. ・その他, 著変なし.
診断	左側扁桃周囲膿瘍(深頸部膿瘍, 化膿性リンパ節炎, 有意な気道狭窄なし)

キー画像	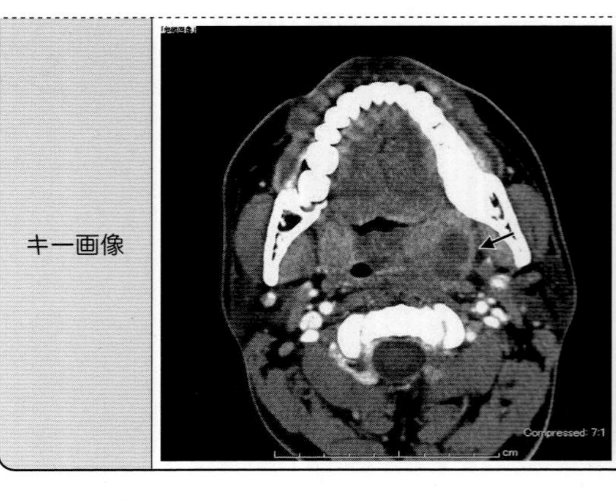 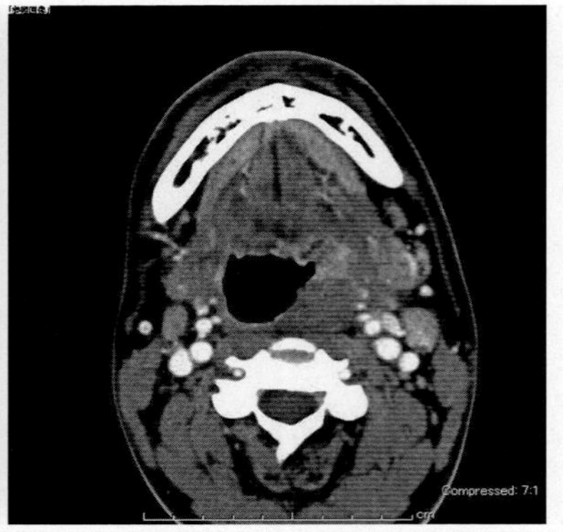

b. 舌根癌(HPV 陰性)

	頭頸部・胸部 CT
所見	・舌根左側を中心として最大横断径約 3.2 cm の浸潤性腫瘤を認め，舌根癌に一致する．潰瘍形成を伴う． 内側は正中を最大で 0.5 cm 越えて舌根右側への進展あり．側方(左側)では舌根左外側縁から舌扁桃溝に及ぶが，中咽頭左側壁への進展はみられない． 前方では内舌筋(superior longitudinal muscle)，さらに左側のオトガイ舌筋への浸潤を示す．舌骨舌筋は病変により側方に圧排されるが，浸潤は明らかでない． 頭側は舌根と舌背との移行部に及ぶ．尾側は左喉頭蓋谷底部への進展を示すが，舌骨喉頭蓋靱帯(hyoepiglottic ligament)を越えた喉頭蓋前間隙浸潤の所見なし．後方では舌骨上喉頭蓋咽頭面に進展を示すが，同喉頭面，舌骨下喉頭蓋への進展はみられない． CT 上，(外舌筋浸潤により)T4a 病変に相当する． ・左側(患側)のレベルⅡ，Ⅲ，右側(対側)のレベルⅡに頸部転移を認める．最大は左レベルⅡ病変で最大横断径約 2.2 cm，最小横断径約 2.0 cm．いずれも辺縁平滑，境界明瞭で節外進展，頸動脈浸潤の所見なし．左レベルⅡ病変により左内頸静脈は側方より一部で圧排を受けるが，開存性は保たれる．CT 上，N2c に相当する． ・口腔，咽喉頭に synchronous second primary cancer を示唆する組織肥厚・腫瘤，浸潤性病変の所見なし． ・明らかな肺転移，原発性肺癌の所見なし．肺気腫の所見あり．縦隔，肺門リンパ節病変なし．胸水なし．
診断	舌根癌(T4aN2c に相当)
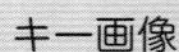キー画像	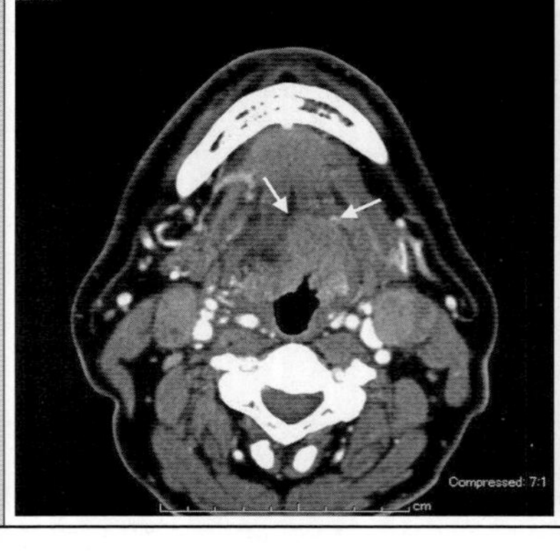 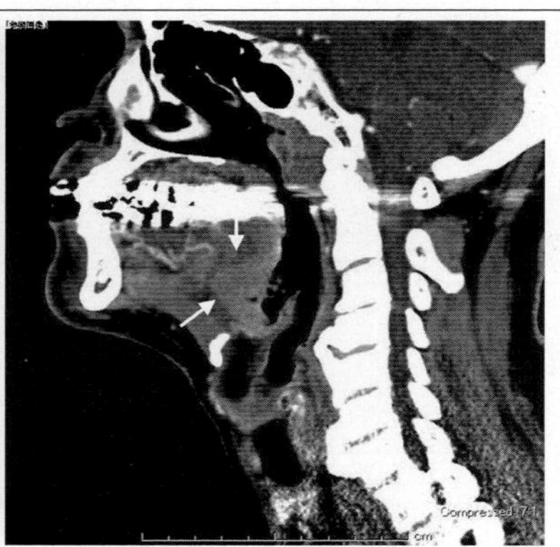

c. 扁桃癌術後

	頭頸部・胸部 CT
所見	・左扁桃癌(T2N2b)に対する pull-through 法による中咽頭左側壁切除後 1 年．筋皮弁による再建後．皮弁後縁に最大横断径約 2.3 cm の限局性軟部濃度領域を認める．術後 7 ヵ月の前回 CT では認められず，皮弁辺縁再発に一致する．後方で椎前筋に浸潤，隣接する左頸動脈を取り囲み，encasement を示す．切除不可と判断される．rT4b に相当する．

所見	・左頸部郭清術後．明らかな頸部再発なし．ただし，術後の左頸動脈鞘周囲組織層不明瞭化があり，経過観察が望まれる．対側頸部，Rouvière リンパ節病変なし． ・明らかな肺転移，原発性肺癌の所見なし．右肺 S2 の結節は術前 CT から変化なし．肺気腫の所見あり．縦隔，肺門リンパ節病変なし．胸水なし．
診断	左扁桃癌に対する術後および皮弁辺縁再発(rT4brN0)
キー画像	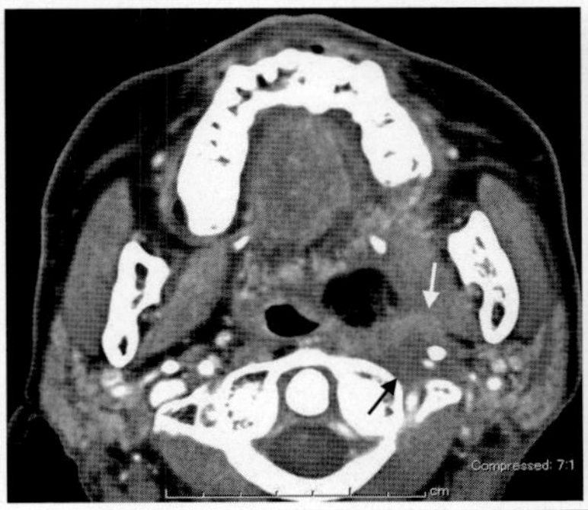 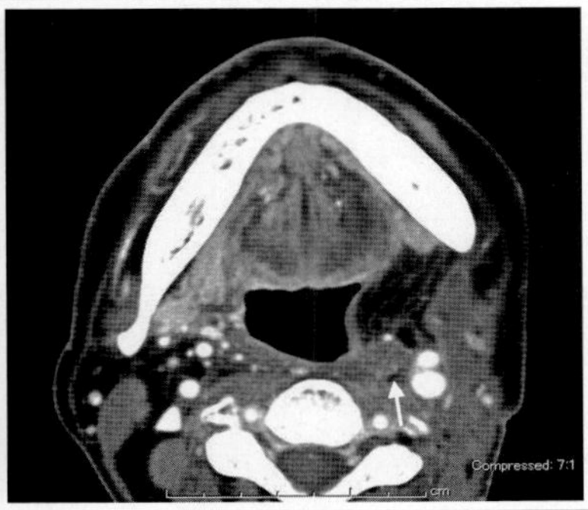

5. 喉　頭

a. 喉頭癌

	頭頸部・胸部 CT
所見	・喉頭，左声帯の中 1/3 を中心として不整な肥厚および軽度の増強効果亢進がみられ，既知の声門癌(左声帯癌)に一致する． 横断方向の進展範囲として，前方は前交連に近接するが，同部あるいは対側への進展はみられない．後方での披裂軟骨内側から披裂間部(後交連)への進展なし．深部では病変領域を中心として傍声帯間隙の脂肪層消失がみられ，同間隙浸潤が示唆される．甲状軟骨の明らかな硬化，破壊など，軟骨浸潤の所見はみられない．左披裂軟骨はごく軽度の硬化を示すが，腫瘍との明らかな隣接はなく，病的意義は乏しいと思われる． 頭尾側方向の進展として，頭側では声帯上面から喉頭室への進展を示すが，仮声帯など，声門上喉頭への経声門進展の所見なし．尾側では声帯下面から声門下喉頭移行部レベルにとどまり，明らかな声門下進展の所見なし．CT 上，(傍声帯間隙浸潤により)T3 病変に相当する． ・左側(患側)レベルⅢに軽度腫大(最大横断径約 1.8 cm，最小横断径約 1.2 cm)，focal defect を示すリンパ節を認め，頸部転移を示す．辺縁は平滑であるが，境界はやや不明瞭で軽度節外進展の可能性あり．明らかな頸動脈浸潤の所見なし．対側頸部，Rouvière リンパ節病変なし．CT 上，N1 に相当する． ・明らかな肺転移，原発性肺癌の所見なし．肺気腫の所見あり．縦隔，肺門リンパ節病変なし．胸水なし．
診断	声門癌(左声帯癌：T3N1 に相当)
キー画像	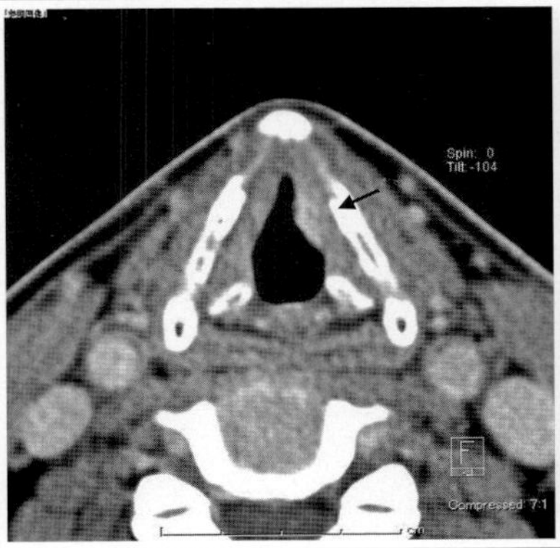 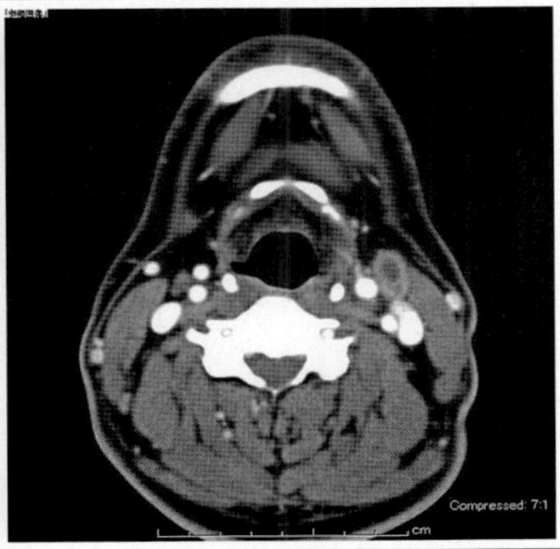

b. 声帯麻痺(反回神経麻痺)

	頭頸部・胸部 CT
所見	・喉頭に(声帯の可動制限を来すような)明らかな腫瘤，浸潤性病変を認めない．左披裂軟骨の内側前方への偏位，左喉頭室拡大，左声帯筋の萎縮(脂肪浸潤による濃度低下)がみられ，左反回神経麻痺による変化を反映する． ・大動脈弓には外側に突出する最大径約 5.8 cm の大動脈瘤を認め，壁在血栓を伴う．左反回神経の走行経路に一致，原因と考えられ，Ortner's syndrome(cardiovocal syndrome)に一致する． ・その他，左頸静脈孔，頸動脈鞘，気管食道溝などを含め，左反回神経走行経路に一致した器質的異常を認めない．甲状腺の有意な腫大，占拠性病変を認めない． ・その他，著変なし．
診断	大動脈弓部の大動脈瘤に起因する左反回神経麻痺(Ortner's syndrome)
キー画像	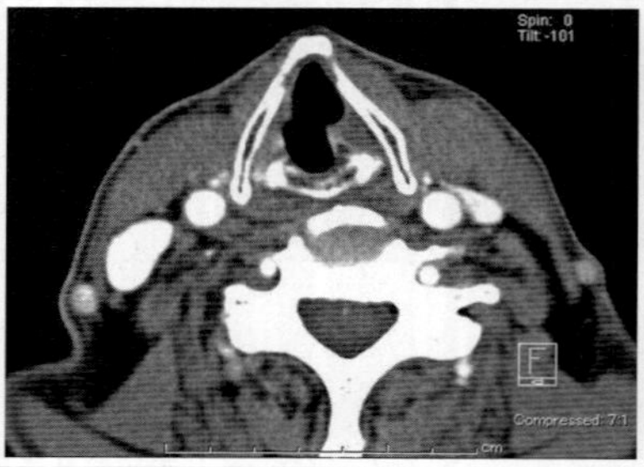 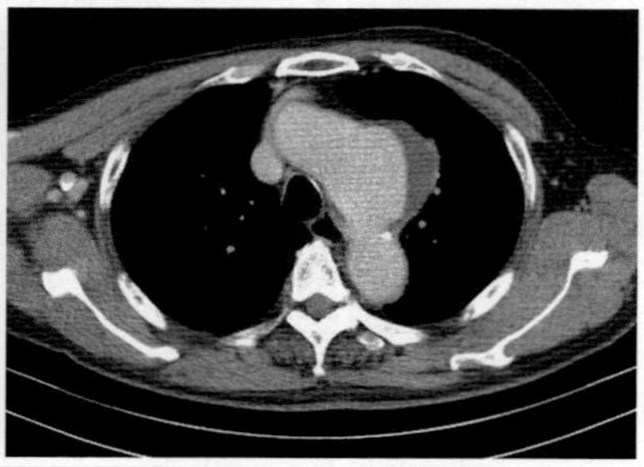

6. 下咽頭

a. 下咽頭癌

	頭頸部・胸部 CT
所見	・下咽頭，右梨状窩を中心とする，最大横断径約 3.2 cm の浸潤性腫瘤を認め，下咽頭癌(右梨状窩癌)に一致する． 頭尾側方向の進展範囲として，頭側では右外側咽頭喉頭蓋ひだから最大で舌骨体部より 1.2 cm 頭側の中咽頭右側壁下部への進展を示す． 尾側では声門レベルで最大横断径約 1.6 cm の腫瘤を形成，さらに声門より 1.2 cm 尾側の梨状窩尖部方向への進展を示すが，尖部下端(輪状軟骨下縁レベル)の 0.6 cm 頭側にとどまる． 横断方向の進展範囲として，右梨状窩の内側壁，前壁，外側壁をびまん性に侵し，さらに右梨状窩に対する咽頭後壁右側への進展を示す．咽頭後壁病変は最大で正中の約 0.9 cm 右側にとどまり，正中，対側への進展はみられない．側方で甲状舌骨膜を越えた右前頸部(筋性三角)軟部組織への進展を示す．右総頸動脈内側に接するが，最大接触角度は 120 度程度であり，積極的に頸動脈浸潤を示す所見ではない． 前方では仮声帯から声門レベルで右傍声帯間隙の後方 1/2 への進展あり．一部は thyroarytenoid gap を介する．甲状軟骨右側板後縁の破壊がみられ，軟骨浸潤を示す．腫瘍容積の概算は 12 cm^3 と比較的高容積病変である．CT 上，(頸部軟部組織浸潤，甲状軟骨浸潤により)T4a 病変に相当する． ・右側(患側)のレベルⅡ，Ⅲに数個の頸部転移を認める．最大は右レベルⅡ病変で最大横断径約 2.2 cm．明らかな節外進展の所見なし．これらの一部は頸動脈鞘外側に隣接するが，頸動脈浸潤の所見なし．Rouvière リンパ節，対側頸部病変の所見なし．CT 上，N2b に相当する． ・明らかな肺転移，原発性肺癌の所見なし．肺気腫の所見あり．縦隔，肺門リンパ節病変なし．胸水なし．
診断	右梨状窩癌(CT 上，T4aN2b に相当)

キー画像	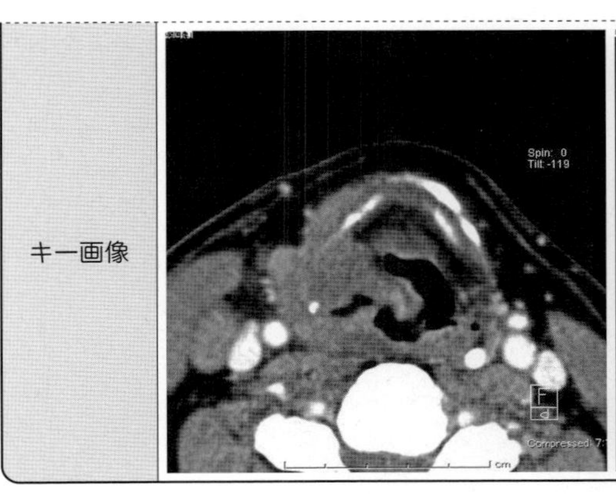 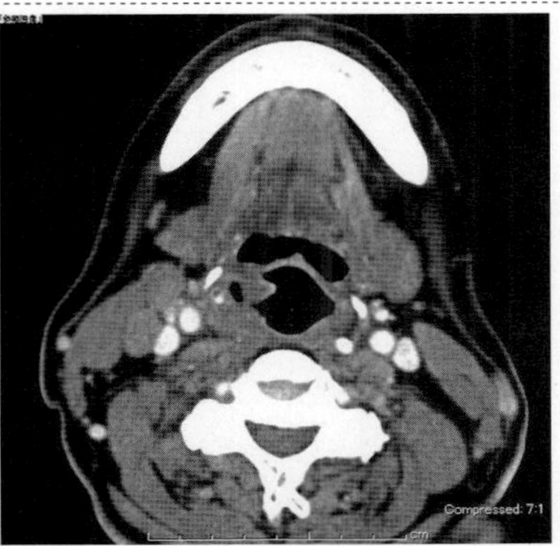

b. 下咽頭癌化学放射線治療後

	頭頸部・胸部 CT
所見	・下咽頭癌(右梨状窩癌：T3N2b)に対する CRT 終了 3 ヵ月後. ・右梨状窩を中心とする限局性浸潤性軟部濃度病変を認め，既知の右梨状窩癌治療後病変に一致する．治療前の前回 CT との比較において最大横断径で約 3.0 cm から約 1.6 cm へと縮小を示す．軟骨の進行性破壊や新たな硬化所見なし．必ずしも local failure を示すものではなく，局所制御可否の判断にはさらに経時的評価を要する． 現時点での軟部濃度病変の範囲としては，頭側では外側咽頭喉頭蓋ひだに及ぶが，中咽頭への進展なし．尾側はほぼ声門レベルにとどまり，梨状窩尖部への進展なし．右梨状窩の側壁を中心として，(右梨状窩に対する)咽頭後壁右側への限局性進展あり．甲状軟骨の硬化，破壊の所見なし．頸部軟部組織進展の所見なし． ・治療前 CT で頸部転移を認めた右レベルⅡ・Ⅲ病変は縮小，有意な腫大を示す頸部病変としての残存は認められない． ・metachronous second primary cancer の所見なし． ・明らかな肺転移，原発性肺癌の所見なし．肺気腫の所見あり．縦隔，肺門リンパ節病変なし．胸水なし．
診断	右梨状窩癌 CRT 後(CT 上，PR に相当：局所制御可否の判断にはさらに経過観察を要する)
キー画像	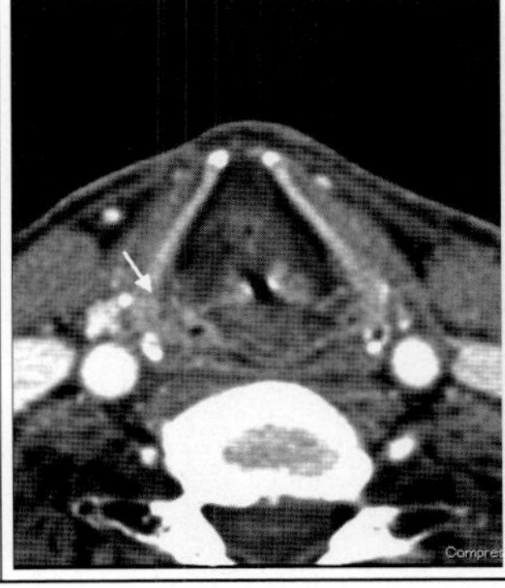 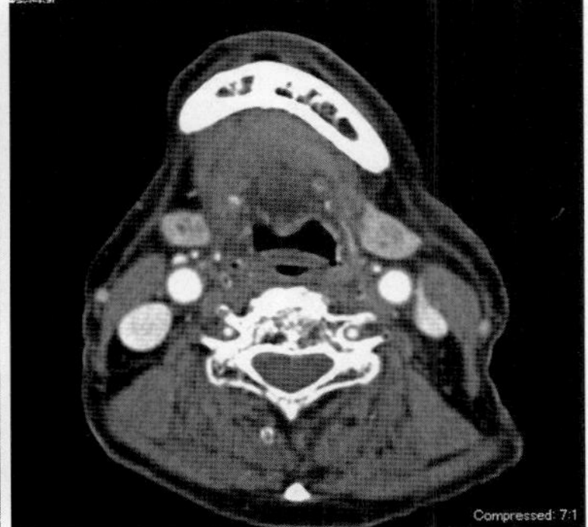

7. 側頭骨

a. 正常例(伝音難聴)

	側頭骨 CT
所見	・鼓室の発達は正常範囲．鼓室の含気は，耳管鼓室口，卵円窓窩，正円窓窩，鼓室洞を含めて保たれ，異常軟部濃度や(鼓室硬化症を示唆する)石灰化濃度は指摘されない．鼓室天蓋，顔面神経管下行部の骨壁は保たれる． ・耳小骨の形状・連鎖は保たれ，耳小骨離断，耳小骨奇形の所見なし． ・耳硬化症の所見なし． ・内耳の形状・内部濃度は保たれている．

所見	・乳突洞および蜂巣の発達は良好で，含気も保たれている．蜂巣壁，外側皮質，天蓋，S 状静脈洞溝の骨は保たれている． ・内耳道の有意な拡大や狭小化はみられない．
診断	正常側頭骨 CT
キー画像	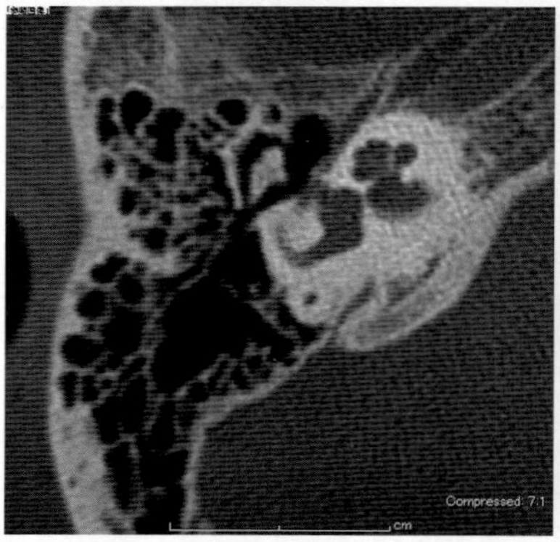 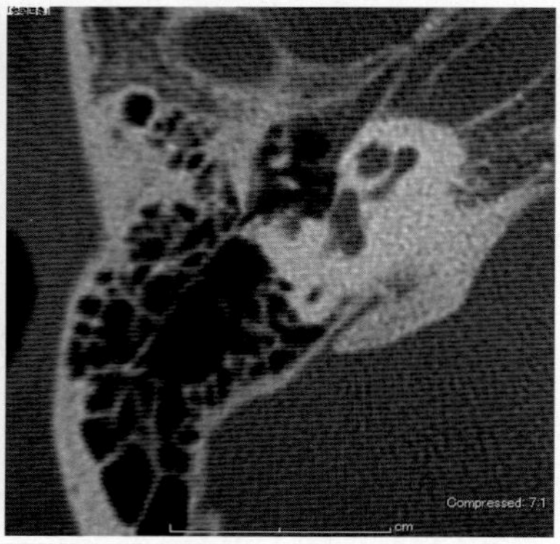

b. 中耳真珠腫

	側頭骨 CT
所見	・鼓室の発達は正常範囲．鼓室には上鼓室で耳小骨外側を中心に軟部濃度を認め，scutum（鼓室蓋）鈍化，耳小骨侵食（後述），上鼓室の外側への拡大を伴い，弛緩部型真珠腫を示唆する．鼓室洞，正円窓窩の一部に軟部濃度あり．卵円窓窩，耳管鼓室口の含気は保たれている．鼓室天蓋，顔面神経管下行部の骨壁は保たれている．鼓室硬化症を示唆する石灰化濃度なし． ・耳小骨に関しては，ツチ骨頭部，キヌタ骨体部および短脚の外側面からの侵食所見あり．アブミ骨上部構造，ツチ骨柄，キヌタ骨長脚および豆状突起は保たれている． ・内耳の形状・内部濃度は保たれている．半規管の骨壁は保たれている． ・乳突洞および発達の悪い蜂巣に軟部濃度を認める．乳突洞口の開大はみられず，積極的に真珠腫自体の同部への進展を支持する所見ではない．外側皮質，天蓋，S 状静脈洞溝の骨は保たれている． ・内耳道の有意な拡大や狭小化はみられない． ・（上咽頭の左耳管咽頭口に明らかな閉塞性病変なし．）
診断	弛緩部型真珠腫（stage Ⅱ）
キー画像	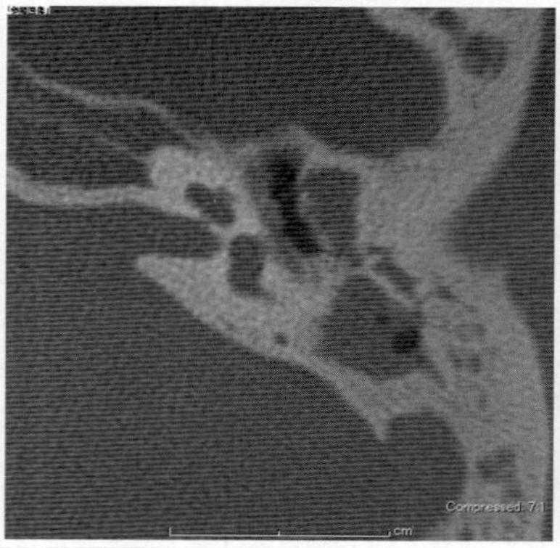 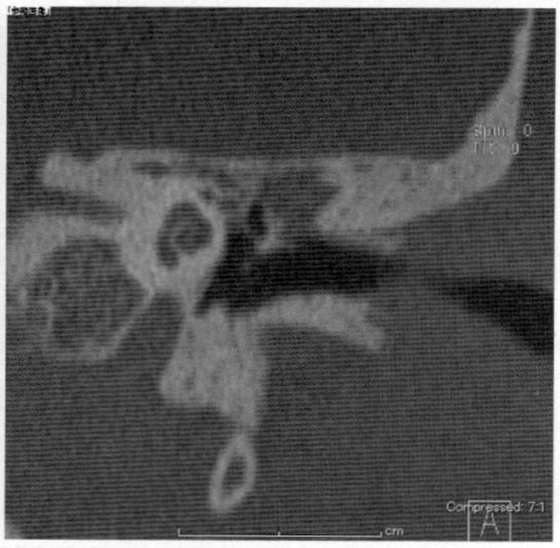

c. 側頭骨術後

	側頭骨 CT
所見	・弛緩部型真珠腫（乳突洞進展あり：stage Ⅱ）に対する canal wall-up mastoidectomy 後．乳突腔は骨パテおよびハイドロキシアパタイトによる充填後． ・上鼓室には偏在性に軟部濃度を認める．進行性骨侵食など，積極的に真珠腫再発あるいは遺残病変を支持する所見は明らかではないが，経過観察が望まれる．耳管鼓室口，卵円窓窩，鼓室洞，正円窓窩の含気は保たれている．鼓室天蓋，顔面神経下行部の骨は保たれている．

所見	・type Ⅲc tympanoplasty 後．ツチ骨柄，アブミ骨上部構造は正常に残存．columella の脱臼・偏位の所見なし． ・内耳の形状・内部濃度は保たれている．半規管の骨壁は保たれている． ・内耳道の有意な拡大や狭小化はみられない．
診断	status post type Ⅲc tympanoplasty with canal wall-up mastoidecomy
キー画像	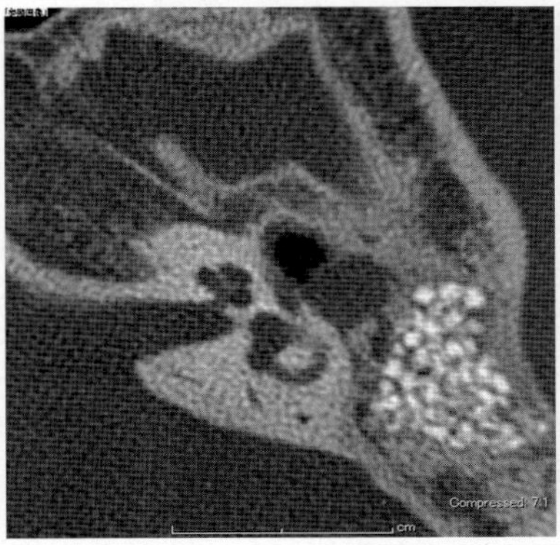 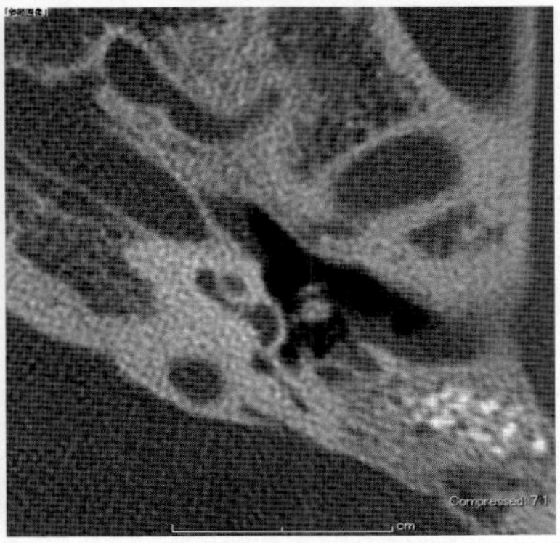

d. 正常例（感音難聴）

	側頭骨 CT
所見	・蝸牛の軸形成，回転数は正常．前庭，半規管の拡大・癒合の所見なし．前庭水管の拡大なし．内耳の内部濃度は正常． ・耳硬化症の所見なし． ・内耳道の有意な拡大，狭窄なし． ・鼓室の発達，含気は正常．異常軟部濃度なし． ・耳小骨の形状，連鎖は保たれている． ・乳突洞・蜂巣の発達，含気は正常．
診断	内耳，内耳道の形態的異常なし．
キー画像	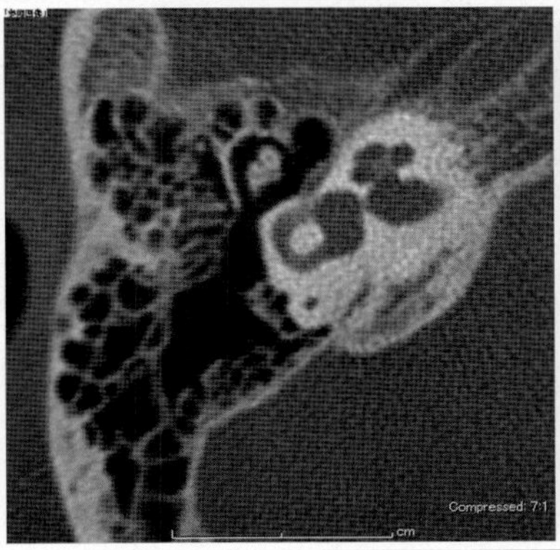 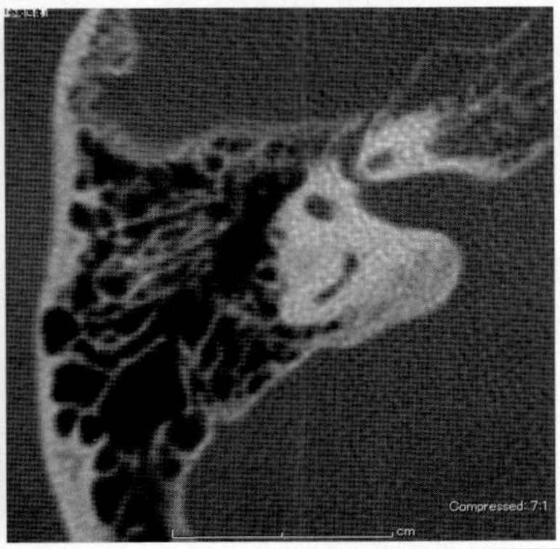

e. 感音難聴

	側頭骨 CT
所見	・前庭水管拡大を認める．蝸牛の回転数は保たれるが，蝸牛軸の描出は不良であり，形成不全を示す．前庭，半規管の拡大・癒合の所見なし． ・耳硬化症の所見なし． ・内耳道の有意な拡大，狭窄なし． ・鼓室の発達，含気は正常．異常軟部濃度なし． ・耳小骨の形状，連鎖は保たれている． ・乳突洞・蜂巣の発達，含気は正常．
診断	内耳奇形（前庭水管拡大および蝸牛軸形成不全）

キー画像	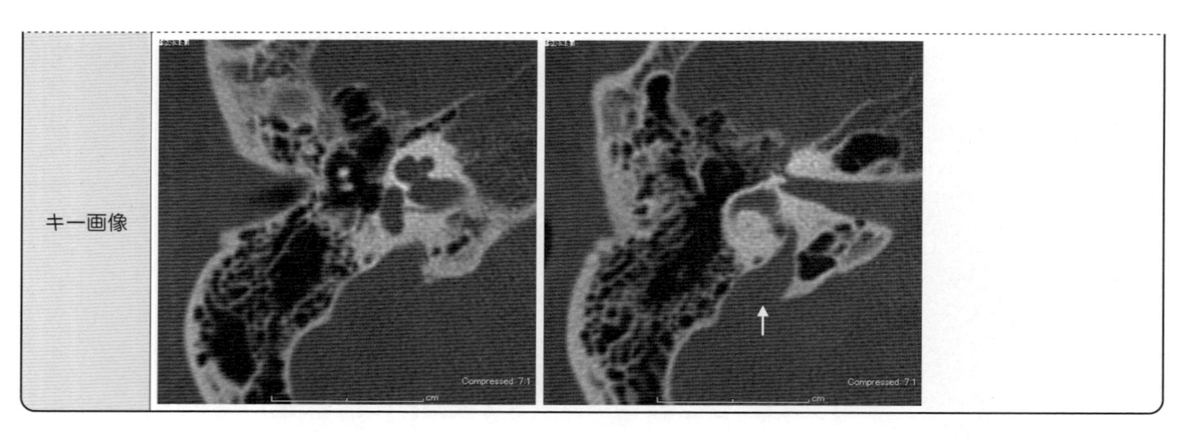

f. 聴神経腫瘍(陰性所見)

	頭部(後頭蓋窩)MRI
所見	・内耳道，小脳橋角部に明らかな占拠性病変なし. ・内耳の形状・信号強度は正常範囲. ・脳幹を含めて，撮像範囲において脳実質に異常信号領域を認めない. ・その他，著変なし.
診断	聴神経腫瘍の所見なし
キー画像	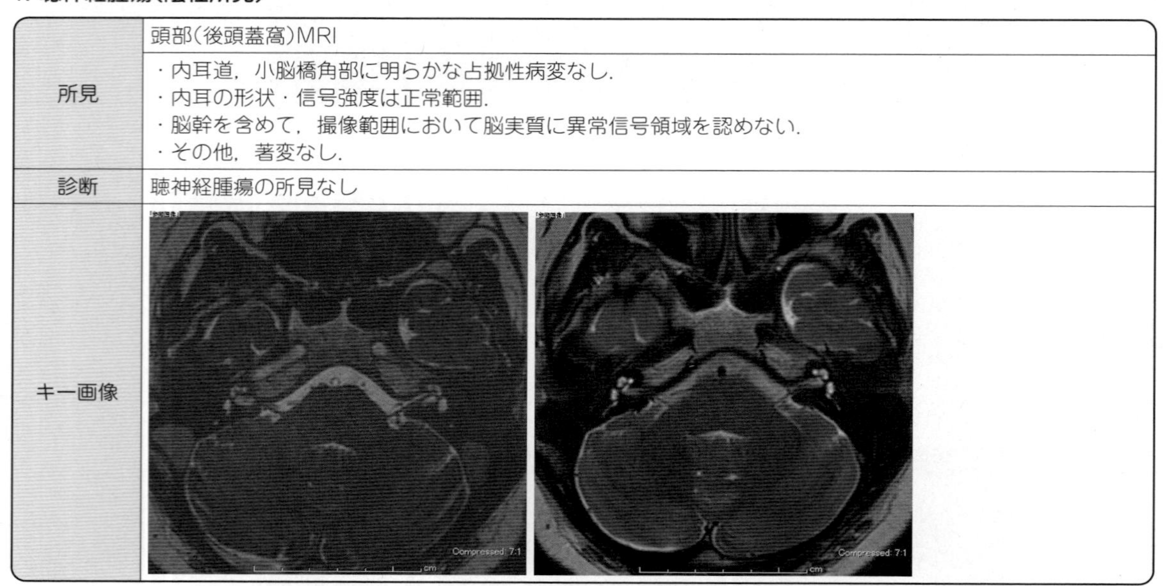

g. 聴神経腫瘍(陽性所見)

	頭部(後頭蓋窩)MRI
所見	・左内耳道を占拠，拡大する約 2.4 cm 大の腫瘤を認め，acoustic tumor に一致する. 外側は内耳道底に到達するが，内耳への連続性進展はみられない．内側は内耳孔からわずかに膨隆するが，脳幹への有意な圧排なし．病変内あるいは周囲に明らかな嚢胞形成なし. ・患側内耳の信号異常がみられ，高タンパク成分を示唆する. ・対側病変(NF-2 の所見)なし. ・脳幹を含めて，撮像範囲において脳実質に異常信号領域を認めない. ・その他，著変なし.
診断	左側聴神経腫瘍(内耳進展なし)

キー画像	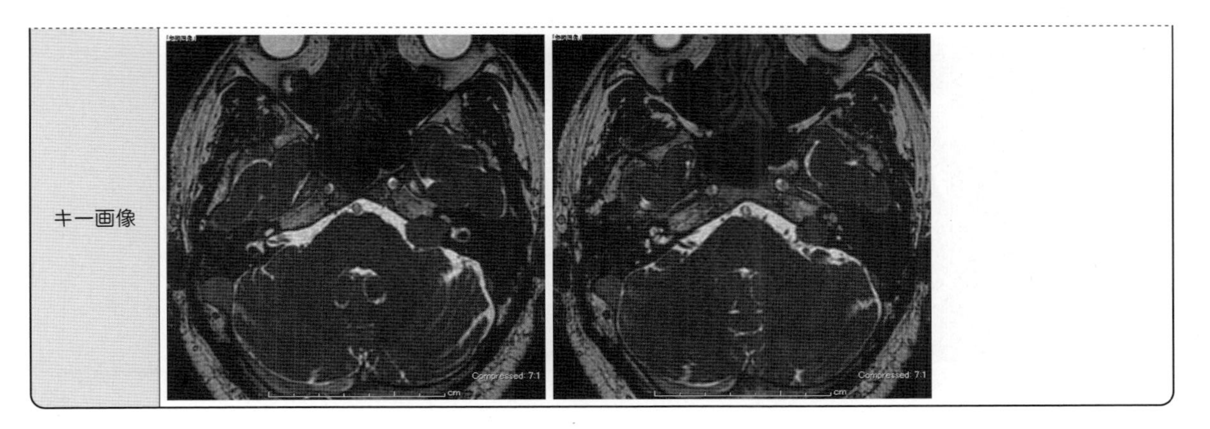

8. 唾液腺

a. 唾石症

	頭頸部 CT
所見	・右外側口腔底(舌下間隙), 右顎下腺管の走行に一致した 7 mm 大の石灰化を認め, 顎下腺管内の唾石に一致する. 口腔底開口部の約 2 cm 後方に位置する. その他, 明らかな唾石なし. ・右顎下腺は腫大とともに増強効果の亢進, 周囲脂肪の混濁, 筋膜肥厚を伴い, 上記の唾石に起因する唾液腺炎を示す. 腺内・外に明らかな膿瘍腔の形成なし. ・その他の大唾液腺, 涙腺の形態的異常なし. ・有意な頸部リンパ節病変なし. ・その他, 著変なし.
診断	右顎下腺管内唾石症
キー画像	

b. 耳下腺腫瘍

	耳下腺領域 MRI
所見	・左耳下腺浅葉内に最大横断径約 2.6 cm の境界明瞭な腫瘤を認め, 既知の耳下腺腫瘍に一致する. 病変上縁は(cartilaginous pointer を指標とする)顔面神経主幹部の解剖学的領域の約 0.4 cm 尾側に近接する. 深部は深葉にわずかに進展するが, stylomandibular notch を介した傍咽頭間隙への進展はみられない. 側方から後方にかけて, 耳下腺被膜直下に達するが, 耳下腺被膜外進展, 周囲浸潤性は認められない. 神経周囲進展の所見なし. T1 強調像では骨格筋とほぼ等信号強度, T2 強調像では辺縁は分葉状を呈し, 被膜と思われる低信号帯でほぼ囲まれ, 内部はやや不均等な高信号強度を呈する. 境界明瞭な片側性孤立性耳下腺腫瘍であり, 分葉状辺縁や内部性状(信号強度)を含め, 多形腺腫が最も考慮される. ただし, (可能性は低いが)低悪性度腫瘍の否定は困難である. 積極的に carcinoma ex pleomorphic adenoma を示唆する所見はみられない. ・Rouvière リンパ節を含め, 撮像範囲において有意なリンパ節病変なし.
診断	左耳下腺腫瘍(多形腺腫の疑い)

キー画像	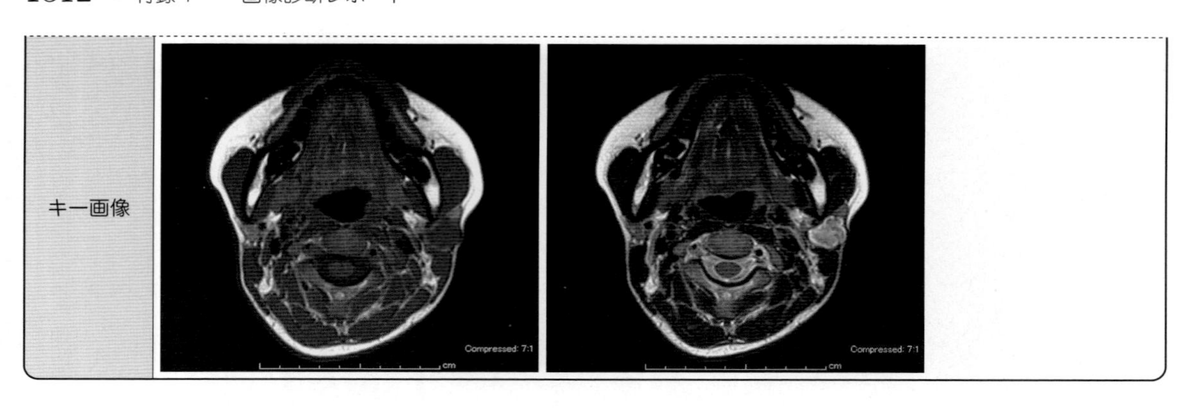

9. その他

a. 咽喉頭異常感症

	頭頸部 CT
所見	・咽喉頭に明らかな腫瘤，浸潤性病変を認めない．右口蓋扁桃に扁桃結石を認める．症状との関連は明らかでない．咽頭後壁に有意な圧排を示す頸椎骨棘形成はみられない． ・頸部食道の有意な壁肥厚，腫瘤を認めない． ・甲状腺の有意な腫大，占拠性病変を認めない． ・有意な頸部リンパ節病変なし． ・その他，著変なし．
診断	咽喉頭の病的所見なし（右口蓋扁桃の扁桃結石あり）
キー画像	

付録 2

頭頸部の正常画像解剖アトラス

A　眼窩・鼻副鼻腔（CT）

①冠状断像（骨条件表示）　前→後

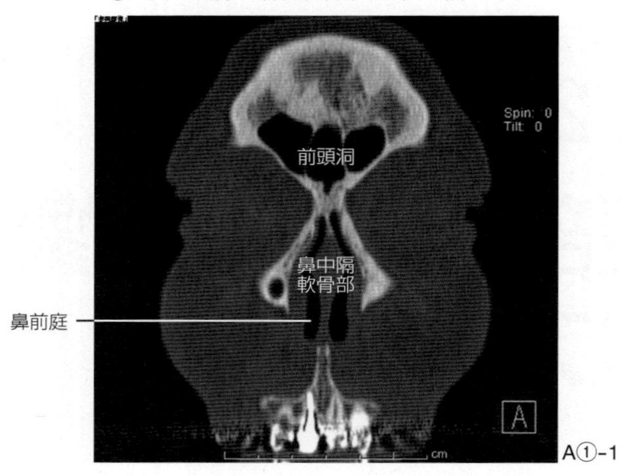

A①-1

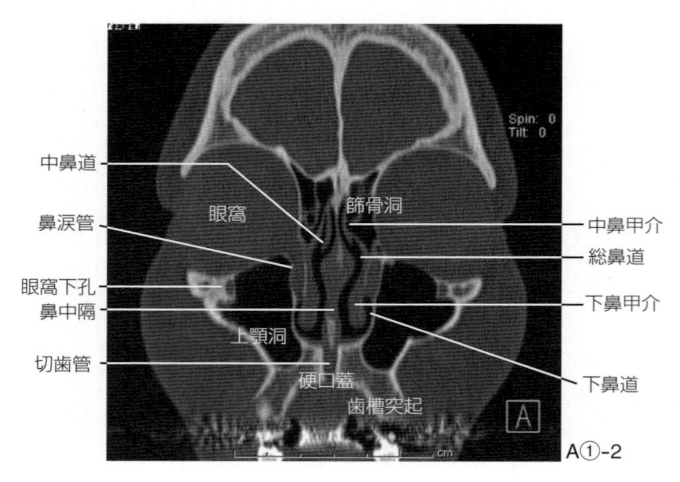

A①-2

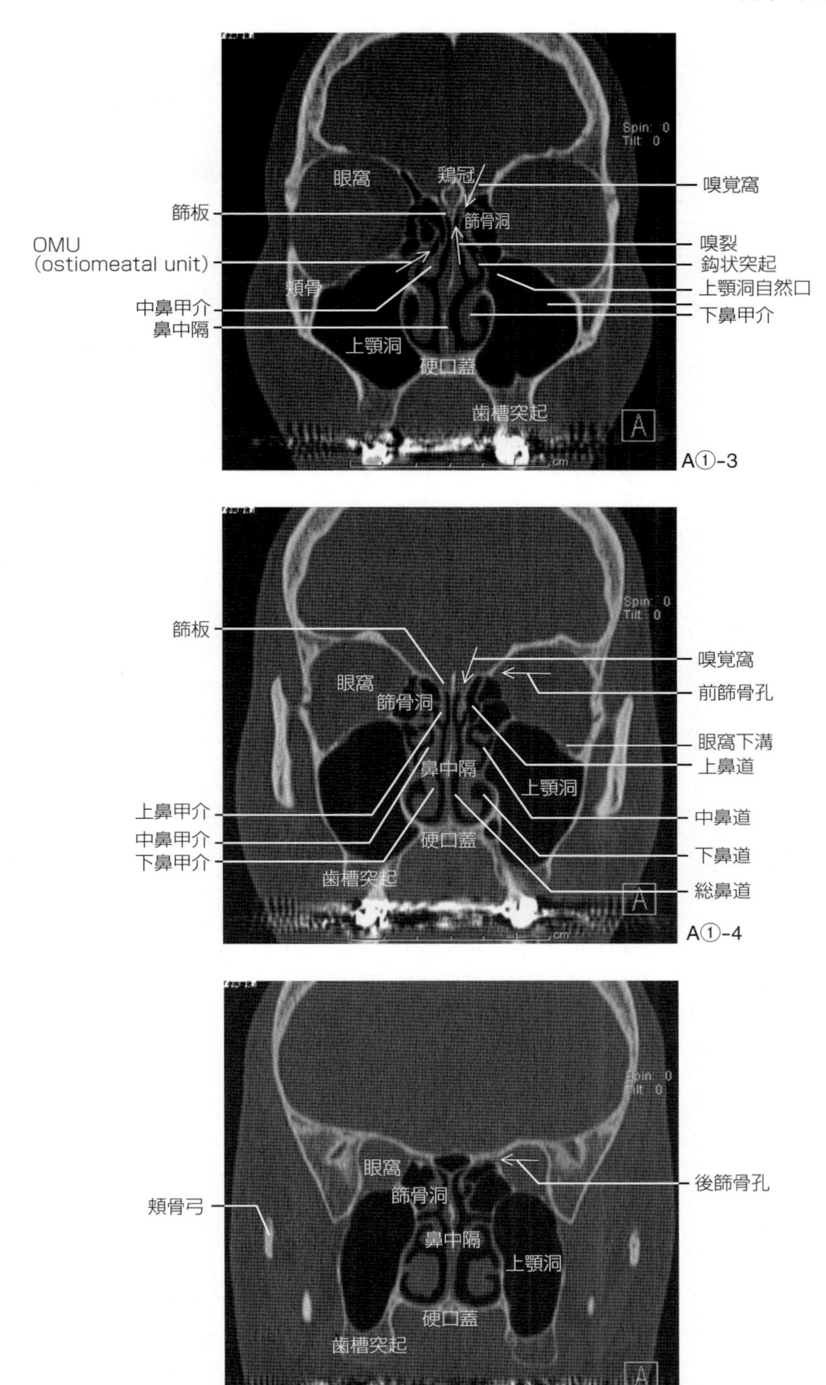
鶏冠
嗅覚窩
眼窩
篩板
篩骨洞
嗅裂
OMU
(ostiomeatal unit)
鉤状突起
頬骨
上顎洞自然口
中鼻甲介
下鼻甲介
鼻中隔
上顎洞
硬口蓋
歯槽突起
A①-3
篩板
嗅覚窩
前篩骨孔
眼窩
篩骨洞
眼窩下溝
上鼻道
鼻中隔
上顎洞
上鼻甲介
中鼻道
中鼻甲介
下鼻甲介
硬口蓋
下鼻道
歯槽突起
総鼻道
A①-4
眼窩
後篩骨孔
篩骨洞
頬骨弓
鼻中隔
上顎洞
硬口蓋
歯槽突起
A①-5

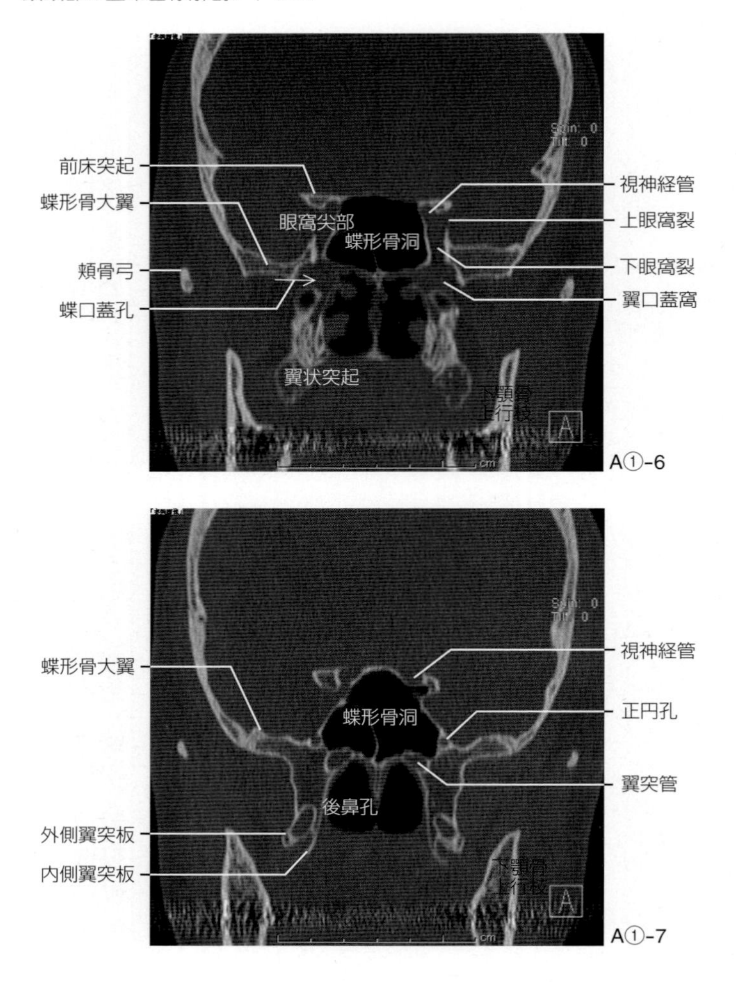
前床突起
蝶形骨大翼
頬骨弓
蝶口蓋孔
眼窩尖部
蝶形骨洞
翼状突起
視神経管
上眼窩裂
下眼窩裂
翼口蓋窩
A①-6
蝶形骨大翼
外側翼突板
内側翼突板
蝶形骨洞
後鼻孔
視神経管
正円孔
翼突管
A①-7

②冠状断像（軟部濃度表示）

Spin 0
Tilt 0
眼球(硝子体)
下斜筋
上顎洞
A
cm

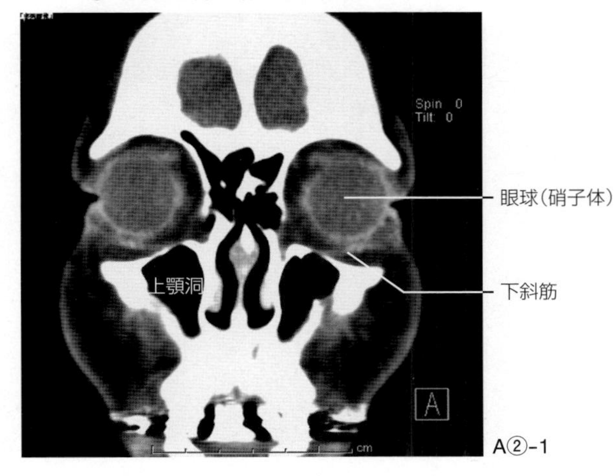

A②-1

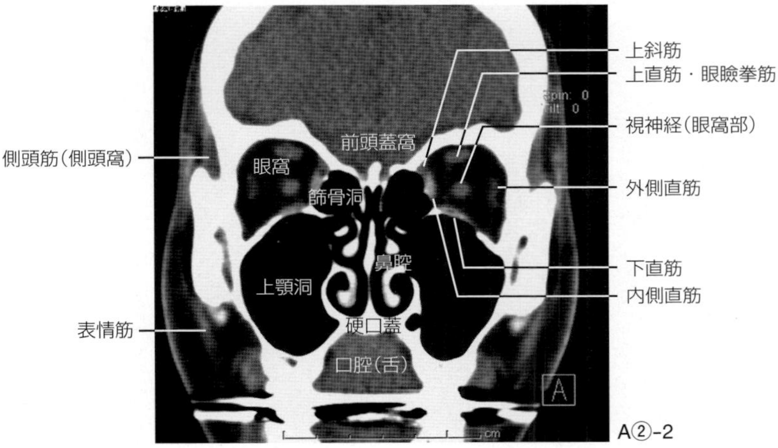

上斜筋
上直筋・眼瞼挙筋
Spin 0
Tilt 0
視神経(眼窩部)
側頭筋(側頭窩)
前頭蓋窩
眼窩
外側直筋
篩骨洞
鼻腔
上顎洞
下直筋
内側直筋
表情筋
硬口蓋
口腔(舌)
A
cm

A②-2

前床突起
視神経
上眼窩裂
側頭筋(側頭窩)
中頭蓋窩
蝶形骨洞
蝶形骨大翼
下眼窩裂
頬骨弓
後鼻孔
翼突板
咬筋
軟口蓋
口腔(舌)
A
cm

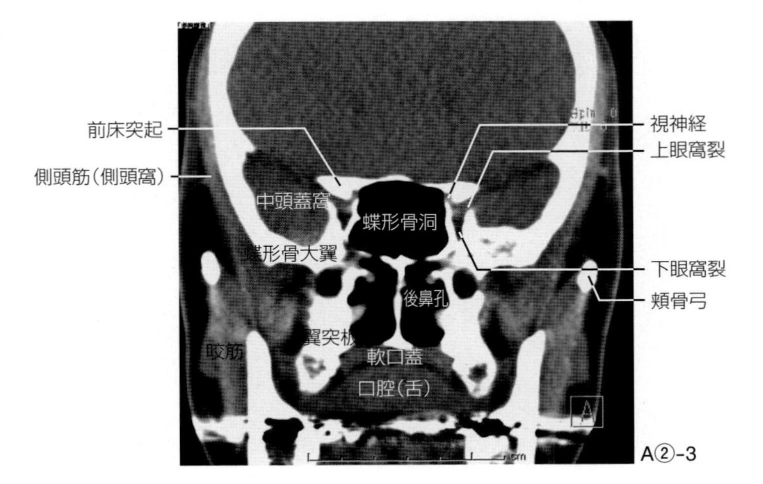

A②-3

③横断像（骨条件表示）　上→下

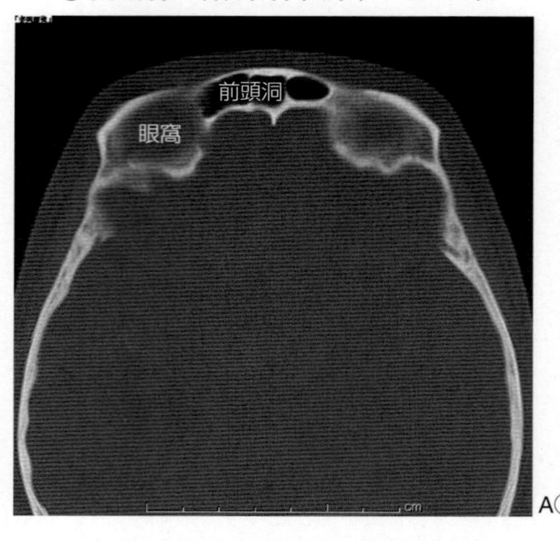

A③-1

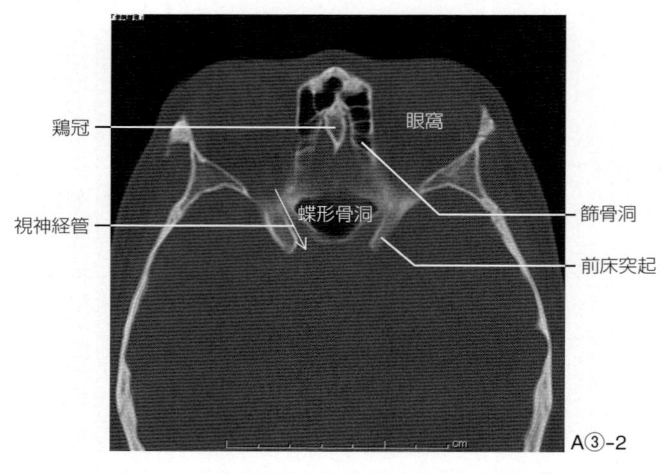

A③-2

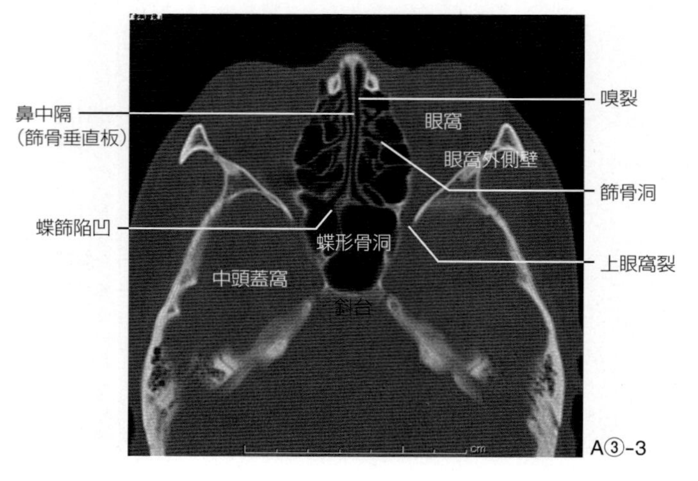

A③-3

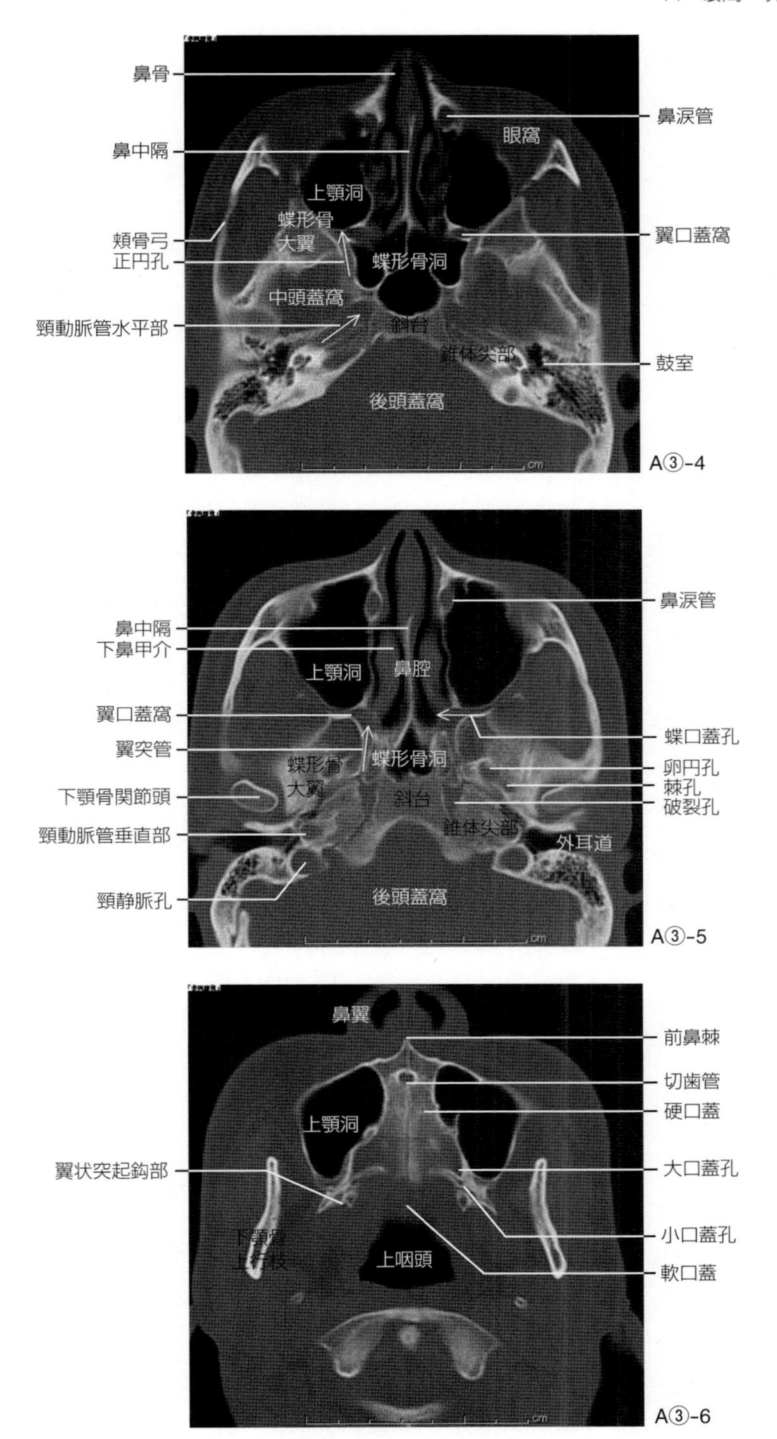
鼻骨
鼻涙管
眼窩
鼻中隔
上顎洞
蝶形骨
大翼
頬骨弓
正円孔
翼口蓋窩
蝶形骨洞
中頭蓋窩
頸動脈管水平部
斜台
錐体尖部
鼓室
後頭蓋窩
A③-4
鼻涙管
鼻中隔
下鼻甲介
上顎洞
鼻腔
翼口蓋窩
蝶口蓋孔
翼突管
蝶形骨洞
蝶形骨
大翼
卵円孔
棘孔
下顎骨関節頭
斜台
破裂孔
頸動脈管垂直部
錐体尖部
外耳道
頸静脈孔
後頭蓋窩
A③-5
鼻翼
前鼻棘
切歯管
硬口蓋
上顎洞
翼状突起鈎部
大口蓋孔
小口蓋孔
上咽頭
軟口蓋
A③-6

④横断像（軟部濃度表示）

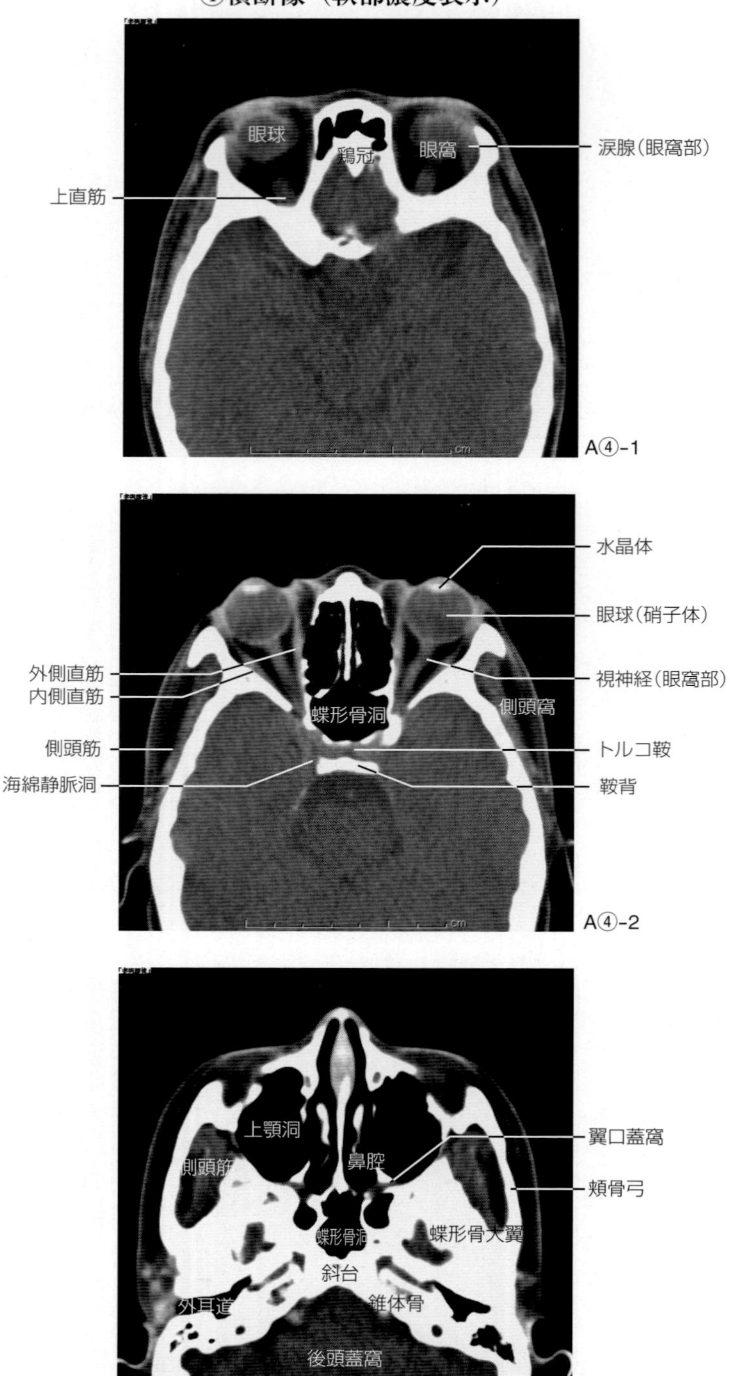
眼球
鶏冠
眼窩
涙腺（眼窩部）
上直筋
A④-1
水晶体
眼球（硝子体）
外側直筋
内側直筋
視神経（眼窩部）
蝶形骨洞
側頭窩
側頭筋
トルコ鞍
海綿静脈洞
鞍背
A④-2
上顎洞
翼口蓋窩
側頭筋
鼻腔
頬骨弓
蝶形骨洞
蝶形骨大翼
斜台
外耳道
錐体骨
後頭蓋窩
A④-3

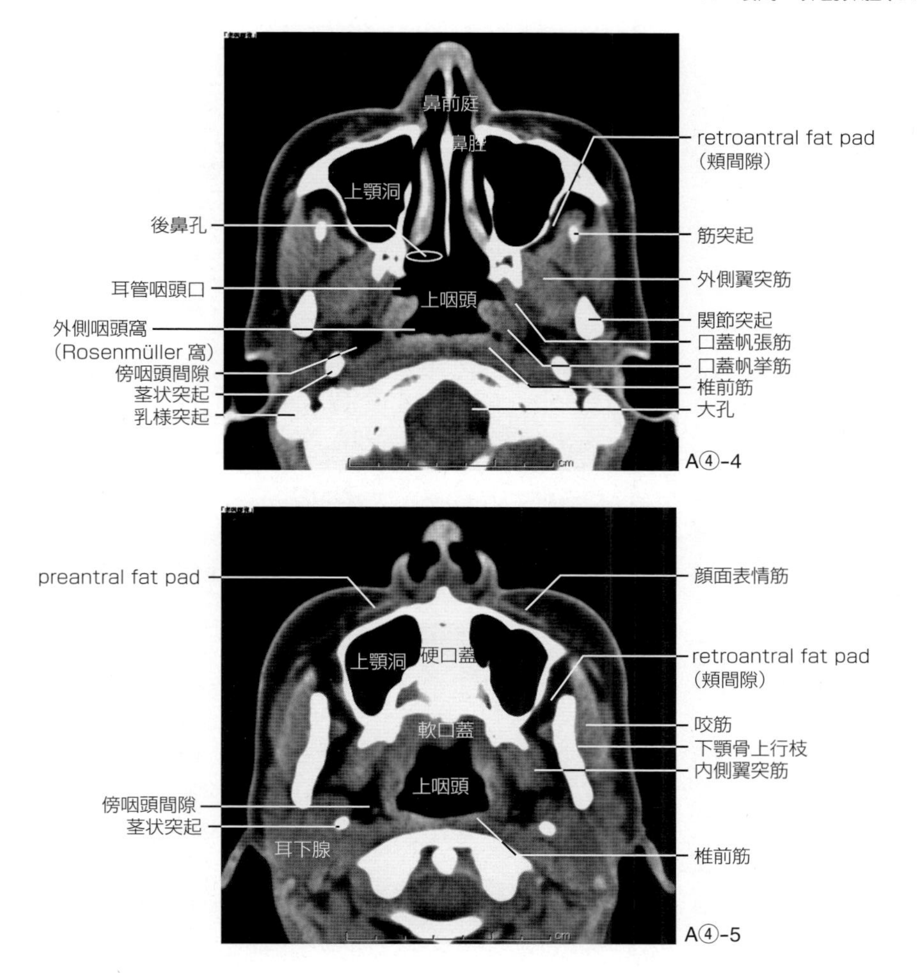
鼻前庭
鼻腔
上顎洞
上咽頭
retroantral fat pad
(頬間隙)
後鼻孔
筋突起
外側翼突筋
耳管咽頭口
関節突起
外側咽頭窩
(Rosenmüller 窩)
口蓋帆張筋
口蓋帆挙筋
傍咽頭間隙
茎状突起
椎前筋
乳様突起
大孔
cm
preantral fat pad
顔面表情筋
上顎洞
硬口蓋
retroantral fat pad
(頬間隙)
咬筋
軟口蓋
下顎骨上行枝
内側翼突筋
上咽頭
傍咽頭間隙
茎状突起
耳下腺
椎前筋
cm

A④-4

A④-5

B 上咽頭 MRI(T2W1)

①横断像

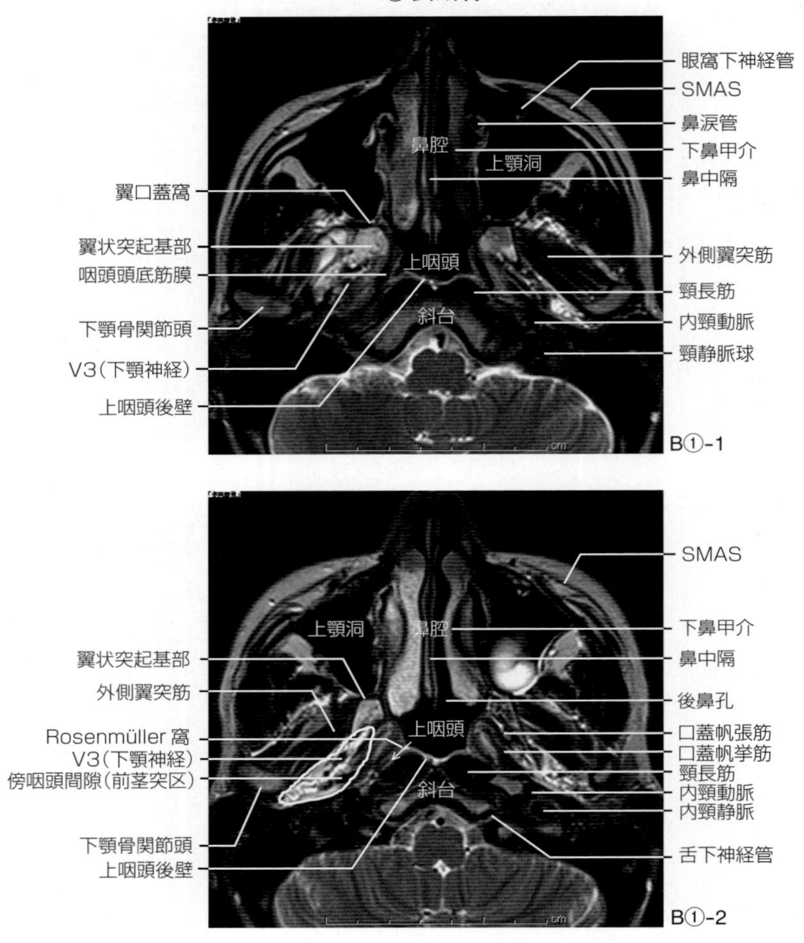

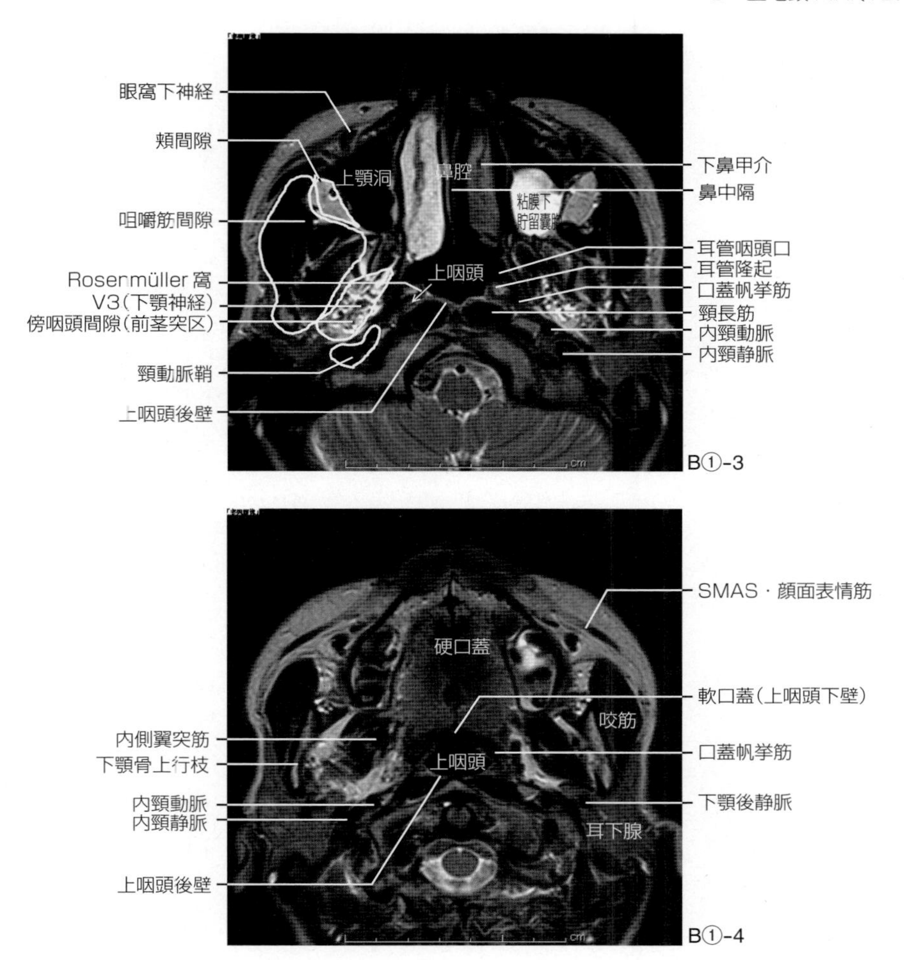
眼窩下神経
頬間隙
上顎洞
鼻腔
下鼻甲介
鼻中隔
粘膜下
貯留嚢胞
咀嚼筋間隙
耳管咽頭口
上咽頭
耳管隆起
Rosenmüller 窩
口蓋帆挙筋
V3(下顎神経)
頸長筋
傍咽頭間隙(前茎突区)
内頸動脈
内頸静脈
頸動脈鞘
上咽頭後壁
cm
SMAS・顔面表情筋
硬口蓋
軟口蓋(上咽頭下壁)
咬筋
内側翼突筋
口蓋帆挙筋
上咽頭
下顎骨上行枝
内頸動脈
下顎後静脈
内頸静脈
耳下腺
上咽頭後壁
cm

B①-3

B①-4

②冠状断像

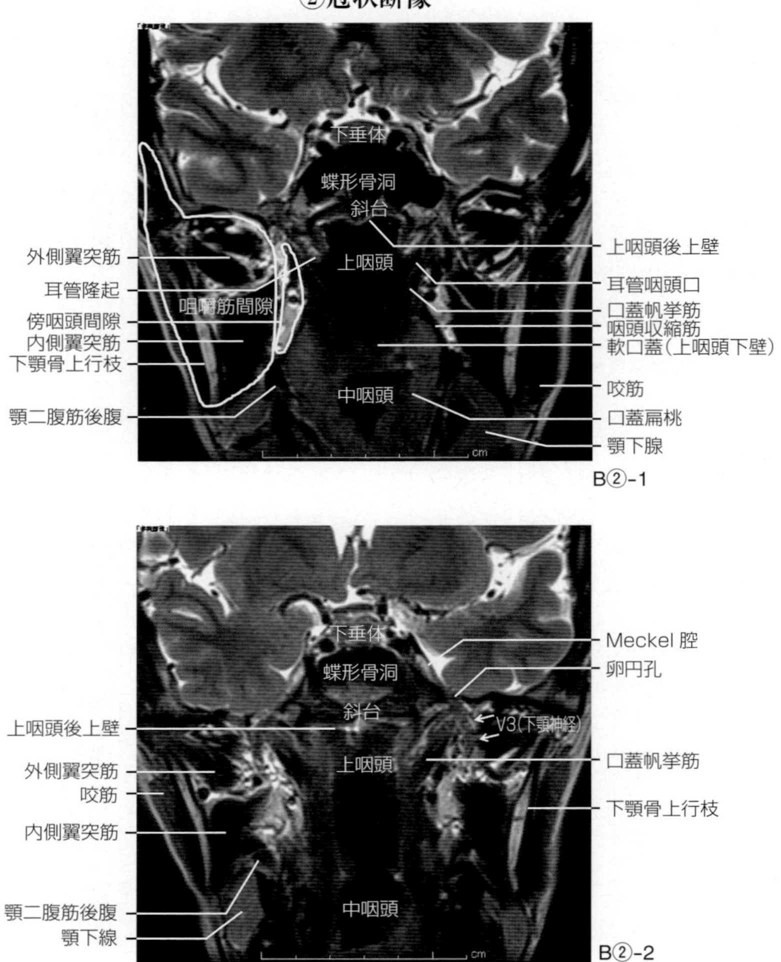
下垂体
蝶形骨洞
斜台
上咽頭
咀嚼筋間隙
中咽頭
外側翼突筋
耳管隆起
傍咽頭間隙
内側翼突筋
下顎骨上行枝
顎二腹筋後腹
上咽頭後上壁
耳管咽頭口
口蓋帆挙筋
咽頭収縮筋
軟口蓋(上咽頭下壁)
咬筋
口蓋扁桃
顎下腺
cm
B②-1
下垂体
蝶形骨洞
斜台
上咽頭
中咽頭
V3(下顎神経)
Meckel 腔
卵円孔
上咽頭後上壁
口蓋帆挙筋
外側翼突筋
咬筋
下顎骨上行枝
内側翼突筋
顎二腹筋後腹
顎下線
cm
B②-2

C　中咽頭・口腔

①造影 CT 横断像

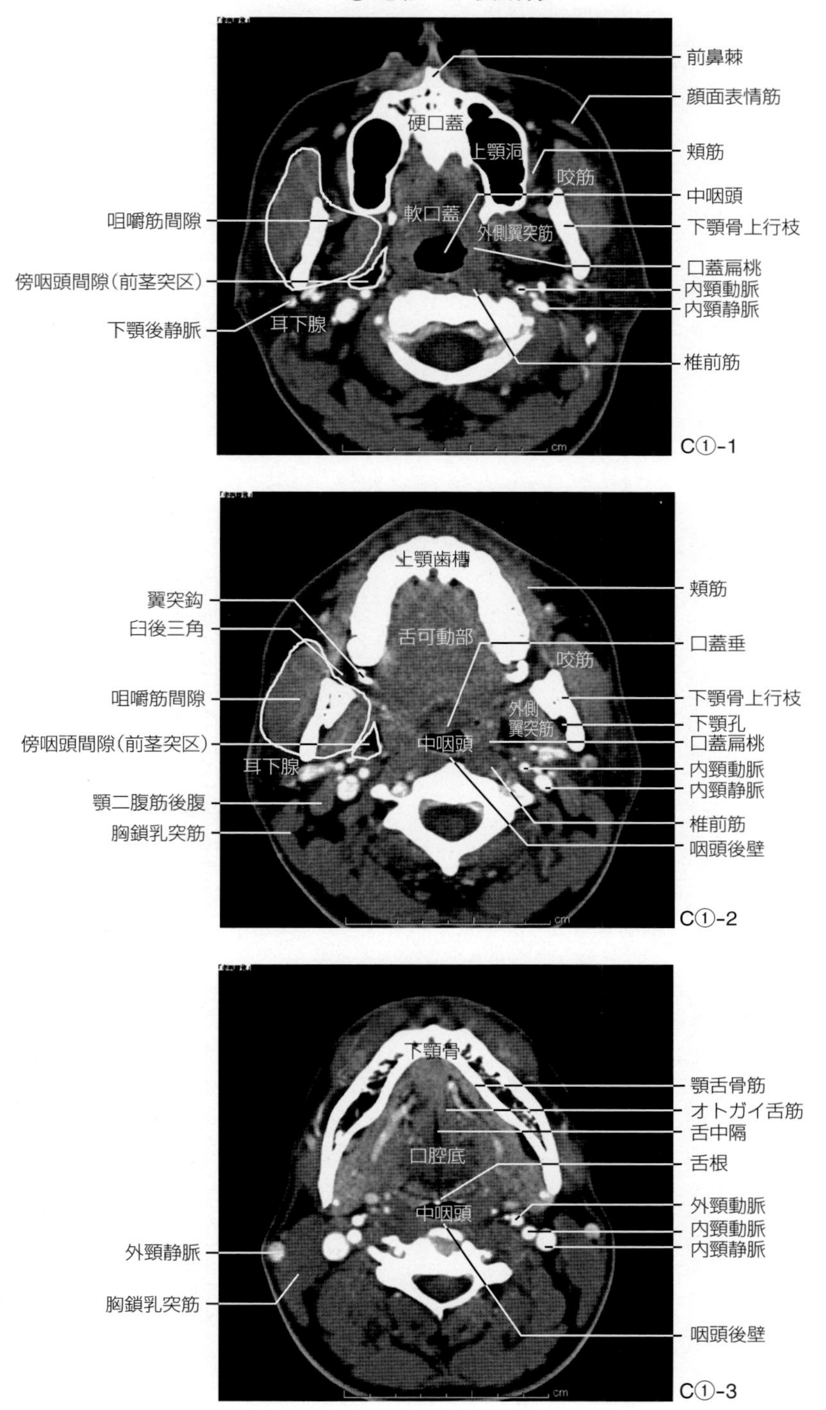

C①-1

C①-2

C①-3

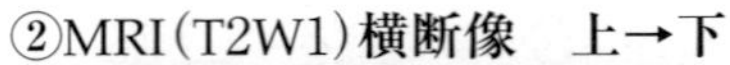

②MRI(T2W1)横断像　上→下

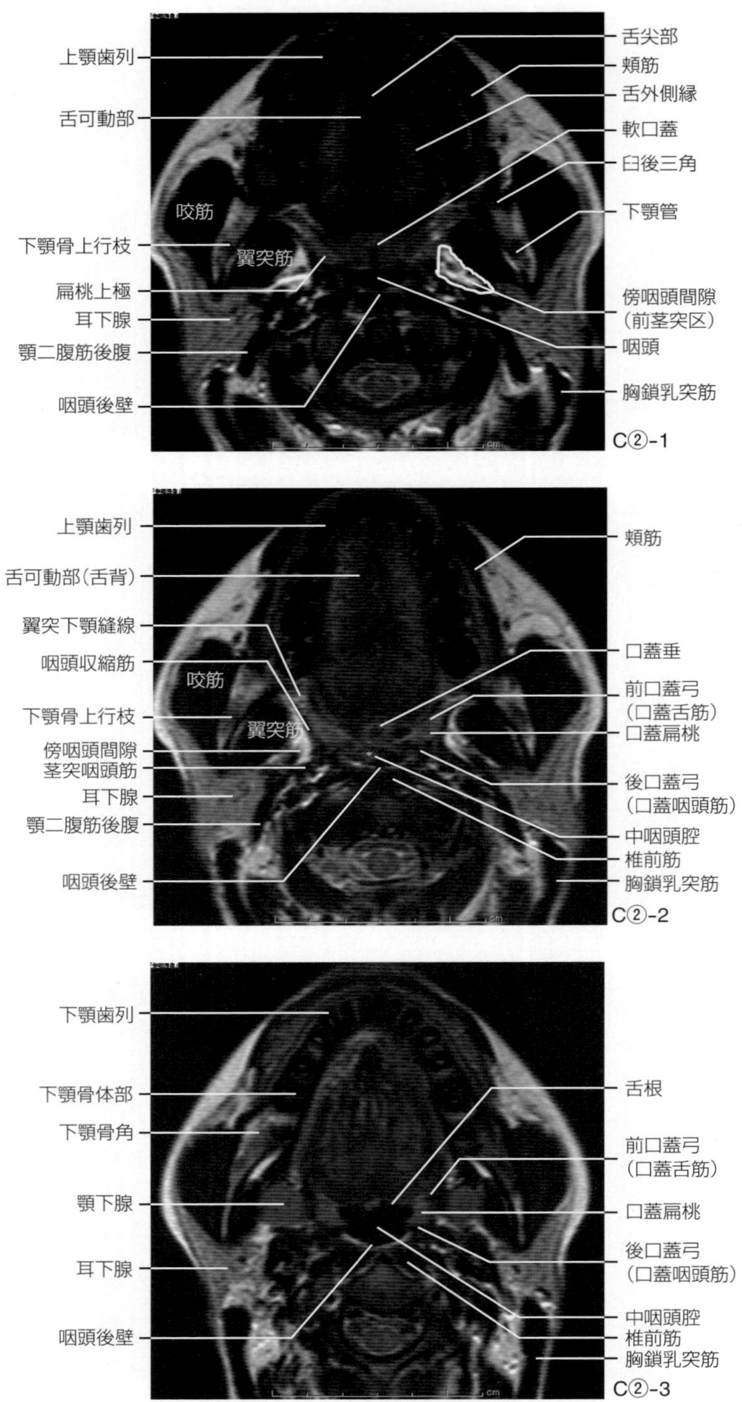

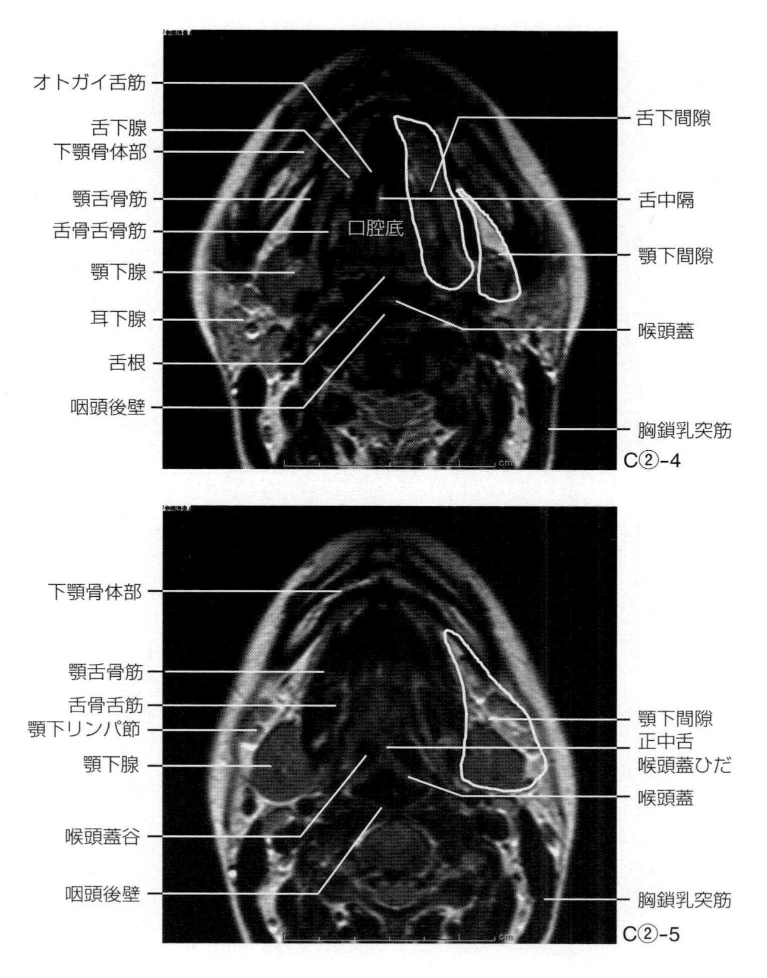
オトガイ舌筋
舌下腺
下顎骨体部
顎舌骨筋
舌骨舌骨筋
顎下腺
耳下腺
舌根
咽頭後壁
口腔底
舌下間隙
舌中隔
顎下間隙
喉頭蓋
胸鎖乳突筋
C②-4
下顎骨体部
顎舌骨筋
舌骨舌筋
顎下リンパ節
顎下腺
喉頭蓋谷
咽頭後壁
顎下間隙
正中舌
喉頭蓋ひだ
喉頭蓋
胸鎖乳突筋
C②-5

③MRI（T2W1）冠状断像

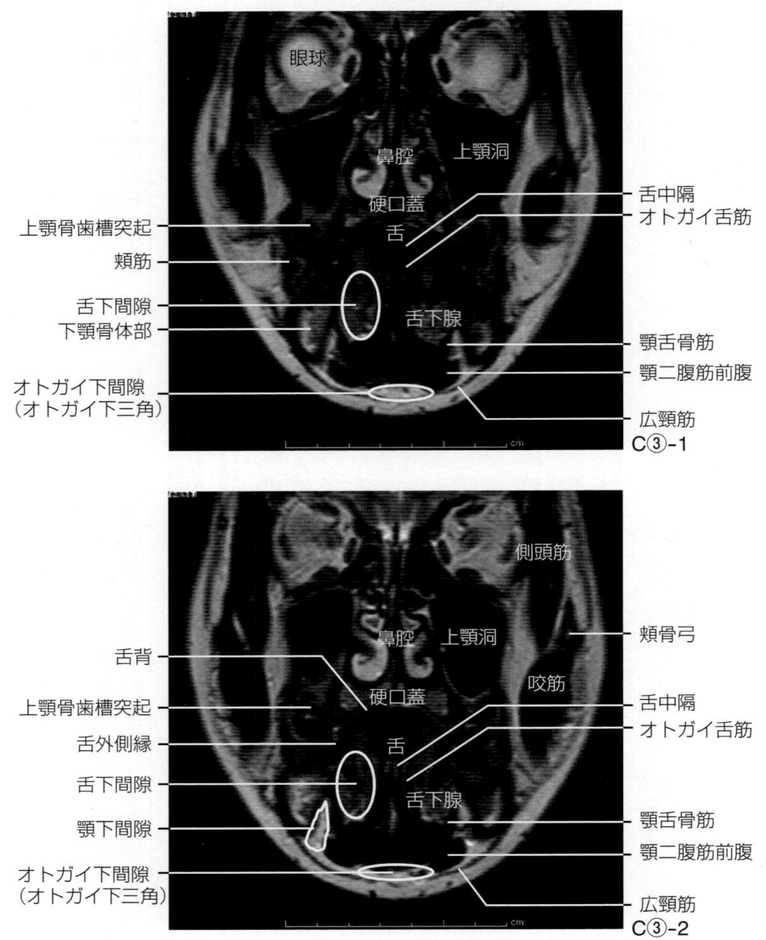

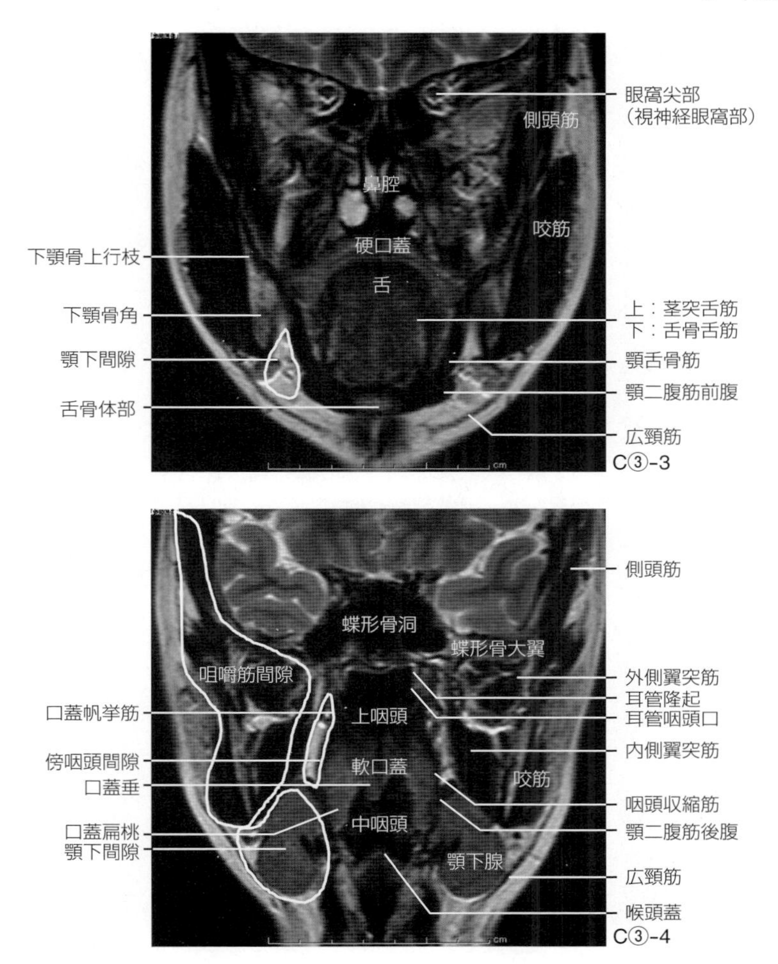
眼窩尖部
（視神経眼窩部）
側頭筋
鼻腔
咬筋
下顎骨上行枝
硬口蓋
舌
下顎骨角
上：茎突舌筋
下：舌骨舌筋
顎下間隙
顎舌骨筋
顎二腹筋前腹
舌骨体部
広頸筋
C③-3
側頭筋
蝶形骨洞
蝶形骨大翼
咀嚼筋間隙
外側翼突筋
耳管隆起
口蓋帆挙筋
上咽頭
耳管咽頭口
内側翼突筋
傍咽頭間隙
軟口蓋
咬筋
口蓋垂
咽頭収縮筋
中咽頭
口蓋扁桃
顎二腹筋後腹
顎下間隙
顎下腺
広頸筋
喉頭蓋
C③-4

D 喉頭・下咽頭

①造影 CT 横断像

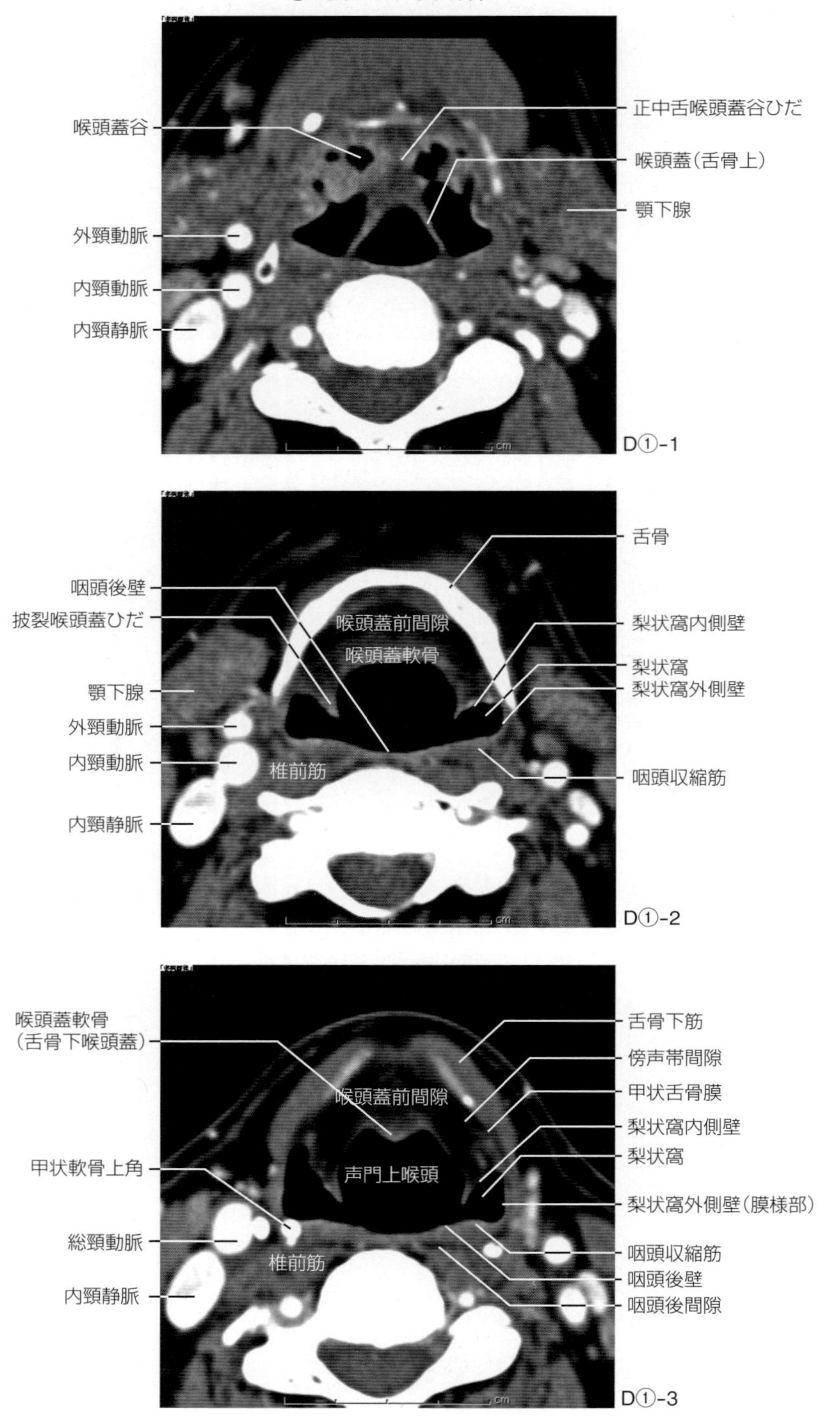

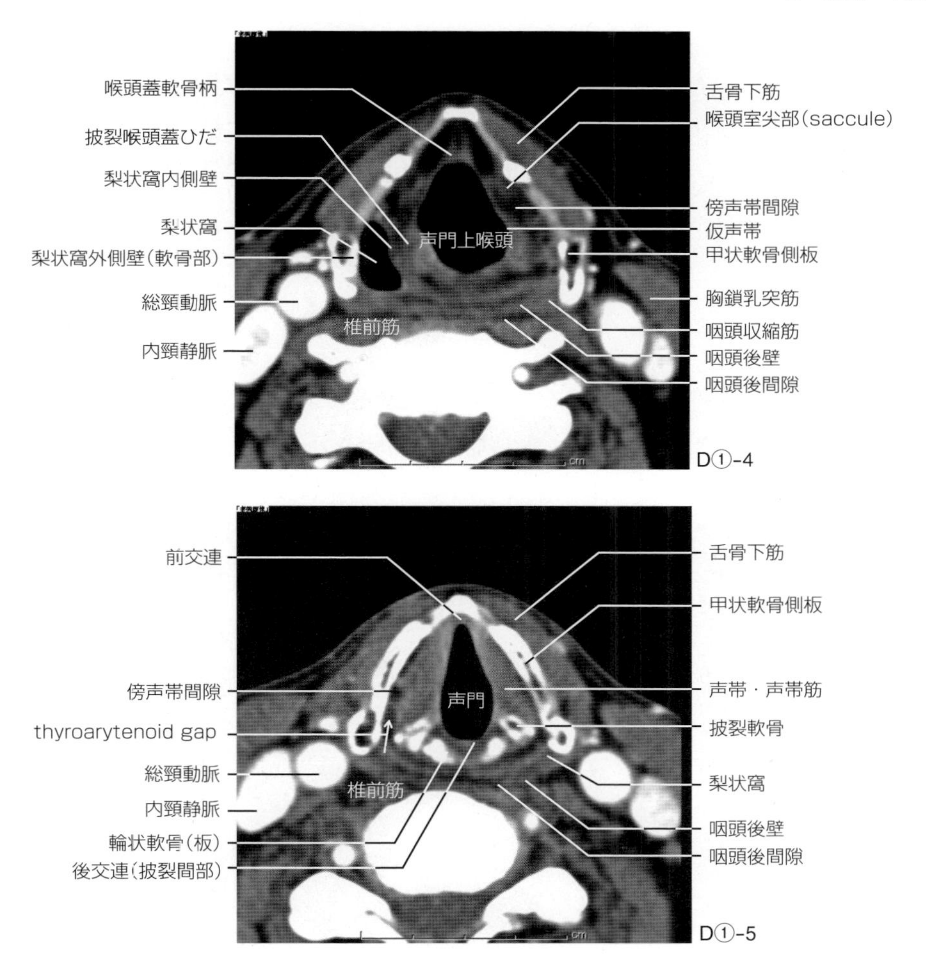
喉頭蓋軟骨柄
披裂喉頭蓋ひだ
梨状窩内側壁
梨状窩
梨状窩外側壁(軟骨部)
総頸動脈
内頸静脈
声門上喉頭
椎前筋
舌骨下筋
喉頭室尖部(saccule)
傍声帯間隙
仮声帯
甲状軟骨側板
胸鎖乳突筋
咽頭収縮筋
咽頭後壁
咽頭後間隙
D①-4
前交連
傍声帯間隙
thyroarytenoid gap
総頸動脈
内頸静脈
輪状軟骨(板)
後交連(披裂間部)
声門
椎前筋
舌骨下筋
甲状軟骨側板
声帯・声帯筋
披裂軟骨
梨状窩
咽頭後壁
咽頭後間隙
D①-5

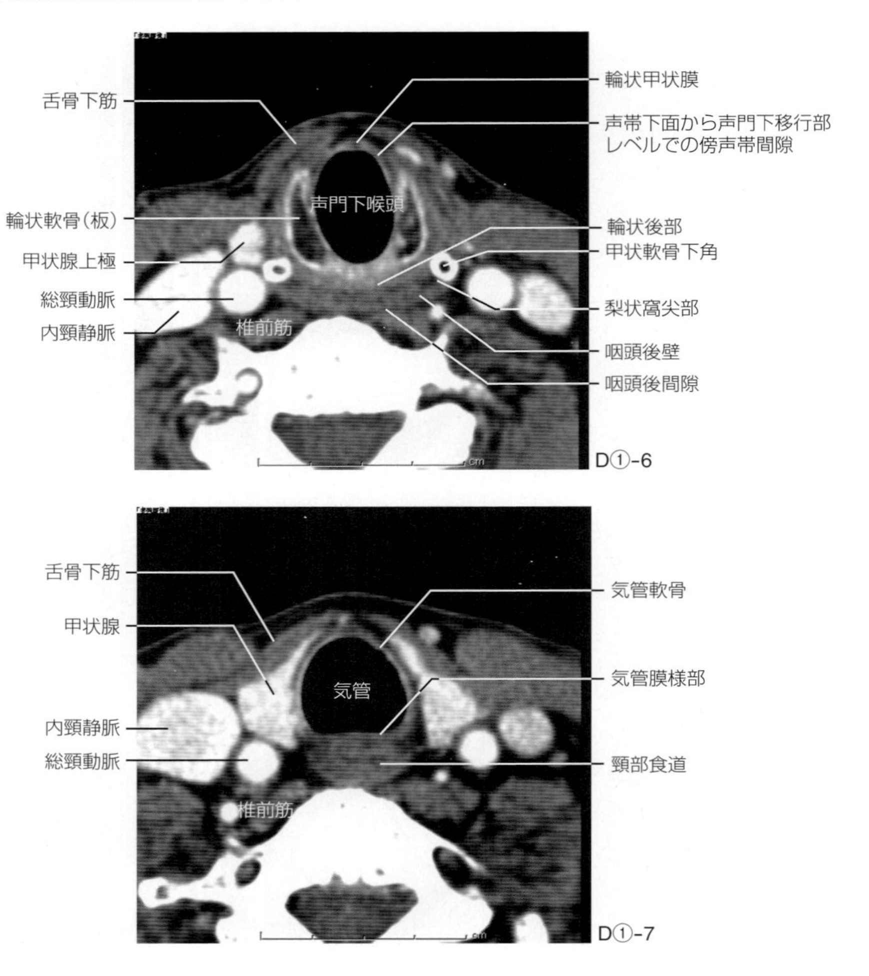
舌骨下筋
輪状甲状膜
声帯下面から声門下移行部
レベルでの傍声帯間隙
輪状軟骨(板)
声門下喉頭
輪状後部
甲状腺上極
甲状軟骨下角
総頸動脈
梨状窩尖部
内頸静脈
椎前筋
咽頭後壁
咽頭後間隙
D①-6
舌骨下筋
気管軟骨
甲状腺
気管
気管膜様部
内頸静脈
総頸動脈
頸部食道
椎前筋
D①-7

E 側頭骨

①(左)側頭骨高分解能 CT 横断像

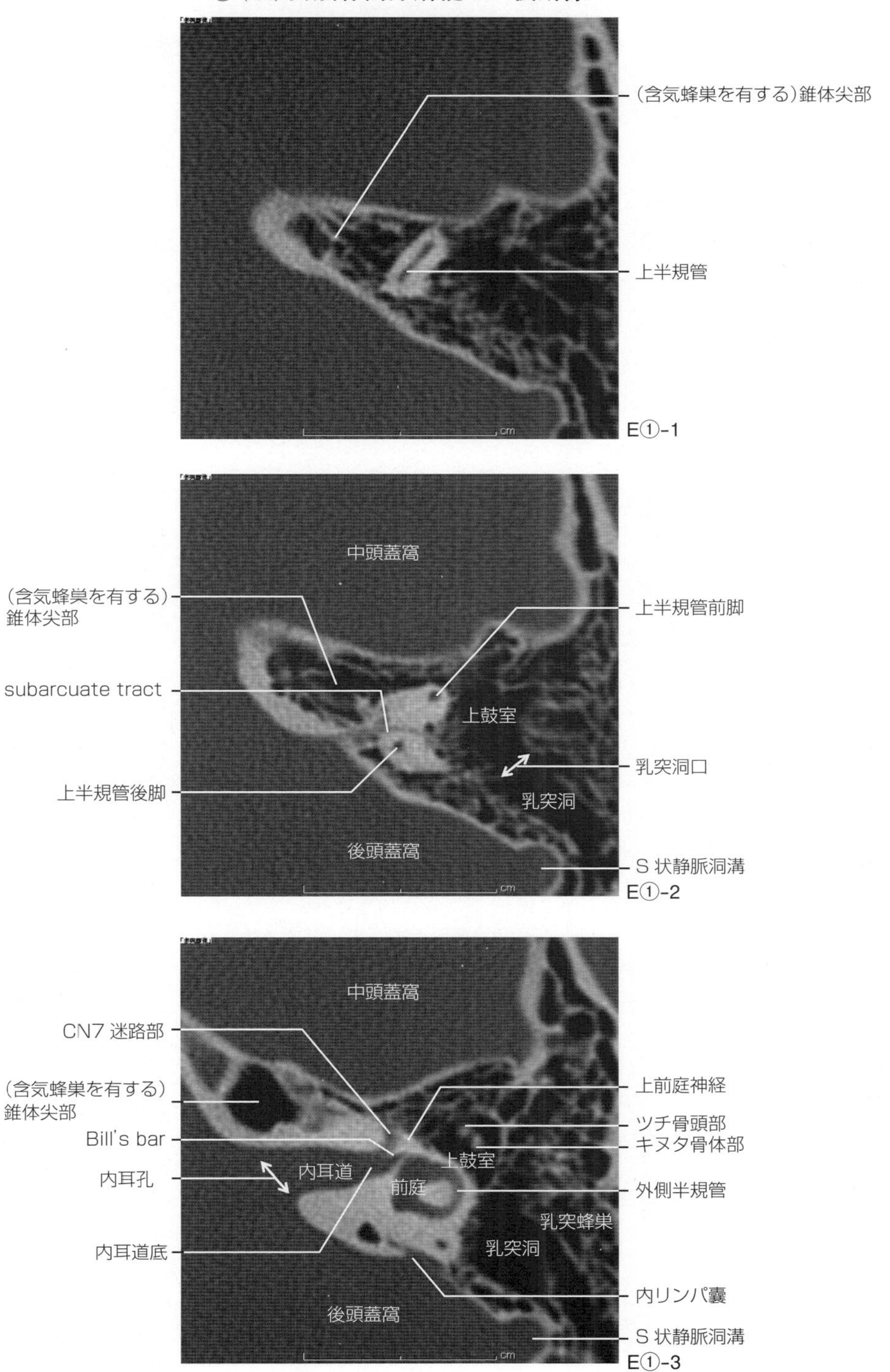

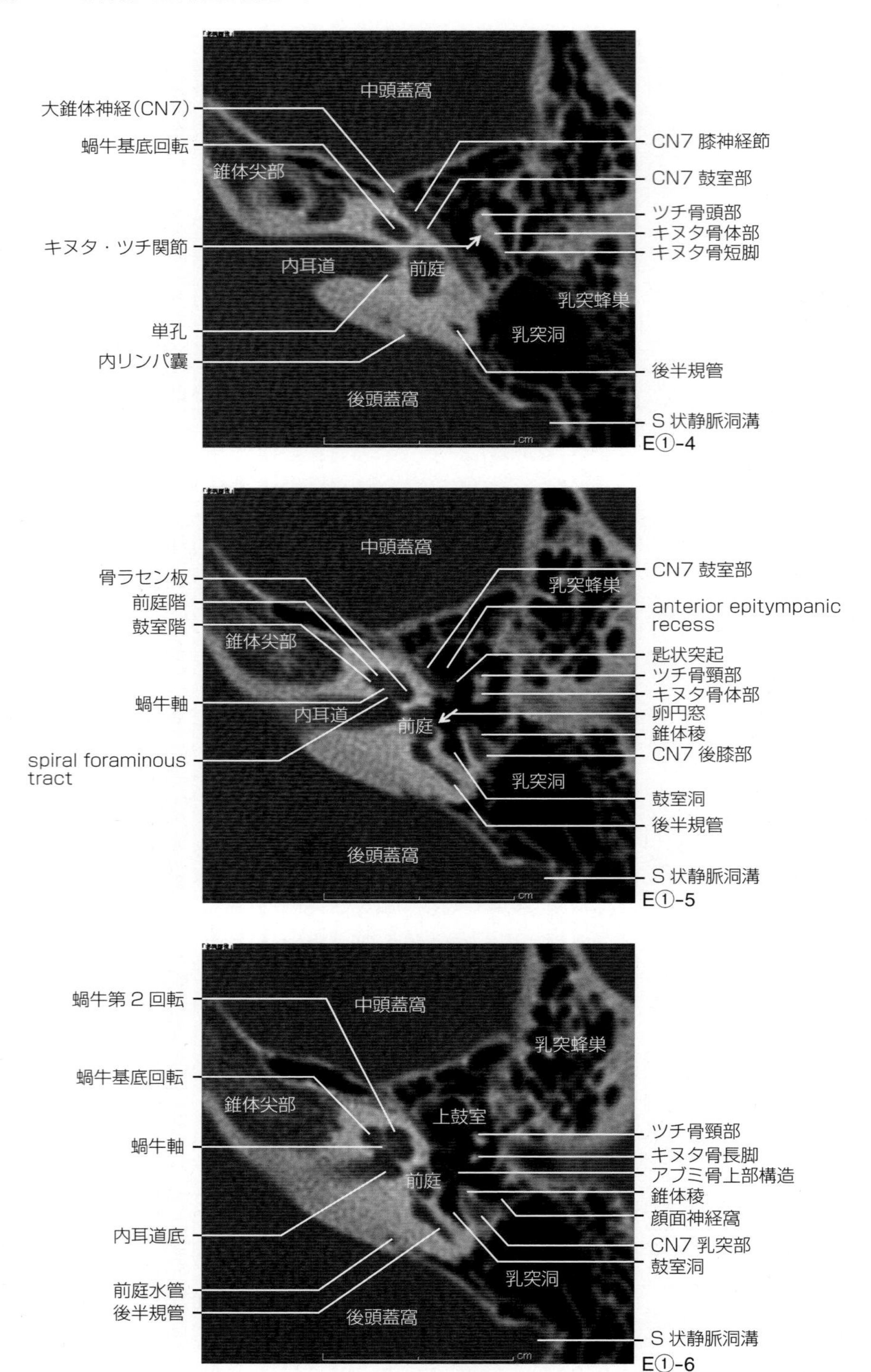
中頭蓋窩
大錐体神経(CN7)
蝸牛基底回転
錐体尖部
キヌタ・ツチ関節
内耳道
前庭
単孔
内リンパ囊
後頭蓋窩
CN7 膝神経節
CN7 鼓室部
ツチ骨頭部
キヌタ骨体部
キヌタ骨短脚
乳突蜂巣
乳突洞
後半規管
S 状静脈洞溝
E①-4
中頭蓋窩
骨ラセン板
前庭階
鼓室階
錐体尖部
蝸牛軸
内耳道
前庭
spiral foraminous tract
後頭蓋窩
CN7 鼓室部
乳突蜂巣
anterior epitympanic recess
匙状突起
ツチ骨頸部
キヌタ骨体部
卵円窓
錐体稜
CN7 後膝部
乳突洞
鼓室洞
後半規管
S 状静脈洞溝
E①-5
中頭蓋窩
蝸牛第 2 回転
乳突蜂巣
蝸牛基底回転
錐体尖部
上鼓室
蝸牛軸
前庭
内耳道底
前庭水管
後半規管
後頭蓋窩
ツチ骨頸部
キヌタ骨長脚
アブミ骨上部構造
錐体稜
顔面神経窩
CN7 乳突部
鼓室洞
乳突洞
S 状静脈洞溝
E①-6

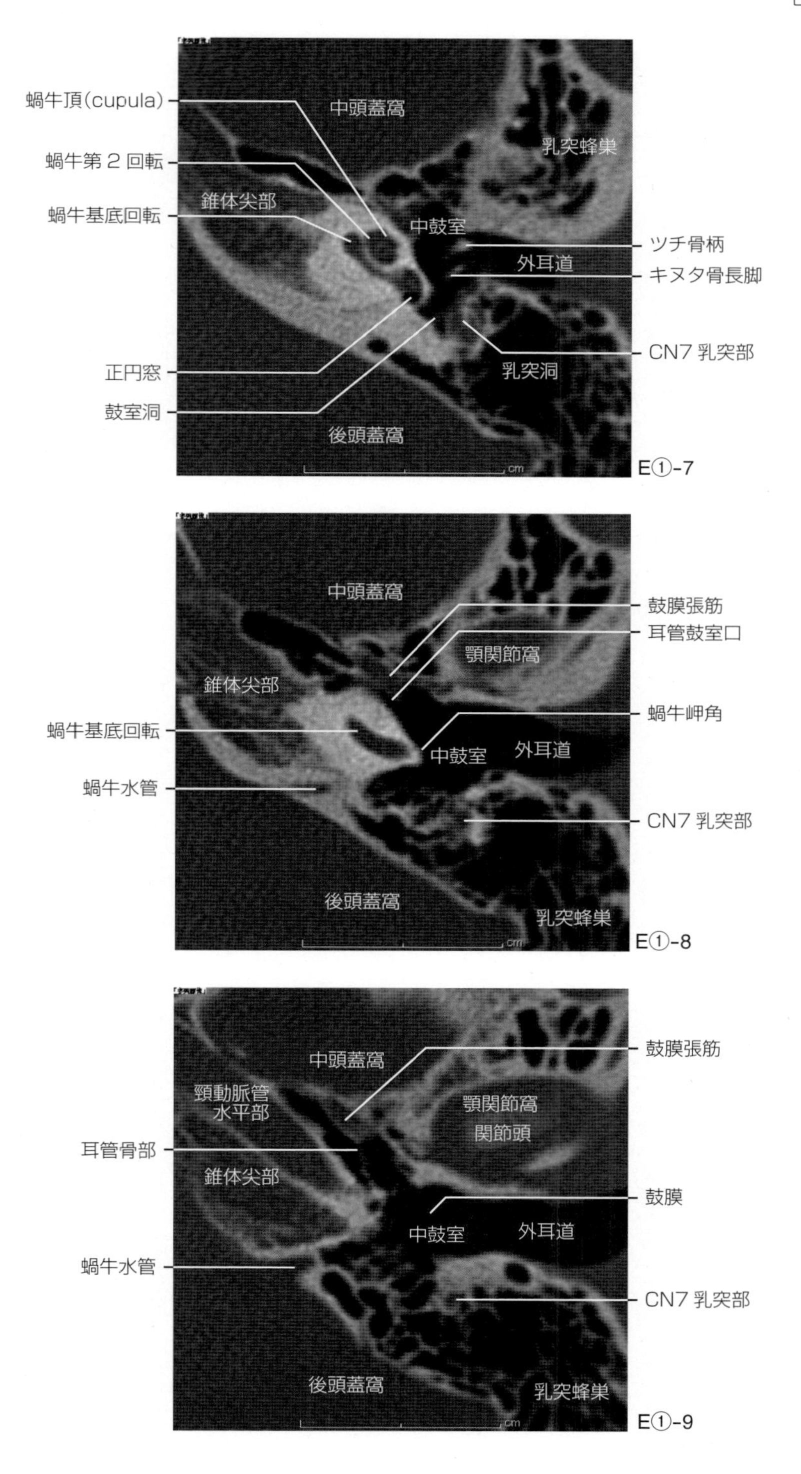
蝸牛頂(cupula)
中頭蓋窩
乳突蜂巣
蝸牛第 2 回転
錐体尖部
蝸牛基底回転
中鼓室
ツチ骨柄
外耳道
キヌタ骨長脚
CN7 乳突部
乳突洞
正円窓
鼓室洞
後頭蓋窩
E①-7
中頭蓋窩
鼓膜張筋
耳管鼓室口
顎関節窩
錐体尖部
蝸牛岬角
蝸牛基底回転
中鼓室
外耳道
蝸牛水管
CN7 乳突部
後頭蓋窩
乳突蜂巣
E①-8
鼓膜張筋
中頭蓋窩
頸動脈管
水平部
顎関節窩
関節頭
耳管骨部
錐体尖部
鼓膜
中鼓室
外耳道
蝸牛水管
CN7 乳突部
後頭蓋窩
乳突蜂巣
E①-9

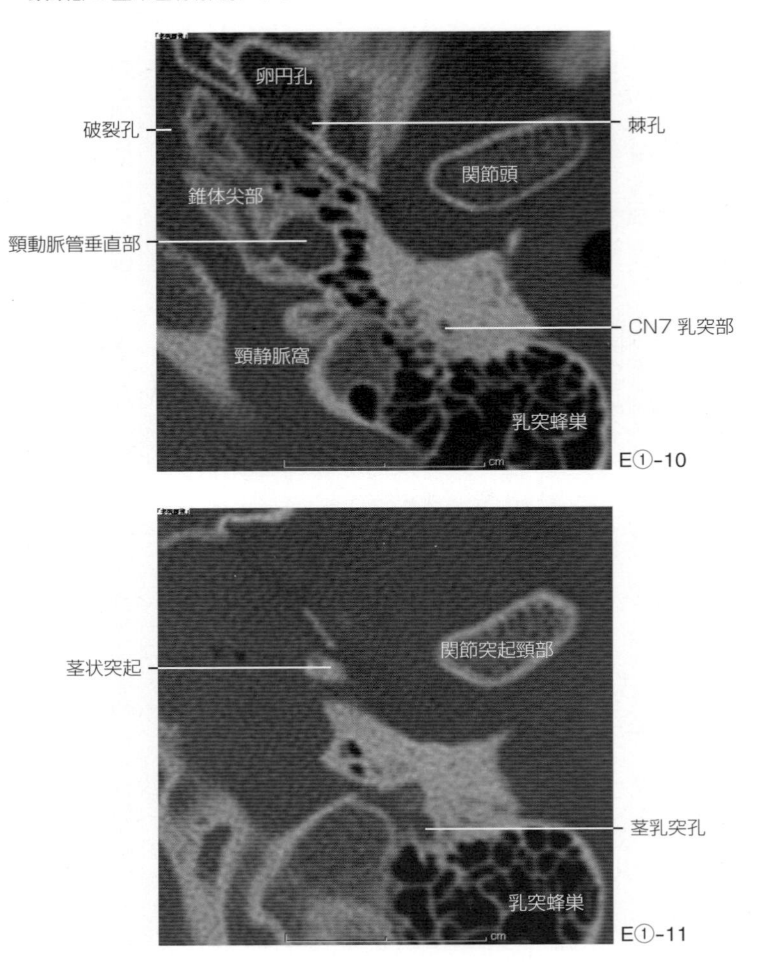
卵円孔
破裂孔
棘孔
関節頭
錐体尖部
頸動脈管垂直部
CN7 乳突部
頸静脈窩
乳突蜂巣
cm
E①-10
茎状突起
関節突起頸部
茎乳突孔
乳突蜂巣
cm
E①-11

②(左)側頭骨高分解能 CT 冠状断像

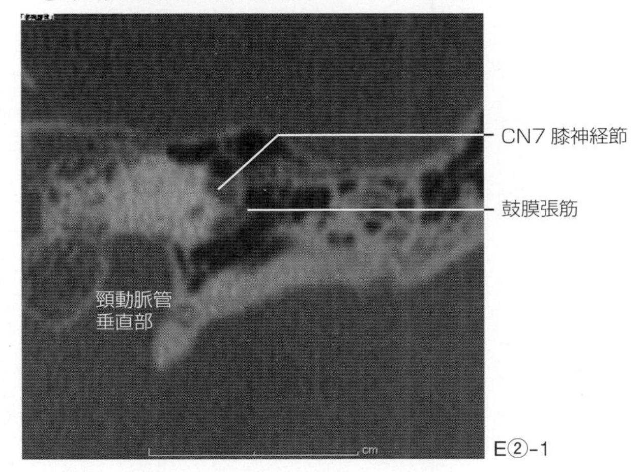

E②-1

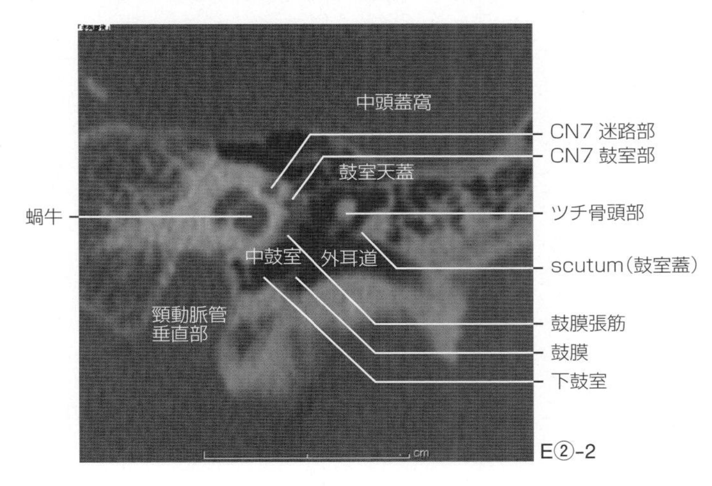

E②-2

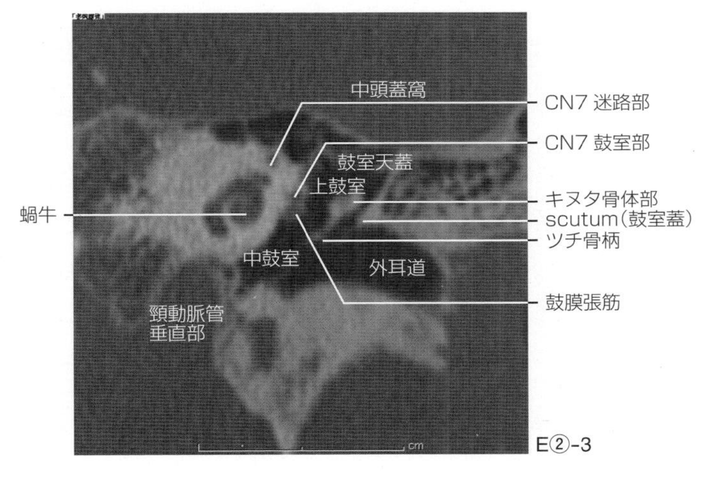

E②-3

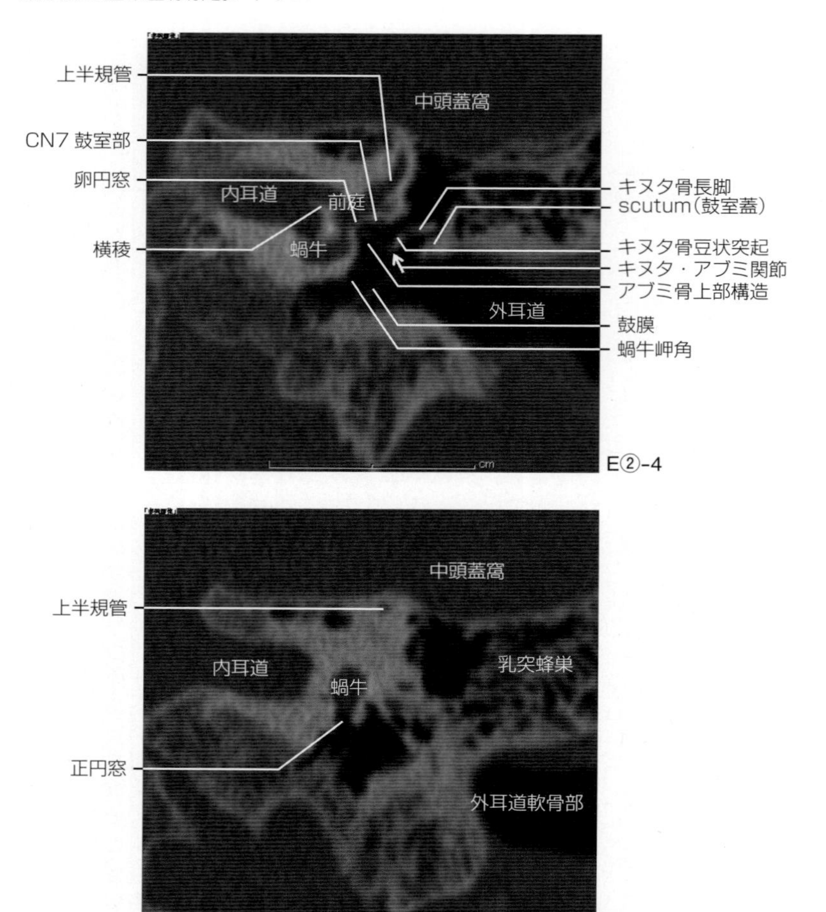
上半規管
CN7 鼓室部
卵円窓
横稜
中頭蓋窩
内耳道
前庭
蝸牛
キヌタ骨長脚
scutum(鼓室蓋)
キヌタ骨豆状突起
キヌタ・アブミ関節
アブミ骨上部構造
外耳道
鼓膜
蝸牛岬角
cm
E②-4
上半規管
中頭蓋窩
内耳道
蝸牛
乳突蜂巣
正円窓
外耳道軟骨部
cm
E②-5

③(右)側頭骨 MRI true-FISP 横断像

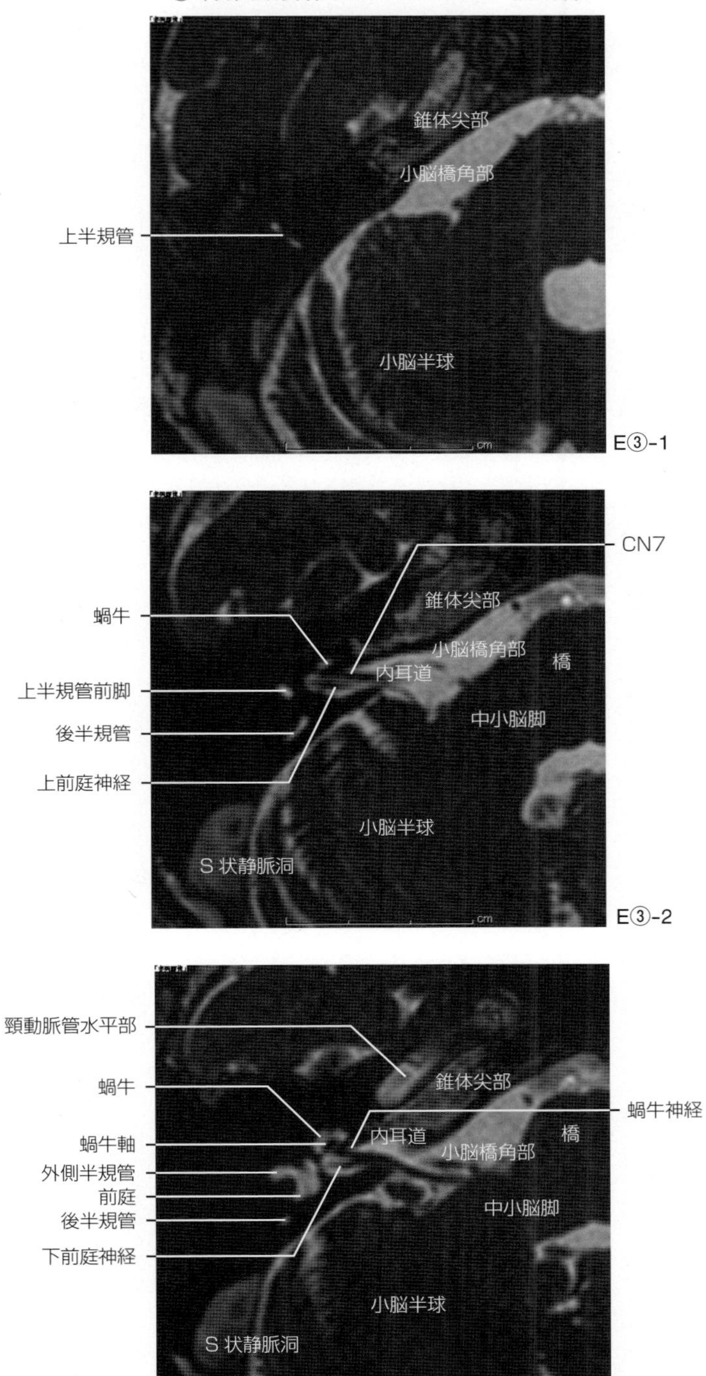

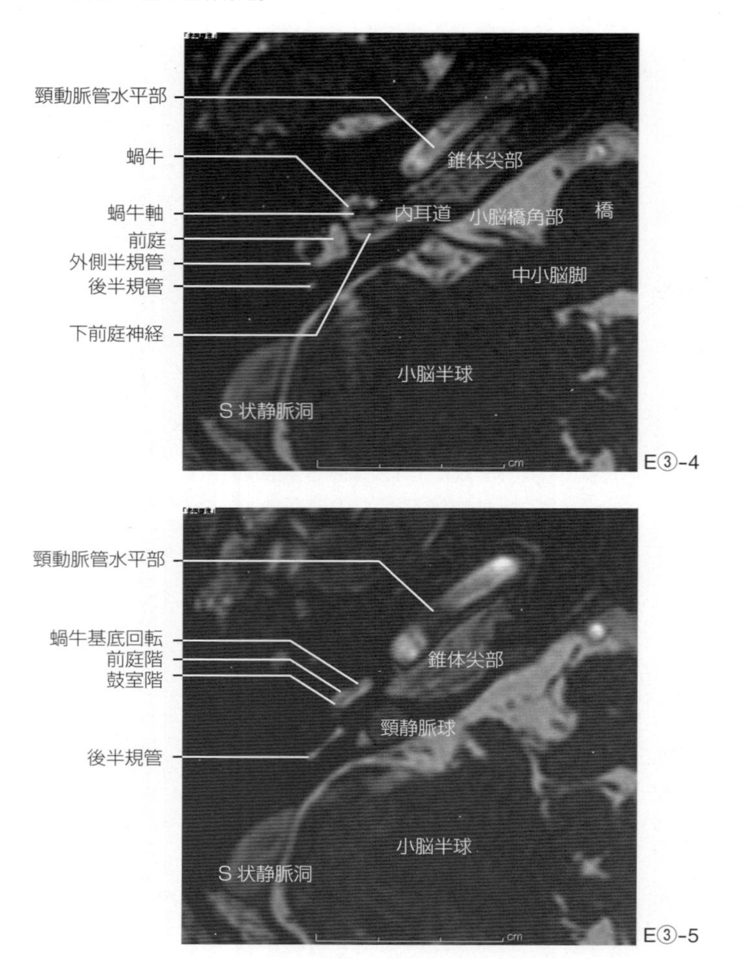
頸動脈管水平部
蝸牛
蝸牛軸
前庭
外側半規管
後半規管
下前庭神経
錐体尖部
内耳道
小脳橋角部
橋
中小脳脚
小脳半球
S 状静脈洞
cm
E③-4
頸動脈管水平部
蝸牛基底回転
前庭階
鼓室階
後半規管
錐体尖部
頸静脈球
小脳半球
S 状静脈洞
cm
E③-5

索引

和文

キ

ク

ケ

コ

サ

シ

ス

セ

ソ

タ

チ

ツ

テ

ト

ナ

ニ

ネ

ノ

ハ

ヒ

フ

ヘ

ホ

マ

ミ

ム

メ

モ

ユ

ヨ

ラ

リ

ル

レ

ロ

ワ

欧文

A

B

C

D

E

F

G

H

I

J

N

O

P

Q

R

S

T

U

V

W

X

Z